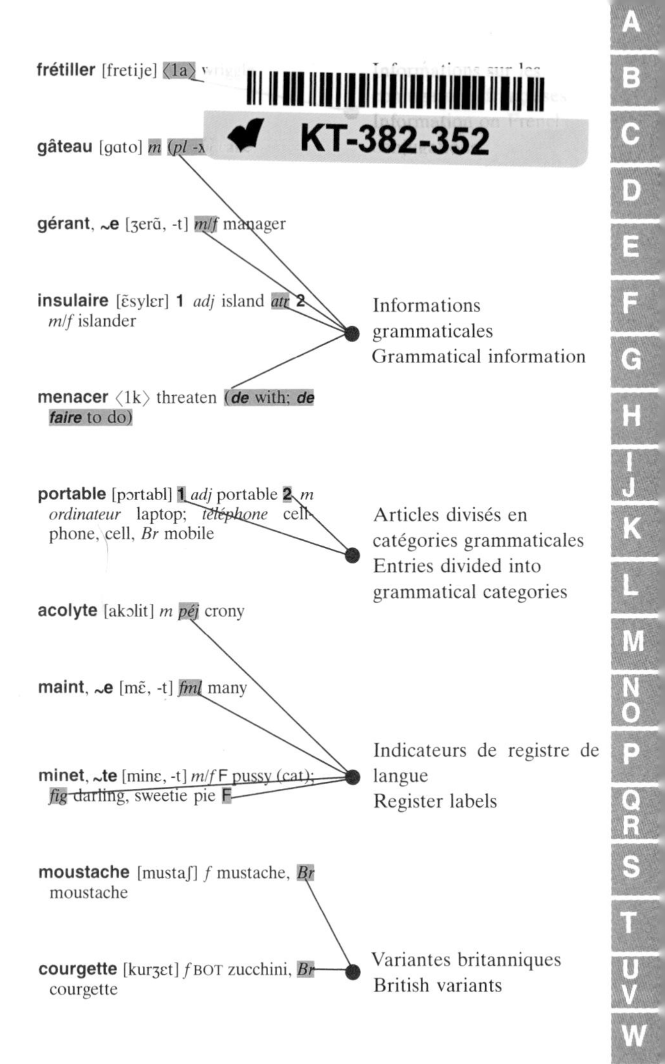

KT-382-352
frétiller [fretije] ⟨1a⟩
gâteau [gɑto] m (pl -x
gérant, ~e [ʒerɑ̃, -t] m/f manager
insulaire [ɛ̃sylɛr] 1 adj island atr 2 m/f islander
menacer ⟨1k⟩ threaten (de with; de faire to do)
Informations grammaticales
Grammatical information
portable [pɔrtabl] 1 adj portable 2 m ordinateur laptop; téléphone cell-phone, cell, Br mobile
Articles divisés en catégories grammaticales
Entries divided into grammatical categories
acolyte [akɔlit] m péj crony
maint, ~e [mɛ̃, -t] fml many
minet, ~te [minɛ, -t] m/f F pussy (cat); fig darling, sweetie pie F
Indicateurs de registre de langue
Register labels
moustache [mustaʃ] f mustache, Br moustache
courgette [kurʒɛt] f BOT zucchini, Br courgette
Variantes britanniques
British variants

Langenscheidt
Pocket French Dictionary

French – English
English – French

Edited by the
Langenscheidt Editorial Staff

Langenscheidt

New York · Berlin · Munich · Vienna · Zurich

Compiled by LEXUS with: / Réalisé par LEXUS :

Sandrine François • Jane Goldie
Claire Guerreau • Julie Le Boulanger
Peter Terrell

Printed in Germany

Preface

Here is a new dictionary of English and French, a tool with some 50,000 references for those who work with the English and French languages at beginner's or intermediate level.

Focusing on modern usage, the dictionary offers coverage of everyday language and this means including vocabulary from areas such as computer use and business. English means both American and British English.

The editors have provided a reference tool to enable the user to get straight to the translation that fits a particular context of use. Indicating words are given to identify senses. Is the *box* you use to store things in, for example, the same in French as the *box* you enter data in on a form? Is *flimsy* referring to furniture the same in French as *flimsy* referring to an excuse? This dictionary is rich in sense distinctions like this and in translation options tied to specific, identified senses.

Vocabulary needs grammar to back it up. So in this dictionary you'll find irregular verb forms, in both English and French, irregular English plural forms, guidance on French feminine endings and French plurals and on prepositional usage with verbs.

Since some vocabulary items are often only clearly understood when contextualized, a large number of idiomatic phrases are given to show how the two languages correspond in particular contexts.

All in all, this is a book full of information, which will, we hope, become a valuable part of your language toolkit.

Préface

Nous vous présentons un tout nouveau dictionnaire d'anglais et de français, proposant plus de 50 000 mots et expressions à l'attention de tous ceux qui utilisent les langues anglaise et française à un niveau débutant ou intermédiaire.

Axé sur l'usage moderne, ce dictionnaire est consacré à la langue de tous les jours et couvre ainsi de multiples domaines, parmi lesquels l'informatique ou encore le commerce. Ici, anglais signifie à la fois anglais américain et anglais britannique.

Les rédacteurs ont conçu un ouvrage de référence permettant à l'utilisateur de trouver directement la traduction adaptée à un contexte particulier. Des indicateurs contextuels et sémantiques permettent de distinguer les différents sens d'un mot. Par exemple, est-ce que l'*égalité* des hommes se traduit en anglais de la même façon que l'*égalité* dans un match de tennis ? Est-ce que l'on dit la même chose en anglais pour *plaquer* un meuble ou *plaquer* sa copine ? Le dictionnaire regorge de distinctions sémantiques de ce type et de choix de traductions liés à un sens spécifique et identifié.

Le vocabulaire ne se suffisant pas à lui-même pour communiquer dans une langue, il doit être complété par des connaissances grammaticales. C'est pourquoi vous trouverez dans ce dictionnaire des formes verbales irrégulières, aussi bien en anglais qu'en français, des pluriels irréguliers anglais ainsi que des indications sur les terminaisons des féminins et pluriels français et sur l'usage des prépositions avec les verbes.

Étant donné que certains mots de vocabulaire ne peuvent être vraiment compris qu'en contexte, le dictionnaire propose un grand nombre d'expressions idiomatiques pour montrer les correspondances entre les deux langues dans des contextes particuliers.

En résumé, voici un ouvrage rempli d'informations qui, nous espérons, vous sera d'une aide précieuse pour tous vos échanges en anglais.

Contents

How to use the dictionary

To get the most out of your dictionary you should understand how and where to find the information you need. Whether you are yourself writing text in a foreign language or wanting to understand text that has been written in a foreign language, the following pages should help.

1. How and where do I find a word?

1.1 French and English headwords. The word list for each language is arranged in alphabetical order and also gives irregular forms of verbs and nouns in their correct alphabetical order.

Sometimes you might want to look up terms made up of two separate words, for example **shooting star**, or hyphenated words, for example **hands-on**. These words are treated as though they were a single word and their alphabetical ordering reflects this.

The only exception to this strict alphabetical ordering is made for English phrasal verbs - words like **go off**, **go out**, **go up**. These are positioned in a block directly after their main verb (in this case **go**), rather than being split up and placed apart.

French headwords belonging to a group of related words are run on in a block. All headwords are given in blue:

> **fumée** [fyme] *f* smoke; **fumer** ⟨1a⟩ smoke; ***défense de ~*** no smoking; **fumeur**, **-euse** *m/f* smoker; **fumeux**, **-euse** *fig* hazy

1.2 French feminine headwords are shown as follows:

> **commentateur**, **-trice** *m/f* commentator
> **danseur**, **-euse** *m/f* dancer
> **débutant**, **~e** [debytɑ̃, -t] *m/f* beginner
> **délégué**, **~e** *m/f* delegate
> **dentiste** *m/f* dentist
> **échotier**, **-ère** [ekɔtje, -ɛr] *m/f* gossip columnist

When a French headword has a feminine form which translates differently from the masculine form, the feminine is entered as a separate headword in alphabetical order:

dépanneur *m* repairman; *pour voitures* mechanic; **dépanneuse** *f* wrecker, *Br* tow truck

1.3 Running heads

If you are looking for a French or English word you can use the **running heads** printed in bold in the top corner of each page. The running head on the left tells you the *first* headword on the left-hand page and the one on the right tells you the *last* headword on the right-hand page.

1.4 How is the word spelt?

You can look up the spelling of a word in your dictionary in the same way as you would in a spelling dictionary. British spelling variants are marked *Br.*

2. How do I split a word?

French speakers find English hyphenation very difficult. All you have to do with this dictionary is look for the bold dots between syllables. These dots show you where you can split a word at the end of a line. But you should avoid having just one letter before or after the hyphen as in **a·mend** or **thirst·y**. In such cases it is better to take the entire word over to the next line.

2.1 When an English or a French word is written with a hyphen, then this dictionary makes a distinction between a hyphen which is given just because the dictionary line ends at that point and a hyphen which is actually part of the word. If the hyphen is a real hyphen then it is repeated at the start of the following line. So, for example:

radio [radjo] *f* radio; (*radiographie*) X-
-ray; **~ *privée*** commercial radio; ***passer une*** **~** have an X-ray

Here the hyphen in *X-ray* is a real hyphen; the hyphen in *passer* is not.

3. Swung dashes

3.1 A swung dash (~) replaces the entire headword, when the headword is repeated within an entry:

face [feɪs] **1** *n* visage *m*, figure *f*; *of mountain* face *f*; ***~ to ~*** en personne; ***lose ~*** perdre la face

Here ***~ to ~*** means ***face to face***.

pont [põ] *m* bridge; MAR deck; ***~ aérien*** airlift; ***faire le ~*** make a long weekend of it

Here ***faire le ~*** means ***faire le pont***.

3.2 When a headword changes form in an entry, for example if it is put in the past tense or in the plural, then the past tense or plural ending is added to the swung dash – but only if the rest of the word doesn't change:

flame [fleɪm] *n* flamme *f*; ***go up in ~s*** être détruit par le feu
compliment [kõplimɑ̃] *m* compliment; ***mes ~s*** congratulations

But:

sur·vive [sər'vaɪv] **1** *v/i* survivre; ***how are you? – I'm surviving*** comment ça va? – pas trop mal
affirmatif, **-ive** [afirmatif, -iv] ... ***répondre par l'affirmative*** answer in the affirmative

3.3 Double headwords are replaced by a single swung dash:

'cash flow COM trésorerie *f*; ***I've got ~ problems*** j'ai des problèmes d'argent
'one-track mind *hum*: ***have a ~*** ne penser qu'à ça

4. What do the different typefaces mean?

4.1 All French and English headwords and the Arabic numerals differentiating between parts of speech appear in **bold**:

'outline 1 *n* silhouette *f*; *of plan, novel* esquisse *f* **2** *v/t plans etc* ébaucher
antagoniste 1 *adj* antagonistic **2** *m/f* antagonist

4.2 *Italics* are used for :

a) abbreviated grammatical labels: *adj*, *adv*, *v/i*, *v/t* etc
b) gender labels: *m*, *f*, *mpl* etc
c) all the indicating words which are the signposts pointing to the correct translation for your needs. Here are some examples of indicating words in italics:

squeak [skwi:k] **1** *n of mouse* couinement *m*; *of hinge* grincement *m*

◆**work out** **1** *v/t solution*, (*find out*) trouver; *problem* résoudre **2** *v/i at gym* s'entraîner; *of relationship, arrangement etc* bien marcher

spirituel, **~le** spiritual; (*amusant*) witty

agrafe [agraf] *f d'un vêtement* fastener, hook; *de bureau* staple

réussir ⟨2a⟩ **1** *v/i d'une personne* succeed; ***~ à faire qch*** manage to do sth, succeed in doing sth **2** *v/t vie, projet* make a success of; *examen* be successful in

Note: subjects of verbs are given with *of* or *d'un*, *d'une* etc.

4.3 All phrases (examples and idioms) are given in ***bold italics***:

shave [ʃeɪv] **1** *v/t* raser **2** *v/i* se raser **3** *n*: ***have a ~*** se raser; ***that was a close ~*** on l'a échappé belle

porte [pɔrt] *f* door; *d'une ville* gate; ***entre deux ~s*** very briefly; ***mettre qn à la ~*** throw s.o. out, show s.o. the door

4.4 The normal typeface is used for the translations.

4.5 If a translation is given in italics, and not in the normal typeface, this means that the translation is more of an *explanation* in the other language and that an explanation has to be given because there just is no real equivalent:

con'trol freak F *personne qui veut tout contrôler*

andouille [ɑ̃duj] *f* CUIS *type of sausage*

5. Stress

To indicate where to put the **stress** in English words, the stress marker ' appears before the syllable on which the main stress falls:

rec·ord[1] ['rekərd] *n* MUS disque *m*; SP *etc* record *m*

rec·ord[2] [rɪ'kɔːrd] *v/t electronically* enregistrer; *in writing* consigner

Stress is shown either in the pronunciation or, if there is no pronunciation given, in the actual headword or compound itself:

'rec·ord hold·er recordman *m*, recordwoman *f*

6. What do the various symbols and abbreviations tell you?

6.1 A solid blue diamond is used to indicate a phrasal verb:

◆**crack down on** *v/t* sévir contre

6.2 A white diamond is used to divide up longer entries into more easily digested chunks of related bits of text:

> **on** [õ] (*après* ***que, et, où, qui, si*** *souvent* **l'on**) *pron personnel* ◇ (*nous*) we; ***~ y a été hier*** we went there yesterday; ***~ est en retard*** we're late
> ◇ (*tu, vous*) you; ***alors, ~ s'amuse bien?*** having fun?
> ◇ (*quelqu'un*) someone; ***~ m'a dit que*** I was told that …; ***~ a volé mon passeport*** somebody has stolen my passport, my passport has been stolen
> ◇ (*eux, les gens*) they, people; ***que pensera-t-~ d'un tel comportement?*** what will they *ou* people think of such behavior?
> ◇ *autorités* they; ***~ va démolir …*** they are going to demolish …
> ◇ *indéterminé* you; ***~ ne sait jamais*** you never know, one never knows *fml*

6.3 The abbreviation F tells you that the word or phrase is used colloquially rather than in formal contexts. The abbreviation V warns you that a word or phrase is vulgar or taboo. Words or phrases labeled P are slang. Be careful how you use these words.

These abbreviations, F, V and P are used both for headwords and phrases (placed after) and for the translations of headwords/phrases (placed after). If there is no such label given, then the word or phrase is neutral.

6.4 A colon before an English or French word or phrase means that usage is restricted to this specific example (at least as far as this dictionary's translation is concerned):

> **catch-22** [kætʃtwentɪ'tu:]: ***it's a ~ situation*** c'est un cercle vicieux
> **opiner** [ɔpine] ⟨1a⟩: ***~ de la tête*** *ou* ***du bonnet*** nod in agreement

7. Does the dictionary deal with grammar too?

7.1 All English headwords are given a part of speech label:

> **tooth·less** ['tu:θlɪs] *adj* édenté
> **top·ple** ['tɑ:pl] **1** *v/i* s'écrouler **2** *v/t government* renverser

But if a headword can only be used as a noun (in ordinary English) then no part of speech is given, since none is needed:

> **'tooth·paste** dentifrice *m*

7.2 French gender markers are given:

oursin [ursɛ̃] *m* ZO sea urchin
partenaire [partənɛr] *m/f* partner

If a French word can be used both as a noun and as an adjective, then this is shown:

patient, **~e** *m/f & adj* patient

No part of speech is shown for French words which are only adjectives or only transitive verbs or only intransitive verbs, since no confusion is possible. But where confusion might exist, grammatical information is added:

patriote [patrijɔt] **1** *adj* patriotic **2** *m/f* patriot
verbaliser ⟨1a⟩ **1** *v/i* JUR bring a charge **2** *v/t* (*exprimer*) verbalize

7.3 If an English translation of a French adjective can only be used in front of a noun, and not after it, this is marked with *atr*:

villageois, **~e 1** *adj* village *atr* **2** *m/f* villager
vinicole [vinikɔl] wine *atr*

7.4 If the French, unlike the English, doesn't change form if used in the plural, this is marked with *inv*:

volte-face [vɔltəfas] *f* (*pl inv*) about-turn (*aussi fig*)
appuie-tête *m* (*pl inv*) headrest

7.5 If the English, in spite of appearances, is not a plural form, this is marked with *nsg*:

bil·liards ['bɪljərdz] *nsg* billard *m*
mea·sles ['mi:zlz] *nsg* rougeole *f*

English translations are given a *pl* or *sg* label (for plural or singular) in cases where this does not match the French:

bagages [bagaʒ] *mpl* baggage *sg*
balance [balɑ̃s] *f* scales *pl*

7.6 Irregular English plurals are identified and French plural forms are given in cases where there might well be uncertainty:

the·sis ['θi:sɪs] (*pl* ***theses*** ['θi:si:z]) thèse *f*
thief [θi:f] (*pl* ***thieves*** [θi:vz]) voleur(-euse) *m*(*f*)
trout [traʊt] (*pl* ***trout***) truite *f*
fédéral, **~e** [federal] (*mpl* -aux) federal

festival [fɛstival] *m* (*pl* -s) festival
pneu [pnø] *m* (*pl* -s) tire, *Br* tyre

7.7 Words like **physics** or **media studies** have not been given a label to say if they are singular or plural for the simple reason that they can be either, depending on how they are used.

7.8 Irregular and semi-irregular verb forms are identified:

sim·pli·fy ['sɪmplɪfaɪ] *v/t* (*pret & pp* ***-ied***) simplifier
sing [sɪŋ] *v/t & v/i* (*pret* ***sang***, *pp* ***sung***) chanter
la·bel ['leɪbl] **1** *n* étiquette *f* **2** *v/t* (*pret & pp* ***-ed***, *Br* ***-led***) *also fig* étiqueter

7.9 Cross-references are given to the tables of French conjugations on page 694:

balbutier [balbysje] ⟨1a⟩ stammer, stutter
abréger ⟨1g⟩ abridge

7.10 Grammatical information is provided on the prepositions you'll need in order to create complete sentences:

un·hap·py [ʌn'hæpɪ] *adj* malheureux*; *customers etc* mécontent (***with*** de)
un·re·lat·ed [ʌnrɪ'leɪtɪd] *adj* sans relation (***to*** avec)
accoucher ⟨1a⟩ give birth (***de*** to)
accro [akro] F addicted (***à*** to)

7.11 In the English-French half of the dictionary an asterisk is given after adjectives which do not form their feminine form just by adding an **-e**. The feminine form of these adjectives can be found in the French-English half of the dictionary:

un·true [ʌn'tru:] *adj* faux*
faux, **fausse** [fo, fos] **1** *adj* false ...

Comment utiliser le dictionnaire

Pour exploiter au mieux votre dictionnaire, vous devez comprendre comment et où trouver les informations dont vous avez besoin. Que vous vouliez écrire un texte en langue étrangère ou comprendre un texte qui a été écrit en langue étrangère, les pages suivantes devraient vous aider.

1. Comment et où trouver un terme ?

1.1 Entrées françaises et anglaises. Pour chaque langue, la nomenclature est classée par ordre alphabétique et présente également les formes irrégulières des verbes et des noms dans le bon ordre alphabétique.

Vous pouvez parfois avoir besoin de rechercher des termes composés de deux mots séparés, comme **shooting star**, ou reliés par un trait d'union, comme **hands-on**. Ces termes sont traités comme un mot à part entière et apparaissent à leur place dans l'ordre alphabétique.

Il n'existe qu'une seule exception à ce classement alphabétique rigoureux : les verbes composés anglais, tels que **go off**, **go out** et **go up**, sont rassemblés dans un bloc juste après le verbe (ici **go**), au lieu d'apparaître séparément.

Les entrées françaises appartenant à un groupe de mots apparentés sont présentées dans un même bloc et apparaissent toutes en bleu.

> **fumée** [fyme] *f* smoke; **fumer** (1a) smoke; ***défense de ~*** no smoking; **fumeur,-euse** *m/f* smoker; **fumeux**, **-euse** *fig* hazy

1.2 Les formes féminines des entrées françaises sont présentées de la façon suivante :

commentateur, **-trice** *m/f* commentator
danseur, **-euse** *m/f* dancer
débutant, **~e** [debytɑ̃, -t] *m/f* beginner
délégué, **~e** *m/f* delegate
dentiste *m/f* dentist
échotier, **-ère** [ekɔtje, -ɛr] *m/f* gossip columnist

Lorsque la forme féminine d'une entrée française ne correspond pas à la même traduction que le masculin, elle est traitée comme une entrée à part entière et classée par ordre alphabétique.

> **dépanneur** *m* repairman; *pour voitures* mechanic; **dépanneuse** *f* wrecker, *Br* tow truck

1.3 Titres courants

Pour rechercher un terme anglais ou français, vous pouvez utiliser les **titres courants** qui apparaissent en gras dans le coin supérieur de chaque page. Le titre courant à gauche indique la *première* entrée de la page de gauche tandis que celui qui se trouve à droite indique la *dernière* entrée de la page de droite.

1.4 Orthographe des mots

Vous pouvez utiliser votre dictionnaire pour vérifier l'orthographe d'un mot exactement comme dans un dictionnaire d'orthographe. Les variantes orthographiques britanniques sont signalées par l'indication *Br.*

2. Comment couper un mot ?

Les francophones trouvent généralement que les règles de coupure des mots en anglais sont très compliquées. Avec ce dictionnaire, il vous suffit de repérer les ronds qui apparaissent entre les syllabes. Ces ronds vous indiquent où vous pouvez couper un mot en fin de ligne, mais évitez de ne laisser qu'une seule lettre avant ou après le tiret, comme dans **a•mend** ou **thirst•y**. Dans ce cas, il vaut mieux faire passer tout le mot à la ligne suivante.

2.1 Lorsqu'un terme anglais ou français est écrit avec le signe « - », ce dictionnaire indique s'il s'agit d'un tiret servant à couper le mot en fin de ligne ou d'un trait d'union qui fait partie du mot. S'il s'agit d'un trait d'union, il est répété au début de la ligne suivante. Par exemple :

> **radio** [radjo] *f* radio; (*radiographie*) X-
> -ray; **~ *privée*** commercial radio; ***pas-***
> ***ser une* ~** have an X-ray

Dans ce cas, le tiret de *X-ray* est un trait d'union, mais pas celui de *passer.*

3. Signe ~ (ou tilde)

3.1 L'entrée est remplacée par un tilde (~) lorsqu'elle est répétée dans le corps de l'article :

> **face** [feɪs] **1** *n* visage *m*, figure *f*; *of mountain* face *f*; ***~ to ~*** en personne; ***lose ~*** perdre la face

Ici, ***~ to ~*** signifie ***face to face***.

> **pont** [põ] *m* bridge; *mar deck*; ***~ aérien*** airlift; ***faire le ~*** make a long weekend of it

Ici, ***faire le ~*** signifie ***faire le pont***.

3.2 Lorsqu'une entrée change de forme au sein d'un article, par exemple si elle est conjuguée au passé ou mise au pluriel, la terminaison du passé ou du pluriel est ajoutée au tilde, à condition que le reste du mot reste identique :

> **flame** [fleɪm] *n* flamme *f*; ***go up in ~s*** être détruit par le feu
> **compliment** [kõplimɑ̃] *m* compliment; ***mes ~s*** congratulations

Mais :

> **sur·vive** [sər'vaɪv] **1** *v/i* survivre; ***how are you? – I'm surviving*** comment ça va? – pas trop mal
> **affirmatif**, **-ive** [afirmatif, -iv] ... ***répondre par l'affirmative*** answer in the affirmative

3.3 Les entrées doubles sont remplacées par un seul tilde :

> **'cash flow** COM trésorerie *f*; ***I've got ~ problems*** j'ai des problèmes d'argent
> **'one-track mind** *hum*: ***have a ~*** ne penser qu'à ça

4. Que signifient les différents styles typographiques ?

4.1 Les entrées françaises et anglaises ainsi que les numéros signalant les différentes catégories grammaticales apparaissent tous en **gras** :

> **'out·line 1** *n* silhouette *f*; *of plan, novel* esquisse *f* **2** *v/t plans etc* ébaucher
> **antagoniste 1** *adj* antagonistic **2** *m/f* antagonist

4.2 L'*italique* est utilisé pour :

a) les indicateurs grammaticaux abrégés : *adj*, *adv*, *v/i*, *v/t*, *etc.*

b) les indicateurs de genre : *m*, *f*, *mpl*, *etc.*

c) tous les indicateurs contextuels et sémantiques qui vous permettent de déterminer quelle traduction choisir. Voici quelques exemples d'indicateurs en italique :

squeak [skwi:k] **1** *n of mouse* couinement *m*; *of hinge* grincement *m*

♦**work out 1** *v/t solution*, *(find out)* trouver; *problem* résoudre **2** *v/i at gym* s'entraîner; *of relationship*, *arrangement etc* bien marcher

spirituel, **~le** spiritual; *(amusant)* witty

agrafe [agraf] *f d'un vêtement* fastener, hook; *de bureau* staple

réussir (2a) **1** *v/i d'une personne* succeed; ***~ à faire qch*** manage to do sth, succeed in doing sth **2** *v/t vie*, *projet* make a success of; *examen* be successful in

Remarque : les sujets de verbes sont précédés de *of* ou *d'un*, *d'une*, etc.

4.3 Toutes les locutions (exemples et expressions) apparaissent en ***gras et italique*** :

shave [ʃeɪv] **1** *v/t* raser **2** *v/i* se raser **3** *n*: ***have a ~*** se raser; ***that was a close ~*** on l'a échappé belle

porte [pɔrt] *f* door; *d'une ville* gate; ***entre deux ~s*** very briefly; ***mettre qn à la ~*** throw s.o. out, show s.o. the door

4.4 Le style normal est utilisé pour les traductions.

4.5 Si une traduction apparaît en italique et non en style normal, ceci signifie qu'il s'agit plus d'une *explication* dans la langue d'arrivée que d'une traduction à proprement parler et qu'il n'existe pas vraiment d'équivalent.

con'trol freak F *personne qui veut tout contrôler*

andouille [ɑ̃duj] *f* CUIS *type of sausage*

5. Accent

Pour indiquer où mettre l'**accent** dans les mots anglais, l'indicateur d'accent « ' » est placé devant la syllabe sur laquelle tombe l'accent tonique.

rec·ord[1] ['rekərd] *n* MUS disque *m*; SP *etc* record *m*

rec·ord[2] [rɪ'kɔːrd] *v/t electronically* enregistrer; *in writing* consigner

L'accent apparaît dans la prononciation ou, s'il n'y a pas de prononciation, dans l'entrée ou le mot composé.

'rec·ord hold·er recordman *m*, recordwoman *f*

6. Que signifient les différents symboles et abréviations ?

6.1 Un losange plein bleu indique un verbe composé :

♦**crack down on** *v/t* sévir contre

6.2 Un losange blanc sert à diviser des entrées particulièrement longues en plusieurs blocs plus accessibles afin de regrouper des informations apparentées.

on [õ] (*après* ***que, et, où, qui, si*** *souvent* **l'on**) *pron personnel* ◊ (*nous*) we; ***~ y a été hier*** we went there yesterday; ***~ est en retard*** we're late ◊ (*tu, vous*) you; ***alors, ~ s'amuse bien?*** having fun? ◊ (*quelqu'un*) someone; ***~ m'a dit que …*** I was told that …; ***~ a volé mon passeport*** somebody has stolen my passport, my passport has been stolen

6.3 L'abréviation F indique que le mot ou la locution s'emploie dans un registre familier plutôt que dans un contexte solennel. L'abréviation V signale qu'un mot ou une locution est vulgaire ou injurieux. L'abréviation P désigne des mots ou locutions argotiques. Employez ces mots avec prudence.

Ces abréviations, F, V et P, sont utilisées pour les entrées et les locutions ainsi que pour les traductions des entrées/locutions, et sont toujours placées après les termes qu'elles qualifient. S'il n'y a aucune indication, le mot ou la locution est neutre.

6.4 Un signe « : » (deux-points) précédant un mot ou une locution signifie que l'usage est limité à cet exemple précis (au moins pour les besoins de ce dictionnaire) :

catch-22 [kætʃtwentɪ'tu:]: ***it's a ~ situation*** c'est un cercle vicieux
opiner [ɔpine] (1a): ***~ de la tête*** *ou* ***du bonnet*** nod in agreement

7. Est-ce que le dictionnaire traite aussi de la grammaire ?

7.1 Les entrées anglaises sont, en règle générale, assorties d'un indicateur grammatical :

tooth·less ['tu:θlɪs] *adj* édenté
top·ple ['tɑ:pl] **1** *v/i* s'écrouler **2** *v/t government* renverser

Par contre, si une entrée peut uniquement être utilisée en tant que nom (en anglais courant), l'indicateur grammatical est omis, car inutile :

'tooth·paste dentifrice *m*

7.2 Le genre des entrées françaises est indiqué :

oursin [ursɛ̃] *m* ZO sea urchin
partenaire [partənɛr] *m/f* partner

Le dictionnaire précise également si un mot français peut être utilisé à la fois en tant que nom et en tant qu'adjectif :

patient, ~e *m/f & adj* patient

La catégorie grammaticale est omise pour les mots français qui ne peuvent être utilisés qu'en tant qu'adjectifs, verbes transitifs ou verbes intransitifs, étant donné qu'il n'y a pas de confusion possible. Par contre, lorsqu'il y a un risque de confusion, la catégorie grammaticale est précisée :

patriote [patrijɔt] **1** *adj* patriotic **2** *m/f* patriot
verbaliser (1a) **1** *v/i* JUR bring a charge **2** *v/t* (*exprimer*) verbalize

7.3 Si la traduction anglaise d'un adjectif français ne peut être placée que devant un nom, et pas après, la traduction est suivie de l'indication *atr* :

villageois, ~e 1 *adj* village *atr* **1** *m/f* villager
vinicole [vinikɔl] wine *atr*

7.4 *inv* indique que le terme français, contrairement à l'anglais, ne s'accorde pas au pluriel :

volte-face [vɔltəfas] *f* (*pl inv*) about-turn (*aussi fig*)
appuie-tête *m* (*pl inv*) headrest

7.5 *nsg* indique que l'anglais, en dépit des apparences, n'est pas au pluriel :

bil·liards ['bɪljərdz] *nsg* billard *m*
mea·sles ['mi:zlz] *nsg* rougeole *f*

Les traductions anglaises sont assorties d'un indicateur *pl* ou *sg* (pluriel ou singulier) en cas de différence avec le français :

bagages [bagaʒ] *mpl* baggage *sg*

balance [balɑ̃s] *f* scales *pl*

7.6 Les pluriels irréguliers sont indiqués pour les entrées anglaises. Du côté français, le pluriel est donné à chaque fois qu'il peut y avoir un doute.

the·sis ['θi:sɪs] (*pl* ***theses*** ['θi:si:z]) thèse *f*
thief [θi:f] (*pl* ***thieves*** [θi:vz]) voleur(-euse) *m*(*f*)
trout [traʊt] (*pl* ***trout***) truite *f*
fédéral, **~e** [federal] (*mpl* -aux) federal
festival [fɛstival] *m* (*pl* -s) festival
pneu [pnø] *m* (*pl* -s) tire, *Br* tyre

7.7 Pour certains termes, tels que **physics** ou **media studies**, aucune indication ne précise s'ils sont singuliers ou pluriels, pour la simple et bonne raison qu'ils peuvent être les deux, selon leur emploi.

7.8 Les formes verbales qui ne suivent pas les modèles réguliers apparaissent après le verbe :

sim·pli·fy ['sɪmplɪfaɪ] *v/t* (*pret & pp* ***-ied***) simplifier
sing [sɪŋ] *v/t & v/i* (*pret* ***sang***, *pp* ***sung***) chanter
la·bel ['leɪbl] **1** *n* étiquette *f* **2** *v/t* (*pret & pp* ***-ed***, *Br* ***-led***) *also fig* étiqueter

7.9 Pour les verbes français, des renvois vous permettent de vous reporter au tableau de conjugaison correspondant (page 694) :

balbutier [balbysje] ⟨1a⟩ stammer, stutter
abréger ⟨1g⟩ abridge

7.10 Les prépositions dont vous aurez besoin pour construire une phrase sont également indiquées :

un·hap·py [ʌn'hæpɪ] *adj* malheureux*; *customers etc* mécontent (***with*** de)
un·re·lat·ed [ʌnrɪ'leɪtɪd] *adj* sans relation (***to*** avec)
accoucher ⟨1a⟩ give birth (***de*** to)
accro [akro] F addicted (***à*** to)

7.11 Dans la partie anglais-français du dictionnaire, un astérisque signale les adjectifs qui ne forment pas leur féminin en ajoutant simplement un **-e** au masculin. Vous trouverez le féminin de ces adjectifs dans la partie français-anglais du dictionnaire.

un·true [ʌn'tru:] *adj* faux*
faux, **fausse** [fo, fos] **1** *adj* false …

Pronunciation / La Prononciation

Equivalent sounds, especially for vowels and diphthongs can only be approximations. *Les équivalences, surtout pour les voyelles et les diphtongues, ne peuvent être qu'approximatives.*

1. Consonants / Les consonnes

bouche	[b]	bag	reine	[r]	right (*la*	chat	[ʃ]	*she*
dans	[d]	dear	(*r from*		*langue*	cha-cha-cha	[ʧ]	chair
foule	[f]	fall	*the*		*vers le*	adjuger	[dʒ]	join
gai	[g]	give	*throat*)		*haut*)	juge	[ʒ]	leisure
et hop	[h]	hole	sauf	[s]	sun	*langue entre*	[θ]	think
radio	[j]	yes	table	[t]	take	*les dents*		
qui	[k]	come	vain	[v]	vain	*langue derrière*	[ð]	the
la	[l]	land	oui	[w]	wait	*les dents*		
mon	[m]	mean	rose	[z]	rose	*du haut*		
nuit	[n]	night	feeling	[ŋ]	bring	huit	[ɥ]	*roughly*
pot	[p]	pot	agneau	[ɲ]	onion			sweet

2. Les voyelles anglaises

âme	[ɑː]	far	*i très*	[ɪ]	stick	*entre à*	[ʌ]	mother
salle	[æ]	man	*court*			*et eux*		
sec	[e]	get	si	[iː]	need	bouquin	[ʊ]	book
le	[ə]	utter	phase	[ɒː]	in-laws	(*très court*)		
beurre	[ɜː]	absurd	essor	[ɔː]	more	sous	[uː]	hoot

3. Les diphtongues anglaises

aïe	[aɪ]	time	cow-boy	[ɔɪ]	point
ciao	[aʊ]	cloud	*eau suivi d'un u court*	[oʊ]	so
nez *suivi d'un y court*	[eɪ]	name			

4. French vowels and nasals

abats	[a]	fat	poche	[ɔ]	hot (*British accent*)
âme	[ɑ]	Mars	leur	[œ]	fur
les	[e]	pay (*no y sound*)	meute, nœud	[ø]	learn (*no r sound*)
père, sec	[ɛ]	bed	souci	[u]	tool
le, dehors	[ə]	letter	tu, eu	[y]	*mouth ready to say oo, then say ee*
ici, style	[i]	peel			
beau, au	[o]	bone			

dans, entrer	[ɑ̃]	*roughly as in* song (*no ng*)
vin, bien	[ɛ̃]	*roughly as in* van (*no n*)
ton, pompe	[õ]	*roughly as in* song (*no ng but with mouth more rounded*)
un, aucun (*also pronounced as* ɛ̃)	[œ̃]	*roughly as in* huh

5. ['] means that the following syllable is stressed: *ability* [ə'bɪlətɪ]

Some French words starting with h have ' before the h. This ' is not part of the French word. It shows i) that a preceding vowel does not become an apostrophe and ii) that no elision takes place. (This is called an aspirated h).

'hanche: la hanche, les hanches [leɑ̃ʃ] *but* **habit: l'habit, les habits** [lezabi]

Abbreviations / Abréviations

and	&	et
see	→	voir
registered trademark	®	marque déposée
abbreviation	*abbr*	abréviation
abbreviation	*abr*	abréviation
adjective	*adj*	adjectif
adverb	*adv*	adverbe
agriculture	AGR	agriculture
anatomy	ANAT	anatomie
architecture	ARCH	architecture
article	*art*	article
astronomy	ASTR	astronomie
astrology	ASTROL	astrologie
attributive	*atr*	devant le nom
motoring	AUTO	automobiles
aviation	AVIAT	aviation
biology	BIOL	biologie
botany	BOT	botanique
British English	*Br*	anglais britannique
chemistry	CHIM	chimie
commerce, business	COMM	commerce
computers, IT term	COMPUT	informatique
conjunction	*conj*	conjonction
cooking	CUIS	cuisine
economics	ÉCON	économie
education	EDU	éducation
education	ÉDU	éducation
electricity	ÉL	électricité
electricity	ELEC	électricité
especially	*esp*	surtout
euphemism	*euph*	euphémisme
familiar, colloquial	F	familier
feminine	*f*	féminin
figurative	*fig*	figuré
finance	FIN	finance
formal	*fml*	langage formel
feminine plural	*fpl*	féminin pluriel
geography	GEOG	géographie
geography	GÉOGR	géographie
geology	GÉOL	géologie
geometry	GÉOM	géométrie
grammar	GRAM	grammaire
historical	HIST	historique
humorous	*hum*	humoristique
IT term	INFORM	informatique
interjection	*int*	interjection
invariable	*inv*	invariable
ironic	*iron*	ironique
law	JUR	juridique
law	LAW	juridique
linguistics	LING	linguistique

literary	*litt*	littéraire
masculine	*m*	masculin
nautical	MAR	marine
mathematics	MATH	mathématiques
medicine	MED	médecine
medicine	MÉD	médecine
masculine and feminine	*m/f*	masculin et féminin
military	MIL	militaire
motoring	MOT	automobiles
masculine plural	*mpl*	masculin pluriel
music	MUS	musique
noun	*n*	nom
nautical	NAUT	marine
plural noun	*npl*	nom pluriel
singular noun	*nsg*	nom singulier
oneself	o.s.	se, soi
popular, slang	P	populaire
pejorative	*pej*	péjoratif
pejorative	*péj*	péjoratif
pharmacy	PHARM	pharmacie
photography	PHOT	photographie
physics	PHYS	physique
plural	*pl*	pluriel
politics	POL	politique
past participle	*pp*, *p/p*	participe passé
preposition	*prep*	préposition
preposition	*prép*	préposition
preterite	*pret*	prétérit
pronoun	*pron*	pronom
psychology	PSYCH	psychologie
something	*qch*	quelque chose
someone	*qn*	quelqu'un
radio	RAD	radio
railroad	RAIL	chemin de fer
religion	REL	religion
singular	*sg*	singulier
someone	s.o.	quelqu'un
sports	SP	sport
something	*sth*	quelque chose
subjunctive	*subj*	subjonctif
noun	*subst*	substantif
theater	THEA	théâtre
theater	THÉÂT	théâtre
technology	TECH	technique
telecommunications	TÉL	télécommunications
telecommunications	TELEC	télécommunications
typography, typesetting	TYP	typographie
television	TV	télévision
vulgar	V	vulgaire
auxiliary verb	*v/aux*	verbe auxiliaire
intransitive verb	*v/i*	verbe intransitif
transitive verb	*v/t*	verbe transitif
zoology	ZO	zoologie

A

à [a] *prép* ◊ *lieu* in; **~ *la campagne*** in the country; **~ *Chypre / Haïti*** in *ou* on Cyprus / Haiti; ***aux Pays-Bas*** in the Netherlands; ***au bout de la rue*** at the end of the street; **~ *2 heures d'ici*** 2 hours from here

◊ *direction* to; **~ *l'étranger*** to the country; ***aux Pays-Bas*** to the Netherlands

◊ *temps*: **~ *cinq heures*** at five o'clock; **~ *Noël*** at Christmas; **~ *tout moment*** at any moment; **~ *demain*** until tomorrow

◊ *but*: ***tasse f ~ café*** coffee cup; ***machine f ~ laver*** washing machine

◊ *fonctionnement*: ***un moteur ~ gazoil*** a diesel engine; ***une lampe ~ huile*** an oil lamp

◊ *appartenance*: ***c'est ~ moi*** it's mine, it belongs to me; ***c'est ~ qui?*** whose is this?, who does this belong to?; ***un ami ~ moi*** a friend of mine

◊ *caractéristiques* with; ***aux cheveux blonds*** with blonde hair

◊ : **~ *toi de décider*** it's up to you; ***ce n'est pas ~ moi de …*** it's not up to me to …

◊ *mode*: **~ *pied*** on foot, by foot; **~ *la russe*** Russian-style; **~ *quatre mains*** MUS for four hands; **~ *dix euros*** at *ou* for ten euros; ***goutte ~ goutte*** drop by drop; ***vendre qch au kilo*** sell sth by the kilo; ***on y est allé ~ trois*** three of us went

◊ *objet indirect*: ***donner qch ~ qn*** give sth to s.o.

◊ *en tennis* all; ***trente ~*** thirty all

abaissement [abɛsmɑ̃] *m d'un store, d'un prix, d'un niveau* lowering; (*humiliation*) abasement; **abaisser** ⟨1b⟩ *rideau, prix, niveau* lower; *fig* (*humilier*) humble; ***s'~*** drop; *fig* demean o.s.

abandon [abɑ̃dɔ̃] *m* abandonment; (*cession*) surrender; (*détente*) abandon; SP withdrawal; ***laisser à l'~*** abandon; **abandonner** ⟨1a⟩ abandon; *pouvoir, lutte* give up; SP withdraw from; ***s'~*** (*se confier*) open up; ***s'~ à*** give way to

abasourdi, **~e** [abazurdi] amazed, dumbfounded; **abasourdir** ⟨2a⟩ *fig* astonish, amaze

abat-jour [abaʒur] *m* (*pl inv*) (lamp)-shade

abats [aba] *mpl* variety meat *sg*

abattage [abataʒ] *m de bois* felling; *d'un animal* slaughter; **abattement** *m* COMM rebate; PSYCH depression; **abattoir** *m* slaughterhouse, *Br* abattoir; **abattre** ⟨4a⟩ *arbre* fell; AVIAT bring down, shoot down; *animal* slaughter; *péj* (*tuer*) kill, slay; *fig* (*épuiser*) exhaust; (*décourager*) dishearten; ***je ne me laisserai pas ~*** I won't let myself be discouraged; **~ *beaucoup de besogne*** get through a lot of work; ***s'~*** collapse; **abattu**, **~e** (*fatigué*) weak, weakened; (*découragé*) disheartened, dejected

abbaye [abei] *f* abbey

abbé [abe] *m* abbot; (*prêtre*) priest

abcès [apsɛ] *m* abscess

abdomen [abdɔmɛn] *m* abdomen; **abdominal**, **~e** abdominal

abeille [abɛj] *f* bee

aberrant, **~e** [abɛrɑ̃, -t] F absurd; **aberration** *f* aberration

abêtir [abetir] ⟨2a⟩ make stupid; **abêtissant**, **~e**: ***être ~*** addle the brain

abîme [abim] *m* abyss; **abîmer** ⟨1a⟩ spoil, ruin; ***s'~*** be ruined; *d'aliments* spoil, go off

abject, **~e** [abʒɛkt] abject; *personne, comportement* despicable; **abjection** *f* abjectness

abjurer [abʒyre] ⟨1a⟩ *foi* renounce

aboiement [abwamɑ̃] *m* barking
abois [abwa]: ***être aux ~*** *fig* have one's back to the wall
abolir [abɔlir] ⟨2a⟩ abolish; **abolition** *f* abolition
abominable [abɔminabl] appalling
abondance [abɔ̃dɑ̃s] *f* abundance, wealth; ***société*** *f* ***d'~*** affluent society; **abondant**, **~e** abundant; **abonder** ⟨1a⟩ be plentiful, abound; ***~ en*** have an abundance of
abonné, **~e** [abɔne] *m/f aussi* TÉL subscriber; **abonnement** *m* subscription; *de transport*, *de spectacles* season ticket; **abonner** ⟨1a⟩: ***s'~ à une revue*** subscribe to a magazine
abord [abɔr] *m*: ***être d'un ~ facile*** be approachable; ***d'~*** first; ***tout d'~*** first of all; ***dès l'~*** from the outset; ***au premier ~***, ***de prime ~*** at first sight; ***~s*** surroundings; **abordable** approachable; **abordage** *m* MAR (*collision*) collision; (*assaut*) boarding; **aborder** ⟨1a⟩ **1** *v/t* (*prendre d'assaut*) board; (*heurter*) collide with; *fig*: *question* tackle; *personne* approach **2** *v/i* land (***à*** at)
aboutir [abutir] ⟨2a⟩ *d'un projet* succeed, be successful; ***~ à / dans*** end at / in; ***~ à*** *fig* lead to; **aboutissement** *m* (*résultat*) result
aboyer [abwaje] ⟨1h⟩ bark
abrasif, **-ive** [abrazif, -iv] TECH **1** *adj* abrasive **2** *m* abrasive
abrégé [abreʒe] *m d'un roman* abridgement; **abréger** ⟨1g⟩ abridge
abreuver [abrœve] ⟨1a⟩ water; ***s'~*** F drink; **abreuvoir** *m* watering place
abréviation [abrevjasjɔ̃] *f* abbreviation
abri [abri] *m* shelter; ***à l'~ de*** sheltered from, protected from; ***mettre à l'~ de*** shelter from, protect from; ***être sans ~*** be homeless
abribus [abribys] *m* bus shelter
abricot [abriko] *m* apricot; **abricotier** *m* apricot (tree)
abriter [abrite] ⟨1a⟩ (*loger*) take in, shelter; ***~ de*** (*protéger*) shelter from, protect from; ***s'~*** take shelter, take cover
abroger [abrɔʒe] ⟨1l⟩ JUR repeal
abrupt, **~e** [abrypt] *pente* steep; *personne*, *ton* abrupt
abruti, **~e** [abryti] stupid; **abrutir** ⟨2a⟩: ***~ qn*** turn s.o.'s brain to mush; (*surmener*) exhaust s.o.; **abrutissant**, **~e** *bruit* deafening; *travail* exhausting
absence [apsɑ̃s] *f* absence; **absent**, **~e** absent; *air* absent-minded; **absentéisme** *m* absenteeism; **absenter** ⟨1a⟩: ***s'~*** leave, go away
absolu, **~e** [apsɔly] absolute; **absolument** *adv* (*à tout prix*, *tout à fait*) absolutely
absolution [apsɔlysjɔ̃] *f* REL absolution
absorbant, **~e** [apsɔrbɑ̃, -t] absorbent; **absorber** ⟨1a⟩ absorb; *nourriture* eat; *boisson* drink; ***s'~ dans qch*** be absorbed ou engrossed in sth; **absorption** *f* absorption
absoudre [apsudr] ⟨4b⟩ absolve
abstenir [apstənir] ⟨2h⟩: ***s'~*** POL abstain; ***s' ~ de faire qch*** refrain from doing sth; **abstention** *f* POL abstention; **abstentionniste** *m* POL abstainer
abstraction [apstraksjɔ̃] *f* abstraction; ***faire ~ de qch*** disregard sth; ***~ faite de*** leaving aside
abstrait, **~e** [apstrɛ, -t] abstract
absurde [apsyrd] absurd; **absurdité** *f* absurdity; ***~(s)*** nonsense *sg*
abus [aby] *m* abuse; ***~ de confiance*** breach of trust; **abuser** ⟨1a⟩ overstep the mark, be out of line; ***~ de qch*** misuse ou abuse sth; ***s'~*** be mistaken; ***si je ne m'abuse*** if I'm not mistaken; **abusif**, **-ive** excessive; *emploi d'un mot* incorrect
académicien [akademisjɛ̃] *m* academician (*especially of the Académie française*); **académie** *f* academy; **académique** academic
acajou [akaʒu] *m* mahogany
acariâtre [akarjɑtr] bad-tempered
accablant, **~e** [akablɑ̃, -t] *preuve* overwhelming; *chaleur* oppressive; **accabler** ⟨1a⟩: ***être accablé de*** *problèmes*, *soucis* be weighed down by, be overwhelmed by; ***~ qn de qch*** *repro-*

ches shower s.o. with sth, heap sth on s.o.

accalmie [akalmi] *f aussi fig* lull

accaparer [akapare] ⟨1a⟩ ÉCON, *fig* monopolize; **~ *le marché*** corner the market; **accapareur**: ***il est ~*** he doesn't like sharing

accéder [aksede] ⟨1f⟩: **~ *à*** reach, get to; INFORM access; *au pouvoir* gain, achieve; *d'un chemin* lead to

accélérateur [akseleratœr] *m* AUTO gas pedal, *Br* accelerator; **accélération** *f* acceleration; **accélérer** ⟨1f⟩ *aussi* AUTO accelerate, speed up

accent [aksɑ̃] *m* accent; (*intonation*) stress; ***mettre l'~ sur qch*** *fig* put the emphasis on sth; **accentuation** *f* stressing; *fig* growth; **accentuer** ⟨1n⟩ *syllabe* stress, accentuate

acceptable [akseptabl] acceptable; **acceptation** *f* acceptance; **accepter** ⟨1a⟩ accept; (*reconnaître*) agree; **~ *de faire qch*** agree to do sth; ***je n'accepte pas que tu fasses ça*** I won't have you doing that

acception [aksɛpsjõ] *f* sense

accès [aksɛ] *m aussi* INFORM access; MÉD fit; **accessible** *région, lecture, sujet* accessible (***à*** to); *prix* affordable; **~ *à tous*** accessible to all, within everyone's reach; **accession** *f* accession (***à*** to)

accessoire [aksɛswar] **1** *adj* incidental **2** *m* detail; **~s** accessories; ***~s de théâtre*** props

accident [aksidɑ̃] *m* accident; *événement fortuit* mishap; **~ *de terrain*** bump, unevenness in the ground; **~ *de travail*** accident in the workplace, work-related accident; ***par ~*** by accident, accidentally; ***dans un ~*** in an accident; **~ *avec délit de fuite*** hit-and-run accident; **~ *mortel*** fatality, fatal accident; **accidenté, ~e** damaged (in an accident); *terrain* uneven; **accidentel, ~le** accidental; **accidentellement** *adv* accidentally

acclamation [aklamasjõ] *f* acclamation; **~s** cheers, cheering *sg*; **acclamer** ⟨1a⟩ cheer

acclimatation [aklimatasjõ] *f* acclimatization; **acclimater** ⟨1a⟩: ***s'~*** become acclimatized

accointances [akwɛ̃tɑ̃s] *fpl souvent péj* contacts; ***avoir des ~ avec qn*** have dealings with s.o.

accolade [akɔlad] *f* embrace; *signe* brace, *Br* curly bracket

accommodation [akɔmɔdasjõ] *f* adaptation; **accommodement** *m* compromise; **accommoder** ⟨1a⟩ adapt; CUIS prepare; ***s'~ à*** adapt to; ***s'~ de*** put up with, make do with

accompagnateur, -trice [akõpaɲatœr, -tris] *m/f* guide; MUS accompanist; **accompagnement** *m* MUS accompaniment; **accompagner** ⟨1a⟩ go with, accompany; MUS accompany

accompli, ~e [akõpli] accomplished; **accomplir** ⟨2a⟩ accomplish; *souhait* realize, carry out; **accomplissement** *m* accomplishment

accord [akɔr] *m* agreement, consent; (*pacte*) agreement; MUS chord; ***d'~*** OK, alright; ***être d'~*** agree (***avec*** with); ***tomber d'~*** come to an agreement, reach agreement; ***avec l'~ de*** with the agreement of; ***en ~ avec*** in agreement with; ***donner son ~*** give one's consent, agree; **~ *d'extradition*** extradition treaty

accordé, ~e [akɔrde]: (***bien***) **~** in tune

accordéon [akɔrdeõ] accordion

accorder [akɔrde] ⟨1a⟩ *crédit, délai* grant, give; GRAM make agree; MUS tune; **~ *un sursis à*** reprieve, grant a reprieve to; ***s'~*** get on; GRAM agree; ***s'~ pour faire qch*** agree to do sth; ***s'~ qch*** allow o.s. sth

accostage [akɔstaʒ] *m* MAR bringing alongside; **accoster** ⟨1a⟩ **1** *v/i* MAR come alongside **2** *v/t personne* approach

accotement [akɔtmɑ̃] *m* shoulder

accouchement [akuʃmɑ̃] *m* birth; **accoucher** ⟨1a⟩ give birth (***de*** to); **accoucheur, -euse** *m/f* midwife; *médecin* obstetrician

accouder [akude] ⟨1a⟩: ***s'~*** lean (one's elbows); **accoudoir** *m* armrest

accouplement [akupləmɑ̃] *m* connection; BIOL mating; **accoupler** ⟨1a⟩ connect; ***s'~*** BIOL mate
accourir [akurir] ⟨2i⟩ come running
accoutrement [akutrəmɑ̃] *m péj* get-up; **accoutrer** ⟨1a⟩: ***s'~*** dress
accoutumance [akutymɑ̃s] *f* MÉD dependence; **accoutumé**, **~e** usual; ***être ~ à qch*** be used to sth; **accoutumer** ⟨1a⟩: ***~ qn à qch*** get s.o. used to sth, accustom s.o. to sth; ***s'~ à qch*** get used to sth
accréditer [akredite] ⟨1a⟩ give credence to
accro [akro] F addicted (***à*** to)
accroc [akro] *m* (*déchirure*) tear; (*obstacle*) hitch
accrochage [akrɔʃaʒ] *m* AUTO (minor) collision, fender-bender F; **accrocher** ⟨1a⟩ *tableau* hang (up); *manteau* hang up; AUTO collide with; ***~ le regard*** be eye-catching; ***s'~ à*** hang on to, hold tight to; *fig* cling to; **accrocheur**, **-euse** eye-catching
accroissement [akrwasmɑ̃] *m* increase; ***~ démographique*** population growth; **accroître** ⟨4w⟩ increase; ***s'~*** grow
accroupir [akrupir] ⟨2a⟩: ***s'~*** crouch, squat; **accroupis** squatting on their haunches
accru, **~e** [akry] **1** *p/p* → ***accroître*** **2** *adj* increased, greater
accu [aky] *m* F battery
accueil [akœj] *m* reception, welcome; **accueillant**, **~e** friendly, welcoming; **accueillir** ⟨2c⟩ greet, welcome
accumulateur [akymylatœr] *m* battery; **accumulation** *f* accumulation; **accumuler** ⟨1a⟩ accumulate; ***s'~*** accumulate, pile up
accusateur, **-trice** [akyzatœr, -tris] *m/f* accuser; **accusation** *f* accusation; JUR prosecution; *plainte* charge; **accusé**, **~e** *m/f* **1** JUR: ***l'~*** the accused **2** COMM: ***accusé*** *m* ***de réception*** acknowledgement (of receipt); **accuser** ⟨1a⟩ (*incriminer*) accuse (***de*** of); (*faire ressortir*) emphasize; ***~ réception de qch*** COMM acknowledge receipt of sth
acerbe [asɛrb] caustic
acéré, **~e** [asere] sharp (*aussi fig*)
acétique [asetik] acetic; ***acide*** *m* ***~*** acetic acid; **acétone** *f* CHIM acetone
achalandage [aʃalɑ̃daʒ] *m* custom
acharné, **~e** [aʃarne] *combat, efforts* desperate; ***~ à faire qch*** desperate to do sth; **acharnement** *m* grim determination, desperation; **acharner** ⟨1a⟩: ***s'~ à faire qch*** be bent on doing sth; ***s'~ sur*** *ou* ***contre qn*** pick on s.o., have it in for s.o.
achat [aʃa] *m* purchase; ***pouvoir*** *m* ***d'~*** purchasing power; ***prix*** *m* ***d'~*** purchase price; ***faire des ~s*** go shopping
acheminer [aʃmine] ⟨1a⟩ *paquet* dispatch; ***s'~ vers*** make one's way toward
acheter [aʃte] ⟨1e⟩ buy; ***~ qch à qn*** (*pour qn*) buy sth for s.o.; (*de qn*) buy sth from s.o.; ***~ qn*** bribe s.o., buy s.o. off F; **acheteur**, **-euse** *m/f* buyer, purchaser
achèvement [aʃɛvmɑ̃] *m* completion
achever [aʃve] ⟨1d⟩ finish; ***~ de faire qch*** finish doing sth; ***s'~*** finish; ***~ qn*** *fig* finish s.o. off
acide [asid] **1** *adj* sour; CHIM acidic **2** *m* CHIM acid; **acidité** *f* sourness; CHIM acidity
acier [asje] *m* steel; ***d'~*** *regard* steely
aciérie [asjeri] *f* steel plant
acné [akne] *f* acne
acolyte [akɔlit] *m péj* crony
acompte [akõt] *m* installment, *Br* instalment; ***par ~s*** in installments
à-côté [akote] *m* (*pl* à-côtés) side issue; ***~s*** *de revenus* extras, perks F
à-coup [aku] *m* (*pl* à-coups) jerk; ***par ~s*** in fits and starts
acoustique [akustik] **1** *adj* acoustic; ***appareil*** *m* ***~*** hearing aid **2** *f* acoustics
acquéreur [akerœr] *m* purchaser; **acquérir** ⟨2l⟩ acquire; *droit* win; *coutume* acquire, get into
acquiescer [akjese] ⟨1k⟩: ***~ à*** agree to
acquis, **~e** [aki] **1** *p/p* → ***acquérir*** **2** *adj* acquired; *résultats* achieved; ***c'est un point ~*** it's an established

fact; ***considérer qn / qch comme ~*** take s.o. / sth for granted
acquisition [akizisjõ] *f* acquisition
acquit [aki] *m* COMM: ***pour ~*** received with thanks; ***par ~ de conscience*** *fig* to set my / his *etc* mind at rest
acquittement [akitmɑ̃] *m d'une dette* discharge; JUR acquittal; **acquitter** ⟨1a⟩ *facture, dette* pay; JUR acquit; ***s'~ de*** carry out; *dette* pay
acres [ɑkr] *mpl* acreage *sg*
âcre [ɑkr] acrid; *goût, fig* bitter; **âcreté** *f au goût, fig* bitterness
acrimonieux, **-euse** [akrimɔnjø, -z] acrimonious
acrobate [akrɔbat] *m/f* acrobat; **acrobatie** *f* acrobatics *pl*; **acrobatique** acrobatic
acronyme [akrɔnim] *m* acronym
acrylique [akrilik] *m* acrylic
acte [akt] *m* (*action*) action, deed; (*document officiel*) deed; THÉÂT act; ***faire ~ de présence*** put in an appearance; ***dresser un ~*** draw up a deed; ***prendre ~ de qch*** note sth; ***~ de décès*** death certificate; ***~ de mariage*** marriage certificate; ***~ de naissance*** birth certificate; ***~ de vente*** bill of sale
acteur, **-trice** [aktœr, -tris] *m/f* actor; actress
actif, **-ive** [aktif, -iv] **1** *adj* active **2** *m* COMM assets *pl*; **activiste** *m/f* activist
action [aksjõ] *f aussi* JUR action; COMM share; ***~s*** stock *sg*, shares *pl*; **actionnaire** *m/f* shareholder
actionnement [aksjɔnmɑ̃] *m* TECH operation; *d'une alarme etc* activation; **actionner** ⟨1a⟩ TECH operate; *alarme etc* activate
activer [aktive] ⟨1a⟩ (*accélérer*) speed up
activité [aktivite] *f* activity
actualiser [aktɥalize] update, bring up to date
actualité [aktɥalite] *f* current events *pl*; ***d'~*** topical; ***~s*** TV news *sg*
actuel, **~le** [aktɥɛl] (*présent*) current, present; (*d'actualité*) topical; **actuellement** *adv* currently, at present
acuité [akɥite] *f des sens* shrewdness; *d'une douleur* intensity, acuteness
acupuncteur, **-trice** [akypõktœr, -tris] *m/f* acupuncturist; **acupuncture** *f* acupuncture
adaptabilité [adaptabilite] *f* adaptability, versatility; **adaptable** adaptable; **adaptateur** *m* ÉL adapter; **adaptation** *f* adaptation; **adapter** ⟨1a⟩ adapt; ***s'~ à*** adapt to
additif [aditif] *m* additive
addition [adisjõ] *f aussi* MATH addition; *au restaurant* check, *Br* bill; **additionnel**, **~le** additional; **additionner** ⟨1a⟩ MATH add (up); (*ajouter*) add
adepte [adɛpt] *m/f* supporter; *d'une activité, d'un sport* fan
adéquat, **~e** [adekwa, -t] suitable; *montant* adequate
adhérence [aderɑ̃s] *f* adherence; *des pneus* grip; **adhérent**, **~e** *m/f* member; **adhérer** ⟨1f⟩ stick, adhere (***à*** to); ***~ à une doctrine*** agree with *ou* support a doctrine; ***~ à un parti*** be a member of a party, belong to a party; ***~ à la route*** grip *ou* hold the road
adhésif, **-ive** [adezif, -iv] **1** *adj* sticky, adhesive **2** *m* adhesive; **adhésion** *f* membership; (*consentement*) support (***à*** for), agreement (***à*** with)
adieu [adjø] *m* goodbye; ***dire ~ à qn*** say goodbye to s.o., take one's leave of s.o.; ***~x*** farewells; ***faire ses ~x*** say one's goodbyes (***à qn*** to s.o.)
adipeux, **-euse** [adipø, -z] fatty, adipose
adjacent, **~e** [adʒasɑ̃, -t] adjacent
adjectif [adʒɛktif] *m* GRAM adjective
adjoindre [adʒwɛ̃dr] ⟨4b⟩: ***~ à*** add to; ***s'~ qn*** hire *ou* recruit s.o.; **adjoint**, **~e** **1** *adj* assistant *atr*, deputy *atr* **2** *m/f* assistant, deputy; ***~ au maire*** deputy mayor
adjudication [adʒydikasjõ] *f dans vente aux enchères* sale by auction; *travaux* award; (*attribution*) adjudication
adjuger [adʒyʒe] ⟨1l⟩ award
admettre [admɛtr] ⟨4p⟩ (*autoriser*) allow; (*accueillir*) admit, allow in; (*reconnaître*) admit; ***~ que*** (+ *ind ou subj*)

admit that; ***admettons que, en admettant que*** (+ *subj*) supposing *ou* assuming that

administrateur, -trice [administratœr, -tris] *m/f* administrator; ***~ judiciaire*** (official) receiver; **administratif, -ive** administrative; **administration** *f* administration; (*direction*) management, running; **administrer** ⟨1a⟩ administer; (*diriger*) manage

admirable [admirabl] admirable; **admirateur, -trice 1** *adj* admiring, of admiration **2** *m/f* admirer; **admiratif, -ive** admiring; **admiration** *f* admiration; **admirer** ⟨1a⟩ admire

admis [admi] admissible; **admissible** *candidat* eligible; ***ce n'est pas ~*** that's unacceptable

admission [admisjõ] *f* admission

A.D.N. [adeɛn] *m abr* (***= acide désoxyribonucléique***) DNA (=desoxyribonucleic acid)

adolescence [adɔlɛsɑ̃s] *f* adolescence; **adolescent, ~e** *m/f* adolescent, teenager

adonner [adɔne] ⟨1a⟩: ***s'~ à qch*** devote o.s. to sth; ***s'~ à la boisson*** drink, hit the bottle F

adopter [adɔpte] ⟨1a⟩ adopt; **adoptif, -ive** *enfant* adopted; *parent* adoptive; **adoption** *f* adoption; ***patrie*** *f* ***d'~*** adopted country

adorable [adɔrabl] adorable; **adorateur, -trice** *m/f* worshipper; (*admirateur*) admirer; **adoration** *f* adoration; **adorer** ⟨1a⟩ REL worship; *fig* (*aimer*) adore

adosser [adose] ⟨1a⟩ lean; ***s'~ contre*** *ou* ***à*** lean against *ou* on

adoucir [adusir] ⟨1a⟩ soften; ***s'~*** *du temps* become milder; **adoucissant** *m* softener

adrénaline [adrenalin] *f* adrenalin

adresse [adrɛs] *f domicile* address; (*habileté*) skill; ***à l'~ de qn*** aimed at s.o., meant for s.o.; ***~ électronique*** e-mail address; ***~ personnelle*** home address; **adresser** ⟨1b⟩ *lettre* address (***à*** to); *compliment, remarque* aim, direct (***à*** at); ***~ la parole à qn*** address s.o., speak to s.o.; ***s'~ à qn*** apply to s.o.; (*être destiné à*) be aimed at s.o.

adroit, ~e [adrwa, -t] skillful, *Br* skilful

adulateur, -trice [adylatœr, -tris] *m/f* idolizer; **aduler** ⟨1a⟩ idolize

adulte [adylt] **1** *adj* adult; *plante* mature **2** *m/f* adult, grown-up

adultère [adyltɛr] **1** *adj* adulterous **2** *m* adultery

advenir [advənir] ⟨2h⟩ happen; ***advienne que pourra*** come what may

adverbe [advɛrb] *m* GRAM adverb

adversaire [advɛrsɛr] *m/f* opponent, adversary

adverse [advɛrs] adverse

adversité [advɛrsite] *f* adversity

aérateur [aeratœr] *m* ventilator; **aération** *f* ventilation; **aérer** ⟨1f⟩ ventilate; *literie, pièce qui sent le renfermé* air; **aérien, ~ne** air *atr*; *vue* aerial; ***pont*** *m* ***~*** airlift

aérobic [aerɔbik] *f* aerobics

aéroclub [aerɔklœb] *m* flying club; **aérodrome** *m* airfield; **aérodynamique** aerodynamic; **aérogare** *f* air terminal, terminal building; **aéroglisseur** *m* hovercraft; **aéronautique 1** *adj* aeronautical **2** *f* aeronautics; **aéronef** *m* aircraft; **aéroport** *m* airport; **aéroporté** *troupes* airborne; **aérosol** *m* aerosol

affable [afabl] affable

affaiblir [afɛblir] ⟨2a⟩ weaken; ***s'~*** weaken, become weaker; **affaiblissement** *m* weakening; (*déclin*) decline

affaire [afɛr] *f* (*question*) matter, business; (*entreprise*) business; *marché* deal; (*bonne occasion*) bargain; JUR case; (*scandale*) affair, business; ***avoir ~ à qn*** deal with s.o.; ***se tirer d'~*** get out of trouble; ***~s*** *biens personnels* things, belongings; ***ce sont mes ~s*** that's my business; ***occupe-toi de tes affaires!*** mind your own business!; ***le monde des ~s*** the business world; ***les ~s étrangères*** foreign affairs; ***~ qui marche*** going concern

affairé, ~e [afere] busy; **affairer** ⟨1b⟩: ***s'~*** busy o.s.

affaissement [afɛsmɑ̃] *m*: ***~ de ter-***

rain subsidence; **affaisser** ⟨1b⟩: ***s'~*** *du terrain* subside; *d'une personne* collapse

affamé, **~e** [afame] hungry; ***~ de gloire*** hungry for fame

affectation [afɛktasjõ] *f d'une chose* allocation; *d'un employé* assignment, appointment; MIL posting; (*pose*) affectation; **affecté**, **~e** affected; **affecter** ⟨1a⟩ (*destiner*) allocate, allot; *employé* assign, appoint; MIL post; (*émouvoir*) affect; ***~ la forme de*** have the shape of

affectif, **-ive** [afɛktif, -iv] emotional

affection [afɛksjõ] *f* affection; MÉD complaint

affectueux, **-euse** [afɛktɥø, -z] affectionate

affermir [afɛrmir] ⟨2a⟩ strengthen

affichage [afiʃaʒ] *m* billposting; INFORM display; ***panneau*** *m* ***d'~*** bulletin board, *Br* notice board; ***~ à cristaux liquides*** liquid crystal display; ***~ numérique*** digital display; ***montre*** *f* ***à ~ numérique*** digital watch

affiche [afiʃ] *f* poster; **afficher** ⟨1a⟩ *affiche* put up, stick up; *attitude* flaunt, display; INFORM display; ***~ des bénéfices*** post profits; **afficheur** *m* billposter

affilée [afile]: ***d'~*** at a stretch; **affiler** ⟨1a⟩ sharpen

affilier [afilje] ⟨1a⟩: ***s'~ à*** *club*, *parti* join; ***être affilié à un parti*** be a member of a party

affiner [afine] ⟨1a⟩ refine

affinité [afinite] *f* affinity

affirmatif, **-ive** [afirmatif, -iv] *réponse* affirmative; *personne* assertive; ***répondre par l'affirmative*** answer in the affirmative

affirmation [afirmasjõ] *f* statement; **affirmer** ⟨1a⟩ (*prétendre*) maintain; *volonté*, *autorité* assert

affligeant, **~e** [afliʒɑ̃, -t] distressing, painful; **affliger** ⟨1l⟩ distress

affluence [aflyɑ̃s] *f*: ***heures*** *fpl* ***d'~*** rush hour *sg*; **affluent** [-ɑ̃] *m* tributary; **affluer** ⟨1a⟩ come together

afflux [afly] *m de capitaux* influx

affolement [afɔlmɑ̃] *m* panic; **affoler** ⟨1a⟩ (*bouleverser*) madden, drive to distraction; *d'une foule*, *d'un cheval* panic; ***s'~*** panic, get into a panic; ***être affolé*** be in a panic, be panic-stricken

affranchir [afrɑ̃ʃir] ⟨2a⟩ (*libérer*) free; *lettre* meter, *Br* frank; **affranchissement** *m montant* postage

affréter [afrete] ⟨1f⟩ MAR, AVIAT charter

affreux, **-euse** [afrø, -z] horrible; *peur*, *mal de tête* terrible

affront [afrõ] *m* insult, affront; **affrontement** *m* POL confrontation; **affronter** ⟨1a⟩ confront, face; SP meet; *situation* face; ***s'~*** confront *ou* face each other; SP meet

affût [afy] *m*: ***être à l'~ de qch*** *fig* be on the lookout for sth

afin [afɛ̃]: ***~ de faire qch*** in order to do sth, so as to do sth; ***~ que*** (+ *subj*) so that; ***~ de ne pas se mouiller*** so as not to get wet; ***~ qu'il soit mis au courant*** so that he can be put in the picture

africain, **~e** [afrikɛ̃, -ɛn] **1** *adj* African **2** *m/f* **Africain**, **~e** African; **Afrique** *f*: ***l'~*** Africa

agaçant, **~e** [agasɑ̃, -t] infuriating, annoying; **agacement** *m* annoyance; **agacer** ⟨1k⟩ annoy; (*taquiner*) tease

âge [aʒ] *m* age; ***Moyen-Âge*** Middle Ages *pl*; ***personnes*** *fpl* ***du troisième ~*** senior citizens; ***retour*** *m* ***d'~*** MÉD change of life; ***quel ~ a-t-il?*** how old is he?, what age is he?; ***limite*** *f* ***d'~*** age limit; ***~ de la retraite*** retirement age; **âgé**, **~e** elderly; ***~ de deux ans*** aged two, two years old

agence [aʒɑ̃s] *f* agency; *d'une banque* branch; ***~ immobilière*** realtor, *Br* estate agent's; ***~ de placement*** employment agency; ***~ de presse*** news agency; ***~ de publicité*** advertising agency; ***~ de voyages*** travel agency

agencement [aʒɑ̃smɑ̃] *m* layout, arrangement; **agencer** ⟨1k⟩ arrange

agenda [aʒɛ̃da] *m* diary; ***~ électronique*** (personal) organizer

agenouiller [aʒnuje] ⟨1a⟩ ***s'~*** kneel (down)

agent [aʒɑ̃] *m* agent; **~ *d'assurance*** insurance broker; **~ *de change*** stockbroker; **~ *de la circulation*** traffic policeman; **~ *immobilier*** realtor, *Br* real estate agent; **~ *de police*** police officer; **~ *secret*** secret agent
agglomération [aglɔmerasjõ] *f* built-up area; *concentration de villes* conurbation; ***l'~ parisienne*** Greater Paris, the conurbation of Paris
aggloméré [aglɔmere] *m planche* chipboard, composite
aggraver ⟨1a⟩ make worse; ***s'~*** worsen, deteriorate
agile [aʒil] agile; **agilité** *f* agility
agios [aʒjo] *mpl* ÉCON bank charges
agir [aʒir] ⟨2a⟩ act; **~ *sur qn*** affect s.o.; ***il s'agit de*** it's about; ***il s'agit de votre santé*** it's a question *ou* a matter of your health; ***il s'agit de ne pas faire d'erreurs*** it's important not to make any mistakes
agitateur, **-trice** [aʒitatœr, -tris] *m/f* agitator, rabble-rouser; **agitation** [aʒitasjõ] *f* hustle and bustle; POL unrest; (*nervosité*) agitation; **agité**, **~e** agitated, restless; *mer* rough; **agiter** ⟨1a⟩ *bouteille, liquide* shake; *mouchoir, main* wave; (*préoccuper, énerver*) upset; ***s'~*** *d'un enfant* fidget; (*s'énerver*) get upset
agneau [aɲo] *m* (*pl* -x) lamb
agnostique [agnɔstik] *m/f* agnostic
agonie [agɔni] *f* death throes *pl*
agrafe [agraf] *f d'un vêtement* fastener, hook; *de bureau* staple; **agrafer** ⟨1a⟩ *vêtements* fasten; *papier* staple; **agrafeuse** *f* stapler; *à tissu* staple gun
agrandir [agrɑ̃dir] ⟨2a⟩ *photographie, ouverture* enlarge; **agrandissement** *m* enlargement; *d'une ville* expansion; **agrandisseur** *m* enlarger
agréable [agreabl] pleasant (**à** to); **agréer** ⟨1a⟩: ***veuillez ~, Monsieur, mes salutations distinguées*** Yours truly
agrégation [agregasjõ] *f competitive examination for people wanting to teach at college and university level*
agrément [agremɑ̃] *m* (*consentement*) approval, consent; ***les ~s*** (*attraits*) the delights
agresser [agrɛse] ⟨1b⟩ attack; **agresseur** *m* attacker; *pays* aggressor; **agressif**, **-ive** aggressive; **agression** *f* attack; PSYCH stress; **agressivité** *f* aggressiveness
agricole [agrikɔl] agricultural, farm *atr*; ***ouvrier*** *m* **~** agricultural laborer *ou Br* labourer, farm worker
agriculteur [agrikyltœr] *m* farmer; **agriculture** *f* agriculture, farming
agripper [agripe] ⟨1a⟩ clutch; ***s'~ à qch*** clutch sth, cling to sth
agroalimentaire [agrɔalimɑ̃tɛr] *f* food industry, agribusiness
agronome [agrɔnɔm] *m* agronomist, agricultural economist; ***ingénieur*** *m* **~** agricultural engineer
agrumes [agrym] *mpl* citrus fruit *sg*
aguerri, **~e** [ageri] (*expérimenté*) veteran
aguets [agɛ]: ***être aux ~*** be on the lookout
ahuri, **~e** [ayri] astounded, thunderstruck; **ahurir** ⟨2a⟩ astound; **ahurissant**, **~e** astounding
aide [ɛd] **1** *f* help, assistance; ***à l'~ de qch*** with the help of sth, using sth; ***avec l'~ de qn*** with s.o.'s help; ***appeler à l'~*** shout for help **2** *m/f* (*assistant*) assistant; ***~-soignant*** *m* orderly; **aider** ⟨1b⟩ **1** *v/t* help; ***s'~ de qch*** use sth **2** *v/i* help; **~ *à qch*** contribute to sth
aïeul, **~e** [ajœl] *m/f* ancestor; ***aïeux*** ancestors
aigle [ɛgl] *m* eagle
aiglefin [ɛgləfɛ̃] *m* haddock
aigre [ɛgr] sour; *vent* bitter; *paroles, critique* sharp; *voix* shrill; **aigre-doux**, **aigre-douce** CUIS sweet and sour
aigreur [ɛgrœr] *f* sourness; *fig* bitterness; **aigrir** ⟨2a⟩ turn sour; *fig* make bitter, embitter
aigu, **~ë** [egy] sharp; *son* high-pitched; *conflit* bitter; *intelligence* keen; MÉD, GÉOM, GRAM acute
aiguille [egɥij] *f* needle; *d'une montre* hand; *tour* spire; **~ *à tricoter*** knitting needle; **aiguiller** ⟨1a⟩ *fig* steer,

guide; **aiguilleur** *m* AVIAT: ~ ***du ciel*** air-traffic controller
aiguillon [egɥijõ] *m* (*dard*) sting; **aiguillonner** ⟨1a⟩ *fig* spur (on)
aiguiser [egize] ⟨1a⟩ sharpen; *fig*: *appétit* whet
ail [aj] *m* (*pl* ails, *parfois* aulx [o]) garlic; ***gousse*** *f* ***d'~*** clove of garlic
aile [ɛl] *f* wing; AUTO fender, *Br* wing
ailier [ɛlje] *m* SP wing, winger
ailleurs [ajœr] somewhere else, elsewhere; ***d'~*** besides; ***par ~*** moreover; ***nulle part ~*** nowhere else
aimable [ɛmabl] kind
aimant[1], **~e** [ɛmɑ̃, -t] loving
aimant[2] [ɛmɑ̃] *m* magnet; **aimanter** ⟨1a⟩ magnetize
aimer [ɛme] ⟨1b⟩ like; *parent*, *enfant*, *mari etc* love; ***~ mieux*** prefer, like … better; ***~ faire qch*** like to do sth; ***~ mieux faire qch*** prefer to do sth; ***je l'aime bien*** I like him (a lot), I really like him
aine [ɛn] *f* groin
aîné, **~e** [ɛne] **1** *adj de deux* elder; *de trois ou plus* eldest **2** *m/f* elder / eldest; ***il est mon ~*** he is older than me; ***il est mon ~ de deux ans*** he is two years older than me
ainsi [ɛ̃si] this way, thus *fml*; ***~ que*** and, as well as; ***~ soit-il!*** so be it; ***pour ~ dire*** so to speak
aïoli [ajɔli] *m* CUIS *mayonnaise flavored with garlic*
air [ɛr] *m atmosphérique*, *vent* air; *aspect*, *expression* look; MUS tune; ***en plein ~*** in the open; ***menace*** *f* ***en l'~*** empty threat; ***avoir l'~ fatigué*** look tired; ***il a l'~ de ne pas écouter*** he looks as if he isn't listening, he appears not to be listening; ***se donner des ~s*** give o.s. airs; ***~ conditionné*** air conditioning
airbag [ɛrbag] *m* airbag
aire [ɛr] *f* area; ***~ de jeu*** playground; ***~ de repos*** picnic area
aisance [ɛzɑ̃s] *f* (*naturel*) ease; (*richesse*) wealth
aise [ɛz] *f* ease; ***à l'~***, ***à son ~*** comfortable; ***être à l'~*** be comfortable; *dans une situation* be comfortable, feel at ease; ***être mal à l'~*** be uncomfortable; *dans une situation* be uncomfortable, feel ill at ease; ***se mettre à l'~*** make o.s. comfortable; ***en faire à son ~*** do as one pleases; ***prendre ses ~s*** make o.s. at home; **aisé**, **~e** (*facile*) easy; (*assez riche*) comfortable; **aisément** *adv* easily
aisselle [ɛsɛl] *f* armpit
ajournement [aʒurnəmɑ̃] *m* postponement; JUR adjournment; **ajourner** ⟨1a⟩ postpone (***d'une semaine*** for a week); JUR adjourn
ajouter [aʒute] ⟨1a⟩ add; ***s'~ à*** be added to
ajusté, **~e** [aʒyste]: (***bien***) **~** close-fitting; **ajustement** *m* adjustment; **ajuster** ⟨1a⟩ adjust; *vêtement* alter; (*viser*) aim at; (*joindre*) fit (***à*** to)
alarmant, **~e** [alarmɑ̃, -t] alarming; **alarme** *f signal*, *inquiétude* alarm; ***donner l'~*** raise the alarm; ***~ antivol*** burglar alarm; **alarmer** ⟨1a⟩ alarm; ***s'~ de*** be alarmed by; **alarmiste** *m/f* alarmist
Albanie [albani] *f*: ***l'~*** Albania; **albanais**, **~e** **1** *adj* Albanian **2** *m langue* Albanian **3** *m/f* **Albanais**, **~e** Albanian
album [albɔm] *m* album; ***~ photos*** photo album
alcool [alkɔl] *m* alcohol; **alcoolémie** *f*: ***taux*** *m* ***d'~*** blood alcohol level; **alcoolique** *adj & m/f* alcoholic; **alcoolisé**, **~e** alcoholic; **alcoolisme** alcoholism
alco(o)test [alkɔtɛst] *m* Breathalyzer®, *Br* Breathalyser®
aléas [alea] *mpl* risks, hazards; **aléatoire** uncertain; INFORM, MATH random
alentour [alɑ̃tur] **1** *adv* around about **2**: ***~s*** *mpl* surroundings; ***aux ~s de*** in the vicinity of; (*autour de*) about
alerte [alɛrt] **1** *adj* alert **2** *f* alarm; ***donner l'~ à qn*** alert s.o.; ***~ à la bombe*** bomb scare; **alerter** ⟨1a⟩ alert
algèbre [alʒɛbr] *f* algebra
Algérie [alʒeri] *f*: ***l'~*** Algeria; **algérien**, **~ne** **1** *adj* Algerian **2** *m/f* **Al-**

gérien, ~ne Algerian
algue [alg] *f* BOT seaweed
alibi [alibi] *m* alibi
aliéner ⟨1f⟩ alienate
alignement [aliɲmɑ̃] *m* alignment (***sur*** with); (*rangée*) line, row; **aligner** ⟨1a⟩ TECH align, line up (***sur*** with); (*mettre sur une ligne*) line up; ***s'~*** line up; ***s'~ sur qch*** align o.s. with sth
aliment [alimɑ̃] *m* foodstuff; ***~s*** food *sg*; ***~s diététiques*** health food; ***~s surgelés*** deep-frozen food; **alimentaire** food *atr*; ***chaîne f ~*** food chain; **alimentation** *f* food; *en eau, en électricité* supply; ***~ de base*** staple diet; ***~ en courant (électrique)*** power supply; ***~ énergique*** energy supply; **alimenter** ⟨1a⟩ feed; *en eau, en électricité* supply (***en*** with); *conversation* keep going
alinéa [alinea] *m* paragraph
aliter [alite] ⟨1a⟩: ***être alité(e)*** be in bed; ***s'~*** take to one's bed
allaiter [alɛte] ⟨1b⟩ breast-feed
allant [alɑ̃] *m* energy, drive
allécher [aleʃe] ⟨1f⟩ tempt
allée [ale] *f* (*avenue*) path; ***~s et venues*** comings and goings; ***des ~s et venues continuelles*** a constant to-and-fro *sg*
allégation [alegasjõ] *f* allegation
allégé, ~e [aleʒe] *yaourt* low-fat; *confiture* low-sugar; ***~ à 5% de …*** 95% … -free; **alléger** ⟨1g⟩ lighten, make lighter; *impôt* reduce; *tension* alleviate
allègre [alɛgr] cheerful; **allégrement** *adv* cheerfully
alléguer [alege] ⟨1f⟩ *excuse* put forward, offer
Allemagne [almaɲ] *f*: ***l'~*** Germany; **allemand, ~e 1** *adj* German **2** *m langue* German **3** *m/f* **Allemand, ~e** German
aller [ale] ⟨1o⟩ **1** *v/i* (*aux* ***être***) go; ***~ en voiture*** drive, go by car; ***~ à ou en bicyclette*** cycle, go by bike; ***~ chercher*** go for, fetch; ***~ voir qn*** go to see s.o.; ***comment allez-vous?*** how are you?; ***je vais bien*** I'm fine; ***ça va?*** is that OK?; (*comment te portes-tu?*) how are you?, how are things?; ***ça va bien merci*** fine, thanks; ***~ bien avec*** go well with; ***cela me va*** *pour projet, proposition* that's fine by me, that suits me; ***il y va de sa réputation*** his reputation is at stake; ***on y va!*** F let's go!; ***il va sans dire*** needless to say, it goes without saying; ***allez!*** go on!; ***allons!*** come on!; ***allons donc!*** come now!; ***s'en ~*** leave; *d'une tâche* disappear; ***cette couleur te va bien*** that color really suits you
2 *v/aux*: ***je vais partir demain*** I'm going to leave tomorrow, I'm leaving tomorrow; ***j'allais dire*** I was going to say, I was about to say
3 *m*: ***~ et retour*** round trip, *Br* return trip; *billet* round-trip ticket, *Br* return (ticket); ***~ simple*** one-way ticket, *Br* single; ***match m ~*** away game; ***au pis ~*** if the worst comes to the worst
allergie [alɛrʒi] *f* allergy; **allergique** allergic (***à*** to)
alliage [aljaʒ] *m* CHIM alloy; **alliance** *f* POL alliance; (*mariage*) marriage; (*anneau*) wedding ring; ***tante f par ~*** aunt by marriage; **allié, ~e 1** *adj* allied; *famille* related by marriage **2** *m/f* ally; *famille* relative by marriage; **allier** ⟨1a⟩ combine (***à*** with, and); ***s'~ à qn*** ally o.s. with s.o.
allô [alo] hello
allocation [alɔkasjõ] *f* allowance; ***~s familiales*** dependents' allowance *sg*, *Br* child benefit *sg*; ***~ chômage*** workers' compensation, *Br* unemployment benefit
allocution [alɔkysjõ] *f* speech
allonger [alõʒe] ⟨1l⟩ lengthen, make longer; *bras, jambes* stretch out; ***~ le pas*** lengthen one's stride, step out; ***s'~*** get longer; (*s'étendre*) lie down; ***être allongé*** be lying down, be stretched out
allouer [alwe] ⟨1a⟩ allocate
allumage [alymaʒ] *m* AUTO ignition;
allumer ⟨1a⟩ **1** *v/t cigarette, feu, bougie* light; *chauffage, télévision etc* turn on, switch on **2** *v/i* turn *ou* switch the lights on; **allumette** *f* match

allure [alyr] *f* (*démarche*) walk; (*vitesse*) speed; (*air*) appearance; ***prendre des ~s de mannequin*** act *ou* behave like a model; ***avoir de l'~*** have style *ou* class; ***à toute ~*** at top speed
allusion [alyzjõ] *f* allusion; ***faire ~ à*** allude to
alors [alɔr] (*à ce moment-là*) then; (*par conséquence*) so; ***ça ~!*** well!; ***~?*** so?; ***~ que*** *temps* when; *opposition* while
alouette [alwɛt] *f* lark
alourdir [alurdir] ⟨2a⟩ make heavy
aloyau [alwajo] *m* sirloin
Alpes [alp] *fpl*: ***les ~*** the Alps
alpestre [alpɛstr] alpine
alphabet [alfabɛ] *m* alphabet; **alphabétique** alphabetical; **alphabétiser** teach to read and write
alpin, ~e [alpɛ̃, -in] alpine; **alpinisme** *m* mountaineering; **alpiniste** *m/f* mountaineer
Alsace [alzas] *f*: ***l'~*** Alsace; **alsacien, ~ne 1** *adj* of / from Alsace, Alsatian **2** *m* LING Alsace dialect **3** *m/f* **Alsacien, ~ne** inhabitant of Alsace
altercation [altɛrkasjõ] *f* argument, altercation *fml*
altérer [altere] ⟨1f⟩ *denrées* spoil; *couleur* fade; *vérité* distort; *texte* change, alter
altermondialiste [altɛrmõdjalist] *m/f & adj* alternative globalist
alternance [altɛrnɑ̃s] *f* alternation; *de cultures* rotation; **alternatif, -ive** alternative; **alternative** *f* alternative; **alternativement** alternately, in turn; **alterner** ⟨1a⟩ alternate
altimètre [altimɛtr] *m* altimeter; **altitude** *f* altitude
alto [alto] *m* MUS *saxophone, voix* alto; *instrument à cordes* viola
altruisme [altryism] *m f* altruism; **altruiste 1** *adj* altruistic **2** *m/f* altruist
aluminium [alyminjɔm] *m* aluminum, *Br* aluminium
alunir [alynir] ⟨2a⟩ land on the moon; **alunissage** *m* moon landing
amabilité [amabilite] *f* kindness
amadouer [amadwe] ⟨1a⟩ softsoap
amaigri, ~e [amɛgri] thinner; **amaigrir** ⟨2a⟩: ***~ qn*** *de maladie* cause s.o. to lose weight; ***s'~*** lose weight, get thinner
amalgame [amalgam] *m* mixture, amalgamation; **amalgamer** ⟨1a⟩ amalgamate
amande [amɑ̃d] *f* BOT almond
amant [amɑ̃] *m* lover
amarre [amar] *f* MAR mooring line; **amarrer** ⟨1a⟩ MAR moor
amas [ama] *m* pile, heap; **amasser** ⟨1a⟩ amass
amateur [amatœr] *m* *qui aime bien* lover; *non professionnel* amateur; ***~ d'art*** art lover; ***en ~*** *péj* as a hobby; ***d'~*** *péj* amateurish
ambages [ɑ̃baʒ] *fpl*: ***sans ~*** without beating about the bush
ambassade [ɑ̃basad] *f* embassy; **ambassadeur, -drice** *m/f* ambassador
ambiance [ɑ̃bjɑ̃s] *f* (*atmosphère*) atmosphere; **ambiant, ~e**: ***température f ~e*** room temperature
ambidextre [ɑ̃bidɛkstr] ambidextrous
ambigu, ~ë [ɑ̃bigy] ambiguous; **ambiguïté** *f* ambiguity
ambitieux, -euse [ɑ̃bisjø, -z] **1** *adj* ambitious **2** *m/f* ambitious person; **ambition** *f* ambition; **ambitionner** ⟨1a⟩: ***~ de faire qch*** want to do sth
ambivalence [ɑ̃bivalɑ̃s] *f* ambivalence; **ambivalent, ~e** ambivalent
ambulance [ɑ̃bylɑ̃s] *f* ambulance; **ambulancier** *m* paramedic, *Br aussi* ambulance man
ambulant, ~e [ɑ̃bylɑ̃, -t] traveling, *Br* travelling, itinerant
âme [ɑm] *f* soul; ***état m d'~*** state of mind; ***rendre l'~*** breathe one's last; ***~ charitable*** do-gooder
amélioration [ameljɔrasjõ] *f* improvement; **améliorer** ⟨1a⟩ improve; ***s'~*** improve, get better
aménagé, ~e [amenaʒe]: ***cuisine f ~e*** fitted kitchen; **aménagement** *m* arrangement, layout; *d'une vieille maison* conversion; **aménager** ⟨1l⟩ *appartement* arrange, lay out; *terrain* develop; *vieille maison* convert
amende [amɑ̃d] *f* fine; ***sous peine d'~*** or you will be liable to a fine
amendement [amɑ̃dmɑ̃] *m* improve-

ment; POL amendment; **amender** ⟨1a⟩ improve; *projet de loi* amend
amener [amne] ⟨1d⟩ bring; (*causer*) cause; ***~ qn à faire qch*** get s.o. to do sth; ***s'~*** turn up
amer, **-ère** [amɛr] bitter
américain, **~e** [amerikɛ̃, -ɛn] **1** *adj* American **2** *m* LING American English **3** *m/f* **Américain**, **~e** American; **américaniser** Americanize
amérindien, **~ne** [ameʀɛ̃djɛ̃, -ɛn] **1** *adj* Native American, Amerindian; **2** *m/f* **Amérindien**, **~ne** Native American, Amerindian
Amérique [amerik] *f*: ***l'~*** America; ***l'~ centrale*** Central America; ***l'~ latine*** Latin America; ***l'~ du Nord*** North America; ***l'~ du Sud*** South America; ***les Amériques*** the Americas
amerrir [amɛrir] ⟨2a⟩ AVIAT splash down; **amerrissage** *m* splashdown
amertume [amɛrtym] *f* bitterness
ameublement [amœbləmɑ̃] *m* (*meubles*) furniture
ameuter [amøte] ⟨1a⟩ rouse
ami, **~e** [ami] **1** *m/f* friend; (*amant*) boyfriend; (*maîtresse*) girlfriend; ***petit ~*** boyfriend; ***petite ~e*** girlfriend; ***devenir ~ avec qn*** make friends with s.o. **2** *adj* friendly; **amiable**: ***à l'~*** amicably; JUR out of court; *arrangement* amicable, friendly; JUR out-of-court
amiante [amjɑ̃t] *m* asbestos
amical, **~e** [amikal] (*mpl* -aux) **1** *adj* friendly **2** *f* association; **amicalement** in a friendly way
amincir [amɛ̃sir] ⟨2a⟩ **1** *v/t chose* make thinner; *d'une robe* make look thinner **2** *v/i* get thinner
amiral [amiral] *m* (*pl* -aux) admiral
amitié [amitje] *f* friendship; ***~s*** best wishes, regards
amnésie [amnezi] *f* amnesia
amnistie [amnisti] *f* amnesty
amoindrir [amwɛ̃drir] ⟨2a⟩ diminish, lessen; *mérite* detract from; ***s'~*** diminish; **amoindrissement** *m* decline, decrease
amollir [amɔlir] ⟨2a⟩ soften
amonceler [amɔ̃sle] ⟨1c⟩ pile up
amont [amɔ̃]: ***en ~*** upstream (***de*** from)
amoral, **~e** [amɔral] (*mpl* -aux) amoral
amorce [amɔrs] *f* (*début*) beginning; **amorcer** ⟨1k⟩ begin; INFORM boot up
amorphe [amɔrf] *sans énergie* listless
amortir [amɔrtir] ⟨2a⟩ *choc* cushion; *bruit* muffle; *douleur* dull; *dettes* pay off; **amortisseur** *m* AUTO shock absorber
amour [amur] *m* love; ***mon ~*** my love, darling; ***~s*** love life *sg*; ***faire l'~*** make love; **amoureux**, **-euse** *regard* loving; *vie* love *atr*; *personne* in love (***de*** with); ***tomber ~*** fall in love
amour-propre [amurprɔpr] *m* pride
amovible [amɔvibl] *housse* removable
amphibie [ɑ̃fibi] amphibious
amphithéâtre [ɑ̃fiteɑtr] *m d'université* lecture hall; (*théâtre classique*) amphitheater, *Br* amphitheatre
ample [ɑ̃pl] *vêtements* loose, roomy; *sujet*, *matière* broad, wide; *ressources* ample; ***pour de plus ~s informations*** for more *ou* further information; **amplement** *décrire*, *expliquer* fully; ***c'est ~ suffisant*** it's more than enough; **ampleur** *f d'un désastre* extent, scale; *d'une manifestation* size
amplificateur [ɑ̃plifikatœr] *m* TECH amplifier; **amplification** *f* TECH amplification; *fig* growth, expansion; **amplifier** ⟨1a⟩ TECH amplify; *fig*: *problème*, *scandale* magnify; *idée* expand, develop
amplitude [ɑ̃plityd] *f* PHYS amplitude
ampoule [ɑ̃pul] *f sur la peau* blister; *de médicament* ampoule; *lampe* bulb
amputation [ɑ̃pytasjɔ̃] *f* amputation; **amputer** ⟨1a⟩ amputate; *fig* cut
amusant, **~e** [amyzɑ̃, -t] funny, entertaining, amusing
amuse-gueule [amyzgœl] *m* (*pl inv*) appetizer, nibble F
amusement [amyzmɑ̃] *m* amusement; **amuser** ⟨1a⟩ amuse; (*divertir*) entertain, amuse; ***s'~*** have a good time, enjoy o.s.; ***amuse-toi bien!*** have fun!, enjoy yourself!; ***s'~ à faire qch*** have fun doing sth, enjoy doing

sth; ***faire qch pour s'~*** do sth for fun; ***s'~ de*** make fun of
amygdale [ami(g)dal] *f* ANAT tonsil; **amygdalite** *f* tonsillitis
an [ɑ̃] *m* year; ***le jour** ou **le premier de l'~*** New Year's Day, New Year's; ***bon ~, mal ~*** averaged out over the years; ***deux fois par ~*** twice a year; ***20 000 euros par ~*** 20,000 euros a year ou per annum; ***elle a 15 ~s*** she's 15 (years old); ***tous les ~s*** every year; ***l'~ prochain*** next year; ***l'~ dernier*** last year
anachronisme [anakrɔnism] *m* anachronism
analgésique [analʒezik] *m* PHARM analgesic, pain killer
analogie [analɔʒi] *f* analogy; **analogique** INFORM analog; **analogue** analogous (***à*** with), similar (***à*** to)
analphabète [analfabɛt] illiterate; **analphabétisme** *m* illiteracy
analyse [analiz] *f* analysis; *de sang* test; **analyser** ⟨1a⟩ analyze, *Br* analyse; *sang* test; **analyste** *m/f* analyst; **analytique** analytical
ananas [anana(s)] *m* BOT pineapple
anarchie [anarʃi] *f* anarchy; **anarchiste** *m* anarchist
anatomie [anatɔmi] *f* anatomy
ancêtres [ɑ̃sɛtr] *mpl* ancestors
anchois [ɑ̃ʃwa] *m* anchovy
ancien, ~ne [ɑ̃sjɛ̃, -ɛn] old; (*précédent*) former, old; *de l'Antiquité* ancient; ***~ combattant*** (war) veteran, vet F; **anciennement** *adv* formerly; **ancienneté** *f dans une profession* seniority
ancre [ɑ̃kr] *f* anchor; **ancrer** ⟨1a⟩ anchor; ***être ancré*** be at anchor; *fig* be embedded, be firmly rooted
Andorre [ɑ̃dɔr] *f*: ***l'~*** Andorra
andouille [ɑ̃duj] *f* CUIS *type of sausage*; *fig* F idiot, noodle F
âne [ɑn] *m* donkey; *fig* ass
anéantir [aneɑ̃tir] ⟨2a⟩ annihilate; **anéantissement** *m* annihilation
anecdote [anɛgdɔt] *f* anecdote
anémie [anemi] *f* MÉD anemia, *Br* anaemia; **anémique** anemic, *Br* anaemic
anesthésiant [anɛstezjɑ̃] *m* anesthetic, *Br* anaesthetic; **anesthésie** *f* MÉD anesthesia, *Br* anaesthesia; ***~ générale / locale*** general / local anesthetic; **anesthésier** ⟨1a⟩ anesthetize, *Br* anaesthetize; **anesthésique** *m* anesthetic, *Br* anaesthetic; **anesthésiste** *m/f* anesthesiologist, *Br* anaesthetist
ange [ɑ̃ʒ] *m* angel; ***être aux ~s*** *fig* be in seventh heaven; ***~ gardien*** guardian angel; **angélique** angelic
angine [ɑ̃ʒin] *f* MÉD throat infection; ***~ de poitrine*** angina
anglais, ~e [ɑ̃glɛ, -z] **1** *adj* English **2** *m langue* English **3** *m/f* **Anglais, ~e** Englishman; Englishwoman; ***les ~*** the English
angle [ɑ̃gl] *m* angle; (*coin*) corner; ***~ droit*** right angle; ***~ mort*** blind spot
Angleterre [ɑ̃glətɛr] *f*: ***l'~*** England
anglicisme [ɑ̃glisism] *m* anglicism
anglophone [ɑ̃glɔfon] English-speaking; **anglo-saxon** Anglo-Saxon
angoissant, ~e painful, distressing; **angoisse** *f* anguish, distress; **angoisser** ⟨1a⟩ distress
anguille [ɑ̃gij] *f* eel
anguleux, -euse [ɑ̃gylø, -z] angular
anicroche [anikrɔʃ] *f* hitch
animal [animal] (*mpl* -aux) **1** *m* animal; ***~ domestique*** pet **2** *adj* (*f **~e***) animal *atr*
animateur, -trice [animatœr, -tris] *m/f d'une émission de radio, de télévision* host, presenter; *d'une discussion* moderator; *d'activités culturelles* organizer, leader; *d'une entreprise* leader; *de dessin animé* animator; **animation** *f* (*vivacité*) liveliness; *de mouvements* hustle and bustle; *de dessin animé* animation; ***~ (culturelle)*** community-based activities *pl*; **animé, ~e** *rue, quartier* busy; *conversation* lively, animated; **animer** ⟨1a⟩ *conversation, fête* liven up; (*stimuler*) animate; *discussion, émission* host; ***s'~*** *d'une rue, d'un quartier* come to life, come alive; *d'une personne* become animated
animosité [animozite] *f* animosity
anis [anis] *m* aniseed; *liqueur aniseed-*

flavored alcoholic drink; **anisette** *f* *aniseed-flavored alcoholic drink*
anneau [ano] *m* (*pl* -x) ring
année [ane] *f* year; ***les ~s 90*** the 90s; ***bonne ~!*** happy New Year!; ***~ fiscale*** fiscal year; ***~ sabbatique*** sabbatical (year); **année-lumière** *f* light year
annexe [anɛks] *f d'un bâtiment* annex; *d'un document* appendix; *d'une lettre* enclosure, *Br* attachment; **annexer** ⟨1a⟩ *document* enclose, *Br* attach; *pays* annex
annihiler [aniile] ⟨1a⟩ annihilate
anniversaire [anivɛrsɛr] *m* birthday; *d'un événement* anniversary; ***~ de mariage*** wedding anniversary
annonce [anõs] *f* (*nouvelle*) announcement; *dans journal* ad(vertisement); (*présage*) sign; ***petites ~s*** classified advertisements, classifieds; **annoncer** ⟨1k⟩ announce; ***s'~ bien / mal*** be off to a good / bad start; **annonceur** *m dans un journal* advertiser; TV, *à la radio* announcer
annotation [anɔtasjõ] *f* annotation; **annoter** ⟨1a⟩ annotate
annuaire [anɥɛr] *m* yearbook; ***~ du téléphone*** phone book
annuel, ~le [anɥɛl] annual, yearly
annulaire [anylɛr] *m* ring finger
annulation [anylasjõ] *f* cancellation; *d'un mariage* annulment; **annuler** ⟨1a⟩ cancel; *mariage* annul
anodin, ~e [anɔdɛ̃, -in] harmless; *personne* insignificant; *blessure* slight
anomalie [anɔmali] *f* anomaly
anonymat [anɔnima] *m* anonymity; **anonyme** anonymous; ***société*** *f* ***~*** incorporated *ou Br* limited company
anorak [anɔrak] *m* anorak
anorexie [anɔrɛksi] *f* anorexia; **anorexique** anorexic
anormal, ~e [anɔrmal] abnormal
anse [ɑ̃s] *f d'un panier etc* handle; GÉOGR cove, bay
antagonisme [ɑ̃tagɔnism] *m* antagonism; **antagoniste 1** *adj* antagonistic **2** *m/f* antagonist
antarctique [ɑ̃tarktik] **1** *adj* Antarctic **2** *m* **l'Antarctique** Antarctica, the Antarctic
antécédents [ɑ̃tesedɑ̃] *mpl* history *sg*
antenne [ɑ̃tɛn] *f* ZO antenna, feeler; TV, *d'une radio* antenna, *Br* aerial; ***être à l'~*** be on the air
antérieur, ~e [ɑ̃terjœr] (*de devant*) front; (*d'avant*) previous, earlier; ***~ à*** prior to, before
anthologie [ɑ̃tɔlɔʒi] *f* anthology
anthropologie [ɑ̃trɔpɔlɔʒi] *f* anthropology; **anthropologue** *m/f* anthropologist
antiadhésif, -ive [ɑ̃tiadezif, -iv] non-stick
antibiotique [ɑ̃tibjɔtik] *m* antibiotic
antibrouillard [ɑ̃tibrujar] *m* fog lamp
antibruit [ɑ̃tibrɥi] soundproof
antichoc [ɑ̃tiʃɔk] shock-proof
anticipation [ɑ̃tisipasjõ] *f* anticipation; ***payer par ~*** pay in advance; ***d'~*** *film, roman* science-fiction; **anticipé, ~e** early; *paiement* advance; **anticiper** ⟨1a⟩ anticipate; ***~ un paiement*** pay in advance
anticlérical, ~e [ɑ̃tiklerikal] (*mpl* -aux) anticlerical
anticonceptionnel, ~le [ɑ̃tikõsɛpsjɔnɛl] contraceptive
anticonstitutionnel, ~le [ɑ̃tikõstitysjɔnɛl] unconstitutional
anticorps [ɑ̃tikɔr] *m* antibody
antidater [ɑ̃tidate] ⟨1a⟩ backdate
antidérapant, ~e [ɑ̃tiderapɑ̃, -t] AUTO **1** *adj* non-skid **2** *m* non-skid tire, *Br* non-skid tyre
antidote [ɑ̃tidɔt] *m* MÉD antidote
antigel [ɑ̃tiʒɛl] *m* antifreeze
antillais, ~e [ɑ̃tijɛ, -z] **1** *adj* West Indian **2** *m/f* **Antillais, ~e** West Indian; **Antilles** *f / pl*: ***les ~*** the West Indies
antimondialiste [ɑ̃timõdjalist] *m/f & adj* antiglobalist
antipathie [ɑ̃tipati] *f* antipathy; **antipathique** unpleasant
antipelliculaire [ɑ̃tipelikylɛr]: ***shampoing*** *m* ***~*** dandruff shampoo
antipode [ɑ̃tipɔd] *m*: ***aux ~s*** *fig* poles apart (***de*** from)
antipollution [ɑ̃tipɔlysjõ] anti-pollution

antiquaire [ɑ̃tikɛr] *m* antique dealer; **antique** ancient; *meuble* antique; *péj* antiquated; **antiquités** *fpl meubles, objets d'art* antiques
antirouille [ɑ̃tiruj] antirust
antisocial, ~e [ɑ̃tisɔsjal] antisocial
antisémite [ɑ̃tisemit] **1** *adj* anti-Semitic **2** *m/f* anti-Semite
antiseptique [ɑ̃tisɛptik] *m & adj* antiseptic
antiterroriste [ɑ̃titɛrɔrist] anti-terrorist
antivol [ɑ̃tivɔl] *m* anti-theft device
anxiété [ɑ̃ksjete] *f* anxiety; **anxieux, -euse** anxious; ***être ~ de faire qch*** be anxious to do sth
août [u(t)] *m* August
apaiser [apɛze] ⟨1b⟩ *personne* pacify, calm down; *douleur* soothe; *soif* slake; *faim* satisfy
apathie [apati] *f* apathy
apercevoir [apɛrsəvwar] ⟨3a⟩ see; ***s'~ de qch*** notice sth; **aperçu 1** *p/p* → ***apercevoir*** **2** *m* broad outline
apéritif [aperitif] *m* aperitif; **apéro** *m* F → ***apéritif***
apesanteur [apəzɑ̃tœr] *f* weightlessness
à-peu-près [apøprɛ] *m* (*pl inv*) approximation
apeuré, ~e [apœre] frightened
apitoyer [apitwaje] ⟨1h⟩: ***~ qn*** move s.o. to pity; ***s'~ sur qn*** feel sorry for s.o.
aplanir [aplanir] ⟨2a⟩ flatten, level; *fig*: *différend* smooth over; *difficultés* iron out
aplatir [aplatir] ⟨2a⟩ flatten; ***s'~*** (*s'écraser*) be flattened; ***s'~ devant qn*** kowtow to s.o.
aplomb [aplõ] *m* (*confiance en soi*) self-confidence; (*audace*) nerve; ***d'~*** vertical, plumb; ***je ne suis pas d'~*** *fig* I don't feel a hundred percent; ***avec ~*** confidently
apogée [apɔʒe] *m fig* height, peak
apolitique [apɔlitik] apolitical
apostrophe [apɔstrɔf] *f* (*interpellation*) rude remark; *signe* apostrophe; **apostropher** ⟨1a⟩: ***~ qn*** F shout at s.o., tear s.o. off a strip
apôtre [apotr] *m* apostle
apparaître [aparɛtr] ⟨4z⟩ appear; ***faire ~*** bring to light; ***il apparaît que*** it appears *ou* seems that, it would appear that
appareil [aparɛj] *m* device; AVIAT plane; ***qui est à l'~?*** TÉL who's speaking?, who's this?; ***~ (dentaire)*** brace; ***~ ménager*** household appliance; ***~ photo*** camera; **appareiller** ⟨1a⟩ match (***à*** with); MAR set sail (***pour*** for)
apparemment [aparamɑ̃] apparently
apparence [aparɑ̃s] *f* appearance; ***en ~*** on the face of things; ***sauver les ~s*** save face; ***selon toute ~*** judging by appearances; **apparent, ~e** (*visible*) visible; (*illusoire*) apparent
apparenté, ~e [aparɑ̃te] related (***à*** to)
apparition [aparisjõ] *f* appearance
appartement [apartəmɑ̃] *m* apartment, *Br* flat
appartenance [apartənɑ̃s] *f à une association, à un parti* membership; **appartenir** ⟨2h⟩ belong (***à qn*** to s.o.); ***il ne m'appartient pas d'en décider*** it's not up to me to decide
appât [apɑ] *m aussi fig* bait; **appâter** ⟨1a⟩ lure
appauvrir [apovrir] ⟨2a⟩ impoverish; ***s'~*** become impoverished; **appauvrissement** *m* impoverishment
appel [apɛl] *m* call; TÉL (telephone) call; (*exhortation*) appeal, call; MIL (*recrutement*) draft, *Br* call-up; JUR appeal; ÉDU roll-call; ***faire ~*** JUR appeal; ***sans ~*** final; ***faire ~ à qch*** (*nécessiter*) require; ***faire ~ à qn*** appeal to s.o.; ***~ d'offres*** invitation to tender; **appelé** *m* MIL conscript; **appeler** ⟨1c⟩ call; (*nécessiter*) call for; ***en ~ à qn*** approach s.o., turn to s.o.; ***comment t'appelles-tu?*** what's your name?, what are you called?; ***je m'appelle …*** my name is …, I'm called …
appendice [apɛ̃dis] *m* appendix; **appendicite** *f* MÉD appendicitis
appesantir [apəzɑ̃tir]: ***s'~*** grow heavier; ***s'~ sur*** dwell on
appétissant, ~e [apetisɑ̃, -t] appetiz-

ing; **appétit** *m* appetite; ***bon ~!*** enjoy (your meal)!
applaudir [aplodir] ⟨2a⟩ applaud, clap; **applaudissements** *mpl* applause *sg*, clapping *sg*
applicable [aplikabl] applicable; **applicateur** *m* applicator; **application** *f* application; **appliqué**, **~e** *science* applied; **appliquer** ⟨1m⟩ apply; *loi* apply, enforce; ***s'~*** *d'une personne* apply o.s., work hard; ***~ Y sur X*** smear X with Y, smear Y on X; ***s'~ à qch*** apply to sth; ***s'~ à faire qch*** take pains to do sth with
appointements [apwɛ̃tmɑ̃] *mpl* salary *sg*
apport [apɔr] *m* contribution; **apporter** ⟨1a⟩ bring; ***~ du soin à qch*** take care over sth; ***~ de l'attention à qch*** pay attention to sth; ***~ des raisons*** provide reasons
apposer [apoze] ⟨1a⟩: ***~ sa signature*** append one's signature
appréciable [apresjabl] significant, appreciable; **appréciation** *f d'un prix, d'une distance* estimate; (*jugement*) comment, opinion; COMM appreciation; **apprécier** ⟨1a⟩ *valeur, distance* estimate; *personne, musique, la bonne cuisine* appreciate
appréhender [apreɑ̃de] ⟨1a⟩: ***~ qch*** be apprehensive about sth; ***~ qn*** JUR arrest s.o.; **appréhensif**, **-ive** apprehensive; **appréhension** *f* apprehension
apprendre [aprɑ̃dr] ⟨4q⟩ *leçon* learn; *nouvelle* learn, hear (***par qn*** from s.o.); ***~ qch à qn*** (*enseigner*) teach s.o. sth; (*raconter*) tell s.o. sth; ***~ à lire*** learn to read
apprenti, **~e** [aprɑ̃ti] *m/f* apprentice; *fig* beginner, novice; ***~ conducteur*** student driver, *Br* learner driver; **apprentissage** *m d'un métier* apprenticeship; *processus psychologique* learning
apprêté, **~e** [aprɛte] affected; **apprêter** ⟨1a⟩ prepare; ***s'~ à faire qch*** prepare to do sth, get ready to do sth
apprivoiser [aprivwaze] ⟨1a⟩ tame
approbateur, **-trice** [aprɔbatœr, -tris] approving; **approbation** *f* approval
approche [aprɔʃ] *f* approach; **approcher** ⟨1a⟩ **1** *v/t* bring closer (***de*** to) **2** *v/i* approach; ***s'~ de*** approach
approfondi, **~e** [aprɔfɔ̃di] thorough, detailed; **approfondir** ⟨2a⟩ deepen; (*étudier*) go into in detail
approprié, **~e** [aprɔprije] appropriate, suitable (***à*** for); **approprier** ⟨1a⟩: ***s'~ qch*** appropriate sth
approuver [apruve] ⟨1a⟩ *projet, loi* approve; *personne, manières* approve of
approvisionnement [aprɔvizjɔnmɑ̃] *m* supply (***en*** of); **approvisionner** ⟨1a⟩ supply; ***~ un compte bancaire*** pay money into a bank account
approximatif, **-ive** [aprɔksimatif, -iv] approximate; **approximation** *f* approximation; **approximativement** *adv* approximately
appui [apɥi] *m* support; *d'une fenêtre* sill; ***prendre ~ sur*** lean on; ***à l'~ de*** in support of; ***preuves*** *fpl* ***à l'appui*** supporting evidence *sg*; **appuie-tête** *m* (*pl inv*) headrest; **appuyer** ⟨1h⟩ **1** *v/t* lean; (*tenir debout*) support; *fig candidat, idée* support, back **2** *v/i*: ***~ sur*** *bouton* press, push; *fig* stress; ***s'~ sur*** lean on; *fig* rely on
âpre [ɑpr] bitter
après [aprɛ] **1** *prép* after; ***l'un ~ l'autre*** one after the other; ***~ coup*** after the event; ***~ quoi*** and then, after that; ***~ tout*** after all; ***~ avoir lu le journal, il …*** after reading the paper he …, after having read the paper, he …; ***d'~*** (***ce que disent***) ***les journaux*** according to the papers, going by what the papers say **2** *adv* afterward, *Br aussi* afterwards **3** *conj*: ***~ que*** after; ***~ qu'il soit*** (*subj*) ***parti nous avons …*** after he left we …; ***~ qu'il soit*** (*subj*) ***parti nous aurons …*** after he leaves we will have …
après-demain [aprɛdmɛ̃] the day after tomorrow
après-guerre [aprɛgɛr] *m* (*pl* après-guerres) post-war period
après-midi [apremidi] *m ou f* (*pl inv*) afternoon

après-rasage [aprɛrazaʒ]: ***lotion*** *f* ~ aftershave
après-vente [aprɛvɑ̃t]: ***service*** *m* ~ after-sales service
apr. J.-C. *abr* (***= après Jésus-Christ***) AD (= anno Domini)
à-propos [aprɔpo] *m* aptness
apte [apt] apt (***à*** to)
aptitude [aptityd] *f* aptitude
aquarelle [akwarɛl] *f* watercolor, *Br* watercolour
aquarium [akwarjɔm] *m* aquarium
aquatique [akwatik] aquatic; *oiseau* water *atr*
aqueduc [akdyk] *m* aqueduct
arabe [arab] **1** *adj* Arab **2** *m langue* Arabic **3** *m/f* **Arabe** Arab; **Arabie** *f*: ***l'~ Saoudite*** Saudi (Arabia)
arachide [araʃid] *f* BOT peanut
araignée [areɲe] *f* spider
arbitrage [arbitraʒ] *m* arbitration; *à la Bourse* arbitrage
arbitraire [-ɛr] arbitrary
arbitre [arbitr] *m* referee; ***libre ~*** *m* free will; **arbitrer** ⟨1a⟩ arbitrate
arbre [arbr] *m* tree; TECH shaft; ***~ généalogique*** family tree; ***~ de Noël*** Christmas tree
arbuste [arbyst] *m* shrub
arc [ark] *m* ARCH arch; GÉOM arc
arcades [arkad] *fpl* ARCH arcade *sg*
arc-boutant [arkbutɑ̃] *m* (*pl* arcs-boutants) ARCH flying buttress
arc-en-ciel [arkɑ̃sjɛl] *m* (*pl* arcs-en--ciel) rainbow
archange [arkɑ̃ʒ] *m* REL archangel
arche [arʃ] *f* arch; *Bible* Ark
archéologie [arkeɔlɔʒi] *f* archeology, *Br* archaeology; **archéologique** archeological, *Br* archaeology; **archéologue** *m/f* archeologist, *Br* archaeologist
archet [arʃɛ] *m* archer; MUS bow
archevêque [arʃəvɛk] *m* archbishop
architecte [arʃitɛkt] *m/f* architect; **architecture** *f* architecture
archives [arʃiv] *fpl* records, archives
arctique [arktik] **1** *adj* Arctic **2** *m* **l'Arctique** the Arctic
ardent, **~e** [ardɑ̃, -t] *soleil* blazing; *désir* burning; *défenseur* fervent; **ardeur** *f fig* ardor, *Br* ardour
ardoise [ardwaz] *f* slate
ardu, **~e** [ardy] arduous
arène [arɛn] *f* arena; **~s** arena *sg*
arête [arɛt] *f d'un poisson* bone; *d'une montagne* ridge
argent [arʒɑ̃] *m* silver; (*monnaie*) money; ***~ liquide*** *ou* ***comptant*** cash; ***~ du ménage*** housekeeping; ***~ de poche*** allowance, *Br* pocket money; **argenterie** *f* silver(ware)
argentin, **~e** [arʒɑ̃tɛ̃, -in] **1** *adj* Argentinian **2** *m/f* **Argentin**, **~e** Argentinian; **Argentine** *f*: **l'~** Argentina
argile [arʒil] *f* GÉOL clay
argot [argo] *m* slang; **argotique** slang *atr*
argument [argymɑ̃] *m* argument; **argumenter** ⟨1a⟩ argue
aride [arid] arid, dry; *sujet* dry; **aridité** *f* aridity, dryness
aristocrate [aristɔkrat] *m/f* aristocrat; **aristocratie** *f* aristocracy; **aristocratique** aristocratic
arithmétique [aritmetik] **1** *adj* arithmetical **2** *f* arithmetic
armateur [armatœr] *m* shipowner
armature [armatyr] *f* structure, framework
arme [arm] *f* weapon (*aussi fig*); **~s** (*blason*) coat of arms *sg*; ***~ à feu*** firearm; **armé**, **~e** armed (***de*** with); *fig* equipped (***contre*** for; ***de*** with); **armée** *f* army; ***~ de l'air*** airforce; ***Armée du Salut*** Salvation Army; **armement** *m* arming; **~s** *moyens d'un pays* armaments; ***course*** *f* ***aux ~s*** armaments race; **armer** ⟨1a⟩ arm (***de*** with); *fig* equip (***de*** with)
armistice [armistis] *m* armistice; ***l'Armistice*** *Veterans' Day, Br Remembrance Day*
armoire [armwar] *f* cupboard; *pour les vêtements* closet, *Br* wardrobe
arnaque [arnak] *f* F rip-off F, con F; **arnaquer** ⟨1b⟩ F rip off F; **arnaqueur**, **-euse** *m/f* F hustler F
aromate [arɔmat] *m* herb; (*épice*) spice; **aromathérapie** *m* aromatherapy; **aromatique** aromatic; **arome**,

arôme *m* flavor, *Br* flavour; (*odeur*) aroma
arpenter [arpɑ̃te] ⟨1a⟩ measure; *fig: salle* pace up and down; **arpenteur** *m* surveyor
arrache-pied [araʃpje]: ***travailler d'~*** slave; **arracher** ⟨1a⟩ pull out; *pommes de terre* pull up, lift; *page* pull out, tear out; ***~ qch à qn*** snatch sth from s.o.; ***~ un aveu à qn*** extract a confession from s.o.; ***s'~ à** ou **de qch*** free o.s. from sth; ***s'~ qch*** fight over sth; ***s'~ les cheveux*** pull one's hair out
arrangeant, **~e** [arɑ̃ʒɑ̃] obliging; **arrangement** *m* (*disposition, accord*) MUS arrangement; **arranger** ⟨1l⟩ arrange; *objet* mend, fix; *différend* settle; F ***~ qn*** (*maltraiter*) beat s.o. up; ***cela m'arrange*** that suits me; ***s'~ avec qn pour faire qch*** come to an arrangement with s.o. about sth; ***tout s'arrange*** everything works out in the end; ***s'~ pour faire qch*** manage to do sth; ***s'~ de qch*** put up with sth
arrestation [arɛstasjõ] *f* arrest; ***en état d'~*** under arrest
arrêt [arɛ] *m* (*interruption*) stopping; *d'autobus* stop; JUR judgment; ***sans ~*** constantly; AUTO ***à l'~*** stationary; ***~(s) de jeu*** overtime, *Br* injury *ou* stoppage time; ***~ de travail*** work stoppage; **arrêté** *m* decree; **arrêter** ⟨1b⟩ **1** *v/i* stop **2** *v/t* stop; *moteur* turn off, switch off; *voleur* arrest; *jour, date* set, fix; ***~ de faire qch*** stop doing sth; ***s'~*** stop
arrhes [ar] *fpl* COMM deposit
arrière [arjɛr] **1** *adv* back; ***en ~*** backward; *regarder* back; (*à une certaine distance*) behind; ***en ~ de*** behind, at the back of **2** *adj inv feu* rear *atr*; ***siège** m **~*** back seat **3** *m* AUTO, SP back; ***à l'~*** in back, at the back
arriéré, **~e** [arjere] **1** *adj paiement* late, in arrears; *enfant, idées* backward **2** *m* COMM arrears *pl*
arrière-goût [arjɛrgu] *m* aftertaste
arrière-grand-mère [arjɛrgrɑ̃mɛr] *f* (*pl* arrière-grand⟨s⟩-mères) great-grandmother; **arrière-grand-père** *m* (*pl* arrière-grands-pères) great-grandfather
arrière-pays [arjɛrpei] *m* hinterland
arrière-pensée [arjɛrpɑ̃se] *f* (*pl* arrière-pensées) ulterior motive, hidden agenda
arrière-petit-fils [arjɛrp(ə)tifis] *m* (*pl* arrière-petits-fils) great-grandson
arrière-plan [arjɛrplɑ̃] *m* background
arrière-saison [arjɛrsɛzõ] *f* fall, *Br* autumn
arrimer [arime] ⟨1a⟩ *chargement* stow
arrivage [arivaʒ] *m* consignment; **arrivée** *f* arrival; SP finish line, *Br* finishing line; **arriver** ⟨1a⟩ (*aux* **être**) arrive; *d'un événement* happen; ***~ à un endroit*** reach a place, arrive at a place; ***ses cheveux lui arrivent aux épaules*** her hair comes down to her shoulders; ***qu'est-ce qui est arrivé?*** what happened?; ***~ à faire qch*** manage to do sth; ***~ à qn*** happen to s.o.; ***il arrive qu'il soit*** (*subj*) ***en retard*** he's late sometimes; ***j'arrive!*** (I'm) coming!
arriviste [arivist] *m/f* social climber
ar(r)obase [arɔbaz] *f* INFORM at, at sign
arrogance [arɔgɑ̃s] *f* arrogance; **arrogant**, **~e** arrogant
arrondir [arõdir] ⟨2a⟩ *somme d'argent: vers le haut* round up; *vers le bas* round down; **arrondissement** *m d'une ville* district
arroser [aroze] ⟨1a⟩ water; ***~ qch*** *fig* have a drink to celebrate sth; **arrosoir** *m* watering can
arsenal [arsənal] *m* (*pl* -aux) MAR naval dockyard; MIL arsenal
arsenic [arsənik] *m* arsenic
art [ar] *m* art; ***avoir l'~ de faire qch*** have a knack *ou* a gift for doing sth; ***~s décoratifs*** decorative arts; ***~s graphiques*** graphic arts; ***~s plastiques*** fine arts
artère [artɛr] *f* ANAT artery; (*route*) main road
artériel, **~le** [arterjɛl]: ***tension** f **artérielle*** blood pressure; **artériosclérose** *f* MÉD hardening of the arteries

arthrite [artrit] *f* arthritis
artichaut [artiʃo] *m* artichoke; ***cœur m d'~*** artichoke heart
article [artikl] *m* article, item; JUR article, clause; *de presse*, GRAM article; ***~ de fond*** *presse* feature article; ***~s de luxe*** luxury goods
articulation [artikylasjõ] *f* ANAT joint; *d'un son* articulation; **articulé, ~e** *son* articulate; **articuler** ⟨1a⟩ *son* articulate
artifice [artifis] *m* trick; **artificiel, ~le** artificial
artillerie [artijri] *f* artillery
artisan [artizɑ̃] *m* craftsman; **artisanal, ~e** (*mpl* -aux) *tapis, poterie etc* hand-made; *fromage, pain etc* traditional; **artisanat** *m* crafts *pl*; ***~ d'art*** arts and crafts *pl*
artiste [artist] **1** *m/f* artist; *comédien, chanteur* performer **2** *adj* artistic; **artistique** artistic
as [as] *m* ace
asbeste [asbɛst] *m* asbestos
ascendance [asɑ̃dɑ̃s] *f* ancestry; **ascendant, ~e 1** *adj* upward **2** *m* influence (***sur*** on, over)
ascenseur [asɑ̃sœr] *m* elevator, *Br* lift; **ascension** *f d'un alpiniste, d'une fusée, d'un ballon* ascent; *fig* (*progrès*) rise; ***l'Ascension*** REL Ascension
asiatique [azjatik] **1** *adj* Asian **2** *m/f* **Asiatique** Asian; **Asie** *f*: ***l'~*** Asia
asile [azil] *m* (*refuge*) shelter; POL asylum; ***~ de vieillards*** old people's home; ***demande*** *f* ***d'~*** request for asylum; ***demandeur*** *m* ***d'~*** asylum seeker
asocial, ~e [asɔsjal] antisocial
aspect [aspɛ] *m* (*vue*) look; (*point de vue*) angle, point of view; *d'un problème* aspect; (*air*) appearance; ***sous cet ~*** looked at that way; ***à l'~ de*** at the sight of
asperge [aspɛrʒ] *f* BOT stalk of asparagus; ***asperges*** asparagus *sg*
asperger [aspɛrʒe] ⟨1l⟩ sprinkle; ***~ qn de qch*** spray s.o. with sth
asphalte [asfalt] *m* asphalt
asphyxie [asfiksi] *f* asphyxiation; **asphyxier** ⟨1a⟩ asphyxiate
aspirateur [aspiratœr] *m* vacuum (cleaner); **aspiration** *f* suction; *fig* aspiration (***à*** to)
aspirer [aspire] ⟨1a⟩ *de l'air* breathe in, inhale; *liquide* suck up; ***~ à qch*** aspire to sth; ***~ à faire qch*** aspire to doing sth
aspirine [aspirin] *f* aspirin
assagir [asaʒir] ⟨2a⟩: ***s'~*** settle down
assaillant, ~e [asajɑ̃, -t] *m/f* assailant; **assaillir** ⟨2c, futur 2a⟩ *vedette* mob; ***être assailli de*** *de doutes* be assailed by; *de coups de téléphone* be bombarded by
assainir [asɛnir] ⟨2a⟩ (*nettoyer*) clean up; *eau* purify
assaisonnement [asɛzɔnmɑ̃] *m* seasoning; **assaisonner** ⟨1a⟩ season
assassin [asasɛ̃] *m* murderer; *d'un président* assassin; **assassinat** *m* assassination; **assassiner** ⟨1a⟩ murder; *un président* assassinate
assaut [aso] *m* assault, attack
assécher [aseʃe] ⟨1f⟩ drain
assemblage [asɑ̃blaʒ] *m* assembly; *fig* collection; **assemblée** *f* gathering; (*réunion*) meeting; ***~ générale*** annual general meeting; ***Assemblée nationale*** POL National Assembly; **assembler** ⟨1a⟩ (*unir*) assemble, gather; TECH assemble; ***s'~*** assemble, gather
assentiment [asɑ̃timɑ̃] *m* consent
asseoir [aswar] ⟨3l⟩: ***s'~*** sit down
assermenté, ~e [asɛrmɑ̃te] *fonctionnaire* sworn; *témoin* on oath
assertion [asɛrsjõ] *f* assertion
assez [ase] *adv* enough; (*plutôt*) quite; ***~ d'argent*** enough money (***pour faire qch*** to do sth); ***la maison est ~ grande*** the house is quite big; ***la maison est ~ grande pour tous*** the house is big enough for everyone; ***j'en ai ~!*** I've had enough!
assidu, ~e [asidy] *élève* hard-working
assiéger [asjeʒe] ⟨1g⟩ besiege (*aussi fig*)
assiette [asjɛt] *f* plate; ***ne pas être dans son ~*** *fig* be under the weather; ***~ anglaise*** cold cuts *pl*, *Br* cold meat

assignation [asiɲasjõ] *f* allocation; ~ (***à comparaître***) JUR summons *sg*; **assigner** ⟨1a⟩ *à un rôle, un emploi, une tâche* assign; ~ ***à comparaître*** subpoena

assimiler [asimile] ⟨1a⟩ (*comparer*) compare; *connaissances, étrangers* assimilate; ***il s'assimile à …*** he thinks he's like …, he compares himself with …

assis, **~e** [asi, -z] **1** *p/p* → ***asseoir*** **2** *adj*: ***place*** *f* ***~e*** seat; ***être*** ~ be sitting; **assise** *f fig* basis; **assises** *fpl* JUR: ***cour*** *f* ***d'~*** court of assizes

assistance [asistɑ̃s] *f* (*public*) audience; (*aide*) assistance; ***être placé à l'Assistance Publique*** be taken into care; **assistant**, **~e** *m/f* assistant; ***~e sociale*** social worker; **assister** ⟨1a⟩ **1** *v/i*: ~ ***à qch*** attend sth, be (present) at sth **2** *v/t*: ~ ***qn*** assist s.o.; ***assisté(e) par ordinateur*** computer-aided

association [asɔsjasjõ] *f* association; ~ ***de parents d'élèves*** parent-teacher association, PTA; **associé**, **~e** *m/f* partner; **associer** ⟨1a⟩ associate (***à*** with); ***s'~*** join forces; COMM go into partnership; ***s'~ à*** *douleur* share in

assoiffé, **~e** [aswafe] thirsty; ~ ***de*** *fig* hungry for

assombrir [asõbrir] ⟨2a⟩: ***s'~*** darken

assommant, **~e** [asɔmɑ̃, -t] F deadly boring; **assommer** ⟨1a⟩ stun; F bore to death

Assomption [asõpsjõ] *f* REL Assumption

assorti, **~e** [asɔrti] matching; ***gants ~s au bonnet*** matching hat and gloves; ***fromages*** *mpl* ***~s*** cheese platter *sg*, assortment of cheeses; ~ ***de*** accompanied by; **assortiment** *m* assortment; **assortir** ⟨2a⟩ match

assoupir [asupir] ⟨2a⟩ send to sleep; *fig*: *douleur, sens* dull; ***s'~*** doze off; *fig* die down

assouplissant [asuplisɑ̃] fabric softener

assourdir [asurdir] ⟨2a⟩ (*rendre comme sourd*) deafen; *bruit* muffle

assouvir [asuvir] ⟨2a⟩ satisfy (*aussi fig*)

assujettir [asyʒetir] ⟨2a⟩ subjugate; ~ ***qn à qch*** subject s.o. to sth; ***assujetti à l'impôt*** subject to tax; **assujettissement** *m* subjugation

assumer [asyme] ⟨1a⟩ take on, assume

assurance [asyrɑ̃s] *f* (*confiance en soi*) assurance, self-confidence; (*promesse*) assurance; (*contrat*) insurance; ~ ***auto*** car insurance; ~ ***maladie*** health insurance; ~ ***responsabilité civile*** public liability insurance; ~ ***tous risques*** all-risks insurance; ~ ***au tiers*** third party insurance; ~-***vie*** life insurance; **assuré**, **~e** **1** (*sûr*) confident **2** *m/f* insured party; **assurément** *adv* certainly; **assurer** ⟨1a⟩ *victoire, succès* ensure, make sure of; (*couvrir par une assurance*) insure; ~ ***à qn que*** assure s.o. that; ~ ***qch à qn*** provide s.o. with sth; ***s'~*** take out insurance (***contre*** against); ***s'~ de qch*** (*vérifier*) make sure of sth, check sth

astérisque [asterisk] *m* asterisk

asthmatique [asmatik] asthmatic; **asthme** *m* asthma

astiquer [astike] ⟨1m⟩ *meuble* polish; *casserole* scour

astre [astr] *m* star

astreindre [astrɛ̃dr] ⟨4b⟩ compel (***à faire qch*** to do sth)

astrologie [astrɔlɔʒi] astrology; **astrologue** *m/f* astrologer

astronaute [astrɔnot] *m/f* astronaut; **astronome** *m/f* astronomer; **astronomie** *f* astronomie; **astronomique** astronomical (*aussi fig*)

astuce [astys] *f* (*ingéniosité*) astuteness, shrewdness; (*truc*) trick; **astucieux**, **-euse** astute, shrewd

atelier [atəlje] *m* workshop; *d'un artiste* studio

athée [ate] *m/f* atheist; **athéisme** *m* atheism

athlète [atlɛt] *m/f* athlete; **athlétique** athletic; **athlétisme** *m* athletics *sg*

atlantique [atlɑ̃tik] **1** *adj* Atlantic; **l'océan** *m* **Atlantique** the Atlantic

Ocean **2** *m*: **l'Atlantique** the Atlantic
atlas [atlɑs] *m* (*pl inv*) atlas
atmosphère [atmɔsfɛr] *f* atmosphere; **atmosphérique** atmospheric
atome [atom] *m* atom; **atomique** atomic; ***bombe*** *f* **~** atom bomb; **atomiseur** *m* spray, atomizer
atout [atu] *m fig* asset
atroce [atrɔs] dreadful, atrocious; **atrocité** *f* atrocity
attabler [atable] ⟨1a⟩: ***s'~*** sit at the table
attachant, **~e** [ataʃɑ̃, -t] captivating; **attache** *f* fastener, tie; ***~s*** *fig* ties; **attaché**, **~e**: ***être ~ à qn / qch*** be attached to s.o. / sth; **attaché-case** *m* executive briefcase; **attacher** ⟨1a⟩ **1** *v/t* attach, fasten; *animal* tie up; *prisonnier* secure; *chaussures* do up; ***~ de l'importance à qch*** *fig* attach importance to sth **2** *v/i* CUIS (*coller*) stick; ***s'~ à*** *personne*, *objet* become attached to
attaquant, **~e** [atakɑ̃, -t] *m/f* SP striker; **attaque** *f* attack; ***~ à la bombe*** bomb attack; **attaquer** ⟨1m⟩ attack; *travail*, *difficulté* tackle; ***s'~ à*** attack; *problème* tackle
attarder [atarde] ⟨1a⟩: ***s'~*** linger; ***s'~ à*** *ou* ***sur qch*** dwell on sth
atteindre [atɛ̃dr] ⟨4b⟩ reach; *but* reach, achieve; *d'un projectile*, *d'un coup* strike, hit; *d'une maladie* affect; ***être atteint du cancer*** have cancer; **atteinte** *f fig* attack; ***porter ~ à qch*** undermine sth; ***hors d'~*** out of reach
atteler [atle] ⟨1c⟩ *cheval* harness
attenant, **~e** [atnɑ̃, -t] adjoining; ***~ à*** adjacent to
attendant [atɑ̃dɑ̃]: ***en ~*** in the meantime; ***en ~ qu'il arrive*** (*subj*) while waiting for him to arrive; **attendre** ⟨4a⟩ wait; ***~ qn*** wait for s.o.; ***j'attends que les magasins ouvrent*** (*subj*) I'm waiting for the shops to open; ***s'~ à qch*** expect sth; ***~ qch de qn, qch*** expect sth from s.o. / sth; ***~ un enfant*** be expecting a baby
attendrir [atɑ̃drir] ⟨2a⟩ *fig*: *personne* move; *cœur* soften; ***s'~*** be moved (***sur*** by); **attendrissement** *m* tenderness
attendu, **~e** [atɑ̃dy] **1** *adj* expected **2** *prép* in view of; ***~ que*** considering that
attentat [atɑ̃ta] *m* attack; ***~ à la bombe*** bombing, bomb attack; ***~ à la pudeur*** indecent assault; ***~ suicide*** suicide bomb attack; ***~ terroriste*** terrorist attack
attente [atɑ̃t] *f* wait; (*espoir*) expectation
attenter [atɑ̃te] ⟨1a⟩: ***~ à la vie de qn*** make an attempt on s.o.'s life
attentif, **-ive** [atɑ̃tif, -iv] attentive (***à*** to); **attention** *f* attention; (***fais***) ***~!*** look out!, (be) careful!; ***faire ~ à qch*** pay attention to sth; ***faire ~*** (***à ce***) ***que*** (+ *subj*) make sure that; ***à l'~ de*** for (the attention of)
atténuant, **~e** [atenɥɑ̃, -t] JUR: ***circonstances*** *fpl* ***atténuantes*** mitigating *ou* extenuating circumstances; **atténuer** ⟨1n⟩ reduce, diminish; *propos*, *termes* soften, tone down
atterrer [atɛre] ⟨1b⟩: ***être atterré par*** be staggered by
atterrir [aterir] ⟨2a⟩ AVIAT land; ***~ en catastrophe*** crash-land; **atterrissage** *m* AVIAT landing; ***~ forcé*** crash landing
attestation [atɛstasjõ] *f* certificate; **attester** ⟨1a⟩ certify; (*prouver*) confirm
attirail [atiraj] *m péj* gear
attirance *f* attraction; **attirer** ⟨1a⟩ attract; ***~ l'attention de qn sur qch*** draw s.o.'s attention to sth; ***s'~ des critiques*** come in for criticism, be criticized
attiser [atize] ⟨1b⟩ *émotions* whip up
attitude [atityd] *f* attitude; *d'un corps* pose
attractif, **-ive** [atraktif, -iv] attractive; **attraction** *f* attraction; ***~ touristique*** tourist attraction
attrait [atrɛ] *m* attraction, appeal
attrape-nigaud [atrapnigo] *m* (*pl* attrape-nigauds) trick, scam F
attraper [atrape] ⟨1a⟩ catch; (*duper*)

take in; ~ ***un rhume*** catch (a) cold

attrayant, **~e** [atrɛjɑ̃, -t] attractive

attribuer [atribɥe] ⟨1n⟩ attribute; *prix* award; *part, rôle, tâche* assign, allot; *valeur, importance* attach; ***s'~*** take; **attribut** *m* attribute; **attribution** *f* allocation; *d'un prix* award; **~s** (*compétence*) competence *sg*

attrister [atriste] ⟨1a⟩ sadden

attroupement [atrupmɑ̃] *m* crowd; **attrouper** ⟨1a⟩: ***s'~*** gather

aubaine [obɛn] *f* stroke of luck

aube [ob] *f* dawn; ***à l'~*** at dawn

auberge [obɛrʒ] *f* inn; ~ ***de jeunesse*** youth hostel

aubergine [obɛrʒin] *f* BOT eggplant, *Br* aubergine

aubergiste [obɛrʒist] *m/f* innkeeper

aucun, **~e** [okœ̃, -yn] **1** *adj* ◊ *avec négatif* no, not …any; ***il n'y a ~e raison*** there is no reason, there isn't any reason; ***sans ~ doute*** without a *ou* any doubt; ***en ~ cas*** under no circumstances
◊ *avec positif, interrogatif* any; ***plus qu'~ autre*** more than any other
2 *pron* ◊ *avec négatif* none; ***~ des deux*** neither of the two
◊ *avec positif, interrogatif* anyone, anybody; ***d'~s*** *litt* some (people)

aucunement [okynəmɑ̃] *adv* not at all, not in the slightest

audace [odas] *f* daring, audacity; *péj* audacity; **audacieux**, **-euse** (*courageux*) daring, audacious; (*insolent*) insolent

au-delà [ou(ə)la] **1** *adv* beyond; ***~ de*** above **2** *m* REL hereafter

au-dessous [odsu] **1** *adv* below **2** *prép*: ***~ de*** below

au-dessus [odsy] **1** *adv* above **2** *prép*: ***~ de*** above

au-devant [odvɑ̃]: ***aller ~ de*** *personne, danger* meet; *désirs* anticipate

audible [odibl] audible

audience [odjɑ̃s] *f* (*entretien*) audience; *d'un tribunal* hearing

audiovisuel, **~le** [odjɔvizɥɛl] audiovisual

audit *m* FIN audit

auditeur, **-trice** [oditœr, -tris] *m/f* listener; FIN auditor; **audition** *f* audition; (*ouïe*) hearing; *de témoins* examination; **auditionner** ⟨1a⟩ audition; **auditoire** *m* audience

augmentation [ɔgmɑ̃tasjõ] *f* increase; *de salaire* raise, *Br* rise; **augmenter** ⟨1a⟩ **1** *v/t* increase; *salarié* give a raise *ou Br* rise to **2** *v/i* increase, rise

augure [ɔgyr] *m* omen; ***être de bon / mauvais ~*** be a good / bad sign *ou* omen

aujourd'hui [oʒurdɥi] today; (*de nos jours*) nowadays, these days, today

auparavant [oparavɑ̃] *adv* beforehand; ***deux mois ~*** two months earlier

auprès [oprɛ] *prép*: ***~ de*** beside, near

auquel [okɛl] → ***lequel***

aura [ɔra] *f* aura

auréole [ɔreɔl] *f* halo; (*tâche*) ring

auriculaire [ɔrikylɛr] *m* little finger

aurore [ɔrɔr] *f* dawn

ausculter [oskylte, ɔs-] ⟨1a⟩ MÉD sound

aussi [osi] **1** *adv* too, also; ***c'est ~ ce que je pense*** that's what I think too *ou* also; ***il est ~ grand que moi*** he's as tall as me; ***~ jeune qu'elle soit*** (*subj*) young though she may be, as young as she is **2** *conj* therefore

aussitôt [osito] immediately; ***~ que*** as soon as

austère [ostɛr] austere; **austérité** *f* austerity

austral, **~e** [ostral] (*mpl* -s) GÉOGR southern

Australie [ostrali] *f*: ***l'~*** Australia; **australien**, **~ne 1** *adj* Australian **2 Australien**, **~ne** *m/f* Australian

autant [otɑ̃] ◊ (*tant*) as much (*que* as); *avec pluriel* as many (*que* as); ***je ne pensais pas manger ~*** I didn't mean to eat as *ou* so much
◊ *comparatif*: ***~ de … que …*** as much … as …; *avec pluriel* as many … as …
◊: (***pour***) ***~ que je sache*** (*subj*) as far as I know; ***en faire ~*** do the same, do likewise; ***d'~ plus / moins / mieux que*** all the more / less / bet-

ter because; ***mais elles ne sont pas plus satisfaites pour ~*** but that doesn't make them any happier, but they aren't any the happier for that; ***~ parler à un sourd*** you might as well be talking to a brick wall

autel [otɛl] *m* altar

auteur [otœr] *m/f* (*écrivain*) author; *d'un crime* perpetrator; **auteur-compositeur** *m* songwriter

authenticité [otɑ̃tisite] *f* authenticity; **authentique** authentic

autiste [otist] autistic

auto [oto] *f* car, automobile; ***~ tamponneuse*** dodgem

autobiographie [otɔbjɔgrafi] *f* autobiography

autobus [otobys] *m* bus

autocar [otokar] *m* bus

autochtone [otɔktɔn] *adj & m/f* native

autocollant, **~e** [otɔkɔlɑ̃, -t] **1** *adj* adhesive **2** *m* sticker

autocrate [otɔkrat] *m* autocrat; **autocratique** autocratic

autodéfense [otɔdefɑ̃s] *f* self-defense, *Br* self-defence

autodétermination [otɔdetɛrminasjõ] *f* self-determination

autodidacte [otɔdidakt] self-taught

auto-école [otɔekɔl] *f* (*pl* auto-écoles) driving school

autogéré, **~e** [otɔʒere] self-managed; **autogestion** *f* self-management

autographe [otɔgraf] *m* autograph

automatique [otɔmattik] **1** *adj* automatic **2** *m pistolet* automatic; **automatiquement** *adv* automatically; **automatisation** *f* automation; **automatiser** ⟨1a⟩ automate

automnal, **~e** [otɔn] fall *atr*, *Br* autumn *atr*, autumnal; **automne** *m* fall, *Br* autumn; ***en ~*** in fall

automobile [otɔmɔbil] **1** *adj* automobile *atr*, car *atr* **2** *f* car, automobile; **automobilisme** *m* motoring; **automobiliste** *m/f* driver

autonome [otɔnɔm] independent; POL autonomous; **autonomie** *f* independence; POL autonomy

autopsie [otɔpsi] *f* autopsy

autoradio [otɔradjo] *m* car radio

autorisation [otɔrizasjõ] *f* authorization, permission; **autoriser** ⟨1a⟩ authorize, allow

autoritaire [otɔritɛr] authoritarian; **autorité** *f* authority; ***faire ~ en qch*** be an authority on sth

autoroute [otɔrut] *f* highway, *Br* motorway; **autoroutier**, **-ère**: ***réseau*** *m* ***~*** highway *ou Br* motorway network

auto-stop [otostɔp] *m*: ***faire de l'~*** hitchhike, thumb a ride; **auto-stoppeur**, **-euse** *m/f* (*pl* auto-stoppeurs, -euses) hitchhiker

autour [otur] *adv* around; ***~ de*** around

autre [otr] **1** *adj* other; ***un / une ~ …*** another …; ***l'~ jour*** the other day; ***nous ~s Américains*** we Americans; ***rien d'~*** nothing else; ***~ part*** somewhere else; ***d'~ part*** on the other hand; ***de temps à ~*** from time to time; ***elle est tout ~ maintenant*** she's quite different now **2** *pron*: ***un / une ~*** another (one); ***l'~*** the other (one); ***les ~s*** the others; (*autrui*) other people; ***d'~s*** others; ***l'un l'~, les uns les ~*** each other, one another; ***tout ~ que lui*** anyone other than him

autrefois [otrəfwa] in the past

autrement [otrəmɑ̃] *adv* (*différemment*) differently; (*sinon*) otherwise; ***~ dit*** in other words

Autriche [otriʃ] *f*: ***l'~*** Austria; **autrichien**, **~ne** **1** *adj* Austrian **2** *m/f* **Autrichien**, **~ne** Austrian

autrui [otrɥi] other people *pl*, others *pl*; ***l'opinion d'~*** what other people think

auvent [ovɑ̃] *m* awning

auxiliaire [oksiljɛr] **1** *adj* auxiliary **2** *m/f* (*assistant*) helper, auxiliary; ***~ médical(e)*** paramedic **3** *m* GRAM auxiliary

auxquelles, **auxquels** [okɛl] → ***lequel***

av. *abr* (***= avenue***) Ave (= avenue)

aval [aval] *adv*: ***en ~*** downstream (***de*** from); FIN guarantee; ***donner son ~*** give one's backing

avalanche [avalɑ̃ʃ] *f* avalanche
avaler [avale] ⟨1a⟩ swallow
avance [avɑ̃s] *f* advance; *d'une course* lead; ***à l'~, par ~, d'~*** in advance, ahead of time; ***en ~*** ahead of time; ***~ rapide*** fast forward; **avancé** advanced; *travail* well-advanced; **avancement** *m* (*progrès*) progress; (*promotion*) promotion; **avancer** ⟨1k⟩ **1** *v/t chaise* bring forward; *main* put out, stretch out; *argent* advance; *date, rendez-vous* bring forward; *proposition, thèse* put forward **2** *v/i* make progress; MIL advance; *d'une montre* be fast; ***s'~ vers*** come up to
avant [avɑ̃] **1** *prép* before; ***~ six mois*** within six months; ***~ tout*** above all; ***~ de faire qch*** before doing sth **2** *adv temps* before; *espace* in front of; ***en ~*** forward; ***il est parti en ~*** he went on ahead; ***en ~!*** let's go!; ***en ~, marche!*** forward march! **3** *conj*: ***~ que*** (+ *subj*) before; ***~ que cela ne se rompe*** before it breaks **4** *adj*: ***roue f ~*** front wheel **5** *m* front; *d'un navire* bow; SP forward
avantage [avɑ̃taʒ] *m* advantage; ***~s sociaux*** fringe benefits; **avantager** ⟨1l⟩ suit; (*favoriser*) favor, *Br* favour; **avantageux, -euse** advantageous; *prix* good
avant-bras [avɑ̃bra] *m* (*pl inv*) forearm
avant-coureur [avɑ̃kurœr] (*pl* avant-coureurs): ***signe m ~*** precursor
avant-dernier, -ère [avɑ̃dɛrnje, -ɛr] (*pl* avant-derniers, avant-dernières) last but one
avant-goût [avɑ̃gu] *m fig* foretaste
avant-hier [avɑ̃tjɛr] *adv* the day before yesterday
avant-poste [avɑ̃pɔst] *m* (*pl* avant-postes) outpost
avant-première [avɑ̃prəmjɛr] *f* preview
avant-projet [avɑ̃prɔʒɛ] *m* (*pl* avant-projets) preliminary draft
avant-propos [avɑ̃prɔpo] *m* (*pl inv*) foreword
avant-veille [avɑ̃vɛj] *f*: ***l'~*** two days before
avare [avar] **1** *adj* miserly; ***être ~ de qch*** be sparing with sth **2** *m* miser; **avarice** *f* miserliness
avarié, ~e [avarje] *nourriture* bad
avec [avɛk] **1** *prép* with; ***et ~ cela?*** (will there be) anything else? **2** *adv*: ***tu viens ~?*** F are you coming too?
avenant, ~e [avnɑ̃, -t] *fml* **1** *adj* pleasant **2** *adv*: ***le reste est à l'~*** the rest is in keeping with it
avènement [avɛnmɑ̃] *m* advent
avenir [avnir] *m* future; ***à l'~*** in future; ***dans un ~ prochain*** in the near future; ***d'~*** promising
Avent [avɑ̃] *m* Advent; ***calendrier m de l'~*** Advent calendar
aventure [avɑ̃tyr] *f* adventure; (*liaison*) affair; **aventurer** ⟨1a⟩: ***s'~*** venture (***dans*** into); **aventureux, -euse** adventurous; *projet* risky
avenu [avny]: ***nul et non ~*** null and void
avenue [avny] *f* avenue
avérer [avere] ⟨1f⟩: ***s'~*** (+ *adj*) prove
averse [avɛrs] *f* shower
aversion [avɛrsjõ] *f* aversion (***pour*** *ou* ***contre*** to); ***prendre qn en ~*** take a dislike to s.o.
averti, ~e [avɛrti] informed; **avertir** ⟨2a⟩ inform (***de*** of); (*mettre en garde*) warn (***de*** of); **avertissement** *m* warning; **avertisseur** *m* AUTO horn; ***~ d'incendie*** fire alarm
aveu [avø] *m* (*pl* -x) confession, admission
aveuglant, ~e [avœglɑ̃, -t] blinding; **aveugle 1** *adj* blind **2** *m/f* blind man; blind woman; **aveuglement** *m fig* blindness; **aveuglément** *adv* blindly; **aveugler** ⟨1a⟩ blind; *d'une lumière* blind, dazzle; **aveuglette**: ***à l'~*** *fig* blindly
aviateur, -trice [avjatœr, -tris] *m/f* pilot; **aviation** *f* aviation, flying
avide [avid] greedy, avid (***de*** for); **avidité** *f* greed
avilir [avilisɑ̃] ⟨2a⟩ degrade; **avilissant** degrading
avion [avjõ] *m* (air)plane, *Br* (aero)plane; ***aller en ~*** fly, go by plane;

par **~** (by) airmail; **~*-cargo*** freighter, freight plane; **~ *de chasse*** , **~ *de combat*** fighter (aircraft); **~ *commercial*** commercial aircraft; **~ *furtif*** stealth bomber; **~ *de ligne*** passenger aircraft *ou* plane
aviron [avirõ] *m* oar; SP rowing
avis [avi] *m* (*opinion*) opinion; (*information*) notice; ***à mon*** **~** in my opinion; ***je suis du même*** **~ *que vous*** I share your opinion, I agree with you; ***changer d'*~** change one's mind; ***sauf*** **~ *contraire*** unless I / you / *etc* hear anything to the contrary, unless otherwise stated; **~ *de réception*** acknowledgment of receipt; **~ *de tempête*** storm warning;
avisé, **~e** sensible; ***être bien*** **~ *de faire qch*** be well-advised to do sth; **aviser** ⟨1a⟩: **~ *qn de qch*** advise *ou* inform s.o. of sth; **~ *à qch*** think about sth; ***s'*~ *de qch*** notice sth; ***s'*~ *de faire qch*** take it into one's head to do sth
av. J.-C. *abr* (**= *avant Jésus-Christ***) BC (= before Christ)
avocat, **~e** [avɔka, -t] **1** *m/f* lawyer; (*défenseur*) advocate **2** *m* BOT avocado
avoine [avwan] *f* oats *pl*
avoir [avwar] ⟨1⟩ **1** *v/t* ◊ (*posséder*) have, have got; ***il a trois filles*** he has three daughters, he's got three daughters
◊ (*obtenir*) *permis etc* get; ***il a eu de bonnes notes*** he had *ou* he got good grades
◊ F (*duper*): **~ *qn*** take s.o. for a ride F; ***on vous a eu*** you've been had
◊: ***j'ai froid / chaud*** I am cold / hot
◊: **~ *20 ans*** be 20, be 20 years old
◊: ***elle eut un petit cri*** she gave a little cry
◊: ***tu n'as qu'à ...*** all you have to do is ...
◊: ***il y a*** there is; *avec pluriel* there are; ***qu'est-ce qu'il y a?*** what's the matter?; ***il y a un an*** a year ago; ***il y a deux mois jusqu'à ...*** it is *ou* it's two months until ...
2 *v/aux* have; ***j'ai déjà parlé*** I have *ou* I've already spoken; ***il a déjà parlé*** he has *ou* he's already spoken; ***je lui ai parlé hier*** I spoke to him yesterday; ***je ne lui ai pas parlé hier*** I didn't speak to him yesterday
3 *m* COMM credit; (*possessions*) property, possessions *pl*
avoisinant, **~e** [avwazinɑ̃, -t] neighboring, *Br* neighbouring; **avoisiner** ⟨1a⟩: **~ *qch*** border *ou* verge on sth
avorté, **~e** [avɔrte] abortive; **avortement** *m* miscarriage; *provoqué* abortion; **avorter** ⟨1a⟩ **1** *v/t femme* terminate the pregnancy of; ***se faire*** **~** have an abortion *ou* a termination **2** *v/i* miscarry; *fig* fail; **avorteur**, **-euse** *m/f* abortionist
avouer [avwe] ⟨1a⟩ confess; **~ *avoir fait qch*** confess to having done sth
avril [avril] *m* April
axe [aks] *m* axle; GÉOM axis; *fig* basis; **axer** ⟨1a⟩ base (***sur*** on); ***être axé sur qch*** center *ou Br* centre on sth
azote [azɔt] *m* CHIM nitrogen

B

baba [baba] **1** *m*: **~ *au rhum*** rum baba **2** *adj inv* F: ***en rester*** **~** be staggered
babillage [babijaʒ] *m* babble; **babiller** ⟨1a⟩ babble
babiole [babjɔl] *f* trinket; *fig* trifle
bâbord [bɑbɔr] *m* MAR: ***à*** **~** to port
baby-foot [bebifut] *m* (*pl inv*) table

football

baby-sitter [bebisitœr] *m/f* (*pl* baby-sitters) baby-sitter

bac[1] [bak] *m bateau* ferry; *récipient* container

bac[2] [bak] *m* F, **baccalauréat** [bakalɔrea] *m exam that is a prerequisite for university entrance*

bâche [bɑʃ] *f* tarpaulin

bacille [basil] *m* BIOL, MÉD bacillus

bâcler [bɑkle] ⟨1a⟩ F botch F

bactérie [bakteri] *f* BIOL, MÉD bacteria *pl*, bacterium *fml*; **~s** bacteria

badaud [bado] *m* onlooker, rubberneck F

badge [badʒ] *m* badge

badigeonner [badiʒɔne] ⟨1a⟩ paint (*aussi* MÉD), slap some paint on *péj*

badinage [badinaʒ] *m* banter

badiner [badine] ⟨1a⟩ joke; ***ne pas ~ avec qch*** not treat sth as a joke

baffe [baf] *f* F slap

bafouer [bafwe] ⟨1a⟩ ridicule

bafouiller [bafuje] ⟨1a⟩ **1** *v/t* stammer **2** *v/i* F talk nonsense

bâfrer [bɑfre] ⟨1a⟩ F pig out F

bagages [bagaʒ] *mpl* baggage *sg*, luggage *sg*; *fig* (*connaissances*) knowledge *sg*; ***faire ses ~*** pack one's bags; ***~ à main*** hand baggage, hand luggage; **bagagiste** *m* baggage handler

bagarre [bagar] *f* fight, brawl; **bagarrer** ⟨1a⟩ F: ***se ~*** fight, brawl; **bagarreur, -euse** **1** *adj* scrappy, pugnacious **2** *m* F brawler

bagatelle [bagatɛl] *f* trifle

bagne [baɲ] *m* prison

bagnole [baɲɔl] *f* F car

bague [bag] *f* ring; ***~ de fiançailles*** engagement ring

baguette [bagɛt] *f* stick; MUS baton; *pain* French stick; ***~s** pour manger* chopsticks; ***~ magique*** magic wand

baie[1] [bɛ] *f* BOT berry

baie[2] [bɛ] *f* (*golfe*) bay; ***Baie d'Hudson*** Hudson Bay

baignade [bɛɲad] *f action* swimming; **baigner** ⟨1b⟩ *enfant* bathe, *Br* bath; ***se ~*** go for a swim; **baigneur** *m* doll; **baignoire** *f* (bath)tub

bail [baj] *m* (*pl* baux [bo]) lease

bâiller [bɑje] ⟨1a⟩ yawn; *d'un trou* gape; *d'une porte* be ajar

bailleur, -eresse [bajœr, -rɛs] *m/f* lessor; ***~ de fonds*** backer

bâillon [bɑjõ] *m* gag; **bâillonner** ⟨1a⟩ gag (*aussi fig*)

bain [bɛ̃] *m* bath; ***salle** f **de ~s*** bathroom; ***être dans le ~*** *fig* (*au courant*) be up to speed; ***prendre un ~*** take a bath; ***prendre un ~ de soleil*** sunbathe; ***~ de bouche*** mouthwash; ***~ moussant*** bubble bath; ***~ de sang*** bloodbath; **bain-marie** *m* (*pl* bains-marie) CUIS double boiler

baïonnette [bajɔnɛt] *f* MIL bayonet

baiser [beze] **1** *m* kiss **2** *v/t* ⟨1b⟩ kiss; V screw V; ***se faire ~*** V be screwed V

baisse [bɛs] *f* drop, fall; ***être en ~*** be dropping *ou* falling; **baisser** ⟨1b⟩ **1** *v/t tête, voix, yeux, store, prix etc* lower; *radio*, *chauffage* turn down **2** *v/i de forces* fail; *de lumière* fade; *d'un niveau*, *d'une température*, *d'un prix*, *d'actions* drop, fall; *de vue* deteriorate; ***se ~*** bend down

bal [bal] *m* (*pl* bals) dance; *formel* ball

balade [balad] *f* walk, stroll; ***faire une ~*** go for a walk *ou* stroll; **balader** ⟨1a⟩ walk; ***se ~*** go for a walk *ou* stroll

baladeur [baladœr] *m* Walkman®

balafre [balafr] *f* (*blessure*) gash; (*cicatrice*) scar

balai [balɛ] *m* broom; ***donner un coup de ~ à qch*** give sth a sweep; ***un coup de ~*** *fig* F dismissals *pl*, job losses *pl*; **balai-brosse** *m* (*pl* balais-brosses) long-handled scrubbing brush

balance [balɑ̃s] *f* scales *pl*; COMM balance; ASTROL Libra; ***~ commerciale*** trade balance; **balancer** ⟨1k⟩ *bras*, *jambes* swing; F (*lancer*) throw, chuck F; F (*jeter*) chuck out F; ***se ~*** swing; ***je m'en balance*** F I don't give a damn F; **balancier** *m* (*pendule*) pendulum; **balançoire** *f* swing

balayer [balɛje] ⟨1i⟩ sweep; *fig*: *gouvernement* sweep from power; *soucis* sweep away, get rid of; ***~ devant sa porte*** put one's own house in order; **balayette** *f* handbrush; **ba-**

layeur, -euse *m/f* street sweeper
balbutier [balbysje] ⟨1a⟩ stammer, stutter
balcon [balkõ] *m* balcony
Baléares [balear] *fpl*: ***les ~*** the Balearic Islands, the Balearics
baleine [balɛn] *f* whale
balise [baliz] *f* MAR (marker) buoy; AVIAT (marker) light
balivernes [balivɛrn] *fpl* nonsense *sg*
balkanique [balkanik] Balkan; **Balkans** *mpl*: ***les ~*** the Balkans
ballade [balad] *f* ballad
balle [bal] *f* ball; *d'un fusil* bullet; *de marchandises* bale; ***renvoyer la ~ à qn*** *fig* answer s.o. back; ***500 ~s*** P 500 euros / francs; ***~ de golf*** golf ball; ***~ de match*** match point; ***~ de tennis*** tennis ball
ballerine [balrin] *f* ballerina
ballet [balɛ] *m* ballet
ballon [balõ] *m* ball; *pour enfants*, AVIAT balloon; ***~ rond*** soccer ball, *Br* football; SP soccer, *Br* football; **ballonné, ~e** *ventre* bloated
ballot [balo] *m* bundle; *fig* F jerk F, idiot; **ballottage** *m*: (***scrutin** m* ***de***) ~ second ballot; **ballotter** ⟨1a⟩ **1** *v/t* buffet **2** *v/i* bounce up and down
balnéaire [balneɛr]: ***station** f* ~ seaside resort
balourd, ~e [balur, -d] clumsy
balte [balt] Baltic; ***les pays ~s*** the Baltic countries
Baltique [baltik]: ***la*** (***mer***) ~ the Baltic (Sea)
balustrade [balystrad] *f* balustrade
bambin [bɑ̃bɛ̃] *m* child
bambou [bɑ̃bu] *m* BOT bamboo
banal, ~e [banal] (*mpl* -als) banal; **banalité** *f* banality
banane [banan] *f* banana; *sac* fanny pack, *Br* bum bag; **bananier** *m* banana tree
banc[1] [bɑ̃] *m* bench, seat; ***~ des accusés*** dock; ***~ d'essai*** test bed; ***~ de sable*** sandbank
banc[2] [bɑ̃] *m de poissons* shoal
bancaire [bɑ̃kɛr] bank *atr*; ***chèque** m* ~ check, *Br* cheque
bancal, ~e [bɑ̃kal] (*mpl* -als) *table* wobbly
bandage [bɑ̃daʒ] *m* MÉD bandage
bande [bɑ̃d] *f de terrain, de tissu* strip; MÉD bandage; (*rayure*) stripe; (*groupe*) group; *péj* gang, band; ***~ annonce*** trailer; ***~ dessinée*** comic strip; ***~ magnétique*** magnetic tape; ***~ originale*** sound track; ***~ son*** sound track; **bandeau** *m* (*pl* -x) *sur le front* headband; *sur les yeux* blindfold; **bander** ⟨1a⟩ MÉD bandage; P have an erection *ou* hard-on P; ***~ les yeux à qn*** blindfold s.o.
banderole [bɑ̃drɔl] *f* banner
bandit [bɑ̃di] *m* bandit; (*escroc*) crook
bandoulière [bɑ̃duljɛr] *f*: ***en ~*** across the shoulder
banlieue [bɑ̃ljø] *f* suburbs *pl*; ***de ~*** suburban; ***trains** mpl* ***de*** suburban *ou* commuter trains; **banlieusard, ~e** *m/f* suburbanite
bannière [banjɛr] *f* banner; ***~ étoilée*** Stars and Stripes *sg ou pl*
bannir [banir] ⟨2a⟩ banish
banque [bɑ̃k] *f* bank; ***Banque centrale européenne*** European Central Bank; ***~ de données*** data bank; ***Banque mondiale*** World Bank; ***~ du sang*** blood bank; ***~ du sperme*** sperm bank
banqueroute [bɑ̃krut] *f* bankruptcy
banquet [bɑ̃kɛ] *m* banquet
banquette [bɑ̃kɛt] *f* seat
banquier [bɑ̃kje] *m* banker
banquise [bɑ̃kiz] *f* pack ice
bans [bɑ̃] *mpl* banns
baptême [batɛm] *m* baptism; **baptiser** ⟨1a⟩ baptize
baquet [bakɛ] *m* tub
bar [bar] *m établissement, comptoir* bar; *meuble* cocktail cabinet
baragouin [baragwɛ̃] *m* gibberish
baraque [barak] *f* shack; (*maison*) house; **baraqué, ~e** F: (***bien***) ~ well-built
baratin [baratɛ̃] *m* F spiel F; **baratiner** ⟨1a⟩ sweet-talk; *fille* chat up
barbant, ~e [barbɑ̃, -t] F boring
barbare [barbar] **1** *adj* barbaric **2** *m/f* barbarian; **barbarie** *f* barbarity

B

barbe [barb] *f* beard; ***quelle ~!*** F what a drag! F; **~ *à papa*** cotton candy, *Br* candy floss
barbecue [barbəkju, -ky] *m* barbecue
barbelé, **~e** [barbəle] **1** *adj*: ***fil*** *m* ***de fer ~*** barbed wire **2** *m*: **~*s*** barbed wire *sg*
barber [barbe] ⟨1a⟩ F bore rigid F
barbiturique [barbityrik] *m* PHARM barbiturate
barboter [barbɔte] ⟨1a⟩ *dans l'eau* paddle
barbouiller [barbuje] ⟨1a⟩ (*peindre grossièrement*) daub; *visage* smear (***de*** with); ***avoir l'estomac barbouillé*** feel nauseous
barbu, **~e** [barby] bearded
barda [barda] *m* kit
barder [barde] ⟨1a⟩ F: ***ça va ~*** there's going to be trouble
barème [barɛm] *m* scale
baril [baril] *m* barrel
bariolé, **~e** [barjɔle] gaudy
baromètre [barɔmɛtr] *m* barometer
baron [barõ] *m* baron; **baronne** *f* baroness
baroque [barɔk] ART, MUS baroque; (*bizarre*) weird
barque [bark] *f* MAR boat; ***mener la ~*** *fig* be in charge
barrage [baraʒ] *m ouvrage hydraulique* dam; (*barrière*) barrier; **~ *de police*** roadblock
barre [bar] *f* bar; MAR helm; (*trait*) line; **~ *d'espacement*** INFORM space-bar; **~ *d'état*** INFORM status bar; **~ *des témoins*** JUR witness stand, *Br* witness box; **~ *oblique*** oblique, slash; **barreau** *m* (*pl* -x) bar; *d'échelle* rung; ***le ~*** JUR the bar; ***derrière les ~x*** behind bars; **barrer** ⟨1a⟩ (*obstruer*) block, bar; *mot* cross out; *chèque Br* cross; ***se ~*** F leave, take off
barrette [barɛt] *f pour cheveux* barrette, *Br* hairslide
barreur [barœr] *m* helmsman
barricade [barikad] *f* barricade; **barricader** ⟨1a⟩ barricade
barrière [barjɛr] *f* barrier; (*clôture*) fence; **~*s douanières*** customs barriers; **~ *linguistique*** language barrier
barrique [barik] *f* barrel
bar-tabac [bartaba] *m* bar-cum-tobacco store
baryton [baritõ] *m* baritone
bas, **~se** [bɑ, -s] **1** *adj* low (*aussi fig*); GÉOGR lower; *instrument* bass; *voix* deep; ***à voix ~se*** in a low voice, quietly **2** *adv* **~** low; *parler* in a low voice, quietly; ***à ~ …!*** down with …!; ***en ~*** downstairs; ***là-~*** there **3** *m* (*partie inférieure*) bottom; (*vêtement*) stocking; ***au ~ de*** at the bottom *ou* foot of
basané, **~e** [bazane] weather-beaten; *naturellement* swarthy
bas-côté [bɑkote] *m* (*pl* bas-côtés) *d'une route* shoulder
bascule [baskyl] *f jeu* teeter-totter, *Br* seesaw; (*balance*) scales *pl*; ***à ~*** *cheval, fauteuil* rocking *atr*; **basculer** ⟨1a⟩ topple over
base [bɑz] *f* base; *d'un édifice* foundation; *fig*: *d'une science, de discussion* basis; ***de ~*** basic; ***à ~ de lait*** milk-based; ***être à la ~ de*** form the basis of
base-ball [bɛzbol] *m* baseball
base *f* **de données** [bɑzdədɔne] database
baser [bɑze] ⟨1a⟩ base (***sur*** on); ***se ~ sur*** draw on; *d'une idée* be based on
bas-fond [bɑfõ] *m* (*pl* bas-fonds) MAR shallow; **~*s*** *fig*: *d'une ville* sleazy area
basilic [bazilik] *m* BOT basil
basilique [bazilik] *f* ARCH basilica
basket(-ball) [baskɛt(bol)] *m* basketball; **baskets** *fpl* sneakers, *Br* trainers; **basketteur**, **-euse** *m/f* basketball player
basque [bask] **1** *adj* Basque **2** *m langue* Basque **3** *m/f* **Basque** Basque
basse [bɑs] *f voix, musicien, instrument* bass; (*contrebasse*) double bass
basse-cour [bɑskur] *f* (*pl* basses-cours) AGR farmyard; *animaux* poultry
bassin [basɛ̃] *m* basin; *dans un jardin* pond; ANAT pelvis; MAR dock; **~ *de radoub*** dry dock; **bassine** *f* bowl
bassiste [basist] *m/f* bass (player)

basson [basõ] *m* MUS *instrument* bassoon; *musicien* bassoonist
bastide [bastid] *f country house in the South of France*
bastingage [bastɛ̃gaʒ] *m* MAR rail
bastion [bastjõ] *m* bastion
bas-ventre [bavɑ̃tr] *m* lower abdomen
bataille [bataj] *f* battle; ***livrer ~*** give battle; **batailler** ⟨1a⟩ *fig* battle, fight; **bataillon** *m* MIL battalion
bâtard, ~e [batar, -d] *m enfant* bastard; *chien* mongrel
bateau [bato] *m* (*pl* -x) boat; ***faire du ~*** (*faire de la voile*) go sailing, sail; ***mener qn en ~*** *fig* put s.o. on, *Br* have s.o. on; **bateau-mouche** *m* (*pl* bateaux-mouches) *boat that carries tourists up and down the Seine*
bâti, ~e [bati] **1** *adj* built on; ***bien ~*** *personne* well-built **2** *m* frame
bâtiment [batimɑ̃] *m* (*édifice*) building; *secteur* construction industry; MAR ship
bâtir [batir] ⟨2a⟩ build
batisse [batis] *f souvent péj* (ugly) big building
bâton [batõ] *m* stick; ***parler à ~s rompus*** make small talk; ***~ de rouge*** lipstick; ***~ de ski*** ski pole *ou* stick
battage [bataʒ] *m* (*publicité*) hooha, ballyhoo; ***~ médiatique*** media hype
battant, ~e [batɑ̃, -t] **1** *adj pluie* driving; ***le cœur ~*** with pounding heart **2** *m d'une porte* leaf; *personne* fighter
batte [bat] *f de base-ball* bat
battement [batmɑ̃] *m de cœur* beat; *intervalle de temps* interval, window
batterie [batri] *f* ÉL battery; MUS drums *pl*; *dans un orchestre* percussion; **batteur** *m* CUIS whisk; *électrique* mixer; MUS drummer; *en base-ball* batter
battre [batr] ⟨4a⟩ **1** *v/t* beat; *monnaie* mint; *cartes* shuffle; ***~ son plein*** be in full swing; ***~ des cils*** flutter one's eyelashes; ***~ en retraite*** retreat **2** *v/i* beat; *d'une porte, d'un volet* bang; ***se ~*** fight; **battu, ~e 1** *p/p* → ***battre*** **2** *adj* beaten
bavard, ~e [bavar, -d] **1** *adj* talkative **2** *m/f* chatterbox; **bavardage** *m* chatter; **bavarder** ⟨1a⟩ chatter; (*divulguer un secret*) talk, blab F
bave [bav] *f* drool, slobber; *d'escargot* slime; **baver** ⟨1a⟩ drool, slobber; **bavette** *f* bib; **baveux, -euse** *omelette* runny
Bavière [bavjɛr]: ***la ~*** Bavaria
bavure [bavyr] *f fig* blunder, blooper F; ***sans ~*** impeccable
BCBG [besebeʒe] *adj abr* (= ***bon chic bon genre***) preppie
B.C.E. [beseə] *f abr* (= ***Banque centrale européenne***) ECB (= European Central Bank)
Bd *abr* (= ***boulevard***) Blvd (= Boulevard)
B.D. [bede] *f abr* (= ***bande dessinée***) comic strip
béant, ~e [beɑ̃, -t] gaping
béat, ~e [bea, -t] *péj*: *sourire* silly
beau, bel, belle [bo, bɛl] (*mpl* beaux) beautiful, lovely; *homme* handsome, good-looking; ***il fait ~*** (***temps***) it's lovely weather; ***il a ~ dire / faire ...*** it's no good him saying / doing ...; ***l'échapper belle*** have a narrow escape; ***bel et bien*** well and truly; ***de plus belle*** more than ever; ***un ~ jour*** one (fine) day; ***le ~ monde*** the beautiful people *pl*
beaucoup [boku] a lot; ***~ de*** lots of, a lot of; ***~ de gens*** lots *ou* a lot of people, many people; ***~ d'argent*** lots *ou* a lot of money; ***je n'ai pas ~ d'amis*** I don't have a lot of *ou* many friends; ***je n'ai pas ~ d'argent*** I don't have a lot of *ou* much money; ***~ trop cher*** much too expensive
beau-fils [bofis] *m* (*pl* beaux-fils) *m* son-in-law; *d'un remariage* stepson; **beau-frère** *m* (*pl* beaux-frères) brother-in-law; **beau-père** *m* (*pl* beaux-pères) father-in-law; *d'un remariage* stepfather
beauté [bote] *f* beauty
beaux-arts [bozar] *mpl*: ***les ~*** fine art *sg*
beaux-parents [boparɑ̃] *mpl* parents-in-law
bébé [bebe] *m* baby; **bébé-éprouv-**

B

ette *m* (*pl* bébés-éprouvettes) test-tube baby
bec [bɛk] *m d'un oiseau* beak; *d'un récipient* spout; MUS mouthpiece; F mouth; ***un ~ fin*** a gourmet
bécane [bekan] *f* F bike
béchamel [beʃamɛl] *f* CUIS: (***sauce*** *f*) ~ béchamel (sauce)
bêche [bɛʃ] *f* spade; **bêcher** ⟨1b⟩ dig
bedaine [bədɛn] *f* (beer) belly, paunch
bée [be]: ***bouche ~*** open-mouthed
beffroi [bɛfrwa] *m* belfry
bégayer [begɛje] ⟨1i⟩ stutter, stammer
béguin [begɛ̃] *m fig* F: ***avoir le ~ pour qn*** have a crush on s.o.
B.E.I. [beəi] *f abr* (***= Banque européenne d'investissement***) EIB (= European Investment Bank)
beige [bɛʒ] beige
beignet [bɛɲɛ] *m* CUIS fritter
bêler [bele] ⟨1b⟩ bleat
belette [bəlɛt] *f* weasel
belge [bɛlʒ] **1** *adj* Belgian **2** *m/f* **Belge** Belgian; **Belgique** [bɛlʒik]: ***la ~*** Belgium
bélier [belje] *m* ZO ram; ASTROL Aries
belle → ***beau***
belle-famille [bɛlfamij] *f* in-laws *pl*
belle-fille [bɛlfij] *f* (*pl* belles-filles) daughter-in-law; *d'un remariage* stepdaughter; **belle-mère** *f* (*pl* belles-mères) mother-in-law; *d'un remariage* stepmother; **belle-sœur** *f* (*pl* belles-sœurs) sister-in-law
belligérant, **~e** [bɛliʒerɑ̃, -t] belligerent
belliqueux, **-euse** [bɛlikø, -z] warlike
belvédère [bɛlvedɛr] *m* viewpoint, lookout point
bémol [bemɔl] *m* MUS flat
bénédictin [benediktɛ̃] *m* Benedictine (monk)
bénédiction [benediksjõ] *f* blessing
bénéfice [benefis] *m* benefit, advantage; COMM profit; **bénéficiaire** **1** *adj marge* profit *atr* **2** *m/f* beneficiary; **bénéficier** ⟨1a⟩: ***~ de*** benefit from; **bénéfique** beneficial
Bénélux [benelyks]: ***le ~*** the Benelux countries *pl*
bénévolat [benevɔla] voluntary work; **bénévole** **1** *adj travail* voluntary **2** *m/f* volunteer, voluntary worker
bénin, **-igne** [benɛ̃, -iɲ] *tumeur* benign; *accident* minor
bénir [benir] ⟨2a⟩ bless; **bénit**, **~e** consecrated; ***eau f ~e*** holy water; **bénitier** *m* stoup
benne [bɛn] *f d'un téléphérique* (cable) car; ***~ à ordures*** garbage truck, *Br* bin lorry
B.E.P. [beəpe] *m abr* (***= brevet d'études professionnelles***) *type of vocational qualification*
B.E.P.C. [beəpese] *m abr* (***= brevet d'études du premier cycle***) *equivalent of high school graduation*
béquille [bekij] *f* crutch; *d'une moto* stand
bercail [bɛrkaj] *m* (*sans pl*) fold
berceau [bɛrso] *m* (*pl* -x) cradle; **bercer** ⟨1k⟩ rock; ***~ qn de promesses*** *fig* delude s.o. with promises; ***se ~ d'illusions*** delude o.s.; **berceuse** *f* lullaby; (*chaise à bascule*) rocking chair
béret [berɛ] *m* beret
berge [bɛrʒ] *f* bank
berger [bɛrʒe] *m* shepherd; *chien* German shepherd, *Br aussi* Alsatian; **bergère** *f* shepherd
berline [bɛrlin] *f* AUTO sedan, *Br* saloon
berlingot [bɛrlɛ̃go] *m bonbon* humbug; *emballage* pack
bermuda(s) [bɛrmyda] *m(pl)* Bermuda shorts *pl*
Bermudes [bɛrmyd] *fpl*: ***les ~*** Bermuda *sg*
berner [bɛrne] ⟨1a⟩: ***~ qn*** fool s.o., take s.o. for a ride
besogne [bəzɔɲ] *f* job, task
besoin [bəzwɛ̃] *m* need; ***avoir ~ de qch*** need sth; ***avoir ~ de faire qch*** need to do sth; ***il n'est pas ~ de dire*** needless to say; ***au ~*** if necessary, if need be; ***si ~ est*** if necessary, if need be; ***être dans le ~*** be in need; ***faire ses ~s*** relieve o.s.; *d'un animal* do its

business
best-seller [bɛstsɛlɛr] *m* best-seller
bestial, ~e [bɛstjal] (*mpl* -iaux) bestial; **bestialité** *f* bestiality; **bestiaux** *mpl* cattle *pl*; **bestiole** *f* small animal; (*insecte*) insect, bug F
bétail [betaj] *m* (*sans pl*) livestock
bête [bɛt] **1** *adj* stupid **2** *f* animal; (*insecte*) insect, bug F; **~s** (*bétail*) livestock *sg*; ***chercher la petite ~*** nitpick, quibble; **bêtement** *adv* stupidly; **bêtise** *f* stupidity; ***dire des ~s*** talk nonsense; ***une ~*** a stupid thing to do / say
béton [betõ] *m* concrete; ***~ armé*** reinforced concrete; **bétonnière** *f* concrete mixer
betterave [bɛtrav] *f* beet, *Br* beetroot; ***~ à sucre*** sugar beet
beugler [bøgle] ⟨1a⟩ *de bœuf* low; F *d'une personne* shout
beur [bœr] *m/f* F *French-born person of North African origin*
beurre [bœr] *m* butter; ***~ de cacahuètes*** peanut butter; **beurrer** ⟨1a⟩ butter; **beurrier** *m* butter dish
beuverie [bœvri] *f* drinking session, booze-up *Br* F
bévue [bevy] *f* blunder; ***commettre une ~*** blunder, make a blunder
biais [bjɛ] **1** *adv*: ***en ~*** *traverser, couper* diagonally; ***de ~*** *regarder* sideways **2** *m fig* (*aspect*) angle; ***par le ~ de*** through
bibelots [biblo] *mpl* trinkets
biberon [bibrõ] *m* (baby's) bottle; ***nourrir au ~*** bottlefeed
Bible [bibl] *f* bible
bibliographie [biblijɔgrafi] *f* bibliography
bibliothécaire [biblijɔtekɛr] *m/f* librarian; **bibliothèque** *f* library; *meuble* bookcase
biblique [biblik] biblical
bic® [bik] *m* ballpoint (pen)
bicarbonate [bikarbɔnat] *m* CHIM: ***~ de soude*** bicarbonate of soda
bicentenaire [bisɑ̃tənɛr] *m* bicentennial, *Br* bicentenary
biceps [bisɛps] *m* biceps *sg*
biche [biʃ] *f* ZO doe; ***ma ~*** *fig* my love
bichonner [biʃɔne] ⟨1a⟩ pamper
bicolore [bikɔlɔr] two-colored, *Br* two-coloured
bicoque [bikɔk] *f* tumbledown house
bicyclette [bisiklɛt] *f* bicycle; ***aller en ou à ~*** cycle
bidet [bidɛ] *m* bidet
bidon[1] [bidõ] *m*: ***~ à essence*** gas *ou Br* petrol can
bidon[2] [bidõ] *fig* F **1** *adj* phony **2** *m* baloney
bidonville [bidõvil] *m* shanty town
bidule [bidyl] *m* F gizmo F
bien [bjɛ̃] **1** *m* good; (*possession*) possession, item of property; ***le ~*** *ce qui est juste* good; ***faire le ~*** do good; ***le ~ public*** the common good; ***faire du ~ à qn*** do s.o. good; ***dire du ~ de*** say nice things about, speak well of; ***c'est pour son ~*** it's for his own good; ***~s*** (*possessions*) possessions, property *sg*; (*produits*) goods; ***~s de consommation*** consumer goods **2** *adj* good; (*beau, belle*) good-looking; ***être ~*** feel well; (*à l'aise*) be comfortable; ***être ~ avec qn*** be on good terms *ou* get on well with s.o.; ***ce sera très ~ comme ça*** that will do very nicely; ***se sentir ~*** feel well; ***avoir l'air ~*** look good; ***des gens ~*** respectable *ou* decent people **3** *adv* well; (*très*) very; ***~ jeune*** very young; ***~ sûr*** of course, certainly; ***tu as ~ de la chance*** you're really *ou* very lucky; ***~ des fois*** lots of times; ***eh ~*** well; ***oui, je veux ~*** yes please; ***~ comprendre*** understand properly **4** *conj* ***~ que*** (+ *subj*) although
bien-être [bjɛ̃nɛtr] *m matériel* welfare; *sensation agréable* well-being
bienfaisance [bjɛ̃fəzɑ̃s] *f* charity; **bienfaisant, ~e** (*salutaire*) beneficial; **bienfait** *m* benefit; **bienfaiteur, -trice** *m/f* benefactor
bien-fondé [bjɛ̃fõde] *m* legitimacy
bien-fonds [bjɛ̃fõ] *m* (*pl* biens-fonds) JUR land, property
bienheureux, -euse [bjɛ̃nørø, -z] happy; REL blessed
biennal, ~e [bjenal] (*mpl* -aux) *contrat* two-year *atr*; *événement* biennial

B

bienséance [bjɛ̃seɑ̃s] *f* propriety; **bienséant**, **~e** proper

bientôt [bjɛ̃to] soon; ***à ~!*** see you (soon)!

bienveillance [bjɛ̃vɛjɑ̃s] *f* benevolence; **bienveillant**, **~e** benevolent

bienvenu, **~e** [bjɛ̃vny] **1** *adj* welcome **2** *m/f*: ***être le ~ / la ~e*** be welcome **3** *f*: ***souhaiter la ~e à qn*** welcome s.o.; ***~e en France!*** welcome to France!

bière [bjɛr] *f boisson* beer; ***~ blanche*** wheat beer; ***~ blonde*** beer, *Br* lager; ***~ brune*** dark beer, *Br* bitter; ***~ pression*** draft (beer), *Br* draught (beer)

bifteck [biftɛk] *m* steak

bifurcation [bifyrkasjõ] *f* fork; **bifurquer** ⟨1m⟩ fork; ***~ vers*** fork off onto; *fig* branch out into

bigame [bigam] **1** *adj* bigamous **2** *m/f* bigamist; **bigamie** *f* bigamy

bigarreau [bigaro] *m type of cherry*

bigot, **~e** [bigo, -ɔt] **1** *adj* excessively pious **2** *m/f* excessively pious person

bijou [biʒu] *m* (*pl* -x) jewel; ***~x*** jewelry *sg*, *Br* jewellery *sg*; **bijouterie** *f* jewelry store, *Br* jeweller's; **bijoutier**, **-ère** *m/f* jeweler, *Br* jeweller

bikini [bikini] *m* bikini

bilan [bilɑ̃] *m* balance sheet; *fig* (*résultat*) outcome; ***faire le ~ de*** take stock of; ***déposer son ~*** file for bankruptcy; ***~ de santé*** check-up

bilatéral, **~e** [bilateral] (*mpl* -aux) bilateral

bile [bil] *f* F: ***se faire de la ~*** fret, worry

bilingue [bilɛ̃g] bilingual; **bilinguisme** *m* bilingualism

billard [bijar] *m* billiards *sg*; *table* billiard table; ***~ américain*** pool

bille [bij] *f* marble; *billard* (billiard) ball; ***stylo*** *m* (***à***) ***~*** ball-point (pen)

billet [bijɛ] *m* ticket; (*petite lettre*) note; ***~*** (***de banque***) bill, *Br* (bank)note; **billeterie** *f* ticket office; *automatique* ticket machine; FIN ATM, automated teller machine, *Br* cash dispenser

billion [biljõ] *m* trillion

bimensuel, **~le** [bimɑ̃sɥɛl] bimonthly, twice a month

binaire [binɛr] binary

binocles [binɔkl] *mpl* F specs F

biochimie [bjɔʃimi] *f* biochemistry; **biochimique** biochemical; **biochimiste** *m/f* biochemist

biodégradable [bjɔdegradabl] biodegradable

biodiversité [bjɔdivɛrsite] *f* biodiversity

biographie [bjɔgrafi] *f* biography; **biographique** biographical

biologie [bjɔlɔʒi] *f* biology; **biologique** biological; *aliments* organic; **biologiste** *m/f* biologist

biopsie [bjɔpsi] *f* biopsy

biorythme [bjɔritm] *m* biorhythm

biotechnologie [bjɔtɛknɔlɔʒi] *f* biotechnology

bipartisme [bipartism] *m* POL two-party system; **bipartite** POL bipartite

biplace [biplas] *m* two-seater

bipolaire [bipɔlɛr] bipolar

bis [bis] **1** *adj*: ***24 ~*** 24A **2** *m* (*pl inv*) encore

bisannuel, **~le** [bizanɥɛl] biennial

biscornu, **~e** [biskɔrny] *fig* weird

biscotte [biskɔt] *f* rusk

biscuit [biskɥi] *m* cookie, *Br* biscuit

bise [biz] *f*: ***faire la ~ à qn*** kiss s.o., give s.o. a kiss; ***grosses ~s*** love and kisses

bisexuel, **~le** [bisɛksɥɛl] bisexual

bison [bizõ] *m* bison, buffalo

bisou [bizu] *m* F kiss

bissextile [bisɛkstil]: ***année f ~*** leap year

bistro(t) [bistro] *m* bistro

bit [bit] *m* INFORM bit

bitume [bitym] *m* asphalt

bivouac [bivwak] *m* bivouac

bizarre [bizar] strange, bizarre; **bizarrerie** *f* peculiarity

blafard, **~e** [blafar, -d] wan

blague [blag] *f* (*plaisanterie*) joke; (*farce*) trick, joke; ***sans ~!*** no kidding!; **blaguer** ⟨1a⟩ joke

blaireau [blɛro] *m* (*pl* -x) ZO badger; *pour se raser* shaving brush

blâme [blɑm] *m* blame; (*sanction*) reprimand; **blâmer** ⟨1a⟩ blame; (*sanctionner*) reprimand

blanc, **blanche** [blɑ̃, -ʃ] **1** *adj* white; *feuille, page* blank; ***examen** m* **~** practice exam, *Br* mock exam; ***mariage** m* **~** unconsummated marriage; ***nuit** f **blanche*** sleepless night; ***en* ~** blank; ***chèque** m **en* ~** blank check, *Br* blank cheque **2** *m* white; *de poulet* white meat, *Br* breast; *vin* white (wine); *textile* (household) linen; *par opposé aux couleurs* whites *pl*; *dans un texte* blank; **~ (*d'œuf*)** (egg) white; ***tirer à* ~** shoot blanks **3** *m/f* ***Blanc, Blanche*** white, White

blanc-bec [blɑ̃bɛk] *m* (*pl* blancs-becs) greenhorn

blanchâtre [blɑ̃ʃɑtr] whiteish

Blanche-Neige [blɑ̃ʃnɛʒ] *f* Snowwhite

blancheur [blɑ̃ʃœr] *f* whiteness; **blanchir** ⟨2a⟩ **1** *v/t* whiten; *mur* whitewash; *linge* launder, wash; *du soleil* bleach; CUIS blanch; *fig*: *innocenter* clear; **~ *de l'argent*** launder money **2** *v/i* go white; **blanchisserie** *f* laundry

blasé, **~e** [blɑze] blasé

blason [blɑzõ] *m* coat of arms

blasphème [blasfɛm] *m* blasphemy; **blasphémer** ⟨1f⟩ blaspheme

blé [ble] *m* wheat, *Br* corn

bled [blɛd] *m* F **péj** dump F, hole F

blême [blɛm] pale; **blêmir** ⟨2a⟩ turn pale

blessant [blɛsɑ̃] hurtful; **blessé**, **~e** **1** *adj* hurt (*aussi fig*); *dans un accident* injured; *avec une arme* wounded **2** *m/f*: ***les* ~*s*** the injured, the casualties; *avec une arme* the wounded, the casualties; **blesser** ⟨1b⟩ hurt (*aussi fig*); *dans un accident* injure; *à la guerre* wound; ***se* ~** injure *ou* hurt o.s.; ***je me suis blessé à la main*** I injured *ou* hurt my hand; **blessure** *f d'accident* injury; *d'arme* wound

bleu, **~e** [blø] (*mpl* -s) **1** *adj* blue; *viande* very rare, practically raw **2** *m* blue; *fromage* blue cheese; *marque sur la peau* bruise; *fig* (*novice*) new recruit, rookie F; TECH blueprint; **~ (*de travail*), *bleus*** *pl*, overalls *pl*; **~ *marine*** navy blue; ***avoir une peur* ~*e*** be scared stiff

bleuet [bløɛ] *m* BOT cornflower

blindage [blɛ̃daʒ] *m* armor, *Br* armour; **blindé**, **~e** **1** *adj* MIL armored, *Br* armoured; *fig* hardened **2** *m* MIL armored *ou Br* armoured vehicle; **blinder** ⟨1a⟩ armor, *Br* armour; *fig* F harden

bloc [blɔk] *m* block; POL bloc; *de papier* pad; ***en* ~** in its entirety; ***faire* ~** join forces (***contre*** against); **~ *opératoire*** operating room, *Br* operating theatre

blocage [blɔkaʒ] *m* jamming; *d'un compte en banque, de prix* freezing; PSYCH block

bloc-notes [blɔknɔt] *m* (*pl* blocs-notes) notepad

blocus [blɔkys] *m* blockade

blond, **~e** [blõ, -d] **1** *adj cheveux* blonde; *tabac* Virginian; *sable* golden; ***bière** f* **~*e*** beer, *Br* lager **2** *m/f* blonde **3** *f bière* beer, *Br* lager

bloquer [blɔke] ⟨1m⟩ block; *mécanisme* jam; *roues* lock; *compte, crédits* freeze; (*regrouper*) group together; **~ *le passage*** be in the way, bar the way

blottir [blɔtir] ⟨2a⟩: ***se* ~** huddle (up)

blouse [bluz] *f* MÉD white coat; *de chirurgien* (surgical) robe; *d'écolier* lab coat; (*chemisier*) blouse

blouson [bluzõ] *m* jacket, blouson; **~ *noir*** *fig* young hoodlum

bluff [blœf] *m* bluff; **bluffer** ⟨1a⟩ bluff

B. O. [beo] *f abr* (**= *bande originale***) sound track

bobard [bobar] *m* F tall tale, *Br* tall story

bobine [bɔbin] *f* reel

bobsleigh [bɔbslɛg] *m* bobsled, *Br aussi* bobsleigh

bocal [bɔkal] *m* (*pl* -aux) (glass) jar

bock [bɔk] *m*: ***un* ~** a (glass of) beer

bœuf [bœf, *pl* bø] *m mâle castré* steer; *viande* beef; **~*s*** cattle *pl*; **~ *bourguignon*** CUIS *kind of beef stew*

bof! [bɔf] *indifférence* yeah, kinda

bogue [bɔg] *m* INFORM bug

bohème [bɔɛm] *m/f* Bohemian; **bohémien**, **~ne** *m/f* gipsy

B

boire [bwar] ⟨4u⟩ drink; (*absorber*) soak up; ~ ***un coup*** F have a drink; ~ ***comme un trou*** F drink like a fish F

bois [bwa] *m matière, forêt* wood; ***en ou de*** ~ wooden; ~ ***de construction*** lumber; **boisé**, **~e** wooded; **boiserie** *f* paneling, *Br* panelling

boisson [bwasõ] *f* drink; ***~s alcoolisées*** alcohol *sg*, alcoholic drinks

boîte [bwat] *f* box; *en tôle* can, *Br aussi* tin; F (*entreprise*) company; ***sa*** ~ his company, the place where he works; ~ (***de nuit***) nightclub; ***en*** ~ canned, *Br aussi* tinned; ~ ***de conserves*** can, *Br aussi* tin; ~ ***à gants*** glove compartment; ~ ***aux lettres*** mailbox, *Br* letterbox; ~ ***noire*** black box; ~ ***postale*** post office box; ~ ***de vitesses*** AUTO gearbox; ~ ***vocale*** INFORM voicemail

boiter [bwate] ⟨1a⟩ limp; *fig*: *de raisonnement* be shaky, not stand up very well; **boiteux**, **-euse** *chaise, table etc* wobbly; *fig*: *raisonnement* shaky; ***être*** ~ *d'une personne* have a limp

boîtier [bwatje] *m* case, housing

bol [bɔl] *m* bowl

bolide [bɔlid] *m* meteorite; AUTO racing car

Bolivie [bɔlivi]: ***la*** ~ Bolivia; **bolivien**, **~ne 1** *adj* Bolivian **2** *m/f* **Bolivien**, **~ne** Bolivian

bombardement [bõbardəmɑ̃] *m* bombing; *avec obus* bombardment; **bombarder** ⟨1a⟩ bomb; *avec obus, questions* bombard; **bombardier** *m avion* bomber; **bombe** *f* MIL bomb; (*atomiseur*) spray; ~ ***atomique*** atom bomb; ~ ***incendiaire*** incendiary device; ~ ***à retardement*** time bomb

bombé, **~e** [bõbe] *front, ventre* bulging; **bomber** ⟨1a⟩ bulge

bon, **~ne** [bõ, bɔn] **1** *adj* good; *route, adresse, moment* right, correct; *brave* kind, good-hearted; ***de ~ne foi*** *personne* sincere; ***de ~ne heure*** early; (***à***) ~ ***marché*** cheap; ***être*** ~ ***en qch*** be good at sth; ~ ***à rien*** good-for-nothing; ***elle n'est pas ~ne à grand-chose*** she's not much use; ***pour de*** ~ for good; ***il est*** ~ ***que ...*** (+ *subj*) it's a good thing that ..., it's good that ...; ***à quoi*** ~***?*** what's the point?, what's the use?; ~ ***mot*** witty remark. witticism; ~ ***anniversaire!*** happy birthday!; ~ ***voyage!*** have a good trip!, bon voyage!; ***~ne chance!*** good luck!; ***~ne année!*** Happy New Year!; ***~ne nuit!*** good night!; ***ah*** ~ really
2 *adv*: ***sentir*** ~ smell good; ***tenir*** ~ not give in, stand one's ground; ***trouver*** ~ ***de faire qch*** think it right to do sth; ***il fait*** ~ ***vivre ici*** it's good living here
3 *m* COMM voucher; ***avoir du*** ~ have its good points; ~ ***d'achat*** gift voucher; ~ ***de commande*** purchase order; ~ ***du Trésor*** Treasury bond

bonbon [bõbõ] *m* candy, *Br* sweet; ***~s*** candy *sg*, *Br* sweets

bonbonne [bõbɔn] *f* cannister; ~ ***d'oxygène*** oxygen tank

bond [bõ] *m* jump, leap; *d'une balle* bounce

bondé, **~e** [bõde] packed

bondir [bõdir] ⟨2a⟩ jump, leap (***de*** with)

bonheur [bɔnœr] *m* happiness; (*chance*) luck; ***par*** ~ luckily, fortunately; ***porter*** ~ ***à qn*** bring s.o. luck; ***au petit*** ~ at random; ***se promener au petit*** ~ stroll *ou* wander around

bonhomie [bɔnɔmi] *f* good nature, bonhomie; **bonhomme** *m* (*pl* bonshommes) *m* F (*type*) guy F, man; ~ ***de neige*** snowman

bonification [bɔnifikasjõ] *f* improvement; *assurance* bonus; **bonifier** ⟨1a⟩ improve

boniment [bɔnimɑ̃] *m battage* spiel F, sales talk; F (*mensonge*) fairy story

bonjour [bõʒur] *m* hello; *avant midi* hello, good morning; ***dire*** ~ ***à qn*** say hello to s.o.; ***donne le*** ~ ***de ma part à ta mère*** tell your mother I said hello, give your mother my regards

bonne [bɔn] *f* maid

bonnement [bɔnmɑ̃] *adv*: ***tout*** ~ simply

bonnet [bɔnɛ] *m* hat; ***gros*** ~ *fig* F big

shot F; ~ ***de douche*** shower cap

bonsoir [bõswar] *m* hello, good evening

bonté [bõte] *f* goodness; ***avoir la ~ de faire qch*** be good *ou* kind enough to do sth

bonus [bɔnys] *m* no-claims bonus

boom [bum] *m* boom

bord [bɔr] *m* edge; (*rive*) bank; *d'une route* side; *d'un verre* brim; ***au ~ de la mer*** at the seaside; ***être au ~ des larmes*** be on the verge *ou* brink of tears; ***être un peu bête sur les ~s*** *fig* F be a bit stupid; ***tableau*** *m* ***de ~*** AUTO dash(board); ***à ~ d'un navire / d'un avion*** on board a ship / an aircraft; ***monter à ~*** board, go on board; ***jeter qch par-dessus ~*** throw sth overboard; ***virer de ~*** turn, go about; *fig: d'opinion* change one's mind; *de parti* switch allegiances

bordeaux [bɔrdo] **1** *adj inv* wine-colored, *Br* wine-coloured, claret **2** *m vin* claret, Bordeaux

bordel [bɔrdɛl] *m* F brothel; (*désordre*) mess F, shambles *sg*

bordelais, **~e** [bɔrdəlɛ, -z] of / from Bordeaux, Bordeaux *atr*

bordélique [bɔrdelik] F chaotic; ***c'est vraiment ~*** it's a disaster area F

border [bɔrde] ⟨1a⟩ (*garnir*) edge (***de*** with); (*être le long de*) line, border; *enfant* tuck in

bordereau [bɔrdəro] *m* (*pl* -x) COMM schedule, list; ***~ d'expédition*** dispatch note

bordure [bɔrdyr] *f* border, edging; ***en ~ de*** *forêt, ville* on the edge of

boréal, **~e** [bɔreal] (*mpl* -aux) northern

borgne [bɔrɲ] one-eyed

borne [bɔrn] *f* boundary marker; ÉL terminal; ***~s*** *fig* limits; ***sans ~s*** unbounded; ***dépasser les ~s*** go too far; ***~ kilométrique*** milestone; **borné**, **~e** narrow-minded; **borner** ⟨1a⟩: ***se ~ à*** (***faire***) ***qch*** restrict o.s. to (doing) sth

bosniaque [bɔznjak] **1** *adj* Bosnian **2** *m/f* **Bosniaque** Bosnian; **Bosnie** *f* Bosnia

bosquet [bɔskɛ] *m* copse

bosse [bɔs] *f* (*enflure*) lump; *d'un bossu, d'un chameau* hump; *du sol* bump; *en ski* mogul; ***avoir la ~ de*** F have a gift for

bosser [bɔse] ⟨1a⟩ F work hard

bossu, **~e** *m/f* [bɔsy] hunchback

botanique [bɔtanik] **1** *adj* botanical **2** *f* botany; **botaniste** *m/f* botanist

botte[1] [bɔt] *f de carottes, de fleurs, de radis* bunch

botte[2] [bɔt] *f chaussure* boot

botter [bɔte] ⟨1a⟩: ***~ le derrière à qn*** F give s.o. a kick up the rear end, let s.o. feel the toe of one's boot; ***ça me botte*** F I like it

bottin [bɔtɛ̃] *m* phone book

bottine [bɔtin] *f* ankle boot

bouc [buk] *m* goat; ***~ émissaire*** *fig* scapegoat

boucan [bukɑ̃] *m* F din, racket

bouche [buʃ] *f* mouth; *de métro* entrance; ***~ d'aération*** vent; ***~ d'incendie*** (fire) hydrant; **bouche-à-bouche** *m* MÉD mouth-to-mouth resuscitation

bouché, **~e** [buʃe] blocked; *nez* blocked, stuffed up; *temps* overcast

bouchée [buʃe] *f* mouthful; ***~ à la reine*** vol-au-vent

boucher[1] [buʃe] ⟨1a⟩ block; *trou* fill (in); ***se ~*** *d'un évier, d'un tuyau* get blocked; ***se ~ les oreilles*** put one's hands over one's ears; *fig* refuse to listen, turn a deaf ear; ***se ~ le nez*** hold one's nose

boucher[2], **-ère** [buʃe, -ɛr] *m/f* butcher (*aussi fig*)

boucherie [buʃri] *f magasin* butcher's; *fig* slaughter

bouche-trou [buʃtru] *m* (*pl* bouche-trous) stopgap

bouchon [buʃõ] *m* top; *de liège* cork; *fig: trafic* hold-up, traffic jam

boucle [bukl] *f* loop (*aussi* INFORM); *de ceinture, de sandales* buckle; *de cheveux* curl; ***~ d'oreille*** earring; **bouclé**, **~e** *cheveux* curly; **boucler** ⟨1a⟩ *ceinture* fasten; *porte, magasin* lock; MIL surround; *en prison* lock away; ***boucle-la!*** F shut up! F

B

bouclier [buklije] *m* shield (*aussi fig*)
bouddhisme [budism] *m* Buddhism; **bouddhiste** *m* Buddhist
bouder [bude] ⟨1a⟩ **1** *v/i* sulk **2** *v/t*: ***~ qn / qch*** give s.o. / sth the cold shoulder; **boudeur**, **-euse** sulky
boudin [budɛ̃] *m*: **~ (*noir*)** blood sausage, *Br* black pudding
boudiné, **~e** [budine] *doigts* stubby; ***elle est ~e dans cette robe*** that dress is too small for her
boue [bu] *f* mud
bouée [bwe] *f* MAR buoy; **~ (*de sauvetage*)** lifebuoy, lifebelt
boueux, **-euse** [bwø, -z] muddy
bouffe [buf] *f* F grub F, food
bouffée [bufe] *f de fumée* puff; *de vent* puff, gust; *de parfum* whiff; ***une ~ d'air frais*** a breath of fresh air; ***~ de chaleur*** MÉD hot flash, *Br* hot flush
bouffer [bufe] ⟨1a⟩ F eat
bouffi, **~e** [bufi] bloated
bougeoir [buʒwar] *m* candleholder
bougeotte [buʒɔt] *f*: ***avoir la ~*** fidget, be fidgety; **bouger** ⟨1l⟩ move; *de prix* change
bougie [buʒi] *f* candle; AUTO spark plug
bougonner [bugɔne] ⟨1a⟩ F grouse F
bouillabaisse [bujabɛs] *f* CUIS bouillabaisse, fish soup
bouillant, **~e** [bujɑ̃, -t] *qui bout* boiling; (*très chaud*) boiling hot
bouillie [buji] *f* baby food
bouillir [bujir] ⟨2e⟩ boil; *fig* be boiling (with rage); ***faire ~*** boil; **bouilloire** *f* kettle
bouillon [bujõ] *m* (*bulle*) bubble; CUIS stock, broth; **bouillonner** ⟨1a⟩ *de source, de lave etc* bubble; *fig*: *d'idées* seethe
bouillotte [bujɔt] *f* hot water bottle
boulanger, **-ère** [bulɑ̃ʒe, -ɛr] *m/f* baker; **boulangerie** *f* bakery, baker's
boule [bul] *f* (*sphère*) ball; ***jeu*** *m* ***de ~s*** bowls *sg*; ***~ de neige*** snowball; ***faire ~ de neige*** snowball
bouleau [bulo] *m* (*pl* -x) BOT birch (tree)
bouledogue [buldɔg] *m* bulldog
bouler [bule] ⟨1a⟩ F: ***envoyer ~ qn*** kick s.o. out, send s.o. packing
boulette [bulɛt] *f de papier* pellet; **~ (*de viande*)** meatball
boulevard [bulvar] *m* boulevard; ***~ périphérique*** belt road, *Br* ring road
bouleversement [bulvɛrsəmɑ̃] *m* upheaval; **bouleverser** ⟨1a⟩ (*mettre en désordre*) turn upside down; *traditions, idées* overturn; *émotionnellement* shatter, deeply move
boulimie [bulimi] *f* bulimia
boulon [bulõ] *m* TECH bolt; **boulonner** ⟨1a⟩ **1** *v/t* TECH bolt **2** *v/i fig* F slave away F
boulot[1], **~te** [bulo, -ɔt] plump
boulot[2] [bulo] *m* F work
bouquet [bukɛ] *m* bouquet, bunch of flowers; *de vin* bouquet
bouquin [bukɛ̃] *m* F book; **bouquiner** ⟨1a⟩ read; **bouquiniste** *m/f* bookseller
bourbe [burb] *f* mud; **bourbeux**, **-euse** muddy; **bourbier** *m* bog; *fig* quagmire
bourde [burd] *f* blunder, booboo F, blooper F
bourdon [burdõ] *m* ZO bumblebee; ***faux ~*** drone
bourdonnement [burdɔnmɑ̃] *d'insectes* buzzing; *de moteur* humming; **bourdonner** ⟨1a⟩ *d'insectes* buzz; *de moteur* hum; *d'oreilles* ring
bourg [bur] *m* market town; **bourgade** *f* village
bourgeois, **~e** [burʒwa, -z] **1** *adj* middle-class; *péj* middle-class, bourgeois **2** *m/f* member of the middle classes; *péj* member of the middle classes *ou* the bourgeoisie; **bourgeoisie** *f* middle classes *pl*; *péj* middle classes *pl*, bourgeoisie; ***haute ~*** upper middle classes *pl*; ***petite ~*** lower middle classes *pl*
bourgeon [burʒõ] *m* BOT bud
Bourgogne [burgɔɲ]: ***la ~*** Burgundy; **bourgogne** *m* burgundy; **bourguignon**, **~ne** **1** *adj* Burgundian, of / from Burgundy **2** *m/f* **Bourguignon**, **~ne** Burgundian
bourlinguer [burlɛ̃ge] ⟨1m⟩: ***il a pas***

mal bourlingué F he's been around
bourrage [buraʒ] *m* F: **~ *de crâne*** brain-washing
bourrasque [burask] *f* gust
bourratif, **-ive** [buratif, -iv] stodgy
bourré, **~e** [bure] full (***de*** of), packed (***de*** with), crammed (***de*** with); F (*ivre*) drunk, sozzled F
bourreau [buro] *m* (*pl* -x) executioner; **~ *de travail*** workaholic
bourrer [bure] ⟨1a⟩ *coussin* stuff; *pipe* fill; ***se ~ de qch*** F stuff o.s. with sth
bourrique [burik] *f fig* (*personne têtue*) mule
bourru, **~e** [bury] surly, bad-tempered
bourse [burs] *f d'études* grant; (*porte-monnaie*) coin purse, *Br* purse; ***Bourse*** (***des valeurs***) Stock Exchange; ***la Bourse monte / baisse*** stock *ou Br* share prices are rising / falling; **boursicoter** ⟨1a⟩ dabble on the Stock Exchange; **boursier**, **-ère** **1** *adj* stock exchange *atr* **2** *m/f* grant recipient
boursouf(f)lé, **~e** [bursufle] swollen
bousculade [buskylad] *f* crush; (*précipitation*) rush; **bousculer** ⟨1a⟩ (*heurter*) jostle; (*presser*) rush; *fig*: *traditions* overturn, upset
bouse [buz] *f*: **~ (*de vache*)** cowpat
bousiller [buzije] ⟨1a⟩ F *travail* screw up F, bungle; (*détruire*) wreck
boussole [busɔl] *f* compass; ***perdre la ~*** F lose one's head
bout[1] [bu] *m* (*extrémité*) end; *de doigts*, *de nez*, *de bâton* end, tip; (*morceau*) piece; **~ *à* ~** end to end; ***tirer à ~ portant*** fire at point-blank range; ***au ~ de*** at the end of; ***au ~ du compte*** when all's said and done; ***d'un ~ à l'autre*** right the way through; ***aller jusqu'au ~*** *fig* see it through to the bitter end; ***être à ~*** be at an end; ***être à ~ de …*** have no more … (left); ***venir à ~ de qch / qn*** overcome sth / s.o.; ***connaître qch sur le ~ des doigts*** have sth at one's fingertips; ***manger un ~*** eat something, have a bite (to eat)
bout[2] [bu] → ***bouillir***
boutade [butad] *f* joke
bouteille [butɛj] *f* bottle; *d'air comprimé*, *de butane* cylinder
boutique [butik] *f* store, *Br* shop; *de mode* boutique
bouton [butõ] *m* button; *de porte* handle; ANAT spot, zit F; BOT bud; **bouton-d'or** *m* (*pl* boutons-d'or) BOT buttercup; **boutonner** ⟨1a⟩ button; BOT bud; **boutonneux**, **-euse** spotty; **boutonnière** *f* buttonhole; **bouton-pression** *m* (*pl* boutons-pression) snap fastener, *Br aussi* press stud fastener
bouture [butyr] *f* BOT cutting
bovin, **~e** [bɔvɛ̃, -in] **1** *adj* cattle *atr* **2** *mpl* **~*s*** cattle *pl*
bowling [buliŋ] *m* bowling, *Br* ten-pin bowling; *lieu* bowling alley
box [bɔks] *m* (*pl* boxes) *f* JUR: **~ *des accusés*** dock
boxe [bɔks] *f* boxing; **boxer** ⟨1a⟩ box; **boxeur** *m* boxer
boycott [bɔjkɔt] *m* boycott; **boycottage** *m* boycott; **boycotter** ⟨1a⟩ boycott
B.P. [bepe] *abr* (***= boîte postale***) PO Box
bracelet [braslɛ] *m* bracelet
braconner [brakɔne] ⟨1a⟩ poach; **braconnier** *m* poacher
brader [brade] ⟨1a⟩ sell off
braguette [bragɛt] *f* fly
braille [brɑj] *m* braille
brailler [brɑje] ⟨1a⟩ bawl, yell
braire [brɛr] ⟨4s⟩ *d'un âne* bray; F bawl, yell
braise [brɛz] *f* embers *pl*; **braiser** ⟨1b⟩ CUIS braise
brancard [brɑ̃kar] *m* (*civière*) stretcher; **brancardier**, **-ère** *m/f* stretcher-bearer
branche [brɑ̃ʃ] *f* branch; *de céleri* stick
brancher [brɑ̃ʃe] ⟨1a⟩ connect up (***sur*** to); *à une prise* plug in; ***être branché*** *fig* F (*informé*) be clued up; (*en vogue*) be trendy F
brandir [brɑ̃dir] ⟨2a⟩ brandish
brandy [brɑ̃di] *m* brandy
branle [brɑ̃l] *m*: ***mettre en ~*** set in motion; **branle-bas** *m fig* commotion;
branler ⟨1a⟩ shake

B

braquage [brakaʒ] *m* AUTO turning; ***rayon** m **de ~*** turning circle; **braquer** ⟨1m⟩ **1** *v/t arme* aim, point (*sur* at); ***~ qn contre qch / qn*** *fig* turn s.o. against sth / s.o. **2** *v/i* AUTO: ***~ à droite*** turn the wheel to the right
bras [bra, brɑ] *m* arm; ***être le ~ droit de qn*** *fig* be s.o.'s right-hand man; ***~ de mer*** arm of the sea; ***~ dessus ~ dessous*** arm in arm; ***avoir le ~ long*** *fig* have influence *ou* F clout; ***avoir qn / qch sur les ~*** *fig* F have s.o. / sth on one's hands; ***accueillir qn / qch à ~ ouverts*** welcome s.o. / sth with open arms; ***cela me coupe ~ et jambes*** F I'm astonished; *de fatigue* it knocks me out F
brasier [brɑzje] *m* blaze
brassage [brasaʒ] *m* brewing
brassard [brasar] *m* armband
brasse [bras] *f* stroke; ***~ papillon*** butterfly (stroke)
brasser [brase] ⟨1a⟩ *bière* brew; ***~ de l'argent*** turn over huge sums of money; **brasserie** *f* brewery; *établissement* restaurant; **brasseur** *m* brewer
brave [brav] **1** *adj* (*after the noun*: *courageux*) brave; (*before the noun*: *bon*) good **2** *m*: ***un ~*** a brave man; **braver** ⟨1a⟩ (*défier*) defy; **bravoure** *f* bravery
break [brɛk] *m* AUTO station wagon, *Br* estate (car)
brebis [brəbi] *f* ewe
brèche [brɛʃ] *f* gap; *dans les défenses* breach; ***être toujours sur la ~*** *fig* be always on the go
bredouille [brəduj]: ***rentrer ~*** return empty-handed; **bredouiller** ⟨1a⟩ mumble
bref, -ève [brɛf, -ɛv] **1** *adj* brief, short **2** *adv* briefly, in short
Brésil [brezil]: ***le ~*** Brazil; **brésilien, ~ne 1** *adj* Brazilian **2** *m/f* **Brésilien, ~ne** Brazilian
Bretagne [brətaɲ]: ***la ~*** Britanny
bretelle [brətɛl] *f de lingerie* strap; *d'autoroute* ramp, *Br* slip road; ***~s*** *de pantalon* suspenders, *Br* braces
breton, ~ne [brətõ, -ɔn] **1** *adj* Breton **2** *m langue* Breton **3** *m/f* **Breton, ~ne** Breton
breuvage [brœvaʒ] *m* drink
brevet [brəvɛ] *m diplôme* diploma; *pour invention* patent; **breveter** ⟨1c⟩ patent
bribes [brib] *fpl de conversation* snippets
bric-à-brac [brikabrak] *m* (*pl inv*) bric-a-brac
bricolage [brikɔlaʒ] *m* do-it-yourself, DIY
bricole [brikɔl] *f* little thing
bricoler [brikɔle] ⟨1a⟩ do odd jobs; **bricoleur, -euse** *m/f* handyman, DIY expert
bride [brid] *f* bridle
bridé, ~e [bride]: ***yeux*** *mpl* ***~s*** almond-shaped eyes, slant eyes
bridge [bridʒ] *m* bridge
brièvement [brijɛvmɑ̃] *adv* briefly; **brièveté** *f* briefness, brevity
brigade [brigad] *f* MIL brigade; *de police* squad; *d'ouvriers* gang; **brigadier** *m* MIL corporal
brillamment [brijamɑ̃] *adv* brilliantly; **brillant, ~e** shiny; *couleur* bright; *fig* brilliant; **briller** ⟨1a⟩ shine (*aussi fig*); ***faire ~*** *meuble* polish
brimer [brime] ⟨1a⟩ bully
brin [brɛ̃] *m d'herbe* blade; *de corde* strand; *de persil* sprig; ***un ~ de*** *fig* a bit of
brindille [brɛ̃dij] *f* twig
brio [brijo] *m*: ***avec ~*** with panache
brioche [brijɔʃ] *f* CUIS brioche; F (*ventre*) paunch
brique [brik] *f* brick
briquet [brikɛ] *m* lighter
brise [briz] *f* breeze
brisé, ~e [brize] broken
brise-glace(s) [brizglas] *m* (*pl inv*) icebreaker; **brise-lames** *m* (*pl inv*) breakwater
briser [brize] ⟨1a⟩ **1** *v/t chose, grève, cœur, volonté* break; *résistance* crush; *vie, amitié, bonheur* destroy; (*fatiguer*) wear out **2** *v/i de la mer* break; ***se ~*** *de verre etc* break, shatter; *de la voix* break, falter; *des espoirs* be shattered

brise-tout [briztu] *m (pl inv)* klutz F, clumsy oaf
briseur [brizœr] *m*: **~ de grève** strike-breaker
britannique [britanik] **1** *adj* British **2** *m/f* **Britannique** Briton, Britisher, Brit F; **les ~s** the British
broc [bro] *m* pitcher
brocante [brɔkɑ̃t] *f magasin* second-hand store; **brocanteur**, **-euse** *m/f* second-hand dealer
brocart [brɔkar] *m* brocade
broche [brɔʃ] *f* CUIS spit; *bijou* brooch
brochet [brɔʃɛ] *m* pike
brochette [brɔʃɛt] *f* CUIS skewer; *plat* shish kebab
brochure [brɔʃyr] *f* brochure
brocolis [brɔkɔli] *mpl* broccoli *sg*
broder [brɔde] ⟨1a⟩ embroider
broderie [brɔdri] *f* embroidery
bronches [brɔ̃ʃ] *fpl* ANAT bronchial tubes, bronchials
broncher [brɔ̃ʃe] ⟨1a⟩: **sans ~** without batting an eyelid
bronchite [brɔ̃ʃit] *f* MÉD bronchitis
bronze [brɔ̃z] *m* bronze
bronzé, **~e** [brɔ̃ze] tanned; **bronzer** ⟨1a⟩ **1** *v/t peau* tan **2** *v/i* get a tan; **se ~** sunbathe
brosse [brɔs] *f* brush; *coiffure* crew-cut; **~ à dents / cheveux** toothbrush / hairbrush; **brosser** ⟨1a⟩ brush; **se ~ les dents / cheveux** brush one's teeth / hair; **~ un tableau de la situation** *fig* outline the situation
brouette [bruɛt] *f* wheelbarrow
brouhaha [bruaa] *m* hubbub
brouillage [brujaʒ] *m* interference; *délibéré* jamming
brouillard [brujar] *m* fog; **il y a du ~** it's foggy
brouille [bruj] *f* quarrel; **brouillé**, **~e**: **être ~ avec qn** have quarreled *ou Br* quarrelled with s.o.; **œufs** *mpl* **~s** CUIS scrambled eggs; **brouiller** ⟨1a⟩ *œufs* scramble; *cartes* shuffle; *papiers* muddle, jumble; *radio* jam; *involontairement* cause interference to; *amis* cause to fall out; **se ~** *du ciel* cloud over, become overcast; *de vitres, lunettes* mist up; *d'idées* get muddled *ou* jumbled; *d'amis* fall out, quarrel
brouillon [brujɔ̃] *m* draft; **papier** *m* **~** scratch paper, *Br* scrap paper
broussailles [brusaj] *fpl* undergrowth *sg*; **broussailleux**, **-euse** *cheveux, sourcils* bushy
brousse [brus] *f* GÉOGR bush; **la ~** F **péj** the boonies F, the back of beyond
brouter [brute] ⟨1a⟩ graze
broutille [brutij] *f* trifle
broyer [brwaje] ⟨1h⟩ grind; **~ du noir** *fig* be down
broyeur *m*: **~ à ordures** garbage *ou Br* waste disposal unit
bru [bry] *f* daughter-in-law
brugnon [bryɲɔ̃] *m* BOT nectarine
bruine [brɥin] *f* drizzle; **bruiner** ⟨1a⟩ drizzle; **bruineux**, **-euse** drizzly
bruissement [brɥismɑ̃] *m* rustle, rustling
bruit [brɥi] *m* sound; *qui dérange* noise; (*rumeur*) rumor, *Br* rumour; **un ~** a sound, a noise; **faire du ~** make a noise; *fig* cause a sensation; **faire grand ~ de qch** make a lot of fuss about sth; **le ~ court que …** there's a rumor going around that …; **~ de fond** background noise; **bruitage** *m à la radio, au théâtre* sound effects *pl*
brûlant, **~e** [brylɑ̃, -t] burning (*aussi fig*); (*chaud*) burning hot; *liquide* scalding; **brûlé**, **~e 1** *adj* burnt; **sentir le ~** taste burnt **2** *m/f* burns victim
brûle-pourpoint [brylpurpwɛ̃]: **à ~** point-blank
brûler [bryle] ⟨1a⟩ **1** *v/t* burn; *d'eau bouillante* scald; *vêtement en repassant* scorch; *électricité* use; **~ un feu rouge** go through a red light; **~ les étapes** *fig* cut corners **2** *v/i* burn; **~ de fièvre** be burning up with fever; **se ~** burn o.s.; *d'eau bouillante* scald o.s.; **se ~ la cervelle** blow one's brains out; **brûleur** *m* burner; **brûlure** *f sensation* burning; *lésion* burn; **~s d'estomac** heartburn *sg*
brume [brym] *f* mist; **brumeux**, **-euse** misty

brun, **~e** [brɛ̃ *ou* brœ̃, bryn] **1** *adj* brown; *cheveux*, *peau* dark **2** *m/f* dark-haired man / woman; ***une ~e*** a brunette **3** *m couleur* brown; **brunâtre** brownish; **brunir** ⟨2a⟩ tan

brushing® [brœʃiŋ] *m* blow-dry

brusque [brysk] (*rude*) abrupt, brusque; (*soudain*) abrupt, sudden; **brusquement** *adv* abruptly, suddenly; **brusquer** ⟨1m⟩ *personne*, *choses* rush; **brusquerie** *f* abruptness

brut, **~e** [bryt] **1** *adj* raw, unprocessed; *bénéfice*, *poids*, *revenu* gross; *pétrole* crude; *sucre* unrefined; *champagne* very dry **2** *m* crude (petroleum) **3** *f* brute; **brutal**, **~e** (*mpl* -aux) brutal; **brutalement** *adv* brutally; **brutaliser** ⟨1a⟩ ill-treat; **brutalité** *f* brutality

Bruxelles [bry(k)sɛl] Brussels

bruyamment [brɥijamɑ̃] *adv* noisily; **bruyant**, **~e** noisy

bruyère [bryjɛr, brɥijɛr] *f* BOT heather; *terrain* heath

bu, **~e** [by] *p/p* → ***boire***

buanderie [bɥɑ̃dri] *f* laundry room

bûche [byʃ] *f* log; ***~ de Noël*** Yule log

bûcher[1] [byʃe] *m* woodpile; (*échafaud*) stake

bûcher[2] [byʃe] ⟨1a⟩ work hard; ÉDU F hit the books, *Br* swot; **bûcheur**, **-euse** *m/f* ÉDU grind, *Br* swot

budget [bydʒɛ] *m* budget; ***~ de la Défense*** defense budget

budgétaire [bydʒetɛr] budget *atr*; ***déficit** m **~*** budget deficit

buée [bɥe] *f sur vitre* steam, condensation

buffet [byfɛ] *m de réception* buffet; *meuble* sideboard; ***~ (de la gare)*** (station) buffet

buffle [byfl] *m* buffalo

buisson [bɥisõ] *m* shrub, bush; **buissonnière**: ***faire l'école ~*** play truant

bulbe [bylb] *f* BOT bulb

bulldozer [buldozœr] *m* bulldozer

bulgare [bylgar] **1** *adj* Bulgarian **2** *m langue* Bulgarian **3** *m/f* **Bulgare** Bulgarian; **Bulgarie**: ***la ~*** Bulgaria

bulle [byl] *f* bubble; *de bande dessinée* (speech) bubble *ou* balloon; ***~ de savon*** soap bubble

bulletin [byltɛ̃] *m* (*formulaire*) form; (*rapport*) bulletin; *à l'école* report card, *Br* report; ***~ (de vote)*** ballot (paper); ***~ météorologique*** weather report; ***~ de salaire*** paystub, *Br* payslip

bureau [byro] *m* (*pl* -x) office; *meuble* desk; ***~ de change*** exchange office, *Br* bureau de change; ***~ de location*** box office; ***~ de poste*** post office; ***~ de tabac*** tobacco store, *Br* tobacconist's; ***~ de vote*** polling station

bureaucrate [byrokrat] *m/f* bureaucrat; **bureaucratie** *f* bureaucracy; **bureaucratique** bureaucratic

bureautique [byrotik] *f* office automation

bus [bys] *m* bus

busqué, **~e** [byske] *nez* hooked

buste [byst] *m* bust

but [by(t)] *m* (*cible*) target; *fig* (*objectif*) aim, goal; *d'un voyage* purpose; SP goal; ***de ~ en blanc*** point-blank; ***dans le ~ de faire qch*** with the aim of doing sth; ***j'ai pour seul ~ de …*** my sole ambition is to …; ***marquer un ~*** score (a goal); ***errer sans ~*** wander aimlessly; ***à ~ lucratif*** profit-making; ***à ~ non lucratif*** not-for-profit, *Br* non-profit making

butane [bytan] *m* butane gas

buté, **~e** [byte] stubborn; **buter** ⟨1a⟩: ***~ contre qch*** bump into sth, collide with sth; ***~ sur un problème*** come up against a problem, hit a problem; ***se ~*** *fig* dig one's heels in

buteur [bytœr] *m* goalscorer

butin [bytɛ̃] *m* booty; *de voleurs* haul

butte [byt] *f* (*colline*) hillock; ***être en ~ à*** be exposed to

buvable [byvabl] drinkable; **buvette** *f* bar; **buveur**, **-euse** *m/f* drinker

C

c' [s] → **ce**
CA [sea] *abr* (= ***chiffre d'affaires***) turnover; ÉL (= ***courant alternatif***) AC (= alternating current)
ça [sa] that; ***~, c'est très bon*** that's very good; ***nous attendons que ~ commence*** we're waiting for it to start; ***~ va?*** how are things?; (*d'accord?*) ok?; ***~ y est*** that's it; ***c'est ~!*** that's right!; ***~ alors!*** well I'm damned!; ***et avec ~?*** anything else?; ***où / qui ~?*** where's / who's that?
çà [sa] *adv*: ***~ et là*** here and there
cabale [kabal] *f* (*intrigue*) plot
cabane [kaban] *f* (*baraque*) hut; **cabanon** *m cellule* padded cell; *en Provence* cottage
cabaret [kabarɛ] *m* (*boîte de nuit*) night club
cabas [kabɑ] *m* shopping bag
cabillaud [kabijo] *m* cod
cabine [kabin] *f* AVIAT, MAR cabin; *d'un camion* cab; ***~ d'essayage*** changing room; ***~ de pilotage*** AVIAT cockpit; ***~ téléphonique*** phone booth
cabinet [kabinɛ] *m petite pièce* small room; *d'avocat* chambers *pl*; *de médecin* office, *Br* surgery; (*clientèle*) practice; POL Cabinet; ***~s*** toilet *sg*
câble [kɑbl] *m* cable; ***~ de remorque*** towrope; ***le ~, la télévision par ~*** cable (TV)
cabosser [kabɔse] ⟨1a⟩ dent
cabrer [kɑbre] ⟨1a⟩: ***se ~*** *d'un animal* rear
cabriolet [kabrijɔlɛ] *m* AUTO convertible
caca [kaka] *m* F poop F, *Br* poo F; ***faire ~*** do a poop
cacahuète [kakawɛt, -ɥɛt] *f* BOT peanut
cacao [kakao] *m* cocoa; BOT cocoa bean
cache-cache [kaʃkaʃ] *m* hide-and-seek; ***jouer à ~*** play hide-and-seek
cache-col [kaʃkɔl] *m* (*pl inv*) scarf
cachemire [kaʃmir] *m tissu* cashmere
cache-nez [kaʃne] *m* (*pl inv*) scarf
cacher [kaʃe] ⟨1a⟩ hide; ***se ~ de qn*** hide from s.o.; ***il ne cache pas que*** he makes no secret of the fact that; ***~ la vérité*** hide the truth, cover up
cachet [kaʃɛ] *m* seal; *fig* (*caractère*) style; PHARM tablet; (*rétribution*) fee; ***~ de la poste*** postmark
cacheter [kaʃte] ⟨1c⟩ seal
cachette [kaʃɛt] *f* hiding place; ***en ~*** secretly
cachot [kaʃo] *m* dungeon; **cahoteux, -euse** bumpy
cachotterie [kaʃɔtri] *f*: ***faire des ~s*** be secretive; **cachottier, -ère** secretive
cactus [kaktys] *m* cactus
c.-à-d. *abr* (= ***c'est-à-dire***) ie (= id est)
cadavre [kadavr] *m d'une personne* (dead) body, corpse; *d'un animal* carcass
caddie[1]® [kadi] *m* cart, *Br* trolley
caddie[2] [kadi] *m* GOLF caddie
cadeau [kado] *m* (*pl* -x) present, gift; ***faire un ~ à qn*** give s.o. a present *ou* a gift; ***faire ~ de qch à qn*** give s.o. sth (as a present *ou* gift)
cadenas [kadna] *m* padlock; **cadenasser** ⟨1a⟩ padlock
cadence [kadɑ̃s] *f tempo* rhythm; *de travail* rate; **cadencé, ~e** rhythmic
cadet, ~te [kadɛ, -t] *m/f de deux* younger; *de plus de deux* youngest; ***il est mon ~ de trois ans*** he's three years my junior, he's three years younger than me
cadran [kadrɑ̃] *m* dial; ***~ solaire*** sundial
cadre [kɑdr] *m* frame; *fig* framework;

d'une entreprise executive; (*environnement*) surroundings *pl*; ***s'inscrire dans le ~ de*** form part of, come within the framework of; ***~s supérieurs / moyens*** senior / middle management *sg*; **cadrer** ⟨1a⟩: ***~ avec*** tally with

CAF [kaf] **1** *f abr* (= ***Caisse d'allocations familiales***) Benefits Agency **2** *m abr* (= ***Coût, Assurance, Fret***) CIF (= cost insurance freight)

cafard [kafar] *m* ZO cockroach; ***avoir le ~*** F be feeling down; ***donner le ~ à qn*** depress s.o., get s.o. down

café [kafe] *m boisson* coffee; *établissement* café; ***~ crème*** coffee with milk, *Br* white coffee; ***~ noir*** black coffee

caféine [kafein] *f* caffeine

cafeteria [kafeterja] *f* cafeteria

cafetière [kaftjɛr] *f* coffee pot; ***~ électrique*** coffee maker, coffee machine

cage [kaʒ] *f* cage; ***~ d'ascenseur*** elevator shaft, *Br* lift shaft; ***~ d'escalier*** stairwell

cageot [kaʒo] *m* crate

cagibi [kaʒibi] *m* F storage room, *Br aussi* boxroom

cagneux, **-euse** [kaɲø, -z] *personne* knock-kneed

cagnotte [kaɲɔt] *f* kitty

cagoule [kagul] *f de moine* cowl; *de bandit* hood; (*passe-montagne*) balaclava

cahier [kaje] *m* notebook; ÉDU exercise book

cahot [kao] *m* jolt; **cahoter** ⟨1a⟩ jolt

caille [kaj] *f* quail

cailler [kaje] ⟨1a⟩ *du lait* curdle; *du sang* clot; ***ça caille!*** *fig* F it's freezing!

caillot [kajo] *m* blood clot

caillou [kaju] *m* (*pl* -x) pebble, stone

caisse [kɛs] *f* chest; *pour le transport* crate; *de déménagement* packing case; *de champagne, vin* case; (*argent*) cash; (*guichet*) cashdesk; *dans un supermarché* checkout; ***tenir la ~*** look after the money; ***grosse ~*** MUS bass drum; ***~ enregistreuse*** cash register; ***~ d'épargne*** savings bank; ***~ noire*** slush fund; ***~ de retraite*** pension fund; **caissier**, **-ère** *m/f* cashier

cajoler [kaʒɔle] ⟨1a⟩ (*câliner*) cuddle

cake [kɛk] *m* fruit cake

calamité [kalamite] *f* disaster, calamity

calandre [kalɑ̃dr] *f* AUTO radiator grille

calcaire [kalkɛr] **1** *adj massif* limestone *atr*; *terrain* chalky; *eau* hard **2** *m* GÉOL limestone

calcium [kalsjɔm] *m* calcium

calcul[1] [kalkyl] *m* calculation (*aussi fig*); ***~ mental*** mental arithmetic

calcul[2] [kalkyl] *m* MÉD stone *m*; ***~ biliaire*** gallstone; ***~ rénal*** kidney stone

calculateur, **-trice** [kalkylatœr, -tris] **1** *adj* calculating **2** *f*: ***~ (de poche)*** (pocket) calculator

calculer [kalkyle] ⟨1a⟩ calculate; **calculette** *f* pocket calculator

cale [kal] *f* MAR hold; *pour bloquer* wedge; ***~ sèche*** dry dock

calé, **~e** [kale] F: ***être ~ en qch*** be good at sth

caleçon [kalsõ] *m d'homme* boxer shorts *pl*, boxers *pl*; *de femme* leggings *pl*

calembour [kalɑ̃bur] *m* pun, play on words

calendrier [kalɑ̃drije] *m* calendar; *emploi du temps* schedule, *Br* timetable

calepin [kalpɛ̃] *m* notebook

caler [kale] ⟨1a⟩ **1** *v/t moteur* stall; TECH wedge **2** *v/i d'un moteur* stall

calibre [kalibr] *m d'une arme*, *fig* caliber, *Br* calibre; *de fruits, œufs* grade

califourchon [kalifurʃõ]: ***à ~*** astride

câlin, **~e** [kalɛ̃, -in] **1** *adj* affectionate **2** *m* (*caresse*) cuddle; **câliner** ⟨1a⟩ (*caresser*) cuddle

calmant, **~e** [kalmɑ̃, -t] **1** *adj* soothing; MÉD (*tranquillisant*) tranquilizing, *Br* tranquillizing; *contre douleur* painkilling **2** *m* tranquilizer, *Br tranquillizer*, *contre douleur* painkiller

calmar [kalmar] *m* squid

calme [kalm] **1** *adj* calm; *Bourse, vie* quiet **2** *m* calmness, coolness; MAR calm; (*silence*) peace and quiet, quietness; **calmement** *adv* calmly, coolly; **calmer** ⟨1a⟩ *personne* calm down; *douleur* relieve; ***se ~*** calm down

calomnie [kalɔmni] *f* slander; *écrite* libel; **calomnier** ⟨1a⟩ insult; *par écrit* libel; **calomnieux**, **-euse** slanderous *par écrit* libelous, *Br* libellous
calorie [kalɔri] *f* calorie; ***régime basses ~s*** low-calorie diet
calque [kalk] *m* TECH tracing; *fig* exact copy; **calquer** ⟨1m⟩ trace; ***~ qch sur*** *fig* model sth on
calva [kalva] *m* F, **calvados** [kalvadɔs] *m* Calvados, apple brandy
calvaire [kalvɛr] *m* REL wayside cross; *fig* agony
calvitie [kalvisi] *f* baldness
camarade [kamarad] *m/f* friend; POL comrade; ***~ de jeu*** playmate; **camaraderie** *f* friendship, camaraderie
Cambodge [kɑ̃bɔdʒ]: ***le ~*** Cambodia; **cambodgien**, **~ne 1** *adj* Cambodian **2** *m langue* Cambodian **3** *m/f* **Cambodgien**, **~ne** Cambodian
cambouis [kɑ̃bwi] *m* (dirty) oil
cambrer [kɑ̃bre] ⟨1a⟩ arch
cambriolage [kɑ̃brijɔlaʒ] *m* break-in, burglary; **cambrioler** ⟨1a⟩ burglarize, *Br* burgle; **cambrioleur**, **-euse** *m/f* house-breaker, burglar
cambrousse [kɑ̃brus] *f* F **péj**: ***la ~*** the back of beyond, the sticks *pl*
came [kam] *f* TECH cam; ***arbre** m **à ~s*** camshaft
camelote [kamlɔt] *f* F junk
camembert [kamɑ̃bɛr] *m* Camembert; *diagramme* pie chart
caméra [kamera] *f* camera; ***~ vidéo*** video camera
Cameroun [kamrun]: ***le ~*** Cameroon; **camerounais**, **~e 1** *adj* Cameroonian **2** *m/f* **Camerounais**, **~e** Cameroonian
caméscope [kameskɔp] *m* camcorder
camion [kamjõ] *m* truck, *Br aussi* lorry; ***~ de livraison*** delivery van; **camion-citerne** *m* (*pl* camions-citernes) tanker
camionnette [kamjɔnɛt] *f* van; **camionneur** *m conducteur* truck driver, *Br aussi* lorry driver; *directeur d'entreprise* trucker, *Br* haulier
camomille [kamɔmij] *f* BOT camomile
camouflage [kamuflaʒ] *m* camouflage; **camoufler** ⟨1a⟩ camouflage; *fig*: *intention, gains* hide; *faute* cover up
camp [kɑ̃] *m* camp (*aussi* MIL, POL); ***~ de concentration*** concentration camp; ***~ militaire*** military camp *m*; ***~ de réfugiés*** refugee camp; ***~ de vacances*** summer camp, *Br* holiday camp; ***ficher le ~*** F clear off, get lost F
campagnard, **~e** [kɑ̃paɲar, -d] **1** *adj* country *atr* **2** *m/f* person who lives in the country
campagne [kɑ̃paɲ] *f* country, countryside; MIL, *fig* campaign; ***à la ~*** in the country; ***en pleine ~*** deep in the countryside; ***~ de diffamation*** smear campaign; ***~ électorale*** election campaign; ***~ publicitaire*** advertising campaign
campement [kɑ̃pmɑ̃] *m action* camping; *installation* camp; *lieu* campground; **camper** ⟨1a⟩ camp; ***se ~ devant*** plant o.s. in front of; **campeur**, **-euse** *m/f* camper
camping [kɑ̃piŋ] *m* camping; (***terrain** m **de***) **~** campground, campsite; ***faire du ~*** go camping; **camping-car** *m* (*pl* camping-cars) camper; **camping-gaz** ® *m* campstove
Canada [kanada] ***le ~*** Canada; **canadien**, **~ne 1** *adj* Canadian **2** *m/f* **Canadien**, **~ne** Canadian
canal [kanal] *m* (*pl* -aux) channel; (*tuyau*) pipe; (*bras d'eau*) canal; ***~ d'irrigation*** irrigation canal; ***le ~ de Suez*** the Suez Canal
canalisation [kanalizasjõ] *f* (*tuyauterie*) pipes *pl*, piping; **canaliser** *fig* channel
canapé [kanape] *m* sofa; CUIS canapé; **canapé-lit** *m* sofa-bed
canard [kanar] *m* duck; F newpaper; ***il fait un froid de ~*** F it's freezing
canari [kanari] *m* canary
cancans [kɑ̃kɑ̃] *mpl* gossip *sg*
cancer [kɑ̃sɛr] *m* MÉD cancer; ***avoir un ~ du poumon*** have lung cancer; ***le Cancer*** ASTROL Cancer
cancéreux, **-euse** [kɑ̃serø, -z] **1** *adj tumeur* cancerous **2** *m/f* person with

cancer, cancer patient; **cancérigène**, **-ogène** carcinogenic; **cancérologue** *m/f* cancer specialist
candeur [kɑ̃dœr] *f* ingenuousness
candidat, **~e** [kɑ̃dida, -t] *m/f* candidate; **candidature** *f* candidacy; *à un poste* application; ***~ spontanée*** unsolicited application; ***poser sa ~ à un poste*** apply for a position
candide [kɑ̃did] ingenuous
cane [kan] *f* (female) duck; **caneton** *m* duckling
canette [kanɛt] *f* (*bouteille*) bottle
canevas [kanva] *m* canvas; *de projet* outline
caniche [kaniʃ] *m* poodle
canicule [kanikyl] *f* heatwave
canif [kanif] *m* pocket knife
canin, **~e** [kanɛ̃, -in] dog *atr*, canine
canine [kanin] *f* canine
caniveau [kanivo] *m* (*pl* -x) gutter
canne [kan] *f pour marcher* cane, stick; ***~ à pêche*** fishing rod; ***~ à sucre*** sugar cane
cannelle [kanɛl] *f* cinammon
canoë [kanɔe] *m* canoe; *activité* canoeing; **canoéiste** *m/f* canoeist
canon [kanõ] *m* MIL gun; HIST cannon; *de fusil* barrel; ***~ à eau*** water cannon
canoniser [kanɔnize] ⟨1a⟩ REL canonize
canot [kano] *m* small boat; ***~ pneumatique*** rubber dinghy; ***~ de sauvetage*** lifeboat
cantatrice [kɑ̃tatris] *f* singer
cantine [kɑ̃tin] *f* canteen
cantonner [kɑ̃tɔne] ⟨1a⟩ MIL billet; ***se ~*** shut o.s. away; ***se ~ à*** *fig* confine o.s. to
canular [kanylar] *m* hoax
caoutchouc [kautʃu] *m* rubber; (*bande élastique*) rubber band; ***~ mousse*** foam rubber
cap [kap] *m* GÉOGR cape; AVIAT, MAR course; ***franchir le ~ de la quarantaine*** *fig* turn forty; ***mettre le ~ sur*** head for, set course for
C.A.P. [seape] *m abr* (= ***certificat d'aptitude professionnelle***) vocational training certificate
capable [kapabl] capable; ***~ de faire qch*** capable of doing sth; **capacité** *f* (*compétence*) ability; (*contenance*) capacity; ***~ d'absorption*** absorbency; ***~ de production*** production capacity; ***~ de stockage*** storage capacity
cape [kap] *f* cape; ***rire sous ~*** *fig* laugh up one's sleeve
capillaire [kapilɛr] capillary; *lotion, soins* hair *atr*
capitaine [kapitɛn] *m* captain
capital, **~e** [kapital] (*mpl* -aux) **1** *adj* essential; ***peine*** *f* ***~e*** capital punishment **2** *m* capital; ***capitaux*** capital *sg*; ***capitaux propres*** equity *sg* **3** *f ville* capital (city); *lettre* capital (letter)
capitalisme [kapitalism] *m* capitalism; **capitaliste** *m/f & adj* capitalist
capiteux, **-euse** [kapitø, -z] *parfum, vin* heady
capitonner [kapitɔne] ⟨1a⟩ pad
capitulation [kapitylasjõ] *f* capitulation; **capituler** ⟨1a⟩ capitulate
caporal [kapɔral] *m* (*pl* -aux) MIL private first class, *Br* lance-corporal; **caporal-chef** corporal
capot [kapo] *m* AUTO hood, *Br* bonnet; **capote** *f vêtement* greatcoat; AUTO top, *Br* hood; ***~ (anglaise)*** F condom, rubber F; **capoter** ⟨1a⟩ AVIATT, AUTO overturn
câpre [kɑpr] *f* CUIS caper
caprice [kapris] *m* whim; **capricieux**, **-euse** capricious
Capricorne [kaprikɔrn] *m*: ***le ~*** ASTROL Capricorn
capsule [kapsyl] *f* capsule; *de bouteille* top; ***~ spatiale*** space capsule
capter [kapte] ⟨1a⟩ *attention, regard* catch; RAD, TV pick up; **capteur** *m*: ***~ solaire*** solar panel
captif, **-ive** [kaptif, -iv] *m/f & adj* captive; **captivant**, **~e** *personne* captivating, enchanting; *histoire, lecture* gripping; **captiver** ⟨1a⟩ *fig* captivate; **captivité** *f* captivity
capture [kaptyr] *f* capture; (*proie*) catch; **capturer** ⟨1a⟩ capture
capuche [kapyʃ] *f* hood; **capuchon**

m de vêtement hood; *de stylo* top, cap
capucine [kapysin] *f* BOT nasturtium
car[1] [kar] *m* bus, *Br* coach
car[2] [kar] *conj* for
carabine [karabin] *f* rifle; **carabiné, ~e** F: ***un … carabiné*** one hell of a … F
caractère [karaktɛr] *m* character; ***en ~s gras*** in bold; ***~s d'imprimerie*** block capitals; ***avoir bon ~*** be good-natured; ***avoir mauvais ~*** be bad-tempered
caractériel [karakterjɛl] *troubles* emotional; *personne* emotionally disturbed
caractérisé, ~e [karakterize] *affront, agression* outright; **caractériser** ⟨1a⟩ be characteristic of; **caractéristique** *f & adj* characteristic
carafe [karaf] *f* carafe
caraïbe [karaib] **1** *adj* Caribbean **2** *fpl* **les Caraïbes** the Caribbean *sg*; ***la mer des ~*** the Caribbean (Sea)
carambolage [karɑ̃bɔlaʒ] *m* AUTO pile-up; **caramboler** ⟨1a⟩ AUTO collide with
caramel [karamɛl] *m* caramel
carapace [karapas] *f* ZO, *fig* shell
carat [kara] *m* carat; ***or (à) 18 ~s*** 18-carat gold
caravane [karavan] *f* AUTO trailer, *Br* caravan; **caravaning** *m* caravanning
carbone [karbɔn] *m* CHIM carbon; **carbonique** CHIM carbonic; ***neige f ~*** dry ice; ***gaz m ~*** carbon dioxide; **carboniser** ⟨1a⟩ burn; **carbonisé** F burnt to a crisp
carburant [karbyrɑ̃] *m* fuel; **carburateur** *m* TECH carburet(t)or
carcasse [karkas] *f d'un animal* carcass; *d'un bateau* shell
cardiaque [kardjak] MÉD **1** *adj* cardiac, heart *atr*; ***être ~*** have a heart condition; ***arrêt m ~*** heart failure **2** *m/f* heart patient
cardinal, ~e [kardinal] (*mpl* -aux) **1** *adj* cardinal; ***les quatre points mpl cardinaux*** the four points of the compass **2** *m* REL cardinal
cardiologie [kardjɔlɔʒi] *f* cardiology; **cardiologue** *m/f* cardiologist, heart specialist; **cardio-vasculaire** cardiovascular
carême [karɛm] *m* REL Lent
carence [karɑ̃s] *f (incompétence)* inadequacy, shortcoming; *(manque)* deficiency; ***~ alimentaire*** nutritional deficiency; ***maladie f par ~*** deficiency disease; ***~ affective*** emotional deprivation
caresse [karɛs] *f* caress; **caresser** ⟨1b⟩ caress; *projet, idée* play with; *espoir* cherish
cargaison [kargɛzõ] *f* cargo; *fig* load
cargo [kargo] *m* MAR freighter, cargo boat
caricature [karikatyr] caricature; **caricaturer** ⟨1a⟩ caricature
carie [kari] *f* MÉD: ***~ dentaire*** tooth decay; ***une ~*** a cavity
carié, ~e [karje] *dent* bad
carillon [karijõ] *m air, sonnerie* chimes *pl*
caritatif, ~ive [karitatif, -iv] charitable
carlingue [karlɛ̃g] *f* AVIAT cabin
carnage [karnaʒ] *m* carnage
carnassier, -ère [karnasje, -ɛr] carnivorous
carnation [karnasjõ] *f* complexion
carnaval [karnaval] *m* (*pl* -als) carnival
carnet [karnɛ] *m* notebook; *de tickets, timbres* book; ***~ d'adresses*** address book; ***~ de chèques*** checkbook, *Br* chequebook; ***~ de rendez-vous*** appointments diary
carnivore [karnivɔr] **1** *adj* carnivorous **2** *m* carnivore
carotte [karɔt] *f* carrot; ***poil de ~*** ginger
carpe [karp] *f* ZO carp
carpette [karpɛt] *f* rug
carré, ~e [kare] **1** *adj* square; *fig: personne, réponse* straightforward; ***mètre m ~*** square meter **2** *m* square; ***élever au ~*** square
carreau [karo] *m* (*pl* -x) *de faïence etc* tile; *fenêtre* pane (of glass); *motif* check; *cartes* diamonds; ***à ~x*** *tissu* check(ed)
carrefour [karfur] *m* crossroads *sg*

(*aussi fig*)
carrelage [karlaʒ] *m* (*carreaux*) tiles *pl*; **carreler** 〈1c〉 tile

carrément [karemɑ̃] *adv répondre*, *refuser* bluntly, straight out
carrière [karjɛr] *f* quarry; *profession* career; ***militaire*** *m* ***de ~*** professional soldier
carrossable [karɔsabl] suitable for cars
carrosse [karɔs] *m* coach; **carrosserie** *f* AUTO bodywork
carrousel [karuzɛl] *m* AVIAT carousel
carrure [karyr] *f* build
cartable [kartabl] *m* schoolbag; *à bretelles* satchel
carte [kart] *f* card; *dans un restaurant* menu; GÉOGR map; MAR, *du ciel* chart; ***donner ~ blanche à qn*** *fig* give s.o. a free hand; ***à la ~*** à la carte; ***~ d'abonnement*** membership card; ***~ bancaire*** cash card; ***~ bleue*** credit card; ***~ de crédit*** credit card; ***~ d'embarquement*** boarding pass; ***~ d'étudiant*** student card; ***~ de fidélité*** loyalty card; ***~ graphique*** graphics card; ***~ grise*** AUTO registration document; ***~ d'identité*** identity card; ***~ à mémoire*** INFORM smartcard; ***~ mère*** INFORM motherboard; ***~ postale*** postcard; ***~ à puce*** INFORM smart card; ***~ routière*** road map; ***~ de séjour*** residence permit; ***~ son*** sound card; ***~ vermeil*** senior citizens' railpass; ***~ de vœux*** greeting card; ***~*** (***de visite***) card; ***~ des vins*** wine list
carte-clé *f* key card
cartel [kartɛl] *m* ÉCON cartel
carter [kartɛr] *m* TECH casing; AUTO sump
cartilage [kartilaʒ] *m* cartilage
carton [kartõ] *m matériau* cardboard; *boîte* cardboard box, carton; ***~*** (***à dessin***) portfolio; ***~ ondulé*** corrugated cardboard; ***~ jaune*** / ***rouge*** *en football* yellow / red card; **cartonné**, **~e**: ***livre ~*** hardback
cartouche [kartuʃ] *f* cartridge; *de cigarettes* carton; **cartouchière** *f* cartridge belt
cas [kɑ, ka] *m* case; ***en aucun ~*** under no circumstances; ***dans ce ~-là, en ce ~*** in that case; ***en tout ~*** in any case; ***au ~ où il voudrait faire de la natation*** in case he wants to go swimming, if he should want to go swimming; ***en ~ de*** in the event of; ***en ~ de besoin*** if need be; ***le ~ échéant*** if necessary; ***faire*** (***grand***) ***~ de*** have a high opinion of; ***faire peu de ~*** not think a lot of
casanier, **-ère** [kazanje, -ɛr] *m/f* stay-at-home
cascade [kaskad] *f* waterfall; **cascadeur** *m* stuntman; **cascadeuse** *f* stuntwoman
case [kɑz] *f* (*hutte*) hut; (*compartiment*) compartiment; *dans formulaire* box; *dans mots-croisés*, *échiquier* square; ***retourner à la ~ départ*** go back to square one
caser [kaze] 〈1a〉 (*ranger*) put; (*loger*) put up; ***se ~*** (*se marier*) settle down
caserne [kazɛrn] *f* barracks *sg ou pl*; ***~ de pompiers*** fire station
cash [kaʃ]: ***payer ~*** pay cash
casier [kazje] *m pour courrier* pigeonholes *pl*; *pour bouteilles*, *livres* rack; ***~ judiciaire*** criminal record
casino [kazino] *m* casino
casque [kask] *m* helmet; *de radio* headphones *pl*; ***les ~s bleus*** the Blue Berets, the UN forces; **casquer** 〈1m〉 P pay up, cough up P
casquette [kaskɛt] *f* cap
cassable [kasabl] breakable; **cassant**, **~e** fragile; *fig* curt, abrupt
cassation [kasasjõ] *f* JUR quashing; ***Cour*** *f* ***de ~*** final court of appeal
casse [kas] *f* AUTO scrapyard; ***mettre à la ~*** scrap; ***payer la ~*** pay for the damage
casse-cou [kasku] *m* (*pl inv*) daredevil
casse-croûte [kaskrut] *m* (*pl inv*) snack
casse-noisettes [kasnwazɛt] *m* (*pl inv*) nutcrackers *pl*
casse-pieds [kaspje] *m/f* (*pl inv*) F pain in the neck F
casser [kase] 〈1a〉 **1** *v/t* break; *noix* crack; JUR quash; ***~ les pieds à qn***

F bore the pants off s.o. F; (*embêter*) get on s.o.'s nerves F; **~ *les prix*** COMM slash prices; **~ *la croûte*** have a bite to eat; **~ *la figure*** *ou* ***gueule à qn*** F smash s.o.'s face in F; ***se ~*** break; ***se ~ la figure*** *ou* ***gueule*** F fall over; *fig* fail; ***se ~ la tête*** rack one's brains; ***ne pas se ~*** F not exactly bust a gut **2** *v/i* break

casserole [kasrɔl] *f* (sauce)pan

casse-tête [kastɛt] *m* (*pl inv*) *fig*: *problème* headache

cassette [kasɛt] *f* (*bande magnétique*) cassette; ***magnétophone*** *m* ***à ~*** cassette recorder; **~ *vidéo*** video

casseur, -euse *m/f* rioter; AUTO scrap metal merchant

cassis [kasis] *m* BOT blackcurrant; (***crème*** *f* ***de***) **~** blackcurrant liqueur

cassoulet [kasulɛ] *m* CUIS *casserole of beans, pork, sausage and goose*

cassure [kasyr] *f* (*fissure*) crack; *fig* (*rupture*) split, break-up

caste [kast] *f* caste

castor [kastɔr] *m* beaver

castrer [kastre] ⟨1a⟩ castrate

cataclysme [kataklism] *m* disaster

catalogue [katalɔg] *m* catalog, *Br* catalogue; **cataloguer** ⟨1m⟩ catalog, *Br* catalogue; F **péj** label, pigeonhole

catalyseur [katalizœr] *m* catalyst (*aussi fig*); **catalytique** AUTO: ***pot*** *m* **~** catalytic converter

catapulte [katapylt] *f* catapult; **catapulter** ⟨1a⟩ catapult (*aussi fig*)

cataracte [katarakt] *f* (*cascade*) waterfall; MÉD cataract

catastrophe [katastrɔf] *f* disaster, catastrophe; ***en ~*** in a rush; **~ *naturelle*** act of God; **catastrophé, ~e** stunned; **catastrophique** disastrous, catastrophic

catch [katʃ] *m* wrestling

catéchisme [kateʃism] *m* catechism

catégorie [kategɔri] *f* category; **~ *d'âge*** age group; **catégorique** categorical; **catégoriser** ⟨1a⟩ categorize

cathédrale [katedral] *f* cathedral

catholicisme [katɔlisism] *m* (Roman) Catholicism; **catholique 1** *adj* (Roman) Catholic; ***pas très ~*** *fig* F a bit dubious **2** *m/f* Roman Catholic

catimini [katimini] F: ***en ~*** on the quiet

cauchemar [koʃmar] *m* nightmare (*aussi fig*); **cauchemardesque** nightmarish

causant, ~e [kozɑ̃, -t] talkative

cause [koz] *f* cause; JUR case; ***à ~ de*** because of; ***pour ~ de*** owing to, on account of; ***sans ~*** for no reason; ***pour ~*** with good reason; ***faire ~ commune avec qn*** join forces with s.o.; ***être en ~*** *d'honnêteté, de loyauté* be in question; ***mettre en ~*** *honnêteté, loyauté* question; *personne* suspect of being involved

causer ⟨1a⟩ **1** *v/t* (*provoquer*) cause **2** *v/i* (*s'entretenir*) chat (***avec qn de*** with s.o. about); **causerie** *f* talk; **causette** *f* chat; ***faire la ~*** have a chat; **causeur, -euse** *m/f* speaker

caustique [kostik] CHIM, *fig* caustic

cautériser [koterize] ⟨1a⟩ MÉD cauterize

caution [kosjõ] *f* security; *pour logement* deposit; JUR bail; *fig* (*appui*) backing, support; ***libéré sous ~*** released on bail; **cautionner** ⟨1a⟩ stand surety for; JUR bail; *fig* (*se porter garant de*) vouch for; (*appuyer*) back, support

cavale [kaval] *f* F break-out F, escape; ***être en ~*** be on the run; **cavaler** ⟨1a⟩ F: **~ *après qn*** chase after s.o.; **cavalerie** *f* cavalry; **cavalier, -ère 1** *m/f pour cheval* rider; *pour bal* partner **2** *m aux échecs* knight **3** *adj* offhand, cavalier

cave [kav] *f* cellar; **~ (*à vin*)** wine cellar; **caveau** *m* (*pl* -x) *d'enterrement* vault

caverne [kavɛrn] *f* cave

caviar [kavjar] *m* caviar

cavité [kavite] *f* cavity

CC [sese] *abr* (**= *courant continu***) DC (= direct current); (**= *charges comprises***) all inclusive

CD [sede] *m abr* (**= *compact disc***) CD; **CD-Rom** *m* CD-Rom

CE *f abr* (**= *Communauté f européenne***) EC (= European Community)

ce [sə] *m* (**cet** *m*, **cette** *f*, **ces** *pl*) **1** *adj* this, *pl* these; **~ *matin / soir*** this morning / evening; ***en ~ moment*** at the moment; **~ *livre-ci*** this book; **~ *livre-là*** that book; ***ces jours-ci*** these days; ***cette vie est difficile*** it's a hard life;
2 *pron* ◊ : ***c'est pourquoi*** that is *ou* that's why; ***c'est triste*** it's sad; ***~ sont mes enfants*** these are my children; ***c'est un acteur*** he is *ou* he's an actor; ***c'est une actrice*** she is *ou* she's an actress; ***c'est la vie*** that's life; ***c'est à qui ce manteau?*** whose coat is this?; ***c'est elle qui me l'a dit*** she's the one who told me, it was her that told me; ***qui est-~?*** who is it?; ***c'est que…*** it's that …; ***c'est que tu as grandi!*** how you've grown!
◊: ***~ que tu fais*** what you're doing; ***~ qui me plaît*** what I like; ***ils se sont mis d'accord, ~ qui n'arrive pas souvent*** they reached an agreement, which doesn't often happen; ***~ qu'il est gentil!*** isn't he nice!
◊: ***pour ~ faire*** to do that; ***sur ~*** with that

ceci [səsi] this; ***~ ou cela*** this or that

cécité [sesite] *f* blindness

céder [sede] ⟨1f⟩ **1** *v/t* give up; ***cédez le passage*** AUTO yield, *Br* give way **2** *v/i* give in (***à*** to); (*se casser*) give way; ***elle ne lui cède en rien*** she is every bit as good as he is

cédille [sedij] *f* cedilla

cèdre [sɛdr] *m* BOT cedar

ceinture [sɛ̃tyr] *f* belt; ANAT waist; ***se serrer la ~*** *fig* tighten one's belt; ***~ de sauvetage*** lifebelt; ***~ de sécurité*** seatbelt; ***~ verte*** green belt

cela [s(ə)la] that; ***il y a cinq ans de ~*** that was five years ago; ***à ~ près*** apart from that

célébration [selebrasjõ] *f* celebration

célèbre [selɛbr] famous

célébrer [selebre] ⟨1f⟩ celebrate; ***~ la mémoire de qn*** be a memorial to s.o.; **célébrité** *f* fame; *personne* celebrity

céleri [sɛlri] *m* BOT: **~ (*en branche*)** celery; **~(*-rave*)** celeriac

célérité [selerite] *f litt* speed

céleste [selɛst] heavenly

célibat [seliba] *m* single life; *d'un prêtre* celibacy; **célibataire 1** *adj* single, unmarried **2** *m* bachelor **3** *f* single woman

celle, **celles** [sɛl] → ***celui***

cellier [sɛlje] *m* cellar

cellophane [selɔfan] *f* cellophane

cellule [selyl] *f* cell

cellulite [selylit] *f* MÉD cellulite

cellulose [selyloz] *f* cellulose

Celsius [sɛljys]: ***20 degrés ~*** 20 degrees Celsius

celtique [sɛltik] Celtic

celui [səlɥi] *m* (**celle** *f*, **ceux** *mpl*, **celles** *fpl*) the one, *pl* those; ***~ dont je parle*** the one I'm talking about; ***meilleurs que ceux que ma mère fait*** better than the ones *ou* than those my mother makes; ***~ qui …*** *personne* he who …; *chose* the one which; ***tu peux utiliser celle de Claude*** you can use Claude's; **celui-ci** this one; **celui-là** that one

cendre [sɑ̃dr] *f* ash; ***~s*** ashes; ***~s de cigarette*** cigarette ash *sg*

cendré, **~e** [sɑ̃dre] ash-gray, *Br* ash-grey; **cendrée** *f* SP cinder track; **cendrier** *m* ashtray

cène [sɛn] *f* REL: ***la ~*** (Holy) Communion; ***la Cène*** *peinture* the Last Supper

censé, **~e** [sɑ̃se]: ***il est ~ être malade*** he's supposed to be sick; **censeur** *m* censor; ÉDU vice-principal, *Br* deputy head; *fig* critic

censure [sɑ̃syr] *f* censorship; *organe* board of censors; ***motion f de ~*** POL motion of censure; **censurer** ⟨1a⟩ censor

cent [sɑ̃] **1** *adj* hundred **2** *m* a hundred, one hundred; *monnaie* cent; ***pour ~*** per cent; ***deux ~s personnes*** two hundred people; **centaine** *f*: ***une ~ de personnes*** a hundred or so people; ***des ~s de personnes*** hundreds of people; **centenaire 1** *adj* hundred-year-old **2** *m fête* centennial, *Br* centenary

centième [sɑ̃tjɛm] hundredth; **centilitre** *m* centiliter, *Br* centilitre; **centime** *m* centime; **centimètre** *m* centimeter, *Br* centimetre; *ruban* tape measure

central, **~e** [sɑ̃tral] (*mpl* -aux) **1** *adj* central **2** *m* TÉL telephone exchange **3** *f* power station; ***centrale nucléaire** ou **atomique*** nuclear power station; **centralisation** centralization; **centraliser** ⟨1a⟩ centralize

centre [sɑ̃tr] *m* center, *Br* centre; ***~ d'accueil*** temporary accommodations *pl*; ***~ d'appel*** call center; ***~ d'attention*** center of attention; ***~ commercial*** shopping mall, *Br aussi* shopping centre; ***~ de gravité*** center of gravity; ***~ d'intérêt*** center of interest; ***~ de loisirs*** leisure center; ***~ de planning familial*** family planning clinic; **centrer** ⟨1a⟩ center, *Br* centre

centre-ville *m* downtown area, *Br* town centre

centrifuge [sɑ̃trifyʒ] centrifugal

centrifugeuse *f* juicer, juice extractor

centuple [sɑ̃typl] *m*: ***au ~*** a hundredfold

cep [sɛp] *m* vine stock; **cepage** *m* wine variety

cèpe [sɛp] *m* BOT cèpe, boletus

cependant [səpɑ̃dɑ̃] yet, however

céramique [seramik] *f* ceramic

cercle [sɛrkl] *m* circle; ***~ vicieux*** vicious circle

cercueil [sɛrkœj] *m* casket, *Br* coffin

céréales [sereal] *fpl* (breakfast) cereal *sg*

cérébral, **~e** [serebral] (*mpl* -aux) cerebral

cérémonial [seremɔnjal] *m* ceremonial; **cérémonie** *f* ceremony; ***sans ~*** *repas etc* informal; *se présenter etc* informally; *mettre à la porte* unceremoniously; **cérémonieux**, **-euse** *manières* formal

cerf [sɛr] *m* deer

cerfeuil [sɛrfœj] *m* BOT chervil

cerf-volant [sɛrvɔlɑ̃] *m* (*pl* cerfs-volants) kite

cerise [s(ə)riz] *f* cherry; **cerisier** *m* cherry(-tree)

cerne [sɛrn] *m*: ***avoir des ~s*** have bags under one's eyes; **cerner** ⟨1a⟩ (*encercler*) surround; *fig*: *problème* define

certain, **~e** [sɛrtɛ̃, -ɛn] **1** *adj* ◇ (*après le subst*) certain; ***être ~ de qch*** be certain of sth; ◇ (*devant le subst*) certain; ***d'un ~ âge*** middle-aged; ***~s enfants*** certain *ou* some children **2** *pron*: **certains**, **-aines** some (people); ***certains d'entre eux*** some of them

certainement [sɛrtɛnmɑ̃] *adv* certainly; (*sûrement*) probably; ***~ pas!*** definitely not

certes [sɛrt] *adv* certainly

certificat [sɛrtifika] *m* certificate; ***~ de mariage*** marriage certificate; ***~ médical*** medical certificate; **certifier** ⟨1a⟩ guarantee; ***copie** f **certifiée conforme*** certified true copy; ***~ qch à qn*** assure s.o. of sth

certitude [sɛrtityd] *f* certainty

cerveau [sɛrvo] *m* (*pl* -x) brain

cervelas [sɛrvəla] *m* saveloy

cervelle [sɛrvɛl] *f* brains *pl*; ***se brûler la ~*** *fig* blow one's brains out

ces [se] → ***ce***

césarienne [sezarjɛn] *f* MÉD cesarian, *Br* caesarian

cessation [sɛsasjõ] *f* cessation; ***après leur ~ de commerce*** when they ceased trading; ***~ de paiements*** suspension of payments; **cesse**: ***sans ~*** constantly; **cesser** ⟨1b⟩ stop; ***~ de faire qch*** stop doing sth; **cessez-le-feu** *m* (*pl inv*) ceasefire

cession [sɛsjõ] *f* disposal

c'est-à-dire [sɛtadir] that is, that is to say

cet, **cette** [sɛt] → ***ce***

ceux [sø] → ***celui***

CFC [seɛfse] *mpl abr* (= ***chlorofluorocarbones***) CFCs (= chlorofluorocarbons)

chacun, **~e** [ʃakɛ̃ *ou* ʃakœ̃, -yn] *m/f* each (one); ***~ de** ou **d'entre nous*** each (one) of us; ***c'est ~ pour soi*** it's every man for himself; ***accessible à tout un ~*** available to each and every person; ***~ le sait*** everybody knows it

chagrin [ʃagrɛ̃] *m* grief; ***faire du ~ à qn*** upset s.o.; ***un ~ d'amour*** an unhappy love affair; **chagriner** ⟨1a⟩ sadden

chahut [ʃay] *m* F racket, din; **chahuter** ⟨1b⟩ heckle

chaîne [ʃɛn] *f* chain; *radio*, TV channel; ***~s*** AUTO snow chains; ***~ hi-fi*** hi-fi; ***~ (de montage)*** assembly line; ***travail*** *m* ***à la ~*** assembly line work; ***~ payante*** TV pay channel; ***~ de montagnes*** range of mountains

chair [ʃɛr] *f* flesh; ***en ~ et en os*** in the flesh; ***avoir la ~ de poule*** have goosebumps, *Br aussi* have goosepimples; ***être bien en ~*** be plump

chaire [ʃɛr] *f dans église* pulpit; *d'université* chair

chaise [ʃɛz] *f* chair; ***~ longue*** (*transatlantique*) deck chair; ***~ électrique*** electric chair; ***~ roulante*** wheelchair

châle [ʃɑl] *m* shawl

chalet [ʃalɛ] *m* chalet

chaleur [ʃalœr] *f* heat; *plus modérée* warmth (*aussi fig*); **chaleureusement** warmly; **chaleureux**, **-euse** warm

chaloupe [ʃalup] *f* boat

chalumeau [ʃalymo] *m* (*pl* -x) blowtorch

chalutier [ʃalytje] *m* MAR trawler

chamailler [ʃamaje] ⟨1a⟩ F: ***se ~*** bicker

chambouler [ʃɑ̃bule] ⟨1a⟩ turn upside down

chambranle [ʃɑ̃brɑ̃l] *m* frame

chambre [ʃɑ̃br] *f* (bed)room; JUR, POL chamber; ***~ à air*** *de pneu* inner tube; ***Chambre du Commerce et de l'Industrie*** Chamber of Commerce; ***~ à coucher*** bedroom; ***~ à un lit*** single (room); ***~ à deux lits*** twin-bedded room; ***~ d'amis*** spare room, guest room; ***~ noire*** PHOT darkroom

chambré [ʃɑ̃bre] *vin* at room temperature

chameau [ʃamo] *m* (*pl* -x) camel

chamois [ʃamwa] *m* ZO chamois; *cuir* shammy

champ [ʃɑ̃] *m* field (*aussi fig*); ***à travers ~*** across country; ***laisser le ~ libre à qn*** give s.o. a free hand; ***~ de bataille*** battlefield; ***~ de courses*** racecourse; ***~ de mines*** minefield; ***~ pétrolifère*** oilfield

champagne [ʃɑ̃paɲ] *m* champagne

champêtre [ʃɑ̃pɛtr] country *atr*

champignon [ʃɑ̃piɲõ] *m* BOT, MÉD fungus; *nourriture* mushroom; ***~ de Paris*** button mushroom; ***~ vénéneux*** toadstool

champion, **~ne** [ʃɑ̃pjõ, -ɔn] *m/f* champion (*aussi fig*); **championnat** *m* championship

chance [ʃɑ̃s] *f* (*sort*) luck, fortune; (*occasion*) chance; ***il y a des ~s que cela se produise*** (*subj*) there is a chance that it might happen; ***bonne ~!*** good luck!; ***avoir de la ~*** be lucky; ***c'est une ~ que*** (+ *subj*) it's lucky that; ***il y a peu de ~s pour que cela se produise*** (+ *subj*) there is little chance of that happening

chanceler [ʃɑ̃sle] ⟨1c⟩ stagger; *d'un gouvernement* totter

chancelier [ʃɑ̃səlje] *m* chancellor

chanceux, **-euse** [ʃɑ̃sø, -z] lucky

chandail [ʃɑ̃daj] *m* (*pl* -s) sweater

chandelier [ʃɑ̃dəlje] *m* candlestick

chandelle [ʃɑ̃dɛl] *f* candle

change [ʃɑ̃ʒ] *m* exchange; ***taux*** *m* ***de ~*** exchange rate, rate of exchange; ***contrôle*** *m* ***des ~s*** exchange control; ***~ du jour*** current rate of exchange; ***donner le ~ à qn*** deceive s.o.; **changeable** changeable; **changeant**, **~e** changeable; **changement** *m* change; ***~ de vitesse*** AUTO gear shift

changer [ʃɑ̃ʒe] ⟨1l⟩ **1** *v/t* change (***en*** into); (*échanger*) exchange (***contre*** for) **2** *v/i* change; ***~ de qch*** change sth; ***~ d'adresse*** change address; ***~ d'avis*** change one's mind; ***~ de place avec qn*** change places with s.o.; ***~ de sujet*** change the subject; ***~ de train*** change trains; ***~ de vitesse*** shift gear(s), *Br* change gear(s); ***se ~*** change

chanson [ʃɑ̃sõ] *f* song; **chansonnier**

m singer
chant [ʃɑ̃] *m* song; *action de chanter* singing; *d'église* hymn
chantage [ʃɑ̃taʒ] *m* blackmail; ***faire du ~ à qn*** blackmail s.o.
chanter [ʃɑ̃te] ⟨1a⟩ **1** *v/i* sing; *d'un coq* crow; ***faire ~ qn*** blackmail s.o.; ***si cela te chante*** if you feel like it **2** *v/t* sing; **chanteur, -euse** *m/f* singer
chantier [ʃɑ̃tje] *m* building site; ***~ naval*** shipyard
chantonner [ʃɑ̃tɔne] ⟨1a⟩ sing under one's breath
chanvre [ʃɑ̃vr] *m* BOT hemp
chaos [kao] *m* chaos; **chaotique** chaotic
chapardage [ʃapardaʒ] *m* F pilfering; **chaparder** ⟨1a⟩ F pinch F
chapeau [ʃapo] *m* (*pl* -x) hat; ***~!*** congratulations!; **chapeauter** *fig* head up
chapelet [ʃaplɛ] *m* REL rosary
chapelle [ʃapɛl] *f* chapel
chapelure [ʃaplyr] *f* CUIS breadcrumbs *pl*
chaperon [ʃaprõ] *m* chaperone; **chaperonner** chaperone
chapiteau [ʃapito] *m* (*pl* -x) *de cirque* big top; ARCH capital
chapitre [ʃapitr] *m* chapter; *division de budget* heading; *fig* subject
chapon [ʃapõ] *m* capon
chaque [ʃak] each
char [ʃar] *m* cart; *de carnaval* float; MIL tank; ***~ funèbre*** hearse
charabia [ʃarabja] *m* F gibberish
charbon [ʃarbõ] *m* coal; ***~ de bois*** charcoal; ***être sur des ~s ardents*** be like a cat on a hot tin roof
charcuterie [ʃarkytri] *f* CUIS cold cuts *pl*, *Br* cold meat; *magasin* pork butcher's; **charcutier** *m* pork butcher
chardon [ʃardõ] *m* BOT thistle
charge [ʃarʒ] *f* (*fardeau*) load; *fig* burden; ÉL, JUR, MIL, *d'explosif* charge; (*responsabilité*) responsibility; ***à la ~ de qn*** dependent on s.o.; FIN chargeable to s.o.; ***avoir des enfants à ~*** have dependent children; ***prendre en ~*** take charge of; *passager* pick up; ***~s*** charges; (*impôts*) costs; ***~s fiscales*** taxation *sg*; ***~s sociales*** social security contributions paid by the employer, FICA, *Br* national insurance contributions
chargé, ~e [ʃarʒe] **1** *adj* loaded; *programme* full; ***être ~ de faire qch*** have been given the job of doing sth **2** *m* EDUC: ***~ de cours*** lecturer; **chargement** *m* loading; *ce qui est chargé* load; **charger** ⟨1l⟩ **1** *v/t voiture, navire, arme* load; *batterie*, JUR charge; (*exagérer*) exaggerate; ***~ qn de qch*** put s.o. in charge of sth; ***se ~ de qch / qn*** look after sth / s.o. **2** *v/i* charge; **chargeur** *m*: ***~ (de batterie)*** battery charger
chariot [ʃarjo] *m pour bagages, achats* cart, *Br* trolley; (*charrette*) cart
charismatique [karismatik] charismatic; **charisme** *m* charisma
charitable [ʃaritabl] charitable; **charité** *f* charity; ***faire la ~ à qn*** give s.o. money; ***fête de ~*** charity sale *ou* bazaar
charivari [ʃarivari] *m* din, racket
charlatan [ʃarlatɑ̃] *m péj* charlatan
charmant, ~e [ʃarmɑ̃, -t] charming, delightful; ***prince ~*** Prince Charming; (*mari idéal*) Mr Right; **charme** *m* charm; **charmer** ⟨1a⟩ charm
charnel, ~le [ʃarnɛl] carnal
charnier [ʃarnje] *m* mass grave
charnière [ʃarnjɛr] *f* hinge
charnu, ~e [ʃarny] fleshy
charognard [ʃarɔɲar] *m* scavenger; **charogne** *f* P bastard; *femme* bitch
charpente [ʃarpɑ̃t] *f* framework; **charpentier** *m* carpenter
charrette [ʃarɛt] *f* cart; **charrier** ⟨1a⟩ **1** *v/t* (*transporter*) carry; (*entraîner*) carry along **2** *v/i* F (*exagérer*) go too far
charrue [ʃary] *f* plow, *Br* plough
charte [ʃart] *f* charter
charter [ʃartɛr] *m* charter
chasse[1] [ʃas] *f* hunting; (*poursuite*) chase; ***prendre en ~*** chase (after); ***la ~ est ouverte / fermée*** the hunting season has started / finished; ***~ à courre*** hunting; ***~ à l'homme*** man-

hunt; ~ ***privée*** private game reserve; ~ ***aux sorcières*** witchhunt
chasse[2] [ʃas]: ~ ***d'eau*** flush; ***tirer la*** ~ flush the toilet, pull the chain
chasse-neige [ʃasnɛʒ] *m* (*pl inv*) snowplow, *Br* snowplough
chasser [ʃase] ⟨1a⟩ *gibier* hunt; (*expulser*) drive away; *employé* dismiss; **chasseur** *m* hunter; AVIAT fighter; *dans un hôtel* bellhop, *Br* bellboy; ~ ***de têtes*** headhunter
châssis [ʃɑsi] *m* frame; AUTO chassis
chaste [ʃast] chaste; **chasteté** *f* chastity
chat[1] [ʃa] *m* cat
chat[2] [tʃat] *m* INFORM chatroom; *conversation* (online) chat
châtaigne [ʃɑtɛɲ] *f* chestnut; **châtaignier** *m* chestnut (tree); **châtain** *adj inv* chestnut
château [ʃato] *m* (*pl* -x) castle; ~ ***fort*** (fortified) castle; ~ ***d'eau*** water tower *m*; ***le*** ~ ***de Versailles*** the Palace of Versailles; ***construire des*** ~***x en Espagne*** *fig* build castles in Spain
châtié, ~**e** [ʃɑtje] *style* polished
châtier [ʃɑtje] ⟨1a⟩ punish; **châtiment** *m* punishment
chatoiement [ʃatwamɑ̃] *m* shimmer
chaton [ʃatõ] *m* kitten
chatouiller [ʃatuje] ⟨1a⟩ tickle; **chatouilleux**, **-euse** ticklish; *fig* touchy
chatoyer [ʃatwaje] ⟨1h⟩ shimmer
chatte [ʃat] *f* cat
chatter [tʃate] INFORM chat (online)
chaud, ~**e** [ʃo, -d] **1** *adj* hot; *plus modéré* warm; ***tenir*** ~ keep warm; ***il fait*** ~ it's hot / warm **2** *m* heat; *plus modéré* warmth; ***j'ai*** ~ I'm hot / warm;
chaudière *f* boiler
chaudron [ʃodrõ] *m* cauldron
chauffage [ʃofaʒ] *m* heating; ~ ***central*** central heating
chauffard [ʃofar] *m* F roadhog
chauffe-eau [ʃofo] *m* (*pl inv*) water heater; **chauffe-plats** *m* (*pl inv*) hot plate
chauffer [ʃofe] ⟨1a⟩ **1** *v/t* heat (up), warm (up); *maison* heat; ***se*** ~ warm o.s.; *d'un sportif* warm up **2** *v/i d'eau, d'un four* warm *ou* heat up; *d'un moteur* overheat; ***faire*** ~ *eau* heat; *moteur* warm up; **chaufferie** *f* boiler room
chauffeur [ʃofœr] *m* driver; *privé* chauffeur, driver; ~ ***de taxi*** taxi *ou* cab driver
chaume [ʃom] *m* AGR *champ* stubble; ***toit*** *m* ***de*** ~ thatched roof; **chaumière** *f* thatched cottage
chaussée [ʃose] *f* pavement, *Br* roadway
chausse-pied [ʃospje] *m* (*pl* chausse-pieds) shoehorn; **chausser** ⟨1a⟩ *bottes* put on; ~ ***qn*** put shoes on s.o.; ***se*** ~ put one's shoes on; ~ ***du 40*** take a size 40
chaussette [ʃosɛt] *f* sock; **chausson** *m* slipper; ~ (***de bébé***) bootee *m*; ~ ***aux pommes*** CUIS apple turnover;
chaussure *f* shoe; ~***s de marche*** hiking boots; ~***s de ski*** ski boots
chauve [ʃov] bald
chauve-souris [ʃovsuri] *f* (*pl* chauves-souris) bat
chauvin, ~**e** [ʃovɛ̃, -in] **1** *adj* chauvinistic **2** *m/f* chauvinist; **chauvinisme** *m* chauvinism
chaux [ʃo] *f* lime
chavirer [ʃavire] ⟨1a⟩ MAR capsize; ~ ***qn*** *fig* overwhelm s.o.
chef [ʃɛf] *m* (*meneur*), POL leader; (*patron*) boss, chief; *d'une entreprise* head; *d'une tribu* chief; CUIS chef; ***au premier*** ~ first and foremost; ***de mon propre*** ~ on my own initiative; ***rédacteur*** *m* ***en*** ~ editor-in-chief; ~ ***d'accusation*** JUR charge, count; ~ ***d'équipe*** foreman; ~ ***d'État*** head of State; ~ ***de famille*** head of the family; ~ ***de gare*** station manager; ~ ***d'orchestre*** conductor
chef-d'œuvre [ʃɛdœvr] *m* (*pl* chefs-d'œuvre) masterpiece; **chef-lieu** *m* (*pl* chefs-lieux) capital (*of département*)
chemin [ʃ(ə)mɛ̃] *m* way; (*route*) road; (*allée*) path; ~ ***de fer*** railroad, *Br* railway; ***se mettre en*** ~ set out; ***elle n'y est pas allée par quatre*** ~***s*** she didn't beat about the bush, she got

straight to the point

cheminée [ʃ(ə)mine] *f* chimney; (*âtre*) fireplace; (*encadrement*) mantelpiece; *de bateau* funnel; *d'usine* smokestack, chimney

cheminement [ʃ(ə)minmɑ̃] *m* progress; **~ *de la pensée*** *fig* thought processes *pl*; **cheminer** ⟨1a⟩ walk, make one's way; *d'une idée* take root; **cheminot** *m* rail worker

chemise [ʃ(ə)miz] *f* shirt; (*dossier*) folder; **~ *de nuit*** *de femme* nightdress; *d'homme* nightshirt; **chemisette** *f* short-sleeved shirt; **chemisier** *m* blouse

chenal [ʃ(ə)nal] *m* (*pl* -aux) channel

chêne [ʃɛn] *m* BOT oak (tree)

chenil [ʃəni(l)] *m* kennels *pl*

chenille [ʃ(ə)nij] *f* ZO caterpillar; ***véhicule** m **à ~s*** tracked vehicle

chèque [ʃɛk] *m* COMM check, *Br* cheque; **~ *barré*** crossed check; **~ *sans provision*** bad check, rubber check F; **~ *de voyage*** traveler's check, *Br* traveller's cheque; **chéquier** *m* checkbook, *Br* chequebook

cher, chère [ʃɛr] **1** *adj* dear (***à qn*** to s.o.); *coûteux* dear, expensive **2** *adv*: ***payer qch ~*** pay a lot for sth; *fig* pay a high price for sth; ***nous l'avons vendu ~*** we got a lot *ou* a good price for it **3** *m/f* ***mon cher, ma chère*** my dear

chercher [ʃɛrʃe] ⟨1a⟩ look for; ***~ à faire qch*** try to do sth; ***aller ~*** fetch, go for; ***venir ~*** collect, come for; ***envoyer ~*** send for; **chercheur, -euse** *m/f* researcher

chère [ʃɛr] *f* food; ***aimer la bonne ~*** love good food

chéri, ~e [ʃeri] beloved, darling; (***mon***) **~** darling; **chérir** ⟨2a⟩ cherish

chérubin [ʃerybɛ̃] *m* cherub

chétif, -ive [ʃetif, -iv] puny

cheval [ʃ(ə)val] *m* (*pl* -aux) horse; AUTO horsepower, HP; ***aller à ~*** ride; ***faire du ~*** SP ride; ***être à ~ sur qch*** straddle sth; ***à ~*** on horseback; ***~ à bascule*** rocking horse; ***~ de bataille*** *fig* hobby-horse; ***~ de course*** racehorse; **chevaleresque** chivalrous; **chevalerie** *f* chivalry

chevalet [ʃ(ə)valɛ] *m de peinture* easel

chevalier [ʃ(ə)valje] *m* HIST knight; **chevalière** *f* signet ring; **chevalin, ~e** horse *atr*; ***boucherie** f **~e*** horse butcher's; **cheval-vapeur** *m* horsepower

chevaucher [ʃ(ə)voʃe] ⟨1a⟩ ride; ***se ~*** overlap

chevelu, ~e [ʃəvly] *personne* long-haired; ***cuir** m **~*** scalp; **chevelure** *f* hair; ***avoir une belle ~*** have beautiful hair

chevet [ʃəvɛ] *m* bedhead; ***table** f **de ~*** nightstand, *Br aussi* bedside table; ***être au ~ de qn*** be at s.o.'s bedside

cheveu [ʃ(ə)vø] *m* (*pl* -x) hair; ***~x*** hair *sg*; ***aux ~x courts*** short-haired; ***avoir les ~x courts*** have short hair; ***couper les ~x en quatre*** *fig* split hairs

cheville [ʃ(ə)vij] *f* ANAT ankle; TECH peg

chèvre [ʃɛvr] *f* goat

chevreau [ʃəvro] *m* kid

chèvrefeuille [ʃɛvrəfœj] *m* BOT honeysuckle

chevreuil [ʃəvrœj] *m* deer; CUIS venison

chevronné, ~e [ʃəvrɔne] experienced

chez [ʃe] ◊: ***~ lui*** at his place; *direction* to his place; ***tout près de ~ nous*** close to our place, close to where we live; ***~ Marcel*** at Marcel's; ***quand nous sommes ~ nous*** when we are at home; ***rentrer ~ soi*** go home
◊: ***aller ~ le coiffeur*** go to the hairdresser *ou Br* hairdresser's; ***~ le boucher*** at the butcher's shop *ou Br* butcher's
◊: ***~ Molière*** in Molière
◊ (*parmi*) amongst; ***courant ~ les personnes âgées*** common amongst *ou* with old people; ***beaucoup admiré ~ les Américains*** much admired by Americans

chez-soi *m* home

chiant, ~e [ʃiɑ̃, -t] *adj* F boring

chic [ʃik] **1** *m* (*élégance*) style; ***avoir le ~ pour faire qch*** have a gift for doing sth **2** *adj* chic; (*sympathique*) decent, nice; ***~!*** F great! F

C

chicane [ʃikan] *f* (*querelle*) squabble; **chicaner** ⟨1a⟩ quibble (***sur*** over)

chiche [ʃiʃ] mean; BOT ***pois*** *m* **~** chick pea; ***tu n'es pas ~ de le faire*** F you're too chicken to do it F

chicorée [ʃikɔre] *f* BOT chicory; **~** (***endive***) endive

chien [ʃjɛ̃] *m* dog; ***temps de ~*** *fig* F filthy weather; **~** ***d'arrêt*** retriever; **~** ***d'aveugle*** seeing-eye dog, *Br* guide dog; **~** ***de berger*** sheepdog; **~** ***de garde*** guard dog; **~** ***policier*** police dog; **chien-loup** *m* (*pl* chiens-loups) wolfhound; **chienne** *f* dog; ***le chien et la ~*** the dog and the bitch

chier [ʃje] ⟨1a⟩ P shit P; ***ça me fait ~*** P it pisses me off P

chiffon [ʃifõ] *m* rag; **~** (***à poussière***) duster; **chiffonner** ⟨1a⟩ crumple; *fig* F bother

chiffre [ʃifr] *m* numeral; (*nombre*) number; (*code*) cipher; **~** ***d'affaires*** COMM turnover; **chiffrer** ⟨1a⟩ *revenus, somme* work out (***à*** at); (*encoder*) encipher; ***se ~ à*** amount to

chignon [ʃiɲõ] *m* bun

Chili [ʃili]: ***le ~*** Chili; **chilien, ~ne** **1** *adj* Chilean **2** *m/f* **Chilien, ~ne** Chilean

chimère [ʃimɛr] *f* fantasy

chimie [ʃimi] *f* chemistry; **chimiothérapie** *f* chemotherapy

chimique [ʃimik] chemical; **chimiste** *m/f* chemist

Chine [ʃin]: ***la ~*** China; **chinois, ~e** **1** *adj* Chinese **2** *m langue* Chinese **3** *m/f* **Chinois, ~e** Chinese

chiot [ʃjo] *m* pup

chiper [ʃipe] ⟨1a⟩ F pinch

chipoter [ʃipɔte]⟨1b⟩ haggle (***sur*** for, over)

chips [ʃip(s)] *mpl* chips, *Br* crisps

chirurgical, ~e [ʃiryrʒikal] (*mpl* -aux) surgical; **chirurgie** *f* surgery; **~** ***esthétique*** plastic surgery; **chirurgien, ~ne** *m/f* surgeon; **~** ***dentiste*** dental surgeon; **~** ***esthétique*** cosmetic surgeon

chlorofluorocarbone [klɔrɔflyɔrɔkarbɔn] *m* chlorofluorocarbon

choc [ʃɔk] *m* impact, shock; MÉD, PSYCH shock; *d'opinions, intérêts* clash

chocolat [ʃɔkɔla] *m* chocolate; **~** ***au lait*** milk chocolate

chœur [kœr] *m* choir (*aussi* ARCH); THÉÂT chorus; ***en ~*** in chorus

choisir [ʃwazir] ⟨2a⟩ **1** *v/t* choose, select **2** *v/i* (*se décider*) choose; **~** ***de faire qch*** decide to do sth; **choix** *m* choice; (*sélection, assortiment*) range, selection; ***c'est au ~*** you have a choice; ***de*** (***premier***) **~** choice; ***avoir le ~*** have the choice

cholestérol [kɔlɛsterɔl] *m* cholesterol

chômage [ʃomaʒ] *m* unemployment; ***être au ~*** be unemployed, be out of work; **~** ***de longue durée*** long-term unemployment; **~** ***partiel*** short time; **chômer** ⟨1a⟩ be unemployed, be out of work; **chômeur, -euse** *m/f* unemployed person; ***les ~s*** the unemployed *pl*

chope [ʃɔp] *f* beer mug

choquant, ~e [ʃɔkɑ̃, -t] shocking; **choquer** ⟨1a⟩: **~** ***qch*** knock sth; **~** ***qn*** shock s.o.

chorale [kɔral] *f* choir; **choriste** *m/f* chorister

chose [ʃoz] *f* thing; ***autre ~*** something else; ***c'est peu de ~*** it's nothing; ***quelque ~*** something; ***c'est ~ faite*** it's done; ***voilà où en sont les ~s*** that's where things stand

chou [ʃu] *m* (*pl* -x) BOT cabbage; **~*****x de Bruxelles*** Brussels sprouts; ***mon*** (***petit***) **~** *fig* my love

choucroute [ʃukrut] *f* sauerkraut

chouette [ʃwɛt] **1** *f* owl **2** *adj* F great

chou-fleur [ʃuflœr] *m* (*pl* choux-fleurs) cauliflower

choyer [ʃwaje] ⟨1h⟩ coddle

chrétien, ~ne [kretjɛ̃, -ɛn] **1** *adj* Christian **2** *m/f* Christian; **chrétienté** *f* Christendom

Christ [krist] *m*: ***le ~*** Christ

christianiser [kristjanize] ⟨1a⟩ Christianize; **christianisme** *m* Christianity

chrome [krom] *m* chrome; **chromé, ~e** chrome-plated

chronique [krɔnik] **1** *adj* chronic **2** *f*

d'un journal column; *reportage* report; ***la ~ locale*** the local news *sg*; **chroniqueur** *m pour un journal* columnist
chronologique [krɔnɔlɔʒik] chronological
chronomètre [krɔnɔmɛtr] *m* stopwatch; **chronométrer** ⟨1f⟩ time
chuchoter [ʃyʃɔte] ⟨1a⟩ whisper
chut [ʃyt]: ***~!*** hush
chute [ʃyt] *f* fall; ***~ des cheveux*** hair loss; ***~ de pluie*** rainfall; ***faire une ~ de bicyclette*** fall off one's bike
Chypre [ʃipr]: ***l'île** f **de ~*** Cyprus; **chypriote 1** *adj* Cypriot **2** *m/f* **Chypriote** Cypriot
ci [si] *après* ***ce*** *(+ subst)*; ***à cette heure-~*** at this time; ***comme ~ comme ça*** F so-so; ***par-~ par-là*** here and there
ci-après [siaprɛ] below
cible [sibl] *f* target; **cibler** ⟨1b⟩ target
ciboulette [sibulɛt] *f* BOT chives *pl*
cicatrice [sikatris] *f* scar *(aussi fig)*; **cicatriser** ⟨1a⟩: ***(se) ~*** heal
ci-contre [sikõtr] opposite; **ci-dessous** below; **ci-dessus** above
cidre [sidr] *m* cider
ciel [sjɛl] *m* (*pl* cieux [sjø]) sky; REL heaven; ***au ~*** in heaven
cierge [sjɛrʒ] *m dans église* candle
cigale [sigal] *f* cicada
cigare [sigar] *m* cigar; **cigarette** *f* cigarette
ci-gît [siʒi] here lies
cigogne [sigɔɲ] *f* stork
ci-inclus [siɛ̃kly] enclosed; **ci-joint** enclosed, attached
cil [sil] *m* eyelash
ciller [sije] ⟨1a⟩ blink
cime [sim] *f d'une montagne* top, summit; *d'un arbre* top
ciment [simɑ̃] *m* cement; **cimenter** ⟨1a⟩ cement *(aussi fig)*
cimetière [simtjɛr] *m* cemetery
ciné [sine] *m* F movie theater, *Br* cinema; **cinéaste** *m* film-maker; **cinéma** *m* movie theater, *Br* cinema; *art* cinema, movies *pl*; **cinématographique** cinematic; **cinéphile** *m/f* moviegoer
cinglé, **~e** [sɛ̃gle] F mad, crazy; **cingler** ⟨1a⟩ **1** *v/t* lash **2** *v/i*: ***~ vers*** MAR make for
cinq [sɛ̃k] five; → ***trois***
cinquantaine [sɛ̃kɑ̃tɛn] *f* about fifty; ***une ~ de personnes*** about fifty people *pl*; ***elle approche la ~*** she's almost fifty, she's getting on for fifty;
cinquante fifty; **cinquantième** fiftieth
cinquième [sɛ̃kjɛm] fifth; **cinquièmement** *adv* fifthly
cintre [sɛ̃tr] *m* ARCH arch; *pour vêtements* coathanger; **cintré**, **~e** *veste* waisted; ARCH arched
cirage [siraʒ] *m pour parquet* wax, polish; *pour chaussures* polish
circoncision [sirkõsizjõ] *f* REL circumcision
circonférence [sirkõferɑ̃s] *f* circumference
circonscription [sirõskripsjõ] *f*: ***~ électorale*** district, *Br* constituency;
circonscrire ⟨4f⟩ MATH circumscribe; *fig*: *sujet* delimit
circonspect, **~e** [sirkõspɛ, -kt] circumspect; **circonspection** *f* circumspection
circonstance [sirkõstɑ̃s] *f* circumstance; ***dans ces ~s*** in the circumstances; **circonstancié**, **~e** detailed
circuit [sirkɥi] *m* circuit; *de voyage* tour; SP track; ***court ~*** short circuit; ***~ intégré*** INFORM integrated circuit
circulaire [sirkylɛr] *adj & f* circular
circulation [sirkylasjõ] *f* circulation; *voitures* traffic; ***~ du sang*** MÉD circulation (of the blood); ***libre ~*** freedom of movement; ***~ à double sens*** two-way traffic; **circuler** ⟨1a⟩ circulate; *de personnes, véhicules aussi* move about; ***faire ~*** *nouvelles* spread
cire [sir] *f* wax; **ciré**, **~e 1** *adj* polished **2** *m* MAR oilskin; **cirer** ⟨1a⟩ *chaussures* polish; *parquet* polish, wax
cirque [sirk] *m* circus
cirrhose [siroz] *f*: ***~ du foie*** cirrhosis of the liver
cisaille(s) [sizaj] *f(pl)* shears *pl*; **ciseau** *m* (*pl* -x) chisel; **ciseaux** *mpl* scissors; ***une paire de ~*** a pair of scissors, some scissors; ***~ à ongles*** nail scissors; **ciseler** ⟨1d⟩ chisel; *fig* hone

C

citadelle [sitadɛl] *f* citadel; *fig* stronghold
citadin, ~e [sitadɛ̃, -in] **1** *adj* town *atr*, city *atr* **2** *m/f* town-dweller, city-dweller
citation [sitasjõ] *f* quotation; JUR summons *sg*
cité [site] *f* city; **~ *universitaire*** fraternity house, *Br* hall of residence; **~ *ouvrière*** workers' accommodations *pl*; ***droit*** *m* ***de*** **~** freedom of the city; **cité-dortoir** *f* (*pl* cités-dortoirs) dormitory town
citer [site] ⟨1a⟩ quote; JUR summons; **~ *qch en exemple*** hold sth up as an example
citerne [sitɛrn] *f* tank
citoyen, ~ne [sitwajɛ̃, -ɛn] *m/f* citizen; **citoyenneté** *f* citizenship
citron [sitrõ] *m* lemon; **~ *vert*** lime; **citronnier** *m* lemon (tree)
citrouille [sitruj] *f* pumpkin
civet [sivɛ] *m* CUIS: **~ *de lièvre*** stew made with hare
civière [sivjɛr] *f* stretcher
civil, ~e [sivil] **1** *adj* civil; *non militaire* civilian; ***responsabilité*** *f* **~*e*** public liability; ***état*** *m* **~** marital status; ***bureau*** *m* ***de l'état*** **~** registry office; ***mariage*** *m* **~** civil marriage; ***service*** *m* **~** community service **2** *m* civilian; ***en*** **~** in civilian clothes; *policier* in plain clothes; **civilement** *adv se marier* in a registry office
civilisation [sivilizasjõ] *f* civilization; **civiliser** ⟨1a⟩ civilize
civique [sivik] civic; **civisme** *m* public-spiritedness
clair, ~e [klɛr] **1** *adj* clear; *couleur* light; *chambre* bright; ***vert*** **~** light green **2** *adv voir* clearly; *dire*, *parler* plainly **3** *m*: **~ *de lune*** moonlight
clairière [klɛrjɛr] *f* clearing
clairon [klɛrõ] *m* MUS bugle
clairsemé, ~e [klɛrsəme] sparse
clairvoyance [klɛrvwajɑ̃s] *f* perceptiveness; **clairvoyant, ~e** perceptive
clameur [klamœr] *f* clamor, *Br* clamour
clan [klɑ̃] *m* clan; *fig* clique
clandestin, ~e [klɑ̃dɛstɛ̃, -in] secret, clandestine; ***passager*** *m* **~** stowaway
clapotement [klapɔtmɑ̃] *m*, **clapotis** [klapɔti] *m* lapping; **clapoter** ⟨1a⟩ lap
claque [klak] *f* slap; **claquement** *m d'une porte*, *d'un volet* slamming, banging; *de fouet* crack; *de dents* chattering; *de doigts* snap; **claquer** ⟨1m⟩ **1** *v/t porte* slam, bang; *argent* F blow; **~ *des doigts*** snap one's fingers; ***faire*** **~ *sa langue*** click one's tongue **2** *v/i d'un fouet* crack; *des dents* chatter; *d'un volet* slam, bang; **claquettes** *fpl* tap dancing *sg*
clarifier [klarifje] ⟨1a⟩ clarify
clarinette [klarinɛt] *f* clarinet
clarté [klarte] *f* (*lumière*) brightness; (*transparence*) clarity, clearness; *fig* clarity
classe [klas] *f d'école*, *fig* class; *local* class(room); ***de première*** **~** first-class; ***il a de la*** **~** he's got class; ***faire la*** **~** teach; **~ *affaires*** business class; **~ *économique*** economy class; **~ *de neige*** school study trip to the mountains; **~ *sociale*** social class
classement [klasmɑ̃] *m* position, place; BOT, ZO classification; *de lettres* filing; ***elle était seconde au*** **~** SP she took second place
classer [klase] ⟨1a⟩ classify; *actes*, *dossiers* file; **~ *une affaire*** consider a matter closed; **~ *qn*** F size s.o. up; ***être classé monument historique*** be a registered historic site, *Br* be a listed building; **classeur** *m cahier* binder; *meuble* file cabinet, *Br* filing cabinet
classicisme [klasisism] *m* classicism
classification [klasifikasjõ] *f* classification; **classifier** ⟨1a⟩ classify
classique [klasik] **1** *adj* classical; (*traditionnel*) classic **2** *m en littérature* classical author; MUS classical music; *film*, *livre* classic
claudication [klodikasjõ] *f* limp
clause [kloz] *f* clause; **~ *pénale*** penalty clause
clavecin [klavsɛ̃] *m* harpsichord
clavicule [klavikyl] *f* collarbone, clavicle *fml*

clavier [klavje] *m d'un ordinateur, d'un piano* keyboard
clé [kle] *f* key; TECH wrench; ***~ de fa*** MUS bass clef; ***fermer à ~*** lock; ***sous ~*** under lock and key; ***prendre la ~ des champs*** *fig* take off; ***mot*** *m* ***~*** key word; ***position*** *f* ***~*** key position; ***~ de contact*** ignition key; ***~s de voiture*** car keys
clef [kle] *f* → ***clé***
clémence [klemɑ̃s] *f* clemency; **clément**, **~e** merciful
clerc [klɛr] *m de notaire* clerk; REL cleric
clergé [klɛrʒe] *m* clergy
clérical, **~e** [klerikal] (*mpl* -aux) clerical
clic [klik] *m bruit*, INFORM click
cliché [kliʃe] *m* cliché; (*photo*) negative
client, **~e** [klijɑ̃, -t] *m/f* (*acheteur*) customer; *d'un médecin* patient; *d'un avocat* client; **clientèle** *f* customers *pl*, clientèle; *d'un médecin* patients *pl*; *d'un avocat* clients *pl*
cligner [kliɲe] 〈1a〉: ***~ (des yeux)*** blink; ***~ de l'œil à qn*** wink at s.o.
clignotant [kliɲɔtɑ̃] *m* turn signal, *Br* indicator; **clignoter** 〈1a〉 *d'une lumière* flicker
climat [klima] *m* climate; *fig* atmosphere, climate; **climatique** climatic; ***station*** *f* ***~*** health resort; ***changement*** *m* ***~*** climate change
climatisation [klimatizasjõ] *f* air conditioning; **climatisé**, **~e** air conditioned
clin [klɛ̃] *m*: ***~ d'œil*** wink; ***en un ~ d'œil*** in a flash, in the twinkling of an eye
clinique [klinik] **1** *adj* clinical **2** *f* clinic
clique [klik] *f péj* clique
cliquer [klike] 〈1a〉 INFORM click (***sur*** on)
cliqueter [klikte] 〈1c〉 *de clés* jingle; *de verres* clink, chink; **cliquetis** *m* jingling; *de verres* chinking
clivage [klivaʒ] *m fig* split
clochard, **~e** [klɔʃar, -d] *m/f* hobo, *Br* tramp
cloche [klɔʃ] *f* bell; F (*idiot*) nitwit F; **clocher 1** *m* steeple; ***esprit*** *m* ***de ~*** *fig* parochialism **2** *v/i* 〈1a〉 F: ***ça cloche*** something's not right; **clochette** *f* (small) bell
cloison [klwazõ] *f* partition; **cloisonner** 〈1b〉 partition off
cloître [klwɑtr] *m* monastery; ARCH cloisters *pl*; **cloîtrer** 〈1a〉 *fig*: ***se ~*** shut o.s. away
clope [klɔp] *m ou f* F (*cigarette*) cigarette, *Br* F fag; (*mégot*) cigarette end
clopin-clopant [klɔpɛ̃klɔpɑ̃] *adv* F limping, with a limp
clopinettes [klɔpinɛt] *fpl* F peanuts F
cloque [klɔk] *f* blister
clore [klɔr] 〈4k〉 *débat, compte* close
clos, **~e** [klo, -z] *p/p* → ***clore***
clôture [klotyr] *f d'un débat* closure; *d'un compte* closing; (*barrière*) fence; **clôturer** 〈1a〉 *espace* enclose, fence off; *débat, compte* close
clou [klu] *m* nail; *fig* main attraction; MÉD boil; ***~s*** F crosswalk, *Br* pedestrian crossing; ***~ de girofle*** clove; **clouer** 〈1a〉 nail; ***être cloué au lit*** be confined to bed; **clouté**, **~e** studded; ***passage*** *m* ***~*** crosswalk, *Br* pedestrian crossing
clown [klun] *m* clown
club [klœb] *m* club; ***~ de golf*** golf club; ***~ de gym*** gym
coaguler [kɔagyle] 〈1a〉 *du lait* curdle; *du sang* coagulate
coaliser [kɔalize] 〈1a〉 POL: ***se ~*** form a coalition; **coalition** *f* POL coalition
coasser [kɔase] 〈1a〉 croak
cobaye [kɔbaj] *m* ZO, *fig* guinea pig
coca [kɔka] *m* Coke®
cocagne [kɔkaɲ] *f*: ***pays*** *m* ***de ~*** land flowing with milk and honey
cocaïne [kɔkain] *f* cocaine
cocasse [kɔkas] F ridiculous, comical
coccinelle [kɔksinɛl] *f* ladybug, *Br* ladybird; F AUTO Volkswagen® beetle
cocher [kɔʃe] 〈1a〉 *sur une liste* check, *Br aussi* tick off
cochère [kɔʃɛr]: ***porte*** *f* ***~*** carriage entrance
cochon [kɔʃõ] **1** *m* ZO, *fig* pig; ***~ d'Inde*** guinea pig **2** *adj* **cochon**,

~ne F dirty, smutty; **cochonnerie** *f* F: ***des ~s*** filth *sg*; *nourriture* junk food *sg*
cocktail [kɔktɛl] *m* cocktail; *réception* cocktail party
coco [kɔko] *m*: ***noix*** *f* ***de ~*** coconut
cocon [kɔkõ] *m* cocoon
cocotier [kɔkɔtje] *m* coconut palm
cocotte [kɔkɔt] *f* CUIS casserole; F darling; *péj* tart; ***~ minute*** pressure cooker
cocu [kɔky] *m* F deceived husband, cuckold
code [kɔd] *m* code; ***~ civil*** civil code; ***~ pénal*** penal code; ***~ de la route*** traffic regulations, *Br* Highway Code; ***se mettre en ~s*** switch to low beams, *Br aussi* dip one's headlights; ***phares*** *mpl* ***~s*** low beams, *Br aussi* dipped headlights; ***~ (à) barres*** bar code; ***~ postal*** zipcode, *Br* postcode; ***~ secret*** secret code
coéquipier, **-ière** [koekipje, -ɛr] *m/f* team mate
cœur [kœr] *m* heart; ***à ~ joie*** *rire, s'en donner* whole-heartedly; ***au ~ de*** in the heart of; ***de bon ~*** gladly, willingly; ***apprendre qch par ~*** learn sth by heart; ***connaître qch par ~*** know sth by heart; ***j'ai mal au ~*** I'm nauseous, *Br aussi* I feel sick; ***cela lui tient à ~*** he feels quite strongly about it; ***avoir bon ~*** have a good heart
coexistence [kɔɛgzistɑ̃s] *f* co-existence; **coexister** ⟨1a⟩ co-exist
coffre [kɔfr] *m meuble* chest; FIN safe; AUTO trunk, *Br* boot; **coffre-fort** *m* (*pl* coffres-forts) safe
coffret [kɔfrɛ] *m* box
cogérer [kɔʒere] ⟨1f⟩ co-manage; **cogestion** *f* joint management; *avec les ouvriers* worker participation
cognac [kɔɲak] *m* brandy, cognac
cognée [kɔɲe] *f* ax, *Br* axe; **cogner** ⟨1a⟩ *d'un moteur* knock; ***~ à*** *ou* ***contre qch*** bang against sth; ***se ~ à*** *ou* ***contre qch*** bump into sth
cohabitation [kɔabitɑsjõ] *f* living together, cohabitation; POL cohabitation; **cohabiter** ⟨1a⟩ cohabit
cohérence [kɔerɑ̃s] *f d'une théorie* consistency, coherence; **cohérent**, **~e** *théorie* consistent, coherent
cohésion [kɔezjõ] *f* cohesiveness
cohue [kɔy] *f* crowd, rabble
coiffer [kwafe] ⟨1a⟩: ***~ qn*** do s.o.'s hair; ***~ qn de qch*** put sth on s.o.('s head); ***~ un service*** head a department; ***se ~*** do one's hair; **coiffeur** *m* hairdresser, hair stylist; **coiffeuse** *f* hairdresser, hair stylist; *meuble* dressing table; **coiffure** *f de cheveux* hairstyle
coin [kwɛ̃] *m* corner (*aussi fig*); *cale* wedge; ***au ~ du feu*** by the fireside; ***les gens du ~*** the locals
coincer [kwɛ̃se] ⟨1k⟩ squeeze; *porte, tiroir* jam, stick; ***~ qn*** *fig* (*acculer*) corner s.o.; ***être coincé dans un embouteillage*** be stuck in a traffic jam
coïncidence [kɔɛ̃sidɑ̃s] *f* coincidence; **coïncider** ⟨1a⟩ coincide (***avec*** with)
col [kɔl] *m d'une robe, chemise* collar; *d'une bouteille, d'un pull* neck; GÉOGR col; ***~ blanc / bleu*** white-collar / blue-collar worker
colère [kɔlɛr] *f* anger; ***se mettre en ~*** get angry; **coléreux**, **-euse**: ***être ~*** have a terrible temper; **colérique** irritable
colimaçon [kɔlimasõ] *m* snail; ***escalier*** *m* ***en ~*** spiral staircase
colin [kɔlɛ̃] *m* hake
colique [kɔlik] *f* colic; (*diarrhée*) diarrhea, *Br* diarrhoea
colis [kɔli] *m* parcel, package
collaborateur, **-trice** [kɔlabɔratœr, -tris] *m/f* collaborator (*aussi* POL *péj*); **collaboration** *f* collaboration, cooperation; POL *péj* collaboration; **collaborer** ⟨1a⟩ collaborate, cooperate (***avec*** with; ***à*** on); POL *péj* collaborate
collant, **~e** [kɔlɑ̃, -t] **1** *adj* sticky; *vêtement* close-fitting; F *personne* clingy **2** *m* pantyhose *pl*, *Br* tights *pl*
collation [kɔlasjõ] *f* CUIS light meal
colle [kɔl] *f* glue; *fig* P *question* tough question; (*retenue*) detention
collecte [kɔlɛkt] *f* collection; **collec-**

tif, -ive collective, joint; ***billet*** *m* **~** group ticket; ***voyage*** *m* **~** group tour
collection [kɔlɛksjõ] *f* collection; **collectionner** ⟨1a⟩ collect; **collectionneur, -euse** *m/f* collector
collectivité [kɔlɛktivite] *f* community
collège [kɔlɛʒ] *m école* junior high, *Br* secondary school; (*assemblée*) college; **collégien, ~ne** *m/f* junior high student, *Br* secondary school pupil
collègue [kɔlɛg] *m/f* colleague, co-worker
coller [kɔle] ⟨1a⟩ **1** *v/t* stick, glue **2** *v/i* stick (***à*** to); ***~ à la peau*** *d'un vêtement* be close-fitting; ***ça colle bien entre eux*** F they get on well; ***se ~ contre*** *mur* press o.s against; *personne* cling to
collet [kɔlɛ] *m d'un vêtement* collar; *pour la chasse* snare; ***prendre qn au ~*** *fig* catch s.o.
collier [kɔlje] *m bijou* necklace; *de chien* collar
colline [kɔlin] *f* hill
collision [kɔlizjõ] *f* collision; ***entrer en ~ avec*** collide with
colloque [kɔlɔk] *m* seminar
collyre [kɔlir] *m* eye drops *pl*
colocataire [kolɔkatɛr] *m/f* roommate, *Br* flatmate
Cologne [kɔlɔɲ]: ***eau*** *f* ***de ~*** eau de Cologne
colombe [kɔlõb] *f* dove (*aussi fig*)
Colombie [kɔlõbi] ***la ~*** Colombia; **colombien, ~ne 1** *adj* Colombian **2** *m/f* **Colombien, ~ne** Colombian
colon [kɔlõ] *m* colonist
colonel [kɔlɔnɛl] *m* colonel
colonial, ~e [kɔlɔnjal] (*mpl* -iaux) colonial; **colonialisme** *m* colonialism; **colonie** *f* colony; ***~ de vacances*** summer camp, *Br* holiday camp; **colonisation** *f* colonization; **coloniser** ⟨1a⟩ colonize
colonne [kɔlɔn] *f* column; ***~ vertébrale*** spine, spinal column
colorant, ~e [kɔlɔrɑ̃, -t] **1** *adj shampoing* color *atr*, *Br* colour *atr* **2** *m* dye; *dans la nourriture* coloring, *Br* colouring; **coloration** *f* coloring, *Br* colouring; **coloré, ~e** *teint* ruddy; **colorer** ⟨1a⟩ color, *Br* colour; **coloris** *m* color, *Br* colour
colossal, ~e [kɔlɔsal] (*mpl* -aux) colossal, gigantic; **colosse** *m* colossus
colza [kɔlza] *m* BOT rape
coma [kɔma] *m* coma
combat [kõba] *m* fight; MIL *aussi* battle; ***mettre hors de ~*** put out of action; ***aller au ~*** go into battle; ***~ à mains nues*** unarmed combat
combattant, ~e [kõbatɑ̃, -t] **1** *adj* fighting **2** *m* combatant; ***ancien ~*** veteran, *Br aussi* ex-serviceman; **combattre** ⟨4a⟩ fight; ***~ contre qn pour qch*** fight s.o. for sth
combien [kõbjɛ̃] **1** *adv quantité* how much; *avec pl* how many; ***~ de fois*** how many times, how often; ***~ de personnes*** how many people; ***~ de temps*** how long; ***~ est-ce que ça coûte?*** how much is this?; ***~ je regrette …*** how I regret …
2 *m*: ***tous les ~*** how often; ***on est le ~ aujourd'hui?*** what date is it today?
combinaison [kõbinɛzõ] *f* combination; (*astuce*) scheme; *de mécanicien* coveralls *pl*, *Br* boiler suit; *lingerie* (full-length) slip; ***~ de plongée*** wet suit; ***~ de ski*** ski suit
combiné [kõbine] *m* TÉL receiver
combine [kõbin] *f* F trick; **combiner** ⟨1a⟩ combine; *voyage*, *projet* plan
comble [kõbl] **1** *m fig: sommet* height; ***~s*** *pl* attic *sg*; ***de fond en ~*** from top to bottom; ***ça, c'est le ~!*** that's the last straw! **2** *adj* full (to capacity); **combler** ⟨1a⟩ *trou* fill in; *déficit* make good; *personne* overwhelm; ***~ une lacune*** fill a gap; ***~ qn de qch*** shower s.o. with sth
combustible [kõbystibl] **1** *adj* combustible **2** *m* fuel; **combustion** *f* combustion
comédie [kɔmedi] *f* comedy; ***~ musicale*** musical; **comédien, ~ne** *m/f* actor; *qui joue le genre comique* comic actor
comestible [kɔmɛstibl] **1** *adj* edible **2** *mpl* ***~s*** food *sg*
comète [kɔmɛt] *f* comet

C

comique [kɔmik] **1** *adj* THÉÂT comic; (*drôle*) funny, comical **2** *m* comedian; *acteur* comic (actor); *genre* comedy

comité [kɔmite] *m* committee; **~ *d'entreprise*** plant committee, *Br* works council; **~ *d'experts*** think tank

commandant [kɔmɑ̃dɑ̃] *m* MIL commanding officer; MAR captain; **~ *de bord*** AVIAT captain; **~ *en chef*** commander-in-chief

commande [kɔmɑ̃d] *f* COMM order; TECH control; INFORM command; **commandement** *m* MIL command; (*ordre*) command, order; REL commandment; **commander** ⟨1a⟩ **1** *v/t* COMM order; (*ordonner*) command, order; MIL be in command of, command; TECH control **2** *v/i* (*diriger*) be in charge; (*passer une commande*) order

commanditaire [kɔmɑ̃ditɛr] *m* silent partner, *Br* sleeping partner; **commandite**: ***société*** *f* ***en*** **~** limited partnership; **commanditer** ⟨1a⟩ *entreprise* fund, finance

commando [kɔmɑ̃do] *m* MIL commando

comme [kɔm] **1** *adv* like; ***chanter*** **~** ***un oiseau*** sing like a bird; ***noir*** **~** ***la nuit*** as black as night; **~ *cela*** like that; **~ *ci*** **~** ***ça*** F so-so; **~ *vous voulez*** as you like; **~ *si*** as if

◊ (*en tant que*) as; ***il travaillait*** **~ ...** he was working as a ...

◊ (*ainsi que*) as well as; ***moi,*** **~** ***les autres, je ...*** like the others, I ...

◊: ***j'ai*** **~** ***l'impression que ...*** F I've kind of got the feeling that ... F

◊: ***qu'est-ce qu'on a*** **~** ***boissons?*** what do we have in the way of drinks?, what sort of drinks do we have?

2 *conj* (*au moment où, parce que*) as; **~ *elle sortait de la banque*** as she was coming out of the bank; **~ *tu m'as aidé autrefois*** as *ou* since you helped me once before

commémoratif, **-ive** [kɔmemɔratif, -iv] *plaque etc* memorial, commemorative; **commémoration** *f cérémonie* commemoration; **commémorer** ⟨1a⟩ commemorate

commencement [kɔmɑ̃smɑ̃] *m* beginning, start; **commencer** ⟨1k⟩ **1** *v/t* begin, start; **~ *qch par qch*** start sth with sth; **~ *à faire qch*** start to do sth, start doing sth **2** *v/i* begin, start; **~ *par faire qch*** start by doing sth; **~ *par le commencement*** start at the beginning; **~ *mal*** get off to a bad start

comment [kɔmɑ̃] *adv* how; **~*?*** (*qu'avez-vous dit?*) pardon me?, *Br* sorry?; **~*!*** *surpris* what!; ***le pourquoi et le*** **~** the whys and the wherefores *pl*

commentaire [kɔmɑ̃tɛr] *m* comment; RAD, TV commentary; **commentateur**, **-trice** *m/f* commentator; **commenter** ⟨1a⟩ comment on; RAD, TV commentate on

commérages [kɔmeraʒ] *mpl* gossip *sg*

commerçant, **~e** [kɔmɛrsɑ̃, -t] **1** *adj*: ***rue*** *f* **~*e*** shopping street **2** *m/f* merchant, trader

commerce [kɔmɛrs] *m activité* trade, commerce; (*magasin*) store, *Br* shop; *fig* (*rapports*) dealings *pl*; **commercer** ⟨1k⟩ trade, do business

commercial, **~e** [kɔmɛrsjal] (*mpl* -iaux) commercial; **commercialiser** ⟨1a⟩ market

commère [kɔmɛr] *f* gossip

commettre [kɔmɛtr] ⟨4p⟩ commit; *erreur* make

commis [kɔmi] *m dans l'administration* clerk; *d'un magasin* clerk, *Br* (shop) assistant; **~ *voyageur*** commercial traveler *ou Br* traveller

commissaire [kɔmisɛr] *m* commission member; *de l'UE* Commissioner; SP steward; **~ *aux comptes*** COMM auditor; **commissaire-priseur** *m* (*pl* commissaires-priseurs) auctioneer

commissariat [kɔmisarja] *m* commissionership; **~ (*de police*)** police station

commission [kɔmisjõ] *f* (*comité, mission*), COMM commission; (*message*) message; ***faire les*** **~*s*** go shopping; **commissionnaire** *m* COMM agent; *dans un hôtel* commissionaire

commode [kɔmɔd] **1** *adj* handy; *arrangement* convenient; ***pas ~*** *personne* awkward; ***~ d'accès*** *lieu* easy to get to **2** *f* chest of drawers; **commodité** *f d'arrangement* convenience; ***toutes les ~s*** all mod cons
commotion [kɔmɔsjõ] *f* MÉD: ***~ cérébrale*** stroke
commun, ~e [kɔmɛ̃ *ou* kɔmœ̃, -yn] **1** *adj* common; *œuvre* joint; ***transports*** *mpl* ***en ~,*** mass transit *sg*, *Br* public transport *sg*; ***mettre en ~*** *argent* pool **2** *m*: ***hors du ~*** out of the ordinary
communal, ~e [kɔmynal] (*mpl* -aux) (*de la commune*) local
communautaire [kɔmynotɛr] community *atr*; **communauté** *f* community; *de hippies* commune; ***~ européenne*** European Community; ***la ~ internationale*** the international community; ***~ des biens*** JUR common ownership of property
commune [kɔmyn] *f* commune
communément [kɔmynemɑ̃] *adv* commonly
communicatif, -ive [kɔmynikatif, -iv] *personne* communicative; *rire*, *peur* contagious; **communication** *f* communication; (*message*) message; ***~s*** *routes*, *téléphone* communications; ***~ téléphonique*** telephone call; ***la ~ a été coupée*** the line is dead; ***se mettre en ~ avec qn*** get in touch with s.o.
communier [kɔmynje] ⟨1a⟩ REL take Communion; **communion** *f* REL Communion
communiqué [kɔmynike] *m* POL press release
communiquer [kɔmynike] ⟨1m⟩ **1** *v/t* communicate; *nouvelle*, *demande* convey, pass on; *maladie* pass on, give (***à qn*** to s.o.) **2** *v/i* communicate
communisme [kɔmynism] *m* communism; **communiste** *m/f & adj* Communist
commutateur [kɔmytatœr] *m* TECH switch; **commutation** *f* JUR: ***bénéficier d'une ~ de peine*** have one's sentence reduced
compact, ~e [kõpakt] compact; **compact disc** *m* compact disc
compagne [kõpaɲ] *f* companion; *dans couple* wife; **compagnie** *f* company; ***en ~ de*** accompanied by; ***tenir ~ à qn*** keep s.o. company; ***~ aérienne*** airline; ***~ d'assurance*** insurance company; ***~ pétrolière*** oil company; **compagnon** *m* companion; *dans couple* husband; *employé* journeyman
comparable [kõparabl] comparable (***à*** to, ***avec*** with); **comparaison** *f* comparison; ***en ~ de, par ~ à, par ~ avec*** compared with; ***par ~*** by comparison
comparaître [kõparɛtr] ⟨4z⟩ appear (***en justice*** in court)
comparer [kõpare] ⟨1a⟩ compare (***à*** to, ***avec*** with); **comparatif, -ive** comparative
compartiment [kõpartimɑ̃] *m* compartment; *de train* car, *Br* compartment; ***~ fumeurs*** smoking car
comparution [kõparysjõ] *f* JUR appearance
compas [kõpa] *m* MATH, MAR compass
compassion [kõpasjõ] *f* compassion
compatibilité [kõpatibilite] *f* compatibility; **compatible** compatible
compatir [kõpatir] *v/i*: ***~ à*** sympathize with, feel for
compatriote [kõpatrijɔt] *m/f* compatriot
compensation [kõpɑ̃sasjõ] *f* compensation; ***en ~*** by way of compensation; **compenser** ⟨1a⟩ compensate for; *paresse*, *terreur* make up for
compétence [kõpetɑ̃s] *f* (*connaissances*) ability, competence; JUR jurisdiction; **compétent, ~e** competent, skillful, *Br* skilful; JUR competent
compétitif, -ive [kõpetitif, -iv] competitive; **compétition** *f* competition; **compétitivité** *f* competitiveness
compiler [kõpile] ⟨1a⟩ compile
complainte [kõplɛ̃t] *f* lament
complaire [kõplɛr] ⟨4a⟩: ***se ~ dans qch / à faire qch*** delight in sth / in doing sth

C

complaisance [kõplɛzɑ̃s] *f* (*amabilité*) kindness; *péj* complacency; **complaisant**, **~e** kind (***pour, envers qn*** to s.o.); *péj* complacent

complément [kõplemɑ̃] *m* remainder; MAT complement; **complémentaire** *article, renseignement* further, additional

complet, **-ète** [kõplɛ, -t] **1** *adj* complete; *hôtel, description, jeu de cartes* full; *pain* whole wheat, *Br* wholemeal **2** *m* suit; **complètement** *adv* completely; **compléter** ⟨1f⟩ complete; ***se ~*** complement each other

complexe [kõplɛks] **1** *adj* complex; (*compliqué*) complex, complicated **2** *m* complex; ***~ d'infériorité*** inferiority complex; **complexé**, **~e** uptight, full of complexes; **complexité** *f* complexity

complication [kõplikasjõ] *f* complication

complice [kõplis] **1** *adj* JUR: ***être ~ de qch*** be an accessory to sth **2** *m/f* accomplice; **complicité** *f* collusion

compliment [kõplimɑ̃] *m* compliment; ***mes ~s*** congratulations; **complimenter** ⟨1a⟩ *pour coiffure etc* compliment (***pour*** on); *pour réussite etc* congratulate (***pour*** on)

compliqué, **~e** [kõplike] complicated; **compliquer** ⟨1m⟩ complicate; ***se ~*** become complicated; ***pourquoi se ~ la vie?*** why complicate things?, why make life difficult?

complot [kõplo] *m* plot; **comploter** plot

comportement [kõpɔrtəmɑ̃] *m* behavior, *Br* behaviour; **comporter** ⟨1a⟩ (*comprendre*) comprise; (*impliquer*) involve, entail; ***se ~*** behave (o.s)

composant [kõpozɑ̃] *m* component; **composé**, **~e** **1** *adj corps, mot* compound **2** *m* compound; **composer** ⟨1a⟩ **1** *v/t* (*former*) make up; MUS compose; *livre, poème* write; ***être composé de*** be made up of, consist of; ***~ un numéro*** dial a number **2** *v/i transiger* come to terms (***avec*** with); ***se ~ de*** be made up of, consist of

composite [kõmposite] composite

compositeur, **-trice** [kõpozitœr, -tris] *m/f* composer; **composition** *f* composition (*aussi* MUS); *de livre, poème* writing; *d'un plat, une équipe* make-up

composter [kõpɔste] ⟨1a⟩ *billet* punch; **composteur** *m* punch

compote [kõpɔt] *f*: ***~ de pommes / poires*** stewed apples / pears

compréhensible [kõpreɑ̃sibl] (*intelligible*) understandable, comprehensible; (*concevable*) understandable; **compréhensif**, **-ive** understanding; **compréhension** *f* understanding, comprehension; (*tolérance*) understanding

comprendre [kõprɑ̃dr] ⟨4q⟩ understand, comprehend *fml*; (*inclure*) include; (*comporter*) comprise; ***faire ~ qch à qn*** (*expliquer*) make s.o. understand sth; (*suggérer*) give s.o. to understand sth; ***se faire ~*** make o.s. understood

compresse [kõprɛs] *f* MÉD compress

compresseur [kõprɛsœr] *m* TECH compressor; **compression** *f* compression; *de dépenses, effectifs* reduction

comprimé [kõprime] *m* tablet; **comprimer** ⟨1a⟩ *air, substance* compress; *dépenses, effectifs* cut (back), reduce

compris, **~e** [kõpri, -z] (*inclus*) included (***dans*** in); ***y ~*** including

compromettre [kõprɔmɛtr] ⟨4p⟩ compromise; **compromis** *m* compromise

comptabilité [kõtabilite] *f* accountancy; (*comptes*) accounts *pl*; **comptable** *m/f* accountant; **comptant** COMM **1** *adj*: ***argent*** *m* ***~*** cash **2** *m*: ***acheter qch au ~*** pay cash for sth

compte [kõt] *m* account; (*calcul*) calculation; ***~s*** accounts; ***à bon ~*** *acheter qch* for a good price; ***en fin de ~*** at the end of the day, when all's said and done; ***faire le ~ de qch*** count up sth; ***rendre ~ de qch*** give an account of sth; (*expliquer*) account for sth; ***se rendre ~ de qch*** realize sth; ***tenir ~ de qch*** take sth into account, bear sth in mind; ***~ tenu de***

bearing in mind, in view of; ***pour mon ~*** for my part, as far as I'm concerned; ***prendre qch à son ~*** take responsibility for sth; ***mets-le sur le ~ de la fatigue*** put it down to fatigue; ***s'installer à son ~*** set up on one's own, go into business for o.s.; ***~ chèque postal*** post office account; ***~ courant*** checking account, *Br* current account; ***~ de dépôt*** savings account, *Br* deposit account; ***~ à rebours*** countdown; ***~ rendu*** report; *de réunion* minutes *pl*; ***faire le ~ rendu d'une réunion*** take the minutes of a meeting

compte-gouttes [kõtgut] dropper; ***je lui donne son argent au ~*** *fig* I give him his money in dribs and drabs

compter [kõte] ⟨1a⟩ **1** *v/t* count; (*prévoir*) allow; (*inclure*) include; ***~ faire qch*** plan on doing sth; ***~ que*** hope that; ***ses jours sont comptés*** his days are numbered; ***sans ~ le chien*** not counting the dog **2** *v/i* (*calculer*) count; (*être important*) matter, count; ***~ avec*** reckon with; ***~ sur*** rely on; ***il ne compte pas au nombre de mes amis*** I don't regard him as a friend; ***à ~ de demain*** starting (from) tomorrow, (as) from tomorrow

compte-tours [kõt(ə)tur] *m* (*pl inv*) TECH rev counter

compteur [kõtœr] *m* meter; ***~ de vitesse*** speedometer

comptine [kõtin] *f* nursery rhyme

comptoir [kõtwar] *m d'un café* bar; *d'un magasin* counter

compulsif, -ive [kõpylsif, -iv] *comportement* compulsive

comte [kõt] *m en France* count; *en Grande-Bretagne* earl; **comté** *m* county; **comtesse** *f* countess

con, ~ne [kõ, kɔn] P **1** *adj* damn stupid F **2** *m/f* damn idiot F; ***espèce de ~!*** V fucking bastard! V

concave [kõkav] concave

concéder [kõsede] ⟨1f⟩ (*accorder*) grant; (*consentir*) concede; ***~ que*** admit that

concentration [kõsɑ̃trasjõ] *f* concentration (*aussi fig*); **concentrer** ⟨1a⟩ concentrate; ***se ~*** concentrate (***sur*** on)

concept [kõsɛpt] *m* concept

conception [kõsɛpsjõ] *f* (*idée*) concept; (*planification*) design; BIOL conception; ***avoir la même ~ de la vie*** have the same outlook on life, share the same philosophy

concernant [kõsɛrnɑ̃] *prép* concerning, about; **concerner** ⟨1a⟩ concern, have to do with; ***en ce qui me concerne*** as far as I'm concerned; ***cela ne vous concerne pas du tout*** it's none of your concern, it has nothing to do with you

concert [kõsɛr] *m* MUS concert; ***de ~ avec*** together with; ***agir de ~*** take concerted action

concerter [kõsɛrte] ⟨1a⟩ agree on; ***se ~*** consult

concerto [kõsɛrto] *m* concerto

concession [kõsɛsjõ] *f* concession; AUTO dealership; **concessionnaire** *m* dealer

concevable [kõsəvabl] conceivable; **concevoir** ⟨3a⟩ (*comprendre*) understand, conceive; (*inventer*) design; BIOL, *plan, idée* conceive

concierge [kõsjɛrʒ] *m/f d'immeuble* superintendent, *Br* caretaker; *d'école* janitor, *Br aussi* caretaker; *d'un hôtel* concierge

concilier ⟨1a⟩ *idées, théories* reconcile

concis, ~e [kõsi, -z] concise; **concision** *f* concision, conciseness

concitoyen, ~ne [kõsitwajɛ̃, -ɛn] *m/f* fellow citizen

concluant, ~e [kõklyɑ̃, -t] conclusive; **conclure** ⟨4l⟩ **1** *v/t* (*finir, déduire*) conclude; ***~ un contract*** enter into a contract **2** *v/i*: ***~ à*** JUR return a verdict of; ***~ de*** conclude from; **conclusion** *f* conclusion

concombre [kõkõbr] *m* BOT cucumber

concordance [kõkɔrdɑ̃s] *f* agreement; **concorder** ⟨1a⟩ (*correspondre*) tally (***avec*** with); (*convenir*) match; ***~ avec*** (*convenir avec*) go with

concourir [kõkurir] ⟨2i⟩: ***~ à qch*** contribute to sth; **concours** *m* competi-

C

tion; (*assistance*) help; ***avec le ~ de qn*** with the help of s.o.; ***~ de circonstances*** combination of circumstances; ***~ hippique*** horse show

concret, -ète [kõkrɛ, -t] concrete; **concrétiser** ⟨1a⟩ *idée, rêve* turn into reality; *projet* make happen; (*illustrer*) give concrete form to; ***le projet se concrétise*** the project is taking shape

conçu, ~e [kõsy] *p/p* → ***concevoir***

concubin [kõkybɛ̃] *m* common-law husband; **concubinage** *m* co-habitation; **concubine** *f* common-law wife

concurrence [kõkyrɑ̃s] *f* competition; ***faire ~ à*** compete with; ***jusqu'à ~ de 300 000 euros*** to a maximum of 300,000 euros; **concurrent, ~e** **1** *adj* competing, rival **2** *m/f d'un concours* competitor; COMM competitor, rival; **concurrentiel, ~le** competitive

condamnable [kõdanabl] reprehensible; **condamnation** *f* sentence; *action* sentencing; *fig* condemnation; ***~ à perpetuité*** life sentence; **condamner** ⟨1a⟩ JUR sentence; *malade* give up; (*réprouver*) condemn; *porte* block up

condenser [kõdɑ̃se] ⟨1a⟩ condense (*aussi fig*); ***se ~*** condense

condescendance [kõdesɑ̃dɑ̃s] *f péj* condescension; **condescendre** ⟨4a⟩: ***~ à faire qch*** condescend to do sth

condiment [kõdimɑ̃] *m* seasoning

condition [kõdisjõ] *f* condition; ***~ préalable*** prerequisite; ***~ requise*** precondition; ***à (la) ~ que*** (+ *subj*) on condition that, ***à (la) ~ de faire qch*** on condition of doing sth; ***~s de travail*** working conditions; **conditionnel, ~le 1** *adj accord etc* conditional **2** *m* GRAM conditional; **conditionnement** *m* (*emballage*) packaging; PSYCH conditioning; **conditionner** ⟨1a⟩ (*emballer*) package; PSYCH condition

condoléances [kõdɔleɑ̃s] *fpl* condolences

conducteur, -trice [kõdyktœr, -tris] **1** *adj* ÉL *matériau* conductive **2** *m/f* driver **3** *m* PHYS conductor

conduire [kõdɥir] ⟨4c⟩ **1** *v/t* (*accompagner*) take; (*mener*) lead; *voiture* drive; *eau* take, carry; ÉL conduct; ***~ qn à faire qch*** lead s.o. to do sth; ***se ~*** behave **2** *v/i* AUTO drive; (*mener*) lead (***à*** to); ***permis** m **de ~*** driver's license, *Br* driving licence

conduit [kõdɥi] *m d'eau, de gaz* pipe; ***~ d'aération*** ventilation shaft; ***~ lacrymal*** ANAT tear duct; **conduite** *f* (*comportement*) behavior, *Br* behaviour; *direction* management; *d'eau, de gaz* pipe; AUTO driving; ***~ en état d'ivresse*** drunk driving

cône [kon] *m* cone

confection [kõfɛksjõ] *f d'une robe, d'un plat etc* making; *industrie* clothing industry; ***une tarte de sa ~*** a tart she'd made (herself); **confectionner** ⟨1a⟩ make

confédération [kõfederasjõ] *f* confederation

conférence [kõferɑ̃s] *f* (*congrès*) conference; (*exposé*) lecture; ***être en ~*** be in a meeting; ***~ de presse*** press conference; ***~ au sommet*** POL summit conference; **conférencier, -ère** *m/f* speaker; **conférer** ⟨1f⟩ (*accorder*) confer

confesser [kõfɛse] ⟨1b⟩ confess (*aussi* REL); ***~ qn*** REL hear s.o.'s confession; ***se ~*** REL go to confession; **confession** *f* confession (*aussi* REL); (*croyance*) (religious) denomination, faith; **confessionnal** *m* (*pl* -aux) confessional

confiance [kõfjɑ̃s] *f* (*foi, sécurité*) confidence, trust; (*assurance*) confidence; ***avoir ~ en qch / qn*** have faith in s.o. / sth, trust s.o. / sth; ***faire ~ à qn*** trust s.o.; ***~ en soi*** self-confidence; **confiant, ~e** (*crédule*) trusting; (*optimiste*) confident; (*qui a confiance en soi*) (self-)confident

confidence [kõfidɑ̃s] *f* confidence; ***faire une ~ à qn*** confide in s.o.; **confident, ~e** *m/f* confidant; **confidentiel, ~le** confidential

confier [kõfje] ⟨1a⟩: **~ *qch à qn*** (*laisser*) entrust s.o. (with sth); ***se ~ à*** confide in
configuration [kõfigyrasjõ] *f* configuration
confiner [kõfine] ⟨1a⟩ **1** *v/t*: **~ *à*** confine to **2** *v/i*: **~ *à*** border (on); **confins** *mpl* borders; ***aux ~ de*** on the border between
confirmation [kõfirmasjõ] *f* confirmation (*aussi* REL); **confirmer** ⟨1a⟩ confirm (*aussi* REL); ***l'exception confirme la règle*** the exception proves the rule
confiscation [kõfiskasjõ] *f* confiscation
confiserie [kõfizri] *f* confectionery; *magasin* confectioner's; **~*s*** candy *sg*, *Br* sweets
confisquer [kõfiske] ⟨1m⟩ confiscate (***qch à qn*** sth from s.o.)
confit, **~*e*** [kõfi, -t] *fruits* candied
confiture [kõfityr] *f* jelly, *Br* jam
conflictuel, **~*le*** [kõfliktɥɛl] adversarial; **conflit** *m* conflict; *d'idées* clash; **~ *des générations*** generation gap; **~ *social*** industrial dispute
confluent [kõflyɑ̃] *m* tributary
confondre [kõfõdr] ⟨4a⟩ *mêler dans son esprit* confuse (***avec*** with); (*déconcerter*) take aback; ***se ~*** (*se mêler*) merge, blend; ***se ~ en excuses*** apologize profusely
conforme [kõfɔrm]: **~ *à*** in accordance with; ***copie ~ à l'original*** exact copy of the original; **conformément** *adv*: **~ *à*** in accordance with; **conformer** ⟨1a⟩: **~ *à*** adapt to; ***se ~ à qch*** comply with sth; **conformisme** *m* conformity; **conformiste** *m/f* conformist; **conformité** *f caractère de ce qui est semblable* similarity; ***en ~ avec*** in accordance with
confort [kõfɔr] *m* comfort; ***tout ~*** with every convenience
confortable [kõfɔrtabl] comfortable; *somme* sizeable
confrère [kõfrɛr] *m* colleague
confrontation [kõfrõtasjõ] *f* confrontation; (*comparaison*) comparison; **confronter** ⟨1a⟩ confront; (*comparer*) compare
confus, **~*e*** [kõfy, -z] *amas*, *groupe* confused; *bruit* indistinct; *souvenirs* vague; *personne* (*gêné*) embarrassed; **confusion** *f* confusion; (*embarras*) embarrassment
congé [kõʒe] *m* (*vacances*) vacation, *Br* holiday; MIL leave; *avis de départ* notice; ***prendre ~ de qn*** take one's leave of s.o.; ***être en ~*** be on vacation; **~ *de maladie*** sick leave; **~ *de maternité*** maternity leave; **congédier** ⟨1a⟩ dismiss
congélateur [kõʒelatœr] *m* freezer; **congélation** *f* freezing; **congelé**, **~*e*** *aliment* frozen; **congeler** ⟨1d⟩ freeze
congénère [kõʒenɛr] *m*: ***avec ses ~s*** with its own kind
congénital, **~*e*** [kõʒenital] (*mpl* -aux) congenital
congère [kõʒɛr] *f* (snow)drift
congestion [kõʒɛstjõ] *f* MÉD congestion; **~ *cérébrale*** stroke; **congestionner** ⟨1a⟩ *rue* cause congestion in, block; **congestionné**, **~*e*** *visage* flushed
congrès [kõgrɛ] *m* convention, conference; ***Congrès*** *aux États-Unis* Congress; **congressiste** *m/f* conventioneer, *Br* conference member
conifère [kɔnifɛr] *m* BOT conifer
conique [kɔnik] conical
conjecture [kõʒɛktyr] *f* conjecture; **conjecturer** ⟨1a⟩ conjecture about
conjoint, **~*e*** [kõʒwɛ̃, -t] **1** *adj* joint **2** *m/f* spouse
conjonction [kõʒõksjõ] *f* GRAM conjunction
conjonctivite [kõʒõktivit] *f* MÉD conjunctivitis
conjoncture [kõʒõktyr] *f* situation, circumstances *pl*; ÉCON economic situation
conjugaison [kõʒygɛzõ] *f* GRAM conjugation
conjugal, **~*e*** [kõʒygal] (*mpl* -aux) conjugal; *vie* married; ***quitter le domicile ~*** desert one's wife / husband
conjuguer [kõʒyge] ⟨1m⟩ *efforts* combine; GRAM conjugate

C

conjuration [kõʒyrasjõ] *f* (*conspiration*) conspiracy; **conjurer** ⟨1a⟩: ***~ qn de faire qch*** implore s.o. to do sth; ***se ~ contre*** conspire against
connaissance [kɔnɛsɑ̃s] *f* (*savoir*) knowledge; (*conscience*) consciousness; *personne connue* acquaintance; ***~s*** *d'un sujet* knowledge *sg*; ***avoir ~ de qch*** know about sth, be aware of sth; ***prendre ~ de qch*** acquaint o.s. with sth; ***perdre ~*** lose consciousness; ***reprendre ~*** regain consciousness, come to; ***faire ~ avec qn, faire la ~ de qn*** make s.o.'s acquaintance, meet s.o.; ***à ma ~*** to my knowledge, as far as I know; **connaisseur** *m* connoisseur; **connaître** ⟨4z⟩ know; (*rencontrer*) meet; ***s'y ~ en qch*** know all about sth, be an expert on sth; ***il s'y connaît*** he's an expert
connecter [kɔnɛkte] ⟨1a⟩ TECH connect; ***se ~*** INFORM log on
connerie [kɔnri] *f* P damn stupidity; ***une ~*** a damn stupid thing to do / say; ***dire des ~s*** talk crap P
connexion [kɔnɛksjõ] *f* connection (*aussi* ÉL); ***hors ~*** INFORM off-line
connivence [kɔnivɑ̃s] *f* connivance; ***être de ~ avec qn*** connive with s.o.
connu, **~e** [kɔny] **1** *p/p* → ***connaître*** **2** *adj* well-known
conquérant [kõkerɑ̃] *m* winner; ***Guillaume le Conquérant*** William the Conqueror; **conquérir** ⟨2l⟩ *peuple, pays* conquer; *droit, indépendance, estime* win, gain; *marché* capture, conquer; *personne* win over; **conquête** *f* conquest
consacrer [kõsakre] ⟨1a⟩ REL consecrate; (*dédier*) dedicate; *temps, argent* spend; ***se ~ à qch / qn*** dedicate *ou* devote o.s. to sth / s.o.; ***une expression consacrée*** a fixed expression
consanguin, **~e** [kõsɑ̃gɛ̃, -in]: ***frère ~*** half-brother (*who has the same father*); ***unions*** *fpl* ***~es*** inbreeding *sg*
conscience [kõsjɑ̃s] *f moral* conscience; *physique*, PSYCH consciousness; ***avoir bonne / mauvaise ~*** have a clear / guilty conscience; ***prendre ~ de qch*** become aware of sth; ***perdre ~*** lose consciousness; **consciencieux**, **-euse** conscientious; **conscient**, **~e** conscious; ***être ~ de qch*** be aware *ou* conscious of sth
consécration [kõsekrasjõ] *f* REL consecration; (*confirmation*) confirmation
consécutif, **-ive** [kõsekytif, -iv] consecutive; ***~ à*** resulting from; **consécutivement** *adv* consecutively
conseil [kõsɛj] *m* (*avis*) advice; (*conseiller*) adviser; (*assemblée*) council; ***un ~*** a piece of advice; ***~ municipal*** town council; ***~ d'administration*** board of directors; ***~ des ministres*** Cabinet; ***Conseil de Sécurité*** *de l'ONU* Security Council
conseiller[1] [kõsɛje] ⟨1b⟩ *personne* advise; ***~ qch à qn*** recommend sth to s.o.
conseiller[2], **-ère** [kõsɛje, -ɛr] *m* adviser; ***~ en gestion*** management consultant; ***~ municipal*** councilman, *Br* town councillor
consentement [kõsɑ̃tmɑ̃] *m* consent; **consentir** ⟨2b⟩ **1** *v/i* consent, agree (***à*** to); ***~ à faire qch*** agree *ou* consent to do sth; ***~ à ce que qn fasse*** (*subj*) ***qch*** agree to s.o.'s doing sth **2** *v/t prêt, délai* grant, agree
conséquence [kõsekɑ̃s] *f* consequence; ***en ~*** (*donc*) consequently; ***en ~ de*** as a result of; **conséquent**, **~e** (*cohérent*) consistent; ***par ~*** consequently
conservateur, **-trice** [kõsɛrvatœr, -tris] **1** *adj* POL conservative **2** *m/f* POL conservative; *d'un musée* curator **3** *m* CUIS preservative; **conservation** *f* preservation; *des aliments* preserving
conservatoire [kõsɛrvatwar] *m* school, conservatory
conserve [kõsɛrv] *f* preserve; *en boîte* canned food, *Br aussi* tinned food; ***en ~*** (*en boîte*) canned, *Br aussi* tinned;
conserver ⟨1a⟩ (*garder*) keep; *aliments* preserve
considérable [kõsiderabl] considerable; **considérablement** *adv* con-

siderably; **considération** *f* consideration; ***en ~ de*** in consideration of; ***prendre en ~*** take into consideration; **considérer** ⟨1f⟩ consider; ***~ comme*** consider as, look on as

consigne [kõsiɲ] *f* orders *pl*; *d'une gare* baggage checkroom, *Br* left luggage office; *pour bouteilles* deposit; ÉDU detention; **consigner** ⟨1a⟩ (*noter*) record; *écolier* keep in; *soldat* confine to base, *Br* confine to barracks; ***bouteille f consignée*** returnable bottle

consistance [kõsistɑ̃s] *f* consistency; **consistant**, **~e** *liquide*, *potage* thick; *mets* substantial; **consister** ⟨1a⟩: ***~ en / dans qch*** consist of sth; ***~ à faire qch*** consist in doing sth

consolant, **~e** [kõsɔlɑ̃, -t] consoling; **consolation** *f* consolation

console [kõsɔl] *f* (*table*) console table; INFORM console; ***jouer à la ~*** play computer games

consoler [kõsɔle] ⟨1a⟩ console, comfort; ***se ~ de qch*** get over sth

consolider [kõsɔlide] ⟨1a ⟩ strengthen, consolidate; COMM, FIN consolidate

consommateur, **-trice** [kõsɔmatœr, -tris] *m/f* consumer; *dans un café* customer; **consommation** *f* consumption; *dans un café* drink

consommé [kõsɔme] *m* CUIS consommé, clear soup; **consommer** ⟨1a⟩ **1** *v/t bois*, *charbon*, *essence etc* consume, use **2** *v/i dans un café* drink

consonne [kõsɔn] *f* consonant

conspirateur, **-trice** [kõspiratœr, -tris] *m/f* conspirator; **conspiration** *f* conspiracy; **conspirer** ⟨1a⟩ conspire

constamment [kõstamɑ̃] *adv* constantly

constance [kõstɑ̃s] *f* (*persévérance*) perseverance; *en amour* constancy

constant, **~e** [kõstɑ̃, -t] **1** *adj ami* steadfast, staunch; *efforts* persistent; *souci*, *température*, *quantité* constant; *intérêt* unwavering **2** *f* constant

constat [kõsta] *m* JUR report

constatation [kõstatasjõ] *f* observation; **constater** ⟨1a⟩ observe

constellation [kõstɛlasjõ] *f* constellation

consternation [kõstɛrnasjõ] *f* consternation; **consterner** ⟨1a⟩ fill with consternation, dismay; **consterné**, **~e** dismayed

constipation [kõstipasjõ] *f* constipation; **constipé**, **~e** constipated

constituer [kõstitɥe] ⟨1a⟩ constitute; *comité*, *société* form, set up; *rente* settle (***à*** on); ***être constitué de*** be made up of; ***se ~*** *collection*, *fortune* amass, build up; ***se ~ prisonnier*** give o.s. up

constitution [kõstitysjõ] *f* (*composition*) composition; ANAT, POL constitution; *d'un comité*, *d'une société* formation, setting up; **constitutionnel**, **~le** constitutional

constructeur [kõstryktœr] *m de voitures*, *d'avions*, *d'ordinateurs* manufacturer; *de maisons* builder; ***~ mécanicien*** *m* mechanical engineer; ***~ naval*** shipbuilder; **constructif**, **-ive** constructive; **construction** *f action*, *bâtiment* construction, building; **construire** ⟨4c⟩ construct, build; *théorie*, *roman* construct

consul [kõsyl] *m* consul; **consulat** *m* consulate

consultatif, **-ive** [kõsyltatif, -tiv] consultative; **consultation** *f* consultation; (***heures*** *fpl* ***de***) **~** MÉD office hours, *Br* consulting hours; **consulter** ⟨1a⟩ **1** *v/t* consult **2** *v/i* be available for consultation

consumer [kõsyme] ⟨1a⟩ *de feu*, *passion* consume

contact [kõtakt] *m* contact; ***lentilles*** *fpl ou* ***verres*** *mpl* ***de ~*** contact lenses, contacts F; ***entrer en ~ avec qn*** (first) come into contact with s.o.; ***prendre ~ avec qn, se mettre en ~ avec qn*** contact s.o., get in touch with s.o.; ***mettre / couper le ~*** AUTO switch the engine on / off

contagieux, **-euse** [kõtaʒjø, -z] contagious; *rire* infectious; **contagion** *f* contagion

container [kõtɛnɛr] *m* container; ***~ à***

verre bottle bank

contamination [kõtaminasjõ] *f* contamination; MÉD *d'une personne* infection; **contaminer** ⟨1a⟩ contaminate; MÉD *personne* infect

conte [kõt] *m* story, tale; *~ de fées* fairy story *ou* tale

contemplation [kõtɑ̃plasjõ] *f* contemplation; **contempler** ⟨1a⟩ contemplate

contemporain, ~e [kõtɑ̃pɔrɛ̃, -ɛn] *m/f & adj* contemporary

contenance [kõtnɑ̃s] *f* (*capacité*) capacity; (*attitude*) attitude; ***perdre ~*** lose one's composure; **conteneur** *m* container; ***~ à verre*** *m* bottle bank; **contenir** ⟨2h⟩ contain; *foule* control, restrain; *larmes* hold back; *peine* suppress; ***se ~*** contain o.s., control o.s.

content, ~e [kõtɑ̃, -t] pleased, content (***de*** with); **contentement** *m* contentment; **contenter** ⟨1a⟩ *personne, curiosité* satisfy; ***se ~ de qch*** be content with sth; ***se ~ de faire qch*** be content with doing sth

contentieux [kõtɑ̃sjø] *m* disputes *pl*; *service* legal department

contenu [kõtny] *m* content

conter [kõte] ⟨1a⟩ tell

contestable [kõtɛstabl] *décision* questionable; **contestataire** POL **1** *adj propos* of protest **2** *m/f* protester; **contestation** *f* discussion; (*opposition*) protest; **contester** ⟨1a⟩ challenge

contexte [kõtɛkst] *m* context

contigu, ~ë [kõtigy] adjoining

continent [kõtinɑ̃] *m* continent

contingent [kõtɛ̃ʒɑ̃] *m* (*part*) quota; **contingenter** ⟨1a⟩ apply a quota to

continu, ~e [kõtiny] continous; ÉL *courant* direct; **continuation** *f* continuation; **continuel, ~le** continual; **continuer** ⟨1n⟩ **1** *v/t voyage, travaux* continue (with), carry on with; *rue, ligne* extend **2** *v/i* continue, carry *ou* go on; *de route* extend; ***~ à*** *ou* ***de faire qch*** continue to do sth, carry *ou* go on doing sth; **continuité** *f* continuity; *d'une tradition* continuation

contorsion [kõtɔrsjõ] *f* contorsion

contour [kõtur] *m* contour; *d'une fenêtre, d'un visage* outline; ***~s*** (*courbes*) twists and turns; **contourner** ⟨1a⟩ *obstacle* skirt around; *fig*: *difficulté* get around

contraceptif, -ive [kõtrasɛptif, -iv] contraceptive; **contraception** *f* contraception

contracter [kõtrakte] ⟨1a⟩ *dette* incur; *maladie* contract, incur; *alliance, obligation* enter into; *assurance* take out; *habitude* acquire; **contractuel, ~le** **1** *adj* contractual **2** *m/f* traffic officer, *Br* traffic warden

contradiction [kõtradiksjõ] *f* contradiction; **contradictoire** contradictory

contraindre [kõtrɛ̃dr] ⟨4b⟩: ***~ qn à faire qch*** force *ou* compel s.o. to do sth; **contrainte** *f* constraint; ***agir sous la ~*** act under duress; ***sans ~*** freely, without restraint

contraire [kõtrɛr] **1** *adj sens* opposite; *principes* conflicting; *vent* contrary; ***~ à*** contrary to **2** *m*: ***le ~ de*** the opposite *ou* contrary of; ***au ~*** on the contrary; **contrairement** *adv*: ***~ à*** contrary to; ***~ à toi*** unlike you

contrarier [kõtrarje] ⟨1a⟩ *personne* annoy; *projet, action* thwart; **contrariété** *f* annoyance

contraste [kõtrast] *m* contrast; **contraster** ⟨1a⟩ contrast (***avec*** with)

contrat [kõtra] *m* contract; ***~ de location*** rental agreement

contravention [kõtravɑ̃sjõ] *f* (*infraction*) infringement; (*procès-verbal*) ticket; ***~ pour excès de vitesse*** speeding fine

contre [kõtr] **1** *prép* against; SP *aussi* versus; (*en échange*) (in exchange) for; ***tout ~ qch*** right next to sth; ***joue ~ joue*** cheek to cheek; ***par ~*** on the contrary; ***quelque chose ~ la diarrhée*** something for diarrhea **2** *m*: ***le pour et le ~*** the pros and the cons *pl*

contre-attaque [kõtratak] *f* counterattack

contrebalancer [kõtrəbalɑ̃se] ⟨1k⟩ counterbalance

contrebande [kõtrəbɑ̃d] *f* smuggling; *marchandises* contraband; ***faire la ~ de qch*** smuggle sth; **contrebandier** *m* smuggler

contrebasse [kõtrəbas] *f* double bass

contrecarrer [kõtrəkare] ⟨1a⟩ *projets* thwart

contrecœur [kõtrəkœr]: ***à ~*** unwillingly, reluctantly

contrecoup [kõtrəku] *m* after-effect

contre-courant [kõtrəkurɑ̃] *m*: ***nager à ~*** swim against the current

contredire [kõtrədir] ⟨4m⟩ contradict

contrée [kõtre] *f* country

contre-espionnage [kõtrɛspjɔnaʒ] *m* counterespionage

contrefaçon [kõtrəfasõ] *f action* counterfeiting; *de signature* forging; *objet* fake, counterfeit; **contrefaire** ⟨4n⟩ (*falsifier*) counterfeit; *signature* forge; *personne, gestes* imitate; *voix* disguise; **contrefait**, **~e** (*difforme*) deformed

contre-interrogatoire [kõtrɛ̃terogatwar] *m* cross-examination

contre-jour [kõtrəʒur] PHOT backlighting; ***à ~*** against the light

contremaître [kõtrəmɛtr] *m* foreman

contre-mesure [kõtrəm(ə)zyr] *f* (*pl* contre-mesures) countermeasure

contre-nature [kõtrənatyr] unnatural

contre-offensive [kõtrɔfɑ̃siv] *f* counteroffensive

contrepartie [kõtrəparti] *f* compensation; ***en ~*** in return

contre-pied [kõtrəpje] *m* opposite; ***prendre le ~ d'un avis*** ask for advice and then do the exact opposite

contre-plaqué [kõtrəplake] *m* plywood

contrepoids [kõtrəpwa] *m* counterweight

contre-productif, **-ive** [kõtrəprɔdyktif, -iv] counterproductive

contrer [kõtre] ⟨1b⟩ counter

contresens [kõtrəsɑ̃s] *m* misinterpretation; ***prendre une route à ~*** AUTO go down a road the wrong way

contresigner [kõtrəsiɲe] ⟨1a⟩ countersign

contretemps [kõtrətɑ̃] *m* hitch

contre-terrorisme [kõtrətɛrɔrism] *m* counterterrorism

contrevenir [kõtrəv(ə)nir] ⟨2h⟩ JUR: ***~ à qch*** contravene sth

contribuable [kõtribɥabl] *m* taxpayer; **contribuer** ⟨1n⟩ contribute (***à*** to); ***~ à faire qch*** help to do sth; **contribution** *f* contribution; (*impôt*) tax

contrôle [kõtrol] *m* (*vérification*) check; (*domination*) control; (*maîtrise de soi*) self-control; ***perdre le ~ de son véhicule*** lose control of one's vehicle; ***~ aérien*** air-traffic control; ***~ des bagages*** baggage check; ***~ douanier*** customs inspection; ***~ des naissances*** birth control; ***~ des passeports*** passport control; ***~ qualité*** quality control; ***~ radar*** radar speed check, radar trap; ***~ de soi*** self-control; **contrôler** ⟨1a⟩ *comptes, identité, billets etc* check; (*maîtriser, dominer*) control; ***se ~*** control o.s.; **contrôleur**, **-euse** *m/f* controller; *de train* ticket inspector; ***~ de trafic aérien*** air-traffic controller

controverse [kõtrɔvɛrs] *f* controversy; **controversé**, **~e** controversial

contumace [kõtymas] *f* JUR: ***être condamné par ~*** be sentenced in absentia

contusion [kõtyzjõ] *f* MÉD bruise, contusion

convaincant, **~e** [kõvɛ̃kɑ̃, -t] convincing; **convaincre** ⟨4i⟩ (*persuader*) convince; JUR convict (***de*** of); ***~ qn de faire qch*** persuade s.o. to do sth; **convaincu**, **~e** convinced

convalescence [kõvalesɑ̃s] *f* convalescence; **convalescent**, **~e** *m/f* convalescent

convenable [kõvnabl] suitable, fitting; (*correct*) *personne* respectable, decent; *tenue* proper, suitable; *salaire* adequate; **convenance** *f*: ***les ~s*** the proprieties; ***quelque chose à ma ~*** something to my liking

convenir [kõvnir] ⟨2h⟩: ***~ à qn*** suit s.o.; ***~ à qch*** be suitable for sth; ***~ de qch*** (*décider*) agree on sth;

C

(*avouer*) admit sth; ~ ***que*** (*reconnaître que*) admit that; ***il convient de respecter les lois*** the laws must be obeyed; ***il convient que tu ailles*** (*subj*) ***voir ta grand-mère*** you should go and see your grandmother; ***il a été convenu de …*** it was agreed to …; ***comme convenu*** as agreed
convention [kõvɑ̃sjõ] *f* (*accord*) agreement, convention; POL convention; ***les ~s*** the conventions; ~ ***collective*** collective agreement; **conventionné, ~e**: ***médecin*** *m* ~ *doctor who charges according to a nationally agreed fee structure*; **conventionnel, ~le** conventional
convergence [kõvɛrʒɑ̃s] *f* ÉCON convergence; **converger** ⟨1l⟩ converge (*aussi fig*)
conversation [kõvɛrsasjõ] *f* conversation; ~ ***téléphonique*** telephone conversation, phonecall; **converser** ⟨1a⟩ converse, talk
conversion [kõvɛrsjõ] *f* conversion (*aussi* REL)
convertible [kõvɛrtibl] COMM convertible; **convertir** ⟨2a⟩ convert (***en*** into); REL convert (***à*** to)
conviction [kõviksjõ] *f* conviction
convier [kõvje] ⟨1a⟩ *fml*: ~ ***qn à qch*** invite s.o. to sth; ~ ***qn à faire qch*** urge s.o. to do sth
convive [kõviv] *m/f* guest; **convivial, ~e** convivial, friendly; INFORM user-friendly; **convivialité** *f* conviviality, friendliness; INFORM user-friendliness
convocation [kõvɔkasjõ] *f d'une assemblée* convening; JUR summons *sg*
convoi [kõvwa] *m* convoy
convoiter [kõvwate] ⟨1a⟩ covet; **convoitise** *f* covetousness
convoquer [kõvɔke] ⟨1m⟩ *assemblée* convene; JUR summons; *candidat* notify; *employé, écolier* call in, summon
convoyer [kõvwaje] ⟨1h⟩ MIL escort
convulser [kõvylse] ⟨1a⟩ convulse; **convulsion** *f* convulsion
coopérant [kɔɔperɑ̃] *m* aid worker
coopératif, -ive [kɔɔperatif, -iv] cooperative; **coopération** *f* cooperation; ***être en*** ~ be an aid worker
coopérer [kɔɔpere] ⟨1f⟩ cooperate (***à*** in)
coordinateur, -trice [kɔɔrdinatœr, -tris] *m/f* coordinator; **coordination** *f* coordination
coordonner [kɔɔrdɔne] ⟨1a⟩ coordinate; **coordonnées** *fpl* MATH coordinates; *d'une personne* contact details; ***je n'ai pas pris ses*** ~ I didn't get his address or phone number
copain [kɔpɛ̃] *m* F pal, *Br* mate; ***être*** ~ ***avec*** be pally with
copie [kɔpi] *f* copy; ÉDU paper; ~ ***de sauvegarde*** INFORM back-up (copy); ~ ***sur papier*** hard copy
copier [kɔpje] ⟨1a⟩ **1** *v/t* copy **2** *v/i* ÉDU copy (***sur qn*** from s.o.); **copieur, -euse** *m/f* copier, copy cat F
copieux, -euse [kɔpjø, -z] copious
copilote [kɔpilɔt] *m* co-pilot
copinage [kɔpinaʒ] *m* cronyism
copine [kɔpin] *f* F pal, *Br* mate
coproduction [kɔprɔdyksjõ] *f d'un film* coproduction
copropriétaire [kɔprɔprijetɛr] *m/f* co-owner; **copropriété** *f* joint ownership; ***un immeuble en*** ~ a condo
copyright [kɔpirajt] *m* copyright
coq [kɔk] *m* rooster, *Br* cock
coque [kɔk] *f d'œuf, de noix* shell; MAR hull; AVIAT fuselage; ***œuf*** *m* ***à la*** ~ soft-boiled egg
coquelicot [kɔkliko] *m* BOT poppy
coqueluche [kɔklyʃ] *f* whooping cough
coquet, ~te [kɔkɛ, -t] flirtatious; (*joli*) charming; (*élégant*) stylish; ***une somme ~te*** a tidy amount
coquetier [kɔktje] *m* eggcup
coquetterie [kɔkɛtri] *f* flirtatiousness; (*élégance*) stylishness
coquillage [kɔkijaʒ] *m* shell; ***des ~s*** shellfish *sg*
coquille [kɔkij] *f d'escargot, d'œuf, de noix etc* shell; *erreur* misprint, typo; ~ ***Saint-Jacques*** CUIS scallop
coquin, ~e [kɔkɛ̃, -in] **1** *adj enfant* naughty **2** *m/f* rascal
cor [kɔr] *m* MUS horn; MÉD corn
corail [kɔraj] *m* (*pl* coraux) coral

Coran [kɔrɑ̃]: ***le ~*** the Koran
corbeau [kɔrbo] *m* (*pl* -x) ZO crow
corbeille [kɔrbɛj] *f* basket; *au théâtre* circle; ***~ à papier*** wastebasket, *Br* wastepaper basket
corbillard [kɔrbijar] *m* hearse
corde [kɔrd] *f* rope; MUS, *de tennis* string; ***~ raide*** high wire; ***~s*** MUS strings; ***~s vocales*** vocal cords; **cordée** *f en alpinisme* rope
cordial, **~e** [kɔrdjal] (*mpl* -iaux) cordial; **cordialité** *f* cordiality
cordon [kɔrdõ] *m* cord; ***~ littoral*** offshore sand bar; ***~ ombilical*** umbilical cord; **cordon-bleu** *m* (*pl* cordons-bleus) cordon bleu chef
cordonnier [kɔrdɔnje] *m* shoe repairer, *Br aussi* cobbler
Corée [kɔre]: ***la ~*** Korea; **coréen**, **~ne** **1** *adj* Korean **2** *m langue* Korean **3** *m/f* **Coréen**, **~ne** Korean
coriace [kɔrjas] tough (*aussi fig*); ***être ~ en affaires*** be a hard-headed businessman
corne [kɔrn] *f* horn; ***avoir des ~s*** *fig* be a cuckold; **cornée** *f* cornea
corneille [kɔrnɛj] *f* crow
cornemuse [kɔrnəmyz] *f* bagpipes *pl*
corner [kɔrnɛr] *m en football* corner
cornet [kɔrnɛ] *m sachet* (paper) cone; MUS cornet
corniche [kɔrniʃ] *f* corniche; ARCH cornice
cornichon [kɔrniʃõ] *m* gherkin
corniste [kɔrnist] *m* MUS horn player
coronaire [kɔrɔnɛr] coronary
coroner [kɔrɔnɛr] *m* coroner
corporation [kɔrpɔrasjõ] *f* body; HIST guild
corporel, **~le** [kɔrpɔrɛl] *hygiène* personal; *châtiment* corporal; *art* body *atr*; ***odeur ~le*** BO, body odor *or Br* odour
corps [kɔr] *m* body; *mort* (dead) body, corpse; MIL corps; ***prendre ~*** take shape; ***le ~ diplomatique*** the diplomatic corps; ***le ~ électoral*** the electorate; ***~ étranger*** foreign body; ***~ expéditionnaire*** task force; ***~ médical*** medical profession
corpulence [kɔrpylɑ̃s] *f* stoutness, corpulence; **corpulent**, **~e** stout, corpulent
correct, **~e** [kɔrɛkt] correct; *personne* correct, proper; *tenue* right, suitable; F (*convenable*) acceptable, ok F
correcteur [kɔrɛktœr] *m*: ***~ orthographique*** spellchecker
correction [kɔrɛksjõ] *f qualité* correctness; (*modification*) correction; (*punition*) beating
corrélation [kɔrelasjõ] *f* correlation
correspondance [kɔrɛspõdɑ̃s] *f* correspondence; *de train etc* connection; **correspondant**, **~e** **1** *adj* corresponding **2** *m/f* correspondent
correspondre [kɔrɛspõdr] ⟨4a⟩ *de choses* correspond; *de salles* communicate; *par courrier* correspond (***avec*** with); ***~ à*** *réalité* correspond with; *preuves* tally with; *idées* fit in with
corridor [kɔridɔr] *m* corridor
corriger [kɔriʒe] ⟨1l⟩ correct; *épreuve* proof-read; (*battre*) beat; ***~ le tir*** adjust one's aim
corroborer [kɔrɔbɔre] ⟨1a⟩ corroborate
corroder [kɔrɔde] ⟨1a⟩ corrode
corrompre [kɔrõpr] ⟨4a⟩ (*avilir*) corrupt; (*soudoyer*) bribe; **corrompu**, **~e** **1** *p/p* → ***corrompre*** **2** *adj* corrupt
corrosif, **-ive** [kɔrozif, -iv] **1** *adj* corrosive; *fig* caustic **2** *m* corrosive; **corrosion** *f* corrosion
corruption [kɔrypsjõ] *f* corruption; (*pot-de-vin*) bribery
corsage [kɔrsaʒ] *m* blouse
corse [kɔrs] **1** *adj* Corsican **2** *m/f* **Corse** Corsican **3** *f* **la Corse** Corsica
corsé, **~e** [kɔrse] *vin* full-bodied; *sauce* spicy; *café* strong; *facture* stiff; *problème* tough
corset [kɔrsɛ] *m* corset
cortège [kɔrtɛʒ] *m* cortège; (*défilé*) procession; ***~ funèbre*** funeral cortège; ***~ nuptial*** bridal procession
cortisone [kɔrtizɔn] *f* PHARM cortisone
corvée [kɔrve] *f* chore; MIL fatigue
cosmétique [kɔsmetik] *m & adj* cos-

metic
cosmique [kɔsmik] cosmic
cosmonaute [kɔsmonot] *m/f* cosmonaut
cosmopolite [kɔsmɔpɔlit] cosmopolitan
cosmos [kɔsmɔs] *m* cosmos
cosse [kɔs] *f* BOT pod
cossu, **~e** [kɔsy] *personne* well-off; *château* opulent
costaud [kɔsto] (*f inv*) F sturdy
costume [kɔstym] *m* costume; *pour homme* suit; **costumer** ⟨1a⟩: ***se ~*** get dressed up (***comme*** as)
cote [kɔt] *f en Bourse* quotation; *d'un livre, document* identification code; ***avoir la ~*** *fig* F be popular; ***~ de popularité*** POL popularity (rating)
côte [kot] *f* ANAT rib; (*pente*) slope; *à la mer* coast; *viande* chop; ***~ à ~*** side by side
Côte d'Azur [kotdazyr] French Riviera
Côte-d'Ivoire [kotdivwar]: ***la ~*** the Ivory Coast
côté [kote] *m* side; ***à ~*** (*près*) nearby; ***à ~ de l'église*** next to the church, beside the church; ***de ~*** aside; ***de l'autre ~ de la rue*** on the other side of the street; ***du ~ de*** in the direction of; ***sur le ~*** on one's / its side; ***laisser de ~*** leave aside; ***mettre de ~*** put aside; ***de tous ~s*** from all sides
coteau [kɔto] *m* (*pl* -x) (*colline*) hill; (*pente*) slope
côtelette [kotlɛt] *f* CUIS cutlet
coter [kɔte] ⟨1a⟩ *en Bourse* quote; ***valeurs cotées en Bourse*** listed *ou* quoted stocks
côtier, **-ère** [kotje, -ɛr] coastal
cotisation [kɔtizasjõ] *f* contribution; *à une organisation* subscription; **cotiser** ⟨1a⟩ contribute; *à une organisation* subscribe
coton [kɔtõ] *m* cotton; ***~ hydrophile*** absorbent cotton, *Br* cotton wool
côtoyer [kotwaje] ⟨1h⟩: ***~ qn*** rub shoulders with s.o.; ***~ qch*** border sth; *fig* be verging on sth
cottage [kotaʒ] *m* cottage
cou [ku] *m* (*pl* -s) neck
couchage [kuʃaʒ] *m*: ***sac m de ~*** sleeping bag; **couchant 1** *m* west **2** *adj*: ***soleil m ~*** setting sun
couche [kuʃ] *f* layer; *de peinture aussi* coat; *de bébé* diaper, *Br* nappy; ***fausse ~*** MÉD miscarriage; ***~ d'ozone*** ozone layer; ***~s sociales*** social strata *pl*
couché, **~e** [kuʃe] lying down; (*au lit*) in bed; **coucher** ⟨1a⟩ **1** *v/t* (*mettre au lit*) put to bed; (*héberger*) put up; (*étendre*) put *ou* lay down **2** *v/i* sleep; ***~ avec qn*** F sleep with s.o., go to bed with s.o.; ***se ~*** go to bed; (*s'étendre*) lie down; *du soleil* set, go down **3** *m*: ***~ du soleil*** sunset
couchette [kuʃɛt] *f* couchette
coucou [kuku] **1** *m* cuckoo; (*pendule*) cuckoo clock **2** *int*: ***~!*** hi!
coude [kud] *m* ANAT elbow; *d'une route* turn; ***jouer des ~s*** elbow one's way through; *fig* hustle
cou-de-pied [kudpje] *m* (*pl* cous-de--pied) instep
coudre [kudr] ⟨4d⟩ sew; *bouton* sew on; *plaie* sew up
couenne [kwan] *f* rind
couette [kwɛt] *f* comforter, *Br* quilt
couffin [kufɛ̃] *m* basket
couilles [kuj] *fpl* V balls V
couillon [kujõ] *m* F jerk F
couinement [kwinmã] *m* squeak
coulant, **~e** [kulã, -t] *style* flowing; *fig* easy-going; **couler** ⟨1a⟩ **1** *v/i* flow, run; *d'eau de bain* run; *d'un bateau* sink; ***l'argent lui coule entre les doigts*** money slips through his fingers **2** *v/t liquide* pour; (*mouler*) cast; *bateau* sink
couleur [kulœr] *f* color, *Br* colour
couleuvre [kulœvr] *f* grass snake
coulisse [kulis] *f* TECH runner; ***à ~*** sliding; ***~s*** *d'un théâtre* wings; ***dans les ~s*** *fig* behind the scenes
couloir [kulwar] *m d'une maison* passage, corridor; *d'un bus, avion, train* aisle; ***place f côté ~*** aisle seat
coup [ku] *m* blow; *dans jeu* move; ***à ~s de marteau*** using a hammer; ***boire qch à petits ~s*** sip sth; ***boire un ~*** F have a drink; ***~ droit*** TENNIS fore-

hand; ~ ***franc*** SP free kick; ~ ***monté*** frame-up; ***à ~ sûr*** certainly; ***du ~*** and so; ***du même ~*** at the same time; ***d'un seul ~*** *tout d'un coup* all at once; ***pour le ~*** as a result; *cette fois* this time; ***après ~*** after the event; ***tout d'un ~, tout à ~*** suddenly, all at once; ***~ sur ~ coup*** in quick succession; ***être dans le ~*** be with it; *être impliqué* be involved; ***tenir le ~*** stick it out, hang on in there; **coup d'État** coup (d'état); **coup de balai** *fig*: ***donner un ~ dans le couloir*** give the passage a sweep; ***donner un ~*** *fig* have a shake-up; **coup de chance** stroke of luck; **coup de couteau** stab; ***il a reçu trois coups de couteau*** he was stabbed three times; **coup d'envoi** kickoff; **coup de feu** shot; **coup de foudre**: ***ce fut le ~*** it was love at first sight; **coup de main**: ***donner un ~ à qn*** give s.o. a hand; **coup de maître** master stroke; **coup d'œil**: ***au premier ~*** at first glance; **coup de pied** kick; **coup de poing** punch; ***donner un ~ à*** punch; **coup de pub** F plug; **coup de téléphone** (phone) call; **coup de tête** whim; **coup de tonnerre** clap of thunder; **coup de vent** gust of wind; **coup de soleil**: ***avoir un ~*** have sun stroke

coupable [kupabl] **1** *adj* guilty **2** *m/f* culprit, guilty party; ***le / la ~*** JUR the guilty man / woman, the guilty party

coupe[1] [kup] *f de cheveux, d'une robe* cut

coupe[2] [kup] *f (verre)* glass; SP cup; *de fruits, glace* dish

coupe-circuit [kupsirkɥi] *m (pl inv)* ÉL circuit breaker

coupe-ongles [kupõgl] *m (pl inv)* nail clippers *pl*

couper [kupe] ⟨1a⟩ **1** *v/t* cut; *morceau, eau* cut off; *viande* cut (up); *robe, chemise* cut out; *vin* dilute; *animal* castrate **2** *v/i* cut; ***se ~*** cut o.s.; *(se trahir)* give o.s. away; ***~ court à qch*** put a stop to sth; ***~ la parole à qn*** interrupt s.o.; ***~ par le champ*** cut across the field

couplage [kuplaʒ] *m* TECH coupling

couple [kupl] *m* couple; **coupler** ⟨1a⟩ couple

couplet [kuplɛ] *m* verse

coupole [kupɔl] *f* ARCH cupola

coupon [kupõ] *m de tissu* remnant; COMM coupon; *(ticket)* ticket

coupure [kupyr] *f blessure, dans un film, dans un texte* cut; *de journal* cutting, clipping; *(billet de banque)* bill, *Br* note; ***~ de courant*** power outage, *Br* power cut

cour [kur] *f* court; ARCH courtyard; ***faire la ~ à qn*** court s.o.; ***Cour internationale de justice*** International Court of Justice

courage [kuraʒ] *m* courage, bravery; **courageux, -euse** brave, courageous

couramment [kuramɑ̃] *adv parler, lire* fluently

courant, ~e [kurɑ̃, -t] **1** *adj* current; *eau* running; *langage* everyday **2** *m* current *(aussi* ÉL*)*; ***~ d'air*** draft, *Br* draught; ***être au ~ de qch*** know about sth; ***tiens-moi au ~*** keep me informed *ou* posted; ***~ alternatif*** alternating current; ***~ continu*** direct current

courbature [kurbatyr] *f* stiffness; ***avoir des ~s*** be stiff

courbe [kurb] **1** *adj* curved **2** *f* curve, bend; GÉOM curve; **courber** ⟨1a⟩ bend; ***se ~*** *(se baisser)* stoop, bend down; **courbure** *f* curvature

coureur [kurœr] *m* runner; *péj* skirt-chaser; ***~ de jupons*** womanizer

courge [kurʒ] *f* BOT squash, *Br* marrow

courgette [kurʒɛt] *f* BOT zucchini, *Br* courgette

courir [kurir] ⟨2i⟩ **1** *v/i* run *(aussi d'eau)*; *d'un bruit* go around; ***monter / descendre en courant*** run up / down **2** *v/t*: ***~ les magasins*** go around the stores; ***~ les femmes*** run after *ou* chase women; ***~ un risque / ~ un danger*** run a risk / a danger

couronne [kurɔn] *f* crown; *de fleurs* wreath; **couronné, ~e** crowned (***de***

with); **couronnement** *m* coronation; **couronner** ⟨1a⟩ crown; *fig: auteur, livre* award a prize to; ***vos efforts seront couronnés de succès*** your efforts will be crowned with success

courrier [kurje] *m* mail, *Br aussi* post; (*messager*) courier; ***par retour de ~*** by return of mail, *Br* by return of post; ***le ~ des lecteurs*** readers' letters; ***~ électronique*** electronic mail, e-mail

courroie [kurwa] *f* belt

cours [kur] *m d'un astre, d'une rivière* course (*aussi temporel*); ÉCON price; *de devises* rate; ÉDU course; (*leçon*) lesson; *à l'université* class, *Br aussi* lecture; ***au ~ de*** in the course of; ***donner libre ~ à qch*** give free rein to sth; ***donner des ~*** ÉDU lecture; ***en ~ de route*** on the way; ***~ du change*** exchange rate; ***~ d'eau*** waterway; ***~ du soir*** ÉDU evening class

course [kurs] *f à pied* running; SP race; *en taxi* ride; (*commission*) errand; ***~s*** (*achats*) shopping *sg*; ***faire des ~s*** go shopping; ***la ~ aux armements*** the arms race; **coursier** *m* messenger; *à moto* biker, courrier

court[1] [kur] *m* (*aussi* ***~ de tennis***) (tennis) court

court[2], **~e** [kur, -t] short; ***à ~ de*** short of

courtage [kurtaʒ] *m* brokerage

court-circuit [kursirkɥi] *m* (*pl* courts-circuits) ÉL short circuit

courtier [kurtje] *m* broker

courtisane [kurtizan] *f* courtesan; **courtiser** *femme* court, woo

courtois, **~e** [kurtwa, -z] courteous; **courtoisie** *f* courtesy

couru, **~e** [kury] *p/p* **1** → ***courir*** **2** *adj* popular

couscous [kuskus] *m* CUIS couscous

cousin, **~e** [kuzɛ̃, -in] *m/f* cousin

coussin [kusɛ̃] *m* cushion

coussinet [kusinɛ] *m* small cushion; TECH bearing

coût [ku] *m* cost; ***~s de production*** production costs; **coûtant** [kutɑ̃]: ***au prix ~*** at cost (price)

couteau [kuto] *m* (*pl* -x) knife; ***~ de poche*** pocket knife

coûter ⟨1a⟩ **1** *v/t* cost; ***combien ça coûte?*** how much is it?, what does it *ou* how much does it cost?; ***cette décision lui a coûté beaucoup*** it was a very difficult decision for him; ***coûte que coûte*** at all costs; ***~ les yeux de la tête*** cost a fortune, cost an arm and a leg **2** *v/i* cost; ***~ cher*** be expensive; ***~ cher à qn*** *fig* cost s.o. dear

coûteux, **-euse** expensive, costly

coutume [kutym] *f* custom; ***avoir ~ de faire qch*** be in the habit of doing sth

couture [kutyr] *f activité* sewing; *d'un vêtement, bas etc* seam; ***haute ~*** fashion, haute couture; ***battre à plates ~s*** take apart; **couturier** *m* dress designer, couturier; **couturière** *f* dressmaker

couvée [kuve] clutch; *fig* brood

couvent [kuvɑ̃] *m* convent

couver [kuve] ⟨1a⟩ **1** *v/t* hatch; *fig: projet* hatch; *personne* pamper; ***~ une grippe*** be coming down with flu **2** *v/i d'un feu* smolder, *Br* smoulder; *d'une révolution* be brewing

couvercle [kuvɛrkl] *m* cover

couvert, **~e** [kuvɛr, -t] **1** *p/p* → ***couvrir*** **2** *adj ciel* overcast; ***~ de*** covered with *ou* in; ***être bien ~*** be warmly dressed **3** *m à table* place setting; ***~s*** flatware *sg*, *Br* cutlery *sg*; ***mettre le ~*** set the table; ***sous le ~ de faire qch*** *fig* on the pretext of doing sth; ***se mettre à ~ de l'orage*** take shelter from the storm

couverture [kuvɛrtyr] *f* cover; *sur un lit* blanket; ***~ chauffante*** electric blanket; ***~ médiatique*** media coverage

couveuse [kuvøz] *f* broody hen; MÉD incubator

couvre-feu [kuvrəfø] *m* (*pl* couvre-feux) curfew; **couvre-lit** *m* (*pl* couvre-lits) bedspread

couvreur [kuvrœr] *m* roofer

couvrir [kuvrir] ⟨2f⟩ cover (***de*** with *ou*

in); ~ ***qn*** *fig* (*protéger*) cover (up) for s.o.; ***se*** ~ (*s'habiller*) cover o.s. up; *du ciel* cloud over

CPAM [sepeaɛm] *f abr* (= ***Caisse primaire d'assurance maladie***) local health authority

cow-boy [kobɔj] *m* cowboy

crabe [krab] *m* crab

crachat [kraʃa] *m* spit; MÉD sputum; ***un*** ~ a gob (of spit)

cracher [kraʃe] ⟨1a⟩ **1** *v/i* spit **2** *v/t* spit; *injures* spit, hurl; F *argent* cough up F

crachin [kraʃɛ̃] *m* drizzle

crack [krak] *m* F genius; *drogue* crack

craie [krɛ] *f* chalk

craindre [krɛ̃dr] ⟨4b⟩ (*avoir peur de*) fear, be frightened of; ***cette matière craint la chaleur*** this material must be kept away from heat; ***craint la chaleur*** COMM keep cool; ~ ***de faire qch*** be afraid of doing sth; ~ ***que*** (***ne***) (+ *subj*) be afraid that

crainte [krɛ̃t] *f* fear; ***de*** ~ ***de*** for fear of

craintif, **-ive** [krɛ̃tif, -iv] timid

cramoisi, **~e** [kramwazi] crimson

crampe [krɑ̃p] *f* MÉD cramp; ***avoir des ~s d'estomac*** have cramps, *Br* have stomach cramps

crampon [krɑ̃põ] *m d'alpinisme* crampon; **cramponner** ⟨1a⟩: ***se*** ~ hold on (***à*** to)

cran [krɑ̃] *m* notch; ***il a du*** ~ F he's got guts F

crâne [krɑn] *m* skull; **crâner** F (*pavaner*) show off; **crâneur**, **-euse** big--headed

crapaud [krapo] *m* ZO toad

crapule [krapyl] *f* villain

craquelé, **~e** [krakle] cracked; **craquelure** *f* crack; **craquement** *m* crackle; **craquer** ⟨1m⟩ crack; *d'un parquet* creak; *de feuilles* crackle; *d'une couture* give way, split; *fig*: *d'une personne* (*s'effondrer*) crack up; ***plein à*** ~ full to bursting

crasse [kras] **1** *adj ignorance* crass **2** *f* dirt; **crasseux**, **-euse** filthy

cratère [kratɛr] *m* crater

cravache [kravaʃ] *f* whip

cravate [kravat] *f* necktie, *Br* tie

crawl [krol] *m* crawl

crayon [krɛjõ] *m* pencil; ~ ***à bille*** ballpoint pen; ~ ***de couleur*** crayon; ~ ***feutre*** felt-tipped pen, felt-tip

créance [kreɑ̃s] *f* COMM debt; **créancier**, **-ère** *m/f* creditor

créateur, **-trice** [kreatœr, -tris] **1** *adj* creative **2** *m/f* creator; *de produit* designer; **créatif**, **-ive** creative; **création** *f* creation; *de mode, design* design; **créativité** *f* creativity

créature [kreatyr] *f* creature

crèche [krɛʃ] *f* day nursery; *de Noël* crèche, *Br* crib

crédibilité [kredibilite] *f* credibility; **crédible** credible

crédit [kredi] *m* credit; (*prêt*) loan; (*influence*) influence; ***acheter à*** ~ buy on credit; ***faire*** ~ ***à qn*** give s.o. credit; ***il faut bien dire à son*** ~ ***que*** *fig* it has to be said to his credit that; **crédit-bail** *m* leasing; **créditer** ⟨1a⟩ credit (***de*** with); **créditeur**, **-trice** **1** *m/f* creditor **2** *adj solde* credit *atr*; ***être*** ~ be in credit

crédule [kredyl] credulous; **crédulité** *f* credulity

créer [kree] ⟨1a⟩ create; *institution* set up; COMM *produit nouveau* design

crémaillère [kremajɛr] *f*: ***pendre la*** ~ *fig* have a housewarming party

crémation [kremasjõ] *f* cremation

crématorium [krematɔrjɔm] *m* crematorium

crème [krɛm] **1** *f* cream; ~ ***anglaise*** custard; ~ ***dépilatoire*** hair remover; ~ ***fouettée*** *ou* ***Chantilly*** whipped cream; ~ ***glacée*** CUIS ice cream; ~ ***de nuit*** night cream; ~ ***pâtissière*** pastry cream; ~ ***solaire*** suntan cream **2** *m* coffee with milk, *Br* white coffee **2** *adj inv* cream; **crémerie** *f* dairy; **crémeux**, **-euse** creamy

créneau [kreno] *m* (*pl* -x) AUTO space; COMM niche; ***faire un*** ~ reverse into a tight space

crêpe [krɛp] **1** *m tissu* crêpe; ***semelle f de*** ~ crêpe sole **2** *f* CUIS pancake, crêpe

crêper [krɛpe] ⟨1b⟩ *cheveux* backcomb

C

crépi [krepi] *m* roughcast; **crépir** ⟨2a⟩ roughcast
crépiter [krepite] ⟨1a⟩ crackle
crépu, **~e** [krepy] frizzy
crépuscule [krepyskyl] *m* twilight
cresson [kresõ *ou* krəsõ] *m* BOT cress
Crète [krɛt]: ***la ~*** Crete
crête [krɛt] *f* crest; *d'un coq* comb
crétin, **~e** [kretɛ̃, -in] **1** *adj* idiotic, cretinous **2** *m/f* idiot, cretin
crétois, **~e** [kretwa, -z] **1** *adj* Cretan **2** *m/f* **Crétois**, **~e** Cretan
creuser [krøze] ⟨1a⟩ (*rendre creux*) hollow out; *trou* dig; *fig* look into; ***ça creuse*** it gives you an appetite; ***se ~ la tête*** rack one's brains
creuset [krøzɛ] *m* TECH crucible; *fig* melting pot
creux, **-euse** [krø, -z] **1** *adj* hollow; ***assiette*** *f* ***creuse*** soup plate; ***heures*** *fpl* ***creuses*** off-peak hours **2** *adv*: ***sonner ~*** ring hollow **3** *m* hollow; ***le ~ de la main*** the hollow of one's hand
crevaison [krəvɛzõ] *f* flat, *Br* puncture
crevant, **~e** [krəvɑ̃, -t] F (*épuisant*) exhausting; (*drôle*) hilarious
crevasse [krəvas] *f de la peau, du sol* crack; GÉOL crevasse; **crevasser** ⟨1a⟩ *peau, sol* crack; ***des mains crevassées*** chapped hands; ***se ~*** crack
crever [krəve] ⟨1d⟩ **1** *v/t ballon* burst; *pneu* puncture **2** *v/i* burst; F (*mourir*) kick the bucket F; F AUTO have a flat, *Br* have a puncture; ***je crève de faim*** F I'm starving; ***~ d'envie de faire qch*** be dying to do sth
crevette [krəvɛt] *f* shrimp
cri [kri] *m* shout, cry; ***c'est le dernier ~*** *fig* it's all the rage
criant, **~e** [krijɑ̃, -t] *injustice* flagrant; *mensonge* blatant; **criard**, **~e** *voix* shrill; *couleur* gaudy, garish
crible [kribl] *m* sieve; **cribler** ⟨1a⟩ sieve; ***criblé de*** *fig* riddled with
cric [krik] *m* jack
criée [krije] *f*: ***vente*** *f* ***à la ~*** sale by auction; **crier** ⟨1a⟩ **1** *v/i* shout; *d'une porte* squeak; ***~ au scandale*** protest **2** *v/t* shout, call; ***~ vengeance*** call for revenge; ***~ qch sur les toits*** shout sth from the rooftops
crime [krim] *m* crime; (*assassinat*) murder; ***~ organisé*** organized crime; **criminalité** *f* crime; ***~ informatique*** computer crime; **criminel**, **~le** **1** *adj* criminal **2** *m/f* criminal; (*assassin*) murderer
crin [krɛ̃] *m* horsehair
crinière [krinjɛr] *f* mane
crique [krik] *f* creek
criquet [krikɛ] *m* ZO cricket
crise [kriz] *f* crisis; MÉD attack; ***~ cardiaque*** heart attack; ***avoir une ~ de nerfs*** have hysterics
crisper [krispe] ⟨1a⟩ *muscles* tense; *visage* contort; *fig* F irritate; ***se ~*** go tense, tense up
crisser [krise] ⟨1a⟩ squeak
cristal [kristal] *m* (*pl* -aux) crystal; ***~ de roche*** rock crystal; **cristallin**, **~e** *eau* crystal clear; *son, voix* clear; **cristalliser** ⟨1a⟩: ***se ~*** crystallize
critère [kritɛr] *m* criterion; ***~s*** criteria
critique [kritik] **1** *adj* critical **2** *m* critic **3** *f* criticism; *d'un film, livre, pièce* review; **critiquer** ⟨1m⟩ criticize; (*analyser*) look at critically
croasser [krɔase] ⟨1a⟩ crow
croc [kro] *m* (*dent*) fang; *de boucherie* hook
croche-pied [krɔʃpje] *m* (*pl* croche-pieds): ***faire un ~ à qn*** trip s.o. up
crochet [krɔʃɛ] *m* hook; *pour l'ouvrage* crochet hook; *ouvrage* crochet; *d'une route* sharp turn; ***~s*** *en typographie* square brackets; ***faire du ~*** (do) crochet; ***faire un ~*** *d'une route* bend sharply; *d'une personne* make a detour; **crochu**, **~e** *nez* hooked
crocodile [krɔkɔdil] *m* crocodile
crocus [krɔkys] *m* crocus
croire [krwar] ⟨4v⟩ **1** *v/t* believe; (*penser*) think; ***~ qch de qn*** believe sth about s.o.; ***je vous crois sur parole*** I'll take your word for it; ***on le croyait médecin*** people thought he was a doctor; ***à l'en ~*** if you believed him / her; ***à en ~ les journaux*** judging by the newspapers **2** *v/i*: ***~ à qch*** believe in sth; ***~ en***

qn believe in s.o.; ***~ en Dieu*** believe in God **3**: ***il se croit intelligent*** he thinks he's intelligent

croisade [krwazad] *f* crusade (*aussi fig*)

croisé, **~e** [krwɑze] **1** *adj veston* double-breasted **2** *m* crusader; **croisement** *m action* crossing (*aussi* BIOL); *animal* cross; **croiser** ⟨1a⟩ **1** *v/t* cross (*aussi* BIOL); ***~ qn dans la rue*** pass s.o. in the street **2** *v/i* MAR cruise; ***se ~*** *de routes* cross; *de personnes* meet; ***leurs regards se croisèrent*** their eyes met; **croiseur** *m* MAR cruiser; **croisière** *f* MAR cruise

croissance [krwasɑ̃s] *f* growth; ***~ zéro*** zero growth; **croissant** *m de lune* crescent; CUIS croissant

croître [krwɑtr] ⟨4w⟩ grow

croix [krwa] *f* cross; ***la Croix-Rouge*** the Red Cross; ***mettre une ~ sur qch*** *fig* give sth up; ***chemin*** *m* ***de ~*** way of the cross

croquant, **~e** [krɔkɑ̃, -t] crisp, crunchy

croque-monsieur [krɔkməsjø] *m* (*pl inv*) CUIS sandwich of ham and melted cheese

croque-mort [krɔkmɔr] *m* F (*pl* croque-morts) mortician, *Br* undertaker

croquer [krɔke] ⟨1m⟩ **1** *v/t* crunch; (*dessiner*) sketch **2** *v/i* be crunchy

croquis [krɔki] *m* sketch

crosse [krɔs] *f d'un évêque* crosier; *d'un fusil* butt

crotte [krɔt] *f* droppings *pl*; **crottin** *m* road apples *pl*, *Br* dung

croulant, **~e** [krulɑ̃, -t] **1** *adj* crumbling, falling to bits **2** *m/f* F oldie F; **crouler** ⟨1a⟩ (*s'écrouler*) collapse (*aussi fig*)

croupe [krup] *f* rump

croupir [krupir] ⟨2a⟩ *d'eau* stagnate (*aussi fig*)

croustillant, **~e** [krustijɑ̃, -t] crusty

croûte [krut] *f de pain* crust; *de fromage* rind; MÉD scab; **croûter** ⟨1a⟩ F eat; **croûton** *m* crouton

croyable [krwajabl] believable; **croyance** *f* belief; **croyant**, **~e** *m/f* REL believer

CRS [seɛrɛs] *abr* (= ***compagnie républicaine de sécurité***): ***les ~*** *mpl* the riot police; ***un ~*** a riot policeman

cru, **~e** [kry] **1** *p/p* → ***croire*** **2** *adj légumes* raw; *lumière*, *verité* harsh; *paroles* blunt **3** *m* (*domaine*) vineyard; *de vin* wine; ***de mon ~*** *fig* of my own (devising)

cruauté [kryote] *f* cruelty

cruche [kryʃ] *f* pitcher

crucial, **~e** [krysjal] (*mpl* -aux) crucial

crucifiement [krysifimɑ̃] *m* crucifixion; **crucifier** ⟨1a⟩ crucify; **crucifix** *m* crucifix; **crucifixion** *f* crucifixion

crudité [krydite] *f* crudeness; *de paroles* bluntness; *de lumière* harshness; *de couleur* gaudiness, garishness; ***~s*** CUIS raw vegetables

crue [kry] *f* flood; ***être en ~*** be in spate

cruel, **~le** [kryɛl] cruel

crûment [krymɑ̃] *adv parler* bluntly; *éclairer* harshly

crustacés [krystase] *mpl* shellfish *pl*

crypte [kript] *f* crypt

Cuba [kyba] *f* Cuba

cubage [kybaʒ] *m* (*volume*) cubic capacity

cubain, **~e** **1** *adj* Cuban; **2** *m/f* **Cubain**, **~e** Cuban

cube [kyb] MATH **1** *m* cube **2** *adj* cubic; **cubique** cubic; **cubisme** *m* cubism; **cubiste** *m* cubiste

cueillette [kœjɛt] *f* picking; **cueillir** ⟨2c⟩ pick

cuiller, **cuillère** [kɥijɛr] *f* spoon; ***~ à soupe*** soupspoon; ***~ à café*** coffee spoon; **cuillerée** *f* spoonful

cuir [kɥir] *m* leather; ***~ chevelu*** scalp

cuirasse [kɥiras] *f* armor, *Br* armour; **cuirasser** ⟨1a⟩ *navire* armorplate, *Br* armourplate

cuire [kɥir] ⟨4c⟩ cook; *au four* bake; *rôti* roast; ***faire ~ qch*** cook sth

cuisine [kɥizin] *f* cooking; *pièce* kitchen; ***faire la ~*** do the cooking; ***la ~ italienne*** Italian cooking *ou* cuisine *ou* food

cuisiné [kɥizine]: ***plat*** *m* ***~*** ready-to-

eat meal; **cuisiner** ⟨1a⟩ cook; **cuisinier** *m* cook; **cuisinière** *f* cook; (*fourneau*) stove; ~ ***à gaz*** gas stove
cuisse [kɥis] *f* ANAT thigh; CUIS *de poulet* leg
cuisson [kɥisõ] *f* cooking; *du pain* baking; *d'un rôti* roasting
cuit, **~e** [kɥi, -t] **1** *p/p* → ***cuire*** **2** *adj légumes* cooked, done; *rôti, pain* done; ***pas assez*** ~ underdone; ***trop*** ~ overdone
cuivre [kɥivr] *m* copper; ~ ***jaune*** brass; **~s** brasses
cul [ky] *m* P ass P, *Br* arse P
culasse [kylas] *d'un moteur* cylinder head
culbute [kylbyt] *f* somersault; (*chute*) fall; ***faire la*** ~ do a somersault; (*tomber*) fall
culbuteur [kylbytœr] *m* tumbler
cul-de-sac [kydsak] *m* (*pl* culs-de--sac) blind alley; *fig* dead end
culinaire [kylinɛr] culinary
culminant [kylminɑ̃]: ***point*** *m* ~ *d'une montagne* highest peak; *fig* peak; **culminer** ⟨1a⟩ *fig* peak, reach its peak; ~ ***à 5 000 mètres*** be 5,000 metres high at its highest point
culot [kylo] *m* F nerve, *Br* cheek
culotte [kylɔt] *f* short pants *pl*, *Br* short trousers *pl*; *de femme* panties *pl*, *Br aussi* knickers *pl*; **culotté**, **~e** F: ***être*** ~ be nervy, *Br* have the cheek of the devil
culpabilité [kylpabilite] *f* guilt
culte [kylt] *m* (*vénération*) worship; (*religion*) religion; (*service*) church service; *fig* cult
cultivable [kyltivabl] AGR suitable for cultivation; **cultivateur**, **-trice** *m/f* farmer; **cultivé**, **~e** cultivated (*aussi fig*); **cultiver** ⟨1a⟩ AGR *terre* cultivate (*aussi fig*); *légumes, tabac* grow; ***se*** ~ improve one's mind
culture [kyltyr] *f* culture; AGR *action* cultivation; *de légumes, fruits etc* growing; ~ ***générale*** general knowledge; ~ ***physique*** physical training; ~ ***de la vigne*** wine-growing; **culturel**, **~le** cultural; ***choc*** *m* ~ culture shock
culturisme [kyltyrism] *m* body building
cumin [kymɛ̃] *m* BOT cumin
cumulatif, **-ive** [kymylatif, -iv] cumulative; **cumuler** ⟨1a⟩: ~ ***des fonctions*** hold more than one position; ~ ***deux salaires*** have two salaries (coming in)
cupide [kypid] *adj* greedy; **cupidité** *f* greed, cupidity
curable [kyrabl] curable
curateur [-atœr] *m* JUR *de mineur* guardian
cure [kyr] *f* MÉD course of treatment; ~ ***de repos*** rest cure; ~ ***thermale*** stay at a spa (in order to take the waters); ***je n'en ai*** ~ I don't care
curé [kyre] *m* curate
cure-dent [kyrdɑ̃] *m* (*pl* cure-dents) tooth pick
curer [kyre] ⟨1a⟩ *cuve* scour; *dents* pick; ***se*** ~ ***le nez*** pick one's nose
curieux, **-euse** [kyrjø, -z] curious
curiosité [kyrjɔzite] *f* curiosity; *objet bizarre, rare* curio; ***une région pleine de ~s*** an area full of things to see
curiste [kyrist] *m/f* person taking a 'cure' at a spa
curriculum vitae [kyrikylɔmvite] *m* (*pl inv*) resumé, *Br* CV
curry [kyri] *m* curry
curseur [kyrsœr] *m* INFORM cursor
cutané, **~e** [kytane] skin *atr*
cuticule [kytikyl] *f* cuticle
cuve [kyv] *f* tank; *de vin* vat; **cuvée** *f de vin* vatful; *vin* wine, vintage; **cuver** ⟨1a⟩ **1** *v/i* mature **2** *v/t*: ~ ***son vin*** *fig* sleep it off
cuvette [kyvɛt] *f* (*bac*) basin; *de cabinet* bowl
C.V. [seve] *m abr* (= ***curriculum vitae***) résumé, *Br* CV (= curriculum vitae)
cybercafé [sibɛrkafe] *m* Internet café
cyberespace [sibɛrɛspas] *m* cyberspace
cybernétique [sibɛrnetik] *f* cybernetics
cyclable [siklabl]: ***piste*** *f* ~ cycle path
cyclamen [siklamɛn] *m* BOT cyclamen
cycle [sikl] *m nature*, ÉCON, *littérature*, *véhicule* cycle
cyclisme [siklism] *m* cycling; **cycliste**

m/f cyclist
cyclomoteur [siklɔmɔtœr] *m* moped; **cyclomotoriste** *m/f* moped rider
cyclone [siklon] *m* cyclone
cygne [siɲ] *m* swan
cylindre [silɛ̃dr] *m* MATH, TECH cylinder; **cylindrée** *f* AUTO cubic capacity; **cylindrer** ⟨1a⟩ roll; **cylindrique** cylindrical
cymbale [sɛ̃bal] *f* MUS cymbal
cynique [sinik] **1** *adj* cynical **2** *m/f* cynic; **cynisme** *m* cynicism
cyprès [siprɛ] *m* cypress
cystite [sistit] *f* MÉD cystitis

D

dactylo [daktilo] *f* typing; *personne* typist; **dactylographie** *f* typing
dada [dada] *m* F hobby horse
dahlia [dalja] *m* BOT dahlia
daigner [deɲe] ⟨1b⟩: ***~ faire qch*** deign *ou* condescend to do sth
daim [dɛ̃] *m* ZO deer; *peau* suede
dallage [dalaʒ] *m* flagstones *pl*; *action* paving; **dalle** *f* flagstone; **daller** ⟨1a⟩ pave
daltonien, **~ne** [daltɔnjɛ̃, -ɛn] colorblind, *Br* colourblind
dame [dam] *f* lady; *aux échecs, cartes* queen; ***jeu*** *m* ***de ~s*** checkers *sg*, *Br* draughts *sg*; **damier** *m* checkerboard, *Br* draughts board
damnation [danasjõ] *f* damnation; **damner** ⟨1a⟩ damn
dancing [dãsiŋ] *m* dance hall
dandiner [dãdine] ⟨1a⟩: ***se ~*** shift from one foot to the other
Danemark [danmark]: ***le ~*** Denmark
danger [dãʒe] *m* danger; ***~ de mort!*** danger of death!; ***mettre en ~*** endanger, put in danger; ***courir un ~*** be in danger
dangereux, **-euse** [dãʒrø, -z] dangerous
danois, **~e** [danwa, -z] **1** *adj* Danish **2** *m langue* Danish **3** *m/f* **Danois**, **~e** Dane
dans [dã] ◊ *lieu* in; *direction* in(to); ***~ la rue*** in the street; ***~ le train*** on the train; ***~ Molière*** in Molière; ***être ~ le commerce*** be in business; ***boire ~ un verre*** drink from a glass; ***il l'a pris ~ sa poche*** he took it out of his pocket ◊ *temps* in; ***~ les 24 heures*** within *ou* in 24 hours; ***~ trois jours*** in three days, in three days' time; ◊ *mode*: ***~ ces circonstances*** in the circumstances; ***avoir ~ les 50 ans*** be about 50
dansant, **~e** [dãsã, -t]: ***soirée*** *f* ***~e*** party (with dancing); **danse** *f* dance; *action* dancing; ***~ classique*** ballet, classical dancing; ***~ folklorique*** folk dance; **danser** ⟨1a⟩ dance; **danseur**, **-euse** *m/f* dancer
dard [dar] *m d'une abeille* sting
dare-dare [dardar] *adv* F at the double
date [dat] *f* date; ***quelle ~ sommes-nous?*** what date is it?, what's today's date?; ***de longue ~*** *amitié* long-standing; ***~ d'expiration*** expiration date, *Br* expiry date; ***~ limite*** deadline; ***~ limite de conservation*** use-by date; ***~ de livraison*** delivery date; **dater** ⟨1a⟩ **1** *v/t* date **2** *v/i*: ***~ de*** date from; ***à ~ de ce jour*** from today; ***cela ne date pas d'hier*** that's nothing new
datte [dat] *f* date; **dattier** *m* date palm
daube [dob] *f* CUIS: ***bœuf*** *m* ***en ~*** braised beef
dauphin [dofɛ̃] *m* ZO dolphin; ***le Dauphin*** HIST the Dauphin
davantage [davãtaʒ] *adv* more; ***en veux-tu ~?*** do you want (some)

D

more?

de [də] **1** *prép* ◊ *origine* from; ***il vient ~ Paris*** he comes from Paris; ***du centre à la banlieue*** from the center to the suburbs
◊ *possession* of; ***la maison ~ mon père*** my father's house; ***la maison ~ mes parents*** my parents' house; ***la maison des voisins*** the neighbors' house
◊ *fait par* by; ***un film ~ Godard*** a movie by Godard, a Godard movie
◊ *matière* (made) of; ***fenêtre ~ verre coloré*** colored glass window, window made of colored glass
◊ *temps*: ***~ jour*** by day; ***je n'ai pas dormi ~ la nuit*** I lay awake all night; ***~ … à*** from … to
◊ *raison*: ***trembler ~ peur*** shake with fear
◊ *mode* ***~ force*** by force
◊: ***~ plus en plus grand*** bigger and bigger; ***~ moins en moins valable*** less and less valid
◊: ***la plus grande … du monde*** the biggest … in the world
◊ *mesure*: ***une planche ~ 10 cm ~ large*** a board 10 centimeters wide
◊ *devant inf*: ***cesser ~ travailler*** stop working; ***décider ~ faire qch*** decide to do sth
2 *partitif*: ***du pain*** (some) bread; ***des petits pains*** (some) rolls; ***je n'ai pas d'argent*** I don't have any money, I have no money; ***est-ce qu'il y a des disquettes?*** are there any diskettes?

dé [de] *m jeu* dice; **~ (*à coudre*)** thimble

dealer [dilœr] *m* dealer

déambulateur [deɑ̃bylatœr] *m* walker; **déambuler** ⟨1a⟩ stroll

débâcle [debɑkl] *f de troupes* rout; *d'une entreprise* collapse

déballer [debale] ⟨1a⟩ unpack

débandade [debɑ̃dad] *f* stampede

débarbouiller [debarbuje] ⟨1a⟩: ***~ un enfant*** wash a child's face

débarcadère [debarkadɛr] *m* MAR landing stage

débardeur [debardœr] *m vêtement* tank top

débarquement [debarkəmɑ̃] *m de marchandises* unloading; *de passagers* landing; MIL disembarkation; **débarquer** ⟨1m⟩ **1** *v/t marchandises* unload; *passagers* land, disembark **2** *v/i* land, disembark; MIL disembark; ***~ chez qn*** *fig* F turn up at s.o.'s place

débarras [debara] *m* **1** F: ***bon ~*** good riddance **2** (*cagibi*) storage room, *Br aussi* boxroom; **débarrasser** ⟨1a⟩ *table etc* clear; ***~ qn de qch*** take sth from *ou* off s.o.; ***se ~ de qn / qch*** get rid of s.o. / sth

débat [deba] *m* debate, discussion; POL debate; (*polémique*) argument

débattre [debatr] ⟨4a⟩: ***~ qch*** discuss *ou* debate sth; ***se ~*** struggle

débauche [deboʃ] *f* debauchery; **débauché**, **~e** **1** *adj* debauched **2** *m/f* debauched person; **débaucher** ⟨1a⟩ (*licencier*) lay off; F lead astray

débile [debil] **1** *adj* weak; F idiotic **2** *m*: ***~ mental*** mental defective; **débilité** *f* weakness; ***~ mentale*** mental deficiency

débiner [debine] ⟨1a⟩ F badmouth, *Br* be spiteful about; ***se ~*** run off

débit [debi] *m* (*vente*) sale; *d'un stock* turnover; *d'un cours d'eau* rate of flow; *d'une usine, machine* output; (*élocution*) delivery; FIN debit; ***~ de boissons*** bar; ***~ de tabac*** smoke shop, *Br* tobacconist's; **débiter** ⟨1a⟩ *marchandises, boisson* sell (retail); *péj*: *fadaises* talk; *texte étudié* deliver, *péj* recite; *d'une pompe*: *liquide, gaz* deliver; *d'une usine, machine, de produits* output; *bois, viande* cut up; FIN debit; ***~ qn d'une somme*** debit s.o. with an amount; **débiteur**, **-trice** **1** *m/f* debtor **2** *adj compte* overdrawn; *solde* debit

déblais [deblɛ] *mpl* (*décombres*) rubble *sg*

déblatérer [deblatere] ⟨1f⟩: ***~ contre qn*** run s.o. down

déblayer [debleje] ⟨1i⟩ *endroit* clear; *débris* clear (away), remove

déblocage [deblɔkaʒ] *m* TECH release; ÉCON *des prix, salaires* unfreezing

débloquer [deblɔke] ⟨1m⟩ **1** *vt* TECH release; ÉCON *prix, compte* unfreeze; *fonds* release **2** *vi* F be crazy; ***se ~*** *d'une situation* be resolved, get sorted out

déboguer [debɔge] ⟨1m⟩ debug

déboires [debwar] *mpl* disappointments

déboisement [debwazmɑ̃] *m* deforestation; **déboiser** ⟨1a⟩ deforest, clear

déboîter [debwate] ⟨1a⟩ **1** *v/t* MÉD dislocate **2** *v/i* AUTO pull out; ***se ~ l'épaule*** dislocate one's shoulder

débonnaire [debɔnɛr] kindly

débordé, ~e [debɔrde] snowed under (***de*** with); ***~ par les événements*** overwhelmed by events; **débordement** *m* overflowing; ***~s*** *fig* excesses; **déborder** ⟨1a⟩ *d'une rivière* overflow its banks; *du lait, de l'eau* overflow; ***c'est la goutte d'eau qui fait ~ le vase*** *fig* it's the last straw; ***~ de santé*** be glowing with health

débouché [debuʃe] *m d'une vallée* entrance; COMM outlet; ***~s*** *d'une profession* prospects; **déboucher** ⟨1a⟩ **1** *v/t tuyau* unblock; *bouteille* uncork **2** *v/i*: ***~ de*** emerge from; ***~ sur*** lead to (*aussi fig*)

débourser [deburse] ⟨1a⟩ (*dépenser*) spend

déboussolé, ~e [debusɔle] disoriented

debout [dəbu] standing; *objet* upright, on end; ***être ~*** stand; (*levé*) be up, be out of bed; ***tenir ~*** *fig* stand up; ***voyager ~*** travel standing up; ***se mettre ~*** stand up, get up

déboutonner [debutɔne] ⟨1a⟩ unbutton

débraillé, ~e [debrɑje] untidy

débrancher [debrɑ̃ʃe] ⟨1a⟩ ÉL unplug

débrayage [debrɛjaʒ] *m* AUTO declutching; *fig* work stoppage; **débrayer** ⟨1i⟩ AUTO declutch; *fig* down tools

débridé, ~e [debride] unbridled

débris [debri] *mpl* debris *sg*; *fig* remains

débrouillard, ~e [debrujar, -d] resourceful; **débrouillardise** *f* resourcefulness

débrouiller [debruje] ⟨1a⟩ disentangle; *fig*: *affaire, intrigue* clear up; ***se ~*** cope, manage

début [deby] *m* beginning, start; ***~s*** THÉÂT debut *sg*, first appearance *sg*; POL debut *sg*; ***~ mai*** at the beginning *ou* start of May

débutant, ~e [debytɑ̃, -t] *m/f* beginner; **débuter** ⟨1a⟩ begin, start

déca [deka] *m* F decaff F

décacheter [dekaʃte] ⟨1c⟩ *lettre* open

décadence [dekadɑ̃s] *f* decadence; **décadent, ~e** decadent

décaféiné, ~e [dekafeine]: ***café*** *m* ***~*** decaffeinated coffee, decaff F

décalage [dekalaʒ] *m dans l'espace* moving, shifting; (*différence*) difference; *fig* gap; ***~ horaire*** time difference; **décaler** ⟨1a⟩ *rendez-vous* reschedule, change the time of; *dans l'espace* move, shift

décalquer [dekalke] ⟨1m⟩ transfer

décamper [dekɑ̃pe] ⟨1a⟩ F clear out

décapant [dekapɑ̃] *m* stripper; **décaper** ⟨1a⟩ *surface métallique* clean; *meuble vernis* strip

décapiter [dekapite] ⟨1a⟩ decapitate

décapotable [dekapɔtabl] **1** *adj* convertible **2** *f*: (***voiture*** *f*) ***~*** convertible

décapsuler [dekapsyle] ⟨1a⟩ take the top off, open; **décapsuleur** *m* bottle opener

décarcasser [dekarkase] ⟨1a⟩: ***se ~*** F bust a gut F

décédé, ~e [desede] dead; **décéder** ⟨1f⟩ die

déceler [desle] ⟨1d⟩ (*découvrir*) detect; (*montrer*) point to

décembre [desɑ̃br] *m* December

décemment [desamɑ̃] *adv* (*convenablement*) decently, properly; (*raisonnablement*) reasonably

décence [desɑ̃s] *f* decency

décennie [deseni] *f* decade

décent, ~e [desɑ̃, -t] decent, proper; *salaire* decent, reasonable

décentralisation [desɑ̃tralizasjõ] *f* decentralization; **décentraliser**

D

⟨1a⟩ decentralize
déception [desɛpsjõ] *f* disappointment
décerner [desɛrne] ⟨1a⟩ *prix* award
décès [desɛ] *m* death
D
décevant, **~e** [desəvɑ̃, -t] disappointing; **décevoir** ⟨3a⟩ disappoint
déchaînement [deʃɛnmɑ̃] *m passions, fureur* outburst; **déchaîner** ⟨1b⟩ *fig* provoke; ***se ~*** *d'une tempête* break; *d'une personne* fly into an uncontrollable rage
déchanter [deʃɑ̃te] ⟨1a⟩ change one's tune
décharge [deʃarʒ] *f* JUR acquittal; *dans fusillade* discharge; ***à la ~ de qn*** in s.o.'s defense *ou Br* defence; ***~ publique*** dump; ***~ électrique*** electric shock; **déchargement** *m* unloading; **décharger** ⟨1l⟩ unload; *batterie* discharge; *arme* (*tirer*) fire, discharge; *accusé* acquit; *colère* vent (***contre*** on); ***~ qn de qch*** relieve s.o. of sth; ***~ sa conscience*** get it off one's chest
décharné, **~e** [deʃarne] skeletal
déchausser [deʃose] ⟨1a⟩: ***~ qn*** take s.o.'s shoes off; ***se ~*** take one's shoes off; ***avoir les dents qui se déchaussent*** have receding gums
déchéance [deʃeɑ̃s] *f* decline; JUR forfeiture
déchets [deʃɛ] *mpl* waste *sg*; ***~ industriels*** industrial waste; ***~ nucléaires*** atomic waste; ***~ radioactifs*** radioactive waste; ***~ toxiques*** toxic waste
déchiffrer [deʃifre] ⟨1a⟩ decipher; *message aussi* decode
déchiqueté, **~e** [deʃikte] *montagne, côte* jagged; **déchiqueter** ⟨1c⟩ *corps, papier* tear to pieces
déchirant, **~e** [deʃirɑ̃, -t] heart-rending, heart-breaking; **déchirement** *m* tearing; *fig* (*chagrin*) heartbreak; **déchirer** ⟨1a⟩ *tissu* tear; *papier* tear up; *fig*: *silence* pierce; ***se ~*** *d'une robe* tear; ***se ~ un muscle*** tear a muscle; **déchirure** *f* tear, rip
déchu, **~e** [deʃy] *roi* dethroned; ***ange m ~*** fallen angel
décidé, **~e** [deside] (*résolu*) determined; ***c'est*** (***une***) ***chose ~e*** it's settled; ***être ~ à faire qch*** be determined to do sth; **décidément** *adv* really; **décider** ⟨1a⟩ **1** *v/t* decide on; *question* settle, decide; ***~ que*** decide that; ***~ qn à faire qch*** convince *ou* decide s.o. to do sth; ***~ de qch*** decide on sth; ***~ de faire qch*** decide to do sth **2** *v/i* decide; ***se ~*** make one's mind up, decide (***à faire qch*** to do sth); **décideur** *m* decision-maker
décimal, **~e** [desimal] (*mpl* -aux) decimal
décimer [desime] ⟨1a⟩ decimate
décimètre [desimɛtr] *m*: ***double ~*** ruler
décisif, **-ive** [desizif, -iv] decisive; **décision** *f* decision; (*fermeté*) determination
déclamer [deklame] ⟨1a⟩ declaim
déclaration [deklarasjõ] *f* declaration, statement; (*fait d'annoncer*) declaration; *d'une naissance* registration; *de vol, perte* report; ***~ d'impôts*** tax return; **déclarer** ⟨1a⟩ declare; *naissance* register; ***se ~*** declare o.s.; (*faire une déclaration d'amour*) declare one's love; *d'un feu, d'une épidémie* break out; ***~ une personne innocente / coupable*** find a person innocent / guilty
déclenchement [deklɑ̃ʃmɑ̃] *m* triggering; **déclencher** ⟨1a⟩ (*commander*) trigger, set off; (*provoquer*) trigger; ***se ~*** be triggered; **déclencheur** *m* PHOT shutter release
déclic [deklik] *m bruit* click
déclin [deklɛ̃] *m* decline
déclinaison [deklinɛzõ] *f* GRAM declension; **décliner** ⟨1a⟩ **1** *v/i du soleil* go down; *du jour, des forces, du prestige* wane; *de la santé* decline **2** *v/t offre* decline (*aussi* GRAM); ***~ ses nom, prénoms, titres et qualités*** state one's full name and qualifications; ***la société décline toute responsabilité pour*** the company will not accept any liability for
décocher [dekɔʃe] ⟨1a⟩ *flèche, regard* shoot
décoder [dekɔde] ⟨1a⟩ decode; **dé-**

codeur *m* decoder
décoiffer [dekwafe] ⟨1a⟩ *cheveux* ruffle
décollage [dekɔlaʒ] *m* AVIAT takeoff; **décoller** ⟨1a⟩ **1** *v/t* peel off **2** *v/i* AVIAT take off; ***se ~*** peel off
décolleté, **~e** [dekɔlte] **1** *adj robe* low-cut **2** *m en V, carré etc* neckline
décolonisation [dekɔlɔnizasjõ] *f* decolonization; **décoloniser** ⟨1a⟩ decolonize
décolorer [dekɔlɔre] ⟨1a⟩ *tissu, cheveux* bleach; ***se ~*** fade
décombres [dekõbr] *mpl* rubble *sg*
décommander [dekɔmɑ̃de] ⟨1a⟩ cancel; ***se ~*** cancel
décomposer [dekõpoze] ⟨1a⟩ *mot, produit* break down (***en*** into); CHIM decompose; ***se ~*** *d'un cadavre* decompose; *d'un visage* become contorted; **décomposition** *f* breakdown; *d'un cadavre* decomposition
décompresser [dekõprɛse] ⟨1b⟩ F unwind, relax, chill out F
décompte [dekõt] *m* deduction; *d'une facture* breakdown; **décompter** ⟨1a⟩ deduct
déconcentrer [dekõsɑ̃tre] ⟨1a⟩: ***~ qn*** make it hard for s.o. to concentrate
déconcertant, **~e** [dekõsɛrtɑ̃, -t] disconcerting; **déconcerter** ⟨1a⟩ disconcert
déconfit, **~e** [dekõfi, -t] *air, mine* disheartened; **déconfiture** *f* collapse
décongeler [dekõʒle] ⟨1d⟩ *aliment* thaw out
décongestionner [dekõʒɛstjɔne] ⟨1a⟩ *route* relieve congestion on, decongest; *nez* clear
déconnecter [dekɔnɛkte] ⟨1a⟩ unplug, disconnect
déconner [dekɔne] ⟨1a⟩ P (*faire des conneries*) fool around, *Br aussi* bugger around P; (*dire des conneries*) talk nonsense *ou* crap P
déconseiller [dekõseje] ⟨1b⟩ advise against; ***je te déconseille ce plat*** I wouldn't advise you to have this dish; ***c'est tout à fait déconseillé dans votre cas*** it's definitely inadvisable in your case
décontenancer [dekõtnɑ̃se] ⟨1k⟩ disconcert
décontracté, **~e** [dekõtrakte] relaxed; F relaxed, laid-back F; **décontracter** relax; ***se ~*** relax
déconvenue [dekõvny] *f* disappointment
décor [dekɔr] *m d'une maison* decor; *fig* (*cadre*) setting, surroundings *pl*; ***~s*** *de théâtre* sets, scenery *sg*; **décorateur**, **-trice** *m/f* decorator; THÉÂT set designer; **décoratif**, **-ive** decorative; **décoration** *f* decoration; **décorer** ⟨1a⟩ decorate (***de*** with)
décortiquer [dekɔrtike] ⟨1m⟩ shell; *texte* analyze, *Br* analyse
découcher [dekuʃe] ⟨1a⟩ not sleep in one's own bed
découdre [dekudr] ⟨4d⟩ *ourlet* unstitch; ***se ~*** *d'un pantalon* come apart at the seams
découler [dekule] ⟨1a⟩: ***~ de*** arise from
découper [dekupe] ⟨1a⟩ (*diviser en morceaux*) cut up; *photo* cut out (***dans*** from); ***se ~ sur*** *fig* stand out against
décourageant, **~e** [dekuraʒɑ̃, -t] discouraging; **découragement** *m* discouragement; **décourager** ⟨1l⟩ discourage; ***~ qn de faire qch*** discourage s.o. from doing sth; ***se ~*** lose heart, become discouraged
décousu, **~e** [dekuzy] coming apart at the seams; *fig*: *propos* incoherent, disjointed
découvert, **~e** [dekuvɛr, -t] **1** *adj tête, épaules* bare, uncovered; ***à ~*** FIN overdrawn **2** *m* overdraft **3** *f* discovery; **découvreur**, **-euse** *m/f* discoverer; **découvrir** ⟨2f⟩ uncover; (*trouver*) discover; *ses intentions* reveal; ***je découvre que*** (*je comprends que*) I find that; ***~ les épaules*** *d'un vêtement* leave the shoulders bare; ***se ~*** *d'une personne* take off a couple of layers (of clothes); (*enlever son chapeau*) take off one's hat; *du ciel* clear
décrépit, **~e** [dekrepi, -t] decrepit
décret [dekrɛ] *m* decree; **décréter** ⟨1f⟩ decree

D

décrire [dekrir] ⟨4f⟩ describe; ***~ une orbite autour de*** orbit; ***~ X comme (étant) Y*** describe X as Y
décrocher [dekrɔʃe] ⟨1a⟩ *tableau* take down; *fig* F *prix, bonne situation* land F; ***~ le téléphone*** *pour ne pas être dérangé* take the phone off the hook; *pour répondre, composer un numéro* pick up the receiver
décroissant, **~e** [dekrwasɑ̃, -t] decreasing
décroître [dekrwɑtr] ⟨4w⟩ decrease, decline
décrypter [dekripte] ⟨1a⟩ decode
déçu, **~e** [desy] **1** *p/p* → ***décevoir*** **2** *adj* disappointed
décupler [dekyple] ⟨1a⟩ increase tenfold
dédaigner [dedɛɲe] ⟨1b⟩ **1** *v/t* scorn; *personne* treat with scorn; ***un avantage qui n'est pas à ~*** an advantage that's not to be sniffed at **2** *v/i*: ***~ de faire qch*** disdain to do sth; **dédaigneux**, **-euse** disdainful; **dédain** *m* disdain
dédale [dedal] *m* labyrinth, maze
dedans [dədɑ̃] **1** *adv* inside; ***là-~*** in it; ***en ~*** on the inside; ***de ~*** from the inside, from within **2** *m* inside; ***au ~ (de)*** inside
dédicace [dedikas] *f* dedication; **dédicacer** ⟨1k⟩ dedicate
dédier [dedje] ⟨1a⟩ dedicate
dédire [dedir] ⟨4m⟩: ***se ~*** cry off
dédommagement [dedɔmaʒmɑ̃] *m* compensation; **dédommager** ⟨1l⟩ compensate (***de*** for)
dédouanement [dedwanmɑ̃] *m* customs clearance; **dédouaner** ⟨1a⟩: ***~ qch*** clear sth through customs; ***~ qn*** *fig* clear s.o.
dédoublement [dedubləmɑ̃] *m*: ***~ de personnalité*** split personality; **dédoubler** ⟨1a⟩ split in two; ***se ~*** split
dédramatiser [dedramatize] ⟨1a⟩ *situation* play down, downplay
déductible [dedyktibl] COMM deductible; ***~ des impôts*** tax-deductible; **déduction** *f* COMM, (*conclusion*) deduction; ***avant / après ~s*** before / after tax; **déduire** ⟨4c⟩ COMM deduct; (*conclure*) deduce (***de*** from)
déesse [deɛs] *f* goddess
défaillance [defajɑ̃s] *f* weakness; *fig* failing, shortcoming; *technique* failure; **défaillant**, **~e** *santé* failing; *forces* waning; **défaillir** ⟨2n⟩ (*faiblir*) weaken; (*se trouver mal*) feel faint
défaire [defɛr] ⟨4n⟩ undo; (*démonter*) take down, dismantle; *valise* unpack; ***se ~*** come undone; ***se ~ de qn / de qch*** get rid of s.o. / sth; **défait**, **~e** *visage* drawn; *chemise, valise* undone; *armée, personne* defeated; **défaite** *f* defeat; **défaitisme** *m* defeatism; **défaitiste** *m/f* defeatist
défaut [defo] *m* (*imperfection*) defect, flaw; (*faiblesse morale*) shortcoming, failing; TECH defect; (*manque*) lack; JUR default; ***à ~ de glace je prendrai …*** if there isn't any ice cream, I'll have …; ***faire ~*** be lacking, be in short supply; ***par ~*** INFORM default *atr*; ***~ de caractère*** character flaw; ***~ de conception*** design fault; ***~ d'élocution*** speech impediment
défaveur [defavœr] *f* disfavor, *Br* disfavour
défavorable [defavɔrabl] unfavorable, *Br* unfavourable; **défavorisé** disadvantaged; ***les milieux ~s*** the underprivileged classes; **défavoriser** ⟨1a⟩ put at a disadvantage
défection [defɛksjõ] *f* desertion; POL defection; *d'un invité* cancellation; **défectueux**, **-euse** defective; **défectuosité** *f* defectiveness; (*défaut*) defect
défendable [defɑ̃dabl] defensible
défendre [defɑ̃dr] ⟨4a⟩ (*protéger*) defend (*aussi* JUR, *fig*); ***~ à qn de faire qch*** forbid s.o. to do sth; ***le médecin lui a défendu l'alcool*** the doctor has forbidden him to drink, the doctor has ordered him to stop drinking
défense [defɑ̃s] *f* defense, *Br* defence *f* (*aussi* JUR *fig*); *d'un éléphant* tusk; ***~ d'entrer / de fumer / de stationner*** no entry / smoking / parking; **défenseur** *m* (*protecteur*) defender; *d'une cause* supporter; JUR defense attorney, *Br* counsel for the defence;

défensif, **-ive** **1** *adj* defensive **2** *f* defensive; ***être sur la ~*** be on the defensive
déférence [deferɑ̃s] *f* deference; **déférent**, **~e** deferential; **déférer** ⟨1f⟩ *v/t*: ***~ qn à la justice*** prosecute s.o.
déferler [defɛrle] ⟨1a⟩ *de vagues* break; ***~ sur tout le pays*** *fig* sweep the entire country
défi [defi] *m* challenge; (*bravade*) defiance
défiance [defjɑ̃s] *f* distrust, mistrust; **défiant**, **~e** distrustful
déficience [defisjɑ̃s] *f* deficiency; ***~ immunitaire*** immune deficiency
déficit [defisit] *m* deficit; **déficitaire** *balance des paiements* showing a deficit; *compte* in debit
défier [defje] ⟨1a⟩ (*provoquer*) challenge; (*braver*) defy; ***des prix qui défient toute concurrence*** unbeatable prices; ***~ qn de faire qch*** dare s.o. to do sth
défigurer [defigyre] ⟨1a⟩ disfigure; *fig*: *réalité*, *faits* misrepresent; ***~ la campagne*** be a blot on the landscape
défilé [defile] *m* parade; GÉOGR pass; ***~ de mode*** fashion show; **défiler** ⟨1a⟩ parade, march
défini, **~e** [defini] definite (*aussi* GRAM); ***article*** *m* ***~*** definite article; ***bien ~*** well defined; **définir** ⟨2a⟩ define; **définitif**, **-ive** definitive; ***en définitive*** in the end; **définition** definition; **définitivement** *adv* definitely; (*pour de bon*) for good
défiscaliser [defiskalize] ⟨1a⟩ lift the tax on
déflagration [deflagrasjõ] *f* explosion
déflation [deflasjõ] *f* deflation
défoncer [defõse] ⟨1k⟩ *voiture* smash up, total; *porte* break down; *terrain* break up; **défoncé**, **~e** *route* potholed
déformation [defɔrmasjõ] *f* deformation; *fig*: *d'un fait* distortion, misrepresentation; *de pensées*, *idées* misrepresentation; **déformer** ⟨1a⟩ deform; *chaussures* stretch (out of shape); *visage*, *fait* distort; *idée* misrepresent; ***se ~*** *de chaussures* lose their shape
défouler [defule] ⟨1a⟩: ***se ~*** give vent to one's feelings
défraîchi, **~e** [defreʃi] dingy
défricher [defriʃe] ⟨1a⟩ AGR clear
défroisser [defrwase] ⟨1a⟩ *vêtement* crumple, crease
défunt, **~e** [defɛ̃t, -œ̃t] **1** *adj* late **2** *m/f*: ***le ~*** the deceased
dégagé, **~e** [degaʒe] *route*, *ciel* clear; *vue* unimpeded; *air*, *ton* relaxed; **dégagement** *m d'une route* clearing; *de chaleur*, *vapeur* release; ***voie*** *f* ***de ~*** filter lane; **dégager** ⟨1l⟩ (*délivrer*) free; *route* clear; *odeur* give off; *chaleur*, *gaz* give off, release; *personne d'une obligation* release, free; ***se ~*** free o.s.; *d'une route*, *du ciel* clear; ***une odeur désagréable se dégageait de la cuisine*** an unpleasant smell was coming from the kitchen
dégarnir [degarnir] ⟨2a⟩ empty; ***se ~*** *d'un arbre* lose its leaves; ***ses tempes se dégarnissent*** he's going a bit thin on top
dégât [degɑ] *m* damage; ***~s*** damage *sg*
dégel [deʒɛl] *m* thaw (*aussi* POL)
dégeler [deʒle] ⟨1d⟩ **1** *v/t frigidaire* defrost; *crédits* unfreeze **2** *v/i d'un lac* thaw
dégénérer [deʒenere] ⟨1f⟩ degenerate (***en*** into)
dégivrer [deʒivre] ⟨1a⟩ defrost; TECH de-ice; **dégivreur** *m* de-icer
déglingué, **~e** [deglɛ̃ge] F beat-up F
déglutir [deglytir] ⟨2a⟩ swallow
dégonflé, **~e** [degõfle] *pneu* deflated; **dégonfler** ⟨1a⟩ let the air out of, deflate; ***se ~*** deflate; *fig* F lose one's nerve
dégot(t)er [degɔte] ⟨1a⟩ F *travail* find; *livre*, *objet de collection* track down
dégouliner [deguline] ⟨1a⟩ trickle
dégourdi, **~e** [degurdi] resourceful; **dégourdir** ⟨2a⟩ *membres* loosen up, get the stiffness out of; ***se ~ les jambes*** stretch one's legs
dégoût [degu] *m* disgust; **dégoûtant**, **~e** disgusting; **dégoûter** ⟨1a⟩ disgust; ***~ qn de qch*** put s.o. off sth;

D

se ~ de qch take a dislike to sth
dégradant, **~e** [degradɑ̃, -t] degrading; **dégrader** ⟨1a⟩ MIL demote; *édifice* damage; (*avilir*) degrade; ***se ~*** *d'une situation, de la santé* deteriorate; *d'un édifice* fall into disrepair; *d'une personne* (*s'avilir*) demean o.s.
degré [dəgre] *m* degree; (*échelon*) level; ***de l'alcool à 90 ~s*** 90 degree proof alcohol; ***un cousin au premier ~*** a first cousin
dégressif, **-ive** [degrɛsif, -iv] *tarif* tapering
dégrèvement [degrɛvmɑ̃] *m*: ***~ d'impôt*** tax relief
dégriffé, **~e** [degrife] *vêtements* sold at a cheaper price with the designer label removed
dégringoler [degrɛ̃gɔle] ⟨1a⟩ fall
dégriser [degrize] ⟨1a⟩ sober up
déguerpir [degɛrpir] ⟨2a⟩ take off, clear off
dégueulasse [degœlas] P disgusting, F sick-making; ***il a été ~ avec nous*** P he was a real bastard to us P
dégueuler [degœle] ⟨1a⟩ F puke F, throw up
déguisement [degizmɑ̃] *m* disguise; *pour bal masqué, Halloween etc* costume; **déguiser** ⟨1a⟩ disguise; *enfant* dress up (***en*** as); ***se ~*** disguise o.s. (***en*** as); *pour bal masqué etc* dress up
dégustation [degystasjõ] *f* tasting; ***~ de vins*** wine tasting; **déguster** ⟨1a⟩ taste
dehors [dəɔr] **1** *adv* outside; ***jeter ~*** throw out **2** *prép*: ***en ~ de la maison*** outside the house; ***un problème en ~ de mes compétences*** a problem I'm not competent to deal with, a problem beyond my area of competence **3** *m* exterior
déjà [deʒa] already; ***je l'avais ~ vu*** I'd seen it before, I'd already seen it; ***c'est qui ~?*** F who's he again?
déjanté, **~e** [deʒɑ̃te] F crazy, whacky F
déjeuner [deʒœne] **1** *v/i* ⟨1a⟩ *midi* (have) lunch; *matin* (have) breakfast **2** *m* lunch; ***petit ~*** breakfast; ***~ d'affaires*** business lunch
déjouer [deʒwe] ⟨1a⟩ thwart
DEL [dɛl] *f abr* (***= diode électroluminescente***) LED (= light-emitting diode)
delà [dəla] → ***au-delà***
délabré, **~e** [delabre] dilapidated; **délabrement** *m* decay
délacer [delase] ⟨1k⟩ loosen, unlace
délai [delɛ] *m* (*temps imparti*) time allowed; (*date limite*) deadline; (*prolongation*) extension; ***sans ~*** without delay, immediately; ***dans les ~s*** within the time allowed, within the allotted time; ***dans les plus courts ~s*** as soon as possible; ***dans un ~ de 8 jours*** within a week; ***~ de réflexion*** cooling-off period
délaisser [delese] ⟨1b⟩ (*abandonner*) leave; (*négliger*) neglect
délassement [delasmɑ̃] *m* relaxation; **délasser** ⟨1a⟩ relax; ***se ~*** relax
délateur, **-trice** [delatœr, -tris] *m/f* informer; **délation** *f* denunciation
délavé, **~e** [delave] faded
délayer [deleje] ⟨1i⟩ dilute, water down; *fig*: *discours* pad out
délectation [delɛktasjõ] *f* delight; **délecter** ⟨1a⟩: ***se ~ de*** take delight in
délégation [delegasjõ] *f* delegation; **délégué**, **~e** *m/f* delegate; **délégué(e) syndical(e)** *m/f* union representative, *Br* shop steward; **déléguer** ⟨1f⟩ *autorité, personne* delegate
délestage [delɛstaʒ] *m*: ***itinéraire m de ~*** diversion, alternative route (to ease congestion); **délester** ⟨1a⟩ remove ballast from; ***~ qn de qch*** *iron* relieve s.o. of sth
délibération [deliberasjõ] *f* (*débat*) deliberation, discussion; (*réflexion*) consideration, deliberation; (*décision*) resolution
délibéré, **~e** [delibere] (*intentionnel*) deliberate; **délibérément** *adv* deliberate
délibérer [delibere] ⟨1f⟩ deliberate, discuss; (*réfléchir*) consider, deliberately
délicat, **~e** [delika, -t] (*fin, fragile*) *situation* delicate; *problème* tricky; (*plein de tact*) tactful; **délicatesse** *f* deli-

cacy; (*tact*) tact; **délicatement** delicately
délice [delis] *m* delight; **délicieux, -euse** delicious; *sensation* delightful
délier [delje] ⟨1a⟩ loosen, untie; **~ *la langue à qn*** loosen s.o.'s tongue
délimiter [delimite] ⟨1a⟩ define
délinquance [delɛ̃kɑ̃s] *f* crime, delinquency; **~ *juvénile*** juvenile delinquency; **délinquant, ~e 1** *adj* delinquent **2** *m/f* criminal, delinquent
délire [delir] *m* delirium; *enthousiasme, joie* frenzy; ***foule*** *f* ***en ~*** ecstatic crowd; ***c'est du ~!*** *fig* F it's sheer madness!; **délirer** ⟨1a⟩ be delirious; F *être fou* be stark raving mad; ***~ de joie*** *fig* be delirious with joy
délit [deli] *m* offense, *Br* offence; ***commettre un ~ de fuite*** leave the scene of an accident; ***~ d'initié*** insider dealing
délivrance [delivrɑ̃s] *f* release; (*soulagement*) relief; (*livraison*) delivery; *d'un certificat* issue; **délivrer** ⟨1a⟩ release; (*livrer*) deliver; *certificat* issue
délocaliser [delokalize] ⟨1a⟩ relocate
déloger [delɔʒe] ⟨1l⟩ *ennemi* dislodge
déloyal, ~e [delwajal] (*mpl* -aux) *ami* disloyal; ***concurrence*** *f* ***~e*** unfair competition
delta [dɛlta] *m* GÉOGR delta
deltaplane [dɛltaplan] *m* hang-glider; ***faire du ~*** go hang-gliding
déluge [delyʒ] *m* flood
déluré, ~e [delyre] sharp; *péj* forward
demain [d(ə)mɛ̃] *adv* tomorrow; ***à ~!*** see you tomorrow!; ***~ matin / soir*** tomorrow morning / evening
demande [d(ə)mɑ̃d] *f* (*requête*) request; *écrite* application; ÉCON demand; ***sur*** *ou* ***à la ~ de qn*** at the request of s.o.; ***~ d'emploi*** job application; ***~ en mariage*** proposal; ***~ de renseignements*** inquiry
demandé, ~e [d(ə)mɑ̃de] popular, in demand; **demander** ⟨1a⟩ ask for; *somme d'argent* ask; (*nécessiter*) call for, take; ***~ qch à qn*** ask s.o. for sth; (*vouloir savoir*) ask s.o. sth; ***~ à qn de faire qch*** ask s.o. to do sth; ***il demande que le vol soit*** (*subj*) ***retardé*** he's asking for the flight to be delayed; ***je ne demande qu'à le faire*** I'd be only too delighted; ***se ~ si*** wonder if; ***il est demandé au téléphone*** he's wanted on the phone, there's a call for him; ***on demande un programmeur*** *offre d'emploi* programmer wanted
démangeaison [demɑ̃ʒɛzõ] *f* itch; **démanger** ⟨1l⟩: ***le dos me démange*** my back itches, I have an itchy back; ***ça me démange depuis longtemps*** I've been itching to do it for ages
démanteler [demɑ̃tle] ⟨1d⟩ dismantle
démaquillant [demakijɑ̃] *m* cleanser; ***lait*** *m* ***~*** cleansing milk; **démaquiller** ⟨1a⟩: ***se ~*** take off *ou* remove one's make-up
démarcation [demarkasjõ] *f* demarcation; ***ligne*** *f* ***de ~*** boundary, demarcation line
démarchage [demarʃaʒ] *m* selling
démarche [demarʃ] *f* step (*aussi fig*); ***faire des ~s*** take steps
démarquer [demarke] ⟨1a⟩: ***se ~*** stand out (***de*** from)
démarrage [demaraʒ] *m* start (*aussi fig*); ***~ à froid*** INFORM cold start; **démarrer** ⟨1a⟩ **1** *v/t* AUTO start (up) (*aussi fig*); INFORM boot up, start up **2** *v/i* AUTO start (up); ***~ bien*** *fig* get off to a good start; **démarreur** *m* AUTO starter
démasquer [demaske] ⟨1m⟩ unmask
démêlé [demele] *m* argument; ***avoir des ~s avec la justice*** be in trouble with the law; **démêler** ⟨1b⟩ disentangle; *fig* clear up
déménagement [demenaʒmɑ̃] *m* move; **déménager** ⟨1l⟩ move; **déménageurs** *mpl* movers, *Br* removal men
démence [demɑ̃s] *f* dementia; **dément, ~e** demented; ***c'est ~*** *fig* F it's unbelievable
démener [demәne] ⟨1d⟩: ***se ~*** struggle; (*s'efforcer*) make an effort
démenti [demɑ̃ti] *m* denial
démentiel, ~le [demɑ̃sjɛl] insane
démentir [demɑ̃tir] ⟨2b⟩ (*nier*) deny;

(*infirmer*) belie
démerder [demɛrde] ⟨1a⟩: ***se ~*** F manage, sort things out
démesure [deməzyr] *f* excess; **démesuré**, **~e** *maison* enormous; *orgueil* excessive

D

démettre [demɛtr] ⟨4p⟩ *pied*, *poignet* dislocate; ***~ qn de ses fonctions*** dismiss s.o. from office; ***se ~ de ses fonctions*** resign one's office
demeurant [dəmœrɑ̃]: ***au ~*** moreover
demeure [dəmœr] *f* residence; **demeurer** ⟨1a⟩ (*habiter*) live; (*rester*) stay, remain; **demeuré**, **~e** retarded
demi, **~e** [d(ə)mi] **1** *adj* half; ***une heure et ~e*** an hour and a half; ***il est quatre heures et ~e*** it's four thirty, it's half past four **2** *adv* half; ***à ~*** half **3** *m* half; *bière* half a pint; *en football*, *rugby* halfback; ***~ de mêlée*** scrum half; ***~ d'ouverture*** stand-off (half), fly half
demi-cercle [d(ə)misɛrkl] *m* semi-circle
demi-finale [d(ə)mifinal] *f* (*pl* demi-finales) semi-final
demi-frère [d(ə)mifrɛr] *m* (*pl* demi-‑frères) half-brother
demi-heure [d(ə)mijœr] *f* (*pl* demi-‑heures) half-hour
démilitariser [demilitarize] ⟨1a⟩ demilitarize
demi-litre [d(ə)militr] *m* half liter *ou* *Br* litre
demi-mot [d(ə)mimo]: ***il nous l'a dit à ~*** he hinted at it to us
demi-pension [d(ə)mipɑ̃sjõ] *f* American plan, *Br* half board
demi-pression [d(ə)mipresjõ] *f* half-pint of draft *ou* *Br* draught
demi-sel [d(ə)misɛl] *m* slightly salted butter
demi-sœur [d(ə)misœr] *f* (*pl* demi-‑sœurs) half-sister
démission [demisjõ] *f* resignation; *fig* renunciation; ***donner sa ~*** hand in one's resignation, hand in one's notice; **démissionner** ⟨1a⟩ **1** *vi* resign; *fig* give up **2** *vt* sack
demi-tarif [d(ə)mitarif] *m* half price
demi-tour [d(ə)mitur] *m* AUTO U-‑turn; ***faire ~*** *fig* turn back
démocrate [demɔkrat] democrat; *US* POL Democrat; **démocratie** *f* democracy; **démocratique** democratic
démodé, **~e** [demɔde] old-fashioned
démographique [demɔgrafik] demographic; ***poussée*** *f* ***~*** population growth
demoiselle [d(ə)mwazɛl] *f* (*jeune fille*) young lady; ***~ d'honneur*** bridesmaid
démolir [demɔlir] ⟨2a⟩ demolish (*aussi fig*); **démolition** *f* demolition
démon [demõ] *m* demon
démonstratif, **-ive** [demõstratif, -iv] demonstrative; **démonstration** *f* (*preuve*) demonstration, proof; *d'un outil*, *sentiment* demonstration
démonter [demõte] ⟨1a⟩ dismantle; *fig* disconcert
démontrer [demõtre] ⟨1a⟩ (*prouver*) demonstrate, prove; (*faire ressortir*) show
démoraliser [demɔralize] ⟨1a⟩ demoralize
démordre [demɔrdr] ⟨4a⟩: ***il n'en démordra pas*** he won't change his mind
démotiver [demɔtive] ⟨1a⟩ demotivate
démuni, **~e** [demyni] penniless; **démunir** ⟨2a⟩: ***~ qn de qch*** deprive s.o. of sth
dénaturé, **~e** [denatyre] unnatural; **dénaturer** ⟨1a⟩ distort
déneigement [denɛʒmɑ̃] *m* snow removal *ou* clearance
dénicher [deniʃe] ⟨1a⟩ find
dénier [denje] ⟨1a⟩ deny; ***~ à qn le droit de faire qch*** deny s.o. the right to do sth
dénigrer [denigre] ⟨1a⟩ denigrate
dénivellation [denivɛlasjõ] *f* difference in height
dénombrement [denõbrəmɑ̃] *m* count; **dénombrer** ⟨1a⟩ count
dénominateur [denɔminatœr] *m* MATH denominator; **dénomination** *f* name
dénoncer [denõse] ⟨1k⟩ denounce; *à la police* report; *contrat* terminate; ***se***

*~ **à la police*** give o.s. up to the police; **dénonciateur**, **-trice** *m/f* informer; **dénonciation** *f* denunciation
dénoter [denɔte] ⟨1a⟩ indicate, point to, denote
dénouement [denumɑ̃] *m d'une pièce de théâtre, affaire difficile* ending, denouement *fml*; **dénouer** ⟨1a⟩ loosen; ***se ~*** *fig d'une scène* end; *d'un mystère* be cleared up
dénoyauter [denwajote] ⟨1a⟩ pit, *Br* stone
denrée [dɑ̃re] *f*: ***~s*** (***alimentaires***) foodstuffs; ***une ~ rare*** *fig* a rare commodity
dense [dɑ̃s] dense; *brouillard, forêt* dense, thick; **densité** *f* density; *du brouillard, d'une forêt* denseness, thickness
dent [dɑ̃] *f* tooth; ***~ de sagesse*** wisdom tooth; ***j'ai mal aux ~s*** I've got toothache; ***faire ses ~s*** *d'un enfant* be teething; ***avoir une ~ contre qn*** have a grudge against s.o. ; ***~ de lait*** milk tooth; **dentaire** dental
dentelé, **~e** [dɑ̃tle] jagged
dentelle [dɑ̃tɛl] *f* lace
dentier [dɑ̃tje] *m* (dental) plate, false teeth *pl*; **dentifrice** *m* toothpaste; **dentiste** *m/f* dentist; **dentition** *f* teeth *pl*
dénuder [denyde] ⟨1a⟩ strip
denué, **~e** [denɥe]: ***~ de qch*** devoid of sth; ***~ de tout*** deprived of everything; **denuement** *m* destitution
déodorant [deɔdɔrɑ̃] *m* deodorant; ***~ en aérosol*** spray deodorant; ***~ à bille*** roll-on deodorant
dépannage [depanaʒ] *m* AUTO *etc* repairs *pl*; (*remorquage*) recovery; ***service*** *m* ***de ~*** breakdown service; **dépanner** ⟨1a⟩ repair; (*remorquer*) recover; ***~ qn*** *fig* F help s.o. out of a spot; **dépanneur** *m* repairman; *pour voitures* mechanic; **dépanneuse** *f* wrecker, *Br* tow truck
dépareillé, **~e** [depareje] odd
départ [depar] *m d'un train, bus, avion* departure; SP start (*aussi fig*); ***au ~*** at first, to begin with; ***point*** *m* ***de ~*** starting point
départager [departaʒe] ⟨1l⟩ decide between
département [departəmɑ̃] *m* department; **départemental**, **~e** departmental; ***route ~e*** secondary road
dépassé, **~e** [depase] out of date, old-fashioned; **dépasser** ⟨1a⟩ *personne* pass; AUTO pass, *Br* overtake; *but, ligne d'arrivée etc* overshoot; *fig* exceed; ***cela me dépasse*** it's beyond me, I can't understand it; ***tu dépasses les limites*** you're overstepping the mark; ***se ~*** surpass o.s.
dépaysé, **~e** [depeize] : ***se sentir ~*** feel out of place; **dépaysement** *m* disorientation; *changement agréable* change of scene
dépecer [depəse] ⟨1d *aussi* 1k⟩ cut up
dépêche [depɛʃ] *f* dispatch; **dépêcher** ⟨1b⟩ dispatch; ***se ~ de faire qch*** hurry to do sth; ***dépêche-toi!*** hurry up!
dépeindre [depɛ̃dr] ⟨4b⟩ depict
dépendance [depɑ̃dɑ̃s] *f* dependence, dependancy; ***~s*** *bâtiments* outbuildings; ***entraîner une*** (***forte***) ***~*** be (highly) addictive; **dépendant**, **~e** dependent; **dépendre** ⟨4a⟩: ***~ de*** depend on; *moralement* be dependent on; ***cela dépend*** it depends
dépens [depɑ̃] *mpl*: ***aux ~ de*** at the expense of
dépense [depɑ̃s] *f* expense, expenditure; *de temps, de forces* expenditure; *d'essence, d'électricité* consumption, use; ***~s*** expenditure *sg*; ***~s publiques*** public *ou* government spending; **dépenser** ⟨1a⟩ spend; *son énergie, ses forces* use up; *essence* consume, use; ***se ~*** be physically active; (*faire des efforts*) exert o.s.; **dépensier**, **-ère 1** *adj* extravagant, spendthrift **2** *m/f* spendthrift
dépérir [deperir] ⟨2a⟩ *d'un malade, d'une plante* waste away; *fig d'une entreprise* go downhill
dépeuplement [depœpləmɑ̃] *m* depopulation; **dépeupler** ⟨1a⟩ depopulate
dépilatoire [depilatwar] : ***crème*** *f* ***~*** hair remover, depilatory cream

dépistage [depistaʒ] *m d'un criminel* tracking down; MÉD screening; ***~ du sida*** Aids screening; **dépister** ⟨1a⟩ track down; MÉD screen for; (*établir la présence de*) detect, discover

D

dépit [depi] *m* spite; ***en ~ de*** in spite of; **dépité**, **~e** crestfallen

déplacé, **~e** [deplase] out of place; (*inconvenant*) uncalled for; POL displaced; **déplacement** *m d'un meuble* moving; *du personnel* transfer; (*voyage*) trip; ***frais*** *mpl* ***de ~*** travel expenses; **déplacer** ⟨1k⟩ move; *personnel* transfer; *problème*, *difficulté* shift the focus of; ***se ~*** move; (*voyager*) travel

déplaire [deplɛr] ⟨4a⟩: ***~ à qn*** (*fâcher*) offend s.o.; ***elle me déplaît*** (*ne me plaît pas*) I don't like her, I dislike her; ***cela lui déplaît de faire ...*** he dislikes doing ..., he doesn't like doing ...; ***ça ne me déplaît pas*** I quite like it

déplaisant, **~e** [deplɛzɑ̃, -t] unpleasant

dépliant [deplijɑ̃] *m* leaflet; **déplier** ⟨1a⟩ unfold, open out

déploiement [deplwamɑ̃] *m* MIL deployment; *de forces*, *courage* display

déplorable [deplɔrabl] deplorable; **déplorer** ⟨1a⟩ deplore

déployer [deplwaje] ⟨1h⟩ *aile*, *voile* spread; *carte*, *drap* open out, unfold; *forces*, *courage etc* display

déportation [depɔrtasjõ] *f* POL deportation; **déporter** ⟨1a⟩ POL deport; ***se ~*** *d'un véhicule* swing

déposer [depoze] ⟨1a⟩ **1** *v/t* put down; *armes* lay down; *passager* drop; *roi* depose; *argent*, *boue* deposit; *projet de loi* table; *ordures* dump; *plainte* lodge; ***~ ses bagages à la consigne*** leave one's bags at the baggage checkroom; ***~ le bilan*** file for bankruptcy **2** *v/i d'un liquide* settle; JUR ***~ contre / en faveur de qn*** testify against / on behalf of s.o.; ***se ~*** *de la boue* settle; **déposition** *f* JUR testimony, deposition

déposséder [depɔsede] ⟨1f⟩ deprive (***de*** of)

dépôt [depo] *m* deposit; *action* depositing; *chez le notaire* lodging; *d'un projet de loi* tabling; *des ordures* dumping; (*entrepôt*) depot

dépotoir [depɔtwar] *m* dump, *Br* tip (*aussi fig*)

dépouille [depuj] *f*: ***la ~ (mortelle)*** the (mortal) remains *pl*

dépouillé, **~e** [depuje] *style* pared down; ***~ de*** deprived of; **dépouiller** ⟨1a⟩ *animal* skin; (*voler*) rob (***de*** of); (*examiner*) go through; ***~ le scrutin*** *ou* ***les votes*** count the votes

dépourvu, **~e** [depurvy] : ***~ de*** devoid of; ***prendre qn au ~*** take s.o. by surprise

dépoussiérer [depusjere] ⟨1a⟩ dust; *fig* modernize

dépravation [depravasjõ] *f* depravity; **dépraver** ⟨1a⟩ deprave

déprécier [depresje] ⟨1a⟩ *chose* lower *ou* decrease the value of; *personne* disparage, belittle; ***se ~*** depreciate, lose value; *d'une personne* belittle o.s.

dépressif, **-ive** [depresif, -iv] depressive; **dépression** *f* depression; ***faire une ~*** be depressed, be suffering from depression

déprimant, **~e** [deprimɑ̃, -t] depressing; **déprime** *f* depression; **déprimer** ⟨1a⟩ depress

dépuceler [depysle] ⟨1c⟩ deflower

depuis [dəpɥi] **1** *prép* ◇ since; ***j'attends ~ une heure*** I have been waiting for an hour; ***~ quand es-tu là?*** how long have you been there?; ***~ quand permettent-ils que tu ...?*** since when do they allow you to ...?; ***je ne l'ai pas vu ~ des années*** I haven't seen him in years
◇ *espace* from; ***il est venu en courant ~ chez lui*** he came running all the way from his place
2 *adv* since; ***elle ne lui a pas reparlé ~*** she hasn't spoken to him again since
3 *conj*: ***~ que*** since; ***~ qu'elle habite ici*** since she has been living here

député [depyte] *m* POL MP, Member of Parliament; ***~ européen*** *m* Euro MP, *Br aussi* MEP

déraciner [derasine] ⟨1a⟩ *arbre, personne* uproot; (*extirper*) root out, eradicate
dérailler [derɑje] ⟨1a⟩ go off the rails; *fig* F *d'un mécanisme* go on the blink; (*déraisonner*) talk nonsense; **dérailleur** *m d'un vélo* derailleur
déraisonnable [derɛzɔnabl] unreasonable
dérangeant [derɑ̃ʒɑ̃] disturbing
dérangement [derɑ̃ʒmɑ̃] *m* disturbance; **déranger** ⟨1l⟩ disturb
déraper [derape] ⟨1a⟩ AUTO skid
déréglé, ~e [deregle] *vie* wild
déréglementation [derɛgləmɑ̃tasjõ] *f* deregulation; **déréglementer** ⟨1a⟩ deregulate
dérégler [deregle] ⟨1f⟩ *mécanisme* upset
dérision [derizjõ] *f* derision; ***tourner en ~*** deride
dérisoire [derizwar] derisory, laughable
dérivatif [derivatif] *m* diversion; **dérivation** *f* derivation
dérive [deriv] *f* MAR drift; ***aller à la ~*** *fig* drift; ***à la ~*** adrift; **dériver** ⟨1a⟩ **1** *v/t* MATH derive; *cours d'eau* divert **2** *v/i* MAR, AVIAT drift; ***~ de*** *d'un mot* be derived from; **dériveur** *m* dinghy
dermatologue [dɛrmatɔlɔg] *m/f* dermatologist
dernier, -ère [dɛrnje, -ɛr] last; (*le plus récent*) *mode, film, roman etc* latest; *extrême* utmost; ***ce ~*** the latter; **dernièrement** *adv* recently, lately
dérobée [derɔbe]: ***à la ~*** furtively; **dérober** ⟨1a⟩ steal; ***~ qch à qn*** rob s.o. of sth, steal sth from s.o.; ***se ~ à*** *discussion* shy away from; *obligations* shirk
dérogation [derɔgasjõ] *f* JUR exception; ***~ à*** exception to, departure from; **déroger** ⟨1l⟩ JUR: ***~ à*** make an exception to, depart from
déroulement [derulmɑ̃] *m* unfolding; ***pour faciliter le ~ du projet*** to facilitate the smooth running of the project; **dérouler** ⟨1a⟩ unroll; *bobine, câble* unwind; ***se ~*** take place; *d'une cérémonie* go (off)
déroutant, ~e [derutɑ̃, -t] disconcerting; **dérouter** ⟨1a⟩ (*déconcerter*) disconcert
derrière [dɛrjɛr] **1** *adv* behind; ***être assis ~*** *en voiture* be sitting in back *ou Br* in the back **2** *prép* behind **3** *m* back; ANAT bottom, rear end; ***de ~*** *patte etc* back *atr*
des [de] → ***de***
dès [dɛ] *prép* from, since; ***~ lors*** from then on; (*par conséquent*) consequently; ***~ demain*** tomorrow; (*à partir de*) as of tomorrow, as from tomorrow; ***~ lundi*** as of Monday, as from Monday; ***~ qu'il part*** the moment (that) he leaves, as soon as he leaves
désabusé, ~e [dezabyze] disillusioned; **désabuser** ⟨1a⟩ disillusion
désaccord [dezakɔr] *m* disagreement
désaccordé, ~e [dezakɔrde] out of tune
désaffecté, ~e [dezafɛkte] disused; *église* deconsecrated
désagréable [dezagreabl] unpleasant, disagreeable
désagréger [dezagreʒe] ⟨1g⟩: ***se ~*** disintegrate
désagrément [dezagremɑ̃] *m* unpleasantness, annoyance
désaltérant, ~e [dezalterɑ̃, -t] thirst-quenching
désamorcer [dezamɔrse] ⟨1k⟩ *bombe, mine* defuse (*aussi fig*)
désappointement [dezapwɛ̃tmɑ̃] *m* disappointment; **désappointer** ⟨1a⟩ disappoint
désapprobateur, -trice [dezaprɔbatœr, -tris] disapproving
désapprouver [dezapruve] ⟨1a⟩ disapprove of
désarmement [dezarməmɑ̃] *m* MIL disarmament; **désarmer** ⟨1a⟩ disarm (*aussi fig*)
désarroi [dezarwa] *m* disarray
désastre [dezastr] *m* disaster; **désastreux, -euse** disastrous
désavantage [dezavɑ̃taʒ] *m* disadvantage; **désavantager** ⟨1l⟩ put at a disadvantage; **désavantageux, -euse** disadvantageous
désaveu [dezavø] *m* disowning; *d'un*

propos retraction; **désavouer** ⟨1a⟩ disown; *propos* retract
descendance [desɑ̃dɑ̃s] *f* descendants *pl*; **descendant, ~e** *m/f* descendant

descendre [desɑ̃dr] ⟨4a⟩ **1** *v/i* (*aux* **être**) (*aller vers le bas*) go down; (*venir vers le bas*) come down; *d'un train, un autobus* get off; *d'une voiture* get out; *d'un cheval* get off, dismount; (*baisser*) go down; *de température, prix* go down, fall; *d'un chemin* drop; AVIAT descend; ***~ à l'hôtel / chez qn*** stay at the hotel / with s.o.; ***~ de qn*** be descended from s.o.; ***~ d'une voiture*** get out of a car; ***~ de son cheval*** get off one's horse, dismount; ***~ du troisième étage en ascenseur / à pied*** take the elevator down / walk down from the fourth floor; ***~ dans la rue*** *pour manifester* take to the streets; ***~ bien bas*** (*baisser*) sink very low; ***le manteau lui descend jusqu'aux pieds*** the coat comes down to her feet **2** *v/t* (*porter vers le bas*) bring down; (*emporter*) take down; *passager* drop off; F (*abattre*) shoot down, bring down; *vallée, rivière* descend; ***~ les escaliers*** come / go downstairs; **descente** *f* descent; (*pente*) slope; *en parachute* jump; ***~ de lit*** bedside rug
description [dɛskripsjõ] *f* description; ***~ d'emploi*** job description
désemparé, ~e [dezɑ̃pare] at a loss
désenchanté, ~e [dezɑ̃ʃɑ̃te] disenchanted
déséquilibre [dezekilibr] *m* imbalance; **déséquilibré, ~e** PSYCH unbalanced; **déséquilibrer** ⟨1a⟩ unbalance (*aussi fig*)
désert, ~e [dezɛr, -t] **1** *adj* deserted; ***une île ~e*** a desert island **2** *m* desert
déserter [dezɛrte] ⟨1a⟩ desert (*aussi* MIL); **déserteur** *m* MIL deserter
désertification [dezɛrtifikasjõ] *f* desertification
désertion [dezɛrsjõ] *f* desertion
désertique [dezɛrtik] desert *atr*
désespérant, ~e [dezɛsperɑ̃, -t] *temps etc* depressing; ***d'une bêtise ~e*** depressingly *ou* hopelessly stupid
désespéré, ~e [dezɛspere] desperate; *air, lettre, regard* desperate, despairing; **désespérément** *adv* (*en s'acharnant*) desperately; (*avec désespoir*) despairingly; **désespérer** ⟨1f⟩ **1** *v/t* drive to despair **2** *v/i* despair, lose hope; ***~ de*** despair of
désespoir [dezɛspwar] *m* despair; ***il fait le ~ de ses parents*** his parents despair of him; ***en ~ de cause*** in desperation
déshabillé [dezabije] *m* negligee; **déshabiller** ⟨1a⟩ undress; ***se ~*** get undressed
désherbant [dezɛrbɑ̃] *m* weedkiller, herbicide
déshériter [dezerite] ⟨1a⟩ disinherit
déshonorant, ~e [dezɔnɔrɑ̃, -t] dishonorable, *Br* dishonourable; **déshonorer** ⟨1a⟩ disgrace, bring dishonor *ou Br* dishonour on
déshydraté, ~e [dezidrate] *aliments* dessicated; *personne* dehydrated; **déshydrater** ⟨1a⟩: ***se ~*** become dehydrated
design [dizajn] *m*: ***~ d'intérieurs*** interior design
désigner [deziɲe] ⟨1a⟩ (*montrer*) point to, point out; (*appeler*) call; (*nommer*) appoint (***pour*** to), designate; ***~ qch du doigt*** point at sth
désillusion [dezilyzjõ] disillusionment
désinfectant [dezɛ̃fɛktɑ̃] *m* disinfectant; **désinfecter** ⟨1a⟩ disinfect
désintégration [dezɛ̃tegrasjõ] *f* breakup, disintegration; PHYS disintegration
désintéressé, ~e [dezɛ̃terɛse] (*impartial*) disinterested, impartial; (*altruiste*) selfless; **désintéressement** *m* impartiality; (*altruisme*) selflessness; **désintéresser** ⟨1b⟩: ***se ~ de*** lose interest in
désintoxication [dezɛ̃tɔksikasjõ] *f*: ***faire une cure de ~*** go into detox
désinvolte [dezɛ̃vɔlt] casual; **désinvolture** *f* casualness
désir [dezir] *m* desire; (*souhait*) wish;

le ~ de changement / de plaire the desire for change / to please; **désirable** desirable; **désirer** ⟨1a⟩ want; *sexuellement* desire; ***~ faire qch*** want to do sth; ***nous désirons que vous veniez*** *(subj)* ***avec nous*** we want you to come with us; **dési- reux**, **-euse** eager (***de faire*** to do)

désister [deziste] ⟨1a⟩ POL: ***se ~*** withdraw, stand down

désobéir [dezɔbeir] disobey; ***~ à qn / à la loi / à un ordre*** disobey s.o. / the law / an order; **désobéissant**, **~e** disobedient

désobligeant, **~e** [dezɔbliʒɑ̃, -t] disagreeable

désodorisant [dezɔdɔrizɑ̃] *m* deodorant

désœuvré, **~e** [dezœvre] idle

désolé, **~e** [dezɔle] upset (***de*** about, over); ***je suis ~*** I am so sorry; **désoler** ⟨1a⟩ upset

désopilant, **~e** [dezɔpilɑ̃, -t] hilarious

désordonné, **~e** [dezɔrdɔne] untidy

désordre [dezɔrdr] *m* untidiness; ***en ~*** untidy

désorganisé, **~e** [dezɔrganize] disorganized

désorienter [dezɔrjɑ̃te] ⟨1a⟩ disorient, *Br* disorientate

désormais [dezɔrmɛ] *adv* now; *à partir de maintenant* from now on

désosser [dezɔse] ⟨1a⟩ bone, remove the bones from

despote [dɛspɔt] *m* despot; **despotique** despotic; **despotisme** *m* despotism

desquels, **desquelles** [dekɛl] → ***lequel***

dessécher [deseʃe] ⟨1f⟩ *d'un sol, rivière, peau* dry out; *de fruits* dry

dessein [desɛ̃] *m* intention; ***à ~*** intentionally, on purpose; ***dans le ~ de faire qch*** with the intention of doing sth

desserrer [desɛre] ⟨1b⟩ loosen

dessert [desɛr] *m* dessert

desservir [desɛrvir] ⟨2b⟩ *des transport publics* serve; *(s'arrêter à)* call at, stop at; *table* clear; ***~ qn*** do s.o. a disservice

dessin [desɛ̃] *m* drawing; *(motif)* design; ***~ animé*** cartoon

dessinateur, **-trice** [desinatœr, -tris] *m/f* drawer; TECH draftsman, *Br* draughtsman; *de mode* designer; **dessiner** ⟨1a⟩ draw

dessoûler [desule] ⟨1a⟩ F sober up

dessous [d(ə)su] **1** *adv* underneath; ***en ~*** underneath; ***agir en ~*** *fig* act in an underhanded way; ***ci-~*** below **2** *m (face inférieure)* underside; ***les voisins du ~*** the downstairs neighbors, the people in the apartment beneath; ***des ~ en dentelle*** lace underwear *sg*; ***les ~ de la politique*** *fig* the side of politics people don't get to hear about; ***avoir le ~*** get the worst of it; **dessous-de-plat** *m (pl inv)* table mat

dessus [d(ə)sy] **1** *adv*: ***le nom est écrit ~*** the name's written on top; ***sens ~ dessous*** upside down; ***en ~*** on top; ***par-~*** over; ***ci-~*** above; ***il nous est tombé ~*** *fig* F he came down on us like a ton of bricks F; ***il a le nez ~*** it's right under his nose **2** *m* top; ***les voisins du ~*** the upstairs neighbors, the people in the apartment above; ***avoir le ~*** *fig* have the upper hand; **dessus-de-lit** *m (pl inv)* bedspread

destabilisant, **~e** [dɛstabilizɑ̃, -t] unnerving; **déstabiliser** ⟨1a⟩ destabilize

destin [dɛstɛ̃] *m* destiny, fate

destinataire [dɛstinatɛr] *m* addressee; **destination** *f* destination; **destinée** *f* destiny; **destiner** ⟨1a⟩ mean, intend (***à*** for)

destituer [dɛstitɥe] ⟨1a⟩ dismiss; MIL discharge; ***destitué de ses fonctions*** relieved of his duties

destroyer [dɛstrwaje] *m* destroyer

destructeur, **-trice** [dɛstryktœr, -tris] destructive; **destruction** *f* destruction

désuet, **-ète** [desɥɛ, -t] obsolete; *mode* out of date; **désuétude** *f*: ***tomber en ~*** fall into disuse

désuni, **~e** [desɥni] disunited

détachable [detaʃabl] detachable

D

détaché, **~e** [detaʃe] *fig* detached; **détacher** ⟨1a⟩ detach; *ceinture* undo; *chien* release, unchain; *employé* second; (*nettoyer*) clean, remove the spots from; ***je ne pouvais pas ~ mes yeux de ...*** I couldn't take my eyes off ...; ***se ~ sur*** stand out against

détail [detaj] *m* detail; COMM retail trade; ***vendre au ~*** sell retail; ***prix*** *m* ***de ~*** retail price; ***en ~*** detailed

détaillant [detajɑ̃] *m* retailer

détartrage [detartraʒ] m descaling; **détartrer** ⟨1a⟩ descale

détecter [detɛkte] ⟨1a⟩ detect; **détecteur** *m* sensor

détective [detɛktiv] m detective

déteindre [detɛ̃dr] ⟨4b⟩ fade; ***~ sur*** come off on; *fig* rub off on

détendre [detɑ̃dr] ⟨4a⟩ slacken; ***~ l'atmosphère*** *fig* make the atmosphere less strained, take the tension out of the atmosphere; ***se ~*** *d'une corde* slacken; *fig* relax; **détendu**, **~e** relaxed; *pull* baggy

détenir [detnir] ⟨2h⟩ hold; JUR detain, hold

détente [detɑ̃t] *f d'une arme* trigger; *fig* relaxation; POL détente; **détenteur** *m* holder; **détention** *f* holding; JUR detention; ***~ préventive*** preventive detention

détenu, **~e** [detny] *m/f* inmate

détergent [detɛrʒɑ̃] *m* detergent

détériorer [deterjɔre] ⟨1a⟩ *appareil, machine, santé* damage; ***se ~*** deteriorate

déterminant, **~e** [detɛrminɑ̃, -t] decisive; **détermination** *f* determination; **déterminer** ⟨1a⟩ establish, determine; ***son experience passée l'a déterminée à se marier*** her past experience made her decide to get married

déterrer [detɛre] ⟨1b⟩ dig up

détestable [detɛstabl] detestable; **détester** ⟨1a⟩ detest, hate

détonation [detɔnasjõ] *f* detonation; **détonner** ⟨1a⟩ MUS sing off-key; *fig: de couleurs* clash; *d'un meuble* be *ou* look out of place

détour [detur] *m* detour; *d'un chemin, fleuve* bend; ***sans ~*** *fig: dire qch* frankly, straight out; **détourné**, **~e** *fig* indirect; ***par des moyens ~s*** by indirect means; **détournement** *m* diversion; ***~ d'avion*** hijack(ing); ***~ de fonds*** misappropriation of funds, embezzlement; **détourner** ⟨1a⟩ *trafic* divert; *avion* hijack; *tête, yeux* turn away; *de l'argent* embezzle, misappropriate; ***~ la conversation*** change the subject; ***se ~*** turn away

détracteur, **-trice** [detraktœr, -tris] *m/f* detractor

détraqué, **~e** [detrake] *montre, radio etc* broken, kaput F; *estomac* upset

détrempé, **~e** [detrɑ̃pe] soggy

détresse [detrɛs] *f* distress

détriment [detrimɑ̃] *m*: ***au ~ de*** to the detriment of

détritus [detritys] *m* garbage, *Br* rubbish

détroit [detrwa] *m* strait

détromper [detrõpe] ⟨1a⟩ put right

détrôner [detrone] ⟨1a⟩ dethrone

détruire [detrɥir] ⟨4c⟩ destroy; (*tuer*) kill

dette [dɛt] *f* COMM, *fig* debt; ***~ publique*** national debt; ***avoir des ~s*** be in debt

DEUG [dœg] *m abr* (***= diplôme d'études universitaires générales***) *university degree obtained after two years' study*

deuil [dœj] *m* mourning; ***être en ~*** be in mourning; ***porter le ~*** be in mourning, wear mourning; ***il y a eu un ~ dans sa famille*** there's been a bereavement in his family

deux [dø] **1** *adj* two; ***les ~*** both; ***les ~ maisons*** the two houses, both houses; ***tous*** (***les***) ***~*** both; ***tous les ~ jours*** every two days, every second day; ***nous ~*** the two of us, both of us; ***~ fois*** twice **2** *m* two; ***à nous ~ on y arrivera*** we'll manage between the two of us; ***en ~*** in two, in half; ***~ à*** *ou* ***par ~*** in twos, two by two; → ***trois***

deuxième second; *étage* third, *Br* second; **deuxièmement** *adv* secondly

deux-pièces [døpjɛs] *m* (*pl inv*) *bikini* two-piece swimsuit; *appartement* two-room apartment
deux-points [døpwɛ̃] *m* (*pl inv*) colon
deux-roues [døru] *m* (*pl inv*) two-wheeler
dévaliser [devalize] ⟨1a⟩ *banque* rob, raid; *maison* burglarize, *Br* burgle; *personne* rob; *fig*: *frigo* raid
dévalorisant, **~e** [devalɔrizɑ̃, -t] demeaning; **dévalorisation** *f* ÉCON drop in value, depreciation; *fig* belittlement; **dévaloriser** ⟨1a⟩ ÉCON devalue; *fig* belittle
dévaluation [devalɥasjõ] *f* ÉCON devaluation; **dévaluer** ⟨1a⟩ devalue
devancer [d(ə)vɑ̃se] ⟨1k⟩ (*dépasser, surpasser*), *âge*, *siècle* be ahead of; *désir*, *objection* anticipate; ***~ qn de deux mètres / trente minutes*** be two meters / thirty minutes ahead of s.o.
devant [d(ə)vɑ̃] **1** *adv* in front; ***se fermer ~*** *d'un vêtement* do up at the front, do up in front; ***droit ~*** straight ahead **2** *prép* in front of; ***passer ~ l'église*** go past the church; ***~ Dieu*** before God; ***~ un tel mensonge*** *fig* when faced with such a lie **3** *m* front; ***de ~*** front *atr*; ***prendre les ~s*** take the initiative
devanture [d(ə)vɑ̃tyr] *f* shop window
dévaster [devaste] ⟨1a⟩ devastate
développement [devlɔpmɑ̃] *m* ÉCON, ANAT development, growth; PHOT development; ***pays*** *m* ***en voie de ~*** developing country; **développer** ⟨1a⟩ develop (*aussi* PHOT); *entreprise*, *affaire* expand, grow; ***se ~*** develop
devenir [dəvnir] ⟨2h⟩ (*aux* ***être***) become; ***il devient agressif*** he's getting aggressive; ***que va-t-il ~?*** what's going to become of him?
dévergondé, **~e** [devɛrgõde] *sexuellement* promiscuous
déverser [devɛrse] ⟨1a⟩ *ordures* dump; *passagers* disgorge
dévêtir [devɛtir] ⟨2g⟩ undress
déviation [devjasjõ] *f d'une route* detour; (*écart*) deviation
dévier [devje] ⟨1a⟩ **1** *v/t circulation*, *convoi* divert, reroute **2** *v/i* deviate (***de*** from)
devin [dəvɛ̃] *m*: ***je ne suis pas ~!*** I'm not a mind-reader; *pour l'avenir* I can't tell the future; **deviner** ⟨1a⟩ guess; **devinette** *f* riddle
devis [d(ə)vi] *m* estimate
dévisager [devisaʒe] ⟨1l⟩ look intently at, stare at
devise [d(ə)viz] *f* FIN currency; (*moto*, *règle de vie*) motto; ***~s étrangères*** foreign currency *sg*
dévisser [devise] ⟨1a⟩ unscrew
dévoiler [devwale] ⟨1a⟩ unveil; *secret* reveal, disclose
devoir [dəvwar] ⟨3a⟩ **1** *v/t de l'argent*, *respect* owe **2** *v/aux nécessité* have to; ***il doit le faire*** he has to do it, he must do it, he has *ou* he's got to do it; ***tu as fait ce que tu devais*** you did what you had to
◊ *obligation*: ***il aurait dû me le dire*** he should have told me; ***tu devrais aller la voir*** you should go and see her
◊ *conseil*: ***tu devrais l'acheter*** you should buy it
◊ *supposition*: ***ça doit être cuit*** it should be done; ***je crois que ça doit suffire*** I think that should be enough; ***tu dois te tromper*** you must be mistaken
◊: *prévision*: ***l'usine doit fermer le mois prochain*** the plant is (due) to close down next month
3 *m* duty; *pour l'école* homework; ***faire ses ~s*** do one's homework
dévorer [devɔre] ⟨1a⟩ devour
dévotion [devosjõ] *f* devoutness; *péj* sanctimoniousness
dévoué, **~e** [devwe] devoted; **dévouement** *m* devotion; **dévouer** ⟨1a⟩: ***se ~ pour*** *cause* dedicate one's life to
dextérité [dɛksterite] *f* dexterity, skill
diabète [djabɛt] *m* diabetes *sg*; **diabétique** *m/f* diabetic
diable [djabl] *m* devil
diabolique [djabɔlik] diabolical
diagnostic [djagnɔstik] *m* MÉD diagnosis; **diagnostiquer** ⟨1m⟩ MÉD diagnose

D

diagonal, **~e** [djagɔnal] (*mpl* -aux) **1** *adj* diagonal **2** *f* diagonal (line); ***en ~e*** diagonally; ***lire un texte en ~e*** *fig* skim (through) a text
diagramme [djagram] *m* diagram
dialecte [djalɛkt] *m* dialect
dialogue [djalɔg] *m* dialog, *Br* dialogue; **dialoguer** ⟨1m⟩ communicate, enter into a dialog *ou Br* dialogue with
dialyse [djaliz] *f* dialysis
diamant [djamɑ̃] *m* diamond
diamétralement [diametralmɑ̃] *adv* diametrically
diamètre [djamɛtr] *m* diameter; ***faire 10 centimètres de ~*** be 10 centimeters in diameter
diapason [djapazõ] *m* MUS tuning fork; ***se mettre au ~ de qn*** *fig* follow s.o.'s lead
diaphragme [djafragm] *m* ANAT, PHOT, *contraceptif* diaphragm
diapositive [djapɔzitiv] *f* slide
diarrhée [djare] *f* diarrhea, *Br* diarrhoea
dictateur [diktatœr] *m* dictator; **dictatorial**, **~e** dictatorial; **dictature** *f* dictatorship
dictée [dikte] *f* dictation; **dicter** ⟨1a⟩ dictate
diction [diksjõ] *f* diction
dictionnaire [diksjɔnɛr] *m* dictionary
dicton [diktõ] *m* saying
dièse [djɛz] *m* MUS sharp
diesel [djezɛl] *m* diesel
diète [djɛt] *f* diet
diététicien, **~ne** [djetetisjɛ̃, -ɛn] *m/f* dietitian
Dieu [djø] *m* God; ***~ merci!*** thank God!
diffamation [difamasjõ] *f* defamation (of character), slander; **diffamatoire** defamatory; **diffamer** ⟨1a⟩ slander
différence [diferɑ̃s] *f* difference (*aussi* MATH); ***à la ~ de sa femme*** unlike his wife; **différencier** ⟨1a⟩ differentiate; **différend** *m* dispute; **différent**, **~e** different; ***~es personnes*** various people; **différentiel** *m* AUTO differential
différer [difere] ⟨1f⟩ **1** *v/t* (*renvoyer*) defer; ***en différé*** *émission* recorded **2** *v/i* differ
difficile [difisil] difficult; (*dur*) difficult, hard; (*exigeant*) particular, hard to please
difficulté [difikylte] *f* difficulty
difforme [difɔrm] deformed; *chaussures* shapeless; **difformité** *f* deformity
diffuser [difyze] ⟨1a⟩ *chaleur, lumière* spread, diffuse; RAD, TV broadcast; *idées, nouvelle* spread; **diffusion** *f* spread; RAD, TV broadcast; *de chaleur, lumière* diffusion
digérer [diʒere] ⟨1f⟩ digest
digeste [diʒɛst] digestible; **digestif**, **-ive 1** *adj* digestive **2** *m* liqueur; **digestion** *f* digestion
digital, **~e** [diʒital] (*mpl* -aux) digital; ***empreinte** f **~e*** fingerprint
digne [diɲ] (*plein de dignité*) dignified; ***~ de*** worthy of; ***~ de foi*** reliable, ***~ d'intérêt*** interesting; **dignitaire** *m* dignitary; **dignité** *f* dignity; (*charge*) office
digression [digresjõ] *f* digression
digue [dig] *f* dyke
dilapider [dilapide] ⟨1a⟩ fritter away, squander
dilatation [dilatasjõ] *f* expansion; *de pupille* dilation; **dilater** ⟨1a⟩ expand; *pupille* dilate
dilemme [dilɛm] *m* dilemma
diluer [dilɥe] ⟨1n⟩ dilute
dimanche [dimɑ̃ʃ] *m* Sunday
dimension [dimɑ̃sjõ] *f* size, dimension; MATH dimension; *d'une faute* magnitude
diminuer [diminye] ⟨1n⟩ **1** *v/t nombre, prix, vitesse* reduce; *joie, enthousiasme, forces* diminish; *mérites* detract from; *souffrances* lessen, decrease; ***la maladie l'a diminuée*** the illness has weakened her **2** *v/i* decrease; ***les jours diminuent*** the days are drawing in, the nights are getting longer; **diminutif** *m* diminutive; **diminution** *f* decrease, decline; *d'un nombre, prix* reduction
dinde [dɛ̃d] *f* turkey; **dindon** *m* turkey
dîner [dine] **1** *v/i* ⟨1a⟩ dine **2** *m* dinner; ***~ dansant*** dinner-dance

dingue [dɛ̃g] F crazy, nuts F
dinosaure [dinɔzɔr] *m* dinosaur
diplomate [diplɔmat] *m* diplomat; **diplomatie** *f* diplomacy; **diplomatique** diplomatic
diplôme [diplom] *m* diploma; *universitaire* degree; **diplômé**, **~e** diploma holder; *de l'université* graduate
dire [dir] **1** *v/t & v/i* ⟨4m⟩ say; (*informer, réveler, ordonner*) tell; (*penser*) think; *poème* recite; ***elle dit le connaître*** she says she knows him; ***dis-moi où il est*** tell me where he is; ***~ à qn de faire qch*** tell s.o. to do sth; ***que dis-tu d'une pizza?*** how about a pizza?; ***on dirait qu'elle a trouvé ce qu'elle cherchait*** it looks as if she's found what she was looking for; ***vouloir ~*** mean; ***à vrai ~*** to tell the truth; ***ça veut tout ~*** that says it all; ***et ~ que*** and to think that; ***cela va sans ~*** that goes without saying; ***cela ne me dit rien de faire …*** I'm not particularly keen on doing …, I don't feel like doing … **2** *m*: ***au***(***x***) ***~***(***s***) ***de qn*** according to s.o.
direct, **~e** [dirɛkt] direct; ***train*** *m* ***~*** through train; ***en ~*** *émission* live; **directement** *adv* directly
directeur, **-trice** [dirɛktœr, -tris] **1** *adj comité* management **2** *m/f* manager; *plus haut dans la hiérarchie* director; ÉDU principal, *Br* head teacher; **direction** *f* (*sens*) direction; (*gestion, directeurs*) management; AUTO steering; ***sous la ~ de Simon Rattle*** MUS under the baton of Simon Rattle, conducted by Simon Rattle; ***~ assistée*** power steering; **directive** *f* instruction; *de l'UE* directive
dirigeable [diriʒabl] *m* airship; **dirigeant** *m surtout* POL leader; **diriger** ⟨1l⟩ manage, run; *pays* lead; *orchestre* conduct; *voiture* steer; *arme, critique* aim (***contre*** at); *regard, yeux* turn (***vers*** to); *personne* direct; ***se ~ vers*** head for
discernement [disɛrnəmɑ̃] *m* discernment; **discerner** ⟨1a⟩ (*percevoir*) make out; ***~ le bon du mauvais*** tell good from bad
disciplinaire [disiplinɛr] disciplinary; **discipline** *f* discipline; **discipliné**, **~e** disciplined
disc-jockey [diskʒɔke] *m* disc jockey, DJ
disco [disko] *m* disco
discontinu, **~e** [diskõtiny] *ligne* broken; *effort* intermittent
discordant, **~e** [diskɔrdɑ̃, -t] discordant, unmusical; **discorde** *f* discord
discothèque [diskɔtɛk] *f* (*boîte*) discotheque, disco; *collection* record library
discours [diskur] *m* speech; ***faire*** *ou* ***prononcer un ~*** give a speech
discréditer [diskredite] ⟨1a⟩ discredit
discret, **-ète** [diskrɛ, -t] (*qui n'attire pas l'attention*) unobtrusive; *couleur* quiet; *robe* plain, simple; (*qui garde le secret*) discreet; **discrétion** *f* discretion; ***à la ~ de qn*** at s.o.'s discretion
discrimination [diskriminasjõ] *f* discrimination
disculper [diskylpe] ⟨1a⟩ clear, exonerate; ***se ~*** clear o.s.
discussion [diskysjõ] *f* discussion; (*altercation*) argument; **discutable** debatable; **discuter** ⟨1a⟩ discuss; (*contester*) question
diseur, **-euse** [dizœr, øz] *m/f*: ***~ de bonne aventure*** fortune-teller
disgracier [disgracje] ⟨1a⟩ dismiss
disjoindre [diʒʒwɛ̃dr] ⟨4b⟩ separate
disjoncter [diʒʒõkte] ⟨1a⟩ **1** *vt* ÉL break **2** *vi* F be crazy; **disjoncteur** *m* circuit breaker
disparaître [disparɛtr] ⟨4z⟩ disappear; (*mourir*) die; *d'une espèce* die out; ***faire ~*** get rid of
disparité [disparite] *f* disparity
disparition [disparisjõ] *f* disappearance; (*mort*) death; ***être en voie de ~*** be dying out, be becoming extinct; ***espèce en voie de ~*** endangered species
dispensaire [dispɑ̃sɛr] *m* clinic; **dispenser** ⟨1a⟩: ***~ qn de*** (***faire***) ***qch*** (*exempter*) excuse s.o. from (doing) sth; ***je vous dispense de vos***

D

commentaires I can do without your comments; ***je peux me ~ de faire la cuisine*** I don't need to cook
disperser [dispɛrse] ⟨1a⟩ disperse; ***se ~*** (*faire trop de choses*) spread o.s. too thin

D

disponibilité [dispɔnibilite] *f* availability; **disponible** available
dispos [dispo]: ***frais et ~*** bright-eyed and bushy-tailed F
disposé, **~e** [dispoze] disposed; **disposer** ⟨1a⟩ (*arranger*) arrange; ***~ de qn / qch*** have s.o. / sth at one's disposal; ***se ~ à faire qch*** get ready to do sth; **dispositif** *m* device; **disposition** *f* (*arrangement*) arrangement; *d'une loi* provision; (*humeur*) mood; (*tendance*) tendency; ***être à la ~ de qn*** be at s.o.'s disposal; ***avoir qch à sa ~*** have sth at one's disposal; ***prendre ses ~s pour faire qch*** make arrangements to do sth; ***avoir des ~s pour qch*** have an aptitude for sth
disproportionné, **~e** [disprɔpɔrsjɔne] disproportionate
dispute [dispyt] *f* quarrel, dispute; **disputer** ⟨1a⟩ *match* play; ***~ qch à qn*** compete with s.o for sth.; ***se ~*** quarrel, fight
disqualification [diskalifikasjõ] *f* disqualification; **disqualifier** ⟨1a⟩ disqualify
disque [disk] *m* disk, *Br* disc; SP discus; MUS disk, *Br* record; INFORM disk; ***~ compact*** compact disc; ***~ dur*** hard disk; **disquette** *f* diskette, disk, floppy; ***~ de démonstration*** demo disk
dissension [disɑ̃sjõ] *f le plus souvent au pl* ***~s*** dissension *sg*
disséquer [diseke] ⟨1f *et* 1m⟩ dissect
dissertation [disɛrtasjõ] *f* ÉDU essay
dissident, **~e** [disidɑ̃, -t] *m/f* dissident
dissimuler [disimyle] ⟨1a⟩ conceal, hide (***à*** from)
dissiper [disipe] ⟨1a⟩ dispel; *brouillard* disperse; *fortune* squander; ***se ~*** *du brouillard* clear
dissociation [disɔsjasjõ] *f fig* separation
dissolu, **~e** [disɔly] dissolute
dissolution [disɔlysjõ] *f* POL dissolution
dissolvant [disɔlvɑ̃] *m* CHIM solvent; *pour les ongles* nail polish remover
dissoudre [disudr] ⟨4bb⟩ dissolve
dissuader [disɥade] ⟨1a⟩: ***~ qn de faire qch*** dissuade s.o. from doing sth, persuade s.o. not to do sth; **dissuasif**, **-ive** off-putting; **dissuasion** *f* dissuasion; ***~ nucléaire*** POL nuclear deterrent
distance [distɑ̃s] *f* distance (*aussi fig*); ***commande f à ~*** remote control; ***tenir qn à ~*** keep s.o. at a distance; ***prendre ses ~s avec qn*** distance o.s. from s.o.; **distancer** ⟨1k⟩ outdistance; **distant**, **~e** distant (*aussi fig*)
distiller [distile] ⟨1a⟩ distill; **distillerie** *f* distillery
distinct, **~e** [distɛ̃, -kt] distinct; ***~ de*** different from; **distinctement** *adv* distinctly
distinctif, **-ive** [distɛ̃ktif, -iv] distinctive; **distinction** *f* distinction
distingué, **~e** [distɛ̃ge] distinguished; **distinguer** ⟨1m⟩ (*percevoir*) make out; (*différencier*) distinguish (***de*** from); ***se ~*** (*être différent*) stand out (***de*** from)
distraction [distraksjõ] *f* (*passe-temps*) amusement, entertainment; (*inattention*) distraction
distraire [distrɛr] ⟨4s⟩ *du travail, des soucis* distract (***de*** from); (*divertir*) amuse, entertain; ***se ~*** amuse o.s.; **distrait**, **~e** absent-minded; **distraitement** *adv* absent-mindedly
distribuer [distribɥe] ⟨1n⟩ distribute; *courrier* deliver; **distributeur** *m* distributor; ***~ automatique*** vending machine; ***~ de billets*** ticket machine; ***~ de boissons*** drinks machine; **distribution** *f* distribution; *du courrier* delivery
district [distrikt] *m* district
dit, **~e** [di, -t] **1** *p/p* → ***dire*** **2** *adj* (*surnommé*) referred to as; (*fixé*) appointed
divaguer [divage] ⟨1m⟩ talk nonsense

divan [divɑ̃] *m* couch
divergence [divɛrʒɑ̃s] *f d'opinions* difference; **diverger** ⟨1l⟩ *de lignes* diverge; *d'opinions* differ
divers, ~e [divɛr, -s] *(différent)* different, varied; *au pl (plusieurs)* various
diversification [divɛrsifikasjõ] *f* diversification; **diversifier** ⟨1a⟩ diversify
diversion [divɛrsjõ] *f* diversion
diversité [divɛrsite] *f* diversity
divertir [divɛrtir] ⟨2a⟩ amuse, entertain; **divertissant, ~e** entertaining; **divertissement** *m* amusement, entertainment
dividende [dividɑ̃d] *m* dividend
divin, ~e [divɛ̃, -in] divine; **divinité** *f* divinity
diviser [divize] ⟨1a⟩ divide *(aussi fig*, MATH); *tâche, somme, domaine* divide up; ***se ~*** be divided (***en*** into); **division** *f* division
divorce [divɔrs] *m* divorce; ***demander le ~*** ask for a divorce; **divorcé, ~e** *m/f* divorcee; **divorcer** ⟨1k⟩ get a divorce (***d'avec*** from)
divulguer [divylge] ⟨1m⟩ divulge, reveal
dix [dis] ten; → ***trois***; **dix-huit** eighteen; **dix-huitième** eighteenth; **dixième** tenth; **dix-neuf** nineteen; **dix-neuvième** nineteenth; **dix-sept** seventeen; **dix-septième** seventeenth
dizaine [dizɛn] *f*: ***une ~ de*** about ten *pl*, ten or so *pl*
D.J. [didʒe] *m/f abr* (= ***disc-jockey***) DJ, deejay (= disc jockey)
do [do] *m* MUS C
docile [dɔsil] docile
docteur [dɔktœr] *m* doctor; **doctorat** *m* doctorate, PhD; **doctoresse** *f* F woman doctor
doctrine [dɔktrin] *f* doctrine
document [dɔkymɑ̃] *m* document; **documentaire** *m & adj* documentary; **documentation** *f* documentation; **documenter** ⟨1a⟩: ***se ~*** collect information
dodo [dodo] *m* F: ***faire ~*** go to beddy-byes F
dodu, ~e [dɔdy] chubby
dogmatique [dɔgmatik] dogmatic; **dogme** *m* dogma
doigt [dwa] *m* finger; ***~ de pied*** toe; ***croiser les ~s*** keep one's fingers crossed; ***savoir qch sur le bout des ~s*** have sth at one's fingertips; **doigté** *m* MUS fingering; *fig* tact
dollar [dɔlar] *m* dollar
domaine [dɔmɛn] *m* estate; *fig* domain
dôme [dom] *m* dome
domestique [dɔmɛstik] **1** *adj* domestic; ***animal ~*** pet **2** *m* servant; **domestiquer** ⟨1m⟩ tame
domicile [dɔmisil] *m* place of residence; **domicilié, ~e**: ***~ à*** resident at
dominant, ~e [dɔminɑ̃, -t] dominant; **dominateur, -trice** domineering; **domination** *f* domination; **dominer** ⟨1a⟩ **1** *v/t* dominate *(aussi fig)* **2** *v/i (prédominer)* be predominant; ***se ~*** control o.s.
dommage [dɔmaʒ] *m*: (***quel***) ***~!*** what a pity!; ***c'est ~ que*** (+ *subj*) it's a pity; ***~s et intérêts*** JUR damages
dompter [dõte] ⟨1a⟩ *animal* tame; *rebelle* subdue; **dompteur** *m* trainer
DOM-TOM [dɔmtɔm] *mpl abr* (= ***départements et territoires d'outre-mer***) overseas departments and territories of France
don [dõ] *m (donation)* donation; *charité* donation, gift; *(cadeau)* gift, present; *(aptitude)* gift; ***~ du ciel*** godsend; **donation** *f* donation
donc [dõk] *conclusion* so; ***écoutez ~!*** do listen!; ***comment ~?*** how (so)?; ***allons ~!*** come on!
donjon [dõʒõ] *m* keep
donné, ~e [dɔne] **1** *p/p* → ***donner*** **2** *adj* given; ***étant ~*** given; ***c'est ~*** I'm / he's / *etc* giving it away; **données** *fpl* data *sg*, information *sg*; INFORM data *sg*; **donner** ⟨1a⟩ **1** *v/t* give **2** *v/i*: ***~ sur la mer*** overlook the sea, look onto the sea; **donneur** *m* MÉD donor
dont [dõ]: ***le film ~ elle parlait*** the movie she was talking about; ***une famille ~ le père est parti*** a family whose father has left; ***la manière ~***

elle me regardait the way (in which) she was looking at me; ***celui ~ il s'agit*** the one it is about; ***ce ~ j'ai besoin*** what I need; ***plusieurs sujets, ~ le sexe*** several subjects including sex

dopage [dɔpaʒ] *m* drug taking; **doper** ⟨1a⟩ drug; ***se ~*** take drugs

doré, ~e [dɔre] *bijou* gilt, gilded; *couleur* golden

dorénavant [dɔrenavɑ̃] from now on

dorer [dɔre] ⟨1a⟩ gild

dorloter [dɔrlɔte] ⟨1a⟩ pamper

dormeur, -euse [dɔrmœr, -øz] *m/f* sleeper; **dormir** ⟨2b⟩ sleep; ***histoire f à ~ debout*** tall tale, *Br* tall story

dortoir [dɔrtwar] *m* dormitory

dos [do] *m* back; *d'un chèque* back, reverse; ***~ d'âne*** *m* speed bump; *pont* hump-backed bridge

dosage [dozaʒ] *m* MÉD dose

dose [doz] *f* MÉD dose; PHARM proportion; **doser** ⟨1a⟩ measure out

dossier [dosje] *m d'une chaise* back; *de documents* file, dossier; ***~ médical*** medical record(s)

doter [dote] ⟨1a⟩ endow

douane [dwan] *f* customs *pl*; **douanier, -ère 1** *adj* customs *atr* **2** *m/f* customs officer

doublage [dublaʒ] *m d'un vêtement* lining; *d'un film* dubbing; **double 1** *adj* double **2** *m deuxième exemplaire* duplicate; *au tennis* doubles (match); ***le ~*** double, twice as much; **doubler** ⟨1a⟩ **1** *v/t* double; AUTO pass, *Br* overtake; *film* dub; *vêtement* line **2** *v/i* double; **doublon** *m* double; **doublure** *f d'un vêtement* lining

doucement [dusmɑ̃] *adv* gently; (*bas*) softly; (*lentement*) slowly; **douceur** *f d'une personne* gentleness; ***~s*** (*jouissance*) pleasures; (*sucreries*) sweet things

douche [duʃ] *f* shower; ***prendre une ~*** shower, take a shower

doué, ~e [dwe] ⟨1a⟩ gifted; ***~ de qch*** endowed with sth

douille [duj] *f* ÉL outlet, *Br* socket

douillet, ~te [dujɛ, -t] *lit, vêtement, intérieur* cozy, *Br* cosy; *personne* babyish

douleur [dulœr] *f* pain

douloureux, -euse [dulurø, -z] painful

doute [dut] *m* doubt; ***sans ~*** without doubt; ***sans aucun ~*** undoubtedly; **douter** ⟨1a⟩: ***~ de qn / qch*** doubt s.o. / sth; ***se ~ de qch*** suspect sth; ***se ~ que*** suspect that, have an idea that; **douteux, -euse** doubtful

doux, douce [du, -s] sweet; *temps* mild; *personne* gentle; *au toucher* soft

douzaine [duzɛn] *f* dozen; **douze** twelve; → ***trois***; **douzième** twelfth

Dow-Jones [dowdʒons] *m*: ***indice*** *m* ***~*** Dow Jones Average

doyen [dwajɛ̃] *m* doyen; *d'une université* dean

draconien, ~ne [drakɔnjɛ̃, -ɛn] draconian

dragée [draʒe] *f* sugared almond

dragon [dragõ] *m* dragon

draguer [dragœr] ⟨1m⟩ *rivière* dredge; F *femmes* try to pick up; **dragueur** *m* F ladies' man

drainage [drɛnaʒ] *m* drainage; **drainer** ⟨1a⟩ drain

dramatique [dramatik] dramatic (*aussi fig*); **dramatiser** ⟨1a⟩ dramatize; **dramaturge** *m* playwright; **drame** *m* drama; *fig* tragedy, drama

drap [dra] *m de lit* sheet

drapeau [drapo] *m* (*pl* -x) flag

drap-housse [draus] *m* fitted sheet

dressage [drɛsaʒ] *m d'un échafaudage, d'un monument* erection; *d'une tente* pitching; *d'un animal* training; **dresser** ⟨1b⟩ put up; *échafaudage, monument* erect, put up; *tente* pitch, put up; *contrat* draw up; *animal* train; ***~ qn contre qn*** set s.o. against s.o.; ***se ~*** straighten up; *d'une tour* rise up; *d'un obstacle* arise

drogue [drɔg] *f* drug; ***~ douce*** soft drug; ***~ récréative*** recreational drug; **drogué, ~e** *m/f* drug addict; **droguer** ⟨1a⟩ drug; MÉD (*traiter*) give medication to; ***se ~*** take drugs; MÉD *péj* pop pills; **droguerie** *f* hardware store

droit, ~e [drwa, -t] **1** *adj côté* right; *li-*

gne straight; (*debout*) erect; (*honnête*) upright **2** *adv* ***tout ~*** straight ahead **3** *m* right; (*taxe*) fee; JUR law; ***de ~*** de facto; ***à qui de ~*** to whom it may concern; ***être en ~ de faire qch*** be entitled to do sth; ***~s d'auteur*** royalties; ***~ international*** international law
droite [drwat] *f* right; *côté* right-hand side; ***à ~*** on the right(-hand side); **droitier**, **-ère**: ***être ~*** be right-handed; **droiture** *f* rectitude
drôle [drol] (*amusant, bizarre*) funny; ***une ~ d'idée*** a funny idea; **drôlement** *adv* F awfully
dromadaire [drɔmadɛr] *m* dromedary
dru, **~e** [dry] thick
drugstore [drœgstɔr] *m* drugstore
D.S.T. [deɛste] *f abr* (***= direction de la surveillance du territoire***) French secret service
du [dy] → ***de***
dû, **due** [dy] *p/p* → ***devoir***
dubitatif, **-ive** [dybitatif, -iv] doubtful; **dubitativement** *adv* doubtfully
duc [dyk] *m* duke
duchesse [-ɛs] *f* duchess
duel [dɥɛl] *m* duel
dûment [dymɑ̃] *adv* duly
dune [dyn] *f* (sand) dune
Dunkerque [dɛ̃kɛrk] Dunkirk
duo [dyo] *m* MUS duet
dupe [dyp] *f* dupe; ***être ~ de qch*** be taken in by sth; **duper** ⟨1a⟩ dupe
duplex [dyplɛks] *m* duplex
duplicata [dyplikata] *m* duplicate
duquel [dykɛl] → ***lequel***
dur, **~e** [dyr] **1** *adj* hard (*aussi difficile, sévère*); *climat* harsh; *viande* tough **2** *adv travailler, frapper* hard; **durable** durable, lasting; *croissance, utilisation de matières premières* sustainable; **durant** *prép* during; ***des années ~*** for years
durcir [dyrsir] ⟨2a⟩ **1** *v/t* harden (*aussi fig*) **2** *v/i*: ***se ~*** harden; **durcissement** *m* hardening (*aussi fig*)
durée [dyre] *f* duration; ***~ de vie*** life; *d'une personne* life expectancy
durement [dyrmɑ̃] *adv* harshly; ***être frappé ~ par*** be hard hit by
durer [dyre] ⟨1a⟩ last; *d'un objet, vêtement aussi* wear well
dureté [dyrte] *f* hardness (*aussi fig*)
duvet [dyvɛ] *m* down; (*sac de couchage*) sleeping bag; **duveteux**, **-euse** fluffy
DVD [devede] *m abr* DVD (= digitally versatile disk); **DVD-Rom** *m* DVD-Rom
dynamique [dinamik] **1** *adj* dynamic **2** *f* dynamics; **dynamisme** *m* dynamism
dynamite [dinamit] *f* dynamite
dynamo [dinamo] *f* dynamo
dynastie [dinasti] *f* dynasty
dyslexie [dislɛksi] *f* dyslexia; **dyslexique** dyslexic

E

eau [o] *f* (*pl* -x) water; ***~x internationales*** international waters; ***tomber à l'~*** fall in the water; *fig* fall through; ***faire ~*** MAR take in water; ***mettre à l'~*** *navire* launch; ***~ courante*** running water; ***~ gazeuse*** carbonated water, *Br* fizzy water; ***~ de Javel*** bleach; ***~ minérale*** mineral water
eau-de-vie [odvi] *f* (*pl* eaux-de-vie) brandy
ébahi, **~e** [ebai] dumbfounded
ébattre [ebatr] ⟨4a⟩: ***s'~*** frolic
ébauche [eboʃ] *f d'une peinture* sketch; *d'un roman* outline; *d'un texte* draft; **ébaucher** ⟨1a⟩ *tableau, roman* rough out; *texte* draft; ***~ un sourire***

smile faintly
ébène [ebɛn] *f* ebony
ébéniste [ebenist] *m* cabinetmaker
éberlué, ~e [ebɛrlɥe] F flabbergasted F
éblouir [ebluir] ⟨2a⟩ dazzle (*aussi fig*); **éblouissement** *m* glare, dazzle; **éblouissant, ~e** dazzling
éboueur [ebwœr] *m* garbageman, *Br* dustman
éboulement [ebulmɑ̃] *m* landslide; **éboulis** *m* pile
ébouriffé, ~e [eburife] tousled; **ébouriffer** ⟨1a⟩ *cheveux* ruffle
ébranler [ebrɑ̃le] ⟨1a⟩ shake; ***s'~*** move off
ébréché, ~e [ebreʃe] chipped
ébriété [ebrijete] *f* inebriation; ***en état d'~*** in a state of inebriation
ébruiter [ebrɥite] ⟨1a⟩ *nouvelle* spread
ébullition [ebylisjõ] *f* boiling point; ***être en ~*** be boiling
écaille [ekaj] *f de coquillage, tortue* shell; *de poisson* scale; *de peinture, plâtre* flake; *matière* tortoiseshell; **écailler** ⟨1a⟩ *poisson* scale; *huître* open; ***s'~*** *de peinture* flake (off); *de vernis à ongles* chip
écarlate [ekarlat] *f & adj* scarlet
écarquiller [ekarkije] ⟨1a⟩: ***~ les yeux*** open one's eyes wide
écart [ekar] *m* (*intervalle*) gap; (*différence*) difference; *moral* indiscretion; ***à l'~*** at a distance (***de*** from)
écarteler [ekartəle] ⟨1d⟩ *fig*: ***être écartelé*** be torn
écartement [ekartəmɑ̃] *m* space; *action* spacing; **écarter** ⟨1a⟩ *jambes* spread; *fig*: *idée, possibilité* reject; *danger* avert; ***s'~ de*** (*s'éloigner*) stray from
ecclésiastique [eklezjastik] ecclesiastical
écervelé, ~e [esɛrvəle] scatterbrained
échafaudage [eʃafodaʒ] *m* scaffolding; **échafauder** ⟨1a⟩ **1** *v/i* erect scaffolding **2** *v/t fig*: *plan* put together
échalote [eʃalɔt] *f* BOT shallot
échancré, ~e [eʃɑ̃kre] low-cut; **échancrure** *d'une robe* neckline; *d'une côte* cove
échange [eʃɑ̃ʒ] *m* exchange; ***~s extérieurs*** foreign trade *sg*; ***en ~*** in exchange (***de*** for); **échanger** ⟨1l⟩ exchange, trade (***contre*** for); *regards, lettres* exchange (***avec*** with); **échangeur** *m* interchange; **échangisme** *m* partner swapping
échantillon [eʃɑ̃tijõ] *m* COMM sample; ***~ gratuit*** free sample
échappatoire [eʃapatwar] *f* way out; **échappée** *f de vue* vista; *en cyclisme* breakaway; **échappement** *m* AUTO exhaust; ***tuyau*** *m* ***d'~*** tail pipe; **échapper** ⟨1a⟩: ***~ à qn*** *d'une personne* escape from s.o.; ***~ à qch*** escape sth; ***l'~ belle*** have a narrow escape; ***s'~*** escape; ***le verre lui échappa des mains*** the glass slipped from his fingers; ***un cri lui échappa, il laissa ~ un cri*** he let out a cry
écharde [eʃard] *f* splinter
écharpe [eʃarp] *f* scarf; *de maire* sash; ***en ~*** MÉD in a sling
échasse [eʃas] *f* stilt
échauffement [eʃofmɑ̃] *m* heating; SP warm-up; **échauffer** ⟨1a⟩ heat; ***s'~*** SP warm up; ***~ les esprits*** get people excited
échéance [eʃeɑ̃s] *f* COMM, JUR *d'un contrat* expiration date, *Br* expiry date; *de police* maturity; ***à brève / longue ~*** short- / long-term; ***arriver à ~*** fall due
échéant, ~e [eʃeɑ̃, -t]: ***le cas ~*** if necessary
échec [eʃɛk] *m* failure; ***essuyer*** *ou* ***subir un ~*** meet with failure
échecs [eʃɛk] *mpl* chess *sg*; ***jouer aux ~*** play chess
échelle [eʃɛl] *f* ladder; *d'une carte, des salaires* scale; ***sur une grande ~*** on a grand scale; ***à l'~ mondiale*** on a global scale; ***~ des salaires*** salary scale
échelon [eʃlõ] *m* rung; *fig* level; *de la hiérarchie* grade, echelon; **échelonner** ⟨1a⟩ space out; *paiements* spread, stagger (***sur un an*** over a year)
échevelé, ~e [eʃəvle] disheveled, *Br* dishevelled

échine [eʃin] *f* spine (*aussi fig*); ***plier** ou **courber l'~*** give in; **échiner** ⟨1a⟩ F: ***s'~ à faire qch*** go to great lengths to do sth

échiquier [eʃikje] *m* chessboard

écho [eko] *m* echo

échographie [ekografi] *f* ultrasound (scan)

échoir [eʃwar] ⟨3m⟩ *d'un délai* expire

échotier, -ère [ekɔtje, -ɛr] *m/f* gossip columnist

échouer [eʃwe] ⟨1a⟩ fail; **(*s'*)~** *d'un bateau* run aground

éclabousser [eklabuse] ⟨1a⟩ spatter

éclair [eklɛr] *m* flash of lightning; CUIS éclair; ***comme un ~*** in a flash; **éclairage** *m* lighting

éclaircie [eklɛrsi] *f* clear spell; **éclaircir** ⟨2a⟩ lighten; *fig*: *mystère* clear up; ***s'~*** *du ciel* clear, brighten

éclairer [eklere] ⟨1b⟩ **1** *v/t* light; ***~ qn*** light the way for s.o.; *fig*: ***~ qn sur qch*** enlighten s.o. about sth **2** *v/i*: ***cette ampoule n'éclaire pas assez*** this bulb doesn't give enough light; **éclaireur** *m* scout

éclat [ekla] *m de verre* splinter; *de métal* gleam; *des yeux* sparkle; *de couleurs, fleurs* vividness; ***~ de rire*** peal of laughter; ***faire un ~*** *scandale* make a fuss; ***un ~ d'obus*** a piece of shrapnel

éclatant, ~e [eklatɑ̃, -t] dazzling; *couleur* vivid; *rire* loud; **éclater** ⟨1a⟩ *d'une bombe* blow up; *d'une chaudière* explode; *d'un ballon, pneu* burst; *d'un coup de feu* ring out; *d'une guerre, d'un incendie* break out; *fig*: *d'un groupe, parti* break up; ***~ de rire*** burst out laughing; ***~ en sanglots*** burst into tears; ***~ de santé*** be blooming

éclipse [eklips] *f* eclipse; **éclipser** ⟨1a⟩ eclipse (*aussi fig*); ***s'~*** F vanish, disappear

éclore [eklɔr] ⟨4k⟩ *d'un oiseau* hatch out; *de fleurs* open

écluse [eklyz] *f* lock

écœurant, ~e [ekœrɑ̃, -t] disgusting, sickening; *aliment* sickly; (*décourageant*) discouraging, disheartening; **écœurement** *m* disgust; (*découragement*) discouragement; ***il a mangé de la crème jusqu'à l'~*** he ate cream until he felt sick; **écœurer** ⟨1a⟩ disgust, sicken; (*décourager*) discourage, dishearten; ***~ qn*** *d'un aliment* make s.o. feel nauseous, *Br aussi* make s.o. feel sick

école [ekɔl] *f* school; ***~ maternelle*** nursery school; ***~ primaire*** elementary school, *Br* primary school; ***~ privée (du secondaire)*** private school; ***~ publique*** state school; ***~ secondaire*** secondary school; **écolier** *m* schoolboy; **écolière** *f* schoolgirl

écolo [ekɔlo] *m* F Green

écologie [ekɔlɔʒi] *f* ecology; **écologique** ecological; **écologiste** *m/f* ecologist

économe [ekɔnɔm] economical, thrifty

économie [ekɔnɔmi] *f* economy; *science* economics *sg*; *vertu* economy, thriftiness; ***~ de marché*** market economy; ***~ planifiée*** planned economy; ***~ souterraine*** black economy; ***~s*** savings; ***faire des ~s*** save; **économique** economic; (*avantageux*) economical; **économiser** ⟨1a⟩ **1** *v/t* save **2** *v/i* save; ***~ sur qch*** save on sth; **économiseur** *m* **d'écran** INFORM screen saver; **économiste** *m/f* economist

écorce [ekɔrs] *f d'un arbre* bark; *d'un fruit* rind

écorcher [ekɔrʃe] ⟨1a⟩ *animal* skin; (*égratigner*) scrape; *fig*: *nom, mot* murder

écossais, ~e [ekɔsɛ, -z] **1** *adj* Scottish **2** *m/f* **Écossais, ~e** Scot; **Écosse** *f*: ***l'~*** Scotland

écosser [ekɔse] ⟨1a⟩ shell

écosystème [ekɔsistɛm] *m* ecosystem

écoulement [ekulmɑ̃] *m* flow; COMM sale; ***système m d'~ des eaux usées*** drainage; **écouler** ⟨1a⟩ COMM sell; ***s'~*** flow; *du temps* pass; COMM sell

écourter [ekurte] ⟨1a⟩ shorten; *vacances* cut short

écoute [ekut] *f*: ***être à l'~*** be always

listening out; ***aux heures de grande ~*** RAD at peak listening times; TV at peak viewing times; ***mettre qn sur table d'~*** TÉL tap s.o.'s phone; **écouter** ⟨1a⟩ **1** *v/t* listen to **2** *v/i* listen; **écouteur** *m* TÉL receiver; ***~s*** RAD headphones

écran [ekrɑ̃] *m* screen; ***porter à l'~*** TV adapt for television; ***le grand ~*** the big screen; ***le petit ~*** the small screen; ***~ d'aide*** INFORM help screen; ***~ radar*** radar screen; ***~ solaire*** sunblock; ***~ tactile*** touch screen; ***~ total*** sunblock

écrasant, **~e** [ekrazɑ̃, -t] overwhelming; **écraser** ⟨1a⟩ (*broyer, accabler, anéantir*) crush; *cigarette* stub out; (*renverser*) run over; ***s'~ au sol*** *d'un avion* crash

écrémé, **~e** [ekreme]: ***lait m ~*** skimmed milk; **écrémer** ⟨1f⟩ skim

écrevisse [ekrəvis] *f* crayfish

écrier [ekrije] ⟨1a⟩: ***s'~*** cry out

écrin [ekrɛ̃] *m* jewel case

écrire [ekrir] ⟨4f⟩ write; ***comment est-ce que ça s'écrit?*** how do you spell it?

écrit [ekrit] *m* document; ***l'~*** *examen* the written exam; ***par ~*** in writing

écriteau [ekrito] *m* (*pl* -x) notice; **écriture** *f* writing; COMM entry; ***les (Saintes) Écritures*** Holy Scripture *sg*

écrivain [ekrivɛ̃] *m* writer

écrou [ekru] *m* (*pl* -s) nut

écrouer [ekrue] ⟨1a⟩ JUR imprison

écrouler [ekrule] ⟨1a⟩: ***s'~*** collapse

écru, **~e** [ekry] *couleur* natural

écueil [ekœj] *m* reef; *fig* pitfall

écuelle [ekɥɛl] *f* bowl

éculé, **~e** [ekyle] *chaussure* down-at--heel, worn-out; *fig* hackneyed

écume [ekym] *f* foam; **écumer** ⟨1a⟩ **1** *v/i* foam; ***~ de rage*** be foaming at the mouth **2** *v/t* skim; *fig* scour; **écumeux**, **-euse** frothy

écureuil [ekyrœj] *m* squirrel

écurie [ekyri] *f* stable (*aussi* SP)

écusson [ekysõ] *m* coat of arms

écuyer, **-ère** [ekɥije, -ɛr] *m/f* rider

eczéma [egzema] *m* MÉD eczema

édenté, **~e** [edɑ̃te] toothless

édifiant, **~e** [edifjɑ̃, -t] edifying; **édification** *f* ARCH erecting; *fig: d'empire etc* creation; **édifice** *m* building; **édifier** ⟨1a⟩ ARCH erect; *fig* build up

Édimbourgh [edɛ̃bur] Edinburgh

éditer [edite] ⟨1a⟩ *livre* publish; *texte* edit; **éditeur**, **-trice** *m/f* publisher; (*commentateur*) editor; **édition** *f action, métier* publishing; *action de commenter* editing; (*tirage*) edition; ***maison f d'~*** publishing house; **éditorial** *m* (*pl* -iaux) editorial

édredon [edrədõ] *m* eiderdown

éducateur, **-trice** [edykatœr, -tris] *m/f* educator; ***~ spécialisé*** special needs teacher; **éducatif**, **-ive** educational; **education** *f* (*enseignement*) education; (*culture*) upbringing; ***il manque d'~*** he has no manners

édulcorer [edylkɔre] ⟨1a⟩ sweeten

éduquer [edyke] ⟨1m⟩ (*enseigner*) educate; (*élever*) bring up

effacé, **~e** [efase] self-effacing

effacer [efase] ⟨1k⟩ erase; ***s'~*** *d'une inscription* wear away; *d'une personne* fade into the background

effarant, **~e** [efarɑ̃, -t] frightening; **effarement** *m* fear; **effarer** ⟨1a⟩ frighten

effaroucher [efaruʃe] ⟨1a⟩ *personne* scare; *gibier* scare away

effectif, **-ive** [efɛktif, -iv] **1** *adj* effective **2** *m* manpower, personnel; **effectivement** *adv* true enough

effectuer [efɛktɥe] ⟨1a⟩ carry out

efféminé, **~e** [efemine] *péj* effeminate

effervescence [efɛrvesɑ̃s] *f* POL ferment; **effervescent**, **~e** *boisson* effervescent; *fig: foule* excited

effet [efɛ] *m* effect; COMM bill; ***à cet ~*** with that in mind, to that end; ***en ~*** sure enough; ***faire de l'~*** have an effect; ***~s*** (personal) effects; ***~ de serre*** greenhouse effect; ***~s spéciaux*** special effects

effeuiller [efœje] ⟨1a⟩ leaf through

efficace [efikas] *remède, médicament* effective; *personne* efficient; **efficacité** *f* effectiveness; *d'une personne* efficiency

effigie [efiʒi] *f* effigy
effilé, **~e** [efile] tapering
efflanqué, **~e** [eflɑ̃ke] thin
effleurer [eflœre] ⟨1a⟩ brush against; (*aborder*) touch on; **~ *qch du bout des doigts*** brush one's fingers against sth
effondrement [efõdrəmɑ̃] *m* collapse; **effondrer** ⟨1a⟩: ***s'~*** collapse
efforcer [efɔrse] ⟨1k⟩: ***s'~ de faire qch*** try very hard to do sth
effort [efɔr] *m* effort; ***faire un ~*** make an effort, try a bit harder
effraction [efraksjõ] *f* JUR breaking and entering
effrayant, **~e** [efrɛjɑ̃, -t] frightening; **effrayer** ⟨1i⟩ frighten; ***s'~*** be frightened (***de*** at)
effréne, **~e** [efrene] unbridled; *course* frantic
effriter [efrite] ⟨1a⟩: ***s'~*** crumble away (*aussi fig*)
effroi [efrwa] *m* fear
effronté, **~e** [efrõte] impertinent; **effronterie** *f* impertinence, effrontery
effroyable [efrwajabl] terrible, dreadful
effusion [efyzjõ] *f*: **~ *de sang*** bloodshed; ***~s*** *litt* effusiveness *sg*
égal, **~e** [egal] (*mpl* -aux) **1** *adj* equal; *surface* even; *vitesse* steady; ***ça lui est ~*** it's all the same to him **2** *m* equal; ***d'~ à ~*** between equals; ***sans ~*** unequaled, *Br* unequalled; **également** *adv* (*pareillement*) equally; (*aussi*) as well, too; **égaler** ⟨1a⟩ equal; **égaliser** **1** *v/t* ⟨1a⟩ *haies*, *cheveux* even up; *sol* level **2** *v/i* SP tie the game, *Br* equalize; **égalité** *f* equality; *en tennis* deuce; ***être à ~*** be level; *en tennis* be at deuce
égard [egar] *m*: ***à cet ~*** in that respect; ***à l'~ de qn*** to(ward) s.o.; ***se montrer patient à l'~ de qn*** be patient with s.o.; ***par ~ pour*** out of consideration for; ***~s*** respect *sg*; ***manque*** *m* ***d'~s*** lack of consideration
égarer [egare] ⟨1a⟩ *personne* lead astray; *chose* lose; ***s'~*** get lost; *du sujet* stray from the point
égayer [egɛje] ⟨1i⟩ cheer up; *chose*, *pièce aussi* brighten up
églantine [eglɑ̃tin] *f* dog rose
église [egliz] *f* church
égocentrique [egɔsɑ̃trik] egocentric
égoïsme [egɔism] *m* selfishness, egoism; **égoïste** **1** *adj* selfish **2** *m/f* egoist; ***~!*** you're so selfish!
égorger [egɔrʒe] ⟨1l⟩: **~ *qn*** cut s.o.'s throat
égosiller [egozije] ⟨1a⟩: ***s'~*** shout
égout [egu] *m* sewer
égoutter [egute] ⟨1a⟩ drain; **égouttoir** *m* **(à vaisselle)** drain board, *Br* draining board
égratigner [egratiɲe] ⟨1a⟩ scratch; ***s'~*** scratch; **égratignure** *f* scratch
égrener [egrəne] ⟨1d⟩ *épi* remove the kernels from; *grappe* pick the grapes from
Égypte [eʒipt] *f*: ***l'~*** Egypt; **égyptien**, **~ne** **1** *adj* Egyptian **2** *m/f* **Égyptien**, **~ne** Egyptian
éhonté, **~e** [eõte] barefaced, shameless
éjecter [eʒɛkte] ⟨1a⟩ TECH eject; F *personne* kick out
élaboré, **~e** [elabɔre] sophisticated; **élaborer** ⟨1a⟩ *projet* draw up
élaguer [elage] ⟨1m⟩ *arbre* prune
élan[1] [elɑ̃] *m* momentum; SP run-up; *de tendresse* upsurge; *de générosité* fit; (*vivacité*) enthusiasm
élan[2] [elɑ̃] *m* ZO elk
élancement [elɑ̃smɑ̃] *m* twinge; *plus fort* shooting pain; **élancer** ⟨1k⟩ *v/i*: ***ma jambe m'élance*** I've got shooting pains in my leg; ***s'~*** dash; SP take a run-up
élargir [elarʒir] ⟨2a⟩ widen, broaden; *vêtement* let out; *débat* widen, extend the boundaries of
élasticité [elastisite] *f* elasticity
élastique [elastik] **1** *adj* elastic **2** *m* elastic; *de bureau* rubber band, *Br aussi* elastic band
électeur, **-trice** [elɛktœr, -tris] *m/f* voter; **élection** *f* election; **électoral**, **~e** (*mpl* -aux) election *atr*; **électorat** *m droit* franchise; *personnes* electorate
électricien, **~ne** [elɛktrisjɛ̃, -ɛn] *m/f*

electrician; **électricité** *f* electricity; **~ *statique*** static (electricity); **électrification** *f* electrification; **électrifier** ⟨1a⟩ electrify; **électrique** electric; **électriser** ⟨1a⟩ electrify

électrocardiogramme [elɛkrokardjɔgram] *m* MÉD electrocardiogram, ECG

électrocuter [elɛktrɔkyte] ⟨1a⟩ electrocute

électroménager [elɛktromenaʒe]: ***appareils** mpl **~s*** household appliances

électronicien, ~ne [elɛktrɔnisjɛ̃, -ɛn] *m/f* electronics expert; **électronique** **1** *adj* electronic **2** *f* electronics

électrophone [elɛktrɔfɔn] *m* record player

électrotechnicien, ~ne [elɛktrotɛknisjɛ̃, -ɛn] *m/f* electrical engineer; **électrotechnique** *f* electrical engineering

élégamment [elegamɑ̃] *adv* elegantly; **élégance** *f* elegance; **élégant, ~e** elegant

élément [elemɑ̃] *m* element; (*composante*) component; *d'un puzzle* piece; ***~s*** (*rudiments*) rudiments; **élémentaire** elementary

éléphant [elefɑ̃] *m* elephant

élevage [elvaʒ] *m* breeding, rearing; **~ (*du bétail*)** cattle farming; ***~ en batterie*** battery farming

élévation [elevasjõ] *f* elevation; *action de lever* raising; *d'un monument, d'une statue* erection; (*montée*) rise

élève [elɛv] *m/f* pupil

élevé, ~e [elve] high; *esprit* noble; *style* elevated; ***bien / mal ~*** well / badly brought up; ***c'est très mal ~ de faire ça*** it's very rude to do that; **élever** ⟨1d⟩ raise; *prix, température* raise, increase; *statue, monument* put up, erect; *enfants* bring up, raise; *animaux* rear, breed; ***s'~*** rise; *d'une tour* rise up; *d'un cri* go up; ***s'~ contre*** rise up against; ***s'~ à*** amount to; **éleveur, -euse** *m/f* breeder

éligible [eliʒibl] eligible

élimé, ~e [elime] threadbare

élimination [eliminasjõ] *f* elimination; *des déchets* disposal; **éliminatoire** *f* qualifying round; **éliminer** ⟨1a⟩ eliminate; *difficultés* get rid of

élire [elir] ⟨4x⟩ elect

élite [elit] *f* elite

elle [ɛl] *f* ◊ *personne* she; *après prép* her; ***c'est pour ~*** it's for her; ***je les ai vues, ~ et sa sœur*** I saw them, her and her sister; ***~ n'aime pas ça, ~*** she doesn't like that; ***ta grand-mère a-t-~ téléphoné?*** did your grandmother call?
◊ *chose* it; ***ta robe?, ~ est dans la machine à laver*** your dress?, it's in the washing machine

elle-même [ɛlmɛm] herself; *chose* itself

elles [ɛl] *fpl* they; *après prép* them; ***les chattes sont-~ rentrées?*** have the cats come home?; ***je les ai vues hier, ~ et et leurs maris*** I saw them yesterday, them and their husbands; ***~, elles ne sont pas contentes*** they are not happy; ***ce sont ~ qui*** they are the ones who

elles-mêmes [ɛlmɛm] themselves

élocution [elɔkysjõ] *f* way of speaking; ***défaut** m **d'~*** speech defect

éloge [elɔʒ] *m* praise; ***faire l'~ de*** praise; **élogieux, -euse** full of praise

éloigné, ~e [elwaɲe] remote

éloignement [elwaɲmɑ̃] *m* distance, remoteness; **éloigner** ⟨1a⟩ move away, take away; *soupçon* remove; ***s'~*** move away (***de*** from); ***s'~ de qn*** distance o.s. from s.o.

élongation [elõgasjõ] *f* MÉD pulled muscle

éloquemment [elɔkamɑ̃] *adv* eloquently; **éloquence** *f* eloquence; **éloquent, ~e** eloquent

élu, ~e **1** *p/p* → **élire** **2** *adj*: ***le président ~*** the President elect **3** *m/f* POL (elected) representative; ***l'heureux ~*** the lucky man

élucider [elyside] ⟨1a⟩ *mystère* clear up; *question* clarify, elucidate *fml*

éluder [elyde] ⟨1a⟩ *fig* elude

Élysée [elize]: ***l'~*** the Elysée Palace (*where the French president lives*)

émacié, ~e [emasje] emaciated

e-mail [imɛl] *m* e-mail; ***envoyer un ~ à qn*** send s.o. an e-mail, e-mail s.o.
émail [emaj] *m* (*pl* émaux) enamel
émancipation [emɑ̃sipasjõ] *f* emancipation; **émanciper** ⟨1a⟩ emancipate; ***s'~*** become emancipated
émaner [emane] ⟨1a⟩: ***~ de*** emanate from
emballage [ɑ̃balaʒ] *m* packaging; **emballer** ⟨1a⟩ package; *fig* F thrill; ***s'~*** *d'un moteur* race; *fig* F get excited; ***emballé sous vide*** vacuum packed
embarcadère [ɑ̃barkadɛr] *m* MAR landing stage; **embarcation** *f* boat
embargo [ɑ̃bargo] *m* embargo
embarquement [ɑ̃barkəmɑ̃] *m* MAR *d'une cargaison* loading; *de passagers* embarkation; **embarquer** ⟨1m⟩ **1** *v/t* load **2** *v/i ou* ***s'~*** embark; ***s'~ dans*** F get involved in
embarras [ɑ̃bara] *m* difficulty; (*gêne*) embarrassment; ***être dans l'~*** be in an embarrassing position; *sans argent* be short of money; ***n'avoir que l'~ du choix*** be spoiled for choice
embarrassant, ***~e*** [ɑ̃barasɑ̃, -t] (*gênant*) embarrassing; (*encombrant*) cumbersome; **embarrassé**, ***~e*** (*gêné*) embarrassed; **embarrasser** ⟨1a⟩ (*gêner*) embarrass; (*encombrer*) *escaliers* clutter up
embauche [ɑ̃boʃ] *f* recruitment, hiring; ***offre f d'~*** job offer; **embaucher** ⟨1a⟩ take on, hire
embaumer [ɑ̃bome] ⟨1a⟩ *corps* embalm; ***~ la lavande*** smell of lavender
embellir [ɑ̃bɛlir] ⟨1a⟩ **1** *v/t* make more attractive; *fig* embellish **2** *v/i* become more attractive
embêtant, ***~e*** [ɑ̃bɛtɑ̃, -t] F annoying; **embêtement** *m* F: ***avoir des ~s*** be in trouble; **embêter** F ⟨1a⟩ (*ennuyer*) bore; (*contrarier*) annoy; ***s'~*** be bored
emblée [ɑ̃ble]: ***d'~*** right away, immediately
emblème [ɑ̃blɛm] *m* emblem
emboîter [ɑ̃bwate] ⟨1a⟩ insert; ***~ le pas à qn*** fall into step with s.o. (*aussi fig*); ***s'~*** fit together
embolie [ɑ̃bɔli] *f* embolism; ***~ pulmonaire*** pulmonary embolism
embonpoint [ɑ̃bõpwɛ̃] *m* stoutness, embonpoint *fml*
embouchure [ɑ̃buʃyr] *f* GÉOGR mouth; MUS mouthpiece
embourber [ɑ̃burbe] ⟨1a⟩: ***s'~*** get bogged down
embouteillage [ɑ̃butɛjaʒ] *m* traffic jam; **embouteiller** ⟨1b⟩ *rue* block
emboutir [ɑ̃butir] ⟨2a⟩ crash into
embranchement [ɑ̃brɑ̃ʃmɑ̃] *m* branch; (*carrefour*) intersection, *Br* junction
embrasser [ɑ̃brase] ⟨1a⟩ kiss; *période, thème* take in, embrace; *métier* take up; ***~ du regard*** take in at a glance
embrasure [ɑ̃brɑzyr] *f* embrasure; ***~ de porte*** doorway
embrayage [ɑ̃brɛjaʒ] *m* AUTO clutch; *action* letting in the clutch
embrouiller [ɑ̃bruje] ⟨1a⟩ muddle; ***s'~*** get muddled
embruns [ɑ̃brɛ̃, -œ̃] *mpl* MAR spray *sg*
embryon [ɑ̃brijõ] *m* embryo; **embryonnaire** embryonic
embûches [ɑ̃byʃ] *fpl fig* traps
embuer [ɑ̃bɥe] ⟨1a⟩ *vitre* steam up
embuscade [ɑ̃buskad] *f* ambush
éméché, ***~e*** [emeʃe] F tipsy
émeraude [ɛmrod] *f & adj* emerald
émerger [emɛrʒe] ⟨1l⟩ emerge
émerveillement [emɛrvɛjmɑ̃] *m* wonder; **émerveiller** ⟨1a⟩ amaze; ***s'~*** be amazed (***de*** by)
émetteur [emɛtœr] *m* RAD, TV transmitter
émettre [emɛtr] ⟨4p⟩ *radiations etc* give off, emit; RAD, TV broadcast, transmit; *opinion* voice; COMM *action*, FIN *nouveau billet, nouvelle pièce* issue; *emprunt* float
émeute [emøt] *f* riot; ***~ raciale*** race riot
émietter [emjɛte] ⟨1b⟩ crumble
émigrant, ***~e*** [emigrɑ̃, -t] *m/f* emigrant; **émigration** *f* emigration; **émigré**, ***~e*** *m/f* emigré; **émigrer** ⟨1a⟩ emigrate
émincer [emɛ̃se] ⟨1k⟩ cut into thin slices
éminence [eminɑ̃s] *f* (*colline*) hill;

Éminence Eminence; **éminent, ~e** eminent
émirat [emira] *m*: **les Émirats arabes unis** the United Arab Emirates
émissaire [emisɛr] *m* emissary; **émission** *f* emission; RAD, TV program, *Br* programme; COMM, FIN issue
emmagasiner [ɑ̃magazine] ⟨1a⟩ store
emmêler [ɑ̃mɛle] ⟨1a⟩ *fils* tangle; *fig* muddle
emménager [ɑ̃menaʒe] ⟨1l⟩: ***~ dans*** move into
emmener [ɑ̃mne] ⟨1d⟩ take
emmerder [ɑ̃mɛrde] ⟨1a⟩ F: ***~ qn*** get on s.o.'s nerves; ***s'~*** be bored rigid
emmitoufler [ɑ̃mitufle] ⟨1a⟩ wrap up; ***s'~*** wrap up
émoi [emwa] *m* commotion
émotif, -ive [emɔtif, -iv] emotional
émotion [emosjõ] *f* emotion; F (*frayeur*) fright; **émotionnel, ~le** emotional
émousser [emuse] ⟨1a⟩ blunt, take the edge off (*aussi fig*)
émouvant, ~e [emuvɑ̃, -t] moving; **émouvoir** ⟨3d⟩ (*toucher*) move, touch; ***s'~*** be moved, be touched
empailler [ɑ̃paje] ⟨1a⟩ *animal* stuff
empaqueter [ɑ̃pakte] ⟨1c⟩ pack
emparer [ɑ̃pare] ⟨1a⟩: ***s'~ de*** seize; *clés, héritage* grab; *des doutes, de la peur* overcome
empâter [ɑ̃pɑte] ⟨1a⟩: ***s'~*** thicken
empêchement [ɑ̃pɛʃmɑ̃] *m*: ***j'ai eu un ~*** something has come up; **empêcher** ⟨1b⟩ prevent; ***~ qn de faire qch*** prevent *ou* stop s.o. doing sth; ***(il) n'empêche que*** nevertheless; ***je n'ai pas pu m'en ~*** I couldn't help it
empereur [ɑ̃prœr] *m* emperor
empester [ɑ̃pɛste] ⟨1a⟩: ***elle empeste le parfum*** she reeks *ou* stinks of perfume
empêtrer [ɑ̃pɛtre] ⟨1b⟩: ***s'~ dans*** get tangled *ou* caught up in
emphase [ɑ̃fɑz] *f* emphasis
empiéter [ɑ̃pjete] ⟨1f⟩: ***~ sur*** encroach on
empiffrer [ɑ̃pifre] ⟨1a⟩ F: ***s'~*** stuff o.s.
empiler [ɑ̃pile] ⟨1a⟩ pile (up), stack (up)
empire [ɑ̃pir] *m* empire; *fig* (*maîtrise*) control
empirer [ɑ̃pire] ⟨1a⟩ get worse, deteriorate
empirique [ɑ̃pirik] empirical
emplacement [ɑ̃plasmɑ̃] *m* site
emplette [ɑ̃plɛt] *f* purchase; ***faire des ~s*** go shopping
emplir [ɑ̃plir] ⟨2a⟩ fill; ***s'~*** fill (***de*** with)
emploi [ɑ̃plwa] *m* (*utilisation*) use; ÉCON employment; ***~ du temps*** schedule, *Br* timetable; ***plein ~*** full employment; ***un ~*** a job; ***chercher un ~*** be looking for work *ou* for a job
employé, ~e [ɑ̃plwaje] *m/f* employee; ***~ de bureau*** office worker; ***~ à temps partiel*** part-timer; **employer** ⟨1h⟩ use; *personnel* employ; ***s'~ à faire qch*** strive to do sth; **employeur, -euse** *m/f* employer
empocher [ɑ̃pɔʃe] ⟨1a⟩ pocket
empoigner [ɑ̃pwaɲe] ⟨1a⟩ grab, seize
empoisonnement [ɑ̃pwazɔnmɑ̃] *m*: ***~ du sang*** blood poisoning; **empoisonner** ⟨1a⟩ poison
emporter [ɑ̃pɔrte] ⟨1a⟩ take; *prisonnier* take away; (*entraîner, arracher*) carry away *ou* off; *du courant* sweep away; *d'une maladie* carry off; ***l'~*** win the day; ***l'~ sur qn / qch*** get the better of s.o. / sth; ***s'~*** fly into a rage
empoté, ~e [ɑ̃pɔte] clumsy
empreinte [ɑ̃prɛ̃t] *f* impression; *fig* stamp; ***~ digitale*** fingerprint; ***~ génétique*** genetic fingerprint
empressement [ɑ̃prɛsmɑ̃] *m* eagerness; **empresser** ⟨1b⟩: ***s'~ de faire qch*** rush to do sth; ***s'~ auprès de qn*** be attentive to s.o.
emprise [ɑ̃priz] *f* hold
emprisonnement [ɑ̃prizɔnmɑ̃] *m* imprisonment; **emprisonner** ⟨1a⟩ imprison
emprunt [ɑ̃prɛ̃, -œ̃] *m* loan; **emprunté, ~e** *fig* self-conscious; **emprunter** ⟨1a⟩ borrow (***à*** from); *chemin, escalier* take
ému, ~e [emy] **1** *p/p* → ***émouvoir*** **2** *adj* moved, touched

en[1] [ɑ̃] *prép* ◊ *lieu* in; **~ *France*** in France; **~ *ville*** in town
◊ *direction* to; **~ *France*** to France; **~ *ville*** to *ou* into town
◊ *temps* in; **~ *1789*** in 1789; **~ *l'an 1789*** in the year 1789; **~ *été*** in summer; **~ *10 jours*** in 10 days
◊ *mode*: ***agir ~ ami*** act as a friend; **~ *cercle*** in a circle; **~ *vente*** for *ou* on sale; **~ *français*** in French; ***habillé ~ noir*** dressed in black; ***se déguiser ~ homme*** disguise o.s. as a man
◊ *transport* by; **~ *voiture / avion*** by car / plane
◊ *matière*: **~ *or*** of gold; ***une bague ~ or*** a gold ring
◊ *après verbes, adj, subst*: ***croire ~ Dieu*** believe in God; ***riche ~ qch*** rich in sth; ***avoir confiance ~ qn*** have confidence in s.o.
◊ *avec gérondif*: *en même temps* while, when; *mode* by; **~ *détachant soigneusement les …*** by carefully detaching the …; **~ *rentrant chez moi, j'ai remarqué que …*** when I came home *ou* on coming home I noticed that …; ***je me suis cassé une dent ~ mangeant …*** I broke a tooth while *ou* when eating …

en[2] [ɑ̃] *pron* ◊: ***qu'~ pensez-vous?*** what do you think about it?; ***tu es sûr de cela? - oui, j'~ suis sûr*** are you sure about that? - yes, I'm sure; ***j'~ suis*** count me in
◊: ***il y ~ a deux*** there are two (of them); ***il n'y ~ a plus*** there's none left; ***j'~ ai*** I have some; ***j'~ ai cinq*** I have five; ***je n'~ ai pas*** I don't have any; ***qui ~ est le propriétaire?*** who's the owner?, who does it belong to?; **~ *voici trois*** here are three (of them)
◊ *cause*: ***je n'~ suis pas plus heureux*** I'm none the happier for it; ***il ~ est mort*** he died of it
◊ *provenance*: ***le gaz ~ sort*** the gas comes out (of it); ***tu as vu le grenier? - oui, j'~ viens*** have you seen the attic? - yes, I've just been up there

encadrer [ɑ̃kadre] ⟨1a⟩ *tableau* frame; ***encadré de deux gendarmes*** *fig* flanked by gendarmes, with a gendarme on either side

encaisser [ɑ̃kɛse] ⟨1b⟩ COMM take; *chèque* cash; *fig* take

encart [ɑ̃kar] *m* insert

en-cas [ɑ̃ka] *m* (*pl inv*) CUIS snack

encastrable [ɑ̃kastrabl] *four etc* which can be built in; **encastrer** ⟨1a⟩ TECH build in

enceinte[1] [ɑ̃sɛ̃t] pregnant

enceinte[2] [ɑ̃sɛ̃t] *f* enclosure; **~ (*acoustique*)** speaker

encens [ɑ̃sɑ̃] *m* incense

encéphalopathie *f* **spongiforme bovine** [ɑ̃sefalɔpatispɔ̃ʒifɔrmbɔvin] *f* bovine spongiform encephalitis

encercler [ɑ̃sɛrkle] ⟨1a⟩ encircle

enchaînement [ɑ̃ʃɛnmɑ̃] *m d'événements* series *sg*; **enchaîner** ⟨1b⟩ *chien, prisonnier* chain up; *fig*: *pensées, faits* connect, link up

enchanté, ~e [ɑ̃ʃɑ̃te] enchanted; **~!** how do you do?; **enchantement** *m* enchantment; (*ravissement*) delight; **enchanter** ⟨1a⟩ (*ravir*) delight; (*ensorceler*) enchant

enchère [ɑ̃ʃɛr] *f* bid; ***vente f aux ~s*** auction; ***mettre aux ~s*** put up for auction; ***vendre aux ~s*** sell at auction, auction off

enchevêtrer [ɑ̃ʃ(ə)vɛtre] ⟨1b⟩ tangle; *fig*: *situation* confuse; ***s'~*** *de fils* get tangled up; *d'une situation* get muddled

enclave [ɑ̃klav] *f* enclave

enclencher [ɑ̃klɑ̃ʃe] ⟨1a⟩ engage; ***s'~*** engage

enclin, ~e [ɑ̃klɛ̃, -in]: ***être ~ à faire qch*** be inclined to do sth

enclos [ɑ̃klo] *m* enclosure

enclume [ɑ̃klym] *f* anvil

encoche [ɑ̃kɔʃ] *f* notch

encoller [ɑ̃kɔle] ⟨1a⟩ glue

encolure [ɑ̃kɔlyr] *f* neck; *tour de cou* neck (size)

encombrant, ~e [ɑ̃kɔ̃brɑ̃, -t] cumbersome; ***être ~*** *d'une personne* be in the way; **encombrement** *m trafic* congestion; *d'une profession* overcrowding; **encombrer** ⟨1a⟩ *maison* clutter up; *rue, passage* block; ***s'~ de*** load o.s.

E

down with
encontre [ɑ̃kɔ̃tr]: ***aller à l'~ de*** go against, run counter to
encore [ɑ̃kɔr] **1** *adv* ◊ *de nouveau* again; ***il nous faut essayer ~ (une fois)*** we'll have to try again ◊ *temps (toujours)* still; ***est-ce qu'il pleut ~?*** is it still raining?; ***elles ne sont pas ~ rentrées*** they still haven't come back, they haven't come back yet; ***non, pas ~*** no, not yet ◊ *de plus*: ***~ une bière?*** another beer?; ***est-ce qu'il y a ~ des ...?*** are there any more ...?; ***~ plus rapide / belle*** even faster / more beautiful
2 *conj*: ***~ que*** (+ *subj*) although
encourageant, **~e** [ɑ̃kuraʒɑ̃, -t] encouraging; **encouragement** *m* encouragement; **encourager** ⟨1l⟩ encourage; *projet, entreprise* foster
encourir [ɑ̃kurir] ⟨2i⟩ incur
encrasser [ɑ̃krase] ⟨1a⟩ dirty; ***s'~*** get dirty
encre [ɑ̃kr] *f* ink; **encrier** *m* inkwell
encroûter [ɑ̃krute] ⟨1a⟩: ***s'~*** *fig* get stuck in a rut
encyclopédie [ɑ̃siklɔpedi] *f* encyclopedia
endetter [ɑ̃dɛte] ⟨1b⟩: ***s'~*** get into debt
endeuillé, **~e** [ɑ̃dœje] bereaved
endiablé, **~e** [ɑ̃djable] *fig* frenzied, demonic
endimanché, **~e** [ɑ̃dimɑ̃ʃe] in one's Sunday best
endive [ɑ̃div] *f* BOT, CUIS chicory
endoctriner [ɑ̃dɔktrine] ⟨1a⟩ indoctrinate
endolori, **~e** [ɑ̃dɔlɔri] painful
endommager [ɑ̃dɔmaʒe] ⟨1l⟩ damage
endormi, **~e** [ɑ̃dɔrmi] asleep; *fig* sleepy; **endormir** ⟨2b⟩ send *ou* lull to sleep; *douleur* dull; ***s'~*** fall asleep
endosser [ɑ̃dose] ⟨1a⟩ *vêtement* put on; *responsabilité* shoulder; *chèque* endorse
endroit [ɑ̃drwa] *m* (*lieu*) place; *d'une étoffe* right side
enduire [ɑ̃dɥir] ⟨4c⟩: ***~ de*** cover with;
enduit *m de peinture* coat
endurance [ɑ̃dyrɑ̃s] *f* endurance
endurcir [ɑ̃dyrsir] ⟨2a⟩ harden; *fig* toughen up, harden; **endurcissement** *m* hardening
endurer [ɑ̃dyre] ⟨1a⟩ endure
énergétique [enɛrʒetik] energy *atr*; *repas* energy-giving; **énergie** *f* energy; ***~ solaire*** solar energy; **énergique** energetic; *protestation* strenuous; **énergiquement** *adv* energetically; *nier* strenuously
énervant, **~e** [enɛrvɑ̃, -t] irritating; **énervé**, **~e** (*agacé*) irritated; (*agité*) on edge, edgy; **énerver** ⟨1a⟩: ***~ qn*** (*agacer*) get on s.o.'s nerves; (*agiter*) make s.o. edgy; ***s'~*** get excited
enfance [ɑ̃fɑ̃s] *f* childhood
enfant [ɑ̃fɑ̃] *m ou f* child; ***~ modèle*** model child, goody-goody *péj*; ***~ prodige*** child prodigy; ***~s à charge*** dependent children *pl*
enfantillage [ɑ̃fɑ̃tijaʒ] *m* childishness; **enfantin**, **~e** *air* childlike; *voix* of a child, child's; (*puéril*) childish; (*très simple*) elementary; ***c'est ~*** it's child's play
enfer [ɑ̃fɛr] *m* hell (*aussi fig*)
enfermer [ɑ̃fɛrme] ⟨1a⟩ shut *ou* lock up; *champ* enclose; ***s'~*** shut o.s. up
enfiler [ɑ̃file] ⟨1a⟩ *aiguille* thread; *perles* string; *vêtement* slip on; *rue* turn into
enfin [ɑ̃fɛ̃] (*finalement*) at last; (*en dernier lieu*) lastly, last; (*bref*) in a word; ***mais ~, ce n'est pas si mal*** come on, it's not that bad; ***nous étions dix, ~ onze*** there were ten of us, well eleven; ***~ et surtout*** last but not least
enflammer [ɑ̃flame] ⟨1a⟩ set light to; *allumette* strike; MÉD inflame; *fig*: *imagination* fire; ***s'~*** catch; MÉD become inflamed; *fig*: *de l'imagination* take flight
enfler [ɑ̃fle] ⟨1a⟩ *membre* swell; **enflure** *f* swelling
enfoncer [ɑ̃fɔ̃se] ⟨1k⟩ **1** *v/t clou, pieu* drive in; *couteau* thrust, plunge (***dans*** into); *porte* break down **2** *v/i dans sable etc* sink (***dans*** into); ***s'~*** sink; ***s'~ dans la forêt*** go deep into the

forest
enfouir [ãfwir] ⟨2a⟩ bury
enfourcher [ãfurʃe] ⟨1a⟩ *cheval, bicyclette* mount
enfourner [ãfurne] ⟨1a⟩ put in the oven; *fig* F (*avaler*) gobble up
enfreindre [ãfrɛ̃dr] ⟨4b⟩ infringe
enfuir [ãfɥir] ⟨2d⟩: ***s'~*** run away
enfumé, ~e [ãfyme] smoky
engagé, ~e [ãgaʒe] **1** *adj* committed **2** *m* MIL volunteer
engagement [ãgaʒmã] *m* (*obligation*) commitment; *de personnel* recruitment; THÉÂT booking; (*mise en gage*) pawning
engager [ãgaʒe] ⟨1l⟩ (*lier*) commit (***à*** to); *personnel* hire; TECH (*faire entrer*) insert; *conversation, discussion* begin; (*entraîner*) involve (***dans*** in); THÉÂT book; (*mettre en gage*) pawn; ***cela ne vous engage à rien*** this in no way commits you; ***s'~*** (*se lier*) commit o.s. (***à faire qch*** to doing sth), promise (***à faire qch*** to do sth); (*commencer*) begin; MIL enlist; ***s'~ dans*** get involved in; *rue* turn into
engelure [ãʒlyr] *f* chillblain
engendrer [ãʒãdre] ⟨1a⟩ *fig* engender
engin [ãʒɛ̃] *m* machine; MIL missile; F *péj* thing
englober [ãglɔbe] ⟨1a⟩ (*comprendre*) include, encompass
engloutir [ãglutir] ⟨2a⟩ (*dévorer*) devour, wolf down; *fig* engulf, swallow up
engorger [ãgɔrʒe] ⟨1l⟩ *rue* block
engouement [ãgumã] *m* infatuation
engouffrer [ãgufre] ⟨1a⟩ devour, wolf down; ***s'~ dans*** *de l'eau* pour in; *fig: dans un bâtiment* rush into; *dans une foule* be swallowed up by
engourdir [ãgurdir] ⟨2a⟩ numb; ***s'~*** go numb
engrais [ãgrɛ] *m* fertilizer; **engraisser** ⟨1b⟩ *bétail* fatten
engrenage [ãgrənaʒ] *m* TECH gear
engueuler [ãgœle] ⟨1a⟩ F bawl out; ***s'~*** have an argument *ou* a fight
énigmatique [enigmatik] enigmatic; **énigme** *f* (*mystère*) enigma; (*devinette*) riddle
enivrement [ãnivrəmã] *m fig* exhilaration; **enivrer** ⟨1a⟩ intoxicate; *fig* exhilarate
enjambée [ãʒãbe] *f* stride; **enjamber** ⟨1a⟩ step across; *d'un pont* span, cross
enjeu [ãʒø] *m* (*pl* -x) stake; ***l'~ est important*** *fig* the stakes are high
enjoliver [ãʒɔlive] ⟨1a⟩ embellish; **enjoliveur** *m* AUTO wheel trim, hub cap
enjoué, ~e [ãʒwe] cheerful, good-humored, *Br* good-humoured
enlacer [ãlase] ⟨1k⟩ *rubans* weave (***dans*** through); (*étreindre*) put one's arms around; ***s'~*** *de personnes* hug
enlaidir [ãledir] ⟨2a⟩ make ugly
enlèvement [ãlɛvmã] *m* (*rapt*) abduction, kidnap; **enlever** ⟨1d⟩ take away, remove; *tache* take out, remove; *vêtement* take off, remove; (*kidnapper*) abduct, kidnap; ***~ qch à qn*** take sth away from s.o.
enliser [ãlize] ⟨1a⟩: ***s'~*** get bogged down (*aussi fig*)
enneigé, ~e [ãneʒe] *route* blocked by snow; *sommet* snow-capped
ennemi, ~e [ɛnmi] **1** *m/f* enemy **2** *adj* enemy *atr*
ennui [ãnɥi] *m* boredom; ***~s*** problems; ***on lui a fait des ~s à la douane*** he had a bit of bother *ou* a few problems at customs; **ennuyé, ~e** (*contrarié*) annoyed; (*préoccupé*) bothered; **ennuyer** ⟨1h⟩ (*contrarier, agacer*) annoy; (*lasser*) bore; ***s'~*** be bored; **ennuyeux, -euse** (*contrariant*) annoying; (*lassant*) boring
énoncé [enõse] *m* statement; *d'une question* wording; **énoncer** ⟨1k⟩ state; ***~ des vérités*** state the obvious
enorgueillir [ãnɔrgœjir] ⟨2a⟩: ***s'~ de qch*** be proud of sth
énorme [enɔrm] enormous; **énormément** *adv* enormously; ***~ d'argent*** F an enormous amount of money; **énormité** *f* enormity; ***dire des ~s*** say outrageous things
enquérir [ãkerir] ⟨2l⟩: ***s'~ de*** enquire about
enquête [ãkɛt] *f* inquiry; *policière aus-*

E

si investigation; (*sondage d'opinion*) survey; **enquêter** ⟨1b⟩: **~ *sur*** investigate

enraciné, ~e [ɑ̃rasine] deep-rooted

enragé, ~e [ɑ̃raʒe] MÉD rabid; *fig* fanatical

enrayer [ɑ̃rɛje] ⟨1i⟩ jam; *fig*: *maladie* stop

E

enregistrement [ɑ̃rəʒistrəmɑ̃] *m dans l'administration* registration; *de disques* recording; AVIAT check-in; **~ *des bagages*** check-in; **~ *vidéo*** video recording; **enregistrer** ⟨1a⟩ register; *disques* record; *bagages* check in; **enregistreur** *m*: **~ *de vol*** flight recorder, black box

enrhumé, ~e [ɑ̃ryme]: ***être* ~** have a cold; **enrhumer** ⟨1a⟩: ***s'~*** catch (a) cold

enrichir [ɑ̃riʃir] ⟨2a⟩ enrich; ***s'~*** get richer

enrôler [ɑ̃role] ⟨1a⟩ MIL enlist

enroué, ~e [ɑ̃rwe] husky, hoarse; **enrouer** ⟨1a⟩: ***s'~*** get hoarse

enrouler [ɑ̃rule] ⟨1a⟩ *tapis* roll up; **~ *qch autour de qch*** wind sth around sth

ensanglanté, ~e [ɑ̃sɑ̃glɑ̃te] bloodstained

enseignant, ~e [ɑ̃sɛɲɑ̃, -t] *m/f* teacher

enseigne [ɑ̃sɛɲ] *f* sign

enseignement [ɑ̃sɛɲmɑ̃] *m* education; *d'un sujet* teaching; **enseigner** ⟨1a⟩ teach; **~ *qch à qn*** teach s.o. sth; **~ *le français*** teach French

ensemble [ɑ̃sɑ̃bl] **1** *adv* (*simultanément*) together; ***aller* ~** go together **2** *m* (*totalité*) whole; (*groupe*) group, set; MUS, *vêtement* ensemble; MATH set; ***l'~ de la population*** the whole *ou* entire population; ***dans l'~*** on the whole; ***vue** f* ***d'~*** overall picture

ensevelir [ɑ̃səvlir] ⟨2a⟩ bury

ensoleillé, ~e [ɑ̃sɔlɛje] sunny

ensommeillé, ~e [ɑ̃sɔmɛje] sleepy, drowsy

ensorceler [ɑ̃sɔrsəle] ⟨1c⟩ cast a spell on; *fig* (*fasciner*) bewitch

ensuite [ɑ̃sɥit] then; (*plus tard*) after

ensuivre [ɑ̃sɥivr] ⟨4h⟩: ***s'~*** ensue

entacher [ɑ̃taʃe] ⟨1a⟩ smear

entaille [ɑ̃taj] *f* cut; (*encoche*) notch; **entailler** ⟨1a⟩ notch; ***s'~ la main*** cut one's hand

entamer [ɑ̃tame] ⟨1a⟩ *pain, travail* start on; *bouteille, négociations* open, start; *conversation* start; *économies* make

entasser [ɑ̃tɑse] ⟨1a⟩ *choses* pile up, stack; *personnes* cram

entendre [ɑ̃tɑ̃dr] ⟨4a⟩ hear; (*comprendre*) understand; (*vouloir dire*) mean; **~ *faire qch*** intend to do sth; ***on m'a laissé* ~ *que*** I was given to understand that; **~ *dire que*** hear that; ***avez-vous entendu parler de ...?*** have you heard of ...?; ***s'~*** (*être compris*) be understood; ***s'~*** (***avec qn***) get on (with s.o.); (*se mettre d'accord*) come to an agreement (with s.o.); ***cela s'entend*** that's understandable

entendu, ~e [ɑ̃tɑ̃dy] *regard, sourire* knowing; ***bien* ~** of course; ***très bien, c'est* ~** it's settled then

entente [ɑ̃tɑ̃t] *f* (*accord*) agreement

enterrement [ɑ̃tɛrmɑ̃] *m* burial; *cérémonie* funeral; **enterrer** ⟨1b⟩ bury

en-tête [ɑ̃tɛt] *m* (*pl* en-têtes) heading; INFORM header; COMM letterhead; *d'un journal* headline; ***papier** m **à* ~** headed paper

entêté, ~e [ɑ̃tɛte] stubborn; **entêtement** *m* stubbornness; **entêter** ⟨1b⟩: ***s'~*** persist (***dans*** in; ***à faire qch*** in doing sth)

enthousiasme [ɑ̃tuzjasm] *m* enthusiasm; **enthousiasmer** ⟨1a⟩: ***cette idée m'enthousiasme*** I'm enthusiastic about *ou Br aussi* keen on the idea; ***s'~ pour*** be enthusiastic about; **enthousiaste** enthusiastic

enticher [ɑ̃tiʃe] ⟨1a⟩: ***s'~ de*** *personne* become infatuated with; *activité* develop a craze for

entier, -ère [ɑ̃tje, -ɛr] whole, entire; (*intégral*) intact; *confiance, satisfaction* full; ***le livre en* ~** the whole book, the entire book; ***lait** m* **~** whole milk; **entièrement** *adv* entirely

entonner [ɑ̃tɔne] ⟨1a⟩ *chanson* start

to sing
entonnoir [ɑ̃tɔnwar] *m* funnel
entorse [ɑ̃tɔrs] *f* MÉD sprain; ***faire une ~ au règlement*** *fig* bend the rules
entortiller [ɑ̃tɔrtije] ⟨1a⟩ (*envelopper*) wrap (***autour de*** around; ***dans*** in)
entourage [ɑ̃turaʒ] *m* entourage; (*bordure*) surround; **entourer** ⟨1a⟩: ***~ de*** surround with; ***s'~ de*** surround o.s. with
entracte [ɑ̃trakt] *m* intermission
entraide [ɑ̃trɛd] *f* mutual assistance; **entraider** ⟨1b⟩: ***s'~*** help each other
entrailles [ɑ̃trɑj] *fpl d'un animal* intestines, entrails
entrain [ɑ̃trɛ̃] *m* liveliness; **entraînant**, **~e** lively
entraînement [ɑ̃trɛnmɑ̃] *m* SP training; TECH drive; **entraîner** ⟨1b⟩ (*charrier, emporter*) sweep along; SP train; *fig* result in; *frais* entail; *personne* drag; TECH drive; ***~ qn à faire qch*** lead s.o. to do sth; ***s'~*** train; **entraîneur** *m* trainer
entrave [ɑ̃trav] *f fig* hindrance; **entraver** ⟨1a⟩ hinder
entre [ɑ̃tr] between; ***~ les mains de qn*** *fig* in s.o.'s hands; ***le meilleur d'~ nous*** the best of us; ***~ autres*** among other things; ***il faut garder ce secret ~ nous*** we have to keep the secret to ourselves; ***~ nous, ...*** between you and me, …
entrebâiller [ɑ̃trəbɑje] ⟨1a⟩ half open
entrechoquer [ɑ̃trəʃɔke] ⟨1m⟩: ***s'~*** knock against one another
entrecôte [ɑ̃trəkot] *f* rib steak
entrecouper [ɑ̃trəkupe] ⟨1a⟩ interrupt (***de*** with)
entrecroiser [ɑ̃trəkrwaze] ⟨1a⟩ (***s'~***) crisscross
entrée [ɑ̃tre] *f lieu d'accès* entrance, way in; *accès au théâtre, cinéma* admission; (*billet*) ticket; (*vestibule*) entry (way); CUIS starter; INFORM *touche* enter (key); *de données* input, inputting; ***d'~*** from the outset; ***~ gratuite*** admission free; ***~ interdite*** no admittance
entrefilet [ɑ̃trəfilɛ] *m* short news item
entrejambe [ɑ̃trəʒɑ̃b] *m* crotch
entrelacer [ɑ̃trəlase] ⟨1k⟩ interlace, intertwine
entremêler [ɑ̃trəmele] ⟨1b⟩ mix; ***entremêlé de*** *fig* interspersed with
entremets [ɑ̃trəmɛ] *m* CUIS dessert
entremise [ɑ̃trəmiz] *f*: ***par l'~ de*** through (the good offices of)
entreposer [ɑ̃trəpoze] ⟨1a⟩ store; **entrepôt** *m* warehouse
entreprenant, **~e** [ɑ̃trəprənɑ̃, -t] enterprising
entreprendre [ɑ̃trəprɑ̃dr] ⟨4q⟩ undertake; **entrepreneur**, **-euse** *m/f* entrepreneur; ***~ des pompes funèbres*** mortician, *Br* undertaker; **entreprise** *f* enterprise; (*firme*) company, business; ***libre ~*** free enterprise; ***petites et moyennes ~s*** small and medium-sized businesses
entrer [ɑ̃tre] ⟨1a⟩ **1** *v/i* (*aux* **être**) come / go in, enter; ***~ dans*** *pièce, gare etc* come / go into, enter; *voiture* get into; *pays* enter; *catégorie* fall into; *l'armée, le parti socialiste etc* join; ***faire ~*** *visiteur* show in; ***entrez!*** come in!; ***elle est entrée par la fenêtre*** she got in through the window **2** *v/t* bring in; INFORM *données, texte* input, enter
entre-temps [ɑ̃trətɑ̃] *adv* in the meantime
entretenir [ɑ̃trətnir] ⟨2h⟩ *route, maison, machine etc* maintain; *famille* keep, support; *amitié* keep up; ***s'~ de qch*** talk to each other about sth
entretien [ɑ̃trətjɛ̃] *m* maintenance, upkeep; (*conversation*) conversation
entretuer [ɑ̃trətɥe] ⟨1n⟩: ***s'~*** kill each other
entrevoir [ɑ̃trəvwar] ⟨3b⟩ glimpse; *fig* foresee; **entrevue** *f* interview
entrouvrir [ɑ̃truvrir] ⟨2f⟩ half open
énumération [enymerasjõ] *f* list, enumeration; **énumérer** ⟨1f⟩ list, enumerate
envahir [ɑ̃vair] ⟨2a⟩ invade; *d'un sentiment* overcome, overwhelm; **envahissant**, **~e** *personne* intrusive; *sentiments* overwhelming; **envahisseur** *m* invader

E

enveloppe [ɑ̃vlɔp] *f d'une lettre* envelope; **envelopper** ⟨1a⟩ wrap; ***enveloppé de*** *brume, mystère* enveloped in
envenimer [ɑ̃vnime] ⟨1a⟩ poison (*aussi fig*)
envergure [ɑ̃vɛrgyr] *f d'un oiseau, avion* wingspan; *fig* scope; *d'une personne* caliber, *Br* calibre
envers [ɑ̃vɛr] **1** *prép* toward, *Br* towards; ***son attitude ~ ses parents*** her attitude toward *ou* to her parents **2** *m d'une feuille* reverse; *d'une étoffe*: wrong side; ***à l'~*** *pull* inside out; (*en désordre*) upside down
enviable [ɑ̃vjabl] enviable
envie [ɑ̃vi] *f* (*convoitise*) envy; (*désir*) desire (***de*** for); ***avoir ~ de qch*** want sth; ***avoir ~ de faire qch*** want to do sth; **envier** ⟨1a⟩ envy; ***~ qch à qn*** envy s.o. sth; **envieux**, **-euse** envious
environ [ɑ̃virõ] **1** *adv* about **2** *mpl*: ***~s*** surrounding area *sg*; ***dans les ~s*** in the vicinity; ***aux ~s de*** *ville* in the vicinity of; *Pâques* around about; **environnant**, **~e** surrounding; **environnement** *m* environment
envisager [ɑ̃vizaʒe] ⟨1l⟩ (*considérer*) think about, consider; (*imaginer*) envisage; ***~ de faire qch*** think about doing sth
envoi [ɑ̃vwa] *m* consignment, shipment; *action* shipment, dispatch; *d'un fax* sending
envoler [ɑ̃vɔle] ⟨1a⟩: ***s'~*** fly away; *d'un avion* take off (***pour*** for); *fig: du temps* fly
envoûter [ɑ̃vute] ⟨1a⟩ bewitch
envoyé [ɑ̃vwaje] *m* envoy; *d'un journal* correspondent; ***~ spécial*** special envoy; **envoyer** ⟨1p⟩ send; *coup, gifle* give; ***~ chercher*** send for
éolienne [eɔliɛn] *f* wind turbine; ***champ*** *m* ***d'~s*** wind farm
épagneul [epaɲœl] *m* spaniel
épais, **~se** [epɛ, -s] thick; *forêt, brouillard* thick, dense; *foule* dense; **épaisseur** *f* thickness; **épaissir** ⟨2a⟩ thicken
épancher [epɑ̃ʃe] ⟨1a⟩: ***s'~*** pour out one's heart (***auprès de*** to)
épanoui, **~e** [epanwi] *femme, sourire* radiant; (*ouvert*) open; **épanouir** ⟨2a⟩: ***s'~*** *d'une fleur* open up; (*se développer*) blossom; **épanouissement** *m* opening; (*développement*) blossoming
épargne [eparɲ] *f action* saving; ***~s*** (*économies*) savings; **épargne-logement** *f*: ***plan d'~*** savings plan for would-be house buyers; **épargneur**, **-euse** *m/f* saver
épargner [eparɲe] ⟨1a⟩ **1** *v/t* save; *personne* spare; ***~ qch à qn*** spare s.o. sth; ***ne pas ~ qch*** be generous with sth **2** *v/i* save
éparpiller [eparpije] ⟨1a⟩ scatter
épars, **~e** [epar, -s] sparse
épatant, **~e** [epatɑ̃, -t] F great, terrific; **épater** ⟨1a⟩ astonish
épaule [epol] *f* shoulder; **épauler** ⟨1a⟩ shoulder; *fig* support; **épaulette** *f* (*bretelle*) shoulderstrap; *de veste, manteau* shoulder pad; MIL epaulette
épave [epav] *f* wreck (*aussi fig*)
épée [epe] *f* sword
épeler [eple] ⟨1c⟩ spell
éperdu, **~e** [epɛrdy] *besoin* desperate; ***~ de*** beside o.s. with
éperon [eprõ] *m* spur; **éperonner** ⟨1a⟩ spur on (*aussi fig*)
éphémère [efemɛr] *fig* short-lived, ephemeral
épi [epi] *m* ear; ***stationnement*** *m* ***en ~*** AUTO angle parking
épice [epis] *f* spice; **épicer** ⟨1k⟩ spice; **épicerie** *f* grocery store, *Br* grocer's; **épicier**, **-ère** *m/f* grocer
épidémie [epidemi] *f* epidemic
épier [epje] ⟨1a⟩ spy on; *occasion* watch for
épilation [epilasjõ] *f* removal of unwanted hair (***de*** from); **épiler** ⟨1a⟩ remove the hair from
épilepsie [epilɛpsi] *f* epilepsy; ***crise*** *f* ***d'~*** epileptic fit; **épileptique** *m/f* epileptic
épilogue [epilɔg] *m* epilog, *Br* epilogue

épinards [epinar] *mpl* spinach *sg*
épine [epin] *f d'une rose* thorn; *d'un hérisson* spine, prickle; **~ *dorsale*** backbone; **épineux**, **-euse** *problème* thorny
épingle [epɛ̃gl] *f* pin; **~ *de sûreté*** *ou* ***de nourrice*** safety pin; ***tiré à quatre ~s*** *fig* well turned-out; **épingler** ⟨1a⟩ pin
Épiphanie [epifani] *f* Epiphany
épique [epik] epic
épisode [epizɔd] *m* episode
épitaphe [epitaf] *f* epitaph
éploré, **~e** [eplɔre] tearful
éplucher [eplyʃe] ⟨1a⟩ peel; *fig* scrutinize; **épluchures** *fpl* peelings
éponge [epõʒ] *f* sponge; **éponger** ⟨1l⟩ sponge down; *flaque* sponge up; *déficit* mop up
épopée [epɔpe] *f* epic
époque [epɔk] *f* age, epoch; ***meubles*** *mpl* ***d'~*** period *ou* antique furniture *sg*
époumoner [epumɔne] ⟨1a⟩: ***s'~*** F shout o.s. hoarse
épouse [epuz] *f* wife, spouse *fml*; **épouser** ⟨1a⟩ marry; *idées, principe etc* espouse
épousseter [epuste] ⟨1c⟩ dust
époustouflant, **~e** [epustuflɑ̃, -t] F breathtaking
épouvantable [epuvɑ̃tabl] dreadful
épouvantail [epuvɑ̃taj] *m* (*pl* -s) scarecrow
épouvante [epuvɑ̃t] *f* terror, dread; ***film*** *m* ***d'~*** horror film; **épouvanter** ⟨1a⟩ horrify; *fig* terrify
époux [epu] *m* husband, spouse *fml*; ***les ~*** the married couple
éprendre [eprɑ̃dr] ⟨4q⟩: ***s'~ de*** fall in love with
épreuve [eprœv] *f* trial; SP event; *imprimerie* proof; *photographie* print; ***à toute ~*** *confiance etc* never-failing; ***à l'~ du feu*** fireproof; ***mettre à l'~*** put to the test, try out
éprouvant, **~e** [epruvɑ̃, -t] trying; **éprouver** ⟨1a⟩ (*tester*) test, try out; (*ressentir*) feel, experience; *difficultés* experience; **éprouvette** *f* test tube
EPS *abr* (= ***éducation physique et sportive***) PE (= physical education)
épuisant, **~e** [epɥizɑ̃, -t] punishing;
épuisé, **~e** exhausted; *livre* out of print; **épuisement** *m* exhaustion; **épuiser** ⟨1a⟩ exhaust; **~ *les ressources*** be a drain on resources; ***s'~*** tire o.s. out (***à faire qch*** doing sth); *d'une source* dry up
épuration [epyrasjõ] *f* purification; ***station*** *f* ***d'~*** sewage plant; **épurer** ⟨1a⟩ purify
équateur [ekwatœr] *m* equator
Équateur [ekwatœr] *m*: ***l'~*** Ecuador
équation [ekwasjõ] *f* MATH equation
équatorien, **~ne** [ekwatɔrjɛ̃, -ɛn] **1** *adj* Ecuador(i)an **2** *m* **Équatorien**, **~ne** Ecuador(i)an
équerre [ekɛr] *f à dessin* set square
équestre [ekɛstr] *statue* equestrian
équilibre [ekilibr] *m* balance, equilibrium (*aussi fig*); **équilibré**, **~e** balanced; **équilibrer** ⟨1a⟩ balance
équinoxe [ekinɔks] *m* equinox
équipage [ekipaʒ] *m* AVIAT, MAR crew
équipe [ekip] *f* team; *d'ouvriers* gang; ***travail*** *m* ***en ~*** teamwork; **~ *de jour / de nuit*** day / night shift; **~ *de secours*** rescue party; **équipement** *m* equipment; **équiper** ⟨1a⟩ equip (***de*** with)
équitable [ekitabl] just, equitable
équitation [ekitasjõ] *f* riding, equestrianism
équité [ekite] *f* justice, equity
équivalence [ekivalɑ̃s] *f* equivalence; **équivalent**, **~e** **1** *adj* equivalent (***à*** to) **2** *m* equivalent; **équivaloir** ⟨3h⟩: **~ *à*** be equivalent to
équivoque [ekivɔk] **1** *adj* equivocal, ambiguous **2** *f* (*ambiguïté*) ambiguity; (*malentendu*) misunderstanding
érable [erabl] *m* BOT maple
érafler [erafle] ⟨1a⟩ *peau* scratch; **éraflure** *f* scratch
ère [ɛr] *f* era
érection [erɛksjõ] *f* erection
éreintant, **~e** [erɛ̃tɑ̃, -t] exhausting, back-breaking; **éreinter** ⟨1a⟩ exhaust; ***s'~*** exhaust o.s. (***à faire qch*** doing sth)

ergothérapeute [ɛrgoterapøt] *m/f* occupational therapist; **ergothérapie** *f* occupational therapy
ériger [eriʒe] ⟨1l⟩ erect; ***s'~ en*** set o.s. up as
ermite [ɛrmit] *m* hermit
éroder [erɔde] ⟨1a⟩ (*aussi fig*) erode; **érosion** *f* erosion
érotique [erɔtik] erotic; **érotisme** *m* eroticism
errant, **~e** [ɛrɑ̃, -t] *personne, vie* roving; *chat, chien* stray; **errer** ⟨1b⟩ roam; *des pensées* stray
erreur [ɛrœr] *f* mistake, error; ***par ~*** by mistake; ***~ de calcul*** miscalculation; ***~ judiciaire*** miscarriage of justice; **erroné**, **~e** wrong, erroneous *fml*
érudit, **~e** [erydi, -t] erudite; **érudition** *f* erudition
éruption [erypsjõ] *f* eruption; MÉD rash
ès [ɛs] *prép*: ***docteur** m* ***~ lettres*** PhD
escabeau [ɛskabo] *m* (*pl* -x) (*tabouret*) stool; (*marchepied*) stepladder
escadron [ɛskadrõ] *m* squadron
escalade [ɛskalad] *f* climbing; ***~ de*** *violence etc* escalation in; **escalader** ⟨1a⟩ climb
escalator [ɛskalatɔr] *m* escalator
escale [ɛskal] *f* stopover; ***faire ~ à*** MAR call at; AVIAT stop over in
escalier [ɛskalje] *m* stairs *pl*, staircase; ***dans l'~*** on the stairs; ***~ roulant*** escalator; ***~ de secours*** fire escape; ***~ de service*** backstairs *pl*
escalope [ɛskalɔp] *f* escalope
escamotable [ɛskamɔtabl] retractable; **escamoter** ⟨1a⟩ (*dérober*) make disappear; *antenne* retract; *fig*: *difficulté* get around
escapade [ɛskapad] *f*: ***faire une ~*** get away from it all
escargot [ɛskargo] *m* snail
escarpé, **~e** [ɛskarpe] steep; **escarpement** *m* slope; GÉOL escarpment
escarpin [ɛskarpɛ̃] *m* pump, *Br* court shoe
escient [ɛsjɑ̃] *m*: ***à bon ~*** wisely
esclaffer [ɛsklafe] ⟨1a⟩: ***s'~*** guffaw, laugh out loud
esclandre [ɛsklɑ̃dr] *m* scene
esclavage [ɛsklavaʒ] *m* slavery; **esclave** *m/f* slave
escompte [ɛskõt] *m* ÉCON, COMM discount; **escompter** ⟨1a⟩ discount; *fig* expect
escorte [ɛskɔrt] *f* escort; **escorter** ⟨1a⟩ escort
escrime [ɛskrim] *f* fencing; **escrimer** ⟨1a⟩: ***s'~*** fight, struggle (***à*** to)
escroc [ɛskro] *m* crook, swindler
escroquer [ɛskrɔke] ⟨1m⟩ swindle; ***~ qch à qn, ~ qn de qch*** swindle s.o. out of sth; **escroquerie** *f* swindle
espace [ɛspas] *m* space; ***~ aérien*** airspace; ***~s verts*** green spaces; **espacer** ⟨1k⟩ space out; ***s'~*** become more and more infrequent
espadrille [ɛspadrij] *f* espadrille, rope sandal
Espagne [ɛspaɲ] *f* Spain; **espagnol**, **~e** **1** *adj* Spanish **2** *m langue* Spanish **3** *m/f* **Espagnol**, **~e** Spaniard
espèce [ɛspɛs] *f* kind, sort (***de*** of); BIOL species; ***~ d'abruti!*** *péj* idiot!; ***en ~s*** COMM cash
espérance [ɛsperɑ̃s] *f* hope; ***~ de vie*** life expectancy
espérer [ɛspere] ⟨1f⟩ **1** *v/t* hope for; ***~ que*** hope that; ***~ faire qch*** hope to do sth; ***je n'en espérais pas tant*** it's more than I'd hoped for **2** *v/i* hope; ***~ en*** trust in
espiègle [ɛspjɛgl] mischievous
espion, **~ne** [ɛspjõ, -ɔn] *m/f* spy; **espionnage** *m* espionage, spying; **espionner** ⟨1a⟩ spy on
esplanade [ɛsplanad] *f* esplanade
espoir [ɛspwar] *m* hope
esprit [ɛspri] *m* spirit; (*intellect*) mind; (*humour*) wit; ***faire de l'~*** show off one's wit; ***perdre l'~*** lose one's mind; ***~ d'équipe*** team spirit
Esquimau, **~de** [ɛskimo, -d] (*mpl* -x) *m/f* Eskimo
esquinter [ɛskɛ̃te] ⟨1a⟩ F *voiture* smash up, total; (*fatiguer*) wear out
esquisse [ɛskis] *f* sketch; *fig*: *d'un roman* outline; **esquisser** ⟨1a⟩ sketch; *fig*: *projet* outline
esquiver [ɛskive] ⟨1a⟩ dodge; ***s'~*** slip away

essai [esɛ] *m* (*test*) test, trial; (*tentative*) attempt, try; *en rugby* try; *en littérature* essay; ***à l'~, à titre d'~*** on trial
essaim [esɛ̃] *m* swarm
essayage [esɛjaʒ] *m*: ***cabine f d'~*** changing cubicle; **essayer** ⟨1i⟩ try; (*mettre à l'épreuve, évaluer*) test; *plat, vin* try, taste; *vêtement* try on; ***~ de faire qch*** try to do sth; ***s'~ à qch*** try one's hand at sth
essence [esɑ̃s] *f* essence; *carburant* gas, *Br* petrol; BOT species *sg*
essentiel, ~le [esɑ̃sjɛl] **1** *adj* essential **2** *m*: ***l'~*** the main thing; *de sa vie* the main part; ***n'emporter que l'~*** take only the essentials
essieu [esjø] *m* (*pl* -x) axle
essor [esɔr] *m fig* expansion; ***prendre un ~*** expand rapidly
essorer [esɔre] ⟨1a⟩ *linge, à la main* wring out; *d'une machine à laver* spin; **essoreuse** *f* spindryer
essoufflé, ~e [esufle] out of breath, breathless; **essoufflement** *m* breathlessness
essuie-glace [esɥiglas] *m* (*pl inv ou* essuie-glaces) AUTO (windshield) wiper, *Br* (windscreen) wiper; **essuie-mains** *m* (*pl inv*) handtowel; **essuie-tout** kitchen towel *ou* paper
essuyer [esɥije] ⟨1h⟩ wipe; (*sécher*) wipe, dry; *fig* suffer
est [ɛst] **1** *m* east; ***vent m d'~*** east wind; ***à l'~ de*** (to the) east of **2** *adj* east, eastern; ***côte f ~*** east *ou* eastern coast
estampe [ɛstɑ̃p] *f en cuivre* engraving, print
est-ce que [ɛskə] *pour formuler des questions*: ***~ c'est vrai?*** is it true?; ***est-ce qu'ils se portent bien?*** are they well?
esthéticienne [ɛstetisjɛn] *f* beautician
esthétique [ɛstetik] esthetic, *Br* aesthetic
estimable [ɛstimabl] estimable; *résultats, progrès* respectable; **estimatif, -ive** estimated; ***devis m ~*** estimate; **estimation** *f* estimation; *des coûts* estimate
estime [ɛstim] *f* esteem; **estimer** ⟨1a⟩ *valeur, coûts* estimate; (*respecter*) have esteem for; (*croire*) feel, think; ***s'~ heureux*** consider o.s. lucky (***d'être accepté*** to have been accepted)
estival, ~e [ɛstival] (*mpl* -aux) summer *atr*; **estivant, ~e** *m/f* summer resident
estomac [ɛstɔma] *m* stomach; ***avoir mal à l'~*** have stomach-ache
estomper [ɛstɔ̃pe] ⟨1a⟩: ***s'~*** *de souvenirs* fade
Estonie [ɛstɔni] *f* Estonia; **estonien, ~ne 1** *adj* Estonian **2** *m langue* Estonian **3** *m/f* **Estonien, ~ne** Estonian
estrade [ɛstrad] *f* podium
estragon [ɛstragɔ̃] *m* tarragon
estropier [ɛstrɔpje] ⟨1a⟩ cripple
estuaire [ɛstɥɛr] *m* estuary
et [e] and; ***~ … ~ …*** both … and …
étable [etabl] *f* cowshed
établi [etabli] *m* workbench
établir [etablir] ⟨2a⟩ *camp, entreprise* establish, set up; *relations, contact, ordre* establish; *salaires, prix* set, fix; *facture, liste* draw up; *record* set; *culpabilité* establish, prove; *raisonnement, réputation* base (***sur*** on); ***s'~*** (*s'installer*) settle; ***s'~ à son compte*** set up (in business) on one's own; **établissement** *m* establishment; *de salaires, prix* setting; *d'une facture, liste* drawing up; *d'un record* setting; *d'une loi, d'un impôt* introduction; ***~ scolaire*** educational establishment; ***~ bancaire / hospitalier*** bank / hospital; ***~ industriel*** factory; ***~ thermal*** spa
étage [etaʒ] *m* floor, story, *Br* storey; *d'une fusée* stage; ***premier / deuxième ~*** second / third floor, *Br* first / second floor
étagère [etaʒɛr] *f meuble* bookcase, shelves *pl*; *planche* shelf
étain [etɛ̃] *m* pewter
étalage [etalaʒ] *m* display; ***faire ~ de qch*** show sth off; **étaler** ⟨1a⟩ *carte* spread out, open out; *peinture, margarine* spread; *paiements* spread out (***sur*** over); *vacances* stagger; *marchandises* display, spread out; *fig* (*exhiber*) show off; ***s'~*** *de peinture*

spread; *de paiements* be spread out (***sur*** over); (*s'afficher*) show off; (*se vautrer*) sprawl; *par terre* fall flat

étalon [etalõ] *m* ZO stallion; *mesure* standard

étanche [etɑ̃ʃ] watertight; **étancher** ⟨1a⟩ TECH make watertight; *litt: soif* quench

étang [etɑ̃] *m* pond

étape [etap] *f lieu* stopover, stopping place; *d'un parcours* stage, leg; *fig* stage

état [eta] *m* state; *de santé, d'une voiture, maison* state, condition; (*liste*) statement, list; ***~ civil*** *bureau* registry office; *condition* marital status; ***~ d'esprit*** state of mind; ***en tout ~ de cause*** in any case, anyway; ***être dans tous ses ~s*** be in a right old state; ***être en ~ de faire qch*** be in a fit state to do sth; ***hors d'~*** out of order; **état-major** *m* (*pl* états-majors) MIL staff; **État-providence** *m* welfare state; **États-Unis** *mpl*: ***les ~*** the United States

étau [eto] *m* (*pl* -x) vise, *Br* vice

étayer [eteje] ⟨1i⟩ shore up

été[1] [ete] *m* summer; ***en ~*** in summer; ***~ indien*** Indian summer

été[2] [ete] *p/p* → ***être***

éteindre [etɛ̃dr] ⟨4b⟩ *incendie, cigarette* put out, extinguish; *électricité, radio, chauffage* turn off; ***s'~*** *de feu, lumière* go out; *de télé etc* go off; *euph* (*mourir*) pass away

étendre [etɑ̃dr] ⟨4a⟩ *malade, enfant* lay (down); *beurre, enduit* spread; *peinture* apply; *bras* stretch out; *linge* hang up; *vin* dilute; *sauce* thin; *influence, pouvoir* extend; ***s'~*** extend, stretch (***jusqu'à*** as far as, to); *d'une personne* lie down; *d'un incendie, d'une maladie* spread; *d'un tissu* stretch; ***s'~ sur qch*** dwell on sth

étendue [etɑ̃dy] *f* extent; *d'eau* expanse; *de connaissances, affaires* extent, scope; *d'une catastrophe* extent, scale

éternel, **~le** [etɛrnɛl] eternal; **éterniser** ⟨1a⟩ drag out; ***s'~*** drag on; **éternité** *f* eternity

éternuement [etɛrnymɑ̃] *m* sneeze; **éternuer** ⟨1n⟩ sneeze

Éthiopie [etjɔpi] *f*: ***l'~*** Ethiopia; **éthiopien**, **~ne** **1** *adj* Ethiopian **2** *m langue* Ethiopic **3** *m/f* **Éthiopien**, **~ne** Ethiopian

éthique [etik] **1** *adj* ethical **2** *f* ethics

ethnie [ɛtni] *f* ethnic group; **ethnique** ethnic

étinceler [etɛ̃sle] ⟨1c⟩ sparkle; **étincelle** *f* spark

étiqueter [etikte] ⟨1c⟩ label (*aussi fig*)

étiquette [etikɛt] *f d'un vêtement, cahier* label; (*protocole*) etiquette

étirer [etire] ⟨1a⟩: ***s'~*** stretch

étoffe [etɔf] *f* material; ***avoir l'~ de qch*** *fig* have the makings of sth; **étoffer** ⟨1a⟩ *fig* flesh out

étoile [etwal] *f* star (*aussi fig*); ***~ filante*** falling star, *Br aussi* shooting star; ***à la belle ~*** out of doors; *dormir* under the stars; ***~ de mer*** starfish

étonnant, **~e** [etɔnɑ̃, -t] astonishing, surprising; **étonné**, **~e** astonished, surprised (***de*** at, by); **étonnement** *m* astonishment, surprise; **étonner** ⟨1a⟩ astonish, surprise; ***s'~ de*** be astonished *ou* surprised at; ***s'~ que*** (+ *subj*) be suprised that

étouffant, **~e** [etufɑ̃, -t] stifling, suffocating; **étouffée** CUIS: ***à l'~*** braised; **étouffer** ⟨1a⟩ suffocate; *avec un oreiller* smother, suffocate; *fig*: *bruit* quash; *révolte* put down, suppress; *cri* smother; *scandale* hush up

étourderie [eturdəri] *f caractère* foolishness; *action* foolish thing to do

étourdi, **~e** [eturdi] foolish, thoughtless; **étourdir** ⟨2a⟩ daze; ***~ qn*** *d'alcool, de succès* go to s.o.'s head; **étourdissement** *m* (*vertige*) dizziness, giddiness

étourneau [eturno] *m* starling

étrange [etrɑ̃ʒ] strange

étranger, **-ère** [etrɑ̃ʒe, -ɛr] **1** *adj* strange; *de l'étranger* foreign **2** *m/f* stranger; *de l'étranger* foreigner **3** *m*: ***à l'~*** *aller, vivre* abroad; *investissement* foreign, outward

étranglement [etrɑ̃gləmɑ̃] *m* strangulation; **étrangler** ⟨1a⟩ strangle; *fig*:

critique, *liberté* stifle

être [ɛtr] ⟨1⟩ **1** *v/i* ◊ be; **~ *ou ne pas ~*** to be or not to be; ***il est avocat*** he's a lawyer; ***il est de Paris*** he is *ou* he's from Paris, he comes from Paris; ***nous sommes lundi*** it's Monday ◊ *passif* be; ***nous avons été éliminé*** we were eliminated; ***il fut assassiné*** he was assassinated ◊: **~ *à qn*** *appartenir à* belong to s.o.; ***ce n'est pas à moi de le faire*** it's not up to me to do it ◊ (*aller*) go; ***j'ai été lui rendre visite*** I have *ou* I've been to visit her; ***est-ce tu as jamais été à Rouen?*** have you ever been to Rouen? **2** *v/aux* have; ***elle n'est pas encore arrivée*** she hasn't arrived yet; ***elle est arrivée hier*** she arrived yesterday **3** *m* being; *personne* person

étreindre [etrɛ̃dr] ⟨4b⟩ grasp; *ami* embrace, hug; *de sentiments* grip; **étreinte** *f* hug, embrace; *de la main* grip

étrenner [etrene] ⟨1a⟩ use for the first time

étrennes [etrɛn] *fpl* New Year's gift *sg*

étrier [etrije] *m* stirrup

étriqué, ~e [etrike] *pull*, *habit* too tight, too small; *fig* narrow

étroit, ~e [etrwa, -t] narrow; *tricot* tight, small; *amitié* close; ***être ~ d'esprit*** be narrow-minded

étroitesse [etrwatɛs] *f* narrowness; **~ *d'esprit*** narrow-mindedness

Ets. *abr* (= ***établissements***): **~ *Morin*** Morin's

étude [etyd] *f* study; MUS étude; *salle à l'école* study room; *de notaire* office; *activité* practice; ***un certificat d'~s*** an educational certificate; ***faire des ~s*** study; **~ *de faisabilité*** feasibility study; **~ *de marché*** market research; ***une ~ de marché*** a market study

étudiant, ~e [etydjɑ̃, -t] *m/f* student; **étudié, ~e** *discours* well thought out; (*affecté*) affected; **étudier** ⟨1a⟩ study

étui [etɥi] *m* case

étuvée [etyve] CUIS: ***à l'~*** braised

eu, ~e [y] *p/p* → ***avoir***

euphémisme [øfemism] *m* understatement; *pour ne pas choquer* euphemism

euphorie [øfɔri] *f* euphoria; **euphorique** euphoric

euro [øro] *m* euro

Europe [ørɔp] *f*: ***l'~*** Europe; **européen, ~ne** **1** *adj* European **2** *m/f* **Européen, ~ne** European

euthanasie [øtanazi] *f* euthanasia

eux [ø] *mpl* they; *après prép* them; ***je les ai vues hier, ~ et et leurs femmes*** I saw them yesterday, them and their wives; ***~, ils ne sont pas contents*** they are not happy; ***ce sont ~ qui*** they are the ones who

eux-mêmes [ømɛm] themselves

évacuation [evakɥasjõ] *f* evacuation; **évacuer** ⟨1n⟩ evacuate

évadé [evade] *m* escaped prisoner, escapee; **évader** ⟨1a⟩: ***s'~*** escape

évaluer [evalɥe] ⟨1n⟩ (*estimer*) evaluate, assess; *tableau*, *meuble* value; *coût*, *nombre* estimate

Évangile [evɑ̃ʒil] *m* Gospel

évanouir [evanwir] ⟨2a⟩: ***s'~*** faint; *fig* vanish, disappear; **évanouissement** *m* faint; *fig* disappearance

évaporation [evapɔrasjõ] *f* evaporation; **évaporer** ⟨1a⟩: ***s'~*** evaporate

évasé [evaze] *vêtement* flared; **évasif, -ive** evasive; **évasion** *f* escape

évêché [eveʃe] *m* bishopric; *édifice* bishop's palace

éveil [evɛj] *m* awakening; ***en ~*** alert; **éveillé, ~e** awake; **éveiller** ⟨1b⟩ wake up; *fig* arouse; ***s'~*** wake up; *fig* be aroused

événement [evɛnmɑ̃] *m* event; **~ *médiatique*** media event

éventail [evɑ̃taj] *m* (*pl* -s) fan; *fig*: *de marchandises* range; ***en ~*** fan-shaped

éventé, ~e [evɑ̃te] *boisson* flat; **éventer** ⟨1a⟩ fan; *fig*: *secret* reveal

éventualité [evɑ̃tɥalite] *f* eventuality, possibility

éventuel, ~le [evɑ̃tɥɛl] possible; **éventuellement** possibly

évêque [evɛk] *m* bishop

E

évertuer [evɛrtɥe] ⟨1n⟩: ***s'~ à faire qch*** try one's hardest *ou* damnedest F to do sth
éviction [eviksjõ] *f* eviction
évidemment [evidamɑ̃] (*bien sûr*) of course
évidence [evidɑ̃s] *f* evidence; ***en ~*** plainly visible; ***mettre en ~*** *idée, fait* highlight; *objet* emphasize; ***de toute ~*** obviously, clearly; **évident, ~e** obvious, clear
évier [evje] *m* sink
évincer [evɛ̃se] ⟨1k⟩ oust
évitable [evitabl] avoidable; **éviter** ⟨1a⟩ avoid; ***~ qch à qn*** spare s.o. sth; ***~ de faire qch*** avoid doing sth
évocation [evɔkasjõ] *f* evocation
évolué, ~e [evɔlɥe] developed, advanced; **évoluer** ⟨1n⟩ (*progresser*) develop, evolve; **évolution** *f* development; BIOL evolution
évoquer [evɔke] ⟨1m⟩ *esprits* conjure up (*aussi fig*); ***~ un problème*** bring up a problem
exacerber [ɛgzasɛrbe] ⟨1a⟩ exacerbate
exact, ~e [ɛgza(kt), ɛgzakt] *nombre, poids, science* exact, precise; *compte, reportage* accurate; *calcul, date, solution* right, correct; *personne* punctual; ***l'heure ~e*** the right time; ***c'est ~*** that's right *ou* correct; **exactitude** *f* accuracy; (*ponctualité*) punctuality
ex æquo [ɛgzeko]: ***être ~*** tie, draw
exagération [ɛgzaʒerasjõ] *f* exaggeration; **exagérer** ⟨1f⟩ exaggerate
exalter [ɛgzalte] ⟨1a⟩ excite; (*vanter*) exalt
examen [ɛgzamɛ̃] *m* exam; MÉD examination; ***passer un ~*** take an exam, *Br aussi* sit an exam; ***être reçu à un ~*** pass an exam; ***~ d'entrée*** entrance exam; ***mise** f **en ~*** JUR indictment
examinateur, -trice [ɛgzaminatœr, -tris] *m/f* examiner; **examiner** ⟨1a⟩ examine (*aussi* MÉD)
exaspérant, ~e [ɛgzasperɑ̃, -t] exasperating; **exaspérer** ⟨1f⟩ exasperate
exaucer [ɛgzose] ⟨1k⟩ *prière* answer; *vœu* grant; ***~ qn*** grant s.o.'s wish
excavation [ɛkskavasjõ] *f* excavation
excédent [ɛksedɑ̃] *m* excess; *budgétaire, de trésorerie* surplus; ***~ de bagages*** excess baggage; **excéder** ⟨1f⟩ *mesure* exceed, be more than; *autorité, pouvoirs* exceed; (*énerver*) irritate
excellence [ɛksɛlɑ̃s] *f* excellence; ***Excellence*** *titre* Excellency; ***par ~*** par excellence; **excellent, ~e** excellent; **exceller** ⟨1b⟩ excel (***dans*** in; ***en*** in, at; ***à faire qch*** at doing sth)
excentré, ~e [ɛksɑ̃tre] not in the center *ou Br* centre
excentrique [ɛksɑ̃trik] eccentric
excepté, ~e [ɛksɛpte] **1** *adj*: ***la Chine ~e*** except for China, with the exception of China **2** *prép* except; ***~ que*** except for the fact that; ***~ si*** unless, except if; **excepter** ⟨1a⟩ exclude, except
exception [ɛksɛpsjõ] *f* exception; ***à l'~ de*** with the exception of; ***d'~*** exceptional; **exceptionnel, ~le** exceptional
excès [ɛksɛ] *m* excess; ***à l'~*** to excess, excessively; ***~ de vitesse*** speeding; **excessif, -ive** excessive
excitant, ~e [ɛksitɑ̃, -t] *m/f* stimulant
excitation [ɛksitasjõ] *f* excitement; (*provocation*) incitement (***à*** to); *sexuelle* arousal; **excité, ~e** excited; *sexuellement* aroused; **exciter** ⟨1a⟩ excite; (*provoquer*) incite (***à*** to); *sexuellement, envie, passion* arouse, excite; *appétit* whet; *imagination* stir
exclamation [ɛksklamasjõ] *f* exclamation; **exclamer** ⟨1a⟩: ***s'~*** exclaim
exclu, ~e [ɛkskly] *m/f* outcast; **exclure** ⟨4l⟩ exclude
exclusif, -ive [ɛksklyzif, -iv] exclusive
exclusion [ɛksklyzjõ] *f* expulsion; ***à l'~ de*** to the exclusion of; (*à l'exception de*) with the exception of
exclusivement [ɛksklyzivmɑ̃] *adv* exclusively; **exclusivité** *f* COMM exclusivity, sole rights *pl*; ***en ~*** exclusively
excommunier [ɛkskɔmynje] ⟨1a⟩ excommunicate
excrément [ɛkskremɑ̃] *m* excrement
excursion [ɛkskyrsjõ] *f* trip, excur-

sion

excuse [ɛkskyz] *f* (*prétexte, justification*) excuse; **~s** apology *sg*; ***faire ses ~s*** apologize, make one's apologies; **excuser** ⟨1a⟩ excuse; ***s'~*** apologize (***de*** for); ***excusez-moi*** excuse me; ***excusez-moi de vous déranger*** I'm sorry to bother you

exécrable [egzekrabl] horrendous, atrocious

exécuter [egzekyte] ⟨1a⟩ *ordre, projet* carry out; MUS perform, execute; JUR *loi, jugement* enforce; *condamné* execute; **exécutif**, **-ive** **1** *adj* executive **2** *m*: ***l'~*** the executive; **exécution** *f d'un ordre, projet* carrying out, execution; MUS performance, execution; JUR *d'une loi, un jugement* enforcement; *d'un condamné* execution; ***mettre à ~*** *menaces, plan* carry out

exemplaire [ɛgzɑ̃plɛr] **1** *adj* exemplary; ***une punition ~*** a punishment intended to act as an example **2** *m* copy; (*échantillon*) sample; ***en deux / trois ~s*** in duplicate / triplicate

exemple [ɛgzɑ̃pl] *m* example; ***par ~*** for example; ***donner / ne pas donner l'~*** set a good / bad example

exempt, **~e** [ɛgzɑ̃, -t] exempt (***de*** from); *inquiétude, souci* free (***de*** from); **exempter** ⟨1a⟩ exempt (***de*** from); **exemption** *f* exemption; ***~ d'impôts*** tax exemption

exercer [ɛgzɛrse] ⟨1k⟩ *corps* exercise; *influence* exert, use; *pouvoir* use; *profession* practise; *mémoire* train; MIL drill; ***elle exerce la médecine*** she's a doctor; ***s'~*** (*s'entraîner*) practise

exercice [ɛgzɛrsis] *m* exercise (*aussi* ÉDU); *d'une profession* practice; COMM fiscal year, *Br* financial year; MIL drill; ***~ d'évacuation*** evacuation drill

exhaler [ɛgzale] ⟨1a⟩ exhale

exhaustif, **-ive** [ɛgzostif, -iv] exhaustive

exhiber [ɛgzibe] ⟨1a⟩ exhibit; *document* produce; ***s'~*** make an exhibition of o.s.; **exhibitionniste** *m* exhibitionist

exhumer [ɛgzyme] ⟨1a⟩ exhume

exigeant, **~e** [ɛgziʒɑ̃, -t] demanding; **exigence** *f* (*revendication*) demand; **exiger** ⟨1l⟩ (*réclamer*) demand; (*nécessiter*) need

exigu, **~ë** [ɛgzigy] tiny

exil [ɛgzil] *m* exile; **exilé**, **~e** *m/f* exile; **exiler** ⟨1a⟩ exile; ***s'~*** go into exile

existence [ɛgzistɑ̃s] *f* existence; **exister** ⟨1a⟩ exist; ***il existe*** there is, *pl* there are

exode [ɛgzɔd] *m* exodus

exonérer [ɛgzɔnere] ⟨1f⟩ exempt

exorbitant, **~e** [ɛgzɔrbitɑ̃, -t] exorbitant

exorbité, **~e** *yeux* bulging

exotique [ɛgzɔtik] exotic

expansif, **-ive** [ɛkspɑ̃sif, -iv] expansive (*aussi* PHYS); **expansion** *f* expansion; ***~ économique*** economic expansion *ou* growth

expatrier [ɛkspatrije] ⟨1a⟩ *argent* move abroad *ou* out of the country; ***s'~*** settle abroad

expectative [ɛkspɛktativ] *f*: ***rester dans l'~*** wait and see

expédient [ɛkspedjɑ̃] *m* expedient

expédier [ɛkspedje] ⟨1a⟩ send; COMM ship, send; *travail* do quickly

expéditeur, **-trice** [ɛkspeditœr, -tris] *m/f* sender; COMM shipper, sender; **expéditif**, **-ive** speedy; *péj* hasty; **expédition** *f* sending; COMM shipment; (*voyage*) expedition

expérience [ɛksperjɑ̃s] *f* experience; *scientifique* experiment

expérimenté, **~e** [ɛksperimɑ̃te] experienced; **expérimenter** ⟨1a⟩ (*tester*) test

expert, **~e** [ɛkspɛr, -t] **1** *adj* expert; ***être ~ en la matière*** be an expert in the matter **2** *m/f* expert; **expert-comptable** *m* (*pl* experts-comptables) certified public accountant, *Br* chartered accountant; **expert légiste** *m* forensic scientist

expertise [ɛkspɛrtiz] *f* (*estimation*) valuation; JUR expert testimony; **expertiser** ⟨1a⟩ *tableau, voiture* value

expier [ɛkspje] ⟨1a⟩ expiate

expiration [ɛkspirasjɔ̃] *f d'un contrat,*

délai expiration, *Br* expiry; *de souffle* exhalation; **expirer** ⟨1a⟩ *d'un contrat, délai* expire; (*respirer*) exhale; (*mourir*) die, expire *fml*
explicatif, -ive [ɛksplikatif, -iv] explanatory; **explication** *f* explanation; ***nous avons eu une ~*** we talked things over

E

explicite [ɛksplisit] explicit; **explicitement** *adv* explicitly
expliquer [ɛksplike] ⟨1m⟩ explain; ***s'~*** explain o.s.; ***s'~ qch*** account for sth, find an explanation for sth; ***s'~ avec qn*** talk things over with s.o.
exploit [ɛksplwa] *m sportif, médical* feat, achievement; *amoureux* exploit; **exploitant, ~e** *m/f agricole* farmer
exploitation [ɛksplwatasjõ] *f d'une ferme, ligne aérienne* operation, running; *du sol* working, farming; *de richesses naturelles* exploitation; (*entreprise*) operation, concern; *péj: des ouvriers* exploitation; ***~ minière*** mining; **exploiter** ⟨1a⟩ *ferme, ligne aérienne* operate, run; *sol* work, farm; *richesses naturelles* exploit (*aussi péj*)
explorateur, -trice [ɛksplɔratœr, -tris] *m/f* explorer; **exploration** *f* exploration; **explorer** ⟨1a⟩ explore
exploser [ɛksploze] ⟨1a⟩ explode (*aussi fig*); ***~ de rire*** F crack up F; **explosif, -ive 1** *adj* explosive (*aussi fig*) **2** *m* explosive; **explosion** *f* explosion (*aussi fig*)
exportateur, -trice [ɛkspɔrtatœr, -tris] **1** *adj* exporting **2** *m* exporter; **exportation** *f* export; **exporter** ⟨1a⟩ export
exposant, ~e *m/f* exhibitor
exposé [ɛkspoze] *m* account, report; ÉDU presentation; **exposer** ⟨1a⟩ *art, marchandise* exhibit, show; *problème, programme* explain; *à l'air, à la chaleur* expose (*aussi* PHOT); **exposition** *f d'art, de marchandise* exhibition; *d'un problème* explanation; *au soleil* exposure (*aussi* PHOT)
exprès[1] [ɛksprɛ] *adv* (*intentionnellement*) deliberately, on purpose; (*spécialement*) expressly, specially
exprès[2], **-esse** [ɛksprɛs] **1** *adj* express **2** *adj inv* ***lettre*** *f* ***exprès*** express letter
express [ɛksprɛs] **1** *adj inv* express; ***voie*** *f* ***~*** expressway **2** *m train* express; *café* espresso
expressément [ɛksprɛsemɑ̃] *adv* expressly
expressif, -ive [ɛksprɛsif, -iv] expressive; **expression** *f* expression
expresso [ɛksprɛso] *m* espresso (coffee)
exprimer [ɛksprime] ⟨1a⟩ express; ***s'~*** express o.s.
exproprier [ɛksprɔprije] ⟨1a⟩ expropriate
expulser [ɛkspylse] ⟨1a⟩ expel; *d'un pays* deport; **expulsion** *f* expulsion; *d'un pays* deportation
exquis, ~e [ɛkski, -z] exquisite
extase [ɛkstaz] *f* ecstasy; **extatique** ecstatic
extensible stretchable; **extensif, -ive** AGR extensive; **extension** *f des bras, jambes* stretching; (*prolongement*) extension; *d'une épidémie* spread; INFORM expansion
exténuer [ɛkstenɥe] ⟨1n⟩ exhaust
extérieur, ~e [ɛksterjœr] **1** *adj paroi, mur* outside, external; ÉCON, POL foreign, external; (*apparent*) external **2** *m* (*partie externe*) outside, exterior; ***à l'~*** (*dehors*) outside, out of doors; ***à l'~ de*** outside; **extérieurement** *adv* externally, on the outside; **extérioriser** ⟨1a⟩ express, let out; ***s'~*** *d'un sentiment* show itself, find expression; *d'une personne* express one's emotions
exterminer [ɛkstɛrmine] ⟨1a⟩ exterminate
externe [ɛkstɛrn] external
extincteur [ɛkstɛ̃ktœr] *m* extinguisher
extinction [ɛkstɛ̃ksjõ] *f* extinction (*aussi fig*)
extirper [ɛkstirpe] ⟨1a⟩ *mauvaise herbe* pull up; MÉD remove; *fig renseignement* drag out
extorquer [ɛkstɔrke] ⟨1m⟩ extort
extorsion [ɛkstɔrsjõ] *f* extortion
extra [ɛkstra] **1** *adj inv* great, terrific

2 *m*: ***un ~*** something special
extraconjugal, **~e** [ɛkstrakõʒygal] extramarital
extraction [ɛkstraksjõ] *f de pétrole, d'une dent* extraction
extrader [ɛkstrade] ⟨1a⟩ extradite; **extradition** *f* JUR extradition
extraire [ɛkstrɛr] ⟨4s⟩ extract
extrait [ɛkstrɛ] *m* extract
extraordinaire [ɛkstraɔrdinɛr] extraordinary
extrapoler [ɛkstrapɔle] ⟨1a⟩ extrapolate
extrascolaire [ɛkstraskɔlɛr] extracurricular
extraterrestre [ɛkstraterɛstr] *m/f* extraterrestrial, alien
extravagance [ɛkstravagɑ̃s] *f* extravagance; *d'une personne, d'une idée, d'un habit* eccentricity; **extravagant**, **~e** extravagant; *habits, idées, personne* eccentric
extraverti, **~e** [ɛkstravɛrti] extrovert
extrême [ɛkstrɛm] **1** *adj* extreme **2** *m* extreme; ***à l'~*** to extremes; **extrêmement** *adv* extremely; **extrême-onction** *f* REL extreme unction; **Extrême-Orient** *m*: ***l'~*** the Far East
extrémiste [ɛkstremist] *m/f* POL extremist; ***~ de droite*** right-wing extremist; **extrémité** *f d'une rue* (very) end; *d'un doigt* tip; (*situation désespérée*) extremity; **~s** ANAT extremities
exubérance [ɛgzyberɑ̃s] *f d'une personne* exuberance; **exubérant**, **~e** exuberant
exulter [ɛgzylte] exult
exutoire [ɛgzytwar] *m fig* outlet
eye-liner [ajlajnœr] *m* eyeliner

F

F *abr* (= ***franc(s)***) FF (= French franc(s))
fa [fa] *m* MUS F
fable [fabl] *f* fable
fabricant, **~e** [fabrikɑ̃, -t] *m/f* manufacturer, maker; **fabrication** *f* making; *industrielle* manufacture; ***~ en série*** mass production
fabrique [fabrik] *f* factory; **fabriquer** ⟨1m⟩ make; *industriellement aussi* manufacture; *histoire* fabricate
fabuler ⟨1m⟩ make things up
fabuleux, **-euse** [fabylø, -z] fabulous
fac [fak] *f abr* (= ***faculté***) uni, university
façade [fasad] *f* façade (*aussi fig*)
face [fas] *f* face; *d'une pièce* head; ***de ~*** from the front; ***en ~ de*** opposite; ***~ à qch*** facing sth; *fig* faced with sth; ***~ à ~*** face to face; ***en ~*** opposite; ***faire ~ à*** *problèmes, responsabilités* face (up to); **face-à-face** *m* (*pl inv*) face-to-face (debate)
facétieux, **-euse** [fasesjø, -z] mischievous
facette [fasɛt] *f* facet
fâché, **~e** [fɑʃe] annoyed; **fâcher** ⟨1a⟩ annoy; ***se ~*** get annoyed; ***se ~ avec qn*** fall out with s.o.; **fâcheux**, **-euse** annoying; (*déplorable*) unfortunate
facho [faʃo] F fascist
facile [fasil] easy; *personne* easy-going; ***~ à faire / utiliser*** easy to do / use; **facilement** *adv* easily; **facilité** *f* easiness; *à faire qch* ease; ***elle a beaucoup de ~s à l'école*** she shows a lot of strengths at school; ***~s de paiement*** easy terms; ***~ d'utilisation*** ease of use; **faciliter** ⟨1a⟩ make easier, facilitate
façon [fasõ] *f* (*manière*) way, method; ***de ~ (à ce) que*** (*+subj*) so that; ***de toute ~*** anyway, anyhow; ***de cette ~*** (in) that way; ***à la ~ de chez nous***

like we have at home; ***à la ~ de Monet*** in the style of Monet; ***~s*** (*comportement*) behavior *sg*, *Br* behaviour *sg*, manners; ***faire des ~s*** make a fuss; ***sans ~*** simple, unpretentious
façonner [fasɔne] ⟨1a⟩ shape, fashion
facteur [faktœr] *m de la poste* mailman, letter carrier, *Br* postman; MATH, *fig* factor
factice [faktis] artificial
faction [faksjõ] *f* (*groupe*) faction
factrice [faktris] *f* mailwoman, *Br* postwoman
factuel, **~le** [faktɥɛl] factual
facture [faktyr] *f* bill; COMM invoice; **facturer** ⟨1a⟩ invoice
facultatif, **-ive** [fakyltatif, -iv] optional; ***arrêt*** *m* ***~*** *d'autobus* request stop
faculté [fakylte] *f* faculty (*aussi université*); ***~ d'adaptation*** adaptability
fade [fad] insipid (*aussi fig*)
Fahrenheit [farɛnajt] Fahrenheit
faible [fɛbl] **1** *adj* weak; *bruit*, *lumière*, *voix*, *espoir* faint; *avantage* slight **2** *m pour personne* soft spot; *pour chocolat etc* weakness; **faiblesse** *f* weakness; **faiblir** ⟨2a⟩ weaken
faïence [fajɑ̃s] *f* earthenware
faille [faj] *f* GÉOL fault; *dans théorie*, *raisonnement* flaw
faillible [fajibl] fallible; **faillir** ⟨2n⟩: ***il a failli gagner*** he almost won, he nearly won; **faillite** *f* COMM bankruptcy; ***faire ~*** go bankrupt; ***être en ~*** be bankrupt
faim [fɛ̃] *f* hunger; ***avoir ~*** be hungry; ***manger à sa ~*** eat one's fill; ***mourir de ~*** starve (*aussi fig*)
fainéant, **~e** [fɛneɑ̃, -t] **1** *adj* idle, lazy **2** *m/f* idler
faire [fɛr] ⟨4n⟩ **1** *v/t* ◊ do; *gâteau*, *robe*, *meuble*, *repas*, *liste* make; ***qu'est-ce que vous faites dans la vie?*** what do you do for a living?; ***tu ferais bien*** *ou* ***mieux de te dépêcher*** you had better hurry up; ***elle ne fait que parler*** she does nothing but talk; ***~ la cuisine*** cook; ***~ du tennis*** play tennis; ***~ de la natation / du bateau / du ski*** swim / sail / ski, go swimming / sailing / skiing; ***~ son droit*** study law, take a law degree; ***~ un voyage*** make *ou* take a trip; ***~ jeune*** look young; ***~ le malade / le clown*** act *ou* play the invalid / the fool; ***ça fait 100 euros*** that's *ou* that makes 100 euros; ***cinq plus cinq font dix*** five and five are *ou* make ten; ***ça ne fait rien*** it doesn't matter; ***qu'est-ce que ça peut te ~?*** what business is it of yours?; ***on ne peut rien y ~*** we can't do anything about it; ***ce qui fait que*** which means that; ***… fit-il*** … he said
◊ *avec inf*: ***~ rire qn*** make s.o. laugh; ***~ venir qn*** send for s.o.; ***~ chauffer de l'eau*** heat some water; ***~ peindre la salle de bain*** have the bathroom painted
2 *v/i*: ***~ vite*** hurry up, be quick; ***fais comme chez toi*** make yourself at home; ***~ avec*** make do
3 *impersonnel*: ***il fait chaud / froid*** it is *ou* it's warm / cold; ***ça fait un an que je ne l'ai pas vue*** I haven't seen her in a year
4 ◊ ***se ~*** become; *amis*, *ennemis*, *millions* make (for o.s.); *d'une réputation* be made; ***cela se fait beaucoup*** it's quite common; ***ça ne se fait pas*** it's not done; ***tu t'es fait couper les cheveux?*** have you had your hair cut?; ***se ~ rare*** become rarer and rarer; ***je me fais vieux*** I'm getting old
◊: ***se ~ à qch*** get used to sth
◊: ***je ne m'en fais pas*** I'm not worried *ou* bothered
faire-part [fɛrpar] *m* (*pl inv*) announcement
faisable [fəzabl] feasible
faisan [fəzɑ̃] *m* pheasant
faisceau [fɛso] *m* (*pl* -x) bundle; *de lumière* beam
fait[1] [fɛ] *m* fact; (*action*) act; (*événement*) development; ***au ~*** by the way, incidentally; ***de ~*** in fact; ***de ce ~*** consequently; ***en ~*** in fact; ***du ~ de*** because of; ***en ~ de*** by way of; ***tout à ~*** absolutely; ***un ~ divers*** a brief news item; ***prendre qn sur le***

~ catch s.o. in the act; ***tous ses ~s et gestes*** his every move

fait[2], **~e** [fɛ, fɛt] **1** *p/p* → ***faire*** **2** *adj*: ***être ~ pour qn / qch*** be made for s.o. / sth; ***être ~*** F be done for; ***bien ~*** *personne* good-looking; ***c'est bien ~ pour lui*** serves him right!

falaise [falɛz] *f* cliff

falloir [falwar] ⟨3c⟩ ◊ : ***il faut un visa*** you need a visa, you must have a visa; ***combien te faut-il?*** how much do you need?; ***il faut l'avertir*** we have to warn him, he has to be warned; ***il me faut un visa*** I need a visa; ***il me faut sortir, il faut que je sorte*** (*subj*) I have to go out, I must go out, I need to go out; ***s'il le faut*** if necessary, if need be; ***il aurait fallu prendre le train*** we should have taken the train; ***il faut vraiment qu'elle soit*** (*subj*) ***fatiguée*** she must really be tired; ***comme il faut*** respectable ◊ *avec négatif*: ***il ne faut pas que je sorte*** (*subj*) ***avant …*** I mustn't go out until … ◊: ***il s'en fallait de 20 euros / 3 points*** another 20 euros / 3 points was all that was needed; ***il a failli nous heurter***: ***il s'en est fallu de peu*** he came within an inch of hitting us; ***il s'en est fallu de peu que je vienne*** (*subj*) I almost came; …***il s'en faut de beaucoup*** not by a long way

falsification [falsifikasjõ] *f* forgery; *document* falsification; **falsifier** ⟨1a⟩ *argent* forge; *document* falsify; *vérité* misrepresent

famé, **~e** [fame]: ***mal ~*** disreputable

famélique [famelik] starving

fameux, **-euse** [famø, -z] (*célèbre*) famous; (*excellent*) wonderful, marvelous, *Br* marvellous; ***c'est un ~ …*** it's quite a …

familial, **~e** [familjal] (*mpl* -aux) family *atr*

familiariser [familjarize] ⟨1a⟩ familiarize (***avec*** with); **familiarité** *f* familiarity (***avec*** with); **familier**, **-ère** (*impertinent*, *connu*) familiar; *langage* colloquial, familiar

famille [famij] *f* family; ***~ monoparentale*** single-parent family; ***~ nombreuse*** large family

famine [famin] *f* famine

fan [fan] *m/f*, **fana** [fana] *m/f* F fan; **fanatique** **1** *adj* fanatical **2** *m/f* (*obsédé*) fanatic; **fanatisme** *m* fanaticism

faner [fane] ⟨1a⟩: ***se ~*** fade, wither

fanfare [fɑ̃far] *f* (*orchestre*) brass band; (*musique*) fanfare; **fanfaron**, **~ne** **1** *adj* boastful, bragging **2** *m* boaster

fantaisie [fɑ̃tɛzi] *f* imagination; (*caprice*) whim; ***bijoux*** *mpl* ***~*** costume jewelry, *Br* costume jewellery; **fantaisiste** *m/f & adj* eccentric

fantasme [fɑ̃tasm] *m* fantasy; **fantasmer** fantasize

fantasque [fɑ̃task] *personne* strange, weird

fantastique [fɑ̃tastik] **1** *adj* fantastic; (*imaginaire*) imaginary **2** *m*: ***le ~*** fantasy

fantoche [fɑ̃tɔʃ] *m fig* puppet

fantôme [fɑ̃tom] *m* ghost; ***train*** *m* ***~*** ghost train; ***ville*** *f* ***~*** ghost town

FAQ [ɛfaky] *f abr* (= ***Foire aux questions***) FAQ (= frequently asked question(s))

farce [fars] *f au théâtre* farce; (*tour*) joke; CUIS stuffing; **farceur**, **-euse** *m/f* joker; **farcir** ⟨2a⟩ CUIS stuff; *fig* cram

fard [far] *m* make-up; ***~ à paupières*** eye shadow

fardeau [fardo] *m* (*pl* -x) burden (*aussi fig*)

farder [farde] ⟨1a⟩: ***se ~*** make up

farfelu, **~e** [farfəly] odd, weird

farfouiller [farfuje] ⟨1a⟩ F rummage around

farine [farin] *f* flour; ***~ de maïs*** corn starch, *Br* cornflour; **farineux**, **-euse** floury

farouche [faruʃ] (*timide*) shy; (*violent*) *volonté*, *haine* fierce

fart [far(t)] *m* ski wax

fascicule [fasikyl] *m* installment, *Br* instalment

fascinant, **~e** [fasinɑ̃, -t] fascinating; **fascination** *f* fascination; **fasciner**

F

⟨1a⟩ fascinate
fascisme [faʃism] *m* fascism; **fasciste** *m/f & adj* Fascist
faste [fast] *m* pomp, splendor, *Br* splendour
fast-food [fastfud] *m* fast food restaurant
fastidieux, **-euse** [fastidjø, -z] tedious
fastoche [fastɔʃ] F dead easy
fastueux, **-euse** [fastɥø, -z] lavish

F

fatal, **~e** [fatal] (*mpl* -s) fatal; (*inévitable*) inevitable; **fatalement** *adv* fatally; **fatalisme** *m* fatalism; **fataliste 1** *adj* fatalistic **2** *m/f* fatalist; **fatalité** *f* fate; ***la ~ de l'hérédité*** the inescapability of heredity
fatidique [fatidik] fateful
fatigant, **~e** [fatigɑ̃, -t] tiring; (*agaçant*) tiresome; **fatigue** *f* tiredness, fatigue; ***mort de ~*** dead on one's feet; **fatigué**, **~e** tired; **fatiguer** ⟨1m⟩ tire; (*importuner*) annoy; ***se ~*** tire o.s. out, get tired
faubourg [fobur] *m* (working-class) suburb
fauché, **~e** [foʃe] F broke F; **faucher** ⟨1a⟩ *fig* mow down; F (*voler*) pinch F, lift F
faucille [fosij] *f* sickle
faucon [fokõ] *m* falcon
faufiler [fofile] ⟨1a⟩: ***se ~ dans une pièce*** slip into a room; ***se ~ entre les voitures*** thread one's way through the traffic
faune [fon] *f* wildlife, fauna
faussaire [fosɛr] *m* forger; **faussement** *adv* falsely; *accuser, condamner* wrongfully; *croire* wrongly; **fausser** ⟨1a⟩ *calcul, données* skew, distort; *sens, vérité* distort, twist; *clef* bend; ***~ compagnie à qn*** skip out on s.o.
faute [fot] *f* mistake; (*responsabilité*) fault; ***c'est* (*de*) *ta ~*** it's your fault, you're the one to blame; ***à qui la ~?*** whose fault is that?; ***par sa ~*** because of him; ***être en ~*** be at fault; ***~ de*** for lack of; ***sans ~*** without fail; ***~ professionnelle*** professional misconduct
fauteuil [fotœj] *m* armchair; ***~ de jardin*** garden chair; ***~ roulant*** wheelchair
fautif, **-ive** [fotif, -iv] (*coupable*) guilty; (*erroné*) incorrect
fauve [fov] **1** *adj* tawny; ***bêtes*** *fpl* ***~s*** big cats **2** *m félin* big cat
faux, **fausse** [fo, fos] **1** *adj* false; (*incorrect*) *aussi* wrong; *bijoux* imitation, fake; ***fausse couche*** *f* miscarriage; ***~ billet*** forged *ou* dud bill; ***~ numéro*** wrong number; ***~ témoignage*** perjury **2** *adv*: ***chanter ~*** sing off-key, sing out of tune **3** *m copie* forgery, fake
faux-filet [fofilɛ] *m* (*pl* faux-filets) CUIS sirloin
faux-monnayeur [fomɔnɛjœr] *m* counterfeiter, forger
faux-semblant [fosɑ̃blɑ̃] *m* pretense, *Br* pretence
faveur [favœr] *f* favor, *Br* favour; ***de ~*** *traitement* preferential; *prix* special; ***en ~ de*** in favor of; **favorable** favorable, *Br* favourable; **favorablement** *adv* favorably, *Br* favourably
favori, **~te** [favɔri, -t] *m/f & adj* favorite, *Br* favourite; **favoriser** ⟨1a⟩ favor, *Br* favour; *faciliter, avantager* promote, encourage; **favoritisme** *m* favoritism, *Br* favouritism
fax [faks] *m* fax; **faxer** ⟨1a⟩ fax
fébrile [febril] feverish
fécond, **~e** [fekõ, -d] fertile (*aussi fig*); **fécondation** *f* fertilization; ***~ artificielle*** artificial insemination; **féconder** ⟨1a⟩ fertilize; **fécondité** *f* fertility
fécule [fekyl] *f* starch; **féculent** *m* starchy food
fédéral, **~e** [federal] (*mpl* -aux) federal; **fédéralisme** *m* federalism; **fédéraliste** *m/f & adj* federalist; **fédération** *f* federation
fée [fe] *f* fairy
feeling [filiŋ] *m* feeling; ***avoir un bon ~ pour qch*** have a good feeling about sth
féerique [fe(e)rik] *fig* enchanting
feignant [fɛɲɑ̃, -ɑ̃t] → ***fainéant***
feindre [fɛ̃dr] ⟨4b⟩: ***~ l'étonnement / l'indifférence*** pretend to be aston-

ished / indifferent, feign astonishment / indifference; **~ *de faire qch*** pretend to do sth; **feinte** *f* feint

fêlé, **~e** [fɛle] *aussi fig* cracked; **fêler** ⟨1b⟩: **se ~** crack

félicitations [felisitasjõ] *fpl* congratulations; **féliciter** ⟨1a⟩: **~ *qn de*** *ou* ***pour qch*** congratulate s.o. on sth; ***se ~ de qch*** congratulate o.s. on sth

félin, **~e** [felɛ̃, -in] *m & adj* feline

fêlure [felyr] *f* crack

femelle [fəmɛl] *f & adj* female

féminin, **~e** [feminɛ̃, -in] **1** *adj* feminine; *sexe* female; *problèmes, maladies, magazines, mode* women's **2** *m* GRAM feminine; **féminisme** *m* feminism; **féministe** *m/f & adj* feminist; **féminité** *f* femininity

femme [fam] *f* woman; (*épouse*) wife; ***jeune ~*** young woman; **~ *d'affaires*** businesswoman; **~ *battue*** battered wife; ***~-enfant*** childlike woman; **~ *au foyer*** homemaker, *Br* housewife; **~ *de ménage*** cleaning woman

fendre [fɑ̃dr] ⟨4a⟩ split; (*fissurer*) crack; *cœur* break; ***se ~*** split; (*se fissurer*) crack

fenêtre [f(ə)nɛtr] *f* window

fenouil [fənuj] *m* BOT fennel

fente [fɑ̃t] *f* crack; *d'une boîte à lettres, jupe* slit; *pour pièces de monnaie* slot

fer [fɛr] *m* iron; ***volonté / discipline de ~*** *fig* iron will / discipline; **~ *à cheval*** horseshoe; **~ *à repasser*** iron

férié [ferje]: ***jour*** *m* **~** (public) holiday

ferme[1] [fɛrm] **1** *adj* firm; ***terre*** *f* **~** dry land, terra firma **2** *adv travailler* hard; ***s'ennuyer ~*** be bored stiff; ***discuter ~*** be having a fierce debate

ferme[2] [fɛrm] *f* farm

fermé, **~e** [fɛrme] closed, shut; *robinet* off; *club, milieu* exclusive

fermement [fɛrməmɑ̃] *adv* firmly

fermentation [fɛrmɑ̃tasjõ] *f* fermentation; **fermenter** ⟨1a⟩ ferment

fermer [fɛrme] ⟨1a⟩ **1** *v/t* close, shut; *définitivement* close down, shut down; *eau, gaz, robinet* turn off; *manteau* fasten; *frontière, port, chemin* close; **~ *boutique*** close down, go out of business; **~ *à clef*** lock; ***ferme-la!*** shut up! **2** *v/i* close, shut; *définitivement* close down, shut down; *d'un manteau* fasten; ***se ~*** close, shut

fermeté [fɛrməte] *f* firmness

fermette [fɛrmɛt] *f* small farmhouse

fermeture [fɛrmətyr] *f* closing; *définitive* closure; *mécanisme* fastener; **~ *éclair*** zipper, *Br* zip (fastener)

fermier [fɛrmje, -jɛr] **1** *adj œufs, poulet* free-range **2** *m* farmer; **fermière** *f* farmer; *épouse* farmer's wife

fermoir [fɛrmwar] *m* clasp

féroce [ferɔs] fierce, ferocious; **férocité** *f* fierceness, ferocity

ferraille [fɛraj] *f* scrap; ***mettre à la ~*** scrap, throw on the scrapheap

ferré, **~e** [fɛre]: ***voie ~e*** *f* (railroad *ou Br* railway) track

ferroviaire [fɛrɔvjɛr] railroad *atr*, *Br* railway *atr*

ferry-boat [feribot] *m* (*pl* ferry-boats) ferry

fertile [fɛrtil] fertile; **~ *en*** full of, packed with; **fertilisant** *m* fertilizer; **fertilité** *f* fertility

fervent, **~e** [fɛrvɑ̃, -t] *prière, admirateur* fervent; **ferveur** *f* fervor, *Br* fervour

fesse [fɛs] *f* buttock; ***~s*** butt *sg*, *Br* bottom *sg*; **fessée** *f* spanking

festif, **-ive** [fɛstif -iv] festive

festin [fɛstɛ̃] *m* feast

festival [fɛstival] *m* (*pl* -s) festival

festivités [fɛstivite] *fpl* festivities

fêtard [fɛtar] *m* F reveler, *Br* reveller; **fête** *f* festival; (*soirée*) party; *publique* holiday; REL feast (day), festival; *jour d'un saint* name day; ***les ~s*** (***de fin d'année***) the holidays, Christmas and New Year; ***faire la ~*** party; ***être en ~*** be in party mood; **~ *foraine*** fun fair; ***Fête des mères*** Mother's Day; ***Fête nationale*** Bastille Day; **fêter** ⟨1b⟩ celebrate; (*accueillir*) fête

fétiche [fetiʃ] *m* fetish; (*mascotte*) mascot; ***numéro / animal ~*** lucky number / animal

feu [fø] *m* (*pl* -x) fire; AUTO, AVIA, MAR light; *de circulation* (traffic) light, *Br* (traffic) lights *pl*; *d'une cuisinière* burner; *fig* (*enthousiasme*) pas-

F

sion; ***au coin du ~*** by the fireside; ***coup*** *m* ***de ~*** shot; ***~ d'artifice*** fireworks *pl*, firework display; ***mettre le ~ à qch*** set sth on fire, set fire to sth; ***prendre ~*** catch fire; ***en ~*** on fire; ***à ~ doux / vif*** over a low / high heat; ***faire ~ sur*** MIL fire *ou* shoot at; ***vous avez du ~?*** got a light?; ***~ rouge*** red light, stoplight; ***~ vert*** green light (*aussi fig*); ***~ arrière*** AUTO tail light, *Br* rear light; ***~ stop*** brake light, stoplight; ***~ de position*** side light; ***~x de croisement*** low beams, *Br* dipped headlights; ***~x de route*** headlights on high *ou Br* full beam; ***~x de signalisation*** traffic light, *Br* traffic lights *pl*; ***~x de stationnement*** parking lights

feuillage [fœjaʒ] *m* foliage; **feuille** *f* leaf; *de papier* sheet; ***~ d'impôt*** tax return; ***~ de maladie*** *form used to claim reimbursement of medical expenses*; ***~ de paie*** payslip; **feuillet** leaf; **feuilleter** ⟨1c⟩ *livre etc* leaf through; CUIS ***pâte*** *f* ***feuilletée*** puff pastry; **feuilleton** *m d'un journal* serial; TV soap opera

feutre [føtr] *m* felt; *stylo* felt-tipped pen; *chapeau* fedora; **feutré**, **~e** *bruit* muffled

fève [fɛv] *f* BOT broad bean

février [fevrije] *m* February

FF *m abr* (= ***franc(s) français***) FF (= French franc(s))

fiabilité [fjabilite] *f* reliability; **fiable** reliable

fiançailles [f(i)jɑ̃saj] *fpl* engagement *sg*; **fiancé**, **~e** *m/f* fiancé, fiancée; **fiancer** ⟨1k⟩: ***se ~ avec*** get engaged to

fiasco [fjasko] *m* fiasco

fibre [fibr] *f* fiber, *Br* fibre; ***avoir la ~ paternelle*** *fig* be a born father; ***faire jouer la ~ patriotique*** play on patriotic feelings; ***~ optique*** optical fiber; ***le domaine des ~s optiques*** fiber optics; ***~ de verre*** fiberglass, *Br* fibreglass

ficeler [fisle] ⟨1c⟩ tie up; **ficelle** *f* string; *pain* thin French stick

fiche [fiʃ] *f pour classement* index card; *formulaire* form; ÉL plug; **ficher** ⟨1a⟩ F (*faire*) do; (*donner*) give; (*mettre*) stick; *par la police* put on file; ***fiche-moi la paix!*** leave me alone *ou* in peace!; ***fiche-moi le camp!*** clear out!, go away!; ***je m'en fiche*** I don't give a damn

fichier [fiʃje] *m* INFORM file; ***~ joint*** attachment

fichu, **~e** [fiʃy] F (*inutilisable*) kaput F, done-for F; (*sale*) filthy; ***être mal ~*** *santé* be feeling rotten; ***être ~*** (*condamné*) have had it F

fictif, **-ive** [fiktif, -iv] fictitious; **fiction** *f* fiction

fidéicommis [fideikɔmi] *m* trust; **fidéicommissaire** *m/f* trustee

fidèle [fidɛl] **1** *adj* faithful; *ami, supporter* faithful, loyal **2** *m/f* REL, *fig*: ***les fidèles*** the faithful *pl*; **fidéliser** ⟨1a⟩: ***~ la clientèle*** create customer loyalty; **fidélité** *f* faithfulness

fier[1] [fje] ⟨1a⟩: ***se ~ à*** trust

fier[2], **-ère** [fjɛr] proud (***de*** of); **fièrement** *adv* proudly; **fierté** *f* pride

fièvre [fjɛvr] *f* fever; ***avoir de la ~*** have a fever, *Br* have a temperature; ***avoir 40° de ~*** have a temperature of 40°; **fiévreux**, **-euse** feverish (*aussi fig*)

figer [fiʒe] ⟨1l⟩ congeal; ***se ~*** *fig*: *d'un sourire, d'une expression* become fixed

fignoler [fiɲɔle] ⟨1a⟩ put the finishing touches to

figue [fig] *f* fig; **figuier** *m* fig tree

figurant, **~e** [figyrɑ̃, -t] *m/f de théâtre* walk-on; *de cinéma* extra; **figuratif**, **-ive** figurative; **figure** *f* figure; (*visage*) face; ***se casser la ~*** F fall flat on one's face; **figuré**, **~e** figurative; **figurer** ⟨1a⟩ figure; ***se ~ qch*** imagine sth

fil [fil] *m* thread; *de métal*, ÉL, TÉL wire; ***coup*** *m* ***de ~*** TÉL (phone) call; ***au bout du ~*** TÉL on the phone *ou* line; ***au ~ des jours*** with the passage of time; ***~ dentaire*** (dental) floss; ***~ électrique*** wire; ***~ de fer barbelé*** barbed wire; **filament** *m* ÉL filament

filature *f* spinning; *usine* mill; ***prendre***

***qn en ~** fig* tail s.o.

file [fil] *f* line; *d'une route* lane; **~ (*d'attente*)** line, *Br* queue; ***à la ~*** one after the other; **filer** ⟨1a⟩ **1** *v/t* spin; F (*donner*) give; (*épier*) tail F **2** *v/i* F (*partir vite*) fly, race off; *du temps* fly past

filet [filɛ] *m d'eau* trickle; *de pêche*, *tennis* net; CUIS fillet; **~ (*à provisions*)** string bag

filial, **~e** [filjal] (*mpl* -aux) **1** *adj* filial **2** *f* COMM subsidiary

filière [filjɛr] *f* (career) path; ***la ~ administrative*** official channels *pl*; ***~s scientifiques / littéraires*** science / arts subjects

filigrane [filigran] *m d'un billet de banque* watermark

fille [fij] *f* girl; *parenté* daughter; ***vieille ~*** old maid; ***jeune ~*** girl, young woman; ***petite ~*** little girl; **fillette** *f* little girl

filleul [fijœl] *m* godson, godchild; **filleule** *f* goddaughter, godchild

film [film] *m* movie, *Br aussi* film; *couche* film; **~ *policier*** detective movie *ou Br aussi* film; ***se faire un ~*** see a movie; ***se faire des ~s*** *fig* imagine things; **filmer** ⟨1a⟩ film

filon [filõ] *m* MIN seam, vein; ***trouver un bon ~*** *fig* strike it rich

fils [fis] *m* son; **~ *à papa*** (spoilt) rich kid

filtre [filtr] *m* filter; **filtrer** ⟨1a⟩ **1** *v/t* filter; *fig* screen **2** *v/i d'une liquide*, *de lumière* filter through; *fig* leak

fin[1] [fɛ̃] *f* end; ***à la ~*** in the end, eventually; ***en ~ de compte*** when all's said and done; ***à cette ~*** for that purpose; ***mettre ~ à qch*** put an end to sth; ***tirer à sa ~*** come to an end, draw to a close; ***sans ~*** *soirée*, *histoire* endless; *parler* endlessly

fin[2], **~e** [fɛ̃, fin] **1** *adj* fine; (*mince*) thin; *taille*, *cheville* slender, neat; *esprit* refined; (*rusé*, *malin*) sharp, intelligent; ***fines herbes*** *fpl* mixed herbs; ***au ~ fond de*** right at the bottom of; *de garage etc* right at the back of **2** *adv* fine(ly)

final, **~e** [final] (*mpl* -s) **1** *adj* final; ***point*** *m* **~** period, *Br* full stop **2** *m*: ***~e*** MUS finale **3** *f* SP final; **finalement** *adv* finally; **finaliser** ⟨1a⟩ finalize; **finaliste** *m/f* finalist

finance [finɑ̃s] *f* finance; ***~s*** finances; ***Ministre*** *m* ***des ~s*** Finance Minister, Minister of Finance; **financement** *m* funding, financing; **financer** ⟨1k⟩ fund, finance; **financier**, **-ère** **1** *adj* financial **2** *m* financier; **financièrement** *adv* financially

finesse [finɛs] *f* (*délicatesse*) fineness

fini, **~e** [fini] **1** *adj* finished, over *atr*; MATH finite **2** *m* finish; **finir** ⟨2a⟩ **1** *v/t* finish **2** *v/i* finish; **~ *de faire qch*** finish doing sth; ***en ~ avec qch*** put an end to sth; **~ *par faire qch*** end up *ou* finish up doing sth; **~ *à l'hôpital*** end up *ou* finish up in the hospital; **finition** *f action* finishing; *qualité* finish

finlandais, **~e** [fɛ̃lɑ̃dɛ, -z] **1** *adj* Finnish **2** *m langue* Finnish **3** *m/f* **Finlandais**, **~e** Finn; **Finlande** *f*: ***la ~*** Finland

finnois, **~e** [finwa, -z] → ***finlandais***

fioul [fjul] *m* fuel oil

firme [firm] *f* firm

fisc [fisk] *m* tax authorities *pl*; **fiscal**, **~e** (*mpl* -aux) tax *atr*; **fiscalité** *f* tax system; (*charges*) taxation

fission [fisjõ] *f* PHYS fission; **fissure** *f* (*craquelure*) crack; (*crevasse*) crack, fissure

fixateur [fiksatœr] *m* PHOT fixer; *pour cheveux* hair spray; **fixation** *f* fastening; (*détermination*) fixing, setting; *en ski* binding; PSYCH fixation; **fixe** **1** *adj* fixed; *adresse*, *personnel* permanent; ***prix*** *m* **~** fixed *ou* set price **2** *m* basic salary; **fixer** ⟨1a⟩ fasten; (*déterminer*) fix, set; PHOT fix; (*regarder*) stare at; ***se ~*** (*s'établir*) settle down

flacon [flakõ] *m* bottle

flageolet [flaʒɔlɛ] *m* flageolet bean

flagrant, **~e** [flagrɑ̃, -t] flagrant; ***en ~ délit*** red-handed, in the act

flair [flɛr] *m d'un animal* sense of smell; *fig* intuition; **flairer** ⟨1b⟩ smell (*aussi fig*)

flamand, **~e** [flamɑ̃, -d] **1** *adj* Flemish

F

2 *m/f* **Flamand, ~e** Fleming **3** *m langue* Flemish
flamant [flamɑ̃] *m*: ***~ rose*** flamingo
flambant, ~e [flɑ̃bɑ̃, -t]: ***~ neuf*** (*f inv ou* flambant neuve) brand new; **flambeau** *m* (*pl* -x) *f* torch; **flambée** *f* blaze; *fig* flare-up; ***~ des prix*** surge in prices; **flamber** ⟨1a⟩ **1** *v/i* blaze **2** *v/t* CUIS flambé; **flamboyant, ~e** flamboyant
flamme [flam] *f* flame; *fig* fervor, *Br* fervour; ***en ~s*** in flames
flan [flɑ̃] *m* flan
flanc [flɑ̃] *m* side; MIL flank
flancher [flɑ̃ʃe] ⟨1a⟩ quail
Flandre [flɑ̃dr]: ***la ~*** Flanders *sg*
flanelle [flanɛl] *f* flannel
flâner [flɑne] ⟨1a⟩ stroll
flanquer [flɑ̃ke] ⟨1m⟩ flank; F (*jeter*) fling; *coup* give
flaque [flak] *f* puddle
flash [flaʃ] *m* flash; *de presse* newsflash
flasque [flask] flabby
flatter [flate] ⟨1a⟩ flatter; ***se ~ de qch*** congratulate o.s. on sth; **flatterie** *f* flattery; **flatteur, -euse 1** *adj* flattering **2** *m/f* flatterer
flatulences [flatylɑ̃s] *fpl* flatulence *sg*
fléau [fleo] *m* (*pl* -x) *fig* scourge
flèche [flɛʃ] *f* arrow; *d'un clocher* spire; ***monter en ~*** *de prix* skyrocket
fléchir [fleʃir] ⟨2a⟩ **1** *v/t* bend; (*faire céder*) sway **2** *v/i d'une poutre* bend; *fig* (*céder*) give in; (*faiblir*) weaken; *d'un prix, de ventes* fall, decline
flegmatique [flɛgmatik] phlegmatic
flemme [flɛm] *f* F laziness; ***j'ai la ~ de le faire*** I can't be bothered (to do it)
flétrir [fletrir] ⟨2a⟩: ***se ~*** wither
fleur [flœr] *f* flower; *d'un arbre* blossom; ***en ~*** *arbre* in blossom, in flower; ***à ~s*** flowery, flowered; **fleuri, ~e** *arbre* in blossom; *dessin, style* flowery, flowered; **fleurir** ⟨2a⟩ flower, bloom; *fig* flourish; **fleuriste** *m/f* florist
fleuve [flœv] *m* river
flexibilité [flɛksibilite] *f* flexibility; **flexible** flexible
flic [flik] *m* F cop F
flinguer [flɛ̃ge] ⟨1a⟩ F gun *ou* shoot down
flippant, ~e [flipɑ̃, -t] F (*effrayant*) creepy F
flipper 1 *m* [flipœr] pinball machine; *jeu* pinball **2** *v/i* [flipe] F freak out F
flirter [flœrte] ⟨1a⟩ flirt; **flirteur, -euse** flirtatious
flocon [flɔkõ] *m* flake; ***~ de neige*** snowflake
floraison [flɔrɛzõ] *f* flowering; ***en pleine ~*** in full bloom; **floral, ~e** (*mpl* -aux) flower *atr*, floral; ***exposition f ~e*** flower show; **floralies** *fpl* flower show *sg*
flore [flɔr] *f* flora
Floride [flɔrid] *f* Florida
florissant, ~e [flɔrisɑ̃, -t] *fig* flourishing
flot [flo] *m* flood (*aussi fig*); ***~s*** waves; ***~s de larmes*** floods of tears; ***entrer à ~s*** flood in; ***à ~*** MAR afloat; ***remettre à ~*** refloat (*aussi fig*)
flottant, ~e [flɔtɑ̃, -t] floating; *vêtements* baggy
flotte [flɔt] *f* fleet; F (*eau*) water; F (*pluie*) rain; **flotter** ⟨1a⟩ *d'un bateau, bois* float; *d'un drapeau* flutter; *d'un sourire, air* hover; *fig* waver; **flotteur** *m* TECH float
flou, ~e [flu] blurred, fuzzy; *robe* loose-fitting
fluctuation [flyktɥasjõ] *f* fluctuation; **fluctuer** ⟨1n⟩ COMM fluctuate
fluide [flyid] **1** *adj* fluid; *circulation* moving freely **2** *m* PHYS fluid; **fluidité** *f* fluidity
fluorescent, ~e [flyɔresɑ̃, -t] fluorescent
flûte [flyt] *f* MUS, *verre* flute; *pain* thin French stick; ***~ à bec*** recorder; ***~ traversière*** flute; **flûtiste** *m/f* flutist, *Br* flautist
fluvial, ~e [flyvjal] (*mpl* -aux) river *atr*
flux [fly] *m* MAR flow
F.M. [ɛfɛm] *abr* (= ***frequency modulation***) FM
FMI [ɛfɛmi] *m abr* (= ***Fonds monétaire international***) IMF (= International Monetary Fund)
focaliser [fɔkalize] ⟨1a⟩ focus
fœtal, ~e [fetal] (*mpl* -aux) fetal, *Br aussi* foetal; **fœtus** *m* fetus, *Br aussi*

foetus
foi [fwa] *f* faith; ***être de bonne / mauvaise ~*** be sincere / insincere; ***ma ~!*** goodness!
foie [fwa] *m* liver; ***une crise de ~*** a stomach upset, an upset stomach
foin [fwɛ̃] *m* hay
foire [fwar] *f* fair; ***~-expo(sition)*** (trade) fair
fois [fwa] *f* time; ***une ~*** once; ***deux ~*** twice; ***trois / quatre ~*** three / four times; ***il était une ~ …*** once upon a time there was …; ***une ~ pour toutes*** once and for all; ***encore une ~*** once again; ***quatre ~ six*** four times six; ***à la ~*** at the same time; ***des ~*** sometimes; ***chaque ~ que je le vois*** every time *ou* whenever I see him; ***une ~ que*** once
foisonner [fwazɔne] ⟨1a⟩ be abundant; ***~ en*** *ou* ***de*** abound in *ou* with
folie [fɔli] *f* madness; ***faire des ~s*** *achats* go on a spending spree
folk [fɔlk] *m* folk (music)
folklore [fɔlklɔr] folklore; **folklorique** folk *atr*
folle [fɔl] → ***fou***; **follement** *adv* madly
fomenter [fɔmɑ̃te] ⟨1a⟩ foment
foncé, **~e** [fõse] *couleur* dark; **foncer** ⟨1k⟩ *de couleurs* darken; AUTO speed along; ***~ sur*** rush at
foncier, **-ère** [fõsje, -ɛr] COMM land
foncièrement *adv* fundamentally
fonction [fõksjõ] *f* function; (*poste*) office; ***~ publique*** public service, *Br* civil service; ***faire ~ de*** act as; ***être en ~*** be in office; ***en ~ de*** according to; ***~s*** duties; ***prendre ses ~s*** take up office
fonctionnaire [fõksjɔnɛr] *m/f* public servant, *Br* civil servant
fonctionnel, **~le** [fõksjɔnɛl] functional; **fonctionnement** *m* functioning; **fonctionner** ⟨1a⟩ work; *du gouvernement*, *système* function
fond [fõ] *m* bottom; *d'une salle*, *armoire* back; *d'une peinture* background; (*contenu*) content; *d'un problème* heart; *d'un pantalon* seat; ***au ~ du couloir*** at the end of the corridor; ***de ~ en comble*** from top to bottom; ***à ~*** thoroughly; ***au ~***, ***dans le ~*** basically; ***~ de teint*** foundation
fondamental, **~e** [fõdamɑ̃tal] (*mpl* -aux) fundamental; **fondamentalement** *adv* fundamentally; **fondamentalisme** *m* fundamentalism; **fondamentaliste** *m/f* fundamentalist
fondateur, **-trice** [fõdatœr, -tris] *m/f* founder; **fondation** *f* foundation; ***~s*** *d'un édifice* foundations; **fondé**, **~e** **1** *adj reproche*, *accusation* well-founded, justified; ***mal ~*** groundless, ill-founded **2** *m*: ***~ de pouvoir*** authorized representative; **fondement** *m fig* basis; ***sans ~*** groundless; **fonder** ⟨1a⟩ found; ***~ qch sur*** base sth on; ***se ~ sur*** *d'une personne* base o.s. on; *d'une idée* be based on
fondre [fõdr] ⟨4a⟩ **1** *v/t neige* melt; *dans l'eau* dissolve; *métal* melt down **2** *v/i de la neige* melt; *dans l'eau* dissolve; ***~ en larmes*** *fig* burst into tears; ***~ sur*** *proie* pounce on
fonds [fõ] *m* **1** *sg* fund; *d'une bibliothèque*, *collection* collection; ***~ de commerce*** business; ***Fonds monétaire international*** International Monetary Fund **2** *pl* (*argent*) funds *pl*; ***~ publics*** public funds; ***convoyeur*** *m* ***de ~*** security guard
fondu, **~e** [fõdy] **1** *p/p* → ***fondre*** **2** *adj* melted
fondue [fõdy] *f* CUIS fondue; ***~ bourguignonne*** beef fondue
fontaine [fõtɛn] *f* fountain; (*source*) spring
fonte [fõt] *f métal* cast iron; ***~ des neiges*** spring thaw
foot [fut] *m* F → ***football***
football [futbol] *m* soccer, *Br aussi* football; ***~ américain*** football, *Br* American football; **footballeur**, **-euse** *m/f* soccer player, *Br aussi* footballer
footing [futiŋ] *m* jogging; ***faire du ~*** jog, go jogging
forage [fɔraʒ] *m pour pétrole* drilling
force [fɔrs] *f* strength; (*violence*) force; ***à ~ de travailler*** by working; ***de ~*** by force, forcibly; ***de toutes ses ~s***

with all one's strength; ~ ***de frappe*** strike force; ~***s armées*** armed forces; ***un cas de ~ majeure*** an act of God; **forcé**, ~**e** forced; ***atterrissage*** *m* ~ forced *ou* emergency landing; **forcément** *adv* (*inévitablement*) inevitably; ***pas ~*** not necessarily

forcené, ~**e** [fɔrsəne] *m/f* maniac, lunatic

forceps [fɔrsɛps] *m* forceps

forcer [fɔrse] ⟨1k⟩ force; ***~ qn à faire qch*** force s.o. to do sth; ***~ la note*** *fig* go too far; ***se ~*** force o.s.

forer [fɔre] ⟨1a⟩ drill

forestier, **-ère** [fɔrɛstje, -ɛr] **1** *adj* forest *atr* **2** *m* ranger, *Br* forest warden; **forêt** *f* forest (*aussi fig*); ***~ tropicale*** (***humide***) rain forest

forfait [fɔrfɛ] *m* COMM package; (*prix*) all-in price, flat rate; ***déclarer ~*** withdraw; **forfaitaire** *prix* all-in

forgeron [fɔrʒərõ] *m* blacksmith

formaliser [fɔrmalize] ⟨1a⟩: ***se ~ de qch*** take offense *ou Br* offence at sth; **formalité** *f* formality

format [fɔrma] *m* format; **formatage** *m* INFORM formatting; **formater** ⟨1a⟩ format

formateur, **-trice** [fɔrmatœr, -tris] **1** *adj* formative **2** *m/f* trainer; **formation** *f* formation (*aussi* MIL, GÉOL); (*éducation*) training; ***~ continue*** continuing education; ***~ professionnelle*** vocational training; ***~ sur le tas*** on-the-job training

forme [fɔrm] *f* form; (*figure, contour*) shape, form; ***sous ~ de*** in the form of; ***en ~ de …*** …-shaped, in the shape of …; ***pour la ~*** for form's sake; ***être en ~*** be in form, be in good shape; ***prendre ~*** take shape; ***garder la ~*** keep fit; **formel**, ~**le** formal; (*explicite*) categorical; **formellement** *adv* expressly; ***~ interdit*** strictly forbidden; **former** ⟨1a⟩ form; (*façonner*) shape, form; (*instruire*) train; ***se ~*** form

formidable [fɔrmidabl] enormous; F terrific, great F

formulaire [fɔrmylɛr] *m* form

formulation [fɔrmylasjõ] *f* wording

formule [fɔrmyl] *f* formula; ***~ magique*** magic spell; **formuler** ⟨1a⟩ formulate; *vœux, jugement* express

fort, ~**e** [fɔr, -t] **1** *adj* strong; (*gros*) stout; *coup, pluie* heavy; *somme, différence* big; ***à plus ~e raison*** all the more reason; ***être ~ en qch*** be good at sth; **2** *adv crier, parler* loud, loudly; *pousser, frapper* hard; (*très*) extremely; (*beaucoup*) a lot **3** *m* strong point; MIL fort; **fortement** *adv pousser* hard; (*beaucoup*) greatly

forteresse [fɔrtərɛs] *f* fortress

fortifiant [fɔrtifjɑ̃] *m* tonic

fortification [fɔrtifikasjõ] *f* fortification; **fortifier** ⟨1a⟩ *corps, construction* strengthen; MIL strengthen, fortify

fortuit, ~**e** [fɔrtɥi, -t] chance

fortune [fɔrtyn] *f* luck; ***de ~*** makeshift

fosse [fos] *f grand trou* pit; (*tombe*) grave; **fossé** *m* ditch; *fig* gulf; **fossette** *f* dimple

fossile [fosil] *m & adj* fossil; **fossilisé**, ~**e** fossilized

fou, **folle** [fu, fɔl] **1** *adj* mad, crazy, insane; (*incroyable*) staggering, incredible; ***être ~ de qn / qch*** be mad *ou* crazy about s.o. / sth; ***~ de*** *joie, colère etc* beside o.s. with; ***une crise de ~ rire*** a fit of the giggles; ***~ à lier*** raving mad **2** *m/f* madman; madwoman

foudre [fudr] *f* lightning; ***coup*** *m* ***de ~*** *fig* love at first sight

foudroyant, ~**e** [fudrwajɑ̃, -t] *regard* withering; *nouvelles, succès* stunning; **foudroyer** ⟨1h⟩ strike down; ***~ qn du regard*** give s.o. a withering look

fouet [fwɛ] *m* whip; CUIS whisk; **fouetter** ⟨1b⟩ *avec fouet* whip, flog; CUIS whisk

fougère [fuʒɛr] *f* fern

fougue [fug] *f* passion; **fougueux**, **-euse** fiery

fouille [fuj] *f* search; ~***s*** *en archéologie* dig *sg*; **fouiller** ⟨1a⟩ **1** *v/i* dig; (*chercher*) search **2** *v/t de police* search; *en archéologie* excavate; **fouilleur**, **-euse** *m/f en archéologie* excavator

fouiner [fwine] ⟨1a⟩ nose around

foulard [fular] *m* scarf

foule [ful] *f* crowd; ***éviter la ~*** avoid the crowds; ***une ~ de*** masses of; ***en ~*** in vast numbers
fouler [fule] ⟨1a⟩ trample; *sol* set foot on; ***~ aux pieds*** *fig* trample underfoot; ***se ~ la cheville*** twist one's ankle; ***ne pas se ~*** *fig* F not overexert o.s.; **foulure** *f* sprain
four [fur] *m* oven; TECH kiln; *fig* F (*insuccès*) turkey F, flop F; ***faire un ~*** flop; ***petits ~s*** *cookies, candies etc served at the end of a meal*
fourbe [furb] deceitful
fourbu, ~e [furby] exhausted
fourche [furʃ] *f* fork; **fourchette** *f* fork; (*éventail*) bracket; **fourchu** forked; ***cheveux*** *mpl* ***~s*** split ends
fourgon [furgõ] *m camion* van; RAIL baggage car, *Br* luggage van; **fourgonnette** *f* small van
fourmi [furmi] *f* ant; ***avoir des ~s*** (***dans les pieds***) have pins and needles (in one's feet); **fourmilière** *f* anthill; ***c'est une véritable ~*** it's a real hive of activity; **fourmillements** *mpl* pins and needles; **fourmiller** ⟨1a⟩ swarm (***de*** with)
fournaise [furnɛz] *f fig* oven; **fourneau** *m* (*pl* -x) furnace; CUIS stove; ***haut ~*** blast furnace; **fournée** *f* batch (*aussi fig*)
fourni, ~e [furni]: ***bien ~*** well stocked; **fournir** ⟨2a⟩ supply (***de, en*** with); *occasion* provide; *effort* make; ***~ qch à qn*** provide s.o. with sth; **fournisseur** *m* supplier; ***~ d'accès*** (***Internet***) Internet service provider, ISP; **fourniture** *f* supply; ***~s de bureau*** office supplies; ***~s scolaires*** school stationery and books
fourrage [furaʒ] *m* fodder
fourré[1] [fure] *m* thicket
fourré[2], **~e** [fure] CUIS filled; *vêtement* lined
fourrer [fure] ⟨1a⟩ stick, shove; (*remplir*) fill; ***~ son nez partout*** stick one's nose into everything; ***se ~ dans*** get into; **fourre-tout** *m* (*pl inv*) (*sac*) carry-all, *Br* holdall
fourrière [furjɛr] *f* pound
fourrure [furyr] *f* fur
fourvoyer [furvwaje] ⟨1h⟩: ***se ~*** go astray
foutre [futr] F ⟨4a⟩ do; (*mettre*) put, shove; *coup* give; ***se ~ de qn*** make fun of s.o.; *indifférence* not give a damn about s.o.; ***~ la paix à qn*** stop bothering s.o.; ***~ le camp*** get the hell out F; ***je m'en fous!*** I don't give a damn!; ***va te faire ~!*** go to hell F, fuck off V; **foutu, ~e 1** *p/p* → ***foutre*** **2** *adj* → ***fichu***
foyer [fwaje] *m* fireplace; *d'une famille* home; *de jeunes* club; (*pension*) hostel; *d'un théâtre* foyer; *d'un incendie* seat; *d'une infection* source; ***femme f au ~*** home-maker, *Br* housewife
fracas [fraka] *m* crash; **fracassant, ~e** *effet, propos* shattering; **fracasser** ⟨1a⟩ shatter
fraction [fraksjõ] *f* fraction; **fractionner** ⟨1a⟩ divide (up) (***en*** into)
fracture [fraktyr] *f* MÉD *m* fracture; **fracturer** ⟨1a⟩ *coffre* break open; *jambe* fracture
fragile [fraʒil] fragile; *santé* frail; *cœur, estomac* weak; **fragiliser** ⟨1a⟩ weaken; **fragilité** *f* fragility
fragment [fragmɑ̃] *m* fragment
fraîchement [frɛʃmɑ̃] *adv cueilli* freshly; *arrivé* recently, newly; *accueillir* coolly; **fraîcheur** *f* freshness; (*froideur*) coolness (*aussi fig*); **fraîchir** ⟨2a⟩ *du vent* freshen; *du temps* get cooler
frais[1], **fraîche** [frɛ, frɛʃ] **1** *adj* fresh; (*froid*) cool; ***nouvelles fraîches*** recent news; ***servir ~*** serve chilled; ***il fait ~*** it's cool; ***peinture fraîche*** wet paint **2** *adv* freshly, newly **3** *m*: ***prendre le ~*** get a breath of fresh air; ***au ~*** *garder* in a cool place
frais[2] [frɛ] *mpl* expenses; COMM costs; ***faire des ~*** incur costs; ***oh, tu as fait des ~!*** hey, you've been spending a lot of money!, *Br aussi* you've been lashing out!; ***à mes ~*** at my (own) expense; ***~ bancaires*** bank charges; ***~ de déplacement*** travel expenses; ***~ d'expédition*** shipping costs; ***~ généraux*** overhead *sg*, *Br* overheads; ***~ de port*** postage

fraise [frɛz] *f* strawberry; **fraisier** *m* strawberry plant; *gâteau* strawberry cake
framboise [frɑ̃bwaz] *f* raspberry
franc[1], **franche** [frɑ̃, frɑ̃ʃ] (*sincère*) frank; *regard* open; COMM free
franc[2] [frɑ̃] *m* franc
français, **~e** [frɑ̃sɛ, -z] **1** *adj* French **2** *m langue* French **3** *m* **Français** Frenchman; ***les ~*** the French *pl* **4** *f* **Française** Frenchwoman; **France** *f*: ***la ~*** France
F
franchement [frɑ̃ʃmɑ̃] *adv* frankly; (*nettement*) really
franchir [frɑ̃ʃir] ⟨2a⟩ cross; *obstacle* negotiate, get over
franchise [frɑ̃ʃiz] *f caractère* frankness; (*exemption*) exemption; COMM franchise; *d'une assurance* deductible, *Br* excess; **franchiser** franchise
franco [frɑ̃ko] *adv*: **~ (*de port*)** carriage free; ***y aller ~*** *fig* F go right ahead
francophile [frɑ̃kɔfil] *m/f & adj* Francophile
francophobe [frɑ̃kɔfɔb] *m/f & adj* Francophobe
francophone [frɑ̃kɔfɔn] **1** *adj* French-speaking **2** *m/f* French speaker; **francophonie** *f*: ***la ~*** the French-speaking world
franc-parler [frɑ̃parle] *m* outspokenness
frange [frɑ̃ʒ] *f* bangs *pl*, *Br* fringe
frangin [frɑ̃ʒɛ̃] *m* F brother, broth F; **frangine** *f* F sister, sis F
frangipane [frɑ̃ʒipan] *f* frangipane
franglais [frɑ̃glɛ] *m* Frenglish, mixture of English and French
franquette [frɑ̃kɛt] F: ***à la bonne ~*** simply
frappant, **~e** [frapɑ̃, -t] striking; **frappe** *f* INFORM keying, keyboarding; *sur machine à écrire* typing; ***faute f de ~*** typo, typing error; **frapper** ⟨1a⟩ **1** *v/t* hit, strike; (*impressionner*) strike, impress; ***être frappé d'une maladie*** be struck by a disease; ***être frappé de surprise*** be surprised; ***~ qn d'un impôt / d'une amende*** tax / fine s.o. **2** *v/i* (*agir*) strike; *à la porte* knock (***à*** at); ***~ dans ses mains*** clap (one's hands)
fraternel, **~le** [fratɛrnɛl] brotherly, fraternal; **fraterniser** ⟨1a⟩ fraternize; **fraternité** *f* brotherhood
fraude [frod] *f* fraud; ÉDU cheating; ***~ fiscale*** tax evasion; ***passer en ~*** smuggle; **frauder** ⟨1a⟩ **1** *v/t fisc, douane* defraud **2** *v/i* cheat; **frauduleusement** *adv* fraudulently; **frauduleux**, **-euse** fraudulent
frayer [frɛje] ⟨1i⟩: ***se ~*** *chemin* clear
frayeur [frɛjœr] *f* fright
fredonner [frədɔne] ⟨1a⟩ hum
free-lance [frilɑ̃s] *m/f & adj* (*adj inv*) freelance
frein [frɛ̃] *m* brake; ***mettre un ~ à*** *fig* curb, check; ***sans ~*** *fig* unbridled; ***~ à main*** parking brake, *Br* handbrake; **freiner** ⟨1b⟩ **1** *v/i* brake **2** *v/t fig* curb, check
frêle [frɛl] frail
frelon [frəlõ] *m* hornet
frémir [fremir] ⟨2a⟩ shake; *de feuilles* quiver; *de l'eau* simmer; **frémissement** *m* shiver; *de feuilles* quivering
frêne [frɛn] *m* BOT ash (tree)
frénésie [frenezi] *f* frenzy; ***avec ~*** frantically, frenetically; **frénétique** *applaudissements* frenzied
fréquemment [frekamɑ̃] *adv* frequently; **fréquence** *f* frequency (*aussi* PHYS); ***quelle est la ~ des bus?*** how often do the buses go?; **fréquent**, **~e** frequent; *situation* common
fréquentation [frekɑ̃tasjõ] *f d'un théâtre, musée* attendance; ***tes ~s*** (*amis*) the company you keep; **fréquenter** ⟨1a⟩ *endroit* go to regularly, frequent; *personne* see; *bande, groupe* go around with
frère [frɛr] *m* brother
fresque [frɛsk] *f* fresco
fret [frɛ] *m* freight
frétiller [fretije] ⟨1a⟩ wriggle
freudien, **~ne** [frødjɛ̃, -ɛn] Freudian
friable [frijabl] crumbly, friable
friand, **~e** [frijɑ̃, -d]: ***être ~ de qch*** be fond of sth; **friandises** *fpl* sweet things

fric [frik] *m* F money, cash, dosh F
friche [friʃ] *f* AGR: ***en ~*** (lying) fallow
friction [friksjõ] *f* TECH, *fig* friction; *de la tête* scalp massage; **frictionner** ⟨1a⟩ massage
frigidaire [friʒidɛr] *m* refrigerator
frigide [friʒid] frigid; **frigidité** *f* frigidity
frigo [frigo] *m* F icebox, fridge; **frigorifier** ⟨1a⟩ refrigerate; **frigorifique** *camion, wagon* refrigerated
frileux, -euse [frilø, -z]: ***être ~*** feel the cold
frimer [frime] ⟨1a⟩ show off; **frimeur, -euse** show-off
fringale [frɛ̃gal] *f* F: ***avoir la ~*** be starving
fringues [frɛ̃g] *fpl* F clothes, gear F *sg*
friper [fripe] ⟨1a⟩ crease
fripouille [fripuj] *f* F rogue
frire [frir] ⟨4m⟩ **1** *v/i* fry **2** *v/t*: ***faire ~*** fry
frisé, ~e [frize] curly; **friser** ⟨1a⟩ *cheveux* curl; *fig*: *le ridicule* verge on; ***~ la soixantaine*** be pushing sixty, be verging on sixty
frisson [frisõ] *m* shiver; **frissonner** ⟨1a⟩ shiver
frit, ~e [fri, -t] **1** *p/p* → ***frire*** **2** *adj* fried; (***pommes***) ***frites*** *fpl* (French) fries, *Br aussi* chips; **friteuse** *f* deep fryer; **friture** *f poissons Br* whitebait, small fried fish; *huile* oil; *à la radio*, TÉL interference
frivole [frivɔl] frivolous; **frivolité** *f* frivolity
froid, ~e [frwa, -d] **1** *adj* cold (*aussi fig*); ***j'ai ~*** I'm cold; ***il fait ~*** it's cold; ***prendre ~*** catch (a) cold **2** *m* cold; ***démarrage*** *m* ***à ~*** cold start; ***à ~*** *fig* just like that; (*par surprise*) off guard; ***humour*** *m* ***à ~*** dry humor; **froidement** *adv fig* coldly; (*calmement*) coolly; *tuer* in cold blood; **froideur** *f* coldness
froissement [frwasmɑ̃] *m bruit* rustle; **froisser** ⟨1a⟩ crumple; *fig* offend; ***se ~*** crumple; *fig* take offense *ou Br* offence
frôler [frole] ⟨1a⟩ brush against; *fig*: *catastrophe, mort* come close to
fromage [frɔmaʒ] *m* cheese; ***~ blanc*** fromage frais; ***~ de chèvre*** goat's cheese; ***~ râpé*** grated cheese; ***~ à tartiner*** cheese spread
froment [frɔmɑ̃] *m* wheat
froncement [frõsəmɑ̃] *m*: ***~ de sourcils*** frown; **froncer** ⟨1k⟩ gather; ***~ les sourcils*** frown
fronde [frõd] *f* slingshot, *Br* catapult
front [frõ] *m* ANAT forehead; MIL, *météorologie* front; ***de ~*** from the front; *fig* head-on; ***~ de mer*** sea front; ***marcher de ~*** walk side by side; ***faire ~ à*** face up to; **frontalier, -ère** frontier *atr*, border *atr*; **frontière** *f* frontier, border
frottement [frɔtmɑ̃] *m* rubbing; **frotter** ⟨1a⟩ **1** *v/i* rub **2** *v/t* rub (***de*** with); *meuble* polish; *sol* scrub; *allumette* strike; **frottis** *m* MÉD: ***~*** (***vaginal***) Pap test, *Br* smear
frousse [frus] *f* F fear; ***avoir la ~*** be scared
fructifier [fryktifje] ⟨1a⟩ BOT bear fruit; *d'un placement* yield a profit; **fructueux, -euse** fruitful
frugal, ~e [frygal] (*mpl* -aux) frugal
fruit [frɥi] *m* fruit; ***un ~*** some fruit; ***~s*** fruit *sg*; ***~s de mer*** seafood *sg*
fruité, ~e [frɥite] fruity; **fruitier, -ère**: ***arbre*** *m* ***~*** fruit tree
frustrant [frystrɑ̃] frustrating; **frustration** *f* frustration; **frustrer** ⟨1a⟩ frustrate
fuel [fjul] *m* fuel oil
fugace [fygas] fleeting
fugitif, -ive [fyʒitif, -iv] **1** *adj* runaway; *fig* fleeting **2** *m/f* fugitive, runaway
fugue [fyg] *f d'un enfant* escapade; MUS fugue; ***faire une ~*** run away; **fuguer** ⟨1a) run away
fuir [fɥir] ⟨2d⟩ **1** *v/i* flee; *du temps* fly; *d'un tonneau, tuyau* leak; *d'un robinet* drip; *d'un liquide* leak out **2** *v/t* shun; *question* avoid; **fuite** *f* flight (***devant*** from); *d'un tonneau, d'un tuyau, d'informations* leak; ***mettre en ~*** put to flight; ***prendre la ~*** take flight
fulgurant, ~e [fylgyrɑ̃, -t] dazzling; *vitesse* lightning

F

fumé, **~e** [fyme] smoked; *verre* tinted
fume-cigarette [fymsigarɛt] *m* (*pl inv*) cigarette holder
fumée [fyme] *f* smoke; **fumer** ⟨1a⟩ smoke; ***défense de ~*** no smoking; **fumeur**, **-euse** *m/f* smoker; **fumeux**, **-euse** *fig* hazy
fumier [fymje] *m* manure
funèbre [fynɛbr] funeral *atr*; (*lugubre*) gloomy
funérailles [fynerɑj] *fpl* funeral *sg*
funeste [fynɛst] *erreur*, *suite* fatal
funiculaire [fynikylɛr] *m* incline railway, *Br* funicular (railway)
fur [fyr]: ***au ~ et à mesure*** as I / you *etc* go along; ***au ~ et à mesure que*** as
furet [fyrɛ] *m* ferret; **fureter** ⟨1e⟩ ferret around
fureur [fyrœr] *f* fury; ***entrer dans une ~ noire*** fly into a towering rage; ***faire ~*** be all the rage
furibond, **~e** [fyribõ, -d] furious, livid
furie [fyri] (*colère*) fury; *femme* shrew; **furieux**, **-euse** furious (***contre qn*** with s.o.; ***de qch*** with *ou* at sth)
furoncle [fyrõkl] *m* boil
furtif, **-ive** [fyrtif, -iv] furtive, stealthy; **furtivement** *adv* furtively, stealthily
fusain [fyzɛ̃] *m* charcoal
fuseau [fyzo] *m* (*pl* -x): ***~ horaire*** time zone
fusée [fyze] *f* rocket; ***~ de détresse*** distress rocket
fuselage [fyzlaʒ] *m* fuselage
fuser [fyze] ⟨1a⟩ *fig* come thick and fast
fusible *m* [fysibl] ÉL fuse
fusil [fyzi] *m* rifle; ***~ de chasse*** shotgun; **fusillade** *f* firing, gun fire; **fusiller** ⟨1a⟩ execute by firing squad; **fusil-mitrailleur** *m* (light) machine gun
fusion [fyzjõ] *f* COMM merger; PHYS fusion; **fusionner** ⟨1a⟩ COMM merge
futé, **~e** [fyte] cunning, clever
futile [fytil] *chose* futile, trivial; *personne* frivolous; **futilité** *f* futility
futur, **~e** [fytyr] *m & adj* future; **futuriste** futuristic
fuyant, **~e** [fɥijɑ̃, -t] *menton* receding; *regard* evasive

G

gabarit *m* size; TECH template
gâcher [gɑʃe] ⟨1a⟩ *fig* spoil; *travail* bungle; *temps*, *argent* waste
gâchette [gɑʃɛt] *f* MIL trigger
gâchis [gɑʃi] *m* (*désordre*) mess; (*gaspillage*) waste
gadget [gadʒɛt] *m* gadget
gaffe [gaf] *f* F blooper F, blunder; ***faire ~ à*** F be careful of, take care of; **gaffer** ⟨1a⟩ F make a gaffe *ou* blooper F
gag *m* joke
gage [gaʒ] *fig* forfeit; (*preuve*) token; ***tueur m à ~s*** hired killer, hitman; ***mettre en ~*** pawn
gagnant, **~e** [gaɲɑ̃, -t] **1** *adj* winning **2** *m/f* winner
gagne-pain [gaɲpɛ̃] *m* (*pl inv*) livelihood
gagner [gaɲe] ⟨1a⟩ win; *salaire*, *réputation*, *amitié* earn; *place*, *temps* gain, save; *endroit* reach; *de peur*, *sommeil* overcome; ***~ sa vie*** earn one's living
gai, **~e** [ge, gɛ] cheerful; *un peu ivre* tipsy; **gaiement** *adv* cheerfully; **gaieté** *f* cheerfulness; ***de ~ de cœur*** willingly
gain [gɛ̃] *m* gain; (*avantage*) benefit; ***~s*** profits; *d'un employé* earnings; ***~ de temps*** time-saving

gaine [gɛn] *f* sheath
gala [gala] *m* gala
galant, ~e [galɑ̃, -t] galant; ***homme ~*** gentleman; ***rendez-vous ~*** (romantic) rendez-vous; **galanterie** *f* galantry
galaxie [galaksi] *f* galaxy
galbé, ~e [galbe] *jambes* shapely
galère [galɛr] *f*: ***il est dans la ~*** *fig* F he's in a mess; **galérer** F sweat
galerie [galri] *f* gallery; AUTO roof-rack; ***~ d'art*** art gallery; ***~ marchande*** mall, *Br aussi* (shopping) arcade
galet [galɛ] *m* pebble
galette [galɛt] *f type of flat cake*; ***~ des rois*** *cake traditionally eaten to celebrate Twelfth Night (6 January)*
galipette [galipɛt] *f* F somersault
Galles [gal] *fpl*: ***le pays*** *m* ***de ~*** Wales; **gallois, ~e 1** *adj* Welsh **2** *m langue* Welsh **3 Gallois, ~e** *m/f* Welshman; Welsh woman
galon [galõ] *m* braid; MIL stripe
galop [galo] *m* gallop; **galopant** *inflation* galloping; **galoper** ⟨1a⟩ gallop
galopin [galɔpɛ̃] *m* urchin
galvaniser [galvanize] ⟨1a⟩ galvanize
gambader ⟨1a⟩ gambol, leap
gamelle [gamɛl] *f* MIL mess tin
gamin, ~e [gamɛ̃, -in] **1** *m/f* kid **2** *adj* childlike
gamme [gam] *f* MUS scale; *fig* range; ***haut de ~*** top-of-the-line, *Br* top-of-the-range; ***bas de ~*** downscale, *Br* downmarket
ganglion [gɑ̃glijõ] *m*: ***avoir des ~s*** have swollen glands
gang [gɑ̃g] *m* gang
gangrène [gɑ̃grɛn] *f* gangrene
gangster [gɑ̃gstɛr] *m* gangster
gant [gɑ̃] *m* glove; ***~ de boxe*** boxing glove; ***~ de toilette*** washcloth, *Br* facecloth
garage [garaʒ] *m* garage; **garagiste** *m* auto mechanic, *Br* car mechanic; *propriétaire* garage owner
garant, ~e [garɑ̃, -t] *m/f* guarantor; ***se porter ~ de*** answer for; JUR stand guarantor for; **garantie** *f* guarantee; ***sous ~*** COMM under guarantee *ou* warranty; **garantir** ⟨2a⟩ guarantee
garce [gars] *f* F bitch
garçon [garsõ] *m* boy; (*serveur*) waiter; ***~ d'honneur*** best man; ***~ manqué*** tomboy; ***petit ~*** little boy; **garçonnière** *f* bachelor apartment *ou Br* flat
garde[1] [gard] *f* care (***de*** of); MIL *soldats* guard; ***chien*** *m* ***de ~*** guard dog; ***droit*** *m* ***de ~*** JUR custody; ***prendre ~*** be careful; ***être sur ses ~s*** be on one's guard; ***de ~*** *médecin, pharmacien* duty *atr*; ***être de ~*** be on duty; ***monter la ~*** mount guard; ***mettre qn en ~*** warn s.o., put s.o. on their guard; ***la relève de la ~*** MIL the changing of the guard; ***~ à vue*** police custody
garde[2] [gard] *m* guard; ***~ du corps*** bodyguard; ***~ forestier*** (forest) ranger; ***~ des Sceaux*** Minister of Justice; **garde-à-vous** *m* MIL attention
garde-boue [gardəbu] *m* (*pl inv*) AUTO fender, *Br* mudguard
garde-chasse [gardəʃas] *m* (*pl* gardes-chasse⟨s⟩) gamekeeper
garde-côte [gardəkot] *m* (*pl* garde-côte⟨s⟩) coastguard boat
garde-fou [gardəfu] *m* (*pl* garde-fous) railing
garde-malade [gardəmalad] *m/f* (*pl* gardes-malade⟨s⟩) nurse
garde-manger [gardmɑ̃ʒe] *m* (*pl inv*) larder
garde-meuble [gardəmœbl] *m* (*pl* garde-meuble⟨s⟩) furniture repository
garder [garde] ⟨1a⟩ *objet* keep; *vêtement* keep on; (*surveiller*) guard; *malade, enfant, animal* look after, take care of; ***~ pour soi*** *renseignements* keep to o.s.; ***~ le silence*** remain silent; ***~ la chambre*** stay in *ou* keep to one's room; ***se ~ de faire qch*** be careful not to do sth; **garderie** *f* daycare center, *Br* daycare centre
garde-robe [gardərɔb] *f* (*pl* garde-robes) *armoire* closet, *Br* wardrobe; *vêtements* wardrobe
gardien, ~ne [gardjɛ̃, -ɛn] *m/f de prison* guard, *Br* warder; *d'un musée* at-

G

tendant; *d'un immeuble, d'une école* janitor, *Br aussi* caretaker; *fig* guardian; **~ (*de but*)** goalkeeper, goalie F; ***~ de la paix*** police officer

gare¹ [gar] *f* station; ***~ routière*** bus station

gare² [gar]: ***~ à …!*** watch out for …!; ***~ à toi!*** watch out!; *ça va mal se passer* you'll be for it!

garer [gare] ⟨1a⟩ park; ***se ~*** park; *pour laisser passer* move aside

gargariser [gargarize] ⟨1a⟩: ***se ~*** gargle

gargouille [garguj] *f* ARCH gargoyle; **gargouiller** ⟨1a⟩ gurgle; *de l'estomac* rumble

garnement [garnəmɑ̃] *m* rascal

garnir [garnir] ⟨2a⟩ *(fournir)* fit (***de*** with); *(orner)* trim (***de*** with); ***garni de légumes*** CUIS served with vegetables

garnison [garnizõ] *f* MIL garrison

garniture [garnityr] *f* CUIS *légumes* vegetables *pl*

gars [gɑ] *m* F guy F

Gascogne [gaskɔɲ] *f* Gascony; ***golfe m de ~*** Bay of Biscay

gasoil [gazwal, gazɔjl] *m* gas oil, *Br* diesel

gaspillage [gaspijaʒ] *m* waste; **gaspiller** ⟨1a⟩ waste, squander; **gaspilleur, -euse 1** *adj* wasteful **2** *m/f* waster

gastrique [gastrik] gastric

gastroentérite [gastrɔɑ̃terit] *f* gastroenteritis

gastronome [gastrɔnɔm] *m/f* gourmet; **gastronomie** *f* gastronomy; **gastronomique** gourmet *atr*

gâté, ~e [gɑte] spoilt

gâteau [gɑto] *m* (*pl* -x) cake; ***~ sec*** cookie, *Br* biscuit; ***~ d'anniversaire*** birthday cake

gâter [gɑte] ⟨1a⟩ spoil; ***se ~*** *d'un aliment* spoil; *du temps* deteriorate

gâteux, -euse [gɑtø, -z] senile, gaga F

gauche [goʃ] **1** *adj* left, left-hand; *manières* gauche, awkward **2** *f* left; ***à ~*** on the left (***de*** of); ***tourner à ~*** turn left *ou* to the left; ***la ~*** POL the left (wing); ***de ~*** POL on the left, leftwing; **gaucher, -ère 1** *adj* left-handed **2** *m/f* left-hander, lefty F; **gauchiste** *m/f* POL leftist

gaufre [gofr] *f* waffle; **gaufrette** *f* wafer

Gaule [gol]: ***la ~*** Gaul

gaulliste [golist] Gaullist

gaulois, ~e [golwa, -z] **1** *adj* Gallic; *fig* spicy **2** *m langue* Gaulish **3** *m/f* **Gaulois, ~e** Gaul

gaver [gave] ⟨1a⟩ *oie* force-feed; ***~ qn de qch*** *fig* stuff s.o. full of sth; ***se ~ de qch*** stuff o.s. with sth

gaz [gɑz] *m* gas; ***~ naturel*** natural gas; ***mettre les ~*** step on the gas, *Br* put one's foot down; ***~ pl d'échappement*** AUTO exhaust *sg*, exhaust fumes; ***~ à effet de serre*** greenhouse gas; ***~ lacrymogène*** tear gas

gaze [gɑz] *f* gauze

gazelle [gɑzɛl] *f* gazelle

gazeux, -euse [gɑzø, -z] *boisson, eau* carbonated, *Br* fizzy

gazinière [gɑzinjɛr] *f* gas cooker

gazoduc [gazɔdyk] *m* gas pipeline

gazole [gazɔl] *m* gas oil, *Br* diesel

gazon [gɑzõ] *m* grass

gazouiller [gazuje] ⟨1a⟩ *oiseaux* twitter

geai [ʒɛ] *m* jay

géant, ~e [ʒeɑ̃, -t] **1** *adj* gigantic, giant *atr* **2** *m/f* giant

geindre [ʒɛ̃dr] ⟨4b⟩ groan

gel [ʒɛl] *m* frost; *fig: des salaires, prix* freeze; *cosmétique* gel

gélatine [ʒelatin] *f* gelatine

gelée [ʒəle] *f* frost; CUIS aspic; *confiture* jelly, *Br* jam; **geler** ⟨1d⟩ **1** *v/t* freeze **2** *v/i d'une personne* freeze; ***il gèle*** there's a frost

gélule [ʒelyl] *f* PHARM capsule

Gémeaux [ʒemo] *mpl* ASTROL Gemini

gémir [ʒemir] ⟨2a⟩ groan; **gémissement** *m* groan

gênant, ~e [ʒɛnɑ̃, -t] *(embarrassant)* embarrassing

gencive [ʒɑ̃siv] *f* gum

gendarme [ʒɑ̃darm] *m* policeman, gendarme; **gendarmerie** *f* police force; *lieu* police station

gendre [ʒɑ̃dr] *m* son-in-law
gène [ʒɛn] *m* BIOL gene
gêne [ʒɛn] *f* (*embarras*) embarrassment; (*dérangement*) inconvenience; *physique* difficulty; ***sans ~*** shameless; **gêné, ~e** embarrassed; **gêner** ⟨1b⟩ bother; (*embarrasser*) embarrass; (*encombrer*) be in the way; ***~ le passage*** be in the way
généalogique [ʒenealɔʒik] genealogical; ***arbre ~*** family tree
général, ~e [ʒeneral] (*mpl* -aux) **1** *adj* general; ***en ~*** generally, in general; (*habituellement*) generally, usually **2** *m* MIL general **3** *f* THÉÂT dress rehearsal; **généralement** *adv* generally; **généralisation** *f* generalization; *d'un cancer* spread; **généraliser** ⟨1a⟩ generalize; ***se ~*** spread; **généraliste** *m* MÉD generalist; **généralités** *fpl* generalities
générateur [ʒeneratœr] *m* generator
génération [ʒenerasjõ] *f* generation; **générer** ⟨1a⟩ generate
généreux, -euse [ʒenerø, -z] generous
générique [ʒenerik] **1** *adj* generic **2** *m de cinéma* credits *pl*
générosité [ʒenerozite] *f* generosity
genêt [ʒ(ə)nɛ] *m* BOT broom, gorse
généticien, ~ne [ʒenetisjɛ̃, -ɛn] *m/f* geneticist; **génétique 1** *adj* genetic **2** *f* genetics; **génétiquement** *adv* genetically; ***~ modifié*** genetically modified, GM
Genève [ʒ(ə)nɛv] Geneva
génial, ~e [ʒenjal] (*mpl* -iaux) of genius; (*formidable*) great, terrific; **génie** *m* genius; TECH engineering; ***de ~*** of genius; *idée* which shows genius; ***avoir du ~*** be a genius; ***~ civil*** civil engineering; ***~ génétique*** genetic engineering
génisse [ʒenis] *f* heifer
génital, ~e [ʒenital] (*mpl* -aux) genital
génocide [ʒenɔsid] *m* genocide
génoise [ʒenwaz] *f* sponge cake
genou [ʒ(ə)nu] *m* (*pl* -x) knee; ***à ~x*** on one's knees; ***se mettre à ~x*** kneel (down), go down on one's knees; **genouillère** *f* kneepad
genre [ʒɑ̃r] *m* kind, sort; GRAM gender; ***bon chic, bon ~*** preppie *atr*
gens [ʒɑ̃] *mpl* people *pl*
gentil, ~le [ʒɑ̃ti, -j] nice; (*aimable*) kind, nice; *enfant* good; REL Gentile; **gentillesse** *f* (*amabilité*) kindness; **gentiment** *adv* (*aimablement*) kindly, nicely; (*sagement*) nicely, well
géographie [ʒeɔgrafi] *f* geography; **géographique** geographic
géologie [ʒeɔlɔʒi] *f* geology; **géologique** geological; **géologue** *m/f* geologist
géomètre [ʒeɔmetr] *m/f* geometrician; **géométrie** *f* geometry; **géométrique** geometric
géophysique [ʒeɔfizik] *f* geophysics *sg*
géopolitique [ʒeɔpɔlitik] *f* geopolitics
gérable [ʒerabl] manageable; **gérance** *f* management
géranium [ʒeranjɔm] *m* BOT geranium
gérant, ~e [ʒerɑ̃, -t] *m/f* manager
gerbe [ʒɛrb] *f de blé* sheaf; *de fleurs* spray
gercé, ~e [ʒɛrse] *lèvres* chapped
gérer [ʒere] ⟨1f⟩ manage
gériatrie [ʒerjatri] *f* geriatrics; **gériatrique** geriatric
germain, ~e [ʒɛrmɛ̃, -ɛn]: ***cousin*** *m* ***~***, ***cousine*** *f* ***~e*** (first) cousin
germanique [ʒɛrmanik] Germanic
germe [ʒɛrm] *m* germ (*aussi fig*); **germer** ⟨1a⟩ germinate
gestation [ʒɛstasjõ] *f* gestation
geste [ʒɛst] *m* gesture; **gesticuler** ⟨1a⟩ gesticulate
gestion [ʒɛstjõ] *f* management; **gestionnaire** *m/f* manager; ***~ de fichiers*** file manager
ghetto [gɛto] *m* ghetto
gibet [ʒibɛ] *m* gallows *pl*
gibier [ʒibje] *m* game
giboulée [ʒibule] *f* wintry shower
gicler [ʒikle] ⟨1a⟩ spurt
gifle [ʒifl] *f* slap (in the face); **gifler** ⟨1a⟩ slap (in the face)
gigantesque [ʒigɑ̃tɛsk] gigantic
gigaoctet [ʒigaɔktɛ] *m* gigabyte
gigot [ʒigo] *m* CUIS *d'agneau* leg

G

gigoter [ʒigɔte] ⟨1a⟩ F fidget
gilet [ʒilɛ] *m* vest, *Br* waistcoat; (*chandail*) cardigan; **~ *pare-balles*** bulletproof vest; **~ *de sauvetage*** lifejacket
gin [dʒin] *m* gin; **~ *tonic*** gin and tonic, G and T
gingembre [ʒɛ̃ʒɑ̃br] *m* BOT ginger
girafe [ʒiraf] *f* giraffe
giratoire [ʒiratwar]: ***sens*** *m* **~** traffic circle, *Br* roundabout
girofle [ʒirɔfl] *m* CUIS: ***clou*** *m* ***de*** **~** clove
girouette [ʒirwɛt] *f* weather vane
gisement [ʒizmɑ̃] *m* GÉOL deposit; **~ *pétrolifère*** *ou* ***de pétrole*** oilfield
gitan, **~e** [ʒitɑ̃, -an] **1** *adj* gypsy *atr* **2** *m/f* gypsy
gîte [ʒit] *m* (rental) cottage, *Br* holiday cottage *ou* home
givre [ʒivr] *m* frost; **givré**, **~e** covered with frost; *avec du sucre* frosted; F (*fou*) crazy; ***orange*** *f* **~e** orange sorbet
glaçage [glasaʒ] *m d'un gâteau* frosting, *Br* icing; *d'une tarte* glazing; **glace** *f* ice (*aussi fig*); (*miroir*) mirror; AUTO window; (*crème glacée*) ice cream; *d'un gâteau* frosting, *Br* icing; *d'une tarte* glaze; **glacé**, **~e** (*gelé*) frozen; *vent*, *accueil* icy; *boisson* iced; *papier* glossy; **glacer** ⟨1k⟩ freeze; (*intimider*) petrify; *gâteau* frost, *Br* ice; *tarte* glaze; ***se*** **~** freeze; *du sang* run cold; **glacial**, **~e** (*mpl* -iaux *ou* -ials) icy (*aussi fig*); **glacier** *m* glacier; *vendeur* ice cream seller; **glacière** *f* cool bag; *fig* icebox; **glaçon** *m* icicle; *artificiel* icecube
glaise [glɛz] *f* (*aussi* ***terre*** *f* **~**) clay
gland [glɑ̃] *m* acorn
glande [glɑ̃d] *f* gland
glander [glɑ̃de]⟨1a⟩ F hang around F; **glandeur**, **-euse** *m/f* F layabout F
glaner [glane] ⟨1a⟩ *fig* glean
glapir [glapir] ⟨2a⟩ shriek
glas [glɑ] *m* death knell
glauque [glok] *eau* murky; *couleur* blue-green
glissade [glisad] *f* slide; *accidentelle* slip; ***faire des*** **~*s*** slide; **glissant**, **~e** slippery, slippy; **glissement** *m* **~ *de terrain*** landslide; **glisser** ⟨1a⟩ **1** *v/t* slip (***dans*** into) **2** *v/i* slide; *sur l'eau* glide (***sur*** over); (*déraper*) slip; *être glissant* be slippery *ou* slippy; ***se*** **~ *dans*** slip into; **glissière** *f* TECH runner; ***à*** **~** *porte* sliding; ***fermeture*** *f* ***à*** **~** zipper, *Br* zip; **~ *de sécurité*** crash barrier
global, **~e** [glɔbal] (*mpl* -aux) global; *prix*, *somme* total, overall; **globalement** *adv* globally; **globalisation** *f* globalization; **globe** *m* globe; **~ *oculaire*** eyeball; **~ *terrestre*** globe
globule [glɔbyl] *m* globule; MÉD blood cell, corpuscle; **globuleux**, **-euse** *yeux* bulging
gloire [glwar] *f* glory; **glorieux**, **-euse** glorious; **glorifier** ⟨1a⟩ glorify
glossaire [glɔsɛr] *m* glossary
gloussement [glusmɑ̃] *m* clucking; *rire* giggle; **glousser** ⟨1a⟩ cluck; *rire* giggle
glouton, **~ne** [glutõ, -ɔn] **1** *adj* greedy, gluttonous **2** *m/f* glutton; **gloutonnerie** *f* gluttony
gluant, **~e** [glyɑ̃, -t] sticky
glucide [glysid] *m* CHIM carbohydrate
glucose [glykoz] *m* glucose
gluten [glytɛn] *m* CHIM gluten
glycine [glicin] *f* wisteria
gnangnan [ɲɑ̃ɲɑ̃] (*fem inv*) F *film*, *livre* sloppy F, sentimental
G.O. *abr* (= ***grandes ondes***) LW (= long wave)
goal [gol] *m* goalkeeper
gobelet [gɔblɛ] *m* tumbler; *en carton*, *plastique* cup
gober [gɔbe] ⟨1a⟩ gobble; F *mensonge* swallow
godasse [gɔdas] *f* F shoe
godet [gɔdɛ] *m récipient* pot; *de vêtements* flare
goéland [gɔelɑ̃] *m* (sea)gull
goélette [gɔelɛt] *f* MAR schooner
gogo [gogo] F: ***à*** **~** galore
goguenard, **~e** [gɔgnar, -d] mocking
goinfre [gwɛ̃fr] **1** *m* glutton **2** *adj* gluttonous; **goinfrer** ⟨1a⟩: ***se*** **~** *péj* stuff o.s.
golf [gɔlf] *m* SP golf; *terrain* golf course
golfe [gɔlf] *m* GÉOGR gulf

golfeur, **-euse** [gɔlfœr, -øz] *m/f* golfer
gomme [gɔm] *f* gum; *pour effacer* eraser; **gommer** ⟨1a⟩ (*effacer*) erase (*aussi fig*)
gond [gõ] *m* hinge; ***sortir de ses ~s*** fly off the handle
gondole [gõdɔl] *f* gondola; **gondoler** ⟨1a⟩: ***se ~*** *du papier* curl; *du bois* warp
gonflable [gõflabl] inflatable; **gonflement** *m* swelling; **gonfler** ⟨1a⟩ **1** *v/i* swell **2** *v/t* blow up, inflate; (*exagérer*) exaggerate
gong [gõg] *m* gong
gonzesse [gõzɛs] *f* F *péj* chick F
gorge [gɔrʒ] *f* throat; (*poitrine*) bosom; GÉOGR gorge; ***avoir mal à la ~*** have a sore throat; **gorgée** *f* mouthful; **gorger** ⟨1a⟩: ***se ~*** gorge o.s. (***de*** with)
gorille [gɔrij] *m* gorilla; *fig* F bodyguard, minder F
gosier [gozje] *m* throat
gosse [gɔs] *m/f* F kid F
gothique [gɔtik] **1** *adj* Gothic **2** *m/f* Goth
gouache [gwaʃ] *f* gouache
goudron [gudrõ] *m* tar; **goudronner** ⟨1a⟩ asphalt, *Br* tar
gouffre [gufr] *m* abyss; *fig* depths *pl*
goujat [guʒa] *m* boor
goulot [gulo] *m* neck; ***boire au ~*** drink from the bottle
goulu, **~e** [guly] greedy
gourd, **~e** [gur, -d] numb (with the cold)
gourde [gurd] *f récipient* water bottle; *fig* F moron F
gourdin [gurdɛ̃] *m* club
gourer [gure] ⟨1a⟩ F: ***se ~*** goof F, *Br* boob
gourmand, **~e** [gurmɑ̃, -d] **1** *adj* greedy **2** *m/f* person who likes to eat, gourmand; **gourmandise** *f* greediness; ***~s*** *mets* delicacies; **gourmet** *m* gourmet
gourmette [gurmɛt] *f* chain
gourou [guru] *m* guru
gousse [gus] *f* pod; ***~ d'ail*** clove of garlic
goût [gu] *m* taste; ***de bon ~*** tasteful, in good taste; ***de mauvais ~*** tasteless, in bad taste; ***avoir du ~*** have taste; ***prendre ~ à qch*** develop a taste *ou* liking for sth; **goûter 1** *v/t* ⟨1a⟩ taste; *fig* enjoy, appreciate **2** *v/i prendre un goûter* have an afternoon snack **3** *m* afternoon snack
goutte [gut] *f* drop; ***tomber ~ à ~*** drip; ***~ de pluie*** raindrop; **goutte-à-goutte** *m* MÉD drip; **gouttelette** *f* little drop; **goutter** ⟨1a⟩ drip; **gouttière** *f* gutter
gouvernail [guvɛrnaj] *m* (*pl* -s) tiller, helm
gouverne [guvɛrn] *f* MAR steering; ***pour ta / sa ~*** for your / his guidance
gouvernement [guvɛrnəmɑ̃] *m* government; **gouvernemental**, **~e** (*mpl* -aux) government *atr*, governmental; **gouverner** ⟨1a⟩ *pays* govern; *passions* master, control; MAR steer; **gouverneur** *m* governor
grabuge [grabyʒ] *m* F stink F
grâce [grɑs] *f* grace; (*bienveillance*) favor, *Br* favour; JUR pardon; ***de bonne ~*** with good grace, willingly; ***de mauvaise ~*** grudgingly, unwillingly; ***faire ~ à qn de qch*** spare s.o. sth; ***rendre ~ à Dieu*** give thanks to God; ***~ à*** thanks to; ***être dans les bonnes ~s de qn*** be in s.o.'s good books; ***un délai de ~ de deux jours*** two days' grace; **gracier** [grasje] ⟨1a⟩ reprieve; **gracieusement** *adv* gracefully; **gracieux**, **-euse** graceful; ***à titre ~*** free
grade [grad] *m* rank; **gradé** *m* MIL noncommissioned officer
gradins *mpl* SP bleachers, *Br* terraces
graduel, **~le** [gradɥɛl] gradual; **graduellement** *adv* gradually; **graduer** ⟨1n⟩ (*augmenter*) gradually increase; *instrument* graduate
graffitis [grafiti] *mpl* graffiti *sg ou pl*
grain [grɛ̃] *m* grain; MAR squall; ***poulet*** *m* ***de ~*** cornfed chicken; ***~ de beauté*** mole, beauty spot; ***~ de café*** coffee bean; ***~ de poivre*** peppercorn; ***~ de raisin*** grape
graine [grɛn] *f* seed
graissage [grɛsaʒ] *m* lubrication,

greasing; **graisse** *f* fat; TECH grease; **graisser** ⟨1b⟩ grease, lubricate; (*salir*) get grease on; **graisseux**, **-euse** greasy

grammaire [gramɛr] *f* grammar; **grammatical**, **~e** (*mpl* -aux) grammatical

gramme [gram] *m* gram

grand, **~e** [grɑ̃, -d] **1** *adj* big, large; (*haut*) tall; (*adulte*) grown-up; (*long*) long; (*important, glorieux*) great; *frère, sœur* big; ***quand je serai ~*** when I grow up; ***les ~es personnes*** *fpl* grown-ups, adults; ***au ~ air*** in the open air; ***~ malade*** *m* seriously ill patient; ***il est ~ temps*** it's high time; ***~e surface*** *f* supermarket, *Br* superstore; ***il n'y avait pas ~ monde*** there weren't many people; ***les ~es vacances*** *fpl* the summer vacation *sg*, *Br* the summer holidays; ***~ ensemble*** new development, *Br* (housing) estate **2** *adv ouvrir* wide; ***voir ~*** think big; ***~ ouvert*** wide open **3** *m* giant, great man; ***les ~s de ce monde*** those in high places

grand-chose [grɑ̃ʃoz]: ***pas ~*** not much

Grande-Bretagne [grɑ̃dbrətaɲ]: ***la ~*** Great Britain

grandement [grɑdmɑ̃] *adv* (*beaucoup*) greatly; **grandeur** *f* (*taille*) size; ***~ nature*** lifesize; **grandiose** *spectacle, vue* magnificent; **grandir** ⟨2a⟩ **1** *v/i* (*croître*) grow; (*augmenter*) grow, increase **2** *v/t*: ***~ qn*** make s.o. look taller; *de l'expérience* strengthen s.o.

grand-mère [grɑ̃mɛr] *f* (*pl* grand(s)-mères) grandmother

grand-père [grɑ̃pɛr] *m* (*pl* grands-pères) grandfather

grand-route [grɑ̃rut] *f* (*pl* grand(s)-routes) highway, main road

grand-rue [grɑ̃ry] *f* (*pl* grand(s)-rues) main street

grands-parents [grɑ̃parɑ̃] *mpl* grand--parents

grange [grɑ̃ʒ] *f* barn

granit(e) [granit] *m* granite

granuleux, **-euse** [granylø, -z] granular

graphique [grafik] **1** *adj* graphic **2** *m* chart; MATH graph; INFORM graphic; **graphiste** *m/f* graphic designer

grappe [grap] *f* cluster; ***~ de raisin*** bunch of grapes

grappin [grapɛ̃] *m*: ***mettre le ~ sur qn*** get one's hands on s.o.

gras, **~se** [grɑ, -s] **1** *adj* fatty, fat; *personne* fat; *cheveux, peau* greasy; ***faire la ~se matinée*** sleep late, *Br* have a lie-in **2** *m* CUIS fat; **grassouillet**, **~te** plump, cuddly

gratification [gratifikasjõ] *f* (*prime*) bonus; PSYCH gratification; **gratifiant**, **~e** gratifying; **gratifier** ⟨1a⟩: ***~ qn de qch*** present s.o. with sth

gratin [gratɛ̃] *m dish served with a coating of grated cheese*; **gratiné**, **~e** CUIS with a sprinkling of cheese; *fig* F *addition* colossal

gratis [gratis] free (of charge)

gratitude [gratityd] *f* gratitude

gratte-ciel [gratsjɛl] *m* (*pl inv*) skyscraper

gratter [grate] ⟨1a⟩ scrape; (*griffer, piquer*) scratch; (*enlever*) scrape off; *mot, signature* scratch out; ***se ~*** scratch; **grattoir** *m* scraper

gratuit, **~e** [gratɥi, -t] free; *fig* gratuitous; **gratuitement** *adv* for nothing, free of charge; *fig* gratuitously

gravats [grava] *mpl* rubble *sg*

grave [grav] (*sérieux*) serious, grave; *maladie, faute* serious; *son* deep; ***ce n'est pas ~*** it's not a problem, it doesn't matter; **gravement** *adv* gravely, seriously; ***~ malade*** seriously ill

graver [grave] ⟨1a⟩ engrave; *disque* cut; ***gravé dans sa mémoire*** engraved on one's memory

gravier [gravje] *m* gravel

gravillon [gravijõ] *m* grit; **~s** gravel *sg*, *Br* loose chippings *pl*

gravir [gravir] ⟨2a⟩ climb

gravité [gravite] *f* gravity, seriousness; *d'une maladie, d'un accident* seriousness; PHYS gravity; **graviter** ⟨1a⟩ PHYS: ***~ autour de*** revolve around

gravure [gravyr] *f* ART engraving; (*reproduction*) print

gré [gre] *m*: ***bon ~, mal ~*** like it or not; ***à mon ~*** to my liking; ***contre mon ~*** against my will; ***de bon ~*** willingly; ***de son plein ~*** of one's own free will; ***savoir ~ de qch à qn*** be grateful to s.o. for sth

grec, **~que** [grɛk] **1** *adj* Greek **2** *m langue* Greek **3** *m/f* **Grec**, **~que** Greek; **Grèce**: ***la ~*** Greece

gredin [grədɛ̃] *m* scoundrel

gréement [gremɑ̃] *m* MAR rigging

greffe [grɛf] AGR, *de peau, tissu* graft; ***~ du cœur*** MÉD heart transplant; **greffer** ⟨1b⟩ AGR, *peau, tissu* graft; *cœur, poumon* transplant

greffier [grɛfje] *m* clerk of the court

grêle[1] [grɛl] *jambes* skinny; *voix* shrill

grêle[2] [grɛl] *f* hail; **grêler** ⟨1a⟩: ***il grêle*** it's hailing; **grêlon** *m* hailstone

grelot [grəlo] *m* (small) bell

grelotter [grəlɔte] ⟨1a⟩ shiver

grenade [grənad] *f* BOT pomegranate; MIL grenade; **grenadine** *f* grenadine, pomegranate syrup

grenier [grənje] *m* attic

grenouille [grənuj] *f* frog

grès [grɛ] *m* sandstone; *poterie* stoneware

grésiller [grezije] ⟨1a⟩ sizzle; RAD crackle

grève[1] [grɛv] *f* strike; ***être en ~, faire ~*** be on strike; ***se mettre en ~*** go on strike; ***~ de la faim*** hunger strike; ***~ du zèle, ~ perlée*** slowdown, *Br* go-slow

grève[2] [grɛv] *f* (*plage*) shore

grever [grəve] ⟨1d⟩ *budget* put a strain on

gréviste [grevist] *m/f* striker

gribouillage [gribujaʒ] *m* scribble; (*dessin*) doodle; **gribouiller** ⟨1a⟩ scribble; (*dessiner*) doodle; **gribouillis** *m* scribble

grief [griɛf] *m* grievance

grièvement [grijɛvmɑ̃] *adv blessé* seriously

griffe [grif] *f* claw; COMM label; *fig* (*empreinte*) stamp; **griffer** ⟨1a⟩ scratch

griffonnage [grifɔnaʒ] *m* scribble; **griffonner** ⟨1a⟩ scribble

grignoter [griɲɔte] ⟨1a⟩ **1** *v/t* nibble on; *économies* nibble away at, eat into **2** *v/i* nibble

grill [gril] *m* broiler, *Br* grill; **grillade** *f* broil, *Br* grill

grillage [grijaʒ] *m* wire mesh; (*clôture*) fence; **grille** *f d'une fenêtre* grille; (*clôture*) railings *pl*; *d'un four* rack; (*tableau*) grid; **grille-pain** *m* (*pl inv*) toaster; **griller** ⟨1a⟩ **1** *v/t viande* broil, *Br* grill; *pain* toast; *café, marrons* roast **2** *v/i d'une ampoule* burn out; ***~ un feu rouge*** go through a red light

grillon [grijõ] *m* cricket

grimace [grimas] *f* grimace; ***faire des ~s*** pull faces; **grimer** ⟨1a⟩: (***se***) ***~*** make up

grimper [grɛ̃pe] ⟨1a⟩ climb

grincement [grɛ̃smɑ̃] *m de porte* squeaking; **grincer** ⟨1k⟩ *d'une porte* squeak; ***~ des dents*** grind one's teeth

grincheux, **-euse** [grɛ̃ʃø, -z] bad-tempered, grouchy

gringalet [grɛ̃galɛ] *m* F puny little shrimp

griotte [grijɔt] *f* BOT *type of cherry*

grippe [grip] *f* MÉD flu; ***prendre qn en ~*** take a dislike to s.o.; ***~ gastro-intestinale*** gastric flu; **grippé**, **~e** MÉD: ***être ~*** have flu

gris, **~e** [gri, -z] gray, *Br* grey; *temps, vie* dull; (*ivre*) tipsy; **grisaille** *f* grayness, *Br* greyness

grisant, **~e** [grizɑ̃, -t] exhilarating

grisâtre [grizɑtr] grayish, *Br* greyish

griser [grize] ⟨1a⟩: ***~ qn*** go to s.o.'s head; ***se laisser ~ par*** get carried away by

grisonner [grizɔne] ⟨1a⟩ go gray *ou Br* grey

grive [griv] *f* thrush

grivois, **~e** [grivwa, -z] bawdy

groggy [grɔgi] *adj inv* F groggy

grognement [grɔɲmɑ̃] *m* (*plainte*) grumbling; *d'un cochon etc* grunt; **grogner** ⟨1a⟩ (*se plaindre*) grumble; *d'un cochon* grunt; **grognon**, **~ne**: ***être ~*** be grumpy

grommeler [grɔmle] ⟨1c⟩ mutter

G

grondement [grõdmã] *m d'un chien* growl; *de tonnerre* rumble; **gronder** ⟨1a⟩ **1** *v/i d'une personne, d'un chien* growl; *du tonnerre* rumble; *d'une révolte* brew **2** *v/t* scold
groom [grum] *m* bellhop, *Br* page
gros, **~se** [gro, -s] **1** *adj* big, large; (*corpulent*) fat; *lèvres* thick; *averse, rhume, souliers* heavy; *chaussettes* heavy, thick; *plaisanterie* coarse; *vin* rough; ***avoir le cœur ~*** be heavy-hearted; **~ *bonnet*** *m* F bigwig F; ***toucher le ~ lot*** hit the jackpot; **~*se mer*** *f* MAR rough *ou* heavy sea; **~ *mots*** *mpl* bad language *sg*, swear words; **~ *plan*** *m* close-up **2** *adv*: ***gagner ~*** win a lot; ***en ~*** (*globalement*) generally, on the whole; COMM wholesale **3** *m personne* fat man; COMM wholesale trade; ***prix m de ~*** COMM wholesale price; ***le ~ de*** the bulk of
groseille [grozɛj] *f* BOT currant; **~ *à maquereau*** gooseberry
grosse [gros] *f* fat woman
grossesse [grosɛs] *f* pregnancy
grosseur [grosœr] *f* (*corpulence*) fatness; (*volume*) size; (*tumeur*) growth
grossier, **-ère** [grosje, -ɛr] (*rudimentaire*) crude; (*indélicat*) coarse, crude; (*impoli*) rude; *erreur* big; **grossièrement** *adv* crudely; (*impoliment*) rudely; (*à peu près*) roughly; **grossièreté** *f* crudeness; ***dire des ~s*** use crude *ou* coarse language
grossir [grosir] ⟨2a⟩ **1** *v/t au microscope* magnify; *nombre, rivière* swell; (*exagérer*) exaggerate; **~ *qn*** *pantalon, robe etc* make s.o. look fatter **2** *v/i d'une personne* put on weight
grossiste [grosist] *m/f* COMM wholesaler
grosso modo [grosomodo] *adv* roughly
grotesque [grɔtɛsk] ludicrous, grotesque
grotte [grɔt] *f* cave
grouiller [gruje] ⟨1a⟩: **~ *de*** be swarming with; ***se ~*** F get a move on
groupe [grup] *m* group; **~ *de pression*** pressure group; **~ *sanguin*** blood group; **groupement** *m* group; *action* grouping; **grouper** ⟨1a⟩ group; ***se ~ autour de qn*** gather around s.o.
groupie [grupi] *f* groupie
grue [gry] *f* ZO, TECH crane
grumeau [grymo] *m* (*pl* -x) *m* lump; **grumeleux**, **-euse** lumpy
gué [ge] *m* ford
guenilles [gənij] *fpl* rags
guépard [gepar] *m* cheetah
guêpe [gɛp] *f* wasp; **guêpier** *m* wasps' nest; ***tomber dans un ~*** *fig* fall into a trap; ***se mettre dans un ~*** *fig* put o.s. in a difficult position
guère [gɛr]: ***ne … ~*** hardly; ***je ne la connais ~*** I hardly know her
guéridon [geridõ] *m* round table
guérilla [gerija] *f* guerrilla warfare; **guérillero** *m* guerrilla
guérir [gerir] ⟨2a⟩ **1** *v/t malade, maladie* cure (**de** of) **2** *v/i d'une blessure* heal; *d'un malade, d'une maladie* get better; **guérissable** curable; **guérison** *f* (*rétablissement*) recovery
guerre [gɛr] *f* war; ***Seconde Guerre mondiale*** Second World War; ***en ~*** at war; ***faire la ~*** be at war (**à** with); ***faire la ~ à qch*** wage war on sth; **~ *bactériologique / biologique*** germ / biological warfare; **~ *civile*** civil war; **~ *froide*** Cold War; **~ *des gangs*** gang warfare; **~ *sainte*** holy war; **guerrier**, **-ère** **1** *adj* warlike **2** *m* warrior
guet [gɛ] *m*: ***faire le ~*** keep watch
guet-apens [gɛtapɑ̃] *m* (*pl* guets-apens) ambush
guetter [gete] ⟨1b⟩ watch for, keep an eye open for; (*épier*) watch
gueule [gœl] *f* F mouth; (*visage*) face; ***ta ~!*** F shut up!, *Br aussi* shut it! F; **~ *de bois*** hangover; **gueuler** ⟨1a⟩ F yell, shout; **gueuleton** *m* F enormous meal, *Br aussi* blow-out
guichet [giʃɛ] *m de banque, poste* wicket, *Br* window; *de théâtre* box office; **~ *automatique*** automatic teller (machine), ATM, *Br aussi* cash dispenser; **guichetier**, **-ère** *m/f* clerk, *Br* assistant; *dans banque* teller
guide [gid] **1** *m* guide; *ouvrage*

guide(book); *~ **de conversation*** phrasebook **2** *f* girl scout, *Br* guide **3**: ***~s*** *fpl* guiding reins; **guider** ⟨1a⟩ guide

guidon [gidõ] *m de vélo* handlebars *pl*

guignol [giɲɔl] *m* Punch; ***un spectacle de ~*** *a Punch-and-Judy show*

guillemets [gijmɛ] *mpl* quote marks, *Br aussi* inverted commas

guillotiner [gijɔtine] ⟨1a⟩ guillotine

guindé, **~e** [gɛ̃de] *personne*, *style* stiff, awkward

guirlande [girlɑ̃d] *f* garland; ***~ lumineuse*** string of lights; ***~s de Noël*** tinsel *sg*

guise [giz] *f*: ***agir à sa ~*** do as one pleases; ***en ~ de*** as, by way of

guitare [gitar] *f* guitar; **guitariste** *m/f* guitarist

guttural, **~e** [gytyral] (*mpl* -aux) guttural

guyanais, **~e** [gɥijanɛ, -z] **1** *adj département* Guianese; *république* Guyanese **2** *m/f* **Guyanais**, **~e** *département* Guianese; *république* Guyanese; **Guyane**: ***la ~*** Guyana

gym [ʒim] *f* gym

gymnase [ʒimnɑz] *m* SP gym; **gymnaste** *m/f* gymnast; **gymnastique** *f* gymnastics *sg*; *corrective*, *matinale* exercises *pl*; ***faire de la ~*** do gymnastics / exercises

gynécologie [ʒinekɔlɔʒi] *f* gynecology, *Br* gynæcology; **gynécologique** gynecological, *Br* gynæcological; **gynécologue** *m/f* MÉD gynecologist, *Br* gynæcologist

gyrophare [ʒirɔfar] *m* flashing light

H

h *abr* (= ***heure***) hr (= hour)

ha *abr* (= ***hectare***) *approx 2.5 acres*

habile [abil] skillful, *Br* skilful; **habileté** *f* skill

habiliter [abilite] ⟨1a⟩ JUR: ***être habilité à faire qch*** be authorized to do sth

habillement [abijmɑ̃] *m* (*vêtements*) clothes *pl*; **habillé**, **~e** (*élégant*) dressy; **habiller** ⟨1a⟩ dress; ***s'~*** get dressed, dress; *élégamment* get dressed up

habit [abi] *m*: ***~s*** clothes

habitable [abitabl] inhabitable; **habitacle** *m* AVIAT cockpit; **habitant**, **~e** *m/f* inhabitant; **habitat** *m* ZO, BOT habitat; **habitation** *f* living; (*domicile*) residence; **habiter** ⟨1a⟩ **1** *v/t* live in **2** *v/i* live (***à Paris*** in Paris); **habité**, **~e** inhabited

habitude [abityd] *f* habit, custom; ***d'~*** usually; ***par ~*** out of habit; **habitué**, **~e** *m/f* regular; **habituel**, **~le** usual; **habituer** ⟨1a⟩: ***~ qn à qch*** get s.o. used to sth; ***s'~ à*** get used to; ***s'~ à faire qch*** get used to doing sth

'hache [aʃ] *f* ax, *Br* axe; ***enterrer la ~ de guerre*** bury the hatchet; **'hacher** [aʃe] ⟨1a⟩ chop; ***viande f hachée*** ground beef, *Br* mince; **'hachette** *f* hatchet; **'hachis** *m* CUIS *kind of stew in which the meat is covered with mashed potatoes*

'hachisch [aʃiʃ] *m* hashish

'hachoir [aʃwar] *m appareil* meat grinder, *Br* mincer; *couteau* cleaver; *planche* chopping board

haddock [adɔk] *m* smoked haddock

'hagard, **~e** [agar, -d] *visage* haggard; *air* wild

'haie [ɛ] *f* hedge; SP hurdle; *pour chevaux* fence, jump; ***course f de ~s*** hurdles; *pour chevaux* race over jumps; ***une ~ de policiers*** *fig* a line of police

'haillons [ajõ] *mpl* rags

'haine [ɛn] *f* hatred; **'haineux**, **-euse** full of hatred
'haïr [air] ⟨2m⟩ hate; **'haïssable** hateful
'hâle [ɑl] *m* (sun)tan; **'hâlé**, **~e** (sun-)tanned
haleine [alɛn] *f* breath; ***hors d'~*** out of breath; ***c'est un travail de longue ~*** *fig* it's a long hard job; ***avoir mauvaise ~*** have bad breath
'halètement [alɛtmɑ̃] *m* gasping; **'haleter** ⟨1e⟩ pant, gasp
'hall [ol] *m d'hôtel*, *immeuble* foyer; *de gare* concourse
'halle [al] *f* market
halloween [alɔwin] *f* Halloween
hallucination [alysinasjõ] *f* hallucination
'halo [alo] *m* halo
halogène [alɔʒɛn] *m*: (***lampe*** *f*) ~ halogen light
'halte [alt] *f* stop; ***faire ~*** halt, make a stop; ***~!*** MIL halt!
haltère [altɛr] *m* dumbbell; ***faire des ~s*** do weightlifting; **haltérophilie** *f* weightlifting
'hamac [amak] *m* hammock
'hameau [amo] *m* (*pl* -x) hamlet
hameçon [amsõ] *m* hook
'hamster [amstɛr] *m* hamster
'hanche [ɑ̃ʃ] *f* hip
'handicap [ɑ̃dikap] *m* handicap; **'handicapé**, **~e** **1** *adj* disabled, handicapped **2** *m/f* disabled *ou* handicapped person; ***les ~s*** the disabled *pl*, the handicapped *pl*; ***~ physique*** disabled person, physically handicapped person; ***~ mental(e)*** mentally handicapped person
'hangar [ɑ̃gar] *m* shed; AVIAT hangar
'hanter [ɑ̃te] ⟨1a⟩ haunt; **'hantise** *f* fear, dread
'happer [ape] ⟨1a⟩ catch; *fig*: *de train*, *autobus* hit
'haranguer [arɑ̃ge] ⟨1a⟩ speak to; *péj* harangue
'haras [arɑ] *m* stud farm
'harassant, **~e** [arasɑ̃, -t] *travail* exhausting; **'harassé**, **~e** exhausted
'harcèlement [arsɛlmɑ̃] *m* harassment; ***~ sexuel*** sexual harassment; **'harceler** ⟨1d⟩ harass
'hard [ard] *m* hardcore; MUS hard rock
'hardi, **~e** [ardi] bold
'hardware [ardwɛr] *m* hardware
'hareng [arɑ̃] *m* herring
'hargne [arɲ] *f* bad temper; **'hargneux**, **-euse** venomous; *chien* vicious
'haricot [ariko] *m* BOT bean; ***~s verts*** green beans; ***c'est la fin des ~s*** F that's the end
harmonica [armɔnika] *m* harmonica
harmonie [armɔni] *f* harmony; **harmonieux**, **-euse** harmonious; **harmoniser** ⟨1a⟩ match (up); MUS harmonize; ***s'~*** *de couleurs* go together; ***s'~ avec*** *d'une couleur* go with
'harnais [arnɛ] *m* harness
'harpe [arp] *f* MUS harp
'harpon [arpõ] *m* harpoon
'hasard [azar] *m* chance; ***au ~*** at random; ***par ~*** by chance; **'hasarder** ⟨1a⟩ hazard; ***se ~ à faire qch*** venture to do sth; **'hasardeux**, **-euse** hazardous
'haschisch [aʃiʃ] *m* hashish
'hâte [ɑt] *f* hurry, haste; ***à la ~*** in a hurry, hastily; ***en ~*** in haste; ***avoir ~ de faire qch*** be eager to do sth; **'hâter** ⟨1a⟩ hasten; ***se ~*** hurry up; ***se ~ de faire qch*** hurry to do sth; **'hâtif**, **-ive** hasty; AGR early
'hausse [os] *f de prix*, *cours*, *température* increase, rise; **'hausser** ⟨1a⟩ increase; ***~ la voix*** raise one's voice; ***~ les épaules*** shrug (one's shoulders)
'haut, **~e** [o, ot] **1** *adj* high; *immeuble* tall, high; *cri*, *voix* loud; *fonctionnaire* high-level, senior; ***la ~e Seine*** the upper Seine; ***à voix ~e*** in a loud voice, loudly; ***être ~ de 5 mètres*** be 5 meters tall; ***~ de gamme*** upscale, *Br* upmarket **2** *adv* high; ***là-~*** up there; ***de ~*** from above; ***de ~ en bas*** from top to bottom; *regarder qn* up and down; ***~ les mains!*** hands up!; ***en ~*** above; ***en ~ de*** at the top of; ***parler plus ~*** speak up, speak louder; ***voir plus ~*** *dans un texte* see above **3** *m* top; ***du ~ de*** from the top of; ***des ~s et des bas*** ups and

downs
'hautain, **~e** [otɛ̃, -ɛn] haughty
'hautbois [obwa] *m* MUS oboe
'hauteur [otœr] *f* height; *fig* haughtiness; ***être à la ~ de qch*** be up to sth
'haut-le-cœur [olkœr] *m* (*pl inv*): ***avoir un ~*** retch
'haut-parleur [oparlœr] *m* (*pl* haut-parleurs) loudspeaker
'havre [ɑvr] *m* haven
'hayon [ɛjõ] *m*: ***voiture à ~*** hatchback
hebdomadaire [ɛbdɔmadɛr] *m & adj* weekly
hébergement [ebɛrʒəmɑ̃] *m* accommodations *pl*, *Br* accommodation; **héberger** [ebɛrʒe] ⟨1l⟩: ***~ qn*** put s.o. up; *fig* take s.o. in
hébété, **~e** [ebete] *regard* vacant
hébreu [ebrø] *m*: ***l'~*** Hebrew
hécatombe [ekatõb] *f* bloodbath
hectare [ɛktar] *m* hectare (*approx 2.5 acres*)
'hein [ɛ̃] F eh?; ***c'est joli, ~?*** it's pretty, isn't it?
'hélas [elɑs] alas
'héler [ele] ⟨1f⟩ hail
hélice [elis] *f* MAR, AVIAT propeller; ***escalier m en ~*** spiral staircase
hélicoptère [elikɔptɛr] *m* helicopter, chopper F; **héliport** *m* heliport
hématome [ematom] *m* MÉD hematoma, *Br* hæmatoma
hémisphère [emisfɛr] *m* hemisphere
hémophilie [emɔfili] *f* MÉD hemophilia, *Br* hæmophilia
hémorragie [emɔraʒi] *f* hemorrhage, *Br* hæmorrhage
hémorroïdes [emɔrɔid] *fpl* hemorrhoids, *Br* haemorrhoids, piles
'hennir [ɛnir] ⟨2a⟩ neigh; **'hennissement** *m* neigh
hépatite [epatit] *f* hepatitis
herbe [ɛrb] *f* grass; CUIS herb; ***mauvaise ~*** weed; ***fines ~s*** herbs; **herbeux**, **-euse** grassy; **herbicide** *m* herbicide, weedkiller
héréditaire [ereditɛr] hereditary; **hérédité** *f* heredity
hérésie [erezi] *f* heresy; **hérétique** **1** *adj* heretical **2** *m/f* heretic
'hérissé, **~e** [erise] ruffled, standing on end; **'hérisson** *m* hedgehog
héritage [eritaʒ] *m* inheritance; **hériter** ⟨1a⟩ **1** *v/t* inherit **2** *v/i*: ***~ de qch*** inherit sth; ***~ de qn*** receive an inheritance from s.o.; **héritier**, **-ère** *m/f* heir
hermétique [ɛrmetik] *récipient* hermetically sealed, airtight; *style* inaccessible
hermine [ɛrmin] *f* stoat; *fourrure* ermine
'hernie [ɛrni] *f* MÉD hernia; ***~ discale*** slipped disc
héroïne[1] [erɔin] *f drogue* heroin; **héroïnomane** *m/f* heroin addict
héroïne[2] [erɔin] *f* heroine; **héroïque** heroic; **héroïsme** *m* heroism
'héron [erõ] *m* heron
'héros [ero] *m* hero
herpès [ɛrpɛs] *m* herpes
hésitant, **~e** [ezitɑ̃, -t] hesitant, tentative; **hésitation** *f* hesitation; **hésiter** ⟨1a⟩ hesitate (***à faire qch*** to do sth; ***sur*** over)
hétéro [etero] F straight F, hetero F
hétérogène [eterɔʒɛn] heterogeneous
hétérosexuel, **~le** [eterosɛksɥɛl] heterosexual
'hêtre [ɛtr] *m* BOT beech
heure [œr] *f durée* hour; ***arriver à l'~*** arrive on time; ***de bonne ~*** early; ***tout à l'~*** (*tout de suite*) just a minute ago, not long ago; (*avant peu*) in a minute; ***à tout à l'~!*** see you soon!; ***à l'~ actuelle*** at the moment; ***à toute ~*** at any time; ***quelle ~ est-il?*** what time is it?; ***il est six ~s*** it's six (o'clock); ***il est l'~ de partir*** it's time to leave; ***~ locale*** local time; ***~s d'ouverture*** opening hours; ***~s de pointe*** rush hour *sg*; ***~s supplémentaires*** overtime *sg*
heureusement [œrøzmɑ̃] *adv* luckily, fortunately; **heureux**, **-euse** happy; (*chanceux*) lucky, fortunate
'heurt [œr] *m de deux véhicules* collision; *fig* (*friction*) clash
'heurter [œrte] ⟨1a⟩ collide with; *fig* offend; ***se ~*** collide (***à*** with); *fig* (*s'affronter*) clash (***sur*** over)

hexagone [ɛgzagɔn] *m* hexagon; ***l'Hexagone*** France
hiberner [ibɛrne] ⟨1a⟩ hibernate
'hibou [ibu] *m* (*pl* -x) owl
'hic [ik] *m* F problem
'hideux, -euse [idø, -z] hideous
hier [jɛr] yesterday
'hiérarchie [jerarʃi] *f* hierarchy
hiéroglyphe [jerɔglif] *m* hieroglyph
high-tech [ajtɛk] *adj inv* high tech, hi-tech
hilare [ilar] grinning; **hilarité** *f* hilarity
hindou, ~e Hindu
hippique [ipik] SP equestrian; ***concours*** *m* **~** horse show; **hippisme** *m* riding; **hippodrome** *m* race course
hippopotame [ipɔpɔtam] *m* hippo, hippopotamus
hirondelle [irõdɛl] *f* swallow
hirsute [irsyt] hairy, hirsute *fml, hum*
hispanique [ispanik] Hispanic
'hisser [ise] ⟨1a⟩ *drapeau, étendard, voile* hoist; (*monter*) lift, raise; ***se ~*** pull o.s. up
histoire [istwar] *f* history; (*récit, conte*) story; ***faire des ~s*** make a fuss; **historien, ~ne** *m/f* historian; **historique 1** *adj* historic **2** *m* chronicle
hiver [ivɛr] *m* winter; ***en ~*** in winter; **hivernal, ~e** (*mpl* -aux) winter *atr*
H.L.M. [aʃɛlɛm] *m ou f abr* (= ***habitation à loyer modéré***) low cost housing
'hobby [ɔbi] *m* hobby
'hochement [ɔʃmã] *m*: **~ *de tête*** *en signe d'approbation* nod; *en signe de désapprobation* shake of the head; **'hocher** ⟨1a⟩: **~ *la tête*** *en signe d'approbation* nod (one's head); *en signe de désapprobation* shake one's head
'hochet [ɔʃɛ] *m* rattle
'hockey [ɔkɛ] *m sur gazon* field hockey, *Br* hockey; *sur glace* hockey, *Br* ice hockey
'holding [ɔldiŋ] *m* holding company
'hold-up [ɔldœp] *m* holdup
'hollandais, ~e [ɔlãdɛ, -z] **1** *adj* Dutch **2** *m langue* Dutch **3 Hollandais** *m* Dutchman; **'Hollandaise** *f* Dutchwoman; **'Hollande**: ***la ~*** Holland
holocauste [ɔlɔkost] *m* holocaust
hologramme [ɔlɔgram] *m* hologram
'homard [ɔmar] *m* lobster
homéopathe [ɔmeɔpat] *m* homeopath; **homéopathie** *f* homeopathy; **homéopathique** homeopathic
homicide [ɔmisid] *m acte* homicide; **~ *involontaire*** manslaughter; **~ *volontaire*** murder
hommage [ɔmaʒ] *m* homage; ***rendre ~ à qn*** pay homage to s.o.
homme [ɔm] *m* man; **~ *d'affaires*** businessman; **~ *d'État*** statesman; **~ *de lettres*** man of letters, literary man; **~ *de main*** henchman; **~ *de paille*** *fig* figurehead; **~ *de la rue*** man in the street; **homme-grenouille** *m* (*pl* hommes-grenouilles) frogman; **homme-sandwich** *m* (*pl* hommes-sandwichs) sandwich man
homo [ɔmɔ] *m/f* gay
homogène [ɔmɔʒɛn] homogenous
homologue [ɔmɔlɔg] *m* counterpart, opposite number; **homologuer** ⟨1m⟩ *record* ratify; *tarif* authorize
homonyme [ɔmɔnim] *m* namesake; LING homonym
homophobe [ɔmɔfɔb] homophobic; **homophobie** *f* homophobia
homosexuel, ~le [ɔmɔsɛksɥɛl] *m/f & adj* homosexual
'Hongrie [õgri] *f*: ***la ~*** Hungary; **'hongrois, ~e 1** *adj* Hungarian **2** *m langue* Hungarian **3** *m/f* **Hongrois, ~e** Hungarian
honnête [ɔnɛt] honest; (*convenable*) decent; (*passable*) reasonable; **honnêtement** *adv* honestly; (*passablement*) quite well; **honnêteté** honesty
honneur [ɔnœr] *m* honor, *Br* honour; ***en l'~ de*** in honor of; ***faire ~ à qch*** honor sth; **honorable** honorable, *Br* honourable
honoraire [ɔnɔrɛr] **1** *adj* honorary **2** ***~s*** *mpl* fees; **honorer** ⟨1a⟩ honor, *Br* honour; **honorifique** honorific
'honte [õt] *f* shame; ***avoir ~ de*** be ashamed of; ***faire ~ à qn*** make s.o. ashamed; **'honteusement** *adv* shamefully; *dire, admettre* shamefacedly;

H

'honteux, **-euse** (*déshonorant*) shameful; (*déconfit*) ashamed; *air* shamefaced

'hooligan [uligan] *m* hooligan; **'hooliganisme** *m* hooliganism

hôpital [ɔpital] *m* (*pl* -aux) hospital; ***à l'~*** in the hospital, *Br* in hospital

'hoquet [ɔkɛ] *m* hiccup; ***avoir le ~*** have (the) hiccups

horaire [ɔrɛr] **1** *adj* hourly **2** *m emploi du temps* timetable, schedule; *des avions, trains etc* schedule, *Br* timetable; ***~ souple*** flextime

horizon [ɔrizõ] *m* horizon; **horizontal**, **~e** (*mpl* -aux) horizontal

horloge [ɔrlɔʒ] *f* clock; **horloger**, **-ère** *m/f* watchmaker

'hormis [ɔrmi] *prép* but

hormonal, **~e** [ɔrmɔnal] (*mpl* -aux) hormonal; **hormone** *f* hormone

horodateur [ɔrɔdatœr] *m dans parking* pay and display machine

horoscope [ɔrɔskɔp] *m* horoscope

horreur [ɔrœr] *f* horror; (*monstruosité*) monstrosity; ***avoir ~ de qch*** detest sth; (***quelle***) ***~!*** how awful!; **horrible** horrible; **horrifiant**, **~e** horrifying; **horrifié**, **~e** horrified (***par*** by); **horrifique** hair-raising

horripilant, **~e** [ɔripilɑ̃, -t] infuriating

'hors [ɔr] *prép*: ***~ de*** (*à l'extérieur de*) outside; ***~ de danger*** out of danger; ***c'est ~ de prix*** it's incredibly expensive; ***~ sujet*** beside the point; ***être ~ de soi*** be beside o.s.; ***~ service*** out of service

'hors-bord [ɔrbɔr] *m* (*pl inv*) outboard

'hors-d'œuvre [ɔrdœvr] *m* (*pl inv*) CUIS appetizer, starter

'hors-jeu [ɔrʒœ] *adv* offside

'hors-la-loi [ɔrlalwa] *m* (*pl inv*) outlaw

'hors-piste [ɔrpist] *adv* off-piste

hortensia [ɔrtɑ̃sja] *f* hydrangea

horticulture [ɔrtikyltyr] *f* horticulture

hospice [ɔspis] *m* REL hospice; (*asile*) home

hospitalier, **-ère** [ɔspitalje, -ɛr] hospitable; MÉD hospital *atr*; **hospitaliser** ⟨1a⟩ hospitalize; **hospitalité** *f* hospitality

hostie [ɔsti] *f* REL wafer, host

hostile [ɔstil] hostile; **hostilité** *f* hostility

hosto [ɔsto] *m* F hospital

'hot-dog [ɔtdɔg] *m* hot dog

hôte [ot] *m* (*maître de maison*) host; (*invité*) guest; ***table f d'~*** set meal, table d'hôte

hôtel [otɛl] *m* hotel; ***~*** (***particulier***) town house; ***~ de ville*** town hall; **hôtelier**, **~e** **1** *adj* hotel *atr* **2** *m/f* hotelier; **hôtellerie** *f*: ***l'~*** the hotel business

hôtesse [otɛs] *f* hostess; ***~ de l'air*** air hostess

'hotte [ɔt] *f* (*panier*) large basket carried on the back; *d'aération* hood

'houblon [ublõ] *m* BOT hop

'houille [uj] *f* coal

'houle [ul] *f* MAR swell; **'houleux**, **-euse** *fig* stormy

'houppe [up] *f de cheveux* tuft

'hourra [ura] **1** *int* hurrah **2** *m*: ***pousser des ~s*** give three cheers

'housse [us] *f de portable, vêtements* protective cover

'houx [u] *m* BOT holly

'hublot [yblo] *m* MAR porthole; AVIAT window

'huche [yʃ] *f*: ***~ à pain*** bread bin

'huées [ɥe] *fpl* boos, jeers; **'huer** ⟨1a⟩ boo, jeer

huile [ɥil] *f* oil; ***~ solaire*** suntan oil; **huiler** ⟨1a⟩ oil, lubricate; **huileux**, **-euse** oily

'huis [ɥi] *m*: ***à ~ clos*** behind closed doors; JUR in camera; **huissier** *m* JUR bailiff

'huit [ɥit] eight; ***~ jours*** a week; ***demain en ~*** a week tomorrow; **'huitaine** *f*: ***une ~ de*** about eight, eight or so; ***une ~*** (***de jours***) a week; **'huitième** eighth; ***~*** *m* ***de finale*** last sixteen

huître [ɥitr] *f* oyster

humain, **~e** [ymɛ̃, -ɛn] human; *traitement* humane; **humaniser** ⟨1a⟩ humanize; **humanitaire** humanitarian; **humanité** *f* humanity

humble [ɛ̃bl] humble

humecter [ymɛkte] ⟨1a⟩ moisten

'humer [yme] ⟨1a⟩ breathe in

humeur [ymœr] *f* mood; (*tempérament*) temperament; ***être de bonne / mauvaise ~*** be in a good / bad mood
humide [ymid] damp; (*chaud et ~*) humid; **humidificateur** *m* TECH humidifier; **humidifier** ⟨1a⟩ moisten; *atmosphère* humidify; **humidité** *f* dampness; humidity
humiliation [ymiljasjõ] *f* humiliation; **humiliant, ~e** humiliating; **humilier** ⟨1a⟩ humiliate
humilité [ymilite] *f* humility
humoriste [ymɔrist] **1** *adj* humorous **2** *m/f* humorist; **humoristique** humorous; **humour** *m* humor, *Br* humour; ***avoir de l'~*** have a (good) sense of humor
'huppé, ~e [ype] exclusive
'hurlement [yrləmɑ̃] *m d'un loup* howl; *d'une personne* scream; **'hurler** ⟨1a⟩ *d'un loup* howl; *d'une personne* scream; ***~ de rire*** roar with laughter
'hutte [yt] *f* hut
hybride [ibrid] *m* hybrid
hydratant, ~e [idratɑ̃, -t] *cosmétique* moisturizing
hydraulique [idrolik] **1** *adj* hydraulic **2** *f* hydraulics
hydravion [idravjõ] *m* seaplane
hydrocarbure [idrɔkarbyr] *m* CHIM hydrocarbon
hydroélectrique [idroelɛktrik] hydroelectric
hydrogène [idroʒɛn] *m* CHIM hydrogen
hydroglisseur [idroglisœr] *m* jetfoil
hyène [jɛn] *f* hyena
hygiène [iʒjɛn] *f* hygiene; ***avoir une bonne ~ de vie*** have a healthy lifestyle; ***~ intime*** personal hygiene; **hygiénique** hygienic; ***papier ~*** toilet paper; ***serviette ~*** sanitary napkin, *Br* sanitary towel
hymne [imn] *m* hymn; ***~ national*** national anthem
hyperactif, -ive [ipɛraktif, -iv] hyperactive
hyperbole [ipɛrbɔl] *f* hyperbole; MATH hyperbola
hypermarché [ipɛrmarʃe] *m* supermarket, *Br* hypermarket
hypermétrope [ipɛrmetrɔp] far-sighted, *Br* long-sighted
hypersensible [ipɛrsɑ̃sibl] hypersensitive
hypertension [ipɛrtɑ̃sjõ] *f* MÉD high blood pressure
hypertexte [ipɛrtɛkst]: ***lien*** *m* ***~*** hypertext link
hypnose [ipnɔz] *f* hypnosis; **hypnothérapie** *f* hypnotherapy; **hypnotiser** ⟨1a⟩ hypnotize
hypoallergénique [ipɔalɛrʒenik] hypoallergenic
hypocrisie [ipɔkrizi] *f* hypocrisy; **hypocrite 1** *adj* hypocritical **2** *m/f* hypocrite
hypocondriaque [ipɔkõdrijak] *m/f* hypochondriac
hypothèque [ipɔtɛk] *f* COMM mortgage; **hypothéquer** ⟨1m⟩ mortgage
hypothermie [ipɔtɛrmi] *f* hypothermia
hypothèse [ipɔtɛz] *f* hypothesis; **hypothétique** hypothetical
hystérectomie [isterɛktɔmi] *f* hysterectomy
hystérie [isteri] *f* hysteria; **hystérique** hysterical

I

iceberg [ajsbɛrg] *m* GÉOGR iceberg
ici [isi] here; ***jusqu'~*** to here; (*jusqu'à maintenant*) so far, till now; ***par ~*** this way; (*dans le coin*) around about here;

d'~ peu shortly, before long; ***d'~ demain / la semaine prochaine*** by tomorrow / next week; ***d'~ là*** by then, by that time; ***d'~*** from here; ***sors d'~*** get out of here

icône [ikon] *f* icon

id. *abr* (= ***idem***) idem

idéal, **~e** [ideal] (*mpl - ou* -aux) *m & adj* ideal; **idéalement** *adv* ideally; **idéaliser** idealize; **idéalisme** *m* idealism; **idéaliste 1** *adj* idealistic **2** *m/f* idealist

idée [ide] *f* idea; (*opinion*) view; ***à l'~ de faire qch*** at the idea of doing sth; ***avoir dans l'~ de faire qch*** be thinking of doing sth; ***avoir dans l'~ que*** have an idea that; ***se faire une ~ de qch*** get an idea of sth; ***tu te fais des ~s*** (*tu te trompes*) you're imagining things; ***~ fausse*** misconception; ***~ fixe*** obsession; ***~ de génie*** brainstorm, *Br* brainwave

identification [idɑ̃tifikasjõ] *f* identification; **identifier** ⟨1a⟩ identify (***avec***, ***à*** with); ***s'~ avec** ou **à*** identify with

identique [idɑ̃tik] identical (***à*** to); **identité** *f* identity; ***carte** f **d'~*** identity *ou* ID card; ***pièce** f **d'~*** identity, identity papers *pl*, ID

idéologie [ideɔlɔʒi] *f* ideology; **idéologique** ideological

idiomatique [idjɔmatik] idiomatic; **idiome** *m* idiom

idiot, **~e** [idjo, -ɔt] **1** *adj* idiotic **2** *m/f* idiot; **idiotie** *f* idiocy; ***une ~*** an idiotic thing to do / say; ***dire des ~s*** talk nonsense *sg*

idolâtrer [idɔlɑtre] ⟨1a⟩ idolize; **idole** *f* idol

idylle [idil] *f* romance; **idyllique** idyllic

ignare [iɲar] *péj* **1** *adj* ignorant **2** *m/f* ignoramus

ignoble [iɲɔbl] vile

ignorance [iɲɔrɑ̃s] *f* ignorance; **ignorant**, **~e** ignorant; **ignorer** ⟨1a⟩ not know; *personne, talent* ignore; ***vous n'ignorez sans doute pas que …*** you are doubtless aware that …

il [il] ◊ *sujet* he; *chose* it; ***le chat est-~ rentré?*** did the cat come home? ◊ *impersonnel* it; ***~ ne fait pas beau*** it's not very nice (weather); ***~ va pleuvoir*** it is *ou* it's going to rain; ***~ était une fois …*** once upon a time there was …

île [il] *f* island; ***~ déserte*** desert island; ***des ~s*** West Indian; ***les ~s britanniques*** the British Isles; ***les Îles Anglo-Normandes*** the Channel Islands

illégal, **~e** [ilegal] (*mpl* -aux) illegal; **illégalement** illegally

illégitime [ileʒitim] *enfant* illegitimate

illettré, **~e** [iletre] **1** *adj* illiterate **2** *m/f* person who is illiterate; **illettrisme** *m* illiteracy

illicite [ilisit] illicit

illico (presto) [illiko (prɛsto)] *adv* F pronto F

illimité, **~e** [ilimite] unlimited

illisible [ilizibl] (*indéchiffrable*) illegible; *mauvaise littérature* unreadable

illogique [ilɔʒik] illogical

illuminer [ilymine] ⟨1a⟩ light up, illuminate; *par projecteur* floodlight

illusion [ilyzjõ] *f* illusion; ***se faire des ~s*** delude *ou* fool o.s.; ***~ d'optique*** optical illusion; **illusionniste** *m* illusionist; **illusoire** illusory

illustrateur, **-trice** [ilystratœr, -tris] *m/f* illustrator; **illustration** *f* illustration; **illustre** illustrious; **illustré 1** *adj* illustrated **2** *m* comic; (*revue*) illustrated magazine; **illustrer** ⟨1a⟩ illustrate; ***s'~*** distinguish o.s. (***par*** by)

îlot [ilo] *m* (small) island; *de maisons* block

ils [il] *mpl* they; ***tes grands-parents ont-~ téléphoné?*** did your grand-parents call?

image [imaʒ] *f* picture; *dans l'eau, un miroir* reflection, image; (*ressemblance*) image; *représentation mentale* image, picture; ***~ de marque*** brand image

imaginable [imaʒinabl] imaginable; **imaginaire** imaginary; **imaginatif**, **-ive** imaginative; **imagination** *f* imagination; ***avoir de l'~*** be imagina-

I

tive, have imagination; **imaginer** ⟨1a⟩ imagine; (*inventer*) devise; ***s'~ que*** imagine that
imbattable [ɛ̃batabl] unbeatable
imbécile [ɛ̃besil] **1** *adj* idiotic **2** *m/f* idiot, imbecile; **imbécillité** *f* stupidity, idiocy; *chose, parole imbécile* idiotic thing
imberbe [ɛ̃bɛrb] beardless
imbiber [ɛ̃bibe] ⟨1a⟩ soak (***de*** with)
imbu, **~e** [ɛ̃by]: ***~ de*** *fig* full of
imbuvable [ɛ̃byvabl] undrinkable; *fig* unbearable
imitateur, **-trice** [imitatœr, -tris] *m/f* imitator; THÉÂT impersonator; **imitation** *f* imitation; THÉÂT impersonation; **imiter** ⟨1a⟩ imitate; THÉÂT impersonate
immaculé, **~e** [imakyle] immaculate, spotless; *réputation* spotless
immangeable [ɛ̃mɑ̃ʒabl] inedible
immatriculation [imatrikylasjõ] *f* registration; ***plaque*** *f* ***d'~*** AUTO license plate, *Br* number plate; ***numéro*** *m* ***d'~*** AUTO license plate number, *Br* registration number; **immatriculer** ⟨1a⟩ register
immature [imatyr] immature
immédiat, **~e** [imedja, -t] **1** *adj* immediate **2** *m*: ***dans l'~*** for the moment; **immédiatement** *adv* immediately
immense [imɑ̃s] immense; **immensité** *f* immensity, vastness
immerger [imɛrʒe] ⟨1l⟩ immerse; ***s'~*** *d'un sous-marin* submerge; **immersion** *f* immersion
immeuble [imœbl] *m* building
immigrant, **~e** [imigrɑ̃, -t] *m/f* immigrant; **immigration** *f* immigration; **immigré**, **~e** *m/f* immigrant; **immigrer** ⟨1a⟩ immigrate
imminent, **~e** [iminɑ̃, -t] imminent
immiscer [imise] ⟨1k⟩: ***s'~ dans qch*** interfere in sth
immobile [imɔbil] motionless, immobile
immobilier, **-ère** [imɔbilje, -ɛr] **1** *adj* property *atr*; ***agence*** *f* ***immobilière*** real estate agency; ***agent*** *m* ***~*** realtor, *Br* real estate agent; ***biens*** *mpl* ***~s*** real estate *sg* **2** *m* property
immobiliser [imɔbilize] ⟨1a⟩ immobilize; *train, circulation* bring to a standstill; *capital* lock up, tie up; ***s'~*** (*s'arrêter*) come to a standstill
immonde [imõd] foul
immoral, **~e** [imɔral] (*mpl* -aux) immoral; **immoralité** *f* immorality
immortaliser [imɔrtalize] ⟨1a⟩ immortalize; **immortalité** *f* immortality; **immortel**, **~le** immortal
immuable [imɥabl] unchanging
immuniser [imynize] ⟨1a⟩ immunize; ***immunisé contre*** *fig* immune to; **immunitaire**: ***système ~*** immune system; **immunité** *f* JUR, MÉD immunity; ***~ diplomatique*** diplomatic immunity
impact [ɛ̃pakt] *m* impact
impair, **~e** [ɛ̃pɛr] **1** *adj* odd **2** *m* blunder
impardonnable [ɛ̃pardɔnabl] unforgiveable
imparfait, **~e** [ɛ̃parfɛ, -t] imperfect
impartial, **~e** [ɛ̃parsjal] (*mpl* -aux) impartial
impasse [ɛ̃pas] *f* dead end; *fig* deadlock, impasse
impassible [ɛ̃pasibl] impassive
impatiemment [ɛ̃pasjamɑ̃] *adv* impatiently; **impatience** *f* impatience; **impatient**, **~e** impatient; **impatienter** ⟨1a⟩: ***s'~*** get impatient
impayé, **~e** [ɛ̃pɛje] unpaid
impeccable [ɛ̃pɛkabl] impeccable; *linge* spotless, impeccable; **impeccablement** *adv* impeccably
impénétrable [ɛ̃penetrabl] *forêt* impenetrable
impensable [ɛ̃pɑ̃sabl] unthinkable, inconceivable
imper [ɛ̃pɛr] *m* F raincoat, *Br* F mac
impératif, **-ive** [ɛ̃peratif, -iv] **1** *adj* imperative **2** *m* (*exigence*) requirement; GRAM imperative
impératrice [ɛ̃peratris] *f* empress
imperceptible [ɛ̃pɛrsɛptibl] imperceptible
imperfection [ɛ̃pɛrfɛksjõ] *f* imperfection
impérial, **~e** [ɛ̃perjal] imperial; **im-**

périalisme *m* imperialism
impérieux, **-euse** [ɛ̃perjø, -z] *personne* imperious; *besoin* urgent, pressing
impérissable [ɛ̃perisabl] immortal; *souvenir* unforgettable
imperméabiliser [ɛ̃pɛrmeabilize] ⟨1a⟩ waterproof; **imperméable** **1** *adj* impermeable; *tissu* waterproof **2** *m* raincoat
impersonnel, **~le** [ɛ̃pɛrsɔnɛl] impersonal
impertinence [ɛ̃pɛrtinɑ̃s] *f* impertinence; **impertinent**, **~e** impertinent
imperturbable [ɛ̃pɛrtyrbabl] imperturbable
impétueux, **-euse** [ɛ̃petɥø, -z] impetuous
impitoyable [ɛ̃pitwajabl] pitiless, ruthless; **impitoyablement** *adv* pitilessly, ruthlessly
implacable [ɛ̃plakabl] implacable
implanter [ɛ̃plɑ̃te] ⟨1a⟩ *fig* introduce; *industrie* set up, establish; ***s'~*** become established; *d'une industrie* set up
implication [ɛ̃plikasjõ] *f* implication; **implicite** implicit; **impliquer** ⟨1m⟩ *personne* implicate; (*entraîner*) mean, involve; (*supposer*) imply
implorer [ɛ̃plɔre] ⟨1a⟩ *aide* beg for; ***~ qn de faire qch*** implore *ou* beg s.o. to do sth
impoli, **~e** [ɛ̃pɔli] rude, impolite; **impolitesse** *f* rudeness
impopulaire [ɛ̃pɔpylɛr] unpopular
importance [ɛ̃pɔrtɑ̃s] *f* importance; *d'une ville* size; *d'une somme d'argent, catastrophe* magnitude; **important**, **~e** **1** *adj* important; *ville, somme* large, sizeable **2** *m*: ***l'~, c'est que ...*** the important thing *ou* main thing is that ...
importateur, **-trice** [ɛ̃pɔrtatœr, -tris] **1** *adj* importing **2** *m* importer; **importation** *f* import; **importer** ⟨1a⟩ **1** *v/t* import; *mode, musique* introduce **2** *v/i* matter, be important (***à*** to); ***peu m'importe qu'il arrive*** (*subj*) ***demain*** (*cela m'est égal*) I don't care if he arrives tomorrow; ***peu importe la couleur*** the color doesn't matter, the color isn't important; ***ce qui importe, c'est que ...*** the important thing is that ...; ***n'importe où*** wherever; ***n'importe qui*** whoever; ***n'importe quand*** any time; ***n'importe quoi*** just anything; ***n'importe quoi!*** nonsense!
importun, **~e** [ɛ̃pɔrtɛ̃, -yn] troublesome; **importuner** ⟨1a⟩ bother
imposable [ɛ̃pozabl] taxable; **imposant**, **~e** imposing; **imposer** ⟨1a⟩ impose; *marchandise, industrie* tax; ***en ~*** be impressive; ***s'~*** (*être nécessaire*) be essential; (*se faire admettre*) gain recognition; **imposition** *f* taxation
impossibilité [ɛ̃pɔsibilite] *f* impossibility; ***être dans l'~ de faire qch*** be unable to do sth; **impossible** **1** *adj* impossible **2** *m*: ***l'~*** the impossible; ***faire l'~ pour faire qch*** do one's utmost to do sth
imposteur [ɛ̃pɔstœr] *m* imposter
impôt [ɛ̃po] *m* tax; ***~ sur le revenu*** income tax
impotent, **~e** [ɛ̃pɔtɑ̃, -t] crippled
impraticable [ɛ̃pratikabl] *projet* impractical; *rue* impassable
imprécis, **~e** [ɛ̃presi, -z] vague, imprecise
imprégner [ɛ̃preɲe] ⟨1f⟩ impregnate (***de*** with); ***imprégné de*** *fig* full of
imprenable [ɛ̃prənabl] *fort* impregnable; ***vue ~*** unobstructed view
impression [ɛ̃prɛsjõ] *f* impression; *imprimerie* printing; **impressionnable** impressionable; **impressionnant**, **~e** impressive; (*troublant*) upsetting; **impressionner** ⟨1a⟩ impress; (*troubler*) upset; **impressionnisme** *m* impressionism; **impressionniste** *m/f & adj* impressionist
imprévisible [ɛ̃previzibl] unpredictable; **imprévu**, **~e** **1** *adj* unexpected **2** *m*: ***sauf ~*** all being well, barring accidents
imprimante [ɛ̃primɑ̃t] *f* INFORM printer; ***~ laser*** laser printer; ***~ à jet d'encre*** ink-jet (printer); **imprimé** *m* (*formulaire*) form; *tissu* print; *poste* ***~s*** printed matter *sg*; **imprimer**

I

⟨1a⟩ print; INFORM print out; *édition* publish; **imprimerie** *f établissement* printing works *sg*; ART printing; **imprimeur** *m* printer
improbable [ɛ̃prɔbabl] unlikely, improbable
improductif, **-ive** [ɛ̃prɔdyktif, -iv] *terre, travail* unproductive
imprononçable [ɛ̃prɔnõsabl] unpronounceable
impropre [ɛ̃prɔpr] *mot, outil* inappropriate; **~ *à*** unsuitable for; **~ *à la consommation*** unfit for human consumption
improviser [ɛ̃prɔvize] ⟨1a⟩ improvize; **improviste** *adv*: ***à l'~*** unexpectedly
imprudemment [ɛ̃prydamɑ̃] *adv* recklessly; **imprudence** *f* recklessness, imprudence; ***commettre une ~*** be careless; **imprudent**, **~e** reckless, imprudent
impudence [ɛ̃pydɑ̃s] *f* impudence; **impudent**, **~e** impudent
impudique [ɛ̃pydik] shameless
impuissance [ɛ̃pɥisɑ̃s] *f* powerlessness, helplessness; MÉD impotence; **impuissant**, **~e** powerless, helpless; MÉD impotent
impulsif, **-ive** [ɛ̃pylsif, -iv] impulsive; **impulsion** *f* impulse; *à l'économie* boost; ***sous l'~ de*** urged on by
impunément [ɛ̃pynemɑ̃] *adv* with impunity; **impuni**, **~e** unpunished; ***rester ~*** go unpunished
impur, **~e** [ɛ̃pyr] *eau* dirty, polluted; (*impudique*) impure
imputable [ɛ̃pytabl] FIN chargeable; **~ *à*** attributable to, caused by; **imputer** ⟨1a⟩ attribute (***à*** to); FIN charge (***sur*** to)
inabordable [inabɔrdabl] *prix* unaffordable
inacceptable [inaksɛptabl] unacceptable
inaccessible [inaksesibl] inaccessible; *personne* unapproachable; *objectif* unattainable
inachevé, **~e** [inaʃve] unfinished
inactif, **-ive** [inaktif, -iv] idle; *population* non-working; *remède, méthode* ineffective; *marché* slack
inadapté, **~e** [inadapte] *enfant* handicapped; **~ *à*** unsuited to
inadéquat, **~e** [inadekwa, -t] inadequate; *méthode* unsuitable
inadmissible [inadmisibl] unacceptable
inadvertance [inadvɛrtɑ̃s] *f*: ***par ~*** inadvertently
inaltérable [inalterabl] *matériel* that does not deteriorate; *fig* unfailing
inanimé, **~e** [inanime] inanimate; (*mort*) lifeless; (*inconscient*) unconscious
inanition [inanisjõ] *f* starvation
inaperçu, **~e** [inapɛrsy]: ***passer ~*** go *ou* pass unnoticed
inapplicable [inaplikabl] *règlement* unenforceable
inapproprié, **~e** [inaprɔprije] inappropriate
inapte [inapt]: **~ *à*** unsuited to; MÉD, MIL unfit for
inattaquable [inatakabl] unassailable
inattendu, **~e** [inatɑ̃dy] unexpected
inattentif, **-ive** [inatɑ̃tif, -iv] inattentive; **inattention** *f* inattentiveness; ***erreur d'~*** careless mistake
inaudible [inodibl] inaudible
inauguration [inogyrasjõ] *f d'un édifice* (official) opening; *fig* inauguration; **inaugurer** ⟨1a⟩ *édifice* (officially) open; *fig* inaugurate
inavouable [inavwabl] shameful
incalculable [ɛ̃kalkylabl] incalculable
incapable [ɛ̃kapabl] incapable (***de qch*** of sth; ***de faire qch*** of doing sth); ***nous sommes ~s de vous répondre*** we are unable to give you an answer; **incapacité** *f* (*inaptitude*) incompetence; *de faire qch* inability; ***être dans l'~ de faire qch*** be incapable of doing sth
incarcérer [ɛ̃karsere] ⟨1f⟩ imprison, incarcerate
incarnation [ɛ̃karnasjõ] *f* embodiment, personification; **incarner** ⟨1a⟩ THÉÂT play; **~ *qch*** be sth personified
incartade [ɛ̃kartad] *f* indiscretion
incassable [ɛ̃kasabl] unbreakable

incendiaire [ɛ̃sɑ̃djɛr] *adj* incendiary; *discours* inflammatory; **incendie** *m* fire; **~ *criminel*** arson; **incendier** ⟨1a⟩ set fire to

incertain, **~e** [ɛ̃sɛrtɛ̃, -ɛn] uncertain; *temps* unsettled; (*hésitant*) indecisive; **incertitude** *f* uncertainty

incessamment [ɛ̃sesamɑ̃] *adv* any minute now; **incessant**, **~e** incessant

inceste [ɛ̃sɛst] *m* incest

inchangé, **~e** [ɛ̃ʃɑ̃ʒe] unchanged

incident [ɛ̃sidɑ̃] *m* incident; **~ *de parcours*** mishap; **~ *technique*** technical problem

incinération [ɛ̃sinerasjõ] *f* incineration; *d'un cadavre* cremation; **incinérer** ⟨1f⟩ *ordures* incinerate; *cadavre* cremate

incisif, **-ive** [ɛ̃sizif, -iv] incisive

incision [ɛ̃sizjõ] *f* incision

inciter [ɛ̃site] ⟨1a⟩ encourage (***à faire qch*** to do sth); *péj* egg on (***à faire qch*** to do sth), incite

inclinable [ɛ̃klinabl] tilting

inclinaison [ɛ̃klinɛzõ] *f d'un toit* slope, slant; *d'un terrain* incline, slope; **inclination** *f fig* inclination (***pour*** for); **~ *de tête*** (*salut*) nod; **incliner** ⟨1a⟩ tilt; ***s'~*** bend; *pour saluer* bow; ***s'~ devant qch*** (*céder*) yield to sth; ***s'~ devant qn*** *aussi fig* bow to s.o.

inclure [ɛ̃klyr] ⟨4l⟩ include; *dans une lettre* enclose; **inclus**, **~e**: ***ci-inclus*** enclosed; ***jusqu'au 30 juin ~*** to 30th June inclusive

incohérence [ɛ̃kɔerɑ̃s] *f de comportement* inconsistency; *de discours*, *explication* incoherence; **incohérent**, **~e** *comportement* inconsistent; *discours*, *explication* incoherent

incollable [ɛ̃kɔlabl] *riz* non-stick; ***elle est ~*** F she's rock solid

incolore [ɛ̃kɔlɔr] colorless, *Br* colourless

incomber [ɛ̃kõbe] ⟨1a⟩: ***il vous incombe de le lui dire*** it is your responsibility *ou* duty to tell him

incommoder [ɛ̃kɔmɔde] ⟨1a⟩ bother

incomparable [ɛ̃kõparabl] incomparable

incompatibilité [ɛ̃kõpatibilite] *f* incompatibility; **incompatible** incompatible

incompétence [ɛ̃kõpetɑ̃s] *f* incompetence; **incompétent**, **~e** incompetent

incomplet, **-ète** [ɛ̃kõplɛ, -t] incomplete

incompréhensible [ɛ̃kõpreɑ̃sibl] incomprehensible; **incompréhension** *f* lack of understanding; **incompris**, **~e** misunderstood (***de*** by)

inconcevable [ɛ̃kõsvabl] inconceivable

inconditionnel, **~le** [ɛ̃kõdisjɔnɛl] **1** *adj* unconditional **2** *m/f* fan, fanatic

inconfortable [ɛ̃kõfɔrtabl] uncomfortable

incongru, **~e** [ɛ̃kõgry] incongruous

inconnu, **~e** [ɛ̃kɔny] **1** *adj* (*ignoré*) unknown; (*étranger*) strange **2** *m/f* stranger

inconscience [ɛ̃kõsjɑ̃s] *f physique* unconsciousness; **inconscient**, **~e** **1** *adj physique*, PSYCH unconscious; (*irréfléchi*) irresponsible **2** *m* PSYCH: ***l'~*** the unconscious (mind)

inconsidéré, **~e** [ɛ̃kõsidere] rash, thoughtless

inconsistant, **~e** [ɛ̃kõsistɑ̃, -t] inconsistent; *fig: raisonnement* flimsy

inconsolable [ɛ̃kõsɔlabl] inconsolable

inconstant, **~e** [ɛ̃kõstɑ̃, -t] changeable

incontestable [ɛ̃kõtɛstabl] indisputable; **incontestablement** *adv* indisputably; **incontesté**, **~e** outright

incontournable [ɛ̃kõturnabl]: ***être ~*** *d'un monument*, *d'un événement* be a must

incontrôlable [ɛ̃kõtrolabl] uncontrollable; *pas vérifiable* unverifiable

inconvénient [ɛ̃kõvenjɑ̃] *m* disadvantage *m*; ***si vous n'y voyez aucun ~*** if you have no objection

incorporer [ɛ̃kɔrpɔre] ⟨1a⟩ incorporate (***à*** with, into); MIL draft; ***avec flash incorporé*** with built-in flash

incorrect, **~e** [ɛ̃kɔrɛkt] wrong, incorrect; *comportement, tenue, langage* improper

incorrigible [ɛ̃kɔriʒibl] incorrigible

incorruptible [ɛ̃kɔryptibl] incorruptible

incrédule [ɛ̃kredyl] *(sceptique)* incredulous; **incrédulité** *f* incredulity

increvable [ɛ̃krəvabl] *pneu* puncture-proof; F full of energy

incriminer [ɛ̃krimine] ⟨1a⟩ *personne* blame; JUR accuse; *paroles, actions* condemn

incroyable [ɛ̃krwajabl] incredible, unbelievable; **incroyablement** *adv* incredibly, unbelievably

incrustation [ɛ̃krystasjõ] *f ornement* inlay; **incruster**: ***s'~*** *chez qn* be impossible to get rid of

incubateur [ɛ̃kybatœr] *m* incubator; **incubation** *f* incubation

inculpation [ɛ̃kylpasjõ] *f* JUR indictment; **inculpé**, **~e** *m/f*: ***l'~*** the accused, the defendant; **inculper** ⟨1a⟩ JUR charge, indict (***de***, ***pour*** with)

inculquer [ɛ̃kylke] ⟨1m⟩: ***~ qch à qn*** instill *or Br* instil sth into s.o.

inculte [ɛ̃kylt] *terre* waste *atr*, uncultivated; *(ignorant)* uneducated

incurable [ɛ̃kyrabl] incurable

incursion [ɛ̃kyrsjõ] *f* MIL raid, incursion; *fig*: *dans la politique etc* foray, venture (***dans*** into)

indécent, **~e** [ɛ̃desɑ̃, -t] indecent; *(incorrect)* inappropriate, improper

indéchiffrable [ɛ̃deʃifrabl] *message, écriture* indecipherable

indécis, **~e** [ɛ̃desi, -z] undecided; *personne, caractère* indecisive; **indécision** *f de caractère* indecisiveness

indéfendable [ɛ̃defɑ̃dabl] MIL, *fig* indefensible

indéfini, **~e** [ɛ̃defini] indefinite; *(imprécis)* undefined; ***article*** *m* **~** indefinite article; **indéfiniment** *adv* indefinitely; **indéfinissable** indefinable

indélébile [ɛ̃delebil] indelible

indélicat, **~e** [ɛ̃delika, -t] *personne, action* tactless

indemne [ɛ̃dɛmn] unhurt

indemnisation [ɛ̃dɛmnizasjõ] *f* compensation; **indemniser** ⟨1a⟩ compensate (***de*** for); **indemnité** *f (dédommagement)* compensation; *(allocation)* allowance

indémodable [ɛ̃demɔdabl] classic, timeless

indéniable [ɛ̃denjabl] undeniable

indépendamment [ɛ̃depɑ̃damɑ̃] *adv* independently; **~ *de*** *en faisant abstraction de* regardless of; *(en plus de)* apart from; **indépendance** *f* independence; **indépendant**, **~e** independent (***de*** of); *journaliste, traducteur* freelance; **indépendantiste** (pro-)independence *atr*

indescriptible [ɛ̃dɛskriptibl] indescribable

indésirable [ɛ̃dezirabl] undesirable

indestructible [ɛ̃dɛstryktibl] indestructible

indéterminé, **~e** [ɛ̃detɛrmine] unspecified

index [ɛ̃dɛks] *m d'un livre* index; *doigt* index finger

indic [ɛ̃dik] *m/f* F grass F

indicateur, **-trice** [ɛ̃dikatœr, -tris] *m (espion)* informer; TECH gauge, indicator; **indicatif** *m* GRAM indicative; *de radio* signature tune; TÉL code; ***à titre* ~** to give me / you / *etc* an idea;

indication *f* indication; *(information)* piece of information; ***~s*** instructions

indice [ɛ̃dis] *m (signe)* sign, indication; JUR clue; ***~ des prix*** price index; ***~ de protection*** protection factor

indien, **~ne** [ɛ̃djɛ̃, -ɛn] **1** *adj* Indian; *d'Amérique aussi* native American **2** *m/f* **Indien**, **~ne** Indian; *d'Amérique aussi* native American

indifféremment [ɛ̃diferamɑ̃] *adv* indiscriminately; **indifférence** *f* indifference; **indifférent**, **~e** indifferent

indigène [ɛ̃diʒɛn] **1** *adj* native, indigenous **2** *m/f* native

indigeste [ɛ̃diʒɛst] indigestible; **indigestion** *f* MÉD indigestion

indignation [ɛ̃diɲasjõ] *f* indignation
indigne [ɛ̃diɲ] unworthy (***de*** of); *parents* unfit
indigner [ɛ̃diɲe] ⟨1a⟩ make indignant; ***s'~ de qch / contre qn*** be indignant about sth / with s.o.
indiqué, **~e** [ɛ̃dike] appropriate; ***ce n'est pas ~*** it's not advisable; **indiquer** ⟨1m⟩ indicate, show; *d'une pendule* show; (*recommander*) recommend; ***~ qn du doigt*** point at s.o.
indirect, **~e** [ɛ̃dirɛkt] indirect; **indirectement** *adv* indirectly
indiscipline [ɛ̃disiplin] *f* lack of discipline, indiscipline; **indiscipliné**, **~e** undisciplined; *cheveux* unmanageable
indiscret, **-ète** [ɛ̃diskrɛ, -t] indiscreet; **indiscrétion** indiscretion
indiscutable [ɛ̃diskytabl] indisputable
indispensable [ɛ̃dispɑ̃sabl] indispensable, essential
indisposer [ɛ̃dispɔze] ⟨1a⟩ (*rendre malade*) make ill, sicken; (*fâcher*) annoy
indistinct, **~e** [ɛ̃distɛ̃(kt), -ɛ̃kt] indistinct; **indistinctement** *adv* indistinctly; (*indifféremment*) without distinction
individu [ɛ̃dividy] *m* individual (*aussi péj*); **individualisme** *m* individualism; **individualiste** individualistic; **individualité** *f* individuality; **individuel**, **~le** individual; *secrétaire* private, personal; *liberté*, *responsabilité* personal; *chambre* single; *maison* detached; **individuellement** *adv* individually
indivisible [ɛ̃divizibl] indivisible
indolence [ɛ̃dɔlɑ̃s] *f* laziness, indolence; **indolent**, **~e** lazy, indolent
indolore [ɛ̃dɔlɔr] painless
indomptable [ɛ̃dõtabl] *fig* indomitable
Indonésie [ɛ̃dɔnezi] *f*: ***l'~*** Indonesia; **indonésien**, **~ne** **1** *adj* Indonesian **2** *m langue* Indonesian **3** *m/f* **Indonésien**, **~ne** Indonesian
indu, **~e** [ɛ̃dy]: ***à une heure ~e*** at some ungodly hour
indubitable [ɛ̃dybitabl] indisputable
induire [ɛ̃dɥir] ⟨4c⟩: ***~ qn en erreur*** mislead s.o.
indulgence [ɛ̃dylʒɑ̃s] *f* indulgence; *d'un juge* leniency; **indulgent**, **~e** indulgent; *juge* lenient
industrialisation [ɛ̃dystrijalizasjõ] *f* industrialization; **industrialisé**: ***les pays ~s*** the industrialized nations; **industrialiser** ⟨1a⟩ industrialize; **industrie** *f* industry; ***~ automobile*** car industry, auto industry; ***~ lourde*** heavy industry; **industriel**, **~le** **1** *adj* industrial **2** *m* industrialist
inébranlable [inebrɑ̃labl] solid (as a rock); *fig*: *personne*, *foi aussi* unshakeable
inédit, **~e** [inedi, -t] (*pas édité*) unpublished; (*nouveau*) original, unique
inefficace [inefikas] inefficient; *remède* ineffective
inégal, **~e** [inegal] (*mpl* -aux) unequal; *surface* uneven; *rythme* irregular; **inégalé**, **~e** unequaled, *Br* unequalled; **inégalité** *f* inequality; *d'une surface* unevenness
inéligible [ineliʒibl] ineligible
inéluctable [inelyktabl] unavoidable
inepte [inɛpt] inept; **ineptie** *f* ineptitude; **~s** nonsense *sg*
inépuisable [inepɥizabl] inexhaustible
inerte [inɛrt] *corps* lifeless, inert; PHYS inert; **inertie** *f* inertia (*aussi* PHYS)
inespéré, **~e** [inɛspere] unexpected, unhoped-for
inestimable [inɛstimabl] *tableau* priceless; *aide* invaluable
inévitable [inevitabl] inevitable; *accident* unavoidable
inexact, **~e** [inɛgza(kt), -akt] inaccurate
inexcusable [inɛkskyzabl] inexcusable, unforgiveable
inexistant, **~e** [inɛgzistɑ̃, -t] non-existent
inexpérimenté, **~e** [inɛksperimɑ̃te] *personne* inexperienced
inexplicable [inɛksplikabl] inexplicable; **inexpliqué**, **~e** unexplained
inexploré, **~e** [inɛksplɔre] unexplored

I

inexprimable [inɛksprimabl] inexpressible
infaillible [ɛ̃fajibl] infallible
infaisable [ɛ̃fəzabl] not doable, not feasible
infâme [ɛ̃fɑm] vile
infanterie [ɛ̃fɑ̃tri] *f* MIL infantry
infantile [ɛ̃fɑ̃til] *mortalité* infant *atr*; *péj* infantile; ***maladie*** *f* ***~e*** children's illness, childhood illness
infarctus [ɛ̃farktys] *m* MÉD: ***~ du myocarde*** coronary (thrombosis), myocardial infarction *fml*
infatigable [ɛ̃fatigabl] tireless, indefatigable
infect, **~e** [ɛ̃fɛkt] disgusting; *temps* foul; **infecter** ⟨1a⟩ infect; *air*, *eau* pollute; ***s'~*** become infected; **infectieux**, **-euse** infectious; **infection** *f* MÉD infection
inférieur, **~e** [ɛ̃ferjœr] **1** *adj* lower; *qualité* inferior **2** *m/f* inferior; **infériorité** *f* inferiority
infernal, **~e** [ɛ̃fɛrnal] (*mpl* -aux) infernal
infester [ɛ̃fɛste] ⟨1a⟩ *d'insectes*, *de plantes* infest, overrun
infidèle [ɛ̃fidɛl] unfaithful; REL pagan *atr*; **infidélité** *f* infidelity
infiltrer [ɛ̃filtre] ⟨1a⟩: ***s'~ dans*** get into; *fig* infiltrate
infime [ɛ̃fim] tiny, infinitesimal
infini, **~e** [ɛ̃fini] **1** *adj* infinite **2** *m* infinity; ***à l'~*** to infinity; **infiniment** *adv* infinitely; **infinité** *f* infinity; ***une ~ de*** an enormous number of
infinitif [ɛ̃finitif] *m* infinitive
infirme [ɛ̃firm] **1** *adj* disabled **2** *m/f* disabled person; **infirmerie** *f* infirmary; ÉDU infirmary; **infirmier**, **-ère** *m/f* nurse; **infirmité** *f* disability
inflammable [ɛ̃flamabl] flammable; **inflammation** *f* MÉD inflammation
inflation [ɛ̃flasjõ] *f* inflation; **inflationniste** inflationary
inflexible [ɛ̃flɛksibl] inflexible
infliger [ɛ̃fliʒe] ⟨1l⟩ *peine* inflict (***à*** on); *défaite* impose
influençable [ɛ̃flyɑ̃sabl] easily influenced *ou* swayed; **influence** *f* influence; **influencer** ⟨1k⟩ influence; **influent**, **~e** influential
influer[ɛ̃flye] ⟨1a⟩: ***~ sur*** affect
info [ɛ̃fo] *f* F RAD, TV news item; ***les ~s*** the news *sg*
informateur, **-trice** *m/f* informant
informaticien, **~ne** [ɛ̃fɔrmatisjɛ̃, -ɛn] *m/f* computer scientist
informatif, **-ive** [ɛ̃fɔrmatif, -iv] informative; **information** *f* information; JUR inquiry; ***une ~*** a piece of information; ***des ~s*** some information *sg*; RAD, TV a news item; ***les ~s*** RAD, TV the news *sg*; ***traitement*** *m* ***de l'~*** data processing
informatique [ɛ̃fɔrmatik] **1** *adj* computer *atr* **2** *f* information technology, IT; **informatiser** ⟨1a⟩ computerize
informe [ɛ̃fɔrm] shapeless
informer [ɛ̃fɔrme] ⟨1a⟩ inform (***de*** of); ***s'~*** find out (***de qch auprès de qn*** about sth from s.o.)
infraction [ɛ̃fraksjõ] *f* infringement (***à*** of); ***~ au code de la route*** traffic violation, *Br* traffic offence
infranchissable [ɛ̃frɑ̃ʃisabl] impossible to cross; *obstacle* insurmountable
infrarouge [ɛ̃fraruʒ] infrared
infrastructure [ɛ̃frastryktyr] *f* infrastructure
infroissable [ɛ̃frwasabl] crease-resistant
infructueux, **-euse** [ɛ̃fryktɥø, -z] unsuccessful
infuser [ɛ̃fyze] ⟨1a⟩ **1** *v/t* infuse **2** *v/i*: ***faire ~*** *thé* brew
infusion [ɛ̃fyzjõ] *f* herb tea
ingénier [ɛ̃ʒenje] ⟨1a⟩: ***s'~ à faire qch*** go out of one's way to do sth
ingénierie [ɛ̃ʒenjəri] *f* engineering; **ingénieur** *m* engineer; **ingénieux**, **-euse** ingenious; **ingéniosité** *f* ingeniousness
ingérence [ɛ̃ʒerɑ̃s] *f* interference; **ingérer** ⟨1f⟩: ***s'~*** interfere (***dans*** in)
ingrat, **~e** [ɛ̃gra, -t] ungrateful; *tâche* thankless; **ingratitude** *f* ingratitude
ingrédient [ɛ̃gredjɑ̃] *m* ingredient
inguérissable [ɛ̃gerisabl] incurable
ingurgiter [ɛ̃gyrʒite] ⟨1a⟩ gulp down
inhabitable [inabitabl] uninhabitable; **inhabité**, **~e** uninhabited

inhabituel, **~le** [inabitɥɛl] unusual
inhalateur [inalatœr] *m* MÉD inhaler; **inhaler** ⟨1a⟩ inhale
inhérent, **~e** [inerɑ̃, -t] inherent (***à*** in)
inhibé, **~e** [inibe] inhibited; **inhibition** *f* PSYCH inhibition
inhospitalier, **-ère** [inɔspitalje, -ɛr] inhospitable
inhumain, **~e** [inymɛ̃, -ɛn] inhuman
inimaginable [inimaʒinabl] unimaginable
inimitable [inimitabl] inimitable
ininflammable [inɛ̃flamabl] non-flammable
ininterrompu, **~e** [inɛ̃tɛrɔ̃py] uninterrupted; *musique*, *pluie* non-stop; *sommeil* unbroken
initial, **~e** [inisjal] (*mpl* -aux) **1** *adj* initial **2** *f* initial (letter); **initiation** *f* initiation; **~ *à*** *fig* introduction to
initiative [inisjativ] *f* initiative; ***prendre l'~*** take the initiative
inimitié [inimitje] *f* enmity
inintelligible [inɛ̃teliʒibl] unintelligible
inintéressant, **~e** [inɛ̃teresɑ̃, -t] uninteresting
initié, **~e** [inisje] *m/f* insider; **initier** ⟨1a⟩ (*instruire*) initiate (***à*** in); *fig* introduce (***à*** to)
injecté, **~e** [ɛ̃ʒɛkte]: **~ (*de sang*)** blood-shot; **injecter** ⟨1a⟩ inject; **injection** *f* injection
injoignable [ɛ̃ʒwaɲabl] unreachable, uncontactable
injonction [ɛ̃ʒɔ̃ksjɔ̃] *f* injunction
injure [ɛ̃ʒyr] *f* insult; ***~s*** abuse *sg*; **injurier** ⟨1a⟩ insult, abuse; **injurieux**, **-euse** insulting, abusive
injuste [ɛ̃ʒyst] unfair, unjust; **injustice** *f* injustice; *d'une décision* unfairness; **injustifié**, **~e** unjustified
inlassable [ɛ̃lasabl] tireless
inné, **~e** [in(n)e] innate
innocence [inɔsɑ̃s] *f* innocence; **innocent**, **~e** innocent; **innocenter** ⟨1a⟩ clear
innombrable [inɔ̃brabl] countless; *auditoire*, *foule* vast
innovant, **~e** [inɔvɑ̃, -t] innovative; **innovateur**, **-trice 1** *adj* innovative **2** *m/f* innovator; **innovation** *f* innovation
inoccupé, **~e** [inɔkype] *personne* idle; *maison* unoccupied
inoculer [inɔkyle] ⟨1a⟩ inoculate
inodore [inɔdɔr] odorless, *Br* odourless
inoffensif, **-ive** [inɔfɑ̃sif, -iv] harmless; *humour* inoffensive
inondation [inɔ̃dasjɔ̃] *f* flood; **inonder** ⟨1a⟩ flood; **~ *de*** *fig* inundate with
inopérable [inɔperabl] inoperable
inopiné, **~e** [inɔpine] unexpected; **inopinément** *adv* unexpectedly
inopportun, **~e** [inɔpɔrtœ̃, -yn] ill-timed, inopportune
inorganique [inɔrganik] inorganic
inoubliable [inublijabl] unforgettable
inouï, **~e** [inwi] unheard-of
inox® [inɔks] *m* stainless steel; **inoxydable** stainless; ***acier ~*** stainless steel
inqualifiable [ɛ̃kalifjabl] unspeakable
inquiet, **-ète** [ɛ̃kjɛ, -t] anxious, worried (***de*** about); **inquiétant**, **~e** worrying; **inquiéter** ⟨1f⟩ worry; ***s'~*** worry (***de*** about); **inquiétude** *f* anxiety
insaisissable [ɛ̃sezisabl] elusive; *différence* imperceptible
insalubre [ɛ̃salybr] insalubrious; *climat* unhealthy
insatiable [ɛ̃sasjabl] insatiable
insatisfaisant, **~e** [ɛ̃satisfəzɑ̃, -t] unsatisfactory; **insatisfait**, **~e** unsatisfied; *mécontent* dissatisfied
inscription [ɛ̃skripsjɔ̃] *f* inscription; (*immatriculation*) registration; **inscrire** ⟨4f⟩ (*noter*) write down, note; *dans registre* enter; *à examen* register; (*graver*) inscribe; ***s'~*** put one's name down; *à l'université* register; *à un cours* enroll, *Br* enrol, put one's name down (***à*** for); ***s'~ dans un club*** join a club
insecte [ɛ̃sɛkt] *m* insect; **insecticide** *m* insecticide
insécurité [ɛ̃sekyrite] *f* insecurity; ***il faut combattre l'~*** we have to tackle the security problem

insémination [ɛ̃seminasjõ] *f*: **~ *artificielle*** artificial insemination
insensé, **~e** [ɛ̃sɑ̃se] mad, insane
insensibiliser [ɛ̃sɑ̃sibilize] ⟨1a⟩ numb; **insensibilité** *f* insensitivity; **insensible** ANAT numb; *personne* insensitive (*à* to)
inséparable [ɛ̃separabl] inseparable
insérer [ɛ̃sere] ⟨1f⟩ insert, put; **~ *une annonce dans le journal*** put an ad in the paper; **insertion** *f* insertion
insidieux, **-euse** [ɛ̃sidjø, -z] insidious
insigne [ɛ̃siɲ] *m* (*emblème*) insignia; (*badge*) badge
insignifiant, **~e** [ɛ̃siɲifjɑ̃, -t] insignificant
insinuer [ɛ̃sinɥe] ⟨1n⟩ insinuate; ***s'~ dans*** worm one's way into
insipide [ɛ̃sipid] insipid
insistance [ɛ̃sistɑ̃s] *f* insistence; **insistant**, **~e** insistent; **insister** ⟨1a⟩ insist; F (*persévérer*) persevere; **~ *pour faire qch*** insist on doing sth; **~ *sur qch*** (*souligner*) stress sth
insolation [ɛ̃sɔlasjõ] *f* sunstroke
insolence [ɛ̃sɔlɑ̃s] *f* insolence; **insolent**, **~e** insolent
insolite [ɛ̃sɔlit] unusual
insoluble [ɛ̃sɔlybl] insoluble
insolvable [ɛ̃sɔlvabl] insolvent
insomniaque [ɛ̃sɔmnjak] *m/f* insomniac; **insomnie** *f* insomnia
insonoriser [ɛ̃sɔnɔrize] soundproof
insouciant, **~e** [ɛ̃susjɑ̃, -t] carefree
insoumis [ɛ̃sumi] rebellious
insoupçonnable [ɛ̃supsɔnabl] *personne* above suspicion; **insoupçonné**, **~e** unsuspected
insoutenable [ɛ̃sutnabl] (*insupportable*) unbearable; *argument*, *revendication* untenable
inspecter [ɛ̃spɛkte] ⟨1a⟩ inspect; **inspecteur**, **-trice** *m/f* inspector; **inspection** *f* inspection
inspiration [ɛ̃spirasjõ] *f fig* inspiration; **inspirer** ⟨1a⟩ **1** *v/i* breathe in, inhale **2** *v/t* inspire; ***s'~ de*** be inspired by
instable [ɛ̃stabl] unstable; *table*, *échelle* unsteady
installation [ɛ̃stalasjõ] *f* installation; **~ *électrique*** wiring; **~ *militaire*** military installation; **~s** facilities; **installer** ⟨1a⟩ install; *appartement*: fit out; (*loger*, *placer*) put, place; ***s'~*** (*s'établir*) settle down; *à la campagne etc* settle; *d'un médecin*, *dentiste* set up in practice; ***s'~ chez qn*** make o.s. at home at s.o.'s place
instance [ɛ̃stɑ̃s] *f* (*autorité*) authority; ***ils sont en ~ de divorce*** they have filed for a divorce
instant [ɛ̃stɑ̃] *m* instant, moment; ***à l'~*** just this minute; ***en un ~*** in an instant *ou* moment; ***à l'~ où je vous parle*** even as I speak; ***ça sera fini d'un ~ à l'autre*** it will be finished any minute now; ***dans un ~*** in a minute; ***pour l'~*** for the moment
instantané, **~e** [ɛ̃stɑ̃tane] **1** *adj* immediate; *café* instant; *mort* instantaneous **2** *m* PHOT snap(shot); **instantanément** *adv* immediately
instaurer [ɛ̃store] ⟨1a⟩ establish
instigateur, **-trice** [ɛ̃stigatœr, -tris] *m/f* instigator; **instigation** *f*: ***à l'~ de qn*** at s.o.'s instigation
instinct [ɛ̃stɛ̃] *m* instinct; **instinctif**, **-ive** instinctive; **instinctivement** *adv* instinctively
instituer [ɛ̃stitɥe] ⟨1n⟩ introduce
institut [ɛ̃stity] *m* institute; **~ *de beauté*** beauty salon
instituteur, **-trice** [ɛ̃stitytœr, -tris] *m/f* (primary) school teacher
institution [ɛ̃stitysjõ] *f* institution
instructeur [ɛ̃stryktœr] *m* MIL instructor; **instructif**, **-ive** instructive; **instruction** *f* (*enseignement*, *culture*) education; MIL training; JUR preliminary investigation; INFORM instruction; **~s** instructions; **instruire** ⟨4c⟩ ÉDU educate, teach; MIL train; JUR investigate; **instruit**, **~e** (well-)educated
instrument [ɛ̃strymɑ̃] *m* instrument; **~ *à cordes / à vent / à percussion*** string / wind / percussion instrument
insu [ɛ̃sy]: ***à l'~ de*** unbeknownst to; ***à mon ~*** unbeknownst to me
insubmersible [ɛ̃sybmɛrsibl] unsink-

able
insubordination [ɛ̃sybɔrdinasjõ] *f* insubordination; **insubordonné**, **~e** insubordinate
insuffisance *f* deficiency; **~ *respiratoire*** respiratory problem; **~ *cardiaque*** heart problem; **insuffisant**, **~e** [ɛ̃syfizɑ̃, -t] *quantité* insufficient; *qualité* inadequate; ***un effort* ~** not enough of an effort
insulaire [ɛ̃sylɛr] **1** *adj* island *atr* **2** *m/f* islander
insuline [ɛ̃sylin] *f* insulin
insultant, **~e** [ɛ̃syltɑ̃, -t] insulting; **insulte** *f* insult; **insulter** ⟨1a⟩ insult
insupportable [ɛ̃sypɔrtabl] unbearable
insurger [ɛ̃syrʒe] ⟨1l⟩: ***s'~ contre*** rise up against
insurmontable [ɛ̃syrmõtabl] insurmountable
insurrection [ɛ̃syrɛksjõ] *f* insurrection
intact, **~e** [ɛ̃takt] intact
intarissable [ɛ̃tarisabl] *source* inexhaustible
intégral, **~e** [ɛ̃tegral] (*mpl* -aux) full, complete; *texte* unabridged; **intégralement** *adv payer, recopier* in full; **intégrant**, **~e**: ***faire partie* ~*e de*** be an integral part of; **intégration** *f* (*assimilation*) integration
intègre [ɛ̃tɛgr] of integrity
intégrer [ɛ̃tegre] ⟨1a⟩ (*assimiler*) integrate; (*incorporer*) incorporate
intégrisme [ɛ̃tegrism] *m* fundamentalism; **intégriste** *m/f & adj* fundamentalist
intégrité [ɛ̃tegrite] *f* integrity
intellectuel, **~le** [ɛ̃telɛktɥɛl] *m/f & adj* intellectual
intelligemment [ɛ̃teliʒamɑ̃] *adv* intelligently; **intelligence** *f* intelligence; **~ *artificielle*** artificial intelligence; **intelligent**, **~e** intelligent; **intello** *m/f* F egghead F
intempéries [ɛ̃tɑ̃peri] *fpl* bad weather *sg*
intempestif, **-ive** [ɛ̃tɑ̃pɛstif, -iv] untimely
intenable [ɛ̃t(ə)nabl] *situation*, *froid* unbearable
intense [ɛ̃tɑ̃s] intense; **intensif**, **-ive** intensive; **intensification** *f* intensification; *d'un conflit* escalation; **intensifier** intensify, step up; ***s'~*** intensify; *d'un conflit* escalate; **intensité** *f* intensity
intenter [ɛ̃tɑ̃te] ⟨1a⟩: **~ *un procès contre*** start proceedings against
intention [ɛ̃tɑ̃sjõ] *f* intention; ***avoir l'~ de faire qch*** intend to do sth; ***à l'~ de*** for; ***c'est l'~ qui compte*** it's the thought that counts; **intentionné**, **~e**: ***bien* ~** well-meaning; ***mal* ~** ill-intentioned; **intentionnel**, **~le** intentional
interactif, **-ive** [ɛ̃tɛraktif, -iv] interactive
intercaler [ɛ̃tɛrkale] ⟨1a⟩ insert
intercéder [ɛ̃tɛrsede] ⟨1f⟩: **~ *pour qn*** intercede for s.o.
intercepter [ɛ̃tɛrsɛpte] ⟨1a⟩ intercept; *soleil* shut out
interchangeable [ɛ̃tɛrʃɑ̃ʒabl] interchangeable
interclasse [ɛ̃tɛrklas] *m* ÉDU (short) break
intercontinental [ɛ̃tɛrkõtinɑ̃tal] intercontinental
interdépendance [ɛ̃tɛrdepɑ̃dɑ̃s] *f* interdependence; **interdépendant**, **~e** interdependent
interdiction [ɛ̃tɛrdiksjõ] *f* ban; **interdire** ⟨4m⟩ ban; **~ *à qn de faire qch*** forbid s.o. to do sth; **interdit**, **~e** forbidden; (*très étonné*) taken aback
intéressant, **~e** [ɛ̃terɛsɑ̃, -t] interesting; (*avide*) selfish; *prix* good; *situation* well-paid; **interéssé**, **~e** interested; ***les parties* ~*es*** the people concerned; ***être* ~ *aux bénéfices*** COMM have a share in the profits; **intéressement** *m aux bénéfices* share; **intéresser** ⟨1b⟩ interest; (*concerner*) concern; ***s'~ à*** be interested in
intérêt [ɛ̃terɛ] *m* interest; (*égoïsme*) self-interest; **~*s*** COMM interest *sg*; ***il a* ~ *à le faire*** it's in his interest to do it; ***agir par* ~** act out of self-interest; ***prêt sans* ~** interest-free loan
interface [ɛ̃tɛrfas] *f* interface

interférence [ɛ̃tɛrferɑ̃s] *f* PHYS, *fig* interference
intérieur, ~e [ɛ̃terjœr] **1** *adj poche* inside; *porte, cour, vie* inner; *commerce, marché, politique, vol* domestic; *mer* inland **2** *m* inside; *d'un pays, d'une auto* interior; ***à l'~ (de)*** inside; ***ministre** m **de l'Intérieur*** Secretary of the Interior, *Br* Home Secretary
intérim [ɛ̃terim] *m* interim; *travail* temporary work; ***assurer l'~*** stand in; ***par ~*** acting; **intérimaire 1** *adj travail* temporary **2** *m/f* temp
intérioriser [ɛ̃terjɔrize] ⟨1a⟩ internalize
interlocuteur, -trice [ɛ̃tɛrlɔkytœr, -tris] *m/f*: ***mon / son ~*** the person I / she was talking to
interloquer [ɛ̃tɛrlɔke] ⟨1m⟩ take aback
interlude [ɛ̃tɛrlyd] *m* interlude
intermède [ɛ̃tɛrmɛd] *m* interlude
intermédiaire [ɛ̃tɛrmedjɛr] **1** *adj* intermediate **2** *m/f* intermediary, go-between; COMM middleman; ***par l'~ de qn*** through s.o.
interminable [ɛ̃tɛrminabl] interminable
intermittence [ɛ̃tɛrmitɑ̃s] *f*: ***par ~*** intermittently; **intermittent, ~e** intermittent
internat [ɛ̃tɛrna] *m* ÉDU boarding school
international, ~e [ɛ̃tɛrnasjɔnal] (*mpl* -aux) *m/f & adj* international
interne [ɛ̃tɛrn] **1** *adj* internal; *oreille* inner; *d'une société* in-house **2** *m/f élève* boarder; *médecin* intern, *Br* houseman; **interné, ~e** *m/f* inmate; **interner** ⟨1a⟩ intern
Internet [ɛ̃tɛrnɛt] *m* Internet; ***sur ~*** on the Internet *ou* the Net
interpeller [ɛ̃tɛrpəle] (1a *orthographe*, 1c *prononciation*) call out to; *de la police*, POL question
interphone [ɛ̃tɛrfɔn] *m* intercom; *d'un immeuble* entry phone
interposer [ɛ̃tɛrpoze] ⟨1a⟩ interpose; ***par personne interposée*** through an intermediary; ***s'~*** (*intervenir*) intervene
interprétation [ɛ̃tɛrpretasjõ] *f* interpretation; *au théâtre* performance; **interprète** *m/f* (*traducteur*) interpreter; (*porte-parole*) spokesperson; **interpréter** ⟨1f⟩ interpret; *rôle*, MUS play
interrogateur, -trice [ɛ̃tɛrɔgatœr, -tris] questioning; **interrogatif, -ive** *air, ton* inquiring, questioning; GRAM interrogative; **interrogation** *f* question; *d'un suspect* questioning, interrogation; ***point** m **d'~*** question mark; **interrogatoire** *m par police* questioning; *par juge* cross-examination; **interroger** ⟨1l⟩ question; *de la police* question, interrogate; *d'un juge* cross-examine
interrompre [ɛ̃tɛrõpr] ⟨4a⟩ interrupt; ***s'~*** break off
interrupteur [ɛ̃tɛryptœr] *m* switch; **interruption** *f* interruption; ***sans ~*** without stopping; ***~ volontaire de grossesse*** termination, abortion
intersection [ɛ̃tɛrsɛksjõ] *f* intersection
interstice [ɛ̃tɛrstis] *m* crack
interurbain, ~e [ɛ̃tɛryrbɛ̃, -ɛn] long-distance
intervalle [ɛ̃tɛrval] *m d'espace* space, gap; *de temps* interval
intervenant, ~e [ɛ̃tɛrvənɑ̃, -t] *m/f* participant; **intervenir** ⟨2h⟩ (*aux **être***) intervene (***en faveur de*** on behalf of); *d'une rencontre* take place
intervention [ɛ̃tɛrvɑ̃sjõ] *f* intervention; MÉD operation; (*discours*) speech
interview [ɛ̃tɛrvju] *f* interview; **interviewer** ⟨1a⟩ interview
intestin, ~e [ɛ̃tɛstɛ̃, -in] **1** *adj* internal **2** *m* intestin; **intestinal, ~e** (*mpl* -aux) intestinal
intime [ɛ̃tim] **1** *adj* intimate; *ami* close; *pièce* cozy, *Br* cosy; *vie* private **2** *m/f* close friend
intimidation [ɛ̃timidasjõ] *f* intimidation; **intimider** ⟨1a⟩ intimidate
intimité [ɛ̃timite] *f entre amis* closeness, intimacy; *vie privée* privacy, private life; ***dans l'~*** in private; *dîner* with a few close friends
intituler [ɛ̃tityle] ⟨1a⟩ call; ***s'~*** be

called

intolérable [ɛ̃tɔlerabl] intolerable; **intolérance** *f* intolerance; **intolérant**, **~e** intolerant

intoxication [ɛ̃tɔksikasjõ] *f* poisoning; **~ *alimentaire*** food poisoning; **intoxiquer** ⟨1m⟩ poison; *fig* brainwash

intraduisible [ɛ̃tradɥizibl] untranslatable; *peine*, *souffrance* indescribable

intraitable [ɛ̃trɛtabl] uncompromising

Intranet [ɛ̃tranɛt] *m* intranet

intransigeant, **~e** [ɛ̃trɑ̃ziʒɑ̃, -t] intransigent

intransitif, **-ive** [ɛ̃trɑ̃zitif, -iv] GRAM intransitive

intraveineux, **-euse** [ɛ̃travɛnø, -z] intravenous

intrépide [ɛ̃trepid] intrepid

intrigant, **~e** [ɛ̃trigɑ̃, -t] scheming; **intrigue** *f* plot; **~s** scheming *sg*, plotting *sg*; **intriguer** ⟨1m⟩ **1** *v/i* scheme, plot **2** *v/t* intrigue

intrinsèque [ɛ̃trɛ̃sɛk] intrinsic

introduction [ɛ̃trɔdyksjõ] *f* introduction

introduire [ɛ̃trɔdɥir] ⟨4c⟩ introduce; *visiteur* show in; *(engager)* insert; ***s'~ dans*** gain entry to

introuvable [ɛ̃truvabl] impossible to find

introverti, **~e** [ɛ̃trɔvɛrti] *m/f* introvert

intrus, **~e** [ɛ̃try, -z] *m/f* intruder; **intrusion** *f* intrusion

intuitif, **-ive** [ɛ̃tɥitif, -iv] intuitive; **intuition** *f* intuition; *(pressentiment)* premonition

inusable [inyzabl] hard-wearing

inutile [inytil] *qui ne sert pas* useless; *(superflu)* pointless, unnecessary; **inutilisable** unuseable; **inutilisé**, **~e** unused

invaincu, **~e** [ɛ̃vɛ̃ky] unbeaten

invalide [ɛ̃valid] **1** *adj (infirme)* disabled **2** *m/f* disabled person; ***~ du travail*** person who is disabled as the result of an industrial accident; **invalider** ⟨1a⟩ JUR, POL invalidate; **invalidité** *f* disability

invariable [ɛ̃varjabl] invariable

invasion [ɛ̃vazjõ] *f* invasion

invendable [ɛ̃vɑ̃dabl] unsellable; **invendus** *mpl* unsold goods

inventaire [ɛ̃vɑ̃tɛr] *m* inventory; COMM *opération* stocktaking

inventer [ɛ̃vɑ̃te] ⟨1a⟩ invent; *histoire* make up; **inventeur**, **-trice** *m/f* inventor; **inventif**, **-ive** inventive; **invention** *f* invention

inverse [ɛ̃vɛrs] **1** *adj* MATH inverse; *sens* opposite; ***dans l'ordre ~*** in reverse order; ***dans le sens ~ des aiguilles d'une montre*** counterclockwise, *Br* anticlockwise **2** *m* opposite, reverse; **inverser** ⟨1a⟩ invert; *rôles* reverse

investigation [ɛ̃vɛstigasjõ] *f* investigation

investir [ɛ̃vɛstir] ⟨2a⟩ FIN invest; *(cerner)* surround; **investissement** *m* FIN investment; **investisseur**, **-euse** *m/f* investor

invétéré, **~e** [ɛ̃vetere] inveterate

invincible [ɛ̃vɛ̃sibl] *adversaire*, *armée* invincible; *obstacle* insuperable

inviolable [ɛ̃vjɔlabl] inviolable

invisible [ɛ̃vizibl] invisible

invitation [ɛ̃vitasjõ] *f* invitation; **invité**, **~e** *m/f* guest; **inviter** ⟨1a⟩ invite; ***~ qn à faire qch*** *(exhorter)* urge s.o. to do sth

invivable [ɛ̃vivabl] unbearable

involontaire [ɛ̃vɔlõtɛr] unintentional; *témoin* unwilling; *mouvement* involuntary

invoquer [ɛ̃vɔke] ⟨1m⟩ *Dieu* call on, invoke; *aide* call on; *texte*, *loi* refer to; *solution* put forward

invraisemblable [ɛ̃vrɛsɑ̃blabl] unlikely, improbable

invulnérable [ɛ̃vylnerabl] invulnerable

iode [jɔd] *m* CHIM iodine

Iran [irɑ̃] *m*: ***l'~*** Iran; **iranien**, **~ne** **1** *adj* Iranian **2** *m/f* **Iranien**, **~ne** Iranian

Iraq [irak] *m*: ***l'~*** Iraq; **iraquien**, **~ne** **1** *adj* Iraqi **2** *m/f* **Iraquien**, **~ne** Iraqi

irascible [irasibl] irascible

iris [iris] *m* MÉD, BOT iris

irlandais, **~e** [irlɑ̃dɛ, -z] **1** *adj* Irish; **2** *m langue* Irish (Gaelic) **3 Irlandais** *m* Irishman; **Irlandaise** *f* Irishwoman; **Irlande** *f*: ***l'~*** Ireland

ironie [irɔni] *f* irony; **ironique** ironic; **ironiser** ⟨1a⟩ be ironic

irradier [iradje] ⟨1a⟩ **1** *v/i* radiate **2** *v/t* (*exposer aux radiations*) irradiate

irraisonné, **~e** [irɛzɔne] irrational

irrationnel, **~le** [irasjɔnɛl] irrational

irréalisable [irealizabl] *projet* impracticable; *rêve* unrealizable; **irréaliste** unrealistic

irréconciliable [irekõsiljabl] irreconcilable

irrécupérable [irekyperabl] beyond repair; *personne* beyond redemption; *données* irretrievable

irréductible [iredyktibl] indomitable; *ennemi* implacable

I

irréel, **~le** [ireɛl] unreal

irréfléchi, **~e** [ireflеʃi] thoughtless, reckless

irréfutable [irefytabl] irrefutable

irrégularité [iregylarite] *f* irregularity; *de surface*, *terrain* unevenness; **irrégulier**, **-ère** irregular; *surface*, *terrain* uneven; *étudiant*, *sportif* erratic

irrémédiable [iremedjabl] *maladie* incurable; *erreur* irreparable

irremplaçable [irɑ̃plasabl] irreplaceable

irréparable [ireparabl] *faute*, *dommage* irreparable; *vélo* beyond repair

irrépressible [irepresibl] irrepressible; *colère* overpowering

irréprochable [ireprɔʃabl] irreproachable, beyond reproach

irrésistible [irezistibl] irresistible

irrésolu, **~e** [irezɔly] *personne* indecisive; *problème* unresolved

irrespectueux, **-euse** [irɛspɛktɥø, -z] disrespectful

irrespirable [irɛspirabl] unbreathable

irresponsable [irɛspõsabl] irresponsible

irrévérencieux, **-euse** [ireverɑ̃sjø, -z] irreverent

irréversible [ireversibl] irreversible

irrévocable [irevɔkabl] irrevocable

irrigation [irigasjõ] *f* AGR irrigation; **irriguer** ⟨1m⟩ irrigate

irritable [iritabl] irritable; **irritant**, **~e** irritating; **irritation** *f* irritation; **irriter** ⟨1a⟩ irritate; ***s'~*** get irritated

irruption [irypsjõ] *f*: ***faire ~ dans une pièce*** burst into a room

islam, **Islam** [islam] *m* REL Islam; **islamique** Islamic; **islamiste** Islamic fundamentalist

islandais, **~e** [islɑ̃dɛ, -z] **1** *adj* Icelandic; **2** *m langue* Islandic **3** *m/f* **Islandais**, **~e** Icelander; **Islande**: ***l'~*** Iceland

isolant, **~e** [izɔlɑ̃, -t] **1** *adj* insulating **2** *m* insulation; **isolation** *f* insulation; *contre le bruit* soundproofing; **isolé**, **~e** *maison*, *personne* isolated; TECH insulated; **isolement** *m* isolation; **isoler** ⟨1a⟩ isolate; *prisonnier* place in solitary confinement; ÉL insulate; **isoloir** *m* voting booth

isotherme [izɔtɛrm] *camion etc* refrigerated; ***sac ~*** cool bag

Israël [israɛl] *m* Israel; **israélien**, **~ne** **1** *adj* Israeli **2** *m/f* **Israélien**, **~ne** Israeli

issu, **~e** [isy]: ***être ~ de*** *parenté* come from; *résultat* stem from

issue [isy] *f* way out (*aussi fig*), exit; (*fin*) outcome; ***à l'~ de*** at the end of; ***voie*** *f* ***sans ~*** dead end; ***~ de secours*** emergency exit

Italie [itali] *f*: ***l'~*** Italy; **italien**, **~ne** **1** *adj* Italian **2** *m langue* Italian **3** *m/f* **Italien**, **~ne** Italian

italique *m*: ***en ~*** in italics

itinéraire [itinerer] *m* itinerary

IUT [iyt] *m abr* (= ***Institut universitaire de technologie***) technical college

IVG [iveʒe] *f abr* (= ***interruption volontaire de grossesse***) termination, abortion

ivoire [ivwar] *m* ivory

ivoirien, **~ne** [ivwarjɛ̃, -ɛn] **1** *adj* Ivorian **2** *m/f* **Ivoirien**, **~ne** Ivorian

ivre [ivr] drunk; ***~ de*** *fig*: *joie*, *colère* wild with; **ivresse** *f* drunkenness; ***conduite*** *f* ***en état d'~*** drunk driving, *Br aussi* drink driving; **ivrogne** *m/f* drunk

J

j' [ʒ] → ***je***
jacasser [ʒakase] ⟨1a⟩ chatter
jachère [ʒaʃɛr] *f* AGR: ***en ~*** lying fallow; ***mise en ~*** set-aside
jacinthe [ʒasɛ̃t] *f* BOT hyacinth
jackpot [dʒakpɔt] *m* jackpot
jade [ʒad] *m* jade
jadis [ʒadis] formerly
jaillir [ʒajir] ⟨2a⟩ *d'eau, de flammes* shoot out (***de*** from)
jalousement [ʒaluzmɑ̃] *adv* jealously; **jalousie** *f* jealousy; (*store*) Venetian blind; **jaloux**, **-ouse** jealous
jamais [ʒamɛ] ◊ *positif* ever; ***avez--vous ~ été à Vannes?*** have you ever been to Vannes?; ***plus que ~*** more than ever; ***à ~*** for ever, for good; ◊ *négatif* ***ne … ~*** never; ***je ne lui ai ~ parlé*** I've never spoken to him; ***on ne sait ~*** you never know; ***~ de la vie!*** never!, certainly not!
jambe [ʒɑ̃b] *f* leg
jambon [ʒɑ̃bõ] *m* ham; ***~ fumé*** gammon
jante [ʒɑ̃t] *f* rim
janvier [ʒɑ̃vje] *m* January
Japon [ʒapõ]: ***le ~*** Japan; **japonais**, **~e 1** *adj* Japanese **2** *m/f* **Japonais**, **~e** Japanese **3** *m langue* Japanese
jappement [ʒapmɑ̃] *m* yap; **japper** ⟨1a⟩ yap
jaquette [ʒakɛt] *f d'un livre* dust jacket
jardin [ʒardɛ̃] *m* garden; ***~ botanique*** botanical gardens *pl*; ***~ d'enfants*** kindergarten; ***~ publique*** park
jardinage [ʒardinaʒ] *m* gardening; **jardiner** garden; **jardinerie** *f* garden center *ou Br* centre; **jardinier** *m* gardener; **jardinière** *f à fleurs* window box; *femme* gardener
jargon [ʒargõ] *m* jargon; *péj* (*charabia*) gibberish
jarret [ʒarɛ] *m* back of the knee; CUIS shin; **jarretière** *f* garter
jaser [ʒɑze] ⟨1a⟩ gossip
jatte [ʒat] *f* bowl
jauge [ʒoʒ] *f* gauge; ***~ de carburant*** fuel gauge; **jauger** ⟨1l⟩ gauge
jaunâtre [ʒonɑtr] yellowish; **jaune 1** *adj* yellow **2** *adv*: ***rire ~*** give a forced laugh **3** *m* yellow; F *ouvrier* scab F; ***~ d'œuf*** egg yolk; **jaunir** ⟨2a⟩ turn yellow; **jaunisse** *f* MÉD jaundice
Javel [ʒavɛl]: ***eau*** *f* ***de ~*** bleach
javelot [ʒavlo] *m sports* javelin
jazz [dʒaz] *m* jazz; **jazzman** *m* jazz musician
je [ʒə] I
jean [dʒin] *m* jeans *pl*: ***veste*** *m* ***en ~*** denim jacket
jeep [dʒip] *f* jeep
je-m'en-foutisme [ʒmɑ̃futism] *m* F I-don't-give-a-damn attitude
jérémiades [ʒeremjad] *fpl* complaining *sg*, moaning *sg* F
Jésus-Christ [ʒezykri] Jesus (Christ)
jet [ʒɛ] *m* (*lancer*) throw; (*jaillissement*) jet; *de sang* spurt; ***~ d'eau*** fountain
jetable [ʒətabl] disposable
jetée [ʒ(ə)te] *f* MAR jetty
jeter [ʒ(ə)te] ⟨1c⟩ throw; (*se défaire de*) throw away, throw out; ***~ un coup d'œil à qch*** glance at sth, cast a glance at sth; ***~ qn dehors*** throw s.o. out
jeton [ʒ(ə)tõ] *m* token; *de jeu* chip
jeu [ʒø] *m* (*pl* -x) play (*aussi* TECH); *activité, en tennis* game; (*série, ensemble*) set; *de cartes* deck, *Br* pack; MUS playing; THÉÂT acting; ***un ~ de cartes / d'échecs / de tennis*** a game of cards / of chess / of tennis; ***le ~*** gambling; ***faites vos ~x*** place your bets; ***les ~x sont faits*** no more bets please; ***mettre en ~*** stake; ***être en ~*** be at stake; ***~ éducatif*** educational game; ***~ de mots*** play on words, pun;

Jeux Olympiques Olympic Games, Olympics; **~ *de société*** board game; **~ *vidéo*** video game
jeudi [ʒødi] *m* Thursday
jeun [ʒɛ̃, ʒœ̃]: ***à ~*** on an empty stomach; ***être à ~*** have eaten nothing, have nothing in one's stomach
jeune [ʒœn] **1** *adj* young; ***~s mariés*** newly-weds **2** *m/f*: ***un ~*** a young man; ***les ~s*** young people *pl*, the young *pl*
jeûne [ʒøn] *m* fast; **jeûner** ⟨1a⟩ fast
jeunesse [ʒœnɛs] *f* youth; *caractère jeune* youthfulness
jingle [dʒiŋgəl] *m* jingle
J.O. [ʒio] *mpl abr* (= ***Jeux Olympiques***) Olympic Games
joaillerie [ʒɔajri] *f magasin* jewelry store, *Br* jeweller's; *articles* jewelry, *Br* jewellery; **joaillier, -ère** *m/f* jeweler, *Br* jeweller
jockey [ʒɔkɛ] *m* jockey
jogging [dʒɔgiŋ] *m* jogging; (*survêtement*) sweats *pl*, *Br* tracksuit; ***faire du ~*** go jogging
joie [ʒwa] *f* joy; ***débordant de ~*** jubilant
joignable [ʒwaɲabl] contactable
joindre [ʒwɛ̃dr] ⟨4b⟩ *mettre ensemble* join; (*relier, réunir*) join, connect; *efforts* combine; *à un courrier* enclose (**à** with); *personne* contact, get in touch with; *par téléphone* get, reach; *mains* clasp; ***se ~ à qn pour faire qch*** join s.o. in doing sth; ***~ les deux bouts*** make ends meet; ***pièce*** *f* ***jointe*** enclosure; ***veuillez trouver ci-joint*** please find enclosed
joint [ʒwɛ̃] *m* ANAT joint (*aussi* TECH); *d'étanchéité* seal, gasket; *de robinet* washer
joker [ʒɔkɛr] *m cartes* joker; INFORM wild card
joli, ~e [ʒɔli] pretty
joncher [ʒɔ̃ʃe] ⟨1a⟩ strew (***de*** with)
jonction [ʒɔ̃ksjɔ̃] *f* junction
jongler [ʒɔ̃gle] juggle; ***~ avec*** *fig* juggle; **jongleur** *m* juggler
jonquille [ʒɔ̃kij] *f* BOT daffodil
Jordanie [ʒɔrdani] *f*: ***la ~*** Jordan; **jordanien, ~ne 1** *adj* Jordanian **2** *m/f* **Jordanien, ~ne** Jordanian
joue [ʒu] *f* cheek
jouer [ʒwe] ⟨1a⟩ **1** *v/t* play; *argent, réputation* gamble; THÉÂT *pièce* perform; *film* show; ***~ un tour à qn*** play a trick on s.o.; ***~ la comédie*** put on an act **2** *v/i* play; *d'un acteur* act; *d'un film* play, show; *miser de l'argent* gamble; ***~ aux cartes / au football*** play cards / football; ***~ d'un instrument*** play an instrument; ***~ sur*** *cheval etc* put money on; **jouet** *m* toy; *fig* plaything; **joueur, -euse** *m/f* player; *de jeux d'argent* gambler; ***être beau / mauvais ~*** be a good / bad loser
joufflu, ~e [ʒufly] chubby
jouir [ʒwir] ⟨2a⟩ have an orgasm, come; ***~ de qch*** enjoy sth; (*posséder*) have sth; **jouissance** *f* enjoyment; JUR possession
jour [ʒur] *m* day; (*lumière*) daylight; (*ouverture*) opening; ***le*** *ou* ***de ~*** by day; ***un ~*** one day; ***vivre au ~ le ~*** live from day to day; ***au grand ~*** in broad daylight; ***de nos ~s*** nowadays, these days; ***du ~ au lendemain*** overnight; ***l'autre ~*** the other day; ***être à ~*** be up to date; ***mettre à ~*** update, bring up to date; ***mettre au ~*** bring to light; ***se faire ~*** *fig*: *de problèmes* come to light; ***trois fois par ~*** three times a day; ***un ~ ou l'autre*** one of these days; ***il devrait arriver d'un ~ à l'autre*** he should arrive any day now; ***de ~ en ~*** day by day, from day to day; ***deux ans ~ pour ~*** two years to the day; ***il fait ~*** it's (getting) light; ***à ce ~*** to date, so far; ***au petit ~*** at dawn, at first light; ***~ férié*** (public) holiday
journal [ʒurnal] *m* (*pl* -aux) (news)paper; *intime* diary, journal; TV, *à la radio* news *sg*; ***~ de bord*** log(book)
journalier, -ère [ʒurnalje, -ɛr] daily
journalisme [ʒurnalism] *m* journalism; **journaliste** *m/f* journalist, reporter
journée [ʒurne] *f* day; ***~ portes ouvertes*** open house, open day
jovial, ~e [ʒɔvjal] (*pl* -aux) jovial
joyau [ʒwajo] *m* (*pl* -x) jewel
joyeux, -euse [ʒwajø, -z] joyful; **~**

Noël! Merry Christmas!

jubilation [ʒybilasjõ] *f* jubilation; **jubiler** ⟨1a⟩ be jubilant; *péj* gloat

jucher [ʒyʃe] ⟨1a⟩ perch

judas [ʒyda] *m* spyhole

judiciaire [ʒydisjɛr] judicial, legal; *combat* legal

judicieux, -euse [ʒydisjø, -z] sensible, judicious

judo [ʒydo] *m* judo

juge [ʒyʒ] *m* judge; ***~ d'instruction*** examining magistrate (*whose job it is to question witnesses and determine if there is a case to answer*); ***~ de paix*** *police court judge*; ***~ de touche*** SP linesman, assistant referee; **jugement** *m* judg(e)ment; *en matière criminelle* sentence; ***porter un ~ sur qch*** pass judg(e)ment on sth; ***le Jugement dernier*** REL the Last Judg(e)ment; **jugeote** *f* F gumption; **juger** ⟨1l⟩ **1** *v/t* JUR try; (*évaluer*) judge; ***~ qch / qn intéressant*** consider sth / s.o. to be interesting; ***~ que*** think that; ***~ bon de faire qch*** think it right to do sth; ***~ de qn / qch*** judge s.o. / sth **2** *v/i* judge

juif, -ive [ʒɥif, -iv] **1** *adj* Jewish **2** *m/f* **Juif, -ive** Jew

juillet [ʒɥijɛ] *m* July

juin [ʒɥɛ̃] *m* June

juke-box [dʒukbɔks] *m* jukebox

jumeau, jumelle [ʒymo, ʒymɛl] (*mpl* -x) *m/f & adj* twin; **jumelage** *m de villes* twinning; **jumeler** ⟨1c⟩ *villes* twin; **jumelles** *fpl* binoculars

jument [ʒymɑ̃] *f* mare

jumping [dʒœmpiŋ] *m* show-jumping

jungle [ʒɛ̃glə, ʒœ̃-] *f* jungle

jupe [ʒyp] *f m* skirt; **jupe-culotte** *f* (*pl* jupes-culottes) culottes *pl*; **jupon** *m* slip, underskirt

juré [ʒyre] *m* JUR juror, member of the jury; **jurer** ⟨1a⟩ **1** *v/t* swear; ***~ de faire qch*** swear to do sth **2** *v/i* swear; ***~ avec qch*** clash with sth; ***~ de qch*** swear to sth

juridiction [ʒyridiksjõ] *f* jurisdiction

juridique [ʒyridik] legal

jurisprudence [ʒyrisprydɑ̃s] *f* jurisprudence, case law

juron [ʒyrõ] *m* curse

jury [ʒyri] *m* JUR jury; *d'un concours* panel, judges *pl*; ÉDU board of examiners

jus [ʒy] *m* juice; ***~ de fruit*** fruit juice

jusque [ʒysk(ə)] **1** *prép*: ***jusqu'à*** *lieu* as far as, up to; *temps* until; ***aller jusqu'à la berge*** go as far as the bank; ***jusqu'au cou / aux genoux*** up to the neck / knees; ***jusqu'à trois heures*** until three o'clock; ***jusqu'alors*** up to then, until then; ***jusqu'à présent*** until now, so far; ***jusqu'à quand restez-vous?*** how long are you staying?; ***jusqu'où vous allez?*** how far are you going? **2** *adv* even, including; ***jusqu'à lui*** even him **3** *conj*: ***jusqu'à ce qu'il s'endorme*** (*subj*) until he falls asleep

justaucorps [ʒystokɔr] *m* leotard

juste [ʒyst] **1** *adj* (*équitable*) fair, just; *salaire, récompense* fair; (*précis*) right, correct; *vêtement* tight **2** *adv viser, tirer* accurately; (*précisément*) exactly, just; (*seulement*) just, only; ***chanter ~*** sing in tune; **justement** *adv* (*avec justice*) justly; (*précisément*) just, exactly; (*avec justesse*) rightly

justesse [ʒystɛs] *f* accuracy; ***de ~*** only just

justice [ʒystis] *f* fairness, justice; JUR justice; ***la ~*** the law; ***faire*** *ou* ***rendre ~ à qn*** do s.o. justice

justifiable [ʒystifjabl] justifiable; **justification** *f* justification; **justifier** ⟨1a⟩ justify; ***~ de qch*** prove sth

juteux, -euse [ʒytø, -z] juicy

juvénile [ʒyvenil] youthful; ***délinquance ~*** juvenile delinquency

juxtaposer [ʒykstapoze] ⟨1a⟩ juxtapose

K

kaki [kaki] khaki
kamikaze [kamikaz] *m/f* suicide bomber
kangourou [kɑ̃guru] *m* kangaroo
karaté [karate] *m* karate
kébab [kebab] *m* kabob, *Br* kebab
Kenya [kenja]: ***le ~*** Kenya; **kenyan, ~e 1** *adj* Kenyan **2** *m/f* **Kenyan, ~e** Kenyan
képi [kepi] *m* kepi
kermesse [kɛrmɛs] *f* fair
kérosène [kerozɛn] *m* kerosene
ketchup [kɛtʃœp] *m* ketchup
kg *abr* (= ***kilogramme***) kg (= kilogram)
kidnapping [kidnapiŋ] *m* kidnapping; **kidnapper** ⟨1a⟩ kidnap; **kidnappeur, -euse** *m/f* kidnapper
kif-kif [kifkif]: ***c'est ~*** F it's all the same
kilo(gramme) [kilo, kilɔgram] *m* kilo(gram)
kilométrage [kilɔmetraʒ] *m* mileage;
kilomètre *m* kilometer, *Br* kilometre; **kilométrique** *distance* in kilometers, *Br* in kilometres
kilo-octet [kiloɔktɛ] *m* kilobyte, k
kinésithérapeute [kineziterapøt] *m/f* physiotherapist; **kinésithérapie** *f* physiotherapy
kiosque [kjɔsk] *m* pavilion; COMM kiosk; ***~ à journaux*** newsstand
kit [kit] *m*: ***en ~*** kit
kiwi [kiwi] *m* ZO kiwi; BOT kiwi (fruit)
klaxon [klaksɔn] *m* AUTO horn; **klaxonner** ⟨1a⟩ sound one's horn, hoot
km *abr* (= ***kilomètre***) km (= kilometer)
knock-out [nɔkawt] *m* knockout
K-O [kao] *m abr* (= ***knock-out***) KO
Ko *m abr* (= ***kilo-octet*** *m*) k(= kilobyte)
krach [krak] *m* ÉCON crash; ***~ boursier*** stockmarket crash
Kremlin [krɛmlɛ̃]: ***le ~*** the Kremlin
kyste [kist] *m* MÉD cyst

L

L

l' [l] → ***le, la***
la[1] [la] → ***le***
la[2] [la] *pron personnel* her; *chose* it; ***je ne ~ supporte pas*** I can't stand her / it
la[3] [la] *m* MUS A
là [la] here; *dans un autre lieu qu'ici* there; ***de ~*** from there; *causal* hence; ***par ~*** that way; ***que veux-tu dire par ~?*** what do you mean by that?; **là-bas** (over) there
label [labɛl] *m* COMM label
labeur [labœr] *m* labor, *Br* labour, toil
labyrinthe [labirɛ̃t] *m* labyrinth, maze
laboratoire [labɔratwar] *m* laboratory, lab; ***~ de langues*** language lab
laborieux, -euse [labɔrjø, -z] *tâche* laborious; *personne* hardworking
labour [labur] *m* plowing, *Br* ploughing; **labourer** ⟨1a⟩ plow, *Br* plough
lac [lak] *m* lake
lacer [lase] ⟨1k⟩ tie
lacérer [lasere] ⟨1f⟩ lacerate
lacet [lasɛ] *m de chaussures* lace; *de la*

route sharp turn; ***~s*** twists and turns
lâche [lɑʃ] **1** *adj fil* loose, slack; *nœud*, *vêtement* loose; *personne* cowardly **2** *m* coward
lâcher [lɑʃe] ⟨1a⟩ **1** *v/t* let go of; (*laisser tomber*) drop; (*libérer*) release; *ceinture* loosen; *juron*, *vérité* let out; SP leave behind **2** *v/i de freins* fail; *d'une corde* break
lâcheté [laʃte] *f* cowardice
laconique [lakɔnik] laconic, terse
lacrymogène [lakrimɔʒɛn] *gaz* tear *atr*; *grenade* tear-gas *atr*
lacté, **~e** [lakte] milk *atr*
lacune [lakyn] *f* gap
là-dedans [lad(ə)dɑ̃] inside; **là-dessous** underneath; *derrière cette affaire* behind it; **là-dessus** on it, on top; *à ce moment* at that instant; *sur ce point* about it
lagon [lagõ] *m* lagoon
là-haut [lao] up there
laïc [laik] → ***laïque***
laid, **~e** [lɛ, -d] ugly
laideur [lɛdœr] *f* ugliness; (*bassesse*) meanness, nastiness
lainage [lɛnaʒ] *m* woolen *ou Br* woollen fabric; *vêtement* woolen; **laine** *f* wool; **laineux**, **-euse** fleecy
laïque [laik] **1** *adj* REL secular; (*sans confession*) *école* State *atr* **2** *m/f* lay person
laisse [lɛs] *f* leash; ***tenir en ~*** *chien* keep on a leash
laisser [lɛse] ⟨1b⟩ leave; (*permettre*) let; ***~ qn faire qch*** let s.o. do sth; ***se ~ aller*** let o.s. go; ***se ~ faire*** let o.s. be pushed around; ***laisse-toi faire!*** come on!
laisser-aller [lɛseale] *m* casualness
laisser-faire [lɛsefɛr] *m* laissez faire
laissez-passer [lɛsepase] *m* (*pl inv*) pass
lait [lɛ] *m* milk; **laitage** *m* dairy product; **laiterie** *f* dairy; **laitier**, **-ère** **1** *adj* dairy *atr* **2** *m/f* milkman, milkwoman
laiton [lɛtõ] *m* brass
laitue [lety] *f* BOT lettuce
laïus [lajys] *m* F sermon, lecture
lambeau [lɑ̃bo] *m* (*pl* -x) shred
lambin, **~e** [lɑ̃bɛ̃, -in] *m/f* F slowpoke F, *Br* slowcoach F
lambris [lɑ̃bri] *m* paneling, *Br* panelling
lame [lam] *f* blade; (*plaque*) strip; (*vague*) wave; ***~ de rasoir*** razor blade
lamentable [lamɑ̃tabl] deplorable
lamentation [lamɑ̃tasjõ] *f* complaining; **lamenter** ⟨1a⟩: ***se ~*** complain
laminoir [laminwar] *m* TECH rolling mill
lampadaire [lɑ̃padɛr] *m meuble* floor lamp, *Br aussi* standard lamp; *dans la rue* street light
lampe [lɑ̃p] *f* lamp; ***~ de poche*** flashlight, *Br* torch
lampée [lɑ̃pe] *f* gulp, swallow
lance [lɑ̃s] *f* spear; ***~ d'incendie*** fire hose
lancé, **~e** [lɑ̃se] well-known, established
lancement [lɑ̃smɑ̃] *m* launch(ing) (*aussi* COMM)
lancer [lɑ̃se] ⟨1k⟩ throw; *avec force* hurl; *injure* shout, hurl (***à*** at); *cri*, *regard* give; *bateau*, *fusée*, COMM launch; INFORM *programme* run; *moteur* start; ***se ~ sur*** *marché* enter; *piste de danse* step out onto; ***se ~ dans*** *des activités* take up; *des explications* launch into; *des discussions* get involved in
lancinant, **~e** [lɑ̃sinɑ̃, -t] *douleur* stabbing
landau [lɑ̃do] *m* baby carriage, *Br* pram
lande [lɑ̃d] *f* heath
langage [lɑ̃gaʒ] *m* language; ***~ de programmation*** programming language; ***~ des signes*** sign language
lange [lɑ̃ʒ] *m* diaper, *Br* nappy
langouste [lɑ̃gust] *f* spiny lobster
langue [lɑ̃g] *f* ANAT, CUIS tongue; LING language; ***mauvaise ~*** gossip; ***de ~ anglaise*** English-speaking; ***~ étrangère*** foreign language; ***~ maternelle*** mother tongue; ***~s vivantes*** modern languages
languette [lɑ̃gɛt] *f d'une chaussure* tongue
langueur [lɑ̃gœr] *f* (*apathie*) listless-

ness; (*mélancolie*) languidness; **languir** ⟨2a⟩ languish; *d'une conversation* flag
lanière [lanjɛr] *f* strap
lanterne [lɑ̃tɛrn] *f* lantern
laper [lape] ⟨1a⟩ lap up
lapidaire [lapidɛr] *fig* concise; **lapider** ⟨1a⟩ (*assassiner*) stone to death; (*attaquer*) stone
lapin [lapɛ̃] *m* rabbit
laps [laps] *m*: ~ ***de temps*** period of time
laque [lak] *f peinture* lacquer; *pour cheveux* hairspray, lacquer
laquelle [lakɛl] → ***lequel***
larcin [larsɛ̃] *m* petty theft
lard [lar] *m* bacon
larder [larde] ⟨1a⟩ CUIS, *fig* lard
lardon [lardõ] *m* lardon, diced bacon
large [larʒ] **1** *adj* wide; *épaules, hanches* broad; *mesure, part, rôle* large; (*généreux*) generous; ~ ***d'un millimètre*** one millimeter wide **2** *adv*: ***voir*** ~ think big **3** *m* MAR open sea; ***faire trois mètres de*** ~ be three meters wide; ***prendre le*** ~ *fig* take off; **largement** *adv* widely; (*généreusement*) generously; ***elle a*** ~ ***le temps de finir*** she's got more than enough time to finish; **largesse** *f* generosity; **largeur** *f* width; ~ ***d'esprit*** broad-mindedness
larme [larm] *f* tear; ***une*** ~ ***de*** a drop of; **larmoyer** ⟨1h⟩ *des yeux* water; (*se plaindre*) complain
larve [larv] *f* larva; **larvé**, **~e** latent
laryngite [larɛ̃ʒit] *f* MÉD laryngitis
larynx [larɛ̃ks] *m* larynx
las, **~se** [lɑ, -s] weary, tired; ~ ***de*** *fig* weary of, tired of
laser [lazɛr] *m* laser
lasser [lɑse] ⟨1a⟩ weary, tire; ***se*** ~ ***de qch*** tire *ou* weary of sth; **lassitude** *f* weariness, lassitude *fml*
latent, **~e** [latɑ̃, -t] latent
latéral, **~e** [lateral] (*mpl* -aux) lateral, side *atr*
latin, **~e** [latɛ̃, -in] Latin
latitude [latityd] *f* latitude; *fig* latitude, scope
latrines [latrin] *fpl* latrines
latte [lat] *f* lath; *de plancher* board; **lattis** *m* lathwork
lauréat, **~e** [lɔrea, -t] *m/f* prizewinner
laurier [lɔrje] *m* laurel; ***feuille*** *f* ***de*** ~ CUIS bayleaf
lavable [lavabl] washable; **lavabo** *m* (wash)basin; **~s** toilets; **lavage** *m* washing; ~ ***de cerveau*** POL brainwashing; ~ ***d'estomac*** MÉD stomach pump
lavande [lavɑ̃d] *f* BOT lavender
lave [lav] *f* lava
lave-glace [lavglas] *m* (*pl* lave-glaces) windshield wiper, *Br* windscreen wiper
lavement [lavmɑ̃] *m* MÉD enema; **laver** ⟨1a⟩ wash; *tâche* wash away; ***se*** ~ ***les mains*** wash one's hands; ***se*** ~ ***les dents*** brush one's teeth; **laverie** *f*: ~ ***automatique*** laundromat, *Br* laundrette
lavette [lavɛt] *f* dishcloth; *fig péj* spineless individual
laveur, **-euse** [lavœr, -øz] *m/f* washer; ~ ***de vitres*** window cleaner
lave-vaisselle [lavvɛsɛl] *m* (*pl inv*) dishwasher
laxatif, **-ive** [laksatif, -iv] *adj & m* laxative
laxisme [laksism] *m* laxness; **laxiste** lax
layette [lɛjɛt] *f* layette
le *pron personnel, complément d'objet direct* ◊ him; *chose* it; ***je ne*** ~ ***supporte pas*** I can't stand him / it
◊: ***oui, je*** ~ ***sais*** yes, I know; ***je l'espère bien*** I very much hope so
le, *f* **la**, *pl* **les** [lə, la, le] *article défini* ◊ the; ***le garçon / les garçons*** the boy / the boys
◊ *parties du corps*: ***je me suis cassé la jambe*** I broke my leg; ***elle avait les cheveux très longs*** she had very long hair
◊ *généralité*: ***j'aime le vin*** I like wine; ***elle ne supporte pas les enfants*** she doesn't like children; ***la défense de la liberté*** the defense of freedom; ***les dinosaures avaient …*** dinosaurs had …
◊ *dates*: ***le premier mai*** May first, *Br*

the first of May; ***ouvert le samedi*** open (on) Saturdays
◊: ***trois euros le kilo*** three euros a *ou* per kilo; ***10 euros les 5*** 10 euros for 5
◊ *noms de pays*: ***tu connais la France?*** do you know France; ***l'Europe est …*** Europe is …
◊ *noms de saison*: ***le printemps est là*** spring is here
◊ *noms propres*: ***le lieutenant Duprieur*** Lieutenant Duprieur; ***ah, la pauvre Hélène!*** oh, poor Helen!
◊ *langues*: ***je ne parle pas l'italien*** I don't speak Italian
◊ *avec adjectif*: ***la jaune est plus …*** the yellow one is …

leader [lidœr] *m* POL leader

leasing [liziŋ] *m* leasing

lécher [leʃe] ⟨1f⟩ lick; ***~ les bottes à qn*** F suck up to s.o.

lèche-vitrines [lɛʃvitrin]: ***faire du ~*** go window shopping

leçon [l(ə)sõ] *f* lesson; ***~s particulières*** private lessons

lecteur, **-trice** [lɛktœr, -tris] **1** *m/f* reader; *à l'université* foreign language assistant **2** *m* INFORM drive; ***~ de disquette(s)*** disk drive; ***~ de cassettes*** cassette player; **lecture** *f* reading; ***fichier** m **en ~ seule*** read-only file

ledit, **ladite** [lədi, ladit] (*pl* lesdits, lesdites) the said

légal, **~e** [legal] (*mpl* -aux) legal; **légaliser** ⟨1a⟩ *certificat, signature* authenticate; (*rendre légal*) legalize; **légalité** *f* legality

légataire [legatɛr] *m/f* legatee; ***~ universel*** sole heir

légendaire [leʒɑ̃dɛr] legendary

légende [leʒɑ̃d] *f* legend; *sous image* caption; *d'une carte* key

léger, **-ère** [leʒe, -ɛr] *poids, aliment* light; *vent, erreur, retard* slight; *mœurs* loose; (*frivole, irréfléchi*) thoughtless; ***à la légère*** lightly; **légèrement** *adv* lightly; (*un peu*) slightly; (*inconsidérément*) thoughtlessly; **légèreté** *f* lightness; (*frivolité, irréflexion*) thoughtlessness

légiférer [leʒifere] ⟨1g⟩ legislate

légion [leʒjõ] *f* legion; ***~ étrangère*** Foreign Legion; **légionnaire** *m* legionnaire

législateur, **-trice** [leʒislatœr, -tris] *m/f* legislator; **législatif**, **-ive** legislative; (***élections** fpl*) ***législatives** fpl* parliamentary elections; **législation** *f* legislation; **législature** *f* legislature

légitime [leʒitim] legitimate; ***~ défense*** self-defense, *Br* self-defence

legs [lɛ(g)] *m* legacy

léguer [lege] ⟨1f *et* 1m⟩ bequeath

légume [legym] *m* vegetable; ***~s secs*** pulses

Léman [lemɑ̃]: ***le lac ~*** Lake Geneva

lendemain [lɑ̃dmɛ̃] *m*: ***le ~*** the next *ou* following day; ***le ~ de son élection*** the day after he was elected

lent, **~e** [lɑ̃, -t] slow; **lentement** *adv* slowly; **lenteur** *f* slowness

lentille [lɑ̃tij] *f* TECH lens; *légume sec* lentil

léopard [leɔpar] *m* leopard

lèpre [lɛpr] *f* leprosy; **lépreux**, **-euse** *m/f* leper (*aussi fig*)

lequel, **laquelle** [ləkɛl, lakɛl] (*pl* lesquels, lesquelles) ◊ *pron interrogatif* which (one); ***laquelle / lesquelles est-ce que tu préfères?*** which (one) / which (ones) do you prefer?
◊ *pron relatif, avec personne* who; ***le client pour ~ il l'avait fabriqué*** the customer (who) he had made it for, the customer for whom he had made it
◊ *pron relatif, avec chose* which; ***les cavernes dans lesquelles ils s'étaient noyés*** the caves in which they had drowned, the caves which they had drowned in; ***les entreprises auxquelles nous avons envoyé …*** the companies to which we sent …, the companies (which) we sent … to; ***un vieux château dans les jardins duquel …*** an old castle in the gardens of which …

les[1] [le] → ***le***

les[2] [le] *pron personnel* them; ***je ~ ai vendu(e)s*** I sold them

lesbien, **~ne** [lɛsbjɛ̃, -ɛn] **1** *adj* les-

bian **2** *f* lesbian
léser [leze] ⟨1f⟩ (*désavantager*) injure, wrong; *intérêts* damage; *droits* infringe; MÉD injure
lésiner [lezine] ⟨1a⟩ skimp (***sur*** on)
lésion [lezjõ] *f* MÉD lesion
lesquels, **lesquelles** [lekɛl] → ***lequel***
lessive [lɛsiv] *f produit* laundry detergent, *Br* washing powder; *liquide* detergent; *linge* laundry, *Br aussi* washing; ***faire la ~*** do the laundry
lest [lɛst] *m* ballast
leste [lɛst] (*agile*) agile; *propos* crude
léthargie [letarʒi] *f* lethargy; **léthargique** lethargic
lettre [lɛtr] *f* (*caractère*, *correspondance*) letter; ***à la ~, au pied de la ~*** literally; ***en toutes ~s*** in full; *fig* in black and white; ***~ de change*** bill of exchange; ***~s*** literature *sg*; *études* arts
lettré, **~e** [lɛtre] well-read
leucémie [løsemi] *f* MÉD leukemia, *Br* leukaemia
leur [lœr] **1** *adj possessif* their; ***~ prof*** their teacher; ***~s camarades*** their friends
2 *pron personnel*: ***le / la ~, les ~s*** theirs; ***meilleur que le / la ~*** better than theirs
3 *complément d'objet indirect* (to) them; ***je ~ ai envoyé un e-mail*** I sent them an e-mail; ***je le ~ ai envoyé hier*** I sent it (to) them yesterday
leurre [lœr] *m* bait; *fig* illusion; **leurrer** ⟨1a⟩ *fig* deceive
levé, **~e** [l(ə)ve]: ***être ~*** be up, be out of bed; **levée** *f* lifting; *d'une séance* adjournment; *du courrier* collection; *aux cartes* trick; **lever** ⟨1d⟩ **1** *v/t* raise, lift; *main*, *bras* raise; *poids*, *interdiction* lift; *impôts* collect **2** *v/i de la pâte* rise; ***se ~*** get up; *du soleil* rise; *du jour* break **3** *m*: ***~ du jour*** daybreak; ***~ du soleil*** sunrise
levier [l(ə)vje] *m* lever; ***~ de vitesse*** gear shift, *surtout Br* gear lever
lèvre [lɛvr] *f* lip
lévrier [levrije] *m* greyhound
levure [l(ə)vyr] *f* yeast; ***~ chimique*** baking powder
lexique [lɛksik] *m* (*vocabulaire*) vocabulary; (*glossaire*) glossary
lézard [lezar] *m* lizard
lézarde [lezard] *f* crack
liaison [ljɛzõ] *f* connection; *amoureuse* affair; *de train* link; LING liaison; ***être en ~ avec qn*** be in touch with s.o.
liant, **~e** [ljɑ̃, -t] sociable
liasse [ljas] *f* bundle, wad; *de billets* wad
Liban [libɑ̃]: ***le ~*** (the) Lebanon; **libanais**, **~e 1** *adj* Lebanese **2** *m/f* **Libanais**, **~e** Lebanese
libeller [libɛle] ⟨1b⟩ *document*, *contrat* word; ***~ un chèque*** (***au nom de qn***) make out *ou* write a check (to s.o.)
libellule [libɛlyl] *f* dragonfly
libéral, **~e** [liberal] (*mpl* -aux) liberal; ***profession*** *f* ***~e*** profession; **libéralisme** *m* liberalism; **libéralité** *f* generosity, liberality
libérateur, **-trice** [liberatœr, -tris] **1** *adj* liberating **2** *m/f* liberator; **libération** *f d'un pays* liberation; *d'un prisonnier* release; ***~ conditionnelle*** parole; **libérer** ⟨1f⟩ *pays* liberate; *prisonnier* release, free (***de*** from); *gaz*, *d'un engagement* release
liberté [libɛrte] *f* freedom, liberty; ***mettre en ~*** set free, release; ***~ d'expression*** freedom of speech; ***~ de la presse*** freedom of the press
libraire [librɛr] *m/f* bookseller; **librairie** *f* bookstore, *Br* bookshop
libre [libr] free (***de faire qch*** to do sth); ***~ concurrence*** free competition; **libre-échange** *m* free trade; **libre-service** *m* (*pl* libres-services) self-service; *magasin* self-service store
Libye [libi] *f* Libya; **libien**, **~ne 1** *adj* Libyan **2** *m/f* **Libyen**, **~ne** Libyan
licence [lisɑ̃s] *f* license, *Br* licence; *diplôme* degree; **licencié**, **~e** *m/f* graduate
licenciement [lisɑ̃simɑ̃] *m* layoff; (*renvoi*) dismissal; **licencier** ⟨1a⟩ lay off; (*renvoyer*) dismiss
licencieux, **-euse** [lisɑ̃sjø, -z] licen-

tious

lié, **~e** [lije]: ***être ~ par*** be bound by; ***être très ~ avec qn*** be very close to s.o.

liège [ljɛʒ] *m* BOT cork

lien [ljɛ̃] *m* tie, bond; (*rapport*) connection; ***ils ont un ~ de parenté*** they are related; **lier** ⟨1a⟩ tie (up); *d'un contrat* be binding on; CUIS thicken; *fig*: *pensées*, *personnes* connect; ***~ amitié avec*** make friends with

lierre [ljɛr] *m* BOT ivy

lieu [ljø] *m* (*pl* -x) place; **~x** premises; JUR scene *sg*; ***au ~ de qch / de faire qch*** instead of sth / of doing sth; ***avoir ~*** take place, be held; ***avoir ~ de faire qch*** have (good) reason to do sth; ***donner ~ à*** give rise to; ***en premier ~*** in the first place, first(ly); ***en dernier ~*** last(ly); ***~ de destination*** destination; ***il y a ~ de faire qch*** there is good reason to do sth; ***s'il y a ~*** if necessary; ***tenir ~ de qch*** act *ou* serve as sth

lieu-dit [ljødi] (*pl* lieux-dits) *m* place

lièvre [ljɛvr] *m* hare

ligne [liɲ] *f* line; *d'autobus* number; ***à la ~!*** new paragraph; ***hors ~*** top class; ***garder la ~*** keep one's figure; ***entrer en ~ de compte*** be taken into consideration; ***pêcher à la ~*** go angling; ***adopter une ~ dure sur*** take a hard line on

lignée [liɲe] *f* descendants *pl*

ligue [lig] *f* league; **liguer** ⟨1m⟩: ***se ~*** join forces (***pour faire qch*** to do sth)

lilas [lila] **1** *m* lilac **2** *adj inv* lilac

limace [limas] *f* slug

lime [lim] *f* file; ***~ à ongles*** nail file; **limer** ⟨1a⟩ file

limier [limje] *m* bloodhound

limitation [limitasjõ] *f* limitation; ***~ de vitesse*** speed limit

limite [limit] *f* limit; (*frontière*) boundary; ***à la ~*** if absolutely necessary; ***ça va comme ça? - oui, à la ~*** is that ok like that? - yes, just about; ***je l'aiderai dans les ~s du possible*** I'll help him as much as I can; ***date f ~*** deadline; ***vitesse f ~*** speed limit; **limiter** ⟨1a⟩ limit (***à*** to)

limoger [limɔʒe] ⟨1l⟩ POL dismiss

limon [limõ] *m* silt

limonade [limɔnad] *f* lemonade

limousine [limuzin] *f* limousine, limo F

lin [lɛ̃] *m* BOT flax; *toile* linen

linceul [lɛ̃sœl] *m* shroud

linéaire [lineɛr] linear

linge [lɛ̃ʒ] *m* linen; (*lessive*) washing; **~ (*de corps*)** underwear; **lingerie** *f* lingerie

lingot [lɛ̃go] *m* ingot

linguiste [lɛ̃gɥist] *m/f* linguist; **linguistique** **1** *f* linguistics **2** *adj* linguistic

lion [ljõ] *m* lion; ASTROL Leo; **lionne** *f* lioness

lipide [lipid] *m* fat

liqueur [likœr] *f* liqueur

liquidation [likidasjõ] *f* liquidation; *vente au rabais* sale

liquide [likid] **1** *adj* liquid; ***argent m ~*** cash **2** *m* liquid; ***~ de freins*** brake fluid

liquider [likide] ⟨1a⟩ liquidate; *stock* sell off; *problème*, *travail* dispose of

lire [lir] ⟨4x⟩ read

lis [lis] *m* BOT lily

lisibilité [lizibilite] *f* legibility; **lisible** legible

lisière [lizjɛr] *f* edge

lisse [lis] smooth; **lisser** ⟨1a⟩ smooth

listage [listaʒ] *m* printout; **liste** *f* list; ***~ d'attente*** waiting list; ***~ de commissions*** shopping list; ***~ noire*** blacklist; ***être sur ~ rouge*** TÉL have an unlisted number, *Br* be ex-directory; **lister** ⟨1a⟩ list; **listing** *m* printout

lit [li] *m* bed; ***aller au ~*** go to bed; ***faire son ~*** make one's bed; ***garder le ~*** stay in bed; ***~ de camp*** cot, *Br* camp bed

litanie [litani] *f* litany; ***c'est toujours la même ~*** *fig* it's the same old thing over and over again

literie [litri] *f* bedding

litige [litiʒ] *m* dispute; **litigieux**, **-euse** *cas* contentious

litre [litr] *m* liter, *Br* litre

littéraire [literɛr] literary

littéral, **~e** [literal] (*mpl* -aux) literal; **littéralement** *adv* literally
littérature [literatyr] *f* literature
littoral, **~e** [litɔral] (*mpl* -aux) **1** *adj* coastal **2** *m* coastline
liturgie [lityrʒi] *f* liturgy
livraison [livrɛzõ] *f* delivery
livre[1] [livr] *m* book; ***~ d'images*** picture book; ***~ de poche*** paperback
livre[2] [livr] *f poids*, *monnaie* pound
livrer [livre] ⟨1a⟩ *marchandises* deliver; *prisonnier* hand over; *secret*, *information* divulge; ***se ~*** (*se confier*) open up; (*se soumettre*) give o.s. up; ***se ~ à*** (*se confier*) confide in; *activité* indulge in; *la jalousie*, *l'abattement* give way to
livret [livrɛ] *m* booklet; *d'opéra* libretto; ***~ de caisse d'épargne*** passbook
livreur [livrœr] *m* delivery man; ***~ de journaux*** paper boy
lobby [lɔbi] *m* lobby
lobe [lɔb] *m*: ***~ de l'oreille*** earlobe
local, **~e** [lɔkal] (*mpl* -aux) **1** *adj* local **2** *m* (*salle*) premises *pl*; ***locaux*** premises; **localisation** *f* location; *de software etc* localization; **localiser** ⟨1a⟩ locate; (*limiter*), *de software* localize; **localité** *f* town
locataire [lɔkatɛr] *m/f* tenant; **location** *f par propriétaire* renting out; *par locataire* renting; (*loyer*) rent; *au théâtre* reservation
locomotive [lɔkɔmɔtiv] *f* locomotive; *fig* driving force
locution [lɔkysjõ] *f* phrase
loge [lɔʒ] *f d'un concierge*, *de francs-maçons* lodge; *de spectateurs* box
logement [lɔʒmɑ̃] *m* accommodations *pl*, *Br* accommodation; (*appartement*) apartment, *Br aussi* flat; **loger** ⟨1l⟩ **1** *v/t* accommodate **2** *v/i* live; **logeur** *m* landlord; **logeuse** *f* landlady
logiciel [lɔʒisjɛl] *m* INFORM software
logique [lɔʒik] **1** *adj* logical **2** *f* logic; **logiquement** *adv* logically
logistique [lɔʒistik] **1** *adj* logistical **2** *f* logistics
logo [logo] *m* logo
loi [lwa] *f* law; ***~ martiale*** martial law
loin [lwɛ̃] *adv* far; *dans le passé* long ago, a long time ago; *dans l'avenir* far off, a long way off; ***au ~*** in the distance; ***de ~*** from a distance; *fig* by far; ***~ de*** far from
lointain, **~e** [lwɛ̃tɛ̃, -ɛn] **1** *adj* distant **2** *m* distance
loisir *m* leisure; ***~s*** leisure activities; ***avoir le ~ de faire qch*** have the time to do sth
Londres [lõdr] London
long, **longue** [lõ, -g] **1** *adj* long; ***un voilier ~ de 25 mètres*** a 25-meter (long) yacht, a yacht 25 meters in length; ***à ~ terme*** in the long term *ou* run, long-term; ***à la ~ue*** in time, eventually; ***être ~*** (*durer*) take a long time; ***être ~ à faire qch*** take a long time doing sth **2** *adv*: ***en dire ~*** speak volumes **3** *m*: ***de deux mètres de ~*** two meters long, two meters in length; ***le ~ de*** along; ***de ~ en large*** up and down; ***tout au*** *ou* ***le ~ de l'année*** throughout the year
longe [lõʒ] *f* CUIS loin
longer [lõʒe] ⟨1l⟩ follow, hug
longévité [lõʒevite] *f* longevity
longitude [lõʒityd] *f* longitude
longtemps [lõtɑ̃] *adv* a long time; ***il y a ~*** a long time ago, long ago; ***il y a ~ qu'il habite là*** he's been living here for a long time
longuement [lõgmɑ̃] *adv* for a long time; *parler* at length
longueur [lõgœr] *f* length; ***être sur la même ~ d'onde*** be on the same wavelength
longue-vue [lõgvy] *f* (*pl* longues-vues) telescope
lopin [lɔpɛ̃] *m*: ***~ de terre*** piece of land
loquace [lɔkas] talkative
loque [lɔk] *f* rag; ***~ humaine*** wreck
loquet [lɔkɛ] *m* latch
lorgner [lɔrɲe] ⟨1a⟩ (*regarder*) eye; *fig*: *héritage*, *poste* have one's eye on
lors [lɔr]: ***dès ~*** from that moment on, from then on; ***dès ~ que vous ...*** should you ...; ***~ de*** during
lorsque [lɔrsk(ə)] *conj* when
losange [lɔzɑ̃ʒ] *m* lozenge
lot [lo] *m* (*destin*) fate, lot; *à la loterie* prize; (*portion*) share; COMM batch;

***gagner le gros* ~** hit the jackpot
loterie [lɔtri] *f* lottery
loti, ~e [lɔti]: ***être bien / mal* ~** be well / badly off
lotion [losjõ] *f* lotion
lotissement [lɔtismɑ̃] *m* (*parcelle*) plot; *terrain loti* housing development, *Br aussi* (housing) estate
loto [lɔto] *m* lotto; *au niveau national* national lottery
louable [lwabl] praiseworthy; **louange** *f* praise
louche[1] [luʃ] sleazy
louche[2] [luʃ] *f* ladle
loucher [luʃe] ⟨1a⟩ squint, have a squint
louer[1] [lwe] ⟨1a⟩ *du locataire*: *appartement* rent; *bicyclette, canoë* rent, *Br aussi* hire; *du propriétaire*: *appartement* rent (out), let; *bicyclette, canoë* rent out, *Br aussi* hire (out)
louer[2] [lwe] ⟨1a⟩ (*vanter*) praise (***de*** *ou* ***pour qch*** for sth)
loufoque [lufɔk] F crazy
loup [lu] *m* wolf
loupe [lup] *f* magnifying glass
louper [lupe] ⟨1a⟩ F *travail* botch; *train, bus* miss
loup-garou [lugaru] *m* (*pl* loups-garous) werewolf
lourd, ~e [lur, -d] heavy; *plaisanterie* clumsy; *temps* oppressive; **lourdaud, ~e 1** *adj* clumsy **2** *m/f* oaf; **lourdement** *adv* heavily; **lourdeur** *f* heaviness
louvoyer [luvwaje] ⟨1h⟩ MAR tack; **~ *entre des problèmes*** *fig* sidestep around problems
loyal, ~e [lwajal] (*mpl* -aux) honest; *adversaire* fair-minded; *ami* loyal; ***bons et loyaux services*** good and faithful service; **loyauté** *f* honesty; *d'un ami* loyalty
loyer [lwaje] *m* rent
lubie [lybi] *f* whim
lubrifiant [lybrifjɑ̃] *m* lubricant; **lubrification** *f* lubrication; **lubrifier** ⟨1a⟩ lubricate
lucarne [lykarn] *f* skylight
lucide [lysid] lucid; (*conscient*) conscious; **lucidité** *f* lucidity
lucratif, -ive [lykratif, -iv] lucrative; ***à but non* ~** not for profit, *Br aussi* non-profit making
lueur [lɥœr] *f* faint light; ***une* ~ *d'espoir*** a gleam *ou* glimmer of hope
luge [lyʒ] *f* toboggan; ***faire de la* ~** go tobogganing
lugubre [lygybr] gloomy, lugubrious
lui [lɥi] *pron personnel* ◊ *complément d'objet indirect, masculin* (to) him; *féminin* (to) her; *chose, animal* (to) it; ***je* ~ *ai envoyé un e-mail*** I sent him / her an e-mail; ***je le* ~ *ai envoyé hier*** I sent it (to) him / her yesterday; ***le pauvre chien, je* ~ *ai donné à boire*** the poor dog, I gave it something to drink
◊ *après prép, masculin* him; *animal* it; ***le jus d'orange, c'est pour* ~** the orange juice is for him
◊: ***je les ai vues,* ~ *et sa sœur*** I saw them, him and his sister; ***il n'aime pas ça,* ~** he doesn't like that
lui-même [lɥimɛm] himself; *de chose* itself
luire [lɥir]⟨4c⟩ glint, glisten
lumbago [lœ̃bago] *m* lumbago
lumière [lymjɛr] *f* light (*aussi fig*); ***le siècle des* ~*s*** the Enlightenment; ***ce n'est pas une* ~** *iron* he's not exactly Einstein; ***à la* ~ *de*** in the light of
luminaire [lyminɛr] *m* light; **lumineux, -euse** luminous; *ciel, couleur* bright; *affiche* illuminated; *idée* brilliant; ***rayon*** *m* **~** beam of light
lunaire [lynɛr] lunar
lunatique [lynatik] lunatic
lundi [lœ̃di] *m* Monday; **~ *de Pâques*** Easter Monday
lune [lyn] *f* moon; **~ *de miel*** honeymoon
lunette [lynɛt] *f*: **~*s*** glasses; **~*s de soleil*** sunglasses; **~*s de ski*** ski goggles; **~ *arrière*** AUTO rear window
lurette [lyrɛt] *f* F: ***il y a belle* ~** an eternity ago
lustre [lystr] *m* (*lampe*) chandelier; *fig* luster, *Br* lustre
lustrer [lystre] ⟨1a⟩ *meuble* polish
lutte [lyt] *f* fight, struggle; SP wrestling; **lutter** ⟨1a⟩ fight, struggle; SP wrestle

L

luxe [lyks] *m* luxury; ***de ~*** luxury *atr*
Luxembourg [lyksɑ̃bur]: ***le ~*** Luxemburg; **luxembourgeois**, **~e 1** *adj* of / from Luxemburg, Luxemburg *atr* **2** *m/f* **Luxembourgeois**, **~e** Luxemburger
luxer [lykse] ⟨1a⟩: ***se ~ l'épaule*** dislocate one's shoulder
luxueux, **-euse** [lyksɥø, -z] luxurious; **luxueusement** *adv* luxuriously
luxuriant, **~e** [lyksyrjɑ̃, -t] luxuriant
luxurieux, **-euse** [lyksyrjø, -z] luxurious
lycée [lise] *m* senior high, *Br* grammar school; **lycéen**, **~ne** *m/f* student (at a lycée)
lyncher [lɛ̃ʃe] ⟨1a⟩ lynch
Lyon [ljõ] Lyons
lyophilisé [ljɔfilize] freeze-dried
lyrique [lirik] lyric; *qui a du lyrisme* lyrical; ***artiste ~*** opera singer; ***comédie ~*** comic opera; **lyrisme** *m* lyricism
lys [lis] *m* → ***lis***

M

m' [m] → ***me***
M. *abr* (= ***monsieur***) Mr
ma [ma] → ***mon***
macabre [makabr] macabre
macaron [makarõ] *m* CUIS macaroon; (*insigne*) rosette
macédoine [masedwan] *f* CUIS: ***~ de légumes*** mixed vegetables *pl*; ***~ de fruits*** fruit salad
macérer [masere] ⟨1f⟩ CUIS: ***faire ~*** marinate
mâche [mɑʃ] *f* BOT lamb's lettuce
mâcher [mɑʃe] ⟨1a⟩ chew; ***elle ne mâche pas ses mots*** *fig* she doesn't mince her words
machin [maʃɛ̃] *m* F thing, thingamajig F
machinal, **~e** [maʃinal] (*mpl* -aux) mechanical; **machinalement** *adv* mechanically
machination [maʃinasjõ] *f* plot; ***~s*** machinations
machine [maʃin] *f* machine; MAR engine; *fig* machinery; ***~ à coudre*** sewing machine; ***~ à écrire*** typewriter; ***~ à laver*** washing machine; ***~ à sous*** slot machine; **machine-outil** *f* (*pl* machines-outils) machine tool; **machiniste** *m au théâtre* stage hand
machisme [ma(t)ʃism] *m* machismo; **machiste** male chauvinist
macho [matʃo] **1** *adj* male chauvinist **2** *m* macho type
mâchoire [mɑʃwɑr] *f* ANAT jaw
mâchonner [mɑʃɔne] ⟨1a⟩ chew (on); (*marmonner*) mutter
maçon [masõ] *m* bricklayer; *avec des pierres* mason; **maçonnerie** *f* masonry
macro [makro] *f* INFORM macro
maculer [makyle] ⟨1a⟩ spatter
madame [madam] *f* (*pl* mesdames [medam]): ***bonjour ~*** good morning; ***~!*** ma'am!, *Br* excuse me!; ***Madame Durand*** Mrs Durand; ***bonsoir mesdames et messieurs*** good evening, ladies and gentlemen
mademoiselle [madmwazɛl] *f* (*pl* mesdemoiselles [medmwazɛl]): ***bonjour ~*** good morning; ***~!*** miss!, *Br* excuse me!; ***Mademoiselle Durand*** Miss Durand
Madère [madɛr] *m* Madeira
madone [madɔn] *f* Madonna
magasin [magazɛ̃] *m* (*boutique*) store, *surtout Br* shop; (*dépôt*) store room; ***grand ~*** department store; **magasinier** *m* storeman
magazine [magazin] *m* magazine
mage [maʒ] *m*: ***les Rois ~s*** the Three

Wise Men, the Magi

magicien, **~ne** [maʒisjɛ̃, -ɛn] *m/f* magician

Maghreb [magrɛb]: ***le ~*** French-speaking North Africa; **maghrébin**, **~e 1** *adj* North African **2** *m/f* **Maghrébin**, **~e** North African

magie [maʒi] *f* magic (*aussi fig*); **magique** magic, magical

magistral, **~e** [maʒistral] (*mpl* -aux) *ton* magisterial; *fig* masterly; ***cours m ~*** lecture

magistrat [maʒistra] *m* JUR magistrate

magnanime [maɲanim] magnanimous

magnat [maɲa] *m* magnate, tycoon

magner [maɲe]: ***se ~*** F get a move on, move it F

magnétique [maɲetik] magnetic; **magnétisme** *m* magnetism

magnéto [maɲeto] *m* F (*magnétophone*) tape recorder

magnétophone [maɲetɔfɔn] *m* tape recorder

magnétoscope [maɲetɔskɔp] *m* video (recorder)

magnifique [maɲifik] magnificent

magot [mago] *m fig* F *trésor* savings *pl*

magouille [maguj] *f* F scheming; ***~s électorales*** election shenanigans F; **magouiller** ⟨1a⟩ F scheme

magret [magrɛ] *m*: ***~ de canard*** duck's breast

mai [mɛ] *m* May

maigre [mɛgr] thin; *résultat*, *salaire* meager, *Br* meagre; **maigreur** *f* thinness; *de profit*, *ressources* meagerness, *Br* meagreness; **maigrir** ⟨2a⟩ get thin, lose weight

mailing [meliŋ] *m* mailshot

maille [maj] *f* stitch

maillet [majɛ] *m* mallet

maillon [majõ] *m d'une chaîne* link

maillot [majo] *m* SP shirt, jersey; *de coureur* vest; ***~ (de bain)*** swimsuit; ***~ jaune*** SP yellow jersey

main [mɛ̃] *f* hand; ***donner un coup de ~ à qn*** give s.o. a hand; ***à la ~*** *tenir qch* in one's hand; ***fait / écrit à la ~*** handmade / handwritten; ***à ~ armée*** *vol*, *attaque* armed; ***vote à ~ levée*** show of hands; ***la ~ dans la ~*** hand in hand; ***prendre qch en ~*** *fig* take sth in hand; ***prendre son courage à deux ~s*** summon up all one's courage, steel o.s.; ***en ~s propres*** in person; ***en un tour de ~*** in no time at all; ***haut les ~s!*** hands up!; ***donner la ~ à qn*** hold s.o.'s hand; ***perdre la ~*** *fig* lose one's touch; ***sous la ~*** to hand, within reach

main-d'œuvre [mɛ̃dœvr] *f* (*pl inv*) manpower, labor, *Br* labour

main-forte [mɛ̃fɔrt] *f*: ***prêter ~ à qn*** help s.o.

mainmise [mɛ̃miz] *f* seizure

maint, **~e** [mɛ̃, -t] *fml* many; ***à ~es reprises*** time and again

maintenance [mɛ̃tnɑ̃s] *f* maintenance

maintenant [mɛ̃tnɑ̃] *adv* now; ***~ que*** now that

maintenir [mɛ̃t(ə)nir] ⟨2h⟩ *paix* keep, maintain; *tradition* uphold; (*tenir fermement*) hold; *d'une poutre* hold up; (*conserver dans le même état*) keep; (*soutenir*) maintain; ***~ l'ordre*** maintain *ou* keep law and order; ***~ son opinion*** stick to one's opinion, not change one's mind; ***se ~*** *d'un prix* hold steady; *d'une tradition* last; *de la paix* hold, last; ***se ~ au pouvoir*** stay in power; ***le temps se maintient au beau fixe*** the good weather is holding; **maintien** *m* maintenance; ***~ de l'ordre*** maintenance of law and order; ***~ de la paix*** peace keeping

maire [mɛr] *m* mayor; **mairie** *f* town hall

mais [mɛ] **1** *conj* but **2** *adv*: ***~ bien sûr!*** of course!; ***~ non!*** no!; ***~ pour qui se prend-t-elle?*** just who does she think she is?

maïs [mais] *m* BOT corn, *Br aussi* maize; *en boîte* sweet corn

maison [mɛzõ] *f* house; (*chez-soi*) home; COMM company; ***à la ~*** at home; ***je vais à la ~*** I'm going home; ***pâté m ~*** homemade pâté; ***Maison Blanche*** White House; ***~ de campa-***

gne country house; ~ ***close*** brothel; ~ ***mère*** parent company; ~ ***de retraite*** retirement home, old people's home
maître [mɛtr] *m* master; (*professeur*) school teacher; (*peintre, écrivain*) maestro; ~ ***chanteur*** blackmailer; ~ ***d'hôtel*** maitre d', *Br* head waiter; ~ ***nageur*** swimming instructor; **maîtresse 1** *f* mistress (*aussi amante*); (*professeur*) schoolteacher; ~ ***de maison*** lady of the house; *qui reçoit des invités* hostess **2** *adj*: ***pièce*** *f* ~ main piece; ***idée*** *f* ~ main idea
maîtrise [mɛtriz] *f* mastery; *diplôme* MA, master's (degree); ~ ***de soi*** self-control; **maîtriser** ⟨1a⟩ master; *cheval* gain control of; *incendie* bring under control, get a grip on
maïzena® [maizɛna] *f* corn starch, *Br* cornflour
majesté [maʒɛste] *f* majesty; **majestueux**, **-euse** majestic
majeur, **~e** [maʒœr] **1** *adj* major; ***être*** ~ JUR be of age **2** *m* middle finger
majoration [maʒɔrasjõ] *f des prix, salaires* increase; **majorer** ⟨1a⟩ *prix* increase
majoritaire [maʒoritɛr] majority; ***scrutin*** *m* ~ majority vote; **majorité** *f* majority
majuscule [maʒyskyl] *f & adj*: (***lettre*** *f*) ~ capital (letter)
mal [mal] **1** *m* (*pl* maux [mo]) evil; (*maladie*) illness; (*difficulté*) difficulty, trouble; ***faire*** ~ hurt; ***avoir*** ~ ***aux dents*** have toothache; ***se donner du*** ~ go to a lot of trouble; ***ne voir aucun*** ~ ***à*** not see any harm in; ***faire du*** ~ ***à qn*** hurt s.o.; ***j'ai du*** ~ ***à faire cela*** I find it difficult to do that; ***dire du*** ~ ***de qn*** say bad things about s.o.; ~ ***de mer*** seasickness; ~ ***du pays*** homesickness **2** *adv* badly; ~ ***fait*** badly done; ***pas*** ~ not bad; ***il y avait pas*** ~ ***de monde*** there were quite a lot of people there; ***s'y prendre*** ~ go about it in the wrong way; ***se sentir*** ~ feel ill **3** *adj*: ***faire / dire qch de*** ~ do / say sth bad; ***être*** ~ ***à l'aise*** be ill at ease, be uncomfortable
malade [malad] ill, sick; ***tomber*** ~ fall ill; ~ ***mental*** mentally ill; **maladie** *f* illness, disease; **maladif**, **-ive** *personne* sickly; *curiosité* unhealthy
maladresse [maladrɛs] *f* clumsiness; **maladroit**, **~e** clumsy
malaise [malɛz] *m physique* physical discomfort; (*inquiétude*) uneasiness, discomfort; POL malaise; ***il a fait un*** ~ he fainted
malaria [malarja] *f* MÉD malaria
malavisé, **~e** [malavize] ill-advised
malaxer [malakse] ⟨1a⟩ mix
malchance [malʃɑ̃s] *f* bad luck; ***une série de*** **~*s*** a series of misfortunes, a string of bad luck; **malchanceux**, **-euse** unlucky
mâle [mɑl] *m & adj* male
malédiction [malediksjõ] *f* curse
maléfique [malefik] evil
malencontreux, **-euse** [malɑ̃kõtrø, -z] unfortunate
malentendant, **~e** [malɑ̃tɑ̃dɑ̃, -t] hard of hearing
malentendu [malɑ̃tɑ̃dy] *m* misunderstanding
malfaiteur [malfɛtœr] *m* malefactor
malfamé, **~e** [malfame] disreputable
malformation [malfɔrmasjõ] *f* deformity
malgache [malgaʃ] **1** *adj* Malagasy **2** *m/f* **Malgache** Malagasy
malgré [malgre] *prép* in spite of, despite; ~ ***moi*** despite myself; ~ ***tout*** in spite of everything
malhabile [malabil] *personne, geste* awkward; *mains* unskilled
malheur [malœr] *m* misfortune; (*malchance*) bad luck; ***par*** ~ unfortunately; ***porter*** ~ be bad luck; **malheureusement** *adv* unfortunately; **malheureux**, **-euse** unfortunate; (*triste*) unhappy; (*insignifiant*) silly little
malhonnête [malɔnɛt] dishonest; **malhonnêteté** *f* dishonesty
malice [malis] *f* malice; (*espièglerie*) mischief; **malicieux**, **-euse** malicious; (*coquin*) mischievous
malin, **-igne** [malɛ̃, maliɲ] (*rusé*)

M

crafty, cunning; (*méchant*) malicious; MÉD malignant
malle [mal] *f* trunk
malléable [maleabl] malleable
mallette [malɛt] *f* little bag
malmener [malməne] ⟨1d⟩ *personne, objet* treat roughly; (*critiquer*) maul
malnutrition [malnytrisjõ] *f* malnutrition
malodorant, **~e** [malɔdɔrɑ̃, -t] foul-smelling
malpoli, **~e** [malpɔli] impolite
malpropre [malprɔpr] dirty
malsain, **~e** [malsɛ̃, -ɛn] unhealthy
malt [malt] *m* malt
Malte [malt] *f* Malta; **maltais**, **~e** **1** *adj* Maltese **2** *m/f* **Maltais**, **~e** Maltese
maltraiter [maltrɛte] ⟨1b⟩ mistreat, maltreat
malveillant, **~e** [malvɛjɑ̃, -t] malevolent
malvenu, **~e** [malvəny]: ***c'est ~ de sa part de faire une remarque*** it's not appropriate for him to make a comment
malvoyant, **~e** [malvwajɑ̃, -t] **1** *adj* visually impaired **2** *m/f* visually impaired person
maman [mamɑ̃] *f* Mom, *Br* Mum
mamelle [mamɛl] *f de vache* udder; *de chienne* teat
mamelon [mamlõ] *m* ANAT nipple
mamie [mami] *f* F granny
mammifère [mamifɛr] *m* mammal
manager [manadʒœr] *m* manager
manche[1] [mɑ̃ʃ] *m d'outils, d'une casserole* handle; *d'un violon* neck
manche[2] [mɑ̃ʃ] *f* sleeve; **la Manche** the English Channel; ***la première / deuxième ~*** the first / second round; ***faire la ~*** play music on the street, *Br* busk
manchette [mɑ̃ʃɛt] *f* cuff; *d'un journal* headline; **manchon** *m* muff; TECH sleeve
manchot, **~e** [mɑ̃ʃo, -ɔt] **1** *adj* one-armed **2** *m/f* one-armed person **3** *m* ZO penguin
mandarine [mɑ̃darin] *f* mandarin (orange)
mandat [mɑ̃da] *m d'un député* term of office, mandate; (*procuration*) proxy; *de la poste* postal order; ***~ d'arrêt*** arrest warrant; ***~ de perquisition*** search warrant; **mandataire** *m/f à une réunion* proxy
manège [manɛʒ] *m* riding school; (*carrousel*) carousel, *Br* roundabout; *fig* game
manette [manɛt] *f* TECH lever
mangeable [mɑ̃ʒabl] edible, eatable; **mangeoire** *f* manger
manger [mɑ̃ʒe] ⟨1l⟩ **1** *v/t* eat; *fig*: *argent, temps* eat up; *mots* swallow **2** *v/i* eat **3** *m* food; **mangeur**, **-euse** *m/f* eater
mangue [mɑ̃g] *f* mango
maniable [manjable] *voiture, bateau* easy to handle
maniaque [manjak] fussy; **manie** *f* mania
manier [manje] ⟨1a⟩ handle
manière [manjɛr] *f* way, manner; ***~s*** manners; *affectées* airs and graces, affectation *sg*; ***à la ~ de*** in the style of; ***de cette ~*** (in) that way; ***de toute ~*** anyway, in any case; ***d'une ~ générale*** generally speaking, on the whole; ***de ~ à faire qch*** so as to do sth; ***de telle ~ que*** in such a way that; **maniéré**, **~e** affected
manifestant, **~e** [manifɛstɑ̃, -t] *m/f* demonstrator; **manifestation** *f de joie etc* expression; POL demonstration; *culturelle, sportive* event
manifeste [manifɛst] **1** *adj* obvious **2** *m* POL manifesto; COMM manifest
manifester [manifɛste] ⟨1a⟩ **1** *v/t courage, haine* show; ***se ~*** *de maladie, problèmes* manifest itself / themselves **2** *v/i* demonstrate
manigance [manigɑ̃s] *f* scheme, plot
manipulateur, **-trice** [manipylatœr, -tris] manipulative; **manipulation** *f d'un appareil* handling; *d'une personne* manipulation; ***~ génétique*** genetic engineering; **manipuler** ⟨1a⟩ handle; *personne* manipulate; ***manipulé génétiquement*** genetically engineered
manivelle [manivɛl] *f* crank

mannequin [mankɛ̃] *m de couture* (tailor's) dummy; *dans un magasin* dummy; *femme, homme* model

manœuvre [manœvr] **1** *f* maneuver, *Br* manoeuvre; *d'un outil, une machine etc* operation **2** *m* unskilled laborer *ou Br* labourer; **manœuvrer** ⟨1a⟩ maneuver, *Br* manoeuvre

manoir [manwar] *m* manor (house)

manque [mɑ̃k] *m* lack (***de*** of); ***par ~ de*** for lack of; ***~s*** *fig* failings; ***être en ~*** *d'un drogué* be experiencing withdrawal symptoms; ***~ à gagner*** COMM loss of earnings; **manqué, ~e** unsuccessful; *rendez-vous* missed; **manquement** *m* breach (***à*** of)

manquer [mɑ̃ke] ⟨1m⟩ **1** *v/i* (*être absent*) be missing; (*faire défaut*) be lacking; (*échouer*) fail; ***tu me manques*** I miss you; ***~ à*** *parole, promesse* fail to keep; *devoir* fail in; ***~ de qch*** lack sth, be lacking in sth **2** *v/t* (*rater, être absent à*) miss; *examen* fail; ***~ son coup*** *au tir* miss; *fig* miss one's chance; ***ne pas ~ de faire qch*** make a point of doing sth; ***elle a manqué (de) se faire écraser*** she was almost run over **3** *impersonnel* ***il manque des preuves*** there isn't enough evidence, there's a lack of evidence; ***il manque trois personnes*** three people are missing

mansarde [mɑ̃sard] *f* attic

manteau [mɑ̃to] *m* (*pl* -x) coat; *de neige* blanket, mantle; ***sous le ~*** clandestinely; ***~ de cheminée*** mantelpiece

manucure [manykyr] *f* manicure

manuel, ~le [manɥɛl] **1** *adj* manual **2** *m* manual; ***~ d'utilisation*** instruction manual

manufacture [manyfaktyr] *f* manufacture; *usine* factory; **manufacturé, ~e**: ***produits*** *mpl* ***~s*** manufactured goods, manufactures

manuscrit, ~e [manyskri, -t] **1** *adj* handwritten **2** *m* manuscript

manutention [manytɑ̃sjõ] *f* handling

mappemonde [mapmõd] *f* (*carte*) map of the world; (*globe*) globe

maquereau [makro] *m* (*pl* -x) ZO mackerel; F (*souteneur*) pimp

maquette [makɛt] *f* model

maquillage [makijaʒ] *m* make-up; **maquiller** ⟨1a⟩ make up; *crime, vérité* conceal, disguise; ***toute maquillée*** all made up; ***se ~*** make up, put one's make-up on

maquis [maki] *m* maquis, member of the Resistance

maraîcher, -ère [marɛʃe, -ɛr] *m/f* truck farmer, *Br* market gardener

marais [marɛ] *m* swamp, *Br aussi* marsh

marasme [marasm] *m* ÉCON slump

marathon [maratõ] *m* marathon

marbre [marbr] *m* marble; **marbré, ~e** marbled

marc [mar] *m*: ***~ de café*** coffee grounds *pl*

marcassin [markasɛ̃] *m* young wild boar

marchand, ~e [marʃɑ̃, -d] **1** *adj prix, valeur* market *atr*; *rue* shopping *atr*; *marine, navire* merchant *atr* **2** *m/f* merchant, storekeeper, *Br* shopkeeper; ***~ de vin*** wine merchant

marchandage [marʃɑ̃daʒ] *m* haggling, bargaining; **marchander** ⟨1a⟩ haggle, bargain

marchandise [marʃɑ̃diz] *f*: ***~s*** merchandise *sg*; ***train*** *m* ***de ~s*** freight train, *Br aussi* goods train

marche [marʃ] *f activité* walking; *d'escalier* step; MUS, MIL march; *des événements* course; (*démarche*) walk; ***assis dans le sens de la ~*** *dans un train* sitting facing the engine; ***~ arrière*** AUTO reverse; ***mettre en ~*** start (up)

marché [marʃe] *m* market (*aussi* COMM); (*accord*) deal; (***à***) ***bon ~*** cheap; (***à***) ***meilleur ~*** cheaper; ***par-dessus le ~*** into the bargain; ***~ boursier*** stock market; ***le Marché Commun*** POL the Common Market; ***~ noir*** black market; ***~ aux puces*** flea market; ***~ de titres*** securities market; ***le Marché unique*** the Single Market

marcher [marʃe] ⟨1a⟩ *d'une personne* walk; MIL march; *d'une machine* run,

M

work; F (*réussir*) work; *être en service*: *d'un bus*, *train* run; ***et il a marché!*** F and he fell for it!; ***faire ~ qn*** pull s.o.'s leg, have s.o. on *{fam}*; ***~ sur*** *les pieds de qn* tread on; *pelouse* walk on; ***défense de ~ sur la pelouse*** keep off the grass
mardi [mardi] *m* Tuesday; ***Mardi gras*** Mardi Gras, *Br* Shrove Tuesday
mare [mar] *f* pond; ***~ de sang*** pool of blood
marécage [marekaʒ] *m* swamp, *Br aussi* marsh; **marécageux**, **-euse** swampy, *Br aussi* marshy
maréchal [mareʃal] *m* (*pl* -aux) marshal; **maréchal-ferrant** *m* (*pl* maréchaux-ferrants) blacksmith
marée [mare] *f* tide; ***~ basse*** low tide; ***~ haute*** high tide; ***~ noire*** oil slick
marelle [marɛl] *f* hopscotch
margarine [margarin] *f* margarine
marge [marʒ] *f* margin (*aussi fig*); ***~ bénéficiaire*** *ou* ***~ de profit*** profit margin; ***notes*** *fpl* ***en ~*** marginal notes; ***en ~ de*** on the fringes of; ***laisser de la ~ à qn*** *fig* give s.o. some leeway
marginal, **~e** [marʒinal] (*mpl* -aux) **1** *adj* marginal **2** *m* person who lives on the fringes of society
marguerite [margərit] *f* daisy
mari [mari] *m* husband
mariage [marjaʒ] *m fête* wedding; *état* marriage; ***demander qn en ~*** ask for s.o.'s hand in marriage; **marié**, **~e** **1** *adj* married **2** *m* (bride)groom; ***les jeunes ~s*** the newly weds, the bride and groom; **mariée** *f* bride; **marier** ⟨1a⟩ *du maire*, *du prêtre*, *des parents* marry (***qn avec*** *ou* ***à qn*** s.o. to s.o.); ***se ~*** get married; ***se ~ avec qn*** marry s.o., get married to s.o.
marijuana [marirwana] *f* marihuana, marijuana
marin, **~e** [marɛ̃, -in] **1** *adj* sea *atr*; *animaux* marine **2** *m* sailor
marine *f* MIL navy; (***bleu***) ***~*** navy (blue)
mariner [marine] ⟨1a⟩ CUIS marinate
marionnette [marjɔnɛt] *f* puppet; *avec des ficelles aussi* marionnette
maritime [maritim] *climat*, *droit* maritime; *port* sea *atr*; *ville* seaside *atr*
marmelade [marməlad] *f* marmalade
marmite [marmit] *f* (large) pot
marmonner [marmɔne] ⟨1a⟩ mutter
marmotte [marmɔt] *f* marmot
Maroc [marɔk]: ***le ~*** Morocco; **marocain**, **~e** **1** *adj* Moroccan **2** *m/f* **Marocain**, **~e** Moroccan
maroquinerie [marɔkinri] *f* leather goods shop; *articles* leather goods *pl*
marquant, **~e** [markɑ̃, -t] remarkable, outstanding
marque [mark] *f* mark; COMM brand; *de voiture* make; COMM (*signe*) trademark; ***à vos ~s!*** on your marks!; ***~ déposée*** registered trademark; ***de ~*** COMM branded; *fig*: *personne* distinguished; ***une ~ de*** *fig* (*preuve de*) a token of
marquer [marke] ⟨1m⟩ mark; (*noter*) write down, note down; *personnalité* leave an impression *ou* its mark on; *d'un baromètre* show; (*exprimer*) indicate, show; (*accentuer*) *taille* emphasize; ***~ un but*** score (a goal); ***ma montre marque trois heures*** my watch says three o'clock, it's three o'clock by my watch
marqueterie [markɛtri] *f* marquetry
marqueur [markœr] *m* marker pen
marquis [marki] *m* marquis; **marquise** *f* marchioness
marraine [marɛn] *f* godmother
marrant, **~e** [marɑ̃, -t] F funny
marre [mar] F: ***j'en ai ~*** I've had enough, I've had it up to here F
marrer [mare] ⟨1a⟩ F: ***se ~*** have a good laugh
marron [marõ] **1** *m* chestnut **2** *adj inv* brown; **marronnier** *m* chestnut tree
mars [mars] *m* March
Marseille [marsɛj] Marseilles
marsupiaux [marsypjo] *mpl* marsupials
marteau [marto] (*pl* -x) **1** *m* hammer; ***~ piqueur*** pneumatic drill **2** *adj* F crazy, nuts F
marteler [martəle] ⟨1d⟩ hammer
martial, **~e** [marsjal] (*mpl* -aux) martial; ***cour*** *f* ***~*** court martial; ***arts*** *mpl* ***martiaux*** martial arts

martien, **~ne** [marsjɛ̃, -ɛn] Martian
martyr, ~e[1] [martir] *m/f* martyr
martyre[2] [martir] *m* martyrdom; **martyriser** ⟨1a⟩ abuse; *petit frère, camarade de classe* bully
marxisme [marksism] *m* Marxism; **marxiste** *m/f & adj* Marxist
mas [mɑ *ou* mas] *m farmhouse in the south of France*
mascara [maskara] *m* mascara
mascarade [maskarad] *f* masquerade; *fig* (*mise en scène*) charade
mascotte [maskɔt] *f* mascot
masculin, **~e** [maskylɛ̃,-in] **1** *adj* male; GRAM masculine **2** *m* GRAM masculine
masque [mask] *m* mask (*aussi fig*); **masquer** ⟨1m⟩ mask; *cacher à la vue* hide, mask; ***bal m masqué*** costume ball
massacre [masakr] *m* massacre; **massacrer** ⟨1a⟩ massacre (*aussi fig*)
massage [masaʒ] *m* massage
masse [mas] *f* masse; ÉL ground, *Br* earth; ***en ~*** in large numbers, en masse; *manifestation* massive: ***une ~ de choses à faire*** masses *pl* (of things) to do; ***taillé dans la ~*** carved from the solid rock; ***être à la ~*** F be off one's rocker F
masser [mase] ⟨1a⟩ (*assembler*) gather; *jambes* massage; **masseur, -euse** *m/f* masseur; masseuse
massif, **-ive** [masif, -iv] **1** *adj* massif; *or, chêne* solid **2** *m* massif; ***~ de fleurs*** flowerbed
massue [masy] *f* club
mastic [mastik] *m* mastic; *autour d'une vitre* putty
mastiquer [mastike] ⟨1m⟩ chew, masticate; *vitre* put putty around
mastodonte [mastɔdõt] *m* colossus, giant
masure [mazyr] *f péj* hovel
mat[1], **~e** [mat] matt; *son* dull
mat[2] [mat] *adj inv aux échecs* checkmated
mât [mɑ] *m* mast
match [matʃ] *m* game, *Br aussi* match; ***~ aller*** first game; ***~ retour*** return game; ***~ nul*** tied game, *Br* draw

M

matelas [matla] *m* mattress; ***~ pneumatique*** air bed; **matelassé**, **~e** quilted
matelot [matlo] *m* sailor
matérialiser [materjalize] ⟨1a⟩: ***se ~*** materialize; **matérialisme** *m* materialism; **matérialiste 1** *adj* materialistic **2** *m/f* materialist
matériau [materjo] *m* (*pl* -x) material;
matériel, **~le 1** *adj* material **2** *m* MIL matériel; *de camping*, SP equipment; INFORM hardware
maternel, **~le** [maternɛl] **1** *adj* maternal, motherly; *instinct, grand-père* maternal; ***lait m ~*** mother's milk **2** *f* nursery school; **materner** ⟨1a⟩ mother; **maternité** *f* motherhood; *établissement* maternity hospital; (*enfantement*) pregnancy; ***congé m (de) ~*** maternity leave
mathématicien, **~ne** [matematisjɛ̃, -ɛn] *m/f* mathematician; **mathématique 1** *adj* mathematical **2** *fpl*: ***~s*** mathematics; **math(s)** *fpl* math *sg*, *Br* maths *sg*
matière [matjɛr] *f* PHYS matter; (*substance*) material; (*sujet*) subject; ***c'est une bonne entrée en ~*** it's a good introduction; ***en la ~*** on the subject; ***en ~ de*** when it comes to; ***~ grasse*** shortening; ***~ grise*** gray *ou Br* grey matter, brain cells *pl*; ***~ première*** raw material
matin [matɛ̃] *m* morning; ***le ~*** in the morning; ***ce ~*** this morning; ***du ~ au soir*** from morning till night; ***~ et soir*** morning and evening; ***tous les lundis ~s*** every Monday morning; ***demain ~*** tomorrow morning; **matinal**, **~e** (*mpl* -aux) morning *atr*; ***être ~*** be an early riser; ***tu es bien ~!*** you're an early bird!, you're up early!; **matinée** *f* morning; (*spectacle*) matinée
matou [matu] *m* tom cat
matraque [matrak] *f* blackjack, *Br* cosh
matrice [matris] *f* ANAT uterus; TECH die, matrix; MATH matrix
matricule [matrikyl] *m* number
matrimonial, **~e** [matrimɔnjal] (*mpl*

-aux) matrimonial; ***agence** f* **~*e*** mariage bureau
mature [matyr] mature; **maturité** *f* maturity
maudire [modir] ⟨2a *et* 4m⟩ curse; **maudit**, **~e** F blasted F, damn F
mausolée [mozɔle] *m* mausoleum
maussade [mosad] *personne* sulky; *ciel, temps* dull
mauvais, **~e** [mɔvɛ, -z] **1** *adj* bad, poor; (*méchant*) bad; (*erroné*) wrong **2** *adv* bad; ***il fait ~*** the weather is bad; ***sentir ~*** smell (bad)
mauve [mov] mauve
mauviette [movjɛt] F wimp F
maux [mo] *pl de **mal***
maximal, **~e** [maksimal] (*mpl* -aux) maximum; **maximum 1** *adj* (*mpl et fpl aussi* maxima) maximum **2** *m* maximum; ***au ~*** (*tout au plus*) at most, at the maximum
mayonnaise [majɔnɛz] *f* CUIS mayonnaise, mayo F
mazout [mazut] *m* fuel oil; **mazouté**, **~e** *oiseau* covered in oil
McDrive® [makdrajv] *m* drive-in McDonald's
me [mə] *pron personnel* ◊ *complément d'objet direct* me; ***il ne m'a pas vu*** he didn't see me
◊ *complément d'objet indirect* (to) me; ***elle m'en a parlé*** she spoke to me about it; ***tu vas ~ chercher mon journal?*** will you fetch me my paper?
◊ *avec verbe pronominal* myself; ***je ~ suis coupé*** I cut myself; ***je ~ lève à …*** I get up at …
mec [mɛk] *m* F guy F
mécanicien [mekanisjɛ̃] *m* mechanic; **mécanique 1** *adj* mechanical **2** *f* mechanics; **mécaniquement** *adv* mechanically; **mécaniser** ⟨1a⟩ mechanize; **mécanisme** *m* mechanism
méchanceté [meʃɑ̃ste] *f caractère* nastiness; *action, parole* nasty thing to do / say; **méchant**, **~e 1** *adj* nasty; *enfant* naughty **2** *m/f* F: ***les gentils et les ~s*** the goodies and the baddies
mèche [mɛʃ] *f d'une bougie* wick; *d'explosif* fuse; *d'une perceuse* bit; *de cheveux* strand, lock
méconnaissable [mekɔnɛsabl] unrecognizable; **méconnaître** ⟨4z⟩ (*mésestimer*) fail to appreciate
mécontent, **~e** [mekõtɑ̃, -t] unhappy, displeased (***de*** with); **mécontenter** ⟨1a⟩ displease
Mecque [mɛk]: ***la ~*** Mecca
médaille [medaj] *f* medal; ***~ de bronze / d'argent / d'or*** bronze / silver / gold medal; **médaillé**, **~e** *m/f* medalist, *Br* medallist; **médaillon** *m* medallion
médecin [mɛdsɛ̃] *m* doctor; ***~ de famille*** family doctor; **médecine** *f* medicine; ***les ~s douces*** alternative medicines; ***~ légale*** forensic medicine; ***~ du sport*** sports medicine
média [medja] *m* (*pl* média *ou* médias) media *pl*
médiateur, **-trice** [medjatœr, -tris] *m/f* mediator
médiathèque [medjatɛk] *f* media library
médiation [medjasjõ] *f* mediation
médiatique [medjatik] media *atr*
médical, **~e** [medikal] (*mpl* -aux) medical; **médicament** *m* medicine, drug; **médicinal**, **~e** [medisinal] (*mpl* -aux) medicinal
médiéval, **~e** [medjeval] (*mpl* -aux) medieval, *Br* mediaeval
médiocre [medjɔkr] mediocre; ***~ en*** ÉDU poor at; **médiocrité** *f* mediocrity
médire [medir] ⟨4m⟩: ***~ de qn*** run s.o. down; **médisance** *f* gossip
méditation [meditasjõ] *f* meditation; **méditer** ⟨1a⟩ **1** *v/t*: ***~ qch*** think about sth, reflect on sth *fml* **2** *v/i* meditate (***sur*** on)
Méditerranée [mediterane]: ***la ~*** the Mediterranean; **méditerranéen**, **~ne 1** *adj* Mediterranean **2** *m/f* **Méditerranéen**, **~ne** Mediterranean *atr*
médium [medjɔm] *m* medium
méduse [medyz] *f* ZO jellyfish
meeting [mitiŋ] *m* meeting
méfait [mefɛ] *m* JUR misdemeanor, *Br* misdemeanour; ***~s*** *de la drogue*

harmful effects
méfiance [mefjɑ̃s] *f* mistrust, suspicion; **méfiant**, **~e** suspicious; **méfier** ⟨1a⟩: ***se ~ de*** mistrust, be suspicious of; (*se tenir en garde*) be wary of
mégalomanie [megalɔmani] *f* megalomania
mégaoctet [megaɔktɛ] *m* INFORM megabyte
mégaphone [megafɔn] *m* bullhorn, *Br* loudhailer
mégarde [megard] *f*: ***par ~*** inadvertently
mégère [meʒɛr] *f* shrew
mégot [mego] *m* cigarette butt
meilleur, **~e** [mɛjœr] **1** *adj* better; ***le ~ …*** the best … **2** *m*: ***le ~*** the best
mél [mɛl] *m* e-mail
mélancolie [melɑ̃kɔli] *f* gloom, melancholy; **mélancolique** gloomy, melancholy
mélange [melɑ̃ʒ] *m* mixture; *de tabacs, thés, vins* blend; *action* mixing; *de tabacs, thés, vins* blending; **mélanger** ⟨1l⟩ (*mêler*) mix; *tabacs, thés, vins* blend; (*brouiller*) jumble up, mix up
mélasse [melas] *f* molasses *sg*
mêlée [mɛle] *f* fray, melee; *en rugby* scrum
mêler [mɛle] ⟨1b⟩ mix; (*réunir*) combine; (*brouiller*) jumble up, mix up; ***~ qn à qch*** *fig* get s.o. mixed up in sth, involve s.o. in sth; ***se ~ à qch*** get involved with sth; ***se ~ de qch*** interfere in sth; ***mêle-toi de ce qui te regarde!*** mind your own business!; ***se ~ à la foule*** get lost in the crowd
mélo [melo] *m* melodrama
mélodie [melɔdi] *f* tune, melody; **mélodieux**, **-euse** tuneful, melodious; *voix* melodious
mélodramatique [melɔdramatik] melodramatic; **mélodrame** *m* melodrama
melon [m(ə)lõ] *m* BOT melon; (***chapeau*** *m*) **~** derby, *Br* bowler (hat)
membrane [mɑ̃bran] *f* membrane
membre [mɑ̃br] *m* ANAT limb; *fig* member; ***pays ~*** member country
même [mɛm] **1** *adj*: ***le / la ~, les ~s*** the same; ***la bonté ~*** kindness itself; ***il a répondu le jour ~*** he replied the same day *ou* that very day; ***en ~ temps*** at the same time; ***~ chose*** (the) same again; ***ce jour ~*** *fml* today **2** *pron*: ***le / la ~*** the same one; ***les ~s*** the same ones; ***cela revient au ~*** it comes to the same thing
3 *adv* even; ***~ pas*** not even; ***~ si*** even if; ***ici ~*** right here; ***faire de ~*** do the same; ***de ~!*** likewise!; ***de ~ que*** just as; ***boire à ~ la bouteille*** drink straight from the bottle; ***être à ~ de faire qch*** be able to do sth; ***tout de ~*** all the same; ***quand ~*** all the same; ***moi de ~*** me too; ***à ~ le sol*** on the ground
mémoire [memwar] **1** *f* (*faculté, souvenir*) memory (*aussi* INFORM); ***~ morte*** read-only memory, ROM; ***~ vive*** random access memory, RAM; ***de ~*** by heart; ***à la ~ de*** in memory of, to the memory of; ***de ~ d'homme*** in living memory **2** *m* (*exposé*) report; (*dissertation*) thesis, dissertation; ***~s*** memoirs
mémorable [memɔrabl] memorable
mémorandum [memɔrɑ̃dɔm] *m* memorandum
mémorial [memɔrjal] *m* (*pl* -aux) memorial
mémoriser [memɔrize] memorize
menaçant, **~e** [mənasɑ̃, -t] threatening, menacing; **menace** *f* threat; ***constituer une ~*** pose a threat; **menacer** ⟨1k⟩ threaten (***de*** with; ***de faire*** to do)
ménage [menaʒ] *m* (*famille*) household; (*couple*) (married) couple; ***faire le ~*** clean house, *Br* do the housework; ***femme*** *f* ***de ~*** cleaning woman, *Br aussi* cleaner; ***~ à trois*** ménage à trois, three-sided relationship; ***faire bon ~ avec qn*** get on well with s.o.
ménagement [menaʒmɑ̃] *m* consideration
ménager[1] ⟨1l⟩ (*traiter bien*) treat with consideration; *temps, argent* use sparingly; (*arranger*) arrange
ménager[2], **-ère** [menaʒe, -ɛr] **1** *adj* household *atr* **2** *f* home-maker, housewife

M

mendiant, **~e** [mɑ̃djɑ̃, -t] *m/f* beggar; **mendier** ⟨1a⟩ **1** *v/i* beg **2** *v/t* beg for
mener [məne] ⟨1d⟩ **1** *v/t* lead (*aussi fig*); (*amener, transporter*) take **2** *v/i*: ***~ à*** *d'un chemin* lead to; ***ne ~ à rien*** *des efforts de qn* come to nothing; ***ceci ne nous mène nulle part*** this is getting us nowhere; **meneur** *m* leader; *péj* ringleader; ***~ de jeu*** RAD, TV question master
menhir [menir] *m* menhir, standing stone
méningite [menɛ̃ʒit] *f* meningitis
ménopause [menɔpoz] *f* menopause
menotte [mənɔt] *f*: ***~s*** handcuffs; **menotter** ⟨1a⟩ handcuff
mensonge [mɑ̃sõʒ] *m* lie; **mensonger, -ère** false
menstruation [mɑ̃stryasjõ] *f* menstruation
mensualité [mɑ̃sɥalite] *f somme à payer* monthly payment; **mensuel**, **~le** monthly
mensurations [mɑ̃syrasjõ] *fpl* measurements; *de femme* vital statistics
mental, **~e** [mɑ̃tal] (*mpl* -aux) mental; ***calcul*** *m* ***~*** mental arithmetic; **mentalement** *adv* mentally; **mentalité** *f* mentality
menteur, **-euse** [mɑ̃tœr, -øz] *m/f* liar
menthe [mɑ̃t] *f* BOT mint; ***~ poivrée*** peppermint; ***~ verte*** spearmint
mention [mɑ̃sjõ] *f* mention; *à un examen* grade, *Br aussi* mark; ***faire ~ de*** mention; ***rayer la ~ inutile*** delete as appropriate; **mentionner** ⟨1a⟩ mention
mentir [mɑ̃tir] ⟨2b⟩ lie (***à qn*** to s.o.)
menton [mɑ̃tõ] *m* chin; ***double ~*** double chin
mentor [mɑ̃tɔr] *m* mentor
menu, **~e** [məny] **1** *adj personne* slight; *morceaux* small; ***~e monnaie*** *f* change **2** *adv* finely, fine **3** *m* (*liste*) menu (*aussi* INFORM); (*repas*) set meal; ***par le ~*** in minute detail
menuiserie [mənɥizri] *f* carpentry; **menuisier** *m* carpenter
méprendre [meprɑ̃dr] ⟨4q⟩: ***se ~*** be mistaken (***sur*** about)
mépris [mepri] *m* (*indifférence*) disdain; (*dégoût*) scorn; ***au ~ de*** regardless of; **méprisable** despicable; **méprisant**, **~e** scornful; **mépriser** ⟨1a⟩ *argent, ennemi* despise; *conseil, danger* scorn
mer [mɛr] *f* sea; ***en ~*** at see; ***par ~*** by sea; ***prendre la ~*** go to sea; ***la Mer du Nord*** the North Sea; ***mal*** *m* ***de ~*** seasickness
mercenaire [mɛrsənɛr] *m* mercenary
mercerie [mɛrsəri] *f magasin* notions store, *Br* haberdashery; *articles* notions, *Br* haberdashery *pl*
merci [mɛrsi] **1** *int* thanks, thank you (***de***, ***pour*** for); ***~ beaucoup***, ***~ bien*** thanks a lot, thank you very much; ***Dieu ~!*** thank God! **2** *f* mercy; ***être à la ~ de*** be at the mercy of; ***sans ~*** merciless, pitiless; *adv* mercilessly, pitilessly
mercredi [mɛrkrədi] *m* Wednesday
mercure [mɛrkyr] *m* CHIM mercury, quicksilver
merde [mɛrd] *f* P shit P; **merder** ⟨1a⟩ P screw up P; **merdique** P shitty P, crappy P
mère [mɛr] *f* mother; ***~ célibataire*** unmarried mother; ***~ porteuse*** surrogate mother
méridional, **~e** [meridjɔnal] (*mpl* -aux) southern
meringue [mərɛ̃g] *f* CUIS meringue
mérite [merit] *m* merit; **mériter** ⟨1a⟩ deserve; ***~ le détour*** be worth a visit; **méritoire** praiseworthy
merlan [mɛrlɑ̃] *m* whiting
merle [mɛrl] *m* blackbird
merveille [mɛrvɛj] *f* wonder, marvel; ***à ~*** wonderfully well; **merveilleux**, **-euse** wonderful, marvelous, *Br* marvellous
mes [me] → ***mon***
mésange [mezɑ̃ʒ] *f* ZO tit
mésaventure [mezavɑ̃tyr] *f* mishap
mesdames [medam] *pl* → ***madame***
mesdemoiselles [medmwazɛl] *pl* → ***mademoiselle***
mésentente [mezɑ̃tɑ̃t] *f* misunderstanding
mesquin, **~e** [mɛskɛ̃, -in] mean, petty; (*parcimonieux*) mean

message [mɛsaʒ] *m* message; ~ ***d'erreur*** error message; ~ ***téléphonique*** telephone message; **messager, -ère** *m/f* messenger, courier; **messagerie** *f* parcels service; *électronique* electronic mail; ~ ***vocale*** voicemail
messe [mɛs] *f* REL mass
messieurs [mesjø] *pl* → ***monsieur***
mesurable [məzyrabl] measurable; **mesure** *f action* measurement, measuring; *grandeur* measurement; *disposition* measure, step; MUS (*rythme*) time; ***à la ~ de*** commensurate with; ***à ~ que*** as; ***dans la ~ où*** insofar as; ***dans une large ~*** to a large extent; ***être en ~ de faire qch*** be in a position to do sth; ***outre ~*** excessive; ***fait sur ~*** made to measure; ***sur ~*** *fig* tailor-made; ***en ~*** in time; **mesurer** ⟨1a⟩ measure; *risque, importance* gauge; *paroles* weigh; ***se ~ avec qn*** pit o.s. against s.o.
métabolisme [metabɔlism] *m* metabolism
métal [metal] *m* (*pl* -aux) metal; **métallique** metallic; **métallisé, ~e** metallic; **métallurgie** *f* metallurgy
métamorphose [metamɔrfoz] *f* metamorphosis; **métamorphoser** ⟨1a⟩: ***se ~*** metamorphose
métaphore [metafɔr] *f* metaphor
métaphysique [metafizik] **1** *adj* metaphysical **2** *f* metaphysics
météo [meteo] *f* weather forecast
météore [meteɔr] *m* meteor; **météorite** *m* meteorite
météorologie [meteɔrɔlɔʒi] *f science* meteorology; *service* weather office; **météorologiste** *m/f* meteorologist
méthode [metɔd] *f* method; **méthodique** methodical
méticuleux, -euse [metikylø, -z] meticulous
métier [metje] *m* (*profession*) profession; (*occupation manuelle*) trade; (*expérience*) experience; *machine* loom
métis, ~se [metis] *m/f & adj* half-caste
métrage [metraʒ] *m d'un film* footage; ***court ~*** short; ***long ~*** feature film
mètre [mɛtr] *m* meter, *Br* metre; (*règle*) measuring tape, tape measure;
métrique metric
métro [metro] *m* subway, *Br* underground; *à Paris* metro
métropole [metrɔpɔl] *f ville* metropolis; *de colonie* mother country; **métropolitain, ~e**: ***la France ~e*** metropolitan France
mets [mɛ] *m* dish
metteur [mɛtœr] *m*: ~ ***en scène*** director
mettre [mɛtr] ⟨4p⟩ ◊ put; *sucre, lait* put in; *vêtements, lunettes, chauffage, radio* put on; *réveil* set; *argent dans entreprise* invest, put in; ~ ***deux heures à faire qch*** take two hours to do sth; ~ ***en bouteilles*** bottle; ***mettons que je n'aie*** (*subj*) ***plus d'argent*** let's say I have no more money; ~ ***fin à qch*** put an end to sth
◊ ***je ne savais pas où me ~*** I didn't know where to put myself; ***où se mettent les ...?*** where do the ... go?; ***se ~ au travail*** set to work; ***se ~ à faire qch*** start to do sth; ***je n'ai plus rien à me ~*** I have nothing to wear
meuble [mœbl] *m* piece of furniture; **~s** furniture *sg*; **meubler** ⟨1a⟩ furnish
meugler [møgle] ⟨1a⟩ moo
meule [møl] *f* millstone; ~ ***de foin*** haystack
meunier, -ère [mønje, -ɛr] **1** *m/f* miller **2** *f* CUIS: (***à la***) ~ dusted with flour and fried
meurtre [mœrtr] *m* murder; **meurtrier, -ère 1** *adj* deadly **2** *m/f* murderer
meurtrir [mœrtrir] ⟨2a⟩ bruise; ***avoir le cœur meurtri*** *fig* be heart-broken; **meurtrissure** *f* bruise
meute [møt] *f* pack; *fig* mob
mexicain, ~e [mɛksikɛ̃, -ɛn] **1** *adj* Mexican **2** *m/f* **Mexicain, ~e** Mexican; **Mexique**: ***le ~*** Mexico
mezzanine [medzanin] *f* mezzanine (floor)
mi [mi] *m* MUS E
mi-... [mi] half; ***à mi-chemin*** halfway; (***à la***) ***mi-janvier*** mid-January
miam-miam [mjammjam] yum-yum

miaou [mjau] *m* miaow
miauler [mjole] ⟨1a⟩ miaow
mi-bas [miba] *mpl* knee-highs, pop socks
miche [miʃ] *f* large round loaf
mi-clos, **~e** [miklo, -z] half-closed
micro [mikro] *m* mike; INFORM computer, PC; *d'espionnage* bug
microbe [mikrɔb] *m* microbe
microbiologie [mikrobiɔlɔʒi] *f* microbiology
microclimat [mikroklima] *m* microclimate
microcosme [mikrokɔsm] *m* microcosm
microélectronique [mikroelɛktrɔnik] *f* microelectronics
microfilm [mikrofilm] *m* microfilm
micro-onde [mikrɔɔ̃d] (*pl* micro-ondes) microwave; (***four*** *m* ***à***) **~s** *m* microwave (oven)
micro-ordinateur [mikroɔrdinatœr] *m* (*pl* micro-ordinateurs) INFORM microcomputer *m*
micro-organisme [mikroɔrganism] *m* microorganism
microphone [mikrofɔn] *m* microphone
microprocesseur [mikroprɔsɛsœr] *m* INFORM microprocessor
microscope [mikrɔskɔp] *m* microscope; **microscopique** microscopic
midi [midi] *m* noon, twelve o'clock; (*sud*) south; ***~ et demi*** half-past twelve; ***le Midi*** the South of France
mie [mi] *f de pain* crumb
miel [mjɛl] *m* honey; **mielleux**, **-euse** *fig* sugary-sweet
mien, **~ne** [mjɛ̃, mjɛn]: ***le mien, la mienne, les miens, les miennes*** mine
miette [mjɛt] *f* crumb
mieux [mjø] **1** *adv* ◊ *comparatif de bien* better; *superlatif de bien* best; ***le ~*** best; ***le ~ possible*** the best possible; ***de ~ en ~*** better and better; ***tant ~*** so much the better; ***valoir ~*** be better; ***vous feriez ~ de*** … you would *ou* you'd do best to …; ***~ vaut prévenir que guérir*** prevention is better than cure; ***on ne peut ~*** extremely well
2 *m* (*progrès*) progress, improvement; ***j'ai fait de mon ~*** I did my best; ***le ~, c'est de …*** the best thing is to …
mièvre [mjɛvr] insipid
mignon, **~ne** [miɲõ, miɲɔn] (*charmant*) cute; (*gentil*) nice, good
migraine [migrɛn] *f* migraine
migrateur, **-trice** [migratœr, -tris] *oiseau* migratory; **migration** *f* migration; **migrer** ⟨1a⟩ migrate
mijoter [miʒɔte] ⟨1a⟩ CUIS simmer; *fig* hatch; ***qu'est-ce qu'il mijote encore?*** what's he up to now?
milice [milis] *f* militia
mildiou [mildju] *m* mildew
milieu [miljø] *m* (*pl* -x) (*centre*) middle; *biologique* environment; *social* environment, surroundings *pl*; ***au ~ de*** in the middle of; ***en plein ~ de*** right in the middle of; ***le juste ~*** a happy medium; ***le ~*** the underworld; ***~x diplomatiques*** diplomatic circles
militaire [militɛr] **1** *adj* military; ***service*** *m* **~** military service **2** *m* soldier; ***les ~s*** the military *sg ou pl*
militant, **~e** [militɑ̃, -t] active
militariser [militarize] ⟨1a⟩ militarize
militer [milite] ⟨1a⟩: ***~ dans*** be an active member of; ***~ pour / contre qch*** *fig* militate for / against sth
mille [mil] **1** (a) thousand **2** *m mesure* mile; ***~ marin*** nautical mile
millénaire [milenɛr] **1** *adj* thousand-year old **2** *m* millennium
mille-pattes [milpat] *m* (*pl inv*) millipede
millésime [milezim] *m de timbres* date; *de vin* vintage, year
millet [mijɛ] *m* BOT millet
milliard [miljar] *m* billion; **milliardaire** *m* billionaire
millième [miljɛm] thousandth
millier [milje] *m* thousand
milligramme [miligram] *m* milligram
millimètre [milimɛtr] millimeter, *Br* millimetre
million [miljõ] *m* million; **millionnaire** *m/f* millionaire
mime [mim] *m* mimic; *de métier* mime;

mimer ⟨1a⟩ mime; *personne* mimic; **mimique** *f* expression
mimosa [mimoza] *m* BOT mimosa
minable [minabl] mean, shabby; ***un salaire ~*** a pittance
mince [mɛ̃s] thin; *personne* slim, slender; *taille* slender; *espoir* slight; *somme, profit* small; *argument* flimsy; ***~ (alors)!*** F what the...!, blast!
mine[1] [min] *f* appearance, look; ***faire ~ de faire qch*** make as if to do sth; ***avoir bonne / mauvaise ~*** look / not look well
mine[2] [min] *f* mine (*aussi* MIL); *de crayon* lead; **miner** ⟨1a⟩ undermine; MIL mine
minerai [minrɛ] *m* ore
minéral, **~e** [mineral] (*mpl* -aux) *adj & m* mineral
minéralogique [mineralɔʒik] AUTO: ***plaque f ~*** license plate, *Br* number plate
minet, **~te** [minɛ, -t] *m/f* F pussy (cat); *fig* darling, sweetie pie F
mineur[1], **~e** [minœr] JUR, MUS minor
mineur[2] [minœr] *m* (*ouvrier*) miner
miniature [minjatyr] *f* miniature
minibus [minibys] *m* minibus
minichaîne [miniʃɛn] *f* mini (hi-fi)
minier, **-ère** [minje, -ɛr] mining
mini-jupe [miniʒyp] *f* (*pl* mini-jupes) mini (skirt)
minimal, **~e** [minimal] minimum; **minimalisme** *m* minimalism
minime [minim] minimal; *salaire* tiny; **minimiser** ⟨1a⟩ minimize
minimum [minimɔm] **1** *adj* (*mpl et fpl aussi* minima) minimum **2** *m* minimum; ***au ~*** at the very least; ***un ~ de*** the least little bit of; ***il pourrait avoir un ~ de politesse*** he could try to be a little polite; ***prendre le ~ de risques*** take as few risks as possible, minimize risk-taking
ministère [ministɛr] *m* department; (*gouvernement*) government; REL ministry; **ministériel**, **~le** *d'un ministère* departmental; *d'un ministre* ministerial
ministre [ministr] *m* minister; ***~ des Affaires étrangères*** Secretary of State, *Br* Foreign Secretary; ***~ de la Défense*** Defense Secretary, *Br* Minister of Defence; ***~ de l'Intérieur*** Secretary of the Interior, *Br* Home Secretary
minitel [minitɛl] *m small home terminal connected to a number of data banks*
minoritaire [minɔritɛr] minority; **minorité** *f* JUR, POL minority
minou [minu] *m* F pussy(-cat) F
minuit [minɥi] *m* midnight
minuscule [minyskyl] **1** *adj* tiny, minuscule; *lettre* small, lower case **2** *f* small *ou* lower-case letter
minute [minyt] *f* minute; ***tu n'es quand même pas à la ~?*** you're surely not in that much of a rush!; ***d'une ~ à l'autre*** any minute now; **minuterie** *f* time switch
minutie [minysi] *f* attention to detail, meticulousness; **minutieux**, **-euse** meticulous
mioche [mjɔʃ] *m* F kid F
mirabelle [mirabɛl] *f* mirabelle plum
miracle [mirakl] *m* miracle (*aussi fig*); **miraculeux**, **-euse** miraculous
mirador [miradɔr] *m* watch tower
mirage [miraʒ] *m* mirage; *fig* illusion
mire [mir] *f*: ***point** m **de ~*** target (*aussi fig*)
miroir [mirwar] *m* mirror; **miroiter** ⟨1a⟩ sparkle
mis, **~e** [mi, -z] *p/p* → ***mettre***
mise [miz] *f au jeu* stake; ***de ~*** acceptable; ***~ en bouteilles*** bottling; ***~ en marche** ou **route*** start-up; ***~ en scène*** *d'une pièce de théâtre* staging; *d'un film* direction; ***~ en service*** commissioning; ***~ en vente*** (putting up for) sale
miser [mize] ⟨1a⟩ *au jeu, fig* stake (***sur*** on)
misérable [mizerabl] wretched; (*pauvre*) destitute, wretched; **misère** *f* (*pauvreté*) destitution; (*chose pénible*) misfortune; **miséreux**, **-euse** poverty-stricken
miséricorde [mizerikɔrd] *f* mercifulness; **miséricordieux**, **-euse** merciful
misogyne [mizɔʒin] **1** *adj* misogynis-

tic **2** *m* misogynist
missel [misɛl] *m* REL missal
missile [misil] *m* MIL missile
mission [misjõ] *f* (*charge*) mission (*aussi* POL, REL); (*tâche*) job, task; **missionnaire** *m* missionary
missive [misiv] *f* brief
mistral [mistral] *m* mistral (*cold north wind on the Mediterranean coast*)
mite [mit] *f* ZO (clothes) moth
mi-temps [mitɑ̃] (*pl inv*) **1** *f* SP half-time **2** *m* part-time job; ***à ~*** *travail, travailler* part-time
miteux, **-euse** [mitø, -z] *vêtement* moth-eaten; *hôtel, théâtre* shabby, flea-bitten F
mitigé, **~e** [mitiʒe] moderate; *sentiments* mixed
mitonner [mitɔne] ⟨1a⟩ cook on a low flame
mitoyen, **~ne** [mitwajɛ̃, -ɛn] *jardin* with a shared wall / hedge; ***des maisons ~nes*** duplexes, *Br* semi-detached houses; *plus de deux* row houses, *Br* terraced houses
mitrailler [mitraje] ⟨1a⟩ MIL machine gun; *fig* bombard (***de*** with); **mitraillette** *f* sub-machine gun; **mitrailleuse** *f* machine gun
mi-voix [mivwa]: ***à ~*** under one's breath
mixage [miksaʒ] *m* mixing; **mixer**, **mixeur** *m* CUIS blender; **mixte** mixed; **mixture** *f péj* vile concoction
MM *abr* (= ***Messieurs***) Messrs.
Mme *abr* (= ***Madame***) Mrs
Mo *m abr* (= ***mégaoctet***) Mb (= megabyte)
mobile [mɔbil] **1** *adj* mobile; (*amovible*) movable (*aussi* REL); *feuilles* loose; *reflets, ombres* moving **2** *m* motive; ART mobile; **mobilier**, **-ère** **1** *adj* JUR movable, personal; ***valeurs*** *fpl* ***mobilières*** FIN securities **2** *m* furniture
mobilisation [mɔbilizasjõ] *f* MIL mobilization (*aussi fig*); **mobiliser** ⟨1a⟩ MIL mobilize (*aussi fig*)
mobilité [mɔbilite] *f* mobility
mobylette® [mɔbilɛt] *f* moped
moche [mɔʃ] F (*laid*) ugly; (*méprisable*) mean, rotten F
modalité [mɔdalite] *f*: ***~s de paiement*** methods of payment
mode[1] [mɔd] *m* method; ***~ d'emploi*** instructions (for use); ***~ de paiement*** method of payment; ***~ de vie*** lifestyle
mode[2] [mɔd] *f* fashion; ***être à la ~*** be fashionable, be in fashion
modèle [mɔdɛl] *m* model; *tricot* pattern; **modeler** ⟨1d⟩ model
modem [mɔdɛm] *m* INFORM modem
modération [mɔderasjõ] *f* moderation; **modéré**, **~e** moderate; **modérer** ⟨1f⟩ moderate; ***se ~*** control o.s.
moderne [mɔdɛrn] modern; **modernisation** *f* modernization; **moderniser** ⟨1a⟩ modernize
modeste [mɔdɛst] modest; **modestie** *f* modesty
modification [mɔdifikasjõ] *f* alteration, modification; **modifier** ⟨1a⟩ alter, modify
modique [mɔdik] modest
modiste [mɔdist] *f* milliner
modulable [mɔdylabl] *meuble* modular; *horaire* flexible; **modulation** *f* modulation; ***~ de fréquence*** frequency modulation; **module** *m* TECH module; **moduler** ⟨1a⟩ modulate
moelle [mwal] *f* marrow; ***~ épinière*** spinal cord
moelleux, **-euse** [mwalø, -z] *lit, serviette* soft; *chocolat, vin* smooth
mœurs [mœr(s)] *fpl* (*attitude morale*) morals; (*coutumes*) customs; ***brigade*** *f* ***des ~*** vice squad
mohair [mɔɛr] *m* mohair
moi [mwa] *pron personnel* me; ***avec ~*** with me; ***c'est ~ qui l'ai fait*** I did it, it was me that did it
moignon [mwaɲõ] *m* stump
moi-même [mwamɛm] myself
moindre [mwɛ̃dr] lesser; *prix, valeur* lower; *quantité* smaller; ***le / la ~*** the least; ***c'est un ~ mal*** it's the lesser of two evils
moine [mwan] *m* monk
moineau [mwano] *m* (*pl* -x) sparrow
moins [mwɛ̃] **1** *adv* less; ***~ d'argent***

less money; ***deux mètres de ~*** two meters less; ***c'est ~ cher que …*** it's less expensive than …, it's not as expensive as …; ***au** ou **du ~*** at least; ***je ne pourrai pas venir à ~ d'annuler mon rendez-vous*** I can't come unless I cancel my meeting, ***à ~ que … ne*** (+ *subj*) unless; ***de ~ en ~*** less and less
2 *m*: ***le ~*** the least
3 *prép* MATH minus; ***dix heures ~ cinq*** five of ten, *Br* five to ten; ***il fait ~ deux*** it's 2 below zero, it's two below freezing
mois [mwa] *m* month; ***par ~*** a month
moisi, ~e [mwazi] **1** *adj* moldy, *Br* mouldy **2** *m* BOT mold, *Br* mould; **moisir** ⟨2a⟩ go moldy *ou Br* mouldy; **moisissure** *f* BOT mold, *Br* mould
moisson [mwasõ] *f* harvest; **moissonner** ⟨1a⟩ harvest; **moissonneur, -euse** **1** *m/f* harvester **2** *f* reaper; **moissonneuse-batteuse** *f* (*pl* moissonneuses-batteuses) combine harvester
moite [mwat] damp, moist
moitié [mwatje] *f* half; ***à ~ vide / endormi*** half-empty / -asleep; ***~ ~*** fifty-fifty; ***à ~ prix*** (at) half-price; ***à la ~ de*** *travail, vie* halfway through
mol [mɔl] → ***mou***
molaire [mɔlɛr] *f* molar
môle [mol] *m* breakwater, mole
moléculaire [mɔlekylɛr] molecular; **molécule** *f* molecule
molester [mɔlɛste] ⟨1a⟩ rough up
molette [mɔlɛt] *f de réglage* knob
mollasse [mɔlas] *péj* spineless; (*paresseux*) lethargic
mollement [mɔlmɑ̃] *adv* lethargically; **mollesse** *f d'une chose* softness; *d'une personne, d'actions* lethargy; **mollet**[1], **~te** soft; *œuf* soft-boiled
mollet[2] [mɔlɛ] *m* calf
mollir [mɔlir] ⟨2a⟩ *des jambes* give way; *du vent* die down
mollusque [mɔlysk] *m* mollusc
môme [mom] *m/f* F kid F
moment [mɔmɑ̃] *m* moment; ***à ce ~*** at that moment; ***en ce ~*** at the moment; ***dans un ~*** in a moment; ***du ~*** of the moment; ***d'un ~ à l'autre*** at any moment; ***par ~s*** at times, sometimes; ***pour le ~*** for the moment, for the time being; ***à tout ~*** at any moment
momentané, ~e [mɔmɑ̃tane] temporary; **momentanément** *adv* for a short while
momie [mɔmi] *f* mummy
mon *m*, **ma** *f*, **mes** *pl* [mõ, ma, me] my
Monaco [mɔnako]: ***la principauté de ~*** the principality of Monaco
monarchie [mɔnarʃi] *f* monarchy; **monarque** *m* monarch
monastère [mɔnastɛr] *m* monastery
monceau [mõso] *m* (*pl* -x) mound
mondain, ~e [mõdɛ̃, -ɛn] *soirée, vie* society *atr*; ***elle est très ~*** she's a bit of a socialite; **mondanités** *fpl* social niceties
monde [mõd] *m* world; *gens* people *pl*; ***tout le ~*** everybody, everyone; ***dans le ~ entier*** in the whole world, all over the world; ***l'autre ~*** the next world; ***le beau ~*** the beautiful people; ***homme** m **du ~*** man of the world; ***mettre au ~*** bring into the world
mondial, ~e [mõdjal] (*mpl* -aux) world *atr*, global; **mondialement** *adv*: ***~ connu*** known worldwide; **mondialisation** *f* globalization
monégasque [mɔnegask] **1** *adj* of / from Monaco, Monacan **2** *m/f* **Monégasque** Monacan
monétaire [mɔnetɛr] monetary; *marché* money *atr*
moniteur, -trice [mɔnitœr, -tris] **1** *m/f* instructor **2** *m* INFORM monitor
monnaie [mɔnɛ] *f* (*pièces*) change; (*moyen d'échange*) money; (*unité monétaire*) currency; ***une pièce de ~*** a coin; ***~ forte*** hard currency; ***~ unique*** single currency
monologue [mɔnɔlɔg] *m* monolog, *Br* monologue
mononucléose [mɔnonykleoz] *f*: ***~ infectieuse*** glandular fever
monoparental, ~e [mɔnoparɑ̃tal] single-parent
monoplace [mɔnɔplas] *m & adj* sin-

gle-seater

monopole [mɔnɔpɔl] *m* monopoly; **monopoliser** ⟨1a⟩ monopolize

monospace [mɔnɔspas] *m* people carrier, MPV

monotone [mɔnɔtɔn] monotonous; **monotonie** *f* monotony

monseigneur [mõsɛɲœr] *m* monsignor

monsieur [məsjø] *m* (*pl* messieurs [mesjø]) *dans lettre* Dear Sir; ***bonjour ~*** good morning; ***~!*** sir!, *Br* excuse me!; ***Monsieur Durand*** Mr Durand; ***bonsoir mesdames et messieurs*** good evening, ladies and gentlemen

monstre [mõstr] **1** *m* monster (*aussi fig*) **2** *adj* colossal; **monstrueux, -euse** (*géant*) colossal; (*abominable*) monstrous; **monstruosité** *f* (*crime*) monstrosity

mont [mõ] *m* mountain; ***par ~s et par vaux*** up hill and down dale

montage [mõtaʒ] *m* TECH assembly; *d'un film* editing; *d'une photographie* montage; ÉL connecting

montagnard, ~e [mõtaɲar, -d] **1** *adj* mountain *atr* **2** *m/f* mountain dweller; **montagne** *f* mountain; ***à la ~*** in the mountains; ***~s russes*** roller coaster *sg*; ***en haute ~*** in the mountains; **montagneux, -euse** mountainous

montant, ~e [mõtɑ̃, -t] **1** *adj robe* high-necked; *mouvement* upward **2** *m somme* amount; *d'un lit* post

monte-charge [mõtʃarʒ] *m* (*pl inv*) hoist

montée [mõte] *f sur montagne* ascent; (*pente*) slope; *de l'eau, des prix, de la température* rise

monter [mõte] ⟨1a⟩ **1** *v/t montagne* climb; *escalier* climb, go / come up; *valise* take / bring up; *machine, échafaudage, étagère* assemble, put together; *tente* put up, erect; *pièce de théâtre* put on, stage; *film, émission* edit; *entreprise, sociéte* set up; *cheval* ride; *diamant, rubis etc* mount **2** *v/i* (*aux* ***être***) come / go upstairs; *d'un avion, d'une route, d'une voiture* climb; *des prix* climb, rise, go up; *d'un baromètre, fleuve* rise; ***~ dans*** *avion, train* get on; *voiture* get in(to); ***monte dans ta chambre!*** go up to your room!; ***~ à bord*** go on board, board, ***~ en grade*** be promoted; ***~ à cheval*** ride **3**: ***se ~ à*** *de frais* amount to

monteur, -euse [mõtœr, -øz] *m/f film*, TV editor

montgolfière [mõgɔlfjɛr] *f* balloon

monticule [mõtikyl] *m* (*tas*) heap, pile

montre [mõtr] *f* (wrist)watch; ***faire ~ de qch*** (*faire preuve de*) show sth; **montre-bracelet** *f* wristwatch

Montréal [mõreal] Montreal

montrer [mõtre] ⟨1a⟩ show; ***~ qn / qch du doigt*** point at s.o. / sth; ***se ~*** show o.s.

monture [mõtyr] *f* (*cheval*) mount; *de lunettes* frame; *d'un diamant* setting

monument [mɔnymɑ̃] *m* monument; *commémoratif* memorial; **monumental, ~e** monumental

moquer [mɔke] ⟨1m⟩: ***se ~ de*** (*railler*) make fun of, laugh at; (*dédaigner*) not care about; (*tromper*) fool; **moquerie** *f* mockery

moquette [mɔkɛt] *f* wall-to-wall carpet

moqueur, -euse [mɔkœr, -øz] **1** *adj* mocking **2** *m/f* mocker

moral, ~e [mɔral] **1** *adj* (*mpl* -aux) moral; *souffrance, santé* spiritual; ***personne f ~e*** JUR legal entity **2** *m* morale **3** *f* morality, morals *pl*; *d'une histoire* moral; **moralisateur, -trice** moralistic, sanctimonious; **moralité** morality

moratoire [mɔratwar] *m* moratorium

morbide [mɔrbid] morbid

morceau [mɔrso] *m* (*pl* -x) piece (*aussi* MUS); *d'un livre* extract, passage

morceler [mɔrsəle] ⟨1c⟩ divide up, parcel up; **morcellement** *m* division

mordant, ~e [mɔrdɑ̃, -t] biting; *fig* biting, scathing

mordiller [mɔrdije] ⟨1a⟩ nibble

mordre [mɔrdr] ⟨4a⟩ bite; *d'un acide* eat into; ***~ à*** *fig* take to

mordu, ~e [mɔrdy] *m/f* F fanatic; ***un ~ de sport*** a sports fanatic

morfondre [mɔrfɔ̃dr] ⟨4a⟩: ***se ~*** mope; (*s'ennuyer*) be bored
morgue [mɔrg] *f endroit* mortuary, morgue
moribond, **~e** [mɔribɔ̃, -d] dying
morille [mɔrij] *f* BOT morel
morne [mɔrn] gloomy
morose [mɔroz] morose; **morosité** *f* moroseness
morphine [mɔrfin] *f* morphine
mors [mɔr] *m* bit
morse[1] [mɔrs] *m* ZO walrus
morse[2] [mɔrs] *m* morse code
morsure [mɔrsyr] *f* bite
mort[1] [mɔr] *f* death (*aussi fig*); ***à ~*** *lutte* to the death
mort[2], **~e** [mɔr, -t] **1** *adj* dead; *eau* stagnant; *yeux* lifeless; *membre* numb; ***ivre ~*** dead drunk; ***~ de fatigue*** dead tired; ***être ~ de rire*** F die laughing; ***nature*** *f* ***~e*** still life **2** *m/f* dead man; dead woman; ***les ~s*** the dead *pl*
mortalité [mɔrtalite] *f* mortality; ***taux*** *m* ***de ~*** death rate, mortality
mortel, **~le** [mɔrtɛl] mortal; *blessure, dose, maladie* fatal; *péché* deadly
morte-saison [mɔrtəsɛzɔ̃] *f* (*pl* mortes-saisons) off-season
mortier [mɔrtje] *m* mortar (*aussi* CUIS, MIL)
mort-né, **~e** [mɔrne] (*pl* mort-nés) still-born
morue [mɔry] *f* cod
morve [mɔrv] *f* snot F, nasal mucus; **morveux**, **-euse** *m/f* F squirt F
mosaïque [mɔzaik] *f* mosaic
Moscou [mɔsku] Moscow
mosquée [mɔske] *f* mosque
mot [mo] *m* word; (*court message*) note; ***bon ~*** witty remark, witticism; ***~ clé*** key word; ***~ de passe*** password; ***~s croisés*** crossword *sg*; ***gros ~*** rude word, swearword; ***~ à ~*** word for word; *traduction* literal; ***~ pour ~*** word for word; ***à ~s couverts*** in a roundabout way; ***au bas ~*** at least; ***sans ~ dire*** without (saying) a word; ***en un ~*** in a word; ***avoir le dernier ~*** have the last word; ***prendre qn au ~*** take s.o. at his / her word

motard [mɔtar] *m* motorcyclist, biker; *de la gendarmerie* motorcycle policeman
motel [mɔtɛl] *m* motel
moteur, **-trice** [mɔtœr, -tris] **1** *adj* TECH *arbre* drive; *force* driving; ANAT motor; ***à quatre roues motrices*** *voiture* with four wheel drive **2** *m* TECH engine; *fig*: *personne qui inspire* driving force (***de*** behind); ***~ de recherche*** INFORM search engine
motif [mɔtif] *m* motive, reason; (*forme*) pattern; MUS theme, motif; *en peinture* motif
motion [mosjɔ̃] *f* POL motion; ***~ de censure*** motion of censure
motivation [mɔtivasjɔ̃] *f* motivation; **motiver** ⟨1a⟩ *personne* motivate; (*expliquer*) be the reason for, prompt; (*justifier par des motifs*) give a reason for
moto [mɔto] *f* motorbike, motorcycle; ***faire de la ~*** ride one's motorbike
motocyclette [motosiklɛt] *f* moped; **motocycliste** *m/f* motorcyclist
motoriser [mɔtɔrize] ⟨1a⟩ mechanize; ***je suis motorisé*** F I have a car
motte [mɔt] *f de terre* clump; ***~ de gazon*** turf
mou, **molle** [mu, mɔl] soft; *personne* spineless; *caractère, résistance* weak, feeble
mouchard, **~e** [muʃar, -d] *m/f* F informer, grass F; **moucharder** ⟨1a⟩ F inform on, grass on F
mouche [muʃ] *f* fly; ***faire ~*** hit the bull's eye (*aussi fig*)
moucher [muʃe] ⟨1a⟩: ***se ~*** blow one's nose
moucheron [muʃrɔ̃] *m* gnat
moucheter [muʃte] ⟨1c⟩ speckle
mouchoir [muʃwar] *m* handkerchief, hanky F
moudre [mudr] ⟨4y⟩ grind
moue [mu] *f* pout; ***faire la ~*** pout
mouette [mwɛt] *f* seagull
mouffette [mufɛt] *f* skunk
moufle [mufl] *f* mitten
mouillé, **~e** [muje] wet; (*humide*) damp; **mouiller** ⟨1a⟩ **1** *v/t* wet; (*hu-*

mecter) dampen; *liquide* water down **2** *v/i* MAR anchor

moule [mul] **1** *m* mold, *Br* mould; CUIS tin **2** *f* ZO mussel; **mouler** ⟨1a⟩ mold, *Br* mould; **~ *qch sur qch*** *fig* model sth on sth

moulin [mulɛ̃] *m* mill; **~ (*à vent*)** windmill; **~ *à café*** coffee grinder; **~ *à paroles*** F wind-bag F; **~ *à poivre*** peppermill; **moulu**, **~e** **1** *p/p* → ***moudre*** **2** *adj* ground

moulure [mulyr] *f* molding, *Br* moulding

mourant, **~e** [murɑ̃, -t] dying; **mourir** ⟨2k⟩ (*aux* ***être***) die (***de*** of); **~ *de froid*** freeze to death; **~ *de faim*** die of hunger, starve

moussant, **~e** [musɑ̃, -t]: ***bain* ~** foam bath; **mousse** *f* foam; BOT moss; CUIS mousse; **~ *à raser*** shaving foam; **mousser** ⟨1a⟩ lather; **mousseux**, **-euse** **1** *adj* foamy **2** *m* sparkling wine

moustache [mustaʃ] *f* mustache, *Br* moustache

moustique [mustik] *m* mosquito

moutarde [mutard] *f* mustard

mouton [mutõ] *m* sheep (*aussi fig*); *viande* mutton; *fourrure* sheepskin; ***revenons-en à nos ~s*** *fig* let's get back to the subject

mouvant, **~e** [muvɑ̃, -t]: ***sables*** *mpl* ***~s*** quicksand *sg*; ***terrain*** *m* **~** uncertain ground (*aussi fig*)

mouvement [muvmɑ̃] *m* movement (*aussi* POL, MUS *etc*); *trafic* traffic; ***en* ~** moving; **mouvementé**, **~e** *existence*, *voyage* eventful; *récit* lively

mouvoir [muvwar] ⟨3d⟩: ***se* ~** move

moyen, **~ne** [mwajɛ̃, -ɛn] **1** *adj* average; *classe* middle; ***Moyen Âge*** *m* Middle Ages *pl*; ***Moyen-Orient*** *m* Middle East **2** *m* (*façon*, *méthode*) means *sg*; ***~s*** (*argent*) means *pl*; (*capacités intellectuelles*) faculties; ***au ~ de***, ***par le ~ de*** by means of; ***vivre au-dessus de ses ~s*** live beyond one's means **3** *f* average; *statistique* mean; ***en ~ne*** on average

moyenâgeux, **-euse** [mwajɛnɑʒø, -z] medieval

moyennant [mwajɛnɑ̃] for

moyeu [mwajø] *m* hub

MST [ɛmɛste] *f abr* (= ***maladie sexuellement transmissible***) STD (= sexually transmitted disease)

Mt *abr* (= ***Mont***) Mt (= Mount)

mucus [mykys] *m* mucus

muer [mɥe] ⟨1a⟩ *d'un oiseau* molt, *Br* moult; *d'un serpent* shed its skin; *de voix* break

muet, **~te** [mɥɛ, -t] dumb; *fig* silent

mufle [myfl] *m* muzzle; *fig* F boor

mugir [myʒir] ⟨2a⟩ moo; *du vent* moan; **mugissement** *m* mooing; *du vent* moaning

muguet [mygɛ] *m* lily of the valley

mule [myl] *f* mule; **mulet** *m* mule

mulot [mylo] *m* field mouse

multicolore [myltikɔlɔr] multicolored, *Br* multicoloured

multiculturel, **~le** [myltikyltyrɛl] multicultural

multimédia [myltimedja] *m & adj* multimedia

multinational, **~e** [myltinasjɔnal] **1** *adj* multinational **2** *f*: ***multinationale*** multinational

multiple [myltipl] many; (*divers*) multifaceted; **multiplication** *f* MATH multiplication; ***la ~ de*** (*augmentation*) the increase in the number of; **multiplicité** *f* multiplicity; **multiplier** ⟨1a⟩ MATH multiply; **~ *les erreurs*** make one mistake after another; ***se* ~** *d'une espèce* multiply

multiracial, **~e** [myltirasjal] multiracial

multirisque [myltirisk] *assurance* all-risks

multitude [myltityd] *f*: ***une ~ de*** a host of; ***la ~*** *péj* the masses *pl*

multiusages [myltiyzaʒ] versatile

municipal, **~e** [mynisipal] (*mpl* -aux) town *atr*, municipal; *bibliothèque*, *piscine* public; **municipalité** *f* (*commune*) municipality; *conseil* town council

munir [mynir] ⟨2a⟩: **~ *de*** fit with; *personne* provide with; ***se ~ de qch*** *d'un parapluie*, *de son passeport* take sth

munitions [mynisjõ] *fpl* ammunition

sg
mur [myr] *m* wall; ***mettre qn au pied du ~*** have s.o. with his / her back against the wall
mûr, **~e** [myr] ripe
muraille [myrɑj] *f* wall
mural, **~e** [myrɑl] (*mpl* -aux) wall *atr*
mûre [myr] *f* BOT *des ronces* blackberry; *d'un mûrier* mulberry
murer [myre] ⟨1a⟩ *enclos* wall in; *porte* wall up
mûrier [myrje] *m* mulberry (tree)
mûrir [myrir] ⟨2a⟩ ripen
murmure [myrmyr] *m* murmur; **murmurer** ⟨1a⟩ (*chuchoter, se plaindre*) murmur; (*médire*) talk
muscade [myskad] *f*: ***noix*** (***de***) **~** nutmeg
muscadet [myskadɛ] *m* muscadet
muscat [myska] *m raisin* muscatel grape; *vin* muscatel wine
muscle [myskl] *m* muscle; **musclé**, **~e** muscular; *politique* tough; **musculaire** muscle *atr*; **musculation** *f* body-building
muse [myz] *f* muse
museau [myzo] *m* (*pl* -x) muzzle
musée [myze] *m* museum
museler [myzle] ⟨1c⟩ muzzle (*aussi fig*); **muselière** *f* muzzle
musical, **~e** [myzikal] (*mpl* -aux) musical; **musicien**, **~ne** **1** *adj* musical **2** *m/f* musician; **musique** *f* music; ***~ de chambre*** chamber music; ***~ de fond*** piped music
must [mœst] *m* must
musulman, **~e** [myzylmɑ̃, -an] *m/f & adj* Muslim
mutation [mytasjõ] *f* change; BIOL mutation; *d'un fonctionnaire* transfer, relocation; **muter** ⟨1a⟩ *fonctionnaire* transfer, relocate
mutilation [mytilasjõ] *f* mutilation; **mutiler** ⟨1a⟩ mutilate
mutinerie [mytinri] *f* mutiny
mutisme [mytism] *m fig* silence
mutuel, **~le** [mytɥɛl] mutual
myope [mjɔp] shortsighted, myopic *fml*; **myopie** *f* shortsightedness, myopia *fml*
myosotis [mjɔzɔtis] *m* forget-me-not
myrtille [mirtij] *f* bilberry
mystère [mistɛr] *m* mystery; **mystérieusement** *adv* mysteriously; **mystérieux**, **-euse** mysterious
mysticisme [mistisism] *m* mysticism
mystifier [mistifje] ⟨1a⟩ fool, take in
mystique [mistik] **1** *adj* mystical **2** *m/f* mystic **3** *f* mystique
mythe [mit] *m* myth; **mythique** mythical; **mythologie** *f* mythology; **mythologique** mythological
mythomane [mitɔman] *m/f* pathological liar

N

N

n' [n] → ***ne***
nabot [nabo] *m péj* midget
nacelle [nasɛl] *f d'un ballon* basket
nacre [nakr] *f* mother-of-pearl
nage [naʒ] *f* swimming; *style* stroke; ***~ sur le dos*** backstroke; ***~ libre*** freestyle; ***traverser une rivière à la ~*** swim across a river; ***être en ~*** *fig* be soaked in sweat
nageoire [naʒwar] *f* fin
nager [naʒe] ⟨1l⟩ **1** *v/i* swim **2** *v/t*: ***~ la brasse*** do the breaststroke; **nageur**, **-euse** *m/f* swimmer
naguère [nagɛr] *adv* formerly
naïf, **naïve** [naif, naiv] naive
nain, **~e** [nɛ̃, nɛn] *m/f & adj* dwarf
naissance [nɛsɑ̃s] *f* birth (*aussi fig*); ***date f de ~*** date of birth; ***donner ~ à*** give birth to; *fig* give rise to
naître [nɛtr] ⟨4g⟩ (*aux* ***être***) be born

(*aussi fig*); ***je suis née en 1968*** I was born in 1968; ***faire ~*** *sentiment* give rise to

naïvement [naivmɑ̃] *adv* naively; **naïveté** *f* naivety

nana [nana] *f* F chick F, girl

nanti, ~e [nɑ̃ti] **1** *adj* well-off, rich; ***~ de*** provided with **2** *mpl* ***les ~s*** the rich *pl*; **nantir** ⟨2a⟩ provide (***de*** with)

nappe [nap] *f* tablecloth; GÉOL *de gaz, pétrole* layer; ***~ d'eau (souterraine)***, ***~ phréatique*** water table; **napperon** *m* mat

narcodollars [narkɔdɔlar] *mpl* drug money *sg*

narcotique [narkɔtik] *m & adj* narcotic

narguer [narge] ⟨1m⟩ taunt

narine [narin] *f* nostril

narquois, ~e [narkwa, -z] taunting

narrateur, -trice [naratœr, -tris] *m/f* narrator; **narratif, -tive** narrative; **narration** *f* narration

nasal, ~e [nazal] (*mpl* -aux) **1** *adj* nasal **2** *f*: ***nasale*** nasal; **nasaliser** ⟨1a⟩ nasalize; **nasillard, ~e** nasal

natal, ~e [natal] (*mpl* -aux) *pays, région etc* of one's birth, native; **natalité** *f*: (***taux*** *m* ***de***) ***~*** birth rate

natation [natasjõ] *f* swimming; ***faire de la ~*** swim

natif, -ive [natif, -v] native

nation [nasjõ] *f* nation; ***les Nations Unies*** the United Nations

national, ~e [nasjɔnal] (*mpl* -aux) **1** *adj* national; ***route*** *f* ***~e*** highway **2** *mpl*: ***nationaux*** nationals **3** *f* highway; **nationalisation** *f* nationalization; **nationaliser** ⟨1a⟩ nationalize; **nationalisme** *m* nationalism; **nationaliste 1** *adj* nationalist; *péj* nationalistic **2** *m/f* nationalist; **nationalité** *f* nationality; ***de quelle ~ est-elle?*** what nationality is she?

nativité [nativite] *f* ART, REL Nativity

natte [nat] *f* (*tapis*) mat; *de cheveux* braid, plait

naturalisation [natyralizasjõ] *f* naturalization; **naturaliser** ⟨1a⟩ naturalize

nature [natyr] **1** *adj yaourt* plain; *thé, café* without milk or sugar; *personne* natural **2** *f* nature; *genre, essence* kind, nature; ***être artiste de ~*** be a natural artist, be an artist by nature; ***de ~ à faire qch*** likely to do sth; ***~ morte*** ART still life; **naturel, ~le 1** *adj* natural **2** *m* (*caractère*) nature; (*spontanéité*) naturalness; **naturellement** *adv* naturally

naufrage [nofraʒ] *m* shipwreck; ***faire ~*** be shipwrecked; **naufragé, ~e** person who has been shipwrecked

nauséabond, ~e [nozeabõ, -d] nauseating, disgusting; **nausée** *f* nausea (*aussi fig*); ***j'ai la ~*** I'm nauseous, *Br* I feel sick; ***~s du matin*** morning sickness *sg*; **nauséeux, -euse** nauseous

nautique [notik] nautical; *ski* water *atr*; **nautisme** *m* water sports and sailing

naval, ~e [naval] (*mpl* -als) naval; *construction* ship *atr*; ***chantier*** *m* ***~*** shipyard

navet [navɛ] *m* rutabaga, *Br* swede; *fig* turkey F, *Br* flop

navette [navɛt] *f* shuttle; ***faire la ~*** shuttle backward and forward; ***~ spatiale*** space shuttle

navigable [navigabl] navigable; **navigant**: ***le personnel ~*** the navigation crew; **navigateur** *m* AVIATT navigator; MAR sailor; INFORM browser; **navigation** *f* sailing; (*pilotage*) navigation; ***~ aérienne*** air travel; ***~ spatiale*** space travel; **naviguer** ⟨1m⟩ *d'un navire, marin* sail; *d'un avion* fly; (*conduire*) navigate; INFORM navigate; ***~ sur Internet*** surf the Net

navire [navir] *m* ship; ***~ de guerre*** battleship

navrant, ~e [navrɑ̃, -t] distressing, upsetting; **navré, ~e**: ***je suis ~*** I am so sorry

ne [n(ə)] ◊: ***je n'ai pas d'argent*** I don't have any money, I have no money; ***je ~ comprends pas*** I don't understand, I do not understand; ***afin de ~ pas l'oublier*** so as not to forget

◊: ***~ … guère*** hardly; ***~ … jamais***

never; ~ ... ***personne*** nobody; ~ ... ***plus*** no longer; not any more; ~ ... ***que*** only; ~ ... ***rien*** nothing; *voir aussi* ***guère***, ***jamais*** *etc*
◊: ***à moins que je ~ lui parle*** (*subj*) unless I talk to him; ***avant qu'il ~ meure*** (*subj*) before he dies
né, **~e** [ne] **1** *p/p de* ***naître*** **2** *adj* born; ***~e Lepic*** née Lepic
néanmoins [neɑ̃mwɛ̃] *adv* nevertheless
néant [neɑ̃] *m* nothingness
nébuleux, **-euse** [nebylø, -z] cloudy; *fig* hazy; **nébulosité** *f* cloudiness; *fig* haziness
nécessaire [nesesɛr] **1** *adj* necessary **2** *m* necessary; ***le strict ~*** the bare minimum; ***~ de toilette*** toiletries *pl*
nécessité [nesesite] *f* need, necessity; ***~s*** necessities; ***par ~*** out of necessity; **nécessiter** ⟨1a⟩ require, necessitate; **nécessiteux**, **-euse** needy
nécrologie [nekrɔlɔʒi] *f* deaths column, obituaries *pl*
néerlandais, **~e** [neɛrlɑ̃dɛ, -z] **1** *adj* Dutch **2** *m langue* Dutch **3** *m/f* **Néerlandais**, **~e** Dutchman; Dutchwoman
nef [nɛf] *f* nave
néfaste [nefast] harmful
négatif, **-ive** [negatif, -iv] **1** *adj* negative **2** *m* negative; **négation** *f* negation; GRAM negative
négligé [negliʒe] **1** *adj travail* careless, sloppy; *tenue* untidy; *épouse*, *enfant* neglected **2** *f* negligee; **négligeable** negligible; **négligence** *f* negligence, carelessness; *d'une épouse*, *d'un enfant* neglect; (*nonchalance*) casualness; **négligent**, **~e** careless, negligent; *parent* negligent; *geste* casual; **négliger** ⟨1l⟩ *personne*, *vêtements*, *intérêts* neglect; *occasion* miss; *avis* disregard; ***~ de faire qch*** fail to do sth
négoce [negɔs] *m* trade
négociable [negɔsjabl] negotiable
négociant [negɔsjɑ̃] *m* merchant
négociateur, **-trice** [negɔsjatœr, -tris] *m/f* negotiator; **négociation** *f* negotiation; **négocier** ⟨1a⟩ negotiate
négrier, **-ère** [negrije, -ɛr] *m/f* F slave-driver
neige [nɛʒ] *f* snow; **neiger** ⟨1l⟩ snow; **neigeux**, **-euse** snowy
nénuphar [nenyfar] *m* BOT waterlily
néon [neõ] *m* neon
nerf [nɛr] *m* nerve; (*vigueur*) energy, verve; ***être à bout de ~s*** be at the end of one's tether
nerveusement [nɛrvøzmɑ̃] *adv* nervously; **nerveux**, **-euse** nervous; (*vigoureux*) full of energy; AUTO responsive; **nervosité** *f* nervousness
n'est-ce pas [nɛspa]: ***il fait beau, ~?*** it's a fine day, isn't it?; ***tu la connais, ~?*** you know her, don't you?
net, **~te** [nɛt] **1** *adj* (*propre*) clean; (*clair*) clear; *différence*, *amélioration* distinct; COMM net **2** *adv* (*aussi* ***nettement***) *tué* outright; *refuser* flatly; *parler* plainly
nétiquette [netikɛt] *f* netiquette
netteté [nɛtte] *f* cleanliness; (*clarté*) clarity
nettoyage [nɛtwajaʒ] *m* cleaning; ***~ ethnique*** ethnic cleansing; ***~ de printemps*** spring-cleaning; ***~ à sec*** dry cleaning; **nettoyer** ⟨1h⟩ clean; F (*ruiner*) clean out F; ***~ à sec*** dry-clean
neuf[1] [nœf, *avec liaison* nœv] nine; → ***trois***
neuf[2], **neuve** [nœf, nœv] new; ***refaire à ~*** *maison etc* renovate; *moteur* recondition, rebuild; ***quoi de ~?*** what's new?, what's happening?
neurochirurgie [nøroʃiryrʒi] *f* brain surgery; **neurochirurgien**, **~ne** *m/f* brain surgeon
neurologie [nørɔlɔʒi] *f* neurology; **neurologue** *m/f* neurologist
neutraliser [nøtralize] ⟨1a⟩ neutralize; **neutralité** *f* neutrality
neutre [nøtr] neutral; GRAM neuter
neuvième [nœvjɛm] ninth
neveu [n(ə)vø] (*pl* -x) *m* nephew
névralgie [nevralʒi] *f* MÉD neuralgia; **névralgique** MÉD neuralgic
névrose *f* PSYCH neurosis; **névrosé**, **~e** *m/f* neurotic
nez [ne] *m* nose; ***avoir du ~*** have a

N

good sense of smell; *fig* have a sixth sense; ***raccrocher au ~ de qn*** hang up on s.o.; ***au ~ et à la barbe de qn*** (right) under s.o.'s nose

ni [ni] neither, nor; **~ … ~** (***ne*** *before verb*) neither … nor; ***je n'ai ~ intérêt ~ désir*** I have neither interest nor inclination; ***sans sucre ~ lait*** without sugar or milk, with neither sugar nor milk; ***~ l'un ~ l'autre*** neither (one nor the other); ***~ moi non plus*** neither *ou* nor do I, me neither

niais, ~e [njɛ, -z] stupid; **niaiserie** *f* stupidity

niche [niʃ] *f dans un mur* niche; *d'un chien* kennel; **nicher** ⟨1a⟩ nest; *fig* F live

nicotine [nikɔtin] *f* nicotine

nid [ni] *m* nest; ***~ d'amoureux*** *fig* love nest; ***~ de poule*** *fig* pothole

nièce [njɛs] *f* niece

nier [nje] ⟨1a⟩ deny; ***~ avoir fait qch*** deny doing sth

nigaud, ~e [nigo, -d] **1** *adj* silly **2** *m* idiot, fool

nippon, ~(n)e [nipõ, -ɔn] Japanese

nitouche [nituʃ] *f* F: ***sainte ~*** hypocrite

niveau [nivo] *m* (*pl* -x) level; ÉDU standard; *outil* spirit level; ***~ d'eau*** water level; ***~ de vie*** standard of living

niveler [nivle] ⟨1c⟩ *terrain* grade, level; *fig*: *différences* even out; **nivellement** *m* grading, leveling, *Br* levelling; *fig* evening out

noble [nɔbl] noble; **noblesse** *f* nobility

noce [nɔs] *f* wedding; ***faire la ~*** F paint the town red; ***~s d'argent*** silver wedding anniversary *sg*

nocif, -ive [nɔsif, -iv] harmful, noxious; **nocivité** *f* harmfulness

noctambule [nɔktɑ̃byl] *m/f* night owl

nocturne [nɔktyrn] **1** *adj* night *atr*; ZO nocturnal **2** *f*: ***ouvert en ~*** open till late; ***le match sera joué en ~*** it's going to be an evening match

Noël [nɔɛl] *m* Christmas; ***joyeux ~!*** Merry Christmas!; ***le père ~*** Santa Claus, *Br aussi* Father Christmas; ***à ~*** at Christmas

nœud [nø] *m* knot (*aussi* MAR); (*ruban*) ribbon; *fig*: *d'un débat, problème* nub; ***~ coulant*** slipknot; *de bourreau* noose; ***~ papillon*** bow tie; ***~ plat*** sailor's knot, *Br* reef knot

noir, ~e [nwar] **1** *adj* black; (*sombre*) dark; F (*ivre*) sozzled; ***il fait ~*** it's dark **2** *m* black; (*obscurité*) dark; ***travail*** *m* ***au ~*** moonlighting; ***travailler au ~*** moonlight; **Noir** *m* black man

noirceur [nwarsœr] *f* blackness; **noircir** ⟨2a⟩ blacken

Noire [nwar] *f* black woman

noisetier [nwaztje] *m* hazel; **noisette** **1** *f* hazelnut **2** *adj inv* hazelnut

noix [nwa] *f* walnut; ***~ de coco*** coconut

nom [nõ] *m* name; GRAM noun; ***au ~ de qn*** in *ou Br* on behalf of s.o.; ***du ~ de*** by the name of; ***~ déposé*** registered trade mark; ***~ de famille*** surname, family name; ***~ de guerre*** pseudonym; ***~ de jeune fille*** maiden name

nombre [nõbr] *m* number; ***(bon) ~ de mes amis*** a good many of my friends; ***ils sont au ~ de trois*** they are three in number; ***être du ~ de …*** be one of the …; ***sans ~*** countless; **nombreux, -euse** numerous, many; *famille* large

nombril [nõbri(l)] *m* navel; **nombrilisme** *m* navel-gazing

nominal, ~e [nɔminal] (*mpl* -aux) *autorité, chef* nominal; *valeur* face *atr*; **nomination** *f* appointment; *à un prix* nomination

nommément [nɔmemɑ̃] *adv* by name; (*en particulier*) especially; **nommer** ⟨1a⟩ name, call; *à une fonction* appoint; ***se ~*** be called

non [nõ] no; ***dire que ~*** say no; ***j'espère que ~*** I hope not; ***moi ~ plus*** me neither; ***et ~ sa sœur*** and not her sister; ***c'est normal, ~?*** that's normal, isn't it?; ***elle vient, ~?*** she is coming, isn't she?; ***~ que …*** (+ *subj*) not that …

non-alcoolisé [nõnalkɔlize] non-alcoholic

N

nonante [nõnɑ̃t] *Belgique, Suisse* ninety
non-assistance *f*: **~ *à personne en danger*** failure to assist a person in danger (*a criminal offense in France*)
nonchalant, **~e** [nõʃalɑ̃, -t] nonchalant, casual
non-fumeur, **-euse** [nõfymœr, -øz] *m/f* non-smoker
non-intervention [nɔnɛ̃tɛrvɑ̃sjõ] *f* POL non-intervention
nonobstant [nɔnɔpstɑ̃] *prép* notwithstanding
non-polluant, **~e** [nõnpolyɑ̃, -t] environmentally friendly, non-polluting
non-sens [nõsɑ̃s] *m* (*pl inv*) (*absurdité*) nonsense; *dans un texte* meaningless word
non-violence [nõvjɔlɑ̃s] *f* POL non-violence
nord [nɔr] **1** *m* north; ***vent*** *m* ***du ~*** north wind; ***au ~ de*** (to the) north of; ***perdre le ~*** *fig* F lose one's head **2** *adj* north; *hemisphère* northern; ***côte*** *f* **~** north *ou* northern coast
nord-africain, **~e** [nɔrdafrikɛ̃, -ɛn] **1** *adj* North-African **2** *m/f* **Nord-Africain**, **~e** North-African
nord-américain, **~e** [nɔramerikɛ̃, -ɛn] **1** *adj* North-American **2** *m/f* **Nord-Américain**, **~e** North-American
nord-est [nɔrɛst] *m* north-east
nordique [nɔrdik] Nordic
Nordiste [nɔrdist] *m/f & adj* HIST Unionist, Yankee
nord-ouest [nɔrwɛst] *m* north-west
normal, **~e** [nɔrmal] (*mpl* -aux) **1** *adj* normal **2** *f*: ***inférieur / supérieur à la ~e*** above / below average; **normalement** *adv* normally; **normalisation** *f* normalization; TECH standardization; **normalité** *f* normality
normand, **~e** [nɔrmɑ̃, -d] **1** *adj* Normandy *atr* **2** *m/f* **Normand**, **~e** Norman; **Normandie**: ***la ~*** Normandy
norme [nɔrm] *f* norm; TECH standard
Norvège [nɔrvɛʒ]: ***la ~*** Norway; **norvégien**, **~ne** **1** *adj* Norwegian **2** *m langue* Norwegian **3** *m/f* **Norvégien**, **~ne** Norwegian
nos [no] → ***notre***
nostalgie [nɔstalʒi] *f* nostalgia; ***avoir la ~ de son pays*** be homesick
notabilité [nɔtabilite] *f* VIP; **notable** **1** *adj* noteworthy **2** *m* local worthy
notaire [nɔtɛr] *m* notary
notamment [nɔtamɑ̃] *adv* particularly
notarié, **~e** [nɔtarje] notarized
notation [nɔtasjõ] *f* notation; (*note*) note; ÉDU grading, *Br* marking
note [nɔt] *f* note; *à l'école* grade, *Br* mark; (*facture*) check, *Br* bill; ***prendre ~ de qch*** note sth; ***prendre des ~s*** take notes; ***~ de bas de page*** footnote; ***~ de frais*** expense account; ***~ de service*** memo; **noter** ⟨1a⟩ (*écrire*) write down, take down; (*remarquer*) note; **notice** *f* note; (*mode d'emploi*) instructions *pl*
notification [nɔtifikasjõ] *f* notification; **notifier** ⟨1a⟩ *v/t*: ***~ qch à qn*** notify s.o. of sth
notion [nosjõ] *f* (*idée*) notion, concept; ***~s*** basics *pl*
notoire [nɔtwar] well-known; *criminel, voleur* notorious
notre [nɔtr], *pl* **nos** [no] our
nôtre [notr]: ***le, la ~, les ~s*** ours
nouer [nwe] ⟨1a⟩ tie; *relations, amitié* establish; **noueux**, **-euse** gnarled
nougat [nuga] *m* nougat
nouilles [nuj] *fpl* noodles
nounou [nunu] *f* F nanny
nounours [nunurs] *m* teddy bear
nourrice [nuris] *f* childminder; **nourrir** ⟨2a⟩ feed; *fig*: *espoir, projet* nurture; **nourrissant** nourishing
nourrisson [nurisõ] *m* infant
nourriture [nurityr] *f* food
nous [nu] *pron personnel* ◊ *sujet* we; ***à ~ deux ~ pourrons le faire*** the two of us can do it, we can do it between the two of us
◊ *complément d'objet direct* us; ***il ~ regarde*** he is looking at us
◊ *complément d'objet indirect* (to) us; ***donnez-le-~*** give it to us; ***il ~ a dit que …*** he told us that …
◊ *emphatique*: ***~, ~ préférons …*** we prefer …; ***~ autres Français*** we French
◊ *réfléchi*: ***~ ~ sommes levés tôt ce***

matin we got up early this morning; **~** ***~ aimons beaucoup*** we love each other very much

nouveau, **nouvelle** (*m* **nouvel** *before a vowel or silent h*; *mpl* **nouveaux**) [nuvo, -ɛl] **1** *adj* new; ***rien de ~*** nothing new; ***de** ou **à ~*** again; ***~ venu, nouvelle venue*** newcomer; ***Nouvel An*** *m* New Year('s); ***Nouveau Monde*** *m* New World; ***Nouvelle-Angleterre*** *f* New England; ***Nouvelle-Orléans*** New Orleans; ***Nouvelle Zélande*** *f* New Zealand **2** *m* ***voilà du ~!*** that's new! **2** *m/f* new person

nouveau-né, **~e** [nuvone] **1** *adj* newborn **2** *m* (*pl* nouveau-nés) newborn baby

nouveauté [nuvote] *f* novelty

nouvelle [nuvɛl] *f* (*récit*) short story; ***une ~*** *dans les médias* a piece of news

nouvelles [nuvɛl] *fpl* news *sg*

nouvellement [-mɑ̃] *adv* newly

novateur, **-trice** [nɔvatœr, -tris] **1** *adj* innovative **2** *m/f* innovator

novembre [nɔvɑ̃br] *m* November

novice [nɔvis] **1** *m/f* novice, beginner; REL novice **2** *adj* inexperienced

noyade [nwajad] *f* drowning

noyau [nwajo] *m* (*pl* -x) pit, *Br* stone; BIOL, PHYS nucleus; *fig* (*groupe*) (small) group; **noyauter** ⟨1a⟩ POL infiltrate

noyer[1] [nwaje] ⟨1h⟩ drown; AUTO flood; ***se ~*** drown; *se suicider* drown o.s.

noyer[2] [nwaje] *m arbre*, *bois* walnut

nu, **~e** [ny] **1** *adj* naked; *plaine*, *arbre*, *bras*, *tête etc* bare **2** *m* ART nude

nuage [nɥaʒ] *m* cloud; ***être dans les ~s*** *fig* be daydreaming; **nuageux**, **-euse** cloudy

nuance [nɥɑ̃s] *f* shade; *fig* slight difference; (*subtilité*) nuance; **nuancé**, **~e** subtle; **nuancer** ⟨1k⟩ qualify

nucléaire [nykleɛr] **1** *adj* nuclear **2** *m*: ***le ~*** nuclear power

nudisme [nydism] *m f* nudism; **nudiste** *m/f & adj* nudist; **nudité** *f* nudity

nues [ny] *fpl fig*: ***porter aux ~*** praise to the skies; ***tomber des ~*** be astonished

nuée [nɥe] *f d'insectes* cloud; *de journalistes* horde

nuire [nɥir] ⟨4c⟩: ***~ à*** hurt, harm, be harmful to

nuisible [nɥizibl] harmful

nuit [nɥi] *f* night; ***de ~*** night *atr*; ***la ~, de ~*** *voyager* at night; ***~ blanche*** sleepless night; ***il fait ~*** (***noire***) it's (pitch) dark

nul, **~le** [nyl] **1** *adj* no; (*non valable*) invalid; (*sans valeur*) hopeless; (*inexistant*) nonexistent, nil; ***~le part*** nowhere; ***match*** *m* ***~*** tie, draw **2** *pron* no-one; **nullement** *adv* not in the slightest *ou* the least; **nullité** *f* JUR invalidity; *fig* hopelessness; *personne* loser

numéraire [nymerɛr] *m* cash; **numéral**, **~e** (*mpl* -aux) *adj & m* numeral; **numération** *f*: ***~ globulaire*** blood count; **numérique** numerical; INFORM digital

numéro [nymero] *m* number; ***~ de compte*** account number; ***~ de série*** serial number; ***~ sortant*** winning number; ***~ vert*** toll-free number, *Br* Freefone number

numérotage [nymerɔtaʒ] *m* numbering; **numéroter** ⟨1a⟩ **1** *v/t* number **2** *v/i* TÉL dial

nu-pieds [nypje] *adj inv* barefoot

nuptial, **~e** [nypsjal] (*mpl* -aux) wedding *atr*; *chambre* bridal; *messe* nuptial

nuque [nyk] *f* nape of the neck

nurse [nœrs] *f* nanny

nu-tête [nytɛt] *adj inv* bare-headed

nutritif, **-ive** [nytritif, -iv] nutritional; *aliment* nutritious; **nutrition** *f* nutrition; **nutritionniste** *m/f* nutritionist

nylon [nilõ] *m* nylon

O

oasis [ɔazis] *f* oasis
obéir [ɔbeir] ⟨2a⟩ obey; **~ à** obey
obéissance [ɔbeisɑ̃s] *f* obedience; **obéissant, ~e** obedient
obèse [ɔbɛz] obese; **obésité** *f* obesity
objecter [ɔbʒɛkte] ⟨1a⟩: **~ qch** *pour ne pas faire qch* give as a reason; **~ que** object that; **objecteur** *m*: **~ de conscience** conscientious objector
objectif, -ive [ɔbʒɛktif, -iv] **1** *adj* objective **2** *m* objective, aim; MIL objective; PHOT lens
objection [ɔbʒɛksjõ] *f* objection
objectivité [ɔbʒɛktivite] *f* objectivity
objet [ɔbʒɛ] *m* object; *de réflexions, d'une lettre* subject
obligation [ɔbligasjõ] *f* obligation; COMM bond; ***être dans l'~ de faire qch*** be obliged to do sth; **obligatoire** compulsory, obligatory
obligé, ~e [ɔbliʒe] obliged; **obligeance** *f* obligingness; **obligeant, ~e** obliging; **obliger** ⟨1l⟩ oblige; (*forcer*) compel, force; **~ *qn à faire qch*** compel *ou* force s.o. to do sth; ***être obligé de faire qch*** be obliged to do sth
oblique [ɔblik] oblique; **obliquer** ⟨1m⟩: **~ *vers la droite / la gauche*** veer (to the) left / right
oblitérer [ɔblitere] ⟨1f⟩ *timbre* cancel
oblong, oblongue [ɔblõ, -g] oblong
obscène [ɔpsɛn] obscene; **obscénité** *f* obscenity
obscur, ~e [ɔpskyr] obscure; *nuit, rue* dark; **obscurcir** ⟨2a⟩ darken; ***s'~*** grow dark, darken; **obscurcissement** *m* darkening; **obscurité** *f* obscurity; *de la nuit, d'une rue* darkness
obsédé, ~e [ɔpsede] *m/f* sex maniac; **obséder** ⟨1f⟩ obsess; ***être ~ par*** be obsessed by
obsèques [ɔpsɛk] *fpl* funeral *sg*
observateur, -trice [ɔpsɛrvatœr, -tris] *m/f* observer; **observation** *f* observation; (*remarque*) remark, observation; *d'une règle* observance; **observatoire** *m* observatory
observer [ɔpsɛrve] ⟨1a⟩ (*regarder*) watch, observe; *règle* observe; *changement, amélioration* notice; ***faire ~ qch à qn*** point sth out to s.o.
obsession [ɔpsɛsjõ] *f* obsession; **obsessionnel, ~le** obsessive
obstacle [ɔpstakl] *m* obstacle; SP hurdle; *pour cheval* fence, jump; ***faire ~ à qch*** stand in the way of sth
obstétricien, ~ne [ɔpstetrisjɛ̃, -ɛn] *m/f* obstetrician; **obstétrique** *f* obstetrics
obstination [ɔpstinasjõ] *f* obstinacy; **obstiné, ~e** obstinate; **obstiner** ⟨1a⟩: ***s'~ à faire qch*** persist in doing sth, be set on doing sth
obstruction [ɔpstryksjõ] *f* obstruction; *dans tuyau* blockage; **obstruer** ⟨1n⟩ obstruct, block
obtempérer [ɔptɑ̃pere] ⟨1f⟩: **~ à** obey
obtenir [ɔptənir] ⟨2h⟩ get, obtain; **obtention** *f* obtaining; **~ *d'un diplôme*** graduation
obturateur [ɔptyratœr] *m* PHOT shutter; **obturation** *f* sealing; *d'une dent* filling; **obturer** ⟨1a⟩ seal; *dent* fill
obtus, ~e [ɔpty, -z] MATH, *fig* obtuse
obus [ɔby] *m* MIL shell
occasion [ɔkazjõ] *f* opportunity; *marché* bargain; ***d'~*** second-hand; ***à l'~*** when the opportunity arises; ***à l'~ de sa fête*** on his name day; ***en toute ~*** all the time; **occasionnel, ~le** occasional; (*fortuit*) chance; **occasionner** ⟨1a⟩ cause
Occident [ɔksidɑ̃] *m*: ***l'~*** the West; **occidental, ~e** (*m / pl* -aux) **1** *adj* western **2** *m/f* **Occidental, ~e** westerner
occlusion [ɔklyzjõ] *f* MÉD blockage;

buccale occlusion
occulte [ɔkylt] occult
occupant, **~e** [ɔkypɑ̃, -t] **1** *adj* occupying **2** *m* occupant; **occupation** *f* occupation; **occupé**, **~e** *personne* busy; *pays*, *appartement* occupied; *chaise* taken; TÉL busy, *Br aussi* engaged; *toilettes* occupied, *Br* engaged; **occuper** ⟨1a⟩ occupy; *place* take up, occupy; *temps* fill, occupy; *personnel* employ; ***s'~ de*** *politique*, *littérature* take an interest in; *malade* look after; *organisation* deal with
occurrence [ɔkyrɑ̃s] *f*: ***en l'~*** as it happens
océan [ɔseɑ̃] *m* ocean; **océanographie** *f* oceanography
octante [oktɑ̃t] *Belgique*, *Suisse* eighty
octet [ɔktɛ] *m* INFORM byte
octobre [ɔktɔbr] *m* October
oculaire [ɔkylɛr] eye *atr*; **oculiste** *m/f* eye specialist
odeur [odœr] *f* smell, odor, *Br* odour; *parfum* smell, scent; ***mauvaise ~*** bad smell; ***~ corporelle*** body odor, BO
odieux, **-euse** [ɔdjø, -z] hateful, odious
odorant, **~e** [ɔdɔrɑ̃, -t] scented; **odorat** *m* sense of smell
œil [œj] *m* (*pl* yeux [jø]) eye; ***à mes yeux*** in my opinion, in my eyes; ***à vue d'~*** visibly; ***avoir l'~*** be sharp-eyed; ***coup*** *m* ***d'~*** glance, look; ***avoir les yeux bleus*** have blue eyes; ***fermer les yeux sur qch*** close one's eyes to sth, turn a blind eye to sth; **œillade** *f* glance, look; **œillères** *fpl* blinders, *Br* blinkers (*aussi fig*)
œillet [œjɛ] *m* BOT carnation; TECH eyelet
œsophage [ezɔfaʒ] *m* esophagus, *Br* œsophagus
œuf [œf] *m* (*pl* -s [ø]) egg; ***~s brouillés*** scrambled eggs; ***~ à la coque*** soft-boiled egg; ***~ sur le plat*** fried egg; ***~ de Pâques*** Easter egg; ***dans l'~*** *fig* in the bud
œuvre [œvr] **1** *f* work; ***~ d'art*** work of art; ***se mettre à l'~*** set to work; ***mettre en ~*** (*employer*) use; (*exécuter*) carry out, implement **2** *m* ART, *littérature* works *pl*; ***gros ~*** TECH fabric
offense [ɔfɑ̃s] *f* (*insulte*) insult; (*péché*) sin; **offenser** ⟨1a⟩ offend; ***s'~ de qch*** take offense at sth *ou Br* offence at sth; **offensif**, **-ive 1** *adj* offensive **2** *f* offensive
office [ɔfis] *m* (*charge*) office; (*bureau*) office, agency; REL service; ***bons ~s*** good offices; ***d'~*** automatically; ***faire ~ de*** act as
officiel, **~le** [ɔfisjɛl] official
officier [ɔfisje] *m* officer; ***~ de police*** police officer
officieux, **-euse** [ɔfisjø, -z] semi-official
officinal, **~e** [ɔfisinal] (*mpl* -aux) *plante* medicinal; **officine** *f* PHARM dispensary
offrande [ɔfrɑ̃d] *f* REL offering; **offre** *f* offer; ***~ d'emploi*** job offer; **offrir** ⟨2f⟩ offer; *cadeau* give; ***~ à boire à qn*** offer s.o. a drink; ***s'~ qch*** treat o.s. to sth
offusquer [ɔfyske] ⟨1m⟩ offend
ogive [ɔʒiv] *f* MIL head; ARCH *m* rib; ***~ nucléaire*** nuclear warhead
OGM [oʒeɛm] *m abr* (= ***organisme génétiquement modifié***) GMO (= genetically modified organism)
oie [wa] *f* goose
oignon [ɔɲõ] *m* onion; BOT bulb
oiseau [wazo] *m* (*pl* -x) bird; ***à vol d'~*** as the crow flies
oiseux, **-euse** [wazø, -z] idle
oisif, **-ive** [wazif, -iv] idle; **oisiveté** *f* idleness
oléoduc [ɔleɔdyk] *m* (oil) pipeline
olfactif, **-ive** [ɔlfaktif, -iv] olfactory
olive [ɔliv] *f* olive; **olivier** *m* olive (tree); *bois* olive (wood)
O.L.P. [oɛlpe] *f abr* (= ***Organisation de libération palestinienne***) PLO (= Palestine Liberation Organization)
olympique [ɔlɛ̃pik] Olympic
ombrage [õbraʒ] *m* shade; **ombragé**, **~e** shady
ombrageux, **-euse** [õbraʒø, -z] *cheval* skittish; *personne* touchy
ombre [õbr] *f* (*ombrage*) shade; (*projection de silhouette*) shadow (*aussi*

fig); *fig* (*anonymat*) obscurity; *de regret* hint, touch; ***à l'~*** in the shade; ***être dans l'~ de qn*** be in s.o.'s shadow, be overshadowed by s.o.; **ombrelle** *f* sunshade

omelette [ɔmlɛt] *f* omelet, *Br* omelette

omettre [ɔmɛtr] ⟨4p⟩ *détail*, *lettre* leave out, omit; ***~ de faire qch*** fail *ou* omit to do sth

omission [ɔmisjõ] *f* omission

omnibus [ɔmnibys] *m*: (***train*** *m*) ~ slow train

on [õ] (*après* **que, et, où, qui, si** *souvent* **l'on**) *pron personnel* ◊ (*nous*) we; ***~ y a été hier*** we went there yesterday; ***~ est en retard*** we're late ◊ (*tu, vous*) you; ***alors, ~ s'amuse bien?*** having fun? ◊ (*quelqu'un*) someone; ***~ m'a dit que…*** I was told that…; ***~ a volé mon passeport*** somebody has stolen my passport, my passport has been stolen ◊ (*eux, les gens*) they, people; ***que pensera-t-~ d'un tel comportement?*** what will they *ou* people think of such behavior? ◊ *autorités* they; ***~ va démolir …*** they are going to demolish … ◊ *indéterminé* you; ***~ ne sait jamais*** you never know, one never knows *fml*

O

oncle [õkl] *m* uncle

onction [õksjõ] *f* REL unction

onctueux, **-euse** [õktɥø, -z] smooth, creamy; *fig* smarmy F, unctuous

onde [õd] *f* wave; ***sur les ~s*** RAD on the air; ***~s courtes*** short wave *sg*; ***grandes ~s*** long wave *sg*; ***~s moyennes*** medium wave *sg*

ondée [õde] *f* downpour

on-dit [õdi] *m* (*pl inv*) rumor, *Br* rumour

ondoyer [õdwaje] ⟨1h⟩ *du blés* sway

ondulation [õdylasjõ] *f de terrain* undulation; *de coiffure* wave; **ondulé**, **~e** *cheveux* wavy; *tôle* corrugated; **onduler** ⟨1a⟩ *d'ondes* undulate; *de cheveux* be wavy; **onduleux**, **-euse** undulating; *rivière* winding

onéreux, **-euse** [ɔnerø, -z] expensive; ***à titre ~*** for a fee

ONG [ɔɛnʒe] *f abr* (= ***Organisation non gouvernementale***) NGO (= non-governmental organization)

ongle [õgl] *m* nail; ZO claw

onguent [õgɑ̃] *m* cream, salve

O.N.U. [ɔny *ou* ɔɛny] *f abr* (= ***Organisation des Nations Unies***) UN (= United Nations)

onze [õz] eleven; ***le ~*** the eleventh; → ***trois***; **onzième** eleventh

O.P.A. [opea] *f abr* (= ***offre publique d'achat***) takeover bid

opale [ɔpal] *f* opal

opaque [ɔpak] opaque

OPEP [opɛp] *f abr* (= ***Organisation des pays exportateurs de pétrole***) OPEC (= Organization of Petroleum Exporting Countries)

opéra [ɔpera] *m* opera; *bâtiment* opera house

opérable [ɔperabl] MÉD operable

opérateur, **-trice** [ɔperatœr, -tris] *m/f* operator; *en cinéma* cameraman; FIN trader

opération [ɔperasjõ] *f* operation; *action* working; FIN transaction; **opérationnel**, **~le** MIL, TECH operational; **opératoire** MÉD *choc* post-operative; *bloc* operating; **opérer** ⟨1f⟩ **1** *v/t* MÉD operate on; (*produire*) make; (*exécuter*) implement, put in place **2** *v/i* MÉD operate; (*avoir effet*) work; (*procéder*) proceed; ***se faire ~*** have an operation

opérette [ɔperɛt] *f* operetta

ophtalmie [ɔftalmi] *f* MÉD ophthalmia; **ophtalmologiste**, **ophtalmologue** *m/f* ophthalmologist

opiner [ɔpine] ⟨1a⟩: ***~ de la tête*** *ou* ***du bonnet*** nod in agreement

opiniâtre [ɔpinjɑtr] stubborn; **opiniâtreté** *f* stubbornness

opinion [ɔpinjõ] *f* opinion

opium [ɔpjɔm] *m* opium

opportun, **~e** [ɔpɔrtɛ̃ *ou* ɔpɔrtœ̃, -yn] opportune; *moment* right; **opportunisme** *m* opportunism; **opportuniste** *m/f* opportunist; **opportunité** *f* timeliness; (*occasion*) opportunity

opposant, **~e** [ɔpozɑ̃, -t] **1** *adj* opposing **2** *m/f* opponent; ***les ~s*** the opposition *sg*; **opposé**, **~e 1** *adj maisons, pôles* opposite; *goûts, opinions* conflicting; ***être ~ à qch*** be opposed to sth **2** *m* opposite; ***à l'~*** in the opposite direction (***de*** from); ***à l'~ de qn*** unlike s.o.; **opposer** ⟨1a⟩ *personnes, pays* bring into conflict; *argument* put forward; ***s'~ à qn / à qch*** oppose s.o. / sth; **opposition** *f* opposition; (*contraste*) contrast; ***par ~ à*** in contrast to, unlike

oppresser [ɔprese] ⟨1b⟩ oppress, weigh down; **oppresseur** *m* oppressor; **oppressif**, **-ive** oppressive; **oppression** *f* (*domination*) oppression

opprimer [ɔprime] ⟨1a⟩ oppress

opter [ɔpte] ⟨1a⟩: ***~ pour*** opt for

opticien, **~ne** [ɔptisjɛ̃, -ɛn] *m/f* optician

optimal, **~e** [ɔptimal] (*mpl* -aux) optimum; **optimisme** *m* optimism; **optimiste 1** *adj* optimistic **2** *m/f* optimist; **optimum** *m* optimum

option [ɔpsjõ] *f* option

optique [ɔptik] **1** *adj nerf* optic; *verre* optical **2** *f science* optics; *fig* viewpoint

opulent, **~e** [ɔpylɑ̃, -t] (*riche*) wealthy; *poitrine* ample

or[1] [ɔr] *m* gold; ***d'~, en ~*** gold *atr*; ***plaqué ~*** gold-plated

or[2] [ɔr] *conj* now

oracle [ɔrakl] *m* oracle

orage [ɔraʒ] *m* storm (*aussi fig*); **orageux**, **-euse** stormy (*aussi fig*)

oraison [ɔrezõ] *f* REL prayer; ***~ funèbre*** eulogy

oral, **~e** [ɔral] (*mpl* -aux) **1** *adj* oral **2** *m* oral (exam)

orange [ɔrɑ̃ʒ] **1** *f* orange **2** *adj inv* orange; **oranger** *m* orange tree

orateur, **-trice** [ɔratœr, -tris] *m/f* orator

orbital, **~e** [ɔrbital] (*mpl* -aux) *navigation spatiale* orbital

orbite [ɔrbit] *f* ANAT eyesocket; ASTR orbit (*aussi fig*)

orchestre [ɔrkɛstr] *m* orchestra; *de théâtre* orchestra, *Br* stalls *pl*

orchidée [ɔrkide] *f* BOT orchid

ordinaire [ɔrdinɛr] **1** *adj* ordinary **2** *m essence* regular; ***comme à l'~*** as usual; ***d'~*** ordinarily

ordinateur [ɔrdinatœr] *m* computer; ***assisté par ~*** computer-assisted

ordonnance [ɔrdɔnɑ̃s] *f* arrangement, layout; (*ordre*) order (*aussi* JUR); MÉD prescription; **ordonné**, **~e** tidy; **ordonner** ⟨1a⟩ *choses, pensées* organize; (*commander*) order; MÉD prescribe

ordre [ɔrdr] *m* order; ***~ du jour*** agenda; ***~ établi*** established order, status quo; ***par ~ alphabétique*** in alphabetical order, alphabetically; ***de l'~ de*** in the order of; ***de premier ~*** first-rate; ***en ~*** in order; ***mettre en ~*** *pièce* tidy (up); ***jusqu'à nouvel ~*** until further notice

ordures [ɔrdyr] *fpl* (*détritus*) garbage *sg*, *Br* rubbish *sg*; *fig* filth *sg*; **ordurier**, **-ère** filthy

oreille [ɔrɛj] *f* ANAT ear; *d'un bol* handle; ***être dur d'~*** be hard of hearing

oreiller [ɔrɛje] *m* pillow

oreillons [ɔrɛjõ] *mpl* MÉD mumps *sg*

ores: ***d'~ et déjà*** [dɔrzedeʒa] already

orfèvre [ɔrfɛvr] *m* goldsmith

organe [ɔrgan] *m* organ; (*voix, porte-parole*) voice; *d'un mécanisme* part; ***~s génitaux*** genitals; ***~s vitaux*** vital organs

organigramme [ɔrganigram] *m* organization chart; ***~ de production*** production flowchart

organique [ɔrganik] organic

organisateur, **-trice** [ɔrganizatœr, -tris] *m/f* organizer; **organisation** *f* organization; **organiser** ⟨1a⟩ organize; ***s'~*** *d'une personne* organize o.s., get organized; **organiseur** *m* INFORM personal organizer

organisme [ɔrganism] *m* organism; ANAT system; (*organisation*) organization, body

organiste [ɔrganist] *m/f* organist

orgasme [ɔrgasm] *m* orgasm

orge [ɔrʒ] *f* BOT barley

orgue [ɔrg] *m* (*pl f*) organ

orgueil [ɔrgœj] *m* pride; **orgueilleux**,

-euse proud
Orient [ɔrjɑ̃] *m*: ***l'~*** the East; *Asie* the East, the Orient; **oriental**, **~e** (*mpl* -aux) **1** *adj* east, eastern; *d'Asie* eastern, Oriental **2** *m/f* **Oriental**, **~e** Oriental
orientation [ɔrjɑ̃tasjõ] *f* direction; *d'une maison* exposure; **orienté**, **~e** (*engagé*) biassed; ***être ~ à l'est*** face east; **orienter** ⟨1a⟩ orient, *Br* orientate; (*diriger*) direct; ***s'~*** get one's bearings; ***s'~ vers*** *fig* go in for; ***s'~ à gauche*** lean to the left
orifice [ɔrifis] *m* TECH opening
originaire [ɔriʒinɛr] original; ***être ~ de*** come from
original, **~e** [ɔriʒinal] (*mpl* -aux) **1** *adj* original; *péj* eccentric **2** *m ouvrage* original; *personne* eccentric; **originalité** *f* originality
origine [ɔriʒin] *f* origin; ***à l'~*** originally; ***d'~ française*** of French origin, French in origin; ***avoir son ~ dans qch*** have its origins in sth; **originel**, **~le** original; ***péché*** *m* **~** REL original sin
orme [ɔrm] *m* BOT elm
ornement [ɔrnəmɑ̃] *m* ornament; **ornemental**, **~e** (*mpl* -aux) ornamental, decorative; **ornementer** ⟨1a⟩ ornament
orner [ɔrne] ⟨1a⟩ decorate (***de*** with)
ornière [ɔrnjɛr] *f* rut
ornithologie [ɔrnitɔlɔʒi] *f* ornithology
orphelin, **~e** [ɔrfəlɛ̃, -in] *m/f* orphan; **orphelinat** *m* orphanage
orteil [ɔrtɛj] *m* toe
orthodoxe [ɔrtɔdɔks] orthodox
orthographe [ɔrtɔgraf] *f* spelling
orthopédique [ɔrtɔpedik] orthopedic; **orthopédiste** *m/f* orthopedist
orthophonie [ɔrtofɔni] *f* speech therapy; **orthophoniste** *m/f* speech therapist
ortie [ɔrti] *f* BOT nettle
os [ɔs; *pl* o] *m* bone; ***trempé jusqu'aux ~*** F soaked to the skin
O.S. [oɛs] *m abr* (= ***ouvrier spécialisé***) semi-skilled worker
oscillation [ɔsilasjõ] *f* PHYS oscillation; *fig* swing; **osciller** ⟨1a⟩ PHYS oscillate; *d'un pendule* swing; ***~ entre*** *fig* waver *ou* hesitate between
osé, **~e** [oze] daring
oseille [ozɛj] *f* BOT sorrel
oser [oze] ⟨1a⟩: ***~ faire*** dare to do
osier [ozje] *m* BOT osier; ***en ~*** wicker
ossature [ɔsatyr] *f* skeleton, bone structure
ossements [ɔsmɑ̃] *mpl* bones; **osseux**, **-euse** ANAT bone *atr*; *visage*, *mains* bony
ostensible [ɔstɑ̃sibl] evident
ostentation [ɔstɑ̃tasjõ] *f* ostentation
otage [ɔtaʒ] *m* hostage
OTAN [ɔtɑ̃] *f abr* (= ***Organisation du Traité de l'Atlantique Nord***) NATO (= North Atlantic Treaty Organization)
ôter [ote] ⟨1a⟩ remove, take away; *vêtement*, *chapeau* remove, take off; MATH take away; *tâche* remove
oto-rhino(-laryngologiste) [ɔtorino (larɛ̃gɔlɔʒist)] *m* ENT specialist, ear-nose-and-throat specialist
ou [u] *conj* or; ***~ bien*** or (else); ***~ … ~ …*** either … or
où [u] *adv* where; *direction* ***~ vas-tu?*** where are you going (to)?; ***d'~ vient-il?*** where does he come from?; ***d'~ l'on peut déduire que …*** from which it can be deduced that …; ***par ~ es-tu passé?*** which way did you go?; ***~ que*** (+ *subj*) wherever; ***le jour / soir ~ …*** the day / evening when …
ouais [wɛ] F yeah F
ouate [wat] *f* absorbent cotton, *Br* cotton wool; **ouater** ⟨1a⟩ pad, quilt
oubli [ubli] *m* forgetting; (*omission*) oversight; ***tomber dans l'~*** sink into oblivion; ***un moment d'~*** a moment's forgetfulness; **oublier** ⟨1a⟩ forget; ***~ de faire qch*** forget to do sth
ouest [wɛst] **1** *m* west; ***vent*** *m* ***d'~*** west wind; ***à l'~ de*** (to the) west of **2** *adj* west, western; ***côte*** *f* **~** west *ou* western coast
oui [wi] yes; ***je crois que ~*** I think so; ***mais ~*** of course; ***tu aimes ça? - ~*** do you like this? - yes, I do
ouï-dire [widir]: ***par ~*** by hearsay

ouïe [wi] *f* hearing; ***~s*** ZO gills
ouragan [uragɑ̃] *m* hurricane
ourdir [urdir] ⟨2a⟩ *fig*: ***~ un complot*** hatch a plot
ourler [urle] ⟨1a⟩ hem; **ourlet** *m* hem
ours [urs] *m* bear; **ourse** *f* she-bear; ***la Grande Ourse*** ASTR the Great Bear
oursin [ursɛ̃] *m* ZO sea urchin
oust(e)! [ust] F (get) out!
outil [uti] *m* tool; ***~ pédagogique*** teaching aid; **outillage** *m* tools *pl*
outrage [utraʒ] *m* insult; **outrager** ⟨1l⟩ insult; **outrageusement** *adv* excessively
outrance [utrɑ̃s] *f* excessiveness; ***à ~*** excessively
outre [utr] **1** *prép* (*en plus de*) apart from, in addition to; ***~ mesure*** excessively **2** *adv*: ***en ~*** besides; ***passer ~ à qch*** ignore sth
outré, **~e** [utre]: ***être ~ de*** *ou* ***par qch*** be outraged by sth
outre-Atlantique *adv* on the other side of the Atlantic
outre-Manche *adv* on the other side of the Channel
outre-mer [utrəmɛr]: ***d'~*** overseas *atr*
outrepasser [utrəpase] ⟨1a⟩ exceed
outsider [awtsajdər] *m* outsider
ouvert, **~e** [uvɛr, -t] open (*aussi fig*); ***à bras ~s*** with open arms; **ouvertement** *adv* openly; **ouverture** *f* opening; MUS overture; ***des ~s*** *fig* overtures; **ouvrable** working; ***jour*** *m* ***~*** workday, *Br aussi* working day
ouvrage [uvraʒ] *m* work; **ouvragé**, **~e** ornate
ouvrant [uvrɑ̃] AUTO: ***toit*** *m* ***~*** sun roof
ouvre-boîtes [uvrəbwat] *m* (*pl inv*) can opener, *Br aussi* tin opener; **ouvre-bouteilles** *m* (*pl inv*) bottle opener
ouvrier, **-ère** [uvrije, -ɛr] **1** *adj* working-class; *classe* working **2** *m/f* worker; ***~ qualifié*** skilled worker
ouvrir [uvrir] ⟨2f⟩ **1** *v/t* open; *radio, gaz* turn on **2** *v/i d'un magasin, musée* open; ***s'~*** open; *fig* open up
ovaire [ɔvɛr] *m* BIOL ovary
ovale [ɔval] *m & adj* oval
ovation [ɔvɑsjõ] *f* ovation
ovni [ɔvni] *m abr* (= ***objet volant non identifié***) UFO (= unidentified flying object)
oxyder [ɔkside] ⟨1a⟩: (***s'***)***~*** rust
oxygène [ɔksiʒɛn] *m* oxygen
ozone [ozɔ(o)n] *m* ozone; ***trou*** *m* ***de la couche d'~*** hole in the ozone layer

P

p. *abr* (= ***page***) p; (= ***pages***) pp
pacemaker [pɛsmekœr] *m* pacemaker
pacifier [pasifje] ⟨1a⟩ pacify
pacifique [pasifik] **1** *adj personne* peace-loving; *coexistence* peaceful; ***l'océan Pacifique*** the Pacific Ocean **2** *m* ***le Pacifique*** the Pacific; **pacifisme** *m* pacifism; **pacifiste** *m/f & adj* pacifist
pacotille [pakɔtij] *f péj* junk
pacte [pakt] *m* pact; **pactiser** ⟨1a⟩: ***~ avec*** come to terms with
pagaie [pagɛ] *f* paddle
pagaïe, **pagaille** [pagaj] *f* F mess
paganisme [paganism] *m* paganism
pagayer [pagɛje] ⟨1i⟩ paddle
page [paʒ] *f* page; ***être à la ~*** *fig* be up to date; ***tourner la ~*** make a new start, start over; ***~ d'accueil*** INFORM home page; ***~s jaunes*** yellow pages
paie, **paye** [pɛ] *f* pay
paiement [pɛmɑ̃] *m* payment
païen, **~ne** [pajɛ̃, -ɛn] *m/f & adj* pagan
paillard, **~e** [pajar, -d] bawdy

paillasson [pajasõ] *m* doormat
paille [paj] *f* straw
paillette [pajɛt] *f* sequin
pain [pɛ̃] *m* bread; ***un ~*** a loaf; ***~ de savon*** bar of soap; ***~ au chocolat*** chocolate croissant; ***~ de campagne*** farmhouse loaf; ***~ complet*** whole wheat *ou Br* wholemeal bread; ***~ d'épice*** gingerbread; ***petit ~*** roll; ***~ de mie*** sandwich loaf
pair, **~e** [pɛr] **1** *adj nombre* even **2** *m*: ***hors ~*** *succès* unequaled, *Br* unequalled; *artiste, cuisinier* unrivaled, *Br* unrivalled; ***aller de ~*** go hand in hand; ***fille*** *f* ***au ~*** au pair; ***être au ~*** be an au pair
paire [pɛr] *f*: ***une ~ de*** a pair of
paisible [pezibl] peaceful; *personne* quiet; **paisiblement** *adv* peacefully
paître [pɛtr] ⟨4z⟩ graze
paix [pɛ] *f* peace; (*calme*) peace and quiet; ***faire la ~*** make peace; ***fiche-moi la ~!*** F leave me alone *ou* in peace!
Pakistan [pakistɑ̃]: ***le ~*** Pakistan; **pakistanais**, **~e** **1** *adj* Pakistani **2** *m/f* **Pakistanais**, **~e** Pakistani
palais [palɛ] *m* palace, ANAT palate; ***~ de justice*** law courts *pl*
pale [pal] *f* blade
pâle [pɑl] pale; *fig*: *style* colorless, *Br* colourless; *imitation* pale
palefrenier, **-ère** [palfrənje, ɛr] *m/f* groom
Palestine [palɛstin]: ***la ~*** Palestine; **palestinien**, **~ne** **1** *adj* Palestinian **2** *m/f* **Palestinien**, **~ne** Palestinian
palette [palɛt] *f de peinture* palette
pâleur [pɑlœr] *f* paleness, pallor
palier [palje] *m d'un escalier* landing; TECH bearing; (*phase*) stage; ***par ~s*** in stages
pâlir [pɑlir] ⟨2a⟩ *d'une personne* go pale, pale; *de couleurs* fade
palissade [palisad] *f* fence
pallier [palje] ⟨1a⟩ alleviate; *manque* make up for
palmarès [palmarɛs] *m d'un concours* list of prizewinners; MUS charts *pl*
palme [palm] *f* BOT palm; *de natation* flipper
palmeraie [palmərɛ] *f* palm grove; **palmier** *m* BOT palm tree
palombe [palõb] *f* wood pigeon
pâlot, **~te** [pɑlo, -ɔt] pale
palpable [palpabl] palpable; **palper** ⟨1a⟩ feel; MÉD palpate
palpitant, **~e** [palpitɑ̃, -t] *fig* exciting, thrilling; **palpitations** *fpl* palpitations; **palpiter** ⟨1a⟩ *du cœur* pound
paludisme [palydism] *m* MÉD malaria
pamphlet [pɑ̃flɛ] *m* pamphlet
pamplemousse [pɑ̃pləmus] *m* grapefruit
pan [pɑ̃] *m de vêtement* tail; *de mur* section
panache [panaʃ] *m* plume; ***avoir du ~*** have panache; **panaché** *m* shandygaff, *Br* shandy
pancarte [pɑ̃kart] *f* sign; *de manifestation* placard
pancréas [pɑ̃kreas] *m* ANAT pancreas
paner [pane] ⟨1a⟩ coat with breadcrumbs; ***poisson*** *m* ***pané*** breaded fish
panier [panje] *m* basket; ***~ à provisions*** shopping basket
panique [panik] **1** *adj*: ***peur*** *f* ***~*** panic **2** *f* panic; **paniquer** ⟨1a⟩ panic
panne [pan] *f* breakdown; ***être*** *ou* ***rester en ~*** break down; ***tomber en ~ sèche*** run out of gas *ou Br* petrol; ***en ~*** broken down; ***~ d'électricité*** power outage, *Br* power failure
panneau [pano] *m* (*pl* -x) board; TECH panel; ***~ d'affichage*** billboard; ***~ publicitaire*** billboard, *Br aussi* hoarding; ***~ de signalisation*** roadsign; ***~ solaire*** solar panel
panonceau [panõso] *m* (*pl* -x) plaque
panoplie [panɔpli] *f fig* range
panorama [panɔrama] *m* panorama; **panoramique** panoramic
panse [pɑ̃s] *f* F belly
pansement [pɑ̃smɑ̃] *m* dressing; **panser** ⟨1a⟩ *blessure* dress; *cheval* groom
pantalon [pɑ̃talõ] *m* pants *pl*, *Br* trousers *pl*; ***un ~*** a pair of pants
pantelant, **~e** [pɑ̃tlɑ̃, -t] panting
panthère [pɑ̃tɛr] *f* panther
pantin [pɑ̃tɛ̃] *m péj* puppet
pantois [pɑ̃twa] *adj inv*: ***rester ~*** be

speechless
pantouflard [pɑ̃tuflar] *m* F stay-at-home
pantoufle [pɑ̃tufl] *f* slipper
PAO [peao] *f abr* (= ***publication assistée par ordinateur***) DTP (= desk-top publishing)
paon [pɑ̃] *m* peacock
papa [papa] *m* dad
papal, **~e** [papal] (*mpl* -aux) REL papal; **papauté** *f* REL papacy
pape [pap] *m* REL pope
paperasse [papras] *f* (*souvent au pl* ***~s***) *péj* papers *pl*
papeterie [papɛtri] *f magasin* stationery store, *Br* stationer's; *usine* paper mill; **papetier**, **-ère** *m/f* stationer
papi, **papy** [papi] *m* F grandpa
papier [papje] *m* paper; ***~s*** papers, documents; ***~ (d')aluminium*** kitchen foil; ***~ hygiénique*** toilet tissue; ***~s d'identité*** identification, ID; ***~ à lettres*** notepaper; ***~ peint*** wallpaper
papillon [papijõ] *m* butterfly; TECH wing nut; F (*contravention*) (parking) ticket; ***nœud*** *m* ***~*** bow tie; (***brasse*** *f*) ***~*** butterfly (stroke)
papoter [papɔte] ⟨1a⟩ F shoot the breeze, *Br* chat
paquebot [pakbo] *m* liner
pâquerette [pɑkrɛt] *f* BOT daisy
Pâques [pɑk] *m / sg ou fpl* Easter; ***à ~*** at Easter; ***joyeuses ~!*** happy Easter
paquet [pakɛ] *m* packet; *de sucre, café* bag; *de la poste* parcel, package
par [par] *prép* ◊ *lieu* through; ***~ la porte*** through the door; ***regarder ~ la fenêtre*** *de l'extérieur* look in at the window; *de l'intérieur* look out of the window; ***tomber ~ terre*** fall down; ***assis ~ terre*** sitting on the ground; ***passer ~ Denver*** go through *ou* via Denver
◊ *temps*: ***~ beau temps*** in fine weather; ***~ une belle journée*** one fine day
◊ *raison*: ***~ conséquent*** consequently; ***~ curiosité*** out of curiosity; ***~ hasard*** by chance; ***~ malheur*** unfortunately;
◊ *agent du passif* by; ***il a été renversé ~ une voiture*** he was knocked over by a car; ***faire qch ~ soi-même*** do sth by o.s.
◊ *moyen* by; ***~ bateau*** by boat; ***partir ~ le train*** leave by train; ***~ la poste*** by mail
◊ *mode* by; ***~ centaines*** in their hundreds; ***~ avion*** by airmail; ***~ cœur*** by heart; ***~ écrit*** in writing; ***prendre qn ~ la main*** take s.o. by the hand
◊ MATH: ***diviser ~ quatre*** divide by four;
◊ *distributif*: ***~ an*** a year, per annum; ***~ jour*** a day; ***~ tête*** each, a *ou* per head;
◊ : ***commencer / finir ~ faire qch*** start / finish by doing sth
◊ : ***de ~ le monde*** all over the world; ***de ~ sa nature*** by his very nature
para [para] *m* MIL *abr* → ***parachutiste***
parabole [parabɔl] *f* parable; MATH parabola; **parabolique**: ***antenne*** *f* ***~*** satellite dish
paracétamol [parasetamɔl] *m* paracetamol
parachute [paraʃyt] *m* parachute; ***sauter en ~*** parachute out; **parachuter** ⟨1a⟩ parachute; **parachutiste** *m/f* parachutist; MIL paratrooper
parade [parad] *f* (*défilé*) parade; *en escrime* parry; *à un argument* counter
paradis [paradi] *m* heaven, paradise
paradoxal, **~e** [paradɔksal] (*mpl* -aux) paradoxical; **paradoxe** *m* paradox
parages [paraʒ] *mpl*: ***dans les ~ de*** in the vicinity of; ***est-ce que Philippe est dans les ~?*** is Philippe around?
paragraphe [paragraf] *m* paragraph
paraître [parɛtr] ⟨4z⟩ appear; *d'un livre* come out, be published; ***il paraît que*** it seems that, it would appear that; ***à ce qu'il paraît*** apparently; ***elle paraît en pleine forme*** she seems to be in top form; ***cela me paraît bien compliqué*** it looks very complicated to me; ***laisser ~*** show
parallèle [paralel] **1** *adj* parallel (***à*** to) **2** *f* MATH parallel (line) **3** *m* GÉOGR parallel (*aussi fig*)

P

paralyser [paralize] ⟨1a⟩ paralyse; *fig: circulation, production, ville* paralyse, bring to a standstill; **paralysie** *f* paralysis; **paralytique** paralytic
paramédical, **~e** [paramedikal] paramedical
paramètre [paramɛtr] *m* parameter
parano [parano] F paranoid
paranoïaque [paranɔjak] *m/f & adj* paranoid
paranormal, **~e** [paranɔrmal] paranormal
parapente [parapɑ̃t] *m* paraglider; *activité* paragliding
parapet [parapɛ] *m* parapet
parapharmacie [parafarmasi] *f* (non--dispensing) pharmacy; *produits* toiletries *pl*
paraphrase [parafrɑz] *f* paraphrase
paraplégique [paraplеʒik] *m/f & adj* paraplegic
parapluie [paraplɥi] *m* umbrella
parapsychique [parapsiʃik] psychic
parascolaire [paraskɔlɛr] extracurricular
parasite [parazit] **1** *adj* parasitic **2** *m* parasite; *fig* parasite, sponger; **~s** *radio* interference *sg*
parasol [parasɔl] *m* parasol; *de plage* beach umbrella
paratonnerre [paratɔnɛr] *m* lightning rod, *Br* lightning conductor
paravent [paravɑ̃] *m* windbreak
parc [park] *m* park; *pour enfant* playpen; **~ *de stationnement*** parking lot, *Br* car park
parcelle [parsɛl] *f de terrain* parcel
parce que [parsk] *conj* because
parchemin [parʃəmɛ̃] *m* parchment
par-ci [parsi] *adv*: **~, *par-là*** *espace* here and there; *temps* now and then
parcimonie [parsimɔni] *f*: ***avec ~*** sparingly, parcimoniously
parcmètre [parkmɛtr] *m* (parking) meter
parcourir [parkurir] ⟨2i⟩ *région* travel through; *distance* cover; *texte* read quickly, skim
parcours [parkur] *m* route; *course d'automobiles* circuit; ***accident** m **de ~*** snag
par-derrière [pardɛrjɛr] *adv* from behind
par-dessous [pardəsu] *prép & adv* underneath
pardessus [pardəsy] *m* overcoat
par-dessus [pardəsy] *prép & adv* over
par-devant [pardəvɑ̃] *adv emboutir* from the front
pardon [pardõ] *m* forgiveness; ***~!*** sorry!; ***~?*** excuse me?, *Br aussi* sorry?; ***demander ~ à qn*** say sorry to s.o.; **pardonner** ⟨1a⟩: ***~ qch à qn*** forgive s.o. sth
pare-brise [parbriz] *m* (*pl inv*) AUTO windshield, *Br* windscreen
pare-chocs [parʃɔk] *m* (*pl inv*) AUTO bumper
pareil, **~le** [parɛj] **1** *adj* (*semblable*) similar (**à** to); (*tel*) such; ***sans ~*** without parallel; ***elle est sans ~le*** there's nobody like her; ***c'est du ~ au même*** F it comes to the same thing; ***c'est toujours ~*** it's always the same **2** *adv*: ***habillés ~*** similarly dressed, dressed the same way
parent, **~e** [parɑ̃, -t] **1** *adj* related **2** *m/f* relative; **~s** (*mère et père*) parents; **parental** parental; **parenté** *f* relationship
parenthèse [parɑ̃tɛz] *f* parenthesis, *Br* (round) bracket; (*digression*) digression; ***entre ~s*** in parentheses; *fig* by the way
parer [pare] ⟨1a⟩ *attaque* ward off; *en escrime* parry
pare-soleil [parsɔlɛj] *m* sun visor
paresse [parɛs] *f* laziness; **paresser** ⟨1b⟩ laze around; **paresseux**, **-euse** lazy
parfaire [parfɛr] ⟨1b⟩ perfect; *travail* complete; **parfait**, **~e 1** *adj* perfect; *before the noun* complete **2** *m* GRAM perfect (tense); **parfaitement** *adv* perfectly; *comme réponse* absolutely
parfois [parfwa] *adv* sometimes, on occasions
parfum [parfɛ̃, -œ̃] *m* perfume; *d'une glace* flavor, *Br* flavour
parfumé, **~e** [parfyme] scented; *femme* wearing perfume; **parfumer**

⟨1a⟩ (*embaumer*) scent; **parfumerie** *f* perfume store; *produits* perfumes *pl*
pari [pari] *m* bet
paria [parja] *m fig* pariah
parier [parje] ⟨1a⟩ bet
Paris [pari] *m* Paris; **parisien, ~ne 1** *adj* Parisian, of / from Paris **2** *m/f* **Parisien, ~ne** Parisian
paritaire [paritɛr] parity *atr*; **parité** *f* ÉCON parity
parjure [parʒyr] *litt* **1** *m* perjury **2** *m/f* perjurer
parka [parka] *m* parka
parking [parkiŋ] *m* parking lot, *Br* car park; *édifice* parking garage, *Br* car park
parlant, ~e [parlɑ̃, -t] *comparaison* striking; *preuves, chiffres* decisive; **parlé, ~e** spoken
Parlement [parləmɑ̃] *m* Parliament; **parlementaire 1** *adj* Parliamentary **2** *m/f* Parliamentarian
parlementer [parləmɑ̃tɛr] ⟨1a⟩ talk (***avec qn de qch*** to s.o. about sth)
parler [parle] ⟨1a⟩ **1** *v/i* speak, talk (***à, avec*** to; ***de*** about); ***sans ~ de*** not to mention; ***tu parles!*** F you bet!; *refus* you're kidding! **2** *v/t*: ***~ affaires*** talk business; ***~ anglais*** speak English; ***~ politique*** talk politics **3** *m* speech; ***~ régional*** regional dialect; **parloir** *m* REL parlor, *Br* parlour
parmi [parmi] *prép* among; ***ce n'est qu'un exemple ~ tant d'autres*** it's just one example (out of many)
parodie [parɔdi] *f* parody; **parodier** ⟨1a⟩ parody
paroi [parwa] *f* partition
paroisse [parwas] *f* REL parish; **paroissien, ~ne** *m/f* REL parishioner
parole [parɔl] *f* (*mot, engagement*) word; *faculté* speech; ***~ d'honneur*** word of honor *ou Br* honour; ***donner la ~ à qn*** give s.o. the floor; ***donner sa ~*** give one's word; ***~s*** *de chanson* words, lyrics; **parolier, -ère** *m/f* lyricist
parquer [parke] ⟨1m⟩ *bétail* pen; *réfugiés* dump
parquet [parkɛ] *m* (parquet) floor; JUR public prosecutor's office
parrain [parɛ̃] *m* godfather; *dans un club* sponsor; **parrainer** ⟨1b⟩ sponsor
parsemer [parsəme] ⟨1d⟩ sprinkle (***de*** with)
part [par] *f* share; (*fraction*) part, portion; ***pour ma ~*** for my part, as far as I'm concerned; ***faire ~ de qch à qn*** inform s.o. of sth; ***faire la ~ des choses*** make allowances; ***prendre ~ à*** take part in; *chagrin* share (in); ***de la ~ de qn*** from s.o., in *ou Br* on behalf of s.o.; ***d'une ~ … d'autre ~*** on the one hand … on the other hand; ***autre ~*** elsewhere; ***nulle ~*** nowhere; ***quelque ~*** somewhere; ***à ~*** *traiter etc* separately; ***un cas à ~*** a case apart; ***à ~ cela*** apart from that; ***prendre qn à ~*** take s.o. to one side
partage [partaʒ] *m* division; ***~ des tâches (ménagères)*** sharing the housework; **partager** ⟨1l⟩ share; (*couper, diviser*) divide (up)
partance [partɑ̃s] *f*: ***en ~*** *bateau* about to sail; *avion* about to take off; *train* about to leave; ***en ~ pour …*** bound for …
partant [partɑ̃] *m* SP starter
partenaire [partənɛr] *m/f* partner
parterre [partɛr] *m de fleurs* bed; *au théâtre* rear orchestra, *Br* rear stalls *pl*
parti[1] [parti] *m* side; POL party; ***prendre ~ pour*** side with, take the side of; ***prendre ~ contre*** side against; ***prendre le ~ de faire qch*** decide to so sth; ***tirer ~ de qch*** turn sth to good use; ***~ pris*** preconceived idea
parti[2], **~e** [parti] **1** *p/p* → ***partir*** **2** *adj* F: ***être ~*** (*ivre*) be tight
partial, ~e [parsjal] (*mpl* -aux) biassed, prejudiced; **partialité** *f* bias, prejudice
participant, ~e [partisipɑ̃, -t] *m/f* participant; **participation** *f* participation; ***~ aux bénéfices*** profit sharing; ***~ aux frais*** contribution; **participer** ⟨1a⟩: ***~ à*** participate in, take part in; *bénéfices* share; *frais* contribute to; *douleur, succès* share in
particularité [partikylarite] *f* special feature, peculiarity

P

particule [partikyl] *f* particle

particulier, **-ère** [partikylje, -ɛr] **1** *adj* particular, special; *privé* private; ***~ à*** characteristic of, peculiar to; ***en ~*** in particular **2** *m* (private) individual; **particulièrement** *adv* particularly

partie [parti] *f* part (*aussi* MUS); *de boules, cartes, tennis* game; JUR party; *lutte* struggle; ***en ~*** partly; ***faire ~ de qch*** be part of sth

partiel, **~le** [parsjɛl] partial; ***un*** (***examen***) ***~*** an exam

partir [partir] ⟨2b⟩ (*aux* ***être***) leave (***à***, ***pour*** for); SP start; *de la saleté* come out; ***~ de qch*** (*provenir de*) come from sth; ***si on part du fait que …*** if we take as our starting point the fact that …; ***en partant de*** (starting) from; ***à ~ de*** (starting) from, with effect from

partisan, **~e** [partizɑ̃, -an] *m/f* supporter; MIL partisan; ***être ~ de qch*** be in favor *ou Br* favour of sth

partition [partisjõ] *f* MUS score; POL partition

partout [partu] *adv* everywhere

paru, **~e** [pary] *p/p* → ***paraître***

parure [paryr] *f* finery; *de bijoux* set; ***~ de lit*** set of bed linen

parution [parysjõ] *f d'un livre* appearance

parvenir [parvənir] ⟨2h⟩ (*aux* ***être***) arrive; ***~ à un endroit*** reach a place, arrive at a place; ***faire ~ qch à qn*** forward sth to s.o.; ***~ à faire qch*** manage to do sth, succeed in doing sth

parvenu, **~e** [parvəny] *m/f* upstart, parvenu *fml*

pas[1] [pɑ] *m* step, pace; ***faux ~*** stumble; *fig* blunder, faux pas; ***~ à ~*** step by step; ***le Pas de Calais*** the Straits *pl* of Dover

pas[2] [pɑ] *adv* ◊ not; ***~ lui*** not him; ***tous les autres sont partis, mais ~ lui*** all the others left, but not him *ou* but he didn't
◊: ***ne … ~*** not; ***il ne pleut ~*** it's not raining; ***il n'a ~ plu*** it didn't rain; ***j'ai décidé de ne ~ accepter*** I decided not to accept

passable [pasabl] acceptable

passage [pasaʒ] *m* passage; *fig* (*changement*) changeover; ***~ à niveau*** grade crossing, *Br* level crossing; ***de ~*** passing; ***~ clouté*** crosswalk, *Br* pedestrian crossing; **passager**, **-ère 1** *adj* passing, fleeting **2** *m/f* passenger; ***~ clandestin*** stowaway

passant, **~e** [pasɑ̃, -t] *m/f* passerby

passe [pɑs] *f* SP pass

passé, **~e** [pase] **1** *adj* past **2** *prép*: ***~ dix heures*** past *ou* after ten o'clock **3** *m* past; ***~ composé*** GRAM perfect

passe-partout [paspartu] *m* (*pl inv*) skeleton key

passe-passe [paspas] *m*: ***tour*** *m* ***de ~*** conjuring trick

passeport [paspɔr] *m* passport

passer [pase] ⟨1a⟩ **1** *v/i* (*aux* ***être***) *d'une personne, du temps, d'une voiture* pass, go past; *d'une loi* pass; *d'un film* show; ***~ avant qch*** take precedence over sth; ***je suis passé chez Sophie*** I dropped by Sophie's place; ***~ dans une classe supérieure*** move up to a higher class; ***~ de mode*** go out of fashion; ***~ devant la boulangerie*** go past the bakery; ***~ en seconde*** AUTO shift into second; ***~ pour qch*** pass as sth; ***~ sur qch*** go over sth; ***faire ~*** *personne* let past; *plat, journal* pass, hand; ***laisser ~*** *personne* let past; *lumière* let in *ou* through; *chance* let slip; ***en passant*** in passing
2 *v/t rivière, frontière* cross; (*omettre*) *ligne* miss (out); *temps* spend; *examen* take, *Br aussi* sit; *vêtement* slip on; CUIS strain; *film* show; *contrat* enter into; ***~ qch à qn*** pass s.o. sth, pass sth to s.o.; ***~ l'aspirateur*** vacuum; ***~ qch sous silence*** pass over sth in silence
3: ***se ~*** (*se produire*) happen; ***se ~ de qch*** do without sth

passerelle [pasrɛl] *f* footbridge; MAR gangway; AVIAT steps *pl*

passe-temps [pastɑ̃] *m* (*pl inv*) hobby, pastime

passible [pasibl] JUR: ***être ~ d'une peine*** be liable to a fine

P

passif, **-ive** [pasif, -iv] **1** *adj* passive **2** *m* GRAM passive; COMM liabilities *pl*
passion [pasjõ] *f* passion
passionnant, **~e** [pasjɔnɑ̃, -t] thrilling, exciting; **passionné**, **~e 1** *adj* passionate **2** *m/f* enthusiast; ***être un ~ de...*** be crazy about ...; **passionner** ⟨1a⟩ thrill, excite; ***se ~ pour qch*** have a passion for sth, be passionate about sth
passivité [pasivite] *f* passiveness, passivity
passoire [paswar] *f* sieve
pastel [pastɛl] *m* pastel; ***couleurs ~*** pastel colors
pastèque [pastɛk] *f* BOT watermelon
pasteur [pastœr] *m* REL pastor
pasteuriser [pastœrize] ⟨1a⟩ pasteurize
pastiche [pastiʃ] *m* pastiche
pastille [pastij] *f* pastille
patate [patat] *f* F potato, spud F
patauger [patoʒe] ⟨1l⟩ flounder
pâte [pɑt] *f* paste; CUIS *à pain* dough; *à tarte* pastry; **~s** pasta *sg*; ***~ d'amandes*** almond paste; ***~ dentifrice*** toothpaste; ***~ feuilletée*** flaky pastry
pâté [pɑte] *m* paté; ***~ de maisons*** block of houses
patère [patɛr] *f* coat peg
paternaliste [patɛrnalist] paternalistic; **paternel**, **~le** paternal; **paternité** *f* paternity; ***congé de ~*** paternity leave
pâteux, **-euse** [pɑtø, -z] doughy; *bouche* dry
pathétique [patetik] touching; F (*mauvais*) pathetic
pathologie [patɔlɔʒi] *f* pathology; **pathologique** pathological; **pathologiste** *m/f* pathologist
patibulaire [patibylɛr] sinister
patience [pasjɑ̃s] *f* patience; **patient**, **~e** *m/f & adj* patient; **patienter** ⟨1a⟩ wait
patin [patɛ̃] *m*: ***faire du ~*** go skating; ***~ (à glace)*** (ice)skate; ***~ à roulettes*** roller skate; **patinage** *m* skating; ***~ artistique*** figure skating; **patiner** ⟨1a⟩ skate; AUTO skid; *de roues* spin;
patineur, **-euse** *m/f* skater; **patinoire** *f* skating rink
pâtisserie [pɑtisri] *f magasin* cake shop; *gâteaux* pastries, cakes; **pâtissier**, **-ère** *m/f* pastrycook
patois [patwa] *m* dialect
patraque [patrak] F: ***être ~*** be feeling off-color *ou Br* off-colour
patriarche [patrijarʃ] *m* patriarch
patrie [patri] *f* homeland
patrimoine [patrimwan] *m* heritage (*aussi fig*); ***~ culturel*** *fig* cultural heritage
patriote [patrijɔt] **1** *adj* patriotic **2** *m/f* patriot; **patriotique** patriotic; **patriotisme** *m* patriotism
patron [patrõ] *m* boss; (*propriétaire*) owner; *d'une auberge* landlord; REL patron saint; TECH stencil; *de couture* pattern; **patronal**, **~e** employers' *atr*; **patronat** *m* POL employers; **patronne** *f* boss; (*propriétaire*) owner; *d'une auberge* landlady; REL patron saint; **patronner** ⟨1a⟩ sponsor
patrouille [patruj] *f* MIL, *de police* patrol; **patrouiller** ⟨1a⟩ patrol
patte [pat] *f* paw; *d'un oiseau* foot; *d'un insecte* leg; F hand, paw *péj*; ***graisser la ~ à qn*** *fig* F grease s.o.'s palm; ***~s d'oie*** crow's feet
pâturage [pɑtyraʒ] *m* pasturage
paume [pom] *f* palm; (***jeu*** *m* ***de***) ~ royal tennis
paumé, **~e** [pome] F lost; **paumer** ⟨1a⟩ F lose
paupière [popjɛr] *f* eyelid
pause [poz] *f* (*silence*) pause; (*interruption*) break; ***~-café*** coffee break; ***~-déjeuner*** lunch break
pauvre [povr] **1** *adj* poor; ***~ en calories*** low in calories **2** *m/f* poor person; ***les ~s*** the poor *pl*; **pauvreté** *f* poverty
pavaner [pavane] ⟨1a⟩: ***se ~*** strut around
pavé [pave] *m* paving; (*chaussée*) pavement, *Br* road surface; *pierres rondes* cobbles *pl*, cobblestones *pl*; ***un ~*** a paving stone; *rond* a cobblestone; **paver** ⟨1a⟩ pave
pavillon [pavijõ] *m* (*maisonnette*)

small house; MAR flag
pavot [pavo] *m* BOT poppy
payable [pɛjabl] payable
payant, **~e** [pɛjɑ̃, -t] *spectateur* paying; *parking* which charges; *fig* profitable, worthwhile
paye [pɛj] *f* → ***paie***
payement [pɛjmɑ̃] *m* → ***paiement***
payer [pɛje] ⟨1i⟩ **1** *v/t* pay; ***~ qch dix euros*** pay ten euros for sth; ***~ qch à qn*** buy sth for s.o. **2** *v/i* pay **3**: ***se ~ qch*** treat o.s. to sth
pays [pei] *m* country; ***~ membre** de l'UE* member country; ***mal** m **du ~*** homesickness; ***le Pays basque*** the Basque country
paysage [peizaʒ] *m* landscape; **paysager**, **-ère** landscaped; ***bureau** m **~*** open plan office; **paysagiste** *m/f*: (***architecte** m*) **~** landscape architect
paysan, **~ne** [peizɑ̃, -an] **1** *m/f* small farmer; HIST peasant **2** *adj mœurs* country *atr*
Pays-Bas [peibɑ] *mpl*: ***les ~*** the Netherlands
PC [pese] *m abr* (= ***personal computer***) PC (= personal computer); (= ***Parti communiste***) CP (= Communist Party)
PCV [peseve] *m abr* (= ***paiement contre vérification***): ***appel en ~*** collect call
PDG [pedeʒe] *m abr* (= ***président-directeur général***) President, CEO (= Chief Executive Officer),
péage [peaʒ] *m* AUTO tollbooth; ***autoroute à ~*** turnpike, toll road
peau [po] *f* (*pl* -x) skin; *cuir* hide, leather
pêche[1] [pɛʃ] *f* BOT peach
pêche[2] [pɛʃ] *f* fishing; *poissons* catch
péché [peʃe] *m* sin; ***~ mignon*** peccadillo; **pécher** ⟨1f⟩ sin; ***~ par*** suffer from an excess of
pêcher[1] [peʃe] *m* BOT peach tree
pêcher[2] [peʃe] ⟨1b⟩ **1** *v/t* fish for; (*attraper*) catch **2** *v/i* fish; ***~ à la ligne*** go angling
pécheur, **-eresse** [peʃœr, -ʃ(ə)rɛs] *m/f* sinner
pêcheur [pɛʃœr] *m* fisherman; ***~ à la ligne*** angler
pécule [pekyl] *m* nest egg
pécuniaire [pekynjɛr] pecuniary
pédagogie [pedagɔʒi] *f* education, teaching; **pédagogique** educational; *méthode* teaching; **pédagogue** *m/f* educationalist; (*professeur*) teacher
pédale [pedal] *f* pedal; ***~ de frein*** brake pedal; **pédaler** ⟨1a⟩ pedal
pédalo [pedalo] *m* pedal boat, pedalo
pédant, **~e** [pedɑ̃, -t] pedantic
pédé [pede] *m* F faggot F, *Br* poof F
pédéraste [pederast] *m* homosexual, pederast
pédestre [pedɛstr]: ***sentier** m **~*** footpath; ***randonnée** f **~*** hike
pédiatre [pedjatr] *m/f* MÉD pediatrician; **pédiatrie** *f* pediatrics
pédicure [pedikyr] *m/f* podiatrist, *Br* chiropodist
pedigree [pedigre] *m* pedigree
pègre [pɛgr] *f* underworld
peigne [pɛɲ] *m* comb; **peigner** ⟨1b⟩ comb; ***se ~*** comb one's hair; **peignoir** *m* robe, *Br* dressing gown
peindre [pɛ̃dr] ⟨4b⟩ paint; (*décrire*) depict
peine [pɛn] *f* (*punition*) punishment; (*effort*) trouble; (*difficulté*) difficulty; (*chagrin*) grief, sorrow; ***~ capitale*** capital punishment; ***ce n'est pas la ~*** there's no point, it's not worth it; ***valoir la ~ de faire qch*** be worth doing sth; ***avoir de la ~ à faire qch*** have difficulty doing sth, find it difficult to do sth; ***prendre la ~ de faire qch*** go to the trouble to do sth; ***faire de la ~ à qn*** upset s.o.; ***à ~*** scarcely, hardly
peiner [pene] ⟨1b⟩ **1** *v/t* upset **2** *v/i* labor, *Br* labour
peintre [pɛ̃tr] *m* painter
peinture [pɛ̃tyr] *f* paint; *action*, *tableau* painting; *description* depiction
péjoratif, **-ive** [peʒɔratif, -iv] pejorative
pelage [pəlaʒ] *m* coat
pêle-mêle [pɛlmɛl] *adv* pell-mell
peler [pəle] ⟨1d⟩ peel

pèlerin [pɛlrɛ̃] *m* pilgrim; **pèlerinage** *m* pilgrimage; *lieu* place of pilgrimage
pélican [pelikɑ̃] *m* pelican
pelle [pɛl] *f* spade; **~ à gâteau** cake slice; **... à la ~** huge quantities of ...
pelleteuse [pɛltøz] *f* mechanical shovel, digger
pellicule [pelikyl] *f* film; **~s** dandruff *sg*
pelote [p(ə)lɔt] *f de fil* ball
peloter [p(ə)lɔte] ⟨1a⟩ F grope, feel up
peloton [p(ə)lɔtõ] *m* ball; MIL platoon; SP pack, bunch; **pelotonner** ⟨1a⟩ wind into a ball; **se ~** curl up; **se ~ contre qn** snuggle up to s.o.
pelouse [p(ə)luz] *f* lawn
peluche [p(ə)lyʃ] *f jouet* cuddly *ou* soft toy; **faire des ~s** *d'un pull etc* go fluffy *ou* picky; **ours** *m* **en ~** teddy bear
pelure [p(ə)lyr] *f de fruit* peel
pénal, **~e** [penal] (*mpl* -aux) JUR penal; **pénalisation** *f* SP penalty; **pénaliser** ⟨1a⟩ penalize; **pénalité** *f* penalty
penalty [penalti] *m* SP penalty
penaud, **~e** [pəno, -d] hangdog, sheepish
penchant [pɑ̃ʃɑ̃] *m fig* (*inclination*) liking, penchant
pencher [pɑ̃ʃe] ⟨1a⟩ **1** *v/t pot* tilt; *penché écriture* sloping; **~ la tête en avant** bend *ou* lean forward **2** *v/i* lean; *d'un plateau* tilt; *d'un bateau* list; **~ pour qch** *fig* lean *ou* tend toward sth; **se ~ au dehors** lean out; **se ~ sur** *fig*: *problème* examine
pendaison [pɑ̃dɛzõ] *f* hanging
pendant[1] [pɑ̃dɑ̃] **1** *prép* during; *avec chiffre* for; **elle a habité ici ~ trois ans** she lived here for three years **2** *conj*: **~ que** while
pendant[2], **~e** [pɑ̃dɑ̃, -t] *oreilles* pendulous; (*en instance*) pending; **pendentif** *m* pendant
penderie [pɑ̃dri] *f* armoire, *Br* wardrobe
pendiller [pɑ̃dije] ⟨1a⟩ dangle
pendre [pɑ̃dr] ⟨4a⟩ **1** *v/t* hang (up); *condamné* hang **2** *v/i* hang; **se ~** hang o.s.
pendule [pɑ̃dyl] **1** *m* pendulum **2** *f* (*horloge*) clock
pénétration [penetrasjõ] *f* penetration; *fig* (*acuité*) shrewdness; **pénétrer** ⟨1f⟩ **1** *v/t liquide*, *lumière* penetrate; *pensées*, *personne* fathom out **2** *v/i*: **~ dans** penetrate; *maison*, *bureaux* get into
pénible [penibl] *travail* laborious; *vie* hard; *nouvelle*, *circonstances* painful; *caractère* difficult; **péniblement** *adv* (*avec difficulté*) laboriously; (*à peine*) only just, barely; (*avec douleur*) painfully
péniche [peniʃ] *f* barge
pénicilline [penisilin] *f* penicillin
péninsule [penɛ̃syl] *f* peninsula
pénis [penis] *m* penis
pénitence [penitɑ̃s] *f* REL penitence; (*punition*) punishment; **pénitencier** *m* penitentiary, *Br* prison
pénombre [penõbr] *f* semi-darkness
pense-bête [pɑ̃sbɛt] *m* reminder
pensée [pɑ̃se] *f* thought; BOT pansy
penser [pɑ̃se] ⟨1a⟩ **1** *v/i* think; **~ à** (*réfléchir à*, *s'intéresser à*) think of, think about; **faire ~ à qch** be reminiscent of sth; **faire ~ à qn à faire qch** remind s.o. to do sth **2** *v/t* think; (*imaginer*) imagine; **~ faire qch** (*avoir l'intention*) be thinking of doing sth; **~ de** think of, think about; **penseur** *m* thinker; **pensif**, **-ive** thoughtful
pension [pɑ̃sjõ] *f* (*allocation*) allowance; *logement* rooming house, *Br* boarding house; *école* boarding school; **~ alimentaire** alimony; **~ complète** American plan, *Br* full board; **pensionnaire** *m/f d'un hôtel* guest; *écolier* boarder; **pensionnat** *m* boarding school
pente [pɑ̃t] *f* slope; **en ~** sloping; **être sur une mauvaise ~** *fig* be on a slippery slope
Pentecôte [pɑ̃tkot]: **la ~** Pentecost
pénurie [penyri] *f* shortage (**de** of)
pépin [pepɛ̃] *m de fruit* seed; **avoir un ~** F have a problem
pépinière [pepinjɛr] *f* nursery
pépite [pepit] *f* nugget

perçant, **~e** [pɛrsɑ̃, -t] *regard, froid* piercing; **percée** *f* breakthrough

percepteur [pɛrsɛptœr] *m* tax collector; **perceptible** perceptible; **perception** *f* perception; *des impôts* collection; *bureau* tax office

percer [pɛrse] ⟨1k⟩ **1** *v/t mur, planche* make a hole in; *porte* make; (*transpercer*) pierce **2** *v/i du soleil* break through; **perceuse** *f* drill

percevoir [pɛrsəvwar] ⟨3a⟩ perceive; *argent, impôts* collect

perche [pɛrʃ] *f* ZO perch; *en bois, métal* pole; **percher** ⟨1a⟩: (***se***) ~ *d'un oiseau* perch; F live; **perchiste** *m* pole vaulter; **perchoir** *m* perch

percolateur [pɛrkɔlatœr] *m* percolator

percussion [pɛrkysjõ] *f* MUS percussion; **percutant**, **~e** *fig* powerful; **percuter** ⟨1a⟩ crash into

perdant, **~e** [pɛrdɑ̃, -t] **1** *adj* losing **2** *m/f* loser

perdre [pɛrdr] ⟨4a⟩ **1** *v/t* lose; ***~ courage*** lose heart; ***~ une occasion*** miss an opportunity, let an opportunity slip; ***~ son temps*** waste one's time; ***~ connaissance*** lose consciousness; ***se ~*** *disparaître* disappear, vanish; *d'une personne* get lost **2** *v/i*: ***~ au change*** lose out

perdrix [pɛrdri] *f* partridge

perdu, **~e** [pɛrdy] **1** *p/p* → ***perdre*** **2** *adj* lost; *occasion* missed; *endroit* remote; *balle* stray; *emballage, verre* non-returnable

père [pɛr] *m* father (*aussi* REL)

perfection [pɛrfɛksjõ] *f* perfection; **perfectionnement** *m* perfecting; **perfectionner** ⟨1a⟩ perfect; ***se ~ en anglais*** improve one's English; **perfectionniste** *m/f & adj* perfectionist

perfide [pɛrfid] treacherous; **perfidie** *f* treachery

perforatrice [pɛrfɔratris] *f pour cuir, papier* punch; **perforer** ⟨1a⟩ perforate; *cuir* punch

performance [pɛrfɔrmɑ̃s] *f* performance; **performant**, **~e** high-performance

perfusion [pɛrfyzjõ] *f* MÉD drip

péril [peril] *m* peril; **périlleux**, **-euse** perilous

périmé, **~e** [perime] out of date

périmètre [perimɛtr] *m* MATH perimeter; ***dans un ~ de 25 km*** within a 25km radius

période [perjɔd] *f* period (*aussi* PHYS); ***~ de transition*** transitional period *ou* phase; ***en ~ de*** in times of; **périodique 1** *adj* periodic **2** *m* periodical

péripéties [peripesi] *fpl* ups and downs

périphérie [periferi] *f d'une ville* outskirts *pl*; **périphérique** *m & adj*: (***boulevard*** *m*) ~ beltway, *Br* ringroad

périple [peripl] *m* long journey

périr [perir] ⟨2a⟩ perish

périscope [periskɔp] *m* periscope

périssable [perisabl] perishable

péritel [peritɛl]: ***prise*** *f* ~ scart

perle [pɛrl] *f* pearl; (*boule percée*) bead; *fig*: *personne* gem; *de sang* drop; **perler** ⟨1a⟩: ***la sueur perlait sur son front*** he had beads of sweat on his forehead

permanence [pɛrmanɑ̃s] *f* permanence; ***être de ~*** be on duty; ***en ~*** constantly; **permanent**, **~e 1** *adj* permanent **2** *f coiffure* perm

perméable [pɛrmeabl] permeable

permettre [pɛrmɛtr] ⟨4p⟩ allow, permit; ***~ à qn de faire qch*** allow s.o. to do sth; ***~ qch à qn*** allow s.o. sth; ***se ~ qch*** allow o.s. sth

permis [pɛrmi] *m* permit; ***passer son ~*** sit one's driving test; ***~ de conduire*** driver's license, *Br* driving licence; ***~ de séjour*** residence permit; ***~ de travail*** work permit

permissif, **-ive** [pɛrmisif, -iv] permissive; **permission** *f* permission; MIL leave

Pérou [peru]: ***le ~*** Peru

perpendiculaire [pɛrpɑ̃dikylɛr] perpendicular (***à*** to)

perpétrer [pɛrpetre] ⟨1f⟩ JUR perpetrate

perpétuel, **~le** [pɛrpetɥɛl] perpetual;

P

perpétuellement *adv* perpetually; **perpétuer** ⟨1n⟩ perpetuate; **perpétuité** *f*: ***à*** ~ in perpetuity; JUR *condamné* to life imprisonment

perplexe [pɛrplɛks] perplexed, puzzled; ***laisser*** ~ puzzle; **perplexité** *f* perplexity

perquisitionner [pɛrkizisjɔne] ⟨1a⟩ JUR carry out a search

perron [pɛrõ] *m* steps *pl*

perroquet [pɛrɔkɛ] *m* parrot

perruche [pɛryʃ] *f* ZO budgerigar

perruque [pɛryk] *f* wig

persan, **~e** [pɛrsɑ̃, -an] **1** *adj* Persian **2** *m/f* **Persan**, **~e** Persian

persécuter [pɛrsekyte] ⟨1a⟩ persecute; **persécution** *f* persecution

persévérance [pɛrseverɑ̃s] *f* perseverance; **persévérant**, **~e** persevering; **persévérer** ⟨1f⟩ persevere

persienne [pɛrsjɛn] *f* shutter

persil [pɛrsi] *m* BOT parsley

Persique [pɛrsik]: ***golfe*** *m* ~ Persian Gulf

persistance [pɛrsistɑ̃s] *f* persistence; **persister** ⟨1a⟩ persist; ~ ***dans sa décision*** stick to one's decision; ~ ***à faire qch*** persist in doing sth

personnage [pɛrsɔnaʒ] *m* character; (*dignitaire*) important person

personnaliser [pɛrsonalize] ⟨1b⟩ personalize

personnalité [personalite] *f* personality

personne[1] [pɛrsɔn] *f* person; ***deux ~s*** two people; ***grande*** ~ grown-up; ***en*** ~ in person, personally; ***par*** ~ per person, each; ***les ~s âgées*** the old *pl*, old people *pl*

personne[2] [pɛrsɔn] *pron* ◊ no-one, nobody; ~ ***ne le sait*** no-one *ou* nobody knows; ***il n'y avait*** ~ no-one was there, there wasn't anyone there; ***je ne vois jamais*** ~ I never see anyone

◊ *qui que ce soit* anyone, anybody; ***sans avoir vu*** ~ without seeing anyone *ou* anybody

personnel, **~le** [pɛrsɔnɛl] **1** *adj* personal; *conversation*, *courrier* private **2** *m* personnel *pl*, staff *pl*; **personnellement** *adv* personally

personnifier [pɛrsɔnifje] ⟨1a⟩ personify

perspective [pɛrspɛktiv] *f* perspective; *fig*: *pour l'avenir* prospect; (*point de vue*) viewpoint, perspective; ***avoir qch en*** ~ have sth in prospect

perspicace [pɛrspikas] shrewd; **perspicacité** *f* shrewdness

persuader [pɛrsɥade] ⟨1a⟩ persuade (***de faire qch*** to do sth; ***de qch*** of sth); ***je ne suis pas persuadé que ...*** I'm not convinced that ...; ***se*** ~ ***de qch*** convince o.s. of sth; ***se*** ~ ***que*** convince o.s. that; **persuasif**, **-ive** persuasive; **persuasion** *f* persuasion; *don* persuasiveness

perte [pɛrt] *f* loss; *fig* (*destruction*) ruin; ***à*** ~ *vendre* at a loss; ***à*** ~ ***de vue*** as far as the eye can see; ***une*** ~ ***de temps*** a waste of time

pertinent, **~e** [pɛrtinɑ̃, -t] relevant

perturbateur, **-trice** [pɛrtyrbatœr, -tris] disruptive; ***être un élément*** ~ be a disruptive influence; **perturbation** *f météorologique*, *politique* disturbance; *de trafic* disruption; **perturber** ⟨1a⟩ *personne* upset; *trafic* disrupt

péruvien, **~ne** [peryvjɛ̃, -ɛn] **1** *adj* Peruvian **2** *m/f* **Péruvien**, **~ne** Peruvian

pervers, **~e** [pɛrvɛr, -s] *sexualité* perverse; **perversion** *f sexuelle* perversion; **pervertir** ⟨2a⟩ pervert

pesamment [pəzamɑ̃] *adv* heavily; **pesant**, **~e** heavy (*aussi fig*); **pesanteur** *f* PHYS gravity

pesée [pəze] *f* weighing

pèse-personne [pɛzpɛrsɔn] *f* (*pl* pèse-personnes) scales *pl*

peser [pəze] ⟨1d⟩ **1** *v/t* weigh; *fig* weigh up; *mots* weigh **2** *v/i* weigh; ~ ***sur*** *de poids*, *responsabilité* weigh on; ~ ***à qn*** weigh heavy on s.o.

pessimisme [pesimism] *m* pessimism; **pessimiste** **1** *adj* pessimistic **2** *m/f* pessimist

peste [pɛst] *f* MÉD plague; *fig* pest; **pester** ⟨1a⟩: ~ ***contre qn / qch*** curse s.o. / sth

pesticide [pɛstisid] *m* pesticide
pet [pɛ] *m* F fart F
pétale [petal] *f* petal
pétanque [petɑ̃k] *f type of bowls*
pétarader [petarade] ⟨1a⟩ AUTO backfire
pétard [petar] *m* firecracker; F (*bruit*) racket
péter [pete] ⟨1f⟩ F fart F
pétillant, ~e [petijɑ̃, -t] sparkling; **pétiller** ⟨1a⟩ *du feu* crackle; *d'une boisson, d'yeux* sparkle
petit, ~e [p(ə)ti, -t] **1** *adj* small, little; ***en ~*** in a small size; ***~ à ~*** gradually, little by little; ***~ nom*** *m* first name; ***~ ami*** *m* boyfriend; ***~e amie*** *f* girlfriend; ***au ~ jour*** at dawn; ***~ déjeuner*** breakfast **2** *m/f* child; ***les ~s*** the children; ***une chatte et ses ~s*** a cat and her young; ***attendre des ~s*** be pregnant
petit-bourgeois, petite-bourgeoise [p(ə)tiburʒwa, p(ə)titburʒwaz] petty-bourgeois
petite-fille [p(ə)titfij] *f* (*pl* petites-filles) granddaughter
petitesse [p(ə)titɛs] *f* smallness; *fig* pettiness
petit-fils [p(ə)tifis] *m* (*pl* petits-fils) grandson
pétition [petisjõ] *f* petition
petits-enfants [p(ə)tizɑ̃fɑ̃] *mpl* grandchildren
pétrifier [petrifje] ⟨1a⟩ turn to stone; *fig* petrify
pétrin [petrɛ̃] *m fig* F mess; **pétrir** ⟨2a⟩ knead
pétrochimie [petrɔʃimi] *f* petrochemistry; **pétrochimique** petrochemical
pétrole [petrɔl] *m* oil, petroleum; ***~ brut*** crude (oil); **pétrolier, -ère** **1** *adj* oil *atr* **2** *m* tanker
peu [pø] **1** *adv* ◊ : ***~ gentil / intelligent*** not very nice / intelligent; ***~ après*** a little after; ***j'ai ~ dormi*** I didn't sleep much
◊: ***~ de pain*** not much bread; ***il a eu ~ de chance*** he didn't have much luck; ***il reste ~ de choses à faire*** there aren't many things left to do; ***~ de gens*** few people; ***dans ~ de temps*** in a little while
◊: ***un ~*** a little, a bit; ***un tout petit ~*** just a very little, just a little bit; ***un ~ de chocolat / patience*** a little chocolate / patience, a bit of chocolate / patience; ***un ~ plus long*** a bit *ou* little longer
◊: ***de ~*** *rater le bus etc* only just; ***~ à ~*** little by little, gradually; ***à ~ près*** (*plus ou moins*) more or less; (*presque*) almost; ***elle travaille depuis ~*** she has only been working for a little while, she hasn't been working for long; ***quelque ~*** a little; ***pour ~ que*** (+ *subj*) if; ***sous ~*** before long, by and by
2 *m*: ***le ~ d'argent que j'ai*** what little money I have
peuple [pœpl] *m* people
peupler [pøple, pœ-] ⟨1a⟩ *pays, région* populate; *maison* live in
peuplier [pøplije, pœ-] *m* BOT poplar
peur [pœr] *f* fear (***de*** of); ***avoir ~*** be frightened, be afraid (***de*** of); ***prendre ~*** take fright; ***faire ~ à qn*** frighten s.o.; ***je ne veux pas y aller de ~ qu'il ne soit*** (*subj*) ***là*** I don't want to go there in case he's there; **peureux, -euse** fearful, timid
peut-être [pøtɛtr] perhaps, maybe
phalange [falɑ̃ʒ] *f* ANAT, MIL phalanx
phare [far] *m* MAR lighthouse; AVIAT beacon; AUTO headlight, headlamp; ***se mettre en*** (***pleins***) ***~s*** switch to full beam
pharmaceutique [farmasøtik] pharmaceutical; **pharmacie** *f local* pharmacy, *Br aussi* chemist's; *science* pharmacy; *médicaments* pharmaceuticals *pl*; **pharmacien, ~ne** *m/f* pharmacist
phase [fɑz] *f* phase
phénoménal, ~e [fenɔmenal] phenomenal; **phénomène** *m* phenomenon
philippin, ~e [filipɛ̃, -in] **1** *adj* Filippino **2**: ***Philippin, ~e*** Filippino
philosophe [filɔzɔf] *m* philosopher; **philosophie** *f* philosophy; **philosophique** philosophical
phobie [fɔbi] *f* PSYCH phobia

P

phonétique [fɔnetik] **1** *adj* phonetic **2** *f* phonetics
phoque [fɔk] *m* seal
phosphate [fɔsfat] *m* phosphate
photo [fɔto] *f* photo; *l'art* photography; ***faire de la ~*** take photos; ***prendre qn en ~*** take a photo of s.o.
photocopie [fɔtɔkɔpi] *f* photocopy; **photocopier** ⟨1a⟩ photocopy; **photocopieur** *m*, **photocopieuse** *f* photocopier
photogénique [fɔtɔʒenik] photogenic
photographe [fɔtɔgraf] *m/f* photographer; **photographie** *f* photograph; *l'art* photography; **photographier** ⟨1a⟩ photograph; **photographique** photographic
photomaton® [fɔtomatõ] *m* photo booth
phrase [frɑz] *f* GRAM sentence; MUS phrase; ***sans ~s*** in plain English, straight out; ***faire de grandes ~s*** use a lot of pompous *ou* high-falutin language
physicien, **~ne** [fizisjɛ̃, -ɛn] *m/f* physicist
physionomie [fizjɔnɔmi] *f* face
physique [fizik] **1** *adj* physical **2** *m* physique **3** *f* physics; ***~ nucléaire*** nuclear physics; ***~ quantique*** quantum physics; **physiquement** *adv* physically
piailler [pjaje] ⟨1a⟩ *d'un oiseau* chirp; F *d'un enfant* scream, shout
pianiste [pjanist] *m/f* pianist; **piano** *m* piano; ***~ à queue*** grand piano; **pianoter** ⟨1a⟩ F *sur piano* play a few notes; *sur table, vitre* drum one's fingers
piaule [pjol] *f* F pad F
PIB [peibe] *m abr* (= ***produit intérieur brut***) GDP (= gross domestic product)
pic [pik] *m instrument* pick; *d'une montagne* peak; ***à ~*** *tomber* steeply; ***arriver à ~*** *fig* F come at just the right moment
pichet [piʃɛ] *m* pitcher, *Br* jug
pickpocket [pikpɔkɛt] *m* pickpocket
pick-up [pikœp] *m* pick-up (truck)
picorer [pikɔre] ⟨1a⟩ peck
pie [pi] *f* ZO magpie
pièce [pjɛs] *f* piece; *de machine* part; (*chambre*) room; (*document*) document; *de monnaie* coin; *de théâtre* play; ***deux ~s*** *vêtement* two-piece; ***à la ~*** singly; ***cinq euros*** (***la***) ***~*** five euros each; ***mettre en ~s*** smash to smithereens; ***une ~ d'identité*** proof of identity; ***~ jointe*** enclosure; ***~ de monnaie*** coin; ***~ de rechange*** spare part; ***~ de théâtre*** play
pied [pje] *m* foot; *d'un meuble* leg; *d'un champignon* stalk; ***~ de vigne*** vine; ***à ~*** on foot; ***~s nus*** barefoot; ***au ~ de*** at the foot of; ***de ~ en cap*** from head to foot; ***mettre sur ~*** set up
pied-à-terre [pjetatɛr] *m* (*pl inv*) pied-à-terre
piédestal [pjedɛstal] *m* (*pl* -aux) pedestal
pied-noir [pjenwar] *m/f* (*pl* pieds-noirs) F French Algerian (*French person who lived in Algeria but returned to France before independence*)
piège [pjɛʒ] *m* trap; **piégé**, **~e**: ***voiture f ~e*** car bomb; **piéger** ⟨1b⟩ trap; *voiture* booby-trap
piercing [pɛrsiŋ] *m* body piercing
pierre [pjɛr] *f* stone; ***~ précieuse*** precious stone; ***~ tombale*** gravestone; **pierreux**, **-euse** *sol, chemin* stony
piété [pjete] *f* REL piety
piétiner [pjetine] ⟨1a⟩ **1** *v/t* trample; *fig* trample underfoot **2** *v/i fig* (*ne pas avancer*) mark time
piéton, **~ne** [pjetõ, -ɔn] **1** *m/f* pedestrian **2** *adj*: ***zone f ~ne*** pedestrianized zone, *Br* pedestrian precinct; **piétonnier**, **-ère** pedestrian *atr*
pieu [pjø] *m* (*pl* -x) stake; F pit F
pieuvre [pjœvr] *f* octopus
pieux, **-euse** [pjø, -z] pious; ***~ mensonge*** *m fig* white lie
pif [pif] *m* F nose, honker F, *Br* hooter F; ***au ~*** by guesswork
pigeon [piʒõ] *m* pigeon; **pigeonnier** *m* dovecot
piger [piʒe] ⟨1l⟩ F understand, get F
pigment [pigmɑ̃] *m* pigment
pignon [piɲõ] *m* ARCH gable; TECH

P

gearwheel
pile[1] [pil] *f* (*tas*) pile; ÉL battery; *monnaie* tails; ***à ~ ou face?*** heads or tails?
pile[2] [pil] *adv*: ***s'arrêter ~*** stop dead; ***à deux heures ~*** at two o'clock sharp, at two o'clock on the dot
piler [pile] ⟨1a⟩ *ail* crush; *amandes* grind
pilier [pilje] *m* ARCH pillar (*aussi fig*)
pillage [pijaʒ] *m* pillage, plunder; **piller** ⟨1a⟩ pillage, plunder
pilotage [pilɔtaʒ] *m* AVIAT flying, piloting; MAR piloting; **pilote 1** *m* MAR, AVIAT pilot; AUTO driver; ***~ automatique*** automatic pilot **2** *adj*: ***usine** f **~*** pilot plant; **piloter** ⟨1a⟩ AVIAT, MAR pilot; AUTO drive
pilule [pilyl] *f* pill; ***la ~*** (***contraceptive***) the pill; ***prendre la ~*** be on the pill, take the pill
piment [pimɑ̃] *m* pimento; *fig* spice
pimenter [pimɑ̃te] ⟨1a⟩ spice up
pimpant, **~e** [pɛ̃pɑ̃, -t] spruce
pin [pɛ̃] *m* BOT pine
pinard [pinar] *m* F wine
pince [pɛ̃s] *f* pliers *pl*; *d'un crabe* pincer; ***~ à épiler*** tweezers *pl*; ***~ à linge*** clothespin, *Br* clothespeg
pincé, **~e** [pɛ̃se] *lèvres* pursed; *air* stiff
pinceau [pɛ̃so] *m* (*pl* -x) brush
pincée [pɛ̃se] *f* CUIS: ***une ~ de sel*** a pinch of salt
pincer [pɛ̃se] ⟨1k⟩ pinch; MUS pluck; ***se ~ le doigt dans la porte*** catch one's finger in the door
pince-sans-rire [pɛ̃ssɑ̃rir] *m/f* (*pl inv*) person with a dry sense of humor *ou Br* humour
pingouin [pɛ̃gwɛ̃] *m* penguin
ping-pong [piŋpɔ̃g] *m* ping-pong
pingre [pɛ̃gr] miserly
pinson [pɛ̃sɔ̃] *m* chaffinch
pintade [pɛ̃tad] *f* guinea fowl
pioche [pjɔʃ] *f* pickax, *Br* pickaxe; **piocher** ⟨1a⟩ dig
piolet [pjɔlɛ] *m* ice ax, *Br* ice axe
pion [pjɔ̃] *m* piece, man; *aux échecs* pawn
pioncer [pjɔ̃se] ⟨1k⟩ F sleep, *Br* kip F
pionnier [pjɔnje] *m* pioneer
pipe [pip] *f* pipe; ***fumer la ~*** smoke a pipe
pipeau [-o] *m* (*pl* -x) pipe
pipi [pipi] *m* F pee F; ***faire ~*** do a pee
piquant, **~e** [pikɑ̃, -t] **1** *adj* prickly; *remarque* cutting; CUIS hot, spicy **2** *m* *épine* spine, spike; *fig* spice
pique [pik] *m aux cartes* spades
pique-assiette [pikasjɛt] *m* (*pl* pique-assiette)) F freeloader
pique-nique [piknik] *m* (*pl* pique-niques) picnic; **pique-niquer** ⟨1m⟩ picnic
piquer [pike] ⟨1m⟩ *d'une abeille*, *des orties* sting; *d'un moustique*, *serpent* bite; *d'une barbe* prickle; *d'épine* prick; *fig*: *curiosité* excite; *fig* F (*voler*) pinch F; ***~ qn*** MÉD give s.o. an injection, inject s.o.; ***se ~*** prick o.s.; *se faire une piqûre* inject o.s.; ***la fumée me pique les yeux*** the smoke makes my eyes sting; ***se ~ le doigt*** prick one's finger
piquet [pikɛ] *m* stake; ***~ de tente*** tent peg; ***~ de grève*** picket line
piquette [pikɛt] *f* cheap wine
piqûre [pikyr] *f d'abeille* sting; *de moustique* bite; MÉD injection
pirate [pirat] *m* pirate; ***~ informatique*** hacker; ***~ de l'air*** hijacker; **pirater** ⟨1a⟩ pirate
pire [pir] worse; ***le / la ~*** the worst
pirouette [pirwɛt] *f* pirouette
pis-aller [pizale] *m* (*pl inv*) stopgap
pisciculture [pisikyltyr] *f* fish farming
piscine [pisin] *f* (swimming) pool; ***~ couverte*** indoor (swimming) pool; ***~ en plein air*** outdoor (swimming) pool
pissenlit [pisɑ̃li] *m* BOT dandelion
pisser [pise] ⟨1a⟩ F pee F, piss F; **pissotière** *f* F urinal
pistache [pistaʃ] *f* BOT pistachio (nut)
piste [pist] *f* track; *d'animal*, *fig* track, trail; AVIAT runway; SP track; *ski alpin* piste; *ski de fond* trail; ***~ d'atterrissage*** landing strip; ***~ cyclable*** cycle path; ***~ de danse*** dance floor; ***~ magnétique*** magnetic stripe
pistolet [pistɔlɛ] *m* pistol
piston [pistɔ̃] *m* TECH piston; ***elle est***

P

rentrée dans la boîte par ~ *fig* F she got the job through contacts; **pistonner** ⟨1a⟩ F: ***~ qn*** pull strings for s.o., give s.o. a leg-up F
piteux, **-euse** [pitø, -z] pitiful
pitié [pitje] *f* pity; ***avoir ~ de qn*** take pity on s.o.
piton [pitõ] *m d'alpiniste* piton; (*pic*) peak
pitoyable [pitwajabl] pitiful
pitre [pitr] *m*: ***faire le ~*** clown around
pittoresque [pitɔrɛsk] picturesque
pivert [pivɛr] *m* woodpecker
pivoine [pivwan] *f* BOT peony
pivot [pivo] *m* TECH pivot; ***vous êtes le ~ de ce projet*** *fig* the project hinges on you; **pivoter** ⟨1a⟩ pivot
pizza [pidza] *f* pizza
PJ *abr* (= ***pièce(s) jointe(s)***) enclosure(s)
placage [plakaʒ] *m d'un meuble* veneer; *au rugby* tackle
placard [plakar] *m* (*armoire*) cabinet, *Br* cupboard; (*affiche*) poster; **placarder** ⟨1a⟩ *avis* stick up, post
place [plas] *f de village, ville* square; (*lieu*) place; (*siège*) seat; (*espace libre*) room, space; (*emploi*) position, place; ***sur ~*** on the spot; ***à la ~ de*** instead of; ***être en ~*** have everything in place; ***~ assise*** seat; ***~ forte*** fortress
placé, **~e** [plase]: ***être bien ~*** *d'une maison* be well situated; ***être bien ~ pour savoir qch*** be in a good position to know sth; **placement** *m* (*emploi*) placement; (*investissement*) investment; ***agence*** *f* ***de ~*** employment agency; **placer** ⟨1k⟩ (*mettre*) put, place; (*procurer emploi à*) find a job for; *argent* invest; *dans une famille etc* find a place for; ***je n'ai pas pu ~ un mot*** I couldn't get a word in edgewise *ou Br* edgeways; ***se ~*** take one's place
placide [plasid] placid
plafond [plafõ] *m aussi fig* ceiling; **plafonner** ⟨1a⟩ *de prix* level off; **plafonnier** *m* ceiling lamp
plage [plaʒ] *f* beach; *lieu* seaside resort; ***~ horaire*** time slot
plagiat [plaʒja] *m* plagiarism; **plagier** ⟨1a⟩ plagiarize
plaider [plɛde] ⟨1b⟩ **1** *v/i* JUR *d'un avocat* plead **2** *v/t*: ***~ la cause de qn*** defend s.o.; *fig* plead s.o.'s cause; ***~ coupable / non coupable*** plead guilty / not guilty; **plaidoirie** *f* JUR speech for the defense *ou Br* defence; **plaidoyer** *m* JUR speech for the defense *ou Br* defence; *fig* plea
plaie [plɛ] *f* cut; *fig* wound; ***quelle ~!*** *fig* what a nuisance!
plaignant, **~e** [plɛɲɑ̃, -t] *m/f* JUR plaintiff
plaindre [plɛ̃dr] ⟨4b⟩ pity; ***se ~*** complain (***de*** about; ***à*** to); ***se ~ (de ce) que*** complain that
plaine [plɛn] *f* plain
plain-pied [plɛ̃pje]: ***de ~*** *maison etc* on one level
plainte [plɛ̃t] *f* (*lamentation*) moan; *mécontentement*, JUR complaint; ***porter ~*** lodge a complaint (***contre*** about); **plaintif**, **-ive** plaintive
plaire [plɛr] ⟨4a⟩: ***il ne me plaît pas*** I don't like him; ***s'il vous plaît, s'il te plaît*** please; ***je me plais à Paris*** I like it in Paris; ***Paris me plaît*** I like Paris; ***ça me plairait d'aller …*** I would like to go …; ***ils se sont plu tout de suite*** they were immediately attracted to each other
plaisance [plɛzɑ̃s] *f*: ***navigation*** *f* ***de ~*** boating; ***port*** *m* ***de ~*** marina; **plaisant**, **~e** (*agréable*) pleasant; (*amusant*) funny
plaisanter [plɛzɑ̃te] ⟨1a⟩ joke; **plaisanterie** *f* joke; **plaisantin** *m* joker
plaisir [plezir] *m* pleasure; ***avec ~*** with pleasure, gladly; ***par ~, pour le ~*** for pleasure, for fun; ***faire ~ à qn*** please s.o.; ***prendre ~ à*** take pleasure in sth
plan, **~e** [plɑ̃, plan] **1** *adj* flat, level **2** *m* (*surface*) surface; (*projet*, *relevé*) plan; ***premier ~*** foreground; ***de premier ~*** *personnalité* prominent; ***sur ce ~*** in that respect, on that score; ***sur le ~ économique*** in economic terms, economically speaking; ***~ d'eau*** stretch of water; ***~ de travail*** work surface
planche [plɑ̃ʃ] *f* plank; ***~ à voile*** sail-

P

board
plancher [plɑ̃ʃe] *m* floor
planer [plane] ⟨1a⟩ hover; *fig* live in another world
planétaire [planetɛr] planetary; **planète** *f* planet
planeur [planœr] *m* glider
planification [planifikasjõ] *f* planning; **planifier** ⟨1a⟩ plan
planning [planiŋ] *m*: ~ ***familial*** family planning
planque [plɑ̃k] *f* F *abri* hiding place; *travail* cushy job F
planquer [plɑ̃ke] ⟨1m⟩ F hide; ***se*** ~ hide
plant [plɑ̃] *m* AGR seedling; (*plantation*) plantation; **plantation** *f* plantation
plante[1] [plɑ̃t] *f* plant
plante[2] [plɑ̃t] *f*: ~ ***du pied*** sole of the foot
planter [plɑ̃te] ⟨1a⟩ *jardin* plant up; *plantes, arbres* plant; *poteau* hammer in; *tente* erect, put up; ~ ***là qn*** dump s.o.
plantureux, **-euse** [plɑ̃tyrø, -z] *femme* voluptuous
plaque [plak] *f* plate; (*inscription*) plaque; ~ ***électrique*** hotplate; ~ ***minéralogique***, ~ ***d'immatriculation*** AUTO license plate, *Br* number plate; ~ ***tournante*** turntable; *fig* hub; ***être à côté de la*** ~ be wide of the mark
plaqué [plake] *m*: ~ ***or*** gold plate; **plaquer** ⟨1m⟩ *argent, or* plate; *meuble* veneer; *fig* pin (***contre*** to, against); F (*abandonner*) dump F; *au rugby* tackle
plaquette [plakɛt] *f de pilules* strip; *de beurre* pack; ~ ***de frein*** brake pad
plastic [plastik] *m* plastic explosive
plastifier [plastifje] ⟨1a⟩ laminate
plastique [plastik] **1** *adj* plastic; ***arts*** *mpl* ~***s*** plastic arts **2** *m* plastic; ***une chaise en*** ~ a plastic chair
plat, ~**e** [pla, plat] **1** *adj* flat; *eau* still, non-carbonated **2** *m vaisselle, mets* dish
platane [platan] *m* BOT plane tree
plateau [plato] *m* (*pl* -x) tray; *de théâtre* stage; TV, *d'un film* set; GÉOGR plateau; ~ ***à*** *ou* ***de fromages*** cheeseboard
plate-bande [platbɑ̃d] *f* (*pl* plates-bandes) flower bed
plate-forme [platfɔrm] *f* (*pl* plates-formes) platform; ~ ***électorale*** POL election platform; ~ ***de forage*** drilling platform; ~ ***de lancement*** launch pad
platine [platin] **1** *m* CHIM platinum **2** *f*: ~ ***disques*** turntable; ~ ***laser*** *ou* ***CD*** CD player
platitude [platityd] *f fig*: *d'un livre etc* dullness; (*lieu commun*) platitude
platonique [platɔnik] platonic
plâtre [plɑtr] *m* plaster; MÉD plaster cast; **plâtrer** ⟨1a⟩ plaster
plausible [plozibl] plausible
plein, ~**e** [plɛ̃, -ɛn] **1** *adj* full (***de*** of); ***à*** ~ ***temps*** full time; ***en*** ~ ***air*** in the open (air), out of doors; ***en*** ~ ***été*** at the height of summer; ***en*** ~ ***Paris*** in the middle of Paris; ***en*** ~ ***jour*** in broad daylight **2** *adv*: ***en*** ~ ***dans*** right in; ~ ***de*** F loads of F, lots of, a whole bunch of F; ***j'en ai*** ~ ***le dos!*** *fig* F I've had it up to here! **3** *m*: ***battre son*** ~ be in full swing; ***faire le*** ~ AUTO fill up; ***faire le*** ~ ***de*** *vin, eau, nourriture* stock up on;
pleinement *adv* fully
plein-emploi [plɛnɑ̃plwa] *m* ÉCON full employment
pleurer [plœre] ⟨1a⟩ **1** *v/i* cry, weep; ~ ***sur qch*** complain about sth, bemoan sth *fml*; ~ ***de rire*** cry with laughter **2** *v/t* (*regretter*) mourn; **pleureur** BOT: ***saule*** *m* ~ weeping willow
pleurnicher [plœrniʃe] ⟨1a⟩ F snivel
pleurs [plœr] *mpl litt*: ***en*** ~ in tears
pleuvoir [pløvwar] ⟨3e⟩ rain; ***il pleut*** it is raining
pli [pli] *m* fold; *d'une jupe* pleat; *d'un pantalon* crease; (*enveloppe*) envelope; (*lettre*) letter; *au jeu de cartes* trick; (***faux***) ~ crease; ***mise*** *f* ***en*** ~***s*** *coiffure* set
pliant, ~**e** [plijɑ̃, -t] folding
plier [plije] ⟨1a⟩ **1** *v/t* (*rabattre*) fold; (*courber, ployer*) bend **2** *v/i d'un arbre, d'une planche* bend; *fig* (*céder*) give in;

se ~ à (*se soumettre*) submit to; *caprices* give in to
plisser [plise] ⟨1a⟩ pleat; (*froisser*) crease; *front* wrinkle
plomb [plõ] *m* lead; ***soleil*** *m* ***de ~*** scorching hot sun; ***sans ~*** *essence* unleaded
plombage [plõbaʒ] *m action, amalgame* filling; **plomber** ⟨1a⟩ *dent* fill; **plomberie** *f* plumbing; **plombier** *m* plumber
plongée [plõʒe] *f* diving; ***faire de la ~*** go diving; **plongeoir** *m* diving board; **plongeon** *m* SP dive; **plonger** ⟨1l⟩ **1** *v/i* dive **2** *v/t* plunge; ***se ~ dans*** bury *ou* immerse o.s. in; **plongeur**, **-euse** *m/f* diver
ployer [plwaje] ⟨1h⟩ *litt* (*se courber*) bend; (*fléchir*) give in
pluie [plɥi] *f* rain; *fig* shower; ***sous la ~*** in the rain; ***~s acides*** acid rain *sg*
plumage [plymaʒ] *m* plumage
plume [plym] *f* feather; **plumer** ⟨1a⟩ pluck; *fig* fleece
plupart [plypar]: ***la ~ des élèves*** most of the pupils *pl*; ***la ~ d'entre nous*** most of us; ***pour la ~*** for the most part, mostly; ***la ~ du temps*** most of the time
pluridisciplinaire [plyridisipliner] multidisciplinary
pluriel, **~le** [plyrjɛl] **1** *adj* plural **2** *m* GRAM plural; ***au ~*** in the plural
plus 1 *adv* ◊ [ply] *comparatif* more (***que***, ***de*** than); ***~ grand / petit*** bigger / smaller (***que*** than); ***~ efficace / intéressant*** more efficient / interesting (***que*** than); ***de ~ en ~*** more and more; ***~ il vieillit ~ il dort*** the older he gets the more he sleeps
◊ [ply] *superlatif*: ***le ~ grand / petit*** the biggest / smallest; ***le ~ efficace / intéressant*** the most efficient / interesting; ***le ~*** the most; ***au ~ tard*** at the latest; (***tout***) ***au ~*** [plys] at the (very) most
◊ [plys] *davantage* more; ***tu en veux ~?*** do you want some more?; ***rien de ~*** nothing more; ***je l'aime bien, sans ~*** I like her, but it's no more than that *ou* but that's as far as it goes; ***20 euros de ~*** another 20 euros, 20 euros more; ***et de ~ …*** (*en outre*) and moreover …; ***en ~*** on top of that
◊ [ply] *négation, quantité*: ***nous n'avons ~ d'argent*** we have no more money, we don't have any more money
◊ [ply] *temps*: ***elle n'y habite ~*** she doesn't live there any more, she no longer lives there; ***je ne le reverrai ~*** I won't see him again; ***je ne le reverrai ~ jamais*** I won't see him ever again, I will never (ever) see him again
◊ [ply]: ***lui, il n'a pas compris non ~*** he didn't understand either; ***je n'ai pas compris - moi non ~*** I didn't understand - neither *ou* nor did I, I didn't either, me neither; ***je ne suis pas prêt - moi non ~*** I'm not ready - neither *ou* nor am I, me neither
2 *prép* [plys] MATH plus; ***trois ~ trois*** three plus *ou* and three
3 *m* [plys] MATH plus (sign)
plusieurs [plyzjœr] *adj & pron* several
plus-que-parfait [plyskəparfɛ] *m* GRAM pluperfect
plutôt [plyto] rather; ***il est ~ grand*** he's rather tall; ***~ que de partir tout de suite*** rather than leave *ou* leaving straight away
pluvieux, **-euse** [plyvjø, -z] rainy
PME [peɛmø] *abr* (= ***petite***(***s***) ***et moyenne***(***s***) ***entreprise***(***s***)) SME (= small and medium-sized enterprise(s)); ***une ~*** a small business
PMU [peɛmy] *m abr* (= ***Pari mutuel urbain***) *state-run betting system*
PNB [peɛnbe] *m abr* (= ***produit national brut***) GDP (= gross domestic product)
pneu [pnø] *m* (*pl* -s) tire, *Br* tyre; **pneumatique 1** *adj marteau* pneumatic; *matelas* air **2** *m* → ***pneu***
pneumonie [pnømɔni] *f* pneumonia
poche [pɔʃ] *f* pocket; ZO pouch; ***livre*** *m* ***de ~*** paperback; ***~ revolver*** back pocket; ***argent de ~*** pocket money; ***avoir des ~s sous les yeux*** have bags under one's eyes; **pocher**

⟨1a⟩ CUIS *œufs* poach
pochette [pɔʃɛt] *f pour photos, feuilles de papier* folder; *d'un disque, CD* sleeve; (*sac*) bag
podium [pɔdjɔm] *m* podium
poêle [pwal] **1** *m* stove **2** *f* frypan, *Br* frying pan
poêlon [pwalõ] *m* pan
poème [pɔɛm] *m* poem
poésie [pɔezi] *f* poetry; (*poème*) poem
poète [pɔɛt] *m* poet; ***femme*** *f* **~** poet, female poet; **poétique** poetic; *atmosphère* romantic
pognon [pɔɲõ] *m* F dough F
poids [pwa] *m* weight; *fig* (*charge, fardeau*) burden; (*importance*) weight; **~ *lourd*** *boxeur* heavyweight; AUTO heavy truck, *Br* heavy goods vehicle; ***perdre / prendre du* ~** lose / gain weight; ***lancer*** *m* ***du* ~** putting the shot; ***de* ~** influential; ***ne pas faire le* ~** *fig* not be up to it
poignant, **~e** [pwaɲɑ̃, -t] *souvenir* poignant
poignard [pwaɲar] *m* dagger; **poignarder** ⟨1a⟩ stab
poignée [pwaɲe] *f quantité, petit nombre* handful; *d'une valise, d'une porte* handle; ***~ de main*** handshake
poignet [pwaɲɛ] *m* wrist
poil [pwal] *m* hair; ***à* ~** naked, in the altogether F
poilu, **~e** [pwaly] hairy
poinçon [pwɛ̃sõ] *m* (*marque*) stamp; **poinçonner** ⟨1a⟩ *or, argent* hallmark; *billet* punch
poing [pwɛ̃] *m* fist; ***coup*** *m* ***de* ~** punch
point[1] [pwɛ̃] *m* point; *de couture* stitch; ***deux ~s*** colon *sg*; ***être sur le ~ de faire qch*** be on the point of doing sth; ***mettre au* ~** *caméra* focus; TECH finalize; (*régler*) adjust; ***à* ~** *viande* medium; ***au ~ d'être…*** to the point of being…; ***jusqu'à un certain* ~** to a certain extent; ***sur ce* ~** on this point; ***faire le* ~** *fig* take stock; ***à ce* ~** so much; ***~ de côté*** MÉD stitch (in one's side); ***~ d'exclamation*** exclamation point, *Br* exclamation mark; ***~ d'interrogation*** question mark; ***~ du jour*** dawn, daybreak; ***~ de vue*** point of view, viewpoint
point[2] [pwɛ̃] *adv litt*: ***il ne le fera* ~** he will not do it
pointe [pwɛ̃t] *f* point; *d'asperge* tip; ***sur la ~ des pieds*** on tippy-toe, *Br aussi* on tiptoe; ***en* ~** pointed; ***de* ~** *technologie* leading-edge; *secteur* high-tech; ***une ~ de*** a touch of; **pointer** ⟨1a⟩ **1** *v/t sur liste* check, *Br* tick off **2** *v/i d'un employé* clock in
pointillé [pwɛ̃tije] *m*: ***les ~s*** the dotted line *sg*
pointilleux, **-euse** [pwɛ̃tijø, -z] fussy
pointu, **~e** [pwɛ̃ty] pointed; *voix* high-pitched
pointure [pwɛ̃tyr] *f* (shoe) size; ***quelle est votre ~?*** what size are you?, what size (shoe) do you take?
point-virgule [pwɛ̃virgyl] *m* (*pl* points-virgules) GRAM semi-colon
poire [pwar] *f* BOT pear; F *visage, naïf* mug F
poireau [pwaro] *m* (*pl* -x) BOT leek
poireauter [pwarɔte] ⟨1a⟩ F be kept hanging around
poirier [pwarje] *m* BOT pear (tree)
pois [pwa] *m* BOT pea; ***petits* ~** garden peas; ***à* ~** polka-dot
poison [pwazõ] **1** *m* poison **2** *m/f fig* F nuisance, pest
poisse [pwas] *f* F bad luck
poisson [pwasõ] *m* fish; ***~ d'avril*** April Fool; ***Poissons*** *mpl* ASTROL Pisces; **poissonnerie** *f* fish shop, *Br* fishmonger's
poitrine [pwatrin] *f* chest; (*seins*) bosom; ***tour*** *f* ***de* ~** chest measurement; *d'une femme* bust measurement
poivre [pwavr] *m* pepper; ***~ et sel*** *cheveux* pepper-and-salt; **poivrer** ⟨1a⟩ pepper; **poivrière** *f* pepper shaker
poivron [pwavrõ] *m* bell pepper, *Br* pepper
poker [pɔkɛr] *m* poker
polaire [pɔlɛr] polar
polar [pɔlar] *m* F whodunnit F
polariser [pɔlarize] ⟨1a⟩ PHYS polarize; ***~ l'attention / les regards*** *fig* be the focus of attention
polaroïd® [pɔlarɔid] *m* polaroid

pôle [pol] *m* pole; *fig* center, *Br* centre, focus; ~ ***Nord*** North Pole; ~ ***Sud*** South Pole
polémique [pɔlemik] **1** *adj* polemic **2** *f* controversy
poli, **~e** [pɔli] (*courtois*) polite; *métal, caillou* polished
police[1] [pɔlis] *f* police; ~ ***judiciaire*** *branch of the police force that carries out criminal investigations*
police[2] [pɔlis] *f d'assurances* policy; ~ ***d'assurance*** insurance policy
polichinelle [poliʃinɛl] *m* Punch; ***secret*** *m* ***de*** ~ open secret
policier, **-ère** [pɔlisje, -ɛr] **1** *adj* police *atr*; *film, roman* detective *atr* **2** *m* police officer
polio [pɔljo] *f* polio
polir [pɔlir] ⟨2a⟩ polish
polisson, **~ne** [pɔlisõ, -ɔn] **1** *adj* (*coquin*) mischievous; (*grivois*) bawdy **2** *m/f* mischievous child
politesse [pɔlitɛs] *f* politeness
politicard [pɔlitikar] *m* F *péj* unscrupulous politician, politico F
politicien, **~ne** [pɔlitisjɛ̃, -ɛn] *m/f* politician
politique [pɔlitik] **1** *adj* political; ***homme*** *m* ~ politician; ***économie*** *f* ~ political economy **2** *f d'un parti, du gouvernement* policy; (*affaires publiques*) politics *sg*; ~ ***monétaire*** monetary policy **3** *m* politician
politisation [pɔlitizasjõ] *f* politicization; **politiser** ⟨1a⟩ politicize
politologie [pɔlitɔlɔʒi] *f* politicial science
pollen [pɔlɛn] *m* pollen
polluant, **~e** [pɔlɥɑ̃, -t] **1** *adj* polluting **2** *m* pollutant; **polluer** ⟨1n⟩ pollute; **pollution** *f* pollution; ~ ***atmosphérique*** air pollution
polo [pɔlo] *m* polo
Pologne [pɔlɔɲ]: ***la*** ~ Poland; **polonais**, **~e 1** *adj* Polish **2** *m langue* Polish **3** *m/f* **Polonais**, **~e** Pole
poltron, **~ne** [pɔltrõ, -ɔn] *m/f* coward; **poltronnerie** *f* cowardice
polyclinique [pɔliklinik] *f* (general) hospital
polycopié [pɔlikɔpje] *m* (photocopied) handout
polyester [pɔliɛstɛr] *m* polyester
polyéthylène [pɔlietilɛn] *m* polyethylene
polygamie [pɔligami] *f* polygamy
polyglotte [pɔliglɔt] polyglot
Polynésie [pɔlinezi] *f* Polynesia; **polynésien**, **~ne 1** *adj* Polynesian **2** *m* LING Polynesian **3** *m/f* **Polynésien**, **~ne** Polynesian
polystyrène [pɔlistirɛn] *m* polystyrene
polyvalence [pɔlivalɑ̃s] *f* versatility; **polyvalent** multipurpose; *personne* versatile
pommade [pɔmad] *f* MÉD ointment
pomme [pɔm] *f* apple; ***tomber dans les ~s*** F pass out; ~ ***d'Adam*** Adam's apple; ~ ***de pin*** pine cone; ~ ***de terre*** potato
pommeau [pɔmo] *m* (*pl* -x) handle; *d'une selle* pommel
pommette [pɔmɛt] *f* ANAT cheekbone
pommier [pɔmje] *m* BOT apple tree
pompe[1] [põp] *f faste* pomp; ***~s funèbres*** funeral director, *Br aussi* undertaker's
pompe[2] [põp] *f* TECH pump; ~ ***à essence*** gas pump, *Br* petrol pump; ~ ***à eau*** water pump; **pomper** ⟨1a⟩ pump; *fig* (*épuiser*) knock out
pompeux, **-euse** [põpø, -z] pompous
pompier [põpje] *m* firefighter, *Br aussi* fireman; ***~s*** fire department *sg*, *Br* fire brigade *sg*
pompiste [põpist] *m* pump attendant
pompon [põpõ] *m* pompom; **pomponner** ⟨1a⟩ F: ***se*** ~ get dolled up F
ponce [põs]: ***pierre*** *f* ~ pumice stone; **poncer** ⟨1k⟩ sand; **ponceuse** *f* sander
ponctualité [põktɥalite] *f* punctuality
ponctuation [põktɥasjõ] *f* GRAM punctuation
ponctuel, **~le** [põktɥɛl] *personne* punctual; *fig*: *action* one-off; **ponctuer** ⟨1n⟩ GRAM punctuate (*aussi fig*)
pondération [põderasjõ] *f d'une personne* level-headedness; *de forces* balance; ÉCON weighting; **pondéré**, **~e** *personne* level-headed; *forces* ba-

P

lanced; ÉCON weighted
pondre [põdr] ⟨4a⟩ *œufs* lay; *fig* F come up with; *roman* churn out
poney [pɔnɛ] *m* pony
pont [põ] *m* bridge; MAR deck; ***~ aérien*** airlift; ***faire le ~*** make a long weekend of it; **pont-levis** *m* (*pl* ponts-levis) drawbridge
pontage [põtaʒ] *m*: ***~ coronarien*** (heart) bypass
pontife [põtif] *m* pontiff
ponton [põtõ] *m* pontoon
pop [pɔp] *f* MUS pop
popote [pɔpɔt] *f* F: ***faire la ~*** do the cooking
populace [pɔpylas] *f péj* rabble
populaire [pɔpylɛr] popular; **populariser** ⟨1a⟩ popularize; **popularité** *f* popularity
population [pɔpylasjõ] *f* population
porc [pɔr] *m* hog, pig; *fig* pig; *viande* pork
porcelaine [pɔrsəlɛn] *f* porcelain
porcelet [pɔrsəlɛ] *m* piglet
porc-épic [pɔrkepik] *m* (*pl* porcs-épics) porcupine
porche [pɔrʃ] *m* porch
porcherie [pɔrʃəri] *f élevage* hog *ou* pig farm
pore [pɔr] *m* pore; **poreux**, **-euse** porous
porno [pɔrno] F porno F
pornographie [pɔrnɔgrafi] *f* pornography; **pornographique** pornographic
port[1] [pɔr] *m* port; ***~ de commerce*** commercial port; ***~ de pêche*** fishing port
port[2] [pɔr] *m d'armes* carrying; *courrier* postage; ***le ~ du casque est obligatoire*** safety helmets must be worn; ***en ~ dû*** carriage forward
portable [pɔrtabl] **1** *adj* portable **2** *m ordinateur* laptop; *téléphone* cellphone, cell, *Br* mobile
portail [pɔrtaj] *m* (*pl* -s) ARCH portal; *d'un parc* gate
portant, **~e** [pɔrtɑ̃, -t] *mur* load-bearing; ***à bout ~*** at point-blank range; ***bien ~*** well; ***mal ~*** not well, poorly; **portatif**, **-ive** portable
porte [pɔrt] *f* door; *d'une ville* gate; ***entre deux ~s*** very briefly; ***mettre qn à la ~*** throw s.o. out, show s.o. the door; **porte-à-porte** *m*: ***faire du ~*** *vendre* be a door-to-door salesman
porte-avions [pɔrtavjõ] *m* (*pl inv*) aircraft carrier
porte-bagages [pɔrt(ə)bagaʒ] *m* AUTO roof rack; *filet* luggage rack
porte-bonheur [pɔrt(ə)bɔnœr] *m* (*pl inv*) lucky charm
porte-cigarettes [pɔrt(ə)sigarɛt] *m* (*pl inv*) cigarette case
porte-clés [pɔrtəkle] *m* (*pl inv*) key-ring
porte-documents [pɔrt(ə)dɔkymɑ̃] *m* (*pl inv*) briefcase
portée [pɔrte] *f* ZO litter; *d'une arme* range; (*importance*) significance; ***à ~ de la main*** within arm's reach; ***être à la ~ de qn*** *fig* be accessible to s.o.; ***à la ~ de toutes les bourses*** affordable by all; ***hors de ~ de voix*** out of hearing
porte-fenêtre [pɔrt(ə)fənɛtr] *f* (*pl* portes-fenêtres) French door, *Br* French window
portefeuille [pɔrtəfœj] *m* portfolio (*aussi* POL, FIN); (*porte-monnaie*) billfold, *Br* wallet
porte-jarretelles [pɔrt(ə)ʒartɛl] *m* (*pl inv*) garter belt, *Br* suspender belt
portemanteau [pɔrt(ə)mɑ̃to] *m* (*pl* -x) coat rack; *sur pied* coatstand
portemine [pɔrtəmin] *m* mechanical pencil, *Br* propelling pencil
porte-monnaie [pɔrt(ə)mɔnɛ] *m* (*pl inv*) coin purse, *Br* purse
porte-parole [pɔrt(ə)parɔl] *m* (*pl inv*) spokesperson
porter [pɔrte] ⟨1a⟩ **1** *v/t* carry; *un vêtement, des lunettes etc* wear; (*apporter*) take; bring; *yeux, attention* turn (***sur*** to); *toast* drink; *responsabilité* shoulder; *fruits, nom* bear; ***~ les cheveux longs / la barbe*** have long hair / a beard; ***~ plainte*** make a complaint; ***~ son attention sur qch*** direct one's attention to sth; ***être porté sur qch*** have a weakness for sth **2** *v/i d'une voix* carry; ***~ juste***

P

d'un coup strike home; ~ ***sur*** (*appuyer sur*) rest on, be borne by; (*concerner*) be about, relate to; ~ ***sur les nerfs de qn*** F get on s.o.'s nerves **3**: ***il se porte bien / mal*** he's well / not well; ***se ~ candidat*** be a candidate, run

porte-savon [pɔrtsavõ] *m* (*pl* porte--savon(s)) soap dish

porte-serviettes [pɔrtsɛrvjɛt] *m* (*pl inv*) towel rail

porte-skis [pɔrt(ə)ski] *m* (*pl inv*) ski rack

porteur [pɔrtœr] *m pour une expédition* porter, bearer; *d'un message* bearer; MÉD carrier

porte-voix [pɔrtəvwa] *m* (*pl inv*) bull horn, *Br* megaphone

portier [pɔrtje] *m* doorman

portière [pɔrtjɛr] *f* door

portion [pɔrsjõ] *f d'un tout* portion; CUIS serving, portion

portique [pɔrtik] *m* ARCH portico; SP beam

porto [pɔrto] *m* port

Porto Rico [pɔrtoriko] Puerto Rico; **portoricain**, **~e** **1** *adj* Puerto Rican; **2** *m/f* **Portoricain**, **~e** Puerto Rican

portrait [pɔrtrɛ] *m* portrait; ***faire le ~ de qn*** paint / draw a portrait of s.o.; **portrait-robot** *m* (*pl* portraits-robots) composite picture, *Br* Identikit® picture

portuaire [pɔrtɥɛr] port *atr*

portugais, **~e** [pɔrtygɛ, -z] **1** *adj* Portuguese **2** *m langue* Portuguese **3** *m/f* **Portugais**, **~e** Portuguese; **Portugal**: ***le ~*** Portugal

pose [poz] *f d'un radiateur* installation; *de moquette* fitting; *de papier peint*, *rideaux* hanging; (*attitude*) pose

posé, **~e** [poze] poised, composed; **posément** *adv* with composure

poser [poze] ⟨1a⟩ **1** *v/t* (*mettre*) put (down); *compteur*, *radiateur* install, *Br* instal; *moquette* fit; *papier peint*, *rideaux* put up, hang; *problème* pose; ***~ une question*** ask a question; ***~ sa candidature*** *à un poste* apply; ***se ~*** AVIAT land, touch down; ***se ~ en*** set o.s. up as **2** *v/i* pose

poseur, **-euse** [pozœr, -øz] *m/f* **1** show-off, *Br* F pseud **2** *m*: ***~ de bombes*** person who plants bombs

positif, **-ive** [pozitif, -iv] positive

position [pozisjõ] *f* position; ***prendre ~*** take a stand; ***~ sociale*** (social) standing

positiver [pɔzitive] ⟨1b⟩ accentuate the positive

posologie [posɔlɔʒi] *f* PHARM dosage

possédé, **~e** [pɔsede] possessed (***de*** by); **posséder** ⟨1f⟩ own, possess; **possesseur** *m* owner; **possessif**, **-ive** possessive; **possession** *f* possession, ownership; ***être en ~ de qch*** be in possession of sth

possibilité [pɔsibilite] *f* possibility

possible [pɔsibl] **1** *adj* possible; ***le plus souvent ~*** as often as possible; ***autant que ~*** as far as possible; ***le plus de pain ~*** as much bread as possible **2** *m*: ***faire tout son ~*** do everything one can, do one's utmost

postal, **~e** [pɔstal] (*mpl* -aux) mail *atr*, *Br aussi* postal

postdater [pɔstdate] ⟨1a⟩ postdate

poste[1] [pɔst] *f* mail, *Br aussi* post; (***bureau*** *m* ***de***) ***~*** post office; ***mettre à la ~*** mail, *Br aussi* post; ***~ restante*** general delivery, *Br* poste restante

poste[2] [pɔst] *m* post; (*profession*) position; RAD, TV set; TÉL extension; ***~ de pilotage*** AVIAT cockpit; ***~ de secours*** first-aid post; ***~ supplémentaire*** TÉL extension; ***~ de travail*** INFORM work station

poster [pɔste] ⟨1a⟩ *soldat* post; *lettre* mail, *Br aussi* post

postérieur, **~e** [pɔsterjœr] **1** *adj dans l'espace* back *atr*, rear *atr*; *dans le temps* later; ***~ à qch*** after sth **2** *m* F posterior F, rear end F

postérité [pɔsterite] posterity

posthume [pɔstym] posthumous

postiche [pɔstiʃ] *m* hairpiece

postier, **-ère** [pɔstje, -ɛr] *m/f* post office employee

postillonner [postijɔne] ⟨1a⟩ splutter

postulant, **~e** [pɔstylã, -t] *m/f* candidate; **postuler** ⟨1a⟩ apply for

posture [pɔstyr] *f* (*attitude*) position,

P

posture; *fig* position

pot [po] *m* pot; ~ ***à eau*** water jug; ~ ***de fleurs*** flowerpot; ***prendre un*** ~ F have a drink; ***avoir du*** ~ F be lucky

potable [pɔtabl] fit to drink; ***eau*** ~ drinking water

potage [pɔtaʒ] *m* soup; **potager, -ère**: ***jardin*** *m* ~ kitchen garden

potassium [pɔtasjɔm] *m* potassium

pot-au-feu [pɔtofø] *m* (*pl inv*) boiled beef dinner

pot-de-vin [podvɛ̃] *m* (*pl* pots-de-vin) F kickback F, bribe, backhander F

pote [pɔt] *m* F pal, *Br aussi* mate

poteau [pɔto] *m* (*pl* -x) post; ~ ***indicateur*** signpost; ~ ***télégraphique*** utility pole, *Br* telegraph pole

potelé, ~e [pɔtle] chubby

potentiel, ~le [pɔtɑ̃sjɛl] *m & adj* potential

poterie [pɔtri] *f* pottery; *objet* piece of pottery; **potier** *m* potter

potins [potɛ̃] *mpl* gossip *sg*

potion [posjõ] *f* potion

potiron [pɔtirõ] *m* BOT pumpkin

pou [pu] *m* (*pl* -x) *m* louse

poubelle [pubɛl] *f* trash can, *Br* dustbin; ***mettre qch à la*** ~ throw sth out

pouce [pus] *m* thumb; ***manger sur le*** ~ grab a quick bite (to eat)

poudre [pudr] *f* powder; ***chocolat*** *m* ***en*** ~ chocolate powder; ***sucre*** *m* ***en*** ~ superfine sugar, *Br* caster sugar; **poudrier** *m* powder compact; **poudrière** *f fig* powder keg

pouf [puf] *m* pouffe

pouffer [pufe] ⟨1a⟩: ~ ***de rire*** burst out laughing

poulailler [pulaje] *m* henhouse; *au théâtre* gallery, *Br* gods *pl*

poulain [pulɛ̃] *m* ZO foal

poule [pul] *f* hen; **poulet** *m* chicken

poulie [puli] *f* TECH pulley

poulpe [pulp] *m* octopus

pouls [pu] *m* pulse; ***prendre le*** ~ ***de qn*** take s.o.'s pulse

poumon [pumõ] *m* lung

poupe [pup] *f* MAR poop

poupée [pupe] *f* doll (*aussi fig*)

poupon [pupõ] *m* little baby; **pouponnière** *f* nursery

pour [pur] **1** *prép* ◊ for; ~ ***moi*** for me; ~ ***ce qui est de ...*** as regards ...; ***c'est*** ~ ***ça que ...*** that's why ...; ***c'est*** ~ ***ça*** that's why; ~ ***moi,*** ~ ***ma part*** as for me; ***aversion*** ~ aversion to; ***avoir*** ~ ***ami*** have as *ou* for a friend; ***être*** ~ ***faire qch*** be for doing sth, be in favor *ou Br* favour of doing sth; ~ ***20 euros de courses*** 20 euros' worth of shopping; ~ ***affaires*** on business

◊: ~ ***ne pas perdre trop de temps*** so as not to *ou* in order not to lose too much time; ***je l'ai dit*** ~ ***te prévenir*** I said that to warn you

2 *conj*: ~ ***que*** (+ *subj*) so that, ***je l'ai fait exprès*** ~ ***que tu saches que ...*** I did it deliberately so that you would know that ...; ***il parle trop vite*** ~ ***que je le comprenne*** he speaks too fast for me to understand

3 *m*: ***le*** ~ ***et le contre*** the pros and the cons *pl*

pourboire [purbwar] *m* tip

pourcentage [pursɑ̃taʒ] *m* percentage

pourchasser [purʃase] ⟨1a⟩ chase after, pursue

pourparlers [purparle] *mpl* talks, discussions

pourpre [purpr] purple

pourquoi [purkwa] why; ***c'est*** ~, ***voilà*** ~ that's why; ***le*** ~ the whys and the wherefores *pl*

pourri, ~e [puri] rotten (*aussi fig*); **pourrir** ⟨2a⟩ **1** *v/i* rot; *fig*: *d'une situation* deteriorate **2** *v/t* rot; *fig* (*corrompre*) corrupt; (*gâter*) spoil; **pourriture** *f* rot (*aussi fig*)

poursuite [pursɥit] *f* chase, pursuit; *fig* pursuit (**de** of); **~s** JUR proceedings; **poursuivant, ~e** *m/f* pursuer; **poursuivre** ⟨4h⟩ pursue, chase; *fig*: *honneurs, but, bonheur* pursue; *de pensées, images* haunt; JUR sue; *malfaiteur, voleur* prosecute; (*continuer*) carry on with, continue

pourtant [purtɑ̃] *adv* yet

pourtour [purtur] *m* perimeter

pourvoir [purvwar] ⟨3b⟩ **1** *v/t emploi* fill; ~ ***de*** *voiture, maison* equip *ou* fit

with **2** *v/i*: **~ à** *besoins* provide for; ***se ~ de*** provide *ou* supply o.s. with; ***se ~ en cassation*** JUR appeal
pourvu [purvy]: **~ *que*** (+ *subj*) provided that; *exprimant désir* hopefully
pousse [pus] *f* AGR shoot; **poussée** *f* thrust; MÉD outbreak; *de fièvre* rise; *fig*: *de racisme etc* upsurge; **pousser** ⟨1a⟩ **1** *v/t* push; *du vent, de la marée* drive; *cri, soupir* give; *fig*: *travail, recherches* pursue; ***~ qn à faire qch*** (*inciter*) drive s.o. to do sth; ***se ~*** *d'une foule* push forward; *pour faire de la place* move over; *sur banc* move up **2** *v/i* push; *de cheveux, plantes* grow
poussette [pusɛt] *f pour enfants* stroller, *Br* pushchair
poussière [pusjɛr] *f* dust; *particule* speck of dust; **poussiéreux**, **-euse** dusty
poussin [pusɛ̃] *m* chick
poutre [putr] *f* beam
pouvoir [puvwar] **1** ⟨3f⟩ be able to, can; ***est-ce que vous pouvez m'aider?*** can you help me?; ***puis-je vous aider?*** can *ou* may I help you?; ***je ne peux pas aider*** I can't *ou* cannot help; ***je suis désolé de ne pas ~ vous aider*** I am sorry not to be able to help you; ***je ne pouvais pas accepter*** I couldn't accept, I wasn't able to accept; ***il ne pourra pas …*** he will not *ou* won't be able to …; ***j'ai fait tout ce que j'ai pu*** I did all I could; ***je n'en peux plus*** I can't take any more; ***si l'on peut dire*** in a manner of speaking, if I may put it that way; ***il peut arriver que*** (+ *subj*) it may happen that; ***il se peut que*** (+ *subj*) it's possible that
◊ *permission* can, be allowed to; ***elle ne peut pas sortir seule*** she can't go out alone, she is not allowed to go out alone
◊: ***tu aurais pu me prévenir!*** you could have *ou* might have warned me!
2 *m* power; *procuration* power of attorney; ***les ~s publics*** the authorities; ***~s exceptionels*** special powers; ***~ d'achat*** purchasing power; ***être au ~*** be in power
pragmatique [pragmatik] pragmatic
prairie [prɛri] *f* meadow; *plaine* prairie
praline [pralin] *f* praline
praticable [pratikabl] *projet* feasible; *route* passable
praticien, **~ne** [pratisjɛ̃, -ɛn] *m/f* MÉD general practitioner
pratiquant, **~e** [pratikɑ̃, -t] REL practising
pratique [pratik] **1** *adj* practical **2** *f* practice; *expérience* practical experience; **pratiquement** *adv* (*presque*) practically, virtually; *dans la pratique* in practice; **pratiquer** ⟨1m⟩ practice, *Br* practise; *sports* play; *méthode, technique* use; TECH *trou, passage* make; ***se ~*** be practiced, *Br* be practised
pré [pre] *m* meadow
préado [preado] *m/f* pre-teen
préalable [prealabl] **1** *adj* (*antérieur*) prior; (*préliminaire*) preliminary **2** *m* condition; ***au ~*** beforehand, first
préambule [preɑ̃byl] *m* preamble
préau *m* (*pl* préaux) courtyard
préavis [preavi] *m* notice; ***sans ~*** without any notice *ou* warning
précaire [prekɛr] precarious
précaution [prekosjõ] *f* caution, care; *mesure* precaution; ***par ~*** as a precaution
précédent, **~e** [presedɑ̃, -t] **1** *adj* previous **2** *m* precedent; ***sans ~*** unprecedented, without precedent; **précéder** ⟨1f⟩ precede
préchauffer [preʃofe] ⟨1a⟩ preheat
prêcher ⟨1b⟩ preach (*aussi fig*)
précieusement [presjøzmɑ̃] *adv*: ***garder qch ~*** treasure sth; **précieux**, **-euse** precious
précipice [presipis] *m* precipice
précipitamment [presipitamɑ̃] *adv* hastily, in a rush; **précipitation** *f* haste; ***~s*** *temps* precipitation *sg*; **précipiter** ⟨1a⟩ (*faire tomber*) plunge (***dans*** into); (*pousser avec violence*) hurl; (*brusquer*) precipitate; *pas* hasten; ***j'ai dû ~ mon départ*** I had to leave suddenly; ***se ~*** (*se jeter*) throw o.s.; (*se dépêcher*) rush

précis, ~e [presi, -z] **1** *adj* precise, exact; ***à dix heures ~es*** at 10 o'clock precisely *ou* exactly **2** *m* précis, summary; **précisément** *adv* precisely, exactly; **préciser** ⟨1a⟩ specify; ***~ que*** (*souligner*) make it clear that; **précision** *f d'un calcul, d'une montre* accuracy; *d'un geste* preciseness; ***pour plus de ~s*** for further details; ***merci de ses ~s*** thanks for that information

précoce [prekɔs] early; *enfant* precocious; **précocité** *f* earliness; *d'un enfant* precociousness

préconçu, ~e [prekõsy] preconceived

préconiser [prekɔnize] ⟨1a⟩ recommend

précurseur [prekyrsœr] **1** *m* precursor **2** *adj*: ***signe*** *m* ***~*** warning sign

prédateur, -trice [predatœr, -tris] **1** *adj* predatory **2** *m/f* predator

prédécesseur [predesesœr] *m* predecessor

prédestiner [predɛstine] ⟨1a⟩ predestine (***à qch*** for sth; ***à faire qch*** to do sth)

prédicateur [predikatœr] *m* preacher

prédiction [prediksjõ] *f* prediction

prédilection [predilɛksjõ] *f* predilection (***pour*** for); ***de ~*** favorite, *Br* favourite

prédire [predir] ⟨4m⟩ predict

prédominance [predɔminɑ̃s] *f* predominance; **prédominant, ~e** predominant; **prédominer** ⟨1a⟩ predominate

préfabriqué, ~e [prefabrike] prefabricated

préface [prefas] *f* preface

préfecture [prefɛktyr] *f* prefecture, *local government offices*; ***~ de police*** police headquarters *pl*

préférable [preferabl] preferable (***à*** to); **préféré, ~e** favorite, *Br* favourite; **préférence** *f* preference; ***de ~*** preferably; ***de ~ à*** in preference to; ***donner la ~ à qn / qch*** prefer s.o. / sth; **préférentiel, ~le** preferential; **préférer** ⟨1f⟩ prefer (***à*** to); ***~ faire qch*** prefer to do sth; ***je préfère que tu viennes*** (*subj*) ***demain*** I would *ou* I'd prefer you to come tomorrow, I'd rather you came tomorrow

préfet [prefɛ] *m* prefect, *head of a département*; ***~ de police*** chief of police

préfixe [prefiks] *m* prefix

préhistoire [preistwar] *f* prehistory

préjudice [preʒydis] *m* harm; ***porter ~ à qn*** harm s.o.; **préjudiciable** harmful (***à*** to)

préjugé [preʒyʒe] *m* prejudice

prélasser [prelase] ⟨1a⟩: ***se ~*** lounge

prélavage [prelavaʒ] *m* prewash

prélèvement [prelɛvmɑ̃] *m sur salaire* deduction; ***~ de sang*** blood sample

prélever [prelve] ⟨1d⟩ *échantillon* take; *montant* deduct (***sur*** from)

préliminaire [preliminɛr] **1** *adj* preliminary **2** *mpl*: ***~s*** preliminaries

prélude [prelyd] *m* MUS, *fig* prelude (***de*** to); **préluder** ⟨1a⟩ *fig*: ***~ à qch*** be the prelude to sth

prématuré, ~e [prematyre] premature

préméditation [premeditasjõ] *f* JUR premeditation; **préméditer** ⟨1a⟩ premeditate

premier, -ère [prəmje, -ɛr] **1** *adj* first; *rang* front; *objectif, souci, cause* primary; *nombre* prime; ***les ~s temps*** in the early days, at first; ***au ~ étage*** on the second floor, *Br* on the first floor; ***du ~ coup*** at the first attempt; ***Premier ministre*** Prime Minister; ***~ rôle*** *m* lead, leading role; ***de ~ ordre*** first-class, first-rate; ***matière*** *f* ***première*** raw material; ***le ~ août*** August first, *Br* the first of August **2** *m/f*: ***partir le ~*** leave first **3** *m* second floor, *Br* first floor; ***en ~*** first **4** *f* THÉÂT first night; AUTO first (gear); *en train* first (class); **premièrement** *adv* firstly

prémisse [premis] *f* premise

prémonition [premɔnisjõ] *f* premonition; **prémonitoire** *rêve* prophetic

prenant, ~e [prənɑ̃, -t] *livre, occupation* absorbing, engrossing

prénatal, ~e [prenatal] antenatal

prendre [prɑ̃dr] ⟨4q⟩ **1** *v/t* take; (*enlever*) take away; *capturer*: *voleur* catch, capture; *ville* take, capture; *aliments* have, take; *froid* catch; *poids* put on; **~ qch à qn** take sth (away) from s.o.; **~ bien / mal qch** take sth well / badly; **~ qn** *chez lui* pick s.o. up, fetch s.o.; **~ de l'âge** get old; **~ qn par surprise** catch *ou* take s.o. by surprise; **~ l'eau** let in water; **~ qn / qch pour** take s.o. / sth for; **à tout ~** all in all, on the whole **2** *v/i* (*durcir*) set; *d'une greffe* take; *d'un feu* take hold, catch; *de mode* catch on; **~ à droite** turn right; **ça ne prend pas avec moi** I don't believe you, I'm not swallowing that F **3**: **se ~** (*se laisser attraper*) get caught; **s'y ~ bien / mal** go about it the right / wrong way; **se ~ d'amitié pour qn** take a liking to s.o.; **s'en ~ à qn** blame s.o.; **se ~ à faire qch** start *ou* begin to do sth

preneur, **-euse** [prənœr, -øz] *m/f* COMM, JUR buyer; **il y a des ~s?** any takers?; **~ d'otages** hostage taker

prénom [prenõ] *m* first name; **deuxième ~** middle name

prénuptial, **~e** [prenypsjal] prenuptial

préoccupant, **~e** [preɔkypɑ̃, -t] worrying

préoccupation [preɔkypasjõ] *f* concern, worry; **préoccuper** ⟨1a⟩ (*occuper fortement*) preoccupy; (*inquiéter*) worry; **se ~ de** worry about

préparatifs [preparatif] *mpl* preparations; **préparation** *f* preparation; **préparatoire** preparatory; **préparer** ⟨1a⟩ prepare; (*organiser*) arrange; **~ qn à qch** prepare s.o. for sth; **~ un examen** prepare for an exam; **se ~** get ready; **une dispute / un orage se prépare** an argument / a storm is brewing

prépondérant, **~e** [prepõderɑ̃, -t] predominant

préposé [prepoze] *m* (*facteur*) mailman, *Br* postman; *au vestiaire* attendant; *des douanes* official; **préposée** *f* (*factrice*) mailwoman, *Br* postwoman

préposition *f* GRAM preposition

préretraite [prerətrɛt] *f* early retirement

prérogative [prerɔgativ] *f* prerogative

près [prɛ] **1** *adv* close, near; **tout ~** very close by; **à peu ~** almost; **à peu de choses ~** more or less, pretty much; **à cela ~ que** except that; **de ~** closely; **être rasé de ~** be close-shaven **2** *prép*: **~ de qch** near sth, close to sth; **~ de 500** nearly 500, close to 500; **être ~ de faire qch** be on the point *ou* the brink of doing sth; **je ne suis pas ~ de l'épouser** I'm not about to marry him

présage [prezaʒ] *m* omen

presbyte [prɛzbit] MÉD farsighted, *Br* long-sighted

prescription [prɛskripsjõ] *f* rule; MÉD prescription; **il y a ~** JUR the statute of limitations applies

prescrire [prɛskrir] ⟨4f⟩ stipulate; MÉD prescribe

présence [prezɑ̃s] *f* presence; **~ d'esprit** presence of mind; **en ~ de** in the presence of; **en ~** face to face, alone together; **présent**, **~e 1** *adj* present **2** *m* present (*aussi* GRAM); **les ~s** those present; **à ~** at present; **à ~ que** now that; **jusqu'à ~** till now

présentable [prezɑ̃tabl] presentable

présentateur, **-trice** [prezɑ̃tatœr, -tris] *m/f* TV presenter; **~ météo** weatherman; **présentation** *f* presentation; (*introduction*) introduction; (*apparence*) appearance; **présenter** ⟨1a⟩ present; *chaise* offer; *personne* introduce; *pour un concours* put forward; *billet* show, present; *condoléances*, *félicitations* offer; *difficultés*, *dangers* involve; **se ~** introduce o.s.; *pour un poste*, *un emploi* apply; *aux élections* run, *Br aussi* stand; *de difficultés* come up; **cette réunion se présente bien / mal** it looks like being a good / bad meeting

préservatif [prezɛrvatif] *m* condom

préservation [prezɛrvasjõ] *f* protection; *du patrimoine* preservation; **préserver** ⟨1a⟩ protect, shelter (**de** from); *bois*, *patrimoine* preserve

présidence [prezidɑ̃s] *f* chairmanship; POL presidency; **président**,

~e *m/f d'une réunion, assemblée* chair; POL president; ***~-directeur*** *m* ***général*** president, CEO; **présidentiel, ~le** presidential; **présider** ⟨1a⟩ *réunion* chair

présomption [prezõpsjõ] *f* (*supposition*) presumption; (*arrogance aussi*) conceit; **présomptueux, -euse** presumptuous

presque [prɛsk] *adv* almost, nearly

presqu'île [prɛskil] *f* peninsula

pressant, ~e [prɛsɑ̃, -t] *besoin* pressing, urgent; *personne* insistent

presse [prɛs] *f* press; ***mise*** *f* ***sous ~*** going to press

pressé, ~e [prɛse] *lettre, requête* urgent; *citron* fresh; ***je suis ~*** I'm in a hurry *ou* a rush

presse-citron [prɛssitrõ] *m* (*pl presse-citron(s)*) lemon squeezer

pressentiment [prɛsɑ̃timɑ̃] *m* foreboding, presentiment; **pressentir** ⟨2b⟩: ***~ qch*** have a premonition that sth is going to happen; ***~ qn*** *pour un poste* approach s.o., sound s.o. out

presse-papiers [prɛspapje] *m* (*pl inv*) paperweight

presser [prɛse] ⟨1b⟩ **1** *v/t bouton* push, press; *fruit* squeeze, juice; (*harceler*) press; *pas* quicken; *affaire* hurry along, speed up; (*étreindre*) press, squeeze; ***se ~ contre*** press (o.s.) against **2** *v/i* be urgent; ***rien ne presse*** there's no rush; ***se ~*** hurry up, get a move on F

pressing [prɛsiŋ] *m magasin* dry cleaner

pression [prɛsjõ] *f* PHYS, *fig* pressure; *bouton* snap fastener, *Br aussi* press-stud; (***bière*** *f*) ***~*** draft beer, *Br* draught beer; ***être sous ~*** be under pressure; ***exercer une ~ sur*** bring pressure to bear on; ***faire ~ sur*** pressure, put pressure on; ***~ artérielle*** blood pressure

pressoir [prɛswar] *m vin* wine press

prestance [prɛstɑ̃s] *f* presence

prestation [prɛstatsjõ] *f* (*allocation*) allowance; ***~s familiales*** child benefit *sg*

prestidigitateur, -trice [prɛstidiʒitatœr, -tris] *m/f* conjuror

prestige [prɛstiʒ] *m* prestige; **prestigieux, -euse** prestigious

présumer [prezyme] ⟨1a⟩ **1** *v/t*: ***~ que*** presume *ou* assume that **2** *v/i*: ***~ de*** overrate, have too high an opinion of

présupposer [presypoze] ⟨1a⟩ presuppose

prêt[1], **~e** [prɛ, -t] ready (***à qch*** for sth; ***à faire qch*** to do sth)

prêt[2] [prɛ] *m* loan; ***~ immobilier*** mortgage, home loan

prêt-à-porter [prɛtapɔrte] *m* ready-to-wear clothes *pl*, ready-to-wear *sg*

prétendre [pretɑ̃dr] ⟨4a⟩ **1** *v/t* maintain; ***~ faire qch*** claim to do sth **2** *v/i*: ***~ à*** lay claim to; **prétendu, ~e** so-called

prétentieux, -euse [pretɑ̃sjø, -z] pretentious; **prétention** [pretɑ̃sjõ] *f* (*revendication, ambition*) claim, pretention; (*arrogance*) pretentiousness

prêter [prɛte] ⟨1b⟩ **1** *v/t* lend; *intentions* attribute (***à*** to) **2** *v/i*: ***~ à*** give rise to; ***se ~ à*** *d'une chose* lend itself to; *d'une personne* be a party to

prétexte [pretɛkst] *m* pretext; ***sous ~ de faire qch*** on the pretext of doing sth; ***sous aucun ~*** under no circumstances; **prétexter** ⟨1a⟩ claim (***que*** that); ***il a prétexté une tâche urgente*** he claimed he had something urgent to do

prêtre [prɛtr] *m* priest; **prêtresse** *f* woman priest

preuve [prœv] *f* proof, evidence; MATH proof; ***~s*** evidence *sg*; ***faire ~ de courage*** show courage

prévaloir [prevalwar] ⟨3h⟩ prevail (***sur*** over; ***contre*** against); ***se ~ de qch*** (*tirer parti de*) make use of sth; (*se flatter de*) pride o.s. on sth

prévenance [prevnɑ̃s] *f* consideration; **prévenant, ~e** considerate, thoughtful

prévenir [prevnir] ⟨2h⟩ (*avertir*) warn (***de*** of); (*informer*) tell (***de*** about), inform (***de*** of); *besoin, question* anticipate; *crise, maladie* avert

préventif, -ive [prevɑ̃tif, -iv] preventive; **prévention** *f* prevention; ***~ rou-***

P

tière road safety
prévenu, ~e [prevəny] *m/f* accused
prévisible [previzibl] foreseeable; **prévision** *f* forecast; ***~s*** predictions; ***~s météorologiques*** weather forecast *sg*; ***en ~ de*** in anticipation of
prévoir [prevwar] ⟨3b⟩ *(pressentir)* foresee; *(planifier)* plan; ***les sanctions prévues par la loi*** the penalties provided for by the law; ***comme prévu*** as expected; ***son arrivée est prévue pour ce soir*** he's expected *ou* scheduled to arrive this evening
prévoyance [prevwajɑ̃s] *f* foresight; **prévoyant, ~e** farsighted
prier [prije] ⟨1a⟩ **1** *v/i* REL pray **2** *v/t* *(supplier)* beg; REL pray to; ***~ qn de faire qch*** ask s.o. to do sth; ***~ Dieu*** pray to God; ***je vous en prie*** not at all, don't mention it; **prière** *f* REL prayer; *(demande)* entreaty; ***faire sa ~*** say one's prayers; ***~ de ne pas toucher*** please do not touch
primaire [primɛr] primary; *péj* narrow-minded
primate [primat] *m* ZO primate
prime¹ [prim]: ***de ~ abord*** at first sight
prime² [prim] *f d'assurance* premium; *de fin d'année* bonus; *(cadeau)* free gift
primer [prime] ⟨1a⟩ **1** *v/i* take precedence, come first **2** *v/t* take precedence over, come before
primeur [primœr] *f*: ***avoir la ~ de*** *nouvelle* be the first to hear; *objet* have first use of; ***~s*** early fruit and vegetables
primevère [primvɛr] *f* BOT primrose
primitif, -ive [primitif, -iv] primitive; *couleur, sens* original
primordial, ~e [primɔrdjal] *(mpl* -aux) essential
prince [prɛ̃s] *m* prince; **princesse** princess; **princier, -ère** princely
principal, ~e [prɛ̃sipal] *(mpl* -aux) **1** *adj* main, principal; GRAM main **2** *m*: ***le ~*** the main thing, the most important thing **3** *m/f* principal, *Br* head teacher
principauté [prɛ̃sipote] *f* principality
principe [prɛ̃sip] *m* principle; ***par ~*** on principle; ***en ~*** in theory, in principle
printanier, -ère [prɛ̃tanje, -ɛr] spring *atr*
printemps [prɛ̃tɑ̃] *m* spring
prioritaire [prijɔritɛr] priority; ***être ~*** have priority; *de véhicule aussi* have right of way
priorité [prijɔrite] *f* priority (***sur*** over); *sur la route* right of way; ***~ à droite*** yield to cars coming from the right, *Br* give way cars to coming from the right; ***donner la ~ à*** prioritize, give priority to
pris, ~e [pri, -z] **1** *p/p* → ***prendre*** **2** *adj place* taken; *personne* busy
prise [priz] *f* hold; *d'un pion, une ville etc* capture, taking; *de poissons* catch; ÉL outlet, *Br* socket; CINÉ take; ***être aux ~s avec*** be struggling with; ***lâcher ~*** let go; *fig* give up; ***~ de conscience*** awareness, realization; ***~ de courant*** outlet, *Br* socket; ***~ d'otage(s)*** hostage-taking; ***~ de position*** stand, stance; ***~ de sang*** blood sample; ***~ de vue*** shot
priser [prize] ⟨1a⟩ *litt (apprécier)* value
prison [prizõ] *f* prison; **prisonnier, -ère** *m/f* prisoner; ***~ de guerre*** prisoner of war, POW; ***~ politique*** political prisoner *ou* detainee
privation [privasjõ] *f* deprivation
privatisation [privatizasjõ] *f* privatization; **privatiser** ⟨1a⟩ privatize
privé, ~e [prive] **1** *adj* private; ***agir à titre ~*** act in a private capacity **2** *m* ***en ~*** in private; ***le ~*** *(intimité)* private life; *secteur* private sector; **priver** ⟨1a⟩: ***~ qn de qch*** deprive s.o. of sth; ***se ~ de qch*** go without sth
privilège [privilɛʒ] *m* privilege; **privilégié, privilégiée** [privilɛʒje] **1** *adj* privileged **2** *m/f*: ***les ~s*** the privileged *pl*; **privilégier** ⟨1a⟩ favor, *Br* favour
prix [pri] *m* price; *(valeur)* value; *(récompense)* prize; ***à tout ~*** at all costs; ***à aucun ~*** absolutely not; ***hors de ~*** prohibitive; ***au ~ de*** at the cost of; ***~ brut*** gross price; ***~ fort*** full price; ***~***

Nobel Nobel Prize; *personne* Nobel prizewinner, Nobel laureate; ***~ de revient*** cost price
pro [pro] *m/f* (*pl inv*) F pro
probabilité [prɔbabilite] *f* probability; **probable** probable
probant, **~e** [prɔbɑ̃, -t] convincing; *démonstration* conclusive
problématique [prɔblematik] problematic; **problème** *m* problem; ***pas de ~*** no problem
procédé [prɔsede] *m* (*méthode*) method; TECH process; ***~s*** (*comportement*) behavior, *Br* behaviour *sg*
procéder [prɔsede] ⟨1f⟩ proceed; ***~ à qch*** carry out sth; **procédure** *f* JUR procedure
procès [prɔsɛ] *m* JUR trial
processeur [prɔsɛsœr] *m* INFORM processor
procession [prɔsesjõ] *f* procession
processus [prɔsesys] *m* process
procès-verbal [prɔsɛvɛrbal] *m* (*pl* procès-verbaux) minutes *pl*; (*contravention*) ticket; ***dresser un ~*** write a ticket
prochain, **~e** [prɔʃɛ̃, -ɛn] **1** *adj* next **2** *m/f*: ***son ~*** one's fellow human being, one's neighbor *ou Br* neighbour; **prochainement** *adv* shortly, soon
proche [prɔʃ] **1** *adj* close (***de*** to), near; *ami* close; *événement, changement* recent; ***~ de*** *fig* close to; ***dans un futur ~*** in the near future **2** *mpl*: ***~s*** family and friends
proclamation [prɔklamasjõ] *f d'un événement, résultat* declaration, announcement; *d'un roi, d'une république* proclamation; **proclamer** ⟨1a⟩ *roi, république* proclaim; *résultats, innocence* declare
procréer [prɔkree] ⟨1a⟩ procreate
procuration [prɔkyrasjõ] *f* proxy, power of attorney; **procurer** ⟨1a⟩ get, procure *fml*; **procureur** *m*: ***~ (de la République)*** District Attorney, *Br* public prosecutor
prodige [prɔdiʒ] *m* wonder, marvel; ***enfant m ~*** child *ou* infant prodigy; **prodigieux**, **-euse** enormous, tremendous
prodigue [prɔdig] extravagant; **prodiguer** ⟨1m⟩ lavish
producteur, **-trice** [prɔdyktœr, -tris] **1** *adj* producing; ***pays m ~ de pétrole*** oil-producing country **2** *m/f* producer; **productif**, **-ive** productive; **production** *f* production; **productivité** *f* productivity; **produire** ⟨4c⟩ produce; ***se ~*** happen; **produit** *m* product; *d'un investissement* yield; ***~ d'entretien*** cleaning product; ***~ fini*** end product; ***~ intérieur brut*** ÉCON gross domestic product; ***~ national brut*** ÉCON gross national product
proéminent, **~e** [prɔeminɑ̃, -t] prominent
prof [prɔf] *m/f abr* (= ***professeur***) teacher
profanation [prɔfanasjõ] *f* desecration
profane [prɔfan] **1** *adj art, musique* secular **2** *m/f fig* lay person
profaner [prɔfane] ⟨1a⟩ desecrate, profane
proférer [prɔfere] ⟨1f⟩ *menaces* utter
professeur [prɔfesœr] *m* teacher; *d'université* professor
profession [prɔfesjõ] *f* profession; **professionnel**, **~le** *m/f & adj* professional
professorat [prɔfesɔra] *m* teaching
profil [prɔfil] *m* profile
profit [prɔfi] *m* COMM profit; (*avantage*) benefit; ***au ~ de*** in aid of; ***tirer ~ de qch*** take advantage of sth; **profitable** beneficial; COMM profitable; **profiter** ⟨1a⟩: ***~ de qch*** take advantage of sth; ***~ à qn*** be to s.o.'s advantage; **profiteur**, **-euse** *m/f* profiteer
profond, **~e** [prɔfõ, -d] deep; *personne, penseés* deep, profound; *influence* great, profound; **profondément** *adv* deeply, profoundly; **profondeur** *f* depth (*aussi fig*)
profusion [prɔfyzjõ] *f* profusion; ***à ~*** in profusion
progéniture [prɔʒenityr] *f litt* progeny; *hum* offspring *pl*
programme [prɔgram] *m* program, *Br* programme; INFORM program; ***~ an-***

P

tivirus antivirus program; **~ *télé*** TV program; **programmer** ⟨1a⟩ TV schedule; INFORM program; **programmeur, -euse** *m/f* programmer
progrès [prɔgrɛ] *m* progress; *d'un incendie, d'une épidémie* spread
progresser [prɔgrɛse] ⟨1b⟩ make progress, progress; *d'une incendie, d'une épidémie* spread; MIL advance, progress; **progressif, -ive** progressive; **progression** *f* progress; **progressiste** progressive (*aussi* POL); **progressivement** progressively
prohiber [prɔibe] ⟨1a⟩ ban, prohibit; **prohibitif, -ive** *prix* prohibitive; **prohibition** *f* ban; ***la Prohibition*** HIST Prohibition
proie [prwa] *f* prey (*aussi fig*); ***en ~ à*** prey to
projecteur [prɔʒɛktœr] *m* (*spot*) spotlight; *au cinéma* projector
projectile [-il] *m* projectile
projection [prɔʒɛksjõ] *f* projection
projet [prɔʒɛ] *m* project; *personnel* plan; (*ébauche*) draft; ***~ de loi*** bill
projeter [prɔʒ(ə)te, prɔʃte] ⟨1c⟩ (*jeter*) throw; *film* screen; *travail, voyage* plan
prolétariat [prɔletarja] *m/f* proletariat
prolifération [prɔliferɑsjõ] *f* proliferation; **proliférer** ⟨1f⟩ proliferate; **prolifique** prolific
prologue [prɔlɔg] *m* prologue
prolongation [prɔlõgɑsjõ] *f* extension; ***~s*** SP overtime, *Br* extra time; **prolongement** *m* extension; **prolonger** ⟨1l⟩ prolong; *mur, route* extend; ***se ~*** go on, continue; *d'une route* continue
promenade [prɔmnad] *f* walk; *en voiture* drive; **promener** ⟨1d⟩ take for a walk; ***~ son regard sur*** *fig* run one's eyes over; ***se ~*** go for a walk; *en voiture* go for a drive; ***envoyer ~*** *fig* F: *personne* send packing; **promeneur, -euse** *m/f* stroller, walker
promesse [prɔmɛs] *f* promise
prometteur, -euse [prɔmɛtœr, -øz] promising; **promettre** ⟨4p⟩ promise (***qch à qn*** s.o. sth, sth to s.o., ***de faire qch*** to do sth); ***se ~ de faire qch*** make up one's mind to do sth
promiscuité [prɔmiskɥite] *f* overcrowding; *sexuelle* promiscuity
promontoire [prɔmõtwar] *m* promontory
promoteur, -trice [prɔmɔtœr, -tris] **1** *m/f* (*instigateur*) instigator **2** *m*: ***~ immobilier*** property developer; **promotion** *f* promotion; *sociale* advancement; ÉDU class, *Br* year; ***~ des ventes*** COMM sales promotion; ***en ~*** on special offer
promouvoir [prɔmuvwar] ⟨3d⟩ promote
prompt, ~e [prõ, -t] (*rapide*) prompt, swift; *rétablissement* speedy; (*soudain*) swift
prôner [prone] ⟨1a⟩ advocate
pronom [prɔnõ] *m* GRAM pronoun
prononcé, ~e [prɔnõse] *fig* marked, pronounced; *accent, traits* strong
prononcer [prɔnõse] ⟨1k⟩ (*dire*) say, utter; (*articuler*) pronounce; *discours* give; JUR *sentence* pass, pronounce; ***se ~*** *d'un mot* be pronounced; (*se déterminer*) express an opinion; ***se ~ pour / contre qch*** come out in favor *ou Br* favour of / against sth; **prononciation** *f* pronunciation; JUR passing
pronostic [prɔnɔstik] *m* forecast; MÉD prognosis
propagande [prɔpagɑ̃d] *f* propaganda
propagation [prɔpagasjõ] *f* spread; BIOL propagation; **propager** ⟨1l⟩ *idée, nouvelle* spread; BIOL propagate; ***se ~*** spread; BIOL reproduce
propane [prɔpan] *m* propane
propension [prɔpɑ̃sjõ] *f* propensity (***à qch*** for sth)
prophète, prophétesse [prɔfɛt, -etɛs] *m/f* prophet; **prophétie** *f* prophecy
propice [prɔpis] favorable, *Br* favourable; *moment* right; ***~ à*** conducive to
proportion [prɔpɔrsjõ] *f* proportion; ***toutes ~s gardées*** on balance; ***en ~ de*** in proportion to; **proportionnel, ~le** proportional (***à*** to); **proportionnellement** *adv* proportionally,

in proportion (***à*** to)

propos [prɔpo] **1** *mpl* (*paroles*) words **2** *m* (*intention*) intention; ***à ~*** at the right moment; ***à tout ~*** constantly; ***mal à ~, hors de ~*** at the wrong moment; ***à ~!*** by the way; ***à ~ de*** (*au sujet de*) about

proposer [prɔpoze] ⟨1a⟩ suggest, propose; (*offrir*) offer; ***il m'a proposé de sortir avec lui*** he suggested that I should go out with him, he offered to take me out; ***se ~ de faire qch*** propose doing sth; ***se ~*** offer one's services; **proposition** *f* (*suggestion*) proposal, suggestion; (*offre*) offer; GRAM clause

propre [prɔpr] **1** *adj* own; (*net, impeccable*) clean; (*approprié*) suitable; ***sens*** *m* ***~*** literal meaning; ***~ à*** (*particulier à*) characteristic of **2** *m*: ***mettre au ~*** make a clean copy of; **proprement** *adv* carefully; ***à ~ parler*** properly speaking; ***le / la … ~ dit*** the actual …; **propreté** *f* cleanliness

propriétaire [prɔprijetɛr] *m/f* owner; *qui loue* landlord; *femme* landlady; ***~ terrien*** land owner; **propriété** *f* (*possession*) ownership; (*caractéristique*) property; **proprio** *m/f* F landlord; landlady

propulser [prɔpylse] ⟨1a⟩ propel; **propulsion** *f* propulsion

prorata [prɔrata]: ***au ~ de*** in proportion to

proscrire [prɔskrir] ⟨4f⟩ (*interdire*) ban; (*bannir*) banish

prose [proz] *f* prose

prospecter [prɔspɛkte] ⟨1a⟩ prospect

prospectus [prɔspektys] *m* brochure; FIN prospectus

prospère [prɔspɛr] prosperous; **prospérer** ⟨1f⟩ prosper; **prospérité** *f* prosperity

prosterner [prɔstɛrne] ⟨1a⟩: ***se ~*** prostrate o.s.

prostituée [prɔstitɥe] *f* prostitute; **prostituer** ⟨1n⟩: ***se ~*** prostitute o.s.; **prostitution** *f* prostitution

protagoniste [prɔtagɔnist] *m* hero, protagonist

protecteur, -trice [prɔtɛktœr, -tris] **1** *adj* protective; *péj*: *ton, expression* patronizing **2** *m/f* protector; (*mécène*) sponsor, patron; **protection** *f* protection; **protectionnisme** *m* ÉCON protectionism; **protectorat** *m* protectorate; **protégé, ~e** *m/f* protégé; *péj* favorite, *Br* favourite; **protéger** ⟨1g⟩ protect (***contre, de*** from); *arts, artistes* be a patron of; **protège-slip** *m* (*pl* protège-slips) panty-liner

protéine [prɔtein] *f* protein

protestant, ~e [prɔtɛstɑ̃, -t] REL *m/f & adj* Protestant

protestation [prɔtɛstasjõ] *f* (*plainte*) protest; (*déclaration*) protestation; **protester** ⟨1a⟩ protest; ***~ contre qch*** protest sth, *Br* protest against sth; ***~ de son innocence*** protest one's innocence

prothèse [protɛz] *f* prosthesis

protocole [prɔtɔkɔl] *m* protocol

prototype [prɔtɔtip] *m* prototype

protubérance [prɔtyberɑ̃s] *f* protuberance

proue [pru] *f* MAR prow

prouesse [pruɛs] *f* prowess

prouver [pruve] ⟨1a⟩ prove

provenance [prɔvnɑ̃s] *f* origin; ***en ~ de*** *avion, train* from

provençal, ~e [prɔvɑ̃sal] (*mpl* -aux) Provençal

provenir [prɔvnir] ⟨2h⟩ (*aux* ***être***): ***~ de*** come from

proverbe [prɔvɛrb] *m* proverb

providence [prɔvidɑ̃s] *f* providence; **providentiel, ~le** providential

province [prɔvɛ̃s] *f* province; **provincial, ~e** (*mpl* -iaux) provincial (*aussi fig*)

proviseur [prɔvizœr] *m* principal, *Br* head (teacher)

provision [prɔvizjõ] *f* supply (***de*** of); ***~s*** (*vivres*) provisions; (*achats*) shopping *sg*; *d'un chèque* funds *pl*; ***chèque*** *m* ***sans ~*** bad check, *Br* bad cheque

provisoire [prɔvizwar] provisional

provocant, ~e [prɔvɔkɑ̃, -t], **provocateur, -trice** [prɔvɔatœr, -tris] provocative; **provocation** *f* provocation; **provoquer** ⟨1m⟩ provoke; *acci-*

dent cause

proxénète [prɔksenɛt] *m* (*souteneur*) pimp

proximité [prɔksimite] *f* proximity; ***à ~ de*** near, in the vicinity of

prude [pryd] prudish

prudence [prydɑ̃s] *f* caution, prudence; **prudent**, **~e** cautious, prudent; *conducteur* careful

prune [pryn] *f* BOT plum

pruneau [pryno] *m* (*pl* -x) prune

prunelle [prynɛl] *f* ANAT pupil; BOT sloe

prunier [prynje] *m* plum (tree)

PS [peɛs] *m abr* (= ***Parti socialiste***) Socialist Party; (= ***Post Scriptum***) postscript

psaume [psom] *m* psalm

pseudonyme [psødɔnim] *m* pseudonym

psychanalyse [psikanaliz] *f* psychoanalysis; **psychanalyser** ⟨1a⟩ psychoanalyze; **psychanalyste** *m/f* psychoanalyst

psychiatre [psikjatr] *m/f* psychiatrist; **psychiatrie** *f* psychiatry

psychique [psiʃik] psychic

psychologie [psikɔlɔʒi] *f* psychology; **psychologique** psychological; **psychologue** *m/f* psychologist

psychopathe [psikɔpat] *m/f* psychopath, psycho F

psychose [psikoz] *f* psychosis

psychosomatique [psikosɔmatik] psychosomatic

puant, **~e** [pɥɑ̃, -t] stinking; *fig* arrogant; **puanteur** *f* stink

pub [pyb] *f*: ***une ~*** an ad; *à la télé aussi* a commercial; ***faire de la ~*** do some advertising *ou* promotion; ***je t'ai fait de la ~ auprès de lui*** I put in a plug for you with him

puberté [pybɛrte] *f* puberty

public, **publique** [pyblik] **1** *adj* public **2** *m* public; *d'un spectacle* audience; ***en ~*** in public

publication [pyblikasjõ] *f* publication

publicitaire [pyblisitɛr] advertising *atr*; **publicité** *f* publicity; COMM advertising; (*affiche*) ad

publier [pyblije] ⟨1a⟩ publish

publipostage [pyblipɔstaʒ] *m* mailshot; ***logiciel m de ~*** mailmerge software

puce [pys] *f* ZO flea; INFORM chip; ***~ électronique*** silicon chip; ***marché m aux ~s*** flea market

puceau [pyso] *m* F virgin

pucelle [pysɛl] *f* F *iron* virgin; ***la ~ d'Orléans*** the Maid of Orleans

pudeur [pydœr] *f* modesty; **pudique** modest; *discret* discreet

puer [pɥe] ⟨1a⟩ **1** *v/i* stink; ***~ des pieds*** have smelly feet **2** *v/t* stink of

puériculture [pɥerikyltyr] *f* child care

puéril, **~e** [pɥeril] childish

puis [pɥi] *adv* then

puiser [pɥize] ⟨1a⟩ draw (***dans*** from)

puisque [pɥiskə] *conj* since

puissance [pɥisɑ̃s] *f* power; *d'une armée* strength; ***~ nucléaire*** nuclear power; **puissant**, **~e** powerful; *musculature*, *médicament* strong

puits [pɥi] *m* well; *d'une mine* shaft; ***~ de pétrole*** oil well

pull(-over) [pyl(ɔvɛr)] *m* (*pl* pulls, pull-overs) sweater, *Br aussi* pullover

pulluler [pylyle] ⟨1a⟩ swarm

pulmonaire [pylmɔnɛr] pulmonary

pulpe [pylp] *f* pulp

pulsation [pylsasjõ] *f* beat, beating

pulsion [pylsjõ] *f* drive; ***~s*** *fpl* ***de mort*** death wish *sg*

pulvérisateur [pylverizatœr] *m* spray; **pulvériser** ⟨1a⟩ *solide* pulverize (*aussi fig*); *liquide* spray

punaise [pynɛz] *f* ZO bug; (*clou*) thumbtack, *Br* drawing pin

punch[1] [põʃ] *m boisson* punch

punch[2] [pœnʃ] *m en boxe* punch (*aussi fig*)

punir [pynir] ⟨2a⟩ punish; **punition** *f* punishment

pupille [pypij] **1** *m/f* JUR ward **2** *f* ANAT pupil

pupitre [pypitr] *m* desk

pur, **~e** [pyr] pure; *whisky* straight

purée [pyre] *f* purée; ***~*** (***de pommes de terre***) mashed potatoes *pl*

pureté [pyrte] *f* purity

purge [pyrʒ] *f* MÉD, POL purge; **purger** ⟨1l⟩ TECH bleed; POL purge;

JUR *peine* serve
purification [pyrifikasjõ] *f* purification; ~ ***ethnique*** ethnic cleansing; **purifier**⟨1a⟩ purify
puriste [pyrist] *m* purist
puritain, ~e [pyritɛ̃, -ɛn] **1** *adj* puritanical **2** *m/f* puritan
pur-sang [pyrsɑ̃] *m* (*pl inv*) thoroughbred
pus [py] *m* pus
putain[pytɛ̃] *f* P whore; **~!** shit! P; ***ce ~ de ...*** this god-damn P *ou Br* bloody F...
pute [pyt] *f* F slut
putréfaction[pytrefaksjõ] *f* putrefaction; **putréfier**⟨1a⟩ putrefy; ***se ~*** putrefy
putsch [putʃ] *m* putsch
puzzle [pœzl(ə)] *m* jigsaw (puzzle)
P.-V. [peve] *m abr* (= ***procès-verbal***) ticket
PVC [pevese] *m abr* (= ***polychlorure de vinyle***) PVC (= polyvinyl chloride)
pygmée [pigme] *m* pygmy
pyjama [piʒama] *m* pajamas *pl*, *Br* pyjamas *pl*
pylône [pilon] *m* pylon
pyramide [piramid] *f* pyramid
Pyrénées [pirene] *fpl* Pyrenees
pyrex [pirɛks] *m* Pyrex®
pyromane [piroman] *m* pyromaniac; JUR arsonist
python [pitõ] *m* python

Q

Q.I. [kyi] *m abr* (= ***Quotient intellectuel***) IQ (= intelligence quotient)
quadragénaire [kwadraʒenɛr] *m/f & adj* forty-year old
quadrangulaire [kwadrɑ̃gylɛr] quadrangular
quadrilatère [kwadrilatɛr, ka-] *m* quadrilateral
quadrillé, ~e [kadrije] *papier* squared; **quadriller**⟨1a⟩ *fig*: *région* put under surveillance
quadrupède [kwadrypɛd] *m* quadruped
quadruple [kwadryplə, ka-] quadruple; **quadrupler** ⟨1a⟩ quadruple; **quadruplés, -ées** *mpl*, *fpl* quadruplets, quads
quai [ke] *m d'un port* quay; *d'une gare* platform
qualificatif [kalifikatif] *m fig* term, word; **qualification** *f* qualification (*aussi* SP); (*appellation*) name; ~ ***professionnelle*** professional qualification; **qualifié, ~e** qualified; ***ouvrier** m* **~ / *non* ~** skilled / unskilled worker; **qualifier** ⟨1a⟩ qualify; (*appeler*) describe; ~ ***qn d'idiot*** describe s.o. as an idiot, call s.o. an idiot; ***se ~*** SP qualify
qualité [kalite] *f* quality; ***de ~*** quality *atr*; ***en ~ d'ambassadeur*** as ambassador, in his capacity as ambassador; ~ ***de la vie*** quality of life
quand [kɑ̃] *adv & conj* when; ~ ***je serai de retour*** when I'm back; ~ ***même*** all the same
quant à [kɑ̃ta] *prép* as for; ***être certain ~ qch*** be certain as to *ou* about sth
quantifier [kɑ̃tifje] ⟨1a⟩ quantify
quantité [kɑ̃tite] *f* quantity; ***une ~ de*** *grand nombre* a great many; *abondance* a great deal of; ***du vin / des erreurs en ~*** lots of wine / mistakes; ~ ***de travail*** workload
quarantaine [karɑ̃tɛn] *f* MÉD quarantine; ***une ~ de personnes*** about forty people *pl*, forty or so people *pl*; ***avoir la ~*** be in one's forties; **quarante** forty; **quarantième** for-

Q

tieth

quart [kar] *m* quarter; *de vin* quarter liter, *Br* quarter litre; **~ d'heure** quarter of an hour; **les trois ~s** three-quarters; **~ de finale** quarter-final; **il est trois heures moins le ~** it's a quarter to three, it's two forty-five; **deux heures et ~** two fifteen, a quarter after *ou Br* past two

quartier [kartje] *m* (*quart*) quarter; *d'orange, de pamplemousse* segment; *d'une ville* area, neighborhood, *Br* neighbourhood; **de / du ~** local *atr*; **~ général** MIL headquarters *pl*

quartz [kwarts] *m* quartz

quasi [kazi] *adv* virtually; **quasiment** *adv* virtually

quatorze [katɔrz] fourteen; → **trois**; **quatorzième** fourteenth

quatre [katr] four; → **trois**; **quatre-vingt(s)** eighty; **quatre-vingt-dix** ninety

quatrième [katrijɛm] fourth; **quatrièmement** *adv* fourthly

quatuor [kwatɥɔr] *m* MUS quartet

que [kə] **1** *pron relatif* ◊ *personne* who, that; **les étudiants ~ j'ai rencontrés** the students I met, the students who *ou* that I met; **imbécile ~ tu es!** you fool!

◊ *chose, animal* which, that; **les croissants ~ j'ai mangés** the croissants I ate, the croissants which *ou* that I ate

◊: **un jour ~** one day when

2 *pron interrogatif* what; **~ veut-il?** what does he want?; **qu'y a-t-il?** what's the matter?; **qu'est-ce que c'est?** what's that?; **je ne sais ~ dire** I don't know what to say

3 *adv dans exclamations*: **~ c'est beau!** it's so beautiful!, isn't that just beautiful!; **~ de fleurs!** what a lot of flowers!

4 *conj* that; **je croyais ~ tu avais compris** I thought (that) you had understood

◊ *après comparatif* than; **plus grand ~ moi** bigger than me

◊ *dans comparaison* as; **aussi petit ~ cela** as small as that

◊ **ne ... ~** only; **je n'en ai ~ trois** I have only three

◊ *concession*: **qu'il pleuve ou non** whether it rains or not

◊ *désir*: **qu'il entre** let him come in

◊: **~ je sache** as far as I know

◊: **coûte ~ coûte** whatever it might cost, cost what it might;

◊: **s'il fait beau et ~ ...** if it's fine and (if) ...; **quand j'aurai fini et ~ ...** when I have finished and ...

Québec [kebɛk] Québec, Quebec; **québécois, ~e 1** *adj* from Quebec **2** *m langue* Canadian French **3** *m/f* **Québécois, ~e** Québecois, Quebecker

quel, ~le [kɛl] *interrogatif* what, which; **~ prof / film as-tu préféré?** which teacher / movie did you prefer?; **~le est la différence?** what's the difference?; **~ est le plus riche des deux?** which is the richer of the two?; **~ est ce misérable qui ...?** *surtout litt* who is this wretched person who ...?

◊ *exclamatif*: **~le femme!** what a woman!; **~les belles couleurs!** what beautiful colors!

◊: **~ que**: **~les que soient** (*subj*) **vos raisons** whatever reasons you might have, whatever your reasons might be

quelconque [kɛlkõk] ◊ (*médiocre*) very average, mediocre ◊: **un travail ~** some sort of job

quelque [kɛlkə, kɛlk] **1** *adj* ◊ some; **~s** some, a few; **à ~ distance** at some distance; **~s jours** a few days; ◊: **~ ... que** (+ *subj*) whatever, whichever; **~ solution qu'il propose** whatever *ou* whichever solution he suggests

2 *adv devant chiffre* some; **~ grands qu'ils soient** (*subj*) however big they are, however big they might be

quelque chose *pron* something; *avec interrogatif, conditionnel aussi* anything; **il y a ~ d'autre** there's something else

quelquefois [kɛlkəfwa] *adv* sometimes

quelqu'un [kɛlkœ̃] *pron* someone,

somebody; *avec interrogatif, conditionnel aussi* anyone, anybody; ***il y a ~?*** is anyone *ou* somebody there?; ***~ d'autre*** someone *ou* somebody else; **quelques-uns, quelques-unes** *pron pl* a few, some

quémander [kemɑ̃de] ⟨1a⟩ beg for

querelle [kərɛl] *f* quarrel; **quereller** ⟨1b⟩: ***se ~*** quarrel; **querelleur, -euse 1** *adj* quarrelsome **2** *m/f* quarrelsome person

question [kɛstjõ] *f* question; (*problème*) matter, question; ***~ travail*** as far as work is concerned, when it comes to work; ***en ~*** in question; ***c'est hors de ~*** it's out of the question; ***il est ~ de*** it's a question *ou* a matter of; **questionnaire** *m* questionnaire; **questionner** ⟨1a⟩ question (***sur*** about)

quête [kɛt] *f* (*recherche*) search, quest *fml*; (*collecte*) collection; ***en ~ de*** in search of; **quêter** ⟨1b⟩ collect; (*solliciter*) seek, look for

queue [kø] *f d'un animal* tail; *d'un fruit* stalk; *d'une casserole* handle; *d'un train, cortège* rear; *d'une classe, d'un classement* bottom; *d'une file* line, *Br* queue; ***faire la ~*** stand in line, *Br* queue (up); ***faire une ~ de poisson à qn*** AUTO cut in in front of s.o.; ***à la ~, en ~*** at the rear; ***~ de cheval*** *coiffure* ponytail

qui [ki] *pron* ◊ *interrogatif* who; ***de ~ est-ce qu'il tient ça?*** who did he get that from?; ***à ~ est-ce?*** whose is this?, who does this belong to?; ***~ est-ce que tu vas voir?*** who are you going to see?; ***~ est-ce qui a dit ça?*** who said that?

◊ *relatif, personne* who, that; ***tous les conducteurs ~ avaient …*** all the drivers who *ou* that had …

◊ *relatif, chose, animal* which, that; ***toutes les frites ~ restaient*** all the fries which *ou* that were left

◊: ***je ne sais ~*** someone or other

◊: ***~ que*** (+ *subj*) whoever

quiconque [kikõk] *pron* whoever, anyone who, anybody who; (*n'importe qui*) anyone, anybody

quille [kij] *f* MAR keel

quincaillerie [kɛ̃kɑjri] *f* hardware, *Br aussi* ironmongery; *magasin* hardware store, *Br aussi* ironmonger's

quinquagénaire [kɛkaʒenɛr] *m/f & adj* fifty-year old

quintal [kɛ̃tal] *m* hundred kilos *pl*

quinte [kɛ̃t] *f*: ***~ (de toux)*** coughing fit

quinzaine [kɛ̃zɛn] *f de jours* two weeks *pl*, *Br aussi* fortnight; ***une ~ de personnes*** about fifteen people *pl*, fifteen or so people *pl*; **quinze** fifteen; ***~ jours*** two weeks, *Br aussi* fortnight; ***demain en ~*** two weeks tomorrow; → ***trois***; **quinzième** fifteenth

quittance [kitɑ̃s] *f* receipt

quitte [kit]: ***être ~ envers qn*** be quits with s.o.; ***~ à faire qch*** even if it means doing sth

quitter [kite] ⟨1a⟩ *endroit, personne* leave; *vêtement* take off; ***se ~*** part; ***ne quittez pas*** TÉL hold the line please

quoi [kwa] *pron* ◊ what; ***~?*** what?; ***à ~ penses-tu?*** what are you thinking about?; ***après ~, il …*** after which he …; ***sans ~*** otherwise; ***à ~ bon?*** what's the point?; ***avoir de ~ vivre*** have enough to live on; ***il n'y a pas de ~!*** not at all, don't mention it; ***il n'y a pas de ~ rire / pleurer*** there's nothing to laugh / cry about

◊: ***~ que*** (+ *subj*) whatever; ***~ que tu fasses*** whatever you do; ***~ que ce soit*** anything at all; ***~ qu'il en soit*** be that as it may

quoique [kwakə] *conj* (+ *subj*) although, though

quote-part [kɔtpar] *f* (*pl* quotes-parts) share

quotidien, ~ne [kɔtidjɛ̃, -ɛn] **1** *adj* daily; *de tous les jours* everyday **2** *m* daily

Q

R

rab [rab] *m* F extra; ***faire du ~*** do a bit extra
rabâcher [rabaʃe] ⟨1a⟩ keep on repeating
rabais [rabɛ] *m* discount, reduction; **rabaisser** [rabɛse] ⟨1b⟩ *prix* lower, reduce; *mérites*, *qualités* belittle
rabat [raba] *m d'un vêtement etc* flap
rabat-joie [rabaʒwa] *m* killjoy
rabattre [rabatr] ⟨4a⟩ **1** *v/t siège* pull down; *couvercle* close, shut; *col* turn down; *gibier* drive **2** *v/i fig*: ***se ~ sur*** make do with, fall back on; *d'une voiture* pull back into
rabbin [rabɛ̃] *m* rabbi
râblé, ~e [rɑble] stocky
rabot [rabo] *m* plane; **raboter** ⟨1a⟩ plane
rabougri, ~e [rabugri] stunted
rabrouer [rabrue] ⟨1a⟩ snub
racaille [rakaj] *f* rabble
raccommodage [rakɔmɔdaʒ] *m* mending; **raccommoder** ⟨1a⟩ mend; *chaussettes* darn
raccompagner [rakõpaɲe] ⟨1a⟩: ***je vais vous ~ chez vous*** *à pied* I'll take you home
raccord [rakɔr] *m* join; *de tuyaux aussi* connection; *d'un film* splice; **raccorder** ⟨1a⟩ join, connect
raccourci [rakursi] *m* shortcut; ***en ~*** briefly; **raccourcir** ⟨2a⟩ **1** *v/t* shorten **2** *v/i* get shorter
raccrocher [rakrɔʃe] ⟨1a⟩ **1** *v/t* put back up; ***~ le téléphone*** hang up; ***se ~ à*** cling to **2** *v/i* TÉL hang up
race [ras] *f* race; (*ascendance*) descent; ZO breed
rachat [raʃa] *m* repurchase; *d'un otage* ransoming; REL atonement; *d'une société* buyout; **racheter** ⟨1e⟩ buy back; *otage* ransom; REL *péché* atone for; *fig*: *faute* make up for; ***se ~*** make amends
racial, ~e [rasjal] (*mpl* -aux) racial
racine [rasin] *f* root (*aussi fig et* MATH); ***prendre ~*** take root (*aussi fig*); ***~ carrée*** square root
racisme [rasism] *m* racism; **raciste** *m/f & adj* racist
racket [rakɛt] *m* racket
raclée [rɑkle] *f* F beating, *Br aussi* walloping (*aussi fig*)
racler [rɑkle] ⟨1a⟩ scrape; ***se ~ la gorge*** clear one's throat; **raclette** *f* TECH scraper; CUIS raclette
racoler [rakɔle] ⟨1a⟩ *péj*: *d'une prostituée* accost; **racoleur, -euse** *péj*: *affiche* flashy; *sourire* cheesy
raconter [rakõte] ⟨1a⟩ tell
radar [radar] *m* radar
radeau [rado] *m* (*pl* -x) raft
radiateur [radjatœr] *m* radiator
radiation [radjasjõ] *f* PHYS radiation; *d'une liste*, *facture* deletion
radical, ~e [radikal] (*mpl* -aux) **1** *adj* radical **2** *m* radical; **radicalement** *adv* radically; **radicalisme** *m* radicalism
radier [radje] ⟨1a⟩ strike out
radieux, -euse [radjø, -z] radiant; *temps* glorious
radin, ~e [radɛ̃, -in] F mean, tight
radio [radjo] *f* radio; (*radiographie*) X-ray; ***~ privée*** commercial radio; ***passer une ~*** have an X-ray
radioactif, -ive [radjoaktif, -iv] radioactive; **radioactivité** *f* radioactivity
radiocassette [radjokasɛt] *f* radio cassette player
radiodiffusion [radjodifyzjõ] *f* broadcasting
radiographie [radjografi] *f procédé* radiography; *photo* X-ray
radiologie [radjolɔʒi] *f* radiology; **radiologue** *m/f* radiologist
radiophonique [radjofɔnik] radio *atr*
radioréveil [radjorevɛj] radio alarm

radiotélévisé, **~e** [radjotelevise] broadcast on both radio and TV
radis [radi] *m* BOT radish
radoter [radɔte] ⟨1a⟩ ramble
radoucir [radusir] ⟨2a⟩: ***~ la température*** *du vent* bring milder temperatures; ***se ~*** *du temps* get milder
rafale [rafal] *f de vent* gust; MIL burst
raffermir [rafɛrmir] ⟨2a⟩ *chair* firm up; *fig*: *autorité* re-assert
raffinage [rafinaʒ] *m* TECH refining; **raffiné**, **~e** refined; **raffinement** *m* refinement; **raffiner** ⟨1a⟩ refine; **raffinerie** *f* TECH refinery; ***~ de pétrole*** oil refinery
raffoler [rafɔle] ⟨1a⟩: ***~ de qch / qn*** adore sth / s.o.
rafistoler [rafistɔle] ⟨1a⟩ F patch up
rafle [rafl] *f de police* raid; **rafler** ⟨1a⟩ F take
rafraîchir [rafrɛʃir] ⟨2a⟩ **1** *v/t* cool down; *mémoire* refresh **2** *v/i du vin* chill; ***se ~*** *de la température* get cooler; *d'une personne* have a drink (in order to cool down); **rafraîchissant**, **~e** refreshing (*aussi fig*); **rafraîchissement** *m de la température* cooling; ***~s*** (*boissons*) refreshments
rage [raʒ] *f* rage; MÉD rabies *sg*; **rageur**, **-euse** furious
ragot [rago] *m* F piece of gossip; ***des ~s*** gossip *sg*
ragoût [ragu] *m* CUIS stew
raid [rɛd] *m* raid
raide [rɛd] *personne*, *membres* stiff (*aussi fig*); *pente* steep; *cheveux* straight; (*ivre*, *drogué*) stoned; ***~ mort*** stone dead; **raideur** *f d'une personne*, *de membres* stiffness (*aussi fig*); *d'une pente* steepness; **raidir** ⟨2a⟩: ***se ~*** *de membres* stiffen up
raie [rɛ] *f* (*rayure*) stripe; *des cheveux* part, *Br* parting; ZO skate
raifort [rɛfɔr] *m* BOT horseradish
rail [rɑj] *m* rail; ***~ de sécurité*** crash barrier
railler [rɑje] ⟨1a⟩ mock; **raillerie** *f* mockery; **railleur**, **-euse** mocking
rainure [renyr] *f* TECH groove
raisin [rɛzɛ̃] *m* grape; ***~ de Corinthe*** currant; ***~ sec*** raisin
raison [rɛzõ] *f* reason; ***avoir ~*** be right; ***avoir ~ de*** get the better of; ***à ~ de*** at a rate of; ***à plus forte ~*** all the more so, especially; ***en ~ de*** (*à cause de*) because of; ***~ d'être*** raison d'etre; ***pour cette ~*** for that reason; ***~ sociale*** company name; **raisonnable** reasonable
raisonné, **~e** [rɛzɔne] rational; **raisonnement** *m* reasoning; **raisonner** ⟨1a⟩ **1** *v/i* reason **2** *v/t*: ***~ qn*** make s.o. see reason
rajeunir [raʒœnir] ⟨2a⟩ **1** *v/t pensée*, *thème* modernize, bring up to date; ***~ qn*** *d'une coiffure*, *des vêtements etc* make s.o. look (years) younger **2** *v/i* look younger
rajouter [raʒute] ⟨1a⟩ add
rajustement [raʒystəmɑ̃] *m* adjustment; **rajuster** ⟨1a⟩ adjust; *coiffure* put straight
ralenti [ralɑ̃ti] *m* AUTO slow running, idle; *dans un film* slow motion; ***au ~*** *fig* at a snail's pace; ***tourner au ~*** AUTO tick over; **ralentir** ⟨2a⟩ slow down; **ralentissement** *m* slowing down; **ralentisseur** *m de circulation* speedbump
râler [rɑle] ⟨1a⟩ moan; F beef F, complain; **râleur**, **-euse** F **1** *adj* grumbling **2** *m/f* grumbler
rallier [ralje] ⟨1a⟩ rally; (*s'unir à*) join; ***se ~ à*** rally to
rallonge [ralõʒ] *f d'une table* leaf; ÉL extension (cable); **rallonger** ⟨1l⟩ **1** *v/t vêtement* lengthen **2** *v/i* get longer
rallumer [ralyme] ⟨1a⟩ *télé*, *lumière* switch on again; *fig* revive
rallye [rali] *m* rally
RAM [ram] *f* (*pl inv*) RAM (= random access memory)
ramassage [ramasaʒ] *m* collection; *de fruits* picking; ***car*** *m* ***de ~ scolaire*** school bus; **ramasser** ⟨1a⟩ collect; *ce qui est par terre* pick up; *fruits* pick; F *coup* get; **ramassis** *m péj* pile; *de personnes* bunch
rambarde [rɑ̃bard] *f* rail
rame [ram] *f* (*aviron*) oar; *de métro* train

R

rameau [ramo] *m* (*pl* -x) branch (*aussi fig*); ***les Rameaux*** REL Palm Sunday
ramener [ramne] ⟨1d⟩ take back; (*rapporter*) bring back; *l'ordre, la paix* restore; ***~ à*** (*réduire*) reduce to; ***se ~ à*** (*se réduire à*) come down to
ramer [rame] ⟨1a⟩ row; **rameur, -euse** *m/f* rower
ramification [ramifikasjõ] *f* ramification
ramollir [ramɔlir] ⟨2a⟩ soften; ***se ~*** soften; *fig* go soft
ramoner [ramɔne] ⟨1a⟩ sweep
rampant, ~e [rɑ̃pɑ̃, -t] crawling; BOT creeping; *fig*: *inflation* rampant
rampe [rɑ̃p] *f* ramp; *d'escalier* bannisters *pl*; *au théâtre* footlights *pl*; ***~ de lancement*** MIL launch pad; **ramper** ⟨1a⟩ crawl (*aussi fig*); BOT creep
rancard [rɑ̃kar] *m* F (*rendez-vous*) date
rancart [rɑ̃kar] *m*: ***mettre au ~*** (*jeter*) throw out
rance [rɑ̃s] rancid
ranch [rɑ̃tʃ] *m* ranch
rancœur [rɑ̃kœr] *f* resentment (***contre*** toward), rancor, *Br* rancour
rançon [rɑ̃sõ] *f* ransom; ***la ~ de*** *fig* the price of
rancune [rɑ̃kyn] *f* resentment; **rancunier, -ère** resentful
randonnée [rɑ̃dɔne] *f* walk; *en montagne* hike, hill walk; **randonneur** *m* walker; *en montagne* hiker, hillwalker
rang [rɑ̃] *m* (*rangée*) row; (*niveau*) rank; ***se mettre sur les ~s*** *fig* join the fray; ***rentrer dans le ~*** step back in line; ***être au premier ~*** be in the forefront
rangé, ~e [rɑ̃ʒe] *personne* well-behaved; *vie* orderly
rangée [rɑ̃ʒe] *f* row
rangement *m* tidying; ***pas assez de ~s*** not enough storage space; **ranger** ⟨1l⟩ put away; *chambre* tidy up; *voiture* park; (*classer*) arrange; ***se ~*** (*s'écarter*) move aside; AUTO pull over; *fig* (*assagir*) settle down; ***se ~ à une opinion*** come around to a point of view
ranimer [ranime] ⟨1a⟩ *personne* bring around; *fig*: *courage, force* revive
rap [rap] *m* MUS rap
rapace [rapas] **1** *adj animal* predatory; *personne* greedy, rapacious **2** *m* bird of prey
rapatriement [rapatrimɑ̃] *m* repatriation; **rapatrier** ⟨1a⟩ repatriate
râpe [rɑp] *f* grater; TECH rasp; **râper** ⟨1a⟩ CUIS grate; *bois* file; ***râpé*** CUIS grated; *manteau* threadbare
rapetisser [raptise] ⟨1a⟩ **1** *v/t salle, personne* make look smaller; *vêtement* shrink; (*raccourcir*) shorten, cut down; *fig* belittle **2** *v/i d'un tissu, d'une personne* shrink
rapide [rapid] **1** *adj* fast, rapid; *coup d'œil, décision* quick **2** *m dans l'eau* rapid; *train* express, fast train; **rapidité** *f* speed, rapidity
rapiécer [rapjese] ⟨1f *et* 1k⟩ patch
rappel [rapɛl] *m* reminder; *d'un ambassadeur, produit* recall; THÉÂT curtain call; MÉD booster; ***~ de salaire*** back pay; ***descendre en ~*** *d'un alpiniste* abseil down
rappeler [raple] ⟨1c⟩ call back (*aussi* THÉÂT); *ambassadeur* recall; TÉL call back, *Br aussi* ring back; ***~ qch / qn à qn*** remind s.o. of sth / s.o.; ***se ~ qch*** remember sth; ***se ~ avoir fait qch*** remember doing sth
rapport [rapɔr] *m écrit, oral* report; (*lien*) connection; (*proportion*) ratio, proportion; COMM return, yield; MIL briefing; ***~s*** (*relations*) relations; ***~s*** (***sexuels***) intercourse *sg*, sexual relations, sex *sg*; ***par ~ à*** compared with; ***sous tous les ~s*** in all respects; ***en ~ avec*** suited to; ***être en ~ avec qn*** be in touch *ou* contact with s.o.; ***~ qualité-prix*** value for money; **rapporter** ⟨1a⟩ return, bring / take back; *d'un chien* retrieve, fetch; COMM bring in; *relater* report; ***se ~ à*** be connected with; **rapporteur** *m* reporter; *enfant* sneak, telltale; **rapporteuse** *f enfant* sneak, telltale
rapprochement [raprɔʃmɑ̃] *m fig* reconciliation; POL rapprochement; *analogie* connection; **rapprocher** ⟨1a⟩ *chose* bring closer *ou* nearer

(***de*** to); *fig*: *personnes* bring closer together; *établir un lien* connect, link; ***se ~*** come closer *ou* nearer (***de qch*** to sth)
rapt [rapt] *m* abduction
raquette [rakɛt] *f* racket
rare [rɑr] rare; *marchandises* scarce; (*peu dense*) sparse; ***il est ~ qu'il arrive*** (*subj*) ***en retard*** it's rare for him to be late; **raréfier** ⟨1a⟩: ***se ~*** become rare; *de l'air* become rarefied; **rarement** *adv* rarely; **rareté** *f* rarity
ras, **~e** [rɑ, -z] short; ***rempli à ~ bord*** full to the brim; ***en ~e campagne*** in open country; ***j'en ai ~ le bol*** F I've had it up to here F; ***faire table ~e*** make a clean sweep
raser [rɑze] ⟨1a⟩ shave; *barbe* shave off; (*démolir*) raze to the ground; *murs* hug; F (*ennuyer*) bore; ***se ~*** shave; **rasoir** *m* razor; ***~ électrique*** electric shaver
rassasier [rasazje] ⟨1a⟩ satisfy
rassemblement [rasɑ̃bləmɑ̃] *m* gathering; **rassembler** ⟨1a⟩ collect, assemble; ***se ~*** gather
rasseoir [raswar] ⟨3l⟩ replace; ***se ~*** sit down again
rassis, **~e** [rasi, -z] stale; *fig* sedate
rassurant, **~e** [rasyrɑ̃, -t] reassuring; **rassurer** ⟨1a⟩ reassure; ***se ~***: ***rassurez-vous*** don't be concerned
rat [ra] *m* rat
ratatiner [ratatine] ⟨1a⟩: ***se ~*** shrivel up; *d'une personne* shrink
rate [rat] *f* ANAT spleen
raté, **~e** [rate] **1** *adj* unsuccessful; *occasion* missed **2** *m personne* failure; ***avoir des ~s*** AUTO backfire
râteau [rɑto] *m* (*pl* -x) rake
rater [rate] ⟨1a⟩ **1** *v/t* miss; ***~ un examen*** fail an exam **2** *v/i d'une arme* misfire; *d'un projet* fail
ratification [ratifikasjõ] *f* POL ratification
ration [rasjõ] *f* ration; *fig* (fair) share
rationalisation [rasjɔnalizasjõ] *f* rationalization; **rationaliser** ⟨1a⟩ rationalize; **rationalité** *f* rationality; **rationnel**, **~le** rational
rationner [rasjɔne] ⟨1a⟩ ration
raton laveur *m* [ratõlavœr] raccoon
ratisser [ratise] ⟨1a⟩ rake; (*fouiller*) search
R.A.T.P. [ɛratepe] *f abr* (= ***Régie autonome des transports parisiens***) *mass transit authority in Paris*
rattacher [rataʃe] ⟨1a⟩ *chien* tie up again; *cheveux* put up again; *lacets* do up again; *conduites d'eau* connect, join; *idées* connect; ***se ~ à*** be linked to
rattraper [ratrape] ⟨1a⟩ *animal*, *fugitif* recapture; *objet qui tombe* catch; (*rejoindre*) catch up (with); *retard* make up; *malentendu*, *imprudence* make up for; ***se ~*** make up for it; (*se raccrocher*) get caught
rature [ratyr] *f* deletion, crossing out
rauque [rok] hoarse
ravages [ravaʒ] *mpl* havoc *sg*, devastation *sg*; ***les ~ du temps*** the ravages of time; **ravager** ⟨1l⟩ devastate
ravaler [ravale] ⟨1a⟩ *aussi fierté etc* swallow; *façade* clean up
rave[1] [rav] *f*: ***céleri ~*** celeriac
rave[2] [rɛv] *f* rave
rave-party [rɛvparti] *f* rave
ravi, **~e** [ravi] delighted (***de qch*** with sth; ***de faire qch*** to do sth)
ravin [ravɛ̃] *m* ravine
ravir [ravir] ⟨2a⟩ (*enchanter*) delight
raviser [ravize] ⟨1a⟩: ***se ~*** change one's mind
ravissant, **~e** [ravisɑ̃, -t] delightful, enchanting
ravisseur, **-euse** [ravisœr, -øz] *m/f* abductor
ravitaillement [ravitajmɑ̃] *m* supplying; *en carburant* refueling, *Br* refuelling; **ravitailler** ⟨1a⟩ supply; *en carburant* refuel
raviver [ravive] ⟨1a⟩ revive
rayé, **~e** [rɛje] striped; *papier* lined; *verre*, *carrosserie* scratched; **rayer** ⟨1i⟩ *meuble*, *carrosserie* scratch; *mot* score out
rayon [rɛjõ] *m* ray; MATH radius; *d'une roue* spoke; (*étagère*) shelf; *de magasin* department; ***~s X*** X-rays; ***dans un ~ de*** within a radius of; ***~ laser*** laser beam; **rayonnage** *m*

shelving
rayonnant, **~e** [rɛjɔnɑ̃, -t] radiant; **rayonnement** *m* PHYS radiation; **rayonner** ⟨1a⟩ *de chaleur* radiate; *d'un visage* shine; **~ *de*** *fig*: *bonheur, santé* radiate
rayure [rejyr] *f* stripe; *sur un meuble, du verre* scratch
raz [rɑ] *m*: ***~ de marée*** tidal wave (*aussi fig*)
R&D *f abr* (= ***recherche et développement***) R&D (= research and development)
ré [re] *m* MUS D
réabonner [reabɔne] ⟨1a⟩: ***se ~*** renew one's subscription
réac [reak] *m/f* F reactionary
réacteur [reaktœr] *m* PHYS reactor; AVIAT jet engine
réaction [reaksjõ] *f* reaction; ***avion*** *m* ***à ~*** jet (aircraft); **réactionnaire** *m/f & adj* reactionary
réactualiser [reaktɥalize] ⟨1a⟩ update
réagir [reaʒir] ⟨2a⟩ react (***à*** to; ***contre*** against)
réajuster [reaʒyste] ⟨1a⟩ → ***rajuster***
réalisable [realizabl] feasible; **réalisateur**, **-trice** *m/f* director; **réalisation** *f d'un plan, un projet* execution, realization; *création, œuvre* creation; *d'un film* direction; **réaliser** ⟨1a⟩ *plan, projet* carry out; *rêve* fulfill, *Br* fulfil; *vente* make; *film* direct; *bien, capital* realize; (*se rendre compte*) realize; ***se ~*** *d'un rêve* come true; *d'un projet* be carried out
réalisme [realism] *m* realism; **réaliste 1** *adj* realistic **2** *m/f* realist; **réalité** *f* reality; ***en ~*** actually, in reality; ***~ virtuelle*** virtual reality
réanimation [reanimasjõ] *f* MÉD resuscitation; ***service*** *m* ***de ~*** intensive care; **réanimer** ⟨1a⟩ resuscitate
réapparaître [reaparɛtr] ⟨4z⟩ reappear; **réapparition** *f* reappearance
réapprendre [reaprɑ̃dr] ⟨4q⟩ relearn
rebaptiser [rəbatize] ⟨1a⟩ rename
rébarbatif, **-ive** [rebarbatif, -iv] off-putting, daunting
rebattu, **~e** [rəbaty] hackneyed
rebelle [rəbɛl] **1** *adj* rebellious **2** *m/f* rebel; **rebeller** ⟨1a⟩: ***se ~*** rebel (***contre*** against); **rébellion** *f* rebellion
reboiser [rəbwaze] ⟨1a⟩ reforest, *Br* reafforest
rebondi, **~e** [r(ə)bõdi] rounded; **rebondir** ⟨2a⟩ *d'un ballon* bounce; (*faire un ricochet*) rebound; ***faire ~ qch*** *fig* get sth going again; **rebondissement** *m fig* unexpected development
rebord [r(ə)bɔr] *m* edge; *d'une fenêtre* sill
rebours [r(ə)bur] *m*: ***compte*** *m* ***à ~*** countdown
rebrousse-poil [r(ə)bruspwal]: ***à ~*** the wrong way; ***prendre qn à ~*** rub s.o. up the wrong way; **rebrousser** ⟨1a⟩: ***~ chemin*** retrace one's footsteps
rebuffade [rəbyfad] *f* rebuff
rebut [r(ə)by] *m* dregs *pl*; ***mettre au ~*** scrap, get rid of
rebuter [r(ə)byte] ⟨1a⟩ (*décourager*) dishearten; (*choquer*) offend
récalcitrant, **~e** [rekalsitrɑ̃, -t] recalcitrant
récapituler [rekapityle] ⟨1a⟩ recap
recel [rəsɛl] *m* JUR receiving stolen property, fencing F
récemment [resamɑ̃] *adv* recently
recensement [r(ə)sɑ̃smɑ̃] *m* census; **recenser** ⟨1a⟩ *population* take a census of
récent, **~e** [resɑ̃, -t] recent
récépissé [resepise] *m* receipt
récepteur [resɛptœr] *m* TECH, TÉL receiver; **réceptif**, **-ive** receptive; **réception** *f* reception; *d'une lettre, de marchandises* receipt; **réceptionniste** *m/f* receptionist, desk clerk
récession [resesjõ] *f* ÉCON recession
recette [r(ə)sɛt] *f* COMM takings *pl*; CUIS, *fig* recipe
receveur [rəsvœr] *m des impôts* taxman; *de la poste* postmaster; MÉD recipient; **receveuse** *f* MÉD recipient;
recevoir ⟨3a⟩ receive; ***être reçu à un examen*** pass an exam
rechange [r(ə)ʃɑ̃ʒ] *m*: ***de ~*** spare *atr*; **rechanger** ⟨1l⟩ change again

réchapper [reʃape] ⟨1a⟩: ***~ à qch*** survive sth
rechargeable [rəʃarʒabl] *pile* rechargeable
recharger [r(ə)ʃarʒe] ⟨1l⟩ *camion, arme* reload; *accumulateur* recharge; *briquet, stylo* refill
réchaud [reʃo] *m* stove
réchauffement [reʃofmɑ̃] *m* warming; ***~ de la planète*** global warming; **réchauffer** ⟨1a⟩ warm up
rêche [rɛʃ] *aussi fig* rough
recherche [r(ə)ʃɛrʃ] *f (enquête, poursuite)* search (***de*** for); *scientifique* research; ***~ et développement*** research and development, R&D; ***~s de la police*** search *sg*, hunt *sg*; **recherché**, **~e** sought-after; *criminel* wanted; *(raffiné)* refined, recherché; **rechercher** ⟨1a⟩ look for, search for; *(prendre)* fetch
rechute [r(ə)ʃyt] *f* MÉD relapse
récidiver [residive] ⟨1a⟩ relapse
récif [resif] *m* GÉOGR reef
récipient [resipjɑ̃] *m* container
réciproque [resiprɔk] reciprocal
récit [resi] *m* account; *(histoire)* story
récital [resital] *m (pl -s)* recital
réciter [resite] ⟨1a⟩ recite
réclamation [reklamasjõ] *f* claim; *(protestation)* complaint
réclame [reklam] *f* advertisement
réclamer [reklame] ⟨1a⟩ *secours, aumône* ask for; *son dû, sa part* claim, demand; *(nécessiter)* call for
reclus, **~e** [rəkly] *m/f* recluse
réclusion [reklyzjõ] *f* imprisonment
recoiffer [rəkwafe] ⟨1a⟩: ***se ~*** put one's hair straight
recoin [rəkwɛ̃] *m* nook
récolte [rekɔlt] *f* harvesting; *de produits* harvest, crop; *fig* crop; **récolter** ⟨1a⟩ harvest
recommandable [rəkɔmɑ̃dabl] *personne* respectable; **recommandation** *f* recommendation; **recommander** ⟨1a⟩ recommend; *lettre* register
recommencer [r(ə)kɔmɑ̃se] ⟨1k⟩ **1** *v/t*: ***~ qch*** start sth over, start sth again; ***~ à faire qch*** start doing sth again, start to do sth again **2** *v/i* start *ou* begin again
récompense [rekõpɑ̃s] *f* reward; **récompenser** ⟨1a⟩ reward (***de*** for)
réconciliation [rekõsiljasjõ] *f* reconciliation; **réconcilier** ⟨1a⟩ reconcile
reconduire [r(ə)kõdɥir] ⟨4c⟩ JUR renew; ***~ qn*** *chez lui* take s.o. home; *à la porte* see s.o. out
réconfort [rekõfɔr] *m* consolation, comfort; **réconforter** ⟨1a⟩ console, comfort
reconnaissable [r(ə)kɔnɛsabl] recognizable; **reconnaissance** *f* recognition; *d'une faute* acknowledg(e)ment; *(gratitude)* gratitude; MIL reconnaissance; ***~ de dette*** IOU; ***~ vocale*** INFORM voice recognition; **reconnaissant**, **~e** grateful (***de*** for); **reconnaître** ⟨4z⟩ recognize; *faute* acknowledge; ***se ~*** recognize o.s.; ***ils se sont reconnus tout de suite*** they immediately recognized each other; ***un oiseau qui se reconnaît à …*** a bird which is recognizable by …; **reconnu**, **~e 1** *p/p* → ***reconnaître*** **2** *adj* known
reconquérir [r(ə)kõkerir] ⟨2l⟩ reconquer; *fig* regain
reconstituer [r(ə)kõstitɥe] ⟨1a⟩ reconstitute; *ville, maison* restore; *événement* reconstruct
reconstruction [r(ə)kõstryksjõ] *f* rebuilding, reconstruction; **reconstruire** ⟨4c⟩ rebuild, reconstruct
reconversion [r(ə)kõvɛr sjõ] *f* retraining; **reconvertir** ⟨2a⟩: ***se ~*** retrain
recopier [rəkɔpje] ⟨1a⟩ *notes* copy out
record [r(ə)kɔr] *m* record; **recordman** *m* record holder; **recordwoman** *f* record holder
recoudre [rəkudr] ⟨4d⟩ *bouton* sew back on
recouper [rəkupe] ⟨1a⟩ **1** *vt* re-cut, cut again; *pour vérifier* cross-check **2** *vi* cut again
recourbé, **~e** [r(ə)kurbe] bent
recourir [r(ə)kurir] ⟨2i⟩: ***~ à qn*** consult s.o.; ***~ à qch*** resort to sth; **recours** *m* recourse, resort; ***avoir ~ à***

R

qch resort to sth; ***en dernier ~*** as a last resort

recouvrer [r(ə)kuvre] ⟨1a⟩ recover; *santé* regain

recouvrir [r(ə)kuvrir] ⟨2f⟩ recover; *enfant* cover up again; (*couvrir entièrement*) cover (***de*** with); (*cacher*) cover (up); (*embrasser*) cover, span

récréation [rekreasjõ] *f* relaxation; ÉDU recess, *Br* break, *Br* recreation

recréer ⟨1a⟩ recreate

récriminations [rekriminasjõ] *fpl* recriminations

recroqueviller [r(ə)krɔkvije] ⟨1a⟩: ***se ~*** shrivel (up); *d'une personne* curl up

recrudescence [rəkrydesɑ̃s] *f* new outbreak

recrue [r(ə)kry] *f* recruit

recrutement [r(ə)krytmɑ̃] *m* recruitment; **recruter** ⟨1a⟩ recruit

rectangle [rɛktɑ̃gl] *m* rectangle; **rectangulaire** rectangular

recteur [rɛktœr] *m* rector

rectifier [rɛktifje] ⟨1a⟩ rectify; (*ajuster*) adjust; (*corriger*) correct

rectiligne [rɛktiliɲ] rectilinear

recto [rɛkto] *m d'une feuille* front

reçu [r(ə)sy] **1** *p/p* → ***recevoir*** **2** *m* receipt

recueil [r(ə)kœj] *m* collection; **recueillement** *m* meditation, contemplation; **recueillir** ⟨2c⟩ collect; *personne* take in; ***se ~*** meditate

recul [r(ə)kyl] *m d'un canon, un fusil* recoil; *d'une armée* retreat, fall-back; *de la production, du chômage* drop, fall-off (***de*** in); *fig* detachment

reculé, **~e** [r(ə)kyle] remote; (*passé*) distant; **reculer** ⟨1a⟩ **1** *v/t* push back; *échéance, décision* postpone **2** *v/i* back away, recoil; MIL retreat, fall back; *d'une voiture* back, reverse; ***~ devant*** *fig* back away from; **reculons**: ***à ~*** backward, *Br* backwards

récupération [rekyperasjõ] *f* recovery; *de vieux matériel* salvaging; ***~ du temps de travail*** taking time off in lieu; **récupérer** ⟨1f⟩ **1** *v/t* recover, retrieve; *ses forces* regain; *vieux matériel* salvage; *temps* make up **2** *v/i* recover

récurer [rekyre] ⟨1a⟩ scour

recyclable [rəsiklabl] recyclable; **recyclage** *m du personnel* retraining; TECH recycling; **recycler** ⟨1a⟩ retrain; TECH recycle

rédacteur, **-trice** [redaktœr, -tris] *m/f* editor; (*auteur*) writer; ***~ en chef*** editor-in-chief; ***~ politique*** political editor; ***~ publicitaire*** copy-writer; ***~ sportif*** sports editor; **rédaction** *f* editing; (*rédacteurs*) editorial team

redéfinir [rədefinir] ⟨2a⟩ redefine

redescendre [r(ə)desɑ̃dr] ⟨4a⟩ **1** *v/i* (*aux* ***être***) come / go down again; *d'un baromètre* fall again; ***~ d'une voiture*** get out of a car again, get back out of a car **2** *v/t* bring / take down again; *montagne* come *ou* climb down again

redevable [rədvabl]: ***être ~ de qch à qn*** owe s.o. sth; **redevance** *f d'un auteur* royalty; TV licence fee

rediffusion [rədifyzjõ] *f* repeat

rédiger [rediʒe] ⟨1l⟩ write

redire [r(ə)dir] ⟨4m⟩ (*répéter*) repeat, say again; (*rapporter*) repeat; ***trouver à ~ à tout*** find fault with everything

redistribuer [rədistribɥe] ⟨1a⟩ redistribute; *aux cartes* redeal

redonner [r(ə)dɔne] ⟨1a⟩ (*rendre*) give back, return; (*donner de nouveau*) give again

redoubler [r(ə)duble] ⟨1a⟩ **1** *v/t* double **2** *v/i* ÉDU repeat a class, *Br aussi* repeat a year; *d'une tempête* intensify; ***~ d'efforts*** redouble one's efforts

redoutable [r(ə)dutabl] formidable; *hiver* harsh; **redouter** ⟨1a⟩ dread (***de faire qch*** doing sth)

redresser [r(ə)drɛse] ⟨1b⟩ *ce qui est courbe* straighten; *ce qui est tombé* set upright; ***~ l'économie*** *fig* get the economy back on its feet; ***se ~*** *d'un pays* recover, get back on its feet

réduction [redyksjõ] *f* reduction; MÉD setting; **réduire** [redɥir] ⟨4c⟩ *dépenses, impôts* reduce, cut; *personnel* cut back; *vitesse* reduce; ***se ~ à*** amount to; **réduit**, **~e** **1** *adj* reduced; *possibilités* limited **2** *m* small room

rééditer [reedite] ⟨1a⟩ republish

R

rééducation [reedykasjõ] *f* MÉD rehabilitation; **rééduquer** ⟨1m⟩ MÉD rehabilitate
réel, **~le** [reɛl] real
réélection [reelɛksjõ] *f* re-election; **réélire** ⟨4x⟩ re-elect
réellement [reɛlmɑ̃] *adv* really
rééquilibrer [reekilibre] ⟨1a⟩ *pneus* balance
réévaluer [reevalɥe] ⟨1n⟩ ÉCON revalue; **réévaluation** *f* revaluation
refaire [r(ə)fɛr] ⟨4n⟩ *faire de nouveau*: *travail* do over, *Br* do again; *examen* take again, retake; *erreur* make again, repeat; *remettre en état*: *maison* do up; ***~ le monde*** set the world to rights
réfection [refɛksjõ] *f* repair
réfectoire [refɛktwar] *m* refectory
référence [referɑ̃s] *f* reference; ***ouvrage*** *m* ***de ~*** reference work; ***~s*** (*recommandation*) reference *sg*
référendum [referɛ̃dɔm] *m* referendum
référer [refere] ⟨1f⟩: ***en ~ à qn*** consult s.o.; ***se ~ à*** *refer to*
refermer [rəfɛrme] ⟨1a⟩ shut again; ***se ~*** shut again; *d'une blessure* close (up)
refiler [r(ə)file] ⟨1a⟩ F: ***~ qch à qn*** pass sth on to s.o.
réfléchi, **~e** [refleʃi] thoughtful; GRAM reflexive; **réfléchir** ⟨2a⟩ **1** *v/t* reflect **2** *v/i* think; ***~ à*** *ou* ***sur qch*** think about sth
reflet [r(ə)flɛ] *m de lumière* glint; *dans eau, miroir* reflection (*aussi fig*); **refléter** ⟨1f⟩ reflect (*aussi fig*)
réflexe [reflɛks] *m* reflex
réflexion [reflɛksjõ] *f* PHYS reflection; *fait de penser* thought, reflection; (*remarque*) remark
réformateur, **-trice** [refɔrmatœr, -tris] *m/f* reformer; **réforme** *f* reform; ***la Réforme*** REL the Reformation; **réformer** ⟨1a⟩ reform; MIL discharge
reformer [rəfɔrme] ⟨1a⟩ reform; ***se ~*** reform
refoulé, **~e** [r(ə)fule] PSYCH repressed; **refoulement** *m* pushing back; PSYCH repression; **refouler** ⟨1a⟩ push back; PSYCH repress
refrain [r(ə)frɛ̃] *m* refrain, chorus
réfréner [refrene, rə-] ⟨1f⟩ control
réfrigérateur [refriʒeratœr] *m* refrigerator; ***conserver au ~*** keep refrigerated
refroidir [r(ə)frwadir] ⟨1a⟩ cool down; *fig* cool; ***se ~*** *du temps* get colder; MÉD catch a chill; **refroidissement** *m* cooling; MÉD chill
refuge [r(ə)fyʒ] *m* (*abri*) refuge, shelter; *pour piétons* traffic island; *en montagne* (mountain) hut; **réfugié**, **~e** *m/f* refugee; **réfugier** ⟨1a⟩: ***se ~*** take shelter
refus [r(ə)fy] *m* refusal; **refuser** ⟨1a⟩ refuse; ***~ qch à qn*** refuse s.o. sth; ***~ de*** *ou* ***se ~ à faire qch*** refuse to do sth
réfuter [refyte] ⟨1a⟩ refute
regagner [r(ə)gaɲe] ⟨1a⟩ win back, regain; *endroit* get back to, regain
régal [regal] *m* (*pl* -s) treat; **régaler** ⟨1a⟩ regale (***de*** with); ***je vais me ~!*** I'm going to enjoy this!
regard [r(ə)gar] *m* look; ***au ~ de la loi*** in the eyes of the law; **regardant**, **~e** *avec argent* careful with one's money; ***ne pas être ~ sur qch*** not be too worried about sth; **regarder** ⟨1a⟩ **1** *v/t* look at; *télé* watch; (*concerner*) regard, concern; ***~ qn faire qch*** watch s.o. doing sth **2** *v/i* look; ***~ par la fenêtre*** look out (of) the window; ***se ~*** *d'une personne* look at o.s.; *de plusieurs personnes* look at each other
régate [regat] *f* regatta
régie [reʒi] *f entreprise* state-owned company; TV, *cinéma* control room
regimber [r(ə)ʒɛ̃be] ⟨1a⟩ protest
régime [reʒim] *m* POL government, régime; MÉD diet; *fiscal* system; ***~ de retraite*** pension scheme
régiment [reʒimɑ̃] *m* regiment
région [reʒjõ] *f* region; ***~ sinistrée*** disaster area; **régional**, **~e** (*mpl* -aux) regional; **régionalisation** *f* POL regionalization; **régionalisme** *m* regionalism
régir [reʒir] ⟨2a⟩ govern
régisseur [reʒisœr] *m d'un domaine*

managing agent; THÉÂT stage manager; *dans le film* assistant director; ***~ de plateau*** floor manager
registre [r(ə)ʒistr] *m* register (*aussi* MUS); *d'un discours* tone; ***~ de comptes*** ledger
réglable [reglabl] adjustable; **réglage** *m* adjustment
règle [rɛgl] *f instrument* ruler; (*prescription*) rule; ***de ~*** customary; ***en ~*** *papiers* in order; ***en ~ générale*** as a rule; ***~s*** (*menstruation*) period *sg*
réglé, **~e** [regle] *organisé* settled; *vie* well-ordered; *papier* ruled
règlement [rɛgləmɑ̃] *m d'une affaire, question* settlement; COMM payment, settlement; (*règles*) regulations *pl*
réglementaire [regləmɑ̃tɛr] in accordance with the rules; *tenue* regulation *atr*; **réglementation** *f* (*règle*) regulations *pl*; **réglementer** ⟨1a⟩ control, regulate
régler [regle] ⟨1f⟩ *affaire* settle; TECH adjust; COMM pay, settle; *épicier etc* pay, settle up with
réglisse [reglis] *f* BOT licorice, *Br* liquorice
règne [rɛɲ] *m* reign; **régner** ⟨1f⟩ reign (*aussi fig*)
regorger [r(ə)gɔrʒe] ⟨1l⟩: ***~ de*** abound in, have an abundance of
régression [regrɛsjõ] *f* regression
regret [r(ə)grɛ] *m* (*repentir*) regret (***de*** about); ***à ~*** with regret, reluctantly; ***avoir le ~*** *ou* ***être au ~ de faire qch*** regret to do sth; **regrettable** regrettable, unfortunate; **regretter** ⟨1b⟩ regret; *personne absente* miss; ***~ d'avoir fait qch*** regret doing sth, regret having done sth; ***je ne regrette rien*** I have no regrets; ***je regrette mais ...*** I'm sorry (but) ...
regrouper [r(ə)grupe] ⟨1a⟩ gather together
régulariser [regylarize] ⟨1a⟩ *finances, papiers* put in order; *situation* regularize; TECH regulate; **régularité** *f d'habitudes* regularity; *d'élections* legality
régulation [regylasjõ] *f* regulation
régulier, **-ère** [regylje, -ɛr] regular; *allure, progrès* steady; *écriture* even; (*réglementaire*) lawful; (*correct*) decent, honest; **régulièrement** *adv* regularly
réhabilitation [reabilitasjõ] *f* rehabilitation; *d'un quartier* renovation, redevelopment; **réhabiliter** ⟨1a⟩ rehabilitate; *d'un quartier* renovate, redevelop
réhabituer [reabitɥe] ⟨1a⟩: ***se ~ à qch / faire qch*** get used to sth / doing sth again
rehausser [rəose] ⟨1a⟩ raise; *fig* (*souligner*) bring out, emphasize
réimpression [reɛ̃presjõ] *f* reprint; **réimprimer** ⟨1a⟩ reprint
rein [rɛ̃] *m* ANAT kidney; ***~ artificiel*** kidney machine; ***~s*** lower back *sg*
réincarnation [reɛ̃karnasjõ] *f* reincarnation
reine [rɛn] *f* queen
réinsérer [reɛ̃sere] ⟨1f⟩ *mot etc* reinstate; *délinquant* rehabilitate; **réinsertion** *f d'un mot etc* reinstatement; *d'un délinquant* rehabilitation
réintégrer [reɛ̃tegre] ⟨1f⟩ *employé* reinstate; *endroit* return to
réinvestir [reɛ̃vɛstir] ⟨2a⟩ reinvest
réitérer [reitere] ⟨1f⟩ reiterate
rejaillir [r(ə)ʒajir] ⟨2a⟩ spurt
rejet [r(ə)ʒɛ] *m* rejection; **rejeter** ⟨1c⟩ reject; (*relancer*) throw back; (*vomir*) bring up; *responsabilité, faute* lay (***sur*** on), shift (***sur*** onto)
rejoindre [r(ə)ʒwɛ̃dr] ⟨4b⟩ *personne* join, meet; (*rattraper*) catch up with; MIL rejoin; *autoroute* get back onto; ***se ~*** meet
réjouir [reʒwir] ⟨2a⟩ make happy, delight; ***se ~ de qch*** be delighted about sth; **réjouissance** *f* rejoicing; ***~s publiques*** public festivities
relâche [r(ə)lɑʃ] *f*: ***sans ~*** *travailler* without a break, nonstop; **relâchement** *m d'une corde* loosening; *de discipline* easing; **relâcher** ⟨1a⟩ loosen; *prisonnier* release; ***se ~*** *d'un élève, de la discipline* get slack
relais [r(ə)lɛ] *m* SP relay (race); ÉL relay; ***~ routier*** truck stop, *Br aussi* transport café; ***prendre le ~ de qn*** spell s.o., take over from s.o.

relancer [r(ə)lɑ̃se] ⟨1k⟩ *balle* throw back; *moteur* restart; *fig*: *économie* kickstart; *personne* contact again, get back onto F
relater [r(ə)late] ⟨1a⟩ relate
relatif, -ive [r(ə)latif, -iv] relative (*aussi* GRAM); ~ ***à qch*** relating to sth, about sth; **relation** *f* (*rapport*) connection, relationship; (*connaissance*) acquaintance; ***être en ~ avec qn*** be in touch with s.o.; **~s** relations; (*connaissances*) contacts; ***~s publiques*** public relations, PR *sg*; **relativement** *adv* relatively; ~ ***à*** compared with; (*en ce qui concerne*) relating to; **relativiser** ⟨1a⟩ look at in context *ou* perspective
relax [r(ə)laks] *adj inv* F laid-back F, relaxed; **relaxation** *f* relaxation; **relaxer** ⟨1a⟩: ***se ~*** relax
relayer [r(ə)leje] ⟨1i⟩ take over from; TV, *radio* relay; ***se ~*** take turns
reléguer [r(ə)lege] ⟨1f⟩ relegate; ***~ qn au second plan*** ignore s.o., push s.o. into the background
relent [r(ə)lɑ̃] *m* smell; *de scandale* whiff
relève [r(ə)lɛv] *f* relief; ***prendre la ~*** take over
relevé, ~e [rəlve] **1** *adj manche* turned up; *style* elevated; CUIS spicy **2** *m de compteur* reading; ***~ de compte*** bank statement; **relever** ⟨1d⟩ **1** *v/t* raise; (*remettre debout*) pick up; *mur* rebuild; *col*, *chauffage* turn up; *manches* turn up, roll up; *siège* put up, lift; *économie*, *finances* improve; (*ramasser*) collect; *sauce* spice up; *défi* take up; *faute* find; *adresse*, *date* copy; *compteur* read; (*relayer*) relieve, take over from; ***se ~*** get up; *fig* recover; ***~ qn de ses fonctions*** relieve s.o. of his duties **2** *v/i*: ***~ de*** (*dépendre de*) report to, be answerable to; (*ressortir de*) be the responsibility of
relief [rəljɛf] *m* relief; ***en ~*** in relief; ***mettre en ~*** *fig* highlight
relier [rəlje] ⟨1a⟩ connect (***à*** to), link (***à*** with); *livre* bind; **relieur, -euse** *m/f* binder
religieux, -euse [r(ə)liʒjø, -z] **1** *adj* religious **2** *m* monk **3** *f* nun; **religion** *f* religion
relire [r(ə)lir] ⟨4x⟩ re-read
reliure [rəljyr] *f* binding
reluire [rəlɥir] ⟨4c⟩ shine
remaniement [r(ə)manimɑ̃] *m d'un texte* re-working; POL reorganization, *Br* reshuffle; **remanier** ⟨1a⟩ *texte* rework; POL reorganize, *Br* reshuffle
remarier [r(ə)marje] ⟨1a⟩: ***se ~*** remarry, get married again
remarquable [r(ə)markabl] remarkable; **remarque** *f* remark; **remarquer** ⟨1m⟩ (*apercevoir*) notice; (*dire*) remark; ***faire ~ qch à qn*** point sth out to s.o., comment on sth to s.o.; ***se ~*** *d'une chose* be noticed; ***se faire ~*** *d'un acteur, sportif etc* get o.s. noticed; *d'un écolier* get into trouble; *se différencier* be conspicuous
rembourrage [rɑ̃buraʒ] *m* stuffing; **rembourrer** ⟨1a⟩ stuff
remboursable [rɑ̃bursabl] refundable; **remboursement** *m* refund; *de dettes, d'un emprunt* repayment; **rembourser** ⟨1a⟩ *frais* refund, reimburse; *dettes, emprunt* pay back
remède [r(ə)mɛd] *m* remedy, cure; **remédier** ⟨1a⟩: ***~ à qch*** remedy sth
remerciement [r(ə)mɛrsimɑ̃] *m*: **~s** thanks; ***une lettre de ~*** a thank-you letter, a letter of thanks; **remercier** ⟨1a⟩ thank (***de***, ***pour*** for); (*congédier*) dismiss
remettre [r(ə)mɛtr] ⟨4p⟩ *chose* put back; *vêtement, chapeau* put on again, put back on; *peine* remit; *décision* postpone; (*ajouter*) add; ***~ à neuf*** recondition; ***~ qch à qn*** hand *ou* give sth to s.o.; ***~ à l'heure*** put to the right time; ***se ~ au beau*** *du temps* brighten up again; ***se ~ à qch*** take up sth again; ***se ~ à faire qch*** start doing sth again; ***se ~ de qch*** recover from sth; ***s'en ~ à qn*** rely on s.o.
réminiscence [reminisɑ̃s] *f* reminiscence
remise [r(ə)miz] *f* (*hangar*) shed; *d'une lettre* delivery; *de peine* remission, reduction; COMM discount; *d'une décision* postponement; ***~ des bagages***

baggage retrieval; **~ en jeu** goal kick; **~ à neuf** reconditioning; **~ en question** questioning

rémission [remisjõ] *f* MÉD remission

remontant [r(ə)mõtɑ̃] *m* tonic

remonte-pente [r(ə)mõtpɑ̃t] *m* (*pl* remonte-pentes) ski lift

remonter [r(ə)mõte] ⟨1a⟩ **1** *v/i* (*aux être*) come / go up again; *dans une voiture* get back in; *d'un baromètre* rise again; *de prix, température* rise again, go up again; *d'un avion, chemin* climb, rise; **~ à** (*dater de*) go back to **2** *v/t* bring / take back up; *rue, escalier* come / go back up; *montre* wind; TECH reassemble; *col* turn up; *stores* raise; **~ qn** *fig* boost s.o.'s spirits

remords [r(ə)mɔr] *mpl* remorse *sg*

remorque [r(ə)mɔrk] *f véhicule* trailer; *câble* towrope; **remorquer** ⟨1m⟩ *voiture* tow; **remorqueur** *m* tug

remous [r(ə)mu] *m d'une rivière* eddy; *d'un bateau* wash; *fig pl* stir *sg*

rempart [rɑ̃par] *m* rampart

remplaçant, **~e** [rɑ̃plasɑ̃, -t] *m/f* replacement; **remplacement** *m* replacement; **remplacer** ⟨1k⟩ replace; **~ X par Y** replace X with Y, substitute Y for X

remplir [rɑ̃plir] ⟨2a⟩ fill (**de** with); *formulaire* fill out; *conditions* fulfill, *Br* fulfil, meet; *tâche* carry out

remplissage [rɑ̃plisaʒ] *m* filling

remporter [rɑ̃pɔrte] ⟨1a⟩ take away; *prix* win; **~ une victoire** win

remue-ménage [r(ə)mymenaʒ] *m* (*pl inv*) (*agitation*) commotion

remuer [rəmɥe] ⟨1a⟩ **1** *v/t* move (*aussi fig*); *sauce* stir; *salade* toss; *terre* turn over **2** *v/i* move; **se ~** move; *fig* F get a move on F

rémunérateur, **-trice** [remyneratœr, -tris] well-paid; **rémunération** *f* pay, remuneration; **rémunérer** ⟨1f⟩ pay

renaissance [r(ə)nɛsɑ̃s] *f* renaissance, rebirth (*aussi* REL); **la Renaissance** the Renaissance

renaître [r(ə)nɛtr] ⟨4g⟩ (*aux être*) REL be born again; *fig* be reborn

renard [r(ə)nar] *m* fox

renchérir [rɑ̃ʃerir] ⟨2a⟩ go up; **~ sur qn / qch** outdo s.o. / sth, go one better than s.o. / sth

rencontre [rɑ̃kõtr] *f* meeting; **faire la ~ de qn** meet s.o.; **aller à la ~ de qn** go and meet s.o.; **rencontrer** ⟨1a⟩ meet; *accueil* meet with; *difficulté* encounter, run into; *amour* find; (*heurter*) hit; **se ~** meet

rendement [rɑ̃dmɑ̃] *m* AGR yield; *d'un employé, d'une machine* output; *d'un placement* return

rendez-vous [rɑ̃devu] *m* (*pl inv*) appointment; *amoureux* date; *lieu* meeting place; **prendre ~** make an appointment; **donner ~ à qn** arrange to meet s.o.; **avoir ~ avec qn** have an appointment / date with s.o.

rendormir [rɑ̃dɔrmir] ⟨2b⟩: **se ~** fall asleep again, go back to sleep again

rendre [rɑ̃dr] ⟨4a⟩ **1** *v/t* (*donner en retour, restituer*) give back; *salut, invitation* return; (*donner*) give; (*traduire*) render; (*vomir*) bring up; MIL surrender; **~ un jugement** pass sentence; **~ visite à qn** visit s.o., pay s.o. a visit; **~ les choses plus difficiles** make things more difficult **2** *v/i de terre, d'un arbre* yield; **se ~** *à un endroit* go; MIL surrender; **se ~ à l'avis de qn** come around to s.o.'s way of thinking; **se ~ présentable / malade** make o.s. presentable / sick

rêne [rɛn] *f* rein

renfermé, **~e** [rɑ̃fɛrme] **1** *adj* withdrawn **2** *m*: **sentir le ~** smell musty; **renfermer** ⟨1a⟩ (*contenir*) contain; **se ~ dans le silence** withdraw into silence

renforcement [rɑ̃fɔrsəmɑ̃] *m* reinforcement; **renforcer** ⟨1k⟩ reinforce

renfort [rɑ̃fɔr] *m* reinforcements *pl*; **à grand ~ de** with copious amounts of

rengaine [rɑ̃gɛn] *f* song; **la même ~** *fig* the same old story

rengorger [rɑ̃gɔrʒe] ⟨1l⟩: **se ~** strut (*aussi fig*)

renier [rənje] ⟨1a⟩ *personne* disown

renifler [r(ə)nifle] ⟨1a⟩ sniff

renne [rɛn] *m* reindeer

renom [r(ə)nõ] *m* (*célébrité*) fame, renown; (*réputation*) reputation; **renommé**, **~e** known, famous (***pour*** for); **renommée** *f* fame

renoncement [r(ə)nõsmɑ̃] *m* renunciation (***à*** of); **renoncer** ⟨1k⟩: ***~ à qch*** give sth up; ***~ à faire qch*** give up doing sth

renouer [rənwe] ⟨1a⟩ **1** *v/t fig*: *amitié, conversation* renew **2** *v/i*: ***~ avec qn*** get back in touch with s.o.; *après brouille* get back together with s.o.

renouveau [rənuvo] *m* revival

renouveler [rənuvle] ⟨1c⟩ *contrat, passeport etc* renew; (*changer*) change, renew; *demande, promesse* repeat; ***se ~*** (*se reproduire*) happen again; **renouvellement** *m* renewal

rénovation [renɔvasjõ] *f* renovation; *fig* (*modernisation*) updating; **rénover** ⟨1a⟩ renovate; *fig* bring up to date

renseignement [rɑ̃sɛɲmɑ̃] *m* piece of information (***sur*** about); ***~s*** information *sg*; MIL intelligence *sg*; ***prendre des ~s sur*** find out about; **renseigner** ⟨1a⟩: ***~ qn sur qch*** tell *ou* inform s.o. about sth; ***se ~*** find out (***auprès de qn*** from s.o.; ***sur*** about)

rentabilité [rɑ̃tabilite] *f* profitability; **rentable** cost-effective; *entreprise* profitable; ***ce n'est pas ~*** there's no money in it

rente [rɑ̃t] *f revenu d'un bien* private income; (*pension*) annuity; *versée à sa femme etc* allowance

rentrée [rɑ̃tre] *f* return; ***~ des classes*** beginning of the new school year; ***~s*** COMM takings

R

rentrer [rɑ̃tre] ⟨1a⟩ **1** *v/i* (*aux* ***être***) (*entrer*) go / come in; *de nouveau* go / come back in; *chez soi* go / come home; *dans un récipient* go in, fit; *de l'argent* come in; ***~ dans*** (*heurter*) collide with, run into; *serrure, sac* fit in, go into; *ses responsabilités* be part of; *attributions, fonctions* form part of, come under **2** *v/t* bring / take in; *voiture* put away; *ventre* pull in

renverse [rɑ̃vɛrs] *f*: ***tomber à la ~*** fall backward *ou Br* backwards; **renversé**, **~e** overturned; *image* reversed; *fig* astonished; **renversement** *m* POL *d'un régime* overthrow; **renverser** ⟨1a⟩ *image* reverse; *chaise, verre* (*mettre à l'envers*) upturn; (*faire tomber*) knock over, overturn; *piéton* knock down *ou* over; *liquide* spill; *gouvernement* overthrow; ***se ~*** *d'une voiture, d'un bateau* overturn; *d'une bouteille, chaise* fall over

renvoi [rɑ̃vwa] *m de personnel* dismissal; *d'un élève* expulsion; *d'une lettre* return; *dans un texte* cross-reference (***à*** to); **renvoyer** ⟨1p⟩ (*faire retourner*) send back; *ballon* return; *personnel* dismiss; *élève* expel; *rencontre, décision* postpone; (*réfléchir*) reflect; *dans un texte* refer

réorganiser [reɔrganize] ⟨1a⟩ reorganize

réouverture [reuvɛrtyr] *f* reopening

repaire [r(ə)pɛr] *m* den (*aussi fig*)

répandre [repɑ̃dr] ⟨4a⟩ spread; (*renverser*) spill; ***se ~*** spread; (*être renversé*) spill; ***se ~ en excuses*** apologize profusely; **répandu**, **~e** widespread

reparaître [r(ə)parɛtr] ⟨4z⟩ reappear

réparateur [reparatœr] *m* repairman; **réparation** *f* repair; (*compensation*) reparation; ***en ~*** being repaired; ***surface f de ~*** SP penalty area; **réparer** ⟨1a⟩ repair; *fig* make up for

répartie [reparti] *f* retort; ***avoir de la ~*** have a gift for repartee

repartir [r(ə)partir] ⟨2b⟩ (*aux* ***être***) *partir de nouveau* leave again; *d'un train* set off again; ***il est reparti chez lui*** he went back home again; ***~ de zéro*** start again from scratch

répartir [repartir] ⟨2a⟩ share out; *chargement* distribute; *en catégories* divide; **répartition** *f* distribution; *en catégories* division

repas [rəpɑ] *m* meal; ***~ d'affaires*** business lunch / dinner

repassage [rəpasaʒ] *m* ironing; **repasser** ⟨1a⟩ **1** *v/i* (*aux* ***être***) come / go back again **2** *v/t couteau* sharpen; *linge* iron; *examen* take again

repêcher [r(ə)peʃe] ⟨1b⟩ fish out; *fig* F help out; *candidat* let pass

repeindre [rəpɛ̃dr] ⟨4b⟩ repaint

repenser [r(ə)pɑ̃se] ⟨1a⟩ **1** *v/t* rethink **2** *v/i* (*réfléchir*) think again (***à*** about)

repentir [r(ə)pɑ̃tir] **1** ⟨2b⟩: ***se ~*** REL repent; ***se ~ de qch*** be sorry for sth **2** *m* penitence

répercussions [repɛrkysjõ] *fpl* repercussions; **répercuter** ⟨1a⟩: ***se ~*** reverberate; *fig* have repercussions (***sur*** on)

repère [r(ə)pɛr] *m* mark; (***point*** *m* ***de***) **~** landmark; **repérer** ⟨1f⟩ (*situer*) pinpoint; (*trouver*) find, F spot; (*marquer*) mark

répertoire [repɛrtwar] *m* directory; THÉÂT repertoire

répéter [repete] ⟨1f⟩ repeat; *rôle, danse* rehearse; **répétitif, -ive** repetitive; **répétition** *f* repetition; THÉÂT rehearsal

répit [repi] *m* respite; ***sans ~*** without respite

replacer [r(ə)plase] ⟨1k⟩ put back, replace

repli [r(ə)pli] *m* fold; *d'une rivière* bend; **replier** ⟨1a⟩ fold; *jambes* draw up; *journal* fold up; *manches* roll up; ***se ~*** MIL fall back; ***se ~ sur soi-même*** retreat into one's shell

réplique [replik] *f* retort; (*copie*) replica; **répliquer** ⟨1m⟩ retort; *d'un enfant* answer back

répondeur [repõdœr] *m*: **~ *automatique*** answering machine; **répondre** ⟨4a⟩ **1** *v/t* answer, reply **2** *v/i* answer; (*réagir*) respond; **~ *à*** answer, reply to; (*réagir à*) respond to; *besoin* meet; *attente* come up to; *signalement* match; **~ *de*** answer for

réponse [repõs] *f* answer; (*réaction*) response

reportage [r(ə)pɔrtaʒ] *m* report

reporter[1] [r(ə)pɔrte] ⟨1a⟩ take back; *chiffres, solde* carry over; (*ajourner*) postpone

reporter[2] [r(ə)pɔrtɛr] *m/f* reporter

repos [r(ə)po] *m* rest; **reposer** ⟨1a⟩ **1** *v/t* (*remettre*) put back; *question* ask again; (*détendre*) rest; ***se ~*** rest; ***se ~ sur*** *fig* (*compter sur*) rely on **2** *v/i*: **~ *sur*** rest on; *fig* (*être fondé sur*) be based on

repoussant, ~e [r(ə)pusɑ̃, -t] repulsive, repellant; **repousser** ⟨1a⟩ **1** *v/t* (*dégoûter*) repel; (*différer*) postpone; *pousser en arrière*, MIL push back; (*rejeter*) reject **2** *v/i* grow again

reprendre [r(ə)prɑ̃dr] ⟨4q⟩ **1** *v/t* take back; (*prendre davantage de*) take more; *ville* recapture; (*recommencer*) resume, start again; (*réprimander*) reprimand; (*corriger*) correct; *entreprise* take over (***à*** from); (*recouvrer*) regain; (*remporter*) pick up **2** *v/i retrouver vigueur* recover, pick up; (*recommencer*) start again; ***se ~*** (*se corriger*) correct o.s.; (*se maîtriser*) pull o.s. together

représailles [r(ə)prezaj] *fpl* reprisals; ***exercer des ~*** take reprisals

représentant, ~e [r(ə)prezɑ̃tɑ̃, -t] *m/f* representative (*aussi* COMM); **représentatif, -ive** representative; **représentation** *f* representation; *au théâtre* performance; **représenter** ⟨1a⟩ represent; *au théâtre* perform; ***se ~ qch*** imagine sth; ***se ~*** POL run again for election

répressif, -ive [represif, -iv] POL repressive; **répression** *f* repression; ***mesures*** *fpl* ***de ~*** crackdown (***contre*** on)

réprimande [reprimɑ̃d] *f* reprimand; **réprimander** ⟨1a⟩ reprimand

réprimer [reprime] ⟨1a⟩ suppress

reprise [r(ə)priz] *f d'une ville* recapture; *d'une marchandise* taking back; *d'un travail, d'une lutte* resumption; ***à plusieurs ~s*** on several occasions; **~ *économique*** economic recovery; **repriser** ⟨1a⟩ darn, mend

réprobateur, -trice [reprɔbatœr, -tris] reproachful; **réprobation** *f* reproof

reproche [r(ə)prɔʃ] *m* reproach; **reprocher** ⟨1a⟩ reproach; **~ *qch à qn*** reproach s.o. for sth

reproducteur, -trice [rəprɔdyktœr, -tris] BIOL reproductive; **reproduction** *f* reproduction; **reproduire** ⟨4c⟩ reproduce; ***se ~*** happen again; BIOL reproduce, breed

reptile [rɛptil] *m* reptile

républicain, **~e** [repyblikɛ̃, -ɛn] *m/f & adj* republican; **république** *f* republic

répugnance [repyɲɑ̃s] *f* repugnance (***pour*** for); **répugnant**, **~e** repugnant; **répugner** ⟨1a⟩: ***~ à qch*** be repelled by sth; ***~ à faire qch*** be reluctant to do sth

répulsif, **-ive** [repylsif, -iv] *m* repellent; **répulsion** *f* repulsion

réputation [repytasjõ] *f* reputation; **réputé**, **~e** famous; ***elle est ~e être …*** she is said *ou* supposed to be …

requérir [rəkerir] ⟨2l⟩ require

requête [rəkɛt] *f* request

requiem [rekwijɛm] *m* requiem

requin [r(ə)kɛ̃] *m* shark

requis, **~e** [rəki, -z] necessary

réquisitionner [rekizisjɔne] ⟨1a⟩ requisition

rescapé, **~e** [rɛskape] *m/f* survivor

réseau [rezo] *m* (*pl* -x) network; ***~ routier*** road network *ou* system

réservation [rezɛrvasjõ] *f* booking, reservation

réserve [rezɛrv] *f* reserve; (*entrepôt*) stockroom, storeroom; (*provision*) stock, reserve; *indienne* reservation; ***émettre des ~s*** (***à propos de qch***) express reservations (about sth); ***~ naturelle*** nature reserve; ***en ~*** in reserve; ***sans ~*** unreservedly; ***sous ~ de*** subject to

réservé, **~e** [rezɛrve] reserved (*aussi fig*); **réserver** ⟨1a⟩ reserve; *dans un hôtel, un restaurant* book, reserve; (*mettre de côté*) put aside; ***~ qch à qn*** keep *ou* save sth for s.o.; ***~ une surprise à qn*** have a surprise for s.o.

réservoir [rezɛrvwar] *m* tank; *lac etc* reservoir

résidence [rezidɑ̃s] *f* residence; ***~ universitaire*** dormitory, *Br* hall of residence; **résidentiel**, **~le** residential; **résider** ⟨1a⟩ live; ***~ dans*** *fig* lie in

résidu [rezidy] *m* residue; MATH remainder

résignation [reziɲasjõ] *f* resignation; **résigner** ⟨1a⟩ *d'une fonction* resign; ***se ~*** resign o.s. (***à*** to)

resiliation [reziljasjõ] *f* cancellation; **resilier** ⟨1a⟩ *contrat* cancel

résine [rezin] *f* resin

résistance [rezistɑ̃s] *f* resistance; (*endurance*) stamina; *d'un matériau* strength; ***la Résistance*** HIST the Resistance; **résistant**, **~e** strong, tough; ***~ à la chaleur*** heatproof, heat-resistant; **résister** ⟨1a⟩ resist; ***~ à*** *tentation, personne* resist; *sécheresse* withstand, stand up to

résolu, **~e** [rezɔly] determined (***à faire qch*** to do sth); **résolution** *f* (*décision*) resolution; (*fermeté*) determination; *d'un problème* solving

résonance [rezɔnɑ̃s] *f* resonance; **résonner** ⟨1a⟩ echo, resound

résorber [rezɔrbe] ⟨1a⟩ absorb

résoudre [rezudr] ⟨4bb⟩ **1** *v/t problème* solve **2** *v/i*: ***~ de faire qch*** decide to do sth; ***se ~ à faire qch*** decide to do sth

respect [rɛspɛ] *m* respect; ***tenir qn en ~*** fend s.o. off; ***par ~ pour*** out of respect for

respectable [rɛspɛktabl] *personne, somme* respectable; **respecter** ⟨1a⟩ respect; ***~ le(s) délai(s)*** meet the deadline; ***~ la priorité*** AUTO yield, *Br* give way; ***se ~*** have some self-respect; *mutuellement* respect each other; ***se faire ~*** command respect

respectif, **-ive** [rɛspɛktif, -iv] respective; **respectivement** *adv* respectively

respectueux, **-euse** [rɛspɛktɥø, -z] respectful

respirateur [rɛspiratœr] *m* respirator; ***~ artificiel*** life support system; **respiration** *f* breathing; ***retenir sa ~*** hold one's breath; ***~ artificielle*** MÉD artificial respiration; **respirer** ⟨1a⟩ **1** *v/t* breathe; *fig* exude **2** *v/i* breathe

resplendir [rɛsplɑ̃dir] ⟨2a⟩ glitter

responsabilité [rɛspõsabilite] *f* responsibility (***de*** for); JUR liability; ***accepter la ~ de*** accept responsibility for; **responsable** responsible (***de*** for)

ressaisir [r(ə)sezir] ⟨2a⟩: ***se ~*** pull o.s. together

R

ressemblance [r(ə)sɑ̃blɑ̃s] *f* resemblance; **ressembler** ⟨1a⟩: ***~ à*** resemble, be like; ***se ~*** resemble each other, be like each other; ***ne ~ à rien*** *péj* look like nothing on earth
ressemeler [r(ə)səmle] ⟨1c⟩ resole
ressentiment [r(ə)sɑ̃timɑ̃] *m* resentment
ressentir [r(ə)sɑ̃tir] ⟨2b⟩ feel; ***se ~ de qch*** still feel the effects of sth
resserrer [r(ə)sɛre] ⟨1b⟩ *nœud, ceinture* tighten; *fig*: *amitié* strengthen
resservir [r(ə)sɛrvir] ⟨2b⟩ **1** *v/t*: ***puis-je vous ~?*** would you like some more? **2** *v/i* be used again
ressort [r(ə)sɔr] *m* TECH spring; *fig* motive; (*énergie*) energy; (*compétence*) province; JUR jurisdiction; ***ce n'est pas de mon ~*** that's not my province *ou* responsibility; ***en dernier ~*** JUR without appeal; *fig* as a last resort
ressortir [r(ə)sɔrtir] ⟨2b⟩ (*aux* ***être***) come / go out again; (*se détacher*) stand out; ***faire ~*** bring out, emphasize; ***il ressort de cela que*** it emerges from this that; ***~ à*** JUR fall within the jurisdiction of
ressortissant, ~e [r(ə)sɔrtisɑ̃, -t] *m/f* national
ressource [r(ə)surs] *f* resource
ressusciter [resysite] ⟨1a⟩ **1** *v/t* resuscitate; *fig aussi* revive **2** *v/i* come back to life
restant, ~e [rɛstɑ̃, -t] **1** *adj* remaining **2** *m* remainder
restaurant [rɛstɔrɑ̃] *m* restaurant; **restaurateur, -trice** *m/f* restaurateur; ART restorer; **restauration** *f* catering; ART restoration; ***~ rapide*** fast food; **restaurer** ⟨1a⟩ restore
reste [rɛst] *m* rest, remainder; ***~s*** CUIS leftovers; ***du ~, au ~*** moreover; ***être en ~ avec*** be in debt to
rester [rɛste] ⟨1a⟩ **1** *v/i* (*aux* ***être***) (*subsister*) be left, remain; (*demeurer*) stay, remain; ***on en reste là*** we'll stop there **2** *impersonnel*: ***il reste du vin*** there's some wine left; ***il ne reste plus de pain*** there's no bread left; ***(il) reste que*** nevertheless
restituer [rɛstitɥe] ⟨1n⟩ (*rendre*) return; (*reconstituer*) restore; **restitution** *f* restitution
restoroute [rɛstɔrut] *m* freeway *ou Br* motorway restaurant
restreindre [rɛstrɛ̃dr] ⟨4b⟩ restrict
restriction [rɛstriksjõ] *f* restriction; ***sans ~*** unreservedly
résultat [rezylta] *m* result; **résulter** ⟨1a⟩ result (***de*** from)
résumé [rezyme] *m* summary; **résumer** ⟨1a⟩ *article, discours* summarize; *situation* sum up
résurrection [rezyrɛksjõ] *f* REL resurrection (*aussi fig*)
rétablir [retablir] ⟨2a⟩ (*restituer*) restore; (*remettre*) re-establish, restore; ***se ~*** recover; **rétablissement** *m* restoration; *malade* recovery
retaper [r(ə)tape] ⟨1a⟩ *lettre* re-type; F *maison* do up
retard [r(ə)tar] *m* lateness; *dans travail, paiement* delay; *dans un développement* backwardness; ***avoir deux heures de ~*** be two hours late; ***avoir du ~ en anglais*** be behind in English; ***avoir du ~ sur qn*** be behind s.o.; ***être en ~*** be late; *d'une montre* be slow; *fig* be behind; ***avec 3 heures de ~*** three hours late; ***sans ~*** without delay; **retardataire** *m/f* latecomer; (*traînard*) straggler; **retardé, ~e** delayed; *enfant* retarded; **retarder** ⟨1a⟩ **1** *v/t* delay, hold up; *montre* put back **2** *v/i d'une montre* be slow; ***~ de cinq minutes*** be five minutes slow; ***~ sur son temps*** *fig* be behind the times
retenir [rətnir] ⟨2h⟩ *personne* keep; *argent* withhold; (*rappeler*) remember; *proposition*, *projet* accept; (*réserver*) reserve; ***se ~*** restrain o.s.
retentir [rətɑ̃tir] ⟨2a⟩ sound; *d'un canon, du tonnerre* boom; ***~ sur*** impact on; **retentissant, ~e** resounding (*aussi fig*); **retentissement** *m* impact
retenu, ~e [rətny] (*réservé*) reserved; (*empêché*) delayed, held up; **retenue** *f sur salaire* deduction; *fig* (*modération*) restraint
réticence [retisɑ̃s] *f* (*omission*) omis-

R

sion; (*hésitation*) hesitation
rétine [retin] *f* ANAT retina
retirer [r(ə)tire] ⟨1a⟩ withdraw; *vêtement, chapeau* take off, remove; *promesse* take back; *profit* derive; ***~ qch de*** remove sth from; ***se ~*** withdraw; (*prendre sa retraite*) retire
retombées [r(ə)tõbe] *fpl fig* repercussions, fallout F *sg*; ***~ radioactives*** PHYS radioactive fallout; **retomber** ⟨1a⟩ (*aux* **être**) *tomber de nouveau* fall again; (*tomber*) land; *de cheveux, rideau* fall; ***~ sur qch*** *fig* come back to sth; ***~ sur qn*** *de responsabilité* fall on s.o; ***~ dans qch*** sink back into sth
rétorquer [retɔrke] ⟨1m⟩ retort
rétorsion [retɔrsjõ] POL: ***mesure f de ~*** retaliatory measure
retouche [r(ə)tuʃ] *f d'un texte, vêtement* alteration; *d'une photographie* retouch; **retoucher** ⟨1a⟩ *texte, vêtement* alter; *photographie* retouch
retour [r(ə)tur] *m* return; ***être de ~*** be back; ***en ~*** in return; ; ***bon ~!*** have a good trip home!; ***par ~ du courrier*** by return of mail; **retourner** ⟨1a⟩ **1** *v/i* (*aux* **être**) return, go back; ***~ sur ses pas*** backtrack **2** *v/t matelas, tête* turn; *lettre* return; *vêtement* turn inside out; ***~ qn*** *fig* get s.o. to change their mind; ***tourner et ~*** *fig*: *idée* turn over and over in one's mind; ***se ~*** *au lit* turn over (*aussi* AUTO); (*tourner la tête*) turn (around); ***se ~ contre qn*** turn against s.o.
rétracter [retrakte] ⟨1a⟩: ***se ~*** retract
retrait [r(ə)trɛ] *m* withdrawal; ***en ~*** set back
retraite [r(ə)trɛt] *f* retirement; (*pension*) retirement pension; MIL retreat; ***prendre sa ~*** retire; **retraité**, **~e** *m/f* pensioner, retired person
retrancher [r(ə)trɑ̃ʃe] ⟨1a⟩ (*enlever*) remove, cut (**de** from); (*déduire*) deduct; ***se ~*** MIL dig in; *fig* take refuge
retransmettre [rətrɑ̃smɛtr] ⟨4p⟩ relay; **retransmission** *f* TV broadcast
rétrécir [retresir] ⟨2a⟩ **1** *v/t* shrink; *fig* narrow **2** *v/i* shrink; ***se ~*** narrow
rétribuer [retribɥe] ⟨1n⟩ pay; **rétribution** *f* remuneration, payment
rétroactif, **-ive** [retrɔaktif, -iv] retroactive
rétrograde [retrɔgrad] *mouvement* backward; *doctrine, politique* reactionary; **rétrograder** ⟨1a⟩ **1** *v/t* demote **2** *v/i* retreat; AUTO downshift
rétroprojecteur [retrɔprɔʒɛktœr] *m* overhead projector
rétrospectif, **-ive** [retrɔspɛktif, -iv] **1** *adj* retrospective **2** *f*: ***rétrospective*** retrospective
retrousser [r(ə)truse] ⟨1a⟩ *manches* roll up
retrouvailles [r(ə)truvaj] *fpl* F reunion *sg*; **retrouver** ⟨1a⟩ (*trouver*) find; *trouver de nouveau* find again; (*rejoindre*) meet; *santé* regain; ***se ~*** meet; ***se ~ seul*** find o.s. alone; ***on ne s'y retrouve pas*** it's confusing
rétroviseur [retrɔvizœr] *m* AUTO rear-view mirror
réunification [reynifikasjõ] *f* reunification; **réunifier** ⟨1a⟩ reunify
réunion [reynjõ] *f* (*assemblée*) meeting; POL reunion; ***être en ~*** be in a meeting; **réunir** ⟨2a⟩ bring together; *pays* reunite; *documents* collect; ***se ~*** meet
réussi, **~e** [reysi] successful; **réussir** ⟨2a⟩ **1** *v/i d'une personne* succeed; ***~ à faire qch*** manage to do sth, succeed in doing sth **2** *v/t vie, projet* make a success of; *examen* be successful in; ***~ un soufflé*** make a successful soufflé; **réussite** *f* success; *aux cartes* solitaire, *Br aussi* patience
réutilisable [reytilizabl] reusable; **réutiliser** ⟨1a⟩ reuse
revanche [r(ə)vɑ̃ʃ] *f* revenge; ***en ~*** on the other hand
rêve [rɛv] *m* dream
revêche [rəvɛʃ] harsh
réveil [revɛj] *m* awakening; (*pendule*) alarm (clock); **réveiller** ⟨1b⟩ *personne* waken, wake up; *fig* revive; ***se ~*** wake up
réveillon [revɛjõ] *m* special meal eaten on Christmas Eve or New Year's Eve; **réveillonner** ⟨1a⟩ have a réveillon
révélateur, **-trice** [revelatœr, -tris] re-

vealing; ***être ~ de qch*** point to sth; **révélation** *f* revelation; **révéler** ⟨1f⟩ reveal; ***se ~ faux*** prove to be false
revenant [rəvnɑ̃] *m* ghost
revendeur, -euse [r(ə)vɑ̃dœr, -øz] *m/f* retailer
revendication [r(ə)vɑ̃dikasjõ] *f* claim, demand; **revendiquer** ⟨1m⟩ claim, demand; *responsabilité* claim; ***~ un attentat*** claim responsibility for an attack
revendre [r(ə)vɑ̃dr] ⟨4a⟩ resell; ***avoir du temps à ~*** have plenty of time to spare
revenir [rəvnir] ⟨2h⟩ (*aux* **être**) come back, return (**à** to); *d'un mot* crop up; ***~ sur*** *thème, discussion* go back to; *décision, parole* go back on; ***~ sur ses pas*** retrace one's footsteps; ***~ à qn*** *d'une part* be due to s.o.; ***sa tête ne me revient pas*** I don't like the look of him; ***~ de*** *évanouissement* come around from; *étonnement* get over, recover from; *illusion* lose; ***~ cher*** cost a lot; ***cela revient au même*** it comes to the same thing; ***faire ~*** CUIS brown
revente [r(ə)vɑ̃t] *f* resale
revenu [rəvny] *m* income; ***~s*** revenue *sg*
rêver [rɛve] ⟨1a⟩ dream (**de** about); *éveillé* (day)dream (**à** about)
réverbère [revɛrbɛr] *m* street lamp
révérence [reverɑ̃s] *f* (*salut*) bow; *d'une femme* curtsey
rêverie [rɛvri] *f* daydream
revérifier [rəverifje] ⟨1a⟩ double-check
revers [r(ə)vɛr] *m* reverse, back; *d'une enveloppe, de la main* back; *d'un pantalon* cuff, *Br* turn-up; *fig* (*échec*) reversal; ***~ de la médaille*** other side of the coin
revêtement [r(ə)vɛtmɑ̃] *m* TECH cladding; *d'une route* surface; **revêtir** ⟨2g⟩ *vêtement* put on; *forme, caractère* assume; ***~ qn d'une autorité / dignité*** lend s.o. authority / dignity; ***~ qch de*** TECH cover *ou* clad sth in sth; ***~ une importance particulière*** take on particular importance
rêveur, -euse [rɛvœr, -øz] **1** *adj* dreamy **2** *m/f* dreamer
revigorer [r(ə)vigɔre] ⟨1a⟩ *fig* reinvigorate
revirement [r(ə)virmɑ̃] *m*: ***~ d'opinion*** sudden change in public attitude
réviser [revize] ⟨1a⟩ *texte* revise; *machine* service; **révision** *f* revision; TECH, AUTO service
revivre [r(ə)vivr] ⟨4e⟩ **1** *v/t* relive **2** *v/i* revive
révocation [revokasjõ] *f* revocation; *d'un dirigeant etc* dismissal
revoir [r(ə)vwar] **1** *vt* ⟨3b⟩ see again; *texte* review; ÉDU review, *Br* revise **2** *m*: ***au ~!*** goodbye!
révolte [revɔlt] *f* revolt; **révolter** ⟨1a⟩ revolt; ***se ~*** rebel, revolt
révolu, ~e [revɔly] bygone
révolution [revɔlysjõ] *f* revolution; **révolutionnaire** *m/f & adj* revolutionary; **révolutionner** ⟨1a⟩ revolutionize
revolver [revɔlvɛr] *m* revolver
révoquer [revɔke] ⟨1m⟩ *fonctionnaire* dismiss; *contrat* revoke
revue [r(ə)vy] *f* review; ***passer en ~*** *fig* review
rez-de-chaussée [redʃose] *m* (*pl inv*) first floor, *Br* ground floor
R.F.A. [ɛrɛfa] *f abr* (= ***République fédérale d'Allemagne***) FRG (Federal Republic of Germany)
rhabiller [rabije] ⟨1a⟩: ***se ~*** get dressed again
rhétorique [retɔrik] *f* rhetoric
Rhin [rɛ̃] *m* Rhine
rhinocéros [rinɔserɔs] *m* rhinoceros, rhino F
Rhône [ron] *m* Rhone
rhubarbe [rybarb] *f* BOT rhubarb
rhum [rɔm] *m* rum
rhumatisant, ~e [rymatizɑ̃, -t] rheumatic; **rhumatismes** *mpl* rheumatism *sg*
rhume [rym] *m* cold; ***~ de cerveau*** head cold; ***~ des foins*** hay fever
riant, ~e [rijɑ̃, -t] merry
ricanement [rikanmɑ̃] *m* sneer; *bête*

snigger; **ricaner** ⟨1a⟩ sneer; *bêtement* snigger

riche [riʃ] rich (***en*** in); *sol* fertile; *décoration*, *meubles* elaborate; **richesse** *f* wealth; *du sol* fertility

ricocher [rikɔʃe] ⟨1a⟩ ricochet

rictus [riktys] *m* grimace

ride [rid] *f* wrinkle, line; **ridé**, **~e** wrinkled, lined

rideau [rido] *m* (*pl* -x) drape, *Br* curtain; ***~ de fer*** POL Iron Curtain

rider [ride] ⟨1a⟩ *peau* wrinkle; ***se ~*** become wrinkled *ou* lined

ridicule [ridikyl] **1** *adj* ridiculous (***de faire qch*** to do sth) **2** *m* ridicule; (*absurdité*) ridiculousness; ***tourner qch en ~*** poke fun at sth; **ridiculiser** ⟨1a⟩ ridicule; ***se ~*** make a fool of o.s.

rien[2] [rjɛ̃] **1** *pron* ◊ nothing; ***de ~*** *comme réponse* not at all, you're welcome; ***ils ne se ressemblent en ~*** they are not at all alike; ***~ que cela?*** just that?, nothing else?; ***j'y suis pour ~*** I have nothing to do with it
◊ ***ne … ~*** nothing, not anything; ***il ne sait ~*** he knows nothing, he doesn't know anything; ***~ de ~*** nothing at all, absolutely nothing; ***~ du tout*** nothing at all; ***il n'en est ~*** it's not the case, it's not so
◊ *quelque chose* anything; ***sans ~ dire*** without saying anything
2 *m* trifle; ***en un ~ de temps*** in no time; ***pour un ~*** *se fâcher* for nothing, for no reason; ***un ~ de*** a touch of

rigide [riʒid] rigid (*aussi fig*)

rigolade [rigɔlad] *f* F joke

rigole [rigɔl] *f* (*conduit*) channel

rigoler [rigɔle] ⟨1a⟩ F joke; (*rire*) laugh; **rigolo**, **~te** F (*amusant*) funny

rigoureusement [rigurøzmɑ̃] *adv* rigorously; **rigoureux**, **-euse** rigorous, strict; **rigueur** *f* rigor, *Br* rigour; ***à la ~*** if absolutely necessary; ***de ~*** compulsory

rime [rim] *f* rhyme; **rimer** ⟨1a⟩ rhyme; ***ne ~ à rien*** *fig* not make sense

rinçage [rɛ̃saʒ] *m* rinse; **rincer** ⟨1k⟩ rinse

ring [riŋ] *m en boxe* ring

riposte [ripɔst] *f* riposte, response; *avec armes* return of fire; **riposter** ⟨1a⟩ reply, response; *avec armes* return fire

rire [rir] **1** *vi* ⟨4r⟩ laugh (***de*** about, at); (*s'amuser*) have fun; ***~ aux éclats*** roar with laughter; ***pour ~*** as a joke, for a laugh; ***~ de qn*** make fun of s.o., laugh at s.o.; ***se ~ de*** *fml* laugh at **2** *m* laugh; ***~s*** laughter *sg*

risée [rize] *f* mockery

risible [rizibl] laughable

risque [risk] *m* risk; ***à mes / tes ~s et périls*** at my / your own risk; ***au ~ de faire qch*** at the risk of doing sth; ***courir le ~ de faire qch*** risk doing sth, run the risk of doing sth; **risqué**, **~e** risky; *plaisanterie*, *remarque* risqué; **risquer** ⟨1m⟩ risk; ***~ de faire qch*** risk doing sth, run the risk of doing sth; ; ***se ~ dans*** *pièce* venture into; *entreprise* venture on

rissoler [risɔle] ⟨1a⟩ CUIS brown

rite [rit] *m* REL rite; *fig* ritual; **rituel**, **~le** *m & adj* ritual

rivage [rivaʒ] *m* shore

rival, **~e** [rival] (*mpl* -aux) *m/f & adj* rival; **rivaliser** ⟨1a⟩ compete, vie; **rivalité** *f* rivalry

rive [riv] *f d'un fleuve* bank; *d'une mer*, *d'un lac* shore; ***la Rive Gauche*** *à Paris* the Left Bank

river [rive] ⟨1a⟩ TECH rivet

riverain, **~e** [rivrɛ̃, -ɛn] *m/f* resident

rivet [rivɛ] *m* TECH rivet

rivière [rivjɛr] *f* river

rixe [riks] *f* fight, brawl

riz [ri] *m* BOT rice

robe [rɔb] *f* dress; *d'un juge*, *avocat* robe; ***~ de chambre*** robe, *Br* dressing gown; ***~ de mariée*** wedding dress; ***~ du soir*** evening dress

robinet [rɔbinɛ] *m* faucet, *Br* tap

robot [rɔbo] *m* robot

robuste [rɔbyst] sturdy, robust

roc [rɔk] *m* rock

rocaille [rɔkaj] *f terrain* stony ground; **rocailleux**, **-euse** stony; *voix* rough

roche [rɔʃ] *f* rock; **rocher** *m* rock; **rocheux**, **-euse** rocky; ***les Montagnes Rocheuses*** the Rocky Mountains

rock [rɔk] *m* MUS rock
rococo [rɔkɔko] *m* rococo
rodage [rɔdaʒ] *m* AUTO running in
rôder [rode] ⟨1a⟩ prowl; **rôdeur, -euse** *m/f* prowler
rogne [rɔɲ] *f*: ***être en ~*** F be in a bad mood
rogner [rɔɲe] ⟨1a⟩ **1** *v/t* cut, trim **2** *v/i*: ***~ sur qch*** cut *ou* trim sth
rognon [rɔɲõ] *m* CUIS kidney
roi [rwa] *m* king
rôle [rol] *m* role; (*registre*) roll; ***à tour de ~*** turn and turn about
ROM [rɔm] *f* (*pl inv*) *abr* (= ***read only memory***) ROM
romain, ~e [rɔmɛ̃, -ɛn] **1** *adj* Roman **2** *m/f* **Romain, ~e** Roman
roman [rɔmɑ̃] *m* novel
romancier, -ère [rɔmɑ̃sje, -ɛr] *m/f* novelist
romand, ~e [rɔmɑ̃, -d]: ***la Suisse ~e*** French-speaking Switzerland
romanesque [rɔmanɛsk] (*sentimental*) romantic
romantique [rɔmɑ̃tik] *m/f & adj* romantic; **romantisme** *m* romanticism
romarin [rɔmarɛ̃] *m* BOT rosemary
rompre [rõpr] ⟨4a⟩ **1** *v/i* break; ***~ avec*** *petit ami* break it off with; *tradition* break with; *habitude* break **2** *v/t* break (*aussi fig*); *relations, négociations, fiançailles* break off; ***se ~*** break; **rompu, ~e** (*cassé*) broken; ***~ à*** used to
ronce [rõs] *f* BOT: ***~s*** brambles
rond, ~e [rõ, -d] **1** *adj* round; *joues, personne* plump; F (*ivre*) drunk **2** *adv*: ***tourner ~*** *moteur, fig* run smoothly **3** *m figure* circle *m* **4** *f*: ***faire la ~e*** dance in a circle; ***faire sa ~e*** do one's rounds; *d'un soldat* be on patrol; *d'un policier* be on patrol, *Br aussi* be on the beat; ***à la ~e*** around; **rondelet, ~te** plump
rondelle [rõdɛl] *f* disk, *Br* disc; *de saucisson* slice; TECH washer
rondement [rõdmɑ̃] *adv* (*promptement*) briskly; (*carrément*) frankly
rondeur [rõdœr] *f* roundness; *des bras, d'une personne* plumpness; *fig* frankness; ***~s*** *d'une femme* curves
rondin [rõdɛ̃] *m* log
rond-point [rõpwɛ̃] *m* (*pl* ronds-points) traffic circle, *Br* roundabout
ronflement [rõfləmɑ̃] *m* snoring; *d'un moteur* purr; **ronfler** ⟨1a⟩ snore; *d'un moteur* purr
ronger [rõʒe] ⟨1l⟩ gnaw at; *fig* torment; ***se ~ les ongles*** bite one's nails; **rongeur** *m* ZO rodent
ronronnement [rõrɔnmɑ̃] *m* purr; **ronronner** ⟨1a⟩ purr
rosace [rozas] *f* ARCH rose window
rosaire [rozɛr] *m* REL rosary
rosbif [rɔzbif] *m* CUIS roast beef
rose [roz] **1** *f* BOT rose **2** *m couleur* pink **3** *adj* pink; **rosé, ~e 1** *m* rosé **2** *adj* pinkish
roseau [rozo] *m* (*pl* -x) BOT reed
rosée [roze] *f* dew
rosier [rozje] *m* rose bush
rossignol [rɔsiɲɔl] *m* ZO nightingale
rot [ro] *m* F belch
rotation [rɔtasjõ] *f* rotation
roter [rɔte] ⟨1a⟩ F belch
rôti [rɔti, ro-] *m* roast
rôtie [rɔti, ro-] *f* slice of toast
rotin [rɔtɛ̃] *m* rattan
rôtir [rɔtir, ro-] ⟨2a⟩ roast; **rôtisserie** *f* grill-room; **rôtissoire** *f* spit
rotule [rɔtyl] *f* ANAT kneecap
rouage [rwaʒ] *m* cogwheel; ***~s*** *d'une montre* works; *fig* machinery *sg*
roublard, ~e [rublar, -d] crafty
roucouler [rukule] ⟨1a⟩ *d'un pigeon* coo; *d'amoureux* bill and coo
roue [ru] *f* wheel; ***deux ~s*** *m* two-wheeler; ***~ libre*** freewheel
roué, ~e [rwe] crafty
rouer [rwe]⟨1a⟩: ***~ qn de coups*** beat s.o. black and blue
rouge [ruʒ] **1** *adj* red (*aussi* POL) **2** *adv fig*: ***voir ~*** see red **3** *m couleur, vin* red; ***~ à lèvres*** lipstick; ***~ à joues*** blusher; **rougeâtre** reddish
rouge-gorge [ruʒgɔrʒ] *m* (*pl* rouges-gorges) robin (redbreast)
rougeole [ruʒɔl] *f* MÉD measles *sg*
rouget [ruʒɛ] *m* mullet
rougeur [ruʒœr] *f* redness; (*irritation*) blotch; **rougir** ⟨2a⟩ go red; *d'une personne aussi* blush (***de*** with); *de colère*

flush (***de*** with)
rouille [ruj] *f* rust; **rouillé**, **~e** rusty (*aussi fig*); **rouiller** ⟨1a⟩ rust; ***se ~*** rust; *fig* go rusty
rouleau [rulo] *m* (*pl* -x) roller; *de papier peint*, *pellicule* roll; CUIS rolling pin
roulement [rulmɑ̃] *m de tambour* roll; *d'un train* rumble; TECH bearing; ***~ à billes*** TECH ball bearing
rouler [rule] ⟨1a⟩ **1** *v/i* roll; *d'une voiture* travel; ***ça roule?*** F how are things?, how goes it? F; ***~ sur qch*** *d'une conversation* be about sth **2** *v/t* roll; ***~ qn*** F cheat s.o.; ***se ~ par terre***: roll on the ground
roulette [rulɛt] *f de meubles* caster; *jeu* roulette
roulis [ruli] *m* MAR swell
roulotte [rulɔt] *f* trailer, *Br* caravan
roumain, **~e** [rumɛ̃, -ɛn] **1** *adj* Romanian **2** *m langue* Romanian **3** *m/f* **Roumain**, **~e** Romanian; **Roumanie**: ***la ~*** Romania
round [rund] *m en boxe* round
rouquin, **~e** [rukɛ̃, -in] *m/f* F redhead
rouspéter [ruspete] ⟨1f⟩ F complain
rousseur [rusœr] *f*: ***taches*** *fpl* ***de ~*** freckles; **roussir** ⟨2a⟩ **1** *v/t linge* scorch **2** *v/i de feuilles* turn brown; ***faire ~*** CUIS brown
route [rut] *f* road; (*parcours*) route; *fig* (*chemin*) path; ***en ~*** on the way; ***mettre en ~*** *moteur*, *appareil* start up; ***se mettre en ~*** set off; *fig* get under way; ***faire fausse ~*** take the wrong turning; *fig* be on the wrong track, be wrong; ***faire ~ vers*** be heading for; **routier**, **-ère** **1** *adj* road *atr* **2** *m* (*conducteur*) truck driver, *Br* long-distance lorry driver; *restaurant* truck stop, *Br aussi* transport café
routine [rutin] *f* routine; ***de ~*** routine *atr*; **routinier**, **-ère** routine *atr*
rouvrir [ruvrir] ⟨2f⟩ open again, reopen
roux, **rousse** [ru, -s] **1** *adj* red-haired; *cheveux* red **2** *m* CUIS roux
royal, **~e** [rwajal] (*mpl* -aux) royal; *fig*: *pourboire*, *accueil* superb, right royal; **royaliste** *m/f & adj* royalist
royaume [rwajom] *m* kingdom; **Royaume-Uni** United Kingdom; **royauté** *f* royalty
R.-U. *abr* (= ***Royaume-Uni***) UK (= United Kingdom)
ruban [rybɑ̃] *m* ribbon; ***~ adhésif*** adhesive tape
rubéole [rybeɔl] *f* German measles *sg*
rubis [rybi] *m* ruby
rubrique [rybrik] *f* heading
ruche [ryʃ] *f* hive
rude [ryd] *personne*, *manières* uncouth; *sévère*: *personne*, *voix*, *climat* harsh; *travail*, *lutte* hard
rudimentaire [rydimɑ̃tɛr] rudimentary; **rudiments** *mpl* rudiments, basics
rudoyer [rydwaje] ⟨1h⟩ be unkind to
rue [ry] *f* street; ***dans la ~*** on the street, *Br* in the street; ***en pleine ~*** in the middle of the street; ***descendre dans la ~*** take to the streets; ***~ à sens unique*** one-way street; ***~ piétonne*** pedestrianized zone, *Br aussi* pedestrian precinct
ruée [rɥe] *f* rush
ruelle [rɥɛl] *f* alley
ruer [rɥe] ⟨1n⟩ *d'un cheval* kick; ***~ dans les brancards*** *fig* kick over the traces; ***se ~ sur*** make a headlong dash for
rugby [rygbi] *m* rugby
rugir [ryʒir] ⟨2a⟩ roar; *du vent* howl; **rugissement** *m* roar
rugueux, **-euse** [rygø, -z] rough
ruine [rɥin] *f* ruin; **ruiner** ⟨1a⟩ ruin; **ruineux**, **-euse** incredibly expensive
ruisseau [rɥiso] *m* (*pl* -x) stream (*aussi fig*); (*caniveau*) gutter (*aussi fig*)
ruisseler [rɥisle] ⟨1c⟩ run
rumeur [rymœr] *f* hum; *de personnes* murmuring; (*nouvelle*) rumor, *Br* rumour
ruminer [rymine] ⟨1a⟩ **1** *v/i* chew the cud, ruminate **2** *v/t fig*: ***~ qch*** mull sth over
rupture [ryptyr] *f* breaking; *fig* split; *de négociations* breakdown; *de relations diplomatiques*, *fiançailles* breaking off; *de contrat* breach
rural, **~e** [ryral] (*mpl* -aux) rural

ruse [ryz] *f* ruse; ***la ~*** cunning; **rusé**, **~e** crafty, cunning
russe [rys] **1** *adj* Russian **2** *m langue* Russian **3** *m/f* **Russe** Russian; **Russie**: ***la ~*** Russia
rustique [rystik] rustic
rustre [rystr] *péj* **1** *adj* uncouth **2** *m* oaf
rutilant, **~e** [rytilɑ̃, -t] (*rouge*) glowing; (*brillant*) gleaming
rythme [ritm] *m* rhythm; (*vitesse*) pace; **rythmique** rhythmical

S

S. *abr* (= ***sud***) S (= south)
s' [s] → ***se***
sa [sa] → ***son***[1]
S.A. [ɛsɑ] *f abr* (= ***société anonyme***) Inc, *Br* plc
sable [sabl] *m* sand; **sablé** *m* CUIS shortbread biscuit; **sabler** ⟨1a⟩ sand; ***~ le champagne*** break open the champagne; **sablier** *m* CUIS eggtimer; **sablonneux**, **-euse** sandy
sabot [sabo] *m* clog; ZO hoof; ***~ de Denver*** Denver boot, *Br* clamp
sabotage [sabɔtaʒ] *m* sabotage; **saboter** ⟨1a⟩ sabotage; F *travail* make a mess of; **saboteur**, **-euse** *m/f* saboteur
sac [sak] *m* bag; *de pommes de terre* sack; ***~ de couchage*** sleeping bag; ***~ à dos*** backpack; ***~ à main*** purse, *Br* handbag; ***~ à provisions*** shopping bag
saccadé, **~e** [sakade] *mouvements* jerky; *voix* breathless
saccager [sakaʒe] ⟨1l⟩ (*piller*) sack; (*détruire*) destroy
saccharine [sakarin] *f* saccharine
sachet [saʃɛ] *m* sachet; ***~ de thé*** teabag
sacoche [sakɔʃ] *f* bag; *de vélo* saddlebag
sacre [sakr] *m d'un souverain* coronation
sacré, **~e** [sakre] sacred; *devant le substantif* F damn F, *Br aussi* bloody F
sacrement [sakrəmɑ̃] *m* REL sacrament
sacrifice [sakrifis] *m* sacrifice (*aussi fig*); **sacrifier** ⟨1a⟩ sacrifice (*aussi fig*); ***~ à la mode*** *fig* be a slave to fashion, be a fashion victim; ***se ~*** sacrifice o.s.
sacrilège [sakrilɛʒ] **1** *adj* sacrilegious **2** *m* sacrilege
sacro-saint, **~e** [sakrɔsɛ̃, -t] *iron* sacrosanct
sadique [sadik] **1** *adj* sadistic **2** *m/f* sadist; **sadisme** *m* sadism
safran [safrɑ̃] *m* BOT, CUIS saffron
saga [saga] *f* saga
sagace [sagas] shrewd; **sagacité** *f* shrewdness
sage [saʒ] **1** *adj* wise; *enfant* good **2** *m* sage, wise man; **sage-femme** *f* (*pl* sages-femmes) midwife; **sagesse** *f* wisdom; *d'un enfant* goodness
Sagittaire [saʒitɛr] *m* ASTROL Sagittarius
saignant, **~e** [sɛɲɑ̃, -t] bleeding; CUIS rare; **saignement** *m* bleeding; **saigner** ⟨1b⟩ **1** *v/i* bleed; ***je saigne du nez*** my nose is bleeding, I have a nosebleed **2** *v/t fig* bleed dry *ou* white
saillant, **~e** [sajɑ̃, -t] *pommettes* prominent; *fig* salient; **saillie** *f* ARCH projection; *fig* quip; **saillir** ⟨2c⟩ ARCH project
sain, **~e** [sɛ̃, sɛn] healthy (*aussi fig*); *gestion* sound; ***~ et sauf*** safe and sound; ***~ d'esprit*** sane
saindoux [sɛ̃du] *m* lard
saint, **~e** [sɛ̃, -t] **1** *adj* holy; ***vendredi m ~*** Good Friday **2** *m/f* saint; **Saint-**

Esprit *m* Holy Spirit; **sainteté** *f* holiness; **Saint-Sylvestre**: ***la ~*** New Year's Eve
saisie [sezi] *f* JUR, *de marchandises de contrebande* seizure; ***~ de données*** INFORM data capture; **saisir** ⟨2a⟩ seize; *personne, objet* take hold of, seize; *sens, intention* grasp; *occasion* seize, grasp; INFORM capture; ***se ~ de qn / de qch*** take hold of *ou* seize s.o. / sth; **saisissant**, **~e** striking; *froid* penetrating
saison [sɛzõ] *f* season; **saisonnier**, **-ère 1** *adj* seasonal **2** *m ouvrier* seasonal worker
salade [salad] *f* salad; ***~ de fruits*** fruit salad; **saladier** *m* salad bowl
salaire [salɛr] *m d'un ouvrier* wages *pl*; *d'un employé* salary; ***~ net*** take-home pay
salami [salami] *m* salami
salarial, **~e** [salarjal] (*mpl* -aux) wage *atr*; **salarié**, **~e 1** *adj travail* paid **2** *m/f ouvrier* wage-earner; *employé* salaried employee
salaud [salo] *m* P bastard F
sale [sal] dirty; *devant le substantif* nasty
salé, **~e** [sale] *eau* salt; CUIS salted; *fig*: *histoire* daring; *prix* steep; **saler** ⟨1a⟩ salt
saleté [salte] *f* dirtiness; ***~s*** *fig* (*grossièretés*) filthy remarks; F *choses sans valeur, mauvaise nourriture* junk *sg*
salière [saljɛr] *f* salt cellar
salir [salir] ⟨2a⟩: ***~ qch*** get sth dirty, dirty sth; **salissant**, **~e** *travail* dirty; *tissu* easily dirtied
salive [saliv] *f* saliva
salle [sal] *f* room; ***~ d'attente*** waiting room; ***~ de bain(s)*** bathroom; ***~ de classe*** classroom; ***~ d'eau*** shower room; ***~ à manger*** dining room; ***~ de séjour*** living room
salmonellose [salmɔneloz] *f* MÉD salmonella (poisoning)
salon [salõ] *m* living room; *d'un hôtel* lounge; (*foire*) show; ***~ de l'automobile*** auto show, *Br* motor show; ***~ de thé*** tea room; ***~ de coiffure*** hair salon, *Br* hairdressing salon
salopard [salɔpar] P *m* → ***salaud***; **salope** *f* P bitch; **saloperie** *f* F *chose sans valeur* piece of junk; (*bassesse*) dirty trick
salopette [salɔpɛt] *f* dungarees *pl*
salubre [salybr] healthy
saluer [salɥe] ⟨1n⟩ greet; MIL salute; ***~ qn (de la main)*** wave to s.o.
salut [saly] *m* greeting; MIL salute; (*sauvegarde*) safety; REL salvation; ***~!*** F hi!; (*au revoir*) bye!
salutaire [salytɛr] salutary; **salutation** *f* greeting; *dans lettre* ***recevez mes ~s distinguées*** yours truly, *Br* yours sincerely
samedi [samdi] *m* Saturday
sanatorium [sanatɔrjɔm] *m* sanitarium, *Br aussi* sanitorium
sanction [sɑ̃ksjõ] *f* (*peine, approbation*) sanction; **sanctionner** ⟨1a⟩ (*punir*) punish; (*approuver*) sanction
sanctuaire [sɑ̃ktɥɛr] *m* sanctuary
sandale [sɑ̃dal] *f* sandal
sandwich [sɑ̃dwitʃ] *m* (*pl* -s) sandwich
sang [sɑ̃] *m* blood; ***se faire du mauvais ~*** F worry, fret; **sang-froid** *m* composure, calmness; ***garder son ~*** keep one's cool; ***tuer qn de ~*** kill s.o. in cold blood; **sanglant**, **~e** bloodstained; *combat, mort* bloody
sanglier [sɑ̃glije] *m* (wild) boar
sanglot [sɑ̃glo] *m* sob; **sangloter** ⟨1a⟩ sob
sanguin, **~e** [sɑ̃gɛ̃, -in] blood *atr*; *tempérament* sanguine; ***groupe*** *m* ***~*** blood group; **sanguinaire** *personne* bloodthirsty; *combat* bloody; **sanguine** *f* BOT blood orange
sanitaire [sanitɛr] sanitary; ***installations*** *fpl* ***~s*** sanitary fittings, sanitation *sg*; *tuyauterie* plumbing *sg*
sans [sɑ̃] **1** *prép* without; ***~ manger / travailler*** without eating / working; ***~ sucre*** sugar-free, without sugar; ***~ parapluie / balcon*** without an umbrella / a balcony; ***~ toi nous serions tous …*** if it hadn't been for you we would all … **2** *conj*: ***~ que je le lui suggère*** (*subj*) without me suggesting it to him

S

sans-abri [sɑ̃zabri] *m/f* (*pl inv*): ***les ~*** the homeless *pl*
sans-emploi [sɑ̃zɑ̃plwa] *m* person without a job; ***les ~*** the unemployed *pl*
sans-façon [sɑ̃fasõ] *m* informality
sans-gêne [sɑ̃ʒɛn] **1** *m/f* (*pl inv*): ***être un / une ~*** be brazen *ou* impudent **2** *m* shamelessness
sans-souci [sɑ̃susi] *adj inv* carefree
santé [sɑ̃te] *f* health; ***être en bonne ~*** be in good health; ***à votre ~!*** cheers!, your very good health!
saoudien, **~ne** [saudjɛ̃, -ɛn] **1** *adj* Saudi (Arabian) **2** *m/f* **Saoudien**, **~ne** Saudi (Arabian)
saoul [su] → ***soûl***
saper [sape] ⟨1a⟩ undermine (*aussi fig*)
sapeur [sapœr] *m* MIL sapper; **sapeur-pompier** *m* (*pl* sapeurs-pompiers) firefighter, *Br aussi* fireman
saphir [safir] *m* sapphire
sapin [sapɛ̃] *m* BOT fir
sarcasme [sarkasm] *m* sarcasm; **sarcastique** sarcastic
Sardaigne [sardɛɲ]: ***la ~*** Sardinia; **sarde 1** *adj* Sardinian **2** *m/f* **Sarde** Sardinian
sardine [sardin] *f* sardine
sardonique [sardɔnik] sardonic
S.A.R.L. [ɛsaɛrɛl] *f abr* (= ***société à responsabilité limitée***) Inc, *Br* Ltd
Satan [satɑ̃] *m* Satan; **satanique** satanic
satellite [satelit] *m* satellite (*aussi fig*); ***ville f ~*** satellite town
satin [satɛ̃] *m* satin
satire [satir] *f* satire; **satirique** satirical
satisfaction [satisfaksjõ] *f* satisfaction; **satisfaire** ⟨4n⟩ **1** *v/i*: ***~ à*** *besoins*, *conditions* meet; ***~ à la demande*** COMM keep up with *ou* meet demand **2** *v/t* satisfy; *attente* come up to; **satisfaisant**, **~e** satisfactory; **satisfait**, **~e** satisfied (***de*** with)
saturation [satyrasjõ] *f* saturation; **saturer** ⟨1a⟩ saturate; ***je suis saturé de*** *fig* I've had more than enough of
sauce [sos] *f* sauce; ***~ tomate*** tomato sauce
saucisse [sosis] *f* sausage; **saucisson** *m* (dried) sausage
sauf[1] [sof] *prép* except; ***~ que*** except that; ***~ si*** except if; ***~ le respect que je vous dois*** with all due respect
sauf[2], **sauve** [sof, sov] safe, unharmed; **sauf-conduit** *m* (*pl* sauf-conduits) safe-conduct
sauge [soʒ] *f* BOT sage
saugrenu, **~e** [sogrəny] ridiculous
saule [sol] *m* BOT willow; ***~ pleureur*** weeping willow
saumon [somõ] *m* salmon
saumure [somyr] *f* brine
sauna [sona] *m* sauna
saupoudrer [sopudre] ⟨1a⟩ sprinkle (***de*** with)
saut [so] *m* jump; ***faire un ~ chez qn*** *fig* drop in briefly on s.o.; ***au ~ du lit*** on rising, on getting out of bed; ***~ à l'élastique*** bungee jumping; ***~ en hauteur*** high jump; ***~ en longueur*** broad jump, *Br* long jump; ***~ à la perche*** pole vault; ***~ périlleux*** somersault in the air
saute [sot] *f* abrupt change; ***~ de vent*** abrupt change in wind direction
sauté, **~e** [sote] CUIS sauté(ed)
sauter [sote] ⟨1a⟩ **1** *v/i* jump; (*exploser*) blow up; ÉL *d'un fusible* blow; *d'un bouton* come off; ***~ sur*** *personne* pounce on; *occasion*, *offre* jump at; ***faire ~*** CUIS sauté; ***cela saute aux yeux*** it's obvious, it's as plain as the nose on your face **2** *v/t obstacle*, *fossé* jump (over); *mot*, *repas* skip
sauterelle [sotrɛl] *f* grasshopper
sautiller [sotije] ⟨1a⟩ hop
sauvage [sovaʒ] **1** *adj* wild; (*insociable*) unsociable; (*primitif*, *barbare*) savage; *pas autorisé* unauthorized **2** *m/f* savage; (*solitaire*) unsociable person; **sauvagement** *adv* savagely
sauvegarde [sovgard] *f* safeguard; INFORM back-up; ***copie f de ~*** back-up (copy); **sauvegarder** ⟨1a⟩ safeguard; INFORM back up
sauve-qui-peut [sovkipø] *m* (*pl inv*) (*débandade*) stampede; **sauver** ⟨1a⟩

save; *personne en danger* save, rescue; *navire* salvage; ***~ les apparences*** save face; ***~ les meubles*** *fig* salvage something from the wreckage; ***sauve qui peut*** it's every man for himself; ***se ~*** run away; F (*partir*) be off; (*déborder*) boil over
sauvetage [sovtaʒ] *m* rescue; *de navire* salvaging; **sauveteur** *m* rescuer
sauveur [sovœr] *m* savior, *Br* saviour; ***le Sauveur*** REL the Savior
savamment [savamɑ̃] *adv* (*habilement*) cleverly; ***j'en parle ~*** (*en connaissance de cause*) I know what I'm talking about
savant, ~e [savɑ̃, -t] **1** *adj* (*érudit*) *personne, société, revue* learned; (*habile*) skillful, *Br* skilful **2** *m* scientist
saveur [savœr] *f* taste
savoir [savwar] **1** *v/t & v/i* ⟨3g⟩ know; ***sais-tu nager?*** can you swim?, do you know how to swim?; ***j'ai su que*** I found out that; ***je ne saurais vous le dire*** I couldn't rightly say; ***reste à ~ si*** it remains to be seen whether; ***à ~*** namely; ***faire ~ qch à qn*** tell s.o. sth; ***à ce que je sais***, (***pour autant***) ***que je sache*** (*subj*) as far as I know; ***sans le ~*** without realizing it, unwittingly **2** *m* knowledge
savoir-faire [savwarfɛr] *m* expertise, knowhow
savoir-vivre [savwarvivr] *m* good manners *pl*
savon [savõ] *m* soap; **savonner** ⟨1a⟩ soap; **savonnette** *f* bar of toilet soap; **savonneux, -euse** soapy
savourer [savure] ⟨1a⟩ savor, *Br* savour; **savoureux, -euse** tasty; *fig: récit* spicy
saxophone [saksɔfɔn] *m* saxophone, sax
scalpel [skalpɛl] *m* scalpel
scandale [skɑ̃dal] *m* scandal; ***au grand ~ de*** to the great indignation of; ***faire ~*** cause a scandal; ***faire tout un ~*** make a scene; **scandaleux, -euse** scandalous; **scandaliser** ⟨1a⟩ scandalize; ***se ~ de*** be shocked by
scandinave [skɑ̃dinav] **1** *adj* Scandinavian **2** *m/f* **Scandinave** Scandinavian; **Scandinavie**: ***la ~*** Scandinavia
scanner ⟨1a⟩ **1** *v/t* [skane] INFORM scan **2** *m* [skanɛr] INFORM, MÉD scanner
scaphandre [skafɑ̃dr] *m de plongeur* diving suit; *d'astronaute* space suit; **scaphandrier** *m* diver
scarlatine [skarlatin] *f* scarlet fever
sceau [so] *m* (*pl* -x) seal; *fig* (*marque, signe*) stamp
scellé [sele] *m* official seal; **sceller** ⟨1b⟩ seal (*aussi fig*)
scénario [senarjo] *m* scenario; (*script*) screenplay; ***~ catastrophe*** worst-case scenario; **scénariste** *m/f* scriptwriter
scène [sɛn] *f* scene (*aussi fig*); (*plateau*) stage; ***ne me fais pas une ~!*** don't make a scene!; ***mettre en ~*** *pièce, film* direct; *présenter* stage; ***mise f en ~*** direction; *présentation* staging; ***~ de ménage*** domestic argument
scepticisme [sɛptisism] *m* skepticism, *Br* scepticism; **sceptique 1** *adj* skeptical, *Br* sceptical **2** *m* skeptic, *Br* sceptic
sceptre [sɛptr] *m* scepter, *Br* sceptre
schéma [ʃema] *m* diagram; **schématique** diagrammatic; **schématisation** *f* oversimplification; **schématiser** ⟨1a⟩ oversimplify
schisme [ʃism] *m fig* split; REL schism
schizophrène [skizɔfrɛn] schizophrenic
sciatique [sjatik] *f* MÉD sciatica
scie [si] *f* saw; *fig* F bore
sciemment [sjamɑ̃] *adv* knowingly
science [sjɑ̃s] *f* science; (*connaissance*) knowledge; ***~s économiques*** economics *sg*; ***~s naturelles*** natural science *sg*; **science-fiction** *f* science-fiction; **scientifique 1** *adj* scientific **2** *m/f* scientist
scier [sje] ⟨1a⟩ saw; *branche etc* saw off
scinder [sɛ̃de] ⟨1a⟩ *fig* split; ***se ~*** split up
scintiller [sɛ̃tije] ⟨1a⟩ sparkle
scission [sisjõ] *f* split

S

sciure [sjyr] *f* sawdust
sclérose [skleroz] *f* MÉD sclerosis; **~ *artérielle*** arteriosclerosis
scolaire [skɔlɛr] school *atr*; *succès, échec* academic; ***année*** *f* **~** school year; **scolarité** *f* education, schooling
scoop [skup] *m* scoop
scooter [skutœr, -tɛr] *m* motor scooter
score [skɔr] *m* SP score; POL share of the vote
scorpion [skɔrpjõ] *m* ZO scorpion; ASTROL ***Scorpion*** Scorpio
scotch® [skɔtʃ] *m* Scotch tape®, *Br* sellotape®; **scotcher** ⟨1a⟩ tape, *Br* sellotape
scout [skut] *m* scout; **scoutisme** *m* scouting
script [skript] *m* block letters *pl*; *d'un film* script
scrupule [skrypyl] *m* scruple; **scrupuleux, -euse** scrupulous
scrutateur, -trice [skrytatœr, -tris] *regard* searching; **scruter** ⟨1a⟩ scrutinize
scrutin [skrytɛ̃] *m* ballot; **~ *de ballottage*** second ballot; **~ *majoritaire*** majority vote system, *Br aussi* first-past-the-post system; **~ *proportionnel*** proportional representation
sculpter [skylte] ⟨1a⟩ *statue* sculpt; *pierre* carve; **sculpteur** *m* sculptor; **sculpture** *f* sculpture; **~ *sur bois*** wood carving
se [sə] *pron* ◊ *réfléchi masculin* himself; *féminin* herself; *chose, animal* itself; *pluriel* themselves; *avec 'one'* oneself; ***elle s'est fait mal*** she hurt herself; ***il s'est cassé le bras*** he broke his arm
◊ *réciproque* each other, one another; ***ils* ~ *respectent*** they respect each other *ou* one another
◊ *passif*: ***cela ne* ~ *fait pas*** that isn't done; ***comment est-ce que ça* ~ *prononce?*** how is it pronounced?
séance [seɑ̃s] *f* session; (*réunion*) meeting, session; *de cinéma* show, performance; **~ *tenante*** *fig* immediately
seau [so] *m* (*pl* -x) bucket
sec, sèche [sɛk, sɛʃ] **1** *adj* dry; *fruits, légumes* dried; (*maigre*) thin; *réponse, ton* curt **2** *m*: ***tenir au* ~** keep dry, keep in a dry place **3** *adv*: ***être à* ~** *fig* F be broke; ***boire son whisky* ~** drink one's whiskey neat *ou* straight
sécateur [sekatœr] *m* secateurs *pl*
sèche-cheveux [sɛʃʃəvø] *m* (*pl inv*) hair dryer; **sèche-linge** [-lɛ̃ʒ] *m* clothes dryer; **sécher** ⟨1f⟩ **1** *v/t* dry; *rivière* dry up; **~ *un cours*** cut a class **2** *v/i* dry; *d'un lac* dry up; **sécheresse** *f* dryness; *manque de pluie* drought; *fig*: *de réponse, ton* curtness; **séchoir** *m* dryer
second, ~e [s(ə)gõ, -d] **1** *adj* second **2** *m étage* third floor, *Br* second floor; (*adjoint*) second in command **3** *f* second; *en train* second class; **secondaire** secondary; ***enseignement*** *m* **~** secondary education; **seconder** ⟨1a⟩ *personne* assist
secouer [s(ə)kwe] ⟨1a⟩ shake; *poussière* shake off
secourir [s(ə)kurir] ⟨2i⟩ come to the aid of; **secourisme** *m* first aid; **secouriste** *m/f* first-aider; **secours** *m* help; *matériel* aid; ***au* ~*!*** help!; ***appeler au* ~** call for help; ***poste*** *m* ***de* ~** first-aid post; ***sortie*** *f* ***de* ~** emergency exit; ***premiers* ~*s*** first aid *sg*
secousse [s(ə)kus] *f* jolt; *électrique* shock (*aussi fig*); *tellurique* tremor
secret, -ète [səkrɛ, -t] **1** *adj* secret; ***garder qch* ~** keep sth secret **2** *m* secret; (*discrétion*) secrecy; ***en* ~** in secret, secretly; ***dans le plus grand* ~** in the greatest secrecy
secrétaire [s(ə)kretɛr] **1** *m/f* secretary; **~ *de direction*** executive secretary; **~ *d'État*** Secretary of State **2** *m* writing desk; **secrétariat** *m bureau* secretariat; *profession* secretarial work
sécréter [sekrete] ⟨1f⟩ MÉD secrete; **sécrétion** *f* secretion
sectaire [sɛktɛr] sectarian; **secte** *f* REL sect
secteur [sɛktœr] *m* sector; (*zone*) area, district; ÉL mains *pl*

section [sɛksjõ] *f* section; **sectionner** ⟨1a⟩ (*couper*) sever; *région etc* divide up
séculaire [sekylɛr] a hundred years old; *très ancien* centuries-old
séculier, **-ère** [sekylje, -ɛr] secular
sécurité [sekyrite] *f* security; (*manque de danger*) safety; ***~ routière*** road safety; ***Sécurité sociale*** welfare, *Br* social security; ***être en ~*** be safe; ***des problèmes de ~*** security problems
sédatif [sedatif] *m* sedative
sédentaire [sedɑ̃tɛr] *profession* sedentary; *population* settled
sédiment [sedimɑ̃] *m* sediment
séditieux, **-euse** [sedisjø, -z] seditious; **sédition** *f* sedition
séducteur, **-trice** [sedyktœr, -tris] **1** *adj* seductive **2** *m/f* seducer; **séduction** *f* seduction; *fig* (*charme*) attraction; **séduire** ⟨4c⟩ seduce; *fig* (*charmer*) appeal to; *d'une personne* charm; **séduisant**, **~e** appealing; *personne* attractive
segment [sɛgmɑ̃] *m* segment
ségrégation [segregasjõ] *f* segregation
seigle [sɛgl] *m* AGR rye
seigneur [sɛɲœr] *m* REL: ***le Seigneur*** the Lord; HIST the lord of the manor
sein [sɛ̃] *m* breast; *fig* bosom; ***au ~ de*** within
séisme [seism] *m* earthquake
seize [sɛz] sixteen; → ***trois***; **seizième** sixteenth
séjour [seʒur] *m* stay; (***salle*** *f* ***de***) ~ living room; **séjourner** ⟨1a⟩ stay
sel [sɛl] *m* salt
sélect, **~e** [selɛkt] select; **sélectif**, **-ive** selective; **sélection** *f* selection; **sélectionner** ⟨1a⟩ select
selle [sɛl] *f* saddle (*aussi* CUIS); MÉD stool; ***être bien en ~*** *fig* be firmly in the saddle; **seller** ⟨1b⟩ saddle; **sellette** *f*: ***être sur la ~*** be in the hot seat
selon [s(ə)lõ] **1** *prép* according to; ***~ moi*** in my opinion; ***c'est ~*** it all depends **2** *conj*: ***~ que*** depending on whether

semaine [s(ə)mɛn] *f* week; ***à la ~*** *louer* weekly, by the week; ***en ~*** during the week, on weekdays
semblable [sɑ̃blabl] **1** *adj* similar; *tel* such; ***~ à*** like, similar to **2** *m* (*être humain*) fellow human being
semblant [sɑ̃blɑ̃] *m* semblance; ***faire ~ de faire qch*** pretend to do sth
sembler [sɑ̃ble] ⟨1a⟩ seem; ***~ être / faire*** seem to be / to do; ***il (me) semble que*** it seems (to me) that
semelle [s(ə)mɛl] *f* sole; *pièce intérieure* insole
semence [s(ə)mɑ̃s] *f* AGR seed
semer [s(ə)me] ⟨1d⟩ sow; *fig* (*répandre*) spread; ***~ qn*** F shake s.o. off
semestre [s(ə)mɛstr] *m* half-year; ÉDU semester, *Br* term; **semestriel**, **~le** half-yearly
semi-circulaire [səmisirkylɛr] semi-circular
séminaire [seminɛr] *m* seminar; REL seminary
semi-remorque [səmirmɔrk] *m* (*pl* semi-remorques) semi, tractor-trailer, *Br* articulated lorry
semonce [səmõs] *f* reproach
semoule [s(ə)mul] *f* CUIS semolina
Sénat [sena] *m* POL Senate; **sénateur** *m* senator; **sénatorial**, **~e** (*mpl* -aux) senatorial
sénile [senil] senile; **sénilité** *f* senility
sens [sɑ̃s] *m* sense; (*direction*) direction; (*signification*) sense, meaning; ***~ interdit*** no entry; ***~ dessus dessous*** [sɑ̃dsydsu] upside down; ***dans tous les ~*** this way and that; ***dans tous les ~ du terme*** in the full sense of the word; ***en un ~*** in a way; ***à mon ~*** to my way of thinking; ***le bon ~, le ~ commun*** common sense; ***~ giratoire*** traffic circle, *Br* roundabout; ***~ de l'humour*** sense of humor *ou Br* humour; (***rue*** *f* ***à***) ***~ unique*** one-way street
sensation [sɑ̃sasjõ] *f* feeling, sensation; *effet de surprise* sensation; ***faire ~*** cause a sensation; ***la presse à ~*** the gutter press; **sensationnel**, **~le** sensational
sensé, **~e** [sɑ̃se] sensible

sensibiliser [sɑ̃sibilize] ⟨1a⟩ MÉD sensitize; *~ **qn à qch*** *fig* heighten s.o.'s awareness of sth; **sensibilité** *f* sensitivity; **sensible** sensitive; (*notable*) appreciable; **sensiblement** *adv* appreciably; *plus ou moins* more or less; **sensiblerie** *f* sentimentality
sensualité [sɑ̃sɥalite] *f* sensuality; **sensuel, ~le** sensual
sentence [sɑ̃tɑ̃s] *f* JUR sentence
senteur [sɑ̃tœr] *f litt* scent, perfume
sentier [sɑ̃tje] *m* path
sentiment [sɑ̃timɑ̃] *m* feeling; **sentimental, ~e** (*mpl* -aux) *vie* love *atr*; *péj* sentimental; **sentimentalité** *f* sentimentality
sentinelle [sɑ̃tinɛl] *f* MIL guard
sentir [sɑ̃tir] ⟨2b⟩ **1** *v/t* feel; (*humer*) smell; (*dégager une odeur de*) smell of; ***se ~ bien*** feel well; ***~ le goût de qch*** taste sth; ***je ne peux pas la ~*** F I can't stand her **2** *v/i*: ***~ bon*** smell good
séparable [separabl] separable; **séparateur** *m* delimiter; **séparation** *f* separation; (*cloison*) partition; **séparatisme** *m* POL separatism; **séparatiste** POL separatist
séparé, ~e [separe] separate; *époux* separated; **séparément** *adv* separately; **séparer** ⟨1a⟩ separate; ***se ~*** separate
sept [sɛt] seven; → ***trois***; **septante** *Belgique, Suisse* seventy
septembre [sɛptɑ̃br] *m* September
septennat [sɛptɛna] *m* term of office (*of French President*)
septentrional, ~e [sɛptɑ̃trijɔnal] (*mpl* -aux) northern
septicémie [sɛptisemi] *f* septicemia
septième [sɛtjɛm] seventh
septique [sɛptik] septic
séquelles [sekɛl] *fpl* MÉD after-effects; *fig* aftermath *sg*
séquence [sekɑ̃s] *f* sequence
serein, ~e [sərɛ̃, -ɛn] calm, serene; *temps* calm
sérénade [serenad] *f* serenade
sérénité [serenite] *f* serenity
sergent [sɛrʒɑ̃] *m* MIL sergeant
série [seri] *f* series *sg*; *de casseroles, timbres* set; SP (*épreuve*) heat; ***hors ~*** *numéro* special; ***en ~*** *fabrication* mass *atr*; *produits* mass-produced; ***fabriquer en ~*** mass-produce
sérieusement [serjøzmɑ̃] *adv* seriously; *travailler* conscientiously; **sérieux, -euse 1** *adj* serious; *entreprise, employé* professional; (*consciencieux*) conscientious **2** *m* seriousness; ***prendre au ~*** take seriously; ***garder son ~*** keep a straight face
serin [s(ə)rɛ̃] *m* ZO canary
seringue [s(ə)rɛ̃g] *f* MÉD syringe
serment [sɛrmɑ̃] *m* oath; ***prêter ~*** take the oath
sermon [sɛrmɔ̃] *m* sermon (*aussi fig*)
séropositif, -ive [serɔpozitif, -iv] HIV-positive
serpent [sɛrpɑ̃] *m* snake; **serpenter** ⟨1a⟩ wind, meander; **serpentin** *m* paper streamer
serpillière [sɛrpijɛr] *f* floor cloth
serre [sɛr] *f* greenhouse; ***~s*** ZO talons
serré, ~e [sɛre] tight; *pluie* heavy; *personnes* closely packed; *café* strong; ***avoir le cœur ~*** have a heavy heart; **serre-livres** *m* (*pl inv*) bookend; **serrer** ⟨1b⟩ **1** *v/t* (*tenir*) clasp; *ceinture, nœud* tighten; *d'un vêtement* be too tight for; ***~ les dents*** clench one's jaw; *fig* grit one's teeth; ***~ la main à qn*** squeeze s.o.'s hand; *pour saluer* shake s.o.'s hand; ***~ les rangs*** *fig* close ranks **2** *v/i*: ***~ à droite*** keep to the right; ***se ~*** (*s'entasser*) move up, squeeze up; ***se ~ contre qn*** press against s.o.; ***se ~ les uns contre les autres*** huddle together
serrure [seryr] *f* lock; **serrurier** *m* locksmith
serveur [sɛrvœr] *m dans un café* bartender, *Br* barman; *dans un restaurant* waiter; INFORM server; **serveuse** *f dans un café* bartender, *Br* barmaid; *dans un restaurant* server, *Br* waitress
serviabilité [sɛrvjabilite] *f* helpfulness; **serviable** helpful
service [sɛrvis] *m* service; (*faveur*) favor, *Br* favour; *au tennis* service, serve; *d'une entreprise, d'un hôpital* department; ***être de ~*** be on duty;

à votre ~! at your service!; ***rendre ~ à qn*** do s.o. a favor; ***~ compris*** service included; ***mettre en ~*** put into service; ***hors ~*** out of order

serviette [sɛrvjɛt] *f* serviette; *de toilette* towel; *pour documents* briefcase; ***~ hygiénique*** sanitary napkin, *Br aussi* sanitary towel; ***~ de bain*** bath towel

servile [sɛrvil] servile

servir [sɛrvir] ⟨2b⟩ **1** *v/t patrie, intérêts, personne, mets* serve **2** *v/i* serve; (*être utile*) be useful; ***~ à qn*** be of use to s.o.; ***~ à qch / à faire qch*** be used for sth / for doing sth; ***ça sert à quoi?*** what's this for?; ***ça ne sert à rien*** (*c'est vain*) it's pointless, it's no use; ***~ de qch*** act as sth; ***cette planche me sert de table*** I use the plank as a table; ***~ d'interprète*** act as (an) interpreter **3**: ***se ~*** *à table* help o.s. (***en*** to); ***se ~ de*** (*utiliser*) use

servodirection [sɛrvɔdirɛksjõ] *f* AUTO power steering

servofrein [sɛrvɔfrɛ̃] *m* AUTO servo-brake

ses [se] → ***son***[1]

set [sɛt] *m au tennis* set; ***~ de table*** place mat

seuil [sœj] *m* doorstep; *fig* threshold; ***~ de rentabilité*** break-even (point)

seul, **~e** [sœl] **1** *adj* alone; (*solitaire*) lonely; *devant le subst.* only, sole; ***d'un ~ coup*** with (just) one blow, with a single blow **2** *adv* alone; ***faire qch tout ~*** do sth all by o.s. *ou* all on one's own; ***parler tout ~*** talk to o.s. **3** *m/f*: ***un ~, une ~e*** just one; **seulement** *adv* only; ***non ~ … mais encore*** *ou* ***mais aussi*** not only … but also

S

sève [sɛv] *f* BOT sap

sévère [sevɛr] severe; **sévèrement** *adv* severely; **sévérité** *f* severity

sévices [sevis] *mpl* abuse *sg*

sévir [sevir] ⟨2a⟩ *d'une épidemie* rage; ***~ contre qn*** come down hard on s.o.; ***~ contre qch*** clamp down on sth

sevrer [səvre] ⟨1d⟩ *enfant* wean

sexagénaire [sɛksaʒenɛr] *m/f & adj* sixty-year old

sexe [sɛks] *m* sex; *organes* genitals *pl*; **sexiste** *m/f & adj* sexist; **sexualité** *f* sexuality; **sexuel**, **~le** sexual; **sexy** *adj inv* sexy

seyant, **~e** [sɛjɑ̃, -t] becoming

shampo(o)ing [ʃɑ̃pwɛ̃] *m* shampoo

shérif [ʃerif] *m* sheriff

shit [ʃit] *m* F shit F, pot F

short [ʃɔrt] *m* shorts *pl*

si[1] [si] **1** *conj* (***s'il, s'ils***) if; ***~ j'achetais celui-ci …*** if I bought this one, if I were to buy this one; ***je lui ai demandé ~ …*** I asked him if *ou* whether …; ***~ ce n'est que*** apart from the fact that; ***comme ~*** as if, as though; ***même ~*** even if

◊: ***~ bien que*** with the result that, and so

2 *adv* ◊ (*tellement*) so; ***de ~ bonnes vacances*** such a good vacation; ***~ riche qu'il soit*** (*subj*) however rich he may be

◊ *après négation* yes; ***tu ne veux pas? - mais ~!*** you don't want to? - oh yes, I do

si[2] [si] *m* MUS B

Sicile [sisil]: ***la ~*** Sicily; **sicilien**, **~ne** **1** *adj* Sicilian **2** *m/f* **Sicilien**, **~ne** Sicilian

sida [sida] *m* MÉD Aids

sidéré, **~e** [sidere] F thunderstruck

sidérurgie [sideryrʒi] *f* steel industry; **sidérurgique** steel *atr*

siècle [sjɛkl] *m* century; *fig* (*époque*) age

siège [sjɛʒ] *m* seat; *d'une entreprise, d'un organisme* headquarters *pl*; MIL siege; ***~ social*** COMM head office; **siéger** ⟨1g⟩ sit; ***~ à*** *d'une entreprise, d'un organisme* be headquartered in

sien, **~ne** [sjɛ̃, sjɛn]: ***le sien, la sienne, les siens, les siennes*** *d'homme* his; *de femme* hers; *de chose, d'animal* its; *avec 'one'* one's; ***il avait perdu la ~ne*** he had lost his; ***y mettre du ~*** do one's bit

sieste [sjɛst] *f* siesta, nap

sifflement [sifləmɑ̃] *m* whistle; **siffler** ⟨1a⟩ **1** *v/i* whistle; *d'un serpent* hiss **2** *v/t* whistle; **sifflet** *m* whistle; **~s** whistles, whistling *sg*; ***coup*** *m* ***de ~*** blow

on the whistle; ***il a donné un coup de ~*** he blew his whistle
sigle [sigl] *m* acronym
signal [siɲal] *m* (*pl* -aux) signal; ***~ d'alarme*** alarm (signal); ***~ de détresse*** distress signal
signalement [siɲalmɑ̃] *m* description
signaler [siɲale] ⟨1a⟩ *par un signal* signal; (*faire remarquer*) point out; (*dénoncer*) report; ***se ~ par*** distinguish o.s. by
signalisation [siɲalizasjõ] *f dans rues* signs *pl*; ***feux*** *mpl* ***de ~*** traffic light *sg*, *Br* traffic lights *pl*
signataire [siɲatɛr] *m* signatory; **signature** *f* signature
signe [siɲ] *m* sign; *geste* sign, gesture; ***en ~ de*** as a sign of; ***faire ~ à qn*** gesture *ou* signal to s.o.; (*contacter*) get in touch with s.o.; ***c'est ~ que*** it's a sign that; ***~ de ponctuation*** punctuation mark; ***~ extérieur de richesse*** ÉCON status symbol; ***~s du zodiaque*** signs of the zodiac
signer [siɲe] ⟨1a⟩ sign; ***se ~*** REL make the sign of the cross, cross o.s.
signet [siɲɛ] *m* bookmark
significatif, **-ive** [siɲifikatif, -iv] significant; ***~ de*** indicative of; **signification** *f* meaning; **signifier** ⟨1a⟩ mean; ***~ qch à qn*** (*faire savoir*) notify s.o. of sth
silence [silɑ̃s] *m* silence; ***en ~*** in silence, silently; **silencieux**, **-euse 1** *adj* silent **2** *m d'une arme* muffler, *Br* silencer
silhouette [silwɛt] *f* outline, silhouette; (*figure*) figure
silicium [silisjɔm] *m* silicon
silicone [silikon] *f* silicone
sillage [sijaʒ] *m* wake (*aussi fig*)
sillon [sijõ] *m dans un champ* furrow; *d'un disque* groove; **sillonner** ⟨1a⟩ (*parcourir*) criss-cross
silo [silo] *m* silo
simagrées [simagre] *fpl* affectation *sg*; ***faire des ~*** make a fuss
similaire [similɛr] similar; **similarité** *f* similarity
simili [simili] *m* F imitation; ***en ~*** imitation *atr*; **similicuir** *m* imitation leather
similitude [similityd] *f* similarity
simple [sɛ̃pl] **1** *adj* simple; ***c'est une ~ formalité*** it's merely *ou* just a formality **2** *m au tennis* singles *pl*; **simplement** *adv* simply; **simplet**, **~te** (*niais*) simple; *idée* simplistic; **simplicité** *f* simplicity
simplification [sɛ̃plifikasjõ] *f* simplification; **simplifier** ⟨1a⟩ simplify
simpliste [sɛ̃plist] *idée* simplistic
simulacre [simylakr] *m* semblance
simulateur, **-trice** [simylatœr, -tris] **1** *m/f*: ***c'est un ~*** he's pretending **2** *m* TECH simulator; **simulation** *f* simulation; **simuler** ⟨1a⟩ simulate
simultané, **~e** [simyltane] simultaneous; **simultanéité** *f* simultaneousness; **simultanément** *adv* simultaneously
sincère [sɛ̃sɛr] sincere; **sincérité** *f* sincerity
sinécure [sinekyr] *f* sinecure
singe [sɛ̃ʒ] *m* monkey; **singer** ⟨1l⟩ ape; **singerie** *f* imitation; ***~s*** F antics
singulariser [sɛ̃gylarize] ⟨1a⟩: ***se ~*** stand out (***de*** from); **singularité** *f* (*particularité*) peculiarity; (*étrangeté*) oddness
singulier, **-ère** [sɛ̃gylje, -ɛr] **1** *adj* odd, strange **2** *m* GRAM singular
sinistre [sinistr] **1** *adj* sinister; (*triste*) gloomy **2** *m* disaster, catastrophe; **sinistré**, **~e 1** *adj* stricken **2** *m* victim of a disaster
sinon [sinõ] *conj* (*autrement*) or else, otherwise; (*sauf*) except; (*si ce n'est*) if not
sinueux, **-euse** [sinɥø, **-z**] *route* winding; *ligne* squiggly; *fig*: *explication* complicated
sinus [sinys] *m* sinus; **sinusite** *f* sinusitis
sionisme [sjɔnism] *m* POL Zionism
siphon [sifõ] *m* siphon; *d'évier* U-bend
sirène [sirɛn] *f* siren
sirop [siro] *m* syrup; ***~ d'érable*** maple syrup
siroter [sirɔte] ⟨1a⟩ sip
sis, **~e** [si, -z] JUR situated

sismique [sismik] seismic; **sismologie** *f* seismology
sitcom [sitkɔm] *m ou f* sitcom
site [sit] *m* (*emplacement*) site; (*paysage*) area; ~ ***Web*** INFORM web site
sitôt [sito] **1** *adv*: ~ ***parti, il …*** as soon as he had left he …; ~ ***dit,*** ~ ***fait*** no sooner said than done **2** *conj*: ~ ***que*** as soon as
situation [sitɥasjõ] *f* situation; (*emplacement, profession*) position; **situé**, **~e** situated; **situer** ⟨1n⟩ place, site; *histoire* set; ***se*** ~ be situated; *d'une histoire* be set
six [sis] six; → ***trois***; **sixième** sixth; **sixièmement** *adv* sixthly
skateboard [skɛtbɔrd] *m* skateboard; *activité* skateboarding; **skateur**, **-euse** *m/f* skateboarder
sketch [skɛtʃ] *m* sketch
ski [ski] *m* ski; *activité* skiing; ***faire du*** ~ ski, go skiing; ~ ***alpin*** downhill (skiing); ~ ***de fond*** cross-country (skiing); ~ ***nautique*** water-skiing; **skier** ⟨1a⟩ ski; **skieur**, **-euse** *m/f* skier
slave [slav] **1** *adj* Slav **2** *m/f* ***Slave*** Slav
slip [slip] *m de femme* panties *pl*, *Br aussi* knickers *pl*; *d'homme* briefs; ~ ***de bain*** swimming trunks *pl*
slogan [slɔgɑ̃] *m* slogan
slovaque [slɔvak] **1** *adj* Slovak(ian) **2** *m/f* ***Slovaque*** Slovak(ian)
slovène [slɔvɛn] **1** *adj* Slovene, Slovenian **2** *m/f* ***Slovène*** Slovene, Slovenian
S.M.I.C. [smik] *m abr* (= ***salaire minimum interprofessionnel de croissance***) minimum wage
smog [smɔg] *m* smog
smoking [smɔkiŋ] *m* tuxedo, *Br* dinner jacket
SMS [ɛsɛmɛs] *m* text (message)
S.N.C.F. [ɛsɛnseɛf] *f abr* (= ***Societé nationale des chemins de fer français***) French national railroad company
snob [snɔb] **1** *adj* snobbish **2** *m/f* snob; **snober** ⟨1a⟩ snub; **snobisme** *m* snobbery
sobre [sɔbr] sober; *style* restrained; **sobriété** *f* soberness; *d'un style* restraint
sobriquet [sɔbrikɛ] *m* nickname
sociabilité [sɔsjabilite] *f* sociability; **sociable** sociable
social, **~e** [sɔsjal] (*mpl* -aux) social; COMM company *atr*; **social-démocrate** *m* (*pl* sociaux-démocrates) social-democrat
socialisation [sɔsjalizasjõ] *f* socialization; **socialiser** ⟨1a⟩ socialize
socialisme [sɔsjalism] *m* socialism; **socialiste** *m/f & adj* socialist
société [sɔsjete] *f* society; *firme* company; ~ ***anonyme*** corporation, *Br* public limited company, plc; ~ ***en commandite*** limited partnership; ~ ***à responsabilité limitée*** limited liability company; ~ ***de vente par correspondance*** mail-order firm
sociologie [sɔsjɔlɔʒi] *f* sociology; **sociologue** *m/f* sociologist
socle [sɔkl] *m* plinth
socquette [sɔkɛt] *f* anklet, *Br* ankle sock
soda [sɔda] *m* soda, *Br* fizzy drink; ***un whisky*** ~ a whiskey and soda
sodium [sɔdjɔm] *m* CHIM sodium
sœur [sœr] *f* sister; REL nun, sister
sofa [sɔfa] *m* sofa
soi [swa] oneself; ***avec*** ~ with one; ***ça va de*** ~ that goes without saying; ***en*** ~ in itself
soi-disant [swadizɑ̃] *adj inv* so-called
soie [swa] *f* silk
soif [swaf] *f* thirst (***de*** for); ***avoir*** ~ be thirsty
soigné, **~e** [swaɲe] *personne* well-groomed; *travail* careful; **soigner** ⟨1a⟩ look after, take care of; *d'un médecin* treat; ***se*** ~ take care of o.s.; **soigneux**, **-euse** careful(***de*** about)
soi-même [swamɛm] oneself
soin [swɛ̃] *m* care; **~*s*** care *sg*; MÉD care *sg*, treatment *sg*; ***avoir*** *ou* ***prendre*** ~ ***de*** look after, take care of; ***être sans*** ~ be untidy; **~*s à domicile*** home care *sg*; **~*s dentaires*** dental treatment *sg*; **~*s médicaux*** health care *sg*
soir [swar] *m* evening; ***ce*** ~ this evening; ***un*** ~ one evening; ***le*** ~ in the

S

evening; **soirée** *f* evening; (*fête*) party; ~ ***dansante*** dance
soit[1] [swat] very well, so be it
soit[2] [swa] *conj* ~ ..., ~ ... either ..., or ...; (*à savoir*) that is, ie
soixantaine [swasɑ̃tɛn] *f* about sixty; **soixante** sixty; ~ ***et onze*** seventy-one; **soixante-dix** seventy
soja [sɔʒa] *m* BOT soy bean, *Br* soya
sol[1] [sɔl] *m* ground; (*plancher*) floor; (*patrie*), GÉOL soil
sol[2] [sɔl] *m* MUS G
solaire [sɔlɛr] solar
soldat [sɔlda] *m* soldier; ~ ***d'infanterie*** infantry soldier, infantryman
solde[1] [sɔld] *f* MIL pay
solde[2] [sɔld] *m* COMM balance; ~ ***débiteur / créditeur*** debit / credit balance; **~s** *marchandises* sale goods; *vente au rabais* sale *sg*
solder [sɔlde] ⟨1a⟩ COMM *compte* close, balance; *marchandises* sell off; ***se ~ par*** end in
sole [sɔl] *f* ZO sole
soleil [sɔlɛj] *m* sun; ***il y a du ~*** it's sunny; ***en plein ~*** in the sunshine; ***coup*** *m* ***de ~*** sunburn
solennel, **~le** [sɔlanɛl] solemn; **solennité** *f* solemnity
solfège [sɔlfɛʒ] *m* sol-fa
solidaire [sɔlidɛr]: ***être ~ de qn*** support s.o.; **solidariser** ⟨1a⟩: ***se ~*** show solidarity (***avec*** with); **solidarité** *f* solidarity
solide [sɔlid] **1** *adj porte, meubles* solid, strong; *tissu* strong; *argument* sound; *personne* sturdy, robust; (*consistant*) solid **2** *m* PHYS solid; **solidité** *f* solidity, strength; *d'un matériau* strength; *d'un argument* soundness
soliste [sɔlist] *m/f* soloist
solitaire [sɔlitɛr] **1** *adj* solitary **2** *m/f* loner **3** *m diamant* solitaire; **solitude** *f* solitude
sollicitation [sɔlisitasjõ] *f* plea; **solliciter** ⟨1a⟩ request; *attention* attract; *curiosité* arouse; ~ ***qn de faire qch*** plead with s.o. to do sth; ~ ***un emploi*** apply for a job
sollicitude [sɔlisityd] *f* solicitude
solo [sɔlo] *m* MUS solo
solstice [sɔlstis] *m* ASTR solstice
soluble [sɔlybl] soluble; ***café*** *m* ~ instant coffee
solution [sɔlysjõ] *f* solution
solvabilité [sɔlvabilite] *f* COMM solvency; *pour offrir un crédit* creditworthiness; **solvable** solvent; *digne de crédit* creditworthy
solvant [sɔlvɑ̃] *m* CHIM solvent
sombre [sõbr] *couleur, ciel, salle* dark; *temps* overcast; *avenir, regard* somber, *Br* sombre; **sombrer** ⟨1a⟩ sink; ~ ***dans la folie*** *fig* lapse *ou* sink into madness
sommaire [sɔmɛr] **1** *adj* brief; *exécution* summary **2** *m* summary
sommation [sɔmasjõ] *f* JUR summons *sg*
somme[1] [sɔm] *f* sum; (*quantité*) amount; *d'argent* sum, amount; ***en ~, ~ toute*** in short
somme[2] [sɔm] *m* nap, snooze; ***faire un ~*** have a nap *ou* snooze
sommeil [sɔmɛj] *m* sleep; ***avoir ~*** be sleepy; **sommeiller** ⟨1b⟩ doze
sommelier [sɔməlje] *m* wine waiter
sommer [sɔme] ⟨1a⟩: ~ ***qn de faire qch*** order s.o. to do sth
sommet [sɔmɛ] *m d'une montagne* summit, top; *d'un arbre, d'une tour, d'un toit* top; *fig* pinnacle; POL summit
sommier [sɔmje] *m* mattress
sommité [sɔmite] *f* leading figure
somnambule [sɔmnɑ̃byl] *m/f* sleepwalker; **somnambulisme** *m* sleepwalking
somnifère [sɔmnifɛr] *m* sleeping tablet
somnolence [sɔmnɔlɑ̃s] *f* drowsiness, sleepiness; **somnoler** ⟨1a⟩ doze
somptueux, **-euse** [sõptɥø, -z] sumptuous; **somptuosité** *f* sumptuousness
son[1] *m*, **sa** *f*, **ses** *pl* [sõ, sa, se] *d'homme* his; *de femme* her; *de chose, d'animal* its; *avec 'one'* one's; ***il / elle a perdu son ticket*** he lost his ticket / she lost her ticket
son[2] [sõ] *m* sound; ~ ***et lumière*** son et lumière

son[3] [sõ] *m* BOT bran
sondage [sõdaʒ] *m* probe; TECH drilling; **~ (*d'opinion*)** opinion poll, survey
sonde [sõd] *f* probe; **sonder** ⟨1a⟩ MÉD probe; *personne*, *atmosphère* sound out; ***~ le terrain*** see how the land lies
songe [sõʒ] *m litt* dream; **songer** ⟨1l⟩: ***~ à*** think about *ou* of; ***~ à faire qch*** think about *ou* of doing sth; **songeur**, **-euse** thoughtful
sonné, **~e** [sɔne] **1**: ***il est midi ~*** it's gone twelve o'clock **2** *fig* F: ***il est ~*** he's cracked F, he's got a slate loose F
sonner [sɔne] ⟨1a⟩ **1** *v/i de cloches*, *sonnette* ring; *d'un réveil* go off; *d'un instrument*, *d'une voix* sound; *d'une horloge* strike; ***dix heures sonnent*** it's striking ten, ten o'clock is striking; ***midi a sonné*** it has struck noon; ***~ du cor*** blow the horn; ***~ creux / faux*** *fig* ring hollow / false **2** *v/t cloches* ring; ***~ l'alarme*** MIL sound the alarm
sonnerie [sɔnri] *f de cloches* ringing; *mécanisme* striking mechanism; (*sonnette*) bell
sonnet [sɔnɛ] *m* sonnet
sonnette [sɔnɛt] *f* bell
sonore [sɔnɔr] *voix* loud; *rire* resounding; *cuivres* sonorous; *onde*, *film* sound *atr*; **sonorisation** *f appareils* PA system; **sonoriser** ⟨1a⟩ *film* dub; **sonorité** *f* sound, tone; *d'une salle* acoustics *pl*
sophistication [sɔfistikasjõ] *f* sophistication; **sophistiqué**, **~e** sophisticated
soporifique [sɔpɔrifik] sleep-inducing, soporific (*aussi fig*)
soprano [sɔprano] **1** *f* soprano **2** *m* treble
sorbet [sɔrbɛ] *m* sorbet
sorcellerie [sɔrsɛlri] *f* sorcery, witchcraft
sorcier [sɔrsje] *m* sorcerer; **sorcière** *f* witch
sordide [sɔrdid] filthy; *fig* sordid
sornettes [sɔrnɛt] *fpl* nonsense *sg*
sort [sɔr] *m* fate; (*condition*) lot; ***tirer au ~*** draw lots; ***jeter un ~ à qn*** *fig* cast a spell on s.o.; ***le ~ en est jeté*** *fig* the die is cast
sortant, **~e** [sɔrtɑ̃, -t] POL outgoing; *numéro* winning
sorte [sɔrt] *f* (*manière*) way; (*espèce*) sort, kind; ***toutes ~s de*** all sorts *ou* kinds of; ***une ~ de*** a sort *ou* kind of; ***de la ~*** of the sort *ou* kind; (*de cette manière*) like that, in that way; ***en quelque ~*** in a way; ***de*** (***telle***) ***~ que*** and so; ***faire en ~ que*** (+*subj*) see to it that
sortie [sɔrti] *f* exit; (*promenade*, *excursion*) outing; *d'un livre* publication; *d'un disque* release; *d'une voiture* launch; TECH outlet; MIL sortie; ***~s*** *argent* outgoings; ***~ de bain*** bathrobe; **~ (*sur*) *imprimante*** printout
sortilège [sɔrtilɛʒ] *m* spell
sortir [sɔrtir] ⟨2b⟩ **1** *v/i* (*aux* ***être***) come / go out; *pour se distraire* go out (***avec*** with); *d'un livre*, *un disque* come out; *au loto* come up; ***~ de*** *endroit* leave; *accident*, *affaire*, *entretien* emerge from; (*provenir de*) come from **2** *v/t chose* bring / take out; *enfant*, *chien*, *personne* take out; COMM bring out; F *bêtises* come out with **3**: ***s'en ~*** *d'un malade* pull through
S.O.S. [ɛsoɛs] *m* SOS
sosie [sɔzi] *m* double, look-alike
sot, **~te** [so, sɔt] **1** *adj* silly, foolish **2** *m/f* fool; **sottise** *f d'une action*, *une remarque* foolishness; *action / remarque* foolish thing to do / say
sou [su] *m fig* penny; ***être sans le ~*** be penniless; ***être près de ses ~s*** be careful with one's money
soubresaut [subrəso] *m* jump
souche [suʃ] *f d'un arbre* stump; *d'un carnet* stub
souci [susi] *m* worry, care; ***un ~ pour*** a worry to; ***sans ~*** carefree; ***avoir le ~ de*** care about; ***se faire du ~*** worry; **soucier** ⟨1a⟩: ***se ~ de*** worry about; **soucieux**, **-euse** anxious, concerned (***de*** about)
soucoupe [sukup] *f* saucer; ***~ volante*** flying saucer

S

soudain, **~e** [sudɛ̃, -ɛn] **1** *adj* sudden **2** *adv* suddenly; **soudainement** *adv* suddenly
Soudan [sudɑ̃]: ***le ~*** the Sudan; **soudanais**, **~e** **1** *adj* Sudanese **2** *m/f* **Soudanais**, **~e** Sudanese
soude [sud] *f* CHIM, PHARM soda
souder [sude] ⟨1a⟩ TECH weld; *fig* bring closer together
soudoyer [sudwaje] ⟨1h⟩ bribe
soudure [sudyr] *f* TECH welding; *d'un joint* weld
souffle [sufl] *m* breath; *d'une explosion* blast; ***second ~*** *fig* new lease of life; ***être à bout de ~*** be breathless, be out of breath; ***retenir son ~*** hold one's breath
soufflé, **~e** [sufle] **1** *adj fig*: ***être ~*** F be amazed **2** *m* CUIS soufflé
souffler [sufle] ⟨1a⟩ **1** *v/i du vent* blow; (*haleter*) puff; (*respirer*) breathe; (*reprendre son souffle*) get one's breath back **2** *v/t chandelle* blow out; ÉDU, *au théâtre* prompt; ***ne pas ~ mot*** not breathe a word; ***~ qch à qn*** F (*dire*) whisper sth to s.o.; (*enlever*) steal sth from s.o.
souffleur, **-euse** [suflœr, -øz] *m/f au théâtre* prompter
souffrance [sufrɑ̃s] *f* suffering; ***en ~*** *affaire* pending; **souffrant**, **~e** unwell; **souffrir** ⟨2f⟩ **1** *v/i* be in pain; ***~ de*** suffer from **2** *v/t* suffer; ***je ne peux pas la ~*** I can't stand her
soufre [sufr] *m* CHIM sulfur, *Br* sulphur
souhait [swɛ] *m* wish; ***à vos ~s!*** bless you!; **souhaitable** desirable; **souhaiter** ⟨1b⟩ wish for; ***~ qch à qn*** wish s.o. sth; ***~ que*** (+ *subj*) hope that
souiller [suje] ⟨1a⟩ dirty, soil; *fig*: *réputation* tarnish
soûl, **~e** [su, -l] **1** *adj* drunk **2** *m*: ***manger tout son ~*** F eat to one's heart's content
soulagement [sulaʒmɑ̃] *m* relief; **soulager** ⟨1l⟩ relieve; ***~ qn*** *au travail* help out
soûler [sule] ⟨1a⟩ F: ***~ qn*** get s.o. drunk; ***se ~*** get drunk
soulèvement [sulɛvmɑ̃] *m* uprising;
soulever ⟨1d⟩ raise; *fig*: *enthousiasme* arouse; *protestations* generate; *problème*, *difficultés* raise; ***se ~*** raise o.s.; (*se révolter*) rise up
soulier [sulje] *m* shoe
souligner [suliɲe] ⟨1a⟩ underline; *fig* stress, underline
soumettre [sumɛtr] ⟨4p⟩ *pays*, *peuple* subdue; *à un examen* subject (***à*** to); (*présenter*) submit; ***se ~ à*** submit to
soumis, **~e** [sumi, -z] **1** *p/p* → ***soumettre*** **2** *adj peuple* subject; (*obéissant*) submissive; **soumission** *f* submission; COMM tender
soupape [supap] *f* TECH valve
soupçon [supsõ] *m* suspicion; ***un ~ de*** a trace *ou* hint of; **soupçonner** ⟨1a⟩ suspect; ***~ que*** suspect that; **soupçonneux**, **-euse** suspicious
soupe [sup] *f* CUIS (thick) soup
soupente [supɑ̃t] *f* loft; *sous escaliers* cupboard
souper [supe] **1** *v/i* ⟨1a⟩ have dinner *ou* supper **2** *m* dinner, supper
soupeser [supəze] ⟨1d⟩ weigh in one's hand; *fig* weigh up
soupière [supjɛr] *f* soup tureen
soupir [supir] *m* sigh
soupirail [supiraj] *m* (*pl* -aux) basement window
soupirer [supire] ⟨1a⟩ sigh
souple [supl] supple, flexible; *fig* flexible; **souplesse** *f* flexibility
source [surs] *f* spring; *fig* source; ***prendre sa ~ dans*** rise in
sourcil [sursi] *m* eyebrow; **sourciller** ⟨1a⟩: ***sans ~*** without batting an eyelid; **sourcilleux**, **-euse** fussy, picky
sourd, **~e** [sur, -d] deaf; *voix* low; *douleur*, *bruit* dull; *colère* repressed; ***~-muet*** deaf-and-dumb; **sourdine** *f* MUS mute; ***en ~*** quietly; ***mettre une ~ à qch*** *fig* tone sth down
souriant, **~e** [surjɑ̃, -t] smiling
souricière [surisjɛr] *f* mousetrap; *fig* trap
sourire [surir] **1** *v/i* ⟨4r⟩ smile **2** *m* smile
souris [suri] *f* mouse
sournois, **~e** [surnwa, -z] **1** *adj* underhanded **2** *m/f* underhanded person;

sournoiserie *f* underhandedness
sous [su] *prép* under; **~ *la main*** to hand, within reach; **~ *terre*** underground; **~ *peu*** shortly, soon; **~ *forme de*** in the form of; **~ *ce rapport*** in this respect; **~ *mes yeux*** under my nose; **~ *la pluie*** in the rain; ***mettre* ~ *enveloppe*** put in an envelope
sous-alimenté, **~e** [suzalimɑ̃te] undernourished
sous-bois [subwa] *m* undergrowth
souscription [suskripsjõ] *f* subscription; **souscrire** ⟨4f⟩: **~ *à*** subscribe to (*aussi fig*); *emprunt* approve; **~ *un emprunt*** take out a loan
sous-développé, **~e** [sudevlɔpe] underdeveloped; **sous-développement** *m* underdevelopment
sous-emploi [suzɑ̃plwa] *m* underemployment
sous-entendre [suzɑ̃tɑ̃dr] ⟨4a⟩ imply; **sous-entendu**, **~e 1** *adj* implied **2** *m* implication
sous-estimer [suzɛstime] ⟨1a⟩ underestimate
sous-jacent, **~e** [suʒasɑ̃, -t] *problème* underlying
sous-locataire [sulɔkatɛr] *m/f* subletter; **sous-location** *f* subletting
sous-louer [sulwe] ⟨1a⟩ sublet
sous-marin, **~e** [sumarɛ̃, -in] **1** *adj* underwater **2** *m* submarine, F sub
sous-officier [suzɔfisje] *m* non-commissioned officer
sous-préfecture [suprefɛktyr] *f* subprefecture
sous-produit [suprɔdɥi] *m* by-product
sous-secrétaire [sus(ə)kretɛr] *m*: **~ *d'État*** assistant Secretary of State
soussigné, **~e** [susiɲe] *m/f*: ***je, ~ …*** I the undersigned …
sous-sol [susɔl] *m* GÉOL subsoil; *d'une maison* basement
sous-titre [sutitr] *m* subtitle
soustraction [sustraksjõ] *f* MATH subtraction; **soustraire** [sustrɛr] ⟨4s⟩ MATH subtract (***de*** from); *fig*: *au regard de* remove; *à un danger* protect (***à*** from)
sous-traitance [sutrɛtɑ̃s] *f* COMM sub-contracting; **sous-traiteur** *m* sub-contractor
sous-vêtements [suvɛtmɑ̃] *mpl* underwear *sg*
soutane [sutan] *f* REL cassock
soute [sut] *f* MAR, AVIAT hold
soutenable [sutnabl] tenable
soutenance [sutnɑ̃s] *f université* viva (voce)
souteneur [sutnœr] *m* protector
soutenir [sutnir] ⟨2h⟩ support; *attaque*, *pression* withstand; *conversation* keep going; *opinion* maintain; **~ *que*** maintain that; ***se* ~** support each other; **soutenu**, **~e** *effort* sustained; *style* elevated
souterrain, **~e** [sutɛrɛ̃, -ɛn] **1** *adj* underground, subterranean **2** *m* underground passage
soutien [sutjɛ̃] *m* support (*aussi fig*); **soutien-gorge** *m* (*pl* soutiens-gorge) brassière, bra
soutirer [sutire] ⟨1a⟩: **~ *qch à qn*** get sth out of s.o.
souvenir [suvnir] **1** ⟨2h⟩: ***se* ~ *de qn / qch*** remember s.o. / sth; ***se* ~ *que*** remember that **2** *m* memory; *objet* souvenir
souvent [suvɑ̃] often; ***assez* ~** quite often; ***moins* ~** less often, less frequently; ***le plus* ~** most of the time
souverain, **~e** [suvrɛ̃, -ɛn] *m/f* sovereign; **souveraineté** *f* sovereignty
soviétique [sɔvjetik] HIST **1** *adj* Soviet **2** *m/f* ***Soviétique*** Soviet
soyeux, **-euse** [swajø, -z] silky
spacieux, **-euse** [spasjø, -z] spacious
spaghetti [spageti] *mpl* spaghetti *sg*
sparadrap [sparadra] *m* Band-Aid®, *Br* Elastoplast®
spartiate [sparsjat] spartan
spasme [spasm] *m* MÉD spasm; **spasmodique** spasmodic
spatial, **~e** [spasjal] (*mpl* -iaux) spatial; ASTR space *atr*; ***recherches** fpl* **~*les*** space research
spatule [spatyl] *f* spatula
speaker, **~ine** [spikœr, spikrin] *m/f radio*, TV announcer
spécial, **~e** [spesjal] (*mpl* -aux) special; **spécialement** *adv* specially;

S

spécialiser ⟨1a⟩: ***se ~*** specialize; **spécialiste** *m/f* specialist; **spécialité** *f* speciality
spécieux, **-euse** [spesjø, -z] specious
spécifier [spesifje] ⟨1a⟩ specify; **spécifique** specific
spécimen [spesimɛn] *m* specimen
spectacle [spɛktakl] *m* spectacle; *théâtre, cinéma* show, performance; **spectaculaire** spectacular; **spectateur**, **-trice** *m/f* (*témoin*) onlooker; SP spectator; *au cinéma, théâtre* member of the audience
spectre [spɛktr] *m* ghost; PHYS spectrum
spéculateur, **-trice** [spekylatœr, -tris] *m/f* speculator; **spéculatif**, **-ive** speculative; **spéculation** *f* speculation; **spéculer** ⟨1a⟩ FIN speculate (***sur*** in); *fig* speculate (***sur*** on, about)
spéléologie [speleɔlɔʒi] *f* caving
spermatozoïde [spɛrmatɔzɔid] *m* BIOL sperm; **sperme** *m* BIOL sperm
sphère [sfɛr] *f* MATH sphere (*aussi fig*); **sphérique** spherical
spirale [spiral] *f* spiral
spirite [spirit] *m/f* spiritualist; **spiritisme** *m* spiritualism
spiritualité [spiritɥalite] *f* spirituality; **spirituel**, **~le** spiritual; (*amusant*) witty
spiritueux [spiritɥø] *mpl* spirits
splendeur [splɑ̃dœr] *f* splendor, *Br* splendour; **splendide** splendid
spongieux, **-euse** [spɔ̃ʒjø, -z] spongy
sponsor [spɔ̃sɔr] *m* sponsor; **sponsoriser** ⟨1a⟩ sponsor
spontané, **~e** [spɔ̃tane] spontaneous; **spontanéité** *f* spontaneity
sporadique [spɔradik] sporadic
sport [spɔr] **1** *m* sport; ***faire du ~*** do sport; ***~s d'hiver*** winter sports **2** *adj vêtements* casual *atr*; ***être ~*** *d'une personne* be a good sport; **sportif**, **-ive** **1** *adj résultats, association* sports *atr*; *allure* sporty; (*fair-play*) sporting **2** *m* sportsman **3** *f* sportswoman
sprint [sprint] *m* sprint
spumeux, **-euse** [spymø, -z] foamy
square [skwar] *m* public garden
squash [skwaʃ] *m* SP squash
squatter [skwate] ⟨1a⟩ squat; **squatteur**, **-euse** *m/f* squatter
squelette [skəlɛt] *m* ANAT skeleton
St *abr* (= ***saint***) St (= saint)
stabilisateur, **-trice** [stabilizatœr, -tris] **1** *adj* stabilizing **2** *m* stabilizer; **stabilisation** *f des prix, d'une devise* stabilization; **stabiliser** ⟨1a⟩ stabilize; **stabilité** *f* stability; ***~ des prix*** price stability; **stable** stable
stade [stad] *m* SP stadium; *d'un processus* stage
stage [staʒ] *m* training period; (*cours*) training course; *pour professeur* teaching practice; (*expérience professionnelle*) work placement; **stagiaire** *m/f* trainee
stagnant, **~e** [stagnɑ̃, -t] *eau* stagnant; ***être ~*** *fig* be stagnating; **stagnation** *f* ÉCON stagnation
stalactite [stalaktit] *f* icicle
stalle [stal] *f d'un cheval* box; ***~s*** REL stalls
stand [stɑ̃d] *m de foire* booth, *Br* stand; *de kermesse* stall; ***~ de ravitaillement*** SP pits *pl*
standard [stɑ̃dar] *m* standard; TÉL switchboard
standardisation [stɑ̃dardizasjɔ̃] *f* standardization; **standardiser** ⟨1a⟩ standardize
standardiste [stɑ̃dardist] *m/f* TÉL (switchboard) operator
standing [stɑ̃diŋ] *m* status; ***de grand ~*** *hôtel, immeuble* high-class
star [star] *f* star
starter [startɛr] *m* AUTO choke
station [stasjɔ̃] *f* station; *de bus* stop; *de vacances* resort; ***~ balnéaire*** seaside resort; ***~ de sports d'hiver*** winter sport resort, ski resort; ***~ de taxis*** cab stand, *Br* taxi rank; ***~ thermale*** spa
stationnaire [stasjɔnɛr] stationary; **stationnement** *m* AUTO parking; **stationner** ⟨1a⟩ park
station-service [stasjɔ̃sɛrvis] *f* (*pl* stations-service) gas station, *Br* petrol station
statique [statik] static
statisticien, **~ne** [statistisjɛ̃, -ɛn] *m/f*

statistician; **statistique 1** *adj* statistical **2** *f* statistic; *science* statistics *sg*
statue [staty] *f* statue; ***Statue de la Liberté*** Statue of Liberty
stature [statyr] *f* stature
statut [staty] *m* status; ~ ***social*** social status; ~***s*** *d'une société* statutes
Ste *abr* (= ***sainte***) St (= saint)
sténographie [stenɔgrafi] *f* shorthand
stéréo(phonie) [stereo(fɔni)] *f* stereo; ***en*** ~ in stereo; **stéréo(phonique)** stereo(phonic)
stéréotype [stereɔtip] *m* stereotype; **stéréotypé**, **~e** stereotype
stérile [steril] sterile; **stériliser** ⟨1a⟩ sterilize; **stérilité** *f* sterility
stéroïde [sterɔid] *m* steroid; ~ ***anabolisant*** anabolic steroid
stéthoscope [stetɔskɔp] *m* MÉD stethoscope
steward [stiwart] *m* flight attendant, steward
stigmate [stigmat] *m* mark; ~***s*** REL stigmata; **stigmatiser** ⟨1a⟩ *fig* stigmatize
stimulant, **~e** [stimylɑ̃, -t] **1** *adj* stimulating **2** *m* stimulant; *fig* incentive, stimulus; **stimulateur** *m* MÉD: ~ ***cardiaque*** pacemaker; **stimuler** ⟨1a⟩ stimulate; **stimulus** *m* (*pl le plus souvent* stimuli) PSYCH stimulus
stipulation [stipylasjõ] *f* stipulation; **stipuler** ⟨1a⟩ stipulate
stock [stɔk] *m* stock; **stockage** *m* stocking; INFORM storage; ~ ***de données*** data storage; **stocker** ⟨1a⟩ stock; INFORM store
stoïcisme [stɔisism] *m* stoicism; **stoïque** stoical
stop [stɔp] *m* stop; *écriteau* stop sign; (***feu*** *m*) ~ AUTO brake light; ***faire du*** ~ F thumb a ride, hitchhike; **stopper** ⟨1a⟩ stop
store [stɔr] *m d'une fenêtre* shade, *Br* blind; *d'un magasin*, *d'une terrasse* awning
strabisme [strabism] *m* MÉD squint
strapontin [strapõtɛ̃] *m* tip-up seat
stratagème [strataʒɛm] *m* stratagem
stratégie [strateʒi] *f* strategy; **stratégique** strategic
stratifié, **~e** [stratifje] GÉOL stratified; TECH laminated
stress [strɛs] *m* stress; **stressant**, **~e** stressful; **stressé**, **~e** stressed(-out)
strict, **~e** [strikt] strict; ***au sens*** ~ in the strict sense (of the word); ***le*** ~ ***nécessaire*** the bare minimum
strident, **~e** [stridɑ̃, -t] strident
strip-tease [striptiz] *m* strip(tease)
structuration [stryktyrasjõ] *f* structuring; **structure** *f* structure
stuc [styk] *m* stucco
studieux, **-euse** [stydjø, -z] studious
studio [stydjo] *m* studio; (*appartement*) studio, *Br aussi* studio flat
stupéfaction [stypefaksjõ] *f* stupefaction; **stupéfait**, **~e** stupefied; **stupéfiant**, **~e 1** *adj* stupefying; **2** *m* drug; **stupéfier** ⟨1a⟩ stupefy
stupeur [stypœr] *f* stupor
stupide [stypid] stupid; **stupidité** *f* stupidity
style [stil] *m* style; **stylisé**, **~e** stylized; **styliste** *m de mode*, *d'industrie* stylist; **stylistique 1** *adj* stylistic **2** *f* stylistics
stylo [stilo] *m* pen; ~ ***à bille***, ~***-bille*** (*pl* stylos à bille, stylos-billes) ballpoint (pen); ~ ***plume*** fountain pen; **stylo-feutre** *m* (*pl* stylos-feutres) felt tip, felt-tipped pen
su, **~e** [sy] *p/p* → ***savoir***
suave [sɥav] *voix*, *goût* sweet
subalterne [sybaltɛrn] **1** *adj* junior, subordinate; *employé* junior **2** *m/f* junior, subordinate
subconscient [sybkõsjɑ̃] *m* subconscious
subdivision [sybdivizjõ] *f* subdivision
subir [sybir] ⟨2a⟩ (*endurer*) suffer; (*se soumettre volontairement à*) undergo; ~ ***une opération*** undergo a an operation
subit, **~e** [sybi, -t] sudden; **subitement** *adv* suddenly
subjectif, **-ive** [sybʒɛktif, -iv] subjective
subjonctif [sybʒõktif] *m* GRAM subjunctive

subjuguer [sybʒyge] ⟨1m⟩ *fig* captivate

sublime [syblim] sublime

submerger [sybmɛrʒe] ⟨1l⟩ submerge; ***être submergé de travail*** *fig* be up to one's eyes in work, be buried in work

subordination [sybɔrdinasjõ] *f* subordination

subordonné, **~e** [sybɔrdɔne] **1** *adj* subordinate **2** *m/f* subordinate **3** *f* GRAM subordinate clause; **subordonner** ⟨1a⟩ subordinate (***à*** to)

subrepticement [sybrɛptismɑ̃] *adv* surreptitiously

subside [sybzid, sypsid] *m* subsidy; **subsidiaire** subsidiary

subsistance [sybzistɑ̃s] *f* subsistence; **subsister** ⟨1a⟩ survive; *d'une personne aussi* live

substance [sypstɑ̃s] *f* substance; **substantiel**, **~le** [sypstɑ̃sjɛl] substantial

substituer [sypstitɥe] ⟨1n⟩: ***~ X à Y*** substitute X for Y; **substitution** *f* substitution

subterfuge [syptɛrfyʒ] *m* subterfuge

subtil, **~e** [syptil] subtle; **subtiliser** ⟨1a⟩ F pinch F (***à qn*** from s.o.); **subtilité** *f* subtlety

suburbain, **~e** [sybyrbɛ̃, -ɛn] suburban

subvenir [sybvənir] ⟨2h⟩: ***~ à*** *besoins* provide for

subvention [sybvɑ̃sjõ] *f* grant, subsidy; **subventionner** ⟨1a⟩ subsidize

subversif, **-ive** [sybvɛrsif, -iv] subversive; **subversion** *f* subversion

suc [syk] *m*: ***~s gastriques*** gastric juices

succédané [syksedane] *m* substitute

succéder [syksede] ⟨1f⟩: ***~ à*** follow; *personne* succeed; ***se ~*** follow each other

succès [syksɛ] *m* success; ***avec ~*** successfully, with success; ***sans ~*** unsuccessfully, without success

successeur [syksesœr] *m* successor; **successif**, **-ive** successive; **succession** *f* succession; JUR (*biens dévolus*) inheritance; **successivement** *adv* successively

succomber [sykõbe] ⟨1a⟩ (*mourir*) die, succumb; ***~ à*** succumb to

succulent, **~e** [sykylɑ̃, -t] succulent

succursale [sykyrsal] *f* COMM branch

sucer [syse] ⟨1k⟩ suck; **sucette** *f bonbon* lollipop; *de bébé* pacifier, *Br* dummy

sucre [sykr] *m* sugar; ***~ glace*** confectioner's sugar, *Br* icing sugar; **sucré**, **~e** sweet; *au sucre* sugared; *péj* sugary; **sucrer** ⟨1a⟩ sweeten; *avec sucre* sugar; **sucreries** *fpl* sweet things; **sucrier** *m* sugar bowl

sud [syd] **1** *m* south; ***vent*** *m* ***du ~*** south wind; ***au ~ de*** (to the) south of **2** *adj* south; *hemisphère* southern; ***côte*** *f* ***~*** south *ou* southern coast

sud-africain, **~e** [sydafrikɛ̃, -ɛn] **1** *adj* South African **2** *m/f* **Sud-Africain**, **~e** South African

sud-américain, **~e** [sydamerikɛ̃, -ɛn] **1** *adj* South American **2** *m/f* **Sud-Américain**, **~e** South American

sud-est [sydɛst] *m* south-east

Sudiste [sydist] *m/f & adj* HIST Confederate

sud-ouest [sydwɛst] *m* south-west

Suède [sɥɛd]: ***la ~*** Sweden; **suédois**, **~e** **1** *adj* Swedish **2** *m langue* Swedish **3** *m/f* **Suédois**, **~e** Swede

suer [sɥe] ⟨1n⟩ **1** *v/i* sweat **2** *v/t* sweat; *fig* (*dégager*) ooze; **sueur** *f* sweat

suffire [syfir] ⟨4o⟩ be enough; ***~ pour faire qch*** be enough to do sth; ***cela me suffit*** that's enough for me; ***il suffit que tu le lui dises*** (*subj*) all you have to do is tell her; ***il suffit de …*** all you have to do is …; ***ça suffit!*** that's enough!, that'll do!

suffisamment [syfizamɑ̃] *adv* sufficiently, enough; ***~ intelligent*** sufficiently intelligent, intelligent enough; ***~ de …*** enough …, sufficient …; **suffisance** *f* arrogance; **suffisant**, **~e** sufficient, enough; (*arrogant*) arrogant

suffixe [syfiks] *m* LING suffix

suffocant, **~e** [syfɔkɑ̃, -t] suffocating; *fig* breathtaking; **suffocation** *f* suffocation; **suffoquer** ⟨1m⟩ **1** *v/i* suf-

focate **2** *v/t* suffocate; **~ *qn*** *fig* take s.o.'s breath away
suffrage [syfraʒ] *m* vote; ***remporter tous les ~s*** *fig* get everyone's vote, win all the votes; **~ *universel*** universal suffrage
suggérer [sygʒere] ⟨1f⟩ suggest (**à** to)
suggestif, **-ive** [sygʒɛstjõ] suggestive; *robe etc* revealing; **suggestion** *f* suggestion
suicide [sɥisid] *m* suicide; **suicidé**, **~e** *m/f* suicide victim; **suicider** ⟨1a⟩: ***se ~*** kill o.s., commit suicide
suie [sɥi] *f* soot
suinter [sɥɛ̃te] ⟨1a⟩ *d'un mur* ooze
suisse [sɥis] **1** *adj* Swiss **2** *m/f* **Suisse** Swiss **3**: ***la Suisse*** Switzerland
suite [sɥit] *f* pursuit; (*série*) series *sg*; (*continuation*) continuation; *d'un film, un livre* sequel; (*escorte*) retinue, suite; MUS, *appartement* suite; ***la ~ de l'histoire*** the rest of the story, what happens next; **~s** (*conséquences*) consequences, results; *d'un choc, d'une maladie* after-effects; ***faire ~ à qch*** follow sth, come after sth; ***prendre la ~ de qn*** succeed s.o.; ***donner ~ à*** *lettre* follow up; ***~ à votre lettre du ...*** further to *ou* with reference to your letter of ...; ***trois fois de ~*** three times in succession *ou* in a row; ***et ainsi de ~*** and so on; ***par ~ de*** as a result of, due to; ***tout de ~*** immediately, at once; ***par la ~*** later, subsequently; ***à la ~ de qn*** in s.o.'s wake, behind s.o.; ***à la ~ de qch*** following sth, as a result of sth
suivant, **~e** [sɥivɑ̃, -t] **1** *adj* next, following **2** *m/f* next person; ***au ~!*** next! **3** *prép* (*selon*) according to **4** *conj*: ***~ que*** depending on whether
suivi, **~e** [sɥivi] *travail, effort* sustained; *relations* continuous, unbroken; *argumentation* coherent
suivre [sɥivr] ⟨4h⟩ **1** *v/t* follow; *cours* take **2** *v/i* follow; *à l'école* keep up; ***faire ~*** *lettre* please forward; ***à ~*** to be continued
sujet, **~te** [syʒɛ, -t] **1** *adj*: ***~ à qch*** subject to sth **2** *m* subject; ***à ce ~*** on that subject; ***au ~ de*** on the subject of
sulfureux, **-euse** [sylfyrø, -z] sultry
summum [sɔmɔm] *m fig*: ***le ~ de*** the height of
super [sypɛr] **1** *adj* F great F, neat F **2** *m essence* premium, *Br* four-star
superbe [sypɛrb] superb
supercarburant [sypɛrkarbyrɑ̃] *m* high-grade gasoline *ou Br* petrol
supercherie [sypɛrʃəri] *f* hoax
superficie [sypɛrfisi] *f fig*: *aspect superficiel* surface; (*surface, étendue*) (surface) area; **superficiel**, **~le** superficial
superflu, **~e** [sypɛrfly] **1** *adj* superfluous **2** *m* surplus
supérieur, **~e** [syperjœr] **1** *adj* higher; *étages, face, mâchoire* upper; (*meilleur, dans une hiérarchie*) superior (*aussi péj*); **~ *à*** higher than; (*meilleur que*) superior to **2** *m/f* superior; **supériorité** *f* superiority
superlatif [sypɛrlatif] *m* GRAM, *fig* superlative
supermarché [sypɛrmarʃe] *m* supermarket
superposer [sypɛrpoze] ⟨1a⟩ stack; *couches* superimpose; ***lits*** *mpl* ***superposés*** bunk beds; ***se ~*** stack; *d'images* be superimposed
super-puissance [sypɛrpɥisɑ̃s] *f* superpower
supersonique [sypɛrsɔnik] supersonic
superstitieux, **-euse** [sypɛrstisjø, -z] superstitious; **superstition** *f* superstition
superstructure [sypɛrstryktyr] *f* superstructure
superviser [sypɛrvize] ⟨1a⟩ supervise; **superviseur** *m* supervisor
supplanter [syplɑ̃te] ⟨1a⟩ supplant
suppléant, **~e** [sypleɑ̃, -t] **1** *adj* acting **2** *m/f* stand-in, replacement; **suppléer** ⟨1a⟩: **~ *à*** make up for
supplément [syplemɑ̃] *m* supplement; ***un ~ de ...*** additional *ou* extra ...; **supplémentaire** additional
suppliant, **~e** [syplijɑ̃, -t] pleading; **supplication** *f* plea
supplice [syplis] *m* torture; *fig* agony; **supplicier** ⟨1a⟩ torture

supplier [syplije] ⟨1a⟩: **~ *qn de faire qch*** beg s.o. *ou* plead with s.o. to do sth

support [sypɔr] *m* support; **~ *de données*** INFORM data carrier; **supportable** bearable; **supporter**[1] ⟨1a⟩ TECH, ARCH support, hold up; *conséquences* take; *frais* bear; *douleur, personne* bear, put up with; *chaleur, alcool* tolerate

supporter[2] [sypɔrtɛr] *m* SP supporter, fan

supposé, ~e [sypoze] supposed; *nom* assumed; **supposer** ⟨1a⟩ suppose; (*impliquer*) presuppose; ***à ~ que, en supposant que*** (+ *subj*) supposing that; **supposition** *f* supposition

suppositoire [sypozitwar] *m* PHARM suppository

suppression [sypresjõ] *f* suppression; **supprimer** ⟨1a⟩ *institution, impôt* abolish, get rid of; *emplois* cut; *mot, passage* delete; *cérémonie, concert* cancel; **~ *qn*** get rid of s.o.

suppurer [sypyre] ⟨1a⟩ suppurate

supranational, ~e [sypranasjɔnal] (*mpl* -aux) supranational

suprématie [sypremasi] *f* supremacy; **suprême** supreme

sur[1] [syr] *prép* ◊ on; ***prendre qch ~ l'étagère*** take sth off the shelf; ***la clé est ~ la porte*** the key's in the lock; ***avoir de l'argent ~ soi*** have some money on one; **~ *le moment*** at the time

◊: ***une fenêtre ~ la rue*** a window looking onto the street

◊: ***tirer ~ qn*** shoot at s.o.

◊ *sujet* on, about; ***un film ~ …*** a movie on *ou* about …

◊: ***un ~ dix*** one out of ten; ***une semaine ~ trois*** one week in three, every three weeks

◊ *mesure* by ***4 cms ~ 10*** 4 cms by 10; ***le plage s'étend ~ 2 kilomètres*** the beach stretches for 2 kilometers

sur[2], **~e** [syr] sour

sûr, ~e [syr] sure; (*non dangereux*) safe; (*fiable*) reliable; *jugement* sound; **~ *de soi*** sure of o.s., self-confident; ***être ~ de son fait*** be sure of one's facts; ***bien ~*** of course; ***à coup ~ il sera …*** he's bound to be …

surcharge [syrʃarʒ] *f* overloading; (*poids excédentaire*) excess weight; **surcharger** ⟨1l⟩ overload

surchauffer [syrʃofe] ⟨1a⟩ overheat

surclasser [syrklase] ⟨1a⟩ outclass

surcroît [syrkrwa] *m*: ***un ~ de travail*** extra *ou* additional work; ***de ~, par ~*** moreover

surdité [syrdite] *f* deafness

surdoué, ~e [syrdwe] extremely gifted

sureau [syro] *m* (*pl* -x) BOT elder

surélever [syrelve] ⟨1d⟩ TECH raise

sûrement [syrmɑ̃] *adv* surely

surenchère [syrɑ̃ʃɛr] *f dans vente aux enchères* higher bid; **surenchérir** ⟨2a⟩ bid more; *fig* raise the ante

surestimer [syrɛstime] ⟨1a⟩ overestimate

sûreté [syrte] *f* safety; MIL security; *de jugement* soundness; ***Sûreté*** FBI, *Br* CID; ***pour plus de ~*** to be on the safe side

surexciter [syrɛksite] ⟨1a⟩ overexcite

surexposer [syrɛkspoze] ⟨1a⟩ *photographie* overexpose

surf [sœrf] *m* surfing; (*planche*) surfboard

surface [syrfas] *f* surface; ***grande ~*** COMM supermarket; ***remonter à la ~*** resurface; ***refaire ~*** *fig* resurface, reappear

surfait, ~e [syrfɛ, -t] overrated

surfer [sœrfe] ⟨1a⟩ surf; **~ *sur Internet*** surf the Net

surgelé, ~e [syrʒəle] **1** *adj* deep-frozen **2** *mpl*: **~*s*** frozen food *sg*

surgir [syrʒir] ⟨2a⟩ suddenly appear; *d'un problème* crop up

surhumain, ~e [syrymɛ̃, -ɛn] superhuman

sur-le-champ [syrləʃɑ̃] *adv* at once, straightaway

surlendemain [syrlɑ̃dmɛ̃] *m* day after tomorrow

surligner [syrliɲe] ⟨1a⟩ highlight; **surligneur** *m* highlighter

surmenage [syrmənaʒ] *m* overwork; **surmener** ⟨1d⟩ overwork; ***se ~*** over-

S

work, overdo it F

surmontable [syrmõtabl] surmountable; **surmonter** ⟨1a⟩ dominate; *fig* overcome, surmount

surnaturel, **~le** [syrnatyrɛl] supernatural

surnom [syrnõ] *m* nickname

surnombre [syrnõbr] *m*: ***en ~*** too many; ***ils étaient en ~*** there were too many of them

surnommer [syrnɔme] ⟨1a⟩ nickname

surpasser [syrpase] ⟨1a⟩ surpass

surpeuplé, **~e** [syrpœple] *pays* overpopulated; *endroit* overcrowded; **surpeuplement** *m d'un pays* overpopulation; *d'un endroit* overcrowding

surplomb [syrplõ]: ***en ~*** overhanging; **surplomber** ⟨1a⟩ overhang

surplus [syrply] *m* surplus; ***au ~*** moreover

surprenant, **~e** [syrprənɑ̃, -t] surprising; **surprendre** ⟨4q⟩ surprise; *voleur* catch (in the act); ***se ~ à faire qch*** catch o.s. doing sth

surpris, **~e** [syrpri, -z] **1** *p/p* → ***surprendre*** **2** *adj* surprised

surprise [syrpriz] *f* surprise; **surprise-partie** *f* (*pl* surprises-parties) surprise party

surréalisme [syrealism] *m* surrealism

sursaut [syrso] *m* jump, start; **sursauter** ⟨1a⟩ jump, give a jump

sursis [syrsi] *m fig* reprieve, stay of execution; ***peine de trois mois avec ~*** JUR suspended sentence of three months

surtaxe [syrtaks] *f* surcharge

surtension [syrtɑ̃sjõ] *f* ÉL surge

surtout [syrtu] *adv* especially; (*avant tout*) above all; ***non, ~ pas!*** no, absolutely not!; ***~ que*** F especially since

surveillance [syrvɛjɑ̃s] *f* supervision; *par la police etc* surveillance; ***exercer une ~ constante sur*** keep a permanent watch on; **surveillant**, **~e** *m/f* supervisor; *de prison* guard, *Br aussi* warder; **surveiller** ⟨1b⟩ keep watch over, watch; (*contrôler*) *élèves*, *employés* supervise; *de la police etc* observe, keep under surveillance; *sa ligne*, *son langage* watch; ***se ~*** *comportement* watch one's step; *poids* watch one's figure

survenir [syrvənir] ⟨2h⟩ (*aux* ***être***) *d'une personne* turn up *ou* arrive unexpectedly; *d'un événement* happen; *d'un problème* come up, arise

survêtement [syrvɛtmɑ̃] *m* sweats *pl*, *Br* tracksuit

survie [syrvi] *f* survival; REL afterlife; **survivant**, **~e** **1** *adj* surviving **2** *m/f* survivor; **survivre** ⟨4e⟩: ***~ à*** *personne* survive, outlive; *accident* survive

survoler [syrvɔle] ⟨1a⟩ fly over; *fig* skim over

sus [sy(s)]: ***en ~ de qch*** over and above sth, in addition to sth

susceptibilité [sysɛptibilite] *f* sensitivity, touchiness; **susceptible** sensitive, touchy; ***être ~ de faire qch*** be likely to do sth

susciter [sysite] ⟨1a⟩ arouse

suspect, **~e** [syspɛ(kt), -kt] (*équivoque*) suspicious; (*d'une qualité douteuse*) suspect; ***~ de qch*** suspected of sth; **suspecter** ⟨1a⟩ suspect

suspendre [syspɑ̃dr] ⟨4a⟩ suspend; (*accrocher*) hang up; **suspendu**, **~e** suspended; ***~ au plafond*** hanging *ou* suspended from the ceiling; ***être bien / mal ~*** *d'une voiture* have good / bad suspension

suspens [syspɑ̃]: ***en ~*** *personne* in suspense; *affaire* outstanding

suspense [syspɛns] *m* suspense

suspension [syspɑ̃sjõ] *f* suspension; ***points*** *mpl* ***de ~*** suspension points

suspicion [syspisjõ] *f* suspicion

susurrer [sysyre] ⟨1a⟩ whisper

suture [sytyr] *f* MÉD suture

svelte [svɛlt] trim, slender

S.V.P. *abr* (= ***s'il vous plaît***) please

sweat(shirt) [swit(ʃœrt)] *m* sweatshirt

sycomore [sikɔmɔr] *m* sycamore

syllabe [silab] *f* syllable

sylviculture [silvikyltyr] *f* forestry

symbiose [sɛ̃bjoz] *f* BIOL symbiosis

symbole [sɛ̃bɔl] *m* symbol; **symbolique** symbolic; **symboliser** ⟨1a⟩

symbolize; **symbolisme** *m* symbolism
symétrie [simetri] *f* symmetry; **symétrique** symmetrical
sympa [sɛ̃pa] F nice, friendly
sympathie [sɛ̃pati] *f* sympathy; (*amitié, inclination*) liking; **sympathique** nice, friendly; **sympathiser** ⟨1a⟩ get on (***avec qn*** with s.o.)
symphonie [sɛ̃fɔni] *f* MUS symphony; **symphonique** symphonic
symptôme [sɛ̃ptom] *m* symptom
synagogue [sinagɔg] *f* synagogue
synchronisation [sɛ̃krɔnizasjõ] *f* synchronization; **synchroniser** ⟨1a⟩ synchronize
syncope [sɛ̃kɔp] *f* MUS syncopation; MÉD fainting fit
syndical, **~e** [sɛ̃dikal] (*mpl* -aux) labor *atr*, *Br* (trade) union *atr*; **syndicaliser** ⟨1a⟩ unionize; **syndicaliste** **1** *adj* labor *atr*, *Br* (trade) union *atr* **2** *m/f* union member; **syndicat** *m* (labor) union, *Br* (trade) union; **~ *d'initiative*** tourist information office; **syndiqué**, **~e** unionized
syndrome [sɛ̃drom] *m* syndrome
synonyme [sinɔnim] **1** *adj* synonymous (***de*** with) **2** *m* synonym
syntaxe [sɛ̃taks] *f* GRAM syntax
synthèse [sɛ̃tɛz] *f* synthesis; **synthétique** *m & adj* synthetic; **synthétiseur** *m* MUS synthesizer
syphilis [sifilis] *f* syphilis
Syrie [siri]: ***la* ~** Syria; **syrien**, **~ne** **1** *adj* Syrian **2** *m/f* **Syrien**, **~ne** Syrian
systématique [sistematik] systematic; **systématiser** ⟨1a⟩ systematize; **système** *m* system; ***le* ~ *D*** F (*débrouillard*) resourcefulness; **~ *antidémarrage*** immobilizer; **~ *d'exploitation*** INFORM operating system; **~ *immunitaire*** immune system; **~ *solaire*** solar system

T

ta [ta] → ***ton²***
tabac [taba] *m* tobacco; ***bureau*** *m ou* ***débit*** *m* ***de* ~** tobacco store, *Br* tobacconist's; **tabagisme** *m* smoking
tabasser [tabase] ⟨1a⟩ beat up
table [tabl] *f* table; **~ *pliante*** folding table; **~ *des matières*** table of contents; ***à* ~!** come and get it!, food's up!; **~ *ronde*** round table; ***se mettre à* ~** sit down to eat
tableau [tablo] *m* (*pl* -x) *à l'école* board; (*peinture*) painting; *fig* picture; (*liste*) list; (*schéma*) table; **~ *d'affichage*** bulletin board, *Br* notice board; **~ *de bord*** AVIAT instrument panel
tablette [tablɛt] *f* shelf; **~ *de chocolat*** chocolate bar
tableur [tablœr] *m* INFORM spreadsheet
tablier [tablije] *m* apron
tabou [tabu] **1** *m* taboo **2** *adj* (*inv ou f* ***~e***, *pl* ***~(e)s***) taboo
tabouret [taburɛ] *m* stool
tabulation [tabylasjõ] *f* tab
tac [tak] *m*: ***répondre du* ~ *au* ~** answer quick as a flash
tache [taʃ] *f* stain (*aussi fig*)
tâche [tɑʃ] *f* task
tacher [taʃe] ⟨1a⟩ stain
tâcher [tɑʃe] ⟨1a⟩: **~ *de faire qch*** try to do sth
tacheté, **~e** [taʃte] stained
tachymètre [takimɛtr] *m* AUTO speedometer
tacite [tasit] tacit
taciturne [tasityrn] taciturn
tact [takt] *m* tact; ***avoir du* ~** be tactful
tactile [taktil] tactile
tactique **1** *adj* tactical **2** *f* tactics *pl*

taffetas [tafta] *m* taffeta
taie [tɛ] *f*: **~ (*d'oreiller*)** pillowslip
taille[1] [taj] *f* BOT pruning; *de la pierre* cutting
taille[2] [taj] *f* (*hauteur*) height; (*dimension*) size; ANAT waist; ***être de ~ à faire qch*** *fig* be capable of doing sth; ***de ~*** F enormous
taille-crayon(s) [tajkrɛjõ] *m* (*pl inv*) pencil sharpener
tailler [taje] ⟨1a⟩ BOT prune; *vêtement* cut out; *crayon* sharpen; *diamant, pierre* cut; **tailleur** *m* (*couturier*) tailor; *vêtement* (woman's) suit; ***~ de diamants*** diamond cutter
taillis [taji] *m* coppice
taire [tɛr] ⟨4a⟩ not talk about, hide; ***se ~*** keep quiet (***sur*** about); *s'arrêter de parler* stop talking, fall silent; ***tais-toi!*** be quiet!, shut up!
Taïwan [tajwan] Taiwan; **taïwanais, ~e** **1** *adj* Taiwanese **2** *m/f* **Taïwanais, ~e** Taiwanese
talc [talk] *m* talc
talent [talã] *m* talent; **talentueux, -euse** talented
talon [talõ] *m* ANAT, *de chaussure* heel; *d'un chèque* stub; ***~s aiguille*** spike heels, *Br* stilettos; **talonner** ⟨1a⟩ (*serrer de près*) follow close behind; (*harceler*) harass; **talonneur** *m en rugby* hooker
talus [taly] *m* bank
tambour [tãbur] *m* MUS, TECH drum; **tambouriner** ⟨1a⟩ drum
tamis [tami] *m* sieve
Tamise [tamiz]: ***la ~*** the Thames
tamiser [tamize] ⟨1a⟩ sieve; *lumière* filter
tampon [tãpõ] *m d'ouate* pad; *hygiène féminine* tampon; (*amortisseur*) buffer; (*cachet*) stamp; **tamponnement** *m* AUTO collision; **tamponner** ⟨1a⟩ *plaie* clean; (*cacheter*) stamp; AUTO collide with; **tamponneux, -euse**: ***auto f tamponneuse*** Dodgem®
tandem [tãdɛm] *m* tandem; *fig* twosome
tandis que [tãdi(s)k] *conj* while
tangent, ~e [tãʒã, -t] **1** *adj* MATH tangential **2** *f* MATH tangent
tangible [tãʒibl] tangible
tango [tãgo] *m* tango
tanguer [tãge] ⟨1a⟩ lurch
tanière [tanjɛr] *f* lair, den (*aussi fig*)
tank [tãk] *m* tank; **tanker** *m* tanker
tanné, ~e [tane] tanned; *peau* weatherbeaten; **tanner** ⟨1a⟩ tan; *fig* F pester; **tannerie** *f* tannery; **tanneur** *m* tanner
tant [tã] **1** *adv* so much; ***~ de vin*** so much wine; ***~ d'erreurs*** so many errors; ***~ bien que mal*** *réparer* after a fashion; (*avec diffculté*) with difficulty; ***~ mieux*** so much the better; ***~ pis*** too bad, tough **2** *conj*: ***~ que*** *temps* as long as; ***~ qu'à faire!*** might as well!; ***en ~ que Français*** as a Frenchman; ***~ … que …*** both … and …
tante [tãt] *f* aunt
tantième [tãtjɛm] *m* COMM percentage
tantôt [tãto] this afternoon; ***à ~*** see you soon; ***~ … ~ …*** now … now …
taon [tã] *m* horsefly
tapage [tapaʒ] *m* racket; *fig* fuss; ***faire du ~ nocturne*** JUR cause a disturbance; **tapageur, -euse** (*voyant*) flashy, loud; (*bruyant*) noisy
tape [tap] *f* pat
tape-à-l'œil [tapalœj] *adj inv* loud, in-your-face F
tapecul [tapky] *m* AUTO F boneshaker
tapée [tape] *f* F: ***une ~ de*** loads of
taper [tape] ⟨1a⟩ **1** *v/t personne* hit; *table* bang on; **~ (*à la machine*)** F type **2** *v/i* hit; *à l'ordinateur* type, key; ***~ sur les nerfs de qn*** F get on s.o.'s nerves; ***~ dans l'œil de qn*** catch s.o.'s eye; **~ (*dur*)** *du soleil* beat down; ***se ~*** F *gâteaux, vin* put away; *corvée* be landed with
tapi, ~e [tapi] crouched; (*caché*) hidden; **tapir** ⟨2a⟩: ***se ~*** crouch
tapis [tapi] *m* carpet; SP mat; ***mettre sur le ~*** *fig* bring up; ***~ roulant*** TECH conveyor belt; *pour personnes* traveling *ou Br* travelling walkway; ***~ de souris*** mouse mat; ***~ vert*** gaming table

tapisser [tapise] ⟨1a⟩ *avec du papier peint* (wall)paper; **tapisserie** *f* tapestry; (*papier peint*) wallpaper; **tapissier, -ère** *m/f*: ~ (***décorateur***) interior decorator
tapoter [tapɔte] ⟨1a⟩ tap; *personne* pat; *rythme* tap out
taquin, ~e [takɛ̃, -in] teasing; **taquiner** ⟨1a⟩ tease; **taquinerie** *f* teasing
tarabiscoté, ~e [tarabiskɔte] overelaborate
tarabuster [tarabyste] ⟨1a⟩ pester; (*travailler*) worry
tard [tar] **1** *adv* late; ***plus ~*** later (on); ***au plus ~*** at the latest; ***pas plus ~ que*** no later than; ***~ dans la nuit*** late at night; ***il se fait ~*** it's getting late; ***mieux vaut ~ que jamais*** better late than never **2** *m*: ***sur le ~*** late in life
tarder [tarde] ⟨1a⟩ delay; ***~ à faire qch*** take a long time doing sth; ***il me tarde de te revoir*** I'm longing to see you again; **tardif, -ive** late
targuer [targe] ⟨1m⟩: ***se ~ de qch*** *litt* pride o.s. on sth
tarif [tarif] *m* rate; ***~ unique*** flat rate
tarir [tarir] ⟨2a⟩ dry up (*aussi fig*); ***se ~*** dry up
tarmac [tarmak] *m* tarmac
tartan [tartɑ̃] *m* tartan
tarte [tart] *f* tart; **tartelette** *f* tartlet
tartine [tartin] *f* slice of bread; ***~ de beurre / confiture*** slice of bread and butter / jam; **tartiner** ⟨1a⟩ spread; ***fromage*** *m* ***à ~*** cheese spread
tartre [tartr] *m* tartar
tas [tɑ] *m* heap, pile; ***un ~ de choses*** heaps *pl ou* piles *pl* of things; ***formation*** *f* ***sur le ~*** on-the-job training
tasse [tɑs] *f* cup; ***une ~ de café*** a cup of coffee; ***une ~ à café*** a coffee cup
tassement [tɑsmɑ̃] *m* TECH subsidence, settlement; **tasser** ⟨1a⟩ (*bourrer*) cram; ***se ~*** settle; ***ça va se ~*** *fig* F things will sort themselves out
tâter [tɑte] ⟨1a⟩ **1** *v/t* feel; ***~ qn*** *fig* sound s.o. out **2** *v/i* F: ***~ de qch*** try sth, have a shot at sth
tatillon, ~ne [tatijõ, -ɔn] fussy
tâtonner [tɑtɔne] ⟨1a⟩ grope about; **tâtons** *adv*: ***avancer à ~*** feel one's way forward
tatouage [tatwaʒ] *m action* tattooing; *signe* tattoo; **tatouer** ⟨1a⟩ tattoo
taudis [todi] *m* slum
taule [tol] *f* P (*prison*) jail, slammer P
taupe [top] *f* ZO mole
taureau [tɔro] *m* (*pl* -x) bull; ***Taureau*** ASTROL Taurus
tauromachie [tɔrɔmaʃi] *f* bullfighting
taux [to] *m* rate; ***~ d'escompte*** discount rate; ***~ d'expansion*** rate of expansion, expansion rate; ***~ d'intérêt*** interest rate
taverne [tavɛrn] *f* (*restaurant*) restaurant
taxe [taks] *f* duty; (*impôt*) tax; ***~ professionnelle*** tax paid by people who are self-employed; ***~ de séjour*** visitor tax; ***~ sur*** *ou* ***à la valeur ajoutée*** sales tax, *Br* value added tax, VAT; **taxer** ⟨1a⟩ tax; ***~ qn de qch*** *fig* (*accuser*) tax s.o. with sth; ***il la taxe d'égoïsme*** he accuses her of selfishness, he describes her as selfish
taxi [taksi] *m* taxi, cab
taximètre [taksimɛtr] *m* meter
tchèque [tʃɛk] **1** *adj* Czech **2** *m langue* Czech **3** *m/f* **Tchèque** Czech
te [tə] *pron personnel* ◊ *complément d'objet direct* you; ***il ne t'a pas vu*** he didn't see you
◊ *complément d'objet indirect* (to) you; ***elle t'en a parlé*** she spoke to you about it; ***je vais ~ chercher un ...*** I'll go and get you a ...
◊ *avec verbe pronominal* yourself; ***tu t'es coupé*** you've cut yourself; ***si tu ~ lèves à ...*** if you get up at ...
technicien, ~ne [tɛknisjɛ̃, -ɛn] *m/f* technician; **technicité** *f* technicality; **technique 1** *adj* technical **2** *f* technique
technocrate [tɛknɔkrat] *m* technocrat; **technocratie** *f* technocracy
technologie [tɛknɔlɔʒi] *f* technology; ***~ informatique*** computer technology; ***~ de pointe*** high-tech; **technologique** technological
teck [tɛk] *m* teak
teckel [tekɛl] *m* dachshund

T

tee-shirt [tiʃœrt] *m* T-shirt
TEG [teøʒe] *m abr* (= ***taux effectif global***) APR (= annual percentage rate)
teindre [tɛ̃dr] ⟨4b⟩ dye
teint, ~e [tɛ̃, -t] **1** *adj* dyed **2** *m* complexion; ***fond*** *m* ***de ~*** foundation (cream); ***bon*** *ou* ***grand ~*** *inv* colorfast, *Br* colourfast **3** *f* tint; *fig* tinge, touch; **teinter** ⟨1a⟩ tint; *bois* stain; **teinture** *f action* dyeing; *produit* dye; PHARM tincture; **teinturerie** *f* dry cleaner's
tel, ~le [tɛl] such; ***une ~le surprise*** such a surprise; *de ce genre* a surprise like that; ***~(s)*** *ou* ***~le(s) que*** such as, like; ***~ quel*** as it is / was; ***rien de ~ que*** nothing like, nothing to beat; ***à ~ point que*** to such an extent that, so much that; ***~ jour*** on such and such a day
télé [tele] *f* F TV, tube F, *Br* telly F
télébenne [telebɛn] *f* cable car
télécharger [teleʃarʒe] ⟨1l⟩ INFORM download
télécommande [telekɔmɑ̃d] *f* remote control; **télécommander** ⟨1a⟩: ***télécommandé*** remote-controlled
télécommunications [telekɔmynikasjõ] *f pl* telecommunications
téléconférence [telekõferɑ̃s] *f* teleconference
téléférique [teleferik] → ***téléphérique***
téléguidage [telegidaʒ] *m* remote control; **téléguider** ⟨1a⟩ operate by remote control
téléinformatique [teleɛ̃fɔrmatik] *f* teleprocessing
téléobjectif [teleɔbʒɛktif] *m* telephoto lens
télépathie [telepati] *f* telepathy
téléphérique [teleferik] *m* cable car
téléphone [telefɔn] *m* phone, telephone; ***~ portable*** cellphone, *Br* mobile (phone); ***abonné*** *m* ***au ~*** telephone subscriber; ***coup*** *m* ***de ~*** (phone)call; ***par ~*** by phone; ***avoir le ~*** have a telephone; **téléphoner** ⟨1a⟩ **1** *v/i* phone, telephone; ***~ à qn*** call s.o., *Br aussi* phone s.o. **2** *v/t* phone, telephone; **téléphonique** phone *atr*, telephone *atr*; ***appel*** *m* ***~*** phonecall, telephone call; **téléphoniste** *m/f* operator
téléréalité [telerealite] *f* reality TV
télescope [teleskɔp] *m* telescope; **télescoper** ⟨1a⟩ crash into, collide with; ***se ~*** crash, collide; **télescopique** telescopic
télésiège [telesjɛʒ] *m* chair lift
téléski [teleski] *m* ski lift
téléspectateur, -trice [telespɛktatœr, -tris] *m/f* (TV) viewer
téléthon [teletõ] *m* telethon
télévisé, ~e [televize] televised; **téléviseur** *m* TV (set), television (set); **télévision** *f* television; ***~ câblée*** cable (TV)
tellement [tɛlmɑ̃] *adv* so; *avec verbe* so much; ***~ facile*** so easy; ***il a ~ bu que ...*** he drank so much that ...; ***tu veux? - pas ~*** do you want to? - not really; ***~ de chance*** so much good luck, such good luck; ***~ de filles*** so many girls
téméraire [temerɛr] reckless; **témérité** *f* recklessness
témoignage [temwaɲaʒ] *m* JUR testimony, evidence; (*rapport*) account; *fig*: *d'affection*, *d'estime* token; **témoigner** ⟨1a⟩ **1** *v/t*: ***~ que*** testify that **2** *v/i* JUR testify, give evidence; ***~ de*** (*être le témoignage de*) show, demonstrate
témoin [temwɛ̃] *m* witness; ***être*** (***le***) ***~ de qch*** witness sth; ***appartement*** *m* ***~*** show apartment *ou Br* flat; ***~ oculaire*** eyewitness
tempe [tɑ̃p] *f* ANAT temple
tempérament [tɑ̃peramɑ̃] *m* temperament; ***à ~*** in installments *ou Br* instalments; ***achat*** *m* ***à ~*** installment plan, *Br* hire purchase
tempérance [tɑ̃perɑ̃s] *f* moderation
température [tɑ̃peratyr] *f* temperature; ***avoir de la ~*** have a fever, *Br aussi* have a temperature; **tempéré, ~e** moderate; *climat* temperate; **tempérer** ⟨1f⟩ moderate
tempête [tɑ̃pɛt] *f* storm (*aussi fig*)
temple [tɑ̃pl] *m* temple; *protestant*

T

church
tempo [tɛmpo] *m* MUS tempo
temporaire [tɑ̃pɔrɛr] temporary
temporel, **~le** [tɑ̃pɔrɛl] REL, GRAM temporal
temporiser [tɑ̃pɔrize] ⟨1a⟩ stall, play for time
temps [tɑ̃] *m* time; *atmosphérique* weather; TECH stroke; ***mesure f à trois ~*** MUS three-four time; ***moteur m à deux ~*** two-stroke engine; ***à ~*** in time; ***de ~ à autre, de ~ en ~*** from time to time, occasionally; ***avoir tout son ~*** have plenty of time, have all the time in the world; ***tout le ~*** all the time; ***dans le ~*** in the old days; ***de mon ~*** in my time *ou* day; ***en tout ~*** at all times; ***du ~ que*** when; ***il est ~ de partir*** it's time to go; ***il est ~ que tu t'en ailles*** (*subj*) it's time you left; ***il est grand ~*** it's high time, it's about time; ***en même ~*** at the same time; ***au bon vieux ~*** in the good old days; ***par beau ~*** in good weather; ***quel ~ fait-il?*** what's the weather like?
tenace [tənas] tenacious
ténacité [tenasite] *f* tenacity
tenailles [t(ə)naj] *fpl* pincers
tenancier, **-ère** [tənɑ̃sje, -ɛr] *m/f* manager
tendance [tɑ̃dɑ̃s] *f* trend; (*disposition*) tendency; ***avoir ~ à faire qch*** have a tendency to do sth, tend to do sth
tendon [tɑ̃dɔ̃] *m* ANAT tendon
tendre[1] [tɑ̃dr] ⟨4a⟩ **1** *v/t filet, ailes* spread; *piège* set; *bras, main* hold out, stretch out; *muscles* tense; *corde* tighten; ***~ qch à qn*** hold sth out to s.o.; ***se ~*** *de rapports* become strained **2** *v/i*: ***~ à qch*** strive for sth; ***~ à faire qch*** tend to do sth
tendre[2] [tɑ̃dr] tender; *couleur* soft; ***âge*** *m* ***~*** *fig* childhood
tendresse [tɑ̃drɛs] *f* tenderness
tendu, **~e** [tɑ̃dy] **1** *p/p* → ***tendre*** **2** *adj corde* tight; *fig* tense; *relations* strained
ténèbres [tenɛbr] *fpl* darkness *sg*; **ténébreux**, **-euse** [tenebrø, -z] dark
teneur [tənœr] *f d'une lettre* contents *pl*; (*concentration*) content; ***~ en alcool*** alcohol content
tenir [t(ə)nir] ⟨2h⟩ **1** *v/t* hold; (*maintenir*) keep; *registre, comptes, promesse* keep; *caisse* be in charge of; *restaurant* run; *place* take up; ***~ pour*** regard as; ***~ compte de qch*** take sth into account, bear sth in mind; ***~ (bien) la route*** AUTO hold the road well; ***~ qch de qn*** get sth from s.o.; ***~ (sa) parole*** keep one's word; ***~ au chaud*** keep warm; ***~ le coup*** F hold out; ***~ à qch / qn*** (*donner de l'importance à*) value sth / s.o.; *à un objet* be attached to sth; ***~ à faire qch*** really want to do sth; ***cela ne tient qu'à toi*** (*dépend de*) it's entirely up to you; ***~ de qn*** take after s.o. **2** *v/i* hold; ***~ bon*** hang in there, not give up; ***~ dans*** fit into; ***tiens!*** *surprise* well, well!; ***tiens?*** really? **3**: ***se ~*** *d'un spectacle* be held, take place; (*être, se trouver*) stand; ***se ~ mal*** misbehave, behave badly; ***se ~ à qch*** hold *ou* hang on to sth; ***s'en ~ à*** confine o.s. to
tennis [tenis] *m* tennis; *terrain* tennis court; ***~*** *pl* sneakers, *Br* trainers; SP tennis shoes; ***~ de table*** table tennis
ténor [tenɔr] *m* MUS tenor
tension [tɑ̃sjɔ̃] *f* tension (*aussi fig*); ÉL voltage, tension; MÉD blood pressure; ***haute ~*** high voltage; ***faire de la ~*** F have high blood pressure
tentaculaire [tɑ̃takylɛr] sprawling; **tentacule** *m* tentacle
tentant, **~e** [tɑ̃tɑ̃, -t] tempting; **tentation** *f* temptation
tentative [tɑ̃tativ] *f* attempt
tente [tɑ̃t] *f* tent; ***dresser*** *ou* ***monter*** *ou* ***planter / démonter une ~*** pitch / take down a tent
tenter [tɑ̃te] ⟨1a⟩ tempt; (*essayer*) attempt, try; ***être tenté(e) de faire qch*** be tempted to do sth; ***~ de faire qch*** attempt *ou* try to do sth
tenture [tɑ̃tyr] *f* wallhanging
tenu, **~e** [t(ə)ny] **1** *p/p* → ***tenir*** **2** *adj*: ***être ~ de faire qch*** be obliged to do sth; ***bien ~*** well looked after; ***mal ~*** badly kept; *enfant* neglected
ténu, **~e** [teny] fine; *espoir* slim

T

tenue [t(ə)ny] *f de comptes* keeping; *de ménage* running; (*conduite*) behavior, *Br* behaviour; *du corps* posture; (*vêtements*) clothes *pl*; ***en grande ~*** MIL in full dress uniform; ***~ de route*** AUTO roadholding; ***~ de soirée*** evening wear
térébenthine [terebɑ̃tin] *f* turpentine, turps *sg*
tergiverser [tɛrʒivɛrse] ⟨1a⟩ hum and haw
terme [tɛrm] *m* (*fin*) end; (*échéance*) time limit; (*expression*) term; ***à court / moyen / long ~*** in the short / medium / long term; *emprunt*, *projet* short- / medium- / long-term; ***mener à ~*** complete; *grossesse* see through, go through with; ***être en bons ~s avec qn*** be on good terms with s.o.
terminaison [tɛrminɛzõ] *f* GRAM ending; **terminal**, **~e** (*mpl* -aux) **1** *adj* terminal **2** *m* terminal **3** *f* ÉDU *twelfth grade*, *Br upper sixth form*; **terminer** ⟨1a⟩ finish; ***se ~*** end; ***se ~ par*** end with; *d'un mot* end in; ***se ~ en pointe*** end in a point
terminologie [tɛrminɔlɔʒi] *f* terminology
terminus [tɛrminys] *m* terminus
terne [tɛrn] dull; **ternir** ⟨2a⟩ tarnish (*aussi fig*)
terrain [tɛrɛ̃] *m* ground; GÉOL, MIL terrain; SP field; ***un ~*** a piece of land; ***sur le ~*** *essai* field *atr*, *essayer* in the field; ***~ d'atterrissage*** landing field; ***~ d'aviation*** airfield; ***~ à bâtir*** building lot; ***~ de camping*** campground; ***~ de jeu*** play park; ***un ~ vague*** a piece of waste ground, a gap site; ***véhicule*** *m* ***tout ~*** 4x4, off-road vehicle
terrasse [tɛras] *f* terrace; **terrassement** *m* (***travaux*** *mpl* ***de***) *~ travail* banking; *ouvrage* embankment; **terrasser** ⟨1a⟩ *adversaire* fell, deck F
terre [tɛr] *f* (*sol*, *surface*) ground; *matière* earth, soil; *opposé à mer*, *propriété* land; (*monde*) earth, world; *pays*, *région* land, country; ÉL ground, *Br* earth; ***~ à ~*** *esprit*, *personne* down to earth; ***à*** *ou* ***par ~*** on the ground; ***tomber par ~*** fall down; ***sur ~*** on earth; ***sur la ~*** on the ground; ***de / en ~*** clay *atr*; ***~ cuite*** terracotta; ***~ ferme*** dry land, terra firma; ***la Terre Sainte*** the Holy Land
terreau [tɛro] *m* (*pl* -x) compost
Terre-Neuve [tɛrnœv] Newfoundland
terre-plein [tɛrplɛ̃] *m* (*pl* terre--pleins): ***~ central*** median strip, *Br* central reservation
terrer [tɛre] ⟨1a⟩: ***se ~*** *d'un animal* go to earth
terrestre [tɛrɛstr] *animaux* land *atr*, REL earthly; TV terrestrial
terreur [tɛrœr] *f* terror
terrible [tɛribl] terrible; F (*extraordinaire*) terrific; ***c'est pas ~*** it's not that good; **terriblement** *adv* terribly, awfully
terrien, **~ne** [tɛrjɛ̃, -ɛn] **1** *adj*: ***propriétaire*** *m* ***~*** landowner **2** *m/f* (*habitant de la Terre*) earthling
terrier [tɛrje] *m de renard* earth; *chien* terrier
terrifier [tɛrifje] ⟨1a⟩ terrify
territoire [tɛritwar] *m* territory; **territorial**, **~e** (*mpl* -aux) territorial; ***eaux*** *fpl* ***territoriales*** territorial waters
terroir [tɛrwar] *m viticulture* soil; ***du ~*** (*régional*) local
terroriser [tɛrɔrize] ⟨1a⟩ terrorize; **terrorisme** *m* terrorism; **terroriste** *m/f & adj* terrorist
tertiaire [tɛrsjɛr] tertiary; ***secteur*** *m* ***~*** ÉCON tertiary sector
tertre [tɛrtr] *m* mound
tes [te] → ***ton²***
test [tɛst] *m* test; ***passer un ~*** take a test; ***~ d'aptitude*** aptitude test; ***~ de résistance*** endurance test
testament [tɛstamɑ̃] *m* JUR will; ***Ancien / Nouveau Testament*** REL Old / New Testament
tester [tɛste] ⟨1a⟩ test
testicule [tɛstikyl] *m* ANAT testicle
tétanos [tetanos] *m* MÉD tetanus
têtard [tɛtar] *m* tadpole
tête [tɛt] *f* head; (*cheveux*) hair; (*visage*) face; SP header; ***sur un coup de ~*** on impulse; ***j'en ai par-dessus***

T

la ~ I've had it up to here (***de*** with); ***la ~ basse*** hangdog, sheepish; ***la ~ haute*** with (one's) head held high; ***de ~*** *calculer* mentally, in one's head; *répondre* without looking anything up; ***avoir la ~ dure*** be pigheaded *ou* stubborn; ***se casser la ~*** *fig* rack one's brains; ***n'en faire qu'à sa ~*** do exactly as one likes, suit o.s.; ***tenir ~ à qn*** stand up to s.o.; *péj* defy s.o.; ***par ~*** a head, each; ***faire une sale ~*** look miserable; ***faire la*** sulk; ***il se paie ta ~*** *fig* he's making a fool of you; ***~ nucléaire*** nuclear warhead; ***en ~*** in the lead; ***à la ~ de*** at the head of; **tête-à-queue** *m* (*pl inv*) AUTO spin; **tête-à-tête** *m* (*pl inv*) tête-à-tête; ***en ~*** in private

tétine [tetin] *f de biberon* teat; (*sucette*) pacifier, *Br* dummy

téton [tetõ] *m* F boob F

têtu, **~e** [tety] obstinate, pigheaded

texte [tɛkst] *m* text; ***~s choisis*** selected passages

textile [tɛkstil] **1** *adj* textile **2** *m* textile; ***le ~*** *industrie* the textile industry, textiles *pl*

texto [tɛksto] *m* text (message); ***envoyer un ~ à qn*** send s.o. a text, text s.o.

textuel, **~le** [tɛkstɥɛl] *traduction* word-for-word

texture [tɛkstyr] *f* texture

T.G.V. [teʒeve] *m abr* (= ***train à grande vitesse***) high-speed train

thaï [taj] *m* Thai; **thaïlandais**, **~e** **1** *adj* Thai **2** *m/f* **Thaïlandais**, **~e** Thai; **Thaïlande** *f* Thailand

thé [te] *m* tea

théâtral, **~e** [teɑtral] (*mpl* -aux) theatrical; **théâtre** *m* theater, *Br* theatre; *fig*: *cadre* scene; ***pièce*** *f* ***de ~*** play; ***~ en plein air*** open-air theater

théière [tejɛr] *f* teapot

thème [tɛm] *m* theme; ÉDU translation (*into a foreign language*)

théologie [teɔlɔʒi] *f* theology; **théologien** *m* theologian

théorème [teɔrɛm] *m* theorem

théoricien, **~ne** [teɔrisjɛ̃, -ɛn] *m/f* theoretician; **théorie** *f* theory; **théorique** theoretical

thérapeute [terapøt] *m/f* therapist; **thérapeutique** **1** *f* (*thérapie*) treatment, therapy **2** *adj* therapeutic; **thérapie** *f* therapy; ***~ de groupe*** group therapy

thermal, **~e** [tɛrmal] (*mpl* -aux) thermal; ***station*** *f* ***~*** spa

thermique [tɛrmik] PHYS thermal

thermomètre [tɛrmɔmɛtr] *m* thermometer

thermonucléaire [tɛrmɔnykleɛr] thermonuclear

thermos [tɛrmos] *f ou m* thermos®

thermostat [tɛrmɔsta] *m* thermostat

thèse [tɛz] *f* thesis

thon [tõ] *m* tuna

thorax [tɔraks] *m* ANAT thorax

thrombose [trõboz] *f* thrombosis

thym [tɛ̃] *m* BOT thyme

thyroïde [tirɔid] *f* MÉD thyroid

tibia [tibja] *m* ANAT tibia

tic [tik] *m* tic, twitch; *fig* habit

ticket [tikɛ] *m* ticket; ***~ de caisse*** receipt; **ticket-repas** *m* (*pl* tickets-repas) luncheon voucher

tic-tac *m* (*pl inv*) ticking

tiède [tjɛd] warm; *péj* tepid, lukewarm (*aussi fig*); **tiédeur** [tjedœr] *f du climat, du vent* warmth, mildness; *péj* tepidness; *fig*: *d'un accueil* half-heartedness; **tiédir** ⟨2a⟩ cool down; *devenir plus chaud* warm up

tien, **~ne** [tjɛ̃, tjɛn]: ***le tien, la tienne, les tiens, les tiennes*** yours; ***à la ~ne!*** F cheers!

tiercé [tjɛrse] *m bet in which money is placed on a combination of three horses*

tiers, **tierce** [tjɛr, -s] **1** *adj* third; ***le ~ monde*** the Third World **2** *m* MATH third; JUR third party

tige [tiʒ] *f* BOT stalk; TECH stem; ***~s de forage*** drill bits

tignasse [tiɲas] *f* mop of hair

tigre [tigr] *m* tiger; **tigré**, **~e** striped; **tigresse** *f* tigress (*aussi fig*)

tilleul [tijœl] *m* BOT lime (tree); *boisson* lime-blossom tea

timbre [tɛ̃br] *m* (*sonnette*) bell; (*son*) timbre; (*timbre-poste*) stamp; (*tampon*) stamp; **timbré**, **~e** *papier, lettre*

stamped; **timbre-poste** *m* (*pl* timbres-poste) postage stamp
timide [timid] timid; *en sociéte* shy; **timidité** *f* timidity; *en société* shyness
timon [timõ] *m d'un navire* tiller
timoré, **~e** [timɔre] timid
tintamarre [tẽtamar] *m* din, racket
tintement [tẽtmɑ̃] *m* tinkle; *de clochettes* ringing; **tinter** ⟨1a⟩ *de verres* clink; *de clochettes* ring
tir [tir] *m* fire; *action*, SP shooting; ***~ à l'arc*** archery
tirade [tirad] *f* tirade
tirage [tiraʒ] *m à la loterie* draw; PHOT print; TYP printing; (*exemplaires de journal*) circulation; *d'un livre* print run; COMM *d'un chèque* drawing; F (*difficultés*) trouble; ***par un ~ au sort*** by drawing lots
tirailler [tiraje] ⟨1a⟩ pull; ***tiraillé entre*** *fig* torn between
tirant [tirɑ̃] *m* MAR: ***~ d'eau*** draft, *Br* draught
tire [tir] *f* P AUTO car, jeep P; ***vol*** *m* ***à la ~*** pickpocketing
tiré, **~e** [tire] *traits* drawn
tire-au-flanc [tiroflɑ̃] *m* (*pl inv*) F shirker
tire-bouchon [tirbuʃõ] *m* (*pl* tire-bouchons) corkscrew
tire-fesses [tirfɛs] *m* F (*pl inv*) T-bar
tirelire [tirlir] *f* piggy bank
tirer [tire] ⟨1a⟩ **1** *v/t* pull; *chèque*, *ligne*, *conclusions* draw; *rideaux* pull, draw; *coup de fusil* fire; *oiseau*, *cible* shoot at, fire at; PHOT, TYP print; *plaisir*, *satisfaction* derive; ***~ les cartes*** read the cards; ***~ avantage de la situation*** take advantage of the situation; ***~ la langue*** stick out one's tongue **2** *v/i* pull (***sur*** on); *avec arme* shoot, fire (***sur*** at); SP shoot; *d'une cheminée* draw; ***~ à sa fin*** draw to a close; ***~ sur le bleu*** verge on blue **3**: ***se ~ de*** *situation difficile* get out of; ***se ~*** F take off
tiret [tirɛ] *m* dash; (*trait d'union*) hyphen
tireur [tirœr, -øz] *m* marksman; *d'un chèque* drawer; ***~ d'élite*** sharpshooter; **tireuse** *f*: ***~ de cartes*** fortune-teller
tiroir [tirwar] *m* drawer; **tiroir-caisse** *m* (*pl* tiroirs-caisses) cash register
tisane [tizan] *f* herbal tea, infusion
tisonnier [tizɔnje] *m* poker
tissage [tisaʒ] *m* weaving; **tisser** ⟨1a⟩ weave; *d'une araignée* spin; *fig* hatch; **tisserand** *m* weaver
tissu [tisy] *m* fabric, material; BIOL tissue; **tissu-éponge** *m* (*pl* tissus-éponges) toweling, *Br* towelling
titre [titr] *m* title; *d'un journal* headline; FIN security; ***à ce ~*** therefore; ***à juste ~*** rightly; ***à ~ d'essai*** on a trial basis; ***à ~ d'information*** for your information; ***à ~ officiel*** in an official capacity; ***à ~ d'ami*** as a friend; ***au même ~*** on the same basis; ***en ~*** official
tituber [titybe] ⟨1a⟩ stagger
titulaire [titylɛr] **1** *adj professeur* tenured **2** *m/f d'un document*, *d'une charge* holder
toast [tost] *m* (*pain grillé*) piece *ou* slice of toast; *de bienvenue* toast
toboggan [tɔbɔgɑ̃] *m* slide; *rue* flyover; ***~ de secours*** escape chute
tocsin [tɔksẽ] *m* alarm bell
toge [tɔʒ] *f de professeur*, *juge* robe
tohu-bohu [tɔybɔy] *m* commotion
toi [twa] *pron personnel* you; ***avec ~*** with you; ***c'est ~ qui l'as fait*** you did it, it was you that did it
toile [twal] *f de lin* linen; (*peinture*) canvas; ***~ d'araignée*** spiderweb, *Br* spider's web; ***~ cirée*** oilcloth; ***~ de fond*** backcloth; *fig* backdrop
toilette [twalɛt] *f* (*lavage*) washing; (*mise*) outfit; (*vêtements*) clothes *pl*; ***~s*** toilet *sg*; ***aller aux ~s*** go to the toilet; ***faire sa ~*** get washed
toi-même [twamɛm] yourself
toiser [twaze] ⟨1a⟩ *fig*: ***~ qn*** look s.o. up and down
toison [twazõ] *f de laine* fleece; (*cheveux*) mane of hair
toit [twa] *m* roof; ***~ ouvrant*** AUTO sun roof; **toiture** *f* roof
tôle [tol] *f* sheet metal; ***~ ondulée*** corrugated iron
tolérable [tɔlerabl] tolerable, bear-

T

able; **tolérance** *f aussi* TECH tolerance; **tolérant**, **~e** tolerant; **tolérer** ⟨1f⟩ tolerate
tollé [tɔle] *m* outcry
tomate [tɔmat] *f* tomato
tombe [tõb] *f* grave; **tombeau** *m* (*pl* -x) tomb
tombée [tõbe] *f*: ***à la ~ de la nuit*** at nightfall; **tomber** ⟨1a⟩ (*aux* ***être***) fall; *de cheveux* fall out; *d'une colère* die down; *d'une fièvre, d'un prix, d'une demande* drop, fall; *d'un intérêt, enthousiasme* wane; ***~ en ruine*** go to rack and ruin; ***~ malade*** fall sick; ***~ amoureux*** fall in love; ***~ en panne*** have a breakdown; ***faire ~*** knock down; ***laisser ~*** drop (*aussi fig*); ***laisse ~!*** never mind!, forget it!; ***~ sur*** MIL attack; (*rencontrer*) bump into; ***~ juste*** get it right; ***je suis bien tombé*** I was lucky; ***ça tombe bien*** it's perfect timing; ***~ d'accord*** reach agreement
tombeur [tõmbœr] *m* F womanizer
tome [tɔm] *m* volume
ton[1] [tõ] *m* tone; MUS key; ***il est de bon ~*** it's the done thing
ton[2] *m*, **ta** *f*, **tes** *pl* [tõ, ta, te] your
tonalité [tɔnalite] *f* MUS key; *d'une voix, radio* tone; TÉL dial tone, *Br aussi* dialling tone
tondeuse [tõdøz] *f* lawnmower; *de coiffeur* clippers *pl*; AGR shears *pl*; **tondre** ⟨4a⟩ *mouton* shear; *haie* clip; *herbe* mow, cut; *cheveux* shave off
tonifier [tɔnifje] ⟨1a⟩ tone up
tonique [tɔnik] **1** *m* tonic **2** *adj climat* bracing
tonitruant, **~e** [tɔnitryɑ̃, -t] thunderous
tonnage [tɔnaʒ] *m* tonnage
tonne [tɔn] *f* (metric) ton; **tonneau** *m* (*pl* -x) barrel; MAR ton; **tonnelet** *m* keg
tonner [tɔne] ⟨1a⟩ thunder; *fig* rage
tonnerre [tɔnɛr] *m* thunder
tonton [tõtõ] *m* F uncle
tonus [tɔnys] *m d'un muscle* tone; (*dynamisme*) dynamism
top [tɔp] *m* pip
topaze [tɔpaz] *f* topaz
tope! [tɔp] done!
topo [tɔpo] *m* F report
topographie [tɔpɔgrafi] *f* topography
toqué, **~e** [tɔke] F mad; ***~ de*** mad about; **toquer** ⟨1m⟩ F: ***se ~ de*** be madly in love with
torche [tɔrʃ] *f* flashlight, *Br* torch
torchon [tɔrʃõ] *m* dishtowel
tordre [tɔrdr] ⟨4a⟩ twist; *linge* wring; ***se ~*** twist; ***se ~ (de rire)*** be hysterical with laughter; ***se ~ le pied*** twist one's ankle; **tordu**, **~e** twisted; *fig*: *esprit* warped, twisted
tornade [tɔrnad] *f* tornado
torpille [tɔrpij] *f* MIL torpedo; **torpiller** ⟨1a⟩ torpedo (*aussi fig*); **torpilleur** *m* MIL motor torpedo boat
torrent [tɔrɑ̃] *m* torrent; *fig*: *de larmes* flood; *d'injures* torrent; **torrentiel**, **~le** torrential
torse [tɔrs] *m* chest, torso; *sculpture* torso
tort [tɔr] *m* fault; (*préjudice*) harm; ***à ~*** wrongly; ***à ~ et à travers*** wildly; ***être en ~ ou dans son ~*** be in the wrong, be at fault; ***avoir ~*** be wrong (***de faire qch*** to do sth); ***il a eu le ~ de …*** it was wrong of him to …; ***donner ~ à qn*** prove s.o. wrong; (*désapprouver*) blame s.o.; ***faire du ~ à qn*** hurt *ou* harm s.o.
torticolis [tɔrtikɔli] *m* MÉD stiff neck
tortiller [tɔrtije] ⟨1a⟩ twist; ***se ~*** wriggle
tortionnaire [tɔrsjɔnɛr] *m* torturer
tortue [tɔrty] *f* tortoise; ***~ de mer*** turtle
tortueux, **-euse** [tɔrtɥø, -z] winding; *fig* tortuous; *esprit, manœuvres* devious
torture [tɔrtyr] *f* torture (*aussi fig*); **torturer** ⟨1a⟩ torture (*aussi fig*)
tôt [to] *adv* early; (*bientôt*) soon; ***plus ~*** sooner, earlier; ***le plus ~ possible*** as soon as possible; ***au plus ~*** at the soonest *ou* earliest; ***il ne reviendra pas de si ~*** he won't be back in a hurry; ***~ ou tard*** sooner or later; ***~ le matin*** early in the morning
total, **~e** [tɔtal] (*mpl* -aux) **1** *adj* total **2** *m* total; ***au ~*** in all; *fig* on the whole; ***faire le ~*** work out the total;

T

totalement *adv* totally; **totaliser** ⟨1a⟩ *dépenses* add up, total; **totalité** *f.* ***la ~ de*** all of; ***en ~*** in full
totalitaire [tɔtalitɛr] POL totalitarian; **totalitarisme** *m* POL totalitarianism
touchant, **~e** [tuʃɑ̃, -t] touching
touche [tuʃ] *f* touch; *de clavier* key; SP touchline; (*remise en jeu*) throw-in; *pêche* bite; ***ligne f de ~*** SP touchline; ***être mis sur la ~*** *fig* F be sidelined; ***faire une ~*** make a hit; ***~ entrée*** INFORM enter (key)
touche-à-tout [tuʃatu] *m* (*pl inv*) *qui fait plusieurs choses à la fois* jack-of--all-trades
toucher[1] [tuʃe] ⟨1a⟩ touch; *but* hit; (*émouvoir*) touch, move; (*concerner*) affect, concern; (*contacter*) contact, get in touch with; *argent* get; ***je vais lui en ~ un mot*** I'll mention it to him; ***~ à*** touch; *réserves* break into; *d'une maison* adjoin; (*concerner*) concern; ***~ au but*** near one's goal; ***~ à tout*** *fig* be a jack-of-all-trades; ***se ~*** touch; *de maisons, terrains* adjoin
toucher[2] [tuʃe] *m* touch
touffe [tuf] *f* tuft; **touffu**, **~e** dense, thick
toujours [tuʒur] always; (*encore*) still; ***pour ~*** for ever; ***~ est-il que*** the fact remains that
toupet [tupɛ] *m* F nerve; ***avoir le ~ de faire qch*** have the nerve to do sth
tour[1] [tur] *f* tower; (*immeuble*) high-rise; ***~ de forage*** drilling rig
tour[2] [tur] *m* turn; (*circonférence*) circumference; (*circuit*) lap; (*promenade*) stroll, walk; (*excursion, voyage*) tour; (*ruse*) trick; TECH lathe; *de potier* wheel; ***à mon ~, c'est mon ~*** it's my turn; ***à ~ de rôle*** turn and turn about; ***~ de taille*** waist measurement; ***en un ~ de main*** in no time at all; ***avoir le ~ de main*** have the knack; ***faire le ~ de*** go round; *fig* review; ***faire le ~ du monde*** go around the world; ***fermer à double ~*** double-lock; ***jouer un ~ à qn*** play a trick on s.o.; ***~ d'horizon*** overview; ***~ de scrutin*** POL ballot ***33 / 45 ~s*** LP / single

T

tourbe [turb] *f matière* peat; **tourbière** *f* peat bog
tourbillon [turbijõ] *m de vent* whirlwind; *d'eau* whirlpool; ***~ de neige*** flurry of snow; **tourbillonner** ⟨1a⟩ whirl
tourelle [turɛl] *f* turret
tourisme [turism] *m* tourism; ***agence f de ~*** travel *ou* tourist agency; ***~ écologique*** ecotourism; **touriste** *m/f* tourist; ***classe f ~*** tourist class; **touristique** *guide, informations* tourist *atr*; ***renseignements*** *mpl* ***~s*** tourist information *sg*
tourment [turmɑ̃] *m litt* torture, torment; **tourmente** *f litt* storm; **tourmenter** ⟨1a⟩ torment; ***se ~*** worry, torment o.s.
tournage [turnaʒ] *m d'un film* shooting
tournant, **~e** [turnɑ̃, -t] **1** *adj* revolving **2** *m* turn; *fig* turning point
tourne-disque [turnədisk] *m* (*pl* tourne-disques) record player
tournée [turne] *f* round; *d'un artiste* tour; ***payer une ~*** F buy a round (of drinks)
tourner [turne] ⟨1a⟩ **1** *v/t* turn; *sauce* stir; *salade* toss; *difficulté* get around; *film* shoot; ***bien tourné(e)*** well-put; *phrase* well-turned; ***~ la tête*** turn one's head; *pour ne pas voir* turn (one's head) away; ***~ en ridicule*** make fun of **2** *v/i* turn; *du lait* turn, go bad *ou Br* off; ***~ à droite*** turn right; ***j'ai la tête qui tourne*** my head is spinning; ***le temps tourne au beau*** the weather is taking a turn for the better; ***~ de l'œil*** *fig* F faint; ***~ en rond*** *fig* go around in circles; ***faire ~*** *clé* turn; *entreprise* run; ***~ autour de*** ASTR revolve around; *fig: d'une discussion* center *ou Br* centre on **3**: ***se ~*** turn; ***se ~ vers*** *fig* turn to
tournesol [turnəsɔl] *m* BOT sunflower
tournevis [turnəvis] *m* screwdriver
tourniquet [turnikɛ] *m* turnstile; (*présentoir*) (revolving) stand
tournoi [turnwa] *m* tournament
tournoyer [turnwaje] ⟨1h⟩ *d'oiseaux* wheel; *de feuilles, flocons* swirl

tournure [turnyr] *f* (*expression*) turn of phrase; *des événements* turn; ***sa ~ d'esprit*** the way his mind works, his mindset
tourte [turt] *f* CUIS pie
tourterelle [turtərɛl] *f* turtledove
tous [tus *ou* tu] → ***tout***
Toussaint [tusɛ̃]: ***la ~*** All Saints' Day
tousser [tuse] ⟨1a⟩ cough; **toussoter** ⟨1a⟩ have a slight cough
tout [tu, tut] *m*, **toute** [tut] *f*; **tous** [tu, tus] *mpl*, **toutes** [tut] *fpl* **1** *adj* all; (*n'importe lequel*) any; ***~e la ville*** all the city, the whole city, ***~es les villes*** all cities; ***~es les villes que …*** all the cities that …; ***~ Français*** every Frenchman, all Frenchmen; ***tous les deux jours*** every two days, every other day; ***tous les ans*** every year; ***tous / ~es les trois, nous …*** all three of us …; ***~ Paris*** all Paris; ***il pourrait arriver à ~ moment*** he could arrive at any moment
2 *pron sg* ***tout*** everything; *pl* ***tous, toutes*** all of us / them; ***c'est ~, merci*** that's everything thanks, that's all thanks; ***après ~*** after all; ***avant ~*** first of all; (*surtout*) above all; ***facile comme ~*** F as easy as anything; ***nous tous*** all of us; ***c'est ~ ce que je sais*** that's everything *ou* all I know; ***elle ferait ~ pour …*** she would do anything to …; ***il a ~ oublié*** he has forgotten it all, he has forgotten the lot
3 *adv* ***tout*** very, quite; ***c'est ~ comme un …*** it's just like a …; ***~ nu*** completely naked; ***il est ~ mignon!*** he's so cute!; ***~ doux!*** gently now!; ***c'est ~ près d'ici*** it's just nearby, it's very near; ***je suis ~e seule*** I'm all alone; ***~ à fait*** altogether; ***oui, ~ à fait*** yes, absolutely; ***~ autant que*** just as much as; ***~ de suite*** immediately, straight away
◊ *avec gérondif*: ***il prenait sa douche ~ en chantant*** he sang as he showered; ***~ en acceptant … je me permets de …*** while I accept that … I would like to …
◊: ***tout … que***: ***tout pauvres qu'ils sont*** (*ou* ***soient*** (*subj*)) however poor they are, poor though they may be
4 *m*: ***le tout*** the whole lot, the lot, everything; (*le principal*) the main thing; ***pas du ~*** not at all; ***plus du ~*** no more; ***du ~ au ~*** totally; ***en ~*** in all
tout-à-l'égout [tutalegu] *m* mains drainage
toutefois [tutfwa] *adv* however
toute-puissance [tutpɥisɑ̃s] *f* omnipotence
toux [tu] *f* cough *m*
toxicomane [tɔksikɔman] *m/f* drug addict; **toxicomanie** *f* drug addiction
toxine [tɔksin] *f* toxin
toxique [tɔksik] **1** *adj* toxic **2** *m* poison
trac [trak] *m* nervousness; *pour un acteur* stage fright
traçabilité [trasabilite] *f* traceablility
tracas [traka] *m*: ***des ~*** worries; **tracasser** ⟨1a⟩: ***~ qn*** *d'une chose* worry s.o.; *d'une personne* pester s.o.; ***se ~*** worry; **tracasserie** *f*: ***~s*** hassle *sg*
trace [tras] *f* (*piste*) track, trail; (*marque*) mark; *fig* impression; ***~s*** *de sang, poison* traces; ***des ~s de pas*** footprints; ***suivre les ~s de qn*** *fig* follow in s.o.'s footsteps
tracé [trase] *m* (*plan*) layout; (*ligne*) line; *d'un dessin* drawing; **tracer** ⟨1k⟩ *plan, ligne* draw; **traceur** *m* INFORM plotter
trachée [traʃe] *f* windpipe, trachea
tractation [traktasjõ] *f péj*: ***~s*** horse-trading *sg*
tracteur [traktœr] *m* tractor; ***~ à chenilles*** caterpillar (tractor)
traction [traksjõ] *f* TECH traction; SP, *suspendu* pull-up; SP, *par terre* push-up; ***~ avant*** AUTO front wheel drive
tradition [tradisjõ] *f* tradition; **traditionaliste** *m/f & adj* traditionalist; **traditionnel**, **~le** traditional
traducteur, **-trice** [tradyktœr, -tris] *m/f* translator; **traduction** *f* translation; ***~ automatique*** machine translation; **traduire** ⟨4c⟩ translate ***(en***

into); *fig* be indicative of; **~ qn en justice** JUR take s.o. to court, prosecute s.o.; **se ~ par** result in
trafic [trafik] *m* traffic; **~ aérien** air traffic; **~ de drogues** drugs traffic; **trafiquant** *m* trafficker; **~ de drogue(s)** drug trafficker; **trafiquer** ⟨1m⟩ traffic in; *moteur* tinker with
tragédie [traʒedi] *f* tragedy (*aussi fig*); **tragique 1** *adj* tragic **2** *m* tragedy
trahir [trair] ⟨2a⟩ betray; **trahison** *f* betrayal; *crime* treason
train [trɛ̃] *m* train; *fig*: *de lois, décrets etc* series *sg*; **le ~ de Paris** the Paris train; **être en ~ de faire qch** be doing sth; **aller bon ~** go at a good speed; **mener grand ~** live it up; **mettre en ~** set in motion; **aller son petit ~** jog along; **au ~ où vont les choses** at the rate things are going; **~ d'atterrissage** undercarriage, landing gear; **~ express** express; **~ à grande vitesse** high-speed train; **~ de vie** lifestyle
traînard [trɛnar] *m* dawdler; **traîne** *f*: **à la ~** in tow
traîneau [-o] *m* (*pl* -x) sledge; *pêche* seine net
traînée [trɛne] *f* trail
traîner [trɛne] ⟨1b⟩ **1** *v/t* drag; *d'un bateau, d'une voiture* pull, tow; **laisser ~ ses affaires** leave one's things lying around **2** *v/i de vêtements, livres* lie around; *d'un procès* drag on; **~ dans les rues** hang around street corners **3**: **se ~** drag o.s. along
train-train [trɛ̃trɛ̃] *m* F: **le ~ quotidien** the daily routine
traire [trɛr] ⟨4s⟩ milk
trait [trɛ] *m* (*ligne*) line; *du visage* feature; *de caractère* trait; *d'une œuvre, époque* feature, characteristic; **avoir ~ à** be about, concern; **boire d'un seul ~** drink in a single gulp, F knock back; **~ d'esprit** witticism; **~ d'union** hyphen
traite [trɛt] *f* COMM draft, bill of exchange; *d'une vache* milking; **~ des noirs** slave trade; **d'une seule ~** in one go
traité [trete] *m* treaty
traitement [trɛtmɑ̃] *m* treatment (*aussi* MÉD); (*salaire*) pay; TECH, INFORM processing; **~ électronique des données** INFORM electronic data processing; **~ de l'information** data processing; **~ de texte** word processing; **traiter** ⟨1b⟩ **1** *v/t* treat (*aussi* MÉD); TECH, INFORM process; **~ qn de menteur** call s.o. a liar **2** *v/i* (*négocier*) negotiate; **~ de qch** deal with sth
traiteur [trɛtœr] *m* caterer
traître, **~sse** [trɛtrə, -ɛs] **1** *m/f* traitor **2** *adj* treacherous; **traîtrise** *f* treachery
trajectoire [traʒɛktwar] *f* path, trajectory
trajet [traʒɛ] *m* (*voyage*) journey; (*chemin*) way; **une heure de ~ à pied / en voiture** one hour on foot / by car
tram [tram] *m abr* → **tramway**
trame [tram] *f fig*: *d'une histoire* background; *de la vie* fabric; *d'un tissu* weft; TV raster
trampoline [trɑ̃pɔlin] *m* trampoline
tramway [tramwɛ] *m* streetcar, *Br* tram
tranchant, **~e** [trɑ̃ʃɑ̃, -t] **1** *adj* cutting **2** *m d'un couteau* cutting edge, sharp edge
tranche [trɑ̃ʃ] *f* (*morceau*) slice; (*bord*) edge; **~ d'âge** age bracket
tranché, **~e** [trɑ̃ʃe] *fig* clear-cut; *couleur* definite
tranchée [trɑ̃ʃe] *f* trench
trancher [trɑ̃ʃe] ⟨1a⟩ **1** *v/t* cut; *fig* settle **2** *v/i*: **~ sur** stand out against
tranquille [trɑ̃kil] quiet; (*sans inquiétude*) easy in one's mind; **laisse-moi ~!** leave me alone!; **avoir la conscience ~** have a clear conscience; **tranquillement** *adv* quietly; **tranquillisant** *m* tranquillizer; **tranquilliser** ⟨1a⟩: **~ qn** set s.o.'s mind at rest; **tranquillité** *f* quietness, tranquillity; *du sommeil* peacefulness; (*stabilité morale*) peace of mind
transaction [trɑ̃zaksjõ] *f* JUR compromise; COMM transaction
transatlantique [trɑ̃zatlɑ̃tik] **1** *adj* transatlantic **2** *m bateau* transatlan-

T

tic liner; *chaise* deck chair
transcription [trɑ̃skripsjõ] *f* transcription; **transcrire** ⟨4f⟩ transcribe
transférer [trɑ̃sfere] ⟨1f⟩ transfer; **transfert** *m* transfer; PSYCH transference; *~ de données* data transfer
transfigurer [trɑ̃sfigyre] ⟨1a⟩ transfigure
transformateur [trɑ̃sfɔrmatœr] *m* ÉL transformer; **transformation** *f* transformation, change; TECH processing; *en rugby* conversion; **transformer** ⟨1a⟩ change, transform; TECH process; *maison, appartement* convert; *en rugby* convert; *~ en* turn *ou* change into
transfuge [trɑ̃sfyʒ] *m* defector
transfusion [trɑ̃sfyzjõ] *f*: *~ (sanguine)* (blood) transfusion
transgénique [trɑ̃sʒenik] genetically modified, transgenic
transgresser [trɑ̃sgrese] ⟨1b⟩ *loi* break, transgress
transi, *~e* [trɑ̃zi]: *~ (de froid)* frozen
transiger [trɑ̃ziʒe] ⟨1l⟩ come to a compromise (*avec* with)
transistor [trɑ̃zistɔr] *m* transistor
transit [trɑ̃zit] *m* transit; *en ~* in transit
transitif, **-ive** [trɑ̃zitif, -iv] GRAM transitive
transition [trɑ̃zisjõ] *f* transition; **transitoire** transitional; (*fugitif*) transitory
translucide [trɑ̃slysid] translucent
transmettre [trɑ̃smɛtr] ⟨4p⟩ transmit; *message, talent* pass on; *maladie* pass on, transmit; *tradition, titre, héritage* hand down; *~ en direct* RAD, TV broadcast live; **transmissible**: *sexuellement ~* sexually transmitted; **transmission** *f* transmission; *d'un message* passing on; *d'une tradition, d'un titre* handing down; RAD, TV broadcast; *~ en direct / en différé* RAD, TV live / recorded broadcast
transparaître [trɑ̃sparɛtr] ⟨4z⟩ show through
transparence [trõsparɑ̃s] *f* transparency; **transparent**, *~e* transparent (*aussi fig*)
transpercer [trɑ̃spɛrse] ⟨1k⟩ pierce; *de l'eau, de la pluie* go right through; *~ le cœur à qn fig* break s.o.'s heart
transpiration [trɑ̃spirasjõ] *f* perspiration; **transpirer** ⟨1a⟩ perspire
transplant [trɑ̃splɑ̃] *m* transplant; **transplantation** *f* transplanting; MÉD transplant; **transplanter** ⟨1a⟩ transplant
transport [trɑ̃spɔr] *m* transport; *~s publics* mass transit, *Br* public transport *sg*
transportable [trɑ̃spɔrtabl] transportable; **transporté**, *~e*: *~ de joie* beside o.s. with joy; **transporter** ⟨1a⟩ transport, carry; **transporteur** *m* carrier
transposer [trɑ̃spoze] ⟨1a⟩ transpose; **transposition** *f* transposition
transvaser [trɑ̃svɑze] ⟨1a⟩ decant
transversal, *~e* [trɑ̃svɛrsal] (*mpl* -aux) cross *atr*
trapèze [trapɛz] *m* trapeze
trappe [trap] *f* (*ouverture*) trapdoor
trapu, *~e* [trapy] stocky
traquenard [traknar] *m* trap
traquer [trake] ⟨1m⟩ hunt
traumatiser [tromatize] ⟨1a⟩ PSYCH traumatize; **traumatisme** *m* MÉD, PSYCH trauma
travail [travaj] *m* (*pl* travaux) work; *être sans ~* be out of work, be unemployed; *travaux pratiques* practical work *sg*; *travaux* (*construction*) construction work *sg*; *travaux ménagers* housework *sg*; **travailler** ⟨1a⟩ **1** *v/i* work; *~ à qch* work on sth **2** *v/t* work on; *d'une pensée, d'un problème* trouble; **travailleur**, **-euse** **1** *adj* hard-working **2** *m/f* worker; **travailliste** *m/f* member of the Labour Party
travers [travɛr] **1** *adv*: *de ~* squint, crooked; *marcher* not in a straight line, not straight; *en ~* across; *prendre qch de ~ fig* take sth the wrong way **2** *prép*: *à ~ qch, au ~ de qch* through sth; *à ~ champs* cross country **3** *m* shortcoming
traversée [travɛrse] *f* crossing; **traverser** ⟨1a⟩ *rue, mer* cross; *forêt, crise*

go through; (*percer*) go right through
travesti, **~e** [travɛsti] **1** *adj pour fête* fancy-dress **2** *m* (*déguisement*) fancy dress; (*homosexuel*) transvestite; **travestir** [travɛstir] ⟨2a⟩ *vérité* distort; ***se ~*** dress up (***en*** as a)
trébucher [trebyʃe] ⟨1a⟩ trip, stumble (***sur*** over)
trèfle [trɛfl] *m* BOT clover; *aux cartes* clubs *pl*
treillage [trɛjaʒ] *m* trellis; ***~ métallique*** wire mesh
treize [trɛz] thirteen; → ***trois***; **treizième** thirteenth
tremblant, **~e** [trɑ̃blɑ̃, -t] trembling, quivering; **tremblement** *m* trembling; ***~ de terre*** earthquake; **trembler** ⟨1a⟩ tremble, shake (***de*** with); *de la terre* shake
trémousser [tremuse] ⟨1a⟩: ***se ~*** wriggle
trempe [trɑ̃p] *f fig* caliber, *Br* calibre; **trempé**, **~e** soaked; *sol* saturated; **tremper** ⟨1a⟩ soak; *pain dans café etc* dunk; *pied dans l'eau* dip; *acier* harden; ***~ dans*** *fig* be involved in
tremplin [trɑ̃plɛ̃] *m* springboard; *pour ski* ski jump; *fig* stepping stone, launchpad
trentaine [trɑ̃tɛn] *f*: ***une ~ de personnes*** about thirty people *pl*, thirty or so people *pl*; **trente** thirty; → ***trois***; **trentième** thirtieth
trépied [trepje] *m* tripod
trépigner [trepiɲe] ⟨1a⟩ stamp (one's feet)
très [trɛ] *adv* very; ***~ lu / visité*** much read / visited; ***avoir ~ envie de qch*** really feel like sth
trésor [trezɔr] *m* treasure; ***des ~s de …*** endless …; ***Trésor*** Treasury; **trésorerie** *f* treasury; *service* accounts *sg ou pl*; (*fonds*) finances *pl*; ***des problèmes de ~*** cashflow problems; **trésorier**, **-ère** *m/f* treasurer
tressaillement [tresajmɑ̃] *m* jump; **tressaillir** ⟨2c, *futur* 2a⟩ jump
tresse [trɛs] *f de cheveux* braid, *Br* plait; **tresser** ⟨1b⟩ *cheveux* braid, *Br* plait; *corbeille, câbles* weave
tréteau [treto] *m* (*pl* -x) TECH trestle
treuil [trœj] *m* TECH winch
trêve [trɛv] *f* truce; ***~ de …*** that's enough …; ***sans ~*** without respite
tri [tri] *m aussi de données* sort; ***faire un ~ dans qch*** sort sth out; ***le ~ des déchets*** waste separation
triangle [trijɑ̃gl] *m* triangle; **triangulaire** triangular
tribal, **~e** [tribal] (*mpl* -aux) tribal
tribord [tribɔr] *m* MAR starboard
tribu [triby] *f* tribe
tribulations [tribylasjõ] *fpl* tribulations
tribunal [tribynal] *m* (*pl* -aux) court
tribune [tribyn] *f* platform (*aussi fig*); (*débat*) discussion; ***à la ~ aujourd'hui …*** today's topic for discussion …; ***~s*** *dans stade* bleachers, *Br* stands
tributaire [tribytɛr]: ***être ~ de*** be dependent on; ***cours*** *m* ***d'eau ~*** tributary
tricher [triʃe] ⟨1a⟩ cheat; **tricherie** *f* cheating; **tricheur**, **-euse** *m/f* cheat
tricolore [trikɔlɔr]: ***drapeau*** *m* ***~*** tricolor *ou Br* tricolour (flag)
tricot [triko] *m* knitting; *vêtement* sweater; ***de*** *ou* ***en ~*** knitted; **tricotage** *m* knitting; **tricoter** ⟨1a⟩ knit
tricycle [trisikl] *m* tricycle
triennal, **~e** [trijɛnal] (*mpl* -aux) *qui a lieu tous les trois ans* three-yearly; *qui dure trois ans* three-year
trier [trije] ⟨1a⟩ (*choisir*) pick through; (*classer*) sort
trilingue [trilɛ̃g] trilingual
trille [trij] *m* MUS trill
trimballer [trɛ̃bale] ⟨1a⟩ F hump F, lug
trimer [trime] ⟨1a⟩ F work like a dog F
trimestre [trimɛstr] *m* quarter; ÉDU trimester, *Br* term; **trimestriel**, **~le** quarterly; ÉDU term *atr*
trinquer [trɛ̃ke] ⟨1m⟩ (*porter un toast*) clink glasses (***avec qn*** with s.o.); ***~ à*** *fig* F toast, drink to
triomphe [trijõf] *m* triumph; **triompher** ⟨1a⟩ triumph (***de*** over)
tripartite [tripartit] tripartite
tripes [trip] *fpl* guts; CUIS tripe *sg*
triple [tripl] triple; **tripler** ⟨1a⟩ triple; **triplés**, **-ées** *mpl*, *fpl* triplets

tripoter [tripɔte] ⟨1a⟩ F **1** *v/t objet* play around with; *femme* grope, feel up **2** *v/i*: **~ dans** (*prendre part à*) be involved in; (*toucher*) play around with

triste [trist] sad; *temps*, *paysage* dreary; ***dans un ~ état*** in a sorry state; **tristesse** *f* sadness

trivial, **~e** [trivjal] (*mpl* -aux) vulgar; *litt* (*banal*) trite; **trivialité** *f* vulgarity; *litt* triteness; *expression* vulgarism

troc [trɔk] *m* barter

trognon [trɔɲõ] *m d'un fruit* core; *d'un chou* stump

trois [trwa] **1** *adj* three; ***le ~ mai*** May third, *Br* the third of May **2** *m* three; **troisième** third; **troisièmement** thirdly

trombe [trõb] *f*: ***des ~s d'eau*** sheets of water; ***en ~*** *fig* at top speed

trombone [trõbɔn] *m* MUS trombone; *pour papiers* paper clip

trompe [trõp] *f* MUS horn; *d'un éléphant* trunk

tromper [trõpe] ⟨1a⟩ deceive; *époux*, *épouse* be unfaithful to; *confiance* abuse; ***se ~*** be mistaken, make a mistake; ***se ~ de numéro / jour*** get the wrong number / day; **tromperie** *f* deception

trompette [trõpɛt] **1** *f* trumpet **2** *m* trumpet player, trumpeter

trompeur, **-euse** [trõpœr, -øz] deceptive; (*traître*) deceitful

tronc [trõ] *m* BOT, ANAT trunk; *à l'église* collection box

tronçon [trõsõ] *m* section

trône [tron] *m* throne

trop [tro, *liaison*: trop *ou* trɔp] *adv avec verbe* too much; *devant adjectif ou adverbe* too; **~ *de lait / gens*** too much milk / too many people; ***un verre de** ou **en ~*** one glass too many; ***être de ~*** be in the way, be de trop

trophée [trɔfe] *m* trophy

tropical, **~e** [trɔpikal] (*mpl* -aux) tropical; **tropique** *m* GÉOGR tropic; **les Tropiques** the Tropics

trop-plein [troplɛ̃] *m* (*pl* trop-pleins) overflow

troquer [trɔke] ⟨1m⟩ exchange, swap (***contre*** for)

trot [tro] *m* trot; ***aller au ~*** trot; **trotter** ⟨1a⟩ *d'un cheval* trot; *d'une personne* run around; **trotteuse** *f* second hand; **trottiner** ⟨1a⟩ scamper; **trottinette** *f* scooter

trottoir [trɔtwar] *m* sidewalk, *Br* pavement; ***faire le ~*** F be on the streets, be a streetwalker

trou [tru] *m* (*pl* -s) hole; ***j'ai un ~*** my mind's a blank; **~ *de mémoire*** lapse of memory

troublant, **~e** [trublɑ̃, -t] disturbing; **trouble** **1** *adj eau*, *liquide* cloudy; *fig*: *explication* unclear; *situation* murky **2** *m* (*désarroi*) trouble; (*émoi*) excitement; MÉD disorder; **~s** POL unrest *sg*; **trouble-fête** *m* (*pl inv*) spoilsport, party-pooper F; **troubler** ⟨1a⟩ *liquide* make cloudy; *silence*, *sommeil* disturb; *réunion* disrupt; (*inquiéter*) bother, trouble; **~ *l'ordre public*** cause a disturbance; ***se ~*** *d'un liquide* become cloudy; *d'une personne* get flustered

troué, **~e** [true]: ***avoir des semelles ~es*** have holes in one's shoes; **trouée** *f* gap; **trouer** ⟨1a⟩ make a hole in

trouille [truj] *f* F: ***avoir la ~*** be scared witless

troupe [trup] *f* troop; *de comédiens* troupe

troupeau [trupo] *m* (*pl* -x) *de vaches* herd; *de moutons* flock (*aussi fig*)

trousse [trus] *f* kit; ***être aux ~s de qn*** *fig* be on s.o.'s heels; **~ *d'écolier*** pencil case; **~ *de toilette*** toilet bag

trousseau [truso] *m* (*pl* -x) *d'une mariée* trousseau; **~ *de clés*** bunch of keys

trouvaille [truvaj] *f* (*découverte*) find; (*idée*) bright idea; **trouver** ⟨1a⟩ find; *plan* come up with; (*rencontrer*) meet; ***aller ~ qn*** go and see s.o.; **~ *que*** think that; ***je la trouve sympathique*** I think she's nice; ***se ~*** (*être*) be; ***se ~ bien*** be well; ***il se trouve que*** it turns out that

truand [tryɑ̃] *m* crook

truc [tryk] *m* F (*chose*) thing, thinga-

majig F; (*astuce*) trick
trucage → ***truquage***
truchement [tryʃmɑ̃] *m*: ***par le ~ de*** through
truelle [tryɛl] *f* trowel
truffe [tryf] *f* BOT truffle; *d'un chien* nose; **truffé, ~e** with truffles; ***~ de*** *fig*: *citations* peppered with
truie [trɥi] *f* sow
truite [trɥit] *f* trout
truquage [trykaʒ] *m dans film* special effect; *d'une photographie* faking; **truquer** ⟨1m⟩ *élections, cartes* rig
T.S.V.P. *abr* (= ***tournez s'il-vous--plaît***) PTO (= please turn over)
tu [ty] you
tuant, ~e [tɥɑ̃, -t] F exhausting, *Br* knackering F
tuba [tyba] *m* snorkel; MUS tuba
tube [tyb] *m* tube; F (*chanson*) hit; ***~ digestif*** ANAT digestive tract
tuberculose [tybɛrkyloz] *f* MÉD tuberculosis, TB
tubulaire [tybylɛr] tubular
tuer [tɥe] ⟨1n⟩ kill; *fig* (*épuiser*) exhaust; (*peiner*) bother; ***se ~*** (*se suicider*) kill o.s.; (*trouver la mort*) be killed; **tuerie** *f* killing, slaughter
tue-tête [tytɛt]: ***à ~*** at the top of one's voice
tueur [tɥœr] *m* killer; ***~ à gages*** hired assassin, hitman
tuile [tɥil] *f* tile; *fig* F bit of bad luck
tulipe [tylip] *f* tulip
tuméfié, ~e [tymefje] swollen
tumeur [tymœr] *f* MÉD tumor, *Br* tumour
tumulte [tymylt] *m* uproar; *fig* (*activité excessive*) hustle and bustle; **tumultueux, -euse** noisy; *passion* tumultuous, stormy
tungstène [tɛ̃kstɛn, tœ̃-] *m* tungsten
tunique [tynik] *f* tunic
Tunisie [tynizi]: ***la ~*** Tunisia; **tunisien, ~ne 1** *adj* Tunisian **2** *m/f* **Tunisien, ~ne** Tunisian
tunnel [tynɛl] *m* tunnel
turbine [tyrbin] *f* TECH turbine; **turbiner** ⟨1a⟩ P slave away
turbo-moteur [tyrbɔmɔtœr] *m* turbo-motor
turbo-réacteur [tyrbɔreaktœr] *m* AVIAT turbojet
turbulence [tyrbylɑ̃s] *f* turbulence; *d'un élève* unruliness; **turbulent, ~e** turbulent; *élève* unruly
turc, turque [tyrk] **1** *adj* Turkish **2** *m langue* Turkish **3** *m/f* **Turc, Turque** Turk
turf [tœrf, tyrf] *m* SP horseracing; *terrain* racecourse
Turquie [tyrki]: ***la ~*** Turkey
turquoise [tyrkwaz] *f* turquoise
tutelle [tytɛl] *f* JUR guardianship; *d'un état, d'une société* supervision, control; *fig* protection; **tuteur, -trice 1** *m/f* JUR guardian **2** *m* BOT stake
tutoyer [tytwaje] ⟨1h⟩ address as 'tu'
tuyau [tɥijo] *m* (*pl* -x) pipe; *flexible* hose; F (*information*) tip; ***~ d'arrosage*** garden hose; ***~ d'échappement*** exhaust pipe; **tuyauter** ⟨1a⟩ F: ***~ qn*** tip s.o. off
T.V.A. [teveɑ] *f abr* (= ***taxe sur*** *ou* ***à la valeur ajoutée***) sales tax, *Br* VAT (= value added tax)
tympan [tɛ̃pɑ̃] *m* ANAT eardrum
type [tip] *m* type; F (*gars*) guy F; ***un chic ~*** a great guy; ***contrat*** *m* ***~*** standard contract
typhoïde [tifɔid] *f* typhoid
typhon [tifõ] *m* typhoon
typique [tipik] typical (***de*** of); **typiquement** *adv* typically
tyran [tirɑ̃] *m* tyrant (*aussi fig*); **tyrannie** *f* tyranny (*aussi fig*); **tyrannique** tyrannical; **tyranniser** ⟨1a⟩ tyrannize; *petit frère etc* bully

U

U.E. [yə] *f abr* (= ***Union européenne***) EU (= European Union)

ulcère [ylsɛr] *m* MÉD ulcer; **ulcérer** ⟨1f⟩ *fig* aggrieve

ultérieur, **~e** [ylterjœr] later, subsequent; **ultérieurement** *adv* later, subsequently

ultimatum [yltimatɔm] *m* ultimatum

ultime [yltim] last

ultra-conservateur, **-trice** [yltrakõsɛrvatœr, -tris] ultra-conservative

ultrason [yltrasõ] *m* PHYS ultrasound

ultraviolet, **~te** [yltravjɔlɛ, -t] **1** *adj* ultraviolet **2** *m* ultraviolet

un, **une** [ɛ̃ *ou* œ̃, yn] *article* ◊ a; *devant voyelle* an; ***un tigre / un éléphant*** a tiger / an elephant; ***un utilisateur*** a user; ***pas un seul ...*** not a single ..., not one single ...

◊ *pron* one; ***le un*** one; ***un à un*** one by one; ***un sur trois*** one in three; ***à la une*** *dans journal* on the front page; ***faire la une*** make the headlines; ***l'un / l'une des touristes*** one of the tourists; ***les uns avaient ...*** some (of them) had ...; ***elles s'aident les unes les autres*** they help each other *ou* one another; ***l'un et l'autre*** both of them; ***l'un après l'autre*** one after the other, in turn

◊ *chiffre* one; ***à une heure*** at one o'clock

unanime [ynanim] unanimous; **unanimité** *f* unanimity; ***à l'~*** unanimously

uni, **~e** [yni] *pays* united; *surface* even, smooth; *tissu* solid(-colored), *Br* self-coloured; *famille* close-knit

unification [ynifikasjõ] *f* unification; **unifier** ⟨1a⟩ unite, unify

uniforme [ynifɔrm] **1** *adj* uniform; *existence* unchanging **2** *m* uniform; **uniformiser** ⟨1a⟩ standardize; **uniformité** *f* uniformity

unilatéral, **~e** [ynilateral] (*mpl* -aux) unilateral

union [ynjõ] *f* union; (*cohésion*) unity; **Union européenne** European Union; **l'Union soviétique** HIST the Soviet Union; **~ (*conjugale*)** marriage

unique [ynik] (*seul*) single; *fils* only; (*extraordinaire*) unique; **uniquement** *adv* only

unir [ynir] ⟨2a⟩ POL unite; *par moyen de communication* link; *couple* join in marriage, marry; ***~ la beauté à l'intelligence*** combine beauty with intelligence; ***s'~*** unite; (*se marier*) marry

unitaire [ynitɛr] unitary; *prix* unit *atr*

unité [ynite] *f* unit; ***~ centrale*** INFORM central processing unit, CPU; ***~ de commande*** control unit

univers [ynivɛr] *m* universe; *fig* world; **universel**, **~le** universal

universitaire [ynivɛrsitɛr] **1** *adj* university *atr* **2** *m/f* academic; **université** *f* university

Untel [ɛ̃tɛl, œ̃-]: ***monsieur ~*** Mr So-and-So

uranium [yranjɔm] *m* CHIM uranium

urbain, **~e** [yrbɛ̃, -ɛn] urban; **urbaniser** ⟨1a⟩ urbanize; **urbanisme** *m* town planning; **urbaniste** *m* town planner

urgence [yrʒɑ̃s] *f* urgency; ***une ~*** an emergency; ***d'~*** emergency *atr*; ***état m d'~*** state of emergency; **urgent**, **~e** urgent

urine [yrin] *f* urine; **uriner** ⟨1a⟩ urinate

urne [yrn] *f*: ***aller aux ~s*** go to the polls

usage [yzaʒ] *m* use; (*coutume*) custom, practice; *linguistique* usage; ***hors d'~*** out of use; ***à l'~*** with use; ***à l'~ de qn*** for use by s.o.; ***faire ~***

de use; ***d'~*** customary; **usagé, ~e** *vêtements* worn; **usager** *m* user
usé, ~e [yze] worn; *vêtement* worn-out; *pneu* worn, threadbare; *personne* worn-out, exhausted; ***eaux ~es*** waste water *sg*; **user** ⟨1a⟩ *du gaz, de l'eau* use, consume; *vêtement* wear out; *yeux* ruin; ***~ qn*** wear s.o. out, exhaust s.o.; ***s'~*** wear out; *personne* wear o.s. out, exhaust o.s.; ***~ de qch*** use sth
usine [yzin] *f* plant, factory; ***~ d'automobiles*** car plant; ***~ de retraitement*** reprocessing plant; **usiner** ⟨1a⟩ machine
usité, ~e [yzite] *mot* common
ustensile [ystɑ̃sil] *m* tool; ***~ de cuisine*** kitchen utensil
usuel, ~le [yzɥɛl] usual; *expression* common
usure [yzyr] *f* (*détérioration*) wear; *du sol* erosion
utérus [yterys] *m* ANAT womb, uterus
utile [ytil] useful; ***en temps ~*** in due course
utilisable [ytilizabl] usable; **utilisateur, -trice** *m/f* user; ***~ final*** end user; **utilisation** *f* use; **utiliser** ⟨1a⟩ use
utilitaire [ytilitɛr] utilitarian
utilité [ytilite] *f* usefulness, utility; ***ça n'a aucune ~*** it's (of) no use whatever

V

v. *abr* (= ***voir***) see
vacance [vakɑ̃s] *f poste* opening, *Br* vacancy; ***~s*** vacation *sg*, *Br* holiday(s); ***prendre des ~s*** take a vacation; ***en ~s*** on vacation; **vacancier, -ère** *m/f* vacationer, *Br* holiday-maker; **vacant, ~e** vacant
vacarme [vakarm] *m* din, racket
vaccin [vaksɛ̃] *m* MÉD vaccine; **vaccination** *f* MÉD vaccination; **vacciner** ⟨1a⟩ vaccinate (***contre*** against)
vache [vaʃ] **1** *f* cow; *cuir* cowhide; ***~ à lait*** *fig* milch cow; ***la ~!*** F Christ! F **2** *adj* F mean, rotten F; **vachement** *adv* F *bon, content* damn F, *Br aussi* bloody F; *changer, vieillir* one helluva lot F
vaciller [vasije] ⟨1a⟩ *sur ses jambes* sway; *d'une flamme, de la lumière* flicker; (*hésiter*) vacillate
vadrouiller [vadruje] ⟨1a⟩ F roam about
va-et-vient [vaevjɛ̃] *m* (*pl inv*) *d'une pièce mobile* backward and forward motion; *d'une personne* toing-and-froing
vagabond, ~e [vagabɔ̃, -d] **1** *adj* wandering **2** *m/f* hobo, *Br* tramp; **vagabondage** *m* wandering; JUR vagrancy; **vagabonder** ⟨1a⟩ wander (*aussi fig*)
vagin [vaʒɛ̃] *m* vagina
vague[1] [vag] *f* wave (*aussi fig*); ***~ de chaleur*** heatwave; ***~ de froid*** cold snap
vague[2] [vag] **1** *adj* vague; *regard* faraway; ***un ~ magazine*** *péj* some magazine or other; ***terrain*** *m* ***~*** waste ground **2** *m* vagueness; ***regarder dans le ~*** stare into the middle distance; ***laisser qch dans le ~*** leave sth vague; **vaguement** *adv* vaguely
vaillant, ~e [vajɑ̃, -t] brave, valiant; ***se sentir ~*** feel fit and well
vaille [vaj] *subj de* ***valoir***; ***~ que ~*** come what may
vain, ~e [vɛ̃, vɛn] vain; *mots* empty; ***en ~*** in vain
vaincre [vɛ̃kr] ⟨4i⟩ conquer; SP defeat; *fig*: *angoisse* overcome, conquer; *obstacle* overcome; **vaincu, ~e 1** *p/p* → ***vaincre*** **2** *adj* conquered; SP de-

feated; ***s'avouer ~*** admit defeat **3** *m* loser; ***l'armée des ~s*** the defeated army
vainement [vɛnmɑ̃] *adv* in vain, vainly
vainqueur [vɛ̃kœr] *m* winner, victor
vaisseau [vɛso] *m* (*pl* -x) ANAT, *litt* (*bateau*) vessel; ***~ sanguin*** blood vessel; ***~ spatial*** spaceship
vaisselle [vɛsɛl] *f* dishes *pl*; ***laver*** *ou* ***faire la ~*** do *ou* wash the dishes, *Br aussi* do the washing-up
val [val] *m* (*pl* vaux [vo] *ou* vals) *litt* valley
valable [valabl] valid
valet [valɛ] *m cartes* jack, knave
valeur [valœr] *f* value, worth; *d'une personne* worth; ***~s*** COMM securities; ***~ ajoutée*** added value; ***sans ~*** worthless; ***mettre en ~*** emphasize, highlight; ***avoir de la ~*** be valuable
validation [validasjõ] *f* validation; **valide** (*sain*) fit; *passeport*, *ticket* valid; **valider** ⟨1a⟩ validate; *ticket* stamp; **validité** *f* validity
valise [valiz] *f* bag, suitcase; ***faire sa ~*** pack one's bags
vallée [vale] *f* valley
vallon [valõ] *m* (small) valley; **vallonné**, **~e** hilly
valoir [valwar] ⟨3h⟩ **1** *v/i* be worth; (*coûter*) cost; ***ça ne vaut rien*** (*c'est médiocre*) it's no good, it's worthless; ***~ pour*** apply to; ***~ mieux*** be better (***que*** than); ***il vaut mieux attendre*** it's better to wait (***que de faire qch*** than to do sth); ***il vaut mieux que je …*** (+ *subj*) it's better for me to…; ***ça vaut le coup*** F it's worth it; ***faire ~*** *droits* assert; *capital* make work; (*mettre en valeur*) emphasize **2** *v/t*: ***~ qch à qn*** earn s.o. sth; ***à ~ sur*** *d'un montant* to be offset against **3**: ***se ~*** be alike
valoriser [valɔrize] ⟨1a⟩ enhance the value of; *personne* enhance the image of
valse [vals] *f* waltz; **valser** ⟨1a⟩ waltz
valve [valv] *f* TECH valve
vampire [vɑ̃pir] *m* vampire; *fig* bloodsucker
vandale [vɑ̃dal] *m/f* vandal; **vandaliser** ⟨1a⟩ vandalize; **vandalisme** *m* vandalism
vanille [vanij] *f* vanilla
vanité [vanite] *f* (*fatuité*) vanity, conceit; (*inutilité*) futility; **vaniteux**, **-euse** vain, conceited
vanne [van] *f* sluice gate; F dig F
vannerie [vanri] *f* wickerwork
vantard, **~e** [vɑ̃tar, -d] **1** *adj* bragging, boastful **2** *m/f* bragger, boaster; **vantardise** *f* bragging, boasting
vanter [vɑ̃te] ⟨1a⟩ praise; ***se ~*** brag, boast; ***se ~ de qch*** pride o.s. on sth
vapeur [vapœr] *f* vapor, *Br* vapour; ***~*** (***d'eau***) steam; ***cuire à la ~*** steam; ***à ~*** *locomotive* steam *atr*
vaporeux, **-euse** [vapɔrø, -z] *paysage* misty; *tissu* filmy; **vaporisateur** *m* spray; **vaporiser** ⟨1a⟩ spray
varappe [varap] *f* rock-climbing; ***mur de ~*** climbing wall; **varappeur**, **-euse** *m/f* rock-climber
variabilité [varjabilite] *f* variability; *du temps*, *d'humeur* changeability; **variable** variable; *temps*, *humeur* changeable; **variante** *f* variant; **variation** *f* (*changement*) change; (*écart*) variation
varice [varis] *f* ANAT varicose vein
varicelle [varisɛl] *f* MÉD chickenpox
varié, **~e** [varje] varied; **varier** ⟨1a⟩ vary; **variété** *f* variety; ***~s*** *spectacle* vaudeville *sg*, *Br* variety show *sg*
variole [varjɔl] *f* MÉD smallpox
Varsovie [varsɔvi] Warsaw
vase[1] [vɑz] *m* vase
vase[2] [vɑz] *f* mud
vasectomie [vazɛktɔmi] *f* vasectomy
vaseux, **-euse** [vɑzø, -z] muddy; F (*nauséeux*) under the weather; F *explication*, *raisonnement* muddled
vasistas [vazistas] *m* fanlight
vau-l'eau [volo]: (***s'en***) ***aller à ~*** go to rack and ruin
vaurien, **~ne** [vorjɛ̃, -ɛn] *m/f* good-for-nothing
vautour [votur] *m* vulture (*aussi fig*)
vautrer [votre] ⟨1a⟩: ***se ~*** sprawl (out); *dans la boue* wallow
veau [vo] *m* (*pl* -x) calf; *viande* veal; *cuir* calfskin

vedette [vədɛt] *f au théâtre, d'un film* star; (*bateau*) launch; ***en ~*** in the headlines; ***mettre en ~*** highlight; ***match*** *m* **~** big game

végétal, **~e** [veʒetal] (*mpl* -aux) **1** *adj* plant *atr*; *huile* vegetable **2** *m* plant; **végétalien**, **~ne** *m/f & adj* vegan

végétarien, **~ne** [veʒetarjɛ̃, -ɛn] *m/f & adj* vegetarian

végétation [veʒetasjõ] *f* vegetation; **végéter** ⟨1f⟩ vegetate

véhémence [veemɑ̃s] *f* vehemence; **véhément**, **~e** vehement

véhicule [veikyl] *m* vehicle (*aussi fig*)

veille [vɛj] *f* previous day; *absence de sommeil* wakefulness; ***la ~ au soir*** the previous evening; ***la ~ de Noël*** Christmas Eve; ***à la ~ de*** on the eve of; **veillée** *f d'un malade* night nursing; (*soirée*) evening; ***~ funèbre*** vigil; **veiller** ⟨1b⟩ stay up late; ***~ à qch*** see to sth; ***~ à ce que tout soit*** (*subj*) ***prêt*** see to it that everything is ready; ***~ à faire qch*** see to it that sth is done; ***~ sur qn*** watch over s.o.; **veilleuse** *f* nightlight; (*flamme*) pilot light; AUTO sidelight; ***mettre en ~*** *flamme* turn down low; *fig*: *affaire* put on the back burner; ***en ~*** INFORM on standby

veinard, **~e** [vɛnar, -d] *m/f* F lucky devil F; **veine** *f* vein; F luck; ***avoir de la ~*** be lucky

véliplanchiste [veliplɑ̃ʃist] *m/f* windsurfer

vélo [velo] *m* bike; ***faire du ~*** go cycling; ***~ tout-terrain*** mountain bike

vélocité [velɔsite] *f* speed; TECH velocity

vélodrome [velɔdrom] *m* velodrome

vélomoteur [velɔmɔtœr] *m* moped

velours [v(ə)lur] *m* velvet; ***~ côtelé*** corduroy

velouté, **~e** [vəlute] velvety; (*soupe*) smooth, creamy

velu, **~e** [vəly] hairy

venaison [vənɛzõ] *f* venison

vendable [vɑ̃dabl] saleable

vendange [vɑ̃dɑ̃ʒ] *f* grape harvest; **vendanger** ⟨1l⟩ bring in the grape harvest

vendeur [vɑ̃dœr] *m* sales clerk, *Br* shop assistant; **vendeuse** *f* sales clerk, *Br* shop assistant; **vendre** ⟨4a⟩ sell; *fig* betray; ***à ~*** for sale; ***se ~*** sell out

vendredi [vɑ̃drədi] *m* Friday; ***Vendredi saint*** Good Friday

vendu, **~e** [vɑ̃dy] **1** *p/p* → ***vendre*** **2** *adj* sold **3** *m/f péj* traitor

vénéneux, **-euse** [venenø, -z] *plantes* poisonous

vénérable [venerabl] venerable; **vénération** *f* veneration; **vénérer** ⟨1f⟩ revere

vénérien, **~ne** [venerjɛ̃, -ɛn]: ***maladie f ~ne*** venereal disease

vengeance [vɑ̃ʒɑ̃s] *f* vengeance; **venger** [vɑ̃ʒe] ⟨1l⟩ avenge (***qn de qch*** s.o. for sth); ***se ~ de qn*** get one's revenge on s.o.; ***se ~ de qch sur qn*** get one's revenge for sth on s.o.; ***ne te venge pas de son erreur sur moi*** don't take his mistake out on me; **vengeur**, **-eresse** **1** *adj* vengeful **2** *m/f* avenger

venimeux, **-euse** [vənimø, -z] *serpent* poisonous; *fig aussi* full of venom

venin [v(ə)nɛ̃] *m* venom (*aussi fig*)

venir [v(ə)nir] ⟨2h⟩ (*aux* ***être***) come; ***à ~*** to come; ***j'y viens*** I'm coming to that; ***en ~ à croire que*** come to believe that; ***en ~ aux mains*** come to blows; ***où veut-il en ~?*** what's he getting at?; ***~ de*** come from; ***je viens / je venais de faire la vaisselle*** I have / I had just washed the dishes; ***~ chercher, ~ prendre*** come for; ***faire ~*** *médecin* send for

Venise [vəniz] Venice

vent [vɑ̃] *m* wind; ***être dans le ~*** *fig* be modern; ***c'est du ~*** *fig* it's all hot air; ***coup*** *m* ***de ~*** gust of wind; ***il y a du ~*** it's windy; ***avoir ~ de qch*** *fig* get wind of sth

vente [vɑ̃t] *f* sale; *activité* selling; ***être dans la ~*** be in sales; ***~ à crédit*** installment plan, *Br* hire purchase

venteux, **-euse** [vɑ̃tø, -z] windy

ventilateur [vɑ̃tilatœr] *m* ventilator; *électrique* fan; **ventilation** *f* ventilation; **ventiler** ⟨1a⟩ *pièce* air; *montant*

break down
ventre [vɑ̃tr] *m* stomach, belly F; ***à plat** ~* flat on one's stomach; *~ **à bière*** beer belly, beer gut
ventriloque [vɑ̃trilɔk] *m* ventriloquist
venu, **~e** [v(ə)ny] **1** *adj*: ***bien / mal ~*** *action* appropriate / inappropriate **2** *m/f*: ***le premier ~, la première ~e*** the first to arrive; (*n'importe qui*) anybody; ***nouveau ~, nouvelle ~e*** newcomer
venue [v(ə)ny] *f* arrival, advent
ver [vɛr] *m* worm; *~ **de terre*** earthworm; *~ **à soie*** silkworm
véracité [verasite] *f* truthfulness, veracity
verbal, **~e** [vɛrbal] (*mpl* -aux) verbal; **verbaliser** ⟨1a⟩ **1** *v/i* JUR bring a charge **2** *v/t* (*exprimer*) verbalize
verbe [vɛrb] *m* LING verb
verdâtre [vɛrdɑtr] greenish
verdict [vɛrdikt] *m* verdict
verdir [vɛrdir] ⟨2a⟩ turn green
verdure [vɛrdyr] *f* (*feuillages*) greenery; (*salade*) greens *pl*
verge [vɛrʒ] *f* ANAT penis; (*baguette*) rod
verger [vɛrʒe] *m* orchard
verglacé, **~e** [vɛrglase] icy; **verglas** *m* black ice
vergogne [vɛrgɔɲ] *f*: ***sans ~*** shameless; *avec verbe* shamelessly
véridique [veridik] truthful
vérifiable [verifjabl] verifiable, which can be checked; **vérification** *f* check; **vérifier** ⟨1a⟩ check; ***se ~*** turn out to be true
vérin [verɛ̃] *m* jack
véritable [veritabl] real; *amour* true; **véritablement** *adv* really
vérité [verite] *f* truth; ***en ~*** actually; ***à la ~*** to tell the truth
vermeil, **~le** [vɛrmɛj] bright red, vermillion
vermine [vɛrmin] *f* vermin
vermoulu, **~e** [vɛrmuly] worm-eaten
vermouth [vɛrmut] *m* vermouth
verni, **~e** [vɛrni] varnished; F lucky; **vernir** ⟨2a⟩ varnish; *céramique* glaze; **vernis** *m* varnish; *de céramique* glaze; *~ **à ongle*** nail polish, *Br aussi* nail varnish; **vernissage** *m du bois* varnishing; *de la céramique* glazing; (*exposition*) private view
vérole [verɔl] *f* MÉD F syphilis; ***petite ~*** smallpox
verre [vɛr] *m* glass; ***prendre un ~*** have a drink; ***~s de contact*** contact lenses, contacts F; *~ **dépoli*** frosted glass; *~ **à eau*** tumbler, water glass; *~ **à vin*** wine glass; **verrerie** *f* glass-making; *fabrique* glassworks *sg*; *objets* glassware; **verrière** *f* (*vitrail*) stained-glass window; *toit* glass roof; **verroterie** *f* glass jewelry *ou Br* jewellery
verrou [vɛru] *m* (*pl* -s) bolt; ***sous les ~s*** F behind bars; **verrouillage** *m*: *~ **central*** AUTO central locking; **verrouiller** ⟨1a⟩ bolt; F lock up, put behind bars
verrue [vɛry] *f* wart
vers[1] [vɛr] *m* verse
vers[2] [vɛr] *prép* toward, *Br* towards; (*environ*) around, about
versant [vɛrsɑ̃] *m* slope
versatile [vɛrsatil] changeable; **versatilité** *f* changeability
verse [vɛrs]: ***il pleut à ~*** it's pouring down, it's bucketing down
Verseau [vɛrso] *m* ASTROL Aquarius
versement [vɛrsəmɑ̃] *m* payment
verser [vɛrse] **1** *v/t* pour (out); *sang, larmes* shed; *argent à un compte* pay in, deposit; *intérêts, pension* pay; *~ **à boire à qn*** pour s.o. a drink **2** *v/i* (*basculer*) overturn; *~ **dans qch*** *fig* succumb to sth
verset [vɛrsɛ] *m* verse
version [vɛrsjõ] *f* version; (*traduction*) translation; (***film** m **en***) *~ **originale*** original language version
verso [vɛrso] *m d'une feuille* back; ***au ~*** on the back, on the other side
vert, **~e** [vɛr, -t] **1** *adj* green; *fruit* unripe; *vin* too young; *fig*: *personne âgée* spry; *propos* risqué; ***l'Europe** f **~e*** AGR European agriculture **2** *m* green; ***les ~s*** POL *mpl* the Greens
vertébral, **~e** [vɛrtebral] (*mpl* -aux) ANAT vertebral; ***colonne** f **~e*** spine, spinal column; **vertèbre** *f* ANAT vertebra; **vertébrés** *mpl* vertebrates

vertement [vɛrtəmɑ̃] *adv* severely
vertical, ~e [vɛrtikal] (*mpl* -aux) **1** *adj* vertical **2** *f* vertical (line); **verticalement** *adv* vertically
vertige [vɛrtiʒ] *m* vertigo, dizziness; *fig* giddiness; ***un ~*** a dizzy spell; ***j'ai le ~*** I feel dizzy; ***des sommes qui donnent le ~*** mind-blowing sums of money; **vertigineux, -euse** *hauteurs* dizzy; *vitesse* breathtaking
vertu [vɛrty] *f* virtue; (*pouvoir*) property; ***en ~ de*** in accordance with; **vertueux, -euse** virtuous
verve [vɛrv] *f* wit; ***plein de ~*** witty
vésicule [vezikyl] *f* ANAT: ***~ biliaire*** gall bladder
vessie [vesi] *f* ANAT bladder
veste [vɛst] *f* jacket; ***retourner sa ~*** F be a turncoat; ***ramasser une ~*** F suffer a defeat
vestiaire [vɛstjɛr] *m de théâtre* checkroom, *Br* cloakroom; *d'un stade* locker room
vestibule [vɛstibyl] *m* hall
vestige [vɛstiʒ] *m le plus souvent au pl*: ***~s*** traces, remnants
veston [vɛstõ] *m* jacket, coat
vêtement [vɛtmɑ̃] *m* item of clothing, garment; ***~s*** clothes; (***industrie*** *f* ***du***) ***~*** clothing industry, rag trade F
vétéran [veterɑ̃] *m* veteran
vétérinaire [veterinɛr] **1** *adj* veterinary **2** *m/f* veterinarian, vet
vétille [vetij] *f* (*souvent au pl* ***~s***) trifle, triviality
vêtir [vetir] ⟨2g⟩ *litt* dress
veto [veto] *m* veto; ***droit*** *m* ***de ~*** right of veto; ***opposer son ~ à*** veto
vêtu, ~e [vety] dressed
vétuste [vetyst] *bâtiment* dilapidated, ramshackle
veuf [vœf] **1** *adj* widowed **2** *m* widower; **veuve 1** *adj* widowed **2** *f* widow
vexant, ~e [vɛksɑ̃, -t] humiliating, mortifying; ***c'est ~*** *contrariant* that's really annoying; **vexation** *f* humiliation, mortification; **vexer** ⟨1a⟩: ***~ qn*** hurt s.o.'s feelings; ***se ~*** get upset
viabilité [vjabilite] *f d'un projet*, BIOL viability; **viable** *projet*, BIOL viable
viaduc [vjadyk] *m* viaduct
viager, -ère [vjaʒe, -ɛr]: ***rente*** *f* ***viagère*** life annuity
viande [vjɑ̃d] *f* meat
vibrant, ~e [vibrɑ̃, -t] vibrating; *fig* vibrant; *discours* stirring; **vibration** *f* vibration; **vibrer** ⟨1a⟩ vibrate; ***faire ~*** *fig* give a buzz
vice [vis] *m* (*défaut*) defect; (*péché*) vice
vice-président [visprezidɑ̃] *m* COMM, POL vice-president; *Br* COMM vice-chairman
vicié, ~e [visje]: ***air*** *m* ***~*** stale air
vicieux, -euse [visjø, -z] *homme, regard* lecherous; *cercle* vicious
victime [viktim] *f* victim; ***~ de guerre*** war victim
victoire [viktwar] *f* victory; SP win, victory; ***remporter la ~*** be victorious, win; **victorieux, -euse** victorious
vidange [vidɑ̃ʒ] *f* emptying, draining; AUTO oil change; ***faire une ~*** change the oil; **vidanger** ⟨1l⟩ empty, drain; AUTO *huile* empty out, drain off
vide [vid] **1** *adj* empty (*aussi fig*); ***~ de sens*** devoid of meaning **2** *m* (*néant*) emptiness; *physique* vacuum; (*espace non occupé*) (empty) space; ***à ~*** empty; ***regarder dans le ~*** gaze into space; ***avoir peur du ~*** suffer from vertigo, be afraid of heights
vidéo [video] **1** *f* video **2** *adj inv* video; ***bande*** *f* ***~*** video tape; ***~ amateur*** home movie
vidéocassette [videokasɛt] *f* video cassette
vidéoclip [videoklip] *m* video
vidéoconférence [videokõferɑ̃s] *f* videoconference
vide-ordures [vidɔrdyr] *m* (*pl inv*) rubbish chute
vidéothèque [videotɛk] *f* video library
vider [vide] ⟨1a⟩ empty (out); F *personne d'une boîte de nuit* throw out; CUIS *volaille* draw; *salle* vacate, leave; ***~ qn*** F drain *ou* exhaust s.o.; ***se ~*** empty; **videur** *m* F bouncer
vie [vi] *f* life; (*vivacité*) life, liveliness;

moyens matériels living; ***à ~*** for life; ***de ma ~*** in all my life *ou* days; ***sans ~*** lifeless; ***être en ~*** be alive; ***coût de la ~*** cost of living; ***gagner sa ~*** earn one's living; ***~ conjugale*** married life; ***~ sentimentale*** love life
vieil [vjɛj] → ***vieux***
vieillard [vjɛjar] *m* old man; ***les ~s*** old people *pl*, the elderly *pl*
vieille [vjɛj] → ***vieux***
vieillesse [vjɛs] *f* old age; **vieillir** ⟨2a⟩ **1** *v/t*: ***~ qn*** *de soucis, d'une maladie* age s.o.; *de vêtements, d'une coiffure* make s.o. look older **2** *vi d'une personne* get old, age; *d'un visage* age; *d'une théorie, d'un livre* become dated; *d'un vin* age, mature; **vieillissement** *m* ageing
Vienne [vjɛn] Vienna; **viennoiseries** *fpl croissants and similar types of bread*
vierge [vjɛrʒ] **1** *f* virgin; ***la Vierge*** (***Marie***) REL the Virgin (Mary); ***Vierge*** ASTROL Virgo **2** *adj* virgin; *feuille* blank; ***forêt*** *f* ***~*** virgin forest; ***laine*** *f* ***~*** pure new wool
Viêt-nam [vjɛtnam]: ***le ~*** Vietnam; **vietnamien**, **~ne 1** *adj* Vietnamese **2** *m langue* Vietnamese **3** *m/f* **Vietnamien**, **~ne** Vietnamese
vieux, (*m* **vieil** *before a vowel or silent h*), **vieille** (*f*) [vjø, vjɛj] **1** *adj* old; ***~ jeu*** old-fashioned **2** *m/f* old man / old woman; ***les ~*** old people *pl*, the aged *pl*; ***mon ~ / ma vieille*** F (*mon père / ma mère*) my old man / woman F; ***prendre un coup de ~*** age, look older
vif, **vive** [vif, viv] **1** *adj* lively; (*en vie*) alive; *plaisir, satisfaction, intérêt* great, keen; *critique, douleur* sharp; *air* bracing; *froid* biting; *couleur* bright; ***de vive voix*** in person **2** *m* ***à ~*** *plaie* open; ***piqué au ~*** cut to the quick; ***entrer dans le ~ du sujet*** get to the heart of the matter, get down to the nitty gritty F; ***prendre sur le ~*** catch in the act; ***avoir les nerfs à ~*** be on edge
vigie [viʒi] *f* MAR lookout man
vigilance [viʒilɑ̃s] *f* vigilance; ***endormir la ~ de qn*** lull s.o. into a false sense of security; **vigilant**, **~e** vigilant
vigile [viʒil] *m* (*gardien*) security man, guard
vigne [viɲ] *f* (*arbrisseau*) vine; (*plantation*) vineyard; **vigneron**, **~ne** *m/f* wine grower
vignette [viɲɛt] *f de Sécurité Sociale*: *label from medication which has to accompany an application for a refund*; AUTO license tab, *Br* tax disc
vignoble [viɲɔbl] *m plantation* vineyard; *région* wine-growing area
vigoureux, **-euse** [vigurø, -z] *personne, animal, plante* robust, vigorous
vigueur [vigœr] *f* vigor, *Br* vigour, robustness; ***plein de ~*** full of energy *ou* vitality; ***en ~*** in force *ou* effect; ***entrer en ~*** come into force *ou* effect
V.I.H. [veiaʃ] *m abr* (= ***Virus de l'Immunodéficience Humaine***) HIV (= human immunodeficiency virus)
vil, **~e** [vil] *litt* vile; ***à ~ prix*** for next to nothing
vilain, **~e** [vilɛ̃, -ɛn] nasty; *enfant* naughty; (*laid*) ugly
villa [vila] *f* villa
village [vilaʒ] *m* village; **villageois**, **~e 1** *adj* village *atr* **2** *m/f* villager
ville [vil] *f* town; *grande* city; ***~ d'eau*** spa town; ***la ~ de Paris*** the city of Paris; ***aller en ~*** go into town
villégiature [vileʒjatyr] *f* holiday
vin [vɛ̃] *m* wine; ***~ blanc*** white wine; ***~ d'honneur*** reception; ***~ de pays*** regional wine; ***~ rouge*** red wine; ***~ de table*** table wine
vinaigre [vinɛgr] *m* vinegar
vinaigrette [vinɛgrɛt] *f* salad dressing
vindicatif, **-ive** [vɛ̃dikatif, -iv] vindictive
vingt [vɛ̃] twenty; → ***trois***; **vingtaine**: ***une ~ de personnes*** about twenty people *pl*, twenty or so people *pl*; **vingtième** twentieth
vinicole [vinikɔl] wine *atr*
vinyle [vinil] *m* vinyl; ***un ~*** a record
viol [vjɔl] *m* rape; *d'un lieu saint* violation; ***~ collectif*** gang rape
violacé, **~e** [vjɔlase] purplish
violation [vjɔlasjõ] *f d'un traité* viola-

tion; *d'une église* desecration; ~ ***de domicile*** JUR illegal entry
violemment [vjɔlamɑ̃] *adv* violently; *fig* intensely; **violence** *f* violence; *fig* intensity; **violent**, **~e** violent; *fig* intense
violer [vjɔle] ⟨1a⟩ *loi* break, violate; *promesse*, *serment* break; *sexuellement* rape; (*profaner*) desecrate; **violeur** *m* rapist
violet, **~te** [vjɔlɛ, -t] violet
violette [vjɔlɛt] *f* BOT violet
violon [vjɔlõ] *m* violin; *musicien* violinist; F *prison* slammer F
violoncelle [vjɔlõsɛl] *m* cello; **violoncelliste** *m/f* cellist
violoniste [vjɔlɔnist] *m/f* violinist
V.I.P. [veipe *ou* viajpi] *m* (*pl inv*) F VIP (= very important person)
vipère [vipɛr] *f* adder, viper; *fig* viper
virage [viraʒ] *m de la route* curve, corner; *d'un véhicule* turn; *fig* change of direction; ***prendre le ~*** corner, take the corner; ~ ***en épingle à cheveux*** hairpin curve
viral, **~e** [viral] viral
virée [vire] *f* F trip; (*tournée*) tour; (*balade*) stroll
virement [virmɑ̃] *m* COMM transfer
virer [vire] ⟨1a⟩ **1** *v/i* (*changer de couleur*) change color *ou Br* colour; *d'un véhicule* corner; ~ ***de bord*** MAR tack; *fig* change direction; *sexuellement* go gay **2** *v/t argent* transfer; ~ ***qn*** F throw *ou* kick s.o. out
virevolte [virvɔlt] *f* spin
virginal, **~e** [virʒinal] (*mpl* -aux) virginal; **virginité** *f* virginity; ***se refaire une ~*** *fig* get one's good reputation back
virgule [virgyl] *f* comma
viril, **~e** [viril] male; (*courageux*) manly; **virilité** *f* manhood; (*vigueur sexuelle*) virility
virtuel, **~le** [virtɥɛl] virtual; (*possible*) potential
virtuose [virtɥoz] *m/f* virtuoso; **virtuosité** *f* virtuosity
virulent, **~e** [virylɑ̃, -t] virulent
virus [virys] *m* MÉD, INFORM virus
vis [vis] *f* screw; ***escalier*** *m* ***à ~*** spiral staircase; ***serrer la ~ à qn*** *fig* F tighten the screws on s.o.
visa [viza] *m* visa
visage [vizaʒ] *m* face; **visagiste** *m/f* beautician
vis-à-vis [vizavi] **1** *prép*: ~ ***de*** opposite; (*envers*) toward, *Br* towards; (*en comparaison de*) compared with **2** *m* person sitting opposite; (*rencontre*) face-to-face meeting
viscéral, **~e** [viseral] (*mpl* -aux) *fig*: *peur, haine* deep-rooted
visée [vize] *f*: **~s** (*intentions*) designs
viser [vize] ⟨1a⟩ **1** *v/t* aim at; (*s'adresser à*) be aimed at **2** *v/i* aim (**à** at); ~ ***à faire qch*** aim to do sth; ~ ***haut*** *fig* aim high
viseur [vizœr] *m d'une arme* sights *pl*; PHOT viewfinder
visibilité [vizibilite] *f* visibility; **visible** visible; (*évident*) clear
visière [vizjɛr] *f de casquette* peak
visioconférence [vizjɔkõferɑ̃s] *f* video conference
vision [vizjõ] *f* sight; (*conception*, *apparition*) vision; **visionnaire** *m/f* & *adj* visionary; **visionneuse** *f* PHOT viewer
visiophone [vizjɔfɔn] *m* videophone
visite [vizit] *f* visit; *d'une ville* tour; ***être en ~ chez qn*** be visiting s.o.; ***rendre ~ à qn*** visit s.o.; ***avoir droit de ~*** *d'un parent divorcé* have access; ~ ***de contrôle*** follow-up visit; **~s *à domicile*** MÉD house calls; ~ ***de douane*** customs inspection; ~ ***guidée*** guided tour; ~ ***médicale*** medical (examination); **visiter** ⟨1a⟩ visit; (*faire le tour de*) tour; *bagages* inspect; **visiteur**, **-euse** *m/f* visitor
vison [vizõ] *m* mink
visqueux, **-euse** [viskø, -z] viscous; *péj* slimy
visser [vise] ⟨1a⟩ screw
visuel, **~le** [vizɥɛl] visual; ***champ*** *m* ~ field of vision
vital, **~e** [vital] (*mpl* -aux) vital; **vitalité** *f* vitality
vitamine [vitamin] *f* vitamin
vite [vit] *adv* fast, quickly; (*sous peu*, *bientôt*) soon; **~!** hurry up!, quick!; vi-

V

tesse *f* speed; AUTO gear; ***à toute ~*** at top speed; ***en ~*** F quickly
viticole [vitikɔl] wine *atr*
viticulteur [vitikyltœr] *m* wine-grower; **viticulture** *f* wine-growing
vitrage [vitraʒ] *m cloison* glass partition; *action* glazing; *ensemble de vitres* windows *pl*; ***double ~*** double glazing
vitrail [vitraj] *m* (*pl* -aux) stained-glass window
vitre [vitr] *f* window (pane); *de voiture* window; **vitrer** ⟨1a⟩ glaze; **vitreux, -euse** *regard* glazed; **vitrier** *m* glazier
vitrine [vitrin] *f* (*étalage*) (store) window; *meuble* display cabinet
vivace [vivas] hardy; *haine, amour* strong, lasting; **vivacité** *f d'une personne, d'un regard* liveliness, vivacity
vivant, ~e [vivɑ̃, -t] **1** *adj* (*en vie*) alive; (*plein de vie*) lively; (*doué de vie*) living; *langue* modern **2** *m* living person; ***de son ~*** in his lifetime; ***c'est un bon ~*** he enjoys life; **vivement** *adv* (*d'un ton vif*) sharply; (*vite*) briskly; *ému, touché* deeply; ***~ dimanche!*** roll on Sunday!, Sunday can't come soon enough!
vivier [vivje] *m* fishpond; *dans un restaurant* fish tank
vivifier [vivifje] ⟨1a⟩ invigorate
vivoter [vivɔte] ⟨1a⟩ just get by
vivre [vivr] **1** *v/i* ⟨4e⟩ live **2** *v/t* experience; ***vive …!*** long live …! **3** *mpl*: ***~s*** supplies
vocabulaire [vɔkabylɛr] *m* vocabulary
vocal, ~e [vɔkal] (*mpl* -aux) vocal
vocation [vɔkasjõ] *f* vocation, calling; ***une entreprise à ~ philanthropique*** a philanthropic organization
vociférer [vɔsifere] ⟨1f⟩ shout
vodka [vɔdka] *f* vodka
vœu [vø] *m* (*pl* -x) REL vow; (*souhait*) wish; ***faire ~ de faire qch*** vow to do sth; ***tous mes ~x!*** best wishes!
vogue [vɔg] *f*: ***être en ~*** be in fashion
voici [vwasi] here is *sg*, here are *pl*; ***me ~!*** here I am!; ***le livre que ~*** this book
voie [vwa] *f* way (*aussi fig*); *de chemin de fer* track; *d'autoroute* lane; ***être en ~ de formation*** be being formed; ***être en ~ de guérison*** be on the road to recovery, be on the mend; ***par (la) ~ de*** by means of; ***par ~ aérienne*** by air; ***par la ~ hiérarchique*** through channels; ***~ d'eau*** leak; ***~ express*** expressway; ***Voie lactée*** Milky Way; ***~ navigable*** waterway; ***~s de fait*** JUR assault *sg*
voilà [vwala] there is *sg*, there are *pl*; ***(et) ~!*** there you are!; ***en ~ assez!*** that's enough!; ***~ tout*** that's all; ***~ pourquoi*** that's why; ***me ~*** here I am; ***~ deux ans qu'il ne nous a pas écrit*** he hasn't written to us in two years
voile [vwal] **1** *m* veil (*aussi fig*) **2** *f* MAR sail; SP sailing; ***mettre les ~s*** F take off
voiler[1] [vwale] ⟨1a⟩ veil; ***se ~*** *d'une femme* wear the veil; *du ciel* cloud over
voiler[2] [vwale] ⟨1a⟩: ***se ~*** *du bois* warp; *d'une roue* buckle
voilier [vwalje] *m* sailboat
voilure [vwalyr] *f* MAR sails *pl*
voir [vwar] ⟨3b⟩ see; ***faire ~*** show; ***être bien vu*** be acceptable; ***cela n'a rien à ~*** that has nothing to do with it; ***~ à qch*** see to sth; ***se ~*** see each other; ***se ~ décerner un prix*** be given a prize; ***cela se voit*** that's obvious; ***voyons!*** let's see!; *reproche* come now!; ***je ne peux pas le ~*** I can't stand him
voire [vwar] *adv* even
voirie [vwari] *f* (*voies*) roads *pl*; *administration* roads department
voisin, ~e [vwazɛ̃, -in] **1** *adj* neighboring, *Br* neighbouring; (*similaire*) similar **2** *m/f* neighbor, *Br* neighbour; **voisinage** *m* (*ensemble de gens*) neighborhood, *Br* neighbourhood; (*proximité*) vicinity; **voisiner** ⟨1a⟩: ***~ avec*** adjoin
voiture [vwatyr] *f* car; *d'un train* car, *Br* carriage; ***~ de tourisme*** touring car; ***en ~*** by car, in the car; ***~ de fonction*** company car; ***~-piégée*** car bomb
voix [vwa] *f* voice (*aussi* GRAM); POL vote; ***avoir ~ au chapitre*** *fig* have

a say in the matter; ***à haute ~*** in a loud voice, aloud; ***à ~ basse*** in a low voice, quietly

vol[1] [vɔl] *m* theft; ***c'est du ~!*** that's daylight robbery!; ***~ à main armée*** armed robbery

vol[2] [vɔl] *m* flight; ***à ~ d'oiseau*** as the crow flies; ***au ~*** in flight; ***saisir l'occasion au ~*** jump at the chance; ***attraper un bus au ~*** jump on a bus; ***~ à voile*** gliding

volage [vɔlaʒ] flighty

volaille [vɔlaj] *f* poultry; (*poulet etc*) bird

volant [vɔlɑ̃] *m* AUTO (steering) wheel; SP shuttlecock; *d'un vêtement* flounce

volatil, ~e [vɔlatil] CHIM volatile

volcan [vɔlkɑ̃] *m* GÉOGR volcano; **volcanique** volcanic

volée [vɔle] *f groupe d'oiseaux* flock; *en tennis, de coups de feu* volley; ***~ de coups*** shower of blows; ***attraper un ballon à la ~*** catch a ball in mid-air

voler[1] [vɔle] ⟨1a⟩ steal; ***~ qch à qn*** steal sth from s.o., rob s.o. of sth; ***~ qn*** rob s.o.

voler[2] [vɔle] ⟨1a⟩ fly (*aussi fig*)

volet [vɔlɛ] *m de fenêtre* shutter; *fig* part; ***trier sur le ~*** *fig* handpick

voleter [vɔlte] ⟨1c⟩ flutter

voleur, -euse [vɔlœr, -øz] **1** *adj* thieving **2** *m/f* thief; ***~ à la tire*** pickpocket; ***~ à l'étalage*** shoplifter

volley(-ball) [vɔlɛbol] *m* volleyball

volière [vɔljɛr] *f* aviary

volontaire [vɔlɔ̃tɛr] **1** *adj* voluntary; (*délibéré*) deliberate; (*décidé*) headstrong **2** *m/f* volunteer; **volonté** *f faculté de vouloir* will; (*souhait*) wish; (*fermeté*) willpower; ***de l'eau / du pain à ~*** as much water / bread as you like; ***faire preuve de bonne ~*** show willing; ***tirer à ~*** fire at will

volontiers [vɔlɔ̃tje] *adv* willingly, with pleasure

volt [vɔlt] *m* ÉL volt; **voltage** *m* ÉL voltage

volte-face [vɔltəfas] *f* (*pl inv*) about--turn (*aussi fig*)

voltmètre [vɔltmɛtr] *m* ÉL voltmeter

volubilité [vɔlybilite] *f* volubility

volume [vɔlym] *m* volume; **volumineux, -euse** bulky

voluptueux, -euse [vɔlyptɥø, -z] voluptuous

volute [vɔlyt] *f* curl

vomi [vɔmi] *m* vomit; **vomir** ⟨2a⟩ **1** *v/i* vomit, throw up **2** *v/t* bring up; *fig* spew out; **vomissement** *m* vomiting

vorace [vɔras] voracious

vos [vo] → ***votre***

votant, ~e [vɔtɑ̃, -t] *m/f* voter; **vote** *m* vote; *action* voting; **voter** ⟨1a⟩ **1** *v/i* vote **2** *v/t loi* pass

votre [vɔtr], *pl* **vos** [vo] your

vôtre [votr] ***le / la ~, les ~s*** yours

vouer [vwe] ⟨1a⟩ dedicate (***à*** to); ***~ sa vie à*** dedicate *ou* devote one's life to; ***se ~ à*** dedicate *ou* devote o.s. to

vouloir [vulwar] ⟨3i⟩ want; ***il veut partir*** he wants to leave; ***il veut que tu partes*** (*subj*) he wants you to leave; ***je voudrais*** I would like, I'd like; ***je veux bien*** I'd like to; ***je veux bien que tu prennes ...*** (*subj*) I'd like you to take ...; ***il veut bien*** he'd like to; (*il est d'accord*) it's fine with him, it's ok by him; ***veuillez ne pas fumer*** please do not smoke; ***on ne veut pas de moi*** I'm not wanted

◊: ***~ dire*** mean

◊: ***en ~ à qn*** have something against s.o., bear s.o. a grudge; ***je m'en veux de ne pas avoir ...*** I feel bad about not not having ...

◊: ***veux-tu te taire!*** will you shut up!

voulu, ~e [vuly] **1** *p/p* → ***vouloir*** **2** *adj* requisite; *délibéré* deliberate

vous [vu] *pron personnel* ◊ *sujet, sg et pl* you

◊ *complément d'objet direct, sg et pl* you; ***il ne ~ a pas vu*** he didn't see you

◊ *complément d'objet indirect, sg et pl* (to) you; ***elle ~ en a parlé*** she spoke to you about it; ***je vais ~ chercher ...*** I'll go and get you ...

◊ *avec verbe pronominal* yourself; *pl*

yourselves; ~ ~ ***êtes coupé*** you've cut yourself; ~ ~ ***êtes coupés*** you've cut yourselves; ***si ~ ~ levez à …*** if you get up at …
vous-même [vumɛm], *pl* **vous--mêmes** [vumɛm] yourself; *pl* yourselves
voûte [vut] *f* ARCH vault; **voûté**, **~e** *personne* hunched; *dos* bent; ARCH vaulted; **voûter** ⟨1a⟩ ARCH vault; ***se ~*** have a stoop
vouvoyer [vuvwaje] ⟨1h⟩ address as 'vous'
voyage [vwajaʒ] *m* trip, journey; *en paquebot* voyage; ***être en ~*** be traveling *ou Br* travelling; ***bon ~!*** have a good trip!; ***~ d'affaires*** business trip; ***~ de noces*** honeymoon; ***~ organisé*** package holiday; **voyager** ⟨1l⟩ travel; **voyageur**, **-euse** *m/f* traveler, *Br* traveller; *par train, avion* passenger; ***~ de commerce*** traveling salesman, *Br* travelling salesman; **voyagiste** *m* (tour) operator
voyant, **~e** [vwajɑ̃, -t] **1** *adj couleur* garish **2** *m* (*signal*) light) **3** *m/f* (*devin*) clairvoyant
voyelle [vwajɛl] *f* GRAM vowel
voyou [vwaju] *m* (*pl* -s) *jeune* lout
vrac [vrak] *m*: ***en ~*** COMM loose; *fig* jumbled together
vrai, **~e** [vrɛ] **1** *adj* (*après le subst*) true; (*devant le subst*) real, genuine; *ami* true, genuine; ***il est ~ que*** it is true that **2** *m*: ***à ~ dire, à dire ~*** to tell the truth; **vraiment** [vrɛmɑ̃] *adv* really
vraisemblable [vrɛsɑ̃blabl] likely, probable; **vraisemblance** *f* likelihood, probability
vrille [vrij] *f* BOT tendril; TECH gimlet; ***descendre en ~*** AVIAT go into a spin dive
vrombir [vrɔ̃bir] ⟨2a⟩ throb
VTT [vetete] *m abr* (= ***vélo tout terrain***) mountain bike
vu[1] [vy] *prép* in view of; ***~ que*** seeing that; ***au ~ et au su de tout le monde*** openly, in front of everybody
vu[2], **~e** [vy] *p/p* → ***voir***
vue [vy] *f* view; *sens, faculté* sight; ***à ~ d'œil*** visibly; ***à première ~*** at first sight; ***à perte de ~*** as far as the eye can see; ***perdre qn de ~*** lose sight of s.o.; (*perdre le contact*) lose touch with s.o.; ***connaître qn de ~*** know s.o. by sight; ***avoir la ~ basse*** be shortsighted; ***point*** *m* ***de ~*** viewpoint, point of view; ***en ~*** (*visible*) in view; ***en ~ de faire qch*** with a view to doing sth
vulgaire [vylgɛr] (*banal*) common; (*grossier*) common, vulgar
vulgariser [vylgarize] ⟨1a⟩ popularize; **vulgarité** *f péj* vulgarity
vulnérabilité [vylnerabilite] *f* vulnerability; **vulnérable** vulnerable

W

wagon [vagɔ̃] *m* car, *Br* carriage; *de marchandises* car, *Br* wagon; **wagon-lit** *m* (*pl* wagons-lits) sleeping car, *Br aussi* sleeper; **wagon-restaurant** *m* (*pl* wagons-restaurants) dining car
waters [watɛr] *mpl* toilet *sg*
watt [wat] *m* ÉL watt
W.-C. [vese] *mpl* WC *sg*
week-end [wikɛnd] *m* (*pl* week-ends) weekend; ***ce ~*** on *ou Br* at the weekend
western [wɛstɛrn] *m* western
whisky [wiski] *m* whiskey, *Br* whisky

X

xénophobe [gzenɔfɔb] xenophobic; **xénophobie** *f* xenophobia

xérès [gzerɛs, ks-] *m* sherry

xylophone [gzilɔfɔn] *m* xylophone

Y

y [i] there; ***on ~ va!*** let's go!; ***je ne m'~ fie pas*** I don't trust it; ***ça ~ est!*** that's it!; ***j'~ suis*** (*je comprends*) now I see, now I get it; ***~ compris*** including; ***n'~ compte pas*** don't count on it; ***je m'~ attendais*** I thought as much; ***j'~ travaille*** I'm working on it

yacht [jɔt] *m* yacht

yaourt [jaurt] *m* yoghurt

yeux [jø] *pl* → ***œil***

yoga [jɔga] *m* yoga

Z

zapper [zape] channel-hop, *Br aussi* zap

zèbre [zɛbr] *m* zebra

zèle [zɛl] *m* zeal; ***faire du ~*** be overzealous; **zélé, ~e** zealous

zéro [zero] **1** *m* zero, *Br aussi* nought; SP *Br* nil; *fig* nonentity; ***au-dessous de ~*** below zero; ***partir de ~*** start from nothing **2** *adj*: ***~ faute*** no mistakes

zeste [zɛst] *m* peel, zest

zézaiement [zezɛmɑ̃] *m* lisp; **zézayer** ⟨1i⟩ lisp

zigouiller [ziguje] ⟨1a⟩ F bump off F

zigzag [zigzag] *m* zigzag; **zigzaguer** ⟨1m⟩ zigzag

zinc [zɛ̃g] *m* zinc

zizanie [zizani] *f*: ***semer la ~*** cause trouble

zodiaque [zɔdjak] *m* zodiac

zombie [zõbi] *m/f* zombie

zona [zona] *m* shingles *sg*

zone [zon] *f* area, zone; *péj* slums *pl*; ***~ de basse pression*** low-pressure area, low; ***~ bleue*** restricted parking area; ***~ euro*** euro zone; ***~ industrielle*** industrial park, *Br* industrial estate; ***~ interdite*** prohibited area, no-go area; ***~ de libre-échange*** free trade area; ***~ résidentielle*** residential area

zoo [zo] *m* zoo

zoologie [zɔɔlɔʒi] *f* zoology; **zoologiste** *m/f* zoologist

zoom [zum] *m* zoom lens

zut! [zyt] F blast!

A

a [ə], *stressed* [eɪ] *art* un(e); ***$5 ~ ride*** 5 $ le tour; ***she's ~ dentist / an actress*** elle est dentiste / actrice; ***have ~ broken arm*** avoir le bras cassé
a·back [ə'bæk] *adv*: ***taken ~*** décontenancé
a·ban·don [ə'bændən] *v/t* abandonner
a·bashed [ə'bæʃt] *adj* honteux*
a·bate [ə'beɪt] *v/i of storm* se calmer; *of flood waters* baisser
ab·at·toir ['æbətwɑːr] abattoir *m*
ab·bey ['æbɪ] abbaye *f*
ab·bre·vi·ate [ə'briːvɪeɪt] *v/t* abréger
ab·bre·vi·a·tion [əbriːvɪ'eɪʃn] abréviation *f*
ab·do·men ['æbdəmən] abdomen *m*
ab·dom·i·nal [æb'dɑːmɪnl] *adj* abdominal
ab·duct [əb'dʌkt] *v/t* enlever
ab·duc·tion [əb'dʌkʃn] enlèvement *m*
♦ **a·bide by** [ə'baɪd] *v/t* respecter
a·bil·i·ty [ə'bɪlətɪ] capacité *f*; *skill* faculté *f*
a·blaze [ə'bleɪz] *adj*: ***be ~*** être en feu
a·ble ['eɪbl] *adj* (*skillful*) compétent; ***be ~ to do sth*** pouvoir faire qch; ***I wasn't ~ to hear*** je ne pouvais pas entendre
a·ble-bod·ied ['eɪblbɑːdiːd] *adj* en bonne condition physique
ab·nor·mal [æb'nɔːrml] *adj* anormal
ab·nor·mal·ly [æb'nɔːrməlɪ] *adv* anormalement
a·board [ə'bɔːrd] **1** *prep* à bord **2** *adv*: ***be ~*** être à bord; ***go ~*** monter à bord
a·bol·ish [ə'bɑːlɪʃ] *v/t* abolir
ab·o·li·tion [æbə'lɪʃn] abolition *f*
a·bort [ə'bɔːrt] *v/t mission etc* suspendre; COMPUT: *program* suspendre l'exécution de
a·bor·tion [ə'bɔːrʃn] MED avortement *m*; ***have an ~*** se faire avorter
a·bor·tive [ə'bɔːrtɪv] *adj* avorté
a·bout [ə'baʊt] **1** *prep* (*concerning*) à propos de; ***a book ~*** un livre sur; ***talk ~*** parler de; ***what's it ~?*** *of book, movie* de quoi ça parle? **2** *adv* (*roughly*) à peu près; ***~ noon*** aux alentours de midi; ***be ~ to do sth*** (*be going to*) être sur le point de faire qch; (*have intention*) avoir l'intention de faire qch; ***be ~*** (*somewhere near*) être dans les parages
a·bove [ə'bʌv] **1** *prep* au-dessus de; ***~ all*** surtout **2** *adv* au-dessus; ***on the floor ~*** à l'étage du dessus
a·bove-men·tioned [əbʌv'menʃnd] *adj* ci-dessus, susmentionné
ab·ra·sion [ə'breɪʒn] écorchure *f*
ab·ra·sive [ə'breɪsɪv] *adj personality* abrupt
a·breast [ə'brest] *adv*: ***three ~*** les trois l'un à côté de l'autre; ***keep ~ of*** se tenir au courant de
a·bridge [ə'brɪdʒ] *v/t* abréger
a·broad [ə'brɒːd] *adv* à l'étranger
a·brupt [ə'brʌpt] *adj* brusque
a·brupt·ly [ə'brʌptlɪ] *adv* brusquement; *say* d'un ton brusque
ab·scess ['æbsɪs] abcès *m*
ab·sence ['æbsəns] absence *f*
ab·sent ['æbsənt] *adj* absent
ab·sen·tee [æbsən'tiː] absent(e) *m*(*f*)
ab·sen·tee·ism [æbsən'tiːɪzm] absentéisme *m*
ab·sent-mind·ed [æbsənt'maɪndɪd] *adj* distrait
ab·sent-mind·ed·ly [æbsənt'maɪndɪdlɪ] *adv* distraitement
ab·so·lute ['æbsəluːt] *adj* absolu
ab·so·lute·ly ['æbsəluːtlɪ] *adv* (*completely*) absolument; *mad* complètement; ***~ not!*** absolument pas!; ***do you agree? – ~*** tu es d'accord? - tout à fait
ab·so·lu·tion [æbsə'luːʃn] REL absolution *f*
ab·solve [əb'zɑːlv] *v/t* absoudre

ab·sorb [əb'sɔːrb] *v/t* absorber; ***~ed in ...*** absorbé dans
ab·sorb·en·cy [əb'sɔːrbənsɪ] capacité *f* d'absorption
ab·sorb·ent [əb'sɔːrbənt] *adj* absorbant
ab·sorb·ent 'cot·ton coton *m* hydrophile
ab·sorb·ing [əb'sɔːrbɪŋ] *adj* absorbant
ab·stain [əb'steɪn] *v/i from voting* s'abstenir
ab·sten·tion [əb'stenʃn] *in voting* abstention *f*
ab·stract ['æbstrækt] *adj* abstrait
ab·struse [əb'struːs] *adj* abstrus
ab·surd [əb'sɜːrd] *adj* absurde
ab·surd·i·ty [əb'sɜːrdətɪ] absurdité *f*
ab·surd·ly [əb'sɜːrdlɪ] *adv* absurdement
a·bun·dance [ə'bʌndəns] abondance *f*
a·bun·dant [ə'bʌndənt] *adj* abondant
a·buse[1] [ə'bjuːs] *n verbal* insultes *fpl*; *physical* violences *fpl* physiques; *sexual* sévices *mpl* sexuels; *of power etc* abus *m*
a·buse[2] [ə'bjuːz] *v/t verbally* insulter; *physically* maltraiter; *sexually* faire subir des sévices sexuels à; *power etc* abuser de
a·bu·sive [ə'bjuːsɪv] *adj language* insultant; ***become ~*** devenir insultant
a·bys·mal [ə'bɪzml] *adj* F (*very bad*) lamentable
a·byss [ə'bɪs] abîme *m*
AC ['eɪsiː] *abbr* (= ***alternating current***) CA (= courant *m* alternatif)
ac·a·dem·ic [ækə'demɪk] **1** *n* universitaire *m/f* **2** *adj year: at school* scolaire; *at university* universitaire; *person, interests, studies* intellectuel*
a·cad·e·my [ə'kædəmɪ] académie *f*
ac·cel·e·rate [ək'seləreɪt] *v/i & v/t* accélérer
ac·cel·e·ra·tion [əkselə'reɪʃn] accélération *f*
ac·cel·e·ra·tor [ək'seləreɪtər] accélérateur *m*
ac·cent ['æksənt] *when speaking*, (*emphasis*) accent *m*
ac·cen·tu·a·te [ək'sentʊeɪt] *v/t* accentuer
ac·cept [ək'sept] *v/t & v/i* accepter
ac·cept·a·ble [ək'septəbl] *adj* acceptable
ac·cept·ance [ək'septəns] acceptation *f*
ac·cess ['ækses] **1** *n* accès *m*; ***have ~ to*** avoir accès à **2** *v/t also* COMPUT accéder à
ac·ces·si·ble [ək'sesəbl] *adj* accessible
ac·ces·so·ry [ək'sesərɪ] *for wearing* accessoire *m*; LAW complice *m/f*
'ac·cess road route *f* d'accès
'ac·cess time COMPUT temps *m* d'accès
ac·ci·dent ['æksɪdənt] accident *m*; ***by ~*** par hasard
ac·ci·den·tal [æksɪ'dentl] *adj* accidentel*
ac·ci·den·tal·ly [æksɪ'dentlɪ] *adv* accidentellement
ac·claim [ə'kleɪm] **1** *n*: ***meet with ~*** recevoir des louanges **2** *v/t* saluer (***as*** comme)
ac·cla·ma·tion [əklə'meɪʃn] acclamation *f*
ac·cli·mate, ac·cli·ma·tize [ə'klaɪmət, ə'klaɪmətaɪz] *v/t of plant* s'acclimater
ac·com·mo·date [ə'kɑːmədeɪt] *v/t* loger; *special requirements* s'adapter à
ac·com·mo·da·tions [əkɑːmə'deɪʃnz] *npl* logement *m*
ac·com·pa·ni·ment [ə'kʌmpənɪmənt] MUS accompagnement *m*
ac·com·pa·nist [ə'kʌmpənɪst] MUS accompagnateur(-trice) *m(f)*
ac·com·pa·ny [ə'kʌmpənɪ] *v/t* (*pret & pp **-ied***) *also* MUS accompagner
ac·com·plice [ə'kʌmplɪs] complice *m/f*
ac·com·plish [ə'kʌmplɪʃ] *v/t* (*achieve*), *task, mission* accomplir
ac·com·plished [ə'kʌmplɪʃt] *adj pianist, cook etc* accompli
ac·com·plish·ment [ə'kʌmplɪʃmənt] *of task, mission* accomplissement *m*; (*achievement*) réussite *f*; (*talent*) talent *m*
ac·cord [ə'kɔːrd] accord *m*; ***of one's own ~*** de son plein gré
ac·cord·ance [ə'kɔːrdəns]: ***in ~ with***

conformément à
ac·cord·ing [ə'kɔːrdɪŋ] *adv*: **~ *to*** selon
ac·cord·ing·ly [ə'kɔːrdɪŋlɪ] *adv* (*consequently*) par conséquent; (*appropriately*) en conséquence
ac·cor·di·on [ə'kɔːrdɪən] accordéon *m*
ac·cor·di·on·ist [ə'kɔːrdɪənɪst] accordéoniste *m/f*
ac·count [ə'kaʊnt] *financial* compte *m*; (*report, description*) récit *m*; ***give an ~ of*** faire le récit de; ***on no ~*** en aucun cas; ***on ~ of*** en raison de; ***take ... into ~, take ~ of ...*** tenir compte de ...
♦**account for** *v/t* (*explain*) expliquer; (*make up, constitute*) représenter
ac·count·a·ble [ə'kaʊntəbl] *adj*: ***be ~ to*** devoir rendre des comptes à; ***be held ~*** être tenu responsable
ac·count·ant [ə'kaʊntənt] comptable *m/f*
ac'count hold·er titulaire *m/f* de compte
ac'count num·ber numéro *m* de compte
ac·counts [ə'kaʊnts] comptabilité *f*
ac·cu·mu·late [ə'kjuːmjʊleɪt] **1** *v/t* accumuler **2** *v/i* s'accumuler
ac·cu·mu·la·tion [əkjuːmjʊ'leɪʃn] accumulation *f*
ac·cu·ra·cy ['ækjʊrəsɪ] justesse *f*
ac·cu·rate ['ækjʊrət] *adj* juste
ac·cu·rate·ly ['ækjʊrətlɪ] *adv* avec justesse
ac·cu·sa·tion [ækjuː'zeɪʃn] accusation *f*
ac·cuse [ə'kjuːz] *v/t* accuser; ***~ s.o. of doing sth*** accuser qn de faire qch; ***be ~d of*** LAW être accusé de
ac·cused [ə'kjuːzd] LAW: ***the ~*** l'accusé(e) *m(f)*
ac·cus·ing [ə'kjuːzɪŋ] *adj* accusateur*
ac·cus·ing·ly [ə'kjuːzɪŋlɪ] *adv* *say* d'un ton accusateur; *look* d'un air accusateur
ac·cus·tom [ə'kʌstəm] *v/t*: ***get ~ed to*** s'accoutumer à; ***be ~ed to doing sth*** avoir l'habitude de faire qch, être accoutumé à faire qch
ace [eɪs] *in cards* as *m*; *tennis shot* ace *m*
ache [eɪk] **1** *n* douleur *f* **2** *v/i*: ***my arm / head ~s*** j'ai mal au bras / à la tête
a·chieve [ə'tʃiːv] *v/t* accomplir
a·chieve·ment [ə'tʃiːvmənt] (*thing achieved*) accomplissement *m*; *of ambition* réalisation *f*
ac·id ['æsɪd] *n* acide *m*
a·cid·i·ty [ə'sɪdətɪ] acidité *f*
ac·id 'rain pluies *fpl* acides
'ac·id test *fig* test *m* décisif
ac·knowl·edge [ək'nɑːlɪdʒ] *v/t* reconnaître; ***~ receipt of a letter*** accuser réception d'une lettre
ac·knowl·edg(e)·ment [ək'nɑːlɪdʒmənt] reconnaissance *f*; *of a letter* accusé *m* de réception
ac·ne ['æknɪ] MED acné *m*
a·corn ['eɪkɔːrn] BOT gland *m* (de chêne)
a·cous·tics [ə'kuːstɪks] acoustique *f*
ac·quaint [ə'kweɪnt] *v/t fml*: ***be ~ed with*** connaître
ac·quaint·ance [ə'kweɪntəns] *person* connaissance *f*
ac·qui·esce [ækwɪ'es] *v/i fml* acquiescer
ac·quire [ə'kwaɪr] *v/t* acquérir
ac·qui·si·tion [ækwɪ'zɪʃn] acquisition *f*
ac·quis·i·tive [æ'kwɪzətɪv] *adj* avide
ac·quit [ə'kwɪt] *v/t* LAW acquitter
ac·quit·tal [ə'kwɪtl] LAW acquittement *m*
a·cre ['eɪkər] acre *m*
a·cre·age ['eɪkrɪdʒ] acres *mpl*
ac·rid ['ækrɪd] *adj smell* âcre
ac·ri·mo·ni·ous [ækrɪ'moʊnɪəs] *adj* acrimonieux*
ac·ro·bat ['ækrəbæt] acrobate *m/f*
ac·ro·bat·ic [ækrə'bætɪk] *adj* acrobatique
ac·ro·bat·ics [ækrə'bætɪks] *npl* acrobaties *fpl*
ac·ro·nym ['ækrənɪm] acronyme *m*
a·cross [ə'krɑːs] **1** *prep* de l'autre côté de; ***sail ~ the Atlantic*** traverser l'Atlantique en bateau; ***walk ~ the street*** traverser la rue; ***~ Europe*** *all over* dans toute l'Europe; ***~ from ...*** en face de ... **2** *adv*: ***swim ~*** traverser à la nage; ***jump ~*** sauter

par-dessus; ***10m ~*** 10 m de large
a·cryl·ic ['ə'krılık] acrylique *m*
act [ækt] **1** *v/i* (*take action*) agir; THEA faire du théâtre; (*pretend*) faire semblant; ***~ as*** faire office de **2** *n* (*deed*) fait *m*; *of play* acte *m*; *in variety show* numéro *m*; (*law*) loi *f*; ***it's an ~*** (*pretense*) c'est du cinéma; ***~ of God*** catastrophe *f* naturelle
act·ing ['æktıŋ] **1** *adj* (*temporary*) intérimaire **2** *n performance* jeu *m*; ***go into ~*** devenir acteur
ac·tion ['ækʃn] action *f*; ***out of ~*** (*not functioning*) hors service; ***take ~*** prendre des mesures; ***bring an ~ against*** LAW intenter une action en justice contre
ac·tion 're·play TV reprise *f*
ac·tive ['æktıv] *adj also* GRAM actif*
ac·tiv·ist ['æktıvıst] POL activiste *m/f*
ac·tiv·i·ty [æk'tıvətı] activité *f*
ac·tor ['æktər] acteur *m*
ac·tress ['æktrıs] actrice *f*
ac·tu·al ['æktʃuəl] *adj* véritable
ac·tu·al·ly ['æktʃuəlı] *adv* (*in fact, to tell the truth*) en fait; *expressing surprise* vraiment; ***~ I do know him*** *stressing converse* à vrai dire, je le connais
ac·u·punc·ture ['ækjəpʌŋktʃər] acupuncture *f*, acuponcture *f*
a·cute [ə'kjuːt] *adj pain, embarrassment* intense; *sense of smell* très développé
a·cute·ly [ə'kjuːtlı] *adv* (*extremely*) extrêmement
AD [eı'diː] *abbr* (***= anno domini***) av. J.-C. (= avant Jésus Christ)
ad [æd] → ***advertisement***
ad·a·mant ['ædəmənt] *adj*: ***be ~ that …*** soutenir catégoriquement que …
Ad·am's ap·ple [ædəmz'æpl] pomme *f* d'Adam
a·dapt [ə'dæpt] **1** *v/t* adapter **2** *v/i of person* s'adapter
a·dapt·a·bil·i·ty [ədæptə'bılətı] faculté *f* d'adaptation
a·dapt·a·ble [ə'dæptəbl] *adj person, plant* adaptable; *vehicle etc* multifonction *inv*
a·dap·ta·tion [ædæp'teıʃn] *of play etc* adaptation *f*
a·dapt·er [ə'dæptər] *electrical* adaptateur *m*
add [æd] **1** *v/t* ajouter; MATH additionner **2** *v/i of person* faire des additions
♦**add on** *v/t 15% etc* ajouter
♦**add up 1** *v/t* additionner **2** *v/i fig* avoir du sens
ad·der ['ædər] vipère *f*
ad·dict ['ædıkt] (*drug ~*) drogué(e) *m*(*f*); *of TV program etc* accro *m/f* F
ad·dic·ted [ə'dıktıd] *adj to drugs* drogué; *to TV program etc* accro F; ***be ~ to*** être accro à
ad·dic·tion [ə'dıkʃn] *to drugs* dépendance *f* (***to*** de)
ad·dic·tive [ə'dıktıv] *adj*: ***be ~*** entraîner une dépendance
ad·di·tion [ə'dıʃn] MATH addition *f*; *to list* ajout *m*; *to company* recrue *f*; ***in ~*** de plus; ***in ~ to*** en plus de; ***the latest ~ to the family*** le petit dernier / la petite dernière
ad·di·tion·al [ə'dıʃnl] *adj* supplémentaire
ad·di·tive ['ædıtıv] additif *m*
add-on ['ædɑːn] accessoire *m*
ad·dress [ə'dres] **1** *n of person* adresse *f*; ***form of ~*** titre *m* **2** *v/t letter* adresser; *audience, person* s'adresser à
ad'dress book carnet *m* d'adresses
ad·dress·ee [ædre'siː] destinataire *m/f*
ad·ept ['ædept] *adj* expert; ***be ~ at doing sth*** être expert dans l'art de faire qch
ad·e·quate ['ædıkwət] *adj* (*sufficient*) suffisant; (*satisfactory*) satisfaisant
ad·e·quate·ly ['ædıkwətlı] *adv* suffisamment
ad·here [əd'hır] *v/i* adhérer
♦**adhere to** *v/t* adhérer à
ad·he·sive [əd'hiːsıv] *n* adhésif *m*
ad·he·sive 'tape (ruban *m*) adhésif *m*
ad·ja·cent [ə'dʒeısnt] *adj* adjacent
ad·jec·tive ['ædʒıktıv] adjectif *m*
ad·join [ə'dʒɔın] *v/t* être à côté de
ad·join·ing [ə'dʒɔınıŋ] *adj* attenant
ad·journ [ə'dʒɜːrn] *v/i* ajourner
ad·journ·ment [ə'dʒɜːrnmənt] ajournement *m*
ad·just [ə'dʒʌst] *v/t* ajuster

ad·just·a·ble [ə'dʒʌstəbl] *adj* ajustable
ad·just·ment [ə'dʒʌstmənt] ajustement *m*
ad lib [æd'lɪb] **1** *adj* improvisé **2** *adv* en improvisant **3** *v/i* (*pret & pp* ***-bed***) improviser
ad·min·is·ter [əd'mɪnɪstər] *v/t medicine* donner; *company*, *country* administrer
ad·min·is·tra·tion [ədmɪnɪ'streɪʃn] *of company*, *institution* administration *f*; (*administrative work*) tâches *fpl* administratives; (*government*) gouvernement *m*
ad·min·is·tra·tive [ədmɪnɪ'strətɪv] *adj* administratif*
ad·min·is·tra·tor [əd'mɪnɪstreɪtər] administrateur(-trice) *m*(*f*)
ad·mi·ra·ble ['ædmərəbl] *adj* admirable
ad·mi·ra·bly ['ædmərəblɪ *adv* admirablement
ad·mi·ral ['ædmərəl] amiral *m*
ad·mi·ra·tion [ædmə'reɪʃn] admiration *f*
ad·mire [əd'maɪr] *v/t* admirer
ad·mir·er [əd'maɪrər] admirateur (-trice) *m*(*f*)
ad·mir·ing [əd'maɪrɪŋ] *adj* admiratif*
ad·mir·ing·ly [əd'maɪrɪŋlɪ] *adv* admirativement
ad·mis·si·ble [əd'mɪsəbl] *adj evidence* admis
ad·mis·sion [əd'mɪʃn] (*confession*) aveu *m*; ***~ free*** entrée *f* gratuite
ad·mit [əd'mɪt] *v/t* (*pret & pp* ***-ted***) *into a place*, (*accept*) admettre; (*confess*) avouer
ad·mit·tance [əd'mɪtəns]: ***no ~*** entrée *f* interdite
ad·mit·ted·ly [əd'mɪtedlɪ] *adv* il faut l'admettre
ad·mon·ish [əd'mɑːnɪʃ] *v/t fml* réprimander
a·do [ə'duː]: ***without further ~*** sans plus parler
ad·o·les·cence [ædə'lesns] adolescence *f*
ad·o·les·cent [ædə'lesnt] **1** *adj* adolescent **2** *n* adolescent(e) *m*(*f*)
a·dopt [ə'dɑːpt] *v/t* adopter
a·dop·tion [ə'dɑːpʃn] adoption *f*
adop·tive [ə'dɑːptɪv] *adj*: ***~ parents*** parents *mpl* adoptifs
a·dor·a·ble [ə'dɔːrəbl] *adj* adorable
ad·o·ra·tion [ædə'reɪʃn] adoration *f*
a·dore [ə'dɔːr] *v/t* adorer
a·dor·ing [ə'dɔːrɪŋ] *adj expression* d'adoration; *fans* plein d'adoration
ad·ren·al·in [ə'drenəlɪn] adrénaline *f*
a·drift [ə'drɪft] *adj also fig* à la dérive
ad·u·la·tion [ædjʊ'leɪʃn] adulation *f*
a·dult ['ædʌlt] **1** *adj* adulte **2** *n* adulte *m*/*f*
a·dult ed·u'ca·tion enseignement *m* pour adultes
a·dul·ter·ous [ə'dʌltərəs] *adj* adultère
a·dul·ter·y [ə'dʌltərɪ] adultère *m*
'a·dult film *euph* film *m* pour adultes
ad·vance [əd'væns] **1** *n money* avance *f*, *in science etc* avancée *f*, MIL progression *f*; ***in ~*** à l'avance; ***payment in ~*** paiement *m* anticipé; ***make ~s*** (*progress*) faire des progrès; *sexually* faire des avances **2** *v/i* MIL, (*make progress*) avancer **3** *v/t theory*, *sum of money* avancer; *human knowledge*, *cause* faire avancer
ad·vance 'book·ing: ***~ advised*** il est conseillé de réserver à l'avance
ad·vanced [əd'vænst] *adj* avancé
ad·vance 'no·tice préavis *m*
ad·vance 'pay·ment acompte *m*
ad·van·tage [əd'væntɪdʒ] avantage *m*; ***it's to your ~*** c'est dans ton intérêt; ***take ~ of*** *opportunity* profiter de
ad·van·ta·geous [ædvən'teɪdʒəs] *adj* avantageux*
ad·vent ['ædvent] *fig* arrivée *f*
'ad·vent cal·en·dar calendrier *m* de l'avent
ad·ven·ture [əd'ventʃər] aventure *f*
ad·ven·tur·ous [əd'ventʃərəs] *adj* aventureux*
ad·verb ['ædvɜːrb] adverbe *m*
ad·ver·sa·ry ['ædvərsərɪ] adversaire *m*/*f*
ad·verse ['ædvɜːrs] *adj* adverse
ad·vert ['ædvɜːrt] *Br* → ***advertisement***
ad·ver·tise ['ædvərtaɪz] **1** *v/t product* faire de la publicité pour; *job* mettre

une annonce pour **2** *v/i for a product* faire de la publicité; *to fill job* mettre une annonce

ad·ver·tise·ment [ədvɜːr'taɪsmənt] *for a product* publicité *f*, pub *f* F; *for job* annonce *f*

ad·ver·tis·er ['ædvərtaɪzər] annonceur(-euse) *m(f)*

ad·ver·tis·ing ['ædvərtaɪzɪŋ] publicité *f*

'ad·ver·tis·ing a·gen·cy agence *f* de publicité; **'ad·ver·tis·ing budg·et** budget *m* de publicité; **'ad·ver·tis·ing cam·paign** campagne *f* de publicité; **'ad·ver·tis·ing rev·e·nue** recettes *fpl* publicitaires

ad·vice [əd'vaɪs] conseils *mpl*; ***a bit of ~*** un conseil; ***take s.o.'s ~*** suivre le conseil de qn

ad·vis·a·ble [əd'vaɪzəbl] *adj* conseillé

ad·vise [əd'vaɪz] *v/t* conseiller; ***~ s.o. to do sth*** conseiller à qn de faire qch

ad·vis·er [əd'vaɪzər] conseiller(-ère) *m(f)*

ad·vo·cate ['ædvəkeɪt] *v/t* recommander

aer·i·al ['erɪəl] *n Br* antenne *f*

aer·i·al 'pho·to·graph photographie *f* aérienne

aer·o·bics [e'roubɪks] *nsg* aérobic *m*

aer·o·dy·nam·ic [eroudaɪ'næmɪk] *adj* aérodynamique

aer·o·nau·ti·cal [erou'nɒːtɪkl] *adj* aéronautique

aer·o·plane ['erouplеɪn] *Br* avion *m*

aer·o·sol ['erəsɑːl] aérosol *m*

aer·o·space in·dus·try ['erəspeɪs] industrie *f* aérospatiale

aes·thet·ic *etc Br* → ***esthetic*** *etc*

af·fa·ble ['æfəbl] *adj* affable

af·fair [ə'fer] (*matter, business*) affaire *f*; (*love ~*) liaison *f*; ***foreign ~s*** affaires *fpl* étrangères; ***have an ~ with*** avoir une liaison avec

af·fect [ə'fekt] *v/t* MED endommager; *decision* influer sur; *person emotionally*, (*concern*) toucher

af·fec·tion [ə'fekʃn] affection *f*

af·fec·tion·ate [ə'fekʃnət] *adj* affectueux*

af·fec·tion·ate·ly [ə'fekʃnətlɪ] *adv* affectueusement

af·fin·i·ty [ə'fɪnətɪ] affinité *f*

af·fir·ma·tive [ə'fɜːrmətɪv] **1** *adj* affirmatif* **2** *n*: ***answer in the ~*** répondre affirmativement

af·flu·ence ['æfluəns] richesse *f*

af·flu·ent ['æfluənt] *adj* riche; ***the ~ society*** la société de consommation

af·ford [ə'fɔːrd] *v/t*: ***be able to ~ sth*** *financially* pouvoir se permettre d'acheter qch; ***I can't ~ the time*** je n'ai pas assez de temps; ***it's a risk we can't ~ to take*** c'est un risque qu'on ne peut pas se permettre de prendre

af·ford·a·ble [ə'fɔːrdəbl] *adj* abordable

a·float [ə'flout] *adj boat* sur l'eau; ***keep the company ~*** maintenir l'entreprise à flot

a·fraid [ə'freɪd] *adj*: ***be ~*** avoir peur (***of*** de); ***I'm ~ of upsetting him*** j'ai peur de le contrarier; ***I'm ~*** *expressing regret* je crains; ***I'm ~ so / not*** je crains que oui / non

a·fresh [ə'freʃ] *adv*: ***start ~*** recommencer

Af·ri·ca ['æfrɪkə] Afrique *f*

Af·ri·can ['æfrɪkən] **1** *adj* africain **2** *n* Africain(e) *m(f)*

af·ter ['æftər] **1** *prep* après; ***~ doing sth*** après avoir fait qch; ***~ all*** après tout; ***it's ten ~ two*** il est deux heures dix; ***that's what I'm ~*** c'est ça que je cherche **2** *adv* (*afterward*) après; ***the day ~*** le lendemain

af·ter·math ['æftərmæθ] suite *f*

af·ter·noon [æftər'nuːn] après-midi *m*; ***in the ~*** l'après-midi; ***this ~*** cet après-midi

'af·ter sales serv·ice service *m* après-vente; **'af·ter·shave** lotion *f* après-rasage; **'af·ter·taste** arrière-goût *m*

af·ter·ward ['æftərwərd] *adv* ensuite

a·gain [ə'geɪn] *adv* encore; ***I never saw him ~*** je ne l'ai jamais revu; ***start ~*** recommencer

a·gainst [ə'genst] *prep* contre; ***I'm ~ the idea*** je suis contre cette idée

age [eɪdʒ] **1** *n* âge *m*; ***at the ~ of ten*** à l'âge de dix ans; ***she's five years of***

~ elle a cinq ans; ***under ~*** mineur; ***I've been waiting for ~s*** F ça fait une éternité que j'attends **2** *v/i* vieillir
aged[1] [eɪdʒd] *adj*: ***~ 16*** âgé de 16 ans
a·ged[2] ['eɪdʒɪd] **1** *adj*: ***her ~ parents*** ses vieux parents **2** *npl*: ***the ~*** les personnes *fpl* âgées
'age group catégorie *f* d'âge
'age lim·it limite *f* d'âge
a·gen·cy ['eɪdʒənsɪ] agence *f*
a·gen·da [ə'dʒendə] *of meeting* ordre *m* du jour; ***on the ~*** à l'ordre du jour
a·gent ['eɪdʒənt] COMM agent *m*
ag·gra·vate ['ægrəveɪt] *v/t rash* faire empirer; *situation* aggraver, faire empirer; (*annoy*) agacer
ag·gre·gate ['ægrɪgət] SP: ***win on ~*** totaliser le plus de points
ag·gres·sion [ə'greʃn] agression *f*
ag·gres·sive [ə'gresɪv] *adj* agressif*; (*dynamic*) dynamique
ag·gres·sive·ly [ə'gresɪvlɪ] *adv* agressivement
a·ghast [ə'gæst] *adj* horrifié
ag·ile ['ædʒəl] *adj* agile
a·gil·i·ty [ə'dʒɪlətɪ] agilité *f*
ag·i·tate ['ædʒɪteɪt] *v/i*: ***~ for*** militer pour
ag·i·tat·ed ['ædʒɪteɪtɪd] *adj* agité
ag·i·ta·tion [ædʒɪ'teɪʃn] agitation *f*
ag·i·ta·tor [ædʒɪ'teɪtər] agitateur (-trice) *m(f)*
ag·nos·tic [æg'nɑːstɪk] *n* agnostique *m/f*
a·go [ə'goʊ] *adv*: ***two days ~*** il y a deux jours; ***long ~*** il y a longtemps; ***how long ~?*** il y a combien de temps?
ag·o·nize ['ægənaɪz] *v/i* se tourmenter (***over*** sur)
ag·o·niz·ing ['ægənaɪzɪŋ] *adj* terrible
ag·o·ny ['ægənɪ] *mental* tourment *m*; *physical* grande douleur *f*; ***be in ~*** être à l'agonie
a·gree [ə'griː] **1** *v/i* être d'accord; *of figures, accounts* s'accorder; (*reach agreement*) s'entendre; ***I ~*** je suis d'accord; ***it doesn't ~ with me*** *of food* je ne le digère pas **2** *v/t price* s'entendre sur; ***I ~ that ...*** je conviens que ...
a·gree·a·ble [ə'griːəbl] *adj* (*pleasant*) agréable; ***be ~*** (*in agreement*) être d'accord
a·gree·ment [ə'griːmənt] (*consent, contract*) accord *m*; ***reach ~ on*** parvenir à un accord sur
ag·ri·cul·tur·al [ægrɪ'kʌltʃərəl] *adj* agricole
ag·ri·cul·ture ['ægrɪkʌltʃər] agriculture *f*
a·head [ə'hed] *adv* devant; ***be ~ of s.o.*** être devant qn; ***plan / think ~*** prévoir / penser à l'avance
aid [eɪd] **1** *n* aide *f* **2** *v/t* aider
aide [eɪd] aide *m/f*
Aids [eɪdz] *nsg* sida *m*
ail·ing ['eɪlɪŋ] *adj economy* mal en point
ail·ment ['eɪlmənt] mal *m*
aim [eɪm] **1** *n in shooting* visée *f*; (*objective*) but *m* **2** *v/i in shooting* viser; ***~ at doing sth, ~ to do sth*** essayer de faire qch **3** *v/t*: ***be ~ed at s.o.*** *of remark etc* viser qn; ***be ~ed at*** *of gun* être pointé sur qn
aim·less ['eɪmlɪs] *adj* sans but
air [er] **1** *n* air *m*; ***by ~*** par avion; ***in the open ~*** en plein air; ***on the ~*** RAD, TV à l'antenne **2** *v/t room* aérer; *fig*: *views* exprimer
'air·bag airbag *m*; **'air·base** base *f* aérienne *f*; **'air-con·di·tioned** *adj* climatisé; **'air-con·di·tion·ing** climatisation *f*; **'air·craft** avion *m*; **'air·craft car·ri·er** porte-avions *m inv*; **'air fare** tarif *m* aérien; **'air·field** aérodrome *m*; **'air force** armée *f* de l'air; **'air host·ess** hôtesse *f* de l'air; **'air let·ter** aérogramme *m*; **'air·lift 1** *n* pont *m* aérien **2** *v/t* transporter par avion; **'air·line** compagnie *f* aérienne; **'air·lin·er** avion *m* de ligne; **'air·mail**: ***by ~*** par avion; **'air·plane** avion *m*; **'air·pock·et** trou *m* d'air; **'air pol·lu·tion** pollution *f* atmosphérique; **'air·port** aéroport *m*; **'air·sick**; ***get ~*** avoir le mal de l'air; **'air·space** espace *m* aérien; **'air ter·mi·nal** aérogare *f*; **'air·tight** *adj container* étanche; **'air traf·fic** trafic *m* aérien; **air-traf·fic con'trol** contrôle *m* aé-

rien; **air-traf·fic con'trol·ler** contrôleur(-euse) aérien(ne) *m(f)*

air·y ['erɪ] *adj room* aéré; *attitude* désinvolte

aisle [aɪl] *in airplane* couloir *m*; *in theater* allée *f*

'aisle seat *in airplane* place *f* couloir

a·jar [ə'dʒɑːr] *adj*: ***be ~*** être entrouvert

a·lac·ri·ty [ə'lækrətɪ] empressement *m*

a·larm [ə'lɑːrm] **1** *n* (*fear*) inquiétude *f*; *device* alarme *f*; (*~ clock*) réveil *m*; ***raise the ~*** donner l'alarme **2** *v/t* alarmer

a'larm clock réveil *m*

a·larm·ing [ə'lɑːrmɪŋ] *adj* alarmant

a·larm·ing·ly [ə'lɑːrmɪŋlɪ] *adv* de manière alarmante; ***~ quickly*** à une vitesse alarmante

al·bum ['ælbəm] *for photographs*, (*record*) album *m*

al·co·hol ['ælkəhɑːl] alcool *m*

al·co·hol·ic [ælkə'hɑːlɪk] **1** *adj drink* alcoolisé **2** *n* alcoolique *m/f*

a·lert [ə'lɜːrt] **1** *adj* vigilant **2** *n signal* alerte *f*; ***be on the ~*** *of troops* être en état d'alerte; *of person* être sur le qui-vive **3** *v/t* alerter

al·ge·bra ['ældʒɪbrə] algèbre *f*

al·i·bi ['ælɪbaɪ] *n* alibi *m*

al·ien ['eɪlɪən] **1** *adj* étranger* (***to*** à) **2** *n* (*foreigner*) étranger(-ère) *m(f)*; *from space* extra-terrestre *m/f*

al·ien·ate ['eɪlɪəneɪt] *v/t* s'aliéner

a·light [ə'laɪt] *adj*: ***be ~*** *on fire* être en feu

a·lign [ə'laɪn] *v/t* aligner

a·like [ə'laɪk] **1** *adj*: ***be ~*** se ressembler **2** *adv*: ***old and young ~*** les vieux comme les jeunes

al·i·mo·ny ['ælɪmənɪ] pension *f* alimentaire

a·live [ə'laɪv] *adj*: ***be ~*** être en vie

all [ɒːl] **1** *adj* tout **2** *pron* tout; ***~ of us / them*** nous / eux tous; ***he ate ~ of it*** il l'a mangé en entier; ***that's ~, thanks*** ce sera tout, merci; ***for ~ I care*** pour ce que j'en ai à faire; ***for ~ I know*** pour autant que je sache; ***~ but him*** (*except*) tous sauf lui **3** *adv*: ***~ at once*** (*suddenly*) tout d'un coup; (*at the same time*) tous ensemble; ***~ but*** (*nearly*) presque; ***~ the better*** encore mieux; ***~ the time*** tout le temps; ***they're not at ~ alike*** ils ne se ressemblent pas du tout; ***not at ~!*** (*please do*) pas du tout!; ***two ~*** SP deux à deux; ***thirty ~*** *in tennis* trente à; ***~ right → alright***

al·lay [ə'leɪ] *v/t* apaiser

al·le·ga·tion [ælɪ'geɪʃn] allégation *f*

al·lege [ə'ledʒ] *v/t* alléguer

al·leged [ə'ledʒd] *adj* supposé

al·leg·ed·ly [ə'ledʒɪdlɪ] *adv*: ***he ~ killed two women*** il aurait assassiné deux femmes

al·le·giance [ə'liːdʒəns] loyauté *f* (***to*** à)

al·ler·gic [ə'lɜːrdʒɪk] *adj* allergique (***to*** à)

al·ler·gy ['ælərdʒɪ] allérgie *f*

al·le·vi·ate [ə'liːvɪeɪt] *v/t* soulager

al·ley ['ælɪ] ruelle *f*

al·li·ance [ə'laɪəns] alliance *f*

al·lied ['ælaɪd] *adj* MIL allié

al·lo·cate ['æləkeɪt] *v/t* assigner

al·lo·ca·tion [ælə'keɪʃn] *action* assignation *f*; *amount allocated* part *f*

al·lot [ə'lɑːt] *v/t* (*pret & pp* **-ted**) assigner

al·low [ə'laʊ] *v/t* (*permit*) permettre; *period of time*, *amount* compter; ***it's not ~ed*** ce n'est pas permis; ***~ s.o. to do sth*** permettre à qn de faire qch

♦ **allow for** *v/t* prendre en compte

al·low·ance [ə'laʊəns] *money* allocation *f*; (*pocket money*) argent *m* de poche; ***make ~s for*** *fact* prendre en considération; *person* faire preuve de tolérance envers

al·loy ['ælɔɪ] alliage *m*

'all-pur·pose *adj device* universel*; *vehicle* tous usages; **'all-round** *adj improvement* général; *athlete* complet; **'all-time**: ***be at an ~ low*** être à son point le plus bas

♦ **al·lude to** [ə'luːd] *v/t* faire allusion à

al·lur·ing [ə'luːrɪŋ] *adj* alléchant

all-wheel 'drive quatre roues motrices *fpl*; *vehicle* 4x4 *m*

al·ly ['ælaɪ] *n* allié(e) *m(f)*

Al·might·y [ɒːl'maɪtɪ]: ***the ~*** le Tout-Puissant

al·mond ['ɑːmənd] amande *f*
al·most ['ɒːlmoʊst] *adv* presque; ***I ~ came to see you*** j'ai failli venir te voir
a·lone [ə'loʊn] *adj* seul
a·long [ə'lɒːŋ] **1** *prep* le long de; ***walk ~ this path*** prenez ce chemin **2** *adv*: ***she always brings the dog ~*** elle amène toujours le chien avec elle; ***~ with*** *in addition to* ainsi que; ***if you knew all ~*** si tu le savais
a·long·side [əlɒːŋ'saɪd] *prep parallel to* à côté de; *in cooperation with* aux côtés de
a·loof [ə'luːf] *adj* distant
a·loud [ə'laʊd] *adv* à haute voix
al·pha·bet ['ælfəbet] alphabet *m*
al·pha·bet·i·cal [ælfə'betɪkl] *adj* alphabétique
al·pine ['ælpaɪn] *adj* alpin
Alps [ælps] *npl* Alpes *fpl*
al·read·y [ɒːl'redɪ] *adv* déjà
al·right [ɒːl'raɪt] *adj* (*permitted*) permis; (*acceptable*) convenable; ***be ~*** (*in working order*) fonctionner; ***she's ~*** *not hurt* elle n'est pas blessée; ***would $50 be ~?*** est-ce que 50 $ vous iraient?; ***is it ~ with you if I …?*** est-ce que ça vous dérange si je …?; ***~, you can have one!*** d'accord, tu peux en prendre un!; ***~, I heard you!*** c'est bon, je vous ai entendu!; ***everything is ~ now between them*** tout va bien maintenent entre eux; ***that's ~*** (*don't mention it*) c'est rien
al·so ['ɒːlsoʊ] *adv* aussi
al·tar ['ɒːltər] autel *m*
al·ter ['ɒːltər] *v/t plans, schedule* modifier, faire des modifications à; *person* changer, transformer; *garment* retoucher, faire une retouche à
al·ter·a·tion [ɒːltə'reɪʃn] *to plans etc* modification *f*, *to clothes* retouche *f*
al·ter·nate **1** ['ɒːltərneɪt] *v/i* alterner (***between*** entre) **2** ['ɒːltərnət] *adj*: ***on ~ Mondays*** un lundi sur deux
al·ter·nat·ing cur·rent ['ɒːltərneɪtɪŋ] courant *m* alternatif
al·ter·na·tive [ɒːl'tɜːrnətɪv] **1** *adj* alternatif* **2** *n* alternative *f*
al·ter·na·tive·ly [ɒːl'tɜːrnətɪvlɪ] *adv* sinon; ***or ~*** ou bien
al·though [ɒːl'ðoʊ] *conj* bien que (*+subj*), quoique (*+subj*)
al·ti·tude ['æltɪtuːd] altitude *f*
al·to·geth·er [ɒːltə'geðər] *adv* (*completely*) totalement; (*in all*) en tout
al·tru·ism ['æltruːɪzm] altruisme *m*
al·tru·is·tic [æltruː'ɪstɪk] *adj* altruiste
a·lu·min·um [ə'luːmənəm], *Br* **a·lu·min·i·um** [æljʊ'mɪnɪəm] aluminium *m*
al·ways ['ɒːlweɪz] *adv* toujours
a.m. ['eɪem] *abbr* (***= ante meridiem***) du matin
a·mal·gam·ate [ə'mælgəmeɪt] *v/i of companies* fusionner
a·mass [ə'mæs] *v/t* amasser
am·a·teur ['æmətʃʊr] *n also pej*, SP amateur *m/f*
am·a·teur·ish ['æmətʃʊrɪʃ] *adj pej*: *attempt* d'amateur; *painter* sans talent
a·maze [ə'meɪz] *v/t* étonner
a·mazed [ə'meɪzd] *adj* étonné
a·maze·ment [ə'meɪzmənt] étonnement *m*
a·maz·ing [ə'meɪzɪŋ] *adj* étonnant; F (*very good*) impressionnant
a·maz·ing·ly [ə'meɪzɪŋlɪ] *adv* étonnamment
am·bas·sa·dor [æm'bæsədər] ambassadeur(-drice) *m(f)*
am·ber ['æmbər] *n*: ***at ~*** à l'orange
am·bi·dex·trous [æmbɪ'dekstrəs] *adj* ambidextre
am·bi·ence ['æmbɪəns] ambiance *f*
am·bi·gu·i·ty [æmbɪ'gjuːətɪ] ambiguïté *f*
am·big·u·ous [æm'bɪgjʊəs] *adj* ambigu*
am·bi·tion [æm'bɪʃn] ambition *f*
am·bi·tious [æm'bɪʃəs] *adj* ambitieux*
am·biv·a·lent [æm'bɪvələnt] *adj* ambivalent
am·ble ['æmbl] *v/i* déambuler
am·bu·lance ['æmbjʊləns] ambulance *f*
am·bush ['æmbʊʃ] **1** *n* embuscade *f* **2** *v/t* tendre une embuscade à; ***be ~ed*** tomber dans une embuscade

a·mend [ə'mend] *v/t* modifier
a·mend·ment [ə'mendmənt] modification *f*
a·mends [ə'mendz]: ***make ~*** se racheter
a·men·i·ties [ə'mi:nətɪz] *npl* facilités *fpl*
A·mer·i·ca [ə'merɪkə] (*United States*) États-Unis *mpl; continent* Amérique *f*
A·mer·i·can [ə'merɪkən] **1** *adj* américain **2** *n* Américain(e) *m(f)*
A'mer·i·can plan pension *f* complète
a·mi·a·ble ['eɪmɪəbl] *adj* aimable
a·mi·ca·ble ['æmɪkəbl] *adj* à l'amiable
a·mi·ca·bly ['æmɪkəblɪ] *adv* à l'amiable
am·mu·ni·tion [æmjʊ'nɪʃn] munitions *fpl*
am·ne·si·a [æm'ni:zɪə] amnésie *f*
am·nes·ty ['æmnəstɪ] amnistie *f*
a·mong(st) [ə'mʌŋ(st)] *prep* parmi
a·mor·al [eɪ'mɔ:rəl] *adj* amoral
a·mount [ə'maʊnt] quantité *f*; (*sum of money*) somme *f*
♦ **amount to** *v/t* s'élever à; (*be equivalent to*) revenir à
am·phib·i·an [æm'fɪbɪən] amphibien *m*
am·phib·i·ous [æm'fɪbɪəs] *adj* amphibie
am·phi·the·a·ter, *Br* **am·phi·the·a·tre** ['æmfɪθɪətər] amphithéâtre *m*
am·ple ['æmpl] *adj* beaucoup de; ***$4 will be ~*** 4 $ sera amplement suffisant
am·pli·fi·er ['æmplɪfaɪr] amplificateur *m*
am·pli·fy ['æmplɪfaɪ] *v/t* (*pret & pp* ***-ied***) *sound* amplifier
am·pu·tate ['æmpjʊ:teɪt] *v/t* amputer
am·pu·ta·tion [æmpjʊ'teɪʃn] amputation *f*
a·muse [ə'mju:z] *v/t* (*make laugh*) amuser; (*entertain*) distraire
a·muse·ment [ə'mju:zmənt] (*merriment*) amusement *m*; (*entertainment*) divertissement *m*; ***to our great ~*** à notre grand amusement
a'muse·ment park parc *m* d'attractions
a·mus·ing [ə'mju:zɪŋ] *adj* amusant
an [æn], *unstressed* [ən] → ***a***
an·a·bol·ic ster·oid [ænə'bɑ:lɪk] stéroïde *m* anabolisant
a·nae·mi·a *etc Br* → ***anemia*** *etc*
an·aes·thet·ic *etc Br* → ***anesthetic*** *etc*
an·a·log ['ænəlɑ:g] *adj* COMPUT analogique
a·nal·o·gy [ə'nælədʒɪ] analogie *f*
an·a·lyse *v/t Br* → ***analyze***
an·al·y·sis [ə'næləsɪs] (*pl* ***analyses*** [ə'næləsi:z]) *also* PSYCH analyse *f*
an·a·lyst ['ænəlɪst] *also* PSYCH analyste *m/f*
an·a·lyt·i·cal [ænə'lɪtɪkl] *adj* analytique
an·a·lyze [ænə'laɪz] *v/t also* PSYCH analyser
an·arch·y ['ænərkɪ] anarchie *f*
a·nat·o·my [ə'nætəmɪ] anatomie *f*
an·ces·tor ['ænsestər] ancêtre *m/f*
an·chor ['æŋkər] **1** *n* NAUT ancre *f*; TV présentateur(-trice) principal(e) *m(f)* **2** *v/i* NAUT ancrer
an·cient ['eɪnʃənt] *adj Rome, Greece* antique; *object, buildings, tradition* ancien
an·cil·lar·y [æn'sɪlərɪ] *adj staff* auxiliaire
and [ənd], *stressed* [ænd] *conj* et; ***bigger ~ bigger*** de plus en plus grand; ***go ~ look it*** vas le chercher
An·dor·ra [æn'dɔ:rə] Andorre *f*
An·dor·ran [æn'dɔ:rən] **1** *adj* andorran **2** *n* Andorran(e) *m(f)*
an·ec·dote ['ænɪkdoʊt] anecdote *f*
a·ne·mi·a [ə'ni:mɪə] anémie *f*
a·ne·mic [ə'ni:mɪk] *adj* anémique
an·es·the·si·ol·o·gist [ænəsθi:zi:'ɑ:lədʒɪst] anesthésiste *m/f*
an·es·thet·ic [ænəs'θetɪk] *n* anesthésiant *m*
anesthetic: ***local / general ~*** anesthésie *f* locale / générale
an·es·the·tist [ə'ni:sθətɪst] *Br* anesthésiste *m/f*
an·gel ['eɪndʒl] REL, *fig* ange *m*
an·ger ['æŋgər] **1** *n* colère *f* **2** *v/t* mettre en colère
an·gi·na [æn'dʒaɪnə] angine *f* de poitrine
an·gle ['æŋgl] *n* angle *m*

an·gry ['æŋgrɪ] *adj person* en colère; *mood, voice, look* fâché; ***be ~ with s.o.*** être en colère contre qn
an·guish ['æŋgwɪʃ] angoisse *f*
an·gu·lar ['æŋgjʊlər] *adj* anguleux*
an·i·mal ['ænɪml] animal *m*
an·i·mat·ed ['ænɪmeɪtɪd] *adj* animé
an·i·mat·ed car'toon dessin *m* animé
an·i·ma·tion [ænɪ'meɪʃn] (*liveliness*), *technique* animation *f*
an·i·mos·i·ty [ænɪ'mɑːsətɪ] animosité *f*
an·kle ['æŋkl] cheville *f*
an·nex ['æneks] **1** *n building, to document* annexe *f* **2** *v/t state* annexer
an·nexe *n Br* → ***annex***
an·ni·hi·late [ə'naɪəleɪt] *v/t* anéantir
an·ni·hi·la·tion [ənaɪə'leɪʃn] anéantissement *m*
an·ni·ver·sa·ry [ænɪ'vɜːrsərɪ] anniversaire *m*
an·no·tate ['ænəteɪt] *v/t report* annoter
an·nounce [ə'naʊns] *v/t* annoncer
an·nounce·ment [ə'naʊnsmənt] annonce *f*
an·nounc·er [ə'naʊnsər] TV, RAD speaker *m*, speakrine *f*
an·noy [ə'nɔɪ] *v/t* agacer; ***be ~ed*** être agacé
an·noy·ance [ə'nɔɪəns] (*anger*) agacement *m*; (*nuisance*) désagrément *m*
an·noy·ing [ə'nɔɪɪŋ] *adj* agaçant
an·nu·al ['ænʊəl] *adj* annuel*
an·nu·i·ty [ə'nuːətɪ] rente *f* (annuelle)
an·nul [ə'nʌl] *v/t* (*pret & pp* ***-led***) *marriage* annuler
an·nul·ment [ə'nʌlmənt] annulation *f*
a·non·y·mous [ə'nɑːnɪməs] *adj* anonyme
an·o·rex·i·a [ænə'reksɪə] anorexie *f*
an·o·rex·ic [ænə'reksɪk] *adj* anorexique
an·oth·er [ə'nʌðər] **1** *adj* (*different, additional*) autre **2** *pron* un(e) autre *m(f)*; ***help one ~*** s'entraider; ***they know one ~*** ils se connaissent
an·swer ['ænsər] **1** *n* réponse *f*; (*solution*) solution *f* (***to*** à) **2** *v/t* répondre à; ***~ the door*** ouvrir la porte; ***~ the telephone*** répondre au téléphone **3** *v/i* répondre
♦**answer back 1** *v/t* répondre à **2** *v/i* répondre
♦**answer for** *v/t one's actions, person* répondre de
'an·swer·phone répondeur *m*
ant [ænt] fourmi *f*
an·tag·o·nism [æn'tægənɪzm] antagonisme *m*
an·tag·o·nis·tic [æntægə'nɪstɪk] *adj* hostile
an·tag·o·nize [æn'tægənaɪz] *v/t* provoquer
Ant·arc·tic [ænt'ɑːrktɪk] *n*: ***the ~*** l'Antarctique *m*
an·te·na·tal [æntɪ'neɪtl] *adj* prénatal; ***~ class*** cours *m* de préparation à l'accouchement
an·ten·na [æn'tenə] antenne *f*
an·thol·o·gy [æn'θɑːlədʒɪ] anthologie *f*
an·thro·pol·o·gy [ænθrə'pɑːlədʒɪ] anthropologie *f*
an·ti·bi·ot·ic [æntaɪbaɪ'ɑːtɪk] *n* antibiotique *m*
an·ti·bod·y ['æntaɪbɑːdɪ] anticorps *m*
an·tic·i·pate [æn'tɪsɪpeɪt] *v/t* prévoir
an·tic·i·pa·tion [æntɪsɪ'peɪʃn] prévision *f*
an·ti·clock·wise ['æntɪklɑːkwaɪz] *adv Br* dans le sens inverse des aiguilles d'une montre
an·tics ['æntɪks] *npl* singeries *fpl*
an·ti·dote ['æntɪdoʊt] antidote *m*
an·ti·freeze ['æntaɪfriːz] antigel *m*
an·tip·a·thy [æn'tɪpəθɪ] antipathie *f*
an·ti·quat·ed ['æntɪkweɪtɪd] *adj* antique
an·tique [æn'tiːk] *n* antiquité *f*
an'tique deal·er antiquaire *m/f*
an·tiq·ui·ty [æn'tɪkwətɪ] antiquité *f*
an·ti·sep·tic [æntaɪ'septik] **1** *adj* antiseptique **2** *n* antiseptique *m*
an·ti·so·cial [æntaɪ'soʊʃl] *adj* asocial, antisocial
an·ti·vi·rus pro·gram [æntaɪ'vaɪrəs] COMPUT programme *m* antivirus
anx·i·e·ty [æŋ'zaɪətɪ] (*worry*) inquiétude *f*
anx·ious ['æŋkʃəs] *adj* (*worried*) inquiet*; (*eager*) soucieux*; ***be ~ for*** *for news etc* désirer vivement

an·y ['enɪ] **1** *adj*: ***are there ~ diskettes / glasses?*** est-ce qu'il y a des disquettes / des verres?; ***is there ~ bread / improvement?*** est-ce qu'il y a du pain / une amélioration?; ***there aren't ~ diskettes / glasses*** il n'y a pas de disquettes / de verres; ***there isn't ~ bread / improvement*** il n'y a pas de pain / d'amélioration; ***have you ~ idea at all?*** est-ce que vous avez une idée?; ***take ~ one you like*** prends celui / celle que tu veux; ***at ~ moment*** à tout moment **2** *pron*: ***do you have ~?*** est-ce que vous en avez?; ***there aren't / isn't ~ left*** il n'y en a plus; ***~ of them could be guilty*** ils pourraient tous être coupables **3** *adv*: ***is that ~ better / easier?*** est-ce que c'est mieux / plus facile?; ***I don't like it ~ more*** je ne l'aime plus

an·y·bod·y ['enɪbɑːdɪ] *pron* ◊ quelqu'un ◊ *with negatives* personne; ***there wasn't ~ there*** il n'y avait personne ◊ *no matter who* n'importe qui; ***~ can see that …*** tout le monde peut voir que …

an·y·how ['enɪhaʊ] *adv* (*anyway*) enfin; (*in any way*) de quelque façon que ce soit

an·y·one ['enɪwʌn] → ***anybody***

an·y·thing ['enɪθɪŋ] *pron* ◊ quelque chose; ***~ else?*** quelque chose d'autre?; ***absolutely ~*** n'importe quoi ◊ *with negatives* rien; ***I didn't hear ~*** je n'ai rien entendu ◊ ***~ but …*** tout sauf …; ***no, ~ but*** non, pas du tout;

an·y·way ['enɪweɪ] → ***anyhow***

an·y·where ['enɪwer] *adv* quelque part; *with negative* nulle part; ***I can't find it ~*** je ne le trouve nulle part; ***did you go ~ else?*** est-ce que tu es allé ailleurs *or* autre part?

a·part [ə'pɑːrt] *adv* séparé; ***the two cities are 250 miles ~*** les deux villes sont à 250 miles l'une de l'autre; ***live ~*** vivre séparés; ***~ from*** (*except*) à l'exception de; ***~ from*** (*in addition to*) en plus de

a·part·ment [ə'pɑːrtmənt] appartement *m*

a'part·ment block immeuble *m*

ap·a·thet·ic [æpə'θetɪk] *adj* apathique

ap·a·thy ['æpəθɪ] apathie *f*

ape [eɪp] *n* singe *m*

a·pe·ri·tif [ə'perɪtiːf] apéritif *m*

ap·er·ture ['æpərtʃər] PHOT ouverture *f*

a·piece [ə'piːs] *adv* chacun

a·pol·o·get·ic [əpɑːlə'dʒetɪk] *adj person, expression* désolé; *letter* d'excuse; ***he was very ~*** il s'est confondu en excuses

a·pol·o·gize [ə'pɑːlədʒaɪz] *v/i* s'excuser (***to s.o.*** auprès de qn; ***for sth*** pour qch); ***~ for doing sth*** s'excuser de faire qch

a·pol·o·gy [ə'pɑːlədʒɪ] excuses *fpl*

a·pos·tle [ə'pɑːsl] REL apôtre *m*

a·pos·tro·phe [ə'pɑːstrəfɪ] GRAM apostrophe *f*

ap·pall [ə'pɒːl] *v/t* scandaliser

ap·pal·ling [ə'pɒːlɪŋ] *adj* scandaleux*

ap·pa·ra·tus [æpə'reɪtəs] appareils *mpl*

ap·par·ent [ə'pærənt] *adj* (*obvious*) évident; (*seeming*) apparent; ***become ~ that …*** devenir évident que …

ap·par·ent·ly [ə'pærəntlɪ] *adv* apparemment

ap·pa·ri·tion [æpə'rɪʃn] *ghost* apparition *f*

ap·peal [ə'piːl] **1** *n* (*charm*) charme *m*; *for funds etc*, LAW appel *m*

appeal 2 *v/i* LAW faire appel

♦**appeal for** *v/t calm etc* appeler à; *funds* demander

♦**appeal to** *v/t* (*be attractive to*) plaire à

ap·peal·ing [ə'piːlɪŋ] *adj idea, offer* séduisant

ap·pear [ə'pɪr] *v/i of person, new product* apparaître; *in court* comparaître; *in movie* jouer; (*look, seem*) paraître; ***~ to be …*** avoir l'air d'être …; ***it ~s that …*** il paraît que …

ap·pear·ance [ə'pɪrəns] apparition *f*, *in court* comparution *f*, (*look*) apparence *f*, ***put in an ~*** faire acte de présence

ap·pease [ə'piːz] *v/t* apaiser

ap·pen·di·ci·tis [əpendɪ'saɪtɪs] appendicite *f*

ap·pen·dix [ə'pendɪks] MED, *of book etc* appendice *m*
ap·pe·tite ['æpɪtaɪt] appétit *m*
ap·pe·tiz·er ['æpɪtaɪzər] *to drink* apéritif *m*; *to eat* amuse-gueule *m*; (*starter*) entrée *f*
ap·pe·tiz·ing ['æpɪtaɪzɪŋ] *adj* appétissant
ap·plaud [ə'plɒːd] **1** *v/i* applaudir **2** *v/t performer* applaudir; *fig* saluer
ap·plause [ə'plɒːz] *for performer* applaudissements *mpl*; *fig* louanges *fpl*
ap·ple ['æpl] pomme *f*
ap·ple 'pie tarte *f* aux pommes
ap·ple 'sauce compote *f* de pommes
ap·pli·ance [ə'plaɪəns] appareil *m*
ap·plic·a·ble [ə'plɪkəbl] *adj* applicable
ap·pli·cant ['æplɪkənt] *for job* candidat(e) *m*(*f*)
ap·pli·ca·tion [æplɪ'keɪʃn] *for job* candidature *f*; *for passport etc* demande *f*
ap·pli'ca·tion form *for job* formulaire *m* de candidature; *for passport etc* demande *f*
ap·ply [ə'plaɪ] **1** *v/t* (*pret & pp* ***-ied***) appliquer **2** *v/i of rule*, *law* s'appliquer
♦**apply for** *v/t job* poser sa candidature pour; *passport etc* faire une demande de
♦**apply to** *v/t* (*contact*) s'adresser à; *of rules etc* s'appliquer à
ap·point [ə'pɔɪnt] *v/t to position* nommer
ap·point·ment [ə'pɔɪntmənt] *to position* nomination *f*; (*meeting*) rendez-vous *m*; ***make an ~*** prendre (un) rendez-vous
ap'point·ments di·a·ry carnet *m* de rendez-vous
ap·prais·al [ə'preɪzəl] évaluation *f*
ap·pre·ci·a·ble [ə'priːʃəbl] *adj* considérable
ap·pre·ci·ate [ə'priːʃɪeɪt] **1** *v/t* (*be grateful for*), *wine*, *music* apprécier; (*acknowledge*) reconnaître; ***thanks, I ~ it*** merci, c'est très gentil **2** *v/i* FIN s'apprécier
ap·pre·ci·a·tion [əpriːʃɪ'eɪʃn] *of kindness etc* gratitude *f* (***of*** pour), reconnaissance *f* (***of*** de)
ap·pre·ci·a·tive [ə'priːʃətɪv] *adj showing gratitude* reconnaissant; *showing understanding* approbateur*; *audience* réceptif*
ap·pre·hen·sive [æprɪ'hensɪv *adj* appréhensif*
ap·pren·tice [ə'prentɪs] apprenti(e) *m*(*f*)
ap·proach [ə'proʊtʃ] **1** *n to problem*, *place* approche *f*; (*proposal*) proposition *f* **2** *v/t* (*get near to*) approcher; (*contact*) faire des propositions à; *problem* aborder
ap·proach·a·ble [ə'proʊtʃəbl] *adj person* accessible, d'un abord facile
ap·pro·pri·ate[1] [ə'proʊprɪət] *adj* approprié
ap·pro·pri·ate[2] [ə'proʊprɪeɪt] *v/t* s'approprier
ap·prov·al [ə'pruːvl] approbation *f*
ap·prove [ə'pruːv] **1** *v/i* être d'accord **2** *v/t plan*, *suggestion* approuver; *application* accepter
♦**approve of** *v/t plan*, *suggestion* approuver; *person* aimer
ap·prox·i·mate [ə'prɑːksɪmət] *adj* approximatif*
ap·prox·i·mate·ly [ə'prɑːksɪmətlɪ] *adv* approximativement
ap·prox·i·ma·tion [əprɑːksɪ'meɪʃn] approximation *f*
APR [eɪpiː'ɑːr] *abbr* (= ***annual percentage rate***) TEG (= taux *m* effectif global)
a·pri·cot ['eɪprɪkɑːt] abricot *m*
A·pril ['eɪprəl] avril *m*
apt [æpt] *adj student* intelligent; *remark* pertinent; ***be ~ to …*** avoir tendance à
ap·ti·tude ['æptɪtuːd] aptitude *f*
'ap·ti·tude test test *m* d'aptitude
a·quar·i·um [ə'kwerɪəm] aquarium *m*
A·quar·i·us [ə'kwerɪəs] ASTROL Verseau *m*
a·quat·ic [ə'kwætɪk] *adj* aquatique
Ar·ab ['ærəb] **1** *adj* arabe **2** *n* Arabe *m*/*f*
Ar·a·bic ['ærəbɪk] **1** *adj* arabe **2** *n* arabe *m*
ar·a·ble ['ærəbl] *adj* arable
ar·bi·tra·ry ['ɑːrbɪtrərɪ] *adj* arbitraire
ar·bi·trate ['ɑːrbɪtreɪt] *v/i* arbitrer
ar·bi·tra·tion [ɑːrbɪ'treɪʃn] arbitrage *m*

ar·bi·tra·tor ['ɑːrbɪtreɪtər] arbitre *m*
arch [ɑːrʧ] *n* voûte *f*
ar·chae·ol·o·gy *etc Br* → ***archeology*** *etc*
ar·cha·ic [ɑːr'keɪɪk] *adj* archaïque
arch·bish·op [ɑːrʧ'bɪʃəp] archevêque *m*
ar·che·o·log·i·cal [ɑːrkɪə'lɑːdʒɪkl] *adj* archéologique
ar·che·ol·o·gist [ɑːrkɪ'ɑːlədʒɪst] archéologue *m/f*
ar·che·ol·o·gy [ɑːrkɪ'ɑːlədʒɪ] archéologie *f*
arch·er ['ɑːrʧər] archer *m*
ar·chi·tect ['ɑːrkɪtekt] architecte *m/f*
ar·chi·tec·tur·al [ɑːrkɪ'tekʧərəl] *adj* architectural
ar·chi·tec·ture ['ɑːrkɪtekʧər] architecture *f*
ar·chives ['ɑːrkaɪvz] *npl* archives *fpl*
'arch·way arche *f*; *entrance* porche *m*
Arc·tic ['ɑːrktɪk] *n*: ***the ~*** l'Arctique *m*
ar·dent ['ɑːrdənt] *adj* fervent
ar·du·ous ['ɑːrdjʊəs] *adj* ardu
ar·e·a ['erɪə] *of city* quartier *m*; *of country* région *f*; *of research, study etc* domaine *m*; *of room* surface *f*; *of land, figure* superficie *f*; ***in the Boston ~*** dans la région de Boston
'ar·e·a code TELEC indicatif *m* régional
a·re·na [ə'riːnə] SP arène *f*
Ar·gen·ti·na [ɑːrdʒən'tiːnə] Argentine *f*
Ar·gen·tin·i·an [ɑːrdʒən'tɪnɪən] **1** *adj* argentin **2** *n* Argentin(e) *m(f)*
ar·gu·a·bly ['ɑːrgjʊəblɪ] *adv*: ***it was ~ the best book of the year*** on peut dire que c'était le meilleur livre de l'année
ar·gue ['ɑːrgjuː] **1** *v/i* (*quarrel*) se disputer; (*reason*) argumenter; ***~ with s.o.*** *discuss* se disputer avec qn **2** *v/t*: ***~ that …*** soutenir que …
ar·gu·ment ['ɑːrgjʊmənt] (*quarrel*) dispute *f*, (*discussion*) discussion *f*, (*reasoning*) argument *m*
ar·gu·ment·a·tive [ɑːrgjʊ'mentətɪv] *adj*: ***stop being so ~ and …*** arrête de discuter et …
a·ri·a ['ɑːrɪə] MUS aria *f*
ar·id ['ærɪd] *adj land* aride
Ar·ies ['eriːz] ASTROL Bélier *m*
a·rise [ə'raɪz] *v/i* (*pret* ***arose***, *pp* ***arisen***) *of situation, problem* survenir
a·ris·en [ə'rɪzn] *pp* → ***arise***
ar·is·toc·ra·cy [ærɪ'stɑːkrəsɪ] aristocratie *f*
a·ris·to·crat ['ərɪstəkræt] aristocrate *m/f*
a·ris·to·crat·ic [ærɪstə'krætɪk] *adj* aristocratique
a·rith·me·tic [ə'rɪθmətɪk] arithmétique *f*
arm¹ [ɑːrm] *n* bras *m*
arm² [ɑːrm] *v/t* armer
ar·ma·ments ['ɑːrməmənts] *npl* armes *fpl*
'arm·chair fauteuil *m*
armed [ɑːrmd] *adj* armé
armed 'forc·es *npl* forces *fpl* armées
armed 'rob·ber·y vol *m* à main armée
ar·mor ['ɑːrmər] *on tank, armored vehicle* blindage *m*; *of knight* armure *f*
ar·mored 've·hi·cle ['ɑːrmərd] véhicule *m* blindé
ar·mour *etc Br* → ***armor*** *etc*
'arm·pit aisselle *f*
arms [ɑːrmz] *npl* (*weapons*) armes *fpl*
ar·my ['ɑːrmɪ] armée *f*
a·ro·ma [ə'roʊmə] arôme *m*
a·rose [ə'roʊz] *pret* → ***arise***
a·round [ə'raʊnd] **1** *prep* (*encircling*) autour de; ***it's ~ the corner*** c'est juste à côté **2** *adv* (*in the area*) dans les parages; (*encircling*) autour; (*roughly*) à peu près; *with expressions of time* à environ; ***he lives ~ here*** il habite dans ce quartier; ***she's been ~*** F (*has traveled, is experienced*) elle n'est pas née de la dernière pluie; ***he's still ~*** F (*alive*) il est toujours là
a·rouse [ə'raʊz] *v/t* susciter; *sexually* exciter
ar·range [ə'reɪndʒ] *v/t flowers, music, room* arranger; *furniture* disposer; *meeting, party etc* organiser; *time* fixer; *appointment with doctor, dentist* prendre; ***I've ~d to meet her*** j'ai prévu de la voir
♦ **arrange for** *v/t*: ***arrange for s.o. to do sth*** s'arranger pour que qn fasse

(*subj*) qch
ar·range·ment [ə'reɪndʒmənt] (*agreement*), *music* arrangement *m*; *of furniture* disposition *f*; *flowers* composition *f*
ar·rears [ə'rɪərz] *npl* arriéré *m*; ***be in ~*** *of person* être en retard
ar·rest [ə'rest] **1** *n* arrestation *f*; ***be under ~*** être en état d'arrestation **2** *v/t* arrêter
ar·riv·al [ə'raɪvl] arrivée *f*; ***~s*** *at airport* arrivées *fpl*
ar·rive [ə'raɪv] *v/i* arriver
♦**arrive at** *v/t place*, *decision* arriver à
ar·ro·gance ['ærəgəns] arrogance *f*
ar·ro·gant ['ærəgənt] *adj* arrogant
ar·ro·gant·ly ['ærəgəntlɪ] *adv* avec arrogance
ar·row ['ærou] flèche *f*
'ar·row key COMPUT touche *f* fléchée
ar·se·nic ['ɑːrsənɪk] arsenic *m*
ar·son ['ɑːrsn] incendie *m* criminel
ar·son·ist ['ɑːrsənɪst] incendiaire *m/f*
art [ɑːrt] art *m*; ***the ~s*** les arts et les lettres *mpl*
ar·te·ry ['ɑːrtərɪ] ANAT artère *f*
'art gal·ler·y galerie *f* d'art
ar·thri·tis [ɑːr'θraɪtɪs] arthrite *f*
ar·ti·choke ['ɑːrtɪtʃouk] artichaut *m*
ar·ti·cle ['ɑːrtɪkl] article *m*; ***~ of clothing*** vêtement *m*
ar·tic·u·late [ɑːr'tɪkjulət] *adj person* qui s'exprime bien
ar·ti·fi·cial [ɑːrtɪ'fɪʃl] *adj* artificiel*
ar·ti·fi·cial in'tel·li·gence intelligence *f* artificielle
ar·til·le·ry [ɑːr'tɪlərɪ] artillerie *f*
ar·ti·san ['ɑːrtɪzæn] artisan *m*
art·ist ['ɑːrtɪst] artiste *m/f*
ar·tis·tic [ɑːr'tɪstɪk] *adj* artistique
'arts de·gree licence *f* de lettres
as [æz] **1** *conj* (*while*, *when*) alors que; (*because*) comme; (*like*) comme; ***~ it got darker*** au fur et à mesure que la nuit tombair; ***~ if*** comme si; ***~ usual*** comme d'habitude; ***~ necessary*** quand c'est nécessaire **2** *adv*: ***~ high / pretty ~ …*** aussi haut / jolie que …; ***~ much ~ that?*** autant que ça?; ***~ soon ~ possible*** aussi vite que possible **3** *prep* comme; ***work ~ a team*** travailler en équipe; ***~ a child / schoolgirl, I …*** quand j'étais enfant / écolière, je …; ***work ~ a teacher / translator*** travailler comme professeur / traducteur; ***~ for*** quant à; ***~ Hamlet*** dans le rôle de Hamlet; ***~ from*** *or* ***of Monday*** à partir de lundi
asap ['eɪzæp] *abbr* (***= as soon as possible***) dans les plus brefs délais
as·bes·tos [æz'bestɑːs] amiante *m*
As·cen·sion [ə'senʃn] REL Ascension *f*
as·cent [ə'sent] ascension *f*
ash [æʃ] *from cigarette etc* cendres *fpl*; ***~es*** cendres *fpl*
a·shamed [ə'ʃeɪmd] *adj* honteux*; ***be ~ of*** avoir honte de; ***you should be ~ of yourself*** tu devrais avoir honte
'ash can poubelle *f*
a·shore [ə'ʃɔːr] *adv* à terre; ***go ~*** débarquer
'ash·tray cendrier *m*
A·sia ['eɪʃə] Asie *f*
A·sian ['eɪʃən] **1** *adj* asiatique **2** *n* Asiatique *m/f*
a·side [ə'saɪd] *adv* de côté; ***move ~ please*** poussez-vous, s'il vous plaît; ***take s.o. ~*** prendre qn à part; ***~ from*** à part
ask [æsk] **1** *v/t favor* demander; *question* poser; (*invite*) inviter; ***can I ~ you something?*** est-ce que je peux vous demander quelque chose?; ***I ~ed him about his holidays*** je lui ai demandé comment ses vacances s'étaient passées; ***~ s.o. for sth*** demander qch à qn; ***~ s.o. to do sth*** demander à qn de faire qch **2** *v/i* demander
♦**ask after** *v/t person* demander des nouvelles de
♦**ask for** *v/t* demander; *person* demander à parler à; ***you asked for that!*** tu l'as cherché!
♦**ask out** *v/t*: ***he's asked me out*** il m'a demandé de sortir avec lui
ask·ing price ['æskɪŋ] prix *m* demandé
a·sleep [ə'sliːp] *adj*: ***be*** (***fast***) ***~*** être (bien) endormi; ***fall ~*** s'endormir

as·par·a·gus [ə'spærəgəs] *nsg* asperges *fpl*
as·pect ['æspekt] aspect *m*
as·phalt ['æsfælt] *n* bitume *m*
as·phyx·i·ate [æ'sfɪksɪeɪt] *v/t* asphyxier
as·phyx·i·a·tion [əsfɪksɪ'eɪʃn] asphyxie *f*
as·pi·ra·tions [æspə'reɪʃnz] *npl* aspirations *fpl*
as·pi·rin ['æsprɪn] aspirine *f*
ass[1] [æs] P (*backside, sex*) cul *m* P
ass[2] [æs] F (*idiot*) idiot(e) *m(f)*
as·sai·lant [ə'seɪlənt] assaillant(e) *m(f)*
as·sas·sin [ə'sæsɪn] assassin *m*
as·sas·sin·ate [ə'sæsɪneɪt] *v/t* assassiner
as·sas·sin·a·tion [əsæsɪ'neɪʃn] assassinat *m*
as·sault [ə'sɒːlt] **1** *n* agression *f* (***on*** contre); MIL attaque *f* (***on*** contre) **2** *v/t* agresser
as·sem·ble [ə'sembl] **1** *v/t parts* assembler **2** *v/i of people* se rassembler
as·sem·bly [ə'semblɪ] POL assemblée *f*; *of parts* assemblage *m*
as'sem·bly line chaîne *f* de montage
as'sem·bly plant usine *f* de montage
as·sent [ə'sent] *v/i* consentir
as·sert [ə'sɜːrt] *v/t* (*maintain*), *right* affirmer; ***~ o.s.*** s'affirmer
as·ser·tive [ə'sɜːrtɪv] *adj person* assuré
as·sess [ə'ses] *v/t situation* évaluer; *value* estimer
as·sess·ment [ə'sesmənt] *of situation* évaluation *f*; *of value* estimation *f*
as·set ['æset] FIN actif *m*; *fig* atout *m*
'ass·hole P trou *m* du cul V; (*idiot*) abruti(e) *m(f)*
as·sign [ə'saɪn] *v/t* assigner
as·sign·ment [ə'saɪnmənt] mission *f*; EDU devoir *m*
as·sim·i·late [ə'sɪmɪleɪt] *v/t* assimiler
as·sist [ə'sɪst] *v/t* aider
as·sist·ance [ə'sɪstəns] aide *f*
as·sis·tant [ə'sɪstənt] assistant(e) *m(f)*
as·sis·tant di'rec·tor *of movie* assistant(e) réalisateur(-trice) *m(f)*; *of organization* sous-directeur(-trice) *m(f)*
as·sis·tant 'man·ag·er sous-directeur *m*, sous-directrice *f*; *of department* assistant(e) *m(f)* du / de la responsable
as·so·ci·ate 1 *v/t* [ə'souʃɪeɪt] associer **2** *n* [ə'souʃɪət] (*colleague*) collègue *m/f*
♦ **associate with** *v/t* fréquenter
as·so·ci·ate pro'fes·sor maître *m* de conférences
as·so·ci·a·tion [əsousɪ'eɪʃn] (*organization*) association *f*; ***in ~ with*** en association avec
as·sort·ed [ə'sɔːrtɪd] *adj* assorti
as·sort·ment [ə'sɔːrtmənt] assortiment *m*
as·sume [ə'suːm] *v/t* (*suppose*) supposer
as·sump·tion [ə'sʌmpʃn] supposition *f*
as·sur·ance [ə'ʃurəns] (*reassurance, confidence*) assurance *f*
as·sure [ə'ʃur] *v/t* (*reassure*) assurer
as·sured [ə'ʃurd] *adj* (*confident*) assuré
as·ter·isk ['æstərɪsk] astérisque *m*
asth·ma ['æsmə] asthme *m*
asth·mat·ic [æs'mætɪk] *adj* asthmatique
as·ton·ish [ə'stɑːnɪʃ] *v/t* étonner; ***be ~ed that …*** être étonné que … (*+subj*)
as·ton·ish·ing [ə'stɑːnɪʃɪŋ *adj* étonnant
as·ton·ish·ing·ly [ə'stɑːnɪʃɪŋlɪ] *adv* étonnamment
as·ton·ish·ment [ə'stɑːnɪʃmənt] étonnement *m*
as·tound [ə'staund] *v/t* stupéfier
as·tound·ing [ə'staundɪŋ] *adj* stupéfiant
a·stray [ə'streɪ] *adv*: ***go ~*** se perdre; ***go ~*** *morally* se détourner du droit chemin
a·stride [ə'straɪd] **1** *adv* à califourchon **2** *prep* à califourchon sur
as·trol·o·ger [ə'strɑːlədʒər] astrologue *m/f*
as·trol·o·gy [ə'strɑːlədʒɪ] astrologie *f*
as·tro·naut ['æstrənɒːt] astronaute *m/f*
as·tron·o·mer [ə'strɑːnəmər] astronome *m/f*

as·tro·nom·i·cal [æstrə'nɑːmɪkl] *adj price etc* F astronomique F
as·tron·o·my [ə'strɑːnəmɪ] astronomie *f*
as·tute [ə'stuːt] *adj mind, person* fin
a·sy·lum [ə'saɪləm] *political*, (*mental* ~) asile *m*
at [ət], *stressed* [æt] *prep with places* à; ~ ***Joe's*** chez Joe; ~ ***the door*** à la porte; ~ ***10 dollars*** au prix de 10 dollars; ~ ***the age of 18*** à l'âge de 18 ans; ~ ***5 o'clock*** à 5 heures; ~ ***100 mph*** à 100 miles à l'heure; ***be good / bad ~ …*** être bon / mauvais en …; ~ ***his suggestion*** sur sa suggestion
ate [eɪt] *pret* → ***eat***
a·the·ism ['eɪθɪɪzm] athéisme *m*
a·the·ist ['eɪθɪɪst] athée *m/f*
ath·lete ['æθliːt] athlète *m/f*
ath·let·ic [æθ'letɪk] *adj* d'athlétisme; (*strong, sporting*) sportif*
ath·let·ics [æθ'letɪks] *nsg* athlétisme *m*
At·lan·tic [ət'læntɪk] *n*: ***the ~*** l'Atlantique *m*
at·las ['ætləs] atlas *m*
at·mos·phere ['ætməsfɪr] *of earth* atmosphère *f*; (*ambience*) atmosphère *f*, ambiance *f*
at·mos·pher·ic [ætməs'ferɪk] atmosphérique *lighting, music* d'ambiance; ~ ***pollution*** pollution *f* atmosphérique
at·om ['ætəm] atome *m*
'at·om bomb bombe *f* atomique
a·tom·ic [ə'tɑːmɪk] *adj* atomique
a·tom·ic 'en·er·gy énergie *f* atomique
a·tom·ic 'waste déchets *mpl* nucléaires
a·tom·iz·er ['ætəmaɪzər] atomiseur *m*
♦**a·tone for** [ə'toʊn] *v/t sins, mistake* racheter
a·tro·cious [ə'troʊʃəs] *adj* F (*very bad*) atroce
a·troc·i·ty [ə'trɑːsətɪ] atrocité *f*
at·tach [ə'tætʃ] *v/t* attacher; ***be ~ed to*** *emotionally* être attaché à
at·tach·ment [ə'tætʃmənt] *fondness* attachement *m*; *to e-mail* fichier *m* joint
at·tack [ə'tæk] **1** *n* attaque *f* **2** *v/t* attaquer
at·tempt [ə'tempt] **1** *n* tentative *f* **2** *v/t* essayer; ~ ***to do sth*** essayer de faire qch
at·tend [ə'tend] *v/t* assister à; *school* aller à
♦**attend to** *v/t* s'occuper de
at·tend·ance [ə'tendəns] *at meeting, wedding etc* présence *f*
at·tend·ant [ə'tendənt] *in museum etc* gardien(ne) *m(f)*
at·ten·tion [ə'tenʃn] attention *f*, ***bring sth to s.o.'s ~*** attirer l'attention de qn sur qch; ***your ~ please*** votre attention s'il vous plaît; ***pay ~*** faire attention
at·ten·tive [ə'tentɪv] *adj* attentif*
at·tic ['ætɪk] grenier *m*
at·ti·tude ['ætɪtuːd] attitude *f*
attn *abbr* (***= for the attention of***) à l'attention de
at·tor·ney [ə'tɜːrnɪ] avocat *m*; ***power of ~*** procuration *f*
at·tract [ə'trækt] *v/t* attirer; ***be ~ed to s.o.*** être attiré par qn
at·trac·tion [ə'trækʃn] *of job, doing sth* attrait *m*; *romantic* attirance *f*, *in city, touristic* attraction *f*
at·trac·tive [ə'træktɪv] *adj person* attirant; *idea, proposal, city* attrayant
at·trib·ute[1] [ə'trɪbjuːt] *v/t* attribuer (***to*** à)
at·trib·ute[2] ['ætrɪbjuːt] *n* attribut *m*
au·ber·gine ['oʊbərʒiːn] *Br* aubergine *f*
auc·tion ['ɒːkʃn] **1** *n* vente *f* aux enchères **2** *v/t* vendre aux enchères
♦**auction off** *v/t* mettre aux enchères
auc·tion·eer [ɒːkʃə'nɪr] commissaire-priseur *m*
au·da·cious [ɒː'deɪʃəs] *adj* audacieux*
au·dac·i·ty [ɒː'dæsətɪ] audace *f*
au·di·ble ['ɒːdəbl] *adj* audible
au·di·ence ['ɒːdɪəns] public *m*
au·di·o ['ɒːdɪoʊ] *adj* audio
au·di·o'vi·su·al *adj* audiovisuel*
au·dit ['ɒːdɪt] **1** *n* FIN audit *m* **2** *v/t* FIN contrôler, vérifier; *course* suivre en auditeur libre
au·di·tion [ɒː'dɪʃn] **1** *n* audition *f* **2** *v/i* passer une audition

au·di·tor ['ɒːdɪtər] auditeur(-trice) *m(f)*; *at course* auditeur(-trice) *m(f)* libre
au·di·to·ri·um [ɒːdɪ'tɔːrɪəm] *of theater etc* auditorium *m*
Au·gust ['ɒːgəst] août
aunt [ænt] tante *f*
au pair [oʊ'per] jeune fille *f* au pair
au·ra ['ɒːrə] aura *f*
aus·pic·es ['ɒːspɪsɪz]: ***under the ~ of*** sous les auspices de
aus·pi·cious [ɒː'spɪʃəs] *adj* favorable
aus·tere [ɒː'stiːr] *adj* austère
aus·ter·i·ty [ɒːs'terətɪ] *economic* austérité *f*
Aus·tra·li·a [ɒː'streɪlɪə] Australie *f*
Aus·tra·li·an [ɒː'streɪlɪən] **1** *adj* australien* **2** *n* Australien(ne) *m(f)*
Aus·tri·a ['ɒːstrɪə] Autriche *f*
Aus·tri·an ['ɒːstrɪən] **1** *adj* autrichien* **2** *n* Autrichien(ne) *m(f)*
au·then·tic [ɒː'θentɪk] *adj* authentique
au·then·tic·i·ty [ɒːθen'tɪsətɪ] authenticité *f*
au·thor ['ɒːθər] auteur *m*
au·thor·i·tar·i·an [əθɑːrɪ'terɪən] *adj* autoritaire
au·thor·i·ta·tive [ə'θɑːrɪtətɪv] *adj source* qui fait autorité; *person, manner* autoritaire
au·thor·i·ty [ə'θɑːrətɪ] autorité *f*, *(permission)* autorisation *f*; ***be an ~ on*** être une autorité en matière de; ***the authorities*** les autorités *fpl*
au·thor·i·za·tion [ɒːθəraɪ'zeɪʃn] autorisation *f*
au·thor·ize ['ɒːθəraɪz] *v/t* autoriser; ***be ~d to do sth*** avoir l'autorisation officielle de faire qch
au·tis·tic [ɒː'tɪstɪk] *adj* autiste
au·to·bi·og·ra·phy [ɒːtəbaɪ'ɑːgrəfɪ] autobiographie *f*
au·to·crat·ic [ɒːtə'krætɪk] *adj* autocratique
au·to·graph ['ɒːtəgræf] *n* autographe *m*
au·to·mate ['ɒːtəmeɪt] *v/t* automatiser
au·to·mat·ic [ɒːtə'mætɪk] **1** *adj* automatique **2** *n car* automatique *f*, *gun* automatique *m*
au·to·mat·i·cal·ly [ɒːtə'mætɪklɪ] *adv* automatiquement
au·to·ma·tion [ɒːtə'meɪʃn] automatisation *f*
au·to·mo·bile ['ɒːtəmoʊbiːl] automobile *f*
'au·to·mo·bile in·dus·try industrie *f* automobile
au·ton·o·mous [ɒː'tɑːnəməs] *adj* autonome
au·ton·o·my [ɒː'tɑːnəmɪ] autonomie *f*
au·to·pi·lot ['ɒːtoʊpaɪlət] pilotage *m* automatique
au·top·sy ['ɒːtɑːpsɪ] autopsie *f*
au·tumn ['ɒːtəm] *Br* automne *m*
aux·il·ia·ry [ɒːg'zɪljərɪ] *adj* auxiliaire
a·vail [ə'veɪl] **1** *n*: ***to no ~*** en vain **2** *v/t*: ***~ o.s. of*** *offer, opportunity* saisir
a·vai·la·ble [ə'veɪləbl] *adj* disponible; ***make sth ~ for s.o.*** mettre qch à la disposition de qn
av·a·lanche ['ævəlænʃ] avalanche *f*
av·a·rice ['ævərɪs] avarice *m*
a·venge [ə'vendʒ] *v/t* venger
av·e·nue ['ævənuː] avenue *f*; ***explore all ~s*** *fig* explorer toutes les possibilités
av·e·rage ['ævərɪdʒ] **1** *adj (also mediocre)* moyen* **2** *n* moyenne *f*; ***above / below ~*** au-dessus / au-dessous de la moyenne; ***on ~*** en moyenne **3** *v/t*: ***I ~ six hours of sleep a night*** je dors en moyenne six heures par nuit
◆**average out** *v/t* faire la moyenne de
◆**average out at** *v/t* faire une moyenne de
a·verse [ə'vɜːrs] *adj*: ***not be ~ to*** ne rien avoir contre
a·ver·sion [ə'vɜːrʃn] aversion *f* (**to** pour)
a·vert [ə'vɜːrt] *v/t one's eyes* détourner; *crisis* empêcher
a·vi·a·tion [eɪvɪ'eɪʃn] aviation *f*
av·id ['ævɪd] *adj* avide
av·o·ca·do [ɑːvə'kɑːdoʊ] *fruit* avocat *m*
a·void [ə'vɔɪd] *v/t* éviter
a·void·a·ble [ə'vɔɪdəbl] *adj* évitable
a·wait [ə'weɪt] *v/t* attendre
a·wake [ə'weɪk] *adj* éveillé; ***it's keep-***

ing me ~ ça m'empêche de dormir

a·ward [ə'wɔːrd] **1** *n* (*prize*) prix *m* **2** *v/t* décerner; *as damages* attribuer

a'wards ce·re·mo·ny cérémonie *f* de remise des prix; EDU cérémonie *f* de remise des diplômes

a·ware [ə'wer] *adj*: ***be ~ of sth*** avoir conscience de qch; ***become ~ of sth*** prendre conscience de qch

a·ware·ness [ə'wernɪs] conscience *f*

a·way [ə'weɪ]: *adv*: ***be ~*** être absent, ne pas être là; ***walk ~*** s'en aller; ***look ~*** tourner la tête; ***it's 2 miles ~*** c'est à 2 miles d'ici; ***Christmas is still six weeks ~*** il reste encore six semaines avant Noël; ***take sth ~ from s.o.*** enlever qch à qn; ***put sth ~*** ranger qch

a'way game SP match *m* à l'extérieur

awe [ɒː] émerveillement *m*; *worshipful* révérence *f*

awe·some ['ɒːsəm] *adj* F (*terrific*) super F *inv*

aw·ful ['ɒːfəl] *adj* affreux*

aw·ful·ly ['ɒːfəlɪ] *adv* F *windy, expensive* terriblement; *pretty, nice, rich* drôlement

awk·ward ['ɒːkwərd] *adj* (*clumsy*) maladroit; (*difficult*) difficile; (*embarrassing*) gênant; ***feel ~*** se sentir mal à l'aise; ***arrive at an ~ time*** arriver mal à propos

awn·ing ['ɒːnɪŋ] store *m*

ax, *Br* **axe** [æks] **1** *n* hache *f* **2** *v/t project* abandonner; *budget* faire des coupures dans; *job* supprimer

ax·le ['æksl] essieu *m*

B

BA [biː'eɪ] *abbr* (**= Bachelor of Arts**) *licence d'arts et lettres*

ba·by ['beɪbɪ] *n* bébé *m*

'ba·by boom baby-boom *m*

ba·by car·riage ['beɪbɪkærɪdʒ] landau *m*

ba·by·ish ['beɪbɪɪʃ] *adj* de bébé

'ba·by-sit *v/i* (*pret & pp* ***-sat***) faire du baby-sitting

ba·by-sit·ter ['beɪbɪsɪtər] baby-sitter *m/f*

bach·e·lor ['bætʃələr] célibataire *m*

back [bæk] **1** *n of person, animal, hand, sweater, dress* dos *m*; *of chair* dossier *m*; *of wardrobe, drawer* fond *m*; *of house* arrière *m*; SP arrière *m*; ***in ~ (of the car)*** à l'arrière (de la voiture); ***at the ~ of the bus*** à l'arrière du bus; ***at the ~ of the book*** à la fin du livre; ***~ to front*** à l'envers; ***at the ~ of beyond*** en pleine cambrousse F **2** *adj door, steps* de derrière; *wheels, legs, seat* arrière *inv*; ***~ road*** petite route *f* **3** *adv*: ***please move / stand ~*** reculez / écartez-vous s'il vous plaît; ***2 metres ~ from the edge*** à 2 mètres du bord; ***~ in 1935*** en 1935; ***give sth ~ to s.o.*** rendre qch à qn; ***she'll be ~ tomorrow*** elle sera de retour demain; ***when are you coming ~?*** quand est-ce que tu reviens?; ***take sth ~ to the shop*** *because unsatisfactory* ramener qch au magasin; ***they wrote / phoned ~*** ils ont répondu à la lettre / ont rappelé; ***he hit me ~*** il m'a rendu mon coup **4** *v/t* (*support*) soutenir; *car* faire reculer; *horse in race* miser sur **5** *v/i of driver* faire marche arrière

♦**back away** *v/i* s'éloigner à reculons

♦**back down** *v/i* faire marche arrière

♦**back off** *v/i* reculer

♦**back onto** *v/t* donner à l'arrière sur

♦**back out** *v/i of commitment* se dégager

♦**back up 1** *v/t* (*support*) soutenir; *file* sauvegarder; ***be backed up*** *of traffic* être ralenti **2** *v/i in car* reculer

'back·ache mal *m* de dos; **'back·bit·ing** médisances *fpl*; **'back·bone** ANAT colonne *f* vertébrale; *fig* (*courage*) caractère *m*; *fig* (*mainstay*) pilier *m*; **'back-break·ing** *adj* éreintant; **back 'burn·er**: ***put sth on the ~*** mettre qch en veilleuse; **'back·date** *v/t* antidater; **'back·door** porte *f* arrière

back·er ['bækər] producteur(-trice) *m(f)*

'back·fire *v/i fig* se retourner (***on*** contre); **'back·ground** *of picture* arrière-plan *m*; *social* milieu *m*; *of crime* contexte *m*; ***her educational ~*** sa formation; ***his work ~*** son expérience professionnelle; **'back·hand** *in tennis* revers *m*

'back·ing ['bækɪŋ] (*support*) soutien *m*; MUS accompagnement *m*

'back·ing group MUS groupe *m* d'accompagnement

'back·lash répercussion(s) *f(pl)*; **'back·log** retard *m* (***of*** dans); **'back·pack 1** *n* sac *m* à dos **2** *v/i* faire de la randonnée; **'back·pack·er** randonneur(-euse) *m(f)*; **'back·pack·ing** randonnée *f*; **'back·ped·al** *v/i fig* faire marche arrière; **'back seat** *of car* siège *m* arrière; **'back·space (key)** touche *f* d'espacement arrière; **'back·stairs** *npl* escalier *m* de service; **'back streets** *npl* petites rues *fpl*; *poor area* bas-fonds *mpl*, quartiers *mpl* pauvres; **'back·stroke** SP dos *m* crawlé; **'back·track** *v/i* retourner sur ses pas; **'back·up** (*support*) renfort *m*; COMPUT copie *f* de sauvegarde; ***take a ~*** COMPUT faire une copie de sauvegarde; **'back·up disk** COMPUT disquette *f* de sauvegarde

back·ward ['bækwərd] **1** *adj child* attardé; *society* arriéré; *glance* en arrière **2** *adv* en arrière

back'yard arrière-cour *f*; ***Mexico is the United States' ~*** Mexico est à la porte des États-Unis

ba·con ['beɪkn] bacon *m*

bac·te·ri·a [bæk'tɪrɪə] *npl* bactéries *fpl*

bad [bæd] *adj* mauvais; *person* méchant; (*rotten*) avarié; ***go ~*** s'avarier; ***it's not ~*** c'est pas mal; ***that's really too ~*** (*a shame*) c'est vraiment dommage; ***feel ~ about sth*** (*guilty*) s'en vouloir de qch; ***I feel ~ about it*** je m'en veux; ***be ~ at sth*** être mauvais en qch; ***be ~ at doing sth*** avoir du mal à faire qch; ***Friday's ~, how about Thursday?*** vendredi ne va pas, et jeudi?

bad 'debt mauvaise créance *f*

badge [bædʒ] insigne *f*

bad·ger ['bædʒər] *v/t* harceler

bad 'lan·guage grossièretés *fpl*

bad·ly ['bædlɪ] *adv* mal; *injured* grièvement; *damaged* sérieusement; ***~ behaved*** mal élevé; ***do ~*** mal réussir; ***he ~ needs a haircut / rest*** il a grand besoin d'une coupe de cheveux / de repos; ***he is ~ off*** (*poor*) il n'est pas fortuné

bad-man·nered [bæd'mænərd] *adj* mal élevé

bad·min·ton ['bædmɪntən] badminton *m*

bad-tem·pered [bæd'tempərd] *adj* de mauvaise humeur

baf·fle ['bæfl] *v/t* déconcerter; ***be ~d*** être perplexe

baf·fling ['bæflɪŋ] *adj* déconcertant

bag [bæg] *of plastic, leather, woman's* sac *m*; (*piece of baggage*) bagage *m*

bag·gage ['bægɪdʒ] bagages *mpl*

'bag·gage car RAIL fourgon *m* (à bagages); **'bag·gage cart** chariot *m* à bagages; **'bag·gage check** contrôle *m* des bagages; **bag·gage re·claim** ['riːkleɪm] remise *f* des bagages

bag·gy ['bægɪ] *adj too big* flottant; *fashionably* large

bail [beɪl] *n* LAW caution *f*; ***be out on ~*** être en liberté provisoire sous caution

♦ **bail out 1** *v/t* LAW se porter caution pour; *fig*: *company etc* tirer d'affaire **2** *v/i from airplane* sauter en parachute

bait [beɪt] *n* appât *m*

bake [beɪk] *v/t* cuire au four

baked 'beans [beɪkt] *npl* haricots *mpl* blancs à la sauce tomate

baked po'ta·to pomme *f* de terre au four

bak·er ['beɪkər] boulanger(-ère) *m(f)*
bak·er·y ['beɪkərɪ] boulangerie *f*
bak·ing pow·der ['beɪkɪŋ] levure *f* (chimique)
bal·ance ['bæləns] **1** *n* équilibre *m*; (*remainder*) reste *m*; *of bank account* solde *m* **2** *v/t* mettre en équilibre; ***~ the books*** balancer les livres **3** *v/i* rester en équilibre; *of accounts* équilibrer
bal·anced ['bælənst] *adj* (*fair*) objectif*; *diet, personality* équilibré
bal·ance of 'pay·ments balance *f* des paiements; **bal·ance of 'trade** balance *f* commerciale; **'bal·ance sheet** bilan *m*
bal·co·ny ['bælkənɪ] balcon *m*
bald [bɒːld] *adj* chauve
bald·ing ['bɒːldɪŋ] *adj* qui commence à devenir chauve
Bal·kan ['bɒːlkən] *adj* balkanique
Bal·kans ['bɒːlkənz] *npl*: ***the ~*** les Balkans *mpl*
ball[1] [bɒːl] *for soccer, baseball, basketball etc* ballon *m*; *for tennis, golf* balle *f*; ***be on the ~*** *fig* F : *know one's stuff* connaître son affaire; ***I'm not on the ~ today*** je ne suis pas dans mon assiette aujourd'hui F; ***play ~*** *fig* coopérer; ***the ~'s in his court*** la balle est dans son camp
ball[2] [bɒːl] *dance* bal *m*
bal·lad ['bæləd] ballade *f*
ball 'bear·ing roulement *m* à billes
bal·le·ri·na [bælə'riːnə] ballerine *f*
bal·let [bæ'leɪ] ballet *m*
bal'let danc·er danseur(-euse) *m(f)* de ballet
'ball game match *m* de baseball; ***that's a different ~*** F c'est une tout autre histoire F
bal·lis·tic mis·sile [bə'lɪstɪk] missile *m* balistisque
bal·loon [bə'luːn] *child's* ballon *m*; *for flight* montgolfière *f*
bal·loon·ist [bə'luːnɪst] aéronaute *m/f*
bal·lot ['bælət] **1** *n* vote *m* **2** *v/t members* faire voter
'bal·lot box urne *f*
'bal·lot pa·per bulletin *m* de vote
'ball·park terrain *m* de baseball; ***be in the right ~*** F ne pas être loin; ***we're not in the same ~*** F on n'est pas du même monde; **'ball·park fig·ure** F chiffre *m* en gros; **'ball·point (pen)** stylo *m* bille
balls [bɒːlz] *npl* V (*also*: *courage*) couilles *fpl* V
bam·boo [bæm'buː] *n* bambou *m*
ban [bæn] **1** *n* interdiction *f* **2** *v/t* (*pret & pp* ***-ned***) interdire
ba·nal [bə'næl] *adj* banal
ba·na·na [bə'nænə] banane *f*
band [bænd] MUS *brass* orchestre *m*; *pop* groupe *m*; *of material* bande *f*
ban·dage ['bændɪdʒ] **1** *n* bandage *m* **2** *v/t* faire un bandage à
'Band-Aid® sparadrap *m*
B&B [biːn'biː] *abbr* (***= bed and breakfast***) bed and breakfast *m*
ban·dit ['bændɪt] bandit *m*
'band·wag·on: ***jump on the ~*** prendre le train en marche
ban·dy ['bændɪ] *adj legs* arqué
bang [bæŋ] **1** *n noise* boum *m*; (*blow*) coup *m* **2** *v/t door* claquer; (*hit*) cogner **3** *v/i* claquer; ***the shutter ~ed shut*** le volet s'est fermé en claquant
ban·gle ['bæŋgl] bracelet *m*
bangs [bæŋʒ] *npl* frange *f*
ban·is·ters ['bænɪstərz] *npl* rampe *f*
ban·jo ['bændʒoʊ] banjo *m*
bank[1] [bæŋk] *of river* bord *m*, rive *f*
bank[2] [bæŋk] **1** *n* FIN banque *f* **2** *v/i*: ***~ with*** être à **3** *v/t money* mettre à la banque
◆**bank on** *v/t* compter avoir; ***don't bank on it*** ne compte pas trop là-dessus; ***bank on s.o. doing sth*** compter sur qn pour faire qch
'bank ac·count compte *m* en banque; **'bank bal·ance** solde *m* bancaire; **'bank bill** billet *m* de banque
bank·er ['bæŋkər] banquier(-ière) *m(f)*
'bank·er's card carte *f* d'identité bancaire
bank·ing ['bæŋkɪŋ] banque *f*
'bank loan emprunt *m* bancaire; **'bank man·ag·er** directeur(-trice) *m(f)* de banque; **'bank rate** taux *m* bancaire; **'bank·roll** *v/t* F financer

B

bank·rupt ['bæŋkrʌpt] **1** *adj* en faillite; ***go ~*** faire faillite **2** *v/t* faire faire faillite à
bank·rupt·cy ['bæŋkrʌpsɪ] faillite *f*
'bank state·ment relevé *m* bancaire
ban·ner ['bænər] bannière *f*
banns [bænz] *npl Br* bans *mpl*
ban·quet ['bæŋkwɪt] *n* banquet *m*
ban·ter ['bæntər] *n* plaisanteries *fpl*
bap·tism ['bæptɪzm] baptême *m*
bap·tize [bæp'taɪz] *v/t* baptiser
bar[1] [bɑːr] *n of iron, chocolate* barre *f*; *for drinks, counter* bar *m*; ***a ~ of soap*** une savonnette; ***be behind ~s*** être derrière les barreaux
bar[2] [bɑːr] *v/t* (*pret & pp **-red***) exclure
bar[3] [bɑːr] *prep* (*except*) sauf
bar·bar·i·an [bɑːr'berɪən] *also fig* barbare *m/f*
bar·ba·ric [bɑːr'bærɪk] *adj* barbare
bar·be·cue ['bɑːrbɪkjuː] **1** *n* barbecue *m* **2** *v/t* cuire au barbecue
barbed 'wire [bɑːrbd] fil *m* barbelé
bar·ber ['bɑːrbər] coiffeur *m*
bar·bi·tu·rate [bɑːr'bɪtjərət] barbiturique *m*
'bar code code *m* barre
bare [ber] *adj* (*naked*), *mountainside, floor* nu; *room, shelves* vide; ***in your / their ~ feet*** pieds nus
'bare·foot *adj*: ***be ~*** être pieds nus
bare-head·ed [ber'hedɪd]] *adj* tête nue
bare·ly ['berlɪ] *adv* à peine
bar·gain ['bɑːrgɪn] **1** *n* (*deal*) marché *m*; (*good buy*) bonne affaire *f*; ***it's a ~!*** (*deal*) entendu!; ***into the ~*** par-dessus le marché **2** *v/i* marchander
◆ **bargain for** *v/t* (*expect*) s'attendre à; ***you might get more than you bargained for*** tu pourrais avoir une mauvaise surprise
barge [bɑːrdʒ] *n* NAUT péniche *f*
◆ **barge into** *v/t* se heurter contre; (*enter quickly and noisily*) faire irruption dans
bar·i·tone ['bærɪtoʊn] *n* baryton *m*
bark[1] [bɑːrk] **1** *n of dog* aboiement *m* **2** *v/i* aboyer
bark[2] [bɑːrk] *of tree* écorce *f*
bar·ley ['bɑːrlɪ] orge *f*
barn [bɑːrn] grange *f*
ba·rom·e·ter [bə'rɑːmɪtər] *also fig* baromètre *m*
Ba·roque [bə'rɑːk] *adj* baroque
bar·racks ['bærəks] *npl* MIL caserne *f*
bar·rage [bə'rɑːʒ] MIL barrage *m*; *fig* flot *m*
bar·rel ['bærəl] *container* tonneau *m*
bar·ren ['bærən] *adj land* stérile
bar·rette [bə'ret] barrette *f*
bar·ri·cade [bærɪ'keɪd] *n* barricade *f*
bar·ri·er ['bærɪər] *also fig* barrière *f*; ***language ~*** barrière linguistique
bar·ring ['bɑːrɪŋ] *prep*: ***~ accidents*** sauf accident
bar·row ['bæroʊ] brouette *f*
'bar tend·er barman *m*, barmaid *f*
bar·ter ['bɑːrtər] **1** *n* troc *m* **2** *v/t* troquer (***for*** contre)
base [beɪs] **1** *n* (*bottom: of spine; center,* MIL) base *f*; *of vase* dessous *m* **2** *v/t* baser (***on*** sur); ***be ~d in France / Paris*** *of employee etc* être basé en France / à Paris
'base·ball *game* baseball *m*; *ball* balle *f* de baseball
'base·ball bat batte *f* de baseball; **'base·ball cap** casquette *f* de baseball; **'base·ball play·er** joueur (-euse) *m(f)* de baseball
'base·board plinthe *f*
base·less ['beɪslɪs] *adj* sans fondement
base·ment ['beɪsmənt] sous-sol *m*
'base rate FIN taux *m* de base
bash [bæʃ] **1** *n* F coup *m* **2** *v/t* F cogner
ba·sic ['beɪsɪk] *adj* (*rudimentary: idea*) rudimentaire; *knowledge, hotel* rudimentaire; (*fundamental: beliefs*) de base, fondamental; *salary* de base
ba·sic·al·ly ['beɪsɪklɪ] *adv* au fond, en gros
ba·sics ['beɪsɪks] *npl*: ***the ~*** les bases *fpl*; ***get down to ~*** en venir au principal
bas·il ['bæzɪl] basilic *m*
ba·sin ['beɪsn] *for washing dishes* bassine *f*; *in bathroom* lavabo *m*
ba·sis ['beɪsɪs] (*pl **bases*** ['beɪsiːz]) base *f*; *of argument* fondement *m*
bask [bæsk] *v/i* se dorer

bas·ket ['bæskɪt] *for shopping, in basketball* panier *m*
'bas·ket·ball *game* basket(ball) *m*; **~ *player*** joueur(euse) *m(f)* de basket (-ball)
bass [beɪs] **1** *adj part, accompaniment* de basse; **~ *clef*** clef *f* de fa **2** *n part, singer, instrument* basse *f*; ***double ~*** contrebasse *f*; **~ *guitar*** basse *f*
bas·tard ['bæstərd] F salaud(e) *m(f)* F; ***poor / stupid ~*** pauvre couillon *m* F
bat[1] [bæt] **1** *n for baseball* batte *f*; *for table tennis* raquette *f* **2** *v/i* (*pret & pp* ***-ted***) *in baseball* batter
bat[2] [bæt] *v/t* (*pret & pp* ***-ted***): ***he didn't ~ an eyelid*** il n'a pas sourcillé
bat[3] [bæt] *animal* chauve-souris *f*
batch [bætʃ] *n of students, data, goods T* lot *m*; *of bread* fournée *f*
ba·ted ['beɪtɪd] *adj*: ***with ~ breath*** en retenant son souffle
bath [bæθ] (*~tub*) baignoire *f*; ***have a ~, take a ~*** prendre un bain
bathe [beɪð] **1** *v/i* (*have a bath*) se baigner **2** *v/t child* faire prendre un bain à
'bath mat tapis *m* de bain; **'bath·robe** peignoir *m*; **'bath·room** salle *f* de bains; *toilet* toilettes *fpl*
'bath tow·el serviette *f* de bain
'bath·tub baignoire *f*
bat·on ['bətɑːn] *of conductor* baguette *f*
bat·tal·i·on [bə'tæliən] MIL bataillon *m*
bat·ter[1] ['bætər] *n for making cakes, pancakes etc* pâte *f* lisse; *for deepfrying* pâte *f* à frire
bat·ter[2] ['bætər] *n in baseball* batteur *m*
bat·tered ['bætərd] *adj wife, children* battu
bat·ter·y ['bætərɪ] *in watch, toy etc* pile *f*, MOT batterie *f*
bat·ter·y charg·er ['tʃɑːrdʒər] chargeur *m* (de batterie)
bat·ter·y-op·e·rat·ed ['bætərɪɑːpəreɪtɪd] *adj* à piles
bat·tle ['bætl] **1** *n* bataille *f*, *fig* lutte *f*, combat *m* **2** *v/i against illness etc* se battre, lutter
'bat·tle·field, 'bat·tle·ground champ *m* de bataille
'bat·tle·ship cuirassé *m*
bawd·y ['bɒːdɪ] *adj* paillard
bawl [bɒːl] *v/i* brailler
♦**bawl out** *v/t* F engueuler F
bay [beɪ] (*inlet*) baie *f*
Bay of Bis·cay ['bɪskeɪ] Golfe *m* de Gascogne
bay·o·net ['beɪənet] *n* bayonnette *f*
bay 'win·dow fenêtre *f* en saillie
BC [biː'siː] *abbr* (**= *before Christ***) av. J.-C.
be [biː] *v/i* (*pret* ***was / were***, *pp* ***been***)
◊ être; **~ *15*** avoir 15 ans; ***it's me*** c'est moi; ***was she there?*** est-ce qu'elle était là?; ***how much is …?*** combien coûte …?; ***there is / are*** il y a; **~ *careful*** sois prudent; (*polite or plural*) soyez prudent; ***don't ~ sad*** ne sois / soyez pas triste; ***he's very well*** il va très bien; ***how are you?*** comment ça va?
◊ : ***has the mailman been?*** est-ce que le facteur est passé?; ***I've never been to Japan*** je ne suis jamais allé au Japon; ***I've been here for hours*** je suis ici depuis des heures
◊ *tags*: ***that's right, isn't it?*** c'est juste, n'est-ce pas?; ***she's American, isn't she?*** elle est américaine, n'est-ce pas?
◊ *v/aux*: ***I am thinking*** je pense; ***he was running*** il courrait; ***stop ~ing stupid*** arrête de faire l'imbécile; ***he was just ~ing sarcastic*** il faisait juste de l'ironie; ***I have been looking at your file*** j'ai jeté un œil à votre fichier
◊ *obligation*: ***you are to do what I tell you*** vous devez faire ce que je vous dis; ***I was to tell you this*** je devais vous dire ceci; ***you were not to tell anyone*** vous ne deviez rien dire à personne
◊ *passive*: ***he was killed*** il a été tué; ***they have been sold*** ils ont été vendus; ***it hasn't been decided*** on n'a encore rien décidé
♦**be in for** *v/t* aller avoir; ***he's in for it!*** F il va se faire engueuler F

B

beach [biːʧ] *n* plage *f*
'beach ball ballon *m* de plage
'beach·wear vêtements *mpl* de plage
beads [biːdz] *npl necklace* collier *m* de perles
beak [biːk] bec *m*
'be-all: ***the ~ and end-all*** *aim* le but suprême; ***she thinks he's the ~ and end-all*** pour elle c'est le centre du monde
beam [biːm] **1** *n in ceiling etc* poutre *f* **2** *v/i (smile)* rayonner **3** *v/t (transmit)* transmettre
bean [biːn] haricot *m*; *of coffee* grain *m*; ***be full of ~s*** F péter la forme F
'bean·bag *seat* fauteuil *m* poire
bear[1] [ber] *n animal* ours *m*
bear[2] [ber] **1** *v/t* (*pret* **bore**, *pp* **borne**) *weight* porter; *costs* prendre en charge; (*tolerate*) supporter; *child* donner naissance à; ***she bore him six children*** elle lui a donné six enfants **2** *v/i* (*pret* **bore**, *pp* **borne**) (*weigh*) peser; ***bring pressure to ~ on*** exercer une pression sur; ***~ left / right*** prendre à gauche / droite
♦**bear out** *v/t* (*confirm*) confirmer; ***bear s.o. out*** confirmer ce que qn a dit
bear·a·ble ['berəbl] *adj* supportable
beard [bɪrd] barbe *f*
beard·ed ['bɪrdɪd] *adj* barbu
bear·ing ['berɪŋ] *in machine* roulement *m*; ***that has no ~ on the situation*** cela n'a aucun rapport avec la situation
'bear mar·ket FIN baissier *m*
beast [biːst] bête *f*, (*fig: nasty person*) peau *f* de vache
beat [biːt] **1** *n of heart* battement *m*, pulsation *f*, *of music* mesure *f* **2** *v/i* (*pret* **beat**, *pp* **beaten**) *of heart* battre; *of rain* s'abattre; ***~ about the bush*** tourner autour du pot **3** *v/t* (*pret* **beat**, *pp* **beaten**) *in competition* battre; (*hit*) battre; (*pound*) frapper; ***~ it!*** F filez! F; ***it ~s me*** F je ne pige pas F
♦**beat up** *v/t* tabasser
beat·en ['biːtən] **1** *pp* → **beat 2** *adj*: ***off the ~ track*** à l'écart; ***off the ~ track***: ***go somewhere off the ~ track*** sortir des sentiers battus
beat·ing ['biːtɪŋ] *physical* raclée *f*
'beat-up *adj* F déglingué F
beau·ti·cian [bjuː'tɪʃn] esthéticien (ne) *m(f)*
beau·ti·ful ['bjuːtəfəl] *adj* beau*; ***thanks, that's just ~!*** merci, c'est magnifique!
beau·ti·ful·ly ['bjuːtɪfəlɪ] *adv* admirablement
beaut·y ['bjuːtɪ] beauté *f*
'beaut·y par·lor ['pɑːrlər] institut *m* de beauté
bea·ver ['biːvər] castor *m*
♦**beaver away** *v/i* F bosser dur F
be·came [bɪ'keɪm] *pret* → **become**
be·cause [bɪ'kɑːz] *conj* parce que; ***~ of*** à cause de
beck·on ['bekn] *v/i* faire signe (***to s.o.*** à qn)
be·come [bɪ'kʌm] *v/i* (*pret* **became**, *pp* **become**) devenir; ***what's ~ of her?*** qu'est-elle devenue?
be·com·ing [bɪ'kʌmɪŋ] *adj hat etc* seyant; ***it looks very ~ on you*** ça te va très bien
bed [bed] *n also of sea, river* lit *m*; *of flowers* parterre *m*; ***he's still in ~*** il est toujours au lit; ***go to ~*** aller se coucher; ***go to ~ with s.o.*** coucher avec qn
'bed·clothes *npl* draps *mpl* de lit
bed·ding ['bedɪŋ] literie *f*
bed·lam ['bedləm] bazar *m*
bed·rid·den ['bedrɪdən] *adj* cloué au lit; **'bed·room** chambre *f* (à coucher); **'bed·side**: ***be at the ~ of*** être au chevet de qn; **'bed·spread** couvre-lit *m*, dessus-de -lit *m*; **'bed·time** heure *f* du coucher
bee [biː] abeille *f*
beech [biːʧ] hêtre *m*
beef [biːf] **1** *n* bœuf *m*; F (*complaint*) plainte *f* **2** *v/i* F (*complain*) grommeler
♦**beef up** *v/t* F étoffer
'beef·bur·ger steak *m* hâché
'bee·hive ruche *f*
'bee·line: ***make a ~ for*** aller droit vers
been [bɪn] *pp* → **be**
beep [biːp] **1** *n* bip *m* **2** *v/i* faire bip **3** *v/t*

(*call on pager*) appeler sur son récepteur d'appels
beep·er ['biːpər] récepteur *m* d'appels
beer [bɪr] bière *f*
beet [biːt] betterave *f*
bee·tle ['biːtl] coléoptère *m*, cafard *m*
be·fore [bɪfɔːr] **1** *prep* avant; ***~ signing it*** avant de le signer; ***~ a vowel*** devant une voyelle **2** *adv* auparavant; (*already*) déjà; ***the week / day ~*** la semaine / le jour d'avant **3** *conj* avant que (+ *subj*); ***~ I could stop him*** avant que je (ne) puisse l'arrêter; ***~ it's too late*** avant qu'il ne soit trop tard
◊ *with same subject*: ***I had a coffee ~ I left*** j'ai pris un café avant de partir
be'fore·hand *adv* à l'avance
be·friend [bɪ'frend] *v/t* se lier d'amitié avec; (*assist*) prendre sous son aile
beg [beg] **1** *v/i* (*pret & pp* ***-ged***) mendier **2** *v/t* (*pret & pp* ***-ged***): prier; ***~ s.o. to do sth*** prier qn de faire qch
be·gan [bɪ'gæn] *pret* → ***begin***
beg·gar ['begər] *n* mendiant(e) *m(f)*
be·gin [bɪ'gɪn] **1** *v/i* (*pret* ***began***, *pp* ***begun***) commencer; ***to ~ with*** (*at first*) au début; (*in the first place*) d'abord **2** *v/t* (*pret* ***began***, *pp* ***begun***) commencer
be·gin·ner [bɪ'gɪnər] débutant(e) *m(f)*
be·gin·ning [bɪ'gɪnɪŋ] début *m*
be·grudge [bɪ'grʌdʒ] *v/t* (*envy*) envier (***s.o. sth*** qch à qn); (*give reluctantly*) donner à contre-cœur
be·gun [bɪ'gʌn] *pp* → ***begin***
be·half [bɪ'hɑːf]: ***in*** *or* ***on ~ of*** au nom de, de la part de; ***on my / his ~*** de ma / sa part
be·have [bɪ'heɪv] *v/i* se comporter; ***~ (yourself)!*** sois sage!
be·hav·ior, *Br* **be·hav·iour** [bɪ'heɪvɪər] comportement *m*
be·hind [bɪ'haɪnd] **1** *prep* derrière; ***be ~ sth*** (*responsible for*, *support*) être derrière qch; ***be ~ s.o.*** (*support*) être derrière qn **2** *adv* (*at the back*) à l'arrière; *leave*, *stay* derrière; ***be ~*** *in match* être derrière; ***be ~ with sth*** être en retard dans qch
beige [beɪʒ] *adj* beige
be·ing ['biːɪŋ] (*creature*) être *m*; (*existence*) existence *f*
be·lat·ed [bɪ'leɪtɪd] *adj* tardif
belch [beltʃ] **1** *n* éructation *f*, rot m F **2** *v/i* éructer, roter F
Bel·gian ['beldʒən] **1** *adj* belge **2** *n* Belge *m/f*
Bel·gium ['beldʒəm] Belgique *f*
be·lief [bɪ'liːf] conviction *f*; REL *also* croyance *f*; *in person* foi *f* (***in*** en); ***it's my ~ that …*** je crois que …
be·lieve [bɪ'liːv] *v/t* croire
♦ **believe in** *v/t God*, *person* croire en; *sth* croire à; ***I don't believe in hiding the truth from people*** je ne pense pas qu'il faille cacher la vérité aux gens
be·liev·er [bɪ'liːvər] *in God* croyant(e) *m(f)*; *fig*: *in sth* partisan(e) *m(f)* (***in*** de)
be·lit·tle [bɪ'lɪtl] *v/t* déprécier, rapetisser
bell [bel] *on bike*, *door* sonnette *f*; *in church* cloche *f*; *in school*: *electric* sonnerie *f*
'bell·hop groom *m*
bel·lig·er·ent [bɪ'lɪdʒərənt] *adj* belligérant
bel·low ['beloʊ] **1** *n* braillement *m*; *of bull* beuglement *m* **2** *v/i* brailler; *of bull* beugler
bel·ly ['belɪ] *of person* ventre *m*; (*fat stomach*) bedaine *f*; *of animal* panse *f*
'bel·ly·ache *v/i* F rouspéter F
be·long [bɪ'lɒːŋ] *v/i*: ***where does this ~?*** où cela se place-t-il?; ***I don't ~ here*** je n'ai pas ma place ici
♦ **belong to** *v/t of object* appartenir à; *club*, *organization* faire partie de
be·long·ings [bɪ'lɒːŋɪŋz] *npl* affaires *fpl*
be·lov·ed [bɪ'lʌvɪd] *adj* bien-aimé
be·low [bɪ'loʊ] **1** *prep* au-dessous de; ***~ freezing*** au-dessous de zéro **2** *adv* en bas, au-dessous; ***see ~*** voir en bas; ***10 degrees ~*** moins dix
belt [belt] *n* ceinture *f*; ***tighten one's ~*** *fig* se serrer la ceinture
bench [bentʃ] *seat* banc *m*; *in lecture hall* gradin *m*
bench (*work~*) établi *m*

B

'bench·mark référence *f*

bend [bend] **1** *n* tournant *m* **2** *v/t* (*pret & pp* ***bent***) *head* baisser; *arm, knees* plier; *metal, plastic* tordre **3** *v/i* (*pret & pp* ***bent***) *of road, river* tourner; *of person* se pencher; *of rubber etc* se plier

♦ **bend down** *v/i* se pencher

bend·er ['bendər] F soûlerie *f* F

be·neath [bɪ'ni:θ] **1** *prep* sous; *in status* en dessous de **2** *adv* (au-)dessous

ben·e·fac·tor ['benɪfæktər] bienfaiteur(-trice) *m(f)*

ben·e·fi·cial [benɪ'fɪʃl] *adj* bénéfique

ben·e·fit ['benɪfɪt] **1** *n* bénéfice *m* **2** *v/t* bénéficier à **3** *v/i* bénéficier (***from*** de)

be·nev·o·lence [bɪ'nevələns] bienveillance *f*

be·nev·o·lent [bɪ'nevələnt] *adj* bienveillant

be·nign [bɪ'naɪn] *adj* doux; MED bénin

bent [bent] *pret & pp* → ***bend***

be·queath [bɪ'kwi:ð] *v/t* léguer

be·quest [bɪ'kwest] legs *m*

be·reaved [bɪ'ri:vd] **1** *adj* endeuillé **2** *npl*: **bereaved**; ***the ~*** la famille du défunt / de la défunte

be·ret [ber'eɪ] béret *m*

ber·ry ['berɪ] baie *f*

ber·serk [bər'zɜ:rk] *adv*: ***go ~*** F devenir fou* furieux*

berth [bɜ:rθ] couchette *f*; *for ship* mouillage *m*; ***give s.o. a wide ~*** éviter qn

be·seech [bɪ'si:tʃ] *v/t*: ***~ s.o. to do sth*** implorer qn de faire qch

be·side [bɪ'saɪd] *prep* à côté de; *work* aux côtés de; ***be ~ o.s.*** être hors de soi; ***that's ~ the point*** c'est hors de propos

be·sides [bɪ'saɪdz] **1** *adv* en plus, d'ailleurs **2** *prep* (*apart from*) à part, en dehors de

be·siege [bɪ'si:dʒ] *v/t fig* assiéger

best [best] **1** *adj* meilleur **2** *adv* le mieux; ***it would be ~ if ...*** ce serait mieux si ...; ***I like her ~*** c'est elle que j'aime le plus **3** *n*: ***do one's ~*** faire de son mieux; ***the ~*** le mieux; (*outstanding thing or person*) le (la) meilleur(e) *m(f)*; ***make the ~ of it*** s'y accommoder; ***all the ~!*** meilleurs vœux!; (*good luck*) bonne chance!

best be'fore date *for food* date *f* limite de consommation; **best 'man** *at wedding* garçon *m* d'honneur; **'best-sell·er** *book* best-seller *m*

bet [bet] **1** *n* pari *m* **2** *v/i* parier; ***you ~!*** évidemment! **3** *v/t* parier

be·tray [bɪ'treɪ] *v/t* trahir

be·tray·al [bɪ'treɪəl] trahison *f*

bet·ter ['betər] **1** *adj* meilleur; ***get ~*** s'améliorer; ***he's getting ~*** *in health* il va de mieux en mieux; ***he's ~*** *in health* il va mieux **2** *adv* mieux; ***you'd ~ ask permission*** tu devrais demander la permission; ***I'd really ~ not*** je ne devrais vraiment pas; ***all the ~ for us*** tant mieux pour nous; ***I like her ~*** je l'aime plus, je la préfère

bet·ter-'off *adj* (*richer*) plus aisé; ***you're ~ without them*** tu es bien mieux sans eux

be·tween [bɪ'twi:n] *prep* entre; ***~ you and me*** entre toi et moi

bev·er·age ['bevərɪdʒ] *fml* boisson *f*

be·ware [bɪ'wer]: ***~ of*** méfiez-vous de, attention à; ***~ of the dog*** (attention) chien méchant!

be·wil·der [bɪ'wɪldər] *v/t* confondre, ahurir

be·wil·der·ment [bɪ'wɪldərmənt] confusion *f*, ahurissement *m*

be·yond [bɪ'jɑ:nd] **1** *prep* au-delà de; ***it's ~ me*** (*I don't understand*) cela me dépasse; (*I can't do it*) c'est trop difficile pour moi; ***for reasons ~ my control*** pour des raisons indépendantes de ma volonté **2** *adv* au-delà

bi·as ['baɪəs] *n* parti *m* pris, préjugé *m*

bi·as(s)ed ['baɪəst] *adj* partial, subjectif*

bib [bɪb] *for baby* bavette *f*

Bi·ble ['baɪbl] Bible *f*

bib·li·cal ['bɪblɪkl] *adj* biblique

bib·li·og·ra·phy [bɪblɪ'ɑ:grəfɪ] bibliographie *f*

bi·car·bon·ate of so·da [baɪ'kɑ:rbəneɪt] bicarbonate *m* de soude

bi·cen·ten·ni·al [baɪsen'tenɪəl] *bicentennial* bicentenaire *m*

bi·ceps ['baɪseps] *npl* biceps *m*

bick·er ['bɪkər] *v/i* se chamailler

bi·cy·cle ['baɪsɪkl] *n* bicyclette *f*
bid [bɪd] **1** *n at auction* enchère *m*; (*attempt*) tentative *f*; *in takeover* offre *f* **2** *v/i* (*pret & pp* ***bid***) *at auction* faire une enchère, faire une offre
bid·der ['bɪdər] enchérisseur(-euse) *m(f)*
bi·en·ni·al [baɪ'enɪəl] *adj* biennal
bi·fo·cals [baɪ'foʊkəlz] *npl* verres *mpl* à double foyer
big [bɪg] **1** *adj* grand; *sum of money, mistake* gros; ***a great ~ helping*** une grosse portion; ***my ~ brother / sister*** mon grand frère / ma grande sœur; ***~ name*** grand nom *m* **2** *adv*: ***talk ~*** se vanter
big·a·mist ['bɪgəmɪst] bigame *m/f*
big·a·mous ['bɪgəməs] *adj* bigame
big·a·my ['bɪgəmɪ] bigamie *f*
'big·head F crâneur(-euse) *m(f)* F
big-head·ed [bɪg'hedɪd] *adj* F crâneur* F
big·ot ['bɪgət] fanatique *m/f*, sectaire *m/f*
bike [baɪk] **1** *n* F vélo *m*; (*motorbike*) moto *f* **2** *v/i* F faire du vélo; *with motorbike* faire de la moto; ***~ to work*** aller au travail en vélo / moto
bik·er ['baɪkər] motard(e) *m(f)*
bi·ki·ni [bɪ'ki:nɪ] bikini *m*
bi·lat·er·al [baɪ'lætərəl] *adj* bilatéral
bi·lin·gual [baɪ'lɪŋgwəl] *adj* bilingue
bill [bɪl] **1** *n* facture *f*; *money* billet *m* (de banque); POL projet *m* de loi; (*poster*) affiche *f* **2** *v/t* (*invoice*) facturer
'bill·board panneau *m* d'affichage
'bill·fold portefeuille *m*
bil·liards ['bɪljərdz] *nsg* billard *m*
bil·lion ['bɪljən] milliard *m*
bill of ex'change FIN traite *f*, lettre *f* de change
bill of 'sale acte *m* de vente
bin [bɪn] *n for storage* boîte *f*
bi·na·ry ['baɪnərɪ] *adj* binaire
bind [baɪnd] *v/t* (*pret & pp* ***bound***) (*connect*) unir; (*tie*) attacher; LAW (*oblige*) obliger, engager
bind·ing ['baɪndɪŋ] **1** *adj agreement, promise* obligatoire **2** *n of book* reliure *f*
bi·noc·u·lars [bɪ'nɑ:kjʊlərz] *npl* jumelles *fpl*
bi·o·chem·ist ['baɪoʊkemɪst] biochimiste *m/f*
bi·o·chem·is·try [baɪoʊ'kemɪstrɪ] biochimie *f*
bi·o·de·grad·able [baɪoʊdɪ'greɪdəbl] *adj* biodégradable
bi·og·ra·pher [baɪ'ɑ:grəfər] biographe *m/f*
bi·og·ra·phy [baɪ'ɑ:grəfɪ] biographie *f*
bi·o·log·i·cal [baɪoʊ'lɑ:dʒɪkl] *adj* biologique
bi·ol·o·gist [baɪ'ɑ:lədʒɪst] biologiste *m/f*
bi·ol·o·gy [baɪ'ɑ:lədʒɪ] biologie *f*
bi·o·tech·nol·o·gy [baɪoʊtek'nɑ:lədʒɪ] biotechnologie *f*
birch [bɜ:rʧ] bouleau *m*
bird [bɜ:rd] oiseau *m*
'bird·cage cage *f* à oiseaux; **bird of 'prey** oiseau *m* de proie; **'bird sanc·tu·a·ry** réserve *f* d'oiseaux; **bird's eye 'view** vue *f* aérienne
birth [bɜ:rθ] naissance *f*, (*labor*) accouchement *m*; ***give ~ to*** *child* donner naissance à, mettre au monde; ***date of ~*** date *f* de naissance
'birth cer·tif·i·cate acte *m* de naissance; **'birth con·trol** contrôle *m* des naissances; **'birth·day** anniversaire *m*
'birthday; ***happy ~!*** bon anniversaire!; **'birth·mark** tache *f* de naissance; **'birth·place** lieu *m* de naissance; **'birth·rate** natalité *f*
bis·cuit ['bɪskɪt] biscuit *m*
bi·sex·u·al ['baɪseksjʊəl] **1** *adj* bisexuel **2** *n* bisexuel(le) *m(f)*
bish·op ['bɪʃəp] REL évêque *m*
bit[1] [bɪt] *n* (*piece*) morceau *m*; (*part: of book*) passage *m*; (*part: of garden, road*) partie *f*, COMPUT bit *m*; ***a ~*** (*a little*) un peu; ***a ~ of*** (*a little*) un peu de; ***you haven't changed a ~*** tu n'as pas du tout changé; ***a ~ of a problem*** un petit problème; ***a ~ of news*** une nouvelle; ***~ by ~*** peu à peu; ***I'll be there in a ~*** (*in a little while*) je serai là dans peu de temps
bit[2] [bɪt] *pret* → ***bite***

B

bitch [bɪʧ] **1** *n dog* chienne *f*; F: *woman* garce *f* F **2** *v/i* F (*complain*) rouspéter F

bitch·y ['bɪʧɪ] *adj* F vache F

bite [baɪt] **1** *n of dog, snake* morsure *f*; *of spider, mosquito, flea* piqûre *f*; *of food* morceau *m*; ***let's have a ~*** (***to eat***) et si on mangeait quelque chose **2** *v/t* (*pret* **bit**, *pp* **bitten**) *of dog, snake, person* mordre; *of spider, flea, mosquito* piquer; ***~ one's nails*** se ronger les ongles **3** *v/i* (*pret* **bit**, *pp* **bitten**) *of dog, snake, person, fish* mordre; *of spider, flea, mosquito* piquer

bit·ten ['bɪtn] *pp* → ***bite***

bit·ter ['bɪtər] *adj taste, person* amer; *weather* glacial; *argument* violent

bit·ter·ly ['bɪtərlɪ] *adv resent* amèrement; ***it's ~ cold*** il fait un froid de canard

bi·zarre [bɪ'zɑːr] *adj* bizarre

blab [blæb] *v/i* (*pret & pp* ***-bed***) F vendre la mèche

blab·ber·mouth ['blæbərmauθ] F bavard(e) *m*(*f*)

black [blæk] **1** *adj* noir; *tea* nature; *future* sombre **2** *n color* noir *m*; *person* Noir(e) *m*(*f*); ***in the ~*** FIN créditeur; ***in ~ and white*** *fig* noir sur blanc

♦**black out** *v/i* s'évanouir

'black·ber·ry mûre *f*; **'black·bird** merle *m*; **'black·board** tableau *m* noir; **black 'box** boîte *f* noire; **black e'con·o·my** économie *f* souterraine

black·en ['blækn] *v/t fig: person's name* noircir

black 'eye œil *m* poché; **'black·head** point *m* noir; **black 'ice** verglas *m*; **'black·list 1** *n* liste *f* noire **2** *v/t* mettre à l'index, mettre sur la liste noire; **'black·mail 1** *n* chantage *m*; ***emotional ~*** chantage *m* psychologique **2** *v/t* faire chanter; **black·mail·er** ['blækmeɪlər] maître *m* chanteur; **black 'mar·ket** marché *m* noir

black·ness ['blæknɪs] noirceur *f*

'black·out ELEC panne *f* d'électricité; MED évanouissement *m*

black·smith ['blæksmɪθ] forgeron *m*

blad·der ['blædər] ANAT vessie *f*

blade [bleɪd] *of knife, sword* lame *f*; *of helicopter* ailette *f*; *of grass* brin *m*

blame [bleɪm] **1** *n* responsabilité *f*; ***I got the ~*** c'est moi qu'on a accusé **2** *v/t*: ***~ s.o. for sth*** reprocher qch à qn; ***I ~ her parents*** c'est la faute de ses parents

bland [blænd] *adj* fade

blank [blæŋk] **1** *adj paper, tape* vierge; *look* vide **2** *n* (*empty space*) espace *m* vide; ***my mind's a ~*** j'ai un trou (de mémoire)

blank 'check, *Br* **blank 'cheque** chèque *m* en blanc

blan·ket ['blæŋkɪt] *n* couverture *f*; ***a ~ of snow*** un manteau de neige

blare [bler] *v/i* beugler

♦**blare out 1** *v/i* retentir **2** *v/t*: ***the speakers were blaring out military music*** des musiques militaires retentissaient dans les haut-parleurs

blas·pheme [blæs'fiːm] *v/i* blasphémer

blas·phe·my ['blæsfəmɪ] blasphème *m*

blast [blæst] **1** *n* (*explosion*) explosion *f*; (*gust*) rafale *f* **2** *v/t tunnel etc* percer (à l'aide d'explosifs); ***~!*** F mince!

♦**blast off** *v/i of rocket* décoller

'blast fur·nace haut-fourneau *m*

'blast-off lancement *m*

bla·tant ['bleɪtənt] *adj* flagrant, évident; *person* éhonté

blaze [bleɪz] **1** *n* (*fire*) incendie *m*; ***be a ~ of color*** être resplendissant de couleur(s) **2** *v/i of fire* flamber

♦**blaze away** *v/i with gun* tirer en rafales

blaz·er ['bleɪzər] blazer *m*

bleach [bliːʧ] **1** *n for clothes* eau *f* de Javel; *for hair* décolorant *m* **2** *v/t hair* décolorer

bleak [bliːk] *adj countryside* désolé; *weather* morne; *future* sombre

blear·y-eyed ['blɪrɪaɪd] *adj* aux yeux troubles

bleat [bliːt] *v/i of sheep* bêler

bled [bled] *pret & pp* → ***bleed***

bleed [bliːd] **1** *v/i* (*pret & pp* ***bled***) saigner **2** *v/t* (*pret & pp* ***bled***) *fig* saigner; *radiator* purger

bleed·ing ['bliːdɪŋ] *n* saignement *m*

bleep [bliːp] **1** *n* bip *m* **2** *v/i* faire bip **3** *v/t* (*call on pager*) appeler sur bip, biper
bleep·er ['bliːpər] (*pager*) bip *m*
blem·ish ['blemɪʃ] *n* tache *f*
blend [blend] **1** *n* mélange *m* **2** *v/t* mélanger
♦**blend in 1** *v/i of person* s'intégrer; *of furniture* se marier **2** *v/t in cooking* mélanger
blend·er ['blendər] *machine* mixeur *m*
bless [bles] *v/t* bénir; ***(God) ~ you!*** Dieu vous bénisse!; ***~ you!*** *in response to sneeze* à vos souhaits!; ***be ~ed with*** *disposition* être doté de; *children* avoir
bless·ing ['blesɪŋ] REL, *fig* bénédiction *f*
blew [bluː] *pret* → ***blow***
blind [blaɪnd] **1** *adj person* aveugle; ***~ corner*** virage *m* masqué; ***be ~ to sth*** *fig* ne pas voir qch **2** *npl*: ***the ~*** les aveugles *mpl* **3** *v/t* (*make blind*) rendre aveugle; *of sun* aveugler, éblouir; ***~ s.o. to sth*** *fig* empêcher qn de voir qch
blind 'al·ley impasse *f*; **blind 'date** rendez-vous *m* arrangé; **'blind·fold 1** *n* bandeau *m* sur les yeux **2** *v/t* bander les yeux à **3** *adv* les yeux bandés
blind·ing ['blaɪndɪŋ] *adj light* aveuglant; *headache* terrible
blind·ly ['blaɪndlɪ] *adv* sans rien voir; *fig*: *obey, follow* aveuglément
'blind spot *in road* angle *m* mort; (*ability that is lacking*) faiblesse *f*
blink [blɪŋk] *v/i of person* cligner des yeux; *of light* clignoter
blink·ered ['blɪŋkərd] *adj fig* à œillères
blip [blɪp] *on radar screen* spot *m*; *fig* anomalie *f* passagère
bliss [blɪs] bonheur *m* (suprême)
blis·ter ['blɪstər] **1** *n* ampoule *f* **2** *v/i of skin, paint* cloquer
bliz·zard ['blɪzərd] tempête *f* de neige
bloat·ed ['bloʊtɪd] *adj* gonflé, boursouflé
blob [blɑːb] *of cream, paint etc* goutte *f*
bloc [blɑːk] POL bloc *m*
block [blɑːk] **1** *n* bloc *m*; *buildings* pâté *m* de maisons; *of shares* paquet *m*; (*blockage*) obstruction *f*, embouteillage *m*; ***it's three ~s away*** c'est à trois rues d'ici **2** *v/t* bloquer
♦**block in** *v/t with vehicle* bloquer le passage de
♦**block out** *v/t light* empêcher de passer; *memory* refouler
♦**block up** *v/t sink etc* boucher
block·ade [blɑː'keɪd] **1** *n* blocus *m* **2** *v/t* faire le blocus de
block·age ['blɑːkɪdʒ] obstruction *f*
block·bust·er ['blɑːkbʌstər] *movie* film *m* à grand succès; *novel* roman *m* à succès
block 'let·ters *npl* capitales *fpl*
blond [blɑːnd] *adj* blond
blonde [blɑːnd] *n woman* blonde *f*
blood [blʌd] sang *m*; ***in cold ~*** de sang-froid
'blood al·co·hol lev·el alcoolémie *f*; **'blood bank** banque *f* du sang; **'blood bath** bain *m* de sang; **'blood do·nor** donneur(-euse) *m(f)* de sang; **'blood group** groupe *m* sanguin
blood·less ['blʌdlɪs] *adj coup* sans effusion de sang
blood poi·son·ing ['blʌdpɔɪznɪŋ] empoisonnement *m* du sang; **'blood pres·sure** tension *f* (artérielle); **'blood re·la·tion, 'blood rel·a·tive** parent *m* par le sang; **'blood sam·ple** prélèvement *m* sanguin; **'blood·shed** carnage *m*; ***without ~*** sans effusion de sang; **'blood·shot** *adj* injecté de sang; **'blood·stain** tache *f* de sang; **'blood·stained** *adj* taché de sang; **'blood·stream** sang *m*; **'blood test** test *m* sanguin; **'blood·thirst·y** *adj* sanguinaire; **'blood trans·fu·sion** transfusion *f* sanguine; **'blood ves·sel** vaisseau *m* sanguin
blood·y ['blʌdɪ] *adj hands etc* ensanglanté; *battle* sanguinaire; *esp Br* F sacré
bloom [bluːm] **1** *n* fleur *f*; ***in full ~*** en fleurs **2** *v/i also fig* fleurir
bloop·er ['bluːpər] F gaffe *f*
blos·som ['blɑːsəm] **1** *n* fleur *f* **2** *v/i* fleurir; *fig* s'épanouir
blot [blɑːt] **1** *n* tache *f*; ***be a ~ on the***

B

landscape *fig* faire tache dans le paysage **2** *v/t* (*pret & pp* ***-ted***) (*dry*) sécher

♦**blot out** *v/t* effacer

blotch [blɑːʧ] *on skin* tache *f*

blotch·y ['blɑːʧɪ] *adj* taché

blouse [blaʊz] chemisier *m*

blow[1] [bloʊ] *n also fig* coup *m*

blow[2] [bloʊ] **1** *v/t* (*pret* ***blew***, *pp* ***blown***) souffler; F (*spend*) claquer F; F *opportunity* rater; ~ ***one's whistle*** donner un coup de sifflet; ~ ***one's nose*** se moucher **2** *v/i* (*pret* ***blew***, *pp* ***blown***) *of wind, person* souffler; *of whistle* retentir; *of fuse* sauter; *of tire* éclater

♦**blow off** **1** *v/t* arracher **2** *v/i of hat etc* s'envoler

♦**blow out** **1** *v/t candle* souffler **2** *v/i of candle* s'éteindre

♦**blow over** **1** *v/t* renverser **2** *v/i* se renverser; (*pass*) passer

♦**blow up** **1** *v/t with explosives* faire sauter, faire exploser; *balloon* gonfler; *photograph* agrandir **2** *v/i of car, boiler etc* sauter, exploser; F (*get angry*) devenir furieux*

'blow-dry *v/t* (*pret & pp* ***-ied***) sécher (au sèche-cheveux)

'blow job V pipe *f* V

blown [bloʊn] *pp* → ***blow***

'blow-out *of tire* éclatement *m*; F (*big meal*) gueuleton *m* F

'blow-up *of photo* agrandissement *m*

blue [bluː] **1** *adj* bleu; F *movie* porno F **2** *n* bleu *m*

'blue·ber·ry myrtille *f*; **blue 'chip** *adj company* de premier ordre; **blue-'col·lar work·er** travailleur(-euse) *m*(*f*) manuel(le); **'blue·print** plan *m*; *fig* projet *m*

blues [bluːz] *npl* MUS blues *m*; ***have the*** ~ avoir le cafard F

'blues sing·er chanteur(-euse) *m*(*f*) de blues

bluff [blʌf] **1** *n* (*deception*) bluff *m* **2** *v/i* bluffer

blun·der ['blʌndər] **1** *n* bévue *f*, gaffe *f* **2** *v/i* faire une bévue *or* gaffe

blunt [blʌnt] *adj* émoussé; *person* franc*

blunt·ly ['blʌntlɪ] *adv speak* franchement

blur [blɜːr] **1** *n* masse *f* confuse **2** *v/t* (*pret & pp* ***-red***) brouiller

blurb [blɜːrb] *on book* promotion *f*

♦**blurt out** [blɜːrt] *v/t* lâcher

blush [blʌʃ] **1** *n* rougissement *m* **2** *v/i* rougir

blush·er ['blʌʃər] *cosmetic* rouge *m*

blus·ter ['blʌstər] *v/i* faire le fanfaron

blus·ter·y ['blʌstərɪ] *adj weather* à bourrasques

BO [biː'oʊ] *abbr* (= ***body odor***) odeur *f* corporelle

board [bɔːrd] **1** *n of wood* planche *f*, *cardboard* carton *m*; *for game* plateau *m* de jeu; *for notices* panneau *m*; ~ (***of directors***) conseil *m* d'administration; ***on*** ~ à bord; ***take on*** ~ *comments etc* prendre en compte; (*fully realize truth of*) réaliser; ***across the*** ~ d'une manière générale **2** *v/t plane, ship* monter à bord de; *train, bus* monter dans **3** *v/i of passengers* embarquer; *on train, bus* monter (à bord)

♦**board up** *v/t windows* condamner

♦**board with** *v/t* être en pension chez

board and 'lodg·ing ['lɑːdʒɪŋ] pension *f* complète

board·er ['bɔːrdər] pensionnaire *m/f*; EDU interne *m/f*

'board game jeu *m* de société

board·ing card ['bɔːrdɪŋ] carte *f* d'embarquement; **'board·ing house** pension *f* (de famille); **'board·ing pass** carte *f* d'embarquement; **'board·ing school** internat *m*, pensionnat *m*

'board meet·ing réunion *f* du conseil d'administration; **'board room** salle *f* du conseil; **'board·walk** promenade *f* (en planches) *fpl*

boast [boʊst] *v/i* se vanter (***about*** de)

boast·ing ['boʊstɪŋ] vantardise *f*

boat [boʊt] (*ship*) bateau *m*; *small, for leisure* canot *m*; ***go by*** ~ aller en bateau

bob[1] [bɑːb] *n haircut* coupe *f* au carré

bob[2] [bɑːb] *v/i* (*pret & pp* ***-bed***) *of boat etc* se balancer, danser

♦**bob up** *v/i* se lever subitement

'bob·sled, 'bob·sleigh bobsleigh *m*

bod·i·ly ['bɑːdɪlɪ] **1** *adj* corporel **2** *adv*: ***they ~ ejected him*** ils l'ont saisi à bras-le-corps et l'ont mis dehors

bod·y ['bɑːdɪ] corps *m*; *dead* cadavre *m*; **~ (*suit*)** *undergarment* body *m*; ***~ of water*** étendue *f* d'eau

'bod·y·guard garde *m* du corps; **'bod·y lan·guage** langage *m* du corps; ***I could tell by her ~ that ...*** je pouvais voir à ses gestes que ...; **'bod·y o·dor** odeur *f* corporelle; **'bod·y pierc·ing** piercing *m*; **'bod·y shop** MOT atelier *m* de carrosserie; **'bod·y stock·ing** body *m*; **'bod·y suit** body *m*; **'bod·y·work** MOT carrosserie *f*

bog·gle ['bɑːgl] *v/t*: ***it ~s the mind!*** j'ai du mal à le croire!

bo·gus ['boʊgəs] *adj* faux

boil[1] [bɔɪl] *n* (*swelling*) furoncle *m*

boil[2] [bɔɪl] **1** *v/t* faire bouillir **2** *v/i* bouillir

♦**boil down to** *v/t* se ramener à

♦**boil over** *v/i of milk etc* déborder

boil·er ['bɔɪlər] chaudière *f*

boil·ing point ['bɔɪlɪŋ] *of liquid* point *m* d'ébullition; ***reach ~*** *fig* éclater

bois·ter·ous ['bɔɪstərəs] *adj* bruyant

bold [boʊld] **1** *adj* (*brave*) courageux*; *text* en caractères gras **2** *n print* caractères *mpl* gras; ***in ~*** en caractères gras

bol·ster ['boʊlstər] *v/t confidence* soutenir

bolt [boʊlt] **1** *n* (*metal pin*) boulon *m*; *on door* verrou *m*; *of lightning* coup *m*; ***come like a ~ from the blue*** faire l'effet d'une bombe **2** *adv*: ***~ upright*** tout droit **3** *v/t* (*fix with bolts*) boulonner; *close* verrouiller **4** *v/i* (*run off*) décamper; *of horse* s'emballer

bomb [bɑːm] **1** *n* bombe *f* **2** *v/t from airplane* bombarder; *of terrorist* faire sauter

bom·bard [bɑːm'bɑːrd] *v/t* (*attack*) bombarder; ***~ with questions*** bombarder de questions

'bomb at·tack attaque *f* à la bombe

bomb·er ['bɑːmər] *airplane* bombardier *m*; *terrorist* poseur *m*(*f*) de bombes

'bomb·er jack·et blouson *m* d'aviateur

'bomb·proof *adj bunker* blindé; *building* protégé contre les bombes; **'bomb scare** alerte *f* à la bombe; **'bomb·shell** *fig* bombe *f*; ***come as a ~*** faire l'effet d'une bombe

bond [bɑːnd] **1** *n* (*tie*) lien *m*; FIN obligation *f* **2** *v/i of glue* se coller

bone [boʊn] **1** *n* os *m*; *in fish* arête *f* **2** *v/t meat*, *fish* désosser

bon·er ['boʊnər] F gaffe *f*

bon·fire ['bɑːnfaɪr] feu *m* (de jardin)

bo·nus ['boʊnəs] *money* prime *f*; (*something extra*) plus *m*

boo [buː] **1** *n* huée *f* **2** *v/t actor*, *speaker* huer **3** *v/i* pousser des huées

boob [buːb] *n* P (*breast*) nichon *m* P

boo·boo ['buːbuː] F bêtise *f*

book [bʊk] **1** *n* livre *m*; ***~ of matches*** pochette *f* d'allumettes **2** *v/t table*, *seat* réserver; *ticket* prendre; *pop group*, *artiste* retenir; *of policeman* donner un P.V. à F; ***~ s.o. on a flight*** réserver une place à qn sur un vol **3** *v/i* (*reserve*) réserver

'book·case bibliothèque *f*

booked up [bʊkt'ʌp] *adj* complet*; *person* complètement pris

book·ie ['bʊkɪ] F bookmaker *m*

book·ing ['bʊkɪŋ] (*reservation*) réservation *f*

'book·ing clerk employé(e) *m*(*f*) du guichet

book·keep·er ['bʊkkiːpər] comptable *m*

'book·keep·ing comptabilité *f*

book·let ['bʊklɪt] livret *m*

'book·mak·er bookmaker *m*

books [bʊks] *npl* (*accounts*) comptes *mpl*; ***do the ~*** faire la comptabilité

'book·sell·er libraire *m*/*f*; **'book·shelf** étagère *f*; **'book·stall** kiosque *m* à journaux; **'book·store** librairie *f*; **'book to·ken** chèque-livre *m*

boom[1] [buːm] **1** *n* boum *m* **2** *v/i of business* aller très fort

boom[2] [buːm] *n noise* boum *m*

boon·ies ['buːnɪz] *npl* F en pleine cambrousse F

boor [bʊr] rustre *m*

B

boor·ish ['bʊrɪʃ] *adj* rustre
boost [buːst] **1** *n*: ***give sth a ~*** stimuler qch **2** *v/t* stimuler
boot [buːt] *n* botte *f*; *for climbing, football* chaussure *f*
♦ **boot out** *v/t* F virer F
♦ **boot up** COMPUT **1** *v/i* démarrer **2** *v/t* faire démarrer
booth [buːð] *at market* tente *f* (de marché); *at fair* baraque *f*; *at trade fair* stand *m*; *in restaurant* alcôve *f*
booze [buːz] *n* F boisson *f* (alcoolique)
bor·der ['bɔːrdər] **1** *n between countries* frontière *f*; (*edge*) bordure *f* **2** *v/t country* avoir une frontière avec; *river* longer
♦ **border on** *v/t country* avoir une frontière avec; (*be almost*) friser
'**bor·der·line** *adj*: ***a ~ case*** un cas limite
bore[1] [bɔːr] *v/t hole* percer
bore[2] [bɔːr] **1** *n person* raseur(-euse) *m*(*f*) F **2** *v/t* ennuyer
bore[3] [bɔːr] *pret* → ***bear***[2]
bored [bɔːrd] *adj* ennuyé; ***be ~*** s'ennuyer; ***I'm ~*** je m'ennuie
bore·dom ['bɔːrdəm] ennui *m*
bor·ing ['bɔːrɪŋ] *adj* ennuyeux*, chiant F
born [bɔːrn] *adj*: ***be ~*** être né; ***be a ~ …*** être un(e) … né(e)
borne [bɔːrn] *pp* → ***bear***[2]
bor·row ['bɑːroʊ] *v/t* emprunter
bos·om ['bʊzm] *of woman* poitrine *f*
boss [bɑːs] patron(ne) *m*(*f*)
♦ **boss around** *v/t* donner des ordres à
boss·y ['bɑːsɪ] *adj* autoritaire
bo·tan·i·cal [bə'tænɪkl] *adj* botanique
bo'tan·i·cal gar·dens *npl* jardin *m* botanique
bot·a·nist ['bɑːtənɪst] botaniste *m/f*
bot·a·ny ['bɑːtənɪ] botanique *f*
botch [bɑːtʃ] *v/t* bâcler
both [boʊθ] **1** *adj* les deux; ***I know ~ brothers*** je connais les deux frères **2** *pron* les deux; ***I know ~ of the brothers*** je connais les deux frères; ***~ of them*** tous(-tes) *m*(*f*) les deux **3** *adv*: ***~ … and …*** à la fois … et …; ***is it sweet or sour? – ~*** c'est sucré ou amer? - les deux (à la fois)
both·er ['bɑːðər] **1** *n* problèmes *mpl*; ***it's no ~*** ça ne pose pas de problème **2** *v/t* (*disturb*) déranger; (*worry*) ennuyer **3** *v/i* s'inquiéter (***with*** de); ***don't ~!*** (*you needn't do it*) ce n'est pas la peine!; ***you needn't have ~ed*** ce n'était pas la peine
bot·tle ['bɑːtl] **1** *n* bouteille *f*; *for medicines* flacon *m*; *for baby* biberon *m* **2** *v/t* mettre en bouteille(s)
♦ **bottle up** *v/t feelings* réprimer
'**bot·tle bank** conteneur *m* à verre
bot·tled wa·ter ['bɑːtld] eau *f* en bouteille
'**bot·tle·neck** *in road* rétrécissement *m*; *in production* goulet *m* d'étranglement
bot·tle-o·pen·er ['bɑːtloʊpnər] ouvre-bouteilles *m inv*
bot·tom ['bɑːtəm] **1** *adj* du bas **2** *n of drawer, pan, garden* fond *m*; (*underside*) dessous *m*; (*lowest part*) bas *m*; *of street* bout *m*; (*buttocks*) derrière *m*; ***at the ~ of the screen*** au bas de l'écran
♦ **bottom out** *v/i* se stabiliser
bot·tom 'line *fig* (*financial outcome*) résultat *m*; (*the real issue*) la question principale
bought [bɒːt] *pret & pp* → ***buy***
boul·der ['boʊldər] rocher *m*
bounce [baʊns] **1** *v/t ball* faire rebondir **2** *v/i of ball* rebondir; *on sofa etc* sauter; *of check* être refusé
bounc·er ['baʊnsər] videur *m*
bounc·y ['baʊnsɪ] *adj ball, cushion, chair* qui rebondit
bound[1] [baʊnd] *adj*: ***be ~ to do sth*** (*sure to*) aller forcément faire qch; (*obliged to*) être tenu de faire qch
bound[2] [baʊnd] *adj*: ***be ~ for*** *of ship* être à destination de
bound[3] [baʊnd] **1** *n* (*jump*) bond *m* **2** *v/i* bondir
bound[4] [baʊnd] *pret & pp* → ***bind***
bound·a·ry ['baʊndərɪ] frontière *f*
bound·less ['baʊndlɪs] *adj* sans bornes, illimité
bou·quet [bʊ'keɪ] *flowers, of wine* bouquet *m*

bour·bon ['bɜːrbən] bourbon *m*
bout [baʊt] MED accès *m*; *in boxing* match *m*
bou·tique [buː'tiːk] boutique *f*
bow[1] [baʊ] **1** *n as greeting* révérence *f* **2** *v/i* faire une révérence **3** *v/t head* baisser
bow[2] [boʊ] (*knot*) nœud *m*; MUS archet *m*
bow[3] [baʊ] *of ship* avant *m*
bow·els ['baʊəlz] *npl* intestins *mpl*
bowl[1] [boʊl] bol *m*; *for soup etc* assiette *f* creuse; *for serving salad etc* saladier *m*; *for washing dishes* cuvette *f*
bowl[2] [boʊl] *v/i* jouer au bowling
♦ **bowl over** *v/t fig* (*astonish*) renverser
bowl·ing ['boʊlɪŋ] bowling *m*
'bowl·ing al·ley bowling *m*
bow 'tie [boʊ] (nœud *m*) papillon *m*
box[1] [bɑːks] *n container* boîte *f*; *on form* case *f*
box[2] [bɑːks] *v/i* boxer
box·er ['bɑːksər] *sp* boxeur *m*
'box·er shorts *npl* caleçon *m*
box·ing ['bɑːksɪŋ] boxe *f*
'box·ing glove gant *m* de boxe; **'box·ing match** match *m* de boxe; **'box·ing ring** ring *m* (de boxe)
'box num·ber boîte *f* postale
'box of·fice bureau *m* de location
boy [bɔɪ] garçon *m*; (*son*) fils *m*
boy·cott ['bɔɪkɑːt] **1** *n* boycott *m* **2** *v/t* boycotter
'boy·friend petit ami *m*; *younger also* copain *m*
boy·ish ['bɔɪɪʃ] *adj* de garçon
boy'scout scout *m*
brace [breɪs] *on teeth* appareil *m* (dentaire)
brace·let ['breɪslɪt] bracelet *m*
brack·et ['brækɪt] *for shelf* support *m* (d'étagère); *in text* crochet *m*; *Br*: *round* parenthèse *f*
brag [bræg] *v/i* (*pret & pp* ***-ged***) se vanter (***about*** de)
braid [breɪd] *n in hair* tresse *f*; (*trimming*) galon *m*
braille [breɪl] braille *m*
brain [breɪn] ANAT cerveau *m*; ***use your ~*** fais travailler votre cerveau
'brain dead *adj* MED en coma dépassé
brain·less ['breɪnlɪs] *adj* F écervelé
brains [breɪnz] *npl* (*intelligence*), *also person* cerveau *m*; ***it doesn't take much ~*** il n'y a pas besoin d'être très intelligent
'brain·storm idée *f* de génie; **brain·storm·ing** ['breɪnstɔːrmɪŋ] brainstorming *m*; **'brain sur·geon** neurochirurgien(ne) *m(f)*; **'brain sur·ger·y** neurochirurgie *f*; **'brain tu·mor** tumeur *f* au cerveau; **'brain·wash** *v/t by media etc* conditionner; **'brain·wave** *Br* → ***brainstorm***
brain·y ['breɪnɪ] *adj* F intelligent
brake [breɪk] **1** *n* frein *m* **2** *v/i* freiner
'brake flu·id liquide *m* de freins; **'brake light** feu *m* de stop; **'brake ped·al** pédale *f* de frein
branch [bræntʃ] *of tree*, *bank*, *company* branche *f*
♦ **branch off** *v/i of road* bifurquer
♦ **branch out** *v/i* (*diversify*) se diversifier
brand [brænd] **1** *n* marque *f* **2** *v/t*: ***be ~ed a liar*** être étiqueté comme voleur
brand 'im·age image *f* de marque
bran·dish ['brændɪʃ] *v/t* brandir
brand 'lead·er marque *f* dominante; **brand 'loy·al·ty** fidélité *f* à la marque; **'brand name** nom *m* de marque
brand-'new *adj* flambant neuf*
bran·dy ['brændɪ] brandy *m*
brass [bræs] cuivre *m* jaune, laiton *m*; ***the ~*** MUS les cuivres *mpl*
brass 'band fanfare *f*
bras·sière [brə'zɪ(r)] soutien-gorge *m*
brat [bræt] *pej* garnement *m*
bra·va·do [brə'vɑːdoʊ] bravade *f*
brave [breɪv] *adj* courageux*
brave·ly ['breɪvlɪ] *adv* courageusement
brav·er·y ['breɪvərɪ] courage *m*
brawl [brɒːl] **1** *n* bagarre *f* **2** *v/i* se bagarrer
brawn·y ['brɒːnɪ] *adj* costaud
Bra·zil [brə'zɪl] Brésil *m*
Bra·zil·ian [brə'zɪlɪən] **1** *adj* brésilien* **2** *n* Brésilien(ne) *m(f)*
breach [briːtʃ] *n* (*violation*) violation *f*;

in party désaccord *m*, différend *m*; (*split*) scission *f*

breach of 'con·tract LAW rupture *f* de contrat

bread [bred] pain *m*

'bread·crumbs *npl* miettes *fpl* de pain

'bread knife couteau *m* à pain

breadth [bredθ] largeur *m*; *of knowledge* étendue *f*

'bread·win·ner soutien *m* de famille

break [breɪk] **1** *n in bone* fracture *f*; (*rest*) repos *m*; *in relationship* séparation *f*; ***give s.o. a ~*** F (*opportunity*) donner une chance à qn; ***take a ~*** s'arrêter; ***without a ~*** *work*, *travel* sans interruption **2** *v/t* (*pret* ***broke***, *pp* ***broken***) casser; *rules*, *law*, *promise* violer; *news* annoncer; *record* battre; ***~ one's arm / leg*** se casser le bras / la jambe **3** *v/i* (*pret* ***broke***, *pp* ***broken***) se casser; *of news*, *storm* éclater; *of boy's voice* muer; ***the news has just broken that ...*** on vient d'apprendre que ...

◆**break away** *v/i* (*escape*) s'échapper; *from family*, *organization*, *tradition* rompre (***from*** avec)

◆**break down 1** *v/i of vehicle*, *machine* tomber en panne; *of talks* échouer; *in tears* s'effondrer; *mentally* faire une dépression **2** *v/t door* défoncer; *figures* détailler

◆**break even** *v/i* COMM rentrer dans ses frais

◆**break in** *v/i* (*interrupt*) interrompre qn; *of burglar* s'introduire par effraction

◆**break off 1** *v/t* casser; *relationship* rompre; ***they've broken it off*** *engagement* ils ont rompu leurs fiançailles; *relationship* ils ont rompu **2** *v/i* (*stop talking*) s'interrompre

◆**break out** *v/i* (*start up*) éclater; *of prisoners* s'échapper; ***he broke out in a rash*** il a eu une éruption (cutanée)

◆**break up 1** *v/t into component parts* décomposer; *fight* interrompre **2** *v/i of ice* se briser; *of couple*, *band* se séparer; *of meeting* se dissoudre

break·a·ble ['breɪkəbl] *adj* cassable

break·age ['breɪkɪdʒ] casse *f*

'break·down *of vehicle*, *machine* panne *f*

breakdown *of talks* échec *m*; (*nervous ~*) dépression *f* (nerveuse); *of figures* détail *m*

break-'e·ven point seuil *m* de rentabilité

break·fast ['brekfəst] *n* petit-déjeuner *m*; ***have ~*** prendre son petit-déjeuner

'break·fast tel·e·vi·sion programmes *mpl* du petit-déjeuner

'break-in cambriolage *m*

break·ing ['breɪkɪŋ] *adj*: ***~ news*** information *f* de dernière minute

'break·through percée *f*

'break·up *of marriage*, *partnership* échec *m*

breast [brest] *of woman* sein *m*

'breast·feed *v/t* (*pret & pp* ***breastfed***) allaiter

'breast·stroke brasse *f*

breath [breθ] souffle *m*; ***be out of ~*** être essoufflé; ***take a deep ~*** inspirer rofondément

Breath·a·lyz·er® ['breθəlaɪzər] alcootest *m*

breathe [bri:ð] **1** *v/i* respirer **2** *v/t* (*inhale*) respirer; (*exhale*) exhaler

◆**breathe in 1** *v/i* inspirer **2** *v/t* respirer

◆**breathe out** *v/i* expirer

breath·ing ['bri:ðɪŋ] *n* respiration *f*

breath·less ['breθlɪs] *adj* essoufflé

breath·less·ness ['breθlɪsnɪs] essoufflement *m*

breath·tak·ing ['breθteɪkɪŋ] *adj* à vous couper le souffle

bred [bred] *pret & pp* → ***breed***

breed [bri:d] **1** *n* race *f* **2** *v/t* (*pret & pp* ***bred***) *racehorses*, *dogs* élever; *plants*, *also fig* cultiver **3** *v/i* (*pret & pp* ***bred***) *of animals* se reproduire

breed·er ['bri:dər] *of animals* éleveur (-euse) *m(f)*

breed·ing ['bri:dɪŋ] *of animals* élevage *m*; *of person* éducation *f*

'breed·ing ground *fig* terrain *m* propice (***for*** à)

breeze [bri:z] brise *f*

breez·i·ly ['bri:zɪlɪ] *adv fig* jovialement

breez·y ['bri:zɪ] *adj* venteux*; *fig* jovial
brew [bru:] **1** *v/t beer* brasser **2** *v/i* couver
brew·er ['bru:ər] brasseur(-euse) *m(f)*
brew·er·y ['bru:ərɪ] brasserie *f*
bribe [braɪb] **1** *n* pot-de-vin *m* **2** *v/t* soudoyer
brib·er·y ['braɪbərɪ] corruption *f*
brick [brɪk] brique *m*
'brick·lay·er maçon *m*
brid·al suite ['braɪdl] suite *f* nuptiale
bride [braɪd] *about to be married* (future) mariée *f*; *married* jeune mariée *f*
'bride·groom *about to be married* (futur) marié *m*; *married* jeune marié *m*
'brides·maid demoiselle *f* d'honneur
bridge[1] [brɪdʒ] **1** *n* pont *m*; *of nose* arête *f*; *of ship* passerelle *f* **2** *v/t gap* combler
bridge[2] [brɪdʒ] *card game* bridge *m*
bri·dle ['braɪdl] bride *f*
brief[1] [bri:f] *adj* bref, court
brief[2] [bri:f] **1** *n* (*mission*) instructions *fpl* **2** *v/t*: **~ s.o. on sth** (*give information*) informer qn de qch; (*instruct*) donner à qn des instructions sur qch
'brief·case serviette *f*
brief·ing ['bri:fɪŋ] *session* séance *f* d'information; *instructions* instructions *fpl*
brief·ly ['bri:flɪ] *adv* (*for short time, in a few words*) brièvement; (*to sum up*) en bref
briefs [bri:fs] *npl underwear* slip *m*
bright [braɪt] *adj color* vif*; *smile* radieux*; *future* brillant; (*sunny*) clair; (*intelligent*) intelligent
◆**brighten up** ['braɪtn] **1** *v/t room* donner de la couleur à; *emotionally* donner de l'animation à **2** *v/i of weather* s'éclaircir; *of face, person* s'animer
bright·ly ['braɪtlɪ] *adv smile* d'un air radieux; *colored* vivement; ***shine* ~** resplendir
bright·ness ['braɪtnɪs] *of weather* clarté *f*, *of smile* rayonnement *m*; (*intelligence*) intelligence *f*
bril·liance ['brɪljəns] *of person* esprit *m* lumineux; *of color* vivacité *f*
bril·liant ['brɪljənt] *adj sunshine etc* resplendissant; (*very good*) génial; (*very intelligent*) brillant
brim [brɪm] *of container, hat* bord *m*
brim·ful ['brɪmfəl] *adj* rempli à ras bord
bring [brɪŋ] *v/t* (*pret & pp* ***brought***) *object* apporter; *person, peace* amener; *hope, happiness etc* donner; ***~ shame on*** déshonorer; ***~ it here, will you?*** tu veux bien l'apporter ici?; ***can I ~ a friend?*** puis-je amener un ami?
◆**bring about** *v/t* amener, causer
◆**bring around** *v/t from a faint* ranimer; (*persuade*) faire changer d'avis
◆**bring back** *v/t* (*return*) ramener; (*reintroduce*) réintroduire; ***it brought back memories of my childhood*** ça m'a rappelé mon enfance
◆**bring down** *v/t also fig*: *government* faire tomber; *bird, airplane* abattre; *inflation, prices etc* faire baisser
◆**bring in** *v/t interest, income* rapporter; *legislation* introduire; *verdict* rendre; (*involve*) faire intervenir
◆**bring on** *v/t illness* donner; ***it brings on my asthma*** ça me donne des crises d'asthme
◆**bring out** *v/t* (*produce*) sortir
◆**bring to** *v/t from a faint* ranimer
◆**bring up** *v/t child* élever; *subject* soulever; (*vomit*) vomir
brink [brɪŋk] bord *m*; ***be on the ~ of doing sth*** être sur le point de faire qch
brisk [brɪsk] *adj* vif*; (*businesslike*) énergique; *trade* florissant
brist·le ['brɪsl] *v/i*: ***be bristling with*** *spines, weapons* être hérissé de; *police etc* grouiller de
brist·les ['brɪslz] *npl on chin* poils *mpl* raides; *of brush* poils *mpl*
Brit [brɪt] F Britannique *m/f*
Brit·ain ['brɪtn] Grande-Bretagne
Brit·ish ['brɪtɪʃ] **1** *adj* britannique **2** *npl*: ***the ~*** les Britanniques
Brit·ish·er ['brɪtɪʃər] Britannique *m/f*
Brit·on ['brɪtn] Britannique *m/f*
Brit·ta·ny ['brɪtənɪ] Bretagne *f*
brit·tle ['brɪtl] *adj* fragile, cassant
broach [broʊtʃ] *v/t subject* soulever

B

broad [brɒːd] **1** *adj street; shoulders, hips* large; *smile* grand; *(general)* général; ***in ~ daylight*** en plein jour **2** *n* F gonzesse *f* F

'broad·cast 1 *n* émission *f* **2** *v/t* (*pret & pp* ***-cast***) transmettre

'broad·cast·er *on radio / TV* présentateur(-trice) *m(f)* (radio / télé)

broad·cast·ing ['brɒːdkæstɪŋ] radio *f*; télévision *f*

broad·en ['brɒːdn] **1** *v/i* s'élargir **2** *v/t* élargir

'broad jump *n* saut *m* en longueur

broad·ly ['brɒːdlɪ] *adv*: ***~ speaking*** en gros

broad·mind·ed [brɒːd'maɪndɪd] *adj* large d'esprit

broad·mind·ed·ness [brɒːd'maɪndɪdnɪs] largeur *f* d'esprit

broc·co·li ['brɑːkəlɪ] brocoli(s) *m(pl)*

bro·chure ['broʊʃər] brochure *f*

broil [brɔɪl] *v/t* griller

broi·ler ['brɔɪlər] *on stove* grill *m*; *chicken* poulet *m* à rôtir

broke [broʊk] **1** *adj* F fauché F; ***go ~*** *(go bankrupt)* faire faillite **2** *pret* → ***break***

bro·ken ['broʊkn] **1** *adj* cassé; *home* brisé; *English* haché **2** *pp* → ***break***

bro·ken-heart·ed [broʊkn'hɑːrtɪd] *adj* au cœur brisé

bro·ker ['broʊkər] courtier *m*

bron·chi·tis [brɑːŋ'kaɪtɪs] bronchite *f*

bronze [brɑːnz] *n metal* bronze *m*; *medal* médaille *f* de bronze

brooch [broʊtʃ] broche *f*

brood [bruːd] *v/i of person* ruminer

broom [bruːm] balai *m*

broth [brɑːθ] bouillon *m*

broth·el ['brɑːθl] bordel *m*

broth·er ['brʌðər] frère *m*

'broth·er-in-law (*pl* ***brothers-in-law***) beau-frère *m*

broth·er·ly ['brʌðərlɪ] *adj* fraternel*

brought [brɒːt] *pret & pp* → ***bring***

brow [braʊ] *(forehead)* front *m*; *of hill* sommet *m*

brown [braʊn] **1** *adj* marron *inv*; *(tanned)* bronzé **2** *n* marron *m* **3** *v/t in cooking* faire dorer **4** *v/i in cooking* dorer

brown'bag *v/t* (*pret & pp* ***-ged***); ***~ it*** F apporter son repas

Brown·ie ['braʊnɪ] jeannette *f*

brown·ie ['braʊnɪ] brownie *m*

'Brownie points *npl*: ***earn ~*** se faire bien voir

'brown-nose *v/t* P lécher le cul à P; **brown 'pa·per** papier *m* d'emballage, papier *m* kraft; **brown pa·per 'bag** sac *m* en papier kraft; **brown 'sug·ar** sucre *m* roux

browse [braʊz] *v/i in store* flâner; COMPUT surfer; ***~ through a book*** feuilleter un livre

brows·er ['braʊzər] COMPUT navigateur *m*

bruise [bruːz] **1** *n* bleu *m*; *on fruit* meurtrissure *f* **2** *v/t fruit* abîmer; *leg* se faire un bleu sur **3** *v/i of fruit* s'abîmer; *of person* se faire des bleus

bruis·ing ['bruːzɪŋ] *adj fig* douloureux

brunch [brʌntʃ] brunch *m*

bru·nette [bruː'net] brune *f*

brunt [brʌnt]: ***bear the ~ of …*** subir le pire de …

brush [brʌʃ] **1** *n* brosse *f*; *(conflict)* accrochage *m* **2** *v/t jacket, floor* brosser; *(touch lightly)* effleurer; ***~ one's teeth / hair*** se brosser les dents / les cheveux

♦**brush against** *v/t* effleurer

♦**brush aside** *v/t person* mépriser; *remark, criticism* écarter

♦**brush off** *v/t dust etc* enlever; *criticism* ignorer

♦**brush up** *v/t fig* réviser

'brush·off; ***give s.o. the ~*** F repousser qn; ***get the ~*** F se faire repousser

'brush·work *in art* touche *f* (de pinceau)

brusque [brʊsk] *adj* brusque

Brus·sels ['brʌslz] Bruxelles

Brus·sels 'sprouts *npl* choux *mpl* de Bruxelles

bru·tal ['bruːtl] *adj* brutal

bru·tal·i·ty [bruː'tælətɪ] brutalité *f*

bru·tal·ly ['bruːtəlɪ] *adv* brutalement; ***be ~ frank*** dire les choses carrément

brute [bruːt] brute *f*

'brute force force *f*

BSc [biːes 'siː] *abbr* (***= Bachelor of***

Science) *licence scientifique*
bub·ble ['bʌbl] bulle *f*
'bub·ble bath bain *m* moussant; **'bub·ble gum** bubble-gum *m*; **'bub·ble wrap** *n* film *m* de protection à bulles
bub·bly ['bʌblɪ] *n* F (*champagne*) champagne *m*
buck[1] [bʌk] *n* F (*dollar*) dollar *m*
buck[2] [bʌk] *v/i of horse* ruer
buck[3] [bʌk] *n*: ***pass the ~*** renvoyer la balle
buck·et ['bʌkɪt] *n* seau *m*
buck·le[1] ['bʌkl] **1** *n* boucle *f* **2** *v/t belt* boucler
buck·le[2] ['bʌkl] *v/i of wood, metal* déformer
◆**buck·le down** *v/i* s'y mettre
bud [bʌd] *n* BOT bourgeon *m*
bud·dy ['bʌdɪ] F copain *m*, copine *f*; *form of address* mec F
budge [bʌdʒ] **1** *v/t* (*move*) déplacer; (*make reconsider*) faire changer d'avis **2** *v/i* (*move*) bouger; (*change one's mind*) changer d'avis
bud·ger·i·gar ['bʌdʒərɪgɑːr] perruche *f*
bud·get ['bʌdʒɪt] **1** *n* budget *m*; ***be on a ~*** faire des économies **2** *v/i* prévoir ses dépenses
◆**budget for** *v/t* prévoir
bud·gie ['bʌdʒɪ] F perruche *f*
buff[1] [bʌf] *adj color* couleur chamois
buff[2] [bʌf] *n* passionné(e) *m(f)*; ***a movie / jazz ~*** un(e) passionné(e) *m(f)* de cinéma / de jazz
buf·fa·lo ['bʌfəloʊ] buffle *m*
buff·er ['bʌfər] RAIL, COMPUT, *fig* tampon *m*
buf·fet[1] ['bʊfeɪ] *n meal* buffet *m*
buf·fet[2] ['bʌfɪt] *v/t of wind* battre
bug [bʌg] **1** *n* (*insect*) insecte *m*; (*virus*) virus *m*; COMPUT bogue *f*, (*spying device*) micro *m* **2** *v/t* (*pret & pp* ***-ged***) *room, telephone* mettre sur écoute; F (*annoy*) énerver
bug·gy ['bʌgɪ] *for baby* poussette *f*
build [bɪld] **1** *n of person* carrure *f* **2** *v/t* (*pret & pp* ***built***) construire
◆**build up 1** *v/t strength* développer; *relationship* construire; ***build up a collection*** faire collection (***of*** de) **2** *v/i* s'accumuler; *fig* s'intensifier
build·er ['bɪldər] constructeur(-trice) *m(f)*
build·ing ['bɪldɪŋ] *structure* bâtiment *m*; *activity* construction *f*
'build·ing blocks *npl for child* cube *m*; **'build·ing site** chantier *m*; **'build·ing trade** (industrie *f* du) bâtiment *m*
'build-up (*accumulation*) accumulation *f*, augmentation *f*, (*publicity*) publicité *f*, ***give s.o. / sth a big ~*** faire beaucoup de battage autout de qn / qch
built [bɪlt] *pret & pp* → ***build***
'built-in *adj* encastré; *flash* incorporé
built-up 'ar·e·a agglomération *f* (urbaine)
bulb [bʌlb] BOT bulbe *m*; (*light ~*) ampoule *f*
bulge [bʌldʒ] **1** *n* gonflement *m*, saillie *f* **2** *v/i* être gonflé, faire saillie
bu·lim·i·a [bʊ'lɪmɪə] boulimie *f*
bulk [bʌlk]: ***the ~ of*** la plus grande partie de; ***in ~*** en bloc
'bulk·y ['bʌlkɪ] *adj* encombrant; *sweater* gros*
bull [bʊl] *animal* taureau *m*
bull·doze ['bʊldoʊz] *v/t* (*demolish*) passer au bulldozer; ***~ s.o. into sth / doing sth*** amener qn de force à qch / forcer qn à faire qch
bull·doz·er ['bʊldoʊzər] bulldozer *m*
bul·let ['bʊlɪt] balle *f*
bul·le·tin ['bʊlɪtɪn] bulletin *m*
'bul·le·tin board *on wall* tableau *m* d'affichage; COMPUT serveur *m* télématique
'bul·let-proof *adj* protégé contre les balles; *vest* pare-balles
'bull horn mégaphone *m*; **'bull market** FIN marché *m* orienté à la hausse; **'bull's-eye** mille *m*; ***hit the ~*** *also fig* mettre dans le mille; **'bull·shit 1** *n* V merde *f* V, conneries *fpl* P **2** *v/i* (*pret & pp* ***-ted***) V raconter des conneries P
bul·ly ['bʊlɪ] **1** *n* brute *f* **2** *v/t* (*pret & pp* ***-ied***) brimer
bul·ly·ing ['bʊlɪɪŋ] *n* brimades *fpl*

B

bum [bʌm] **1** *n* F (*worthless person*) bon à rien *m*; (*tramp*) clochard *m* **2** *v/t* (*pret & pp* **-med**): ***can I ~ a cigarette?*** est-ce que je peux vous taper une cigarette?
♦**bum around** *v/i* F (*travel*) vagabonder; (*be lazy*) traînasser F
bum·ble·bee ['bʌmblbiː] bourdon *m*
bump [bʌmp] **1** *n* bosse *f*; ***get a ~ on the head*** recevoir un coup sur la tête **2** *v/t* se cogner
♦**bump into** *v/t* se cogner contre; (*meet*) rencontrer (par hasard)
♦**bump off** *v/t* F (*murder*) zigouiller F
♦**bump up** *v/t* F *prices* gonfler
bump·er ['bʌmpər] **1** *n* MOT pare-chocs *m inv*; ***the traffic was ~ to ~*** les voitures étaient pare-chocs contre pare-chocs **2** *adj* (*extremely good*) exceptionnel*
'bump-start *v/t*: ***~ a car*** pousser une voiture pour la faire démarrer; ***~ the economy*** donner un coup de pouce à l'économie
bump·y ['bʌmpɪ] *adj road* cahoteux*; ***we had a ~ flight*** nous avons été secoués pendant le vol
bun [bʌn] *hairstyle* chignon *m*; *for eating* petit pain *m* au lait
bunch [bʌntʃ] *of people* groupe *m*; *of keys* trousseau *m*; *of grapes* grappe *f*; *of flowers* bouquet *m*; ***thanks a ~*** *iron* merci beaucoup; ***a whole ~ of things to do*** F tout un tas de choses à faire F
bun·dle ['bʌndl] *n* paquet *m*
♦**bundle up** *v/t* mettre en paquet; (*dress warmly*) emmitoufler
bun·gee jump·ing ['bʌndʒɪdʒʌmpɪŋ] saut *m* à l'élastique
bun·gle ['bʌŋgl] *v/t* bousiller F
bunk [bʌŋk] couchette *f*
'bunk beds *npl* lits *mpl* superposés
buoy [bɔɪ] *n* NAUT bouée *f*
buoy·ant ['bɔɪənt] *adj mood* jovial; *economy* prospère
bur·den ['bɜːrdn] **1** *n* fardeau *m* **2** *v/t*: ***~ s.o. with sth*** *fig* accabler qn de qch
bu·reau ['bjʊroʊ] (*office, chest of drawers*) bureau *m*
bu·reauc·ra·cy [bjʊ'rɑːkrəsɪ] bureaucratie *f*
bu·reau·crat ['bjʊrəkræt] bureaucrate *m/f*
bu·reau·crat·ic [bjʊrə'krætɪk] *adj* bureaucratique
bur·ger ['bɜːrgər] steak *m* hâché; *in roll* hamburger *m*
bur·glar ['bɜːrglər] cambrioleur (-euse) *m(f)*
'bur·glar a·larm alarme *f* antivol
bur·glar·ize ['bɜːrgləraɪz] *v/t* cambrioler
bur·glar·y ['bɜːrglərɪ] cambriolage *m*
bur·i·al ['berɪəl] enterrement *m*
bur·ly ['bɜːrlɪ] *adj* robuste
burn [bɜːrn] **1** *n* brûlure *f* **2** *v/t* (*pret & pp* **burnt**) brûler; ***he ~t his hand*** il s'est brûlé la main **3** *v/i* (*pret & pp* **burnt**) brûler
♦**burn down 1** *v/t* incendier **2** *v/i* être réduit en cendres
♦**burn out** *v/t*: ***burn o.s. out*** s'épuiser; ***a burned-out car*** incendié
burn·er [bɜːrnər] *on cooker* brûleur *m*
'burn·out F (*exhaustion*) épuisement *m*
burnt [bɜːrnt] *pret & pp* → **burn**
burp [bɜːrp] **1** *n* rot *m* **2** *v/i* roter **3** *v/t baby* faire faire son rot à
burst [bɜːrst] **1** *n in water pipe* trou *m*; *act* éclatement *m*; *of gunfire* explosion *f*; ***in a ~ of energy*** dans un accès d'énergie **2** *adj tire* crevé **3** *v/t* (*pret & pp* **burst**) *balloon* crever **4** *v/i* (*pret & pp* **burst**) *of balloon, tire* crever; *of pipe* éclater; ***~ into a room*** se précipiter dans une pièce; ***~ into tears*** fondre en larmes; ***~ out laughing*** éclater de rire
bur·y ['berɪ] *v/t* (*pret & pp* **-ied**) *person, animal* enterrer; (*conceal*) cacher; ***be buried under*** (*covered by*) être caché sous; ***~ o.s. in work*** s'absorber dans son travail
bus [bʌs] **1** *n local* (auto)bus *m*; *long distance* (auto)car *m* **2** *v/t* (*pret & pp* **-sed**) amener en (auto)bus
'bus·boy aide-serveur(-euse) *m(f)*
'bus driv·er *local* conducteur(-trice) *m(f)* d'autobus; *long-distance* conducteur(-trice) *m(f)* d'autocar

bush [bʊʃ] *plant* buisson *m*; *land* brousse *f*
bushed [bʊʃt] *adj* F (*tired*) crevé F
bush·y ['bʊʃɪ] *adj beard* touffu
busi·ness ['bɪznɪs] (*trade*), *as subject of study* commerce *m*; (*company*) entreprise *f*; (*work*) travail *m*; (*sector*) secteur *m*; (*affair, matter*) affaire *f*; ***how's ~? - ~ is good*** comment vont les affaires? - les affaires vont bien; ***on ~*** en déplacement (professionnel); ***that's none of your ~!*** ça ne vous regarde pas!; ***you have no ~ being in my office*** vous n'avez rien à faire dans mon bureau!; ***mind your own ~!*** occupe-toi de tes affaires!
'busi·ness card carte *f* de visite; **'busi·ness class** classe *f* affaires; **'busi·ness hours** *npl* heures *fpl* d'ouverture; **busi·ness·like** *adj* sérieux*; **'busi·ness lunch** déjeuner *m* d'affaires; **'busi·ness·man** homme *m* d'affaires; **'busi·ness meet·ing** réunion *f* d'affaires; **'busi·ness school** école *f* de commerce; **'busi·ness stud·ies** *nsg course* études *fpl* de commerce; **'busi·ness trip** voyage *m* d'affaires; **'busi·ness·wom·an** femme *f* d'affaires
'bus lane couloir *m* d'autobus; **'bus shel·ter** abribus *m*; **'bus sta·tion** gare *f* routière; **'bus stop** arrêt *m* d'autobus
bust[1] [bʌst] *n of woman* poitrine *f*; *measurement* tour *m* de poitrine
bust[2] [bʌst] **1** *adj* F (*broken*) cassé; ***go ~*** faire faillite **2** *v/t* F casser
'bus tick·et ticket *m* d'autobus
♦**bus·tle around** ['bʌsl] *v/i* s'affairer
'bust-up F brouille *f*
bust·y ['bʌstɪ] *adj* à la poitrine plantureuse
bus·y ['bɪzɪ] **1** *adj person*, TELEC occupé; *day, life* bien rempli; *street, shop, restaurant* plein de monde; ***be ~ doing sth*** être occupé à faire qch **2** *v/t* (*pret & pp* **-ied**): ***~ o.s. with*** s'occuper à
'bus·y·bod·y curieux(-se) *m*(*f*); ***he's a real ~*** il se mêle toujours de ce qui ne le regarde pas
'bus·y sig·nal TELEC tonalité *f* occupé
but [bʌt], *unstressed* [bət] **1** *conj* mais; ***~ that's not fair!*** mais ce n'est pas juste!; ***~ then (again)*** mais après tout **2** *prep*: ***all ~ him*** tous sauf lui; ***the last ~ one*** l'avant-dernier; ***the next ~ one*** le deuxième; ***~ for you*** si tu n'avais pas été là; ***nothing ~ the best*** rien que le meilleur
butch·er ['bʊʧər] *n* boucher(-ère) *m*(*f*)
butt [bʌt] **1** *n of cigarette* mégot *m*; *of joke* cible *f*; P (*backside*) cul *m* P **2** *v/t* donner un coup de tête à
♦**butt in** *v/i* intervenir
but·ter ['bʌtər] **1** *n* beurre *m* **2** *v/t* beurrer
♦**butter up** *v/t* F lécher les bottes à F
'but·ter·fly *also swimming* papillon *m*
but·tocks ['bʌtəks] *npl* fesses *fpl*
but·ton ['bʌtn] **1** *n* bouton *m*; (*badge*) badge *m* **2** *v/t* boutonner
♦**button up** → ***button 2***
'but·ton-down col·lar col *m* boutons
'but·ton·hole 1 *n in suit* boutonnière *f* **2** *v/t* coincer F
bux·om ['bʌksəm] *adj* bien en chair
buy [baɪ] **1** *n* achat *m* **2** *v/t* (*pret & pp* ***bought***) acheter; ***can I ~ you a drink?*** est-ce que je peux vous offrir quelque chose à boire?; ***$5 doesn't ~ much*** on n'a pas grand chose pour 5 $
♦**buy off** *v/t* (*bribe*) acheter
♦**buy out** *v/t* COMM racheter la part de
♦**buy up** *v/t* acheter
buy·er ['baɪr] acheteur(-euse) *m*(*f*)
buzz [bʌz] **1** *n* bourdonnement *m*; F (*thrill*) grand plaisir *m* **2** *v/i of insect* bourdonner; *with buzzer* faire un appel à l'interphone **3** *v/t with buzzer* appeler à l'interphone
♦**buzz off** *v/i* F ficher le camp F
buzz·er ['bʌzər] sonnerie *f*
by [baɪ] **1** *prep* ◊ *agency* par; ***a play ~ ...*** une pièce de …; ***hit ~ a truck*** renversé par un camion
◊ (*near, next to*) près de; *sea, lake* au bord de; ***side ~ side*** côte à côte

◊ (*no later than*) pour; ***can you fix it ~ Tuesday?*** est-ce que vous pouvez le réparer pour mardi?; ***~ this time tomorrow*** demain à cette heure
◊ (*past*) à côté de
◊ *mode of transport* en; ***~ bus / train*** en bus / train
◊ *measurement*: ***2 ~ 4*** 2 sur 4
◊ *phrases*: ***~ day / night*** le jour / la nuit; ***~ the hour / ton*** à l'heure / la tonne; ***~ my watch*** selon ma montre; ***~ o.s.*** tout seul; ***he won ~ a couple of minutes*** il a gagné à quelques minutes près
2 *adv*: ***~ and ~*** (*soon*) sous peu
bye(-bye) [baɪ] au revoir
by·gones ['baɪgɑːnz]: ***let ~ be ~*** passons l'éponge; **'by·pass 1** *n road* déviation *f*, MED pontage *m* (coronarien) **2** *v/t* contourner; **'by-prod·uct** sous-produit *m*; **by·stand·er** ['baɪstændər] spectateur(-trice) *m*(*f*)
byte [baɪt] octet *m*
'by·word: ***be a ~ for*** être synonyme de

C

cab [kæb] (*taxi*) taxi *m*; *of truck* cabine *f*
'cab driv·er chauffeur *m* de taxi
cab·a·ret ['kæbəreɪ] spectacle *m* de cabaret
cab·bage ['kæbɪdʒ] chou *m*
cab·in ['kæbɪn] *of plane, ship* cabine *f*
'cab·in at·tend·ant *male* steward *m*; *female* hôtesse *f* (de l'air)
'cab·in crew équipage *m*
cab·i·net ['kæbɪnɪt] *furniture* meuble *m* (de rangement); POL cabinet *m*; ***display ~*** vitrine *f*, ***medicine ~*** armoire *f* à pharmacie
'cab·i·net mak·er ébéniste *m/f*
ca·ble ['keɪbl] câble *m*; ***~ (TV)*** câble *m*
'ca·ble car téléphérique *m*; *on rail* funiculaire *m*
'ca·ble tel·e·vi·sion (télévision *f* par) câble *m*
'cab stand, *Br* **'cab rank** station *f* de taxis
cac·tus ['kæktəs] cactus *m*
ca·dav·er [kə'dævər] cadavre *m*
cad·die ['kædɪ] **1** *n in golf* caddie *m* **2** *v/i*: ***~ for s.o.*** être le caddie de qn
ca·det [kə'det] élève *m* (officier)
cadge [kædʒ] *v/t*: ***~ sth from s.o.*** taxer qch à qn F
caf·é ['kæfeɪ] café *m*
caf·e·te·ri·a [kæfɪ'tɪrɪə] cafétéria *f*
caf·feine ['kæfiːn] caféine *f*
cage [keɪdʒ] cage *f*
ca·gey ['keɪdʒɪ] *adj* évasif*
ca·hoots [kə'huːts] *npl* F: ***be in ~ with*** être de mèche avec F
ca·jole [kə'dʒoʊl] *v/t* enjôler
cake [keɪk] **1** *n* gâteau *m*; ***be a piece of ~*** F être du gâteau F **2** *v/i of mud, blood* sécher, se solidifier
ca·lam·i·ty [kə'læmətɪ] calamité *f*
cal·ci·um ['kælsɪəm] calcium *m*
cal·cu·late ['kælkjʊleɪt] *v/t* (*work out*) évaluer; *in arithmetic* calculer
cal·cu·lat·ing ['kælkjʊleɪtɪŋ] *adj* calculateur*
cal·cu·la·tion [kælkjʊ'leɪʃn] calcul *m*
cal·cu·la·tor ['kælkjʊleɪtər] calculatrice *f*
cal·en·dar ['kælɪndər] calendrier *m*
calf[1] [kæf] (*pl* ***calves*** [kævz]) (*young cow*) veau *m*
calf[2] [kæf] (*pl* ***calves*** [kævz]) *of leg* mollet *m*
'calf·skin *n* veau *m*, vachette *f*
cal·i·ber ['kælɪbər] *of gun* calibre *m*; ***a man of his ~*** un homme de ce calibre
call [kɒːl] **1** *n* (*phone ~*) appel *m*, coup *m* de téléphone; (*shout*) appel, cri *m*;

(*demand*) appel *m*, demande *f*; ***there's a ~ for you*** on te demande au téléphone, il y a un appel pour toi; ***be on ~*** être de garde **2** *v/t also on phone* appeler; ***be ~ed ...*** s'appeler ...; ***~ s.o. a liar*** traiter qn de menteur; ***and you ~ yourself a Socialist!*** et tu te dis socialiste!; ***~ s.o. names*** injurier qn; insulter qn **3** *v/i also on phone* appeler; (*visit*) passer

♦**call at** *v/t* (*stop at*) s'arrêter à; *of train also* s'arrêter à, desservir

♦**call back 1** *v/t on phone*, (*summon*) rappeler **2** *v/i on phone* rappeler; (*make another visit*) repasser

♦**call for** *v/t* (*collect*) passer prendre, venir chercher; (*demand*, *require*) demander

♦**call in 1** *v/t* (*summon*) appeler, faire venir **2** *v/i* (*phone*) appeler, téléphoner

♦**call off** *v/t* (*cancel*) annuler

♦**call on** *v/t* (*urge*) demander à; (*visit*) rendre visite à, passer voir

♦**call out** *v/t* (*shout*) crier; (*summon*) appeler

♦**call up** *v/t on phone* appeler, téléphoner à; COMPUT ouvrir

'call cen·ter centre *m* d'appel

call·er ['kɒːlər] *on phone* personne *f* qui appelle; (*visitor*) visiteur *m*

'call girl call-girl *f*

cal·lous ['kæləs] *adj person* dur

cal·lous·ly ['kæləslɪ] *adv* durement

cal·lous·ness ['kæləsnɪs] dureté *f*

calm [kɑːm] **1** *adj* calme, tranquille **2** *n* calme *m*

♦**calm down 1** *v/t* calmer **2** *v/i of sea, weather, person* se calmer

calm·ly ['kɑːmlɪ] *adv* calmement

cal·o·rie ['kælərɪ] calorie *f*

cam·cor·der ['kæmkɔːrdər] caméscope *m*

came [keɪm] *pret* → ***come***

cam·e·ra ['kæmərə] appareil *m* photo; TV caméra *f*

'cam·e·ra·man cadreur *m*, caméraman *m*

cam·i·sole ['kæmɪsoʊl] caraco *m*

cam·ou·flage ['kæməflɑːʒ] **1** *n* camouflage *m* **2** *v/t* camoufler

camp [kæmp] **1** *n* camp *m* **2** *v/i* camper

cam·paign [kæm'peɪn] **1** *n* campagne *f* **2** *v/i* faire campagne

cam·paign·er [kæm'peɪnər] militant *m*

camp·er ['kæmpər] *person* campeur *m*; *vehicle* camping-car *m*

camp·ing ['kæmpɪŋ] camping *m*; ***go ~*** faire du camping

'camp·site (terrain *m* de) camping *m*

cam·pus ['kæmpəs] campus *m*

can[1] [kæn], *unstressed* [kən] *v/aux* ◊ (*pret* ***could***) *ability* pouvoir; ***~ you hear me?*** tu m'entends?; ***I can't see*** je ne vois pas; ***~ you speak French?*** parlez-vous français?; ***~ she swim?*** sait-elle nager?; ***~ he call me back?*** peut-il me rappeler?; ***as fast / well as you ~*** aussi vite / bien que possible; ***that can't be right*** ça ne peut pas être vrai ◊ *permission* pouvoir; ***~ I help you?*** est-ce que je peux t'aider?

can[2] [kæn] **1** *n for food* boîte *f*, *for drinks* canette *f*, *of paint* bidon *m* **2** *v/t* (*pret & pp* ***-ned***) mettre en conserve

Can·a·da ['kænədə] Canada *m*

Ca·na·di·an [kə'neɪdɪən] **1** *adj* canadien* **2** *n* Canadien *m*

ca·nal [kə'næl] canal *m*

ca·nar·y [kə'nerɪ] canari *m*

can·cel ['kænsl] *v/t* (*pret & pp* ***-ed***, *Br* ***-led***) annuler

can·cel·la·tion [kænsə'leɪʃn] annulation *f*

can·cel'la·tion fee frais *mpl* d'annulation

can·cer ['kænsər] cancer *m*

Can·cer ['kænsər] ASTROL Cancer *m*

can·cer·ous ['kænsərəs] *adj* cancéreux*

c & f *abbr* (= ***cost and freight***) C&F (coût et fret)

can·did ['kændɪd] *adj* franc*

can·di·da·cy ['kændɪdəsɪ] candidature *f*

can·di·date ['kændɪdət] candidat *m*

can·did·ly ['kændɪdlɪ] *adv* franchement

can·died ['kændiːd] *adj* confit

can·dle ['kændl] bougie *f*; *in church* cierge *m*
'can·dle·stick bougeoir *m*; *long, thin* chandelier *m*
can·dor ['kændər] franchise *f*
can·dy ['kændɪ] (*sweet*) bonbon *m*; (*sweets*) bonbons *mpl*
cane [keɪn] (tige *f* de) bambou *m*
can·is·ter ['kænɪstər] boîte *f* (métallique); *for gas, spray* bombe *f*
can·na·bis ['kænəbɪs] cannabis *m*
canned [kænd] *adj fruit, tomatoes* en conserve, en boîte; F (*recorded*) enregistré
can·ni·bal·ize ['kænɪbəlaɪz] *v/t* cannibaliser
can·not ['kænɑːt] → ***can***[1]
can·ny ['kænɪ] *adj* (*astute*) rusé
ca·noe [kə'nuː] canoë *m*
'can o·pen·er ouvre-boîte *m*
can't [kænt] → ***can***
can·teen [kæn'tiːn] *in factory* cantine *f*
can·vas ['kænvəs] toile *f*
can·vass ['kænvəs] **1** *v/t* (*seek opinion of*) sonder, interroger **2** *v/i* POL faire campagne
can·yon ['kænjən] canyon *m*
cap [kæp] *hat* bonnet *m*; *with peak* casquette *f*; *of soldier, policeman* képi *m*; *of bottle, jar* bouchon *m*; *of pen, lens* capuchon *m*
ca·pa·bil·i·ty [keɪpə'bɪlətɪ] capacité *f*
ca·pa·ble ['keɪpəbl] *adj* (*efficient*) capable, compétent; ***be ~ of*** être capable de
ca·pac·i·ty [kə'pæsətɪ] capacité *f*; *of factory* capacité *f* de production; aptitude *f*; ***in my ~ as ...*** en ma qualité de ...
cap·i·tal ['kæpɪtl] *n of country* capitale *f*; *letter* majuscule *f*; *money* capital *m*
cap·i·tal ex'pend·i·ture dépenses *fpl* d'investissement; **cap·i·tal 'gains tax** impôt *m* sur la plus-value; **cap·i·tal 'growth** augmentation *f* de capital
cap·i·tal·ism ['kæpɪtəlɪzm] capitalisme *m*
cap·i·tal·ist ['kæpɪtəlɪst] **1** *adj* capitaliste **2** *n* capitaliste *m/f*
♦ **cap·i·tal·ize on** ['kæpɪtəlaɪz] *v/t* tirer parti de, exploiter
cap·i·tal 'let·ter majuscule *f*
cap·i·tal 'pun·ish·ment peine *f* capitale
ca·pit·u·late [kə'pɪtʃʊleɪt] *v/i* capituler
ca·pit·u·la·tion [kæpɪtʃʊ'leɪʃn] capitulation *f*
Cap·ri·corn ['kæprɪkɔːrn] ASTROL Capricorne *m*
cap·size [kæp'saɪz] **1** *v/i* chavirer **2** *v/t* faire chavirer
cap·sule ['kæpsʊl] *of medicine* gélule *f*; (*space ~*) capsule *f* spatiale
cap·tain ['kæptɪn] *n of ship, team* capitaine *m*; *of aircraft* commandant *m* de bord
cap·tion ['kæpʃn] *n* légende *f*
cap·ti·vate ['kæptɪveɪt] *v/t* captiver, fasciner
cap·tive ['kæptɪv] *adj* captif*; ***be held ~*** être en captivité
cap·tive 'mar·ket marché *m* captif
cap·tiv·i·ty [kæp'tɪvətɪ] captivité *f*
cap·ture ['kæptʃər] **1** *n of city* prise *f*; *of person, animal* capture *f* **2** *v/t person, animal* capturer; *city, building* prendre; *market share* conquérir; (*portray*) reproduire; *moment* saisir
car [kɑːr] voiture *f*, automobile *f*; *of train* wagon *m*, voiture *f*; ***by ~*** en voiture
ca·rafe [kə'ræf] carafe *f*
car·at ['kærət] carat *m*
car·bo·hy·drate [kɑːrboʊ'haɪdreɪt] glucide *m*
'car bomb voiture *f* piégée
car·bon mon·ox·ide [kɑːrbənmən'ɑːksaɪd] monoxyde *m* de carbone
car·bu·ret·er, car·bu·ret·or [kɑːrbʊ'retər] carburateur *m*
car·cass ['kɑːrkəs] carcasse *f*
car·cin·o·gen [kɑːr'sɪnədʒen] substance *f* cancérigène
car·cin·o·genic [kɑːrsɪnə'dʒenɪk] *adj* cancérigène, cancérogène
card [kɑːrd] carte *f*
'card·board carton *m*
card·board 'box carton *m*
car·di·ac ['kɑːrdɪæk] *adj* cardiaque
car·di·ac ar'rest arrêt *m* cardiaque
car·di·gan ['kɑːrdɪgən] cardigan *m*, gi-

let *m*

car·di·nal ['kɑːrdɪnl] *n* REL cardinal *m*

'card in·dex fichier *m*; **'card key** carte *f* magnétique; **'card phone** téléphone *m* à carte

care [ker] **1** *n of baby, pet* garde *f*; *of the elderly, sick* soins *mpl*; MED soins *mpl* médicaux; (*worry*) souci *m*; ***~ of*** chez; ***take ~*** (*be cautious*) faire attention; ***goodbye, take ~*** (***of yourself***)! au revoir, fais bien attention à toi!; ***take ~ of*** s'occuper de; (***handle***) ***with ~!*** *on label* fragile **2** *v/i* se soucier; ***I don't ~!*** ça m'est égal!; ***I couldn't*** *or* F ***could ~ less***, *Br* ***I couldn't ~ less*** ça m'est complètement égal, je m'en fous complètement F

♦**care about** *v/t* s'intéresser à; ***they don't care about the environment*** ils ne se soucient pas de l'environnement

♦**care for** *v/t* (*look after*) s'occuper de, prendre soin de; (*like, be fond of*) aimer; ***would you care for …?*** aimeriez-vous …?

ca·reer [kə'rɪr] (*profession*) carrière *f*

ca'reers of·fi·cer conseiller *m* d'orientation

'care·free *adj* insouciant, sans souci

care·ful ['kerfəl] *adj* (*cautious*) prudent; (*thorough*) méticuleux*; (***be***) ***~!*** (fais) attention!

care·ful·ly ['kerfəlɪ] *adv* (*with caution*) prudemment; *worded etc* soigneusement, avec soin

care·less ['kerlɪs] *adj* négligent; *work* négligé; ***you are so ~!*** tu es tellement tête en l'air!

care·less·ly ['kerlɪslɪ] *adv* négligemment

car·er ['kerər] accompagnateur(-trice) *m(f)*

ca·ress [kə'res] **1** *n* caresse *f* **2** *v/t* caresser

care·tak·er ['kerteɪkər] gardien *m*

'care·worn *adj* rongé par les soucis

'car fer·ry (car-)ferry *m*, transbordeur

car·go ['kɑːrgoʊ] cargaison *f*, chargement *m*

car·i·ca·ture ['kærɪkətʃər] *n* caricature *f*

car·ing ['kerɪŋ] *adj* attentionné; ***a more ~ society*** une sociéte plus humaine

'car me·chan·ic mécanicien *m* (dans un garage)

car·nage ['kɑːrnɪdʒ] carnage *m*

car·na·tion [kɑːr'neɪʃn] œillet *m*

car·ni·val ['kɑːrnɪvl] fête *f* foraine; *with processions etc* carnaval *m*

car·ol ['kærəl] *n* chant *m* (de Noël)

car·ou·sel [kærə'sel] *at airport* tapis *m* roulant (à bagages); *for slide projector* carrousel *m*; (*merry-go-round*) manège *m*

'car park *Br* parking *m*

car·pen·ter ['kɑːrpɪntər] charpentier *m*; *for smaller objects* menuisier *m*

car·pet ['kɑːrpɪt] tapis *m*; *fitted* moquette *f*

'car phone téléphone *m* de voiture; **'car·pool 1** *n* voyage *m* groupé, covoiturage *m* **2** *v/i* voyager en groupes, faire du co-voiturage; **'car port** auvent *m* pour voiture(s); **'car ra·di·o** autoradio *m*; **'car rent·al** location *f* de voitures; **'car rent·al com·pa·ny** société *f* de location de voitures

car·riage ['kærɪdʒ] *Br. of train* wagon *m*

car·ri·er ['kærɪər] *company* entreprise *f* de transport; *of disease* porteur (-euse) *m(f)*

car·rot ['kærət] carotte *f*

car·ry ['kærɪ] **1** *v/t* (*pret & pp* ***-ied***) porter; (*from a place to another*), *of ship, plane, bus etc* transporter; (*have on one's person*) avoir sur soi; *disease* être porteur de; *proposal* adopter; ***get carried away*** se laisser entraîner **2** *v/i of sound* porter

♦**carry on 1** *v/i* (*continue*) continuer (***with sth*** qch); F (*make a fuss*) faire une scène; F (*have an affair*) avoir une liaison avec **2** *v/t business* exercer; *conversation* tenir

♦**carry out** *v/t survey etc* faire; *orders etc* exécuter

cart [kɑːrt] charrette *f*

car·tel [kɑːr'tel] cartel *m*

car·ton ['kɑːrtn] carton *m*; *of cigarettes* cartouche *f*

C

car·toon [kɑːr'tuːn] dessin *m* humoristique; *on TV, movie* dessin *m* animé; (*strip* ~) BD *f*, bande *f* dessinée
car·toon·ist [kɑːr'tuːnɪst] dessinateur(-trice) *m(f)* humoristique
car·tridge ['kɑːrtrɪdʒ] *for gun, printer etc* cartouche *f*
carve [kɑːrv] *v/t meat* découper; *wood* sculpter
carv·ing ['kɑːrvɪŋ] *figure* sculpture *f*
'car wash lave-auto *m*
case[1] [keɪs] *n for eyeglasses, camera* étui *m*; *for gadget* pochette *f*; *in museum* vitrine *f*; *of Scotch, wine* caisse *f*; *Br* (*suitcase*) valise *f*
case[2] [keɪs] *n* (*instance*) cas *m*; (*argument*) arguments *mpl* (***for sth / s.o.*** en faveur de qch / qn); *for police, mystery* affaire *f*; MED cas *m*; LAW procès *m*; ***in ~ it rains / you have forgotten*** au cas où il pleuvrait / tu aurais oublié; ***just in ~*** au cas où; ***in any ~*** en tout cas; ***in that ~*** dans ce cas-là
'case his·to·ry MED antécédents *mpl*
'case·load dossiers *mpl*
cash [kæʃ] **1** *n* (*money*) argent *m*; (*coins and notes*) espèces *fpl*, (argent *m*) liquide *m*; ***~ down*** argent *m* comptant; ***pay*** (***in***) ~ payer en espèces *or* en liquide; ***~ in advance*** paiement *m* par avance **2** *v/t check* toucher
♦**cash in on** *v/t* tirer profit de
'cash cow vache *f* à lait; **'cash desk** caisse *f*; **cash 'dis·count** escompte *m* au comptant; **'cash di·spens·er** distributeur *m* automatique (de billets); **'cash flow** COMM trésorerie *f*; ***I've got ~ problems*** j'ai des problèmes d'argent
cash·ier [kæ'ʃɪr] *n in store etc* caissier (-ère) *m(f)*
'cash ma·chine distributeur *m* automatique (de billets)
cash·mere ['kæʃmɪr] *adj* en cashmere
'cash re·gis·ter caisse *f* enregistreuse
ca·si·no [kə'siːnoʊ] casino *m*
cas·ket ['kæskɪt] (*coffin*) cercueil *m*
cas·se·role ['kæsəroʊl] *meal* ragoût *m*; *container* cocotte *f*
cas·sette [kə'set] cassette *f*
cas'sette play·er lecteur *m* de cassettes
cas'sette re·cord·er magnétophone *m* à cassettes
cast [kæst] **1** *n of play* distribution *f*, (*mold*) moule *m*; *object cast* moulage *m* **2** *v/t* (*pret & pp* ***cast***) *doubt, suspicion* jeter; *metal* couler; *play* distribuer les rôles de; ***~ s.o. as*** donner à qn le rôle de
♦**cast off** *v/i of ship* larguer les amarres
caste [kæst] caste *f*
cast·er ['kæstər] *on chair etc* roulette *f*
cast iron *n* fonte *f*
cast-'iron *adj* en fonte
cas·tle ['kæsl] chateau *m*
'cast·or ['kæstər] → ***caster***
cas·trate [kæ'streɪt] *v/t* castrer
cas·tra·tion [kæ'streɪʃn] castration *f*
cas·u·al ['kæʒʊəl] *adj* (*chance*) fait au hasard; (*offhand*) désinvolte; (*not formal*) décontracté; (*not permanent*) temporaire; ***~ sex*** relations *fpl* sexuelles sans engagement
cas·u·al·ly ['kæʒʊəlɪ] *adv dressed* de manière décontractée; *say* de manière désinvolte
cas·u·al·ty ['kæʒʊəltɪ] victime *f*, ***casualties*** MIL pertes *fpl*
'cas·u·al wear vêtements *mpl* sport
cat [kæt] chat(te) *m(f)*
cat·a·log ['kætəlɑːg] *n* catalogue *m*
cat·a·lyst ['kætəlɪst] *fig* catalyseur *m*
cat·a·lyt·ic con·vert·er [kætəlɪtɪkkən'vɜːrtər] pot *m* catalytique
cat·a·pult ['kætəpʌlt] **1** *v/t fig*: *to fame, stardom* catapulter **2** *n Br* catapulte *f*
cat·a·ract ['kætərækt] MED cataracte *f*
ca·tas·tro·phe [kə'tæstrəfɪ] catastrophe *f*
cat·a·stroph·ic [kætə'strɑːfɪk] *adj* catastrophique
catch [kætʃ] **1** *n* prise *f* (au vol); *of fish* pêche *f*, (*lock*: *on door*) loquet *m*; *on window* loqueteau *m*; (*problem*) entourloupette *f* F; ***good ~!*** bien joué! **2** *v/t* (*pret & pp* ***caught***) *ball, escaped prisoner* attraper; (*get on*: *bus, train*)

prendre; (*not miss: bus, train*) attraper; *fish* attraper; *in order to speak to* trouver; (*hear*) entendre; *illness* attraper; **~ (*a*) *cold*** attraper un rhume; ***~ s.o.'s eye*** *of person, object* attirer l'attention de qn; ***~ sight of, ~ a glimpse of*** apercevoir; ***~ s.o. doing sth*** surprendre qn en train de faire qch

♦**catch on** *v/i* (*become popular*) avoir du succès; (*understand*) piger

♦**catch up 1** *v/i of runner, in work etc* rattraper son retard **2** *v/t*: ***I'll catch you up*** je vous rejoins plus tard

♦**catch up on** *v/t* rattraper

♦**catch up with** *v/t* rattraper

catch-22 [kætʃtwentɪ'tuː]: ***it's a ~ situation*** c'est un cercle vicieux

catch·er ['kætʃər] *in baseball* attrapeur *m*

catch·ing ['kætʃɪŋ] *adj also fig* contagieux*

catch·y ['kætʃɪ] *adj tune* facile à retenir

cat·e·go·ric [kætə'gɑːrɪk] *adj* catégorique

cat·e·gor·i·cal·ly [kætə'gɑːrɪklɪ] *adv* catégoriquement

cat·e·go·ry ['kætəgɔːrɪ] catégorie *f*

♦**ca·ter for** ['keɪtər] *v/t* (*meet the needs of*) s'adresser à; (*provide food for*) fournir les repas pour

ca·ter·er ['keɪtərər] traiteur *m*

ca·ter·pil·lar ['kætərpɪlər] chenille *f*

ca·the·dral [kə'θiːdrl] cathédrale *f*

Cath·o·lic ['kæθəlɪk] **1** *adj* catholique **2** *n* catholique *m/f*

Ca·thol·i·cism [kə'θɑːlɪsɪzm] catholicisme *m*

'cat·nap *n* (petit) somme *m*

'cat's eyes *npl on road* catadioptres *mpl*

cat·sup ['kætsʌp] ketchup *m*

cat·tle ['kætl] *npl* bétail *m*

cat·ty ['kætɪ] *adj* méchant

'cat·walk passerelle *f*

caught [kɒːt] *pret & pp* → ***catch***

cau·li·flow·er ['kɒːlɪflaʊər] chou-fleur *m*

cause [kɒːz] **1** *n* cause *f*; (*grounds*) raison *f* **2** *v/t* causer; ***~ s.o. to do sth*** pousser qn à faire qch

caus·tic ['kɒːstɪk] *adj fig* caustique

cau·tion ['kɒːʃn] **1** *n* (*carefulness*) prudence *f* **2** *v/t* (*warn*) avertir; ***~ s.o. against sth*** mettre qn en garde contre qch

cau·tious ['kɒːʃəs] *adj* prudent

cau·tious·ly ['kɒːʃəslɪ] *adv* prudemment

cave [keɪv] caverne *f*, grotte *f*

♦**cave in** *v/i of roof* s'effondrer

cav·i·ar ['kævɪɑːr] caviar *m*

cav·i·ty ['kævətɪ] cavité *f*

cc 1 *n* copie *f*; (*cubic centimeters*) cm^3 (centimètre *m* cube) **2** *v/t* envoyer une copie à

CD [siː'diː] *abbr* (**= *compact disc***) CD *m* (= compact-disc *m*, disque *m* compact)

C'D play·er lecteur *m* de CD; **CD-'ROM** [siːdiː'rɑːm] CD-ROM *m*; **CD-'ROM drive** lecteur *m* de CD-ROM

cease [siːs] **1** *v/i* cesser **2** *v/t* cesser; ***~ doing sth*** cesser de faire qch

'cease-fire cessez-le-feu *m*

cei·ling ['siːlɪŋ] *also fig* plafond *m*

cel·e·brate ['selɪbreɪt] **1** *v/i* faire la fête **2** *v/t* fêter; *Christmas, public event* célébrer

cel·e·brat·ed ['selɪbreɪtɪd] *adj* célèbre

cel·e·bra·tion [selɪ'breɪʃn] fête *f*; *of public event, wedding* célébration *f*

ce·leb·ri·ty [sɪ'lebrətɪ] célébrité *f*

cel·e·ry ['selərɪ] céleri *m*

cel·i·ba·cy ['selɪbəsɪ] célibat *m*

cel·i·bate ['selɪbət] *adj* chaste

cell [sel] *for prisoner, of spreadsheet*, BIOL cellule *f*; *phone* portable *m*

cel·lar ['selər] cave *f*

cel·list ['tʃelɪst] violoncelliste *m/f*

cel·lo ['tʃeloʊ] violoncelle *m*

cel·lo·phane ['seləfeɪn] cellophane *f*

'cell phone, cel·lu·lar phone ['seljuːlər] (téléphone *m*) portable *m*

cel·lu·lite ['seljuːlaɪt] cellulite *f*

ce·ment [sɪ'ment] **1** *n* ciment *m* **2** *v/t also fig* cimenter

cem·e·ter·y ['semәterɪ] cimetière *m*

cen·sor ['sensər] *v/t* censurer

cen·sor·ship ['sensərʃɪp] censure *f*

cen·sus ['sensəs] recensement *m*

cent [sent] cent *m*

cen·te·na·ry [sen'tiːnərɪ] centenaire *m*

cen·ter ['sentər] **1** *n* centre *m*; ***in the ~ of*** au centre de **2** *v/t* centrer

♦ **center on** *v/t* tourner autour de

cen·ter of 'grav·i·ty centre *m* de gravité

cen·ti·grade ['sentɪgreɪd] centigrade *m*; ***10 degrees ~*** 10 degrés centigrades

cen·ti·me·ter ['sentɪmiːtər] centimètre *m*

cen·tral ['sentrəl] *adj* central; ***~ Washington / France*** le centre de Washington / de la France; ***be ~ to sth*** être au cœur de qch

cen·tral 'heat·ing chauffage *m* central

cen·tral·ize ['sentrəlaɪz] *v/t decision making* centraliser

cen·tral 'lock·ing MOT verrouillage *m* centralisé

centre *Br* → ***center***

cen·tu·ry ['senʧərɪ] siècle *m*; ***in the last ~*** au siècle dernier

CEO [siːiː'oʊ] *abbr* (= ***Chief Executive Officer***) directeur *m* général

ce·ram·ic [sɪ'ræmɪk] *adj* en céramique

ce·ram·ics [sɪ'ræmɪks] (*pl*: *objects*) objets *mpl* en céramique; (*sg*: *art*) céramique *f*

ce·re·al ['sɪrɪəl] (*grain*) céréale *f*; (*breakfast ~*) céréales *fpl*

cer·e·mo·ni·al [serɪ'moʊnɪəl] **1** *adj* de cérémonie **2** *n* cérémonial *m*

cer·e·mo·ny ['serɪmənɪ] cérémonie *f*

cer·tain ['sɜːrtn] *adj* (*sure*) certain, sûr; (*particular*) certain; ***it's ~ that …*** il est sûr *or* certain que …; ***a ~ Mr Stein*** un certain M. Stein; ***make ~ that*** s'assurer que; ***know for ~ that …*** avoir la certitude que …; ***say for ~*** dire de façon sûre *or* certaine

cer·tain·ly ['sɜːrtnlɪ] *adv* certainement; ***~ not!*** certainement pas!

cer·tain·ty ['sɜːrtntɪ] certitude *f*; ***he's a ~ to be elected*** il est sûr d'être élu

cer·tif·i·cate [sər'tɪfɪkət] certificat *m*

cer·ti·fied pub·lic ac·count·ant ['sɜːrtɪfaɪd] expert *m* comptable

cer·ti·fy ['sɜːrtɪfaɪ] *v/t* (*pret & pp* ***-ied***) certifier

Ce·sar·e·an [sɪ'zerɪən] césarienne *f*

ces·sa·tion [se'seɪʃn] cessation *f*

c/f *abbr* (= ***cost and freight***) C&F (coût et fret)

CFC [siːef'siː] *abbr* (= ***chlorofluorocarbon***) C.F.C. *m* (= chlorofluorocarbone *m*)

chain [ʧeɪn] **1** *n also of stores etc* chaîne *f* **2** *v/t*: ***~ sth / s.o. to sth*** enchaîner qch / qn à qch

chain re'ac·tion réaction *f* en chaîne; **'chain smoke** *v/i* fumer cigarette sur cigarette; **'chain smok·er** gros fumeur *m*, grosse fumeuse *f*; **'chain store** magasin *m* à succursales multiples

chair [ʧer] **1** *n* chaise *f*; (*arm~*) fauteuil *m*; *at university* chaire *f*; ***the ~*** (*electric ~*) la chaise électrique; *at meeting* le (la) président(e) *m*(*f*); ***go to the ~*** passer à la chaise électrique; ***take the ~*** prendre la présidence **2** *v/t meeting* présider

'chair lift télésiège *m*

'chair·man président *m*

chair·man·ship ['ʧermənʃɪp] présidence *f*

'chair·per·son président(e) *m*(*f*)

'chair·wom·an présidente *f*

cha·let [ʃæ'leɪ] chalet *m*

chal·ice ['ʧælɪs] REL calice *m*

chalk [ʧɒːk] craie *f*

chal·lenge ['ʧælɪndʒ] **1** *n* défi *m*, challenge *m*; ***I enjoy a ~*** j'aime les défis; ***his ~ for the presidency*** sa candidature à la présidence **2** *v/t* (*defy*) défier; (*call into question*) mettre en doute; ***~ s.o. to a debate / game*** proposer à qn de faire un débat / une partie

chal·len·ger ['ʧælɪndʒər] challenger *m*

chal·len·ging ['ʧælɪndʒɪŋ] *adj job, undertaking* stimulant

cham·ber·maid ['ʧeɪmbərmeɪd] femme *f* de chambre; **'cham·ber mu·sic** musique *f* de chambre; **Cham·ber of 'Com·merce** Chambre *f* de commerce

cham·ois (leath·er) ['ʃæmɪ] (peau *f* de) chamois *m*

cham·pagne [ʃæm'peɪn] champagne *m*
cham·pi·on ['ʧæmpɪən] **1** *n* SP, *of cause* champion(ne) *m(f)* **2** *v/t cause* être le (la) champion(ne) *m(f)* de
cham·pi·on·ship ['ʧæmpɪənʃɪp] *event* championnat *m*; *title* titre *m* de champion(ne)
chance [ʧæns] (*possibility*) chances *fpl*; (*opportunity*) occasion *f*; (*risk*) risque *m*; (*luck*) hasard *m*; ***by ~*** par hasard; ***take a ~*** prendre un risque; ***give s.o. a ~*** donner une chance à qn; ***no ~!*** pas question!
Chan·cel·lor ['ʧænsələr] *in Germany* chancelier *m*; **~ (*of the Exchequer*)** *in Britain* Chancelier *m* de l'Échiquier
chan·de·lier [ʃændə'lɪr] lustre *m*
change [ʧeɪndʒ] **1** *n* changement *m*; (*money*) monnaie *f*; ***for a ~*** pour changer un peu; ***a ~ of clothes*** des vêtements *mpl* de rechange **2** *v/t* changer; *bankbill* faire la monnaie sur; ***~ trains / planes / one's clothes*** changer de train / d'avion / de vêtements **3** *v/i* changer; (*put on different clothes*) se changer
change·a·ble ['ʧeɪndʒəbl] *adj* changeant
'change·o·ver changement *m*; *in relay race* relève *f*; ***the ~ to*** le passage à
chang·ing room ['ʧeɪndʒɪŋ] SP vestiaire *m*; *in shop* cabine *f* d'essayage
chan·nel ['ʧænl] *on TV, radio* chaîne *f*; (*waterway*) chenal *m*
'Chan·nel Is·lands Îles *fpl* Anglo-Normandes
chant [ʧænt] **1** *n* slogans *mpl* scandés; REL chant *m* **2** *v/i of crowds etc* scander des slogans; REL psalmodier
cha·os ['keɪɑːs] chaos *m*
cha·ot·ic [keɪ'ɑːtɪk] *adj* chaotique
chap [ʧæp] *n Br* F type *m* F
chap·el ['ʧæpl] chapelle *f*
chapped [ʧæpt] *adj* gercé
chap·ter ['ʧæptər] *of book* chapitre *m*; *of organization* filiale *f*
char·ac·ter ['kærɪktər] *also in writing* caractère *m*; (*person*) personne *f*; *in book, play* personnage *m*; ***he's a real ~*** c'est un personnage
char·ac·ter·is·tic [kærɪktə'rɪstɪk] **1** *n* caractéristique *f* **2** *adj* caractéristique
char·ac·ter·is·ti·cal·ly [kærɪktə'rɪstɪklɪ] *adv* de manière caractéristique
char·ac·ter·ize ['kærɪktəraɪz] *v/t* caractériser
cha·rade [ʃə'rɑːd] *fig* mascarade *f*
char·broiled ['ʧɑːrbrɔɪld] *adj* grillé au charbon de bois
char·coal ['ʧɑːrkoʊl] *for barbecue* charbon *m* de bois; *for drawing* fusain *m*
charge [ʧɑːrdʒ] **1** *n* (*fee*) frais *mpl*; LAW accusation *f*; ***will there be a ~?*** est-ce qu'il y aura quelque chose à payer?; ***free of ~*** *enter* gratuitement; ***free of ~*** *be* gratuit; ***will that be cash or ~?*** est-ce que vous payez comptant ou je le mets sur votre compte?; ***be in ~*** être responsable; ***take ~ (of things)*** prendre les choses en charge **2** *v/t sum of money* faire payer; LAW inculper (**with** de); *battery* charger; ***can you ~ it?*** (*put on account*) pouvez-vous le mettre sur mon compte? **3** *v/i* (*attack*) charger
'charge ac·count compte *m*
'charge card carte *f* de paiement
cha·ris·ma [kə'rɪzmə] charisme *m*
char·is·ma·tic [kærɪz'mætɪk] *adj* charismatique
char·i·ta·ble ['ʧærɪtəbl] *adj* charitable
char·i·ty ['ʧærətɪ] (*assistance*) charité *f*; (*organization*) organisation *f* caritative
char·la·tan ['ʃɑːrlətən] charlatan *m*
charm [ʧɑːrm] **1** *n also on bracelet* charme *m* **2** *v/t* (*delight*) charmer
charm·ing ['ʧɑːrmɪŋ] *adj* charmant
charred [ʧɑːrd] *adj* carbonisé
chart [ʧɑːrt] (*diagram*) diagramme *m*; (*map*) carte *f*; ***the ~s*** MUS le hit-parade
char·ter ['ʧɑːrtər] *v/t* affréter
'char·ter flight (vol *m*) charter *m*
chase [ʧeɪs] **1** *n* poursuite *f*; ***car ~*** course-poursuite *f* (en voiture) **2** *v/t* poursuivre; ***I ~d it out of the house*** je l'ai chassé de la maison
♦ **chase away** *v/t* chasser

C

chas·er ['ʧeɪsər]: ***with a whiskey ~*** suivi par un verre de whisky
chas·sis ['ʃæsɪ] *of car* châssis *m*
chat [ʧæt] **1** *n* causette *f* **2** *v/i* (*pret & pp* ***-ted***) causer
'chat room chat *m*; **'chat show** *Br* talk-show *m*
chat·ter ['ʧætər] **1** *n* bavardage *m* **2** *v/i* (*talk*) bavarder; ***my teeth were ~ing*** je claquais des dents
chat·ter·box moulin *m* à paroles F
chat·ty ['ʧætɪ] *adj person* bavard; *letter* plein de bavardages
chauf·feur ['ʃoʊfər] *n* chauffeur *m*
'chauf·feur-driv·en *adj* avec chauffeur
chau·vin·ist ['ʃoʊvɪnɪst] *n* (*male ~*) machiste *m*
chau·vin·ist·ic [ʃoʊvɪ'nɪstɪk] *adj* chauvin; (*sexist*) machiste
cheap [ʧi:p] *adj* bon marché, pas cher; (*nasty*) méchant; (*mean*) pingre
cheat [ʧi:t] **1** *n person* tricheur(-euse) *m(f)* **2** *v/t* tromper; ***~ s.o. out of sth*** escroquer qch à qn **3** *v/i* tricher; ***~ on one's wife*** tromper sa femme
check[1] [ʧek] **1** *adj shirt* à carreaux **2** *n* carreaux *m*
check[2] [ʧek] FIN chèque *m*; *in restaurant etc* addition *f*; ***the ~ please*** l'addition, s'il vous plaît
check[3] [ʧek] **1** *n to verify sth* contrôle *m*, vérification *f*; ***keep a ~ on*** contrôler; ***keep in ~, hold in ~*** maîtriser; contenir **2** *v/t* vérifier; (*restrain*) refréner, contenir; (*stop*) arrêter; *with a ~mark* cocher; *coat, package etc* mettre au vestiaire **3** *v/i* vérifier; ***~ for sth*** vérifier qu'il n'y a pas qch
♦**check in** *v/i at airport* se faire enregistrer; *at hotel* s'inscrire
♦**check off** *v/t* cocher
♦**check on** *v/t get information about* se renseigner sur; *workforce etc* surveiller; ***check on the children*** jeter un coup d'œil sur les enfants
♦**check out 1** *v/i of hotel* régler sa note; *of alibi etc*: *make sense* tenir debout **2** *v/t* (*look into*) enquêter sur; *club, restaurant etc* essayer
♦**check up on** *v/t* se renseigner sur
♦**check with** *v/t of person* demander à; (*tally*: *of information*) correspondre à
'check·book carnet *m* de chèques
checked [ʧekt] *adj material* à carreaux
check·er·board ['ʧekərbɔ:rd] damier *m*
check·ered ['ʧekərd] *adj pattern* à carreaux; *career* varié
check·ers ['ʧekərz] jeu *m* de dames; ***play ~*** jouer aux dames
'check-in (coun·ter) enregistrement *m*
check·ing ac·count ['ʧekɪŋ] compte *m* courant
'check-in time heure *f* d'enregistrement; **'check·list** liste *f* (de contrôle); **'check mark**: ***put a ~ against sth*** cocher qch; **'check·mate** *n* échec et mat *m*; **'check·out** *in supermarket* caisse *f*; **'check·out time** *from hotel* heure *f* de départ; **'check·point** contrôle *m*; **'check·room** *for coats* vestiaire *m*; *for baggage* consigne *f*; **'check·up** *medical* examen *m* médical; *dental* examen *m* dentaire
cheek [ʧi:k] *on face* joue *f*
'cheek·bone pommette *f*
cheek·i·ly ['ʧi:kɪlɪ] *adv Br* de manière insolente
cheer [ʧɪr] **1** *n* hourra *m*, cri *m* d'acclamation; ***give a ~*** pousser des hourras; ***~s!*** (*toast*) (à votre) santé!; *Br* F (*thanks*) merci! **2** *v/t* acclamer **3** *v/i* pousser des hourras
♦**cheer on** *v/t* encourager
♦**cheer up 1** *v/i* reprendre courage, s'égayer; ***cheer up!*** courage! **2** *v/t* remonter le moral à
cheer·ful ['ʧɪrfəl] *adj* gai, joyeux*
cheer·ing ['ʧɪrɪŋ] acclamations *fpl*
cheer·i·o [ʧɪrɪ'oʊ] *Br* F salut F
'cheer·lead·er meneuse *f* de ban
cheer·y ['ʧɪrɪ] *adj* → ***cheerful***
cheese [ʧi:z] fromage *m*
'cheese·burg·er cheeseburger *m*
'cheese·cake gâteau *m* au fromage blanc
chef [ʃef] chef *m* (de cuisine)
chem·i·cal ['kemɪkl] **1** *adj* chimique **2**

n produit *m* chimique
chem·i·cal 'war·fare guerre *f* chimique
chemist ['kemɪst] *in laboratory* chimiste *m/f*
chem·is·try ['kemɪstrɪ] chimie *f*; ***the ~ was right*** *fig* le courant passait
chem·o·ther·a·py [kiːmoʊ'θerəpɪ] chimiothérapie *f*
cheque [ʧek] *Br* → ***check²***
cher·ish ['ʧerɪʃ] *v/t memory* chérir; *hope* entretenir
cher·ry ['ʧerɪ] *fruit* cerise *f*; *tree* cerisier *m*
cher·ub ['ʧerəb] chérubin *m*
chess [ʧes] (jeu *m* d')échecs *mpl*; ***play ~*** jouer aux échecs
'chess·board échiquier *m*
'chess·man, chess·piece pièce *f* (d'échecs)
chest [ʧest] *of person* poitrine *f*, (*box*) coffre *m*, caisse *f*; ***get sth off one's ~*** déballer ce qu'on a sur le cœur F
chest·nut ['ʧesnʌt] châtaigne *f*, marron *m*; *tree* châtaignier *m*, marronnier *m*
chest of 'draw·ers commode *f*
chew [ʧuː] *v/t* mâcher; *of rats* ronger
♦**chew out** *v/t* F engueuler F
chew·ing gum ['ʧuːɪŋ] chewing-gum *m*
chic [ʃiːk] *adj* chic *inv*
chick [ʧɪk] poussin *m*; F: *girl* nana F
chick·en ['ʧɪkɪn] **1** *n* poulet *m*; F froussard(e) *m(f)* **2** *adj* F (*cowardly*) lâche
♦**chicken out** *v/i* F se dégonfler F
'chick·en·feed F bagatelle *f*
'chick·en pox varicelle *f*
chief [ʧiːf] **1** *n* chef *m* **2** *adj* principal
chief·ly ['ʧiːflɪ] *adv* principalement
chil·blain ['ʧɪlbleɪn] engelure *f*
child [ʧaɪld] (*pl*: ***children*** [ʧɪldrən]) enfant *m/f*; *pej* gamin(e) *m(f)* F
'child a·buse mauvais traitements *mpl* infligés à un enfant; *sexual* abus *m* sexuel sur enfant; **'child·birth** accouchement *m*; **'child-friend·ly** *adj* aménagé pour les enfants
child·hood ['ʧaɪldhʊd] enfance *f*
child·ish ['ʧaɪldɪʃ] *adj pej* puéril
child·ish·ness ['ʧaɪldɪʃnɪs] *pej* puérilité *f*
child·ish·ly ['ʧaɪldɪʃlɪ] *adv pej* de manière puérile
child·less ['ʧaɪldlɪs] *adj* sans enfant
child·like ['ʧaɪldlaɪk] *adj* enfantin
'child·mind·er gardienne *f* d'enfants
child·ren ['ʧɪldrən] *pl* → ***child***
Chil·e ['ʧɪlɪ] *n* Chili *m*
Chil·e·an ['ʧɪlɪən] **1** *adj* chilien* **2** *n* Chilien(ne) *m(f)*
chill [ʧɪl] **1** *n in air* froideur *f*, froid *m*; *illness* coup *m* de froid; ***there's a ~ in the air*** l'air est frais *or* un peu froid **2** *v/t wine* mettre au frais
♦**chill out** *v/i* P se détendre
chil·(l)i (pep·per) ['ʧɪlɪ] piment *m* (rouge)
chill·y ['ʧɪlɪ] *adj weather* frais*, froid; *welcome* froid; ***I'm ~*** j'ai un peu froid
chime [ʧaɪm] *v/i* carillonner
chim·ney ['ʧɪmnɪ] cheminée *f*
chim·pan·zee [ʧɪm'pænzɪ] chimpanzé *m*
chin [ʧɪn] menton *m*
Chi·na ['ʧaɪnə] Chine *f*
chi·na ['ʧaɪnə] **1** *n* porcelaine *f* **2** *adj* en porcelaine
Chi·nese [ʧaɪ'niːz] **1** *adj* chinois **2** *n language* chinois *m*; *person* Chinois(e) *m(f)*
chink [ʧɪŋk] (*gap*) fente *f*; *sound* tintement *m*
chip [ʧɪp] **1** *n fragment* copeau *m*; *damage* brèche *f*; *in gambling* jeton *m*; COMPUT puce *f*; ***~s*** (*potato* ***~s***) chips *mpl* **2** *v/t* (*pret & pp* ***-ped***) *damage* ébrécher
♦**chip in** *v/i* (*interrupt*) intervenir
chi·ro·prac·tor ['kaɪroʊpræktər] chiropracteur *m*
chirp [ʧɜːrp] *v/i* gazouiller
chis·el ['ʧɪzl] *n* ciseau *m*, burin *m*
chit·chat ['ʧɪtʧæt] bavardages *mpl*
chiv·al·rous ['ʃɪvlrəs] *adj* chevaleresque, courtois
chive [ʧaɪv] ciboulette *f*
chlo·rine ['klɔːriːn] chlore *m*
chlor·o·form ['klɔːrəfɔːrm] chloroforme *m*
choc·a·hol·ic [ʧɑːkə'hɑːlɪk] F accro *m/f* du chocolat F

chock-full [tʃɑːk'fʊl] *adj* F plein à craquer

choc·o·late ['tʃɑːkələt] chocolat *m*; ***hot ~*** chocolat *m* chaud

'choc·o·late cake gâteau *m* au chocolat

choice [tʃɔɪs] **1** *n* choix *m*; ***I had no ~*** je n'avais pas le choix **2** *adj* (*top quality*) de choix

choir ['kwaɪr] chœur *m*

'choir·boy enfant *m* de chœur

choke [tʃoʊk] **1** *n* MOT starter *m* **2** *v/i* s'étouffer, s'étrangler; ***he ~d on a bone*** il s'est étranglé avec un os **3** *v/t* étouffer; (*strangle*) étrangler

cho·les·te·rol [kə'lestəroʊl] cholestérol *m*

choose [tʃuːz] *v/t & v/i* (*pret* ***chose***, *pp* ***chosen***) choisir

choos·ey ['tʃuːzɪ] *adj* F difficile

chop [tʃɑːp] **1** *n of meat* côtelette *f* **2** *v/t* (*pret & pp* **-ped**) *wood* couper, fendre; *meat, vegetables* couper en morceaux

♦ **chop down** *v/t tree* abattre

chop·per ['tʃɑːpər] *tool* hachoir *m*; F (*helicopter*) hélico *m* F

chop·ping board ['tʃɑːpɪŋ] planche *f* à découper

'chop·sticks *npl* baguettes *fpl*

cho·ral ['kɔːrəl] *adj* choral

chord [kɔːrd] MUS accord *m*

chore [tʃɔːr]: ***~s*** travaux *mpl* domestiques

chor·e·o·graph ['kɔːrɪəgræf] *v/t* chorégraphier

chor·e·og·ra·pher [kɔːrɪ'ɑːgrəfər] chorégraphe *m/f*

chor·e·og·ra·phy [kɔːrɪ'ɑːgrəfɪ] chorégraphie *f*

cho·rus ['kɔːrəs] *singers* chœur *m*; *of song* refrain *m*

chose [tʃoʊz] *pret* → ***choose***

cho·sen ['tʃoʊzn] *pp* → ***choose***

Christ [kraɪst] Christ *m*; ***~!*** mon Dieu!

chris·ten ['krɪsn] *v/t* baptiser

chris·ten·ing ['krɪsnɪŋ] baptême *m*

Chris·tian ['krɪstʃən] **1** *n* chrétien(ne) *m(f)* **2** *adj* chrétien*

Chris·ti·an·i·ty [krɪstɪ'ænətɪ] christianisme *m*

'Chris·tian name prénom *m*

Christ·mas ['krɪsməs] Noël *m*; ***at ~*** à Noël; ***Merry ~!*** Joyeux Noël!

'Christ·mas card carte *f* de Noël; **Christ·mas 'Day** jour *m* de Noël; **Christ·mas 'Eve** veille *f* de Noël; **'Christ·mas pres·ent** cadeau *m* de Noël; **'Christ·mas tree** arbre *m* de Noël

chrome, chro·mi·um [kroʊm, 'kroʊmɪəm] chrome *m*

chro·mo·some ['kroʊməsoʊm] chromosome *m*

chron·ic ['krɑːnɪk] *adj* chronique

chron·o·log·i·cal [krɑːnə'lɑːdʒɪkl] *adj* chronologique; ***in ~ order*** dans l'ordre chronologique

chrys·an·the·mum [krɪ'sænθəməm] chrysanthème *m*

chub·by ['tʃʌbɪ] *adj* potelé

chuck [tʃʌk] *v/t* F lancer

♦ **chuck out** *v/t* F *object* jeter; *person* flanquer dehors F

chuck·le ['tʃʌkl] **1** *n* petit rire *m* **2** *v/i* rire tout bas

chum [tʃʌm] copain *m*, copine *f*

chum·my ['tʃʌmɪ] *adj* F copain*

chunk [tʃʌŋk] gros morceau *m*

chunk·y ['tʃʌŋkɪ] *adj sweater, tumbler* gros*; *person, build* trapu

church [tʃɜːrtʃ] église *f*

church 'hall salle *f* paroissiale; **church 'serv·ice** office *m*; **'church·yard** cimetière *m* (autour d'une église)

churl·ish ['tʃɜːrlɪʃ] *adj* mal élevé

chute [ʃuːt] *for coal etc* glissière *f*; *for garbage* vide-ordures *m*; *for escape* toboggan *m*

CIA [siːaɪ'eɪ] *abbr* (= ***Central Intelligence Agency***) C.I.A. *f* (= Central Intelligence Agency)

ci·der ['saɪdər] cidre *m*

CIF [siːaɪ'ef] *abbr* (= ***cost insurance freight***) CAF (= Coût Assurance Fret)

ci·gar [sɪ'gɑːr] cigare *m*

cig·a·rette [sɪgə'ret] cigarette *f*

cig·a'rette end mégot *m*; **cig·a'rette light·er** briquet *m*; **cig·a'rette pa·pers** *npl* papier *m* à cigarettes

cin·e·ma ['sɪnɪmə] (*Br if building*) cinéma *m*
cin·na·mon ['sɪnəmən] cannelle *f*
cir·cle ['sɜːrkl] **1** *n* cercle *m* **2** *v/t* (*draw circle around*) entourer **3** *v/i of plane, bird* tournoyer
cir·cuit ['sɜːrkɪt] circuit *m*; (*lap*) tour *m* (de circuit)
'cir·cuit board COMPUT plaquette *f*; **'cir·cuit break·er** ELEC disjoncteur *m*; **'cir·cuit train·ing** SP programme *m* d'entraînement général
cir·cu·lar ['sɜːrkjʊlər] **1** *n giving information* circulaire *f* **2** *adj* circulaire
cir·cu·late ['sɜːrkjʊleɪt] **1** *v/i* circuler **2** *v/t memo* faire circuler
cir·cu·la·tion [sɜːrkjʊ'leɪʃn] BIOL circulation *f*; *of newspaper, magazine* tirage *m*
cir·cum·fer·ence [sər'kʌmfərəns] circonférence *f*
cir·cum·flex ['sɜːrkəmfleks] accent *m* circonflexe
cir·cum·stances ['sɜːrkəmstænsɪs] *npl* circonstances *fpl*; *financial* situation *f* financière; ***under no ~*** en aucun cas; ***under the ~*** en de telles circonstances
cir·cus ['sɜːrkəs] cirque *m*
cir·rho·sis (of the liv·er) [sɪ'roʊsɪs] cirrhose *f* (du foie)
cis·tern ['sɪstərn] réservoir *m*; *of WC* réservoir *m* de chasse d'eau
cite [saɪt] *v/t also* LAW citer
cit·i·zen ['sɪtɪzn] citoyen(ne) *m(f)*
cit·i·zen·ship ['sɪtɪznʃɪp] citoyenneté *f*
cit·y ['sɪtɪ] (grande) ville *f*
cit·y 'cen·ter, *Br* **cit·y 'cen·tre** centre-ville *m*
cit·y 'hall hôtel *m* de ville
civ·ic ['sɪvɪk] *adj* municipal; *pride, responsibilities* civique
civ·il ['sɪvl] *adj* civil; (*polite*) poli
civ·il en·gi'neer ingénieur *m* des travaux publics
ci·vil·ian [sɪ'vɪljən] **1** *n* civil(e) *m(f)* **2** *adj clothes* civil
ci·vil·i·ty [sɪ'vɪlɪtɪ] politesse *f*
civ·i·li·za·tion [sɪvəlaɪ'zeɪʃn] civilisation *f*
civ·i·lize ['sɪvəlaɪz] *v/t* civiliser
civ·il 'rights *npl* droits *mpl* civils; **civ·il 'ser·vant** fonctionnaire *m/f*; **civ·il 'ser·vice** fonction *f* publique, administration *f*; **civ·il 'war** guerre *f* civile
claim [kleɪm] **1** *n for compensation etc* demande *f*; (*right*) droit *m* (***to sth*** à qch); (*assertion*) affirmation *f* **2** *v/t* (*ask for as a right*) demander, réclamer; (*assert*) affirmer; *lost property* réclamer; ***they have ~ed responsibility for the attack*** ils ont revendiqué l'attentat
claim·ant ['kleɪmənt] demandeur (-euse) *m(f)*
clair·voy·ant [kler'vɔɪənt] *n* voyant(e) *m(f)*
clam [klæm] palourde *f*, clam *m*
♦**clam up** *v/i* (*pret & pp* ***-med***) F se taire (brusquement)
clam·ber ['klæmbər] *v/i* grimper
clam·my ['klæmɪ] *adj hands, weather* moite
clam·or ['klæmər] *noise* clameur *f*; *outcry* vociférations *fpl*
♦**clamor for** *v/t* demander à grands cris
clamp [klæmp] **1** *n fastener* pince *f*, crampon *m* **2** *v/t fasten* cramponner; *car* mettre un sabot à
♦**clamp down** *v/i* sévir
♦**clamp down on** *v/t* sévir contre
clan [klæn] clan *m*
clan·des·tine [klæn'destɪn] *adj* clandestin
clang [klæŋ] **1** *n* bruit *m* métallique *or* retentissant **2** *v/i* retentir; ***the metal door ~ed shut*** la porte de métal s'est refermée avec un bruit retentissant
clap [klæp] **1** *v/i* (*pret & pp* ***-ped***) (*applaud*) applaudir **2** *v/t* (*pret & pp* ***-ped***) (*applaud*) applaudir; ***~ one's hands*** battre des mains; ***~ s.o. on the back*** donner à qn une tape dans le dos
clar·et ['klærɪt] *wine* bordeaux *m* (rouge)
clar·i·fi·ca·tion [klærɪfɪ'keɪʃn] clarification *f*
clar·i·fy ['klærɪfaɪ] *v/t* (*pret & pp* ***-ied***)

C

clarifier
clar·i·net [klærɪ'net] clarinette *f*
clar·i·ty ['klærətɪ] clarité *f*
clash [klæʃ] **1** *n between people* affrontement *m*, heurt *m*; **~ of personalities** incompatibilité *f* de caractères **2** *v/i* s'affronter; *of opinions* s'opposer; *of colors* détonner; *of events* tomber en même temps
clasp [klæsp] **1** *n of medal* agrafe *f* **2** *v/t in hand, to self* serrer
class [klæs] **1** *n* (*lesson*) cours *m*; (*group of people, category*) classe *f*; ***social ~*** classe *f* sociale; ***the ~ of 2002*** la promo(tion) 2002 **2** *v/t* classer
clas·sic ['klæsɪk] **1** *adj* classique **2** *n* classique *m*
clas·si·cal ['klæsɪkl] *adj music* classique
clas·si·fi·ca·tion [klæsɪfɪ'keɪʃn] classification *f*
clas·si·fied ['klæsɪfaɪd] *adj information* secret*
'**clas·si·fied ad**(**ver·tise·ment**) petite annonce *f*
clas·si·fy ['klæsɪfaɪ] *v/t* (*pret & pp* ***-ied***) (*categorize*) classifier
'**class·mate** camarade *m/f* de classe; '**class·room** salle *f* de classe; '**class war·fare** lutte *f* des classes
class·y ['klæsɪ] *adj* F: *restaurant etc* chic *inv*; *person* classe F
clat·ter ['klætər] **1** *n* fracas *m*
clat·ter 2 *v/i* faire du bruit
clause [klɒːz] (*in agreement*) clause *f*; GRAM proposition *f*
claus·tro·pho·bi·a [klɔːstrə'foʊbɪə] claustrophobie *f*
claw [klɒː] **1** *n of cat* griffe *f*; *of lobster, crab* pince *f* **2** *v/t* (*scratch*) griffer
clay [kleɪ] argile *f*, glaise *f*
clean [kliːn] **1** *adj* propre **2** *adv* F (*completely*) complètement **3** *v/t* nettoyer; ***~ one's teeth*** se laver les dents; ***have sth ~ed*** donner qch à nettoyer
♦ **clean out** *v/t room, closet* nettoyer à fond; *fig* dévaliser
♦ **clean up 1** *v/t also fig* nettoyer **2** *v/i in house* faire le ménage; (*wash*) se débarbouiller; *on stock market etc* faire fortune
clean·er ['kliːnər] *male* agent *m* de propreté; *female* femme *f* de ménage; (*dry~*) teinturier(-ère) *m*(*f*)
clean·ing wom·an ['kliːnɪŋ] femme *f* de ménage
cleanse [klenz] *v/t skin* nettoyer
cleans·er ['klenzər] *for skin* démaquillant *m*
cleans·ing cream ['klenzɪŋ] crème *f* démaquillante
clear [klɪr] **1** *adj voice, photograph, vision, skin* net*; *to understand, weather, sky, water, eyes* clair; *conscience* tranquille; ***I'm not ~ about it*** je ne comprends pas; ***I didn't make myself ~*** je ne me suis pas fait comprendre **2** *adv*: ***stand ~ of*** s'écarter de; ***steer ~ of*** éviter **3** *v/t roads etc* dégager; *people out of a place, place* (faire) évacuer; *table* débarrasser; *ball* dégager; (*acquit*) innocenter; (*authorize*) autoriser; (*earn*) toucher net; ***~ one's throat*** s'éclaircir la voix **4** *v/i of sky* se dégager; *of mist* se dissiper; *of face* s'éclairer
♦ **clear away** *v/t* ranger
♦ **clear off** *v/i* F ficher le camp F
♦ **clear out 1** *v/t closet* vider **2** *v/i* ficher le camp F
♦ **clear up 1** *v/i in room etc* ranger; *of weather* s'éclaircir; *of illness, rash* disparaître **2** *v/t* (*tidy*) ranger; *mystery* éclaircir; *problem* résoudre
clear·ance ['klɪrəns] (*space*) espace *m* (libre); (*authorization*) autorisation *f*
'**clear·ance sale** liquidation *f*
clear·ing ['klɪrɪŋ] clairière *f*
clear·ly ['klɪrlɪ] *adv speak, see* clairement; *hear* distinctement; (*evidently*) manifestement
cleav·age ['kliːvɪdʒ] décolleté *m*
cleav·er ['kliːvər] couperet *m*
clem·en·cy ['klemənsɪ] clémence *f*
clench [klentʃ] *v/t teeth, fist* serrer
cler·gy ['klɜːrdʒɪ] clergé *m*
cler·gy·man ['klɜːrdʒɪmæn] ecclésiastique *m*; *Protestant* pasteur *m*
clerk [klɜːrk] *administrative* employé(e) *m*(*f*) de bureau; *in store* vendeur (-euse) *m*(*f*)

clev·er ['klevər] *adj* intelligent; *gadget, device* ingénieux*; (*skillful*) habile
clev·er·ly ['klevərlı] *adv* intelligemment
cli·ché ['kli:ʃeı] cliché *m*
cli·chéd ['kli:ʃeıd] *adj* rebattu
click [klık] **1** *n* COMPUT clic *m* **2** *v/i* cliqueter; *of camera* faire un déclic
♦**click on** *v/t* COMPUT cliquer sur
cli·ent ['klaıənt] client(e) *m(f)*
cli·en·tele [kli:ən'tel] clientèle *f*
cliff [klıf] falaise *f*
cli·mate ['klaımət] *also fig* climat *m*
'cli·mate change changement *m* climatique
cli·mat·ic [klaı'mætık] *adj* climatique
cli·max ['klaımæks] *n* point *m* culminant
climb [klaım] **1** *n up mountain* ascension *f*; *up stairs* montée *f* **2** *v/t* monter sur, grimper sur; *mountain* escalader **3** *v/i into tree* monter, grimper; *in mountains* faire de l'escalade; *of road, inflation* monter
♦**climb down** *v/i* descendre; *fig* reculer
climb·er ['klaımər] alpiniste *m/f*
climb·ing ['klaımıŋ] escalade *f*
'climb·ing wall mur *m* d'escalade
clinch [klıntʃ] *v/t deal* conclure; ***that ~es it*** ça règle la question
cling [klıŋ] *v/i* (*pret & pp* **clung**) *of clothes* coller
♦**cling to** *v/t also fig* s'accrocher à
'cling·film film *m* transparent
cling·y ['klıŋı] *adj child, boyfriend* collant
clin·ic ['klınık] clinique *f*
clin·i·cal ['klınıkl] *adj* clinique; *fig*: *decision etc* froid
clink [klıŋk] **1** *n noise* tintement *m* **2** *v/i* tinter
clip[1] [klıp] **1** *n fastener* pince *f*; *for hair* barrette *f* **2** *v/t* (*pret & pp* **-ped**): ***~ sth to sth*** attacher qch à qch
clip[2] [klıp] **1** *n* (*extract*) extrait *m* **2** *v/t* (*pret & pp* **-ped**) *hair, grass* couper; *hedge* tailler
'clip·board planche *f* à papiers; COMPUT bloc-notes *m*
clip·pers ['klıpərz] *npl for hair* tondeuse *f*; *for nails* pince *f* à ongles; *for gardening* sécateur *m*
clip·ping ['klıpıŋ] *from newspaper* coupure *f* (de presse)
clique [kli:k] coterie *f*
cloak [klouk] *n* grande cape *f*; *fig* voile *m*
'cloak·room *Br. for coats* vestiaire *m*
clock [klɑ:k] horloge *f*; F (*odometer*) compteur *m*
'clock ra·di·o radio-réveil *m*; **'clock·wise** *adv* dans le sens des aiguilles d'une montre; **'clock·work** *of toy* mécanisme *m*; ***it went like ~*** tout est allé comme sur des roulettes
♦**clog up** [klɑ:g] (*pret & pp* **-ged**) **1** *v/i* se boucher **2** *v/t* boucher
clone [kloun] **1** *n* clone *m* **2** *v/t* cloner
close[1] [klous] **1** *adj family, friend* proche; *resemblance* étroit **2** *adv* près; ***~ at hand, ~ by*** tout près
close[2] [klouz] *v/t & v/i* fermer
♦**close down** *v/t & v/i* fermer
♦**close in** *v/i of troops* se rapprocher (***on*** de); *of fog* descendre
♦**close up 1** *v/t building* fermer **2** *v/i* (*move closer*) se rapprocher
closed [klouzd] *adj* fermé
closed-cir·cuit 'tel·e·vi·sion télévision *f* en circuit fermé; **'close-knit** *adj* très uni
close·ly ['klouslı] *adv listen* attentivement; *watch also* de près; *cooperate* étroitement
clos·et ['klɑ:zıt] armoire *f*, placard *m*
close-up ['klousʌp] gros plan *m*
clos·ing date ['klouzıŋ] date *f* limite
'clos·ing time heure *f* de fermeture
clo·sure ['klouʒər] fermeture *f*
clot [klɑ:t] **1** *n of blood* caillot *m* **2** *v/i* (*pret & pp* **-ted**) *of blood* coaguler
cloth [klɑ:θ] (*fabric*) tissu *m*; *for drying* torchon *m*; *for washing* lavette *f*
clothes [klouðz] *npl* vêtements *mpl*
'clothes brush brosse *f* à vêtements; **'clothes hang·er** cintre *m*; **'clothes·horse** séchoir *m* (à linge); **'clothes·line** corde *f* à linge; **'clothes peg, 'clothes·pin** pince *f* à linge
cloth·ing ['klouðıŋ] vêtements *mpl*

C

cloud [klaʊd] *n also of dust etc* nuage *m*
♦ **cloud over** *v/i of sky* se couvrir (de nuages)
'**cloud·burst** rafale *f* de pluie
cloud·less ['klaʊdlɪs] *adj sky* sans nuages
cloud·y ['klaʊdɪ] *adj* nuageux*
clout [klaʊt] (*fig: influence*) influence *f*
clove of 'gar·lic [kloʊv] gousse *f* d'ail
clown [klaʊn] *also pej* clown *m*
club [klʌb] *n weapon* massue *f*; *in golf* club *m*; *organization* club *m*
'**club class** classe *f* affaires
clue [kluː] indice *m*; ***I haven't a ~*** F je n'en ai pas la moindre idée; ***he hasn't a ~*** (*is useless*) il n'y comprend rien
clued-up [kluːd'ʌp] *adj* F calé F
clump [klʌmp] *n of earth* motte *f*; (*group*) touffe *f*
clum·si·ness ['klʌmzɪnɪs] maladresse *f*
clum·sy ['klʌmzɪ] *adj person* maladroit
clung [klʌŋ] *pret & pp* → ***cling***
clus·ter ['klʌstər] **1** *n of people, houses* groupe *m* **2** *v/i of people* se grouper; *of houses* être groupé
clutch [klʌʧ] **1** *n* MOT embrayage *m* **2** *v/t* étreindre
♦ **clutch at** *v/t* s'agripper à
clut·ter ['klʌtər] **1** *n* fouillis *m* **2** *v/t* (*also: ~ up*) mettre le fouillis dans
Co. *abbr* (= ***Company***) Cie (= Compagnie)
c/o *abbr* ***care of*** chez
coach [koʊʧ] **1** *n* (*trainer*) entraîneur (-euse) *m(f)*; *on train* voiture *f*; *Br* (*bus*) (auto)car *m* **2** *v/t* SP entraîner
coach·ing ['koʊʧɪŋ] SP entraînement *m*
co·ag·u·late [koʊ'ægjʊleɪt] *v/i of blood* coaguler
coal [koʊl] charbon *m*
co·a·li·tion [koʊə'lɪʃn] coalition *f*
'**coal·mine** mine *f* de charbon
coarse [kɔːrs] *adj skin, fabric* rugueux*; *hair* épais*; (*vulgar*) grossier*
coarse·ly ['kɔːrslɪ] *adv* (*vulgarly*), *ground* grossièrement
coast [koʊst] *n* côte *f*; ***at the ~*** sur la côte
coast·al ['koʊstl] *adj* côtier*
coast·er ['koʊstər] dessous *m* de verre
'**coast·guard** *organization* gendarmerie *f* maritime; *person* gendarme *m* maritime
'**coast·line** littoral *m*
coat [koʊt] **1** *n* veston *m*; (*over~*) pardessus *m*; *of animal* pelage *m*; *of paint etc* couche *f* **2** *v/t* (*cover*) couvrir (***with*** de)
'**coat·hang·er** cintre *m*
coat·ing ['koʊtɪŋ] couche *f*
co-au·thor ['koʊɒːθər] **1** *n* coauteur *m* **2** *v/t* écrire en collaboration
coax [koʊks] *v/t* cajoler; ***~ s.o. into doing sth*** encourager qn à faire qch en le cajolant; ***~ sth out of s.o.*** *truth etc* obtenir qch de qn en le cajolant
cob·bled ['kɑːbld] *adj* pavé
cob·ble·stone ['kɑːblstoʊn] pavé *m*
cob·web ['kɑːbweb] toile *f* d'araignée
co·caine [kə'keɪn] cocaïne *f*
cock [kɑːk] *n chicken* coq *m*; *any male bird* (oiseau *m*) mâle *m*
cock·eyed [kɑːk'aɪd] *adj* F *idea etc* absurde
'**cock·pit** *of plane* poste *m* de pilotage, cockpit *m*
cock·roach ['kɑːkroʊʧ] cafard *m*
'**cock·tail** cocktail *m*
'**cock·tail par·ty** cocktail *m*
'**cock·tail shak·er** shaker *m*
cock·y ['kɑːkɪ] *adj* F trop sûr de soi
co·coa ['koʊkoʊ] *drink* cacao *m*
co·co·nut ['koʊkənʌt] *to eat* noix *m* de coco
'**co·co·nut palm** cocotier *m*
COD [siːoʊ'diː] *abbr* (= ***collect*** *ou Br* ***cash on delivery***) livraison contre remboursement
code [koʊd] *n* code *m*; ***in ~*** codé
co·ed·u·ca·tion·al [koʊedʊ'keɪʃnl] *adj school* mixte
co·erce [koʊ'ɜːrs] *v/t* contraindre, forcer
co·ex·ist [koʊɪg'zɪst] *v/i* coexister
co·ex·ist·ence [koʊɪg'zɪstəns] coexistence *f*

cof·fee ['kɑːfɪ] café *m*; **'cof·fee bean** grain *m* de café; **'cof·fee break** pause-café *f*; **'cof·fee cup** tasse *f* à café; **'cof·fee grind·er** [graɪndər] moulin *m* à café; **'cof·fee mak·er** machine *f* à café; **'cof·fee pot** cafetière *f*; **'cof·fee shop** café *m*; **'cof·fee ta·ble** petite table basse *f*
cof·fin ['kɑːfɪn] cercueil *m*
cog [kɑːg] dent *f*; *fig*
co·gnac ['kɑːnjæk] cognac *m*
'cog·wheel roue *f* dentée
co·hab·it [koʊ'hæbɪt] *v/i* cohabiter
co·her·ent [koʊ'hɪrənt] *adj* cohérent
coil [kɔɪl] **1** *n of rope, wire* rouleau *m*; *of smoke, snake* anneau *m*
coil 2 *v/t*: ~ (***up***) enrouler
coin [kɔɪn] *n* pièce *f* (de monnaie)
co·in·cide [koʊɪn'saɪd] *v/i* coïncider
co·in·ci·dence [koʊ'ɪnsɪdəns] coïncidence *f*
coke [koʊk] P (*cocaine*) coke *f* F
Coke® [koʊk] coca® *m* F
cold [koʊld] **1** *adj* froid; ***I'm*** (***feeling***) ~ j'ai froid; ***it's*** ~ *of weather* il fait froid; ***in*** ~ ***blood*** de sang-froid; ***get*** ~ ***feet*** F avoir la trouille F **2** *n* froid *m*; MED rhume *m*; ***I have a*** ~ j'ai un rhume, je suis enrhumé
cold-blood·ed [koʊld'blʌdɪd] *adj animal* à sang froid; *fig* insensible; *murder* commis de sang-froid
cold call·ing ['kɒːlɪŋ] COMM appels *mpl* à froid; *visits* visites *fpl* à froid
'cold cuts *npl* assiette *f* anglaise
cold·ly ['koʊldlɪ] *adv* froidement
cold·ness ['koʊldnɪs] *fig* froideur *f*
'cold sore bouton *m* de fièvre
cole·slaw ['koʊlslɒː] salade *f* de choux
col·ic ['kɑːlɪk] colique *f*
col·lab·o·rate [kə'læbəreɪt] *v/i* collaborer
col·lab·o·ra·tion [kəlæbə'reɪʃn] collaboration *f*
col·lab·o·ra·tor [kə'læbəreɪtər] collaborateur(-trice) *m*(*f*)
col·lapse [kə'læps] *v/i* s'effondrer; *of building etc also* s'écrouler
col·lap·si·ble [kə'læpsəbl] *adj* pliant
col·lar ['kɑːlər] col *m*; *for dog* collier *m*
'col·lar-bone clavicule *f*
col·lat·er·al [kə'lætərəl] *n* nantissement *m*; ~ ***damage*** MIL dommage *m* collatéral
col·league ['kɑːliːg] collègue *m*/*f*
col·lect [kə'lekt] **1** *v/t person, cleaning etc* aller / venir chercher; *as hobby* collectionner; (*gather: clothes etc*) recueillir; *wood* ramasser **2** *v/i* (*gather together*) s'assembler **3** *adv*: ***call*** ~ appeler en PCV
col'lect call communication *f* en PCV
col·lect·ed [kə'lektɪd] *adj works, poems etc* complet*; *person* serein
col·lec·tion [kə'lekʃn] collection *f*; *in church* collecte *f*
col·lec·tive [kə'lektɪv] *adj* collectif*
col·lec·tive 'bar·gain·ing convention *f* collective
col·lec·tor [kə'lektər] collectionneur (-euse) *m*(*f*)
col·lege ['kɑːlɪdʒ] université *f*
col·lide [kə'laɪd] *v/i* se heurter; ~ ***with sth*** / ***s.o.*** heurter qch / qn
col·li·sion [kə'lɪʒn] collision *f*
col·lo·qui·al [kə'loʊkwɪəl] *adj* familier*
co·lon ['koʊlən] *punctuation* deux-points *mpl*; ANAT côlon *m*
colo·nel ['kɜːrnl] colonel *m*
co·lo·ni·al [kə'loʊnɪəl] *adj* colonial
co·lo·nize ['kɑːlənaɪz] *v/t country* coloniser
co·lo·ny ['kɑːlənɪ] colonie *f*
col·or ['kʌlər] **1** *n* couleur *f*; *in cheeks* couleurs *fpl*; ***in*** ~ en couleur; ~***s*** MIL couleurs *fpl*, drapeau *m* **2** *v/t one's hair* teindre **3** *v/i* (*blush*) rougir
'col·or-blind *adj* daltonien*
col·ored ['kʌlərd] *adj person* de couleur
'col·or fast *adj* bon teint *inv*
col·or·ful ['kʌlərfəl] *adj also fig* coloré
col·or·ing ['kʌlərɪŋ] teint *m*
'col·or pho·to·graph photographie *f* (en) couleur; **'col·or scheme** combinaison *f* de couleurs; **'col·or TV** télé *f* (en) couleur
co·los·sal [kə'lɑːsl] *adj* colossal
col·our *etc Br* → ***color*** *etc*
colt [koʊlt] poulain *m*
col·umn ['kɑːləm] *architectural, of text*

colonne *f*; *in newspaper* chronique *f*
col·umn·ist ['kɑːləmɪst] chroniqueur(-euse) *m(f)*
C
co·ma ['koʊmə] coma *m*; ***be in a ~*** être dans le coma
comb [koʊm] **1** *n* peigne *m* **2** *v/t* peigner; *area* ratisser, passer au peigne fin
com·bat ['kɑːmbæt] **1** *n* combat *m* **2** *v/t* combattre
com·bi·na·tion [kɑːmbɪ'neɪʃn] *also of safe* combinaison *f*
com·bine [kəm'baɪn] **1** *v/t* allier, combiner; *ingredients* mélanger; (*associate*) associer; ***~ business with pleasure*** joindre l'utile à l'agréable **2** *v/i of sauce etc* se marier; *of chemical elements* se combiner
com·bine har·vest·er [kɑːmbaɪn-'hɑːrvɪstər] moissonneuse-batteuse *f*
com·bus·ti·ble [kəm'bʌstɪbl] *adj* combustible
com·bus·tion [kəm'bʌstʃn] combustion *f*
come [kʌm] *v/i* (*pret* ***came***, *pp* ***come***) venir; *of train, bus* arriver; ***you'll ~ to like it*** tu finiras par l'aimer; ***how ~?*** F comment ça se fait? F
♦**come about** *v/i* (*happen*) arriver
♦**come across** **1** *v/t* (*find*) tomber sur **2** *v/i of humor etc* passer; ***she comes across as being …*** elle donne l'impression d'être …
♦**come along** *v/i* (*come too*) venir (aussi); (*turn up*) arriver; (*progress*) avancer
♦**come apart** *v/i* tomber en morceaux; (*break*) se briser
♦**come around** *v/i to s.o.'s home* passer; (*regain consciousness*) revenir à soi
♦**come away** *v/i* (*leave*), *of button etc* partir
♦**come back** *v/i* revenir; ***it came back to me*** ça m'est revenu
♦**come by** **1** *v/i* passer **2** *v/t* (*acquire*) obtenir; *bruise* avoir; (*find*) trouver
♦**come down** *v/i* descendre; *in price, amount etc* baisser; *of rain, snow* tomber
♦**come for** *v/t* (*attack*) attaquer; (*to collect*) venir chercher
♦**come forward** *v/i* (*present o.s.*) se présenter
♦**come in** *v/i* entrer; *of train, in race* arriver; *of tide* monter; ***come in!*** entrez!
♦**come in for** *v/t* recevoir; ***come in for criticism*** recevoir des critiques
♦**come in on** *v/t* prendre part à; ***come in on a deal*** prendre part à un marché
♦**come off** *v/i of handle etc* se détacher
♦**come on** *v/i* (*progress*) avancer; ***come on!*** (*hurry*) dépêche-toi!; *in disbelief* allons!
♦**come out** *v/i of person* sortir; *of results* être communiqué; *of sun, product* apparaître; *of stain* partir; *of gay* révéler son homosexualité
♦**come to** **1** *v/t* (*reach*) arriver à; ***that comes to $70*** ça fait 70 $ **2** *v/i* (*regain consciousness*) revenir à soi, reprendre conscience
♦**come up** *v/i* monter; *of sun* se lever; ***something has come up*** quelque chose est arrivé
♦**come up with** *v/t new idea etc* trouver
'come·back *of singer, actor* retour *m*, come-back *m*; *of fashion* retour *m*; ***make a ~*** *of singer, actor* revenir en scène, faire un comeback; *of fashion* revenir à la mode
co·me·di·an [kə'miːdɪən] (*comic*) comique *m/f*; *pej* pitre *m/f*
'come·down déchéance *f*
com·e·dy ['kɑːmədɪ] comédie *f*
'com·e·dy act·or acteur(-trice) *m(f)* comique
com·et ['kɑːmɪt] comète *f*
come·up·pance [kʌm'ʌpəns] F: ***he'll get his ~*** il aura ce qu'il mérite
com·fort ['kʌmfərt] **1** *n* confort *m*; (*consolation*) consolation *f*, réconfort *m* **2** *v/t* consoler, réconforter
com·for·ta·ble ['kʌmfərtəbl] *adj chair, house, room* confortable; ***be ~*** *of person* être à l'aise; *financially* être aisé
com·ic ['kɑːmɪk] **1** *n to read* bande *f* dessinée; (*comedian*) comique *m/f* **2** *adj* comique

com·i·cal ['kɑːmɪkl] *adj* comique
'com·ic book bande *f* dessinée, BD *f*
com·ics ['kɑːmɪks] *npl* bandes *fpl* dessinées
'com·ic strip bande *f* dessinée
com·ma ['kɑːmə] virgule *f*
com·mand [kə'mænd] **1** *n* (*order*) ordre *m*; (*control*: *of situation*, *language*) maîtrise *f*; COMPUT commande *f*; MIL commandement *m* **2** *v/t* commander; ***~ s.o. to do sth*** ordonner à qn de faire qch
com·man·deer [kɑːmən'dɪr] *v/t* réquisitionner
com·mand·er [kə'mændər] commandant(e) *m(f)*
com·mand·er-in-'chief commandant(e) *m(f)* en chef
com·mand·ing of·fi·cer [kə'mændɪŋ] commandant(e) *m(f)*
com·mand·ment [kə'mændmənt]: ***the Ten Commandments*** REL les dix commandements *mpl*
com·mem·o·rate [kə'memәreɪt] *v/t* commémorer
com·mem·o·ra·tion [kəmemə'reɪʃn]: ***in ~ of*** en commémoration de
com·mence [kə'mens] *v/t & v/i* commencer
com·mend [kə'mend] *v/t* louer
com·mend·a·ble [kə'mendəbl] *adj* louable
com·men·da·tion [kəmen'deɪʃn] *for bravery* éloge *m*
com·men·su·rate [kə'menʃərət] *adj*: ***~ with*** proportionné à
com·ment ['kɑːment] **1** *n* commentaire *m*; ***no ~!*** sans commentaire! **2** *v/i*: ***~ on*** commenter
com·men·ta·ry ['kɑːmənterɪ] commentaire *m*
com·men·tate ['kɑːmənteɪt] *v/i* faire le commentaire (***on*** de)
com·men·ta·tor ['kɑːmənteɪtər] commentateur(-trice) *m(f)*
com·merce ['kɑːmɜːrs] commerce *m*
com·mer·cial [kə'mɜːrʃl] **1** *adj* commercial **2** *n* (*advert*) publicité *f*
com·mer·cial 'break page *f* de publicité
com·mer·cial·ize [kə'mɜːrʃlaɪz] *v/t Christmas etc* commercialiser
com'mer·cial tel·e·vi·sion télévision *f* commerciale
com·mer·cial 'trav·el·er, *Br* **com·mer·cial 'trav·el·ler** représentant(e) *m(f)* de commerce
com·mis·e·rate [kə'mɪzəreɪt] *v/i* compatir; ***~ with s.o.*** témoigner de la sympathie à qn
com·mis·sion [kə'mɪʃn] **1** *n* (*payment*) commission *f*; (*job*) commande *f*; (*committee*) commission *f* **2** *v/t for a job* charger (***to do sth*** de faire qch)
Com·mis·sion·er [kə'mɪʃənər] *in European Union* commissaire *m/f*
com·mit [kə'mɪt] *v/t* (*pret & pp* ***-ted***) *crime* commettre; *money* engager; ***~ o.s.*** s'engager
com·mit·ment [kə'mɪtmənt] *to job*, *in relationship* engagement *m*; (*responsibility*) responsabilité *f*
com·mit·tee [kə'mɪtɪ] comité *m*
com·mod·i·ty [kə'mɑːdətɪ] marchandise *f*
com·mon ['kɑːmən] *adj* courant; *species etc* commun; (*shared*) commun; ***in ~*** en commun; ***have sth in ~*** avoir qch en commun
com·mon·er ['kɑːmənər] roturier (-ère) *m(f)*
com·mon 'law hus·band concubin *m*
com·mon 'law wife concubine *f*
com·mon·ly ['kɑːmənlɪ] *adv* communément
Com·mon 'Mar·ket Marché *m* commun
'com·mon·place *adj* banal
com·mon 'sense bon sens *m*
com·mo·tion [kə'moʊʃn] agitation *f*
com·mu·nal [kəm'juːnl] *adj* en commun
com·mu·nal·ly [kəm'juːnəlɪ] *adv* en commun
com·mu·ni·cate [kə'mjuːnɪkeɪt] *v/t & v/i* communiquer
com·mu·ni·ca·tion [kəmjuːnɪ'keɪʃn] communication *f*
com·mu·ni'ca·tions *npl* communications *fpl*
com·mu·ni'ca·tions sat·el·lite satel-

lite *m* de communication
com·mu·ni·ca·tive [kə'mju:nɪkətɪv] *adj person* communicatif*
Com·mu·nion [kə'mju:njən] REL communion *f*
com·mu·ni·qué [kə'mju:nɪkeɪ] communiqué *m*
Com·mu·nism ['kɑ:mjʊnɪzəm] communisme *m*
Com·mu·nist ['kɑ:mjʊnɪst] **1** *adj* communiste **2** *n* communiste *m/f*
com·mu·ni·ty [kə'mju:nətɪ] communauté *f*
com'mu·ni·ty cen·ter, *Br* **com'mu·ni·ty cen·tre** centre *m* social
com'mu·ni·ty serv·ice travail *m* d'intérêt général
com·mute [kə'mju:t] **1** *v/i* faire la navette (pour aller travailler) **2** *v/t* LAW commuer
com·mut·er [kə'mju:tər] banlieusard *m*
com'mut·er traf·fic circulation *f* aux heures de pointe
com'mut·er train train *m* de banlieue
com·pact 1 *adj* [kəm'pækt] compact **2** *n* ['kɑ:mpækt] *for face powder* poudrier *m*; MOT petite voiture *f*
com·pact 'disc → ***CD***
com·pan·ion [kəm'pænjən] compagnon *m*
com·pan·ion·ship [kəm'pænjənʃɪp] compagnie *f*
com·pa·ny ['kʌmpənɪ] COMM société *f*; *ballet* troupe *f*; (*companionship*) compagnie *f*; (*guests*) invités *mpl*; ***keep s.o.*** **~** tenir compagnie à qn
com·pa·ny 'car voiture *f* de fonction
com·pa·ny 'law droit *m* des entreprises
com·pa·ra·ble ['kɑ:mpərəbl] *adj* comparable
com·par·a·tive [kəm'pærətɪv] **1** *adj* (*relative*) relatif*; *study*, GRAM comparatif **2** *n* GRAM comparatif *m*
com·par·a·tive·ly [kəm'pærətɪvlɪ] *adv* comparativement
com·pare [kəm'per] **1** *v/t* comparer; **~** ***X with Y*** comparer X à *or* avec Y; **~*d with …*** par rapport à … **2** *v/i* soutenir la comparaison
com·pa·ri·son [kəm'pærɪsn] comparaison *f*; ***there's no*** **~** ce n'est pas comparable
com·part·ment [kəm'pɑ:rtmənt] compartiment *m*
com·pass ['kʌmpəs] compas *m*
com·pas·sion [kəm'pæʃn] compassion *f*
com·pas·sion·ate [kəm'pæʃənət] *adj* compatissant
com·pas·sion·ate 'leave congé *m* exceptionnel (pour cas de force majeure)
com·pat·i·bil·i·ty [kəmpætə'bɪlɪtɪ] compatibilité *f*
com·pat·i·ble [kəm'pætəbl] *adj* compatible; ***we're not*** **~** nous ne nous entendons pas
com·pel [kəm'pel] *v/t* (*pret & pp* **-led**) obliger
com·pel·ling [kəm'pelɪŋ] *adj argument* irréfutable; *reason* impératif*; *movie*, *book* captivant
com·pen·sate ['kɑmpənseɪt] **1** *v/t with money* dédommager **2** *v/i*: **~ *for*** compenser
com·pen·sa·tion [kɑmpən'seɪʃn] (*money*) dédommagement *m*; (*reward*) compensation *f*; (*comfort*) consolation *f*
com·pete [kəm'pi:t] *v/i* être en compétition; (*take part*) participer (***in*** à); **~ *for sth*** se disputer qch
com·pe·tence ['kɑ:mpɪtəns] compétence *f*; ***her*** **~** ***as an accountant*** ses compétences de comptable
com·pe·tent ['kɑ:mpɪtənt] *adj person* compétent, capable; *piece of work* (très) satisfaisant; ***I'm not*** **~** ***to judge*** je ne suis pas apte à juger
com·pe·tent·ly ['kɑ:mpɪtəntlɪ] *adv* de façon compétente
com·pe·ti·tion [kɑ:mpə'tɪʃn] (*contest*) concours *m*; SP compétition *f*; (*competing, competitors*) concurrence *f*; ***they want to encourage*** **~** on veut encourager la concurrence
com·pet·i·tive [kəm'petətɪv] *adj* compétitif*; *price*, *offer also* concurrentiel*
com·pet·i·tive·ly [kəm'petətɪvlɪ] *adv*

de façon compétitive; *~ **priced*** à prix compétitif

com·pet·i·tive·ness COMM compétitivité *f*; *of person* esprit *m* de compétition

com·pet·i·tor [kəm'petɪtər] *in contest*, COMM concurrent *m*

com·pile [kəm'paɪl] *v/t anthology* compiler; *dictionary*, *list* rédiger

com·pla·cen·cy [kəm'pleɪsənsɪ] complaisance *f*

com·pla·cent [kəm'pleɪsənt] *adj* complaisant, suffisant

com·plain [kəm'pleɪn] *v/i* se plaindre; *to shop*, *manager also* faire une réclamation; *~ **of*** MED se plaindre de

com·plaint [kəm'pleɪnt] plainte *f*; *in shop* réclamation *f*; MED maladie *f*

com·ple·ment ['kɑːmplɪmənt] **1** *v/t* compléter; *of food* accompagner; ***they ~ each other*** ils se complètent **2** *n* complément *m*

com·ple·men·ta·ry [kɑːmplɪ'mentərɪ] *adj* complémentaire

com·plete [kəm'pliːt] **1** *adj* complet*; (*finished*) terminé **2** *v/t task*, *building etc* terminer, achever; *form* remplir

com·plete·ly [kəm'pliːtlɪ] *adv* complètement

com·ple·tion [kəm'pliːʃn] achèvement *m*

com·plex ['kɑːmpleks] **1** *adj* complexe **2** *n building*, PSYCH complexe *m*

com·plex·ion [kəm'plekʃn] *facial* teint *m*

com·plex·i·ty [kəm'plekʃɪtɪ] complexité *f*

com·pli·ance [kəm'plaɪəns] conformité *f*, respect *m*

com·pli·cate ['kɑːmplɪkeɪt] *v/t* compliquer

com·pli·cat·ed ['kɑːmplɪkeɪtɪd] *adj* compliqué

com·pli·ca·tion [kɑːmplɪ'keɪʃn] complication *f*

com·pli·ment ['kɑːmplɪmənt] **1** *n* compliment *m* **2** *v/t* complimenter (***on*** sur)

com·pli·men·ta·ry [kɑːmplɪ'mentərɪ] *adj* élogieux*, flatteur*; (*free*) gratuit

com·pli·ments slip ['kɑːmplɪmənts] carte *f* avec les compliments de l'expéditeur

com·ply [kəm'plaɪ] *v/i* (*pret & pp* ***-ied***) obéir; *~ **with …*** se conformer à

com·po·nent [kəm'pounənt] composant *m*

com·pose [kəm'pouz] *v/t* composer; ***be ~d of*** se composer de, être composé de; *~ **o.s.*** se calmer

com·posed [kəm'pouzd] *adj* (*calm*) calme

com·pos·er [kəm'pouzər] MUS compositeur *m*

com·po·si·tion [kɑːmpə'zɪʃn] composition *f*

com·po·sure [kəm'pouʒər] calme *m*, sang-froid *m*

com·pound ['kɑːmpaund] *n chemical* composé *m*

'com·pound in·ter·est intérêts *mpl* composés

com·pre·hend [kɑːmprɪ'hend] *v/t* (*understand*) comprendre

com·pre·hen·sion [kɑːmprɪ'henʃn] compréhension *f*

com·pre·hen·sive [kɑːmprɪ'hensɪv] *adj* complet*

com·pre·hen·sive in'sur·ance assurance *f* tous risques

com·pre·hen·sive·ly [kɑːmprɪ'hensɪvlɪ] *adv* de façon complète; *beaten* à plates coutures

com·press ['kɑːmpres] **1** *n* MED compresse *f* **2** *v/t* [kəm'pres] *air*, *gas* comprimer; *information* condenser

com·prise [kəm'praɪz] *v/t* comprendre, être composé de; (*make up*) constituer; ***be ~d of*** se composer de

com·pro·mise ['kɑːmprəmaɪz] **1** *n* compromis *m* **2** *v/i* trouver un compromis **3** *v/t* compromettre; *~ **o.s.*** se compromettre

com·pul·sion [kəm'pʌlʃn] PSYCH compulsion *f*

com·pul·sive [kəm'pʌlsɪv] *adj behavior* compulsif*; *reading* captivant

com·pul·so·ry [kəm'pʌlsərɪ] *adj* obligatoire; *~ **ed·u·ca·tion*** scolarité *f* obligatoire

com·put·er [kəm'pjuːtər] ordinateur *m*; ***have sth on ~*** avoir qch sur ordi-

C

nateur
com·put·er-aid·ed de'sign conception *f* assistée par ordinateur; **com·put·er-aid·ed man·u'fac·ture** production *f* assistée par ordinateur; **com·put·er-con'trolled** *adj* contrôlé par ordinateur; **com'put·er game** jeu *m* informatique; **play ~s** jouer à la console
com·put·er·ize [kəm'pjuːtəraɪz] *v/t* informatiser
com·put·er 'lit·er·ate *adj* qui a des connaissances en informatique; **com·put·er 'sci·ence** informatique *f*; **com·put·er 'sci·en·tist** informaticien(ne) *m(f)*
com·put·ing [kəm'pjuːtɪŋ] informatique *f*
com·rade ['kɑːmreɪd] camarade *m/f*
com·rade·ship ['kɑːmreɪdʃɪp] camaraderie *f*
con [kɑːn] **1** *n* F arnaque *f* F **2** *v/t* (*pret & pp* ***-ned***) F arnaquer F; ***he conned her out of her money*** il lui a volé son argent
con·ceal [kən'siːl] *v/t* cacher, dissimuler
con·ceal·ment [kən'siːlmənt] dissimulation *f*; ***live in ~*** vivre caché
con·cede [kən'siːd] *v/t* (*admit*), *goal* concéder
con·ceit [kən'siːt] vanité *f*
con·ceit·ed [kən'siːtɪd] *adj* vaniteux*, prétentieux*
con·cei·va·ble [kən'siːvəbl] *adj* concevable
con·ceive [kən'siːv] *v/i of woman* concevoir; **~ *of*** (*imagine*) concevoir, imaginer
con·cen·trate ['kɑːnsəntreɪt] **1** *v/i* se concentrer **2** *v/t attention, energies* concentrer
con·cen·trat·ed ['kɑːnsəntreɪtɪd] *adj juice etc* concentré
con·cen·tra·tion [kɑːnsən'treɪʃn] concentration *f*
con·cept ['kɑːnsept] concept *m*
con·cep·tion [kən'sepʃn] *of child* conception *f*
con·cern [kən'sɜːrn] **1** *n* (*anxiety, care*) inquiétude *f*, souci *m*; (*intent, aim*) préoccupation *f*; (*business*) affaire *f*; (*company*) entreprise *f*; ***it's no ~ of yours*** cela ne vous regarde pas **2** *v/t* (*involve*) concerner; (*worry*) inquiéter, préoccuper; **~ *o.s. with*** s'occuper de qch
con·cerned [kən'sɜːrnd] *adj* (*anxious*) inquiet*; (*caring, involved*) concerné; ***as far as I'm ~*** en ce qui me concerne
con·cern·ing [kən'sɜːrnɪŋ] *prep* concernant, au sujet de
con·cert ['kɑːnsərt] concert *m*
con·cert·ed [kən'sɜːrtɪd] *adj* (*joint*) concerté
'con·cert·mas·ter premier violon *m*
con·cer·to [kən'ʧertoʊ] concerto *m*
con·ces·sion [kən'seʃn] (*compromise*) concession *f*
con·cil·i·a·to·ry [kənsɪlɪ'eɪtərɪ] *adj* conciliant
con·cise [kən'saɪs] *adj* concis
con·clude [kən'kluːd] **1** *v/t* conclure; **~ *sth from sth*** déduire qch de qch **2** *v/i* conclure
con·clu·sion [kən'kluːʒn] conclusion *f*; ***in ~*** pour conclure
con·clu·sive [kən'kluːsɪv] *adj* concluant
con·coct [kən'kɑːkt] *v/t meal, drink* préparer, concocter; *excuse, story* inventer
con·coc·tion [kən'kɑːkʃn] (*food, drink*) mixture *f*
con·crete ['kɑːŋkriːt] **1** *n* béton *m* **2** *adj* concret*
con·cur [kən'kɜːr] *v/i* (*pret & pp* ***-red***) être d'accord
con·cus·sion [kən'kʌʃn] commotion *f* cérébrale
con·demn [kən'dem] *v/t* condamner
con·dem·na·tion [kɑːndəm'neɪʃn] *of action* condamnation *f*
con·den·sa·tion [kɑːnden'seɪʃn] *on walls, windows* condensation *f*
con·dense [kən'dens] **1** *v/t* (*make shorter*) condenser **2** *v/i of steam* se condenser
con·densed milk [kən'densd] lait *m* concentré
con·de·scend [kɑːndɪ'send] *v/i* daigner (***to do*** faire); ***he ~ed to speak***

to me il a daigné me parler
con·de·scend·ing [kɑːndɪ'sendɪŋ] *adj* (*patronizing*) condescendant
con·di·tion [kən'dɪʃn] **1** *n* (*state*) condition *f*, état *m*; (*requirement*, *term*) condition *f*; MED maladie *f*; ***~s*** (*circumstances*) conditions *fpl*; ***on ~ that ...*** à condition que ... **2** *v/t* PSYCH conditionner
con·di·tion·al [kən'dɪʃnl] **1** *adj acceptance* conditionnel* **2** *n* GRAM conditionnel *m*
con·di·tion·er [kən'dɪʃnər] *for hair* après-shampoing *m*; *for fabric* adoucissant *m*
con·di·tion·ing [kən'dɪʃnɪŋ] PSYCH conditionnement *m*
con·do ['kɑːndoʊ] F *building* immeuble *m* (en copropriété); *apartment* appart *m* F
con·do·len·ces [kən'doʊlənsɪz] *npl* condoléances *fpl*
con·dom ['kɑːndəm] préservatif *m*
con·do·min·i·um [kɑːndə'mɪnɪəm] → ***condo***
con·done [kən'doʊn] *v/t actions* excuser
con·du·cive [kən'duːsɪv] *adj*: ***~ to*** favorable à
con·duct ['kɑːndʌkt] **1** *n* (*behavior*) conduite *f* **2** *v/t* [kən'dʌkt] (*carry out*) mener; ELEC conduire; MUS diriger; ***~ o.s.*** se conduire
con·duct·ed tour [kəndʌktɪd'tʊr] visite *f* guidée
con·duc·tor [kən'dʌktər] MUS chef *m* d'orchestre; *on train* chef *m* de train; PHYS conducteur *m*
cone [koʊn] *figure* cône *m*; *for ice cream* cornet *m*; *of pine tree* pomme *f* de pin; *on highway* cône *m* de signalisation
con·fec·tion·er [kən'fekʃənər] confiseur *m*
con·fec·tion·ers' 'sug·ar sucre *m* glace
con·fec·tion·e·ry [kən'fekʃənerɪ] (*candy*) confiserie *f*
con·fed·e·ra·tion [kənfedə'reɪʃn] confédération *f*
con·fer [kən'fɜːr] **1** *v/t* (*bestow*) conférer (***on*** à) **2** *v/i* (*pret & pp* ***-red***) (*discuss*) s'entretenir
con·fe·rence ['kɑːnfərəns] conférence *f*, *discussion* réunion *f*
'con·fe·rence room salle *f* de conférences
con·fess [kən'fes] **1** *v/t* confesser, avouer; REL confesser; ***I ~ I don't know*** j'avoue que je ne sais pas **2** *v/i also to police* avouer; REL se confesser; ***~ to a weakness for sth*** avouer avoir un faible pour qch
con·fes·sion [kən'feʃn] confession *f*, aveu *m*; REL confession *f*
con·fes·sion·al [kən'feʃnl] REL confessionnal *m*
con·fes·sor [kən'fesər] REL confesseur *m*
con·fide [kən'faɪd] **1** *v/t* confier **2** *v/i*: ***~ in s.o.*** (*trust*) faire confiance à qn; (*tell secrets*) se confier à qn
con·fi·dence ['kɑːnfɪdəns] (*assurance*) assurance *f*, confiance *f* en soi; (*trust*) confiance *f*; (*secret*) confidence *f*; ***in ~*** confidentiellement
con·fi·dent ['kɑːnfɪdənt] *adj* (*self-assured*) sûr de soi; (*convinced*) confiant
con·fi·den·tial [kɑːnfɪ'denʃl] *adj* confidentiel*; *adviser*, *secretary* particulier*
con·fi·den·tial·ly [kɑːnfɪ'denʃlɪ] *adv* confidentiellement
con·fi·dent·ly ['kɑːnfɪdəntlɪ] *adv* avec assurance
con·fine [kən'faɪn] *v/t* (*imprison*) enfermer; *in institution* interner; (*restrict*) limiter; ***be ~d to one's bed*** être alité
con·fined [kən'faɪnd] *adj space* restreint
con·fine·ment [kən'faɪnmənt] (*imprisonment*) emprisonnement *m*; *in institution* internement *m*; MED accouchement *m*
con·firm [kən'fɜːrm] *v/t* confirmer
con·fir·ma·tion [kɑːnfər'meɪʃn] confirmation *f*
con·firmed [kən'fɜːrmd] *adj* (*inveterate*) convaincu; ***a ~ bachelor*** un célibataire endurci
con·fis·cate ['kɑːnfɪskeɪt] *v/t* confis-

C

quer

con·flict ['kɑːnflɪkt] **1** *n* (*disagreement*) conflit *m* **2** *v/i* [kən'flɪkt] (*clash*) s'opposer, être en conflit; *of dates* coïncider

con·form [kən'fɔːrm] *v/i* se conformer; *of product* être conforme (***to*** à)

con·form·ist [kən'fɔːrmɪst] *n* conformiste *m/f*

con·front [kən'frʌnt] *v/t* (*face*) affronter; (*tackle*) confronter

con·fron·ta·tion [kɑːnfrən'teɪʃn] confrontation *f*; (*clash, dispute*) affrontement *m*

con·fuse [kən'fjuːz] *v/t* (*muddle*) compliquer; *person* embrouiller; (*mix up*) confondre; ***~ s.o. with s.o.*** confondre qn avec qn

con·fused [kən'fjuːzd] *adj person* perdu, désorienté; *ideas, situation* confus

con·fus·ing [kən'fjuːzɪŋ] *adj* déroutant

con·fu·sion [kən'fjuːʒn] (*muddle, chaos*) confusion *f*

con·geal [kən'dʒiːl] *v/i of blood* se coaguler; *of fat* se figer

con·gen·ial [kən'dʒiːnɪəl] *adj* (*pleasant*) agréable, sympathique

con·gen·i·tal [kən'dʒenɪtl] *adj* MED congénital

con·gest·ed [kən'dʒestɪd] *adj roads* encombré

con·ges·tion [kən'dʒestʃn] *on roads* encombrement *m*; *in chest* congestion *f*; ***traffic ~*** embouteillage *m*

con·grat·u·late [kən'grætʊleɪt] *v/t* féliciter (***on*** pour)

con·grat·u·la·tions [kəngrætʊ'leɪʃnz] *npl* félicitations *fpl*; ***~ on …*** félicitations pour …

con·grat·u·la·to·ry [kəngrætʊ'leɪtərɪ] *adj* de félicitations

con·gre·gate ['kɑːŋgrɪgeɪt] *v/i* (*gather*) se rassembler

con·gre·ga·tion [kɑːŋgrɪ'geɪʃn] *people in a church* assemblée *f*

con·gress ['kɑːŋgres] (*conference*) congrès *m*; ***Congress*** *in US* le Congrès

Con·gres·sion·al [kən'greʃnl] *adj* du Congrès

Con·gress·man ['kɑːŋgresmən] membre *m* du Congrès

'Con·gress·wom·an membre *m* du Congrès

co·ni·fer ['kɑːnɪfər] conifère *m*

con·jec·ture [kən'dʒektʃər] *n* (*speculation*) conjecture *f*, hypothèse *f*

con·ju·gate ['kɑːndʒʊgeɪt] *v/t* GRAM conjuguer

con·junc·tion [kən'dʒʌŋkʃn] GRAM conjonction *f*; ***in ~ with*** conjointement avec

con·junc·ti·vi·tis [kəndʒʌŋktɪ'vaɪtɪs] conjonctivite *f*

♦**con·jure up** ['kʌndʒər] *v/t* (*produce*) faire apparaître (comme par magie); (*evoke*) évoquer

con·jur·er, con·jur·or ['kʌndʒərər] (*magician*) prestidigitateur *m*

con·jur·ing tricks ['kʌndʒərɪŋ] *npl* tours *mpl* de prestidigitation

con man ['kɑːnmæn] F escroc *m*, arnaqueur *m* F

con·nect [kə'nekt] *v/t* (*join*) raccorder, relier; TELEC passer; (*link*) associer; *to power supply* brancher; ***I'll ~ you with …*** TELEC je vous passe …; ***the two events are not ~ed*** il n'y a aucun rapport entre les deux événements

con·nect·ed [kə'nektɪd] *adj*: ***be well-~*** avoir des relations; ***be ~ with*** être lié à; *in family* être apparenté à

con·nect·ing flight [kə'nektɪŋ] (vol *m* de) correspondance *f*

con·nec·tion [kə'nekʃn] *in wiring* branchement *m*, connexion *f*, *causal etc* rapport *m*; *when traveling* correspondance *f*, (*personal contact*) relation *f*; ***in ~ with*** à propos de

con·nois·seur [kɑːnə'sɜːr] connaisseur *m*, connaisseuse *f*

con·quer ['kɑːŋkər] *v/t* conquérir; *fig: fear etc* vaincre

con·quer·or ['kɑːŋkərər] conquérant *m*

con·quest ['kɑːŋkwest] conquête *f*

con·science ['kɑːnʃəns] conscience *f*; ***have a guilty ~*** avoir mauvaise conscience; ***have sth on one's ~*** avoir qch sur la conscience

con·sci·en·tious [kɑːnʃɪ'enʃəs] *adj* consciencieux*

con·sci·en·tious·ness [kɑːnʃɪ'enʃəsnəs] conscience *f*

con·sci·en·tious ob'ject·or objecteur *m* de conscience

con·scious ['kɑːnʃəs] *adj* (*aware*), MED conscient; (*deliberate*) délibéré; ***be ~ of …*** être conscient de …; ***become ~ of …*** se rendre compte de …

con·scious·ly ['kɑːnʃəslɪ] *adv* (*knowingly*) consciemment; (*deliberately*) délibérément

con·scious·ness ['kɑːnʃəsnɪs] conscience *f*, ***lose / regain ~*** perdre / reprendre connaissance

con·sec·u·tive [kən'sekjʊtɪv] *adj* consécutif*

con·sen·sus [kən'sensəs] consensus *m*

con·sent [kən'sent] **1** *n* consentement *m*, accord *m* **2** *v/i* consentir (***to*** à); ***~ to do sth*** consentir à faire qch, accepter de faire qch

con·se·quence ['kɑːnsɪkwəns] (*result*) conséquence *f*

con·se·quent·ly ['kɑːnsɪkwəntlɪ] *adv* (*therefore*) par conséquent

con·ser·va·tion [kɑːnsər'veɪʃn] (*preservation*) protection *f*

con·ser·va·tion·ist [kɑːnsər'veɪʃnɪst] écologiste *m/f*

con·ser·va·tive [kən'sɜːrvətɪv] **1** *adj* (*conventional*) conservateur*, conventionnel*; *clothes* classique; *estimate* prudent; ***Conservative*** *Br* POL conservateur* **2** *n Br* POL: ***Conservative*** conservateur(-trice) *m(f)*

con·ser·va·to·ry [kən'sɜːrvətɔːrɪ] *for plants* véranda *f*, serre *f*; MUS conservatoire *m*

con·serve ['kɑːnsɜːrv] **1** *n* (*jam*) confiture *f* **2** *v/t* [kən'sɜːrv] *energy* économiser; *strength* ménager

con·sid·er [kən'sɪdər] *v/t* (*regard*) considérer; (*show regard for*) prendre en compte; (*think about*) penser à; ***~ yourself lucky*** estime-toi heureux; ***it is ~ed to be …*** c'est censé être …

con·sid·e·ra·ble [kən'sɪdrəbl] *adj* considérable

con·sid·e·ra·bly [kən'sɪdrəblɪ] *adv* considérablement, beaucoup

con·sid·er·ate [kən'sɪdərət] *adj* attentionné

con·sid·er·ate·ly [kən'sɪdərətlɪ] *adv* gentiment

con·sid·e·ra·tion [kənsɪdə'reɪʃn] (*thought*) réflexion *f*, (*factor*) facteur *m*; (*thoughtfulness, concern*) attention *f*, ***under ~*** à l'étude; ***take sth into ~*** prendre qch en considération

con·sign·ment [kən'saɪnmənt] COMM cargaison *f*

♦**con·sist of** [kən'sɪst] *v/t* consister en, se composer de

con·sis·ten·cy [kən'sɪstənsɪ] (*texture*) consistance *f*, (*unchangingness*) constance *f*, (*logic*) cohérence *f*

con·sis·tent [kən'sɪstənt] *adj* (*unchanging*) constant; *logically etc* cohérent

con·sis·tent·ly [kən'sɪstəntlɪ] *adv* constamment, invariablement; *logically etc* de façon cohérente

con·so·la·tion [kɑːnsə'leɪʃn] consolation *f*

con·sole [kən'soʊl] *v/t* consoler

con·sol·i·date [kən'sɑːlɪdeɪt] *v/t* consolider

con·so·nant ['kɑːnsənənt] *n* GRAM consonne *f*

con·sor·ti·um [kən'sɔːrtɪəm] consortium *m*

con·spic·u·ous [kən'spɪkjʊəs] *adj* voyant; ***look ~*** se faire remarquer

con·spi·ra·cy [kən'spɪrəsɪ] conspiration *f*, complot *m*

con·spi·ra·tor [kən'spɪrətər] conspirateur(-trice) *m(f)*

con·spire [kən'spaɪr] *v/i* conspirer, comploter

con·stant ['kɑːnstənt] *adj* (*continuous*) constant, continuel*

con·stant·ly ['kɑːnstəntlɪ] *adv* constamment, continuellement

con·ster·na·tion [kɑːnstər'neɪʃn] consternation *f*

con·sti·pat·ed ['kɑːnstɪpeɪtɪd] *adj* constipé

con·sti·pa·tion [kɑːnstɪ'peɪʃn] constipation *f*

C

con·sti·tu·en·cy [kən'stɪtʊənsɪ] *Br* POL circonscription *f* (électorale)
con·sti·tu·ent [kən'stɪtʊənt] *n* (*component*) composant *m*; *Br* POL électeur *m* (*d'une circonscription*)
con·sti·tute ['kɑːnstɪtuːt] *v/t* constituer
con·sti·tu·tion [kɑːnstɪ'tuːʃn] POL, *of person* constitution *f*
con·sti·tu·tion·al [kɑːnstɪ'tuːʃənl] *adj* POL constitutionnel*
con·straint [kən'streɪnt] (*restriction*) contrainte *f*
con·struct [kən'strʌkt] *v/t building etc* construire
con·struc·tion [kən'strʌkʃn] construction *f*; (*trade*) bâtiment *m*; ***under ~*** en construction
con'struc·tion in·dus·try industrie *f* du bâtiment; **con'struc·tion site** chantier *m* (de construction); **con'struc·tion work·er** ouvrier *m* du bâtiment
con·struc·tive [kən'strʌktɪv] *adj* constructif*
con·sul ['kɑːnsl] consul *m*
con·su·late ['kɑːnsʊlət] consulat *m*
con·sult [kən'sʌlt] *v/t* (*seek the advice of*) consulter
con·sul·tan·cy [kən'sʌltənsɪ] *company* cabinet-conseil *m*; (*advice*) conseil
con·sul·tant [kən'sʌltənt] *n* (*adviser*) consultant *m*
con·sul·ta·tion [kɑːnsl'teɪʃn] consultation *f*
con·sume [kən'suːm] *v/t* consommer
con·sum·er [kən'suːmər] consommateur *m*
con·sum·er 'con·fi·dence confiance *f* des consommateurs; **con'sum·er goods** *npl* biens *mpl* de consommation; **con'sum·er so·ci·e·ty** société *f* de consommation
con·sump·tion [kən'sʌmpʃn] consommation *f*
con·tact ['kɑːntækt] **1** *n* contact *m*; *person also* relation *f*; ***keep in ~ with s.o.*** rester en contact avec qn **2** *v/t* contacter
'con·tact lens lentille *f* de contact
'con·tact num·ber numéro *m* de téléphone
con·ta·gious [kən'teɪdʒəs] *adj* contagieux*; *fig also* communicatif*
con·tain [kən'teɪn] *v/t* (*hold*), *also laughter etc* contenir; ***~ o.s.*** se contenir
con·tain·er [kən'teɪnər] récipient *m*; COMM conteneur *m*, container *m*
con'tain·er ship porte-conteneurs *m inv*
con'tain·er ter·min·al terminal *m* (de conteneurs)
con·tam·i·nate [kən'tæmɪneɪt] *v/t* contaminer
con·tam·i·na·tion [kəntæmɪ'neɪʃn] contamination *f*
con·tem·plate ['kɑːntəmpleɪt] *v/t* (*look at*) contempler; (*think about*) envisager
con·tem·po·ra·ry [kən'tempərerɪ] **1** *adj* contemporain **2** *n* contemporain *m*; ***I was a ~ of his at university*** il était à l'université en même temps que moi
con·tempt [kən'tempt] mépris *m*; ***be beneath ~*** être tout ce qu'il y a de plus méprisable
con·temp·ti·ble [kən'temptəbl] *adj* méprisable
con·temp·tu·ous [kən'temptʊəs] *adj* méprisant
con·tend [kən'tend] *v/i*: ***~ for …*** se disputer …; ***~ with …*** affronter
con·tend·er [kən'tendər] *in sport* prétendant *m*; *in competition* concurrent *m*; POL candidat *m*
con·tent[1] ['kɑːntent] *n* contenu *m*
con·tent[2] [kən'tent] **1** *adj* content, satisfait **2** *v/t*: ***~ o.s. with …*** se contenter de …
con·tent·ed [kən'tentɪd] *adj* satisfait
con·ten·tion [kən'tenʃn] (*assertion*) affirmation *f*; ***be in ~ for …*** être en compétition pour …
con·ten·tious [kən'tenʃəs] *adj* controversé
con·tent·ment [kən'tentmənt] contentement *m*
con·tents ['kɑːntents] *npl of house, letter, bag etc* contenu *m*

con·test[1] ['kɑːntest] *n* (*competition*) concours *m*; *in sport* compétition *f*; (*struggle for power*) lutte *f*

con·test[2] [kən'test] *v/t leadership etc* disputer; (*oppose*) contester; ***~ an election*** se présenter à une élection

con·tes·tant [kən'testənt] concurrent *m*

con·text ['kɑːntekst] contexte *m*; ***look at sth in ~ / out of ~*** regarder qch dans son contexte / hors contexte

con·ti·nent ['kɑːntɪnənt] *n* continent *m*; ***the ~*** *Br* l'Europe *f* continentale

con·ti·nen·tal [kɑːntɪ'nentl] *adj* continental

con·ti·nen·tal 'break·fast *Br* petit-déjeuner *m* continental

con·tin·gen·cy [kən'tɪndʒənsɪ] éventualité *f*

con'tin·gen·cy plan plan *m* d'urgence

con·tin·u·al [kən'tɪnʊəl] *adj* continuel*

con·tin·u·al·ly [kən'tɪnʊəlɪ] *adv* continuellement

con·tin·u·a·tion [kəntɪnʊ'eɪʃn] continuation *f*; *of story*, *book* suite *f*

con·tin·ue [kən'tɪnjuː] **1** *v/t* continuer; ***~ to do sth, ~ doing sth*** continuer à faire qch; ***to be ~d*** à suivre **2** *v/i* continuer

con·ti·nu·i·ty [kɑːntɪ'nuːətɪ] continuité *f*

con·tin·u·ous [kən'tɪnjuːəs] *adj* continu, continuel*

con·tin·u·ous·ly [kən'tɪnjuːəslɪ] *adv* continuellement, sans interruption

con·tort [kən'tɔːrt] *v/t face* tordre; ***~ one's body*** se contorsionner

con·tour ['kɑːntʊr] contour *m*

con·tra·cep·tion [kɑːntrə'sepʃn] contraception *f*

con·tra·cep·tive [kɑːntrə'septɪv] *n* contraceptif *m*

con·tract[1] ['kɑːntrækt] *n* contrat *m*

con·tract[2] [kən'trækt] **1** *v/i* (*shrink*) se contracter **2** *v/t illness* contracter

con·trac·tor [kən'træktər] entrepreneur *m*

con·trac·tu·al [kən'træktʊəl] *adj* contractuel*

con·tra·dict [kɑːntrə'dɪkt] *v/t* contredire

con·tra·dic·tion [kɑːntrə'dɪkʃn] contradiction *f*

con·tra·dic·to·ry [kɑːntrə'dɪktərɪ] *adj account* contradictoire

con·trap·tion [kən'træpʃn] F truc *m* F, machin *m* F

con·trar·y[1] ['kɑːntrərɪ] **1** *adj* contraire; ***~ to …*** contrairement à … **2** *n* : ***on the ~*** au contraire

con·tra·ry[2] [kən'trerɪ] *adj* (*perverse*) contrariant

con·trast ['kɑːntræst] **1** *n* contraste *m* **2** *v/t* [kən'træst] mettre en contraste **3** *v/i* opposer, contraster

con·trast·ing [kən'træstɪŋ] *adj* contrastant; *personalities*, *views* opposé

con·tra·vene [kɑːntrə'viːn] *v/t* enfreindre

con·trib·ute [kən'trɪbjuːt] **1** *v/i with money*, *material* contribuer (***to*** à); *to magazine*, *paper* collaborer (***to*** à) **2** *v/t money*, *suggestion* donner, apporter

con·tri·bu·tion [kɑːntrɪ'bjuːʃn] *money*, *to debate* contribution *f*, participation *f*; *to political party*, *church* don *m*; *to magazine* article *m*; poème *m*

con·trib·u·tor [kən'trɪbjʊtər] *of money* donateur *m*; *to magazine* collaborateur(-trice) *m*(*f*)

con·trive [kən'traɪv] *v/t*: ***~ to do sth*** réussir à faire qch

con·trol [kən'troʊl] **1** *n* contrôle *m*; ***lose ~ of …*** perdre le contrôle de …; ***lose ~ of o.s.*** perdre son sang-froid; ***circumstances beyond our ~*** circonstances *fpl* indépendantes de notre volonté; ***be in ~ of sth*** contrôler qch; ***get out of ~*** devenir incontrôlable; ***the situation is under ~*** nous avons la situation bien en main; ***bring a blaze under ~*** maîtriser un incendie; ***~s*** *of aircraft*, *vehicle* commandes *fpl*; (*restrictions*) contrôle *m* **2** *v/t* contrôler; *company* diriger; ***~ o.s.*** se contrôler

con'trol cen·ter, *Br* **con'trol cen·tre**

C

centre *m* de contrôle
con'trol freak F *personne qui veut tout contrôler*
con·trolled 'sub·stance [kən'trould] substance *f* illégale
con·trol·ling 'in·ter·est [kən'troulɪŋ] FIN participation *f* majoritaire
con'trol pan·el tableau *m* de contrôle
con'trol tow·er tour *f* de contrôle
con·tro·ver·sial [kɑːntrə'vɜːrʃl] *adj* controversé
con·tro·ver·sy ['kɑːntrəvɜːrsɪ] controverse *f*
con·va·lesce [kɑːnvə'les] *v/i* être en convalescence
con·va·les·cence [kɑːnvə'lesns] convalescence *f*
con·vene [kən'viːn] *v/t* convoquer, organiser
con·ve·ni·ence [kən'viːnɪəns] *of having sth, location* commodité *f*; ***at your / my ~*** à votre / ma convenance; **(*with*) *all* (*modern*) *~s*** tout confort
con've·ni·ence food plats *mpl* cuisinés
con've·ni·ence store magasin *m* de proximité
con·ve·ni·ent [kən'viːnɪənt] *adj* commode, pratique
con·ve·ni·ent·ly [kən'viːnɪəntlɪ] *adv* de façon pratique; ***~ located*** bien situé
con·vent ['kɑːnvənt] couvent *m*
con·ven·tion [kən'venʃn] (*tradition*) conventions *fpl*; (*conference*) convention *f*, congrès *m*; ***it's a ~ that ...*** traditionellement ...
con·ven·tion·al [kən'venʃnl] *adj* conventionnel*; *person* conformiste
con'ven·tion cen·ter palais *m* des congrès
con·ven·tion·eer [kənvenʃ'nɪr] congressiste *m/f*
♦ **con·verge on** [kən'vɜːrdʒ] *v/t* converger vers / sur
con·ver·sant [kən'vɜːrsənt] *adj*: ***be ~ with sth*** connaître qch, s'y connaître en qch
con·ver·sa·tion [kɑːnvər'seɪʃn] conversation *f*
con·ver·sa·tion·al [kɑːnvər'seɪʃnl] *adj* de conversation; ***a course in ~ Japanese*** un cours de conversation japonaise
con·verse ['kɑːnvɜːrs] *n* (*opposite*) contraire *m*, opposé *m*
con·verse·ly [kən'vɜːrslɪ] *adv* inversement
con·ver·sion [kən'vɜːrʃn] conversion *f*; *of building* aménagement *m*, transformation *f*
con'ver·sion ta·ble table *f* de conversion
con·vert 1 *n* ['kɑːnvɜːrt] converti *m* **2** *v/t* [kən'vɜːrt] convertir; *building* aménager, transformer **3** *v/i* [kən'vɜːrt]: ***~ to*** se convertir à
con·ver·ti·ble [kən'vɜːrtəbl] *n car* (voiture *f*) décapotable *f*
con·vey [kən'veɪ] *v/t* (*transmit*) transmettre, communiquer; (*carry*) transporter
con·vey·or belt [kən'veɪər] convoyeur *m*, tapis *m* roulant
con·vict 1 *n* ['kɑːnvɪkt] détenu *m* **2** *v/t* [kən'vɪkt] LAW déclarer coupable; ***~ s.o. of sth*** déclarer *or* reconnaître qn coupable de qch
con·vic·tion [kən'vɪkʃn] LAW condamnation *f*; (*belief*) conviction *f*
con·vince [kən'vɪns] *v/t* convaincre, persuader
con·vinc·ing [kən'vɪnsɪŋ] *adj* convaincant
con·viv·i·al [kən'vɪvɪəl] *adj* (*friendly*) convivial
con·voy ['kɑːnvɔɪ] *of ships, vehicles* convoi *m*
con·vul·sion [kən'vʌlʃn] MED convulsion *f*
cook [kʊk] **1** *n* cuisinier(-ière) *m*(*f*) **2** *v/t meal* préparer; *food* faire cuire; ***a ~ed meal*** un repas chaud; ***~ the books*** F truquer les comptes **3** *v/i* faire la cuisine, cuisiner; *of food* cuire
'cook·book livre *m* de cuisine
cook·e·ry ['kʊkərɪ] cuisine *f*
cook·ie ['kʊkɪ] cookie *m*; ***she's a smart ~*** F c'est une petite maline F
cook·ing ['kʊkɪŋ] (*food*) cuisine *f*
cool [kuːl] **1** *n* F: ***keep one's ~*** garder

son sang-froid; ***lose one's ~*** F perdre son sang-froid **2** *adj weather, breeze, drink* frais*; *dress* léger*; (*calm*) calme; (*unfriendly*) froid **3** *v/i of food* refroidir; *of tempers* se calmer; *of interest* diminuer **4** *v/t* F: ***~ it*** on se calme F

◆**cool down 1** *v/i* refroidir; *of weather* se rafraîchir; *fig: of tempers* se calmer **2** *v/t food* (faire) refroidir; *fig* calmer

cool·ing 'off pe·ri·od délai *m* de réflexion

co·op·e·rate [koʊ'ɑːpəreɪt] *v/i* coopérer, collaborer

co·op·e·ra·tion [koʊɑːpə'reɪʃn] coopération *f*

co·op·e·ra·tive [koʊ'ɑːpərətɪv] **1** *n* COMM coopérative *f* **2** *adj* coopératif*

co·or·di·nate [koʊ'ɔːrdɪneɪt] *v/t* coordonner

co·or·di·na·tion [koʊɔːrdɪ'neɪʃn] coordination *f*

cop [kɑːp] *n* F flic *m* F

cope [koʊp] *v/i* se débrouiller; ***~ with ...*** faire face à ...; (*deal with*) s'occuper de ...

cop·i·er ['kɑːpɪər] *machine* photocopieuse *f*

co·pi·lot ['koʊpaɪlət] copilote *m*

co·pi·ous ['koʊpɪəs] *adj* copieux*; *notes* abondant

cop·per ['kɑːpər] *n metal* cuivre *m*

cop·y ['kɑːpɪ] **1** *n* copie *f*; (*duplicate, imitation also*) reproduction *f*; *of key* double *m*; *of book* exemplaire *m*; ***advertising ~*** texte *m* publicitaire; ***make a ~ of a file*** COMPUT faire une copie d'un fichier **2** *v/t* (*pret & pp* ***-ied***) copier; (*imitate also*) imiter; (*photocopy*) photocopier

'cop·y cat F copieur(-euse) *m(f)*; **cop·y·cat 'crime** crime inspiré par un autre; **'cop·y·right** *n* copyright *m*, droit *m* d'auteur; **'cop·y-writ·er** *in advertising* rédacteur(-trice) *m(f)* publicitaire

cor·al ['kɑːrəl] corail *m*

cord [kɔːrd] (*string*) corde *f*; (*cable*) fil *m*, cordon *m*

cor·di·al ['kɔːrdʒəl] *adj* cordial

cord·less phone ['kɔːrdlɪs] téléphone *m* sans fil

cor·don ['kɔːrdn] cordon *m*

◆**cordon off** *v/t* boucler; *street* barrer

cords [kɔːrdz] *npl pants* pantalon *m* en velours (côtelé)

cor·du·roy ['kɔːrdərɔɪ] velours *m* côtelé

core [kɔːr] **1** *n of fruit* trognon *m*, cœur *m*; *of problem* cœur *m*; *of organization, party* noyau *m* **2** *v/t fruit* évider **3** *adj issue, meaning* fondamental, principal

cork [kɔːrk] *in bottle* bouchon *m*; *material* liège *m*

'cork·screw *n* tire-bouchon *m*

corn [kɔːrn] *grain* maïs *m*

cor·ner ['kɔːrnər] **1** *n* coin *m*; *of room, street also* angle *m*; (*bend: in road*) virage *m*, tournant *m*; *in soccer* corner *m*; ***in the ~*** dans le coin; ***on the ~*** *of street* au coin, à l'angle **2** *v/t person* coincer F; ***~ the market*** accaparer le marché **3** *v/i of driver, car* prendre le / les virage(s)

'cor·ner kick *in soccer* corner *m*

'corn·flakes *npl* corn-flakes *mpl*, pétales *fpl* de maïs

'corn·starch fécule *f* de maïs, maïzena *f*

corn·y ['kɔːrnɪ] *adj* F (*trite*) éculé, banal (à mourir); (*sentimental*) à l'eau de rose

cor·o·na·ry ['kɑːrənerɪ] **1** *adj* coronaire **2** *n* infarctus *m* (du myocarde)

cor·o·ner ['kɑːrənər] coroner *m*

cor·po·ral ['kɔːrpərəl] *n* caporal *m*

cor·po·ral 'pun·ish·ment châtiment *m* corporel

cor·po·rate ['kɔːrpərət] *adj* COMM d'entreprise, des sociétés; ***~ image*** image *f* de marque de l'entreprise

cor·po·ra·tion [kɔːrpə'reɪʃn] (*business*) société *f*, entreprise *f*

corps [kɔːr] corps *m*

corpse [kɔːrps] cadavre *m*, corps *m*

cor·pu·lent ['kɔːrpjʊlənt] *adj* corpulent

cor·pus·cle ['kɔːrpʌsl] globule *m*

cor·ral [kə'ræl] *n* corral *m*

cor·rect [kə'rekt] **1** *adj* correct; ***the ~***

C

answer la bonne réponse; ***that's ~*** c'est exact **2** *v/t* corriger
cor·rec·tion [kə'rekʃn] correction *f*
cor·rect·ly [kə'rektlɪ] *adv* correctement
cor·re·spond [kɑːrɪ'spɑːnd] *v/i* correspondre (***to*** à)
cor·re·spon·dence [kɑːrɪ'spɑːndəns] correspondance *f*
cor·re·spon·dent [kɑːrɪ'spɑːndənt] correspondant(e) *m(f)*
cor·re·spon·ding [kɑːrɪ'spɑːndɪŋ] *adj* (*equivalent*) correspondant; ***in the ~ period last year*** à la même période l'année dernière
cor·ri·dor ['kɔːrɪdər] *in building* couloir *m*
cor·rob·o·rate [kə'rɑːbəreɪt] *v/t* corroborer
cor·rode [kə'roʊd] **1** *v/t* corroder **2** *v/i* se désagréger; *of battery* couler
cor·ro·sion [kə'roʊʒn] corrosion *f*
cor·ru·gated card·board ['kɑːrəgeɪtɪd] carton *m* ondulé
cor·ru·gat·ed 'i·ron tôle *f* ondulée
cor·rupt [kə'rʌpt] **1** *adj also* COMPUT corrompu; *morals, youth* dépravé **2** *v/t* corrompre
cor·rup·tion [kə'rʌpʃn] corruption *f*
Cor·si·ca ['kɔːrsɪkə] Corse *f*
Cor·si·can ['kɔːrsɪkən] **1** *adj* corse **2** *n* Corse *m/f*
cos·met·ic [kɑːz'metɪk] *adj* cosmétique; *fig* esthétique
cos·met·ics [kɑːz'metɪks] *npl* cosmétiques *mpl*, produits *mpl* de beauté
cos·met·ic 'sur·geon chirurgien(ne) *m(f)* esthétique
cos·met·ic 'sur·ger·y chirurgie *f* esthétique
cos·mo·naut ['kɑːzmənɒːt] cosmonaute *m/f*
cos·mo·pol·i·tan [kɑːzmə'pɑːlɪtən] *adj city* cosmopolite
cost[1] [kɑːst] **1** *n also fig* coût *m*; ***at all ~s*** à tout prix; ***to my ~*** à mes dépens **2** *v/t* (*pret & pp* **cost**) coûter; ***how much does it ~?*** combien est-ce que cela coûte?, combien ça coûte?; ***it ~ me my health*** j'en ai perdu la santé; ***it ~ him his life*** cela lui a coûté la vie
cost[2] [kɑːst] *v/t* (*pret & pp* ***-ed***) FIN *proposal, project* évaluer le coût de
cost and 'freight COMM coût et fret; **'cost-con·scious** économe; **'cost-ef·fec·tive** *adj* rentable; **'cost, insurance and freight** COMM CAF, coût, assurance, fret
cost·ly ['kɑːstlɪ] *adv mistake* coûteux
cost of 'liv·ing coût *m* de la vie
'cost price prix *m* coûtant
cos·tume ['kɑːstuːm] *for actor* costume *m*
cos·tume 'jew·el·ry bijoux *mpl* fantaisie
cot [kɑːt] (*camp-bed*) lit *m* de camp; *Br. for child* lit *m* d'enfant
cot·tage ['kɑːtɪdʒ] cottage *m*
'cot·tage cheese cottage *m*
cot·ton ['kɑːtn] **1** *n* coton *m* **2** *adj* en coton
♦**cotton on** *v/i* F piger F
♦**cotton on to** *v/t* F piger F
♦**cotton to** *v/t* F accrocher avec
cot·ton 'can·dy barbe *f* à papa
cot·ton 'wool *Br* coton *m* hydrophile, ouate *f*
couch [kaʊtʃ] *n* canapé *m*
cou·chette [kuː'ʃet] couchette *f*
'couch po·ta·to F téléphage *m/f*
cough [kɑːf] **1** *n* toux *f* **2** *v/i* tousser
♦**cough up 1** *v/t also money* cracher **2** *v/i* F (*pay*) banquer F
'cough med·i·cine, 'cough syr·up sirop *m* contre la toux
could [kʊd] *pret* → ***can***; ***~ I have my key?*** pourrais-je avoir ma clef (s'il vous plaît)?; ***~ you help me?*** pourrais-tu m'aider?; ***this ~ be our bus*** ça pourrait être notre bus; ***you ~ be right*** vous avez peut-être raison; ***he ~ have got lost*** il s'est peut-être perdu; ***you ~ have warned me!*** tu aurais pu me prévenir!
coun·cil ['kaʊnsl] (*assembly*) conseil *m*, assemblée *f*
'coun·cil·man conseiller *m* municipal
coun·cil·or ['kaʊnsələr] conseiller *m*
coun·sel ['kaʊnsl] **1** *n* (*advice*) conseil *m*; (*lawyer*) avocat *m* **2** *v/t* conseiller
coun·sel·ing ['kaʊnslɪŋ] aide *f* (psy-

chologique)

coun·sel·or, *Br* **coun·sel·lor** ['kaʊnslər] (*adviser*) conseiller *m*; LAW maître *m*

count¹ [kaʊnt] **1** *n* compte *m*; ***keep ~ of*** compter; ***lose ~ of*** ne plus compter; ***I've lost ~ of the number we've sold*** je ne sais plus combien nous en avons vendu; ***at the last ~*** au dernier décompte **2** *v/i* (*also*: *matter*) compter; ***that doesn't ~*** ça ne compte pas **3** *v/t* compter

♦**count on** *v/t* compter sur

count² [kaʊnt] *nobleman* comte *m*

'count·down compte *m* à rebours

coun·te·nance ['kaʊntənəns] *v/t* approuver

coun·ter¹ ['kaʊntər] *in shop*, *café* comptoir *m*; *in game* pion *m*

coun·ter² ['kaʊntər] **1** *v/t* contrer **2** *v/i* (*retaliate*) riposter, contre-attaquer

coun·ter³ ['kaʊntər] *adv*: ***run ~ to*** aller à l'encontre de

'coun·ter·act *v/t* neutraliser, contrecarrer

coun·ter-at'tack 1 *n* contre-attaque *f* **2** *v/i* contre-attaquer

'coun·ter·bal·ance 1 *n* contrepoids *m* **2** *v/t* contrebalancer, compenser

coun·ter'clock·wise *adv* dans le sens inverse des aiguilles d'une montre

coun·ter'es·pi·o·nage contre-espionnage *m*

coun·ter·feit ['kaʊntərfɪt] **1** *v/t* contrefaire **2** *adj* faux*

'coun·ter·part *person* homologue *m/f*

coun·ter·pro'duc·tive *adj* contre-productif*

'coun·ter·sign *v/t* contresigner

coun·tess ['kaʊntes] comtesse *f*

count·less ['kaʊntlɪs] *adj* innombrable

coun·try ['kʌntrɪ] *n nation* pays *m*; *as opposed to town* campagne *f*; ***in the ~*** à la campagne

coun·try and 'west·ern MUS (musique *f*) country *f*; **'coun·try·man** (*fellow ~*) compatriote *m*; **'coun·try·side** campagne *f*

coun·ty ['kaʊntɪ] comté *m*

coup [kuː] POL coup *m* d'État; *fig* beau coup *m*

cou·ple ['kʌpl] *n* (*two people*) couple *m*; ***just a ~*** juste deux ou trois; ***a ~ of*** (*a pair*) deux; (*a few*) quelques

cou·pon ['kuːpɑːn] (*form*) coupon-réponse *m*; (*voucher*) bon *m* (de réduction)

cour·age ['kʌrɪdʒ] courage *m*

cou·ra·geous [kə'reɪdʒəs] *adj* courageux*

cou·ri·er ['kʊrɪər] (*messenger*) coursier *m*; *with tourist party* guide *m/f*

course [kɔːrs] *n* (*of lessons*) cours *m(pl)*; (*part of meal*) plat *m*; *of ship*, *plane* route *f*; *for sports event* piste *f*; *for golf* terrain *m*; ***of ~*** bien sûr, évidemment; ***of ~ not*** bien sûr que non; ***~ of action*** ligne *f* de conduite; ***~ of treatment*** traitement *m*; ***in the ~ of ...*** au cours de ...

court [kɔːrt] *n* LAW tribunal *m*, cour *f*; SP *for tennis* court *m*; *for basketball* terrain *m*; ***take s.o. to ~*** faire un procès à qn

'court case affaire *f*, procès *m*

cour·te·ous ['kɜːrtɪəs] *adj* courtois

cour·te·sy ['kɜːrtəsɪ] courtoisie *f*

'court·house palais *m* de justice, tribunal *m*; **court 'mar·tial 1** *n* cour *m* martiale **2** *v/t* faire passer en cour martiale; **'court or·der** ordonnance *f* du tribunal; **'court·room** salle *f* d'audience; **'court·yard** cour *f*

cous·in ['kʌzn] cousin(e) *m(f)*

cove [koʊv] (*small bay*) crique *f*

cov·er ['kʌvər] **1** *n protective* housse *f*, *of book*, *magazine*, *bed* couverture *f*, *for bed* couverture *f*, (*shelter*) abri *m*; (*insurance*) couverture *f*, assurance *f* **2** *v/t* couvrir

♦**cover up 1** *v/t* couvrir; *crime*, *scandal* dissimuler **2** *v/i fig* cacher la vérité; ***cover up for s.o.*** couvrir qn

cov·er·age ['kʌvərɪdʒ] *by media* couverture *f* (médiatique)

cov·er·ing let·ter ['kʌvrɪŋ] lettre *f* d'accompagnement

cov·ert ['koʊvərt] *adj* secret*, clandestin

'cov·er-up black-out *m inv*; ***there has been a police ~*** la police a étouffé

C

C

l'affaire
cow [kaʊ] vache *f*
cow·ard ['kaʊərd] lâche *m/f*
cow·ard·ice ['kaʊərdɪs] lâcheté *f*
cow·ard·ly ['kaʊərdlɪ] *adj* lâche
'cow·boy cow-boy *m*
cow·er ['kaʊər] *v/i* se recroqueviller
coy [kɔɪ] *adj (evasive)* évasif*; *(flirtatious)* coquin
co·zy ['koʊzɪ] *adj* confortable, douillet*
CPU [si:pi:'ju:] *abbr* (= ***central processing unit***) CPU *m*, unité *f* centrale
crab [kræb] *n* crabe *m*
crack [kræk] **1** *n* fissure *f*; *in cup, glass* fêlure *f*; *(joke)* vanne *f* F, (mauvaise) blague *f* F **2** *v/t cup, glass* fêler; *nut* casser; *(solve)* résoudre; *code* décrypter; ~ ***a joke*** sortir une blague F **3** *v/i* se fêler; ***get ~ing*** *Br* F s'y mettre
♦**crack down on** *v/t* sévir contre
♦**crack up** *v/i (have breakdown)* craquer; F *(laugh)* exploser de rire F
crack·brained ['krækbreɪnd] *adj* F (complètement) dingue F
'crack·down mesures *fpl* de répression (***on*** contre)
cracked [krækt] *adj cup, glass* fêlé; dingue F
crack·er ['krækər] *to eat* cracker *m*, biscuit *m* salé
crack·le ['krækl] *v/i of fire* crépiter
cra·dle ['kreɪdl] *n for baby* berceau *m*
craft[1] [kræft] NAUT embarcation *f*
craft[2] *(trade)* métier *m*; *weaving, pottery etc* artisanat *m*; *(craftsmanship)* art *m*; ***~s*** *at school* travaux *mpl* manuels
crafts·man ['kræftsmən] *(artisan)* artisan *m*; *(artist)* artiste *m/f*
craft·y ['kræftɪ] *adj* malin*, rusé
crag [kræg] *(rock)* rocher *m* escarpé
cram [kræm] *v/t* fourrer F; *food* enfourner; *people* entasser
cramp [kræmp] *n* crampe *f*
cramped [kræmpt] *adj apartment* exigu*
cramps [kræmps] *npl* crampe *f*
cran·ber·ry ['krænberɪ] canneberge *f*
crane [kreɪn] **1** *n (machine)* grue *f* **2** *v/t*: ~ ***one's neck*** tendre le cou
crank [kræŋk] *n (strange person)* allumé *m*
'crank·shaft vilebrequin *m*
crank·y ['kræŋkɪ] *adj (bad-tempered)* grognon*
crash [kræʃ] **1** *n (noise)* fracas *m*, grand bruit *m*; *accident* accident *m*; COMM faillite *f*; *of stock exchange* krach *m*; COMPUT plantage *m* F **2** *v/i* s'écraser; *of car* avoir un accident; COMM: *of market* s'effondrer; COMPUT se planter F; F *(sleep)* pioncer F; ***the car ~ed into a wall*** la voiture a percuté un mur **3** *v/t car* avoir un accident avec
♦**crash out** *v/i* F *(fall asleep)* pioncer F
'crash bar·ri·er glissière *f* de sécurité; **'crash course** cours *m* intensif; **'crash di·et** régime *m* intensif; **'crash hel·met** casque *m*; **'crash-land** *v/i* atterrir en catastrophe; **'crash land·ing** atterrissage *m* forcé
crate [kreɪt] *(packing case)* caisse; *for fruit* cageot *m*
cra·ter ['kreɪtər] *of volcano* cratère *m*
crave [kreɪv] *v/t* avoir très envie de; ***this child ~s attention*** cet enfant a grand besoin d'affection
crav·ing ['kreɪvɪŋ] envie *f* (irrépressible); ***a ~ for attention*** un (grand) besoin d'attention; ***a ~ for fame*** la soif de gloire
crawl [krɒ:l] **1** *n in swimming* crawl *m*; ***at a ~*** *(very slowly)* au pas **2** *v/i on belly* ramper; *on hands and knees* marcher à quatre pattes; *(move slowly)* se traîner
♦**crawl with** *v/t* grouiller de
cray·on ['kreɪɑ:n] *n* crayon *m* de couleur
craze [kreɪz] engouement *m*; ***the latest ~*** la dernière mode
cra·zy ['kreɪzɪ] *adj* fou*; ***be ~ about*** être fou de
creak [kri:k] **1** *n* craquement *m*, grincement *m* **2** *v/i* craquer, grincer
creak·y ['kri:kɪ] *adj* qui craque, grinçant
cream [kri:m] **1** *n for skin, coffee, cake* crème *f*; *color* crème *m* **2** *adj* crème

inv
cream 'cheese fromage *m* à tartiner
cream·er ['kri:mər] (*pitcher*) pot *m* à crème; *for coffee* crème *f* en poudre
cream·y ['kri:mɪ] *adj with lots of cream* crémeux*
crease [kri:s] **1** *n* pli *m* **2** *v/t accidentally* froisser
cre·ate [kri:'eɪt] **1** *v/t* créer; (*cause*) provoquer **2** *v/i* (*be creative*) créer
cre·a·tion [kri:'eɪʃn] création *f*
cre·a·tive [kri:'eɪtɪv] *adj* créatif*
cre·a·tor [kri:'eɪtər] créateur(-trice) *m(f)*; ***the Creator*** REL le Créateur
crea·ture ['kri:ʧər] (*animal*) animal *m*; (*person*) créature *f*
crèche [kreʃ] *for kids*, REL crèche *f*
cred·i·bil·i·ty [kredə'bɪlətɪ] *of person* crédibilité *f*
cred·i·ble ['kredəbl] *adj* crédible
cred·it ['kredɪt] **1** *n* crédit *m*; (*honor*) honneur *m*, mérite *m*; ***be in ~*** être créditeur; ***get the ~ for sth*** se voir attribuer le mérite de qch **2** *v/t* (*believe*) croire; ***~ an amount to an account*** créditer un compte d'une somme
cred·it·a·ble ['kredɪtəbl] *adj* honorable
'cred·it card carte *f* de crédit
'cred·it lim·it limite *f* de crédit
cred·i·tor ['kredɪtər] créancier *m*
'cred·it·wor·thy *adj* solvable
cred·u·lous ['kredʊləs] *adj* crédule
creed [kri:d] (*beliefs*) credo *m inv*
creek [kri:k] (*stream*) ruisseau *m*
creep [kri:p] **1** *n pej* sale type *m* F **2** *v/i* (*pret & pp* ***crept***) se glisser (en silence); (*move slowly*) avancer lentement; ***~ into a room*** entrer dans une pièce sans faire de bruit
creep·er ['kri:pər] BOT *creeping* plante *f* rampante; *climbing* plante *f* grimpante
creeps [kri:ps] *npl* F: ***the house / he gives me the ~*** la maison / il me donne la chair de poule
creep·y ['kri:pɪ] *adj* F flippant F
cre·mate [krɪ'meɪt] *v/t* incinérer
cre·ma·tion [krɪ'meɪʃn] incinération *f*, crémation *f*
cre·ma·to·ri·um [kremə'tɔ:rɪəm] crématorium *m*
crept [krept] *pret & pp* → ***creep***
cres·cent ['kresənt] *shape* croissant *m*
crest [krest] crête *f*
'crest·fal·len *adj* dépité
crev·ice ['krevɪs] fissure *f*
crew [kru:] *n of ship, airplane* équipage *m*; *of repairmen etc* équipe *f*; (*crowd, group*) bande *f*
'crew cut cheveux *mpl* en brosse
'crew neck col *m* rond
crib [krɪb] *n for baby* lit *m* d'enfant
crick [krɪk]: ***~ in the neck*** torticolis *m*
crick·et ['krɪkɪt] *insect* grillon *m*
crime [kraɪm] *also fig* crime *m*; ***~ rate*** taux *m* de criminalité
crim·i·nal ['krɪmɪnl] **1** *n* criminel *m* **2** *adj* criminel*; (*shameful*) honteux*
crim·son ['krɪmzn] *adj* cramoisi
cringe [krɪndʒ] *v/i* tressaillir, frémir
crip·ple ['krɪpl] **1** *n* (*disabled person*) handicapé(e) *m(f)* **2** *v/t person* estropier; *fig* paralyser
cri·sis ['kraɪsɪs] (*pl* ***crises*** ['kraɪsi:z]) crise *f*
crisp [krɪsp] *adj air, weather* vivifiant; *lettuce, apple* croquant; *bacon, toast* croustillant; *new shirt, bills* raide
crisps [krɪsps] *Br* chips *fpl*
cri·te·ri·on [kraɪ'tɪrɪən] (*pl* ***criteria*** [kraɪ'tɪrɪə]) critère *m*
crit·ic ['krɪtɪk] critique *m*
crit·i·cal ['krɪtɪkl] *adj* critique
crit·i·cal·ly ['krɪtɪklɪ] *adv speak etc* en critiquant, sévèrement; ***~ ill*** gravement malade
crit·i·cism ['krɪtɪsɪzm] critique *f*
crit·i·cize ['krɪtɪsaɪz] *v/t* critiquer
croak [kroʊk] **1** *n of frog* coassement *m*; *of person* voix *f* rauque **2** *v/i of frog* coasser; *of person* parler d'une voix rauque
crock·e·ry ['krɑ:kərɪ] vaisselle *f*
croc·o·dile ['krɑ:kədaɪl] crocodile *m*
cro·cus ['kroʊkəs] crocus *m*
cro·ny ['kroʊnɪ] F pote *m* F, copain *m*
crook [krʊk] *n* escroc *m*
crook·ed ['krʊkɪd] *adj* (*not straight*) de travers; *streets* tortueux*; (*dishonest*) malhonnête
crop [krɑ:p] **1** *n* culture *f*; (*harvest*) ré-

colte *f*, *fig* fournée *f* **2** *v/t* (*pret & pp* **-ped**) *hair, photo* couper

♦**crop up** *v/i* surgir; ***something has cropped up*** il y a un contretemps

cross [krɑːs] **1** *adj* (*angry*) fâché, en colère **2** *n* croix *f* **3** *v/t* (*go across*) traverser; ~ ***o.s.*** REL se signer; ~ ***one's legs*** croiser les jambes; ***keep one's fingers ~ed*** croiser les doigts; ***it never ~ed my mind*** ça ne m'est jamais venu à l'esprit **4** *v/i* (*go across*) traverser; *of lines* se croiser

♦**cross off, cross out** *v/t* rayer

'cross·bar *of goal* barre *f* transversale; *of bicycle, in high jump* barre *f*; **'cross·check 1** *n* recoupement *m* **2** *v/t* vérifier par recoupement

cross-coun·try 'skiing ski *m* de fond

cross-ex·am·i'na·tion LAW contre-interrogatoire *m*

cross-ex'am·ine *v/t* LAW faire subir un contre-interrogatoire à

cross-eyed ['krɑːsaɪd] *adj* qui louche

cross·ing ['krɑːsɪŋ] NAUT traversée *f*

'cross·roads *nsg or npl also fig* carrefour *m*; **'cross-sec·tion** *of people* échantillon *m*; **'cross·walk** passage *m* (pour) piétons; **'cross·word (puz·zle)** mots *mpl* croisés

crotch [krɑːtʃ] entrejambe *m*

crouch [kraʊtʃ] *v/i* s'accroupir

crow [kroʊ] *n bird* corbeau *m*; ***as the ~ flies*** à vol d'oiseau

'crow·bar pied-de-biche *m*

crowd [kraʊd] *n* foule *f*, *at sports event* public *m*

crowd·ed ['kraʊdɪd] *adj* bondé, plein (de monde)

crown [kraʊn] *n also on tooth* couronne *f*

cru·cial ['kruːʃl] *adj* crucial

cru·ci·fix ['kruːsɪfɪks] crucifix *m*

cru·ci·fix·ion [kruːsɪ'fɪkʃn] crucifiement *m*; *of Christ* crucifixion *f*

cru·ci·fy ['kruːsɪfaɪ] *v/t* (*pret & pp* **-ied**) REL crucifier; *fig* assassiner

crude [kruːd] **1** *adj* (*vulgar*) grossier*; (*unsophisticated*) rudimentaire **2** *n*: ~ ***(oil)*** pétrole *m* brut

crude·ly ['kruːdlɪ] *adv speak, made* grossièrement

cru·el ['kruːəl] *adj* cruel*

cru·el·ty ['kruːəltɪ] cruauté *f*

cruise [kruːz] **1** *n* croisière *f* **2** *v/i of people* faire une croisière; *of car* rouler (à une vitesse de croisière); *of plane* voler (à une vitesse de croisière)

'cruise lin·er paquebot *m* (de croisière)

'cruise mis·sile missile *m* de croisière

cruis·ing speed ['kruːzɪŋ] *also fig* vitesse *f* de croisière

crumb [krʌm] miette *f*

crum·ble ['krʌmbl] **1** *v/t* émietter **2** *v/i of bread* s'émietter; *of stonework* s'effriter; *fig*: *of opposition etc* s'effondrer

crum·bly ['krʌmblɪ] *adj* friable

crum·ple ['krʌmpl] **1** *v/t* (*crease*) froisser **2** *v/i* (*collapse*) s'écrouler

crunch [krʌntʃ] **1** *n* F: ***when it comes to the ~*** au moment crucial **2** *v/i of snow, gravel* crisser

cru·sade [kruː'seɪd] *n also fig* croisade *f*

crush [krʌʃ] **1** *n* (*crowd*) foule *f*, ***have a ~ on s.o.*** craquer pour qn F **2** *v/t* écraser; (*crease*) froisser; ***they were ~ed to death*** ils se sont fait écraser **3** *v/i* (*crease*) se froisser

crust [krʌst] *on bread* croûte *f*

crust·y ['krʌstɪ] *adj bread* croustillant

crutch [krʌtʃ] *for injured person* béquille *f*

cry [kraɪ] **1** *n* (*call*) cri *m*; ***have a ~*** pleurer **2** *v/t* (*pret & pp* **-ied**) (*call*) crier **3** *v/i* (*weep*) pleurer

♦**cry out 1** *v/t* crier, s'écrier **2** *v/i* crier, pousser un cri

♦**cry out for** *v/t* (*need*) avoir grand besoin de

cryp·tic ['krɪptɪk] *adj* énigmatique

crys·tal ['krɪstl] cristal *m*

crys·tal·lize ['krɪstlaɪz] **1** *v/t* cristalliser, concrétiser **2** *v/i of thoughts etc* se concrétiser

cub [kʌb] petit *m*

Cu·ba ['kjuːbə] Cuba *f*

Cu·ban ['kjuːbən] **1** *adj* cubain **2** *n* Cubain(e) *m(f)*

cube [kjuːb] (*shape*) cube *m*

cu·bic ['kjuːbɪk] *adj* cubique; ~ ***me-***

ter / centimeter mètre *m* / centimètre *m* cube
cu·bic ca'pac·i·ty TECH cylindrée *f*
cu·bi·cle ['kju:bɪkl] (*changing room*) cabine *f*
cuck·oo ['kʊku:] coucou *m*
cu·cum·ber ['kju:kʌmbər] concombre *m*
cud·dle ['kʌdl] **1** *n* câlin *m* **2** *v/t* câliner
cud·dly ['kʌdlɪ] *adj kitten etc* adorable; (*liking cuddles*) câlin
cue [kju:] *n for actor etc* signal *m*; *for pool* queue *f*
cuff [kʌf] **1** *n of shirt* poignet *m*; *of pants* revers *m*; (*blow*) gifle *f*; ***off the ~*** au pied levé **2** *v/t* (*hit*) gifler
'cuff link bouton *m* de manchette
'cul-de-sac ['kʌldəsæk] cul-de-sac *m*, impasse *f*
cu·li·nar·y ['kʌlɪnerɪ] *adj* culinaire
cul·mi·nate ['kʌlmɪneɪt] *v/i* aboutir; ***~ in ...*** se terminer par ...
cul·mi·na·tion [kʌlmɪ'neɪʃn] apogée *f*
cul·prit ['kʌlprɪt] coupable *m/f*
cult [kʌlt] (*sect*) secte *f*
cul·ti·vate ['kʌltɪveɪt] *v/t land, person* cultiver
cul·ti·vat·ed ['kʌltɪveɪtɪd] *adj person* cultivé
cul·ti·va·tion [kʌltɪ'veɪʃn] *of land* culture *f*
cul·tu·ral ['kʌltʃərəl] *adj* culturel*
cul·ture ['kʌltʃər] *n* culture *f*
cul·tured ['kʌltʃərd] *adj* (*cultivated*) cultivé
'cul·ture shock choc *m* culturel
cum·ber·some ['kʌmbərsəm] *adj big* encombrant; *heavy, also fig* lourd
cu·mu·la·tive ['kju:mjʊlətɪv] *adj* cumulatif*; ***the ~ effect of ...*** l'accumulation *f* de ...
cun·ning ['kʌnɪŋ] **1** *n* ruse *f* **2** *adj* rusé
cup [kʌp] *n* tasse *f*; (*trophy*) coupe *f*; ***a ~ of tea*** une tasse de thé
cup·board ['kʌbərd] placard *m*
'cup fi·nal finale *f* de (la) coupe
cu·po·la ['kju:pələ] coupole *f*
cu·ra·ble ['kjʊrəbl] *adj* guérissable
cu·ra·tor [kjʊ'reɪtər] conservateur (-trice) *m(f)*
curb [kɜ:rb] **1** *n of street* bord *m* du trottoir; *on powers etc* frein *m* **2** *v/t* réfréner; *inflation* juguler
cur·dle ['kɜ:rdl] *v/i of milk* (se) cailler
cure [kjʊr] **1** *n* MED remède *m* **2** *v/t* MED guérir; *meat, fish* saurer
cur·few ['kɜ:rfju:] couvre-feu *m*
cu·ri·os·i·ty [kjʊrɪ'ɑ:sətɪ] (*inquisitiveness*) curiosité *f*
cu·ri·ous ['kjʊrɪəs] *adj* (*inquisitive, strange*) curieux*
cu·ri·ous·ly ['kjʊrɪəslɪ] *adv* (*inquisitively*) avec curiosité; (*strangely*) curieusement; ***~ enough*** chose curieuse
curl [kɜ:rl] **1** *n in hair* boucle *f*; *of smoke* volute *f* **2** *v/t hair* boucler; (*wind*) enrouler **3** *v/i of hair* boucler; *of leaf, paper etc* se gondoler
♦**curl up** *v/i* se pelotonner; ***curl up into a ball*** se rouler en boule
curl·y ['kɜ:rlɪ] *adj hair* bouclé; *tail* en tire-bouchon
cur·rant ['kʌrənt] raisin *m* sec
cur·ren·cy ['kʌrənsɪ] (*money*) monnaie *f*; ***foreign ~*** devise *f* étrangère
cur·rent ['kʌrənt] **1** *n in sea*, ELEC courant *m* **2** *adj* (*present*) actuel*
cur·rent af'fairs, cur·rent e'vents actualité *f*
cur·rent af'fairs pro·gram émission *f* d'actualité
cur·rent·ly ['kʌrəntlɪ] *adv* actuellement
cur·ric·u·lum [kə'rɪkjʊləm] programme *m*
cur·ry ['kʌrɪ] (*spice*) curry *m*; ***a lamb ~*** un curry d'agneau
curse [kɜ:rs] **1** *n* (*spell*) malédiction *f*; (*swearword*) juron *m* **2** *v/t* maudire; (*swear at*) injurier **3** *v/i* (*swear*) jurer
cur·sor ['kɜ:rsər] COMPUT curseur *m*
cur·so·ry ['kɜ:rsərɪ] *adj* superficiel*
curt [kɜ:rt] *adj* abrupt
cur·tail [kɜ:r'teɪl] *v/t* écourter
cur·tain ['kɜ:rtn] *also* THEA rideau *m*
curve [kɜ:rv] **1** *n* courbe *f*; ***~s*** *of woman* formes *fpl* **2** *v/i* (*bend*) s'incurver; *of road* faire *or* décrire une courbe
cush·ion ['kʊʃn] **1** *n for couch etc* coussin *m* **2** *v/t blow, fall* amortir

cus·tard ['kʌstərd] crème *f* anglaise
cus·to·dy ['kʌstədɪ] *of children* garde *f*; ***in ~*** LAW en détention
cus·tom ['kʌstəm] *(tradition)* coutume *f*; COMM clientèle *f*; ***as was his ~*** comme à l'accoutumée

D

cus·tom·a·ry ['kʌstəmerɪ] *adj* habituel*; ***it is ~ to …*** il est d'usage de …
cus·tom·er ['kʌstəmər] client *m*
cus·tom·er re'la·tions relations *fpl* avec les clients
cus·tom·er 'serv·ice service *m* clientèle
cus·toms ['kʌstəmz] douane *f*
Customs and Excise *Br* administration *f* des douanes et des impôts indirects
'cus·toms clear·ance dédouanement *m*; **'cus·toms in·spec·tion** contrôle *m* douanier; **'cus·toms of·fi·cer** douanier *m*
cut [kʌt] **1** *n with knife, scissors* entaille *f*; *(injury)* coupure *f*; *of garment, hair* coupe *f*; *(reduction)* réduction *f*; ***my hair needs a ~*** mes cheveux ont besoin d'être coupés **2** *v/t* (*pret & pp* **cut**) couper; *into several pieces* découper; *(reduce)* réduire; ***get one's hair ~*** se faire couper les cheveux
◆**cut back 1** *v/i in costs* faire des économies **2** *v/t employees* réduire
◆**cut down 1** *v/t tree* abattre **2** *v/i in smoking etc* réduire (sa consommation)
◆**cut down on** *v/t smoking etc* réduire (sa consommation de); ***cut down on the cigarettes*** fumer moins
◆**cut off** *v/t with knife, scissors etc* couper; *(isolate)* isoler; ***we were cut off*** TELEC nous avons été coupés
◆**cut out** *v/t with scissors* découper; *(eliminate)* éliminer; *alcohol, food* supprimer; ***cut that out!*** F ça suffit (maintenant)!; ***be cut out for sth*** être fait pour qch
◆**cut up** *v/t meat etc* découper
cut·back réduction *f*
cute [kjuːt] *adj in appearance* mignon*; *(clever)* malin*
cu·ti·cle ['kjuːtɪkl] cuticule *f*
'cutoff date date *f* limite
cut-'price *adj* à prix *m* réduit
'cut-throat *adj competition* acharné
cut·ting ['kʌtɪŋ] **1** *n from newspaper* coupure *f* **2** *adj remark* blessant
cy·ber·space ['saɪbərspeɪs] cyberespace *m*
cy·cle ['saɪkl] **1** *n (bicycle)* vélo *m*; *(series of events)* cycle *m* **2** *v/i* aller en vélo
'cy·cle path piste *f* cyclable
cy·cling ['saɪklɪŋ] cyclisme *m*
cy·clist ['saɪklɪst] cycliste *m/f*
cyl·in·der ['sɪlɪndər] *in engine* cylindre *m*
cy·lin·dri·cal [sɪ'lɪndrɪkl] *adj* cylindrique
cyn·ic ['sɪnɪk] cynique *m/f*
cyn·i·cal ['sɪnɪkl] *adj* cynique
cyn·i·cal·ly ['sɪnɪklɪ] *adv* cyniquement
cyn·i·cism ['sɪnɪsɪzm] cynisme *m*
cy·press ['saɪprəs] cyprès *m*
cyst [sɪst] kyste *m*
Czech [ʧek] **1** *adj* tchèque; ***the ~ Republic*** la République tchèque **2** *n person* Tchèque *m/f*, *language* tchèque *m*

D

DA *abbr* (= ***district attorney***) procureur *m*
dab [dæb] **1** *n (small amount)*: ***a ~ of*** un peu de **2** *v/t* (*pret & pp* **-bed**) *with cloth etc* tamponner
◆**dab off** *v/t* enlever (en tamponnant)

♦**dab on** *v/t* appliquer
♦**dabble in** *v/t* toucher à
dad [dæd] papa *m*
dad·dy ['dædɪ] papa *m*
dad·dy 'long·legs *Br* cousin *m*
daf·fo·dil ['dæfədɪl] jonquille *f*
dag·ger ['dægər] poignard *m*
dai·ly ['deɪlɪ] **1** *n paper* quotidien *m*
daily 2 *adj* quotidien*
dain·ty ['deɪntɪ] *adj* délicat
dair·y ['derɪ] *on farm* laiterie *f*
'dair·y prod·ucts *npl* produits *mpl* laitiers
dais ['deɪɪs] estrade *f*
dai·sy ['deɪsɪ] pâquerette *f*; *bigger* marguerite *f*
dam [dæm] *n for water* barrage *m*
dam·age ['dæmɪdʒ] **1** *n* dégâts *mpl*, dommage(s) *m(pl)*; *fig*: *to reputation* préjudice *m*
damage 2 *v/t* endommager; abîmer; *fig*: *reputation* nuire à; *chances* compromettre
dam·a·ges ['dæmɪdʒɪz] *npl* LAW dommages-intérêts *mpl*
dam·ag·ing ['dæmɪdʒɪŋ] *adj to reputation* préjudiciable
dame [deɪm] F (*woman*) gonzesse *f* F, nana *f* F
damn [dæm] **1** *interj* F merde F, zut F **2** *n*: F; ***I don't give a ~!*** je m'en fous F
damn 3 *adj* F sacré **4** *adv* F vachement F **5** *v/t* (*condemn*) condamner; ***~ it!*** F merde! F, zut! F; ***I'm ~ed if …*** F (*I won't*) il est hors de question que …
damned [dæmd] → ***damn*** *adj*, *adv*
damn·ing ['dæmɪŋ] *adj evidence*, *report* accablant
damp [dæmp] *adj* humide
damp·en ['dæmpən] *v/t* humecter, humidifier
dance [dæns] **1** *n* danse *f*; *social event* bal *m*, soirée *f* (dansante) **2** *v/i* danser; ***would you like to ~?*** vous dansez?
danc·er ['dænsər] danseur(-euse) *m(f)*
danc·ing ['dænsɪŋ] danse *f*
dan·de·li·on ['dændɪlaɪən] pissenlit *m*
dan·druff ['dændrʌf] pellicules *fpl*
dan·druff sham'poo shampoing *m* antipelliculaire
Dane [deɪn] Danois(e) *m(f)*
dan·ger ['deɪndʒər] danger *m*; ***be in ~*** être en danger; ***be out of ~*** *patient* être hors de danger
dan·ger·ous ['deɪndʒərəs] *adj* dangereux*; *assumption* risqué
dan·ger·ous 'driv·ing conduite *f* dangereuse
dan·ger·ous·ly ['deɪndʒərəslɪ] *adv drive* dangereusement; ***~ ill*** gravement malade
dan·gle ['dæŋgl] **1** *v/t* balancer; ***~ sth in front of s.o.*** mettre qch sous le nez de qn; *fig* faire miroiter qch à qn **2** *v/i* pendre
Da·nish ['deɪnɪʃ] **1** *adj* danois **2** *n language* danois *m*; *to eat* feuilleté *m* (sucré)
dare [der] **1** *v/i* oser; ***~ to do sth*** oser faire qch; ***how ~ you!*** comment oses-tu? **2** *v/t*: ***~ s.o. to do sth*** défier qn de faire qch
'dare·dev·il casse-cou *m/f* F, tête *f* brûlée
dar·ing ['derɪŋ] *adj* audacieux*
dark [dɑːrk] **1** *n* noir *m*, obscurité *f*; ***after ~*** après la tombée de la nuit; ***keep s.o. in the ~*** *fig* laisser qn dans l'ignorance; ne rien dire à qn **2** *adj room*, *night* sombre, noir; *hair* brun; *eyes* foncé; *color*, *clothes* foncé, sombre; ***~ green / blue*** vert / bleu foncé
dark·en ['dɑːrkn] *v/i of sky* s'assombrir
dark 'glass·es *npl* lunettes *fpl* noires
dark·ness ['dɑːrknɪs] obscurité *f*
'dark·room PHOT chambre *f* noire
dar·ling ['dɑːrlɪŋ] **1** *n* chéri(e) *m(f)*; ***be a ~ and …*** tu serais un amour *or* un ange si … **2** *adj* adorable; ***~ Margaret …*** ma chère Margaret …
darn[1] [dɑːrn] **1** *n* (*mend*) reprise *f* **2** *v/t* repriser
darn[2], **darned** [dɑːrn, dɑːrnd] → ***damn*** *adj*, *adv*
dart [dɑːrt] **1** *n weapon* flèche *f*; *for game* fléchette *f* **2** *v/i* se précipiter, foncer
darts [dɑːrts] *nsg* fléchettes *fpl*
'dart(s)·board cible *f* (de jeu de fléchettes)
dash [dæʃ] **1** *n punctuation* tiret *m*;

D

MOT (*dashboard*) tableau *m* de bord; ***a ~ of*** un peu de; ***a ~ of brandy*** une goutte de cognac; ***a ~ of salt*** une pincée de sel; ***make a ~ for*** se précipiter sur **2** *v/i* se précipiter; ***I must ~*** il faut que je file F **3** *v/t hopes* anéantir
♦**dash off 1** *v/i* partir précipitamment **2** *v/t* (*write quickly*) griffonner
'dash·board MOT tableau *m* de bord
data ['deɪtə] données *fpl*, informations *fpl*
'da·ta·base base *f* de données; **da·ta 'cap·ture** saisie *f* de données; **da·ta 'pro·cess·ing** traitement *m* de données; **da·ta pro'tec·tion** protection *f* de l'information; **da·ta 'stor·age** stockage *m* de données
date[1] [deɪt] *fruit* datte *f*
date[2] [deɪt] **1** *n* date *f*; *meeting* rendez-vous *m*; *person* ami(e) *m*(*f*), rendez-vous *m* F; ***what's the ~ today?*** quelle est la date aujourd'hui?, on est le combien? F; ***out of ~*** *clothes* démodé; *passport* périmé; ***up to ~*** *information* à jour; *style* à la mode, branché F **2** *v/t letter, check* dater; (*go out with*) sortir avec; ***that ~s you*** cela ne te rajeunit pas F
dat·ed ['deɪtɪd] *adj* démodé
daub [dɒːb] *v/t* barbouiller; ***~ paint on a wall*** barbouiller un mur (de peinture)
daugh·ter ['dɒːtər] fille *f*
'daugh·ter-in-law (*pl* ***daughters-in-law***) belle-fille *f*
daunt [dɒːnt] *v/t* décourager
daw·dle ['dɒːdl] *v/i* traîner
dawn [dɒːn] **1** *n also fig* aube *f* **2** *v/i*: ***it ~ed on me that …*** je me suis rendu compte que …
day [deɪ] jour *m*; *stressing duration* journée *f*, ***what ~ is it today?*** quel jour sommes-nous (aujourd'hui)?; ***~ off*** jour *m* de congé; ***by ~*** le jour; ***travel by ~*** voyager de jour; ***~ by ~*** jour après jour; ***the ~ after*** le lendemain; ***the ~ after tomorrow*** après-demain; ***the ~ before*** la veille; ***the ~ before yesterday*** avant-hier; ***~ in ~ out*** jour après jour; ***in those ~s*** en ce temps-là, à l'époque; ***one ~*** un jour; ***the other ~*** (*recently*) l'autre jour; ***let's call it a ~!*** ça suffit pour aujourd'hui!; ***have a nice ~!*** bonne journée!
'day·break aube *f*, point *m* du jour; **'day care** *for kids* garde *f* des enfants; **'day·dream 1** *n* rêverie *f* **2** *v/i* rêvasser; **'day dream·er** rêveur *m*; **'day·time**: ***in the ~*** pendant la journée; **'day·trip** excursion *f* d'une journée
daze [deɪz] *n*: ***in a ~*** dans un état de stupeur
dazed [deɪzd] *adj by news* hébété, sous le choc; *by blow* étourdi
daz·zle ['dæzl] *v/t also fig* éblouir
DC *abbr* (= ***direct current***) CC (= courant *m* continu); (= ***District of Columbia***) DC (= district *m* de Columbia)
dead [ded] **1** *adj* mort; *battery* à plat; ***the phone's ~*** il n'y a pas de tonalité **2** *adv* F (*very*) très; ***~ beat, ~ tired*** crevé F; ***that's ~ right*** c'est tout à fait vrai **3** *n*: ***the ~*** les morts *mpl*; ***in the ~ of night*** en pleine nuit
dead·en ['dedn] *v/t pain* calmer; *sound* amortir
dead 'end *street* impasse *f*; **dead-'end job** emploi *m* sans avenir; **dead 'heat** arrivée *f* ex æquo; **'dead·line** date *f* limite; heure *f* limite, délai *m*; *for newspaper, magazine* heure *f* de clôture; ***meet the ~*** respecter le(s) délai(s); **'dead·lock** impasse *f*
dead·ly ['dedlɪ] *adj* (*fatal*) mortel*; *weapon* meurtrier*; F (*boring*) mortel* F
deaf [def] *adj* sourd
deaf-and-'dumb *adj* sourd-muet*
deaf·en ['defn] *v/t* assourdir
deaf·en·ing ['defnɪŋ] *adj* assourdissant
deaf·ness ['defnɪs] surdité *f*
deal [diːl] **1** *n* accord *m*, marché *m*; ***it's a ~!*** d'accord!, marché conclu!; ***a good ~*** (*bargain*) une bonne affaire; (*a lot*) beaucoup; ***a great ~ of*** (*lots of*) beaucoup de **2** *v/t* (*pret & pp* ***dealt***) *cards* distribuer; ***~ a blow to*** porter un coup à
♦**deal in** *v/t* (*trade in*) être dans le

commerce de; ***deal in drugs*** faire du trafic de drogue, dealer F
♦ **deal out** *v/t cards* distribuer
♦ **deal with** *v/t* (*handle*) s'occuper de; (*do business with*) traiter avec; (*be about*) traiter de
deal·er ['diːlər] (*merchant*) marchand *m*; (*drug* ~) dealer *m*, dealeuse *f*; *large-scale* trafiquant *m* de drogue; *in card game* donneur *m*
deal·ing ['diːlɪŋ] (*drug* ~) trafic *m* de drogue
deal·ings ['diːlɪŋz] *npl* (*business*) relations *fpl*
dealt [delt] *pret & pp* → ***deal***
dean [diːn] *of college* doyen *m*
dear [dɪr] *adj* cher*; ***Dear Sir*** Monsieur; ***Dear Richard / Margaret*** Cher Richard / Chère Margaret; (***oh***) ***~!, ~ me!*** oh là là!
dear·ly ['dɪrlɪ] *adv love* de tout son cœur
death [deθ] mort *f*
'death cer·tif·i·cate acte *m* de décès; **'death pen·al·ty** peine *f* de mort; **'death toll** nombre *m* de morts, bilan *m*
de·ba·ta·ble [dɪ'beɪtəbl] *adj* discutable
de·bate [dɪ'beɪt] **1** *n* débat *m*; ***a lot of ~*** beaucoup de discussions; POL débat *m* **2** *v/i* débattre, discuter; ***~ with o.s.*** se demander **3** *v/t* débattre de, discuter de
de·bauch·er·y [dɪ'bɒːʧərɪ] débauche *f*
deb·it ['debɪt] **1** *n* débit *m* **2** *v/t account* débiter; *amount* porter au débit
'deb·it card carte *f* bancaire
deb·ris [də'briː] débris *mpl*
debt [det] dette *f*; ***be in ~*** *financially* être endetté, avoir des dettes
debt·or ['detər] débiteur *m*
de·bug [diː'bʌg] *v/t* (*pret & pp* ***-ged***) *room* enlever les micros cachés dans; COMPUT déboguer
dé·but ['deɪbjuː] *n* débuts *mpl*
dec·ade ['dekeɪd] décennie *f*
dec·a·dence ['dekədəns] décadence *f*
dec·a·dent ['dekədənt] *adj* décadent
de·caf·fein·at·ed [dɪ'kæfɪneɪtɪd] *adj* décaféiné
de·cant·er [dɪ'kæntər] carafe *f*
de·cap·i·tate [dɪ'kæpɪteɪt] *v/t* décapiter
de·cay [dɪ'keɪ] **1** *n* (*process*) détérioration *f*, déclin *m*; *of building* délabrement *m*; *in wood, plant* pourriture *f*; *in teeth* carie *f* **2** *v/i of wood, plant* pourrir; *of civilization* tomber en décadence; *of teeth* se carier
de·ceased [dɪ'siːst]: ***the ~*** le défunt
de·ceit [dɪ'siːt] duplicité *f*
de·ceit·ful [dɪ'siːtfʊl] *adj* fourbe
de·ceive [dɪ'siːv] *v/t* tromper, duper; ***~ s.o. about sth*** mentir à qn sur qch
De·cem·ber [dɪ'sembər] décembre *m*
de·cen·cy ['diːsənsɪ] décence *f*
de·cent ['diːsənt] *adj person* correct, honnête; *salary, price* correct, décent; *meal, sleep* bon*; (*adequately dressed*) présentable, visible F
de·cen·tral·ize [diː'sentrəlaɪz] *v/t* décentraliser
de·cep·tion [dɪ'sepʃn] tromperie *f*
de·cep·tive [dɪ'septɪv] *adj* trompeur*
de·cep·tive·ly [dɪ'septɪvlɪ] *adv*: ***it looks ~ simple*** c'est plus compliqué qu'il n'y paraît
dec·i·bel ['desɪbel] décibel *m*
de·cide [dɪ'saɪd] **1** *v/t* décider; (*settle*) régler **2** *v/i* décider, se décider; ***you ~*** c'est toi qui décides
de·cid·ed [dɪ'saɪdɪd] *adj* (*definite*) décidé; *views* arrêté; *improvement* net*
de·cid·er [dɪ'saɪdər]: ***be the ~*** être décisif*
de·ci·du·ous [dɪ'sɪdʊəs] *adj* à feuilles caduques
dec·i·mal ['desɪml] *n* décimale *f*
dec·i·mal 'point virgule *f*
dec·i·mate ['desɪmeɪt] *v/t* décimer
de·ci·pher [dɪ'saɪfər] *v/t* déchiffrer
de·ci·sion [dɪ'sɪʒn] décision *f*; ***come to a ~*** arriver à une décision
de'ci·sion-mak·er décideur *m*, décideuse *f*
de·ci·sive [dɪ'saɪsɪv] *adj* décidé; (*crucial*) décisif*
deck [dek] *of ship* pont *m*; *of cards* jeu *m* (de cartes)
'deck·chair transat *m*, chaise *f* longue
dec·la·ra·tion [deklə'reɪʃn] déclaration *f*

D

de·clare [dɪ'kler] *v/t* déclarer
de·cline [dɪ'klaɪn] **1** *n* baisse *f*; *of civilization, health* déclin *m* **2** *v/t invitation* décliner; **~ *to comment*** refuser de commenter **3** *v/i* (*refuse*) refuser; (*decrease*) baisser; *of health* décliner
de·clutch [diː'klʌʧ] *v/i* débrayer
de·code [diː'koʊd] *v/t* décoder
de·com·pose [diːkəm'poʊz] *v/i* se décomposer
dé·cor ['deɪkɔːr] décor *m*
dec·o·rate ['dekəreɪt] *v/t room* refaire; *with paint* peindre; *with paper* tapisser; (*adorn*), *soldier* décorer
dec·o·ra·tion [dekə'reɪʃn] *paint, paper* décoration *f* (intérieure); (*ornament, medal*) décoration *f*
dec·o·ra·tive ['dekərətɪv] *adj* décoratif*
dec·o·ra·tor ['dekəreɪtər] (*interior* ~) décorateur *m* (d'intérieur)
de·co·rum [dɪ'kɔːrəm] bienséance *f*
de·coy ['diːkɔɪ] *n* appât *m*, leurre *m*
de·crease ['diːkriːs] **1** *n* baisse *f*, diminution *f*; *in size* réduction *f* **2** *v/t & v/i* diminuer
de·crep·it [dɪ'krepɪt] *adj* décrépit; *car, building* délabré; *coat, shoes* usé
ded·i·cate ['dedɪkeɪt] *v/t book etc* dédicacer, dédier; ***~ o.s. to …*** se consacrer à …
ded·i·ca·ted ['dedɪkeɪtɪd] *adj* dévoué
ded·i·ca·tion [dedɪ'keɪʃn] *in book* dédicace *f*; *to cause, work* dévouement *m*
de·duce [dɪ'duːs] *v/t* déduire
de·duct [dɪ'dʌkt] *v/t* déduire (***from*** de)
de·duc·tion [dɪ'dʌkʃn] *from salary* prélèvement *m*, retenue *f*; (*conclusion*) déduction *f*
deed [diːd] *n* (*act*) acte *m*; LAW acte *m* (notarié)
dee·jay ['diːdʒeɪ] F DJ *inv*
deem [diːm] *v/t* considérer, juger
deep [diːp] *adj* profond; *voice* grave; *color* intense, sombre; ***be in ~ trouble*** avoir de gros problèmes
deep·en ['diːpn] **1** *v/t* creuser **2** *v/i* devenir plus profond; *of crisis* s'aggraver; *of mystery* s'épaissir
'deep freeze *n* congélateur *m*; **'deep-froz·en food** aliments *mpl* surgelés; **'deep-fry** *v/t* (*pret & pp* ***-ied***) faire frire; **deep fry·er** [diːp'fraɪər] friteuse *f*
deer [dɪr] (*pl* ***deer***) cerf *m*; *female* biche *f*
de·face [dɪ'feɪs] *v/t* abîmer, dégrader
def·a·ma·tion [defə'meɪʃn] diffamation *f*
de·fam·a·to·ry [dɪ'fæmətɔːrɪ] *adj* diffamatoire
de·fault ['diːfɒːlt] **1** *adj* COMPUT par défaut **2** *v/i*: ***~ on payments*** ne pas payer
de·feat [dɪ'fiːt] **1** *n* défaite *f* **2** *v/t* battre, vaincre; *of task, problem* dépasser
de·feat·ist [dɪ'fiːtɪst] *adj attitude* défaitiste
de·fect ['diːfekt] *n* défaut *m*
de·fec·tive [dɪ'fektɪv] *adj* défectueux*
defence *etc Br* → ***defense*** *etc*
de·fend [dɪ'fend] *v/t* défendre; *action, decision* justifier
de·fend·ant [dɪ'fendənt] défendeur *m*, défenderesse *f*; *in criminal case* accusé(e) *m(f)*
de·fense [dɪ'fens] défense *f*; ***come to s.o.'s ~*** prendre la défense de qn
de'fense budg·et POL budget *m* de la Défense
de'fense law·yer avocat *m* de la défense
de·fense·less [dɪ'fenslɪs] *adj* sans défense
de'fense play·er SP défenseur *m*; **De'fense Se·cre·ta·ry** POL ministre de la Défense; **de'fense wit·ness** LAW témoin *m* à décharge
de·fen·sive [dɪ'fensɪv] **1** *n*: ***on the ~*** sur la défensive; ***go on(to) the ~*** se mettre sur la défensive **2** *adj* défensif*; ***be ~*** être sur la défensive
de·fen·sive·ly [dɪ'fensɪvlɪ] *adv say* d'un ton défensif; *play* d'une manière défensive
de·fer [dɪ'fɜːr] *v/t* (*pret & pp* ***-red***) reporter, repousser
def·er·ence ['defərəns] déférence *f*
def·er·en·tial [defə'renʃl] *adj* déférent
de·fi·ance [dɪ'faɪəns] défi *m*; ***in ~ of*** au mépris de

de·fi·ant [dɪ'faɪənt] *adj* provocant; *look also* de défi
de·fi·cien·cy [dɪ'fɪʃənsɪ] (*lack*) manque *m*, insuffisance *f*; MED carence *f*
de·fi·cient [dɪ'fɪʃənt] *adj* insuffisant; ***be ~ in …*** être pauvre en …, manquer de …
def·i·cit ['defɪsɪt] déficit *m*
de·fine [dɪ'faɪn] *v/t* définir
def·i·nite ['defɪnɪt] *adj date, time* précis, définitif*; *answer* définitif*; *improvement* net*; (*certain*) catégorique; ***are you ~ about that?*** es-tu sûr de cela?; ***nothing ~ has been arranged*** rien n'a été fixé
def·i·nite 'ar·ti·cle GRAM article *m* défini
def·i·nite·ly ['defɪnɪtlɪ] *adv* sans aucun doute; ***I ~ want to go*** je veux vraiment y aller; ***~ not*** certainement pas!
def·i·ni·tion [defɪ'nɪʃn] définition *f*
def·i·ni·tive [dɪ'fɪnətɪv] *adj* magistral, qui fait autorité
de·flect [dɪ'flekt] *v/t ball, blow* faire dévier; *criticism, from course of action* détourner; ***be ~ed from*** se laisser détourner de
de·for·est·a·tion [dɪfɑːrɪs'teɪʃn] déboisement *m*
de·form [dɪ'fɔːrm] *v/t* déformer
de·for·mi·ty [dɪ'fɔːrmətɪ] difformité *f*, malformation *f*
de·fraud [dɪ'frɒːd] *v/t tax authority* frauder; *person, company* escroquer
de·frost [diː'frɒːst] *v/t food* décongeler; *fridge* dégivrer
deft [deft] *adj* adroit
de·fuse [diː'fjuːz] *v/t bomb, situation* désamorcer
de·fy [dɪ'faɪ] *v/t* (*pret & pp* ***-ied***) défier; *superiors, orders* braver
de·gen·e·rate [dɪ'dʒenəreɪt] *v/i* dégénérer (***into*** en)
de·grade [dɪ'greɪd] *v/t* avilir, être dégradant pour
de·grad·ing [dɪ'greɪdɪŋ] *adj position, work* dégradant, avilissant
de·gree [dɪ'griː] *from university* diplôme *m*
degree *of temperature, angle, latitude,* (*amount*) degré *m*; ***by ~s*** petit à petit; ***get one's ~*** avoir son diplôme
de·hy·drat·ed [diːhaɪ'dreɪtɪd] *adj* déshydraté
de·ice [diː'aɪs] *v/t* dégivrer
de·ic·er [diː'aɪsər] *spray* dégivrant *m*
deign [deɪn] *v/i*: ***~ to …*** daigner …
de·i·ty ['diːɪtɪ] divinité *f*
de·jec·ted [dɪ'dʒektɪd] *adj* déprimé
de·lay [dɪ'leɪ] **1** *n* retard *m*
delay 2 *v/t* retarder; ***~ doing sth*** attendre pour faire qch, remettre qch à plus tard; ***be ~ed*** être en retard, être retardé **3** *v/i* attendre, tarder
del·e·gate ['delɪgət] **1** *n* délégué(e) *m(f)* **2** ['delɪgeɪt] *v/t* déléguer
del·e·ga·tion [delɪ'geɪʃn] délégation *f*
de·lete [dɪ'liːt] *v/t* effacer; (*cross out*) rayer; ***~ where not applicable*** rayer les mentions inutiles
de'lete key COMPUT touche *f* de suppression
de·le·tion [dɪ'liːʃn] *act* effacement *m*; *that deleted* rature *f*, suppression *f*
del·i ['delɪ] → ***delicatessen***
de·lib·e·rate [dɪ'lɪbərət] **1** *adj* délibéré **2** [dɪ'lɪbəreɪt] *v/i* délibérer; (*reflect*) réfléchir
de·lib·e·rate·ly [dɪ'lɪbərətlɪ] *adv* délibérément, exprès
del·i·ca·cy ['delɪkəsɪ] délicatesse *f*; (*food*) mets *m* délicat; ***a matter of some ~*** une affaire assez délicate
del·i·cate ['delɪkət] *adj* délicat
del·i·ca·tes·sen [delɪkə'tesn] traiteur *m*, épicerie *f* fine
del·i·cious [dɪ'lɪʃəs] *adj* délicieux*
de·light [dɪ'laɪt] *n* joie *f*, plaisir *m*; ***take great ~ in sth*** être ravi de qch; ***take great ~ in doing sth*** prendre grand plaisir à faire qch
de·light·ed [dɪ'laɪtɪd] *adj* ravi, enchanté
de·light·ful [dɪ'laɪtful] *adj* charmant
de·lim·it [diː'lɪmɪt] *v/t* délimiter
de·lin·quen·cy [dɪ'lɪŋkwənsɪ] délinquance *f*
de·lin·quent [dɪ'lɪŋkwənt] *n* délinquant(e) *m(f)*
de·lir·i·ous [dɪ'lɪrɪəs] *adj* MED délirant; (*ecstatic*) extatique, fou* de joie; ***be ~*** délirer

D

de·liv·er [dɪ'lɪvər] **1** *v/t goods* livrer; *letters* distribuer; *parcel etc* remettre; *message* transmettre; *baby* mettre au monde; *speech* faire **2** *v/i* tenir ses promesses
de·liv·er·y [dɪ'lɪvərɪ] *of goods* livraison *f*, *of mail* distribution *f*, *of baby* accouchement *m*; *of speech* débit *m*
de'liv·ery charge frais *mpl* de livraison; **de'liv·er·y date** date *f* de livraison; **de'liv·ery man** livreur *m*; **de'liv·er·y note** bon *m* de livraison; **de'liv·ery serv·ice** service *m* de livraison; **de'liv·er·y van** camion *m* de livraison
de·lude [dɪ'lu:d] *v/t* tromper; ***you're deluding yourself*** tu te fais des illusions
de·luge ['delju:dʒ] **1** *n also fig* déluge *m* **2** *v/t fig* submerger, inonder
de·lu·sion [dɪ'lu:ʒn] illusion *f*
de luxe [də'lʌks] *adj* de luxe; *model* haut de gamme *inv*
♦**delve into** [delv] *v/t subject* approfondir; *person's past* fouiller dans
de·mand [dɪ'mænd] **1** *n also* COMM demande *f*, *of terrorist, unions etc* revendication *f*, ***in ~*** demandé, recherché **2** *v/t* exiger; *pay rise etc* réclamer
de·mand·ing [dɪ'mændɪŋ] *adj job* éprouvant; *person* exigeant
de·mean·ing [dɪ'mi:nɪŋ] *adj* dégradant
de·men·ted [dɪ'mentɪd] *adj* fou*
de·mise [dɪ'maɪz] décès *m*, mort *f*, *fig* mort *f*
dem·i·tasse ['demɪtæs] tasse *f* à café
dem·o ['demoʊ] (*protest*) manif *f* F; *of video etc* démo *f* F
de·moc·ra·cy [dɪ'mɑ:krəsɪ] démocratie *f*
dem·o·crat ['deməkræt] démocrate *m/f*, ***Democrat*** POL démocrate *m/f*
dem·o·crat·ic [demə'krætɪk] *adj* démocratique
dem·o·crat·ic·al·ly [demə'krætɪklɪ] *adv* démocratiquement
'dem·o disk disquette *f* de démonstration
de·mo·graph·ic [demoʊ'græfɪk] *adj* démographique
de·mol·ish [dɪ'mɑ:lɪʃ] *v/t building, argument* démolir
dem·o·li·tion [demə'lɪʃn] *of building, argument* démolition *f*
de·mon ['di:mən] démon *m*
dem·on·strate ['demənstreɪt] **1** *v/t* (*prove*) démontrer; *machine etc* faire une démonstration de **2** *v/i politically* manifester
dem·on·stra·tion [demən'streɪʃn] démonstration *f*, (*protest*) manifestation *f*, *of machine* démonstration *f*
de·mon·stra·tive [dɪ'mɑ:nstrətɪv] *adj* démonstratif*
de·mon·stra·tor ['demənstreɪtər] (*protester*) manifestant(e) *m*(*f*)
de·mor·al·ized [dɪ'mɔ:rəlaɪzd] *adj* démoralisé
de·mor·al·iz·ing [dɪ'mɔ:rəlaɪzɪŋ] *adj* démoralisant
de·mote [di:'moʊt] *v/t* rétrograder
de·mure [dɪ'mjʊər] *adj* sage
den [den] *room* antre *f*
de·ni·al [dɪ'naɪəl] *of rumor, accusation* démenti *m*, dénégation *f*, *of request* refus *m*
den·im ['denɪm] jean *m*; ***~ jacket*** veste *m* en jean
den·ims ['denɪmz] *npl* (*jeans*) jean *m*
Den·mark ['denmɑ:rk] le Danemark
de·nom·i·na·tion [dɪnɑ:mɪ'neɪʃn] *of money* coupure *f*, *religious* confession *f*
de·nounce [dɪ'naʊns] *v/t* dénoncer
dense [dens] *adj* (*thick*) dense; (*stupid*) stupide, bête
dense·ly ['denslɪ] *adv*: ***~ populated*** densément peuplé
den·si·ty ['densɪtɪ] densité *f*
dent [dent] **1** *n* bosse *f* **2** *v/t* bosseler
den·tal ['dentl] *adj treatment, hospital* dentaire; ***~ surgeon*** chirurgien(ne) *m*(*f*) dentiste
den·ted ['dentɪd] *adj* bosselé
den·tist ['dentɪst] dentiste *m/f*
den·tist·ry ['dentɪstrɪ] dentisterie *f*
den·tures ['dentʃərz] *npl* dentier *m*
Den·ver boot ['denvər] sabot *m* de Denver
de·ny [dɪ'naɪ] *v/t* (*pret & pp* **-ied**) *charge, rumor* nier; *right, request* refu-

ser

de·o·do·rant [diː'oudərənt] déodorant *m*

de·part [dɪ'pɑːrt] *v/i* partir; ~ ***from*** *normal procedure etc* ne pas suivre

de·part·ment [dɪ'pɑːrtmənt] *of company* service *m*; *of university* département *m*; *of government* ministère *m*; *of store* rayon *m*

De·part·ment of 'De·fense ministère *m* de la Défense; **De·part·ment of the In'te·ri·or** ministère *m* de l'Intérieur; **De·part·ment of 'State** ministère *m* des Affaires étrangères; **de'part·ment store** grand magasin *m*

de·par·ture [dɪ'pɑːrtʃər] départ *m*; *from standard procedure etc* entorse *f* (***from*** à); ***a new*** ~ un nouveau départ

de'par·ture lounge salle *f* d'embarquement

de'par·ture time heure *f* de départ

de·pend [dɪ'pend] *v/i* dépendre; ***that*** ~***s*** cela dépend; ***it*** ~***s on the weather*** ça dépend du temps; ***I'm*** ~***ing on you*** je compte sur toi

de·pen·da·ble [dɪ'pendəbl] *adj* digne de confiance, fiable

de·pen·dence, de·pen·den·cy [dɪ'pendəns, dɪ'pendənsɪ] dépendance *f*

de·pen·dent [dɪ'pendənt] **1** *n* personne *f* à charge **2** *adj* dépendant; ~ ***children*** enfants *mpl* à charge

de·pict [dɪ'pɪkt] *v/t in painting, writing* représenter

de·plete [dɪ'pliːt] *v/t* épuiser

de·plor·a·ble [dɪ'plɔːrəbl] *adj* déplorable

de·plore [dɪ'plɔːr] *v/t* déplorer

de·ploy [dɪ'plɔɪ] *v/t* (*use*) faire usage de; (*position*) déployer

de·pop·u·la·tion [dɪpɑːpjə'leɪʃn] dépeuplement *m*

de·port [dɪ'pɔːrt] *v/t from a country* expulser

de·por·ta·tion [diːpɔːr'teɪʃn] expulsion *f*

de·por'ta·tion or·der arrêté *m* d'expulsion

de·pose [dɪ'pouz] *v/t* déposer

de·pos·it [dɪ'pɑːzɪt] **1** *n in bank* dépôt *m*; *on purchase* acompte *m*; *security* caution *f*; *of mineral* gisement *m*

deposit 2 *v/t money, object* déposer

dep·o·si·tion [diːpou'zɪʃn] LAW déposition *f*

dep·ot ['depou] (*train station*) gare *f*; (*bus station*) gare *f* routière; *for storage* dépôt *m*, entrepôt *m*

de·praved [dɪ'preɪvd] *adj* dépravé

de·pre·ci·ate [dɪ'priːʃɪeɪt] *v/i* FIN se déprécier

de·pre·ci·a·tion [dɪpriːʃɪ'eɪʃn] FIN dépréciation *f*

de·press [dɪ'pres] *v/t person* déprimer

de·pressed [dɪ'prest] *adj* déprimé

de·press·ing [dɪ'presɪŋ] *adj* déprimant

de·pres·sion [dɪ'preʃn] MED, *meteorological* dépression *f*; *economic* crise *f*, récession *f*

dep·ri·va·tion [deprɪ'veɪʃn] privation(s) *f(pl)*

de·prive [dɪ'praɪv] *v/t*: ~ ***s.o. of sth*** priver qn de qch

de·prived [dɪ'praɪvd] *adj* défavorisé

depth [depθ] profondeur *f*; *of voice* gravité *f*; *of color* intensité *f*; ***in*** ~ (*thoroughly*) en profondeur; ***in the*** ~***s of winter*** au plus fort de l'hiver, en plein hiver; ***be out of one's*** ~ *in water* ne pas avoir pied; *fig*: *in discussion etc* être dépassé

dep·u·ta·tion [depjʊ'teɪʃn] députation *f*

♦ **dep·u·tize for** ['depjʊtaɪz] *v/t* remplacer, suppléer

dep·u·ty ['depjʊtɪ] adjoint(e) *m(f)*; *of sheriff* shérif *m* adjoint

de·rail [dɪ'reɪl] *v/t*: ***be*** ~***ed*** *of train* dérailler

de·ranged [dɪ'reɪndʒd] *adj* dérangé

de·reg·u·late [dɪ'regjʊleɪt] *v/t* déréglementer

de·reg·u·la·tion [dɪregjʊ'leɪʃn] déréglementation *f*

der·e·lict ['derəlɪkt] *adj* délabré

de·ride [dɪ'raɪd] *v/t* se moquer de

de·ri·sion [dɪ'rɪʒn] dérision *f*

de·ri·sive [dɪ'raɪsɪv] *adj remarks, laughter* moqueur*

de·ri·sive·ly [dɪ'raɪsɪvlɪ] *adv* avec dérision

de·ri·so·ry [dɪ'raɪsərɪ] *adj amount, salary* dérisoire

de·riv·a·tive [dɪ'rɪvətɪv] *adj (not original)* dérivé

de·rive [dɪ'raɪv] *v/t* tirer (***from*** de); ***be ~d from*** *of word* dériver de

der·ma·tol·o·gist [dɜːrmə'tɑːlədʒɪst] dermatologue *m/f*

de·rog·a·to·ry [dɪ'rɑːgətɔːrɪ] *adj* désobligeant; *term* péjoratif*

de·scend [dɪ'send] **1** *v/t* descendre; ***be ~ed from*** descendre de **2** *v/i* descendre; *of darkness* tomber; *of mood* se répandre

♦ **descend on** *v/t of mood, darkness* envahir

de·scen·dant [dɪ'sendənt] descendant(e) *m(f)*

de·scent [dɪ'sent] descente *f*; *(ancestry)* descendance *f*, origine *f*; ***of Chinese ~*** d'origine chinoise

de·scribe [dɪ'skraɪb] *v/t* décrire; ***~ X as Y*** décrire X comme (étant) Y

de·scrip·tion [dɪ'skrɪpʃn] description *f*; *of criminal* signalement *m*

des·e·crate ['desɪkreɪt] *v/t* profaner

des·e·cra·tion [desɪ'kreɪʃn] profanation *f*

de·seg·re·gate [diː'segrəgeɪt] supprimer la ségrégation dans

des·ert[1] ['dezərt] *n also fig* désert *m*

de·sert[2] [dɪ'zɜːrt] **1** *v/t (abandon)* abandonner

desert 2 *v/i of soldier* déserter

de·sert·ed [dɪ'zɜːrtɪd] *adj* désert

de·sert·er [dɪ'zɜːrtər] MIL déserteur *m*

de·ser·ti·fi·ca·tion [dɪzɜːrtɪfɪ'keɪʃn] désertification *f*

de·ser·tion [dɪ'zɜːrʃn] *(abandonment)* abandon *m*; MIL désertion *f*

des·ert 'is·land île *f* déserte

de·serve [dɪ'zɜːrv] *v/t* mériter

de·sign [dɪ'zaɪn] **1** *n (subject)* design *m*; *(style)* style *m*, conception *f*; *(drawing, pattern)* dessin *m* **2** *v/t (draw)* dessiner; *building, car, ship, machine* concevoir

des·ig·nate ['dezɪgneɪt] *v/t person* désigner

de·sign·er [dɪ'zaɪnər] designer *m/f*, dessinateur(-trice) *m(f)*; *of car, ship* concepteur(-trice) *m(f)*; *of clothes* styliste *m/f*

de'sign·er clothes *npl* vêtements *mpl* de marque

de'sign fault défaut *m* de conception

de'sign school école *f* de design

de·sir·a·ble [dɪ'zaɪrəbl] *adj* souhaitable; *sexually, change* désirable; *offer, job* séduisant; ***a very ~ residence*** une très belle propriété

de·sire [dɪ'zaɪr] *n* désir *m*; ***have no ~ to …*** n'avoir aucune envie de …

desk [desk] bureau *m*; *in hotel* réception *f*

'desk clerk réceptionniste *m/f*; **'desk di·a·ry** agenda *m* de bureau; **'desk·top** bureau *m*; *computer* ordinateur *m* de bureau; **desk·top 'pub·lish·ing** publication *f* assistée par ordinateur, microédition *f*

des·o·late ['desələt] *adj place* désolé

de·spair [dɪ'sper] **1** *n* désespoir *m*; ***in ~*** désespéré; ***be in ~*** être au désespoir **2** *v/i* désespérer (***of*** de); ***~ of s.o.*** ne se faire aucune illusion sur qn

des·per·ate ['despərət] *adj* désespéré; ***be ~ for a whiskey / cigarette*** avoir très envie d'un whisky / d'une cigarette; ***be ~ for news*** attendre désespérément des nouvelles

des·per·a·tion [despə'reɪʃn] désespoir *m*; ***in ~*** en désespoir de cause; ***an act of ~*** un acte désespéré

des·pic·a·ble [dɪs'pɪkəbl] *adj* méprisable

de·spise [dɪ'spaɪz] *v/t* mépriser

de·spite [dɪ'spaɪt] *prep* malgré, en dépit de

de·spon·dent [dɪ'spɑːndənt] *adj* abattu, découragé

des·pot ['despɑːt] despote *m*

des·sert [dɪ'zɜːrt] dessert *m*

des·ti·na·tion [destɪ'neɪʃn] destination *f*

des·tined ['destɪnd] *adj*: ***be ~ for*** *fig* être destiné à

des·ti·ny ['destɪnɪ] destin *m*, destinée *f*

des·ti·tute ['destɪtuːt] *adj* démuni

de·stroy [dɪ'strɔɪ] *v/t* détruire

de·stroy·er [dɪ'strɔɪr] NAUT destroyer *m*, contre-torpilleur *m*

de·struc·tion [dɪ'strʌkʃn] destruction *f*

de·struc·tive [dɪ'strʌktɪv] *adj power* destructeur*; *criticism* négatif*, non constructif*; ***a ~ child*** un enfant qui casse tout

de·tach [dɪ'tætʃ] *v/t* détacher

de·tach·a·ble [dɪ'tætʃəbl] *adj* détachable

de·tached [dɪ'tætʃt] *adj* (*objective*) neutre, objectif*

de·tach·ment [dɪ'tætʃmənt] (*objectivity*) neutralité *f*, objectivité *f*

de·tail ['diːteɪl] *n* détail *m*; ***in ~*** en détail; ***for more ~s*** pour plus de renseignements

de·tailed ['diːteɪld] *adj* détaillé

de·tain [dɪ'teɪn] *v/t* (*hold back*) retenir; *as prisoner* détenir

de·tain·ee [dɪteɪn'iː] détenu(e) *m*(*f*); ***political ~*** prisonnier *m* politique

de·tect [dɪ'tekt] *v/t* déceler; *of device* détecter

de·tec·tion [dɪ'tekʃn] *of crime* découverte *f*; *of smoke etc* détection *f*

de·tec·tive [dɪ'tektɪv] inspecteur *m* de police

de'tec·tive nov·el roman *m* policier

de·tec·tor [dɪ'tektər] détecteur *m*

dé·tente ['deɪtɑːnt] POL détente *f*

de·ten·tion [dɪ'tenʃn] (*imprisonment*) détention *f*

de·ter [dɪ'tɜːr] *v/t* (*pret & pp* ***-red***) décourager, dissuader; ***~ s.o. from doing sth*** dissuader qn de faire qch

de·ter·gent [dɪ'tɜːrdʒənt] détergent *m*

de·te·ri·o·rate [dɪ'tɪrɪəreɪt] *v/i* se détériorer, se dégrader

de·te·ri·o·ra·tion [dɪtɪrɪə'reɪʃn] détérioration *f*

de·ter·mi·na·tion [dɪtɜːrmɪ'neɪʃn] (*resolution*) détermination *f*

de·ter·mine [dɪ'tɜːrmɪn] *v/t* (*establish*) déterminer

de·ter·mined [dɪ'tɜːrmɪnd] *adj* déterminé, résolu; *effort* délibéré

de·ter·rent [dɪ'terənt] *n* moyen *m* de dissuasion

de·test [dɪ'test] *v/t* détester

de·test·a·ble [dɪ'testəbl] *adj* détestable

de·to·nate ['detəneɪt] **1** *v/t* faire exploser **2** *v/i* détoner

de·to·na·tion [detə'neɪʃn] détonation *f*

de·tour ['diːtʊr] *n* détour *m*; (*diversion*) déviation *f*

♦ **de·tract from** [dɪ'trækt] *v/t* diminuer

de·tri·ment ['detrɪmənt]: ***to the ~ of*** au détriment de

de·tri·men·tal [detrɪ'mentl] *adj* néfaste, nuisible

deuce [duːs] *in tennis* égalité *f*

de·val·u·a·tion [diːvæljʊ'eɪʃn] *of currency* dévaluation *f*

de·val·ue [diː'væljuː] *v/t currency* dévaluer

dev·a·state ['devəsteɪt] *v/t crops, countryside, city* dévaster, ravager; *fig*: *person* anéantir

dev·a·stat·ing ['devəsteɪtɪŋ] *adj* désastreux*; *news* accablant

de·vel·op [dɪ'veləp] **1** *v/t film, business* développer; *land, site* aménager; *technique, vaccine* mettre au point; *illness, cold* attraper **2** *v/i* (*grow*) se développer; grandir; ***~ into*** devenir, se transformer en

de·vel·op·er [dɪ'veləpər] *of property* promoteur(-trice) *m*(*f*); ***be a late ~*** *of student etc* se développer tard

de·vel·op·ing coun·try [dɪ'veləpɪŋ] pays *m* en voie de développement

de·vel·op·ment [dɪ'veləpmənt] *of film, business* développement *m*; *of land, site* aménagement *m*; (*event*) événement *m*; *of technique, vaccine* mise *f* au point

de·vice [dɪ'vaɪs] (*tool*) appareil *m*

dev·il ['devl] diable *m*; ***a little ~*** un petit monstre

de·vi·ous ['diːvɪəs] *person* sournois; *method* détourné

de·vise [dɪ'vaɪz] *v/t* concevoir

de·void [dɪ'vɔɪd] *adj*: ***be ~ of*** être dénué de, être dépourvu de

dev·o·lu·tion [diːvə'luːʃn] POL décentralisation *f*

de·vote [dɪ'voʊt] *v/t* consacrer

de·vot·ed [dɪ'voʊtɪd] *adj son etc* dé-

voué (***to*** à)
de·vo·tee [dɪvoʊ'tiː] passionné(e) *m(f)*
de·vo·tion [dɪ'voʊʃn] dévouement *m*
de·vour [dɪ'vaʊər] *v/t also fig* dévorer
de·vout [dɪ'vaʊt] *adj* fervent, pieux*
dew [duː] rosée *f*
dex·ter·i·ty [dek'sterətɪ] dextérité *f*
di·a·be·tes [daɪə'biːtiːz] *nsg* diabète *m*
di·a·bet·ic [daɪə'betɪk] **1** *n* diabétique *m/f* **2** *adj* pour diabétiques
di·ag·nose ['daɪəgnoʊz] *v/t* diagnostiquer
di·ag·no·sis [daɪəg'noʊsɪs] (*pl* ***diagnoses*** [daɪəg'noʊsiːz]) diagnostic *m*
di·ag·o·nal [daɪ'ægənl] *adj* diagonal
di·ag·o·nal·ly [daɪ'ægənlɪ] *adv* en diagonale
di·a·gram ['daɪəgræm] diagramme *m*, schéma *m*
di·al ['daɪl] **1** *n* cadran *m* **2** *v/i* (*pret & pp* ***-ed***, *Br* ***-led***) TELEC faire le numéro **3** *v/t* (*pret & pp* ***-ed***, *Br* ***-led***) TELEC *number* composer, faire
di·a·lect ['daɪəlekt] dialecte *m*
di·a·log, *Br* **di·a·logue** ['daɪəlɑːg] dialogue *m*
'di·a·log box COMPUT boîte *f* de dialogue
'di·al tone tonalité *f*
di·am·e·ter [daɪ'æmɪtər] diamètre *m*; ***6 inches in ~*** 6 pouces de diamètre
di·a·met·ri·cal·ly [daɪə'metrɪklɪ] *adv*: ***~ opposed*** diamétralement opposé
di·a·mond ['daɪmənd] *jewel* diamant *m*; *in cards* carreau *m*; *shape* losange *m*
di·a·per ['daɪpər] couche *f*
di·a·phragm ['daɪəfræm] diaphragme *m*
di·ar·rhe·a, *Br* **di·ar·rhoe·a** [daɪə'riːə] diarrhée *f*
di·a·ry ['daɪrɪ] *for thoughts* journal *m* (intime); *for appointments* agenda *m*
dice [daɪs] **1** *n* dé *m*; *pl* dés *mpl* **2** *v/t* (*cut*) couper en dés
di·chot·o·my [daɪ'kɑːtəmɪ] dichotomie *f*
dic·tate [dɪk'teɪt] *v/t letter, course of action* dicter
dic·ta·tion [dɪk'teɪʃn] dictée *f*
dic·ta·tor [dɪk'teɪtər] POL, *fig* dictateur *m*
dic·ta·to·ri·al [dɪktə'tɔːrɪəl] *adj tone, person* autoritaire; *powers* dictatorial
dic·ta·tor·ship [dɪk'teɪtərʃɪp] dictature *f*
dic·tion·a·ry ['dɪkʃənerɪ] dictionnaire *m*
did [dɪd] *pret* → ***do***
die [daɪ] *v/i* mourir; ***~ of cancer / Aids*** mourir d'un cancer / du sida; ***I'm dying to know*** je meurs d'envie de savoir; ***I'm dying for a beer*** je meurs d'envie de boire une bière
♦**die away** *v/i of noise* diminuer, mourir
♦**die down** *v/i of noise* diminuer; *of storm* se calmer; *of fire* mourir, s'éteindre; *of excitement* s'apaiser
♦**die out** *v/i* disparaître
die·sel ['diːzl] *fuel* diesel *m*, gazole *m*
di·et ['daɪət] **1** *n* (*regular food*) alimentation *f*; *to lose weight*, *for health* régime *m*; ***be on a ~*** être au régime **2** *v/i to lose weight* faire un régime
di·e·ti·tian [daɪə'tɪʃn] diététicien(ne) *m(f)*
dif·fer ['dɪfər] *v/i* différer; (*disagree*) différer
dif·fe·rence ['dɪfrəns] différence *f*; (*disagreement*) différend *m*, désaccord *m*; ***it doesn't make any ~*** (*doesn't change anything*) cela ne fait pas de différence; (*doesn't matter*) peu importe
dif·fe·rent ['dɪfrənt] *adj* différent
dif·fe·ren·ti·ate [dɪfə'renʃɪeɪt] *v/i*: ***~ between*** *things* faire la différence entre; *people* faire des différences entre
dif·fe·rent·ly ['dɪfrəntlɪ] *adv* différemment
dif·fi·cult ['dɪfɪkəlt] *adj* difficile
dif·fi·cul·ty ['dɪfɪkəltɪ] difficulté *f*; ***with ~*** avec difficulté, difficilement
dif·fi·dent ['dɪfɪdənt] *adj* hésitant
dig [dɪg] **1** *v/t* (*pret & pp* ***dug***) creuser **2** *v/i* (*pret & pp* ***dug***): ***it was ~ging into my back*** cela me rentrait dans le dos
♦**dig out** *v/t* (*find*) retrouver, dénicher
♦**dig up** *v/t* (*find*) déterrer; *garden,*

earth fouiller, retourner

di·gest [daɪ'dʒest] *v/t* digérer; *information* assimiler

di·gest·i·ble [daɪ'dʒestəbl] *adj food* digestible, digeste

di·ges·tion [daɪ'dʒestʃn] digestion *f*

di·ges·tive [daɪ'dʒestɪv] *adj* digestif*

dig·ger ['dɪgər] *machine* excavateur *m*, excavatrice *f*

di·git ['dɪdʒɪt] (*number*) chiffre *m*; ***a 4 ~ number*** un nombre à 4 chiffres

di·gi·tal ['dɪdʒɪtl] *adj* digital, numérique

dig·ni·fied ['dɪgnɪfaɪd] *adj* digne

dig·ni·ta·ry ['dɪgnəterɪ] dignitaire *m*

dig·ni·ty ['dɪgnɪtɪ] dignité *f*

di·gress [daɪ'gres] *v/i* faire une parenthèse

di·gres·sion [daɪ'greʃn] digression *f*

dike [daɪk] *wall* digue *f*

di·lap·i·dat·ed [dɪ'læpɪdeɪtɪd] *adj* délabré

di·late [daɪ'leɪt] *v/i of pupils* se dilater

di·lem·ma [dɪ'lemə] dilemme *m*; ***be in a ~*** être devant un dilemme

dil·et·tante [dɪle'tæntɪ] dilettante *m/f*

dil·i·gent ['dɪlɪdʒənt] *adj* consciencieux*

di·lute [daɪ'lu:t] *v/t* diluer

dim [dɪm] **1** *adj room*, *prospects* sombre; *light* faible; *outline* flou, vague; (*stupid*) bête **2** *v/t* (*pret & pp* ***-med***): ***~ the headlights*** se mettre en code(s) **3** *v/i* (*pret & pp* ***-med***) *of lights* baisser

dime [daɪm] (pièce *f* de) dix cents *mpl*

di·men·sion [daɪ'menʃn] dimension *f*

di·min·ish [dɪ'mɪnɪʃ] *v/t & v/i* diminuer

di·min·u·tive [dɪ'mɪnʊtɪv] **1** *n* diminutif *m* **2** *adj* tout petit, minuscule

dim·ple ['dɪmpl] *in cheeks* fossette *f*

din [dɪn] *n* brouhaha *m*, vacarme

dine [daɪn] *v/i fml* dîner

din·er ['daɪnər] *person* dîneur(-euse) *m(f)*; *restaurant* petit restaurant *m*

din·ghy ['dɪŋgɪ] *small yacht* dériveur *m*; *rubber boat* canot *m* pneumatique

din·gy ['dɪndʒɪ] *adj atmosphere* glauque; (*dirty*) défraîchi

din·ing car ['daɪnɪŋ] RAIL wagon-restaurant *m*; **'din·ing room** salle *f* à manger; *in hotel* salle *f* de restaurant; **'din·ing ta·ble** table *f* de salle à manger

din·ner ['dɪnər] dîner *m*; *at midday* déjeuner *f*; *gathering* repas *m*

'din·ner guest invité(e) *m(f)*; **'din·ner jack·et** smoking *m*; **'din·ner par·ty** dîner *m*, repas *m*; **'din·ner serv·ice** service *m* de table

di·no·saur ['daɪnəsɔ:r] dinosaure *m*

dip [dɪp] **1** *n* (*swim*) baignade *f*; *for food* sauce *f* (dans laquelle on trempe des aliments); *in road* inclinaison *f* **2** *v/t* (*pret & pp* ***-ped***) plonger, tremper; ***~ the headlights*** se mettre en code **3** *v/i* (*pret & pp* ***-ped***) *of road* s'incliner

di·plo·ma [dɪ'ploʊmə] diplôme *m*

di·plo·ma·cy [dɪ'ploʊməsɪ] *also* (*tact*) diplomatie *f*

di·plo·mat ['dɪpləmæt] diplomate *m/f*

di·plo·mat·ic [dɪplə'mætɪk] *adj* diplomatique; (*tactful*) diplomate

dip·lo·mat·i·cal·ly [dɪplə'mætɪklɪ] *adv* diplomatiquement

dip·lo·mat·ic im'mu·ni·ty immunité *f* diplomatique

dire ['daɪr] *adj situation* désespérée; *consequences* terrible; *need* extrême

di·rect [daɪ'rekt] **1** *adj* direct **2** *v/t to a place* indiquer (***to sth*** qch); *play* mettre en scène; *movie* réaliser; *attention* diriger

di·rect 'cur·rent ELEC courant *m* continu

di·rec·tion [dɪ'rekʃn] direction *f*; *of movie* réalisation *f*; *of play* mise *f* en scène; ***~s*** (*instructions*) indications *fpl*; *for use* mode *m* d'emploi; *for medicine* instructions *fpl*; ***ask for ~s*** *to a place* demander son chemin

di·rec·tion 'in·di·ca·tor *Br* MOT clignotant *m*

di·rec·tive [dɪ'rektɪv] *of UN etc* directive *f*

di·rect·ly [dɪ'rektlɪ] **1** *adv* (*straight*) directement; (*soon*) dans très peu de temps; (*immediately*) immédiatement **2** *conj* aussitôt que

di·rec·tor [dɪ'rektər] *of company* directeur(-trice) *m(f)*; *of movie* réalisateur(-trice) *m(f)*; *of play* metteur (-euse) *m(f)* en scène

di·rec·to·ry [dɪ'rektərɪ] répertoire *m* (d'adresses); TELEC annuaire *m* (des téléphones); COMPUT répertoire *m*

dirt [dɜːrt] saleté *f*, crasse *f*

'dirt cheap *adj* F très bon marché

dirt·y ['dɜːrtɪ] **1** *adj* sale; (*pornographic*) cochon* F **2** *v/t* (*pret & pp* ***-ied***) salir

dirt·y 'trick sale tour *m*

dis·a·bil·i·ty [dɪsə'bɪlətɪ] infirmité *f*, handicap *m*

dis·a·bled [dɪs'eɪbld] **1** *npl*: ***the ~*** les handicapés *mpl* **2** *adj* handicapé

dis·ad·van·tage [dɪsəd'væntɪdʒ] désavantage *m*, inconvénient *m*; ***be at a ~*** être désavantagé

dis·ad·van·taged [dɪsəd'væntɪdʒd] *adj* défavorisé

dis·ad·van·ta·geous [dɪsədvən'teɪdʒəs] *adj* désavantageux*, défavorable

dis·a·gree [dɪsə'griː] *v/i of person* ne pas être d'accord

◆ **disagree with** *v/t of person* être contre; ***lobster disagrees with me*** je ne digère pas le homard

dis·a·gree·a·ble [dɪsə'griːəbl] *adj* désagréable

dis·a·gree·ment [dɪsə'griːmənt] désaccord *m*; (*argument*) dispute *f*

dis·ap·pear [dɪsə'pɪr] *v/i* disparaître

dis·ap·pear·ance [dɪsə'pɪrəns] disparition *f*

dis·ap·point [dɪsə'pɔɪnt] *v/t* décevoir

dis·ap·point·ed [dɪsə'pɔɪntɪd] *adj* déçu

dis·ap·point·ing [dɪsə'pɔɪntɪŋ] *adj* décevant

dis·ap·point·ment [dɪsə'pɔɪntmənt] déception *f*

dis·ap·prov·al [dɪsə'pruːvl] désapprobation *f*

dis·ap·prove [dɪsə'pruːv] *v/i* désapprouver; ***~ of*** *actions* désapprouver; *s.o.* ne pas aimer

dis·ap·prov·ing [dɪsə'pruːvɪŋ] *adj* désapprobateur*

dis·ap·prov·ing·ly [dɪsə'pruːvɪŋlɪ] *adv* avec désapprobation

dis·arm [dɪs'ɑːrm] **1** *v/t* désarmer **2** *v/i* désarmer

dis·ar·ma·ment [dɪs'ɑːrməmənt] désarmement *m*

dis·arm·ing [dɪs'ɑːrmɪŋ] *adj* désarmant

dis·as·ter [dɪ'zæstər] désastre *m*

di'sas·ter ar·e·a région *f* sinistrée; *fig: person* catastrophe *f* (ambulante)

di·sas·trous [dɪ'zæstrəs] *adj* désastreux*

dis·band [dɪs'bænd] **1** *v/t* disperser **2** *v/i* se disperser

dis·be·lief [dɪsbə'liːf] incrédulité *f*, ***in ~*** avec incrédulité

disc [dɪsk] disque *m*; *CD* CD *m*

dis·card [dɪ'skɑːrd] *v/t old clothes etc* se débarrasser de; *boyfriend, theory* abandonner

di·scern [dɪ'sɜːrn] *v/t* discerner

di·scern·i·ble [dɪ'sɜːrnəbl] *adj* visible; *improvement* perceptible

di·scern·ing [dɪ'sɜːrnɪŋ] *adj* judicieux*

dis·charge ['dɪstʃɑːrdʒ] **1** *n from hospital* sortie *f*; MIL *for disciplinary reasons* révocation *f*; MIL *for health reasons* réforme *f* **2** *v/t* [dɪs'tʃɑːrdʒ] *from hospital* faire sortir; MIL *for disciplinary reasons* révoquer; MIL *for health reasons* réformer; *from job* renvoyer; ***~ o.s.*** *from hospital* décider de sortir

di·sci·ple [dɪ'saɪpl] *religious* disciple *m/f*

dis·ci·pli·nar·y [dɪsɪ'plɪnərɪ] *adj* disciplinaire

dis·ci·pline ['dɪsɪplɪn] **1** *n* discipline *f* **2** *v/t child, dog* discipliner; *employee* punir

'disc jock·ey disc-jockey *m*

dis·claim [dɪs'kleɪm] *v/t* nier

dis·close [dɪs'kloʊz] *v/t* révéler, divulguer

dis·clo·sure [dɪs'kloʊʒər] *of information, name* révélation *f*, divulgation *f*; *about scandal etc* révélation *f*

dis·co ['dɪskoʊ] discothèque *f*; *type of dance, music* disco *m*; ***school ~*** soirée *f* (de l'école)

dis·col·or, *Br* **dis·col·our** [dɪs'kʌlər] *v/i* décolorer

dis·com·fort [dɪs'kʌmfərt] *n* gêne *f*; ***be in ~*** être incommodé

dis·con·cert [dɪskən'sɜːrt] *v/t* déconcerter

dis·con·cert·ed [dɪskən'sɜːrtɪd] *adj* déconcerté

dis·con·nect [dɪskə'nekt] *v/t hose etc* détacher; *electrical appliance etc* débrancher; *supply, telephones* couper; ***I was ~ed*** TELEC j'ai été coupé

dis·con·so·late [dɪs'kɑːnsələt] *adj* inconsolable

dis·con·tent [dɪskən'tent] mécontentement *m*

dis·con·tent·ed [dɪskən'tentɪd] *adj* mécontent

dis·con·tin·ue [dɪskən'tɪnuː] *v/t product, magazine* arrêter; *bus, train service* supprimer

dis·cord ['dɪskɔːrd] MUS dissonance *f*; *in relations* discorde *f*

dis·co·theque ['dɪskətek] discothèque *f*

dis·count ['dɪskaʊnt] **1** *n* remise *f* **2** *v/t* [dɪs'kaʊnt] *goods* escompter; *theory* ne pas tenir compte de

dis·cour·age [dɪs'kʌrɪdʒ] *v/t* décourager

dis·cour·age·ment [dɪs'kʌrɪdʒmənt] découragement *m*

dis·cov·er [dɪ'skʌvər] *v/t* découvrir

dis·cov·er·er [dɪ'skʌvərər] découvreur(-euse) *m(f)*

dis·cov·e·ry [dɪ'skʌvərɪ] découverte *f*

dis·cred·it [dɪs'kredɪt] *v/t* discréditer

di·screet [dɪ'skriːt] *adj* discret*

di·screet·ly [dɪ'skriːtlɪ] *adv* discrètement

di·screp·an·cy [dɪ'skrepənsɪ] divergence *f*

di·scre·tion [dɪ'skreʃn] discrétion *f*; ***at your ~*** à votre discrétion

di·scrim·i·nate [dɪ'skrɪmɪneɪt] *v/i*: ***~ against*** pratiquer une discrimination contre; ***be ~d against*** être victime de discrimination; ***~ between sth and sth*** distinguer qch de qch

di·scrim·i·nat·ing [dɪ'skrɪmɪneɪtɪŋ] *adj* avisé

di·scrim·i·na·tion [dɪ'skrɪmɪneɪʃn] *sexual, racial etc* discrimination *f*

dis·cus ['dɪskəs] SP *object* disque *m*; *event* (lancer *m* du) disque *m*

di·scuss [dɪ'skʌs] *v/t* discuter de; *of article* traiter de

di·scus·sion [dɪ'skʌʃn] discussion *f*

'dis·cus throw·er ['θroʊər] lanceur (-euse) *m(f)* de disque

dis·dain [dɪs'deɪn] *n* dédain *m*

dis·ease [dɪ'ziːz] maladie *f*

dis·em·bark [dɪsəm'bɑːrk] *v/i* débarquer

dis·en·chant·ed [dɪsən'tʃæntɪd] *adj* désenchanté (***with*** par)

dis·en·gage [dɪsən'geɪdʒ] *v/t* dégager

dis·en·tan·gle [dɪsən'tæŋgl] *v/t* démêler

dis·fig·ure [dɪs'fɪgər] *v/t* défigurer

dis·grace [dɪs'greɪs] **1** *n* honte *f*; ***be a ~ to*** faire honte à; ***it's a ~*** c'est une honte *or* un scandale; ***in ~*** en disgrâce **2** *v/t* faire honte à

dis·grace·ful [dɪs'greɪsfʊl] *adj behavior, situation* honteux*, scandaleux*

dis·grunt·led [dɪs'grʌntld] *adj* mécontent

dis·guise [dɪs'gaɪz] **1** *n* déguisement *m*; ***in ~*** déguisé **2** *v/t voice, handwriting* déguiser; *fear, anxiety* dissimuler; ***~ o.s. as*** se déguiser en; ***he was ~d as*** il était déguisé en

dis·gust [dɪs'gʌst] **1** *n* dégoût *m*; ***in ~*** dégoûté **2** *v/t* dégoûter

dis·gust·ing [dɪs'gʌstɪŋ] *adj* dégoûtant

dish [dɪʃ] plat *m*; ***~es*** vaisselle *f*

'dish·cloth *for washing* lavette *f*; *Br for drying* torchon *m*

dis·heart·ened [dɪs'hɑːrtnd] *adj* découragé

dis·heart·en·ing [dɪs'hɑːrtnɪŋ] *adj* décourageant

di·shev·eled, *Br* **di·shev·el·led** [dɪ'ʃevld] *adj hair* ébouriffé; *clothes* en désordre; *person* débraillé

dis·hon·est [dɪs'ɑːnɪst] *adj* malhonnête

dis·hon·est·y [dɪs'ɑːnɪstɪ] malhonnêteté *f*

dis·hon·or [dɪs'ɑːnər] *n* déshonneur

m; ***bring ~ on*** déshonorer
dis·hon·o·ra·ble [dɪs'ɑːnərəbl] *adj* déshonorant
dis·hon·our *etc Br* → ***dishonor*** *etc*
'dish·wash·er *person* plongeur(-euse) *m(f)*; *machine* lave-vaisselle *m*; **'dish·wash·ing liq·uid** produit *m* à vaisselle; **'dish·wa·ter** eau *f* de vaisselle
dis·il·lu·sion [dɪsɪ'luːʒn] *v/t* désillusionner
dis·il·lu·sion·ment [dɪsɪ'luːʒnmənt] désillusion *f*
dis·in·clined [dɪsɪn'klaɪnd] *adj* peu disposé *or* enclin (***to*** à)
dis·in·fect [dɪsɪn'fekt] *v/t* désinfecter
dis·in·fec·tant [dɪsɪn'fektənt] désinfectant *m*
dis·in·her·it [dɪsɪn'herɪt] *v/t* déshériter
dis·in·te·grate [dɪs'ɪntəgreɪt] *v/i* se désintégrer; *of marriage* se désagréger
dis·in·ter·est·ed [dɪs'ɪntərestɪd] *adj* (*unbiased*) désintéressé
dis·joint·ed [dɪs'dʒɔɪntɪd] *adj* incohérent, décousu
disk [dɪsk] *also* COMPUT disque *m*; *floppy* disquette *f*; ***on ~*** sur disque / disquette
'disk drive COMPUT lecteur *m* de disque / disquette
disk·ette [dɪs'ket] disquette *f*
dis·like [dɪs'laɪk] **1** *n* aversion *f*; ***take a ~ to s.o.*** prendre qn en grippe; ***her likes and ~s*** ce qu'elle aime et ce qu'elle n'aime pas **2** *v/t* ne pas aimer
dis·lo·cate ['dɪsləkeɪt] *v/t shoulder* disloquer
dis·lodge [dɪs'lɑːdʒ] *v/t* déplacer
dis·loy·al [dɪs'lɔɪəl] *adj* déloyal
dis·loy·al·ty [dɪs'lɔɪəltɪ] déloyauté *f*
dis·mal ['dɪzməl] *adj weather* morne; *news, prospect* sombre; *person* (*sad*) triste; *person* (*negative*) lugubre; *failure* lamentable
dis·man·tle [dɪs'mæntl] *v/t object* démonter; *organization* démanteler
dis·may [dɪs'meɪ] **1** *n* consternation *f* **2** *v/t* consterner
dis·miss [dɪs'mɪs] *v/t employee* renvoyer; *suggestion* rejeter; *idea, thought* écarter; *possibility* exclure
dis·miss·al [dɪs'mɪsl] *of employee* renvoi *m*
dis·mount [dɪs'maʊnt] *v/i* descendre
dis·o·be·di·ence [dɪsə'biːdɪəns] désobéissance *f*
dis·o·be·di·ent [dɪsə'biːdɪənt] *adj* désobéissant
dis·o·bey [dɪsə'beɪ] *v/t* désobéir à
dis·or·der [dɪs'ɔːrdər] (*untidiness*) désordre *m*; (*unrest*) désordre(s) *m(pl)*; MED troubles *mpl*
dis·or·der·ly [dɪs'ɔːrdərlɪ] *adj room, desk* en désordre; (*unruly*) indiscipliné; ***~ conduct*** trouble *m* à l'ordre public
dis·or·gan·ized [dɪs'ɔːrgənaɪzd] *adj* désorganisé
dis·o·ri·ent·ed [dɪs'ɔːrɪəntɪd] *adj* désorienté
dis·own [dɪs'oʊn] *v/t* désavouer, renier
di·spar·ag·ing [dɪ'spærɪdʒɪŋ] *adj* désobligeant
di·spar·i·ty [dɪ'spærətɪ] disparité *f*
dis·pas·sion·ate [dɪ'spæʃənət] *adj* (*objective*) impartial, objectif*
di·spatch [dɪ'spætʃ] *v/t* (*send*) envoyer
di·spen·sa·ry [dɪ'spensərɪ] *in pharmacy* officine *f*
♦ **di·spense with** [dɪ'spens] *v/t* se passer de
di·sperse [dɪ'spɜːrs] **1** *v/t* disperser **2** *v/i* se disperser
di·spir·it·ed [dɪ'spɪrɪtɪd] *adj* abattu
dis·place [dɪs'pleɪs] *v/t* (*supplant*) supplanter
di·splay [dɪ'spleɪ] **1** *n of paintings etc* exposition *f*, *of emotion, in store window* étalage *m*; COMPUT affichage *m*; ***be on ~*** *at exhibition, for sale* être exposé **2** *v/t emotion* montrer; *at exhibition, for sale* exposer; COMPUT afficher
di'splay cab·i·net *in museum, store* vitrine *f*
dis·please [dɪs'pliːz] *v/t* déplaire à
dis·plea·sure [dɪs'pleʒər] mécontentement *m*
dis·po·sa·ble [dɪ'spoʊzəbl] *adj* jetable
dis·po·sable 'in·come salaire *m* disponible

dis·pos·al [dɪ'spoʊzl] *of waste* élimination *f*; (*sale*) cession *f*; ***I am at your ~*** je suis à votre disposition; ***put sth at s.o.'s ~*** mettre qch à la disposition de qn

♦ **dis·pose of** [dɪ'spoʊz] *v/t* (*get rid of*) se débarrasser de; *rubbish* jeter; (*sell*) céder

dis·posed [dɪ'spoʊzd] *adj*: ***be ~ to do sth*** (*willing*) être disposé à faire qch; ***be well ~ toward*** être bien disposé à l'égard de

dis·po·si·tion [dɪspə'zɪʃn] (*nature*) disposition *f*

dis·pro·por·tion·ate [dɪsprə'pɔːrʃənət] *adj* disproportionné

dis·prove [dɪs'pruːv] *v/t* réfuter

di·spute [dɪ'spjuːt] **1** *n* contestation *f*; *between two countries* conflit *m*; ***industrial ~*** conflit *m* social; ***that's not in ~*** cela n'est pas remis en cause **2** *v/t* contester; (*fight over*) se disputer

dis·qual·i·fi·ca·tion [dɪskwɑːlɪfɪ'keɪʃn] disqualification *f*

dis·qual·i·fy [dɪs'kwɑːlɪfaɪ] *v/t* (*pret & pp* ***-ied***) disqualifier

dis·re·gard [dɪsrə'gɑːrd] **1** *n* indifférence *f* (***for*** à l'égard de) **2** *v/t* ne tenir aucun compte de

dis·re·pair [dɪsrə'per]: ***in a state of ~*** délabré

dis·rep·u·ta·ble [dɪs'repjʊtəbl] *adj* peu recommandable

dis·re·spect [dɪsrə'spekt] manque *m* de respect, irrespect *m*

dis·re·spect·ful [dɪsrə'spektfʊl] *adj* irrespectueux*

dis·rupt [dɪs'rʌpt] *v/t* perturber

dis·rup·tion [dɪs'rʌpʃn] perturbation *f*

dis·rup·tive [dɪs'rʌptɪv] *adj* perturbateur*; ***be a ~influence*** être un élément perturbateur

dis·sat·is·fac·tion [dɪssætɪs'fækʃn] mécontentement *m*

dis·sat·is·fied [dɪs'sætɪsfaɪd] *adj* mécontent

dis·sen·sion [dɪ'senʃn] dissension *f*

dis·sent [dɪ'sent] **1** *n* dissensions *fpl* **2** *v/i*: ***~ from*** s'opposer à

dis·si·dent ['dɪsɪdənt] *n* dissident(e) *m*(*f*)

dis·sim·i·lar [dɪ'sɪmɪlər] *adj* différent

dis·so·ci·ate [dɪ'soʊʃɪeɪt] *v/t*: ***~ o.s. from*** se démarquer de

dis·so·lute ['dɪsəluːt] *adj* dissolu

dis·so·lu·tion ['dɪsəluːʃn] POL dissolution *f*

dis·solve [dɪ'zɑːlv] **1** *v/t in liquid* dissoudre **2** *v/i of substance* se dissoudre

dis·suade [dɪ'sweɪd] *v/t* dissuader (***from doing sth*** de faire qch)

dis·tance ['dɪstəns] **1** *n* distance *f*; ***in the ~*** au loin **2** *v/t*: ***~ o.s. from*** se distancier de

dis·tant ['dɪstənt] *adj place, time, relative* éloigné; *fig* (*aloof*) distant

dis·taste [dɪs'teɪst] dégoût *m*

dis·taste·ful [dɪs'teɪstfʊl] *adj* désagréable

dis·till·er·y [dɪs'tɪlərɪ] distillerie *f*

dis·tinct [dɪ'stɪŋkt] *adj* (*clear*) net*; (*different*) distinct; ***as ~ from*** par opposition à

dis·tinc·tion [dɪ'stɪŋkʃn] (*differentiation*) distinction *f*; ***hotel / product of ~*** hôtel / produit réputé

dis·tinc·tive [dɪ'stɪŋktɪv] *adj* distinctif*

dis·tinct·ly [dɪ'stɪŋktlɪ] *adv* distinctement; (*decidedly*) vraiment

dis·tin·guish [dɪ'stɪŋgwɪʃ] *v/t* (*see*) distinguer; ***~ between X and Y*** distinguer X de Y

dis·tin·guished [dɪ'stɪŋgwɪʃt] *adj* distingué

dis·tort [dɪ'stɔːrt] *v/t* déformer

dis·tract [dɪ'strækt] *v/t person* distraire; *attention* détourner

dis·tract·ed [dɪ'stræktɪd] *adj* (*worried*) préoccupé

dis·trac·tion [dɪ'strækʃn] distraction *f*, *of attention* détournement *m*; ***drive s.o. to ~*** rendre qn fou

dis·traught [dɪ'strɒːt] *adj* angoissé; ***~ with grief*** fou* de chagrin

dis·tress [dɪ'stres] **1** *n* douleur *f*, ***in ~*** *ship, aircraft* en détresse **2** *v/t* (*upset*) affliger

dis·tress·ing [dɪ'stresɪŋ] *adj* pénible

dis'tress sig·nal signal *m* de détresse

dis·trib·ute [dɪ'strɪbjuːt] *v/t also* COMM distribuer; *wealth* répartir

dis·tri·bu·tion [dɪstrɪ'bjuːʃn] *also* COMM distribution *f*; *of wealth* répartition *f*

dis·trib·u·tor [dɪ'strɪbjuːtər] COMM distributeur *m*

dis·trict ['dɪstrɪkt] *of town* quartier *m*; *of country* région *f*

dis·trict at'tor·ney procureur *m*

dis·trust [dɪs'trʌst] **1** *n* méfiance *f* **2** *v/t* se méfier de

dis·turb [dɪ'stɜːrb] (*interrupt*) déranger; (*upset*) inquiéter; ***do not ~*** ne pas déranger

dis·turb·ance [dɪ'stɜːrbəns] (*interruption*) dérangement *m*; ***~s*** (*civil unrest*) troubles *mpl*

dis·turbed [dɪ'stɜːrbd] *adj* (*concerned, worried*) perturbé; *mentally* dérangé

dis·turb·ing [dɪ'stɜːrbɪŋ] *adj* perturbant

dis·used [dɪs'juːzd] *adj* désaffecté

ditch [dɪʧ] **1** *n* fossé *m* **2** *v/t* F (*get rid of*) se débarrasser de; *boyfriend, plan* laisser tomber

dith·er ['dɪðər] *v/i* hésiter

dive [daɪv] **1** *n* plongeon *m*; *underwater* plongée *f*; *of plane* (vol *m*) piqué *m*; F *bar etc* bouge *m*, boui-boui *m* F; ***take a ~*** F *of dollar etc* dégringoler **2** *v/i* (*pret also* ***dove*** [doʊv]) plonger; *underwater* faire de la plongée sous-marine; *of plane* descendre en piqué

div·er ['daɪvər] plongeur(-euse) *m(f)*

di·verge [daɪ'vɜːrdʒ] *v/i* diverger

di·verse [daɪ'vɜːrs] *adj* divers

di·ver·si·fi·ca·tion [daɪvɜːrsɪfɪ'keɪʃn] COMM diversification *f*

di·ver·si·fy [daɪ'vɜːrsɪfaɪ] *v/i* (*pret & pp* ***-ied***) COMM se diversifier

di·ver·sion [daɪ'vɜːrʃn] *for traffic* déviation *f*; *to distract attention* diversion *f*

di·ver·si·ty [daɪ'vɜːrsətɪ] diversité *f*

di·vert [daɪ'vɜːrt] *v/t traffic* dévier; *attention* détourner

di·vest [daɪ'vest] *v/t*: ***~ s.o. of sth*** dépouiller qn de qch

di·vide [dɪ'vaɪd] *v/t* (*share*) partager; MATH, *fig*: *country, family* diviser

div·i·dend ['dɪvɪdend] FIN dividende *m*; ***pay ~s*** *fig* porter ses fruits

di·vine [dɪ'vaɪn] *adj also* F divin

div·ing ['daɪvɪŋ] *from board* plongeon *m*; *underwater* plongée *f* (sous-marine)

'div·ing board plongeoir *m*

di·vis·i·ble [dɪ'vɪzəbl] *adj* divisible

di·vi·sion [dɪ'vɪʒn] division *f*

di·vorce [dɪ'vɔːrs] **1** *n* divorce *m*; ***get a ~*** divorcer **2** *v/t* divorcer de; ***get ~d*** divorcer **3** *v/i* divorcer

di·vorced [dɪ'vɔːrst] *adj* divorcé

di·vor·cee [dɪvɔːr'siː] divorcé(e) *m(f)*

di·vulge [daɪ'vʌldʒ] *v/t* divulguer

DIY [diːaɪ'waɪ] *abbr* (***= do it yourself***) bricolage *m*

DI'Y store magasin *m* de bricolage

diz·zi·ness ['dɪzɪnɪs] vertige *m*

diz·zy ['dɪzɪ] *adj*: ***feel ~*** avoir un vertige *or* des vertiges, avoir la tête qui tourne

DJ ['diːdʒeɪ] *abbr* (***= disc jockey***) D.J. *m/f* (= disc-jockey); (***= dinner jacket***) smoking *m*

DNA [diːen'eɪ] *abbr* (***= deoxyribonucleic acid***) AND *m* (= acide *m* désoxyribonucléïque)

do [duː] **1** *v/t* (*pret* ***did***, *pp* ***done***) faire; ***~ one's hair*** se coiffer; ***~ French / chemistry*** faire du français / de la chimie; ***~ 100mph*** faire du 100 miles à l'heure; ***what are you ~ing tonight?*** que faites-vous ce soir?; ***I don't know what to ~*** je ne sais pas quoi faire; ***have one's hair done*** se faire coiffer

2 *v/i* (*be suitable, enough*) aller; ***that will ~!*** ça va!; ***~ well*** *in health, of business* aller bien; (*be successful*) réussir; ***~ well at school*** être bon à l'école; ***well done!*** (*congratulations!*) bien!; ***how ~ you ~?*** enchanté

3 *v/aux* ◊ : ***~ you know him?*** est-ce que vous le connaissez?; ***I don't know*** je ne sais pas; ***~ be quick*** surtout dépêche-toi; ***~ you like Cherbourg? - yes I ~*** est-ce que vous aimez Cherbourg? - oui; ***you don't know the answer, ~ you? - no I don't*** vous ne connaissez pas la réponse, n'est-ce pas? - non

◊ *tags*: ***he works hard, doesn't he?***

il travaille beaucoup, non?; ***you don't believe me, ~ you?*** tu ne me crois pas, hein?; ***you ~ believe me, don't you?*** vous me croyez, n'est-ce pas?

♦**do away with** *v/t* (*abolish*) supprimer

♦**do in** *v/t* F (*exhaust*) épuiser; ***I'm done in*** je suis mort (de fatigue) F

♦**do out of** *v/t*: ***do s.o. out of sth*** *by cheating* escroquer qn de qch

♦**do up** *v/t building* rénover; *street* refaire; (*fasten*), *coat etc* fermer; *laces* faire

♦**do with** *v/t*: ***I could do with a cup of coffee*** j'aurais bien besoin d'un café; ***this room could do with new drapes*** cette pièce aurait besoin de nouveaux rideaux; ***he won't have anything to do with it*** (*won't get involved*) il ne veut pas y être impliqué

♦**do without** **1** *v/i* s'en passer **2** *v/t* se passer de

do·cile ['dousaɪl] *adj* docile

dock[1] [dɑːk] **1** *n* NAUT bassin *m* **2** *v/i of ship* entrer au bassin; *of spaceship* s'arrimer

dock[2] [dɑːk] *n* LAW banc *m* des accusés

'dock·yard *Br* chantier *m* naval

doc·tor ['dɑːktər] *n* MED docteur *m*, médecin *m*; *form of address* docteur

doc·tor·ate ['dɑːktərət] doctorat *m*

doc·trine ['dɑːktrɪn] doctrine *f*

doc·u·dra·ma ['dɑːkjʊdrɑːmə] docudrame *m*

doc·u·ment ['dɑːkjʊmənt] *n* document *m*

doc·u·men·ta·ry [dɑːkjʊ'mentərɪ] *n program* documentaire *m*

doc·u·men·ta·tion [dɑːkjʊmen'teɪʃn] documentation *f*

dodge [dɑːdʒ] *v/t blow, person, issue* éviter; *question* éluder

dodg·ems ['dɑːdʒəms] *npl Br* auto *f* tamponneuse

doe [doʊ] *deer* biche *f*

dog [dɒːg] **1** *n* chien *m* **2** *v/t* (*pret & pp* ***-ged***) *of bad luck* poursuivre

'dog catch·er employé(e) municipal(e) qui recueille les chiens errants

dog-eared ['dɒːgɪrd] *adj book* écorné

dog·ged ['dɒːgɪd] *adj* tenace

dog·gie ['dɒːgɪ] *in children's language* toutou *m* F

dog·gy bag ['dɒːgɪbæg] sac pour emporter les restes

'dog·house: ***be in the ~*** F être en disgrâce

dog·ma ['dɒːgmə] dogme *m*

dog·mat·ic [dɒːg'mætɪk] *adj* dogmatique

do-good·er ['duːgʊdər] *pej* âme *f* charitable

dogs·body ['dɒːgzbɒːdɪ] F bon(ne) *m*(*f*) à tout faire

'dog tag MIL plaque *f* d'identification

'dog-tired *adj* F crevé F

do-it-your·self [duːɪtjər'self] bricolage *m*

dol·drums ['doʊldrəmz]: ***be in the ~*** *of economy* être dans le marasme; *of person* avoir le cafard

♦**dole out** *v/t* distribuer

doll [dɑːl] *also* F *woman* poupée *f*

♦**doll up** *v/t*: ***get dolled up*** se bichonner

dol·lar ['dɑːlər] dollar *m*

dol·lop ['dɑːləp] *n* F *of cream etc* bonne cuillérée *f*

dol·phin ['dɑːlfɪn] dauphin *m*

dome [doʊm] *of building* dôme *m*

do·mes·tic [də'mestɪk] *adj chores* domestique; *news* national; *policy* intérieur

do·mes·tic 'an·i·mal animal *m* domestique

do·mes·ti·cate [də'mestɪkeɪt] *v/t animal* domestiquer; ***be ~d*** *of person* aimer les travaux ménagers

do'mes·tic flight vol *m* intérieur

dom·i·nant ['dɑːmɪnənt] *adj* dominant

dom·i·nate ['dɑːmɪneɪt] *v/t* dominer

dom·i·na·tion [dɑːmɪ'neɪʃn] domination *f*

dom·i·neer·ing [dɑːmɪ'nɪrɪŋ] *adj* dominateur*

do·nate [doʊ'neɪt] *v/t* faire don de

do·na·tion [doʊ'neɪʃn] don *m*

done [dʌn] *pp* → ***do***

don·key ['dɑːŋkɪ] âne *m*

do·nor ['doʊnər] *of money* donateur

(-trice) *m(f)*; MED donneur(-euse) *m(f)*
do·nut ['dounʌt] beignet *m*
doo·dle ['du:dl] *v/i* griffonner
doom [du:m] *n* (*fate*) destin *m*; (*ruin*) ruine *f*

D

doomed [du:md] *adj project* voué à l'échec; ***we are ~*** nous sommes condamnés; ***the ~ ship*** le navire qui allait couler; ***the ~ plane*** l'avion qui allait s'écraser
door [dɔ:r] porte *f*; *of car* portière *f*; (*entrance*) entrée *f*; ***there's someone at the ~*** il y a quelqu'un à la porte
'door·bell sonnette *f*; **'door·knob** poignée *f* de porte *or* de portière; **'door·man** portier *m*; **'door·mat** paillasson *m*; **'door·step** pas *m* de porte; **'door·way** embrasure *f* de porte
dope [doup] **1** *n* (*drugs*) drogue *f*; (*idiot*) idiot(e) *m(f)*; (*information*) tuyaux *mpl* F **2** *v/t* doper
dor·mant ['dɔ:rmənt] *adj plant* dormant; ***~ volcano*** volcan *m* en repos
dor·mi·to·ry ['dɔ:rmɪtɔ:rɪ] résidence *f* universitaire; *Br* dortoir *m*
dos·age ['dousɪdʒ] dose *f*
dose [dous] *n* dose *f*
dot [dɑ:t] *n also in e-mail address* point *m*; ***at six o'clock on the ~*** à six heures pile
dot.com (com·pa·ny) [dɑ:t'kɑ:m] société *f* dot.com
♦**dote on** [dout] *v/t* raffoler de
dot·ing ['doutɪŋ] *adj*: ***his ~ parents*** ses parents qui raffolent de lui
dot·ted line ['dɑ:tɪd] pointillés *mpl*
dot·ty ['dɑ:tɪ] *adj* F toqué F
doub·le ['dʌbl] **1** *n* double *m*; *of film star* doublure *f*; *room* chambre *f* pour deux personnes **2** *adj* double; *doors* à deux battants; *sink* à deux bacs; ***her salary is ~ his*** son salaire est le double du sien; ***in ~ figures*** à deux chiffres **3** *adv* deux fois (plus); ***~ the size*** deux fois plus grand **4** *v/t* doubler **5** *v/i* doubler
♦**double back** *v/i* (*go back*) revenir sur ses pas
♦**double up** *v/i in pain* se plier en deux; *sharing room* partager une chambre
doub·le-'bass contrebasse *f*; **doub·le 'bed** grand lit *m*; **doub·le-breast·ed** [dʌbl'brestɪd] *adj* croisé; **doub·le-'check** *v/t & v/i* revérifier; **doub·le 'chin** double menton *m*; **doub·le-'cross** *v/t* trahir; **doub·le 'glaz·ing** double vitrage *m*; **doub·le'park** *v/i* stationner en double file; **'doub·le-quick** *adj*: ***in ~ time*** en un rien de temps; **'doub·le room** chambre *f* pour deux personnes
doub·les ['dʌblz] *in tennis* double *m*
doubt [daut] **1** *n* doute *m*; ***be in ~*** être incertain; ***no ~*** (*probably*) sans doute **2** *v/t*: ***~ s.o. / sth*** douter de qn / qch; ***~ that …*** douter que … (*+subj*)
doubt·ful ['dautful] *adj remark, look* douteux*; ***be ~*** *of person* avoir des doutes; ***it is ~ whether …*** il est douteux que … (*+subj*)
doubt·ful·ly ['dautflɪ] *adv* dubitativement
doubt·less ['dautlɪs] *adv* sans aucun doute
dough [dou] pâte *f*; F (*money*) fric *m* F
dough·nut ['dounʌt] *Br* beignet *m*
dove[1] [dʌv] *also fig* colombe *f*
dove[2] [douv] *pret* → ***dive***
Dov·er ['douvər] Douvres
dow·dy ['daudɪ] *adj* peu élégant
Dow Jones Av·er·age [dau'dʒounz] indice *m* Dow-Jones
down[1] [daun] *n* (*feathers*) duvet *m*
down[2] **1** *adv* (*downward*) en bas, vers le bas; (*onto the ground*) par terre; ***~ there*** là-bas; ***take the plates ~*** descendre les assiettes; ***put sth ~*** poser qch; ***pull the shade ~*** baisser le store; ***come ~*** *of leaves etc* tomber; ***shoot a plane ~*** abattre un avion; ***cut ~ a tree*** abattre *or* couper un arbre; ***fall ~*** tomber; ***die ~*** se calmer; ***$200 ~*** (*as deposit*) 200 dollars d'acompte; ***~ south*** dans le sud; ***be ~*** *of price, rate, numbers, amount* être en baisse; (*not working*) être en panne; F (*depressed*) être déprimé **2** *prep* (*along*) le long de; ***run ~ the stairs*** descendre les escaliers en cou-

rant; ***look ~ a list*** parcourir une liste; ***it's halfway ~ Baker Street*** c'est au milieu de Baker Street; ***it's just ~ the street*** c'est à deux pas **3** *v/t* (*swallow*) avaler; (*destroy*) abattre

'down-and-out *n* clochard(e) *m*(*f*); **'down·cast** *adj* abattu; **'down·fall** chute *f*; *alcohol etc* ruine *f*; **'down·grade** *v/t employee* rétrograder; **down·heart·ed** [daʊn'hɑːrtɪd] *adj* déprimé; **down'hill** *adv*: ***the road goes ~*** la route descend; ***go ~*** *fig* être sur le déclin; **'down·hill ski·ing** ski *m* alpin; **'down·load** *v/t* COMPUT télécharger; **'down·mark·et** *adj* bas de gamme; **'down pay·ment** paiement *m* au comptant; **'down·play** *v/t* minimiser; **'down·pour** averse *f*; **'down·right 1** *adj idiot, nuisance etc* parfait; *lie* éhonté **2** *adv dangerous, stupid etc* franchement; **'down·side** (*disadvantage*) inconvénient *m*; **'down·size 1** *v/t car etc* réduire la taille de; *company* réduire les effectifs de **2** *v/i of company* réduire ses effectifs; **'down·stairs 1** *adj neighbors etc* d'en bas **2** *adv* en bas; **down-to--'earth** *adj approach, person* terre-à--terre; **'down-town 1** *adj* du centre--ville **2** *adv* en ville; **'down·turn** *in economy* baisse *f*

'down·ward 1 *adj glance* vers le bas; *trend* à la baisse **2** *adv look* vers le bas; *revise figures* à la baisse

doze [doʊz] **1** *n* petit somme *m* **2** *v/i* sommeiller

♦**doze off** *v/i* s'assoupir

doz·en ['dʌzn] douzaine *f*; ***a ~ eggs*** une douzaine d'œufs; ***~s of*** F des tas *mpl* de

drab [dræb] *adj* terne

draft [dræft] **1** *n of air* courant *m* d'air; *of document* brouillon *m*; MIL conscription *f*; ***~ (beer), beer on ~*** bière *f* à la pression **2** *v/t document* faire le brouillon de; (*write*) rédiger; MIL appeler

draft dodg·er ['dræftdɑːdʒər] MIL réfractaire *m*

draft·ee [dræft'iː] MIL appelé *m*

drafts·man ['dræftsmən] dessinateur(-trice) *m*(*f*)

draft·y ['dræftɪ] *adj* plein de courants d'air

drag [dræg] **1** *n*: ***it's a ~ having to ...*** F c'est barbant de devoir ... F; ***he's a ~*** F il est mortel F; ***the main ~*** P la rue principale; ***in ~*** en travesti **2** *v/t* (*pret & pp* ***-ged***) traîner, tirer; (*search*) draguer; ***~ o.s. into work*** se traîner jusqu'au boulot **3** *v/i of time* se traîner; *of show, movie* traîner en longueur; ***~ s.o. into sth*** (*involve*) mêler qn à qch; ***~ sth out of s.o.*** (*get information from*) arracher qch à qn

♦**drag away** *v/t*: ***drag o.s. away from the TV*** s'arracher de la télé

♦**drag in** *v/t into conversation* placer

♦**drag on** *v/i* (*last long time*) s'éterniser

♦**drag out** *v/t* (*prolong*) faire durer

♦**drag up** *v/t* F (*mention*) remettre sur le tapis

drag·on ['drægn] *also fig* dragon *m*

drain [dreɪn] **1** *n pipe* tuyau *m* d'écoulement; *under street* égout *m*; ***be a ~ on resources*** épuiser les ressources **2** *v/t oil* vidanger; *vegetables* égoutter; *land* drainer; *glass, tank* vider; (*exhaust: person*) épuiser **3** *v/i of dishes* égoutter

♦**drain away** *v/i of liquid* s'écouler

♦**drain off** *v/t water* évacuer

drain·age ['dreɪnɪdʒ] (*drains*) système *m* d'écoulement des eaux usées; *of water from soil* drainage *m*

'drain·pipe tuyau *m* d'écoulement

dra·ma ['drɑːmə] *art form* art *m* dramatique; (*excitement*) action *f*, drame *m*; (*play*) drame *m*

dra·mat·ic [drə'mætɪk] *adj* dramatique; *events, scenery, decision* spectaculaire; *gesture* théâtral

dra·mat·i·cal·ly [drə'mætɪklɪ] *adv say* d'un ton théâtral; *decline, rise, change etc* radicalement

dram·a·tist ['dræmətɪst] dramaturge *m/f*

dram·a·ti·za·tion [dræmətaɪ'zeɪʃn] *of novel etc* adaptation *f*

dram·a·tize ['dræmətaɪz] *v/t story* adapter (***for*** pour); *fig* dramatiser

drank [dræŋk] *pret* → ***drink***

drape [dreɪp] *v/t cloth, coat* draper, poser; **~d in** (*covered with*) recouvert de, enveloppé dans
drap·er·y ['dreɪpərɪ] draperie *f*
drapes [dreɪps] *npl* rideaux *mpl*
dras·tic ['dræstɪk] *adj* radical; *measures also* drastique
draw [drɒː] **1** *n in competition* match *m* nul; *in lottery* tirage *m* (au sort); (*attraction*) attraction *f* **2** *v/t* (*pret* **drew**, *pp* **drawn**) *picture, map* dessiner; (*pull*), *in lottery, gun, knife* tirer; (*attract*) attirer; (*lead*) emmener; *from bank account* retirer **3** *v/i of artist* dessiner; *in competition* faire match nul; **~ near** *of person* s'approcher; *of date* approcher
♦**draw back 1** *v/i* (*recoil*) reculer **2** *v/t* (*pull back*) retirer; *drapes* ouvrir
♦**draw on 1** *v/i* (*approach*) approcher **2** *v/t* (*make use of*) puiser dans, s'inspirer de
♦**draw out** *v/t wallet, money from bank* retirer
♦**draw up 1** *v/t document* rédiger; *chair* approcher **2** *v/i of vehicle* s'arrêter
'draw·back désavantage *m*, inconvénient *m*
draw·er[1] [drɒːr] *of desk etc* tiroir *m*
draw·er[2] [drɒːr] *artist* dessinateur (-trice) *m(f)*
draw·ing ['drɒːɪŋ] dessin *m*
'draw·ing board planche *f* à dessin; **go back to the ~** retourner à la case départ
drawl [drɒːl] *n* voix *f* traînante
drawn [drɒːn] *pp* → **draw**
dread [dred] *v/t*: **~ doing sth** redouter de faire qch; **~ s.o. doing sth** redouter que qn fasse (*subj*) qch
dread·ful ['dredfʊl] *adj* épouvantable
dread·ful·ly ['dredflɪ] *adv* F (*extremely*) terriblement; *behave* de manière épouvantable
dream [driːm] **1** *n* rêve *m* **2** *adj* F *house etc* de ses / vos etc rêves **3** *v/t & v/i* rêver (**about, of** de)
♦**dream up** *v/t* inventer
dream·er ['driːmər] (*daydreamer*) rêveur(-euse) *m(f)*
dream·y ['driːmɪ] *adj voice, look* rêveur*
drear·y ['drɪrɪ] *adj* morne
dredge [dredʒ] *v/t harbor, canal* draguer
♦**dredge up** *v/t fig* déterrer
dregs [dregz] *npl* lie *f*; *of coffee* marc *m*; **the ~ of society** la lie de la société
drench [drentʃ] *v/t* tremper; **get ~ed** se faire tremper
dress [dres] **1** *n for woman* robe *f*; (*clothing*) tenue *f*; **~ code** code *m* vestimentaire **2** *v/t person* habiller; *wound* panser; **get ~ed** s'habiller **3** *v/i* s'habiller
♦**dress up** *v/i* s'habiller chic, se mettre sur son trente et un; (*wear a disguise*) se déguiser; **dress up as** se déguiser en
'dress cir·cle premier balcon *m*
dress·er ['dresər] (*dressing table*) coiffeuse *f*; *in kitchen* buffet *m*; **be a snazzy ~** s'habiller classe F
dress·ing ['dresɪŋ] *for salad* assaisonnement *m*; *for wound* pansement *m*
dress·ing 'down savon *m* F; **give s.o. a ~** passer un savon à qn F; **'dress·ing gown** *Br* robe *f* de chambre; **'dress·ing room** *in theater* loge *f*; **'dress·ing ta·ble** coiffeuse *f*
'dress·mak·er couturière *f*
'dress re·hears·al (répétition *f*) générale *f*
dress·y ['dresɪ] *adj* F habillé
drew [druː] *pret* → **draw**
drib·ble ['drɪbl] *v/i of person* baver; *of water* dégouliner; SP dribbler
dried [draɪd] *adj fruit etc* sec*
dri·er → **dryer**
drift [drɪft] **1** *n of snow* amas *m* **2** *v/i of snow* s'amonceler; *of ship* être à la dérive; (*go off course*) dériver; *of person* aller à la dérive; **~ from town to town** aller de ville en ville
♦**drift apart** *v/i of couple* s'éloigner l'un de l'autre
drift·er ['drɪftər] personne qui vit au jour le jour; **be a bit of a ~** être un peu bohème
drill [drɪl] **1** *n tool* perceuse *f*, *exercise*

exercice(s) *m(pl)*; MIL exercice *m* **2** *v/t hole* percer **3** *v/i for oil* forer; MIL faire l'exercice

dril·ling rig ['drɪlɪŋrɪg] *platform* plate-forme *f* de forage; *on land* tour *f* de forage

dri·ly ['draɪlɪ] *adv remark* d'un ton pince-sans-rire

drink [drɪŋk] **1** *n* boisson *f*; ***can I have a ~ of water*** est-ce que je peux avoir de l'eau?; ***go for a ~*** aller boire un verre **2** *v/t & v/i* (*pret* ***drank***, *pp* ***drunk***) boire; ***I don't ~*** je ne bois pas

♦**drink up 1** *v/i* (*finish drink*) finir son verre **2** *v/t* (*drink completely*) finir

drink·a·ble ['drɪŋkəbl] *adj* buvable; *water* potable

drink·er ['drɪŋkər] buveur(-euse) *m(f)*

drink·ing ['drɪŋkɪŋ] *of alcohol* boisson *f*

'drink·ing wa·ter eau *f* potable

'drinks ma·chine distributeur *m* de boissons

drip [drɪp] **1** *n liquid* goutte *f*; MED goutte-à-goutte *m*, perfusion *f* **2** *v/i* (*pret & pp* **-ped**) goutter

drip·ping ['drɪpɪŋ] *adv*: ***~ wet*** trempé

drive [draɪv] **1** *n* trajet *m* (en voiture); *outing* promenade *f* (en voiture); (*energy*) dynamisme *m*; COMPUT unité *f*, lecteur *m*; (*campaign*) campagne *f*; ***it's a short ~ from the station*** c'est à quelques minutes de la gare en voiture; ***left- / right-hand ~*** MOT conduite *f* à gauche / droite **2** *v/t* (*pret* ***drove***, *pp* ***driven***) *vehicle* conduire; (*be owner of*) avoir; (*take in car*) amener; TECH faire marcher, actionner; ***that noise is driving me mad*** ce bruit me rend fou; ***~n by a desire to …*** poussé par le désir de … **3** *v/i* (*pret* ***drove***, *pp* ***driven***) conduire; ***~ to work*** aller au travail en voiture

♦**drive at** *v/t*: ***what are you driving at?*** où voulez-vous en venir?

♦**drive away 1** *v/t* emmener; (*chase off*) chasser **2** *v/i* partir

♦**drive in** *v/t nail* enfoncer

♦**drive off** → ***drive away***

'drive-in *n movie theater* drive-in *m*

driv·el ['drɪvl] *n* bêtises *fpl*

driv·en ['drɪvn] *pp* → ***drive***

driv·er ['draɪvər] conducteur(-trice) *m(f)*; *of truck* camionneur(-euse) *m(f)*; COMPUT pilote *m*

'driv·er's li·cense permis *m* de conduire

'drive-thru *restaurant / banque où l'on sert le client sans qu'il doive sortir de sa voiture*; Mc-Drive® *m*

'drive·way allée *f*

driv·ing ['draɪvɪŋ] **1** *n* conduite *f* **2** *adj rain* battant

driv·ing 'force force *f* motrice; **'driv·ing in·struct·or** moniteur(-trice) *m(f)* de conduite; **'driv·ing les·son** leçon *f* de conduite; **'driv·ing li·cence** *Br* permis *m* de conduire; **'driv·ing school** auto-école *f*; **'driv·ing test** (examen *m* du) permis *m* de conduire

driz·zle ['drɪzl] **1** *n* bruine *f* **2** *v/i* bruiner

drone [droʊn] *n of engine* ronronnement *m*

droop [druːp] *v/i* s'affaisser; *of shoulders* tomber; *of plant* baisser la tête

drop [drɑːp] **1** *n* goutte *f*; *in price, temperature, number* chute *f* **2** *v/t* (*pret & pp* **-ped**) *object* faire tomber; *bomb* lancer; *person from car* déposer; *person from team* écarter; (*stop seeing*), *charges, demand, subject* laisser tomber; (*give up*) arrêter; ***~ a line to*** envoyer un mot à **3** *v/i* (*pret & pp* **-ped**) tomber

♦**drop in** *v/i* (*visit*) passer

♦**drop off 1** *v/t person, goods* déposer; (*deliver*) **2** *v/i* (*fall asleep*) s'endormir; (*decline*) diminuer

♦**drop out** *v/i* (*withdraw*) se retirer (***of*** de); *of school* abandonner (***of sth*** qch)

'drop·out *from school* personne qui abandonne l'école; *from society* marginal(e) *m(f)*

drops [drɑːps] *npl for eyes* gouttes *fpl*

drought [draʊt] sécheresse *f*

drove [droʊv *pret* → ***drive***

drown [draʊn] **1** *v/i* se noyer **2** *v/t per-*

son noyer; *sound* étouffer; ***be ~ed*** se noyer
drow·sy ['draʊzɪ] *adj* somnolent
drudg·e·ry ['drʌdʒərɪ] corvée *f*
drug [drʌg] **1** *n* MED médicament *m*; *illegal* drogue *f*; ***be on ~s*** se droguer **2** *v/t* (*pret & pp* ***-ged***) droguer
'drug ad·dict toxicomane *m/f*
'drug deal·er dealer *m*, dealeuse *f*; *large-scale* trafiquant(e) *m*(*f*) de drogue
drug·gist ['drʌgɪst] pharmacien(ne) *m*(*f*)
'drug·store drugstore *m*
drug traf·fick·ing ['drʌgtræfɪkɪŋ] trafic *m* de drogue
drum [drʌm] *n* MUS tambour *m*; *container* tonneau *m*; ***~s*** batterie *f*
◆**drum into** *v/t* (*pret & pp* ***-med***): ***drum sth into s.o.*** enfoncer qch dans la tête de qn
◆**drum up** *v/t*: ***drum up support*** obtenir du soutien
drum·mer ['drʌmər] joueur(-euse) *m*(*f*) de tambour *m*; *in pop band* batteur *m*
'drum·stick MUS baguette *f* de tambour; *of poultry* pilon *m*
drunk [drʌŋk] **1** *n* ivrogne *m/f*, *habitually* alcoolique *m/f* **2** *adj* ivre, soûl; ***get ~*** se soûler **3** *pp* → ***drink***
drunk·en ['drʌŋkn] *voices, laughter* d'ivrogne; *party* bien arrosé
drunk 'driv·ing conduite *f* en état d'ivresse
dry [draɪ] **1** *adj* sec*; (*ironic*) pince-sans-rire; ***~ humor*** humour *m* à froid **2** *v/t* (*pret & pp* ***-ied***) *clothes* faire sécher; *dishes, eyes* essuyer **3** *v/i* (*pret & pp* ***-ied***) sécher
◆**dry out** *v/i* sécher; *of alcoholic* subir une cure de désintoxication
◆**dry up** *v/i of river* s'assécher; F (*be quiet*) se taire
'dry-clean *v/t* nettoyer à sec; **'dry clean·er** pressing *m*; **'dry-clean·ing** *clothes* vêtements *mpl* laissés au pressing
dry·er ['draɪr] *machine* sèche-linge *m*
DTP [di:ti:'pi:] *abbr* (= ***desk-top publishing***) PAO *f* (= publication assistée par ordinateur)
du·al ['du:əl] *adj* double
du·al car·riage·way *Br* route *f* à deux chaussées, quatre voies *f*
dub [dʌb] *v/t* (*pret & pp* ***-bed***) *movie* doubler
du·bi·ous ['du:bɪəs] *adj* douteux*; ***I'm still ~ about the idea*** j'ai encore des doutes quant à cette idée
duch·ess ['dʌtʃɪs] duchesse *f*
duck [dʌk] **1** *n* canard *m*; *female* cane *f* **2** *v/i* se baisser **3** *v/t one's head* baisser (subitement); *question* éviter
dud [dʌd] *n* F (*false bill*) faux *m*
due [du:] *adj* (*owed*) dû; (*proper*) qui convient; ***the rent is ~ tomorrow*** il faut payer le loyer demain; ***be ~ to do sth*** devoir faire qch; ***be ~*** (***to arrive***) devoir arriver; ***when is the baby ~?*** quand est-ce que le bébé doit naître?; ***~ to*** (*because of*) à cause de; ***be ~ to*** (*be caused by*) être dû à; ***in ~ course*** en temps voulu
dues [du:z] *npl* cotisation *f*
du·et [du:'et] MUS duo *m*
dug [dʌg] *pret & pp* → ***dig***
duke [du:k] duc *m*
dull [dʌl] *adj weather* sombre; *sound, pain* sourd; (*boring*) ennuyeux*
du·ly ['du:lɪ] *adv* (*as expected*) comme prévu; (*properly*) dûment, comme il se doit
dumb [dʌm] *adj* (*mute*) muet*; F (*stupid*) bête
◆**dumb down** *v/t TV programs etc* abaisser le niveau (intellectuel) de
dumbfound·ed [dʌm'faundɪd] *adj* abasourdi
dum·my ['dʌmɪ] *in store window* mannequin *m*; *Br*: *for baby* tétine *f*
dump [dʌmp] **1** *n for garbage* décharge *f*; (*unpleasant place*) trou *m* F; *house, hotel* taudis *m* **2** *v/t* (*deposit*) déposer; (*throw away*) jeter; (*leave*) laisser; *waste* déverser
dump·ling ['dʌmplɪŋ] boulette *f*
dune [du:n] dune *f*
dung [dʌŋ] fumier *m*, engrais *m*
dun·ga·rees [dʌŋgə'ri:z] *npl for workman* bleu(s) *m*(*pl*) de travail; *for child* salopette *f*

dunk [dʌŋk] *v/t in coffee etc* tremper
Dun·kirk [dʌn'kɜːrk] Dunkerque
du·o ['duːoʊ] MUS duo *m*
du·plex (a·part·ment) ['duːpleks] duplex *m*
du·pli·cate ['duːplɪkət] **1** *n* double *m*; ***in ~*** en double **2** *v/t* ['duːplɪkeɪt] (*copy*) copier; (*repeat*) reproduire
du·pli·cate 'key double *m* de clef
du·ra·ble ['dʊrəbl] *adj material* résistant, solide; *relationship* durable
du·ra·tion [dʊ'reɪʃn] durée *f*
du·ress [dʊ'res]: ***under ~*** sous la contrainte
dur·ing ['dʊrɪŋ] *prep* pendant
dusk [dʌsk] crépuscule *m*
dust [dʌst] **1** *n* poussière *f* **2** *v/t* épousseter; ***~ sth with sth*** (*sprinkle*) saupoudrer qch de qch
'dust·bin *Br* poubelle *f*
'dust cov·er *for book* jaquette *f*
dust·er ['dʌstər] *cloth* chiffon *m* (à poussière)
'dust jack·et *of book* jaquette *f*; **'dust·man** *Br* éboueur *m*; **'dust·pan** pelle *f* à poussière
dust·y ['dʌstɪ] *adj* poussiéreux*
Dutch [dʌʧ] **1** *adj* hollandais; ***go ~*** F partager les frais **2** *n language* néerlandais *m*, hollandais *m*; ***the ~*** les Hollandais *mpl*, les Néerlandais *mpl*
du·ty ['duːtɪ] devoir *m*; (*task*) fonction *f*; *on goods* droit(s) *m(pl)*; ***be on ~*** être de service; ***be off ~*** ne pas être de service
du·ty-free *adj* hors taxe
du·ty'free shop magasin *m* hors taxe
DVD [diːviː'diː] *abbr* (**= *digital versatile disk***) DVD *m*
dwarf [dwɔːrf] **1** *n* nain(e) *m(f)* **2** *v/t* rapetisser
♦**dwell on** [dwel] *v/t* s'étendre sur
dwin·dle ['dwɪndl] *v/i* diminuer
dye [daɪ] **1** *n* teinture *f* **2** *v/t* teindre; ***~ one's hair*** se teindre les cheveux
dy·ing ['daɪɪŋ] *adj person* mourant; *industry* moribond; *tradition* qui se perd
dy·nam·ic [daɪ'næmɪk] *adj* dynamique
dy·na·mism ['daɪnəmɪzm] dynamisme *m*
dy·na·mite ['daɪnəmaɪt] *n* dynamite *f*
dy·na·mo ['daɪnəmoʊ] TECH dynamo *f*
dy·nas·ty ['daɪnəstɪ] dynastie *f*
dys·lex·i·a [dɪs'leksɪə] dyxlexie *f*
dys·lex·ic [dɪs'leksɪk] **1** *adj* dyslexique **2** *n* dyslexique *m/f*

E

each [iːʧ] **1** *adj* chaque; ***~ one*** chacun(e) **2** *adv* chacun; ***they're $1.50 ~*** ils coûtent 1,50 $ chacun, ils sont 1,50 $ pièce **3** *pron* chacun(e) *m(f)*; ***~ of them*** chacun(e) d'entre eux (elles) *m(f)*; ***we know ~ other*** nous nous connaissons; ***do you know ~ other?*** est-ce que vous vous connaissez?; ***they drive ~ other's cars*** ils (elles) conduisent la voiture l'un(e) de l'autre
ea·ger ['iːgər] *adj* désireux*; *look* avide; ***be ~ to do sth*** désirer vivement faire qch
ea·ger·ly ['iːgərlɪ] *adv* avec empressement; *wait* impatiemment
ea·ger·ness ['iːgərnɪs] ardeur *f*, empressement *m*
ea·gle ['iːgl] aigle *m*
ea·gle-eyed [iːgl'aɪd] *adj*: ***be ~*** avoir des yeux d'aigle
ear[1] [ɪr] oreille *f*
ear[2] [ɪr] *of corn* épi *m*
'ear·ache mal *m* d'oreilles
'ear·drum tympan *m*
earl [ɜːrl] comte *m*

'ear·lobe lobe *m* de l'oreille

early ['ɜːrlɪ] **1** *adv* (*not late*) tôt; (*ahead of time*) en avance; ***it's too ~ to say*** c'est trop tôt pour le dire **2** *adj hours, stages, Romans* premier*; *potato* précoce; *arrival* en avance; *retirement* anticipé; *music* ancien; (*in the near future*) prochain; ***~ vegetables*** primeurs *fpl*; ***(in) ~ October*** début octobre; ***an ~ Picasso*** une des premières œuvres de Picasso; ***have an ~ supper*** dîner tôt *or* de bonne heure; ***be an ~ riser*** se lever tôt *or* de bonne heure

'ear·ly bird: ***be an ~*** (*early riser*) être matinal; (*ahead of the others*) arriver avant les autres

ear·mark ['ɪrmɑːrk] *v/t*: ***~ sth for sth*** réserver qch à qch

earn [ɜːrn] *v/t money, holiday, respect* gagner; *interest* rapporter

ear·nest ['ɜːrnɪst] *adj* sérieux*; ***be in ~*** être sérieux

earn·ings ['ɜːrnɪŋz] *npl* salaire *m*; *of company* profits *mpl*

'ear·phones *npl* écouteurs *mpl*; **'ear-pierc·ing** *adj* strident; **'ear·ring** boucle *f* d'oreille; **'ear·shot**: ***within ~*** à portée de la voix;; ***out of ~*** hors de portée de la voix

earth [ɜːrθ] terre *f*; ***where on ~ …?*** F où diable …? F

earth·en·ware ['ɜːrθnwer] *n* poterie *f*

earth·ly ['ɜːrθlɪ] *adj* terrestre; ***it's no ~ use doing that*** F ça ne sert strictement à rien de faire cela

earth·quake ['ɜːrθkweɪk] tremblement *m* de terre

earth-shat·ter·ing ['ɜːrθʃætərɪŋ] *adj* stupéfiant

ease [iːz] **1** *n* facilité *f*; ***be or feel at (one's) ~*** être *or* se sentir à l'aise; ***be or feel ill at ~*** être *or* se sentir mal à l'aise **2** *v/t pain, mind* soulager; *suffering, shortage* diminuer **3** *v/i of pain* diminuer

♦**ease off** **1** *v/t* (*remove*) enlever doucement **2** *v/i of pain, rain* se calmer

ea·sel ['iːzl] chevalet *m*

eas·i·ly ['iːzəlɪ] *adv* (*with ease*) facilement; (*by far*) de loin

east [iːst] **1** *n* est *m*; ***to the ~ of*** à l'est de **2** *adj* est *inv*; *wind* d'est; ***~ San Francisco*** l'est de San Francisco **3** *adv travel* vers l'est; ***~ of*** à l'est de

Eas·ter ['iːstər] Pâques *fpl*

Eas·ter 'Day (jour *m* de) Pâques *m*

'Eas·ter egg œuf *m* de Pâques

eas·ter·ly ['iːstərlɪ] *adj wind* de l'est; *direction* vers l'est

Eas·ter 'Mon·day lundi *m* de Pâques

east·ern ['iːstərn] *adj* de l'est; (*oriental*) oriental

east·er·ner ['iːstərnər] habitant(e) *m(f)* de l'Est des États-Unis

east·ward ['iːstwərd] *adv* vers l'est

eas·y ['iːzɪ] *adj* facile; (*relaxed*) tranquille; ***take things ~*** (*slow down*) ne pas se fatiguer; ***take it ~!*** (*calm down*) calme-toi!

'eas·y chair fauteuil *m*

eas·y-go·ing ['iːzɪgoʊɪŋ] *adj* accommodant

eat [iːt] *v/t & v/i* (*pret* **ate**, *pp* **eaten**) manger

♦**eat out** *v/i* manger au restaurant

♦**eat up** *v/t food* finir; *fig* consumer

eat·a·ble ['iːtəbl] *adj* mangeable

eat·en ['iːtn] *pp* → ***eat***

eaves [iːvz] *npl* avant-toit *m*

eaves·drop ['iːvzdrɑːp] *v/i* (*pret & pp* ***-ped***) écouter de façon indiscrète (***on s.o.*** qn)

ebb [eb] *v/i of tide* descendre

♦**ebb away** *v/i of courage, strength* baisser, diminuer

'ebb tide marée *f* descendante

ec·cen·tric [ɪk'sentrɪk] **1** *adj* excentrique **2** *n* original(e) *m(f)*

ec·cen·tric·i·ty [ɪksen'trɪsɪtɪ] excentricité *f*

ech·o ['ekoʊ] **1** *n* écho *m* **2** *v/i* faire écho, retentir (***with*** de) **3** *v/t words* répéter; *views* se faire l'écho de

e·clipse [ɪ'klɪps] **1** *n* éclipse *f* **2** *v/t fig* éclipser

e·co·lo·gi·cal [iːkə'lɑːdʒɪkl] *adj* écologique; ***~ balance*** équilibre *m* écologique

e·co·lo·gi·cal·ly [iːkə'lɑːdʒɪklɪ] *adv* écologiquement

e·co·lo·gi·cal·ly friend·ly *adj* écolo-

gique
e·col·o·gist [iː'kɑːlədʒɪst] écologiste *m/f*
e·col·o·gy [iː'kɑːlədʒɪ] écologie *f*
ec·o·nom·ic [iːkə'nɑːmɪk] *adj* économique
ec·o·nom·i·cal [iːkə'nɑːmɪkl] *adj* (*cheap*) économique; (*thrifty*) économe
ec·o·nom·i·cal·ly [iːkə'nɑːmɪklɪ] *adv* économiquement
ec·o·nom·ics [iːkə'nɑːmɪks] (*verb in sg*) *science* économie *f*, (*verb in pl*) *financial aspects* aspects *mpl* économiques
e·con·o·mist [ɪ'kɑːnəmɪst] économiste *m/f*
e·con·o·mize [ɪ'kɑːnəmaɪz] *v/i* économiser
◆ **economize on** *v/t* économiser
e·con·o·my [ɪ'kɑːnəmɪ] économie *f*
e'con·o·my class classe *f* économique; **e'con·o·my drive** plan *m* d'économies; **e'con·o·my size** taille *f* économique
e·co·sys·tem ['iːkoʊsɪstm] écosystème *m*
e·co·tour·ism ['iːkoʊtʊrɪzm] tourisme *m* écologique
ec·sta·sy ['ekstəsɪ] extase *f*
ec·stat·ic [ɪk'stætɪk] *adj* extatique
ec·ze·ma ['eksmə] eczéma *m*
edge [edʒ] **1** *n of table, seat, road, cliff* bord *m*; *of knife, in voice* tranchant *m*; ***on*** **~** énervé **2** *v/t* border **3** *v/i* (*move slowly*) se faufiler
edge·wise ['edʒwaɪz] *adv*: ***I couldn't get a word in*** **~** je n'ai pas pu en placer une F
edg·y ['edʒɪ] *adj* énervé
ed·i·ble ['edɪbl] *adj* comestible
Ed·in·burgh ['edɪnbrə] Édimbourg
ed·it ['edɪt] *v/t text* mettre au point; *book* préparer pour la publication; *newspaper* diriger; *TV program* réaliser; *film* monter
e·di·tion [ɪ'dɪʃn] édition *f*
ed·i·tor ['edɪtər] *of text, book* rédacteur(-trice) *m(f)*; *of newspaper* rédacteur(-trice) *m(f)* en chef; *of TV program* réalisateur(-trice) *m(f)*; *of film* monteur(-euse) *m(f)*; ***sports / political*** **~** rédacteur(-trice) sportif (-ive) / politique *m(f)*
ed·i·to·ri·al [edɪ'tɔːrɪəl] **1** *adj* de la rédaction **2** *n* éditorial *m*
EDP [iːdiː'piː] *abbr* (***= electronic data processing***) traitement *m* électronique des données
ed·u·cate ['edʊkeɪt] *v/t* instruire (***about*** sur); ***she was ~d in France*** elle a fait sa scolarité en France
ed·u·cat·ed ['edʊkeɪtɪd] *adj person* instruit
ed·u·ca·tion [edʊ'keɪʃn] éducation *f*; *as subject* pédagogie *f*; ***he got a good*** **~** il a reçu une bonne instruction; ***continue one's*** **~** continuer ses études
ed·u·ca·tion·al [edʊ'keɪʃnl] *adj* scolaire; (*informative*) instructif*
eel [iːl] anguille *f*
ee·rie ['ɪrɪ] *adj* inquiétant
ef·fect [ɪ'fekt] effet *m*; ***take*** **~** *of drug* faire son effet; ***come into*** **~** *of law* prendre effet, entrer en vigueur
ef·fec·tive [ɪ'fektɪv] *adj* (*efficient*) efficace; (*striking*) frappant; **~ *May 1*** à compter du 1er mai
ef·fem·i·nate [ɪ'femɪnət] *adj* efféminé
ef·fer·ves·cent [efər'vesnt] *adj* gazeux*; *fig* pétillant
ef·fi·cien·cy [ɪ'fɪʃənsɪ] efficacité *f*
ef·fi·cient [ɪ'fɪʃənt] *adj* efficace
ef·fi·cient·ly [ɪ'fɪʃəntlɪ] *adv* efficacement
ef·flu·ent ['efluənt] effluent *m*
ef·fort ['efərt] effort *m*; ***make an ~ to do sth*** faire un effort pour faire qch
ef·fort·less ['efərtlɪs] *adj* aisé, facile
ef·fort·less·ly ['efərtlɪslɪ] *adv* sans effort
ef·fron·te·ry [ɪ'frʌntərɪ] effronterie *f*, toupet *m* F
ef·fu·sive [ɪ'fjuːsɪv] *adj* démonstratif*
e.g. [iː'dʒiː] ex; *spoken* par example
e·gal·i·tar·i·an [ɪgælɪ'terɪən] *adj* égalitariste
egg [eg] œuf *m*; *of woman* ovule *m*
◆ **egg on** *v/t* inciter, pousser (***to do sth*** à faire qch)
'egg·cup coquetier *m*; **'egg·head** F

intello *m/f* F; **'egg·plant** aubergine *f*; **'egg·shell** coquille *f* (d'œuf); **'egg tim·er** sablier *m*
e·go ['i:goʊ] PSYCH ego *m*, moi *m*; (*self-esteem*) ego *m*
e·go·cen·tric [i:goʊ'sentrɪk] *adj* égocentrique
e·go·ism ['i:goʊɪzm] égoïsme *m*
e·go·ist ['i:goʊɪst] égoïste *m/f*
E·gypt ['i:dʒɪpt] Égypte *f*
E·gyp·tian [ɪ'dʒɪpʃn] **1** *adj* égyptien* **2** *n* Égyptien(ne) *m(f)*
ei·der·down ['aɪdərdaʊn] (*quilt*) édredon *m*
eight [eɪt] huit
eigh·teen [eɪ'ti:n] dix-huit
eigh·teenth [eɪ'ti:nθ] dix-huitième; → ***fifth***
eighth [eɪtθ] huitième; → ***fifth***
eigh·ti·eth ['eɪtɪɪθ] quatre-vingtième
eigh·ty ['eɪtɪ] quatre-vingts; ***~-two / four etc*** quatre-vingt-deux / -quatre etc
ei·ther ['i:ðər] **1** *adj* l'un ou l'autre; (*both*) chaque **2** *pron* l'un(e) ou l'autre, n'importe lequel (laquelle) **3** *adv*: ***I won't go ~*** je n'irai pas non plus **4** *conj*: ***~ … or*** soit … soit …; *with negative* ni … ni …
e·ject [ɪ'dʒekt] **1** *v/t* éjecter; *person* expulser **2** *v/i from plane* s'éjecter
♦**eke out** [i:k] *v/t* suppléer à l'insuffisance de; ***eke out a living*** vivoter, gagner juste de quoi vivre
el [el] métro *m* aérien
e·lab·o·rate [ɪ'læbərət] **1** *adj* (*complex*) compliqué; *preparations* soigné; *embroidery* minutieux* **2** *v/i* [ɪ'læbəreɪt] donner des détails (***on*** sur)
e·lab·o·rate·ly [ɪ'læbəreɪtlɪ] *adv* minutieusement
e·lapse [ɪ'læps] *v/i* (se) passer, s'écouler
e·las·tic [ɪ'læstɪk] **1** *adj* élastique **2** *n* élastique *m*
e·las·ti·ca·ted [ɪ'læstɪkeɪtɪd] *adj* élastique
e·las·ti·ci·ty [ɪlæs'tɪsətɪ] élasticité *f*
e·las·ti·cized [ɪ'læstɪsaɪzd] *adj* élastique
e·lat·ed [ɪ'leɪtɪd] *adj* transporté (de joie)
el·at·ion [ɪ'leɪʃn] exultation *f*
el·bow ['elboʊ] **1** *n* coude *m* **2** *v/t*: ***~ out of the way*** écarter à coups de coude
el·der ['eldər] **1** *adj* aîné **2** *n* plus âgé(e) *m(f)*, aîné(e) *m(f)*; *of tribe* ancien *m*
el·der·ly ['eldərlɪ] *adj* âgé
el·dest ['eldəst] **1** *adj* aîné **2** *n*: ***the ~*** l'aîné(e) *m(f)*
e·lect [ɪ'lekt] *v/t* élire; ***~ to …*** choisir de …
e·lect·ed [ɪ'lektɪd] *adj* élu
e·lec·tion [ɪ'lekʃn] élection *f*
e'lec·tion cam·paign campagne *f* électorale
e'lec·tion day jour *m* des élections
e·lec·tive [ɪ'lektɪv] *adj* facultatif*
e·lec·tor [ɪ'lektər] électeur(-trice) *m(f)*
e·lec·to·ral sys·tem [ɪ'lektərəl] système *m* électoral
e·lec·to·rate [ɪ'lektərət] électorat *m*
e·lec·tric [ɪ'lektrɪk] *adj also fig* électrique
e·lec·tri·cal [ɪ'lektrɪkl] *adj* électrique
e·lec·tri·cal en·gi'neer électrotechnicien(ne) *m(f)*, ingénieur *m/f* électricien(ne)
e·lec·tri·cal en·gi'neer·ing électrotechnique *f*
e·lec·tric 'blan·ket couverture *f* chauffante
e·lec·tric 'chair chaise *f* électrique
e·lec·tri·cian [ɪlek'trɪʃn] électricien(ne) *m(f)*
e·lec·tri·ci·ty [ɪlek'trɪsətɪ] électricité *f*
e·lec·tric 'ra·zor rasoir *m* électrique
e·lec·tri·fy [ɪ'lektrɪfaɪ] *v/t* (*pret & pp* ***-ied***) électrifier; *fig* électriser
e·lec·tro·cute [ɪ'lektrəkju:t] *v/t* électrocuter
e·lec·trode [ɪ'lektroʊd] électrode *f*
e·lec·tron [ɪ'lektrɑ:n] électron *m*
e·lec·tron·ic [ɪlek'trɑ:nɪk] *adj* électronique; ***~ engineer*** ingénieur *m/f* électronicien(ne), électronicien(ne) *m(f)*; ***~ engineering*** électronique *f*
e·lec·tron·ic da·ta 'pro·ces·sing traitement *m* électronique de l'information
e·lec·tron·ic 'mail courrier *m* électro-

nique
e·lec·tron·ics [ɪlek'trɑːnɪks] électronique *f*
el·e·gance ['elɪgəns] élégance *f*
el·e·gant ['elɪgənt] *adj* élégant
el·e·gant·ly ['elɪgəntlɪ] *adv* élégamment
el·e·ment ['elɪmənt] élément *m*
el·e·men·ta·ry [elɪ'mentərɪ] *adj* élémentaire
el·e·phant ['elɪfənt] éléphant *m*
el·e·vate ['elɪveɪt] *v/t* élever
el·e·vat·ed rail·road ['elɪveɪtɪd] métro *m* aérien
el·e·va·tion [elɪ'veɪʃn] (*altitude*) altitude *f*, hauteur *f*
el·e·va·tor ['elɪveɪtər] ascenseur *m*
el·e·ven [ɪ'levn] onze
el·e·venth [ɪ'levnθ] onzième; → ***fifth***; ***at the ~ hour*** à la dernière minute
el·i·gi·ble ['elɪdʒəbl] *adj*: ***be ~ to do sth*** avoir le droit de faire qch; ***be ~ for sth*** avoir droit à qch
el·i·gi·ble 'bach·e·lor bon parti *m*
e·lim·i·nate [ɪ'lɪmɪneɪt] *v/t* éliminer; (*kill*) supprimer; ***be ~d*** *from competition* être éliminé
e·lim·i·na·tion [ɪ'lɪmɪneɪʃn] élimination *f*; (*murder*) suppression *f*; ***by a process of ~*** par élimination
e·lite [eɪ'liːt] **1** *n* élite *f* **2** *adj* d'élite
elk [elk] élan *m*
el·lipse [ɪ'lɪps] ellipse *f*
elm [elm] orme *m*
e·lope [ɪ'loʊp] *v/i* s'enfuir (avec un amant)
el·o·quence ['eləkwəns] éloquence *f*
el·o·quent ['eləkwənt] *adj* éloquent
el·o·quent·ly ['eləkwəntlɪ] *adv* éloquemment
else [els] *adv*: ***anything ~?*** autre chose?; *in store* vous désirez autre chose?; ***if you've got nothing ~ to do*** si tu n'as rien d'autre à faire; ***no one ~*** personne d'autre; ***everyone ~ is going*** tous les autres y vont; ***who ~ was there?*** qui d'autre y était?; ***someone ~*** quelqu'un d'autre; ***something ~*** autre chose; ***let's go somewhere ~*** allons autre part; ***or ~*** sinon
else·where ['elswer] *adv* ailleurs
e·lude [ɪ'luːd] *v/t* (*escape from*) échapper à; (*avoid*) éviter
e·lu·sive [ɪ'luːsɪv] *adj* insaisissable
e·ma·ci·ated [ɪ'meɪsɪeɪtɪd] *adj* émacié
e-mail ['iːmeɪl] **1** *n* e-mail *m*, courrier *m* électronique **2** *v/t person* envoyer un e-mail à; *text* envoyer par e-mail
'e-mail ad·dress adresse *f* e-mail, adresse *f* électronique
e·man·ci·pat·ed [ɪ'mænsɪpeɪtɪd] *adj woman* émancipé
e·man·ci·pa·tion [ɪmænsɪ'peɪʃn] émancipation *f*
em·balm [ɪm'bɑːm] *v/t* embaumer
em·bank·ment [ɪm'bæŋkmənt] *of river* berge *f*, quai *m*; RAIL remblai *m*, talus *m*
em·bar·go [em'bɑːrgoʊ] embargo *m*
em·bark [ɪm'bɑːrk] *v/i* (s')embarquer
♦ **embark on** *v/t adventure etc* s'embarquer dans
em·bar·rass [ɪm'bærəs] *v/t* gêner, embarrasser; *government* mettre dans l'embarras
em·bar·rassed [ɪm'bærəst] *adj* gêné, embarrassé
em·bar·rass·ing [ɪm'bærəsɪŋ] *adj* gênant, embarrassant
em·bar·rass·ment [ɪm'bærəsmənt] gêne *f*, embarras *m*
em·bas·sy ['embəsɪ] ambassade *f*
em·bel·lish [ɪm'belɪʃ] *v/t* embellir; *story* enjoliver
em·bers ['embərz] *npl* braise *f*
em·bez·zle [ɪm'bezl] *v/t* détourner (***from*** de)
em·bez·zle·ment [ɪm'bezlmənt] détournement *m* de fonds
em·bez·zler [ɪm'bezlər] détourneur (-euse) *m*(*f*) de fonds
em·bit·ter [ɪm'bɪtər] *v/t* aigrir
em·blem ['embləm] emblème *m*
em·bod·i·ment [ɪm'bɑːdɪmənt] incarnation *f*, personnification *f*
em·bod·y [ɪm'bɑːdɪ] *v/t* (*pret & pp* ***-ied***) incarner, personnifier
em·bo·lism ['embəlɪzm] embolie *f*
em·boss [ɪm'bɑːs] *v/t metal* travailler en relief; *paper, fabric* gaufrer
em·brace [ɪm'breɪs] **1** *n* étreinte *f* **2** *v/t*

(*hug*) serrer dans ses bras, étreindre; (*take in*) embrasser **3** *v/i of two people* se serrer dans les bras, s'étreindre
em·broi·der [ɪm'brɔɪdər] *v/t* broder; *fig* enjoliver
em·broi·der·y [ɪm'brɔɪdərɪ] broderie *f*
em·bry·o ['embrɪoʊ] embryon *m*
em·bry·on·ic [embrɪ'ɑːnɪk] *adj fig* embryonnaire
E
em·e·rald ['emərəld] *precious stone* émeraude *f*; *color* (vert *m*) émeraude *m*
e·merge [ɪ'mɜːrdʒ] *v/i* sortir; *from mist, of truth* émerger; ***it has ~d that …*** il est apparu que …
e·mer·gen·cy [ɪ'mɜːrdʒənsɪ] urgence *f*; ***in an ~*** en cas d'urgence
e'mer·gen·cy ex·it sortie *f* de secours; **e'mer·gen·cy land·ing** atterrissage *m* forcé; **e'mer·gen·cy serv·ices** *npl* services *mpl* d'urgence
em·er·y board ['emərɪbɔːrd] lime *f* à ongles
em·i·grant ['emɪgrənt] émigrant(e) *m(f)*
em·i·grate ['emɪgreɪt] *v/i* émigrer
em·i·gra·tion [emɪ'greɪʃn] émigration *f*
Em·i·nence ['emɪnəns] REL: ***His ~*** son Éminence
em·i·nent ['emɪnənt] *adj* éminent
em·i·nent·ly ['emɪnəntlɪ] *adv* éminemment
e·mis·sion [ɪ'mɪʃn] *of gases* émission *f*
e·mit [ɪ'mɪt] *v/t* (*pret & pp* ***-ted***) émettre
e·mo·tion [ɪ'moʊsn] émotion *f*
e·mo·tion·al [ɪ'moʊsnl] *adj problems, development* émotionnel*, affectif*; (*full of emotion: person*) ému; *reunion, moment* émouvant
em·pa·thize ['empəθaɪz] *v/i* compatir; ***~ with*** *sth* compatir à; *s.o.* avoir de la compassion pour
em·pe·ror ['empərər] empereur *m*
em·pha·sis ['emfəsɪs] accent *m*
em·pha·size ['emfəsaɪz] *v/t syllable* accentuer; *fig* souligner
em·phat·ic [ɪm'fætɪk] *adj* énergique, catégorique; ***be very ~ about sth*** être catégorique à propos de qch
em·pire ['empaɪr] *also fig* empire *m*
em·ploy [ɪm'plɔɪ] *v/t* employer
em·ploy·ee [emplɔɪ'iː] employé(e) *m(f)*
em·ploy·er [em'plɔɪər] employeur (-euse) *m(f)*
em·ploy·ment [em'plɔɪmənt] (*jobs*) emplois *mpl*; (*work*) emploi *m*; ***be seeking ~*** être à la recherche d'un emploi
em'ploy·ment a·gen·cy agence *f* de placement
em·press ['emprɪs] impératrice *f*
emp·ti·ness ['emptɪnɪs] vide *m*
emp·ty ['emptɪ] **1** *adj* vide; *promises* vain **2** *v/t* (*pret & pp* ***-ied***) vider **3** *v/i of room, street* se vider
em·u·late ['emjʊleɪt] *v/t* imiter
e·mul·sion [ɪ'mʌlʃn] *paint* peinture *f* mate
en·a·ble [ɪ'neɪbl] *v/t* permettre; ***~ s.o. to do sth*** permettre à qn de faire qch
en·act [ɪ'nækt] *v/t law* décréter; THEA représenter
e·nam·el [ɪ'næml] émail *m*
enc *abbr* (= ***enclosure(s)***) PJ (= pièce(s) jointe(s))
en·chant [ɪn'tʃænt] *v/t* (*delight*) enchanter
en·chant·ing [ɪn'tʃæntɪŋ] *adj* ravissant
en·cir·cle [ɪn'sɜːrkl] *v/t* encercler, entourer
encl *abbr* (= ***enclosure(s)***) PJ (= pièce(s) jointe(s))
en·close [ɪn'kloʊz] *v/t in letter* joindre; *area* entourer; ***please find ~d …*** veuillez trouver ci-joint …
en·clo·sure [ɪn'kloʊʒər] *with letter* pièce *f* jointe
en·core ['ɑːŋkɔːr] bis *m*
en·coun·ter [ɪn'kaʊntər] **1** *n* rencontre *f* **2** *v/t person* rencontrer; *problem, resistance* affronter
en·cour·age [ɪn'kʌrɪdʒ] *v/t* encourager
en·cour·age·ment [ɪn'kʌrɪdʒmənt] encouragement *m*
en·cour·ag·ing [ɪn'kʌrɪdʒɪŋ] *adj* encourageant
♦**encroach on** [ɪn'kroʊtʃ] *v/t land, rights, time* empiéter sur

en·cy·clo·pe·di·a [ınsaıklə'piːdıə] encyclopédie *f*
end [end] **1** *n* (*extremity*) bout *m*; (*conclusion, purpose*) fin *f*; ***in the ~*** à la fin; ***for hours on ~*** pendant des heures; ***stand sth on ~*** mettre qch debout; ***at the ~ of July*** à la fin du mois de juillet; ***put an ~ to*** mettre fin à **2** *v/t* terminer, finir **3** *v/i* se terminer, finir
♦**end up** *v/i* finir; ***I ended up*** (***by***) ***doing it myself*** j'ai fini par le faire moi-même
en·dan·ger [ın'deındʒər] *v/t* mettre en danger
en'dan·gered spe·cies *nsg* espèce *f* en voie de disparition
en·dear·ing [ın'dırıŋ] *adj* attachant
en·deav·or [ın'devər] **1** *n* effort *m*, tentative *f* **2** *v/t* essayer (***to do sth*** de faire qch), chercher (***to do sth*** à faire qch)
en·dem·ic [ın'demık] *adj* endémique
end·ing ['endıŋ] fin *f*; GRAM terminaison *f*
end·less ['endlıs] *adj* sans fin
en·dorse [ın'dɔːrs] *v/t check* endosser; *candidacy* appuyer; *product* associer son image à
en·dorse·ment [ın'dɔːrsmənt] *of check* endos(sement) *m*; *of candidacy* appui *m*; *of product* association *f* de son image à
end 'prod·uct produit *m* fini
end re'sult résultat *m* final
en·dur·ance [ın'dʊrəns] *of person* endurance *f*; *of car* résistance *f*
en'dur·ance test *for machine* test *m* de résistance; *for person* test *m* d'endurance
en·dure [ın'dʊər] **1** *v/t* endurer **2** *v/i* (*last*) durer
en·dur·ing [ın'dʊrıŋ] *adj* durable
end-'us·er utilisateur(-trice) *m*(*f*) final(e)
en·e·my ['enəmı] ennemi(e) *m*(*f*); *in war* ennemi *m*
en·er·get·ic [enərdʒetık] *adj also fig* énergique
en·er·get·ic·ally [enərdʒetıklı] *adv* énergiquement
en·er·gy ['enərʒı] énergie *f*
'en·er·gy-sav·ing *adj device* à faible consommation d'énergie
'en·er·gy sup·ply alimentation *f* en énergie
en·force [ın'fɔːrs] *v/t* appliquer, mettre en vigueur
en·gage [ın'geıdʒ] **1** *v/t* (*hire*) engager **2** *v/i of machine part* s'engrener; *of clutch* s'embrayer
♦**engage in** *v/t* s'engager dans
en·gaged [ın'geıdʒd] *adj to be married* fiancé; *Br* TELEC occupé; ***get ~*** se fiancer
en·gage·ment [ın'geıdʒmənt] (*appointment*) rendez-vous *m*; *to be married* fiançailles *fpl*; MIL engagement *m*
en'gage·ment ring bague *f* de fiançailles
en·gag·ing [ın'geıdʒıŋ] *adj smile, person* engageant
en·gine ['endʒın] moteur *m*; *of train* locomotive *f*
en·gi·neer [endʒı'nır] **1** *n* ingénieur *m*/*f*; NAUT, RAIL mécanicien(ne) *m*(*f*) **2** *v/t fig*: *meeting etc* combiner
en·gi·neer·ing [endʒı'nırıŋ] ingénierie *f*, engineering *m*
En·gland ['ıŋglənd] Angleterre *f*
En·glish ['ıŋglıʃ] **1** *adj* anglais **2** *n language* anglais *m*; ***the ~*** les Anglais *mpl*
Eng·lish 'Chan·nel Manche *f*
En·glish·man ['ıŋglıʃmən] Anglais *m*
En·glish·wom·an ['ıŋglıʃwʊmən] Anglaise *f*
en·grave [ın'greıv] *v/t* graver
en·grav·ing [ın'greıvıŋ] gravure *f*
en·grossed [ın'groʊst] *adj*: ***~ in*** absorbé dans
en·gulf [ın'gʌlf] *v/t* engloutir
en·hance [ın'hæns] *v/t beauty, flavor* rehausser; *reputation* accroître; *performance* améliorer; *enjoyment* augmenter
e·nig·ma [ı'nıgmə] énigme *f*
e·nig·mat·ic [enıg'mætık] *adj* énigmatique
en·joy [ın'dʒɔı] *v/t* aimer; ***~ o.s.*** s'amuser; ***~!*** *said to s.o. eating* bon appétit!
en·joy·a·ble [ın'dʒɔıəbl] *adj* agréable

en·joy·ment [ɪn'dʒɔɪmənt] plaisir *m*
en·large [ɪn'lɑːrdʒ] *v/t* agrandir
en·large·ment [ɪn'lɑːrdʒmənt] agrandissement *m*
en·light·en [ɪn'laɪtn] *v/t* éclairer
en·list [ɪn'lɪst] **1** *v/i* MIL enrôler **2** *v/t*: **~ *the help of*** se procurer l'aide de
en·liv·en [ɪn'laɪvn] *v/t* animer
en·mi·ty ['enmətɪ] inimitié *f*
e·nor·mi·ty [ɪ'nɔːrmətɪ] énormité *f*
e·nor·mous [ɪ'nɔːrməs] *adj* énorme
e·nor·mous·ly [ɪ'nɔːrməslɪ] *adv* énormément
e·nough [ɪ'nʌf] **1** *adj* assez de **2** *pron* assez; ***will $50 be ~?*** est-ce que 50 $ suffiront?; ***I've had ~!*** j'en ai assez!; ***that's ~, calm down!*** ça suffit, calme-toi! **3** *adv* assez; ***big / strong ~*** assez grand / fort; ***strangely ~*** chose curieuse, curieusement
en·quire *etc* → ***inquire*** *etc*
en·raged [ɪn'reɪdʒd] *adj* furieux*
en·rich [ɪn'rɪtʃ] *v/t* enrichir
en·roll [ɪn'roʊl] *v/i* s'inscrire
en·roll·ment [ɪn'roʊlmənt] inscriptions *fpl*
en·sue [ɪn'suː] *v/i* s'ensuivre; ***the ensuing months*** les mois qui ont suivi
en suite (bath·room) ['ɑːnswiːt] salle *f* de bains attenante
en·sure [ɪn'ʃʊər] *v/t* assurer; **~ *that …*** s'assurer que …
en·tail [ɪn'teɪl] *v/t* entraîner
en·tan·gle [ɪn'tæŋgl] *v/t in rope* empêtrer; ***become ~d in*** *also fig* s'empêtrer dans
en·ter ['entər] **1** *v/t room, house* entrer dans; *competition* entrer en; *person, horse in race* inscrire; *write down* inscrire (***in*** sur); COMPUT entrer **2** *v/i* entrer; *in competition* s'inscrire **3** *n* COMPUT touche *f* entrée
en·ter·prise ['entərpraɪz] (*initiative*) (esprit *m* d')initiative *f*; (*venture*) entreprise *f*
en·ter·pris·ing ['entərpraɪzɪŋ] *adj* entreprenant
en·ter·tain [entər'teɪn] **1** *v/t* (*amuse*) amuser, divertir; (*consider*: *idea*) envisager **2** *v/i* (*have guests*) recevoir
en·ter·tain·er [entər'teɪnər] artiste *m/f* de variété
en·ter·tain·ing [entər'teɪnɪŋ] *adj* amusant, divertissant
en·ter·tain·ment [entər'teɪnmənt] *adj* divertissement *m*
en·thrall [ɪn'θrɒːl] *v/t* captiver
en·thu·si·as·m [ɪn'θuːzɪæzəm] enthousiasme *m*
en·thu·si·as·t [ɪn'θuːzɪ'æst] enthousiaste *m/f*
en·thu·si·as·tic [ɪnθuːzɪ'æstɪk] *adj* enthousiaste
en·thu·si·as·tic·al·ly [ɪnθuːzɪ'æstɪklɪ] *adv* avec enthousiasme
en·tice [ɪn'taɪs] *v/t* attirer
en·tire [ɪn'taɪr] *adj* entier*
en·tire·ly [ɪn'taɪrlɪ] *adv* entièrement
en·ti·tle [ɪn'taɪtl] *v/t*: **~ *s.o. to sth / to do sth*** donner à qn droit à qch / le droit de faire qch; ***be ~d to sth / to do sth*** avoir droit à qch / le droit de faire qch
en·ti·tled [ɪn'taɪtld] *adj book* intitulé
en·trance ['entrəns] entrée *f*
'en·trance ex·am(·i·na·tion) examen *m* d'entrée
en·tranced [ɪn'trænst] *adj* enchanté
'en·trance fee droit *m* d'entrée
en·trant ['entrənt] inscrit(e) *m(f)*
en·treat [ɪn'triːt] *v/t*: **~ *s.o. to do sth*** supplier qn de faire qch
en·trenched [ɪn'trentʃt] *adj attitudes* enraciné
en·tre·pre·neur [ɑːntrəprə'nɜːr] entrepreneur(-euse) *m(f)*
en·tre·pre·neur·i·al [ɑːntrəprə'nɜːrɪəl] *adj skills* d'entrepreneur
en·trust [ɪn'trʌst] *v/t*: **~ *X with Y, ~ Y to X*** confier Y à X
en·try ['entrɪ] (*way in, admission*) entrée *f*; *for competition*: *person* participant(e) *m(f)*; *in diary, accounts* inscription *f*; *in reference book* article *m*; ***no ~*** défense d'entrer
'en·try form feuille *f* d'inscription; **'en·try·phone** interphone *m*; **'en·try vi·sa** visa *m* d'entrée
e·nu·me·rate [ɪ'nuːməreɪt] *v/t* énumérer
en·vel·op [ɪn'veləp] *v/t* envelopper
en·ve·lope ['envəloʊp] enveloppe *f*

en·vi·a·ble ['envɪəbl] *adj* enviable
en·vi·ous ['envɪəs] *adj* envieux*; ***be ~ of s.o.*** envier qn
en·vi·ron·ment [ɪn'vaɪrənmənt] environnement *m*
en·vi·ron·men·tal [ɪnvaɪrən'məntl] *adj* écologique
en·vi·ron·men·tal·ist [ɪnvaɪrən'məntəlɪst] écologiste *m/f*
en·vi·ron·men·tal·ly friend·ly [ɪnvaɪrənməntəlɪ'frendlɪ] *adj* écologique
en·vi·ron·men·tal pol'lu·tion pollution *f* de l'environnement
en·vi·ron·men·tal pro'tec·tion protection *f* de l'environnement
en·vi·rons [ɪn'vaɪrənz] *npl* environs *mpl*
en·vis·age [ɪn'vɪzɪdʒ] *v/t* envisager; ***I can't ~ him doing that*** je ne peux pas l'imaginer faire cela
en·voy ['envɔɪ] envoyé(e) *m(f)*
en·vy ['envɪ] **1** *n* envie *f*; ***be the ~ of*** être envié par **2** *v/t* (*pret & pp* ***-ied***): ***~ s.o. sth*** envier qch à qn
e·phem·er·al [ɪ'femərəl] *adj* éphémère
ep·ic ['epɪk] **1** *n* épopée *f*; *movie* film *m* à grand spectacle **2** *adj journey, scale* épique
ep·i·cen·ter ['epɪsentər] épicentre *m*
ep·i·dem·ic [epɪ'demɪk] *also fig* épidémie *f*
ep·i·lep·sy ['epɪlepsɪ] épilepsie *f*
ep·i·lep·tic [epɪ'leptɪk] épileptique *m/f*
ep·i·lep·tic 'fit crise *f* d'épilepsie
ep·i·log ['epɪlɑːg] épilogue *m*
ep·i·sode ['epɪsoʊd] épisode *m*
ep·i·taph ['epɪtæf] épitaphe *f*
e·poch ['iːpɑːk] époque *f*
e·poch-mak·ing ['iːpɑːkmeɪkɪŋ] *adj* qui fait époque
e·qual ['iːkwl] **1** *adj* égal; ***be ~ to*** *task* être à la hauteur de **2** *n* égal *m* **3** *v/t* (*pret & pp* ***-ed***, *Br* ***-led***) égaler
e·qual·i·ty [ɪ'kwɑːlətɪ] égalité *f*
e·qual·ize ['iːkwəlaɪz] **1** *v/t* égaliser **2** *v/i Br* SP égaliser
e·qual·iz·er ['iːkwəlaɪzər] *Br* SP but *m* égalisateur
e·qual·ly ['iːkwəlɪ] *adv divide* de manière égale; *qualified, intelligent* tout aussi; **~, ...** pareillement, ...
e·qual 'rights *npl* égalité *f* des droits
e·quate [ɪ'kweɪt] *v/t* mettre sur le même pied; ***~ X with Y*** mettre X et Y sur le même pied
e·qua·tion [ɪ'kweɪʒn] MATH équation *f*
e·qua·tor [ɪ'kweɪtər] équateur *m*
e·qui·lib·ri·um [iːkwɪ'lɪbrɪəm] équilibre *m*
e·qui·nox ['iːkwɪnɑːks] équinoxe *m*
e·quip [ɪ'kwɪp] *v/t* (*pret & pp* ***-ped***) équiper; ***he's not ~ped to handle it*** *fig* il n'est pas préparé pour gérer cela
e·quip·ment [ɪ'kwɪpmənt] équipement *m*
eq·ui·ty ['ekwətɪ] FIN capitaux *mpl* propres
e·quiv·a·lent [ɪ'kwɪvələnt] **1** *adj* équivalent **2** *n* équivalent *m*
e·ra ['ɪrə] ère *f*
e·rad·i·cate [ɪ'rædɪkeɪt] *v/t* éradiquer
e·rase [ɪ'reɪz] *v/t* effacer
e·ras·er [ɪ'reɪzər] gomme *f*
e·rect [ɪ'rekt] **1** *adj* droit
e·rect 2 *v/t* ériger, élever
e·rec·tion [ɪ'rekʃn] *of building, penis* érection *f*
er·go·nom·ic [ɜːrgoʊ'nɑːmɪk] *adj* ergonomique
e·rode [ɪ'roʊd] *v/t* éroder; *fig*: *power* miner; *rights* supprimer progressivement
e·ro·sion [ɪ'roʊʒn] érosion *f*; *fig*: *of rights* suppression *f* progressive
e·rot·ic [ɪ'rɑːtɪk] *adj* érotique
e·rot·i·cism [ɪ'rɑːtɪsɪzm] érotisme *m*
er·rand ['erənd] commission *f*; ***run ~s*** faire des commissions
er·rat·ic [ɪ'rætɪk] *adj performance, course* irrégulier*; *driving* capricieux*; *behavior* changeant
er·ror ['erər] erreur *f*
'er·ror mes·sage COMPUT message *m* d'erreur
e·rupt [ɪ'rʌpt] *v/i of volcano* entrer en éruption; *of violence* éclater; *of person* exploser F
e·rup·tion [ɪ'rʌpʃn] *of volcano* éruption *f*; *of violence* explosion *f*
es·ca·late ['eskəleɪt] *v/i* s'intensifier

es·ca·la·tion [eskəˈleɪʃn] intensification *f*

es·ca·la·tor [ˈeskəleɪtər] escalier *m* mécanique, escalator *m*

es·cape [ɪˈskeɪp] **1** *n of prisoner* évasion *f*; *of animal*, *gas* fuite *f*; ***have a narrow ~*** l'échapper belle **2** *v/i of prisoner* s'échapper, s'évader; *of animal* s'échapper, s'enfuir; *of gas* s'échapper **3** *v/t*: ***the word ~s me*** le mot m'échappe

esˈcape chute AVIAT toboggan *m* de secours

es·cort [ˈeskɔːrt] **1** *n* (*companion*) cavalier(-ière) *m*(*f*); (*guard*) escorte *f* **2** *v/t* [ɪˈskɔːrt] *socially* accompagner; (*act as guard to*) escorter

es·pe·cial [ɪˈspeʃl] → ***special***

es·pe·cial·ly [ɪˈspeʃlɪ] *adv* particulièrement, surtout

es·pi·o·nage [ˈespɪənɑːʒ] espionnage *m*

es·pres·so (cof·fee) [esˈpresoʊ] expresso *m*

es·say [ˈeseɪ] *n at school* rédaction *f*; *at university* dissertation *f*; *by writer* essai *m*

es·sen·tial [ɪˈsenʃl] *adj* essentiel*

es·sen·tial·ly [ɪˈsenʃlɪ] *adv* essentiellement

es·tab·lish [ɪˈstæblɪʃ] *v/t company* fonder, créer; (*create, determine*) établir; ***~ o.s. as*** s'établir comme

es·tab·lish·ment [ɪˈstæblɪʃmənt] *firm, shop etc* établissement *m*; ***the Establishment*** l'establishment *m*

es·tate [ɪˈsteɪt] (*area of land*) propriété *f*, domaine *m*; (*possessions of dead person*) biens *mpl*

esˈtate a·gen·cy *Br* agence *f* immobilière

es·thet·ic [ɪsˈθetɪk] *adj* esthétique

es·ti·mate [ˈestɪmət] **1** *n* estimation *f*; *from builder etc* devis *m* **2** *v/t* estimer

es·ti·ma·tion [estɪˈmeɪʃn] estime *f*; ***he has gone up / down in my ~*** il a monté / baissé dans mon estime; ***in my ~*** (*opinion*) à mon avis *m*

es·tu·a·ry [ˈestʃəwerɪ] estuaire *m*

ETA [iːtiːˈeɪ] *abbr* (***= estimated time of arrival***) heure *f* prévue d'arrivée

etc [etˈsetrə] *abbr* (***= et cetera***) etc.

etch·ing [ˈetʃɪŋ] (gravure *f* à l')eau-forte *f*

e·ter·nal [ɪˈtɜːrnl] *adj* éternel*

e·ter·ni·ty [ɪˈtɜːrnətɪ] éternité *f*

eth·i·cal [ˈeθɪkl] *adj problem* éthique; (*morally right*), *behavior* moral

eth·ics [ˈeθɪks] éthique *f*

eth·nic [ˈeθnɪk] *adj* ethnique

eth·nic ˈcleans·ing purification *f* ethnique

eth·nic ˈgroup ethnie *f*

eth·nic miˈnor·i·ty minorité *f* ethnique

EU [iːˈjuː] *abbr* (***= European Union***) U.E. *f* (= Union *f* européenne)

eu·phe·mism [ˈjuːfəmɪzm] euphémisme *m*

eu·pho·ri·a [juːˈfɔːrɪə] euphorie *f*

eu·ro [ˈjʊroʊ] FIN euro *m*; **ˈEu·ro MP** député(e) européen(ne) *m*(*f*)

Eu·rope [ˈjʊrəp] Europe *f*

Eu·ro·pe·an [jʊrəˈpɪən] **1** *adj* européen* **2** *n* Européen(ne) *m*(*f*); **Eu·ro·pe·an Comˈmis·sion** Commission *f* européenne; **Eu·ro·pe·an Comˈmis·sion·er** Commissaire européen(ne) *m*(*f*); **Eu·ro·pe·an ˈPar·lia·ment** Parlement *m* européen; **Eu·ro·pe·an ˈUn·ion** Union *f* européenne

eu·tha·na·si·a [jʊθəˈneɪzɪə] euthanasie *f*

e·vac·u·ate [ɪˈvækjʊeɪt] *v/t* (*clear people from*) faire évacuer; (*leave*) évacuer

e·vade [ɪˈveɪd] *v/t* éviter; *question* éluder

e·val·u·ate [ɪˈvæljʊeɪt] *v/t* évaluer

e·val·u·a·tion [ɪvæljʊˈeɪʃn] évaluation *f*

e·van·gel·ist [ɪˈvændʒəlɪst] évangélisateur(-trice) *m*(*f*)

e·vap·o·rate [ɪˈvæpəreɪt] *v/i also fig* s'évaporer

e·vap·o·ra·tion [ɪvæpəˈreɪʃn] *of water* évaporation *f*

e·va·sion [ɪˈveɪʒn] fuite *f*; ***~ of responsibilities*** fuite *f* devant ses responsabilités; ***tax ~*** fraude *f* fiscale

e·va·sive [ɪˈveɪsɪv] *adj* évasif*

eve [iːv] veille *f*; ***on the ~ of*** à la veille de

e·ven ['iːvn] **1** *adj breathing* régulier*; *distribution* égal, uniforme; (*level*) plat; *surface* plan; *number* pair; ***get ~ with …*** prendre sa revanche sur … **2** *adv* même; ***~ bigger / smaller*** encore plus grand / petit; ***not ~*** pas même; ***~ so*** quand même; ***~ if*** même si **3** *v/t*: ***~ the score*** égaliser

eve·ning ['iːvnɪŋ] soir *m*; ***in the ~*** le soir; ***at 7 in the ~*** à 7 heures du soir; ***this ~*** ce soir; ***good ~*** bonsoir

'eve·ning class cours *m* du soir; **'eve·ning dress** *for woman* robe *f* du soir; *for man* tenue *f* de soirée; **eve·ning 'pa·per** journal *m* du soir

e·ven·ly ['iːvnlɪ] *adv* (*regularly*) de manière égale; *breathe* régulièrement

e·vent [ɪ'vent] événement *m*; SP épreuve *f*; ***at all ~s*** en tout cas

e·vent·ful [ɪ'ventfl] *adj* mouvementé

e·ven·tu·al [ɪ'ventʃʊəl] *adj* final

e·ven·tu·al·ly [ɪ'ventʃʊəlɪ] *adv* finalement

ev·er ['evər] *adv* jamais; ***have you ~ been to Japan?*** est-ce que tu es déjà allé au Japon?; ***for ~*** pour toujours; ***~ since*** depuis lors; ***~ since we …*** depuis le jour où nous …; ***the fastest ~*** le / la plus rapide qui ait jamais existé

ev·er·green ['evərgriːn] *n* arbre *m* à feuilles persistantes

ev·er·last·ing [evər'læstɪŋ] *adj* éternel*

ev·ery ['evrɪ] *adj*: ***~ day*** tous les jours, chaque jour; ***~ one of his fans*** chacun de ses fans, tous ses fans; ***one in ~ ten houses*** une maison sur dix; ***~ now and then*** de temps en temps

ev·ery·bod·y ['evrɪbɑːdɪ] → ***everyone***

ev·ery·day ['evrɪdeɪ] *adj* de tous les jours

ev·ery·one ['evrɪwʌn] *pron* tout le monde; ***~ who knew him*** tous ceux qui l'ont connu

ev·ery·thing ['evrɪθɪŋ] *pron* tout; ***~ I say*** tout ce que je dis

ev·ery·where ['evrɪwer] *adv* partout; ***~ you go*** (*wherever*) partout où tu vas, où que tu ailles (*subj*)

e·vict [ɪ'vɪkt] *v/t* expulser

ev·i·dence ['evɪdəns] preuve(s) *f*(*pl*); LAW témoignage *m*; ***give ~*** témoigner

ev·i·dent ['evɪdənt] *adj* évident

ev·i·dent·ly ['evɪdəntlɪ] *adv* (*clearly*) à l'évidence; (*apparently*) de toute évidence

e·vil ['iːvl] **1** *adj* mauvais, méchant **2** *n* mal *m*

e·voke [ɪ'voʊk] *v/t image* évoquer

ev·o·lu·tion [iːvə'luːʃn] évolution *f*

e·volve [ɪ'vɑːlv] *v/i* évoluer

ewe [juː] brebis *f*

ex- [eks] ex-

ex [eks] F *wife, husband* ex *m/f* F

ex·act [ɪg'zækt] *adj* exact

ex·act·ing [ɪg'zæktɪŋ] *adj* exigeant

ex·act·ly [ɪg'zæktlɪ] *adv* exactement

ex·ag·ge·rate [ɪg'zædʒəreɪt] *v/t & v/i* exagérer

ex·ag·ge·ra·tion [ɪgzædʒə'reɪʃn] exagération *f*

ex·am [ɪg'zæm] examen *m*; ***take an ~*** passer un examen; ***pass / fail an ~*** réussir à / échouer à un examen

ex·am·i·na·tion [ɪgzæmɪ'neɪʃn] examen *m*

ex·am·ine [ɪg'zæmɪn] *v/t* examiner

ex·am·in·er [ɪg'zæmɪnər] EDU examinateur(-trice) *m*(*f*)

ex·am·ple [ɪg'zæmpl] exemple *m*; ***for ~*** par exemple; ***set a good / bad ~*** donner / ne pas donner l'exemple

ex·as·pe·rat·ed [ɪg'zæspəreɪtɪd] *adj* exaspéré

ex·as·pe·rat·ing [ɪg'zæspəreɪtɪŋ] *adj* exaspérant

ex·ca·vate ['ekskəveɪt] *v/t* (*dig*) excaver; *of archeologist* fouiller

ex·ca·va·tion [ekskə'veɪʃn] excavation *f*, *archeological* fouille(s) *f*(*pl*)

ex·ceed [ɪk'siːd] *v/t* dépasser; *authority* outrepasser

ex·ceed·ing·ly [ɪk'siːdɪŋlɪ] *adv* extrêmement

ex·cel [ɪk'sel] **1** *v/i* (*pret & pp* ***-led***) exceller; ***~ at*** exceller en **2** *v/t*: ***~ o.s.*** se surpasser

ex·cel·lence ['eksələns] excellence *f*

ex·cel·lent ['eksələnt] *adj* excellent
ex·cept [ɪk'sept] *prep* sauf; **~ *for*** à l'exception de
ex·cep·tion [ɪk'sepʃn] exception *f*; ***with the ~ of*** à l'exception de; ***take ~ to*** s'offenser de
ex·cep·tion·al [ɪk'sepʃnl] *adj* exceptionnel*
ex·cep·tion·al·ly [ɪk'sepʃnlɪ] *adv* (*extremely*) exceptionnellement
ex·cerpt ['eksɜːrpt] extrait *m*
ex·cess [ɪk'ses] **1** *n* excès *m*; ***drink to ~*** boire à l'excès; ***in ~ of*** au-dessus de **2** *adj*: **~ *water*** excédent *m* d'eau
ex·cess 'bag·gage excédent *m* de bagages
ex·cess 'fare supplément *m*
ex·ces·sive [ɪk'sesɪv] *adj* excessif*
ex·change [ɪks'ʧeɪndʒ] **1** *n* échange *m*; ***in ~ for*** en échange de **2** *v/t* échanger; **~ *X for Y*** échanger X contre Y
ex'change rate FIN cours *m* du change, taux *m* du change
ex·ci·ta·ble [ɪk'saɪtəbl] *adj* excitable
ex·cite [ɪk'saɪt] *v/t* (*make enthusiastic*) enthousiasmer
ex·cit·ed [ɪk'saɪtɪd] *adj* excité; ***get ~*** s'exciter; ***get ~ about sth*** *trip etc* être excité à l'idée de qch; *changes etc* être enthousiaste à l'idée de qch
ex·cite·ment [ɪk'saɪtmənt] excitation *f*
ex·cit·ing [ɪk'saɪtɪŋ] *adj* passionnant
ex·claim [ɪk'skleɪm] *v/t* s'exclamer
ex·cla·ma·tion [eksklə'meɪʃn] exclamation *f*
ex·cla'ma·tion point point *m* d'exclamation
ex·clude [ɪk'skluːd] *v/t* exclure
ex·clud·ing [ɪk'skluːdɪŋ] *prep* sauf; ***six ~ the children*** six sans compter les enfants; ***open year-round ~ …*** ouvert toute l'année à l'exclusion de ….
ex·clu·sive [ɪk'skluːsɪv] *adj hotel, restaurant* huppé; *rights, interview* exclusif*
ex·com·mu·ni·cate [ekskə'mjuːnɪkeɪt] *v/t* REL excommunier
ex·cru·ci·at·ing [ɪk'skruːʃɪeɪtɪŋ] *adj pain* atroce
ex·cur·sion [ɪk'skɜːrʃn] excursion *f*
ex·cuse [ɪk'skjuːs] **1** *n* excuse *f* **2** *v/t* [ɪk'skjuːz] excuser; (*forgive*) pardonner; **~ *X from Y*** dispenser X de Y; **~ *me*** excusez-moi
ex-di'rec·to·ry *Br*: ***be ~*** être sur liste rouge
e·x·e·cute ['eksɪkjuːt] *v/t criminal, plan* exécuter
ex·e·cu·tion [eksɪ'kjuːʃn] *of criminal, plan* exécution *f*
ex·e·cu·tion·er [eksɪ'kjuːʃnər] bourreau *m*
ex·ec·u·tive [ɪg'zekjʊtɪv] **1** *n* cadre *m* **2** *adj* de luxe
ex·ec·u·tive 'brief·case attaché-case *m*
ex·em·pla·ry [ɪg'zemplərɪ] *adj* exemplaire *m*
ex·empt [ɪg'zempt] *adj* exempt; ***be ~ from*** être exempté de
ex·er·cise ['eksərsaɪz] **1** *n* exercice *m*; ***take ~*** prendre de l'exercice **2** *v/t muscle* exercer; *dog* promener; *caution, restraint* user de **3** *v/i* prendre de l'exercice
'ex·er·cise bike vélo *m* d'appartement; **'ex·er·cise book** EDU cahier *m* (d'exercices); **'ex·er·cise class** cours *m* de gymnastique
ex·ert [ɪg'zɜːrt] *v/t authority* exercer; **~ *o.s.*** se dépenser
ex·er·tion [ɪg'zɜːrʃn] effort *m*
ex·hale [eks'heɪl] *v/t* exhaler
ex·haust [ɪg'zɒːst] **1** *n fumes* gaz *m* d'échappement; *pipe* tuyau *m* d'échappement **2** *v/t* (*tire, use up*) épuiser
ex·haust·ed [ɪg'zɒːstɪd] *adj* (*tired*) épuisé
ex'haust fumes *npl* gaz *mpl* d'échappement
ex·haust·ing [ɪg'zɒːstɪŋ] *adj* épuisant
ex·haus·tion [ɪg'zɒːsʧn] épuisement *m*
ex·haus·tive [ɪg'zɒːstɪv] *adj* exhaustif*
ex'haust pipe tuyau *m* d'échappement
ex·hib·it [ɪg'zɪbɪt] **1** *n in exhibition* objet *m* exposé **2** *v/t of artist* exposer; (*give evidence of*) montrer
ex·hi·bi·tion [eksɪ'bɪʃn] exposition *f*;

of bad behavior étalage *m*; *of skill* démonstration *f*
ex·hi·bi·tion·ist [eksɪ'bɪʃnɪst] exhibitionniste *m/f*
ex·hil·a·rat·ing [ɪg'zɪləreɪtɪŋ] *adj weather* vivifiant; *sensation* grisant
ex·ile ['eksaɪl] **1** *n* exil *m*; *person* exilé(e) *m(f)* **2** *v/t* exiler
ex·ist [ɪg'zɪst] *v/i* exister; ~ ***on*** subsister avec
ex·ist·ence [ɪg'zɪstəns] existence *f*, ***be in*** ~ exister; ***come into*** ~ être créé, naître
ex·ist·ing [ɪg'zɪstɪŋ] *adj* existant
ex·it ['eksɪt] **1** *n* sortie *f* **2** *v/i* COMPUT sortir
ex·on·e·rate [ɪg'zɑːnəreɪt] *v/t* (*clear*) disculper
ex·or·bi·tant [ɪg'zɔːrbɪtənt] *adj* exorbitant
ex·ot·ic [ɪg'zɑːtɪk] *adj* exotique
ex·pand [ɪk'spænd] **1** *v/t* étendre, développer **2** *v/i of population* s'accroître, augmenter; *of business, city* se développer, s'étendre; *of metal, gas* se dilater
♦ **expand on** *v/t* s'étendre sur
ex·panse [ɪk'spæns] étendue *f*
ex·pan·sion [ɪk'spænʃn] *of business, city* développement *m*, extension *f*; *of population* accroissement *m*, augmentation *f*; *of metal, gas* dilatation *f*
ex·pat·ri·ate [eks'pætrɪət] **1** *adj* expatrié **2** *n* expatrié(e) *m(f)*
ex·pect [ɪk'spekt] **1** *v/t also baby* attendre; (*suppose*) penser, croire; (*demand*) exiger, attendre (***from sth*** de qch) **2** *v/i*: ***be*** ~***ing*** attendre un bébé; ***I*** ~ ***so*** je pense que oui
ex·pec·tant [ɪk'spektənt] *adj crowd, spectators* impatient; *silence* d'expectative
ex·pec·tant 'moth·er future maman *f*
ex·pec·ta·tion [ekspek'teɪʃn] attente *f*, espérance *f*, ~***s*** (*demands*) exigence *f*
ex·pe·dient [ɪk'spiːdɪənt] *adj* opportun, pratique
ex·pe·di·tion [ekspɪ'dɪʃn] expédition *f*
ex·pel [ɪk'spel] *v/t* (*pret & pp* ***-led***) *person* expulser
ex·pend [ɪk'spend] *v/t energy* dépenser
ex·pend·a·ble [ɪk'spendəbl] *adj person* pas indispensable, pas irremplaçable
ex·pen·di·ture [ɪk'spendɪtʃər] dépenses *fpl* (***on*** de)
ex·pense [ɪk'spens] dépense *f*, ***at vast*** ~ à grands frais; ***at the company's*** ~ aux frais *mpl* de la compagnie; ***a joke at my*** ~ une plaisanterie à mes dépens; ***at the*** ~ ***of his health*** aux dépens de sa santé
ex'pense ac·count note *f* de frais
ex·pen·ses [ɪk'spensɪz] *npl* frais *mpl*
ex·pen·sive [ɪk'spensɪv] *adj* cher*
ex·pe·ri·ence [ɪk'spɪrɪəns] **1** *n* expérience *f* **2** *v/t pain, pleasure* éprouver; *problem, difficulty* connaître
ex·pe·ri·enced [ɪk'spɪrɪənst] *adj* expérimenté
ex·per·i·ment [ɪk'sperɪmənt] **1** *n* expérience *f* **2** *v/i* faire des expériences; ~ ***on*** *animals* faire des expériences sur; ~ ***with*** (*try out*) faire l'expérience de
ex·per·i·men·tal [ɪksperɪ'mentl] *adj* expérimental
ex·pert ['ekspɜːrt] **1** *adj* expert **2** *n* expert(e) *m(f)*
ex·pert ad'vice conseil *m* d'expert
ex·pert·ise [ekspɜːr'tiːz] savoir-faire *m*
ex·pi'ra·tion date date *f* d'expiration
ex·pire [ɪk'spaɪr] *v/i* expirer
ex·pi·ry [ɪk'spaɪrɪ] expiration *f*
ex·plain [ɪk'spleɪn] *v/t & v/i* expliquer
ex·pla·na·tion [eksplə'neɪʃn] explication *f*
ex·plan·a·to·ry [eksplænətɔːrɪ] *adj* explicatif*
ex·plic·it [ɪk'splɪsɪt] *adj instructions* explicite
ex·plic·it·ly [ɪk'splɪsɪtlɪ] *adv state, forbid* explicitement
ex·plode [ɪk'sploud] **1** *v/i of bomb, fig* exploser **2** *v/t bomb* faire exploser
ex·ploit[1] ['eksplɔɪt] *n* exploit *m*
ex·ploit[2] [ɪk'splɔɪt] *v/t person, resources* exploiter
ex·ploi·ta·tion [eksplɔɪ'teɪʃn] *of person* exploitation *f*
ex·plo·ra·tion [eksplə'reɪʃn] exploration *f*

ex·plor·a·to·ry [ɪk'splɑːrətɔrɪ] *adj surgery* exploratoire
ex·plore [ɪk'splɔːr] *v/t country, possibility* explorer
ex·plo·rer [ɪk'splɔːrər] explorateur (-trice) *m(f)*
ex·plo·sion [ɪk'sploʊʒn] *also in population* explosion *f*
ex·plo·sive [ɪk'sploʊsɪv] *n* explosif *m*
ex·port ['ekspɔːrt] **1** *n* exportation *f* **2** *v/t also* COMPUT exporter
'ex·port cam·paign campagne *f* export
ex·port·er [eks'pɔːrtər] exportateur (-trice) *m(f)*
ex·pose [ɪk'spoʊz] *v/t (uncover)* mettre à nu; *scandal* dévoiler; *person* démasquer; **~ *X to Y*** exposer X à Y
ex·po·sure [ɪk'spoʊʒər] exposition *f*, MED effets *mpl* du froid; *of dishonest behaviour* dénonciation *f*, PHOT pose *f*, *in media* couverture *f*
ex·press [ɪk'spres] **1** *adj (fast)* express; *(explicit)* formel*, explicite **2** *n train, bus* express *m* **3** *v/t* exprimer; **~ *o.s. well / clearly*** s'exprimer bien / clairement; **~ *o.s.*** *(emotionally)* s'exprimer
ex'press el·e·va·tor ascenseur *m* sans arrêt
ex·pres·sion [ɪk'spreʃn] expression *f*
ex·pres·sive [ɪk'spresɪv] *adj* expressif*
ex·press·ly [ɪk'spreslɪ] *adv (explicitly)* formellement, expressément; *(deliberately)* exprès
ex·press·way [ɪk'spresweɪ] voie *f* express
ex·pul·sion [ɪk'spʌlʃn] expulsion *f*
ex·qui·site [ek'skwɪzɪt] *adj (beautiful)* exquis
ex·tend [ɪk'stend] **1** *v/t house, garden* agrandir; *search* étendre (***to*** à); *runway, contract, visa* prolonger; *thanks, congratulations* présenter **2** *v/i of garden etc* s'étendre
ex·ten·sion [ɪk'stenʃn] *to house* agrandissement *m*; *of contract, visa* prolongation *f*, TELEC poste *m*
ex'ten·sion ca·ble rallonge *f*
ex·ten·sive [ɪk'stensɪv] *adj search, knowledge* vaste, étendu; *damage, work* considérable
ex·tent [ɪk'stent] étendue *f*, ampleur *f*, ***to such an ~ that*** à tel point que; ***to a certain ~*** jusqu'à un certain point
ex·ten·u·at·ing cir·cum·stan·ces [ɪk'stenʊeɪtɪŋ] *npl* circonstances *fpl* atténuantes
ex·te·ri·or [ɪk'stɪrɪər] **1** *adj* extérieur **2** *n of building* extérieur *m*; *of person* dehors *mpl*
ex·ter·mi·nate [ɪk'stɜːrmɪneɪt] *v/t* exterminer
ex·ter·nal [ɪk'stɜːrnl] *adj (outside)* extérieur
ex·tinct [ɪk'stɪŋkt] *adj species* disparu
ex·tinc·tion [ɪk'stɪŋkʃn] *of species* extinction *f*
ex·tin·guish [ɪk'stɪŋgwɪʃ] *v/t fire, cigarette* éteindre
ex·tin·guish·er [ɪk'stɪŋgwɪʃər] extincteur *m*
ex·tort [ɪk'stɔːrt] *v/t* extorquer; **~ *money from s.o.*** extorquer de l'argent à qn
ex·tor·tion [ɪk'stɔːrʃn] extortion *f*
ex·tor·tion·ate [ɪk'stɔːrʃənət] *adj prices* exorbitant
ex·tra ['ekstrə] **1** *n* extra *m* **2** *adj (spare)* de rechange; *(additional)* en plus, supplémentaire; ***be ~*** *(cost more)* être en supplément **3** *adv* ultra-
ex·tra 'charge supplément *m*
ex·tract[1] ['ekstrækt] *n* extrait *m*
ex·tract[2] [ɪk'strækt] *v/t* extraire; *tooth also* arracher; *information* arracher
ex·trac·tion [ɪk'strækʃn] extraction *f*
ex·tra·dite ['ekstrədaɪt] *v/t* extrader
ex·tra·di·tion [ekstrə'dɪʃn] extradition *f*
ex·tra'di·tion trea·ty accord *m* d'extradition
ex·tra·mar·i·tal [ekstrə'mærɪtl] *adj* extraconjugal
ex·tra·or·di·nar·i·ly [ɪkstrə'ɔːrdn'erɪlɪ] *adv* extraordinairement
ex·tra·or·di·na·ry [ɪkstrə'ɔːrdnerɪ] *adj* extraordinaire
ex·tra 'time *Br* SP prolongation(s) *f(pl)*
ex·trav·a·gance [ɪk'strævəgəns] dé-

penses *fpl* extravagantes; *single act* dépense *f* extravagante

ex·trav·a·gant [ɪk'strævəgənt] *adj person* dépensier*; *price* exorbitant; *claim* excessif*

ex·treme [ɪk'stri:m] **1** *n* extrême *m* **2** *adj* extrême

ex·treme·ly [ɪk'stri:mlɪ] *adv* extrêmement

ex·trem·ist [ɪk'stri:mɪst] extrémiste *m/f*

ex·tri·cate ['ekstrɪkeɪt] *v/t* dégager, libérer (***from*** de)

ex·tro·vert ['ekstrəv3:rt] **1** *n* extraverti(e) *m(f)* **2** *adj* extraverti

ex·u·be·rant [ɪg'zu:bərənt] *adj* exubérant

ex·ult [ɪg'zʌlt] *v/i* exulter

eye [aɪ] **1** *n* œil *m*; *of needle* trou *m*; ***have blue ~s*** avoir les yeux bleus; ***keep an ~ on*** surveiller; ***in my ~s*** à mes yeux **2** *v/t* regarder

'eye·ball globe *m* oculaire; **'eye·brow** sourcil *m*

'eye-catch·ing *adj* accrocheur*; **'eye·glasses** lunettes *fpl*; **'eye·lash** cil *m*; **'eye·lid** paupière *f*; **'eye·lin·er** eye-liner *m*; **'eye·sha·dow** ombre *f* à paupières; **'eye·sight** vue *f*; **'eye·sore** horreur *f*; **'eye strain** fatigue *f* des yeux; **'eye·wit·ness** témoin *m* oculaire

F

F *abbr* (**= *Fahrenheit***) F (= Fahrenheit)

fab·ric ['fæbrɪk] (*material*) tissu *m*

fab·u·lous ['fæbjʊləs] *adj* fabuleux*

fab·u·lous·ly ['fæbjʊləslɪ] *adv* fabuleusement

fa·çade [fə'sɑ:d] *of building, person* façade *f*

face [feɪs] **1** *n* visage *m*, figure *f*; *of mountain* face *f*; ***~ to ~*** en personne; ***lose ~*** perdre la face **2** *v/t person, sea* faire face à

♦ **face up to** *v/t bully* affronter; *responsibilities* faire face à

'face·cloth gant *m* de toilette; **'face-lift** lifting *m*; ***the building / area has been given a ~*** le bâtiment / quartier a été complètement refait; **'face pack** masque *m* de beauté; **face 'val·ue**: ***take sth at ~*** juger qch sur les apparences

fa·cial ['feɪʃl] *n* soin *m* du visage

fa·cil·i·tate [fə'sɪlɪteɪt] *v/t* faciliter

fa·cil·i·ties [fə'sɪlətɪz] *npl of school, town etc* installations *fpl*; (*equipment*) équipements *mpl*

fact [fækt] fait *m*; ***in ~, as a matter of ~*** en fait

fac·tion ['fækʃn] faction *f*

fac·tor ['fæktər] facteur *m*

fac·to·ry ['fæktərɪ] usine *f*

fact·u·al ['fæktjʊəl] *adj* factuel*

fac·ul·ty ['fækəltɪ] (*hearing etc*), *at university* faculté *f*

fad [fæd] lubie *f*

fade [feɪd] *v/i of colors* passer

fad·ed ['feɪdɪd] *adj color, jeans* passé

fag [fæg] *pej* F (*homosexual*) pédé *m* F

Fahr·en·heit ['færənhaɪt] *adj* Fahrenheit

fail [feɪl] **1** *v/i* échouer **2** *n*: ***without ~*** sans faute

fail·ing ['feɪlɪŋ] *n* défaut *m*, faiblesse *f*

fail·ure ['feɪljər] échec *m*; ***feel a ~*** avoir l'impression de ne rien valoir

faint [feɪnt] **1** *adj* faible, léger* **2** *v/i* s'évanouir

faint·ly ['feɪntlɪ] *adv* légèrement

fair[1] [fer] *n* (*fun~*), COMM foire *f*

fair[2] [fer] *adj hair* blond; *complexion* blanc*

fair[3] [fer] *adj* (*just*) juste, équitable; ***it's***

not ~ ce n'est pas juste
fair·ly ['ferlı] *adv treat* équitablement; (*quite*) assez
fair·ness ['fernıs] *of treatment* équité *f*
fai·ry ['ferı] fée *f*
'fai·ry tale conte *m* de fées
faith [feıθ] *also* REL foi *f*; ***the Catholic ~*** la religion catholique
faith·ful ['feıθfl] *adj* fidèle
faith·ful·ly ['feıθflı] *adv* fidèlement; ***Yours ~*** *Br* veuillez agréer l'expression de mes salutations distinguées
fake [feık] **1** *n* (article *m*) faux *m* **2** *adj* faux*; *suicide attempt* simulé **3** *v/t* (*forge*) falsifier; (*feign*) feindre; *suicide, kidnap* simuler
fall¹ [fɒːl] *n season* automne *m*
fall² [fɒːl] **1** *v/i* (*pret* ***fell***, *pp* ***fallen***) *of person, government, night* tomber; *of prices, temperature* baisser; ***it ~s on a Tuesday*** ça tombe un mardi; ***~ ill*** tomber malade **2** *n of person, government, minister* chute *f*; *in price, temperature* baisse *f*
♦**fall back on** *v/t* se rabattre sur
♦**fall behind** *v/i with work, studies* prendre du retard
♦**fall down** *v/i of person* tomber (par terre); *of wall, building* s'effonder
♦**fall for** *v/t person* tomber amoureux de; (*be deceived by*) se laisser prendre à
♦**fall out** *v/i of hair* tomber; (*argue*) se brouiller
♦**fall over** *v/i of person, tree* tomber (par terre)
♦**fall through** *v/i of plans* tomber à l'eau
fal·len ['fɒːlən] *pp* → ***fall***
fal·li·ble ['fæləbl] *adj* faillible
'fallout retombées *fpl* (radioactives)
false [fɒːls] *adj* faux*
false a'larm fausse alarme *f*
false·ly ['fɒːlslı] *adv*: ***be ~ accused of sth*** être accusé à tort de qch
false 'start *in race* faux départ *m*
false 'teeth *npl* fausses dents *fpl*
fal·si·fy ['fɒːlsıfaı] *v/t* (*pret & pp* ***-ied***) falsifier
fame [feım] célébrité *f*
fa·mil·i·ar [fə'mıljər] *adj* familier*; ***be ~ with sth*** bien connaître qch; ***that looks / sounds ~*** ça me dit quelque chose
fa·mil·i·ar·i·ty [fəmılı'ærıtı] *with subject etc* (bonne) connaissance *f* (***with*** de)
fa·mil·i·ar·ize [fə'mıljəraız] *v/t* familiariser; ***~ o.s. with*** se familiariser avec
fam·i·ly ['fæməlı] famille *f*
fam·i·ly 'doc·tor médecin *m* de famille; **fam·i·ly 'name** nom *m* de famille; **fam·i·ly 'plan·ning** planning *m* familial; **fam·i·ly 'plan·ning clin·ic** centre *m* de planning familial; **fam·i·ly 'tree** arbre *m* généalogique
fam·ine ['fæmın] famine *f*
fam·ished ['fæmıʃt] *adj* F affamé
fa·mous ['feıməs] *adj* célèbre
fan¹ [fæn] *n in sport* fana *m/f* F; *of singer, band* fan *m/f*
fan² [fæn] **1** *n for cooling*: *electric* ventilateur *m*; *handheld* évantail *m* **2** *v/t* (*pret & pp* ***-ned***): ***~ o.s.*** s'éventer
fa·nat·ic [fə'nætık] *n* fanatique *m/f*
fa·nat·i·cal [fə'nætıkl] *adj* fanatique
fa·nat·i·cism [fə'nætısızm] fanatisme *m*
'fan belt MOT courroie *f* de ventilateur
'fan club fan-club *m*
fan·cy ['fænsı] *adj restaurant* huppé
fan·cy 'dress déguisement *m*
fan·cy-'dress par·ty fête *f* déguisée
fang [fæŋ] *of dog* croc *m*; *of snake* crochet *m*
'fan mail courrier *m* des fans
fan·ta·size ['fæntəsaız] *v/i* fantasmer (***about*** sur)
fan·tas·tic [fæn'tæstık] *adj* fantastique
fan·tas·tic·al·ly [fæn'tæstıklı] *adv* (*extremely*) fantastiquement
fan·ta·sy ['fæntəsı] *hopeful* rêve *m*; *unrealistic, sexual* fantasme *m*; ***the realm of ~*** le domaine de l'imaginaire
fan·zine ['fænziːn] fanzine *m*
far [fɑːr] *adv* loin; (*much*) bien; ***~ away*** très loin; ***how ~ is it?*** c'est loin?, c'est à quelle distance?; ***how ~ have you got in ...?*** où en êtes-vous dans ...?; ***as ~ as the corner / hotel*** jusqu'au coin / jusqu'à l'hôtel; ***as ~ as I***

know pour autant que je sache; ***you've gone too ~*** *in behavior* tu vas trop loin; ***so ~ so good*** tout va bien pour le moment
farce [fɑːrs] farce *f*
fare [fer] *n for ticket* prix *m* du billet; *for taxi* prix *m*
Far 'East Extrême-Orient *m*
fare·well [fer'wel] *n* adieu *m*
fare'well par·ty fête *f* d'adieu
far·fetched [fɑːr'fetʃt] *adj* tiré par les cheveux
farm [fɑːrm] *n* ferme *f*
farm·er ['fɑːrmər] fermier(-ière) *m(f)*
'farm·house (maison *f* de) ferme *f*
farm·ing ['fɑːrmɪŋ] *n* agriculture *f*
'farm·work·er ouvrier(-ière) *m(f)* agricole
'farm·yard cour *f* de ferme
far-'off *adj* lointain, éloigné
far·sight·ed [fɑːr'saɪtɪd] *adj* prévoyant; *visually* hypermétrope
fart [fɑːrt] **1** *n* F pet *m* **2** *v/i* F péter
far·ther ['fɑːrðər] *adv* plus loin
far·thest ['fɑːrðəst] *adv travel etc* le plus loin
fas·ci·nate ['fæsɪneɪt] *v/t* fasciner
fas·ci·nat·ing ['fæsɪneɪtɪŋ] *adj* fascinant
fas·ci·na·tion [fæsɪ'neɪʃn] fascination *f*
fas·cism ['fæʃɪzm] fascisme *m*
fas·cist ['fæʃɪst] **1** *n* fasciste *m/f* **2** *adj* fasciste
fash·ion ['fæʃn] *n* mode *f*; (*manner*) manière *f*, façon *f*; ***in ~*** à la mode; ***out of ~*** démodé
fash·ion·a·ble ['fæʃnəbl] *adj* à la mode
fash·ion·a·bly ['fæʃnəblɪ] *adv* à la mode
'fash·ion-con·scious *adj* au courant de la mode; **'fash·ion de·sign·er** créateur(-trice) *m(f)* de mode
'fash·ion mag·a·zine magazine *m* de mode; **'fash·ion show** défilé *m* de mode
fast[1] [fæst] **1** *adj* rapide; ***be ~*** *of clock* avancer **2** *adv* vite; ***stuck ~*** coincé; ***be ~ asleep*** dormir à poings fermés
fast[2] [fæst] *n* (*not eating*) jeûne *m*
fas·ten ['fæsn] **1** *v/t* attacher; *lid, window* fermer; ***~ sth onto sth*** attacher qch à qch **2** *v/i of dress etc* s'attacher
fas·ten·er ['fæsnər] *for dress* agrafe *f*; *for lid* fermeture *f*
fast 'food fast-food *m*; **fast-food 'res·tau·rant** fast-food *m*; **fast 'for·ward 1** *n on video etc* avance *f* rapide **2** *v/i* avancer; **'fast lane** *on road* voie *f* rapide; ***live in the ~*** *fig: of life* vivre à cent à l'heure; **'fast train** train *m* rapide
fat [fæt] **1** *adj* gros* **2** *n on meat* gras *m*; *for baking* graisse *f*; *food category* lipide *m*; ***95% ~ free*** allégé à 5% de matières grasses
fa·tal ['feɪtl] *adj also error* fatal
fa·tal·i·ty [fə'tælətɪ] accident *m* mortel; ***there were no fatalities*** il n'y a pas eu de morts
fa·tal·ly ['feɪtəlɪ] *adv*: fatalement; ***~ injured*** mortellement blessé
fate [feɪt] destin *m*
fat·ed ['feɪtɪd] *adj*: ***be ~ to do sth*** être destiné à faire qch
fa·ther ['fɑːðər] *n* père *m*; ***Father Martin*** REL le père Martin
Fa·ther 'Christ·mas *Br* le père *m* Noël
fa·ther·hood ['fɑːðərhʊd] paternité *f*
'fa·ther-in-law (*pl* ***fathers-in-law***) beau-père *m*
fa·ther·ly ['fɑːðərlɪ] *adj* paternel*
fath·om ['fæðəm] *n* NAUT brasse *f*
♦ **fathom out** *v/t fig* comprendre
fa·tigue [fə'tiːg] *n* fatigue *f*
fat·so ['fætsoʊ] *n* F gros(se) *m(f)*; ***hey, ~!*** hé, gros lard! F
fat·ten ['fætn] *v/t animal* engraisser
fat·ty ['fætɪ] **1** *adj* adipeux* **2** *n* F *person* gros(se) *m(f)*
fau·cet ['fɒːsɪt] robinet *m*
fault [fɒːlt] *n* (*defect*) défaut *m*; ***it's your / my ~*** c'est de ta / ma faute; ***find ~ with*** trouver à redire à
fault·less ['fɒːltlɪs] *adj* impeccable
fault·y ['fɒːltɪ] *adj goods* défectueux*
fa·vor ['feɪvər] **1** *n* faveur *f*; ***do s.o. a ~*** rendre (un) service à qn; ***do me a ~!*** (*don't be stupid*) tu plaisantes!; ***in ~ of*** *resign, withdraw* en faveur de; ***be in ~***

of être en faveur de **2** *v/t* (*prefer*) préférer
fa·vo·ra·ble ['feɪvərəbl] *adj reply etc* favorable (***to*** à)
fa·vo·rite ['feɪvərɪt] **1** *n person* préféré(e) *m*(*f*); *food* plat *m* préféré; *in race, competition* favori(te) *m*(*f*); ***that's my ~*** c'est ce que je préfère **2** *adj* préféré
fa·vor·it·ism ['feɪvrɪtɪzm] favoritisme *m*
fax [fæks] **1** *n* fax *m*; ***by ~*** par fax **2** *v/t* faxer; ***~ sth to s.o.*** faxer qch à qn
FBI [efbiː'aɪ] *abbr* (***= Federal Bureau of Investigation***) F.B.I. *m*
fear [fɪr] **1** *n* peur *f* **2** *v/t* avoir peur de
fear·less ['fɪrlɪs] *adj* sans peur
fear·less·ly ['fɪrlɪslɪ] *adv* sans peur
fea·si·bil·i·ty stud·y [fiːzə'bɪlətɪ] étude *f* de faisabilité
fea·si·ble ['fiːzəbl] *adj* faisable
feast [fiːst] *n* festin *m*
'feast day REL fête *f*
feat [fiːt] exploit *m*
fea·ther ['feðər] plume *f*
fea·ture ['fiːtʃər] **1** *n on face* trait *m*; *of city, building, style* caractéristique *f*; *article in paper* chronique *f*; *movie* long métrage *m*; ***make a ~ of*** mettre en valeur **2** *v/t of movie* mettre en vedette
'fea·ture film long métrage *m*
Feb·ru·a·ry ['februərɪ] février *m*
fed [fed] *pret & pp* → ***feed***
fed·e·ral ['fedərəl] *adj* fédéral
fed·e·ra·tion [fedə'reɪʃn] fédération *f*
fed 'up *adj* F: ***be ~ with*** en avoir ras-le-bol de F
fee [fiː] *of lawyer, doctor etc* honoraires *mpl*; *for entrance, membership* frais *mpl*
fee·ble ['fiːbl] *adj* faible
feed [fiːd] *v/t* (*pret & pp* ***fed***) nourrir
'feed·back réactions *fpl*; ***we need more customer ~*** nous devons connaître mieux l'avis de nos clients
feel [fiːl] **1** *v/t* (*pret & pp* ***felt***) (*touch*) toucher; (*sense*) sentir; *pain, pleasure, sensation* ressentir; (*think*) penser **2** *v/i*: ***it ~s like silk / cotton*** on dirait de la soie / du coton; ***your hand ~s hot / cold*** vos mains sont chaudes / froides; ***I ~ hungry / tired*** j'ai faim / je suis fatigué; ***how are you ~ing today?*** comment vous sentez-vous aujourd'hui?; ***how does it ~ to be rich?*** qu'est-ce que ça fait d'être riche?; ***do you ~ like a drink / meal?*** est-ce que tu as envie de boire / manger quelque chose?; ***I ~ like leaving / staying*** j'ai envie de m'en aller / rester; ***I don't ~ like it*** je n'en ai pas envie
♦**feel up to** *v/t* se sentir capable de (doing sth faire qch); ***I don't feel up to it*** je ne m'en sens pas capable
feel·er ['fiːlər] *of insect* antenne *f*
'feel·good fac·tor sentiment *m* de bien-être
feel·ing ['fiːlɪŋ] (*emotional, mental*) sentiment *m*; (*sensation*) sensation *f*; ***what are your ~s about it?*** quels sont tes sentiments là-dessus?; ***I have mixed ~s about him*** je ne sais pas quoi penser de lui
feet [fiːt] *pl* → ***foot***
fe·line ['fiːlaɪn] *adj* félin
fell [fel] *pret* → ***fall***
fel·la ['felə] F mec *m* F; ***listen, ~*** écoute mon vieux
fel·low ['feloʊ] *n* (*man*) type *m*
fel·low 'cit·i·zen *n* concitoyen(ne) *m*(*f*); **fel·low 'coun·try·man** *n* compatriote *m*/*f*; **fel·low 'man** prochain *m*
fel·o·ny ['felənɪ] crime *m*
felt[1] [felt] *pret & pp* → ***feel***
felt[2] [felt] *n* feutre *m*
felt 'tip, felt tip 'pen stylo *m* feutre
fe·male ['fiːmeɪl] **1** *adj animal, plant* femelle; *relating to people* féminin **2** *n of animals, plants* femelle *f*; *person* femme *f*; F (*woman*) nana *f* F
fem·i·nine ['femɪnɪn] **1** *adj* féminin **2** *n* GRAM féminin *m*
fem·i·nism ['femɪnɪzm] féminisme *m*
fem·i·nist ['femɪnɪst] **1** *n* féministe *m*/*f* **2** *adj* féministe
fence [fens] *n around garden etc* barrière *f*, clôture *f*; F *criminal* receleur(-euse) *m*(*f*); ***sit on the ~*** *fig* ne pas se prononcer, attendre de voir

d'où vient le vent
♦**fence in** *v/t land* clôturer
fenc·ing ['fensɪŋ] SP escrime *f*
fend [fend] *v/i*: ~ ***for o.s.*** se débrouiller tout seul
fend·er ['fendər] MOT aile *f*
fer·ment[1] [fər'ment] *v/i of liquid* fermenter
fer·ment[2] ['fɜːrment] *n* (*unrest*) effervescence *f*; agitation *f*
fer·men·ta·tion [fɜːrmen'teɪʃn] fermentation *f*
fern [fɜːrn] fougère *f*
fe·ro·cious [fə'roʊʃəs] *adj* féroce
fer·ry ['ferɪ] *n* ferry *m*
fer·tile ['fɜːrtl] *adj* fertile
fer·til·i·ty [fɜːr'tɪlətɪ] fertilité *f*
fer'til·i·ty drug médicament *m* contre la stérilité
fer·ti·lize ['fɜːrtəlaɪz] *v/t ovum* féconder
fer·ti·liz·er ['fɜːrtəlaɪzər] *for soil* engrais *m*
fer·vent ['fɜːrvənt] *adj admirer* fervent
fer·vent·ly ['fɜːrvəntlɪ] *adv* avec ferveur
fes·ter ['festər] *v/i of wound* suppurer; *fig*: *of ill will etc* s'envenimer
fes·ti·val ['festɪvl] festival *m*
fes·tive ['festɪv] *adj* de fête; ***the ~ season*** la saison des fêtes
fes·tiv·i·ties [fe'stɪvətɪz] *npl* festivités *fpl*
fe·tal ['fiːtl] *adj* fœtal
fetch [fetʃ] *v/t* (*go and ~*) aller chercher (***from*** à); (*come and ~*) venir chercher (***from*** à); *price* atteindre
fetch·ing ['fetʃɪŋ] *adj* séduisant
fe·tus ['fiːtəs] fœtus *m*
feud [fjuːd] **1** *n* querelle *f* **2** *v/i* se quereller
fe·ver ['fiːvər] fièvre *f*
fe·ver·ish ['fiːvərɪʃ] *adj also fig* fiévreux*
few [fjuː] **1** *adj* ◊ (*not many*) peu de; ***he has so ~ friends*** il a tellement peu d'amis
◊ : ***a ~ ...*** quelques; ***quite a ~, a good ~*** (*a lot*) beaucoup de
2 *pron* ◊ (*not many*) peu; ***~ of them*** peu d'entre eux
◊ : ***a ~*** quelques-un(e)s *m(f)*; ***quite a ~, a good ~*** beaucoup
3 *npl*: ***the ~ who ...*** les quelques *or* rares personnes qui ...
few·er ['fjuːər] *adj* moins de; ***~ than ...*** moins de
few·est ['fjuːəst] *adj* le moins de
fi·an·cé [fɪ'ɑːnseɪ] fiancé *m*
fi·an·cée [fɪ'ɑːnseɪ] fiancée *f*
fi·as·co [fɪ'æskoʊ] fiasco *m*
fib [fɪb] *n* petit mensonge *m*
fi·ber ['faɪbər] *n* fibre *f*
'fi·ber·glass *n* fibre *f* de verre; **fi·ber 'op·tic** *adj* en fibres optiques; **fi·ber 'op·tics** *npl* fibres *fpl* optiques; *nsg technology* technologie *f* des fibres optiques
fi·bre *Br* → ***fiber***
fick·le ['fɪkl] *adj* inconstant, volage
fic·tion ['fɪkʃn] (*novels*) romans *mpl*; (*made-up story*) fiction *f*
fic·tion·al ['fɪkʃnl] *adj character* de roman
fic·ti·tious [fɪk'tɪʃəs] *adj* fictif*
fid·dle ['fɪdl] **1** *n* F (*violin*) violon *m*; ***it's a ~*** (*cheat*) c'est une magouille F **2** *v/i*: ***~ with*** tripoter; ***~ around with*** tripoter **3** *v/t accounts, results* truquer
fi·del·i·ty [fɪ'delətɪ] fidélité *f*
fid·get ['fɪdʒɪt] *v/i* remuer, gigoter F
fid·get·y ['fɪdʒɪtɪ] *adj* remuant
field [fiːld] champ *m*; *for sport* terrain *m*; (*competitors in race*) concurrent(e)s *m(f)pl*; *of research, knowledge etc* domaine *m*; ***there's a strong ~ for the 1500m*** il y a une forte concurrence pour le 1500 mètres; ***that's not my ~*** ce n'est pas de mon domaine
field·er ['fiːldər] *in baseball* joueur *m* de champ, défenseur *m*
'field e·vents *npl* concours *mpl*
'field work recherche(s) *f(pl)* de terrain
fierce [fɪrs] *adj animal* féroce; *wind, storm* violent
fierce·ly ['fɪrslɪ] *adv* avec férocité
fi·er·y ['faɪrɪ] *adj* ardent, fougueux*
fif·teen [fɪf'tiːn] quinze
fif·teenth [fɪf'tiːnθ] quinzième; → ***fifth***

fifth [fɪfθ] cinquième; ***May ~***, *Br* ***the ~ of May*** le cinq mai
fifth·ly ['fɪfθlɪ] *adv* cinquièmement
fif·ti·eth ['fɪftɪɪθ] cinquantième
fif·ty ['fɪftɪ] cinquante
fif·ty-'fif·ty *adv* moitié-moitié
fig [fɪg] figue *f*
fight [faɪt] **1** *n* MIL, *in boxing* combat *m*; (*argument*) dispute *f*; *fig*: *for survival, championship etc* lutte *f* (***for*** pour) **2** *v/t* (*pret & pp* ***fought***) *enemy, person* combattre; *in boxing* se battre contre; *disease, injustice* lutter contre **3** *v/i* se battre; (*argue*) se disputer
♦**fight for** *v/t rights, cause* se battre pour
fight·er ['faɪtər] combattant(e) *m(f)*; (*airplane*) avion *m* de chasse; (*boxer*) boxeur *m*; ***she's a ~*** c'est une battante
fight·ing ['faɪtɪŋ] *n physical* combat *m*; *verbal* dispute *f*
fig·ment ['fɪgmənt]: ***it's just a ~ of your imagination*** ce n'est qu'un produit de ton imagination
fig·u·ra·tive ['fɪgjərətɪv] *adj use of word* figuré; *art* figuratif*
fig·ure ['fɪgjər] **1** *n* (*digit*) chiffre *m*; *of person* ligne *f*; (*form, shape*) figure *f*; (*human form*) silhouette *f*; ***bad for your ~*** mauvais pour la ligne **2** *v/t* F (*think*) penser
♦**figure on** *v/t* F (*plan*) compter; ***be figuring on doing sth*** compter faire qch
♦**figure out** *v/t* (*understand*) comprendre; *calculation* calculer
'fig·ure skat·er patineur(-euse) *m(f)* artistique
'fig·ure skat·ing patinage *m* artistique
file[1] [faɪl] **1** *n of documents* dossier *m*, classeur *m*; COMPUT fichier *m* **2** *v/t documents* classer
♦**file away** *v/t documents* classer
♦**file for** *v/t divorce* demander
file[2] [faɪl] *n for wood, fingernails* lime *f*
'file cab·i·net classeur *m*
'file man·ag·er COMPUT gestionnaire *m* de fichiers
fi·li·al ['fɪlɪəl] *adj* filial
fill [fɪl] **1** *v/t* remplir; *tooth* plomber; *prescription* préparer **2** *n*: ***eat one's ~*** manger à sa faim
♦**fill in** *v/t form* remplir; *hole* boucher; ***fill s.o. in*** mettre qn au courant (***on sth*** de qch)
♦**fill in for** *v/t* remplacer
♦**fill out 1** *v/t form* remplir **2** *v/i* (*get fatter*) grossir
♦**fill up 1** *v/t* remplir (jusqu'au bord) **2** *v/i of stadium, theater* se remplir
fil·let ['fɪlɪt] *n* filet *m*
fil·let 'steak filet *m* de bœuf
fill·ing ['fɪlɪŋ] **1** *n in sandwich* garniture *f*; *in tooth* plombage *m* **2** *adj food* nourrissant
'fill·ing sta·tion station-service *f*
film [fɪlm] **1** *n for camera* pellicule *f*; (*movie*) film *m* **2** *v/t person, event* filmer
'film-mak·er réalisateur(-trice) *m(f)* de films; **'film star** star *f* de cinéma; **'film stu·di·o** studio *m* de cinéma
fil·ter ['fɪltər] **1** *n* filtre *m* **2** *v/t coffee, liquid* filtrer
♦**filter through** *v/i of news reports* filtrer
'fil·ter pa·per papier-filtre *m*
'fil·ter tip (*cigarette*) filtre *m*
filth [fɪlθ] saleté *f*
filth·y ['fɪlθɪ] *adj* sale; *language etc* obscène
fin [fɪn] *of fish* nageoire *f*
fi·nal ['faɪnl] **1** *adj* (*last*) dernier*; *decision* définitif*, irrévocable **2** *n* SP finale *f*
fi·na·le [fɪ'nælɪ] apothéose *f*
fi·nal·ist ['faɪnəlɪst] finaliste *m/f*
fi·nal·ize ['faɪnəlaɪz] *v/t plans, design* finaliser, mettre au point
fi·nal·ly ['faɪnəlɪ] *adv* finalement, enfin; ***~, I would like to …*** pour finir, j'aimerais …
fi·nance ['faɪnæns] **1** *n* finance *f*, (*funds*) financement *m* **2** *v/t* financer
fi·nan·ces ['faɪnænsɪz] *npl* finances *fpl*
fi·nan·cial [faɪ'nænʃl] *adj* financier
fi·nan·cial·ly [faɪ'nænʃəlɪ] *adv* financièrement
fi·nan·cier [faɪ'nænsɪr] financier

(-ière) *m(f)*

find [faɪnd] *v/t* (*pret & pp* **found**) trouver; ***if you ~ it too difficult*** si vous trouvez ça trop difficile; ***~ a person innocent / guilty*** LAW déclarer une personne innocente / coupable

♦**find out 1** *v/t* découvrir; (*enquire about*) se renseigner sur **2** *v/i* (*enquire*) se renseigner; (*discover*) découvrir; ***you'll find out*** tu verras

find·ings ['faɪndɪŋz] *npl of report* constatations *fpl*, conclusions *fpl*

fine[1] [faɪn] *adj day, weather* beau*; (*good*) bon*, excellent; *distinction* subtil; *line* fin; ***how's that? - that's ~*** que dites-vous de ça? - c'est bien; ***that's ~ by me*** ça me va; ***how are you? - ~*** comment vas-tu? - bien

fine[2] [faɪn] **1** *n* amende *f* **2** *v/t* condamner à une amende; ***~ s.o. $5,000*** condamner qn à une amende de 5.000 $

fine-'tooth comb: ***go through sth with a ~*** passer qch au peigne fin

fine-'tune *v/t engine* régler avec précision; *fig* peaufiner

fin·ger ['fɪŋgər] **1** *n* doigt *m* **2** *v/t* toucher, tripoter

'fin·ger·nail ongle *m*; **'fin·ger·print 1** *n* empreinte *f* digitale **2** *v/t* prendre les empreintes digitales de; **'fin·ger·tip** bout *m* du doigt; ***have sth at one's ~s*** connaître qch sur le bout des doigts

fin·i·cky ['fɪnɪkɪ] *adj person* tatillon*; *design, pattern* alambiqué

fin·ish ['fɪnɪʃ] **1** *v/t* finir, terminer; ***~ doing sth*** finir de faire qch **2** *v/i* finir **3** *n of product* finition *f*; *of race* arrivée *f*

♦**finish off** *v/t* finir

♦**finish up** *v/t food* finir; ***he finished up living there*** il a fini par habiter là

♦**finish with** *v/t boyfriend etc* en finir avec

'fin·ish line, *Br* **fin·ish·ing line** ['fɪnɪʃɪŋ] ligne *f* d'arrivée

Fin·land ['fɪnlənd] Finlande *f*

Finn [fɪn] Finlandais(e) *m(f)*

Finn·ish ['fɪnɪʃ] **1** *adj* finlandais, finnois **2** *n* (*language*) finnois *m*

fir [fɜːr] sapin *m*

fire ['faɪr] **1** *n* feu *m*; (*blaze*) incendie *m*; (*electric, gas*) radiateur *m*; ***be on ~*** être en feu; ***catch ~*** prendre feu; ***set sth on ~, set ~ to sth*** mettre le feu à qch **2** *v/i* (*shoot*) tirer **3** *v/t* F (*dismiss*) virer F

'fire a·larm signal *m* d'incendie; **'fire·arm** arme *f* à feu; **'fire bri·gade** *Br* sapeurs-pompiers *mpl*; **'fire·crack·er** pétard *m*; **'fire de·part·ment** sapeurs-pompiers *mpl*; **'fire door** porte *f* coupe-feu; **'fire drill** exercice *m* d'évacuation; **'fire en·gine** *esp Br* voiture *f* de pompiers; **'fire es·cape** *ladder* échelle *f* de secours; *stairs* escalier *m* de secours; **'fire ex·tin·guish·er** extincteur *m* (d'incendie); **'fire fight·er** pompier *m*; **'fire·guard** garde-feu *m*; **'fire·man** pompier *m*; **'fire·place** cheminée *f*; **'fire sta·tion** caserne *f* de pompiers; **'fire truck** voiture *f* de pompiers; **'fire·wood** bois *m* à brûler; **'fire·works** *npl* pièce *f* d'artifice; (*display*) feu *m* d'artifice

firm[1] [fɜːrm] *adj* ferme; ***a ~ deal*** un marché ferme

firm[2] [fɜːrm] *n* COMM firme *f*

first [fɜːrst] **1** *adj* premier*; ***who's ~ please?*** à qui est-ce? **2** *n* premier(-ière) *m(f)* **3** *adv arrive, finish* le / la premier(-ière) *m(f)*; (*beforehand*) d'abord; ***~ of all*** (*for one reason*) d'abord; ***at ~*** au début

first 'aid premiers secours *mpl*; **first-'aid box, first-'aid kit** trousse *f* de premier secours; **'first·born** *adj* premier-né; **'first class 1** *adj ticket, seat* de première classe **2** *adv travel* en première classe

first-class *adj* (*very good*) de première qualité; **first 'floor** rez-de-chaussée *m*; *Br* premier étage *m*; **first'hand** *adj* de première main; **First 'La·dy** *of US* première dame *f*

first·ly ['fɜːrstlɪ] *adv* premièrement

first 'name prénom *m*; **first 'night** première *f*; **first of'fend·er** délinquant(e) *m(f)* primaire; **first-'rate** *adj* de premier ordre

fis·cal ['fɪskl] *adj* fiscal

fis·cal 'year année *f* fiscale
fish [fɪʃ] **1** *n* (*pl* ***fish***) poisson *m*; ***drink like a ~*** F boire comme un trou F; ***feel like a ~ out of water*** ne pas se sentir dans son élément **2** *v/i* pêcher
'fish·bone arête *f*
fish·er·man ['fɪʃərmən] pêcheur *m*
fish 'fin·ger *Br* bâtonnet *m* de poisson
fish·ing ['fɪʃɪŋ] pêche *f*
'fish·ing boat bateau *m* de pêche; **'fish·ing line** ligne *f* (de pêche); **'fish·ing rod** canne *f* à pêche
'fish stick bâtonnet *m* de poisson
fish·y ['fɪʃɪ] *adj* F (*suspicious*) louche
fist [fɪst] poing *m*
fit[1] [fɪt] *n* MED crise *f*, attaque *f*; ***a ~ of rage / jealousy*** une crise de rage / jalousie
fit[2] [fɪt] *adj physically* en forme; *morally* digne; ***keep ~*** garder la forme
fit[3] [fɪt] **1** *v/t* (*pret & pp* ***-ted***) *of clothes* aller à; (*install, attach*) poser; ***it doesn't ~ me any more*** je ne rentre plus dedans **2** *v/i of clothes* aller; *of piece of furniture etc* (r)entrer; ***it doesn't ~*** *of clothing* ce n'est pas la bonne taille **3** *n*: ***it's a tight ~*** c'est juste
♦**fit in 1** *v/i of person in group* s'intégrer; ***it fits in with our plans*** ça cadre avec nos projets **2** *v/t*: ***fit s.o. in*** *in schedule* trouver un moment pour qn
fit·ful ['fɪtfl] *adj sleep* agité
fit·ness ['fɪtnɪs] *physical* (bonne) forme *f*
'fit·ness cen·ter, *Br* **'fit·ness cen·tre** centre *m* sportif
fit·ted 'car·pet ['fɪtɪd] *Br* moquette *f*; **fit·ted 'kitch·en** cuisine *f* aménagée; **fit·ted 'sheet** drap *m* housse
fit·ter ['fɪtər] *n* monteur(-euse) *m*(*f*)
fit·ting ['fɪtɪŋ] *adj* approprié
fit·tings ['fɪtɪŋz] *npl* installations *fpl*
five [faɪv] cinq
fix [fɪks] **1** *n* (*solution*) solution *f*; ***be in a ~*** F être dans le pétrin F **2** *v/t* (*attach*) attacher; (*repair*) réparer; (*arrange*: *meeting etc*) arranger; *lunch* préparer; *dishonestly*: *match etc* truquer; ***~ sth onto sth*** attacher qch à qch; ***I'll ~ you a drink*** je vous offre un verre
♦**fix up** *v/t meeting* arranger
fixed [fɪkst] *adj* fixe
fix·ings ['fɪksɪŋz] *npl* garniture *f*
fix·ture ['fɪkstʃər] *device* appareil *m* fixe; *piece of furniture* meuble *m* fixe
♦**fiz·zle out** ['fɪzl] *v/i* F tomber à l'eau
fiz·zy ['fɪzɪ] *adj Br*: *drink* pétillant
flab [flæb] *on body* graisse *f*
flab·ber·gast ['flæbərgæst] *v/t* F: ***be ~ed*** être abasourdi
flab·by ['flæbɪ] *adj muscles, stomach* mou*
flag[1] [flæg] *n* drapeau *m*; NAUT pavillon *m*
flag[2] [flæg] *v/i* (*pret & pp* ***-ged***) (*tire*) faiblir
♦**flag up** *v/t* signaler
'flag·pole mât *m* (de drapeau)
fla·grant ['fleɪgrənt] *adj* flagrant
'flag·ship *fig*: *store* magasin *m* le plus important; *product* produit *m* phare; **'flag·staff** mât *m* (de drapeau); **'flag·stone** dalle *f*
flair [fler] (*talent*) flair *m*; ***have a natural ~ for*** avoir un don pour
flake [fleɪk] *n of snow* flocon *m*; *of plaster* écaille *f*; ***~ of skin*** petit bout *m* de peau morte
♦**flake off** *v/i of plaster, paint* s'écailler; *of skin* peler
flak·y ['fleɪkɪ] *adj skin* qui pèle; *paint* qui s'écaille
flak·y 'pas·try pâte *f* feuilletée
flam·boy·ant [flæm'bɔɪənt] *adj personality* extravagant
flam·boy·ant·ly [flæm'bɔɪəntlɪ] *adv dressed* avec extravagance
flame [fleɪm] *n* flamme *f*; ***go up in ~s*** être détruit par le feu
flam·ma·ble ['flæməbl] *adj* inflammable
flan [flæn] tarte *f*
flank [flæŋk] **1** *n* flanc *m* **2** *v/t*: ***be ~ed by*** être flanqué de
flap [flæp] **1** *n of envelope, pocket, table* rabat *m*; ***be in a ~*** F être dans tous ses états **2** *v/t* (*pret & pp* ***-ped***) *wings* battre **3** *v/i of flag etc* battre
flare [fler] **1** *n* (*distress signal*) signal *m*

lumineux; *in dress* godet *m* **2** *v/t nostrils* dilater

♦**flare up** *v/i of violence*, *rash* éclater; *of fire* s'enflammer; (*get very angry*) s'emporter

flash [flæʃ] **1** *n of light* éclair *m*; PHOT flash *m*; ***in a ~*** F en un rien de temps; ***have a ~ of inspiration*** avoir un éclair de génie; ***~ of lightning*** éclair *m* **2** *v/i of light* clignoter **3** *v/t*: ***~ one's headlights*** faire des appels de phares

'flash·back *n in movie* flash-back *m*

'flash·light lampe *f* de poche; PHOT flash *m*

flash·y ['flæʃɪ] *adj pej* voyant

flask [flæsk] (*hip ~*) fiole *f*

flat [flæt] **1** *adj* plat; *beer* éventé; *battery*, *tire* à plat; *sound*, *tone* monotone; ***and that's ~*** F un point c'est tout; ***A / B ~*** MUS la / si bémol **2** *adv* MUS trop bas; ***~ out*** *work* le plus possible; *run*, *drive* le plus vite possible **3** *n* pneu *m* crevé

flat² [flæt] *n Br* (*apartment*) appartement *m*

flat-chest·ed [flæ'ʧestɪd] *adj* plat

flat·ly ['flætlɪ] *adv refuse*, *deny* catégoriquement

'flat rate tarif *m* unique

flat·ten ['flætn] *v/t land*, *road* aplanir; *by bombing*, *demolition* raser

flat·ter ['flætər] *v/t* flatter

flat·ter·er ['flætərər] flatteur(-euse) *m*(*f*)

flat·ter·ing ['flætərɪŋ] *adj comments* flatteur*; *color*, *clothes* avantageux*

flat·ter·y ['flætərɪ] flatterie *f*

flat·u·lence ['flætjʊləns] flatulence *f*

'flat·ware couverts *mpl*

flaunt [flɒːnt] *v/t wealth*, *car*, *jewelery* étaler; *girlfriend* afficher

flau·tist ['flɒːtɪst] flûtiste *m/f*

fla·vor ['fleɪvər] **1** *n* goût *m*; *of ice cream* parfum *m* **2** *v/t food* assaisonner

fla·vor·ing ['fleɪvərɪŋ] arôme *m*

flaw [flɒː] *n* défaut *m*, imperfection *f*; *in system*, *plan* défaut *m*, inconvénient *m*

flaw·less ['flɒːlɪs] *adj* parfait

flea [fliː] puce *f*

fleck [flek] petite tache *f*

fled [fled] *pret & pp* → ***flee***

flee [fliː] *v/i* (*pret & pp* ***fled***) s'enfuir

fleece [fliːs] **1** *v/t* F arnaquer F **2** *n jacket* (veste *f*) polaire *f*

fleet [fliːt] *n* NAUT flotte *f*; *of taxis*, *trucks* parc *m*

fleet·ing ['fliːtɪŋ] *adj visit etc* très court; ***catch a ~ glimpse of …*** apercevoir … l'espace d'un instant

flesh [fleʃ] *also of fruit* chair *f*; ***meet a person in the ~*** rencontrer une personne en chair et en os

flew [fluː] *pret* → ***fly***

flex [fleks] *v/t muscles* fléchir

flex·i·bil·i·ty [fleksə'bɪlətɪ] flexibilité *f*

flex·i·ble ['fleksəbl] *adj* flexible

'flex·time horaire *m* à la carte

flick [flɪk] *v/t tail* donner un petit coup de; ***she ~ed her hair out of her eyes*** elle a repoussé les cheveux qui lui tombaient devant les yeux

♦**flick through** *v/t magazine* feuilleter

flick·er ['flɪkər] *v/i of light*, *screen* vaciller

fli·er ['flaɪr] (*circular*) prospectus *m*

flies [flaɪz] *npl Br*: *on pants* braguette *f*

flight [flaɪt] *in airplane* vol *m*; (*fleeing*) fuite *f*; ***capable of ~*** capable de voler; ***~*** (***of stairs***) escalier *m*

'flight at·tend·ant *male* steward *m*; *female* hôtesse *f* de l'air; **'flight crew** équipage *m*; **'flight deck** AVIAT poste *m* de pilotage; *of aircraft carrier* pont *m* d'envol; **'flight num·ber** numéro *m* de vol; **'flight path** trajectoire *f* de vol; **'flight re·cord·er** enregistreur *m* de vol; **'flight time** *departure* heure *f* de vol; *duration* durée *f* de vol

flight·y ['flaɪtɪ] *adj* frivole

flim·sy ['flɪmzɪ] *adj structure*, *furniture* fragile; *dress*, *material* léger*; *excuse* faible

flinch [flɪnʧ] *v/i* tressaillir

fling [flɪŋ] **1** *v/t* (*pret & pp* ***flung***) jeter; ***~ o.s. into a chair*** se jeter dans un fauteuil **2** *n* F (*affair*) aventure *f*

♦**flip through** [flɪp] *v/t* (*pret & pp* ***-ped***) *book*, *magazine* feuilleter

F

flip·per ['flɪpər] *for swimming* nageoire *f*
flirt [flɜːrt] **1** *v/i* flirter **2** *n* flirteur (-euse) *m(f)*
flir·ta·tious [flɜːr'teɪʃəs] *adj* flirteur*
float [floʊt] *v/i also* FIN flotter
float·ing vot·er ['floʊtɪŋ] indécis(e) *m(f)*
flock [flɑːk] **1** *n of sheep* troupeau *m* **2** *v/i* venir en masse
flog [flɑːg] *v/t* (*pret & pp* **-ged**) (*whip*) fouetter
flood [flʌd] **1** *n* inondation *f* **2** *v/t of river* inonder; ~ ***its banks*** déborder
♦**flood in** *v/i* arriver en masse
flood·ing ['flʌdɪŋ] inondation(s) *f(pl)*
'flood·light *n* projecteur *m*; **'flood·lit** *adj match* illuminé (aux projecteurs); **'flood wa·ters** *npl* inondations *fpl*
floor [flɔːr] **1** *n* sol *m*; *wooden* plancher *m*; (*story*) étage *m* **2** *v/t of problem, question* décontenancer; (*astound*) sidérer
'floor·board planche *f*; **'floor cloth** serpillière *f*; **'floor lamp** lampadaire *m*
flop [flɑːp] **1** *v/i* (*pret & pp* **-ped**) s'écrouler; F (*fail*) faire un bide F **2** *n* F (*failure*) bide *m* F
flop·py ['flɑːpɪ] **1** *adj* (*not stiff*) souple; (*weak*) mou* **2** *n* (*also* ~ ***disk***) disquette *f*
flor·ist ['flɔːrɪst] fleuriste *m/f*
floss [flɑːs] *for teeth* fil *m* dentaire; ~ ***one's teeth*** se passer du fil dentaire entre les dents
flour ['flaʊr] farine *f*
flour·ish ['flʌrɪʃ] *v/i of plants* fleurir; *of business, civilization* prospérer
flour·ish·ing ['flʌrɪʃɪŋ] *adj business, trade* fleurissant, prospère
flow [floʊ] **1** *v/i of river* couler; *of electric current* passer; *of traffic* circuler; *of work* se dérouler **2** *n of river* cours *m*; *of information, ideas* circulation *f*
'flow·chart organigramme *m*
flow·er ['flaʊr] **1** *n* fleur *f* **2** *v/i* fleurir
'flow·er·bed platebande *f*; **'flow·er·pot** pot *m* de fleurs; **'flow·er show** exposition *f* florale
flow·er·y ['flaʊrɪ] *adj pattern, style* fleuri
flown [floʊn] *pp* → ***fly***[3]
flu [fluː] grippe *f*
fluc·tu·ate ['flʌktʃʊeɪt] *v/i* fluctuer
fluc·tu·a·tion [flʌktʃʊ'eɪʃn] fluctuation *f*
flu·en·cy ['fluːənsɪ] *in a language* maîtrise *f* (*in* de); ~ ***in French is a requirement*** il est nécessaire de maîtriser parfaitement le français
flu·ent ['fluːənt] *adj person* qui s'exprime avec aisance; ***he speaks ~ Spanish*** il parle couramment l'espagnol
flu·ent·ly ['fluːəntlɪ] *adv* couramment; *in own language* avec aisance
fluff [flʌf] *material* peluche *f*; ***a bit of ~*** une peluche
fluff·y ['flʌfɪ] *adj material, clouds* duveteux*; *hair* flou; ~ ***toy*** peluche *f*
fluid ['fluːɪd] *n* fluide *m*
flung [flʌŋ] *pret & pp* → ***fling***
flunk [flʌŋk] *v/t* F: *subject* rater
flu·o·res·cent [flʊ'resnt] *adj light* fluorescent
flur·ry ['flʌrɪ] *of snow* rafale *f*
flush [flʌʃ] **1** *v/t*: ~ ***the toilet*** tirer la chasse d'eau; ~ ***sth down the toilet*** jeter qch dans les W.-C. **2** *v/i* (*go red in the face*) rougir; ***the toilet won't ~*** la chasse d'eau ne marche pas **3** *adj* (*level*) de même niveau; ***be ~ with …*** être au même niveau que …
♦**flush away** *v/t down toilet* jeter dans les W.-C.
♦**flush out** *v/t rebels etc* faire sortir
flus·ter ['flʌstər] *v/t* faire perdre la tête à; ***get ~ed*** s'énerver
flute [fluːt] MUS, *glass* flûte *f*
flut·ist ['fluːtɪst] flûtiste *m/f*
flut·ter ['flʌtər] *v/i of bird* voleter; *of wings* battre; *of flag* s'agiter; *of heart* palpiter
fly[1] [flaɪ] *n* (*insect*) mouche *f*
fly[2] [flaɪ] *n on pants* braguette *f*
fly[3] [flaɪ] **1** *v/i* (*pret* **flew**, *pp* **flown**) *of bird, airplane* voler; *in airplane* voyager en avion, prendre l'avion; *of flag* flotter; (*rush*) se précipiter; ~ ***into a rage*** s'emporter **2** *v/t* (*pret* **flew**, *pp* **flown**) *airplane* prendre; *of pilot* pilo-

ter, voler; *airline* voyager par; (*transport by air*) envoyer par avion
♦**fly away** *v/i of bird, airplane* s'envoler
♦**fly back** *v/i* (*travel back*) revenir en avion
♦**fly in 1** *v/i of airplane, passengers* arriver **2** *v/t supplies etc* amener en avion
♦**fly off** *v/i of hat etc* s'envoler
♦**fly out** *v/i* partir (en avion)
♦**fly past** *v/i in formation* faire un défilé aérien; *of time* filer
fly·ing ['flaɪɪŋ]: ***I hate ~*** je déteste prendre l'avion
fly·ing 'sau·cer soucoupe *f* volante
foal [foʊl] poulain *m*
foam [foʊm] *n on sea* écume *f*; *on drink* mousse *f*
foam 'rub·ber caoutchouc *m* mousse
FOB [efoʊ'bi:] *abbr* (***= free on board***) F.A.B. (franco à bord)
fo·cus ['foʊkəs] **1** *n of attention* centre *m*; PHOT mise *f* au point; ***be in ~ / out of ~*** PHOT être / ne pas être au point **2** *v/t*: ***~ one's attention on*** concentrer son attention sur **3** *v/i* fixer (son regard)
♦**focus on** *v/t problem, issue* se concentrer sur; PHOT mettre au point sur
fod·der ['fɑ:dər] fourrage *m*
fog [fɑ:g] brouillard *m*
♦**fog up** *v/i* (*pret & pp* ***-ged***) se couvrir de buée
'fog·bound *adj* bloqué par le brouillard
fog·gy ['fɑ:gɪ] *adj* brumeux*; ***I haven't the foggiest idea*** je n'en ai pas la moindre idée
foi·ble ['fɔɪbl] manie *f*
foil[1] [fɔɪl] *n silver* feuille *f* d'aluminium; ***kitchen ~*** papier *m* d'aluminium
foil[2] *v/t* (*thwart*) faire échouer
fold[1] [foʊld] **1** *v/t paper etc* plier; ***~ one's arms*** croiser les bras **2** *v/i of business* fermer (ses portes) **3** *n in cloth etc* pli *m*
♦**fold up 1** *v/t* plier **2** *v/i of chair, table* se (re)plier
fold[2] *n for sheep etc* enclos *m*
fold·er ['foʊldər] *for documents* chemise *f*, pochette *f*; COMPUT dossier *m*
fold·ing ['foʊldɪŋ] *adj* pliant; ***~ chair*** chaise *f* pliante
fo·li·age ['foʊlɪɪdʒ] feuillage *m*
folk [foʊk] (*people*) gens *mpl*; ***my ~s*** (*family*) ma famille; ***hi there ~s*** F salut tout le monde
'folk dance danse *f* folklorique; **'folk mu·sic** folk *m*; **'folk sing·er** chanteur(-euse) *m*(*f*) de folk; **'folk song** chanson *f* folk
fol·low ['fɑ:loʊ] **1** *v/t also TV progam*, (*understand*) suivre **2** *v/i logically* s'ensuivre; ***you go first and I'll ~*** passez devant, je vous suis; ***it ~s from this that ...*** il s'ensuit que ...; ***as ~s***: ***the items we need are as ~s: ...*** les articles dont nous avons besoin sont les suivants: ...
♦**follow up** *v/t letter, inquiry* donner suite à
fol·low·er ['fɑ:loʊər] *of politician etc* partisan(e) *m*(*f*); *of football team* supporteur(-trice) *m*(*f*)
fol·low·ing ['fɑ:loʊɪŋ] **1** *adj* suivant **2** *n people* partisans *mpl*; ***the ~*** la chose suivante
'fol·low-up meet·ing réunion *f* complémentaire
'fol·low-up vis·it *to doctor etc* visite *f* de contrôle
fol·ly ['fɑ:lɪ] (*madness*) folie *f*
fond [fɑ:nd] *adj* (*loving*) aimant, tendre; *memory* agréable; ***be ~ of*** beaucoup aimer
fon·dle ['fɑ:ndl] *v/t* caresser
fond·ness ['fɑ:ndnɪs] *for s.o.* tendresse *f* (***for*** pour); *for sth* penchant *m* (***for*** pour)
font [fɑ:nt] *for printing* police *f*; *in church* fonts *mpl* baptismaux
food [fu:d] nourriture *f*; ***French ~*** la cuisine française; ***there's no ~*** il n'y a rien à manger
'food chain chaîne *f* alimentaire
food·ie ['fu:dɪ] F fana *m/f* de cuisine F
'food mix·er mixeur *m*
food poi·son·ing ['fu:dpɔɪznɪŋ] intoxication *f* alimentaire
fool [fu:l] **1** *n* idiot(e) *m*(*f*); ***make a ~***

of o.s. se ridiculiser **2** *v/t* berner; ***he ~ed them into thinking ...*** il leur a fait croire que ...

♦**fool around** *v/i* faire l'imbécile (les imbéciles); *sexually* avoir des liaisons

♦**fool around with** *v/t knife, drill etc* jouer avec; *sexually* coucher avec

'**fool·har·dy** *adj* téméraire

fool·ish ['fu:lɪʃ] *adj* idiot, bête

fool·ish·ly ['fu:lɪʃlɪ] *adv* bêtement

'**fool·proof** *adj* à toute épreuve

F

foot [fʊt] (*pl*: ***feet***) *also measurement* pied *m*; *of animal* patte *f*; ***on ~*** à pied; ***I've been on my feet all day*** j'ai été debout toute la journée; ***be back on one's feet*** être remis sur pied; ***at the ~ of*** *page* au bas de; *hill* au pied de; ***put one's ~ in it*** F mettre les pieds dans le plat F

foot·age ['fʊtɪdʒ] séquences *fpl*

'**foot·ball** football *m* américain; (*soccer*) football *m*, foot *m* F; (*ball*) ballon *m* de football

foot·bal·ler ['fʊtbɒ:lər] joueur(-euse) *m(f)* de football américain; *soccer* footballeur(-euse) *m(f)*

'**foot·ball play·er** joueur(-euse) *m(f)* de football américain; *soccer* joueur(-euse) *m(f)* de football; '**foot·bridge** passerelle *f*; **foot·hills** ['fʊthɪlz] *npl* contreforts *mpl*

'**foot·hold** *in climbing* prise *f* de pied; ***gain a ~*** *fig* prendre pied

foot·ing ['fʊtɪŋ] (*basis*) position *f*; ***lose one's ~*** perdre pied; ***be on the same / a different ~*** être / ne pas être au même niveau; ***be on a friendly ~ with*** entretenir des rapports amicaux avec

foot·lights ['fʊtlaɪts] *npl* rampe *f*; '**foot·mark** trace *f* de pas; '**foot·note** note *f* (de bas de page); '**foot·path** sentier *m*; '**foot·print** trace *f* de pas; *of PC etc* (surface *f* d')encombrement *m*; '**foot·step** pas *m*; ***follow in s.o.'s ~s*** marcher sur les pas de qn, suivre les traces de; '**foot·stool** tabouret *m* (pour les pieds); '**foot·wear** chaussures *fpl*

for [fər], [fɔ:r] *prep* ◊ *purpose, destination etc* pour; ***a train ~ ...*** un train à destination de ...; ***clothes ~ children*** vêtements *mpl* pour enfants; ***what's ~ lunch?*** qu'est-ce qu'il y a pour le déjeuner?; ***a check ~ $500*** un chèque de 500 $; ***what is this ~?*** pour quoi est-ce que c'est fait?; ***what ~?*** pourquoi?
◊ *time* pendant; ***~ three days / two hours*** pendant trois jours / deux heures; ***it lasted ~ three days*** ça a duré trois jours; ***it will last ~ three days*** ça va durer trois jours; ***I've been waiting ~ an hour*** j'attends depuis une heure; ***I waited ~ an hour*** j'ai attendu (pendant) une heure; ***please get it done ~ Monday*** faites-le pour lundi s'il vous plaît
◊ *distance*: ***I walked ~ a mile*** j'ai marché un mile; ***it stretches ~ 100 miles*** ça s'étend sur 100 miles
◊ (*in favor of*) pour; ***I am ~ the idea*** je suis pour cette idée
◊ (*instead of, in behalf of*) pour; ***let me do that ~ you*** laissez-moi le faire pour vous
◊ (*in exchange for*) pour; ***I bought it ~ $25*** je l'ai acheté pour 25 $; ***how much did you sell it ~?*** pour combien l'as-tu vendu?

for·bade [fər'bæd] *pret* → ***forbid***

for·bid [fər'bɪd] *v/t* (*pret* ***forbade***, *pp* ***forbidden***) interdire; ***~ s.o. to do sth*** interdire à qn de faire qch

for·bid·den [fər'bɪdn] **1** *adj* interdit; ***smoking ~*** *sign* défense de fumer; ***parking ~*** *sign* stationnement interdit **2** *pp* → ***forbid***

for·bid·ding [fər'bɪdɪŋ] *adj* menaçant

force [fɔ:rs] **1** *n* force *f*; ***come into ~*** *of law etc* entrer en vigueur; ***the ~s*** MIL les forces *fpl* armées **2** *v/t door, lock* forcer; ***~ s.o. to do sth*** forcer qn à faire qch; ***~ sth open*** ouvrir qch de force

♦**force back** *v/t* réprimer

forced [fɔ:rst] *adj laugh, confession* forcé

forced 'land·ing atterrissage *m* forcé

force·ful ['fɔ:rsfl] *adj argument, speaker* puissant; *character* énergique

force·ful·ly ['fɔ:rsflɪ] *adv* énergiquement

for·ceps ['fɔːrseps] *npl* MED forceps *m*

for·ci·ble ['fɔːrsəbl] *adj entry* de force; *argument* puissant

for·ci·bly ['fɔːrsəblɪ] *adv restrain* par force

ford [fɔːrd] *n* gué *m*

fore [fɔːr] *n*: ***come to the ~*** *person* se faire remarquer; *theory* être mis en évidence

'fore·arm avant-bras *m*; **fore·bears** ['fɔːrberz] *npl* aïeux *mpl*; **fore·bod·ing** [fər'boudɪŋ] pressentiment *m*; **'fore·cast 1** *n of results* pronostic *m*; *of weather* prévisions *fpl* **2** *v/t* (*pret & pp* ***forecast***) *result* pronostiquer; *future, weather* prévoir; **'fore·court** *of garage* devant *m*; **fore·fa·thers** ['fɔːrfɑːðərz] *npl* ancêtres *mpl*; **'fore·fin·ger** index *m*

'fore·front: ***be in the ~ of*** être au premier rang de

'fore·gone *adj*: ***that's a ~ conclusion*** c'est prévu d'avance; **'fore·ground** premier plan *m*; **'fore·hand** *in tennis* coup *m* droit; **'fore·head** front *m*

for·eign ['fɑːrən] *adj* étranger*; *travel, correspondent* à l'étranger

for·eign af'fairs *npl* affaires *fpl* étrangères; **for·eign 'aid** aide *f* aux pays étrangers; **for·eign 'bod·y** corps *m* étranger; **for·eign 'cur·ren·cy** devises *fpl* étrangères

for·eign·er ['fɑːrənər] étranger(-ère) *m(f)*

for·eign ex'change change *m*; *currency* devises *fpl* étrangères; **for·eign 'le·gion** Légion *f* (étrangère); **'For·eign Of·fice** *in UK* ministère *m* des Affaires étrangères; **for·eign 'pol·i·cy** politique *f* étrangère; **For·eign 'Sec·re·ta·ry** *in UK* ministre *m/f* des Affaires étrangères

'fore·man chef *m* d'équipe

'fore·most *adv* (*uppermost*) le plus important; (*leading*) premier*

fo·ren·sic 'med·i·cine [fə'rensɪk] médecine *f* légale

fo·ren·sic 'scien·tist expert *m* légiste; **'fore·run·ner** *person* prédécesseur *m*; *thing* ancêtre *m/f*; **fore'saw** *pret* → ***foresee***; **fore'see** *v/t* (*pret* ***foresaw***, *pp* ***foreseen***) prévoir; **fore·see·a·ble** [fər'siːəbl] *adj* prévisible; ***in the ~ future*** dans un avenir prévisible; **fore'seen** *pp* → ***foresee***; **'fore·sight** prévoyance *f*

for·est ['fɑːrɪst] forêt *f*

for·est·ry ['fɑːrɪstrɪ] sylviculture *f*

'fore·taste avant-goût *m*

fore'tell *v/t* (*pret & pp* ***foretold***) prédire

fore'told *pret & pp* → ***foretell***

for·ev·er [fə'revər] *adv* toujours; ***it's ~ raining here*** il n'arrête pas de pleuvoir ici

'fore·word avant-propos *m*

for·feit ['fɔːrfət] *v/t right, privilege etc* perdre; (*give up*) renoncer à

for·gave [fər'geɪv] *pret* → ***forgive***

forge [fɔːrdʒ] *v/t* (*counterfeit*) contrefaire

♦**forge ahead** *v/i* avancer

forg·er ['fɔːrdʒər] faussaire *m/f*

forg·er·y ['fɔːrdʒərɪ] *bank bill* faux billet *m*; *document* faux *m*; *signature* contrefaçon *f*

for·get [fər'get] *v/t & v/i* (*pret* ***forgot***, *pp* ***forgotten***) oublier

for·get·ful [fər'getfl] *adj*: ***you're so ~*** tu as vraiment mauvaise mémoire

for'get-me-not *flower* myosotis *m*

for·give [fər'gɪv] **1** *v/t* (*pret* ***forgave***, *pp* ***forgiven***): ***~ s.o. sth*** pardonner qch à qn **2** *v/i* (*pret* ***forgave***, *pp* ***forgiven***) pardonner

for·gi·ven [fər'gɪvn] *pp* → ***forgive***

for·give·ness [fər'gɪvnɪs] pardon *m*

for·got [fər'gɑːt] *pret* → ***forget***

for·got·ten [fər'gɑːtn] **1** *adj* oublié; *author* tombé dans l'oubli *pp* → ***forget***

fork [fɔːrk] *n* fourchette *f*; *for gardening* fourche *f*; *in road* embranchement *m*

♦**fork out** *v/i* F (*pay*) casquer F

fork·lift 'truck chariot *m* élévateur (à fourches)

form [fɔːrm] **1** *n* (*shape*) forme *f*; *document* formulaire *m*; ***be on / off ~*** être / ne pas être en forme **2** *v/t* former; *friendship* développer; *opinion* se faire **3** *v/i* (*take shape, develop*) se

former
form·al ['fɔːrml] *adj language* soutenu; *word* du langage soutenu; *dress* de soirée; *manner, reception* cérémonieux*; *recognition etc* officiel*
for·mal·i·ty [fər'mælətɪ] *of language* caractère *m* soutenu; *of occasion* cérémonie *f*; ***it's just a ~*** c'est juste une formalité; ***the formalities*** les formalités *fpl*
for·mal·ly ['fɔːrməlɪ] *adv speak, behave* cérémonieusement; *accepted, recognized* officiellement
for·mat ['fɔːrmæt] **1** *v/t* (*pret & pp* ***-ted***) *diskette, document* formater **2** *n* format *m*
for·ma·tion [fɔːr'meɪʃn] formation *f*
for·ma·tive ['fɔːrmətɪv] *adj* formateur*; ***in his ~ years*** dans sa période formatrice
for·mer ['fɔːrmər] *adj* ancien*, précédent; ***the ~*** le premier, la première
for·mer·ly ['fɔːrmərlɪ] *adv* autrefois
for·mi·da·ble ['fɔːrmɪdəbl] *adj* redoutable
for·mu·la ['fɔːrmjʊlə] MATH, *chemical* formule *f*, *fig* recette *f*
for·mu·late ['fɔːrmjʊleɪt] *v/t* (*express*) formuler
for·ni·cate ['fɔːrnɪkeɪt] *v/i fml* forniquer
for·ni·ca·tion [fɔːrnɪ'keɪʃn] *fml* fornication *f*
fort [fɔːrt] MIL fort *m*
forth [fɔːrθ] *adv*: ***travel back and ~*** faire la navette; ***and so ~*** et ainsi de suite; ***from that day ~*** à partir de ce jour-là
forth·com·ing ['fɔːrθkʌmɪŋ] *adj* (*future*) futur; *personality* ouvert
'forth·right *adj* franc*
for·ti·eth ['fɔːrtɪɪθ] quarantième
fort·night ['fɔːrtnaɪt] *Br* quinze jours *mpl*, quinzaine *f*
for·tress ['fɔːrtrɪs] MIL forteresse *f*
for·tu·nate ['fɔːrʧnət] *adj decision etc* heureux*; ***be ~*** avoir de la chance; ***be ~ enough to …*** avoir la chance de …
for·tu·nate·ly ['fɔːrʧnətlɪ] *adv* heureusement
for·tune ['fɔːrʧən] (*fate*) destin *m*; (*luck*) chance *f*; (*lot of money*) fortune *f*; ***tell s.o.'s ~*** dire la bonne aventure à qn
'for·tune-tell·er diseur(-euse) *m*(*f*) de bonne aventure
for·ty ['fɔːrtɪ] quarante; ***have ~ winks*** F faire une petite sieste
fo·rum ['fɔːrəm] *fig* tribune *f*
for·ward ['fɔːrwərd] **1** *adv push, nudge* en avant; ***walk / move / drive ~*** avancer; ***from that day ~*** à partir de ce jour-là **2** *adj pej*: *person* effronté **3** *n* SP avant *m* **4** *v/t letter* faire suivre
for·ward·ing ad·dress ['fɔːrwərdɪŋ] nouvelle adresse *f*
'for·ward·ing a·gent COMM transitaire *m/f*
for·ward-look·ing ['fɔːrwərdlʊkɪŋ] *adj* moderne, tourné vers l'avenir
fos·sil ['fɑːsl] fossile *m*
fos·sil·ized ['fɑːsəlaɪzd] *adj* fossilisé
fos·ter ['fɑːstər] *v/t child* servir de famille d'accueil à; *attitude, belief* encourager
'fos·ter child enfant placé(e) *m*(*f*); **'fos·ter home** foyer *m* d'accueil; **'fos·ter par·ents** *npl* parents *mpl* d'accueil
fought [fɔːt] *pret & pp* → ***fight***
foul [faʊl] **1** *n* SP faute *f* **2** *adj smell, taste* infect; *weather* sale **3** *v/t* SP commettre une faute contre
found[1] [faʊnd] *v/t institution, school etc* fonder
found[2] [faʊnd] *pret & pp* → ***find***
foun·da·tion [faʊn'deɪʃn] *of theory etc* fondement *m*; (*organization*) fondation *f*
foun·da·tions [faʊn'deɪʃnz] *npl of building* fondations *fpl*
found·er ['faʊndər] *n* fondateur (-trice) *m*(*f*)
found·ing ['faʊndɪŋ] *n* fondation *f*
foun·dry ['faʊndrɪ] fonderie *f*
foun·tain ['faʊntɪn] fontaine *f*, *with vertical spout* jet *m* d'eau
'foun·tain pen stylo *m* plume
four [fɔːr] **1** *adj* quatre **2** *n*: ***on all ~s*** à quatre pattes
four-let·ter 'word gros mot *m*; **four-**

post·er ('bed) lit *m* à baldaquin; **'four-star** *adj hotel etc* quatre étoiles
four·teen ['fɔːrtiːn] quatorze
four·teenth ['fɔːrtiːnθ] quatorzième → ***fifth***
fourth [fɔːrθ] quatrième; → ***fifth***
four-wheel 'drive MOT quatre-quatre *m*
fowl [faʊl] volaille *f*
fox [fɑːks] **1** *n* renard *m* **2** *v/t* (*puzzle*) mystifier
foy·er ['fɔɪər] hall *m* d'entrée
frac·tion ['frækʃn] *also* MATH fraction *f*
frac·tion·al·ly ['frækʃnəlɪ] *adv* très légèrement
frac·ture ['fræktʃər] **1** *n* fracture *f* **2** *v/t* fracturer; ***he ~d his arm*** il s'est fracturé le bras
fra·gile ['frædʒəl] *adj* fragile
frag·ment ['frægmənt] *n* fragment *m*; bribe *f*
frag·men·tar·y [fræg'mentərɪ] *adj* fragmentaire
fra·grance ['freɪgrəns] parfum *m*
fra·grant ['freɪgrənt] *adj* parfumé, odorant
frail [freɪl] *adj* frêle, fragile
frame [freɪm] **1** *n of picture, bicycle* cadre *m*; *of window* châssis *m*; *of eyeglasses* monture *f*; ***~ of mind*** état *m* d'esprit **2** *v/t picture* encadrer; F *person* monter un coup contre
'frame-up F coup *m* monté
'frame·work structure *f*; ***within the ~ of*** dans le cadre de
France [fræns] France *f*
fran·chise ['fræntʃaɪz] *n for business* franchise *f*
frank [fræŋk] *adj* franc*
frank·furt·er ['fræŋkfɜːrtər] saucisse *f* de Francfort
frank·ly ['fræŋklɪ] *adv* franchement
frank·ness ['fræŋknɪs] franchise *f*
fran·tic ['fræntɪk] *adj* frénétique, fou*
fran·ti·cal·ly ['fræntɪklɪ] *adv* frénétiquement; *busy* terriblement
fra·ter·nal [frə'tɜːrnl] *adj* fraternel*
fraud [frɒːd] fraude *f*; *person* imposteur *m*
fraud·u·lent ['frɒːdjʊlənt] *adj* frauduleux*
fraud·u·lent·ly ['frɒːdjʊləntlɪ] *adv* frauduleusement
frayed [freɪd] *adj cuffs* usé
freak [friːk] **1** *n* (*unusual event*) phénomène *m* étrange; (*two-headed person, animal etc*) monstre *m*; F (*strange person*) taré(e) *m*(*f*) F; ***movie / jazz ~*** F mordu(e) *m*(*f*) de cinéma / jazz F **2** *adj wind, storm etc* anormalement violent
freck·le ['frekl] tache *f* de rousseur
free [friː] **1** *adj* libre; *no cost* gratuit; ***~ and easy*** sans gêne; ***for ~*** *travel, get sth* gratuitement **2** *v/t prisoners* libérer
free·bie ['friːbɪ] *Br* F cadeau *m*
free·dom ['friːdəm] liberté *f*
free·dom of 'speech liberté *f* d'expression
free·dom of the 'press liberté *f* de la presse
free 'en·ter·prise libre entreprise *f*; **free 'kick** *in soccer* coup *m* franc; **free·lance** ['friːlæns] **1** *adj* indépendant, free-lance *inv* **2** *adv work* en indépendant, en free-lance; **free·lanc·er** ['friːlænsər] travailleur(-euse) indépendant(e) *m*(*f*); **free·load·er** ['friːloʊdər] F parasite *m*, pique-assiette *m/f*
free·ly ['friːlɪ] *adv admit* volontiers
free mar·ket e'con·o·my économie *f* de marché; **free-range 'chick·en** poulet *m* fermier; **free-range 'eggs** *npl* œufs *mpl* fermiers; **free 'sam·ple** échantillon *m* gratuit; **free 'speech** libre parole *f*; **'free·way** autoroute *f*; **free'wheel** *v/i on bicycle* être en roue libre; **free 'will** libre arbitre *m*; ***he did it of his own ~*** il l'a fait de son plein gré
freeze [friːz] **1** *v/t* (*pret* ***froze***, *pp* ***frozen***) *food, river* congeler; *wages* geler; *bank account* bloquer; ***~ a video*** faire un arrêt sur image **2** *v/i of water* geler
♦**freeze over** *v/i of river* geler
'freeze-dried *adj* lyophilisé
freez·er ['friːzər] congélateur *m*
freez·ing ['friːzɪŋ] **1** *adj* glacial; ***it's ~ (cold)*** *of weather, in room* il fait un

F

froid glacial; *of sea* elle est glaciale; ***I'm ~ (cold)*** je gèle **2** *n*: ***10 below ~*** 10 degrés au-dessous de zéro, moins 10
'freez·ing com·part·ment freezer *m*
'freez·ing point point *m* de congélation
freight [freɪt] *n* fret *m*
'freight car *on train* wagon *m* de marchandises
freight·er ['freɪtər] *ship* cargo *m*; *airplane* avion-cargo *m*
'freight train train *m* de marchandises
French [frentʃ] **1** *adj* français **2** *n language* français *m*; ***the ~*** les Français *mpl*
French 'bread baguette *f*; **French 'doors** *npl* porte-fenêtre *f*; **'French fries** *npl* frites *fpl*; **'French kiss** patin *m* F; **'French·man** Français *m*; **French Ri·vi'er·a** Côte *f* d'Azur; **'French-speak·ing** *adj* francophone; **'French·wom·an** Française *f*
fren·zied ['frenzɪd] *adj attack*, *activity* forcené; *mob* déchaîné
fren·zy ['frenzɪ] frénésie *f*
fre·quen·cy ['fri:kwənsɪ] *also of radio* fréquence *f*
fre·quent[1] ['fri:kwənt] *adj* fréquent; ***how ~ are the trains?*** il y a des trains tous les combien? F
fre·quent[2] [frɪ'kwent] *v/t bar etc* fréquenter
fre·quent·ly ['fri:kwəntlɪ] *adv* fréquemment
fres·co ['freskoʊ] fresque *f*
fresh [freʃ] *adj fruit*, *meat etc*, (*cold*) frais*; (*new: start*) nouveau*; *sheets* propre; (*impertinent*) insolent; ***don't you get ~ with me!*** ne me parle pas comme ça
fresh 'air air *m*
fresh·en ['freʃn] *v/i of wind* se rafraîchir
♦**freshen up 1** *v/i* se rafraîchir **2** *v/t room*, *paintwork* rafraîchir
fresh·ly ['freʃlɪ] *adv* fraîchement
'fresh·man étudiant(e) *m*(*f*) de première année
fresh·ness ['freʃnɪs] *of fruit*, *meat*, *style*, *weather* fraîcheur *f*; *of approach* nouveauté *f*
fresh 'or·ange *Br* orange *f* pressée
'fresh·wa·ter *adj fish* d'eau douce; *fishing* en eau douce
fret[1] [fret] *v/i* (*pret & pp* ***-ted***) s'inquiéter
fret[2] *n of guitar* touche *f*
Freud·i·an ['frɔɪdɪən] *adj* freudien*
fric·tion ['frɪkʃn] friction *f*
'fric·tion tape chatterton *m*
Fri·day ['fraɪdeɪ] vendredi *m*
fridge [frɪdʒ] frigo *m* F
friend [frend] ami(e) *m*(*f*); ***make ~s*** *of one person* se faire des amis; *of two people* devenir amis; ***make ~s with s.o.*** devenir ami(e) avec qn
friend·li·ness ['frendlɪnɪs] amabilité *f*
friend·ly ['frendlɪ] *adj smile*, *meeting*, *match*, *relations* amical; *restaurant*, *hotel*, *city* sympathique; *person* amical, sympathique; (*easy to use*) convivial; *argument* entre amis; ***be ~ with s.o.*** (*be friends*) être ami(e) avec qn
friend·ship ['frendʃɪp] amitié *f*
fries [fraɪz] *npl* frites *fpl*
fright [fraɪt] peur *f*; ***give s.o. a ~*** faire peur à qn
fright·en ['fraɪtn] *v/t* faire peur à, effrayer; ***be ~ed*** avoir peur (***of*** de); ***don't be ~ed*** n'aie pas peur
♦**frighten away** *v/t* faire fuir
fright·en·ing ['fraɪtnɪŋ] *adj noise*, *person*, *prospect* effrayant
fri·gid ['frɪdʒɪd] *adj sexually* frigide
frill [frɪl] *on dress etc*, (*extra*) falbala *m*
frill·y ['frɪlɪ] *adj* à falbalas
fringe [frɪndʒ] frange *f*; *of city* périphérie *f*; *of society* marge *f*
'fringe ben·e·fits *npl* avantages *mpl* sociaux
frisk [frɪsk] *v/t* fouiller
frisk·y ['frɪskɪ] *adj puppy etc* vif*
♦**frit·ter away** ['frɪtər] *v/t time*, *fortune* gaspiller
fri·vol·i·ty [frɪ'vɑ:lətɪ] frivolité *f*
friv·o·lous ['frɪvələs] *adj* frivole
frizz·y ['frɪzɪ] *adj hair* crépu
frog [frɑ:g] grenouille *f*
'frog·man homme-grenouille *m*
from [frɑ:m] *prep* ◇ *in time* de; ***~ 9 to 5 (o'clock)*** de 9 heures à 5 heures; ***~***

the 18th century à partir du XVIIIe siècle; **~ *today on*** à partir d'aujourd'hui ◊ *in space* de; **~ *here to there*** d'ici à là(-bas) ◊ *origin* de; ***a letter ~ Joe*** une lettre de Joe; ***it doesn't say who it's ~*** ça ne dit pas de qui c'est; ***I am ~ New Jersey*** je viens du New Jersey; ***made ~ bananas*** fait avec des bananes ◊ (*because of*) à cause de; ***tired ~ the journey*** fatigué par le voyage; ***it's ~ overeating*** c'est d'avoir trop mangé

front [frʌnt] **1** *n of building* façade *f*, devant *m*; *of book* devant *m*; (*cover organization*) façade *f*; MIL, *of weather* front *m*; ***in ~*** devant; *in a race* en tête; ***in ~ of*** devant; ***at the ~ of*** à l'avant de **2** *adj wheel, seat* avant **3** *v/t TV program* présenter

front 'cov·er couverture *f*; **front 'door** porte *f* d'entrée; **front 'en·trance** entrée *f* principale

fron·tier ['frʌntɪr] *also fig* frontière *f*

'front line MIL front *m*; **front 'page** *of newspaper* une *f*; **front page 'news**: ***be ~*** faire la une des journaux; **front 'row** premier rang *m*; **front seat 'pas·sen·ger** *in car* passager(-ère) *m(f)* avant; **front-wheel 'drive** traction *f* avant

frost [frɑːst] *n* gel *m*, gelée *f*

'frost·bite gelure *f*

'frost·bit·ten *adj* gelé

frosted glass ['frɑːstɪd] verre *m* dépoli

frost·ing ['frɑːstɪŋ] *on cake* glaçage *m*

frost·y ['frɑːstɪ] *adj also fig* glacial

froth [frɑːθ] *n* écume *f*, mousse *f*

froth·y ['frɑːθɪ] *adj cream etc* écumeux*, mousseux*

frown [fraʊn] **1** *n* froncement *m* de sourcils **2** *v/i* froncer les sourcils

froze [froʊz] *pret* → ***freeze***

fro·zen ['froʊzn] **1** *adj* gelé; *wastes* glacé; *food* surgelé; ***I'm ~*** je suis gelé **2** *pp* → ***freeze***

fro·zen 'food surgelés *mpl*

fruit [fruːt] fruit *m*; *collective* fruits *mpl*

'fruit cake cake *m*

fruit·ful ['fruːtfl] *adj discussions etc* fructueux*

'fruit juice jus *m* de fruit

fruit 'sal·ad salade *f* de fruits

frus·trate ['frʌstreɪt] *v/t person* frustrer; *plans* contrarier

frus·trat·ed ['frʌstreɪtɪd] *adj look, sigh* frustré

frus·trat·ing ['frʌstreɪtɪŋ] *adj* frustrant

frus·trat·ing·ly [frʌ'streɪtɪŋlɪ] *adv*: **~ *slow / hard*** d'une lenteur / difficulté frustrante

frus·tra·tion [frʌ'streɪʃn] frustration *f*

fry [fraɪ] *v/t* (*pret & pp* ***-ied***) (faire) frire

fried 'egg [fraɪd] œuf *m* sur le plat

fried po'ta·toes *npl* pommes *fpl* de terre sautées

'fry·pan poêle *f* (à frire)

fuck [fʌk] *v/t* V baiser V; **~!** putain! V; **~ *you!*** va te faire enculer! V; **~ *that!*** j'en ai rien à foutre! F

♦**fuck off** *v/i* V se casser P; ***fuck off!*** va te faire enculer! V

fuck·ing ['fʌkɪŋ] V **1** *adj*: ***this ~ rain / computer*** cette putain de pluie / ce putain d'ordinateur V **2** *adv*: ***don't be ~ stupid*** putain, sois pas stupide V

fu·el ['fjʊːəl] **1** *n* carburant *m* **2** *v/t fig* entretenir

fu·gi·tive ['fjuːdʒətɪv] *n* fugitif(-ive) *m(f)*

ful·fil *Br* → ***fulfill***

ful·fill [fʊl'fɪl] *v/t dreams* réaliser; *task* accomplir; *contract, responsibilities* remplir; ***feel ~ed*** *in job, life* avoir un sentiment d'accomplissement

ful·fill·ing [fʊl'fɪlɪŋ] *adj job* qui donne un sentiment d'accomplissement

ful·fil·ment *Br* → ***fulfillment***

ful·fill·ment [fʊl'fɪlmənt] *of contract etc* exécution *f*, *moral, spiritual* accomplissement *m*

full [fʊl] *adj* plein (***of*** de); *hotel, account* complet*; **~ *up*** *hotel etc* complet; **~ *up***: ***be ~*** *with food* avoir trop mangé; ***pay in ~*** tout payer

'full back arrière *m*; **full 'board** *Br* pension *f* complète; **'full-grown** *adj* adulte; **'full-length** *adj dress* long*; **~ *movie*** long métrage *m*; **full 'moon** pleine lune *f*; **full 'stop** *Br* point *m*; **full-'time** *adj & adv* à plein

temps
ful·ly ['fʊlɪ] *adv trained, recovered* complètement; *understand* parfaitement; *describe, explain* en détail; ***be ~ booked*** *hotel* être complet*
fum·ble ['fʌmbl] *v/t catch* mal attraper
♦ **fumble about** *v/i* fouiller
fume [fju:m] *v/i*: ***be fuming*** F être furieux*
fumes [fju:mz] *npl from vehicles, machines* fumée *f*; *from chemicals* vapeurs *fpl*
fun [fʌn] **1** *n* amusement *m*; ***it was great ~*** on s'est bien amusé; ***bye, have ~!*** au revoir, amuse-toi bien!; ***for ~*** pour s'amuser; ***make ~ of*** se moquer de **2** *adj* F marrant F
func·tion ['fʌŋkʃn] **1** *n* (*purpose*) fonction *f*; (*reception etc*) réception *f* **2** *v/i* fonctionner; ***~ as*** faire fonction de
func·tion·al ['fʌŋkʃnl] *adj* fonctionnel*
fund [fʌnd] **1** *n* fonds *m* **2** *v/t project etc* financer
fun·da·men·tal [fʌndə'mentl] *adj* fondamental
fun·da·men·tal·ist [fʌndə'mentlɪst] *n* fondamentaliste *m/f*
fun·da·men·tal·ly [fʌndə'mentlɪ] *adv* fondamentalement
fund·ing ['fʌndɪŋ] (*money*) financement *m*
funds [fʌndz] *npl* fonds *mpl*
fu·ne·ral ['fju:nərəl] enterrement *m*, obsèques *fpl*
'fu·ne·ral di·rec·tor entrepreneur (-euse) *m(f)* de pompes funèbres
'fu·ne·ral home établissement *m* de pompes funèbres
fun·gus ['fʌŋgəs] champignon *m*; *mold* moisissure *f*
fu·nic·u·lar ('rail·way) [fju:'nɪkjʊlər] funiculaire *m*
fun·nel ['fʌnl] *n of ship* cheminée *f*
fun·nies ['fʌnɪz] *npl* F pages *fpl* drôles
fun·ni·ly ['fʌnɪlɪ] *adv* (*oddly*) bizarrement; (*comically*) comiquement; ***~ enough*** chose curieuse
fun·ny ['fʌnɪ] *adj* (*comical*) drôle; (*odd*) bizarre, curieux*
'fun·ny bone petit juif *m*
fur [fɜ:r] fourrure *f*
fu·ri·ous ['fjʊrɪəs] *adj* furieux*; ***at a ~ pace*** à une vitesse folle
fur·nace ['fɜ:rnɪs] four(neau) *m*
fur·nish ['fɜ:rnɪʃ] *v/t room* meubler; (*supply*) fournir
fur·ni·ture ['fɜ:rnɪʧər] meubles *mpl*; ***a piece of ~*** un meuble
fur·ry ['fɜ:rɪ] *adj animal* à poil
fur·ther ['fɜ:rðər] **1** *adj* (*additional*) supplémentaire; (*more distant*) plus éloigné; ***at the ~ side of the field*** de l'autre côté du champ; ***until ~ notice*** jusqu'à nouvel ordre; ***have you anything ~ to say?*** avez-vous quelque chose d'autre à dire? **2** *adv walk, drive* plus loin; ***~, I want to say ...*** de plus, je voudrais dire ...; ***two miles ~ (on)*** deux miles plus loin **3** *v/t cause etc* faire avancer, promouvoir
fur·ther'more *adv* de plus, en outre
fur·thest ['fɜ:rðɪst] **1** *adj* le plus lointain; ***the ~ point north*** le point le plus au nord **2** *adv* le plus loin; ***the ~ north*** le plus au nord
fur·tive ['fɜ:rtɪv] *adj glance* furtif*
fur·tive·ly ['fɜ:rtɪvlɪ] *adv* furtivement
fu·ry ['fjʊrɪ] (*anger*) fureur *f*
fuse [fju:z] **1** *n* ELEC fusible *m*, plomb *m* F **2** *v/i* ELEC: ***the lights have ~d*** les plombs ont sauté **3** *v/t* ELEC faire sauter
'fuse·box boîte *f* à fusibles
fu·se·lage ['fju:zəlɑ:ʒ] fuselage *m*
'fuse wire fil *m* à fusible
fu·sion ['fju:ʒn] fusion *f*
fuss [fʌs] *n* agitation *f*; ***make a ~*** (*complain*) faire des histoires; (*behave in exaggerated way*) faire du cinéma; ***make a ~ of s.o.*** (*be very attentive to*) être aux petits soins pour qn
fuss·y ['fʌsɪ] *adj person* difficile; *design etc* trop compliqué; ***be a ~ eater*** être difficile (sur la nourriture)
fu·tile ['fju:tl] *adj* futile
fu·til·i·ty [fju:'tɪlətɪ] futilité *f*
fu·ton ['fu:tɑ:n] futon *m*
fu·ture ['fju:ʧər] **1** *n* avenir *f*; GRAM futur *m*; ***in ~*** à l'avenir **2** *adj* futur
fu·tures ['fju:ʧərz] *npl* FIN opérations

fpl à terme
'fu·tures mar·ket FIN marché *m* à terme
fu·tur·is·tic [fjuːtʃə'rɪstɪk] *adj design* futuriste
fuzz·y ['fʌzɪ] *adj hair* duveteux*, crépu; (*out of focus*) flou; **~ *logic*** logique *f* floue

G

gab [gæb] *n*: ***have the gift of the ~*** F avoir du bagout F
gab·ble ['gæbl] *v/i* bredouiller
gad·get ['gædʒɪt] gadget *m*
gaffe [gæf] gaffe *f*
gag [gæg] **1** *n* bâillon *m*; (*joke*) gag *m* **2** *v/t* (*pret & pp* ***-ged***) *also fig* bâillonner
gai·ly ['geɪlɪ] *adv* (*blithely*) gaiement
gain [geɪn] *v/t respect*, *knowledge* acquérir; *victory* remporter; *advantage*, *sympathy* gagner; **~ *10 pounds / speed*** prendre 10 livres / de la vitesse
ga·la ['gælə] gala *m*
gal·ax·y ['gæləksɪ] ASTR galaxie *f*
gale [geɪl] coup *m* de vent, tempête *f*
gal·lant ['gælənt] *adj* galant
gall blad·der ['gɒːlblædər] vésicule *f* biliaire
gal·le·ry ['gælərɪ] *for art*, *in theater* galerie *f*
gal·ley ['gælɪ] *on ship* cuisine *f*
♦ **gal·li·vant around** ['gælɪvænt] *v/i* vadrouiller
gal·lon ['gælən] gallon *m*; ***~s of tea*** F des litres de thé F
gal·lop ['gæləp] *v/i* galoper
gal·lows ['gæloʊz] *npl* gibet *m*
gall·stone ['gɒːlstoʊn] calcul *m* biliaire
ga·lore [gə'lɔːr] *adj*: ***apples / novels ~*** des pommes / romans à gogo
gal·va·nize ['gælvənaɪz] *v/t also fig* galvaniser
gam·ble ['gæmbl] *v/i* jouer
gam·bler ['gæmblər] joueur(-euse) *m*(*f*)
gam·bling ['gæmblɪŋ] jeu *m*
game [geɪm] *n also in tennis* jeu *m*; ***have a ~ of tennis / chess*** faire une partie de tennis / d'échecs
'game re·serve réserve *f* naturelle
gam·mon ['gæmən] *Br* jambon *m* fumé
gang [gæŋ] gang *m*
♦ **gang up on** *v/t* se liguer contre
'gang rape 1 *n* viol *m* collectif **2** *v/t* commettre un viol collectif sur
gan·grene ['gæŋgriːn] MED gangrène *f*
gang·ster ['gæŋstər] gangster *m*
'gang war·fare guerre *m* des gangs
'gang·way passerelle *f*
gaol [dʒeɪl] → ***jail***
gap [gæp] trou *m*; *in time* intervalle *m*; *between two personalities* fossé *m*
gape [geɪp] *v/i of person* rester bouche bée; *of hole* être béant
♦ **gape at** *v/t* rester bouche bée devant
gap·ing ['geɪpɪŋ] *adj hole* béant
gar·age [gə'rɑːʒ] *n* garage *m*
ga'rage sale vide-grenier *m* (chez un particulier)
gar·bage ['gɑːrbɪdʒ] ordures *fpl*; (*fig: nonsense*) bêtises *fpl*
'gar·bage bag sac-poubelle *m*; **'gar·bage can** poubelle *f*; **'gar·bage truck** benne *f* à ordures
gar·bled ['gɑːrbld] *adj message* confus
gar·den ['gɑːrdn] jardin *m*
'gar·den cen·ter jardinerie *f*
gar·den·er ['gɑːrdnər] jardinier(-ière) *m*(*f*)
gar·den·ing ['gɑːrdnɪŋ] jardinage *m*
gar·gle ['gɑːrgl] *v/i* se gargariser
gar·goyle ['gɑːrgɔɪl] gargouille *f*

gar·ish ['gerɪʃ] *adj* criard
gar·land ['gɑːrlənd] *n* guirlande *f*, couronne *f*
gar·lic ['gɑːrlɪk] ail *m*
gar·lic 'bread pain chaud à l'ail
gar·ment ['gɑːrmənt] vêtement *m*
gar·nish ['gɑːrnɪʃ] *v/t* garnir (***with*** de)
gar·ri·son ['gærɪsn] *n* garnison *f*
gar·ter ['gɑːrtər] jarretière *f*
gas [gæs] *n* gaz *m*; (*gasoline*) essence *f*
gash [gæʃ] *n* entaille *f*
gas·ket ['gæskɪt] joint *m* d'étanchéité
gas·o·line ['gæsəliːn] essence *f*
gasp [gæsp] **1** *n in surprise* hoquet *m*; *with exhaustion* halètement *m* **2** *v/i with exhaustion* haleter; ***~ for breath*** haleter; ***~ with surprise*** pousser une exclamation de surprise
'gas ped·al accélérateur *m*; **'gas pipe·line** gazoduc *m*; **'gas pump** pompe *f* (à essence); **'gas sta·tion** station-service *f*; **'gas stove** cuisinière *f* à gaz
gas·tric ['gæstrɪk] *adj* MED gastrique
gas·tric 'flu MED grippe *f* gastro-intestinale; **gas·tric 'juices** *npl* sucs *mpl* gastriques; **gas·tric 'ul·cer** MED ulcère *m* à l'estomac
gate [geɪt] *also at airport* porte *f*
'gate·crash *v/t* s'inviter à
'gate·way entrée *f*; *also fig* porte *f*
gath·er ['gæðər] **1** *v/t facts, information* recueillir; ***am I to ~ that …?*** dois-je comprendre que …?; ***~ speed*** prendre de la vitesse **2** *v/i* (*understand*) comprendre
♦**gather up** *v/t possessions* ramasser
gath·er·ing ['gæðərɪŋ] *n* (*group of people*) assemblée *f*
gau·dy ['gɒːdɪ] *adj* voyant, criard
gauge [geɪdʒ] **1** *n* jauge *f* **2** *v/t oil pressure* jauger; *opinion* mesurer
gaunt [gɒːnt] *adj* émacié
gauze [gɒːz] gaze *f*
gave [geɪv] *pret* → ***give***
gaw·ky ['gɒːkɪ] *adj* gauche
gawp [gɒːp] *v/i* F rester bouche bée (at devant)
gay [geɪ] **1** *n* (*homosexual*) homosexuel(le) *m*(*f*), gay *m* **2** *adj* homosexuel*, gay *inv*
gaze [geɪz] **1** *n* regard *m* (fixe) **2** *v/i* regarder fixement
♦**gaze at** *v/t* regarder fixement
GB [dʒiː'biː] *abbr* (***= Great Britain***) Grande Bretagne *f*
GDP [dʒiːdiː'piː] *abbr* (***= gross domestic product***) P.I.B. *m* (= Produit *m* Intérieur Brut)
gear [gɪr] *n* (*equipment*) équipement *m*; *in vehicles* vitesse *f*
'gear·box MOT boîte *f* de vitesses
'gear le·ver, 'gear shift MOT levier *m* de vitesse
geese [giːs] *pl* → ***goose***
gel [dʒel] *for hair, shower* gel *m*
gel·a·tine ['dʒelətiːn] gélatine *f*
gel·ig·nite ['dʒelɪgnaɪt] gélignite *f*
gem [dʒem] pierre *f* précieuse; *fig* perle *f*
Gem·i·ni ['dʒemɪnaɪ] ASTROL les Gémeaux
gen·der ['dʒendər] genre *m*
gene [dʒiːn] gène *m*; ***it's in his ~s*** c'est dans ses gènes
gen·e·ral ['dʒenrəl] **1** *n* MIL général(e) *m*(*f*); ***in ~*** en général **2** *adj* général
gen·e·ral e'lec·tion *Br* élections *fpl* générales
gen·er·al·i·za·tion [dʒenrəlaɪ'zeɪʃn] généralisation *f*
gen·e·ral·ize ['dʒenrəlaɪz] *v/i* généraliser
gen·er·al·ly ['dʒenrəlɪ] *adv* généralement; ***~ speaking*** de manière générale
gen·e·rate ['dʒenəreɪt] *v/t* (*create*) engendrer, produire; *electricity* produire; *in linguistics* générer
gen·e·ra·tion [dʒenə'reɪʃn] génération *f*
gen·e'ra·tion gap conflit *m* des générations
gen·e·ra·tor ['dʒenəreɪtər] générateur *m*
ge·ner·ic drug [dʒə'nerɪk] MED médicament *m* générique
gen·e·ros·i·ty [dʒenə'rɑːsətɪ] générosité *f*
gen·e·rous ['dʒenərəs] *adj* généreux*
ge·net·ic [dʒɪ'netɪk] *adj* génétique
ge·net·i·cal·ly [dʒɪ'netɪklɪ] *adv* généti-

quement; **~ *modified*** génétiquement modifié, transgénique

ge·net·ic 'code code *m* génétique; **ge·net·ic en·gi'neer·ing** génie *m* génétique; **ge·net·ic 'fin·ger·print** empreinte *f* génétique

ge·net·i·cist [dʒɪ'netɪsɪst] généticien(ne) *m(f)*

ge·net·ics [dʒɪ'netɪks] *nsg* génétique *f*

ge·ni·al ['dʒiːnjəl] *adj person* cordial, agréable; *company* agréable

gen·i·tals ['dʒenɪtlz] *npl* organes *mpl* génitaux

ge·ni·us ['dʒiːnjəs] génie *m*

gen·o·cide ['dʒenəsaɪd] génocide *m*

gen·tle ['dʒentl] *adj* doux*; *breeze* léger*

gen·tle·man ['dʒentlmən] monsieur *m*; ***he's a real ~*** c'est un vrai gentleman

gen·tle·ness ['dʒentlnɪs] douceur *f*

gen·tly ['dʒentlɪ] *adv* doucement; *blow* légèrement

gents [dʒents] *nsg Br.: toilet* toilettes *fpl* (pour hommes)

gen·u·ine ['dʒenuɪn] *adj* authentique

gen·u·ine·ly ['dʒenuɪnlɪ] *adv* vraiment, sincèrement

ge·o·graph·i·cal [dʒɪə'græfɪkl] *adj* géographique

ge·og·ra·phy [dʒɪ'ɑːgrəfɪ] géographie *f*

ge·o·log·i·cal [dʒɪə'lɑːdʒɪkl] *adj* géologique

ge·ol·o·gist [dʒɪ'ɑːlədʒɪst] géologue *m/f*

ge·ol·o·gy [dʒɪ'ɑːlədʒɪ] géologie *f*

ge·o·met·ric, ge·o·met·ri·cal [dʒɪə'metrɪk(l)] *adj* géométrique

ge·om·e·try [dʒɪ'ɑːmətrɪ] géométrie *f*

ge·ra·ni·um [dʒə'reɪnɪəm] géranium *m*

ger·i·at·ric [dʒerɪ'ætrɪk] **1** *adj* gériatrique **2** *n* patient(e) *m(f)* gériatrique

germ [dʒɜːrm] *also of idea etc* germe *m*

Ger·man ['dʒɜːrmən] **1** *adj* allemand **2** *n person* Allemand(e) *m(f)*; *language* allemand *m*

Ger·man 'mea·sles *nsg* rubéole *f*

Ger·man 'shep·herd berger *m* allemand

Germany ['dʒɜːrmənɪ] Allemagne *f*

ger·mi·nate ['dʒɜːrmɪneɪt] *v/i of seed* germer

germ 'war·fare guerre *f* bactériologique

ges·tic·u·late [dʒe'stɪkjʊleɪt] *v/i* gesticuler

ges·ture ['dʒestʃər] *n also fig* geste *m*

get [get] *v/t* (*pret & pp* **got**, *pp also* **gotten**) ◊ (*obtain*) obtenir; (*buy*) acheter; (*fetch*) aller chercher (***s.o. sth*** qch pour qn); (*receive: letter*) recevoir; (*receive: knowledge, respect etc*) acquérir; (*catch: bus, train etc*) prendre; (*understand*) comprendre

◊ : ***when we ~ home*** quand nous arrivons chez nous

◊ (*become*) devenir; ***~ old / tired*** vieillir / se fatiguer

◊ (*causative*): ***~ sth done*** (*by s.o. else*) faire faire qch; ***~ s.o. to do sth*** faire faire qch à qn; ***I got her to change her mind*** je lui ai fait changer d'avis; ***~ one's hair cut*** se faire couper les cheveux; ***~ sth ready*** préparer qch

◊ (*have opportunity*): ***~ to do sth*** pouvoir faire qch

◊ : ***have got*** avoir

◊: ***have got to*** devoir; ***I have got to study*** je dois étudier, il faut que j'étudie (*subj*)

◊ : ***~ going*** (*leave*) s'en aller; (*start*) s'y mettre; ***~ to know*** commencer à bien connaître

♦ **get along** *v/i* (*progress*) faire des progrès; (*come to party etc*) venir; *with s.o.* s'entendre

♦ **get around** *v/i* (*travel*) voyager; (*be mobile*) se déplacer

♦ **get at** *v/t* (*criticize*) s'en prendre à; (*imply, mean*) vouloir dire

♦ **get away 1** *v/i* (*leave*) partir **2** *v/t*: ***get sth away from s.o.*** retirer qch à qn

♦ **get away with** *v/t*: ***let s.o. get away with sth*** tolérer qch à qn

♦ **get back 1** *v/i* (*return*) revenir; ***I'll get back to you on that*** je vous recontacterai à ce sujet **2** *v/t health, breath, girlfriend etc* retrouver; *possession* récupérer

♦ **get by** *v/i* (*pass*) passer; *financially* s'en sortir

◆**get down 1** *v/i from ladder etc* descendre; (*duck*) se baisser; (*be informal*) se détendre, se laisser aller **2** *v/t* (*depress*) déprimer
◆**get down to** *v/t* (*start*: *work*) se mettre à; (*reach*: *real facts*) en venir à
◆**get in 1** *v/i* (*of train, plane*) arriver; (*come home*) rentrer; *to car* entrer; ***how did they ~ in?*** *of thieves, mice etc* comment sont-ils entrés? **2** *v/t to suitcase etc* rentrer
◆**get off 1** *v/i from bus etc* descendre; (*finish work*) finir; (*not be punished*) s'en tirer **2** *v/t* (*remove*) enlever; ***get off the grass!*** va-t-en de la pelouse!
◆**get off with** *v/t Br* F (*sexually*) coucher avec F; ***get off with a small fine*** s'en tirer avec une petite amende
◆**get on 1** *v/i to bike, bus, train* monter; (*be friendly*) s'entendre; (*advance*: *of time*) se faire tard; (*become old*) prendre de l'âge; (*progress*: *of book*) avancer; ***how is she getting on at school?*** comment ça se passe pour elle à l'école?; ***it's getting on*** (*getting late*) il se fait tard; ***he's getting on*** il prend de l'âge; ***he's getting on for 50*** il approche la cinquantaine **2** *v/t*: ***get on the bus / one's bike*** monter dans le bus / sur son vélo; ***get one's hat on*** mettre son chapeau; ***I can't get these pants on*** je n'arrive pas à enfiler ce pantalon
◆**get on with** *v/t one's work* continuer; (*figure out*) se débrouiller avec
◆**get out 1** *v/i of car, prison etc* sortir; ***get out!*** va-t-en!; ***let's get out of here*** allons-nous-en; ***I don't get out much these days*** je ne sors pas beaucoup ces temps-ci **2** *v/t nail, sth jammed, stain* enlever; *gun, pen* sortir; ***what do you get out of it?*** qu'est-ce que ça t'apporte?
◆**get over** *v/t fence* franchir; *disappointment, lover* se remettre de
◆**get over with** *v/t* en finir avec; ***let's get it over with*** finissons-en avec ça
◆**get through** *v/i on telephone* obtenir la communication; (*make self understood*) se faire comprendre; ***get through to s.o.*** se faire comprendre de qn
◆**get up 1** *v/i in morning, from chair, of wind* se lever **2** *v/t* (*climb*: *hill*) monter
'get·a·way *from robbery* fuite *f*
'get·a·way car voiture utilisée pour s'enfuir
'get-to·geth·er *n* réunion *f*
ghast·ly ['gæstlɪ] *adj* horrible, affreux*
gher·kin ['gɜːrkɪn] cornichon *m*
ghet·to ['getoʊ] ghetto *m*
ghost [goʊst] fantôme *m*, spectre *m*
ghost·ly ['goʊstlɪ] *adj* spectral
'ghost town ville *f* fantôme
'ghost·writ·er nègre *m*
ghoul [guːl] personne *f* morbide; ***he's a ~*** il est morbide
ghoul·ish ['guːlɪʃ] *adj* macabre
gi·ant ['dʒaɪənt] **1** *n* géant(e) *m*(*f*) **2** *adj* géant
gib·ber·ish ['dʒɪbərɪʃ] F charabia *m*
gibe [dʒaɪb] *n* raillerie *f*, moquerie *f*
gib·lets ['dʒɪblɪts] *npl* abats *mpl*
gid·di·ness ['gɪdɪnɪs] vertige *m*
gid·dy ['gɪdɪ] *adj*: ***feel ~*** avoir le vertige
gift [gɪft] cadeau *m*; *talent* don *m*
gift·ed ['gɪftɪd] *adj* doué
'gift·wrap 1 *n* papier *m* cadeau **2** *v/t* (*pret & pp* **-ped**): ***~ sth*** faire un paquet-cadeau
gig [gɪg] F concert *m*
gi·ga·byte ['gɪgəbaɪt] COMPUT gigaoctet *m*
gi·gan·tic [dʒaɪ'gæntɪk] *adj* gigantesque
gig·gle ['gɪgl] **1** *v/i* glousser **2** *n* gloussement *m*; ***a fit of the ~s*** une crise de fou rire
gig·gly ['gɪglɪ] *adj* qui rit bêtement
gill [gɪl] *of fish* ouïe *f*
gilt [gɪlt] *n* dorure *f*; ***~s*** FIN fonds *mpl* d'État
gim·mick ['gɪmɪk] truc F
gim·mick·y ['gɪmɪkɪ] *adj* à trucs
gin [dʒɪn] gin *m*; ***~ and tonic*** gin *m* tonic
gin·ger ['dʒɪndʒər] **1** *n spice* gingembre *m* **2** *adj hair, cat* roux*
gin·ger 'beer limonade *f* au gingembre

'gin·ger·bread pain *m* d'épice
gin·ger·ly ['dʒɪndʒərlɪ] *adv* avec précaution
gip·sy ['dʒɪpsɪ] gitan(e) *m(f)*
gi·raffe [dʒɪ'ræf] girafe *f*
gir·der ['gɜːrdər] *n* poutre *f*
girl [gɜːrl] (jeune) fille *f*
'girl·friend *of boy* petite amie *f*; *younger also* copine *f*; *of girl* amie *f*, *younger also* copine *f*
girl·ie mag·a·zine ['gɜːrlɪ] magazine *m* de cul F
girl·ish ['gɜːrlɪʃ] *adj* de jeune fille
girl 'scout éclaireuse *f*
gist [dʒɪst] point *m* essentiel, essence *f*
give [gɪv] *v/t* (*pret* ***gave***, *pp* ***given***) donner; *present* offrir; (*supply: electricity etc*) fournir; *talk*, *lecture* faire; *cry*, *groan* pousser; ***~ her my love*** faites-lui mes amitiés
♦ **give away** *v/t as present* donner; (*betray*) trahir; ***give o.s. away*** se trahir
♦ **give back** *v/t* rendre
♦ **give in 1** *v/i* (*surrender*) céder, se rendre **2** *v/t* (*hand in*) remettre
♦ **give off** *v/t smell*, *fumes* émettre
♦ **give onto** *v/t open onto* donner sur
♦ **give out 1** *v/t leaflets etc* distribuer **2** *v/i of supplies*, *strength* s'épuiser
♦ **give up 1** *v/t smoking etc* arrêter; ***give up smoking*** arrêter de fumer; ***give o.s. up to the police*** se rendre à la police **2** *v/i* (*cease habit*) arrêter; (*stop making effort*) abandonner, renoncer; ***I give up*** (*can't guess*) je donne ma langue au chat
♦ **give way** *v/i of bridge etc* s'écrouler
give-and-'take concessions *fpl* mutuelles
giv·en ['gɪvn] **1** *adj* donné **2** *pp* → ***give***
'giv·en name prénom *m*
giz·mo ['gɪzmoʊ] F truc *m*, bidule *m* F
gla·ci·er ['gleɪʃər] glacier *m*
glad [glæd] *adj* heureux*
glad·ly ['glædlɪ] *adv* volontiers, avec plaisir
glam·or ['glæmər] éclat *m*, fascination *f*
glam·or·ize ['glæməraɪz] *v/t* donner un aspect séduisant à
glam·or·ous ['glæmərəs] *adj* séduisant, fascinant; *job* prestigieux*
glamour *Br* → ***glamour***
glance [glæns] **1** *n* regard *m*, coup *m* d'œil **2** *v/i* jeter un regard, lancer un coup d'œil
♦ **glance at** *v/t* jeter un regard sur, lancer un coup d'œil à
gland [glænd] glande *f*
glan·du·lar fe·ver ['glændʒələr] mononucléose *f* infectieuse
glare [gler] **1** *n of sun*, *headlights* éclat *m* (éblouissant) **2** *v/i of sun*, *headlights* briller d'un éclat éblouissant
♦ **glare at** *v/t* lancer un regard furieux à
glar·ing ['glerɪŋ] *adj mistake* flagrant
glar·ing·ly ['glerɪŋlɪ] *adv*: ***be ~ obvious*** sauter aux yeux
glass [glæs] *material*, *for drink* verre *m*
glass 'case vitrine *f*
glass·es *npl* lunettes *fpl*
'glass·house serre *f*
glaze [gleɪz] *n* vernis *m*
♦ **glaze over** *v/i of eyes* devenir vitreux
glazed [gleɪzd] *adj expression* vitreux*
gla·zi·er ['gleɪzɪr] vitrier *m*
glaz·ing ['gleɪzɪŋ] vitrerie *f*
gleam [gliːm] **1** *n* lueur *f* **2** *v/i* luire
glee [gliː] joie *f*
glee·ful ['gliːfʊl] *adj* joyeux*
glib [glɪb] *adj* désinvolte
glib·ly ['glɪblɪ] *adv* avec désinvolture
glide [glaɪd] *v/i* glisser; *of bird*, *plane* planer
glid·er ['glaɪdər] planeur *m*
glid·ing ['glaɪdɪŋ] *n sport* vol *m* à voile
glim·mer ['glɪmər] **1** *n of light* faible lueur *f*; ***a ~ of hope*** *n* une lueur d'espoir **2** *v/i* jeter une faible lueur
glimpse [glɪmps] **1** *n*: ***catch a ~ of ...*** entrevoir **2** *v/t* entrevoir
glint [glɪnt] **1** *n* lueur *f*, reflet *m* **2** *v/i of light* luire, briller; *of eyes* luire
glis·ten ['glɪsn] *v/i of light* luire; *of water* miroiter; *of silk* chatoyer
glit·ter ['glɪtər] *v/i of light*, *jewels* briller, scintiller
glit·ter·ati *npl* le beau monde
gloat [gloʊt] *v/i* jubiler
♦ **gloat over** *v/t* se réjouir de
glo·bal ['gloʊbl] *adj* (*worldwide*) mon-

dial; (*without exceptions*) global
glo·bal e'con·o·my économie *f* mondiale
glo·bal·i·za·tion ['gloʊbəlaɪzeɪʃn] *of markets etc* mondialisation *f*
glo·bal·ly ['gloʊbəlɪ] *adv* (*on worldwide basis*) mondialement; (*without exceptions*) globalement
glo·bal 'mar·ket marché *m* international
glo·bal war·ming ['wɔːrmɪŋ] réchauffement *m* de la planète
globe [gloʊb] globe *m*
gloom [gluːm] (*darkness*) obscurité *f*; *mood* tristesse *f*, mélancolie *f*
gloom·i·ly ['gluːmɪlɪ] *adv* tristement, mélancoliquement
gloom·y ['gluːmɪ] *adj* sombre
glo·ri·ous ['glɔːrɪəs] *adj weather, day* magnifique; *victory* glorieux*
glo·ry ['glɔːrɪ] *n* gloire *f*
gloss [glɑːs] *n* (*shine*) brillant *m*, éclat *m*; (*general explanation*) glose *f*, commentaire *m*
♦**gloss over** *v/t* passer sur
glos·sa·ry ['glɑːsərɪ] glossaire *m*
'gloss paint peinture *f* brillante
gloss·y ['glɑːsɪ] **1** *adj paper* glacé **2** *n magazine* magazine *m* de luxe
glove [glʌv] gant *m*
'glove com·part·ment *in car* boîte *f* à gants
'glove pup·pet marionnette *f* (à gaine)
glow [gloʊ] **1** *n of light* lueur *f*; *of fire* rougeoiement *m*; *in cheeks* couleurs *fpl* **2** *v/i of light* luire; *of fire* rougeoyer; *of cheeks* être rouge
glow·er ['glaʊr] *v/i* lancer un regard noir (at à)
glow·ing ['gloʊɪŋ] *adj description* élogieux*
glu·cose ['gluːkoʊs] glucose *m*
glue [gluː] **1** *n* colle *f* **2** *v/t*: **~ sth to sth** coller qch à qch; **be ~d to the TV** F être collé devant la télé F
glum [glʌm] *adj* morose
glum·ly ['glʌmlɪ] *adv* d'un air morose
glut [glʌt] *n* surplus *m*
glut·ton ['glʌtən] glouton(ne) *m(f)*
glut·ton·y ['glʌtənɪ] gloutonnerie *f*
GM [dʒiː'em] *abbr* (= ***genetically modified***) génétiquement modifié
GMT [dʒiːem'tiː] *abbr* (= ***Greenwich Mean Time***) G.M.T. *m* (= Temps *m* moyen de Greenwich)
gnarled [nɑːrld] *adj branch, hands* noueux*
gnat [næt] moucheron *m*
gnaw [nɒː] *v/t bone* ronger
GNP [dʒiːen'piː] *abbr* (= ***gross national product***) P.N.B. *m* (= Produit *m* national brut)
go [goʊ] **1** *n*: ***on the ~*** actif **2** *v/i* (*pret* ***went***, *pp* ***gone***) ◇ aller; (*leave*: *of train, plane*) partir; (*leave*: *of people*) s'en aller, partir; (*work, function*) marcher, fonctionner; (*come out*: *of stain etc*) s'en aller; (*cease*: *of pain etc*) partir, disparaître; (*match*: *of colors etc*) aller ensemble; ***~ shopping / jogging*** aller faire les courses / faire du jogging; ***I must be ~ing*** je dois partir, je dois m'en aller; ***let's ~!*** allons-y!; ***~ for a walk*** aller se promener; ***~ to bed*** aller se coucher; ***~ to school*** aller à l'école; ***how's the work ~ing?*** comment va le travail?; ***they're ~ing for $50*** (*being sold at*) ils sont à 50 $; ***hamburger to ~*** hamburger à emporter; ***the milk is all gone*** il n'y a plus du tout de lait
◇ (*become*) devenir; ***she went all red*** elle est devenue toute rouge
◇ *to express the future, intention*: ***be ~ing to do sth*** aller faire qch; ***I'm not going to***
♦**go ahead** *v/i*: ***she just went ahead*** elle l'a fait quand même; ***go ahead!*** (*on you go*) allez-y!
♦**go ahead with** *v/t plans etc* commencer
♦**go along with** *v/t suggestion* accepter
♦**go at** *v/t* (*attack*) attaquer
♦**go away** *v/i of person* s'en aller, partir; *of rain* cesser; *of pain, clouds* partir, disparaître
♦**go back** *v/i* (*return*) retourner; (*date back*) remonter (***to*** à); ***we go back a long way*** on se connaît depuis longtemps; ***go back to sleep*** se rendor-

mir

◆**go by** *v/i of car, people, time* passer

◆**go down** *v/i* descendre; *of sun* se coucher; *of ship* couler; *of swelling* diminuer; ***go down well / badly*** *of suggestion etc* être bien / mal reçu

◆**go for** *v/t* (*attack*) attaquer; (*like*) beaucoup aimer

◆**go in** *v/i to room, house* entrer; *of sun* se cacher; (*fit: of part etc*) s'insérer; ***it won't go in*** ça ne va pas rentrer

◆**go in for** *v/t competition, race* prendre part à; (*like*) aimer; *sport* jouer à

◆**go off 1** *v/i* (*leave*) partir; *of bomb* exploser; *of gun* partir; *of light* s'éteindre; *of alarm* se déclencher **2** *v/t* (*stop liking*) se lasser de; ***I've gone off the idea*** l'idée ne me plaît plus

◆**go on** *v/i* (*continue*) continuer; (*happen*) se passer; ***can I? - yes, go on*** est-ce que je peux? - oui, vas-y; ***go on, do it!*** (*encouraging*) allez, fais-le!; ***what's going on?*** qu'est-ce qui se passe?; ***don't go on about it*** arrête de parler de cela

◆**go on at** *v/t* (*nag*) s'en prendre à

◆**go out** *v/i of person* sortir; *of light, fire* s'éteindre

◆**go out with** *v/t romantically* sortir avec

◆**go over** *v/t* (*check*) revoir

◆**go through** *v/t hard times* traverser; *illness* subir; (*check*) revoir; (*read through*) lire en entier

◆**go through with** *v/t* aller jusqu'au bout de; ***go through with it*** aller jusqu'au bout

◆**go under** *v/i* (*sink*) couler; *of company* faire faillite

◆**go up** *v/i* (*climb*) monter; *of prices* augmenter

◆**go without 1** *v/t food etc* se passer de **2** *v/i* s'en passer

goad [goʊd] *v/t*: **~ *s.o. into doing sth*** talonner qn jusqu'à ce qu'il fasse (*subj*) qch

'go-a•head 1 *n* feu vert *m* **2** *adj* (*enterprising, dynamic*) entreprenant, dynamique

goal [goʊl] *in sport*, (*objective*) but *m*

goal•ie ['goʊlɪ] F goal *m* F

'goal•keep•er gardien *m* de but; **'goal kick** remise *f* en jeu; **'goal•mouth** entrée *f* des buts; **'goal•post** poteau *m* de but; **'goal•scor•er** buteur *m*; ***their top*** **~** leur meilleur buteur

goat [goʊt] chèvre *m*

gob•ble ['gɑ:bl] *v/t* dévorer

◆**gobble up** *v/t* engloutir

gob•ble•dy•gook ['gɑ:bldɪgu:k] F charabia *m* F

'go-be•tween intermédiaire *m/f*

god [gɑ:d] dieu *m*; ***thank God!*** Dieu merci!; ***oh God!*** mon Dieu!

'god•child filleul(e) *m(f)*

'god•daught•er filleule *f*

god•dess ['gɑ:dɪs] déesse *f*

'god•fa•ther *also in mafia* parrain *m*; **god•for•sak•en** ['gɑ:dfərseɪkn] *adj place, town* perdu; **'god•moth•er** marraine *m*; **'god•pa•rents** *npl* parrains *mpl*; **'god•send** don *m* du ciel; **'god•son** filleul *m*

go•fer ['goʊfər] F coursier(-ière) *m(f)*

gog•gles ['gɑ:gl] *npl* lunettes *fpl*

go•ing ['goʊɪŋ] *adj price etc* actuel*; **~ *concern*** affaire *f* qui marche

go•ings-on [goʊɪŋz'ɑ:n] *npl* activités *fpl*; ***there were some strange*** **~** il se passait de drôles de choses

gold [goʊld] **1** *n* or *m*; *medal* médaille *f* d'or **2** *adj watch, necklace etc* en or; *ingot* d'or

gold•en ['goʊldn] *adj sky* doré; *hair also* d'or

gold•en 'hand•shake (grosse) prime *f* de départ

gold•en 'wed•ding (an•ni•ver•sa•ry) noces *fpl* d'or

'gold•fish poisson *m* rouge; **'gold mine** *fig* mine *f* d'or; **'gold•smith** orfèvre *m*

golf [gɑ:lf] golf *m*

'golf ball balle *f* de golf; **'golf club** *organization, stick* club *m* de golf; **'golf course** terrain *m* de golf

golf•er ['gɑ:lfər] golfeur(-euse) *m(f)*

gone [gɑ:n] *pp* → ***go***

gong [gɑ:ŋ] gong *m*

good [gʊd] *adj* bon*; *weather* beau*; *child* sage; ***a* ~ *many*** beaucoup; ***a* ~**

many ... beaucoup de ...; ***be ~ at ...*** être bon en ...; ***it's ~ for you*** *for health* c'est bon pour la santé

good·bye [gʊd'baɪ] au revoir

'good-for-noth·ing *n* bon(ne) *m(f)* à rien; **Good 'Fri·day** Vendredi *m* saint; **good-hu·mored** [gʊd'hjuːmərd] *adj* jovial; **good-look·ing** [gʊd'lʊkɪŋ] *adj woman* beau*; **good-na·tured** [gʊd'neɪʧərd] bon*, au bon naturel

good·ness ['gʊdnɪs] *moral* bonté *f*; *of fruit etc* bonnes choses *fpl*; ***thank ~!*** Dieu merci!

G

goods [gʊdz] *npl* COMM marchandises *fpl*

good'will bonne volonté *f*, bienveillance *f*

good·y-good·y ['gʊdɪgʊdɪ] *n* F petit(e) saint(e) *m(f)*; *child* enfant *m/f* modèle

goo·ey ['guːɪ] *adj* gluant

goof [guːf] *v/i* F gaffer F

goose [guːs] (*pl* ***geese***) oie *f*

goose·ber·ry ['gʊzberɪ] groseille *f* (à maquereau)

'goose bumps *npl* chair *f* de poule

'goose pim·ples *npl* chair *f* de poule

gorge [gɔːrdʒ] **1** *n in mountains* gorge *f* **2** *v/t*: ***~ o.s. on sth*** se gorger de qch

gor·geous ['gɔːrdʒəs] *adj* magnifique, superbe

go·ril·la [gə'rɪlə] gorille *m*

gosh [gɑːʃ] *int* ça alors!

go-'slow grève *f* perlée

gos·pel ['gɑːspl] *in Bible* évangile *m*

'gos·pel truth parole *f* d'évangile

gos·sip ['gɑːsɪp] **1** *n* potins *mpl*; *malicious* commérages *mpl*; *person* commère *f* **2** *v/i* bavarder; *maliciously* faire des commérages

'gos·sip col·umn échos *mpl*

'gos·sip col·um·nist échotier(-ière) *m(f)*

gos·sip·y ['gɑːsɪpɪ] *adj letter* plein de potins

got [gɑːt] *pret & pp* → ***get***

got·ten ['gɑːtn] *pp* → ***get***

gour·met ['gʊrmeɪ] *n* gourmet *m*, gastronome *m/f*

gov·ern ['gʌvərn] *v/t country* gouverner

gov·ern·ment ['gʌvərnmənt] gouvernement *m*; ***~ spending*** dépenses *fpl* publiques; ***~ loan*** emprunt *m* d'État

gov·er·nor ['gʌvərnər] gouverneur *m*

gown [gaʊn] robe *f*, (*wedding dress*) robe *f* de mariée; *of academic, judge* toge *f*; *of surgeon* blouse *f*

grab [græb] *v/t* (*pret & pp* ***-bed***) saisir; *food* avaler; ***~ some sleep*** dormir un peu

grace [greɪs] *of dancer etc* grâce *f*; *before meals* bénédicité *m*

grace·ful ['greɪsfʊl] *adj* gracieux*

grace·ful·ly ['greɪsfʊlɪ] *adv move* gracieusement

gra·cious ['greɪʃəs] *adj person* bienveillant; *style, living* élégant; ***good ~!*** mon Dieu!

grade [greɪd] **1** *n* (*quality*) qualité *f*; EDU classe *f*; (*mark*) note *f* **2** *v/t* classer; *school work* noter

grade 'cross·ing passage *m* à niveau

'grade school école *f* primaire

gra·di·ent ['greɪdɪənt] pente *f*, inclinaison *f*

grad·u·al ['grædʒʊəl] *adj* graduel*, progressif*

grad·u·al·ly ['grædʒʊəlɪ] *adv* peu à peu, progressivement

grad·u·ate ['grædʒʊət] **1** *n* diplômé(e) *m(f)* **2** *v/i* ['grædʒʊeɪt] obtenir son diplôme (***from*** de)

grad·u·a·tion [grædʒʊ'eɪʃn] obtention *f* du diplôme

grad·u'a·tion cer·e·mon·y cérémonie *f* de remise de diplômes

graf·fi·ti [grə'fiːtiː] graffitis *mpl*; *single* graffiti *m*

graft [græft] **1** *n* BOT, MED greffe *f*; F (*corruption*) corruption *f*; *Br* F (*hard work*) corvée *f* **2** *v/t* BOT, MED greffer

grain [greɪn] blé *m*; *of rice etc, in wood* grain *m*; ***it goes against the ~ for me to do this*** c'est contre ma nature de faire ceci

gram [græm] gramme *m*

gram·mar ['græmər] grammaire *f*

'gram·mar school *Br* lycée *m*

gram·mat·i·cal [grə'mætɪkl] *adj* gram-

matical
gram·mat·i·cal·ly *adv* grammaticalement
grand [grænd] **1** *adj* grandiose; F (*very good*) génial F **2** *n* F (*$1000*) mille dollars *mpl*
gran·dad ['grændæd] grand-père *m*
'grand·child petit-fils *m*, petite-fille *f*; **'grand·child·ren** *npl* petits-enfants *mpl*; **'grand·daugh·ter** petite-fille *f*
gran·deur ['grændʒər] grandeur *f*, splendeur *f*
'grand·fa·ther grand-père *m*
'grand·fa·ther clock horloge *f* de parquet
gran·di·ose ['grændioʊs] *adj* grandiose, pompeux*
grand 'jur·y grand jury *m*; **'grand·ma** F mamie *f* F; **'grand·moth·er** grand-mère *f*; **'grand·pa** F papi *m* F; **'grand·par·ents** *npl* grands-parents *mpl*; **grand pi'an·o** piano *m* à queue; **grand 'slam** *in tennis* grand chelem *m*; **'grand·son** petit-fils *m*; **'grand·stand** tribune *f*
gran·ite ['grænɪt] granit *m*
gran·ny ['grænɪ] F mamie *f* F
grant [grænt] **1** *n money* subvention *f* **2** *v/t wish, visa, request* accorder; ***take s.o. / sth for ~ed*** considérer qn / qch comme acquis
gran·u·lat·ed sug·ar ['grænʊleɪtɪd] sucre *m* en poudre
gran·ule ['grænuːl] grain *m*
grape [greɪp] (grain *m* de) raisin *m*; ***some ~s*** du raisin
'grape·fruit pamplemousse *m*; **'grape·fruit juice** jus *m* de pamplemousse; **'grape·vine**: ***hear sth on the ~*** apprendre qch par le téléphone arabe
graph [græf] graphique *m*, courbe *f*
graph·ic ['græfɪk] **1** *adj* (*vivid*) très réaliste **2** *n* COMPUT graphique *m*; ***~s*** graphiques *mpl*
graph·ic·al·ly ['græfɪklɪ] *adv describe* de manière réaliste
graph·ic de'sign·er graphiste *m/f*
♦ **grap·ple with** ['græpl] *v/t attacker* en venir aux prises avec; *problem etc* s'attaquer à
grasp [græsp] **1** *n physical* prise *f*; *mental* compréhension *f* **2** *v/t physically* saisir; (*understand*) comprendre
grass [græs] *n* herbe *f*
'grass·hop·per sauterelle *f*; **grass 'roots** *npl people* base *f*; **grass 'wid·ow**: ***I'm a ~ this week*** je suis célibataire cette semaine
gras·sy ['græsɪ] *adj* herbeux*, herbu
grate[1] [greɪt] *n metal grill* grille *f*
grate[2] [greɪt] **1** *v/t in cooking* râper **2** *v/i*: ***~ on the ear*** faire mal aux oreilles
grate·ful ['greɪtfʊl] *adj* reconnaissant; ***be ~ to s.o.*** être reconnaissant envers qn
grate·ful·ly ['greɪtfʊlɪ] *adv* avec reconnaissance
grat·er ['greɪtər] râpe *f*
grat·i·fy ['grætɪfaɪ] *v/t* (*pret & pp **-ied***) satisfaire, faire plaisir à
grat·ing ['greɪtɪŋ] **1** *n* grille *f* **2** *adj sound, voice* grinçant
grat·i·tude ['grætɪtuːd] gratitude *f*, reconnaissance *f*
gra·tu·i·tous [grə'tuːɪtəs] *adj* gratuit
gra·tu·i·ty [grə'tuːətɪ] gratification *f*, pourboire *m*
grave[1] [greɪv] *n* tombe *f*
grave[2] [greɪv] *adj error, face, voice* grave
grav·el ['grævl] gravier *m*
'grave·stone pierre *f* tombale
'grave·yard cimetière *m*
♦ **grav·i·tate toward** ['grævɪteɪt] *v/t* être attiré par
grav·i·ty ['grævətɪ] PHYS, *of situation* gravité *f*
gra·vy ['greɪvɪ] jus *m* de viande
gray [greɪ] *adj* gris; ***be going ~*** grisonner
gray-haired [greɪ'herd] *adj* aux cheveux gris
graze[1] [greɪz] *v/i of cow, horse* paître
graze[2] [greɪz] **1** *v/t arm etc* écorcher; ***~ one's arm*** s'écorcher le bras **2** *n* écorchure *f*
grease [griːs] *for cooking* graisse *f*, *for car* lubrifiant *m*
grease·proof 'pa·per papier *m* sulfurisé
greas·y ['griːsɪ] *adj* gras*; (*covered in*

grease) graisseux*
great [greɪt] *adj* grand; *mistake*, *sum of money* gros*; *composer*, *writer* grand; F (*very good*) super F; ***~ to see you!*** ravi de te voir!
Great 'Brit·ain Grande-Bretagne *f*
great-'grand·daugh·ter arrière-petite-fille *f*; **great-'grand·fa·ther** arrière-grand-père *m*; **great-'grand·moth·er** arrière-grand-mère *f*; **great-'grand·par·ents** *npl* arrière-grands-parents *mpl*; **great-'grand·son** arrière-petit-fils *m*
great·ly ['greɪtlɪ] *adv* beaucoup; ***not ~ different*** pas très différent
great·ness ['greɪtnɪs] grandeur *f*, importance *f*
Greece [gri:s] Grèce *f*
greed [gri:d] *for money* avidité *f*, *for food also* gourmandise *f*
greed·i·ly ['gri:dɪlɪ] *adv* avec avidité
greed·y ['gri:dɪ] *adj for money* avide; *for food also* gourmand
Greek [gri:k] **1** *n* Grec(que) *m*(*f*); *language* grec *m* **2** *adj* grec*
green [gri:n] *adj* vert; *environmentally* écologique
green 'beans *npl* haricots *mpl* verts; **'green belt** ceinture *f* verte; **'green card** (*work permit*) permis *m* de travail; **'green·field site** terrain *m* non construit; **'green·horn** F blanc-bec *m*; **'green·house** serre *f*; **'green·house ef·fect** effet *m* de serre; **'green·house gas** gaz *m* à effet de serre
greens [gri:nz] *npl* légumes *mpl* verts
green 'thumb: ***have a ~*** avoir la main verte
greet [gri:t] *v/t* saluer; (*welcome*) accueillir
greet·ing ['gri:tɪŋ] salut *m*
'greet·ing card carte *f* de vœux
gre·gar·i·ous [grɪ'gerɪəs] *adj person* sociable
gre·nade [grɪ'neɪd] grenade *f*
grew [gru:] *pret* → ***grow***
grey [greɪ] *adj Br* → ***gray***
'grey·hound lévrier *m*, levrette *f*
grid [grɪd] grille *f*; **'grid·iron** SP terrain *m* de football; **'grid·lock** *in traffic* embouteillage *m*
grief [gri:f] chagrin *m*, douleur *f*
grief-strick·en ['gri:fstrɪkn] *adj* affligé
griev·ance ['gri:vəns] grief *m*
grieve [gri:v] *v/i* être affligé; ***~ for s.o.*** pleurer qn
grill [grɪl] **1** *n on window* grille *f* **2** *v/t* (*interrogate*) mettre sur la sellette
grille [grɪl] grille *f*
grim [grɪm] *adj* sinistre, sombre
gri·mace ['grɪməs] *n* grimace *f*
grime [graɪm] saleté *f*, crasse *f*
grim·ly ['grɪmlɪ] *adv determined etc* fermement; *say*, *warn* sinistrement
grim·y ['graɪmɪ] *adj* sale, crasseux*
grin [grɪn] **1** *n* (large) sourire *m* **2** *v/i* (*pret & pp* ***-ned***) sourire
grind [graɪnd] *v/t* (*pret & pp* ***ground***) *coffee* moudre; *meat* hacher; ***~ one's teeth*** grincer des dents
grip [grɪp] **1** *n on rope etc* prise *f*; ***be losing one's ~*** (*losing one's skills*) baisser **2** *v/t* (*pret & pp* ***-ped***) saisir, serrer
gripe [graɪp] **1** *n* plainte *f* **2** *v/i* rouspéter F
grip·ping ['grɪpɪŋ] *adj* prenant, captivant
gris·tle ['grɪsl] cartilage *m*
grit [grɪt] **1** *n for roads* gravillon *m*; ***a bit of ~ in eye*** une poussière **2** *v/t* (*pret & pp* ***-ted***): ***~ one's teeth*** grincer des dents
grit·ty ['grɪtɪ] *adj* F *book*, *movie etc* réaliste
groan [groʊn] **1** *n* gémissement *m* **2** *v/i* gémir
gro·cer ['groʊsər] épicier(-ère) *m*(*f*)
gro·cer·ies ['groʊsərɪz] *npl* (articles *mpl* d')épicerie *f*, provisions *fpl*
gro·cer·y store ['groʊsərɪ] épicerie *f*; ***at the ~*** chez l'épicier, à l'épicerie
grog·gy ['grɑ:gɪ] *adj* F groggy F
groin [grɔɪn] ANAT aine *f*
groom [gru:m] **1** *n for bride* marié *m*; *for horse* palefrenier(-ère) *m*(*f*) **2** *v/t horse* panser; (*train*, *prepare*) préparer, former; ***well ~ed*** *in appearance* très soigné
groove [gru:v] rainure *f*; *on record* sil-

lon *m*
grope [group] **1** *v/i in the dark* tâtonner **2** *v/t sexually* peloter F
♦ **grope for** *v/t door handle* chercher à tâtons; *right word* chercher
gross [grous] *adj* (*coarse*, *vulgar*) grossier*; *exaggeration* gros*; FIN brut
gross 'do·mes·tic prod·uct produit *m* intérieur brut
gross 'na·tion·al prod·uct produit *m* national brut
ground[1] [graund] **1** *n* sol *m*, terre *f*; *area of land*, *for football*, *fig* terrain; (*reason*) raison *f*, motif *m*; ELEC terre *f*; ***on the ~*** par terre **2** *v/t* ELEC mettre une prise de terre à
'ground con·trol contrôle *m* au sol; **'ground crew** personnel *m* au sol; **'ground floor** *Br* rez-de-chaussée *m*
ground[2] *pret & pp* → ***grind***
ground·ing ['graundıŋ] *in subject* bases *fpl*
ground·less ['graundlıs] *adj* sans fondement
'ground meat viande *f* hachée; **'ground·nut** arachide *f*; **'ground plan** projection *f* horizontale; **'ground staff** SP personnel *m* d'entretien; *at airport* personnel *m* au sol; **'ground·work** travail *m* préparatoire; **Ground 'Ze·ro** Ground Zero *m*
group [gru:p] **1** *n* groupe *m* **2** *v/t* grouper
group·ie ['gru:pı] F groupie *f* F
group 'ther·a·py thérapie *f* de groupe
grouse [graus] **1** *n* F rouspéter F **2** *v/i* F plainte *f*
grov·el ['gra:vl] *v/i fig* ramper (***to*** devant)
grow [grou] **1** *v/i* (*pret* ***grew***, *pp* ***grown***) *of child*, *animal*, *anxiety* grandir; *of plants*, *hair*, *beard* pousser; *of number*, *amount* augmenter; *of business* se développer; (*become*) devenir **2** *v/t flowers* faire pousser
♦ **grow up** *of person* devenir adulte; *of city* se développer; ***grow up!*** sois adulte!
growl [graul] **1** *n* grognement *m* **2** *v/i* grogner
grown [groun] *pp* → ***grow***
'grown-up 1 *n* adulte *m/f* **2** *adj* adulte
growth [grouθ] *of person*, *company* croissance *f*; (*increase*) augmentation *f*; MED tumeur *f*
grub [grʌb] *of insect* larve *f*, ver *m*
grub·by ['grʌbı] *adj* malpropre
grudge [grʌdʒ] **1** *n* rancune *f*; ***bear a ~*** avoir de la rancune **2** *v/t* (*give unwillingly*) accorder à contrecœur; ***~ s.o. sth*** (*resent*) en vouloir à qn de qch
grudg·ing ['grʌdʒıŋ] *adj* accordé à contrecœur; *person* plein de ressentiment
grudg·ing·ly ['grʌdʒıŋlı] *adv* à contre--cœur
gru·el·ing, *Br* **gruel·ling** ['gru:əlıŋ] *adj climb*, *task* épuisant, éreintant
gruff [grʌf] *adj* bourru, revêche
grum·ble ['grʌmbl] *v/i* ronchonner
grum·bler ['grʌmblər] grognon(ne) *m(f)*
grump·y ['grʌmpı] *adj* grincheux*
grunt [grʌnt] **1** *n* grognement *m* **2** *v/i* grogner
guar·an·tee [gærən'ti:] **1** *n* garantie *f*; ***~ period*** période *f* de garantie **2** *v/t* garantir
guar·an·tor [gærən'tɔ:r] garant(e) *m(f)*
guard [ga:rd] **1** *n* (*security guard*), *in prison* gardien(ne) *m(f)*; MIL garde *f*; ***be on one's ~*** être sur ses gardes; ***be on one's ~ against*** faire attention à **2** *v/t* garder
♦ **guard against** *v/t* se garder de
'guard dog chien *m* de garde
guard·ed ['ga:rdıd] *adj reply* prudent, réservé
guard·i·an ['ga:rdıən] LAW tuteur (-trice) *m(f)*
guard·i·an 'an·gel ange-gardien *m*
guer·ril·la [gə'rılə] guérillero *m*
guer·ril·la 'war·fare guérilla *f*
guess [ges] **1** *n* conjecture *f* **2** *v/t answer* deviner **2** *v/i* deviner; ***I ~ so*** je crois; ***I ~ not*** je ne crois pas
'guess·work conjecture(s) *f(pl)*
guest [gest] invité(e) *m(f)*; *in hotel* hôte *m/f*
'guest·house pension *f* de famille

G

'guest·room chambre *f* d'amis
guf·faw [gʌ'fɒː] **1** *n* gros rire *m* **2** *v/i* s'esclaffer
guid·ance ['gaɪdəns] conseils *mpl*
guide [gaɪd] **1** *n person* guide *m/f*; *book* guide *m* **2** *v/t* guider
'guide·book guide *m*
guid·ed mis·sile ['gaɪdɪd] missile *m* téléguidé
'guide dog *Br* chien *m* d'aveugle
guid·ed 'tour visite *f* guidée
guide·lines ['gaɪdlaɪnz] *npl* directives *fpl*
guilt [gɪlt] culpabilité *f*
guilt·y ['gɪltɪ] *adj* coupable; ***have a ~ conscience*** avoir mauvaise conscience
guin·ea pig ['gɪnɪpɪg] cochon *m* d'Inde, cobaye *m*; *fig* cobaye *m*
guise [gaɪz]: ***under the ~ of*** sous l'apparence de
gui·tar [gɪ'tɑːr] guitare *f*
gui'tar case étui *m* à guitare
gui·tar·ist [gɪ'tɑːrɪst] guitariste *m/f*
gui'tar play·er guitariste *m/f*
gulf [gʌlf] golfe *m*; *fig* gouffre *m*, abîme *m*; ***the Gulf*** le Golfe
gull [gʌl] mouette *f*; *bigger* goéland *m*
gul·let ['gʌlɪt] ANAT gosier *m*
gul·li·ble ['gʌlɪbl] *adj* crédule
gulp [gʌlp] **1** *n of drink* gorgée *f*; *of food* bouchée *f* **2** *v/i in surprise* dire en s'étranglant
♦ **gulp down** *v/t drink* avaler à grosses gorgées; *food* avaler à grosses bouchées
gum[1] [gʌm] *n in mouth* gencive *f*
gum[2] [gʌm] *n* (*glue*) colle *f*; (*chewing gum*) chewing-gum *m*
gump·tion ['gʌmpʃn] jugeote *f* F
gun [gʌn] arme *f* à feu; *pistol* pistolet *m*; *revolver* revolver *m*; *rifle* fusil *m*; *cannon* canon *m*
♦ **gun down** *v/t* (*pret & pp* **-ned**) abattre
'gun·fire coups *mpl* de feu; **'gun·man** homme *m* armé; **'gun·point**: ***at ~*** sous la menace d'une arme; **'gun·shot** coup *m* de feu; **'gun·shot wound** blessure *f* par balle
gur·gle ['gɜːrgl] *v/i of baby* gazouiller; *of drain* gargouiller
gu·ru ['guːruː] *fig* gourou *m*
gush [gʌʃ] *v/i of liquid* jaillir
gush·y ['gʌʃɪ] *adj* F (*enthusiastic*) excessif*
gust [gʌst] rafale *f*, coup *m* de vent
gus·to ['gʌstoʊ]: ***with ~*** avec enthousiasme
gust·y ['gʌstɪ] *adj weather* très venteux*; ***~ wind*** vent soufflant en rafales
gut [gʌt] **1** *n* intestin *m*; F (*stomach*) bide *m* F **2** *v/t* (*pret & pp* **-ted**) (*destroy*) ravager; (*strip down*) casser
gut 'feel·ing F intuition *f*
guts [gʌts] *npl* entrailles *fpl*; F (*courage*) cran *m* F; ***hate s.o.'s ~*** ne pas pouvoir saquer qn F
guts·y ['gʌtsɪ] *adj* F (*brave*) qui a du cran F
gut·ter ['gʌtər] *on sidewalk* caniveau *m*; *on roof* gouttière *f*
'gutter·press *Br* presse *f* de bas-étage
guy [gaɪ] F type *m* F; ***hey, you ~s*** salut, vous
guz·zle ['gʌzl] *v/t food* engloutir; *drink* avaler
gym [dʒɪm] *sports club* club *m* de gym; *in school* gymnase *m*; *activity* gym *f*, gymnastique *f*
gym·na·si·um [dʒɪm'neɪzɪəm] gymnase *m*
gym·nast ['dʒɪmnæst] gymnaste *m/f*
gym·nas·tics [dʒɪm'næstɪks] gymnastique *f*
gy·ne·col·o·gy, *Br* **gy·nae·col·o·gy** [gaɪnɪ'kɑːlədʒɪ] gynécologie *f*
gy·ne'col·o·gist, *Br* **gy·nae·col·o·gist** [gaɪnɪ'kɑːlədʒɪst] gynécologue *m/f*
gyp·sy ['dʒɪpsɪ] gitan(e) *m(f)*

H

hab·it ['hæbɪt] habitude *f*; ***get into the ~ of doing sth*** prendre l'habitude de faire qch
hab·it·a·ble ['hæbɪtəbl] *adj* habitable
hab·i·tat ['hæbɪtæt] habitat *m*
ha·bit·u·al [hə'bɪʧʊəl] *adj* habituel*; *smoker, drinker* invétéré
hack [hæk] *n* (*poor writer*) écrivaillon(ne) *m(f)*
hack·er ['hækər] COMPUT pirate *m* informatique
hack·neyed ['hæknɪd] *adj* rebattu
had [hæd] *pret & pp* → ***have***
had·dock ['hædək] aiglefin *m*; ***smoked ~*** haddock *m*
haem·or·rhage *Br* → ***hemorrhage***
hag·gard ['hægərd] *adj* hagard, égaré
hag·gle ['hægl] *v/i* chipoter (for, over sur)
hail [heɪl] *n* grêle *f*
'hail·stone grêlon *m*
'hail·storm averse *f* de grêle
hair [her] cheveux *mpl*; *single* cheveu *m*; *on body* poils *mpl*; *single* poil *m*
'hair·brush brosse *f* à cheveux; **'hair·cut** coupe *f* de cheveux; **'hair·do** coiffure *f*; **'hair·dress·er** coiffeur (-euse) *m(f)*; ***at the ~*** chez le coiffeur; **'hair·dri·er, 'hair·dry·er** sèche-cheveux *m*
hair·less ['herlɪs] *adj person* sans cheveux, chauve; *chin* imberbe; *animal* sans poils
'hair·pin épingle *f* à cheveux; **hair·pin 'curve** virage *m* en épingle à cheveux; **hair-rais·ing** ['hereɪzɪŋ] *adj* horrifique, à faire dresser les cheveux sur la tête; **hair re·mov·er** ['herɪmu:vər] crème *f* épilatoire
'hair's breadth *fig*: ***by a ~*** de justesse
hair-split·ting ['hersplɪtɪŋ] *n* ergotage *m*; **'hair spray** laque *f*, **'hair·style** coiffure *f*; **'hair·styl·ist** coiffeur (-euse) *m(f)*
hair·y ['herɪ] *adj arm, animal* poilu; F (*frightening*) effrayant
half [hæf] **1** *n* (*pl* ***halves*** [hævz]) moitié *f*; ***~ past ten*** dix heures et demie; ***~ an hour*** une demi-heure; ***~ a pound*** une demi-livre; ***go halves with s.o. on sth.*** se mettre de moitié avec qn pour qch, partager avec qn pour qch **2** *adj* demi; ***at ~ price*** à moitié prix; ***~ size*** demi-taille *f* **3** *adv* à moitié
half-heart·ed [hæf'hɑ:rtɪd] *adj* tiède, hésitant; **half 'time** *n* SP mi-temps *f*; **half-time** *adj* à mi-temps; ***~ score*** score *m* à la mi-temps; **half'way 1** *adj*: ***reach the ~ point*** être à la moitié **2** *adv in space, distance* à mi-chemin; *finished* à moitié
hall [hɒ:l] (*large room*) salle *f*, (*hallway in house*) vestibule *m*
Hal·low·e'en [hælou'wi:n] halloween *f*
halo ['heɪlou] auréole *f*, ASTR halo *m*
halt [hɒ:lt] **1** *v/i* faire halte, s'arrêter **2** *v/t* arrêter **3** *n*: ***come to a ~*** *of traffic, production* être interrompu; *of person* faire halte, s'arrêter
halve [hæv] *v/t* couper en deux; *input, costs* réduire de moitié
ham [hæm] jambon *m*
ham·burg·er ['hæmbɜ:rgər] hamburger *m*
ham·mer ['hæmər] **1** *n* marteau *m* **2** *v/i* marteler, battre au marteau; ***~ at the door*** frapper à la porte à coups redoublés
ham·mock ['hæmək] hamac *m*
ham·per[1] ['hæmpər] *n for food* panier *m*
ham·per[2] ['hæmpər] *v/t* (*obstruct*) entraver, gêner
ham·ster ['hæmstər] hamster *m*
hand [hænd] **1** *n* main *f*, *of clock* aiguille *f*, (*worker*) ouvrier(-ère) *m(f)*; ***at ~, to ~*** *thing* sous la main; ***at ~*** *per-*

son à disposition; ***at first ~*** de première main; ***by ~*** à la main; ***on the one ~ …, on the other ~*** d'une part …, d'autre part; ***in ~*** (*being done*) en cours; ***on your right ~*** sur votre droite; ***~s off!*** n'y touchez pas!; ***~s up!*** haut les mains!; ***change ~s*** changer de propriétaire *or* de mains; ***give s.o. a ~*** donner un coup de main à qn
♦**hand down** *v/t* transmettre
♦**hand in** *v/t* remettre
♦**hand on** *v/t* transmettre
♦**hand out** *v/t* distribuer
♦**hand over** *v/t* donner; *to authorities* livrer
'hand·bag *Br* sac *m* à main; **'hand bag·gage** bagages *mpl* à main
'hand·book livret *m*, guide *m*; **'hand·cuff** *v/t* menotter; **hand·cuffs** ['hæn(d)kʌfs] *npl* menottes *fpl*
hand·i·cap ['hændɪkæp] handicap *m*
hand·i·capped ['hændɪkæpt] *adj* handicapé
hand·i·craft ['hændɪkræft] artisanat *m*
hand·i·work ['hændɪwɜːrk] *object* ouvrage *m*
hand·ker·chief ['hæŋkərtʃɪf] mouchoir *m*
han·dle ['hændl] **1** *n of door*, *suitcase*, *bucket* poignée *f*, *of knife*, *pan* manche *m* **2** *v/t goods* manier, manipuler; *case*, *deal* s'occuper de; *difficult person* gérer; ***let me ~ this*** laissez-moi m'en occuper
han·dle·bars ['hændlbɑːrz] *npl* guidon *m*
'hand lug·gage bagages *m* à main; **hand·made** [hæn(d)'meɪd] *adj* fait (à la) main; **'hand·rail** *of stairs* balustrade *f*, main *f* courante; *of bridge* garde-fou *m*, balustrade *f*; **'hand·shake** poignée *f* de main
hands-off [hændz'ɑːf] *adj approach* théorique; *manager* non-interventionniste
hand·some ['hænsəm] *adj* beau*
hands-on [hændz'ɑːn] *adj* pratique; *manager* impliqué; ***he has a ~ style*** il s'implique (dans ce qu'il fait)
'hand·writ·ing écriture *f*
'hand·writ·ten *adj* écrit à la main
hand·y ['hændɪ] *adj tool*, *device* pratique; ***it might come in ~*** ça pourrait servir, ça pourrait être utile
hang [hæŋ] **1** *v/t* (*pret & pp* **hung**) *picture* accrocher; *person* pendre **2** *v/i of dress*, *hair* tomber; *of washing* pendre **3** *n*: ***get the ~ of sth*** F piger qch F
♦**hang around** *v/i* F traîner; ***who does he hang around with?*** avec qui traîne-t-il?
♦**hang on** *v/i* (*wait*) attendre
♦**hang on to** *v/t* (*keep*) garder
♦**hang up** *v/i* TELEC raccrocher
han·gar ['hæŋər] hangar *m*
hang·er ['hæŋər] *for clothes* cintre *m*
'hang glid·er *person* libériste *m/f*, *device* deltaplane *m*
'hang glid·ing deltaplane *m*
'hang·o·ver gueule *f* de bois
'hang-up F complexe *m*
♦**han·ker after** ['hæŋkər] *v/t* rêver de
han·kie, han·ky ['hæŋkɪ] F mouchoir *m*
hap·haz·ard [hæp'hæzərd] *adj* au hasard, au petit bonheur
hap·pen ['hæpn] *v/i* se passer, arriver; ***if you ~ to see him*** si par hasard vous le rencontrez; ***what has ~ed to you?*** qu'est-ce qui t'est arrivé?
♦**happen across** *v/t* tomber sur
hap·pen·ing ['hæpnɪŋ] événement *m*
hap·pi·ly ['hæpɪlɪ] *adv* gaiement; *spend* volontiers; (*luckily*) heureusement
hap·pi·ness ['hæpɪnɪs] bonheur *m*
hap·py ['hæpɪ] *adj* heureux*
hap·py-go-'luck·y *adj* insouciant
'hap·py hour happy hour *f*
har·ass [hə'ræs] *v/t* harceler, tracasser
har·assed [hər'æst] *adj* surmené
har·ass·ment [hə'ræsmənt] harcèlement *m*; ***sexual ~*** harcèlement *m* sexuel
har·bor ['hɑːrbər] **1** *n* port *m* **2** *v/t criminal* héberger; *grudge* entretenir
hard [hɑːrd] **1** *adj* dur; (*difficult*) dur, difficile; *facts* brut; *evidence* concret*; ***be ~ of hearing*** être dur d'oreille **2** *adv work* dur; *rain*, *pull*, *push* fort; ***try***

~ to do sth faire tout son possible pour faire qch
'hard·back *n* livre *m* cartonné; **hard-boiled** [hɑːrd'bɔɪld] *adj egg* dur; **'hard cop·y** copie *f* sur papier; **'hard core** *n pornography* (pornographie *f*) hard *m*; **'hard cur·ren·cy** monnaie *f* forte; **'hard disk** disque *m* dur
hard·en ['hɑːrdn] **1** *v/t* durcir **2** *v/i of glue, attitude* se durcir
'hard hat casque *m*; (*construction worker*) ouvrier *m* du bâtiment; **hard-head·ed** [hɑːrd'hedɪd] *adj* réaliste, qui garde la tête froide; **hard-heart·ed** [hɑːrd'hɑːrtɪd] *adj* au cœur dur; **hard 'line** ligne *f* dure; ***take a ~ on*** adopter une ligne dure sur; **hard'lin·er** dur(e) *m(f)*
hard·ly ['hɑːrdlɪ] *adv* à peine; *see s.o. etc* presque pas; *expect* sûrement pas; ***~ ever*** presque jamais
hard·ness ['hɑːrdnɪs] dureté *f*; (*difficulty*) difficulté *f*
hard'sell techniques *fpl* de vente agressives
hard·ship ['hɑːrdʃɪp] privation *f*, gêne *f*
hard 'up *adj* fauché F; **'hard·ware** quincaillerie *f*; COMPUT hardware *m*, matériel *m*; **'hard·ware store** quincaillerie *f*; **hard-'work·ing** *adj* travailleur*
har·dy ['hɑːrdɪ] *adj* robuste
hare [her] lièvre *m*
hare·brained ['herbreɪnd] *adj* écervelé
harm [hɑːrm] **1** *n* mal *m*; ***it wouldn't do any ~ to …*** ça ne ferait pas de mal de … **2** *v/t physically* faire du mal à; *non-physically* nuire à; *economy, relationship* endommager, nuire à
harm·ful ['hɑːrmfl] *adj substance* nocif*; *influence* nuisible
harm·less ['hɑːrmlɪs] *adj* inoffensif*
har·mo·ni·ous [hɑːr'moʊnɪəs] *adj* harmonieux*
har·mo·nize ['hɑːrmənaɪz] *v/i* s'harmoniser
har·mo·ny ['hɑːrmənɪ] harmonie *f*
harp [hɑːrp] *n* harpe *f*
♦**harp on about** *v/t* F rabâcher F
har·poon [hɑːr'puːn] harpon *m*
harsh [hɑːrʃ] *adj criticism, words* rude, dur; *color* criard; *light* cru
harsh·ly ['hɑːrʃlɪ] *adv* durement, rudement
har·vest ['hɑːrvɪst] *n* moisson *f*
hash [hæʃ] F pagaille *f*, gâchis *m*; ***make a ~ of*** faire un beau gâchis de
hash·ish ['hæʃiːʃ] ha(s)chisch *m*
'hash mark caractère *m* #, dièse *f*
haste [heɪst] *n* hâte *f*
has·ten ['heɪsn] *v/i*: ***~ to do sth*** se hâter de faire qch
hast·i·ly ['heɪstɪlɪ] *adv* à la hâte, précipitamment
hast·y ['heɪstɪ] *adj* hâtif*, précipité
hat [hæt] chapeau *m*
hatch [hætʃ] *n for serving food* guichet *m*; *on ship* écoutille *f*
♦**hatch out** *v/i of eggs* éclore
hatch·et ['hætʃɪt] hachette *f*; ***bury the ~*** enterrer la hache de guerre
hate [heɪt] **1** *n* haine *f* **2** *v/t* détester, haïr
ha·tred ['heɪtrɪd] haine *f*
haugh·ty ['hɒːtɪ] *adj* hautain, arrogant
haul [hɒːl] **1** *n of fish* coup *m* de filet **2** *v/t* (*pull*) tirer, traîner
haul·age ['hɒːlɪdʒ] transports *mpl* (routiers)
'haul·age com·pa·ny entreprise *f* de transports (routiers)
haunch [hɒːntʃ] *of person* hanche *f*; *of animal* arrière-train *m*; ***squatting on their ~es*** accroupis
haunt [hɒːnt] **1** *v/t* hanter; ***this place is ~ed*** ce lieu est hanté **2** *n* lieu *m* fréquenté, repaire *m*
haunt·ing ['hɒːntɪŋ] *adj tune* lancinant
have [hæv] **1** *v/t* (*pret & pp* ***had***) (*own*) avoir
◊ *breakfast, lunch* prendre
◊ : ***you've been had*** F tu t'es fait avoir F
◊ : ***can I ~ …?*** est-ce que je peux *or* puis-je avoir …?; ***do you ~ …?*** est-ce que vous avez …?
◊ (*must*): ***~ (got) to*** devoir; ***you don't ~ to do it*** tu n'es pas obligé de le faire; ***do I ~ to pay?*** est-ce qu'il faut payer?

◊ (*causative*): **~ sth done** faire faire qch; ***I'll ~ it sent to you*** je vous le ferai envoyer; ***I had my hair cut*** je me suis fait couper les cheveux; ***will you ~ him come in?*** faites-le entrer
2 *v/aux* ◊ (*past tense*): ***~ you seen her?*** l'as-tu vue?; ***they ~ arrived*** ils sont arrivés; ***I hadn't expected that*** je ne m'attendais pas à cela
◊ *tags*: ***you haven't seen him, ~ you?*** tu ne l'as pas vu, n'est-ce pas?; ***he had signed it, hadn't he?*** il l'avait bien signé, n'est-ce pas?

♦**have back** *v/t*: ***when can I have it back?*** quand est-ce que je peux le récupérer?

♦**have on** *v/t* (*wear*) porter; ***do you have anything on tonight?*** (*have planned*) est-ce que vous avez quelque chose de prévu ce soir?

H

ha·ven ['heɪvn] *fig* havre *m*

hav·oc ['hævək] ravages *mpl*; ***play ~ with*** mettre sens dessus dessous

hawk [hɒːk] *also fig* faucon *m*

hay [heɪ] foin *m*

'hay fe·ver rhume *m* des foins

haz·ard ['hæzərd] *n* danger *m*, risque *m*

'haz·ard lights *npl* MOT feux *mpl* de détresse

haz·ard·ous ['hæzərdəs] *adj* dangereux*, risqué; ***~ waste*** déchets *mpl* dangereux

haze [heɪz] brume *f*

ha·zel ['heɪzl] *n tree* noisetier *m*

'ha·zel·nut noisette *f*

haz·y ['heɪzɪ] *adj view* brumeux*; *image* flou; *memories* vague; ***I'm a bit ~ about it*** *don't remember* je ne m'en souviens que vaguement; *don't understand* je ne comprends que vaguement

he [hiː] *pron* il; *stressed* lui; ***~ was the one who …*** c'est lui qui …; ***there ~ is*** le voilà; ***~ who …*** celui qui

head [hed] **1** *n* tête *f*; (*boss, leader*) chef *m/f*; *of delegation* chef *m/f*; *Br.* *of school* directeur(-trice) *m(f)*; *on beer* mousse *f*; *of nail* bout *m*; *of line* tête *f*; ***$15 a ~*** 15 $ par personne; ***~s or tails?*** pile ou face?; ***at the ~ of the list*** en tête de liste; ***fall ~ over heels*** faire la culbute; ***fall ~ over heels in love with*** tomber éperdument amoureux* de; ***lose one's ~*** (*go crazy*) perdre la tête **2** *v/t* (*lead*) être à la tête de; *ball* jouer de la tête

♦**head for** *vt* se diriger vers

'head·ache mal *m* de tête

'head·band bandeau *m*

head·er ['hedər] *in soccer* (coup *m* de) tête *f*; *in document* en-tête *m*

'head·hunt *v/t*: ***be ~ed*** COMM être recruté (par un chasseur de têtes)

'head·hunt·er COMM chasseur *m* de têtes

head·ing ['hedɪŋ] titre *m*

'head·lamp phare *m*; **'head·light** phare *m*; **'head·line** *in newspaper* (gros) titre *m*, manchette *f*; ***make the ~s*** faire les gros titres; **'head·long** *adv fall* de tout son long; **'head·mas·ter** *Br.* *of school* directeur *m*; *of high school* proviseur *m*; **'head·mis·tress** *Br.* *of school* directrice *f*; *of high school* proviseur *f*; **head 'of·fice** *of company* bureau *m* central; **head-'on 1** *adv crash* de front **2** *adj* frontal; **'head·phones** *npl* écouteurs *mpl*; **'head·quar·ters** *npl* quartier *m* général; **'head·rest** appui-tête *m*; **'head·room** *under bridge* hauteur *f* limite; *in car* hauteur *f* au plafond; **'head·scarf** foulard *m*; **'head·strong** *adj* entêté, obstiné; **head 'wait·er** maître *m* d'hôtel; **'head·wind** vent *m* contraire

head·y ['hedɪ] *adj drink, wine etc* capiteux*

heal [hiːl] *v/t* guérir

♦**heal up** *v/i* se guérir

health [helθ] santé *f*; ***your ~!*** à votre santé!

'health care soins *mpl* médicaux; **'health club** club *m* de gym; **'health food** aliments *mpl* diététiques; **'health food store** magasin *m* d'aliments diététiques; **'health in·su·rance** assurance *f* maladie; **'health re·sort** station *f* thermale

health·y ['helθɪ] *adj person* en bonne santé; *food, lifestyle, economy* sain

heap [hiːp] *n* tas *m*
◆**heap up** *v/t* entasser
hear [hɪr] *v/t & v/i* (*pret & pp* ***heard***) entendre
◆**hear about** *v/t* entendre parler de; ***have you heard about Mike?*** as-tu entendu ce qui est arrivé à Mike?
◆**hear from** *v/t* (*have news from*) avoir des nouvelles de
heard [hɜːrd] *pret & pp* → ***hear***
hear·ing ['hɪrɪŋ] ouïe *f*; LAW audience *f*; ***within ~*** à portée de voix; ***out of ~*** hors de portée de voix
'hear·ing aid appareil *m* acoustique, audiophone *m*
'hear·say: ***by ~*** par ouï-dire
hearse [hɜːrs] corbillard *m*
heart [hɑːrt] *also fig* cœur *m*; ***know sth by ~*** connaître qch par cœur
'heart at·tack crise *f* cardiaque; **'heart·beat** battement *m* de cœur; **heart·break·ing** *adj* navrant; **'heart·brok·en** *adj*: ***be ~*** avoir le cœur brisé; **'heart·burn** brûlures *fpl* d'estomac; **'heart fail·ure** arrêt *m* cardiaque; **'heart·felt** *adj sympathy* sincère, profond
hearth [hɑːrθ] foyer *m*, âtre *f*
heart·less ['hɑːrtlɪs] *adj* insensible, cruel*
heart·rend·ing ['hɑːrtrendɪŋ] *adj plea, sight* déchirant, navrant
hearts [hɑːrts] *npl in cards* cœur *m*
'heart throb F idole *f*, coqueluche *f*
'heart trans·plant greffe *f* du cœur
heart·y ['hɑːrtɪ] *adj appetite* gros*; *meal* copieux*; *person* jovial, chaleureux*
heat [hiːt] chaleur *f*; *in contest* (épreuve *f*) éliminatoire *f*
◆**heat up** *v/t* réchauffer
heat·ed ['hiːtɪd] *adj swimming pool* chauffé; *discussion* passionné
heat·er ['hiːtər] radiateur *m*; *in car* chauffage *m*
hea·then ['hiːðn] *n* païen(ne) *m(f)*
heath·er ['heðər] bruyère *f*
heat·ing ['hiːtɪŋ] chauffage *m*
'heat·proof, 'heat-re·sis·tant *adj* résistant à la chaleur; **'heat·stroke** coup *m* de chaleur; **'heat·wave** vague *f* de chaleur
heave [hiːv] *v/t* (*lift*) soulever
heav·en ['hevn] ciel *m*; ***good ~s!*** mon Dieu!
heav·en·ly ['hevənlɪ] *adj* F divin
heav·y ['hevɪ] *adj also food, loss* lourd; *cold* grand; *rain, accent* fort; *traffic, smoker, drinker, bleeding* gros*
heav·y-'du·ty *adj* très résistant
'heav·y·weight *adj* SP poids lourd
heck·le ['hekl] *v/t* interpeller, chahuter
hec·tic ['hektɪk] *adj* agité, bousculé
hedge [hedʒ] *n* haie *f*
hedge·hog ['hedʒhɑːg] hérisson *m*
hedge·row ['hedʒroʊ] haie *f*
heed [hiːd] **1** *v/t* faire attention à, tenir compte de **2** *n*: ***pay ~ to*** faire attention à, tenir compte de
heel [hiːl] talon *m*
'heel bar talon-minute *m*
hef·ty ['heftɪ] *adj* gros*; *person also* costaud
height [haɪt] *of person* taille *f*; *of building* hauteur *f*; *of airplane* altitude *f*; ***at the ~ of the season*** en pleine saison
height·en ['haɪtn] *v/t effect, tension* accroître
heir [er] héritier *m*
heir·ess ['erɪs] héritière *f*
held [held] *pret & pp* → ***hold***
hel·i·cop·ter ['helɪkɑːptər] hélicoptère *m*
hell [hel] enfer *m*; ***what the ~ are you doing?*** F mais enfin qu'est-ce que tu fais?; ***go to ~!*** F va te faire foutre! P; ***a ~ of a lot of*** F tout un tas de F; ***one ~ of a nice guy*** F un type vachement bien F; ***it hurts like ~*** ça fait vachement mal F
hel·lo [hə'loʊ] bonjour; TELEC allô; ***say ~ to s.o.*** dire bonjour à qn
helm [helm] NAUT barre *f*
hel·met ['helmɪt] casque *m*
help [help] **1** *n* aide *f*, ***~!*** à l'aide!, au secours! **2** *v/t* aider; ***~ o.s.*** *to food* se servir; ***I can't ~ it*** je ne peux pas m'en empêcher; ***I couldn't ~ laughing*** je n'ai pas pu m'empêcher de rire; ***it can't be ~ed*** on n'y peut rien
help·er ['helpər] aide *m/f*, assistant(e) *m(f)*

H

help·ful ['helpfl] *adj advice* utile; *person* serviable
help·ing ['helpɪŋ] *of food* portion *f*
help·less ['helplɪs] *adj (unable to cope)* sans défense; *(powerless)* sans ressource, impuissant
help·less·ness ['helplɪsnɪs] impuissance *f*
'help screen COMPUT écran *m* d'aide
hem [hem] *n of dress etc* ourlet *m*
hem·i·sphere ['hemɪsfɪr] hémisphère *m*
'hem·line ourlet *m*; **~s are going up** les jupes raccourcissent
hem·or·rhage ['hemərɪdʒ] **1** *n* hémorragie *f* **2** *v/i* faire une hémorragie
hen [hen] poule *f*
hench·man ['hentʃmən] *pej* acolyte *m*
'hen par·ty soirée *f* entre femmes; *before wedding* soirée entre femmes avant un mariage
hen·pecked ['henpekt] *adj* dominé par sa femme
hep·a·ti·tis [hepə'taɪtɪs] hépatite *f*
her [hɜːr] **1** *adj* son, sa; *pl* ses **2** *pron object* la; *before vowel* l'; *indirect object* lui, à elle; *with preps* elle; ***I know ~*** je la connais; ***I gave ~ a dollar*** je lui ai donné un dollar; ***this is for ~*** c'est pour elle; ***who? - ~*** qui? - elle
herb [ɜːrb] herbe *f*
herb(al) tea ['ɜːrb(əl)] tisane *f*
herd [hɜːrd] *n* troupeau *m*
here [hɪr] *adv* ici; ***in ~, over ~*** ici; ***~'s to you!*** *as toast* à votre santé!; ***~ you are*** *giving sth* voilà; ***~ we are!*** *finding sth* le / la voilà!
he·red·i·ta·ry [hə'redɪterɪ] *adj disease* héréditaire
he·red·i·ty [hə'redɪtɪ] hérédité *f*
her·i·tage ['herɪtɪdʒ] héritage *m*
her·mit ['hɜːrmɪt] ermite *m*
her·ni·a ['hɜːrnɪə] MED hernie *f*
he·ro ['hɪroʊ] héros *m*
he·ro·ic [hɪ'roʊɪk] *adj* héroïque
he·ro·i·cal·ly [hɪ'roʊɪklɪ] *adv* héroïquement
her·o·in ['heroʊɪn] héroïne *f*
'her·o·in ad·dict héroïnomane *m/f*
her·o·ine ['heroʊɪn] héroïne *f*
her·o·ism ['heroʊɪzm] héroïsme *f*
her·on ['herən] héron *m*
her·pes ['hɜːrpiːz] MED herpès *m*
her·ring ['herɪŋ] hareng *m*
hers [hɜːrz] *pron* le sien, la sienne; *pl* les siens, les siennes; ***it's ~*** c'est à elle
her·self [hɜːr'self] *pron* elle-même; *reflexive* se; *after prep* elle; ***she hurt ~*** elle s'est blessée; ***by ~*** toute seule
hes·i·tant ['hezɪtənt] *adj* hésitant
hes·i·tant·ly ['hezɪtəntlɪ] *adv* avec hésitation
hes·i·tate ['hezɪteɪt] *v/i* hésiter
hes·i·ta·tion [hezɪ'teɪʃn] hésitation *f*
het·er·o·sex·u·al [hetəroʊ'sekʃʊəl] *adj* hétérosexuel*
hey·day ['heɪdeɪ] apogée *m*, âge *m* d'or
hi [haɪ] *int* salut
hi·ber·nate ['haɪbərneɪt] *v/i* hiberner
hic·cup ['hɪkʌp] *n* hoquet *m*; *(minor problem)* hic *m* F; ***have the ~s*** avoir le hoquet
hick [hɪk] *pej* F paysan *m*
'hick town *pej* F bled *m* F
hid [hɪd] *pret* → ***hide***
hid·den ['hɪdn] **1** *adj* caché **2** *pp* → ***hide***
hid·den a'gen·da *fig* motifs *mpl* secrets
hide[1] [haɪd] **1** *v/t* (*pret* **hid**, *pp* **hidden**) cacher **2** *v/i* se cacher
hide[2] [haɪd] *n of animal* peau *f*; *as product* cuir *m*
hide-and-'seek cache-cache *m*
'hide·a·way cachette *f*
hid·e·ous ['hɪdɪəs] *adj* affreux*, horrible
hid·ing[1] ['haɪdɪŋ] *(beating)* rossée *f*
hid·ing[2] ['haɪdɪŋ]: ***be in ~*** être caché; ***go into ~*** prendre le maquis
'hid·ing place cachette *f*
hi·er·ar·chy ['haɪrɑːrkɪ] hiérarchie *f*
hi-fi ['haɪfaɪ] chaîne *f* hi-fi
high [haɪ] **1** *adj building, quality, society, opinion* haut; *salary, price, rent, temperature* élevé; *wind* fort; *speed* grand; *on drugs* défoncé F; ***it's ~ time he came*** il est grand temps qu'il vienne (*subj*) **2** *n* MOT quatrième *f*, cinquième *f*; *in statistics* pointe *f*, plafond *m*; EDU collège *m*, lycée *m* **3** *adv*

haut; ***that's as ~ as we can go*** on ne peut pas monter plus

'high·brow *adj* intellectuel*; **'high-chair** chaise *f* haute; **'high-class** *adj* de première classe, de première qualité; **high 'div·ing** plongeon *m* de haut vol; **high-'fre·quen·cy** *adj* de haute fréquence; **high-'grade** *adj ore* à haute teneur; ***~ gasoline*** supercarburant *m*; **high-hand·ed** [haɪ'hændɪd] *adj* arbitraire; **high-heeled** [haɪ'hiːld] *adj* à hauts talons; **'high jump** saut *m* en hauteur; **high-'lev·el** *adj* à haut niveau; **'high life** grande vie *f*; **'high·light 1** *n* (*main event*) point *m* marquant, point *m* culminant; *in hair* reflets *mpl*, mèches *fpl* **2** *v/t with pen* surligner; COMPUT mettre en relief; **'high·light·er** *pen* surligneur *m*

high·ly ['haɪlɪ] *adv desirable, likely* fort(ement), très; ***be ~ paid*** être très bien payé; ***think ~ of s.o.*** penser beaucoup de bien de qn; très sensible

high per'form·ance *adj drill, battery* haute performance; **high-pitched** [haɪ'pɪtʃt] *adj* aigu*; **'high point** *of life, career* point *m* marquant, point *m* culminant; **high-pow·ered** [haɪ'paʊərd] *adj engine* très puissant; *intellectual, salesman* très compétent; **high 'pres·sure** *n weather* anticyclone *m*

high-'pressure *adj* TECH à haute pression; *salesman* de choc; *job, lifestyle* dynamique; **high 'priest** grand prêtre *m*; **'high school** collège *m*, lycée *m*; **high so'ci·e·ty** haute société *f*; **high-speed 'train** train *m* à grande vitesse, T.G.V. *m*; **high-'strung** *adj* nerveux*, très sensible; **high-'tech 1** *n* technologie *f* de pointe, high-tech *m* **2** *adj* de pointe, high-tech; **high-'ten·sion** *adj cable* haute tension; **high 'tide** marée *f* haute; **high 'volt·age** haute tension *f*; **high 'wa·ter** marée *f* haute; **'high·way** grande route *f*; **'high wire** *in circus* corde *f* raide

hi·jack ['haɪdʒæk] **1** *v/t plane, bus* détourner **2** *n of plane, bus* détournement *m*

hi·jack·er ['haɪdʒækər] *of plane* pirate *m* de l'air; *of bus* pirate *m* de la route

hike[1] [haɪk] **1** *n* randonnée *f* à pied **2** *v/i* marcher à pied, faire une randonnée à pied

hike[2] [haɪk] *n in prices* hausse *f*

hik·er ['haɪkər] randonneur(-euse) *m(f)*

hik·ing ['haɪkɪŋ] randonnée *f* (pédestre)

'hik·ing boots *npl* chaussures *fpl* de rmarche

hi·lar·i·ous [hɪ'lerɪəs] *adj* hilarant, désopilant

hill [hɪl] colline *f*; (*slope*) côte *f*

hill·bil·ly ['hɪlbɪlɪ] F habitant *m* des montagnes du sud-est des États-Unis; **'hill·side** (flanc *m*) de coteau *m*; **hill·top** sommet *m* de la colline

hill·y ['hɪlɪ] *adj* montagneux*; *road* vallonné

hilt [hɪlt] poignée *f*

him [hɪm] *pron object* le; *before vowel* l'; *indirect object, with preps* lui; ***I know ~*** je le connais; ***I gave ~ a dollar*** je lui ai donné un dollar; ***this is for ~*** c'est pour lui; ***who? - him*** qui? - lui

him·self [hɪm'self] *pron* lui-même; *reflexive* se; *after prep* lui; ***he hurt ~*** il s'est blessé; ***by ~*** tout seul

hind [haɪnd] *adj* de derrière, postérieur

hin·der ['hɪndər] *v/t* gêner, entraver; ***~ s.o. from doing sth*** empêcher qn de faire qch

hin·drance ['hɪndrəns] obstacle *m*; ***be a ~ to s.o.*** / ***sth*** gêner qn / qch

hind·sight ['haɪndsaɪt]: ***with ~*** avec du recul

hinge [hɪndʒ] charnière *f*; *on door also* gond *m*

♦ **hinge on** *v/t* dépendre de

hint [hɪnt] *n* (*clue*) indice *m*; (*piece of advice*) conseil *m*; (*implied suggestion*) allusion *f*, signe *m*; *of red, sadness etc* soupçon *m*

hip [hɪp] *n* hanche *f*

hip 'pock·et poche *f* revolver

hip·po·pot·a·mus [hɪpə'pɑːtəməs] hippopotame *m*

hire ['haɪr] *v/t* louer; *workers* engager, embaucher

his [hɪz] **1** *adj* son, sa; *pl* ses **2** *pron* le sien, la sienne; *pl* les siens, les siennes; ***it's ~*** c'est à lui

His·pan·ic [hɪ'spænɪk] **1** *n* Latino-Américain(e) *m(f)*, Hispano-Américain(e) *m(f)* **2** *adj* latino-américain, hispano-américain

hiss [hɪs] *v/i of snake, audience* siffler

his·to·ri·an [hɪ'stɔːrɪən] historien(ne) *m(f)*

his·tor·ic [hɪ'stɑːrɪk] *adj* historique

his·tor·i·cal [hɪ'stɑːrɪkl] *adj* historique

his·to·ry ['hɪstərɪ] histoire *f*

H

hit [hɪt] **1** *v/t* (*pret & pp* ***hit***) *also ball* frapper; (*collide with*) heurter; ***he was ~ by a bullet*** il a été touché par une balle; ***it suddenly ~ me*** (*I realized*) j'ai réalisé tout d'un coup; ***~ town*** arriver en ville **2** *n* (*blow*) coup *m*; MUS, (*success*) succès *m*; *on website* visiteur *m*; ***be a big ~ with*** *of idea* avoir un grand succès auprès de

♦**hit back** *v/i physically* rendre son coup à; *verbally, with actions* riposter

♦**hit on** *v/t idea* trouver

♦**hit out at** *v/t* (*criticize*) attaquer

hit-and-run *adj*: ***~ accident*** accident *m* avec délit de fuite; ***~ driver*** conducteur(-trice) *m(f)* en délit de fuite

hitch [hɪtʃ] **1** *n* (*problem*) anicroche *f*, accroc *m*; ***without a ~*** sans accroc **2** *v/t* attacher; ***~ a ride*** faire de l'auto-stop

hitch 3 *v/i* (*hitchhike*) faire du stop

♦**hitch up** *v/t wagon, trailer* remonter

'hitch·hike *v/i* faire du stop

'hitch·hik·er auto-stoppeur(-euse) *m(f)*

'hitch·hik·ing auto-stop *m*, stop *m*

hi-'tech **1** *n* technologie *f* de pointe, high-tech *m* **2** *adj* de pointe, high-tech

hit·list liste *f* noire; **'hit·man** tueur *m* à gages; **hit-or-'miss** *adj* aléatoire; **'hit squad** commando *m*

HIV [eɪtʃaɪ'viː] *abbr* (***= human immunodeficiency virus***) V.I.H. *m* (= Virus de l'Immunodéficience Humaine); ***people with ~*** les séropositifs

hive [haɪv] *for bees* ruche *f*

♦**hive off** *v/t* COMM (*separate off*) séparer

HIV-'pos·i·tive *adj* séropositif*

hoard [hɔːrd] **1** *n* réserves *fpl* **2** *v/t money* amasser; *in times of shortage* faire des réserves de

hoard·er ['hɔːrdər]: ***be a ~*** ne jamais rien jeter

hoarse [hɔːrs] *adj* rauque

hoax [hoʊks] *n* canular *m*; ***bomb ~*** fausse alerte *f* à la bombe

hob [hɑːb] *on cooker* plaque *f* chauffante

hob·ble ['hɑːbl] *v/i* boitiller

hob·by ['hɑːbɪ] passe-temps *m* (favori), hobby *m*

ho·bo ['hoʊboʊ] F vagabond *m*

hock·ey ['hɑːkɪ] (*ice hockey*) hockey *m* (sur glace)

hog [hɑːg] *n* (*pig*) cochon *m*

hoist [hɔɪst] **1** *n* palan *m* **2** *v/t* hisser

ho·kum ['hoʊkəm] *n* (*nonsense*) balivernes *fpl*; (*sentimental stuff*) niaiseries *fpl*

hold [hoʊld] **1** *v/t* (*pret & pp* ***held***) *in hand* tenir; (*support, keep in place*) soutenir, maintenir en place; *passport, license* détenir; *prisoner, suspect* garder, détenir; (*contain*) contenir; *job, post* avoir, occuper; *course* tenir; ***~ one's breath*** retenir son souffle; ***he can ~ his drink*** il tient bien l'alcool; ***~ s.o. responsible*** tenir qn responsable; ***~ that …*** (*believe, maintain*) estimer que …, maintenir que …; ***~ the line*** TELEC ne quittez pas! **2** *n in ship* cale *f*, *in plane* soute *f*; ***take ~ of sth*** saisir qch; ***lose one's ~ on sth*** *on rope etc* lâcher qch; ***lose one's ~ on reality*** perdre le sens des réalités

♦**hold against** *v/t*: ***hold sth against s.o.*** en vouloir à qn de qch

♦**hold back** **1** *v/t crowds* contenir; *facts, information* retenir **2** *v/i* (*not tell*

all) se retenir
♦**hold on** *v/i* (*wait*) attendre; TELEC ne pas quitter; ***now hold on a minute!*** pas si vite!
♦**hold on to** *v/t* (*keep*) garder; *belief* se cramponner à, s'accrocher à
♦**hold out 1** *v/t hand* tendre; *prospect* offrir, promettre **2** *v/i of supplies* durer; *of trapped miners etc* tenir (bon)
♦**hold up 1** *v/t hand* lever; *bank etc* attaquer; (*make late*) retenir; ***hold sth up as an example*** citer qch en exemple
♦**hold with** *v/t* (*approve of*) approuver
hold·er ['houldər] (*container*) boîtier *m*; *of passport, ticket, record* détenteur(-trice) *m(f)*
hold·ing com·pa·ny ['houldıŋ] holding *m*
'hold·up (*robbery*) hold-up *m*; (*delay*) retard *m*
hole [houl] trou *m*
hol·i·day ['hɑːlədeı] *single day* jour *m* de congé; *Br. period* vacances *fpl*; ***take a ~*** prendre un jour de congé / des vacances
Hol·land ['hɑːlənd] Hollande *f*
hol·low ['hɑːlou] *adj* creux*; *promise* faux*
hol·ly ['hɑːlı] houx *m*
hol·o·caust ['hɑːləkɒːst] holocauste *m*
hol·o·gram ['hɑːləgræm] hologramme *m*
hol·ster ['houlstər] holster *m*
ho·ly ['houlı] *adj* saint
Ho·ly 'Spir·it Saint-Esprit *m*
'Ho·ly Week semaine *f* sainte
home [houm] **1** *n* maison *f*; (*native country, town*) patrie *f*; *for old people* maison *f* de retraite; ***at ~*** chez moi; (*in my country*) dans mon pays; SP à domicile; ***make o.s. at ~*** faire comme chez soi; ***at ~ and abroad*** dans son pays et à l'étranger; ***work from ~*** travailler chez soi *or* à domicile **2** *adv* à la maison, chez soi; (*in own country*) dans son pays; (*in own town*) dans sa ville; ***go ~*** rentrer (chez soi *or* à la maison); (*to country*) rentrer dans son pays; *to town* rentrer dans sa ville
'home ad·dress adress *f* personnelle; **home 'bank·ing** services *mpl* télématiques (bancaires); **home·com·ing** ['houmkʌmıŋ] retour *m* (à la maison); **home com'put·er** ordinateur *m* familial; **'home game** match *m* à domicile
home·less ['houmlıs] **1** *adj* sans abri, sans domicile fixe **2** *npl*: ***the ~*** les sans-abri *mpl*, les S.D.F. *mpl* (sans domicile fixe)
'home·lov·ing *adj* casanier*
home·ly ['houmlı] *adj* (*homelike*) simple, comme à la maison; (*not good-looking*) sans beauté
home'made *adj* fait (à la) maison
home 'mov·ie vidéo *f* amateur
ho·me·op·a·thy [houmı'ɑːpəθı] homéopathie *f*
'home page COMPUT page *f* d'accueil; **'home·sick** *adj*: ***be ~*** avoir le mal du pays; **'home town** ville *f* natale
home·ward ['houmwərd] **1** *adv to own house* vers la maison; *to own country* vers son pays **2** *adj*: ***the ~ journey*** le retour
'home·work EDU devoirs *mpl*
'home·work·ing COMM travail *m* à domicile
hom·i·cide ['hɑːmısaıd] *crime* homicide *m*; *police department* homicides *mpl*
hom·o·graph ['hɑːməgræf] homographe *m*
ho·mo·pho·bi·a [houmə'foubıə] homophobie *f*
ho·mo·sex·u·al [houmə'sekʃuəl] **1** *adj* homosexuel* **2** *n* homosexuel(le) *m(f)*
hon·est ['ɑːnıst] *adj* honnête, sincère
hon·est·ly ['ɑːnıstlı] *adv* honnêtement; ***~!*** vraiment!
hon·es·ty ['ɑːnıstı] honnêteté *f*
hon·ey ['hʌnı] miel *m*; F (*darling*) chéri(e) *m(f)*
'hon·ey·comb rayon *m* de miel
'hon·ey·moon *n* lune *f* de miel
honk [hɑːŋk] *v/t horn* klaxonner
honk·y ['hɑːŋkı] *pej* P blanc(he) *m(f)*

hon·or ['ɑːnər] **1** *n* honneur *f* **2** *v/t* honorer
hon·or·a·ble ['ɑːnrəbl] *adj* honorable
hon·our *Br* → **honor**
hood [hʊd] *over head* capuche *f*; *over cooker* hotte *f*; MOT capot *m*; F (*gangster*) truand *m*
hood·lum ['huːdləm] voyou *m*
hoof [huːf] sabot *m*
hook [hʊk] *to hang clothes on* patère *f*; *for fishing* hameçon *m*; ***off the ~*** TELEC décroché
hooked [hʊkt] *adj* accro F; ***be ~ on sth*** être accro de qch
hook·er ['hʊkər] F putain *f* P; *in rugby* talonneur *m*
hoo·li·gan ['huːlɪgən] voyou *m*, hooligan *m*
hoo·li·gan·ism ['huːlɪgənɪzm] hooliganisme *m*
hoop [huːp] cerceau *m*
hoot [huːt] **1** *v/t horn* donner un coup de **2** *v/i of car* klaxonner; *of owl* huer
hoo·ver® ['huːvər] *Br* **1** *n* aspirateur *m* **2** *v/t carpets* passer l'aspirateur sur; *room* passer l'aspirateur dans
hop¹ [hɑːp] *n plant* houblon *m*
hop² *v/i* (*pret & pp* **-ped**) sauter, sautiller
hope [hoʊp] **1** *n* espoir *m*; ***there's no ~ of that*** ça ne risque pas d'arriver **2** *v/i* espérer; ***~ for sth*** espérer qch; ***I ~ so*** je l'espère, j'espère que oui; ***I ~ not*** j'espère que non **2** *v/t*: ***~ that …*** espérer que …
hopeful ['hoʊpfl] *adj* plein d'espoir; (*promising*) prometteur*
hope·ful·ly ['hoʊpflɪ] *adv say, wait* avec espoir; (*I / we hope*) avec un peu de chance
hope·less ['hoʊplɪs] *adj position, prospect* sans espoir, désespéré; (*useless: person*) nul*
ho·ri·zon [hə'raɪzn] horizon *m*
hor·i·zon·tal [hɑːrɪ'zɑːntl] *adj* horizontal
hor·mone ['hɔːrmoʊn] hormone *f*
horn [hɔːrn] *of animal* corne *f*; MOT klaxon *m*
hor·net ['hɔːrnɪt] frelon *m*
horn-rimmed spec·ta·cles [hɔːrnrɪmd'spektəklz] lunettes *fpl* à monture d'écaille
horn·y ['hɔːrnɪ] *adj* F *sexually* excité; ***he's one ~ guy*** c'est un chaud lapin F
hor·o·scope ['hɑːrəskoʊp] horoscope *m*
hor·ri·ble ['hɑːrɪbl] *adj* horrible, affreux*
hor·ri·fy ['hɑːrɪfaɪ] *v/t* (*pret & pp* **-ied**) horrifier
hor·ri·fy·ing ['hɑːrɪfaɪŋ] *adj* horrifiant
hor·ror ['hɑːrər] horreur *f*
'hor·ror mov·ie film *m* d'horreur
hors d'oeu·vre [ɔːr'dɜːrv] hors d'œuvre *m*
horse [hɔːrs] cheval *m*
'horse·back: ***on ~*** à cheval, sur un cheval; **horse 'chest·nut** marron *m* d'Inde; **'horse·pow·er** cheval-vapeur *m*; **'horse race** course *f* de chevaux; **'horse·shoe** fer *m* à cheval
hor·ti·cul·ture ['hɔːrtɪkʌltʃər] horticulture *f*
hose [hoʊz] *n* tuyau *m*; (*garden ~*) tuyau *m* d'arrosage
hos·pice ['hɑːspɪs] hospice *m*
hos·pi·ta·ble ['hɑːspɪtəbl] *adj* hospitalier*
hos·pi·tal ['hɑːspɪtl] hôpital *m*; ***go into the ~*** aller à l'hôpital
hos·pi·tal·i·ty [hɑːspɪ'tælətɪ] hospitalité *f*
host [hoʊst] *n at party, reception* hôte *m/f*, *of TV program* présentateur (-trice) *m(f)*
hos·tage ['hɑːstɪdʒ] otage *m*; ***be taken ~*** être pris en otage
'hos·tage tak·er ['teɪkər] preneur (-euse) *m(f)* d'otages
hos·tel ['hɑːstl] *for students* foyer *m*; (*youth ~*) auberge *f* de jeunesse
hos·tess ['hoʊstɪs] hôtesse *f*
hos·tile ['hɑːstl] *adj* hostile
hos·til·i·ty [hɑː'stɪlətɪ] *of attitude* hostilité *f*, ***hostilities*** hostilités *fpl*
hot [hɑːt] *adj* chaud; (*spicy*) épicé, fort; F (*good*) bon*; ***I'm ~*** j'ai chaud; ***it's ~ weather*** il fait chaud; *food etc* c'est chaud
'hot dog hot-dog *m*

ho·tel [hoʊ'tel] hôtel *m*
'hot·plate plaque *f* chauffante
'hot spot *military, political* point *m* chaud
hour ['aʊr] heure *f*
hour·ly ['aʊrlɪ] *adj* de toutes les heures; ***at ~ intervals*** toutes les heures
house [haʊs] *n* maison *f*; ***at your ~*** chez vous
'house·boat house-boat *m*, péniche *f* (aménagée); **'house·break·ing** cambriolage *m*; **'house·hold** ménage *m*, famille *f*; **house·hold 'name** nom *m* connu de tous; **'house hus·band** homme *m* au foyer; **house·keep·er** ['haʊski:pər] femme *f* de ménage; **'house·keep·ing** *activity* ménage *m*; *money* argent *m* du ménage; **House of Rep·re'sent·a·tives** Chambre *f* des Représentants; **house·warm·ing (par·ty)** ['haʊswɔ:rmɪŋ] pendaison *f* de crémaillère; **'house·wife** femme *f* au foyer; **'house·work** travaux *mpl* domestiques
hous·ing ['haʊzɪŋ] logement *m*; TECH boîtier *m*
'hous·ing con·di·tions *npl* conditions *fpl* de logement
hov·el ['hɑ:vl] taudis *m*, masure *f*
hov·er ['hɑ:vər] *v/i* planer
'hov·er·craft aéroglisseur *m*
how [haʊ] *adv* comment; ***~ are you?*** comment allez-vous?, comment ça va?; ***~ about a drink?*** et si on allait prendre un pot?; ***~ much?*** combien?; ***~ much is it?*** *cost* combien ça coûte?; ***~ many?*** combien?; ***~ often?*** tous les combien?; ***~ funny / sad!*** comme c'est drôle / triste!
how'ev·er *adv* cependant; ***~ big / rich they are*** qu'ils soient (*subj*) grands / riches ou non
howl [haʊl] *v/i* hurler
hub [hʌb] *of wheel* moyeu *m*
'hub·cap enjoliveur *m*
♦ **hud·dle together** ['hʌdl] *v/i* se blottir les uns contre les autres
Hud·son Bay ['hʌdsn] Baie *f* d'Hudson
hue [hju:] teinte *f*
huff [hʌf]: ***be in a ~*** être froissé, être fâché
hug [hʌg] *v/t* (*pret & pp* ***-ged***) serrer dans ses bras, étreindre
huge [hju:dʒ] *adj* énorme, immense
hull [hʌl] coque *f*
hul·la·ba·loo [hʌləbə'lu:] vacarme *m*, brouhaha *m*
hum [hʌm] **1** *v/t* (*pret & pp* ***-med***) *song, tune* fredonner **2** *v/i of person* fredonner; *of machine* ronfler
hu·man ['hju:mən] **1** *n* être *m* humain **2** *adj* humain
hu·man 'be·ing être *m* humain
hu·mane [hju:'meɪn] *adj* humain, plein d'humanité
hu·man·i·tar·i·an [hju:mænɪ'terɪən] *adj* humanitaire
hu·man·i·ty [hju:'mænətɪ] humanité *f*
hu·man 'race race *f* humaine
hu·man re'sources *npl department* ressources *fpl* humaines
hum·ble ['hʌmbl] *adj attitude, person* humble, modeste; *origins, meal, house* modeste
hum·drum ['hʌmdrʌm] *adj* monotone, banal
hu·mid ['hju:mɪd] *adj* humide
hu·mid·i·fi·er [hju:'mɪdɪfaɪr] humidificateur *m*
hu·mid·i·ty [hju:'mɪdətɪ] humidité *f*
hu·mil·i·ate [hju:'mɪlɪeɪt] *v/t* humilier
hu·mil·i·at·ing [hju:'mɪlɪeɪtɪŋ] *adj* humiliant
hu·mil·i·a·tion [hju:mɪlɪ'eɪʃn] humiliation *f*
hu·mil·i·ty [hju:'mɪlətɪ] humilité *f*
hu·mor ['hju:mər] humour *m*; (*mood*) humeur *f*; ***sense of ~*** sens *m* de l'humour
hu·mor·ous ['hju:mərəs] *adj movie etc* drôle; *movie etc* comique
hu·mour *Br* → ***humor***
hump [hʌmp] **1** *n* bosse *f* **2** *v/t* F (*carry*) trimballer F
hunch [hʌntʃ] (*idea*) intuition *f*, pressentiment *m*
hun·dred ['hʌndrəd] cent *m*
hun·dredth ['hʌndrədθ] centième

'hun·dred·weight quintal *m*
hung [hʌŋ] *pret & pp* → ***hang***
Hun·gar·i·an [hʌŋ'gerɪən] **1** *adj* hongrois **2** *n person* Hongrois(e) *m(f)*; *language* hongrois *m*
Hun·ga·ry ['hʌŋgərɪ] Hongrie *f*
hun·ger ['hʌŋgər] faim *f*
hung-'o·ver *adj*: ***be ~*** avoir la gueule de bois F
hun·gry ['hʌŋgrɪ] *adj* affamé; ***I'm ~*** j'ai faim
hunk [hʌŋk] *n* gros morceau *m*; F *man* beau mec F
hun·ky-do·rey [hʌŋkɪ'dɔːrɪ] *adj* F au poil F
hunt [hʌnt] **1** *n* chasse *f* (***for*** à); *for new leader, missing child etc* recherche *f* (***for*** de) **2** *v/t animal* chasser
♦ **hunt for** *v/t* chercher
hunt·er ['hʌntər] chasseur(-euse) *m(f)*
hunt·ing ['hʌntɪŋ] chasse *f*
hur·dle ['hɜːrdl] SP haie *f*; (*fig*: *obstacle*) obstacle *m*
hur·dler ['hɜːrdlər] SP sauteur(-euse) *m(f)* de haies
hur·dles *npl* SP haies *fpl*
hurl [hɜːrl] *v/t* lancer, jeter
hur·ray [hʊ'reɪ] *int* hourra
hur·ri·cane ['hʌrɪkən] ouragan *m*
hur·ried ['hʌrɪd] *adj* précipité; *meal also* pris à la hâte; *piece of work also* fait à la hâte
hur·ry ['hʌrɪ] **1** *n* hâte *f*, précipitation *f*; ***be in a ~*** être pressé **2** *v/i* (*pret & pp* ***-ied***) se dépêcher, se presser
♦ **hurry up 1** *v/i* se dépêcher, se presser; ***hurry up!*** dépêchez-vous! **2** *v/t* presser
hurt [hɜːrt] **1** *v/i* (*pret & pp* ***hurt***) faire mal; ***does it ~?*** est-ce que ça vous fait mal? **2** *v/t* (*pret & pp* ***hurt***) *physically* faire mal à, blesser; *emotionally* blesser
hus·band ['hʌzbənd] mari *m*
hush [hʌʃ] *n* silence *m*; ***~!*** silence!, chut!
♦ **hush up** *v/t scandal etc* étouffer
husk [hʌsk] *of peanuts etc* écale *f*
hus·ky ['hʌskɪ] *adj voice* rauque
hus·tle ['hʌsl] **1** *n* agitation *f*; ***~ and bustle*** tourbillon *m* **2** *v/t person* bousculer
hus·tler ['hʌslər] F *conman etc* arnaqueur(-euse) *m(f)* F; *dynamic person* battant(e) *m(f)*; *prostitute* prostitué(e) *m(f)*
hut [hʌt] cabane *f*, hutte *f*
hy·a·cinth ['haɪəsɪnθ] jacinthe *f*
hy·brid ['haɪbrɪd] *n* hybride *m*
hy·drant ['haɪdrənt] prise *f* d'eau; (*fire ~*) bouche *f* d'incendie
hy·draul·ic [haɪ'drɒːlɪk] *adj* hydraulique
hy·dro·e·lec·tric [haɪdroʊɪ'lektrɪk] *adj* hydroélectrique
hy·dro·foil ['haɪdrəfɔɪl] hydrofoil *m*
hy·dro·gen ['haɪdrədʒən] hydrogène *m*
'hy·dro·gen bomb bombe *f* à hydrogène
hy·giene ['haɪdʒiːn] hygiène *f*
hy·gien·ic [haɪ'dʒiːnɪk] *adj* hygiénique
hymn [hɪm] hymne *m*
hype [haɪp] *n* battage *m* publicitaire
hy·per·ac·tive [haɪpər'æktɪv] *adj* hyperactif*
hy·per·mar·ket ['haɪpərmɑːrkɪt] *Br* hypermarché *m*
hy·per·sen·si·tive [haɪpər'sensɪtɪv] *adj* hypersensible
hy·per·ten·sion [haɪpər'tenʃn] hypertension *f*
hy·per·text ['haɪpərtekst] COMPUT hypertexte *m*
hy·phen ['haɪfn] trait *m* d'union
hyp·no·sis [hɪp'noʊsɪs] hypnose *f*
hyp·no·ther·a·py [hɪpnoʊ'θerəpɪ] hypnothérapie *f*
hyp·no·tize ['hɪpnətaɪz] *v/t* hypnotiser
hy·po·chon·dri·ac [haɪpə'kɑːndrɪæk] *n* hypocondriaque *m/f*
hy·poc·ri·sy [hɪ'pɑːkrəsɪ] hypocrisie *f*
hyp·o·crite ['hɪpəkrɪt] hypocrite *m/f*
hyp·o·crit·i·cal [hɪpə'krɪtɪkl] *adj* hypocrite
hy·po·ther·mi·a [haɪpoʊ'θɜːrmɪə] hypothermie *f*
hy·poth·e·sis [haɪ'pɑːθəsɪs] (*pl* ***hypotheses*** [haɪ'pɑːθəsiːz]) hypothèse *f*
hy·po·thet·i·cal [haɪpə'θetɪkl] *adj* hypothétique

hys·ter·ec·to·my [hɪstə'rektəmɪ] hystérectomie *f*
hys·te·ri·a [hɪ'stɪrɪə] hystérie *f*
hys·ter·i·cal [hɪ'sterɪkl] *adj person, laugh* hystérique; F (*very funny*) à mourir de rire F
hys·ter·ics [hɪ'sterɪks] *npl* crise *f* de nerfs; *laughter* fou rire *m*

I

I [aɪ] *pron* je; *before vowels* j'; *stressed* moi; ***you and ~ are going to talk*** toi et moi, nous allons parler
ice [aɪs] glace *f*; *on road* verglas *m*; ***break the ~*** *fig* briser la glace
♦ **ice up** *v/i of engine, wings* se givrer
ice·berg ['aɪsbɜːrg] iceberg *m*; **'ice·box** glacière *f*; **ice·break·er** ['aɪsbreɪkər] *ship* brise-glace *m*; **'ice cream** glace *f*; **'ice cream par·lor**, *Br* **'ice cream par·lour** salon *m* de dégustation de glaces; **'ice cube** glaçon *m*
iced [aɪst] *adj drink* glacé
iced 'cof·fee café *m* frappé
'ice hock·ey hockey *m* sur glace; **'ice rink** patinoire *f*; **'ice skate** patin *m* (à glace); **'ice skat·ing** patinage *m* (sur glace)
i·ci·cle ['aɪsɪkl] stalactite *f*
i·con ['aɪkɑːn] *cultural* symbole *m*; COMPUT icône *f*
i·cy ['aɪsɪ] *adj road, surface* gelé; *welcome* glacial
ID [aɪ'diː] *abbr* (**= *identity***) identité *f*; ***do you have any ~ on you?*** est-ce que vous avez des papiers *mpl* d'identité *or* une preuve d'identité sur vous?
i·dea [aɪ'diːə] idée *f*; ***good ~!*** bonne idée!; ***I have no ~*** je n'en ai aucune idée; ***it's not a good ~ to …*** ce n'est pas une bonne idée de …
i·deal [aɪ'diːəl] *adj* (*perfect*) idéal
i·deal·is·tic [aɪdiːə'lɪstɪk] *adj* idéaliste
i·deal·ly [aɪ'diːəlɪ] *adv situated etc* idéalement; ***~, we would do it like this*** dans l'idéal, on le ferait comme ça
i·den·ti·cal [aɪ'dentɪkl] *adj* identique; ***~ twins*** *boys* vrais jumeaux *mpl*; *girls* vraies jumelles *fpl*
i·den·ti·fi·ca·tion [aɪdentɪfɪ'keɪʃn] identification *f*; (*papers etc*) papiers *mpl* d'identité, preuve *f* d'identité
i·den·ti·fy [aɪ'dentɪfaɪ] *v/t* (*pret & pp* ***-ied***) identifier
i·den·ti·ty [aɪ'dentətɪ] identité *f*; ***~ card*** carte *f* d'identité
i·de·o·log·i·cal [aɪdɪə'lɑːdʒɪkl] *adj* idéologique
i·de·ol·o·gy [aɪdɪ'ɑːlədʒɪ] idéologie *f*
id·i·om ['ɪdɪəm] (*saying*) idiome *m*
id·i·o·mat·ic [ɪdɪə'mætɪk] *adj* (*natural*) idiomatique
id·i·o·syn·cra·sy [ɪdɪə'sɪŋkrəsɪ] particularité *f*
id·i·ot ['ɪdɪət] idiot(e) *m*(*e*)
id·i·ot·ic [ɪdɪ'ɑːtɪk] *adj* idiot, bête
i·dle ['aɪdl] **1** *adj* (*not working*) inoccupé; (*lazy*) paresseux*; *threat* oiseux*; *machinery* non utilisé; ***in an ~ moment*** dans un moment d'oisiveté **2** *v/i of engine* tourner au ralenti
♦ **idle away** *v/t the time etc* passer à ne rien faire
i·dol ['aɪdl] idole *f*
i·dol·ize ['aɪdəlaɪz] *v/t* idolâtrer, adorer (à l'excès)
i·dyl·lic [ɪ'dɪlɪk] *adj* idyllique
if [ɪf] *conj* si; ***what ~ he …?*** et s'il …?; ***~ not*** sinon
ig·nite [ɪg'naɪt] *v/t* mettre le feu à, enflammer
ig·ni·tion [ɪg'nɪʃn] *in car* allumage *m*; ***~ key*** clef *f* de contact
ig·no·rance ['ɪgnərəns] ignorance *f*

I

ig·no·rant ['ɪgnərənt] *adj* ignorant; (*rude*) grossier*
ig·nore [ɪg'nɔːr] *v/t* ignorer
ill [ɪl] *adj* malade; ***fall ~, be taken ~*** tomber malade; ***feel ~ at ease*** se sentir mal à l'aise
il·le·gal [ɪ'liːgl] *adj* illégal
il·le·gi·ble [ɪ'ledʒəbl] *adj* illisible
il·le·git·i·mate [ɪlɪ'dʒɪtɪmət] *adj child* illégitime
ill-fat·ed [ɪl'feɪtɪd] *adj* néfaste
il·li·cit [ɪ'lɪsɪt] *adj* illicite
il·lit·e·rate [ɪ'lɪtərət] *adj* illettré
ill-man·nered [ɪl'mænərd] *adj* mal élevé
ill-na·tured [ɪl'neɪʧərd] *adj* méchant, désagréable
ill·ness ['ɪlnɪs] maladie *f*
il·log·i·cal [ɪ'lɑːdʒɪkl] *adj* illogique
ill-tem·pered [ɪl'tempərd] *adj* de méchant caractère; *temporarily* de mauvaise humeur
ill'treat *v/t* maltraiter
il·lu·mi·nate [ɪ'luːmɪneɪt] *v/t building etc* illuminer
il·lu·mi·nat·ing [ɪ'luːmɪneɪtɪŋ] *adj remarks etc* éclairant
il·lu·sion [ɪ'luːʒn] illusion *f*
il·lus·trate ['ɪləstreɪt] *v/t* illustrer
il·lus·tra·tion [ɪlə'streɪʃn] illustration *f*
il·lus·tra·tor [ɪlə'streɪtər] illustrateur (-trice) *m(f)*
ill 'will rancune *f*
im·age ['ɪmɪdʒ] (*picture*), *of politician, company* image *f*; (*exact likeness*) portrait *m*
'im·age-con·scious *adj* soucieux* de son image
i·ma·gi·na·ble [ɪ'mædʒɪnəbl] *adj* imaginable; ***the smallest size ~*** la plus petite taille qu'on puisse imaginer
i·ma·gi·na·ry [ɪ'mædʒɪnərɪ] *adj* imaginaire
i·ma·gi·na·tion [ɪmædʒɪ'neɪʃn] imagination *f*; ***it's all in your ~*** tout est dans votre tête
i·ma·gi·na·tive [ɪ'mædʒɪnətɪv] *adj* imaginatif*
i·ma·gine [ɪ'mædʒɪn] *v/t* imaginer; ***I can just ~ it*** je peux l'imaginer; ***you're imagining things*** tu te fais des idées
im·be·cile ['ɪmbəsiːl] imbécile *m/f*
IMF [aɪem'ef] *abbr* (= ***International Monetary Fund***) F.M.I. *m* (= Fonds *m* Monétaire International)
im·i·tate ['ɪmɪteɪt] *v/t* imiter
im·i·ta·tion [ɪmɪ'teɪʃn] imitation *f*
im·mac·u·late [ɪ'mækjʊlət] *adj* impeccable; (*spotless*) immaculé
im·ma·te·ri·al [ɪmə'tɪrɪəl] *adj* (*not relevant*) peu important
im·ma·ture [ɪmə'tur] *adj* immature
im·me·di·ate [ɪ'miːdɪət] *adj* immédiat
im·me·di·ate·ly [ɪ'miːdɪətlɪ] *adv* immédiatement; ***~ after the bank*** juste après la banque
im·mense [ɪ'mens] *adj* immense
im·merse [ɪ'mɜːrs] *v/t* immerger, plonger; ***~ o.s. in*** se plonger dans
im·mi·grant ['ɪmɪgrənt] *n* immigrant(e) *m(f)*, immigré(e) *m(f)*
im·mi·grate ['ɪmɪgreɪt] *v/i* immigrer
im·mi·gra·tion [ɪmɪ'greɪʃn] immigration *f*; ***Immigration*** *government department* l'immigration *f*
im·mi·nent ['ɪmɪnənt] *adj* imminent
im·mo·bi·lize [ɪ'moʊbɪlaɪz] *v/t factory, person* immobiliser; *car* immobiliser
im·mo·bi·li·zer [ɪ'moʊbɪlaɪzər] *on car* système *m* antidémarrage
im·mod·e·rate [ɪ'mɑːdərət] *adj* immodéré
im·mor·al [ɪ'mɒːrəl] *adj* immoral
im·mor·al·i·ty [ɪmɒː'rælɪtɪ] immoralité *f*
im·mor·tal [ɪ'mɔːrtl] *adj* immortel*
im·mor·tal·i·ty [ɪmɔːr'tælɪtɪ] immortalité *f*
im·mune [ɪ'mjuːn] *adj to illness, infection* immunisé (***to*** contre); *from ruling* exempt (***from*** de)
im'mune sys·tem MED système *m* immunitaire
im·mu·ni·ty [ɪ'mjuːnətɪ] *to infection* immunité *f*; *from ruling* exemption *f*; ***diplomatic ~*** immunité *f* diplomatique
im·pact ['ɪmpækt] *n* impact *m*; ***on ~*** au moment de l'impact
♦ **impact on** *v/t* avoir un impact sur, affecter

im·pair [ɪm'per] *v/t* affaiblir, abîmer
im·paired [ɪm'perd] *adj* affaibli, abîmé
im·par·tial [ɪm'pɑːrʃl] *adj* impartial
im·pass·a·ble [ɪm'pæsəbl] *adj road* impraticable
im·passe ['ɪmpæs] *in negotations etc* impasse *f*
im·pas·sioned [ɪm'pæʃnd] *adj speech, plea* passionné
im·pas·sive [ɪm'pæsɪv] *adj* impassible
im·pa·tience [ɪm'peɪʃəns] impatience *f*
im·pa·tient [ɪm'peɪʃənt] *adj* impatient
im·pa·tient·ly [ɪm'peɪʃəntlɪ] *adv* impatiemment
im·peach [ɪm'piːtʃ] *v/t President* mettre en accusation
im·pec·ca·ble [ɪm'pekəbl] *adj* impeccable
im·pec·ca·bly [ɪm'pekəblɪ] *adv* impeccablement
im·pede [ɪm'piːd] *v/t* gêner, empêcher
im·ped·i·ment [ɪm'pedɪmənt] *obstacle* obstacle *m*; ***speech ~*** défaut *m* d'élocution
im·pend·ing [ɪm'pendɪŋ] *adj* imminent
im·pen·e·tra·ble [ɪm'penɪtrəbl] *adj* impénétrable
im·per·a·tive [ɪm'perətɪv] **1** *adj* impératif*; ***it is ~ that ...*** il est impératif que ... (*+subj*) **2** *n* GRAM impératif *m*
im·per·cep·ti·ble [ɪmpɜːr'septɪbl] *adj* imperceptible
im·per·fect [ɪm'pɜːrfekt] **1** *adj* imparfait **2** *n* GRAM imparfait *m*
im·pe·ri·al [ɪm'pɪrɪəl] *adj* impérial
im·per·son·al [ɪm'pɜːrsənl] *adj* impersonnel*
im·per·so·nate [ɪm'pɜːrsəneɪt] *v/t as a joke* imiter; *illegally* se faire passer pour
im·per·son·a·tor [ɪm'pɜːrsəneɪtər] imitateur(-trice) *m(f)*; ***female ~*** travesti *m*
im·per·ti·nence [ɪm'pɜːrtɪnəns] impertinence *f*
im·per·ti·nent [ɪm'pɜːrtɪnənt] *adj* impertinent
im·per·tur·ba·ble [ɪmpər'tɜːrbəbl] *adj* imperturbable
im·per·vi·ous [ɪm'pɜːrvɪəs] *adj*: **~ *to*** insensible à
im·pe·tu·ous [ɪm'petʃʊəs] *adj* impétueux*
im·pe·tus ['ɪmpətəs] *of campaign etc* force *f*, élan *m*
im·ple·ment ['ɪmplɪmənt] **1** *n* instrument *m*, outil *m* **2** *v/t* ['ɪmplɪment] *measures etc* appliquer
im·pli·cate ['ɪmplɪkeɪt] *v/t* impliquer (***in*** dans)
im·pli·ca·tion [ɪmplɪ'keɪʃn] implication *f*
im·pli·cit [ɪm'plɪsɪt] *adj* implicite; *trust* absolu
im·plore [ɪm'plɔːr] *v/t* implorer (s.o. to do sth qn de faire qch)
im·ply [ɪm'plaɪ] *v/t* (*pret & pp* ***-ied***) impliquer; (*suggest*) suggérer
im·po·lite [ɪmpə'laɪt] *adj* impoli
im·port ['ɪmpɔːrt] **1** *n* importation *f* **2** *v/t* importer
im·por·tance [ɪm'pɔːrtəns] importance *f*
im·por·tant [ɪm'pɔːrtənt] *adj* important
im·por·ter [ɪm'pɔːrtər] importateur (-trice) *m(f)*
im·pose [ɪm'poʊz] *v/t tax* imposer; ***~ o.s. on s.o.*** s'imposer à qn
im·pos·ing [ɪm'poʊzɪŋ] *adj* imposant
im·pos·si·bil·i·ty [ɪmpɑːsɪ'bɪlɪtɪ] impossibilité *f*
im·pos·sible [ɪm'pɑːsɪbəl] *adj* impossible
im·pos·tor [ɪm'pɑːstər] imposteur *m*
im·po·tence ['ɪmpətəns] impuissance *f*
im·po·tent ['ɪmpətənt] *adj* impuissant
im·pov·e·rished [ɪm'pɑːvərɪʃt] *adj* appauvri
im·prac·ti·cal [ɪm'præktɪkəl] *adj person* dénué de sens pratique; *suggestion* peu réaliste
im·press [ɪm'pres] *v/t* impressionner; ***I'm not ~ed*** ça ne m'impressionne pas
im·pres·sion [ɪm'preʃn] impression *f*; (*impersonation*) imitation *f*; ***make a good / bad ~ on s.o.*** faire une bonne / mauvaise impression sur

qn; ***I get the ~ that …*** j'ai l'impression que …

im·pres·sion·a·ble [ɪm'preʃənəbl] *adj* influençable

im·pres·sive [ɪm'presɪv] *adj* impressionnant

im·print ['ɪmprɪnt] *n of credit card* empreinte *f*

im·pris·on [ɪm'prɪzn *v/t* emprisonner

im·pris·on·ment [ɪm'prɪznmənt] emprisonnement *m*

im·prob·a·ble [ɪm'prɑːbəbəl] *adj* improbable

im·prop·er [ɪm'prɑːpər] *adj behavior* indécent, déplacé; *use etc* incorrecte

im·prove [ɪm'pruːv] **1** *v/t* améliorer **2** *v/i* s'améliorer

im·prove·ment [ɪm'pruːvmənt] amélioration *f*

im·pro·vize ['ɪmprəvaɪz] *v/i* improviser

im·pu·dent ['ɪmpjʊdənt] *adj* impudent

im·pulse ['ɪmpʌls] impulsion *f*; ***do sth on (an) ~*** faire qch sous le coup d'une impulsion *or* sur un coup de tête

'im·pulse buy achat *m* impulsif

im·pul·sive [ɪm'pʌlsɪv] *adj* impulsif*

im·pu·ni·ty [ɪm'pjuːnətɪ] impunité *f*; ***with ~*** impunément

im·pure [ɪm'pjʊr] *adj* impur

in [ɪn] **1** *prep* dans; ***~ Washington / Rouen*** à Washington / Rouen; ***~ the street*** dans la rue; ***~ the box*** dans la boîte; ***wounded ~ the leg / arm*** blessé à la jambe / au bras
◊ *with time* en; ***~ 1999*** en 1999; ***~ the morning*** le matin; ***~ the mornings*** le matin; ***~ the summer*** l'été; ***~ August*** en août, au mois d'août; ***~ two hours*** *from now* dans deux heures; *over period of* en deux heures; ***I haven't been to France ~ years*** il y a des années que je n'ai pas été en France
◊ *manner*: ***~ English / French*** en anglais / français; ***~ a loud voice*** d'une voix forte; ***~ his style*** à sa manière; ***~ yellow*** en jaune
◊ : ***~ crossing the road*** (*while*) en traversant la route; ***~ agreeing to this*** (*by virtue of*) en acceptant ceci
◊ : ***~ his novel*** dans son roman; ***~ Faulkner*** chez Faulkner
◊ : ***three ~ all*** trois en tout (et pour tout); ***one ~ ten*** un sur dix
2 *adv* (*at home, in the building etc*) là; (*arrived: train*) arrivé; (*in its position*) dedans; ***~ here*** ici; ***when the diskette is ~*** quand la disquette est à l'intérieur
3 *adj* (*fashionable, popular*) à la mode

in·a·bil·i·ty [ɪnə'bɪlɪtɪ] incapacité *f*

in·ac·ces·si·ble [ɪnək'sesɪbl] *adj* inaccessible

in·ac·cu·rate [ɪn'ækjʊrət] *adj* inexact, incorrect

in·ac·tive [ɪn'æktɪv] *adj* inactif*; *volcano* qui n'est pas en activité

in·ad·e·quate [ɪn'ædɪkwət] *adj* insuffisant, inadéquat

in·ad·vis·a·ble [ɪnəd'vaɪzəbl] *adj* peu recommandé

in·an·i·mate [ɪn'ænɪmət] *adj* inanimé

in·ap·pro·pri·ate [ɪnə'proʊprɪət] *adj* peu approprié

in·ar·tic·u·late [ɪnɑːr'tɪkjʊlət] *adj person* qui s'exprime mal

in·au·di·ble [ɪn'ɒːdəbl] *adj* inaudible

in·au·gu·ral [ɪ'nɒːgjʊrəl] *adj speech* inaugural

in·au·gu·rate [ɪ'nɒːgjʊreɪt] *v/t* inaugurer

in·born ['ɪnbɔːrn] *adj* inné

in·bred ['ɪnbred] *adj* inné

in·breed·ing ['ɪnbriːdɪŋ] unions *fpl* consanguines

inc. *abbr* (***= incorporated***) S.A. *f* (= Société *f* Anonyme)

in·cal·cu·la·ble [ɪn'kælkjʊləbl] *adj damage* incalculable

in·ca·pa·ble [ɪn'keɪpəbl] *adj* incapable; ***be ~ of doing sth*** être incapable de faire qch

in·cen·di·a·ry de·vice [ɪn'sendərɪ] bombe *f* incendiaire

in·cense[1] ['ɪnsens] *n* encens *m*

in·cense[2] [ɪn'sens] *v/t* rendre furieux*

in·cen·tive [ɪn'sentɪv] encouragement *m*, stimulation *f*

in·ces·sant [ɪn'sesnt] *adj* incessant

in·ces·sant·ly [ɪn'sesntlɪ] *adv* sans ar-

rêt
in·cest ['ɪnsest] inceste *m*
inch [ɪntʃ] pouce *m*
in·ci·dent ['ɪnsɪdənt] incident *m*
in·ci·den·tal [ɪnsɪ'dentl] *adj* fortuit; **~ *expenses*** frais *mpl* accessoires
in·ci·den·tal·ly [ɪnsɪ'dentlɪ] *adv* soit dit en passant
in·cin·e·ra·tor [ɪn'sɪnəreɪtər] incinérateur *m*
in·ci·sion [ɪn'sɪʒn] incision *f*
in·ci·sive [ɪn'saɪsɪv] *adj mind, analysis* incisif*
in·cite [ɪn'saɪt] *v/t* inciter; ***~ s.o. to do sth*** inciter qn à faire qch
in·clem·ent [ɪn'klemənt] *adj weather* inclément
in·cli·na·tion [ɪnklɪ'neɪʃn] (*liking*) penchant *m*; (*tendency*) tendance *f*
in·cline [ɪn'klaɪn] *v/t*: ***be ~d to do sth*** avoir tendance à faire qch
in·close, in·clos·ure → ***enclose, enclosure***
in·clude [ɪn'klu:d] *v/t* inclure, comprendre
in·clud·ing [ɪn'klu:dɪŋ] *prep* y compris; ***~ service*** service compris
in·clu·sive [ɪn'klu:sɪv] **1** *adj price* tout compris **2** *prep*: ***~ of*** en incluant **3** *adv* tout compris; ***from Monday to Thursday ~*** du lundi au jeudi inclus
in·co·her·ent [ɪnkoʊ'hɪrənt] *adj* incohérent
in·come ['ɪnkəm] revenu *m*
'in·come tax impôt *m* sur le revenu
in·com·ing ['ɪnkʌmɪŋ] *adj tide* montant; *flight, mail* qui arrive; *phonecall* de l'extérieur; *president* nouveau*
in·com·pa·ra·ble [ɪn'kɑ:mpərəbl] *adj* incomparable
in·com·pat·i·bil·i·ty [ɪnkəmpætɪ'bɪlɪtɪ] incompatibilité *f*
in·com·pat·i·ble [ɪnkəm'pætɪbl] *adj* incompatible
in·com·pe·tence [ɪn'kɑ:mpɪtəns] incompétence *f*
in·com·pe·tent [ɪn'kɑ:mpɪtənt] *adj* incompétent
in·com·plete [ɪnkəm'pli:t] *adj* incomplet*
in·com·pre·hen·si·ble [ɪnkɑ:mprɪ'hensɪbl] *adj* incompréhensible
in·con·cei·va·ble [ɪnkən'si:vəbl] *adj* inconcevable
in·con·clu·sive [ɪnkən'klu:sɪv] *adj* peu concluant
in·con·gru·ous [ɪn'kɑ:ŋgruəs] *adj* incongru
in·con·sid·er·ate [ɪnkən'sɪdərət] *adj action* inconsidéré; ***be ~*** *of person* manquer d'égards
in·con·sis·tent [ɪnkən'sɪstənt] *adj* incohérent; *person* inconstant; ***~ with*** incompatible avec
in·con·so·la·ble [ɪnkən'soʊləbl] *adj* inconsolable
in·con·spic·u·ous [ɪnkən'spɪkjuəs] *adj* discret*
in·con·ve·ni·ence [ɪnkən'vi:nɪəns] *n* inconvénient *m*
in·con·ve·ni·ent [ɪnkən'vi:nɪənt] *adj time* inopportun; *place, arrangement* peu commode
in·cor·po·rate [ɪn'kɔ:rpəreɪt] *v/t* incorporer
in·cor·rect [ɪnkə'rekt] *adj* incorrect
in·cor·rect·ly [ɪnkə'rektlɪ] *adv* incorrectement, mal
in·cor·ri·gi·ble [ɪn'kɑ:rɪdʒəbl] *adj* incorrigible
in·crease 1 *v/t & v/i* [ɪn'kri:s] augmenter **2** *n* ['ɪnkri:s] augmentation *f*
in·creas·ing [ɪn'kri:sɪŋ] *adj* croissant
in·creas·ing·ly [ɪn'kri:sɪŋlɪ] *adv* de plus en plus
in·cred·i·ble [ɪn'kredɪbl] *adj* (*amazing, very good*) incroyable
in·crim·i·nate [ɪn'krɪmɪneɪt] *v/t* incriminer; ***~ o.s.*** s'incriminer
in·cu·ba·tor ['ɪŋkjʊbeɪtər] *for chicks* incubateur *m*; *for babies* couveuse *f*
in·cur [ɪn'kɜ:r] *v/t* (*pret & pp* ***-red***) *costs* encourir; *debts* contracter; *s.o.'s anger* s'attirer
in·cu·ra·ble [ɪn'kjʊrəbl] *adj also fig* incurable
in·debt·ed [ɪn'detɪd] *adj*: ***be ~ to s.o.*** être redevable à qn (***for sth*** de qch)
in·de·cent [ɪn'di:snt] *adj* indécent
in·de·ci·sive [ɪndɪ'saɪsɪv] *adj argument* peu concluant; *person* indécis
in·de·ci·sive·ness [ɪndɪ'saɪsɪvnɪs] in-

décision *f*
in·deed [ɪn'di:d] *adv* (*in fact*) vraiment; (*yes, agreeing*) en effet; ***very much ~*** beaucoup
in·de·fi·na·ble [ɪndɪ'faɪnəbl] *adj* indéfinissable
in·def·i·nite [ɪn'defɪnɪt] *adj* indéfini; ***~ article*** GRAM article *m* indéfini
in·def·i·nite·ly [ɪn'defɪnɪtlɪ] *adv* indéfiniment
in·del·i·cate [ɪn'delɪkət] *adj* indélicat
in·dent ['ɪndent] **1** *n in text* alinéa *m* **2** *v/t* [ɪn'dent] *line* renfoncer
in·de·pen·dence [ɪndɪ'pendəns] indépendance *f*
In·de'pen·dence Day fête *f* de l'Indépendance
in·de·pen·dent [ɪndɪ'pendənt] *adj* indépendant
in·de·pen·dent·ly [ɪndɪ'pendəntlɪ] *adv deal with* indépendamment; ***~ of*** indépendamment de
in·de·scri·ba·ble [ɪndɪ'skraɪbəbl] *adj* indescriptible; (*very bad*) inqualifiable
in·de·scrib·a·bly [ɪndɪ'skraɪbəblɪ] *adv*: ***~ beautiful*** d'une beauté indescriptible; ***~ bad*** *book, movie* inqualifiable
in·de·struc·ti·ble [ɪndɪ'strʌktəbl] *adj* indestructible
in·de·ter·mi·nate [ɪndɪ'tɜ:rmɪnət] *adj* indéterminé
in·dex ['ɪndeks] *for book* index *m*
'in·dex card fiche *f*; **'in·dex fin·ger** index *m*
In·di·a ['ɪndɪə] Inde *f*
In·di·an ['ɪndɪən] **1** *adj* indien **2** *n also American* Indien(ne) *m(f)*
In·di·an 'sum·mer été *m* indien
in·di·cate ['ɪndɪkeɪt] **1** *v/t* indiquer **2** *v/i Br. when driving* mettre ses clignotants
in·di·ca·tion [ɪndɪ'keɪʃn] indication *f*, signe *m*
in·di·ca·tor ['ɪndɪkeɪtər] *Br. on car* clignotant *m*
in·dict [ɪn'daɪt] *v/t* accuser
in·dif·fer·ence [ɪn'dɪfrəns] indifférence *f*
in·dif·fer·ent [ɪn'dɪfrənt] *adj* indifférent; (*mediocre*) médiocre
in·di·ges·ti·ble [ɪndɪ'dʒestɪbl] *adj* indigeste
in·di·ges·tion [ɪndɪ'dʒestʃn] indigestion *f*
in·dig·nant [ɪn'dɪgnənt] *adj* indigné
in·dig·na·tion [ɪndɪg'neɪʃn] indignation *f*
in·di·rect [ɪndɪ'rekt] *adj* indirect
in·di·rect·ly [ɪndɪ'rektlɪ] *adv* indirectement
in·dis·creet [ɪndɪ'skri:t] *adj* indiscret*
in·dis·cre·tion [ɪndɪ'skreʃn] *act* indiscrétion *f*, faux pas *m* F
in·dis·crim·i·nate [ɪndɪ'skrɪmɪnət] *adj* aveugle; *accusations* à tort et à travers
in·dis·pen·sa·ble [ɪndɪ'spensəbl] *adj* indispensable
in·dis·posed [ɪndɪ'spoʊzd] *adj* (*not well*) indisposé
in·dis·pu·ta·ble [ɪndɪ'spju:təbl] *adj* incontestable
in·dis·pu·ta·bly [ɪndɪ'spju:təblɪ] *adv* incontestablement
in·dis·tinct [ɪndɪ'stɪŋkt] *adj* indistinct
in·dis·tin·guish·a·ble [ɪndɪ'stɪŋgwɪʃəbl] *adj* indifférenciable
in·di·vid·u·al [ɪndɪ'vɪdʒʊəl] **1** *n* individu *m* **2** *adj* (*separate*) particulier*; (*personal*) individuel*
in·di·vid·u·a·list·ic [ɪndɪ'vɪdʒʊəlɪstɪk] *adj* individualiste
in·di·vid·u·al·it·y [ɪndɪvɪdʒʊ'ælɪtɪ] individualité *f*
in·di·vid·u·al·ly [ɪndɪ'vɪdʒʊəlɪ] *adv* individuellement
in·di·vis·i·ble [ɪndɪ'vɪzɪbl] *adj* indivisible
in·doc·tri·nate [ɪn'dɑ:ktrɪneɪt] *v/t* endoctriner
in·do·lence ['ɪndələns] indolence *f*
in·do·lent ['ɪndələnt] *adj* indolent
In·do·ne·sia [ɪndə'ni:ʒə] Indonésie *f*
In·do·ne·sian [ɪndə'ni:ʒən] **1** *adj* indonésien* **2** *n person* Indonésien(ne) *m(f)*
in·door ['ɪndɔ:r] *adj activities, games* d'intérieur; *sport* en salle; *arena* couvert
in·doors [ɪn'dɔ:rz] *adv* à l'intérieur; (*at home*) à la maison
in·dorse → ***endorse***

in·dulge [ɪn'dʌldʒ] **1** *v/t tastes* satisfaire; *~ o.s.* se faire plaisir **2** *v/i*: *~ in sth* se permettre qch
in·dul·gence [ɪn'dʌldʒəns] *of tastes, appetite etc* satisfaction *f*; (*laxity*) indulgence *f*
in·dul·gent [ɪn'dʌldʒənt] *adj* (*not strict enough*) indulgent
in·dus·tri·al [ɪn'dʌstrɪəl] *adj* industriel*; *~ action* action *f* revendicative
in·dus·tri·al dis'pute conflit *m* social
in·dus·tri·al·ist [ɪn'dʌstrɪəlɪst] industriel(le) *m*(*f*)
in·dus·tri·al·ize [ɪn'dʌstrɪəlaɪz] **1** *v/t* industrialiser **2** *v/i* s'industrialiser
in·dus·tri·al 'waste déchets *mpl* industriels
in·dus·tri·ous [ɪn'dʌstrɪəs] *adj* travailleur*
in·dus·try ['ɪndəstrɪ] industrie *f*
in·ef·fec·tive [ɪnɪ'fektɪv] *adj* inefficace
in·ef·fec·tu·al [ɪnɪ'fektʃʊəl] *adj person* inefficace
in·ef·fi·cient [ɪnɪ'fɪʃənt] *adj* inefficace
in·eli·gi·ble [ɪn'elɪdʒɪbl] *adj* inéligible
in·ept [ɪ'nept] *adj* inepte
in·e·qual·i·ty [ɪnɪ'kwɑːlɪtɪ] inégalité *f*
in·es·ca·pa·ble [ɪnɪ'skeɪpəbl] *adj* inévitable
in·es·ti·ma·ble [ɪn'estɪməbl] *adj* inestimable
in·ev·i·ta·ble [ɪn'evɪtəbl] *adj* inévitable
in·ev·i·ta·bly [ɪn'evɪtəblɪ] *adv* inévitablement
in·ex·cu·sa·ble [ɪnɪk'skjuːzəbl] *adj* inexcusable
in·ex·haus·ti·ble [ɪnɪg'zɒːstəbl] *adj supply* inépuisable
in·ex·pen·sive [ɪnɪk'spensɪv] *adj* bon marché, pas cher*
in·ex·pe·ri·enced [ɪnɪk'spɪrɪənst] *adj* inexpérimenté
in·ex·plic·a·ble [ɪnɪk'splɪkəbl] *adj* inexplicable
in·ex·pres·si·ble [ɪnɪk'spresɪbl] *adj joy* inexprimable
in·fal·li·ble [ɪn'fælɪbl] *adj* infaillible
in·fa·mous ['ɪnfəməs] *adj* infâme
in·fan·cy ['ɪnfənsɪ] *of person* petite enfance *f*; *of state, institution* débuts *mpl*
in·fant ['ɪnfənt] petit(e) enfant *m*(*f*)
in·fan·tile ['ɪnfəntaɪl] *adj pej* infantile
in·fant mor'tal·it·y rate taux *m* de mortalité infantile
in·fan·try ['ɪnfəntrɪ] infanterie *f*
'in·fan·try sol·dier soldat *m* d'infanterie, fantassin *m*
'in·fant school *Br* école *f* maternelle
in·fat·u·at·ed [ɪn'fætʃʊeɪtɪd] *adj*: *be ~ with s.o.* être entiché de qn
in·fect [ɪn'fekt] *v/t* contaminer; *become ~ed of person* être contaminé; *of wound* s'infecter
in·fec·tion [ɪn'fekʃn] contamination *f*; (*disease*), *of wound* infection *f*
in·fec·tious [ɪn'fekʃəs] *adj disease* infectieux*; *fig*: *laughter* contagieux*
in·fer [ɪn'fɜːr] *v/t* (*pret & pp* *-red*): *~ X from Y* déduire X de Y
in·fe·ri·or [ɪn'fɪrɪər] *adj* inférieur
in·fe·ri·or·i·ty [ɪnfɪrɪ'ɑːrətɪ] *in quality* infériorité *f*
in·fe·ri'or·i·ty com·plex complexe *m* d'infériorité
in·fer·tile [ɪn'fɜːrtl] *adj* stérile
in·fer·til·i·ty [ɪnfər'tɪlɪtɪ] stérilité *f*
in·fi·del·i·ty [ɪnfɪ'delɪtɪ] infidélité *f*
in·fil·trate ['ɪnfɪltreɪt] *v/t* infiltrer
in·fi·nite ['ɪnfɪnət] *adj* infini
in·fin·i·tive [ɪn'fɪnətɪv] infinitif *m*
in·fin·i·ty [ɪn'fɪnətɪ] infinité *f*, MATH infini *m*
in·firm [ɪn'fɜːrm] *adj* infirme
in·fir·ma·ry [ɪn'fɜːrmərɪ] infirmerie *f*
in·fir·mi·ty [ɪn'fɜːrmətɪ] infirmité *f*
in·flame [ɪn'fleɪm] *v/t* enflammer
in·flam·ma·ble [ɪn'flæməbl] *adj* inflammable
in·flam·ma·tion [ɪnflə'meɪʃn] MED inflammation *f*
in·flat·a·ble [ɪn'fleɪtəbl] *adj dinghy* gonflable
inflate [ɪn'fleɪt] *v/t tire, dinghy* gonfler
in·fla·tion [ɪn'fleɪʃən] inflation *f*
in·fla·tion·a·ry [ɪn'fleɪʃənərɪ] *adj* inflationniste
in·flec·tion [ɪn'flekʃn] *of voice* inflexion *f*
in·flex·i·ble [ɪn'fleksɪbl] *adj attitude, person* inflexible
in·flict [ɪn'flɪkt] *v/t*: *~ sth on s.o.* infliger qch à qn

I

'in-flight *adj* en vol; **~** ***entertainment*** divertissements *mpl* en vol
in·flu·ence ['ɪnflʊəns] **1** *n* influence *f*; ***be a good / bad ~ on s.o.*** avoir une bonne / mauvaise influence sur qn **2** *v/t* influencer
in·flu·en·tial [ɪnflʊ'enʃl] *adj* influent
in·flu·en·za [ɪnflʊ'enzə] grippe *f*
in·form [ɪn'fɔːrm] **1** *v/t*: **~ *s.o. about sth*** informer qn de qch; ***please keep me ~ed*** veuillez me tenir informé **2** *v/i*: **~ *on s.o.*** dénoncer qn
in·for·mal [ɪn'fɔːrməl] *adj meeting, agreement* non-officiel*; *form of address* familier*; *conversation, dress* simple
in·for·mal·i·ty [ɪnfɔːr'mælɪtɪ] *of meeting, agreement* caractère *m* non officiel; *of form of address* familiarité *f*; *of conversation, dress* simplicité *f*

I

in·form·ant [ɪn'fɔːrmənt] informateur(-trice) *m(f)*
in·for·ma·tion [ɪnfər'meɪʃn] renseignements *mpl*
in·for·ma·tion 'sci·ence informatique *f*; **in·for·ma·tion 'sci·en·tist** informaticien(ne) *m(f)*; **in·for·ma·tion tech'nol·o·gy** informatique *f*
in·for·ma·tive [ɪn'fɔːrmətɪv] *adj* instructif*
in·form·er [ɪn'fɔːrmər] dénonciateur (-trice) *m(f)*
infra-red [ɪnfrə'red] *adj* infrarouge
in·fra·struc·ture ['ɪnfrəstrʌktʃər] infrastructure *f*
in·fre·quent [ɪn'friːkwənt] *adj* rare
in·fu·ri·ate [ɪn'fjʊrɪeɪt] *v/t* rendre furieux*
in·fu·ri·at·ing [ɪn'fjʊrɪeɪtɪŋ] *adj* exaspérant
in·fuse [ɪn'fjuːz] *v/i of tea* infuser
in·fu·sion [ɪn'fjuːʒn] (*herb tea*) infusion *f*
in·ge·ni·ous [ɪn'dʒiːnɪəs] *adj* ingénieux*
in·ge·nu·i·ty [ɪndʒɪ'nuːətɪ] ingéniosité *f*
in·got ['ɪŋgət] lingot *m*
in·gra·ti·ate [ɪn'greɪʃɪeɪt] *v/t*: **~ *o.s. with s.o.*** s'insinuer dans les bonnes grâces de qn
in·grat·i·tude [ɪn'grætɪtuːd] ingratitude *f*
in·gre·di·ent [ɪn'griːdɪənt] *for cooking* ingrédient *m*; **~*s*** *fig*: *for success* recette *f* (***for*** pour)
in·hab·it [ɪn'hæbɪt] *v/t* habiter
in·hab·it·a·ble [ɪn'hæbɪtəbl] *adj* habitable
in·hab·i·tant [ɪn'hæbɪtənt] habitant(e) *m(f)*
in·hale [ɪn'heɪl] **1** *v/t* inhaler, respirer **2** *v/i when smoking* avaler la fumée
in·ha·ler [ɪn'heɪlər] inhalateur *m*
in·her·it [ɪn'herɪt] *v/t* hériter
in·her·i·tance [ɪn'herɪtəns] héritage *m*
in·hib·it [ɪn'hɪbɪt] *v/t conversation etc* empêcher; *growth*, entraver
in·hib·it·ed [ɪn'hɪbɪtɪd] *adj* inhibé
in·hi·bi·tion [ɪnhɪ'bɪʃn] inhibition *f*
in·hos·pi·ta·ble [ɪnhɑː'spɪtəbl] *adj* inhospitalier*
'in-house *adj & adv* sur place
in·hu·man [ɪn'hjuːmən] *adj* inhumain
i·ni·tial [ɪ'nɪʃl] **1** *adj* initial **2** *n* initiale *f* **3** *v/t* (*write initials on*) parapher
i·ni·tial·ly [ɪ'nɪʃlɪ] *adv* au début
i·ni·ti·ate [ɪ'nɪʃɪeɪt] *v/t procedure* lancer; *person* initier
i·ni·ti·a·tion [ɪnɪʃɪ'eɪʃn] lancement *m*; *of person* initiation *f*
i·ni·ti·a·tive [ɪ'nɪʃətɪv] initiative *f*; ***do sth on one's own ~*** faire qch de sa propre initiative
in·ject [ɪn'dʒekt] *v/t* injecter
in·jec·tion [ɪn'dʒekʃn] injection *f*
'in-joke: ***it's an ~*** c'est une plaisanterie entre nous / eux
in·jure ['ɪndʒər] *v/t* blesser
in·jured ['ɪndʒərd] **1** *adj leg, feelings* blessé **2** *npl*: ***the ~*** les blessés *mpl*
in·ju·ry ['ɪndʒərɪ] blessure *f*
'in·jury time SP arrêt(s) *m(pl)* de jeu
in·jus·tice [ɪn'dʒʌstɪs] injustice *f*
ink [ɪŋk] encre *f*
'ink·jet *printer* imprimante *f* à jet d'encre
in·land ['ɪnlənd] *adj* intérieur
in-laws ['ɪnlɒːz] *npl* belle-famille *f*
in·lay ['ɪnleɪ] *n* incrustation *f*
in·let ['ɪnlet] *of sea* bras *m* de mer; *in machine* arrivée *f*

in·mate ['ɪnmeɪt] *of prison* détenu(e) *m(f)*; *of mental hospital* interné(e) *m(f)*
inn [ɪn] auberge *f*
in·nate [ɪ'neɪt] *adj* inné
in·ner ['ɪnər] *adj courtyard* intérieur; *thoughts* intime; *ear* interne
in·ner 'cit·y quartiers défavorisés situés au milieu d'une grande ville
'in·ner·most *adj* le plus profond
'in·ner tube chambre *f* à air
in·no·cence ['ɪnəsəns] innocence *f*
in·no·cent ['ɪnəsənt] *adj* innocent
in·no·cu·ous [ɪ'nɑːkjʊəs] *adj* inoffensif*
in·no·va·tion [ɪnə'veɪʃn] innovation *f*
in·no·va·tive ['ɪnəvətɪv] *adj* innovant
in·no·va·tor ['ɪnəveɪtər] innovateur (-trice) *m(f)*
in·nu·me·ra·ble [ɪ'nuːmərəbl] *adj* innombrable
i·noc·u·late [ɪ'nɑːkjʊleɪt] *v/t* inoculer
i·noc·u·la·tion [ɪnɑːkjʊ'leɪʃn] inoculation *f*
in·of·fen·sive [ɪnə'fensɪv] *adj* inoffensif*
in·or·gan·ic [ɪnɔːr'gænɪk] *adj* inorganique
'in·pa·tient patient(e) hospitalisé(e) *m(f)*
in·put ['ɪnpʊt] **1** *n into project etc* apport *m*, contribution *f*; COMPUT entrée *f* **2** *v/t* (*pret & pp* ***-ted** or **input***) *into project* apporter; COMPUT entrer
in·quest ['ɪnkwest] enquête *f* (***on*** sur)
in·quire [ɪn'kwaɪr] *v/i* se renseigner; **~ *into*** *causes of disease etc* faire des recherches sur; *cause of an accident etc* enquêter sur
in·quir·y [ɪn'kwaɪrɪ] demande *f* de renseignements; ***government ~*** enquête *f* officielle
in·quis·i·tive [ɪn'kwɪzətɪv] *adj* curieux*
in·sane [ɪn'seɪn] *adj* fou*
in·san·i·ta·ry [ɪn'sænɪterɪ] *adj* insalubre
in·san·i·ty [ɪn'sænɪtɪ] folie *f*
in·sa·ti·a·ble [ɪn'seɪʃəbl] *adj* insatiable
in·scrip·tion [ɪn'skrɪpʃn] inscription *f*
in·scru·ta·ble [ɪn'skruːtəbl] *adj* impénétrable
in·sect ['ɪnsekt] insecte *m*
in·sec·ti·cide [ɪn'sektɪsaɪd] insecticide *m*
in·se·cure [ɪnsɪ'kjʊr] *adj*: ***feel / be ~*** *not safe* ne pas se sentir en sécurité; *not sure of self* manquer d'assurance
in·se·cu·ri·ty [ɪnsɪ'kjʊrɪtɪ] *psychological* manque *m* d'assurance
in·sen·si·tive [ɪn'sensɪtɪv] *adj* insensible (***to*** à)
in·sen·si·tiv·i·ty [ɪnsensɪ'tɪvɪtɪ] insensibilité *f*
in·sep·a·ra·ble [ɪn'seprəbl] *adj* inséparable
in·sert **1** ['ɪnsɜːrt] *n in magazine etc* encart *m* **2** [ɪn'sɜːrt] *v/t*: ***~ sth into sth*** insérer qch dans qch
in·ser·tion [ɪn'sɜːrʃn] insertion *f*
in·side [ɪn'saɪd] **1** *n of house, box* intérieur *m*; ***somebody on the ~*** quelqu'un qui connaît la maison; ***~ out*** à l'envers; ***turn sth ~ out*** retourner qch; ***know sth ~ out*** connaître qch à fond **2** *prep* à l'intérieur de; ***they went ~ the house*** ils sont entrés dans la maison; ***~ of 2 hours*** en moins de 2 heures **3** *adv* à l'intérieur; ***we went ~*** nous sommes entrés (à l'intérieur); ***we looked ~*** nous avons regardé à l'intérieur **4** *adj*: ***~ information*** informations *fpl* internes; ***~ lane*** SP couloir *m* intérieur; *Br. on road*: *in UK* voie *f* de gauche; *in France* voie *f* de droite; ***~ pocket*** poche *f* intérieure
in·sid·er [ɪn'saɪdər] initié(e) *m(f)*
in·sid·er 'deal·ing FIN délit *m* d'initié
in·sides [ɪn'saɪdz] *npl* (*stomach*) ventre *m*
in·sid·i·ous [ɪn'sɪdɪəs] *adj* insidieux*
in·sight ['ɪnsaɪt] aperçu *m* (***into*** de); (*insightfulness*) perspicacité *f*
in·sig·nif·i·cant [ɪnsɪg'nɪfɪkənt] *adj* insignifiant
in·sin·cere [ɪnsɪn'sɪr] *adj* peu sincère
in·sin·cer·i·ty [ɪnsɪn'serɪtɪ] manque *f* de sincérité
in·sin·u·ate [ɪn'sɪnjʊeɪt] *v/t* (*imply*) insinuer
in·sist [ɪn'sɪst] *v/i* insister

♦ **insist on** *v/t* insister sur
in·sis·tent [ɪn'sɪstənt] *adj* insistant
in·so·lent ['ɪnsələnt] *adj* insolent
in·sol·u·ble [ɪn'sɑːljʊbl] *adj problem, substance* insoluble
in·sol·vent [ɪn'sɑːlvənt] *adj* insolvable
in·som·ni·a [ɪn'sɑːmnɪə] insomnie *f*
in·spect [ɪn'spekt] *v/t work, tickets, baggage* contrôler; *building, factory, school* inspecter
in·spec·tion [ɪn'spekʃn] *of work, tickets, baggage* contrôle *m*; *of building, factory, school* inspection *f*
in·spec·tor [ɪn'spektər] *in factory, of police* inspecteur(-trice) *m(f)*
in·spi·ra·tion [ɪnspə'reɪʃn] inspiration *f*
in·spire [ɪn'spaɪr] *v/t* inspirer
in·sta·bil·i·ty [ɪnstə'bɪlɪtɪ] instabilité *f*
in·stall [ɪn'stɒːl] *v/t* installer
in·stal·la·tion [ɪnstə'leɪʃn] installation *f*; ***military ~*** installation *f* militaire
in·stall·ment, *Br* **in·stal·ment** [ɪn'stɒːlmənt] *of story, TV drama etc* épisode *m*; (*payment*) versement *m*
in'stall·ment plan vente *f* à crédit
in·stance ['ɪnstəns] (*example*) exemple *m*; ***for ~*** par exemple
in·stant ['ɪnstənt] **1** *adj* instantané **2** *n* instant *m*; ***in an ~*** dans un instant
in·stan·ta·ne·ous [ɪnstən'teɪnɪəs] *adj* instantané
in·stant 'cof·fee café *m* soluble
in·stant·ly ['ɪnstəntlɪ] *adv* immédiatement
in·stead [ɪn'sted] *adv* à la place; ***~ of me*** à ma place; ***~ of going home*** au lieu de rentrer à la maison
in·step ['ɪnstep] cou-de-pied *m*; *of shoe* cambrure *f*
in·stinct ['ɪnstɪŋkt] instinct *m*
in·stinc·tive [ɪn'stɪŋktɪv] *adj* instinctif*
in·sti·tute ['ɪnstɪtuːt] **1** *n* institut *m*; (*special home*) établissement *m* **2** *v/t new law, inquiry* instituer
in·sti·tu·tion [ɪnstɪ'tuːʃn] institution *f*
in·struct [ɪn'strʌkt] *v/t* (*order*) ordonner; (*teach*) instruire; ***~ s.o. to do sth*** (*order*) ordonner à qn de faire qch
in·struc·tion [ɪn'strʌkʃn] instruction *f*; ***~s for use*** mode *m* d'emploi
in'struc·tion man·u·al manuel *m* d'utilisation
in·struc·tive [ɪn'strʌktɪv] *adj* instructif*
in·struc·tor [ɪn'strʌktər] moniteur (-trice) *m(f)*
in·stru·ment ['ɪnstrʊmənt] instrument *m*
in·sub·or·di·nate [ɪnsə'bɔːrdɪneɪt] *adj* insubordonné
in·suf·fi·cient [ɪnsə'fɪʃnt] *adj* insuffisant
in·su·late ['ɪnsəleɪt] *v/t* ELEC, *against cold* isoler (against de)
in·su·la·tion [ɪnsə'leɪʃn] isolation *f*; *material* isolement *m*
in·su·lin ['ɪnsəlɪn] insuline *f*
in·sult **1** ['ɪnsʌlt] *n* insulte *f* **2** [ɪn'sʌlt] *v/t* insulter
in·sur·ance [ɪn'ʃʊrəns] assurance *f*
in'sur·ance com·pa·ny compagnie *f* d'assurance; **in'sur·ance pol·i·cy** police *f* d'assurance; **in'sur·ance pre·mi·um** prime *f* d'assurance
in·sure [ɪn'ʃʊr] *v/t* assurer
in·sured [ɪn'ʃʊrd] **1** *adj* assuré **2** *n*: ***the ~*** les assurés *mpl*
in·sur·moun·ta·ble [ɪnsər'maʊntəbl] *adj* insurmontable
in·tact [ɪn'tækt] *adj* (*not damaged*) intact
in·take ['ɪnteɪk] *of college etc* admission *f*
in·te·grate ['ɪntɪgreɪt] *v/t* intégrer
in·te·grat·ed cir·cuit ['ɪntɪgreɪtɪd] circuit *m* intégré
in·teg·ri·ty [ɪn'tegrətɪ] (*honesty*) intégrité *f*
in·tel·lect ['ɪntəlekt] intellect *m*
in·tel·lec·tual [ɪntə'lektʊəl] **1** *adj* intellectuel* **2** *n* intellectuel(le) *m(f)*
in·tel·li·gence [ɪn'telɪdʒəns] intelligence *f*; (*information*) renseignements *mpl*
in'tel·li·gence of·fi·cer officier *m* de renseignements
in'tel·li·gence ser·vice service *m* des renseignements
in·tel·li·gent [ɪn'telɪdʒənt] *adj* intelli-

gent

in·tel·li·gi·ble [ɪn'telɪdʒəbl] *adj* intelligible

in·tend [ɪn'tend] *v/i*: ***~ to do sth*** avoir l'intention de; ***that's not what I ~ed*** ce n'était pas ce que je voulais

in·tense [ɪn'tens] *adj* intense; *personality* passionné

in·ten·si·fy [ɪn'tensɪfaɪ] **1** *v/t* (*pret & pp **-ied***) *effect, pressure* intensifier **2** *v/i of pain, fighting* s'intensifier

in·ten·si·ty [ɪn'tensətɪ] intensité *f*

in·ten·sive [ɪn'tensɪv] *adj* intensif*

in·ten·sive 'care (u·nit) MED service *m* de soins intensifs

in'ten·sive course *of language study* cours *mpl* intensifs

in·tent [ɪn'tent] *adj*: ***be ~ on doing sth*** (*determined to do*) être (bien) décidé à faire qch

in·ten·tion [ɪn'tenʃn] intention *f*; ***I have no ~ of …*** (*refuse to*) je n'ai pas l'intention de …

in·ten·tion·al [ɪn'tenʃənl] *adj* intentionnel*

in·ten·tion·al·ly [ɪn'tenʃnlɪ] *adv* délibérément

in·ter·ac·tion [ɪntər'ækʃn] interaction *f*

in·ter·ac·tive [ɪntər'æktɪv] *adj* interactif*

in·ter·cede [ɪntər'siːd] *v/i* intercéder

in·ter·cept [ɪntər'sept] *v/t* intercepter

in·ter·change ['ɪntərʧeɪndʒ] *n of highways* échangeur *m*

in·ter·change·a·ble [ɪntər'ʧeɪndʒəbl] *adj* interchangeable

in·ter·com ['ɪntərkɑːm] interphone *m*

in·ter·course ['ɪntərkɔːrs] *sexual* rapports *mpl*

in·ter·de·pend·ent [ɪntərdɪ'pendənt] *adj* interdépendant

in·ter·est ['ɪntrəst] **1** *n* intérêt *m*; *financial* intérêt(s) *m(pl)*; ***take an ~ in sth*** s'intéresser à qch **2** *v/t* intéresser

in·ter·est·ed ['ɪntrəstɪd] *adj* intéressé; ***be ~ in sth*** être intéressé par qch; ***thanks, but I'm not ~*** merci, mais ça ne m'intéresse pas

in·ter·est-free 'loan prêt *m* sans intérêt

in·ter·est·ing ['ɪntrəstɪŋ] *adj* intéressant

'in·ter·est rate FIN taux *m* d'intérêt

in·ter·face ['ɪntərfeɪs] **1** *n* interface *f* **2** *v/i* avoir une interface (***with*** avec)

in·ter·fere [ɪntər'fɪr] *v/i* se mêler (***with*** de)

♦ **interfere with** *v/t controls* toucher à; *plans* contrecarrer

in·ter·fer·ence [ɪntər'fɪrəns] ingérence *f*; *on radio* interférence *f*

in·te·ri·or [ɪn'tɪrɪər] **1** *adj* intérieur **2** *n* intérieur *m*; ***Department of the Interior*** ministère *m* de l'Intérieur

in·te·ri·or 'dec·o·ra·tor décorateur (-trice) *m(f)* d'intérieur; **in·te·ri·or de'sign** design *m* d'intérieurs; **in·te·ri·or de'sign·er** designer *m/f* d'intérieurs

in·ter·lude ['ɪntərluːd] intermède *m*

in·ter·mar·ry [ɪntər'mærɪ] *v/i* (*pret & pp **-ied***) se marier entre eux

in·ter·me·di·ar·y [ɪntər'miːdɪerɪ] *n* intermédiaire *m/f*

in·ter·me·di·ate [ɪntər'miːdɪət] *adj stage, level* intermédiaire; *course* (de niveau) moyen

in·ter·mis·sion [ɪntər'mɪʃn] *in theater* entracte *m*

in·tern[1] [ɪn'tɜːrn] *v/t* interner

in·tern[2] ['ɪntɜːrn] *n* MED interne *m/f*

in·ter·nal [ɪn'tɜːrnl] *adj* interne; *trade* intérieur

in·ter·nal com'bus·tion en·gine moteur *m* à combustion interne

In·ter·nal 'Rev·e·nue (Ser·vice) (direction *f* générale des) impôts *mpl*

in·ter·nal·ly [ɪn'tɜːrnəlɪ] *adv in organization* en interne; ***bleed ~*** avoir des saignements internes; ***not to be taken ~*** à usage externe

in·ter·na·tion·al [ɪntər'næʃnl] **1** *adj* international **2** *n match* match *m* international; *player* international(e) *m(f)*

In·ter·na·tion·al Court of 'Jus·tice Cour *f* internationale de justice

in·ter·na·tion·al·ly [ɪntər'næʃnəlɪ] *adv* internationalement

In·ter·na·tion·al 'Mon·e·tar·y Fund Fonds *m* monétaire international, F.M.I. *m*

in·ter·net ['ɪntərnet] Internet *m*; ***on the ~*** sur Internet
in·ter·nist [ɪn'tɜːrnɪst] spécialiste *m(f)* des maladies organiques
in·ter·pret [ɪn'tɜːrprɪt] *v/t & v/i* interpréter
in·ter·pre·ta·tion [ɪntɜːrprɪ'teɪʃn] interprétation *f*
in·ter·pret·er [ɪn'tɜːrprɪtər] interprète *m/f*
in·ter·re·lat·ed [ɪntərɪ'leɪtɪd] *adj facts* en corrélation
in·ter·ro·gate [ɪn'terəgeɪt] *v/t* interroger
in·ter·ro·ga·tion [ɪnterə'geɪʃn] interrogatoire *m*
in·ter·rog·a·tive [ɪntə'rɑːgətɪv] *n* GRAM interrogatif*
in·ter·ro·ga·tor [ɪnterə'geɪtər] interrogateur(-trice) *m(f)*
in·ter·rupt [ɪntə'rʌpt] *v/t & v/i* interrompre
in·ter·rup·tion [ɪntə'rʌpʃn] interruption *f*
in·ter·sect [ɪntər'sekt] **1** *v/t* couper, croiser **2** *v/i* s'entrecouper, s'entrecroiser
in·ter·sec·tion ['ɪntərsekʃn] *of roads* carrefour *m*
in·ter·state ['ɪntərsteɪt] *n* autoroute *f*
in·ter·val ['ɪntərvl] intervalle *m*; *in theater, at concert* entracte *m*; ***sunny ~s*** éclaircies *fpl*
in·ter·vene [ɪntər'viːn] *v/i of person, police etc* intervenir
in·ter·ven·tion [ɪntər'venʃn] intervention *f*
in·ter·view ['ɪntərvjuː] **1** *n on TV, in paper* interview *f*; *for job* entretien *m* **2** *v/t on TV, for paper* interviewer; *for job* faire passer un entretien à
in·ter·view·ee [ɪntərvjuː'iː] *on TV* personne *f* interviewée; *for job* candidat(e) *m(f)* (qui passe un entretien)
in·ter·view·er ['ɪntərvjuːər] *on TV, for paper* intervieweur(-euse) *m(f)*; *for job* personne *f* responsable d'un entretien
in·testine [ɪn'testɪn] intestin *m*
in·ti·ma·cy ['ɪntɪməsɪ] *of friendship* intimité *f*, *sexual* rapports *mpl* intimes
in·ti·mate ['ɪntɪmət] *adj friend, thoughts* intime; ***be ~ with s.o.*** *sexually* avoir des rapports intimes avec qn
in·tim·i·date [ɪn'tɪmɪdeɪt] *v/t* intimider
in·tim·i·da·tion [ɪntɪmɪ'deɪʃn] intimidation *f*
in·to ['ɪntʊ] *prep*: ***he put it ~ his suitcase*** il l'a mis dans sa valise; ***translate ~ English*** traduire en anglais; ***2 ~ 12 is ...*** 12 divisé par 2 égale ...; ***be ~ sth*** F (*like*) aimer qch; *politics etc* être engagé dans qch; ***he's really ~ ...*** (*likes*) ..., c'est son truc F; ***once you're ~ the job*** une fois que tu t'es habitué au métier
in·tol·e·ra·ble [ɪn'tɑːlərəbl] *adj* intolérable
in·tol·e·rant [ɪn'tɑːlərənt] *adj* intolérant
in·tox·i·cat·ed [ɪn'tɑːksɪkeɪtɪd] *adj* ivre
in·tran·si·tive [ɪn'trænsɪtɪv] *adj* intransitif*
in·tra·ve·nous [ɪntrə'viːnəs] *adj* intraveineux*
in·trep·id [ɪn'trepɪd] *adj* intrépide
in·tri·cate ['ɪntrɪkət] *adj* compliqué, complexe
in·trigue **1** ['ɪntriːg] *n* intrigue *f* **2** [ɪn'triːg] *v/t* intriguer
in·trigu·ing [ɪn'triːgɪŋ] *adj* intrigant
in·tro·duce [ɪntrə'duːs] *v/t new technique etc* introduire; ***~ s.o. to s.o.*** présenter qn à qn; ***~ s.o. to sth*** *new sport, activity* initier qn à qch; *type of food etc* faire connaître qch à qn; ***may I ~ ...?*** puis-je vous présenter ...?
in·tro·duc·tion [ɪntrə'dʌkʃn] *to person* présentations *fpl*; *in book, of new techniques* introduction *f*, *to a new sport* initiation *f* (***to*** à)
in·tro·vert ['ɪntrəvɜːrt] *n* introverti(e) *m(f)*
in·trude [ɪn'truːd] *v/i* déranger, s'immiscer
in·trud·er [ɪn'truːdər] intrus(e) *m(f)*
in·tru·sion [ɪn'truːʒn] intrusion *f*
in·tu·i·tion [ɪntuː'ɪʃn] intuition *f*
in·vade [ɪn'veɪd] *v/t* envahir

in·val·id[1] [ɪn'vælɪd] *adj* non valable
in·va·lid[2] ['*Inv* əlɪd] *n* MED invalide *m/f*
in·val·i·date [ɪn'vælɪdeɪt] *v/t claim, theory* invalider
in·val·u·a·ble [ɪn'væljubl] *adj help, contributor* inestimable
in·var·i·a·bly [ɪn'veɪrɪəblɪ] *adv (always)* invariablement
in·va·sion [ɪn'veɪʒn] invasion *f*
in·vent [ɪn'vent] *v/t* inventer
in·ven·tion [ɪn'venʃn] invention *f*
in·ven·tive [ɪn'ventɪv] *adj* inventif*
in·ven·tor [ɪn'ventər] inventeur(-trice) *m(f)*
in·ven·to·ry ['*Inv* əntourɪ] inventaire *m*
in·verse [ɪn'vɜːrs] *adj order* inverse
in·vert [ɪn'vɜːrt] *v/t* inverser
in·vert·ed com·mas [ɪn'vɜːrtɪd] *Br* guillemets *mpl*
in·ver·te·brate [ɪn'vɜːrtɪbrət] *n* invertébré *m*
invest [ɪn'vest] *v/t & v/i* investir
in·ves·ti·gate [ɪn'vestɪgeɪt] *v/t crime* enquêter sur; *scientific phenomenon* étudier
in·ves·ti·ga·tion [ɪnvestɪ'geɪʃn] *of crime* enquête *f*; *in science* étude *f*
in·ves·ti·ga·tive jour·nal·ism [ɪn'vestɪgətɪv] journalisme *m* d'investigation
in·vest·ment [ɪn'vestmənt] investissement *m*
in·ves·tor [ɪn'vestər] investisseur *m*
in·vig·or·at·ing [ɪn'vɪgəreɪtɪŋ] *adj climate* vivifiant
in·vin·ci·ble [ɪn'vɪnsəbl] *adj* invincible
in·vis·i·ble [ɪn'vɪzɪbl] *adj* invisible
in·vi·ta·tion [ɪnvɪ'teɪʃn] invitation *f*
in·vite [ɪn'vaɪt] *v/t* inviter
♦ **invite in** *v/t* inviter à entrer
in·voice ['ɪnvɔɪs] **1** *n* facture *f* **2** *v/t customer* facturer
in·vol·un·ta·ry [ɪn'vɑːlənterɪ] *adj* involontaire
in·volve [ɪn'vɑːlv] *v/t hard work* nécessiter; *expense* entraîner; *(concern)* concerner; ***what does it ~?*** qu'est-ce que cela implique?; ***get ~d with sth*** *with company* s'engager avec qch; *with project* s'impliquer dans qch; *of police* intervenir dans qch; ***get ~d with s.o.*** *romantically* avoir une liaison avec qn; ***you're far too ~d with him*** *emotionally* tu t'investis trop (dans ta relation) avec lui
in·volved [ɪn'vɑːlvd] *adj (complex)* compliqué
in·volve·ment [ɪn'vɑːlvmənt] *in project etc, crime, accident* participation *f*; *in politics* engagement *m*; *(implicating)* implication *f* (**in** dans)
in·vul·ne·ra·ble [ɪn'vʌlnərəbl] *adj* invulnérable
in·ward ['ɪnwərd] **1** *adj* intérieur **2** *adv* vers l'intérieur
in·ward·ly ['ɪnwərdlɪ] *adv* intérieurement, dans son / mon etc for intérieur
i·o·dine ['aɪoudiːn] iode *m*
IOU [aɪou'juː] *abbr* (***= I owe you***) reconnaissance *f* de dette
IQ [aɪ'kjuː] *abbr* (***= intelligence quotient***) Q.I. *m* (= Quotient *m* intellectuel)
I·ran [ɪ'rɑːn] Iran *m*
I·ra·ni·an [ɪ'reɪnɪən] **1** *adj* iranien* **2** *n* Iranien(ne) *m(f)*
I·raq [ɪ'ræːk] Iraq *m*
I·ra·qi [ɪ'ræːkɪ] **1** *adj* irakien* **2** *n* Irakien(ne) *m(f)*
Ire·land ['aɪrlənd] Irlande *f*
i·ris ['aɪrɪs] *of eye, flower* iris *m*
I·rish ['aɪrɪʃ] **1** *adj* irlandais **2** *npl*: ***the ~*** les Irlandais
'I·rish·man Irlandais *m*
'I·rish·wom·an Irlandaise *f*
i·ron ['aɪərn] **1** *n substance* fer *m*; *for clothes* fer *m* à repasser **2** *v/t shirts etc* repasser
i·ron·ic(·al) [aɪ'rɑːnɪk(l)] *adj* ironique
i·ron·ing ['aɪərnɪŋ] repassage *m*; ***do the ~*** repasser, faire le repassage
'i·ron·ing board planche *f* à repasser
'i·ron·works usine *f* de sidérurgie
i·ron·y ['aɪrənɪ] ironie *f*
ir·ra·tion·al [ɪ'ræʃənl] *adj* irrationnel*
ir·rec·on·ci·la·ble [ɪrekən'saɪləbl] *adj people* irréconciliable; *positions* inconciliable
ir·re·cov·e·ra·ble [ɪrɪ'kʌvərəbl] *adj data* irrécupérable; *loss* irrémédiable

ir·re·gu·lar [ɪ'regjʊlər] *adj* irrégulier*
ir·rel·e·vant [ɪ'reləvənt] *adj* hors de propos; ***that's completely ~*** ça n'a absolument aucun rapport
ir·rep·a·ra·ble [ɪ'repərəbl] *adj* irréparable
ir·re·place·a·ble [ɪrɪ'pleɪsəbl] *adj object, person* irremplaçable
ir·re·pres·si·ble [ɪrɪ'presəbl] *adj sense of humor* à toute épreuve; *person* qui ne se laisse pas abattre
ir·re·proach·a·ble [ɪrɪ'proʊʧəbl] *adj* irréprochable
ir·re·sis·ti·ble [ɪrɪ'zɪstəbl] *adj* irrésistible
ir·re·spec·tive [ɪrɪ'spektɪv] *adv*: ***~ of*** sans tenir compte de
ir·re·spon·si·ble [ɪrɪ'spɑːnsəbl] *adj* irresponsable
ir·re·trie·va·ble [ɪrɪ'triːvəbl] *adj data* irrécupérable; *loss* irréparable
ir·rev·e·rent [ɪ'revərənt] *adj* irrévérencieux*
ir·rev·o·ca·ble [ɪ'revəkəbl] *adj* irrévocable
ir·ri·gate ['ɪrɪgeɪt] *v/t* irriguer
ir·ri·ga·tion [ɪrɪ'geɪʃn] irrigation *f*
ir·ri·ga·tion ca'nal canal *m* d'irrigation
ir·ri·ta·ble ['ɪrɪtəbl] *adj* irritable
ir·ri·tate ['ɪrɪteɪt] *v/t* irriter
ir·ri·tat·ing ['ɪrɪteɪtɪŋ] *adj* irritant
ir·ri·ta·tion [ɪrɪ'teɪʃn] irritation *f*
IRS [aɪɑːr'es] *abbr* (= ***Internal Revenue Service***) (direction *f* générale des) impôts *mpl*
Is·lam ['ɪzlɑːm] *religion* islam *m*; *peoples, civilization* Islam *m*
Is·lam·ic [ɪz'læmɪk] *adj* islamique
is·land ['aɪlənd] île *f*, (***traffic***) ~ refuge *m*
is·land·er ['aɪləndər] insulaire *m/f*
i·so·late ['aɪsəleɪt] *v/t* isoler
i·so·lat·ed ['aɪsəleɪtɪd] *adj house, occurence* isolé
i·so·la·tion [aɪsə'leɪʃn] *of a region* isolement *m*; ***in ~*** isolément
i·so'la·tion ward salle *f* des contagieux
ISP [aɪes'piː] *abbr* (= ***Internet service provider***) fournisseur *m* Internet
Is·rael ['ɪzreɪl] Israël *m*
Is·rae·li [ɪz'reɪlɪ] **1** *adj* israélien* **2** *n person* Israélien(ne) *m(f)*
is·sue ['ɪʃuː] **1** *n* (*matter*) question *f*, problème *m*; (*result*) résultat *m*; *of magazine* numéro *m*; ***the point at ~*** le point en question; ***take ~ with** s.o.* ne pas être d'accord avec; *sth* contester **2** *v/t supplies* distribuer; *coins, warning* émettre; *passport* délivrer
it [ɪt] *pron* ◊ *as subject* il, elle; ***what color's your car? - ~'s black*** de quelle couleur est ta voiture? - elle est noire; ***where's your bathroom? - ~'s through there*** où est la salle de bains - c'est par là
◊ *as object* le, la; ***give ~ to him*** donne-le-lui
◊ *with prepositions*: ***on top of ~*** dessus; ***it's just behind ~*** c'est juste derrière; ***let's talk about ~*** parlons-en; ***we went to ~*** nous y sommes allés
◊ *impersonal*: ***~'s raining*** il pleut; ***~'s me / him*** c'est moi / lui; ***~'s your turn*** c'est ton tour; ***that's ~!*** (*that's right*) c'est ça!; (*finished*) c'est fini!
IT [aɪ'tiː] *abbr* (= ***information technology***) informatique *f*
I·tal·i·an [ɪ'tæljən] **1** *adj* italien* **2** *n person* Italien(ne) *m(f)*; *language* italien *m*
I·ta·ly ['ɪtəlɪ] Italie *f*
itch [ɪʧ] **1** *n* démangeaison *f* **2** *v/i*: ***it ~es*** ça me démange
i·tem ['aɪtəm] *on shopping list, in accounts* article *m*; *on agenda* point *m*; ***~ of news*** nouvelle *f*
i·tem·ize ['aɪtəmaɪz] *v/t invoice* détailler
i·tin·e·ra·ry [aɪ'tɪnərerɪ] itinéraire *m*
its [ɪts] *adj* son, sa; *pl* ses
it's [ɪts] → ***it is, it has***
it·self [ɪt'self] *pron reflexive* se; *stressed* lui-même; elle-même; ***by ~*** (*alone*) tout(e) seul(e) *m(f)*; (*automatically*) tout(e) seul(e)
i·vo·ry ['aɪvərɪ] ivoire *m*
i·vy ['aɪvɪ] lierre *m*

I

J

jab [dʒæb] **1** *v/t* (*pret & pp* ***-bed***) planter (***into*** dans); **~ *one's elbow / a stick into s.o.*** donner un coup de coude / bâton à qn **2** *n in boxing* coup *m* droit
jab·ber ['dʒæbər] *v/i* baragouiner
jack [dʒæk] MOT cric *m*; *in cards* valet *m*
♦**jack up** *v/t* MOT soulever (avec un cric)
jack·et ['dʒækɪt] (*coat*) veste *f*; *of book* couverture *f*
jack·et po'ta·to pomme *f* de terre en robe des champs
'jack-knife *v/i of truck* se mettre en travers
'jack·pot jackpot *m*; ***hit the*** **~** gagner le jackpot
jade [dʒeɪd] *n* jade *m*
jad·ed ['dʒeɪdɪd] *adj* blasé
jag·ged ['dʒægɪd] *adj* découpé, dentelé
jail [dʒeɪl] prison *f*
jam[1] [dʒæm] *n for bread* confiture *f*
jam[2] [dʒæm] **1** *n* MOT embouteillage *m*; F (*difficulty*) pétrin *m* F; ***be in a*** **~** être dans le pétrin **2** *v/t* (*pret & pp* ***-med***) (*ram*) fourrer; (*cause to stick*) bloquer; *broadcast* brouiller; ***be ~med*** *of roads* être engorgé; *of door, window* être bloqué **3** *v/i* (*stick*) se bloquer; (*squeeze*) s'entasser
♦**jam in** *v/t into suitcase etc* entasser
♦**jam on** *v/t*: ***jam on the brakes*** freiner brutalement
jam-'packed *adj* F plein à craquer F (***with*** de)
jan·i·tor ['dʒænɪtər] concierge *m/f*
Jan·u·a·ry ['dʒænjʊerɪ] janvier *m*
Ja·pan [dʒə'pæn] Japon *m*
Jap·a·nese [dʒæpə'niːz] **1** *adj* japonais **2** *n person* Japonais(e) *m*(*f*); *language* japonais *m*; ***the*** **~** les Japonais *mpl*
jar[1] [dʒɑːr] *n container* pot *m*
jar[2] [dʒɑːr] *v/i* (*pret & pp* ***-red***) *of noise* irriter; *of colors* détonner; **~ *on s.o.'s ears*** écorcher les oreilles de qn
jar·gon ['dʒɑːrgən] jargon *m*
jaun·dice ['dʒɒːndɪs] *n* jaunisse *f*
jaun·diced ['dʒɒːndɪst] *adj fig* cynique
jaunt [dʒɒːnt] *n* excursion *f*
jaunt·y ['dʒɒːntɪ] *adj* enjoué
jav·e·lin ['dʒævlɪn] (*spear*) javelot *m*; *event* (lancer *m* du) javelot *m*
jaw [dʒɒː] *n* mâchoire *f*
jay·walk·er ['dʒeɪwɒːkər] piéton(ne) *m*(*f*) imprudent(e)
'jay·walk·ing traversement *m* imprudent d'une route
jazz [dʒæz] *n* jazz *m*
♦**jazz up** *v/t* F égayer
jeal·ous ['dʒeləs] *adj* jaloux*
jeal·ous·ly ['dʒeləslɪ] *adv* jalousement
jeal·ous·y ['dʒeləsɪ] jalousie *f*
jeans [dʒiːnz] *npl* jean *m*
jeep [dʒiːp] jeep *f*
jeer [dʒɪr] **1** *n* raillerie *f*, *of crowd* huée *f* **2** *v/i of crowd* huer; **~ *at*** railler, se moquer de
Jel·lo® ['dʒeloʊ] gelée *f*
jel·ly ['dʒelɪ] *jam* confiture *f*
'jel·ly bean bonbon *m* mou
'jel·ly·fish méduse *f*
jeop·ar·dize ['dʒepərdaɪz] *v/t* mettre en danger
jeop·ar·dy ['dʒepərdɪ]: ***be in*** **~** être en danger
jerk[1] [dʒɜːrk] **1** *n* secousse *f*, saccade *f* **2** *v/t* tirer d'un coup sec
jerk[2] [dʒɜːrk] *n* F couillon *m* F
jerk·y ['dʒɜːrkɪ] *adj movement* saccadé
jer·sey ['dʒɜːrzɪ] (*sweater*) tricot *m*; *fabric* jersey *m*
jest [dʒest] **1** *n* plaisanterie *f*; ***in*** **~** en plaisantant **2** *v/i* plaisanter
Je·sus ['dʒiːʒəs] Jésus
jet [dʒet] **1** *n* (*airplane*) avion *m* à réaction, jet *m*; *of water* jet *m*; (*nozzle*)

bec *m* **2** *v/i* (*pret & pp* ***-ted***) (*travel*) voyager en jet

jet-'black *adj* (noir) de jais; **'jet engine** moteur *m* à réaction, réacteur *m*; **'jet·lag** (troubles *mpl* dus au) décalage *m* horaire; **jet·lagged** ['dʒetlægd] *adj*: ***I'm still ~*** je souffre encore du décalage horaire

jet·ti·son ['dʒetɪsn] *v/t* jeter par-dessus bord; *fig* abandonner

jet·ty ['dʒetɪ] jetée *f*

Jew [dʒuː] Juif(-ive) *m(f)*

jew·el ['dʒuːəl] bijou *m*; *fig*: *person* perle *f*

jew·el·er, *Br* **jew·el·ler** ['dʒuːlər] bijoutier(-ère) *m(f)*

jew·el·ry, *Br* **jew·el·lery** ['dʒuːlrɪ] bijoux *mpl*

Jew·ish ['dʒuːɪʃ] *adj* juif*

J

jif·fy [dʒɪfɪ] F: ***in a ~*** en un clin *m* d'œil

jig·saw (puz·zle) ['dʒɪgsɒː] puzzle *m*

jilt [dʒɪlt] *v/t* laisser tomber

jin·gle ['dʒɪŋgl] **1** *n song* jingle *m* **2** *v/i of keys, coins* cliqueter

jinx [dʒɪŋks] *n person* porte-malheur *m/f*, ***there's a ~ on this project*** ce projet porte malheur *or* porte la guigne

jit·ters ['dʒɪtərz] F: ***get the ~*** avoir la frousse

jit·ter·y ['dʒɪtərɪ] *adj* F nerveux*

job [dʒɑːb] (*employment*) travail *m*, emploi *m*, boulot *m* F; (*task*) travail *m*; ***~s*** *newspaper section* emplois *mpl*; ***out of a ~*** sans travail, sans emploi; ***it's a good ~ you remembered*** heureusement que tu t'en es souvenu; ***you'll have a ~*** (*it'll be difficult*) tu vas avoir du mal

'job de·scrip·tion description *f* d'emploi

'job hunt: ***be ~ing*** être à la recherche d'un emploi

job·less ['dʒɑːblɪs] *adj* sans travail, sans emploi

job sat·is'fac·tion satisfaction *f* dans le travail

jock·ey ['dʒɑːkɪ] *n* jockey *m*

jog [dʒɑːg] **1** *n* footing *m*, jogging; *pace* petit trot *m*; ***go for a ~*** aller faire du footing *or* jogging **2** *v/i* (*pret & pp* ***-ged***) *as exercise* faire du footing *or* jogging; ***he just ~ged the last lap*** il a fait le dernier tour de piste en trottinant **3** *v/t*: ***~ s.o.'s elbow*** donner à qn un coup léger dans le coude; ***~ s.o.'s memory*** rafraîchir la mémoire de qn

♦**jog along** *v/i* F aller son petit bonhomme de chemin F; *of business* aller tant bien que mal

jog·ger ['dʒɑːgər] *person* joggeur (-euse) *m(f)*; *shoe* chaussure *f* de jogging

jog·ging ['dʒɑːgɪŋ] jogging *m*; ***go ~*** faire du jogging *or* du footing

'jog·ging suit survêtement *m*, jogging *m*

john [dʒɑːn] F (*toilet*) petit coin *m* F

join [dʒɔɪn] **1** *n* joint *m* **2** *v/i of roads, rivers* se rejoindre; (*become a member*) devenir membre **3** *v/t* (*connect*) relier; *person*, *of road* rejoindre; *club* devenir membre de; (*go to work for*) entrer dans

♦**join in** *v/i* participer; ***we joined in*** (***with them***) ***and sang …*** nous nous sommes joints à eux pour chanter …

♦**join up** *v/i Br* MIL s'engager dans l'armée

join·er ['dʒɔɪnər] menuisier(-ère) *m(f)*

joint [dʒɔɪnt] **1** *n* ANAT articulation *f*, *in woodwork* joint *m*; *of meat* rôti *m*; F (*place*) boîte *f* F; *of cannabis* joint *m* **2** *adj* (*shared*) joint

joint ac'count compte *m* joint

joint 'ven·ture entreprise *f* commune

joke [dʒoʊk] **1** *n story* plaisanterie *f*, blague *f* F; (*practical ~*) tour *m*; ***play a ~ on*** jouer un tour à; ***it's no ~*** ce n'est pas drôle **2** *v/i* plaisanter

jok·er ['dʒoʊkər] *person* farceur(-euse) *m(f)*, blagueur(-euse) *m(f)* F; *pej* plaisantin *m*; *in cards* joker *m*

jok·ing ['dʒoʊkɪŋ]: ***~ apart*** plaisanterie mise à part

jok·ing·ly ['dʒoʊkɪŋlɪ] *adv* en plaisantant

jol·ly ['dʒɑːlɪ] *adj* joyeux*

jolt [dʒoʊlt] **1** *n* (*jerk*) cahot *m*, secousse *f* **2** *v/t* (*push*) pousser

jos·tle ['dʒɑːsl] *v/t* bousculer

♦**jot down** [dʒɑːt] *v/t* (*pret & pp* ***-ted***) noter

jour·nal ['dʒɜːrnl] (*magazine*) revue *f*; (*diary*) journal *m*

jour·nal·ism ['dʒɜːrnəlɪzm] journalisme *m*

jour·nal·ist ['dʒɜːrnəlɪst] journaliste *m/f*

jour·ney ['dʒɜːrnɪ] *n* voyage *m*; ***the daily ~ to the office*** le trajet quotidien jusqu'au bureau

jo·vi·al ['dʒoʊvɪəl] *adj* jovial

joy [dʒɔɪ] joie *f*

'joy·stick COMPUT manette *f* (de jeux)

ju·bi·lant ['dʒuːbɪlənt] *adj* débordant de joie

ju·bi·la·tion [dʒuːbɪ'leɪʃn] jubilation *f*

judge [dʒʌdʒ] **1** *n* juge *m/f* **2** *v/t* juger; *measurement*, *age* estimer **3** *v/i* juger

judg(e)·ment ['dʒʌdʒmənt] jugement *m*; (*opinion*) avis *m*; ***the Last Judg(e)ment*** REL le Jugement dernier

'Judg(e)·ment Day le Jugement dernier

ju·di·cial [dʒuː'dɪʃl] *adj* judiciaire

ju·di·cious [dʒuː'dɪʃəs] *adj* judicieux*

ju·do ['dʒuːdoʊ] judo *m*

jug [dʒʌg] *Br* pot *m*

jug·gle ['dʒʌgl] *v/t also fig* jongler avec

jug·gler ['dʒʌglər] jongleur(-euse) *m(f)*

juice [dʒuːs] *n* jus *m*

juic·y ['dʒuːsɪ] *adj* juteux*; *news*, *gossip* croustillant

juke·box ['dʒuːkbɑːks] juke-box *m*

Ju·ly [dʒʊ'laɪ] juillet *m*

jum·ble ['dʒʌmbl] *n* méli-mélo *m*

♦**jumble up** *v/t* mélanger

jum·bo (jet) ['dʒʌmboʊ] jumbo-jet *m*, gros-porteur *m*

jum·bo-sized ['dʒʌmboʊsaɪzd] *adj* F géant

jump [dʒʌmp] **1** *n* saut *m*; (*increase*) bond *m*; ***with one ~*** d'un seul bond; ***give a ~*** *of surprise* sursauter **2** *v/i* sauter; *in surprise* sursauter; (*increase*) faire un bond; ***~ to one's feet*** se lever d'un bond; ***~ to conclusions*** tirer des conclusions hâtives **3** *v/t fence etc* sauter; F (*attack*) attaquer; ***~ the lights*** griller un feu (rouge)

♦**jump at** *v/t opportunity* sauter sur

jump·er[1] ['dʒʌmpər] *dress* robe-chasuble *f*; *Br* pull *m*

jump·er[2] ['dʒʌmpər] SP sauteur(-euse) *m(f)*

jump·y ['dʒʌmpɪ] *adj* nerveux*

junc·tion ['dʒʌŋkʃn] *of roads* jonction *f*

junc·ture ['dʒʌŋktʃər] *fml*: ***at this ~*** à ce moment

June [dʒuːn] juin *m*

jun·gle ['dʒʌŋgl] jungle *f*

ju·ni·or ['dʒuːnjər] **1** *adj* (*subordinate*) subalterne; (*younger*) plus jeune; ***William Smith Junior*** William Smith fils **2** *n in rank* subalterne *m/f*; ***she is ten years my ~*** elle est ma cadette de dix ans

ju·ni·or 'high collège *m*

junk [dʒʌŋk] camelote *f* F

'junk food cochonneries *fpl*

junk·ie ['dʒʌŋkɪ] F drogué(e) *m(f)*, camé(e) *m(f)* F

'junk mail prospectus *mpl*; **'junk shop** brocante *f*; **'junk·yard** dépotoir *m*

jur·is·dic·tion [dʒʊrɪs'dɪkʃn] LAW juridiction *f*

ju·ror ['dʒʊrər] juré(e) *m(f)*

ju·ry ['dʒʊrɪ] jury *m*

just [dʒʌst] **1** *adj law*, *war*, *cause* juste **2** *adv* (*barely*, *only*) juste; ***~ as intelligent*** tout aussi intelligent; ***I've ~ seen her*** je viens de la voir; ***~ about*** (*almost*) presque; ***I was ~ about to leave when …*** j'étais sur le point de partir quand …; ***~ as he …*** *at the very time* au moment même où il …; ***~ like yours*** exactement comme le vôtre; ***~ like that*** (*abruptly*) tout d'un coup, sans prévenir; ***~ now*** (*a few moments ago*) à l'instant, tout à l'heure; (*at this moment*) en ce moment; ***~ be quiet!*** veux-tu te taire!

jus·tice ['dʒʌstɪs] justice *f*

jus·ti·fi·a·ble [dʒʌstɪ'faɪəbl] *adj* justifiable

jus·ti·fia·bly [dʒʌstɪ'faɪəblɪ] *adv* à juste titre

jus·ti·fi·ca·tion [dʒʌstɪfɪ'keɪʃn] justification *f*
jus·ti·fy ['dʒʌstɪfaɪ] *v/t* (*pret & pp* ***-ied***) *also text* justifier
just·ly ['dʒʌstlɪ] *adv* (*fairly*) de manière juste; (*rightly*) à juste titre
♦**jut out** [dʒʌt] *v/i* (*pret & pp* ***-ted***) être en saillie
ju·ve·nile ['dʒuːvənəl] **1** *adj crime* juvénile; *court* pour enfants; *pej*: *attitude* puéril **2** *n fml* jeune *m/f*, adolescent(e) *m(f)*
ju·ve·nile de'lin·quen·cy délinquance *f* juvénile
ju·ve·nile de'lin·quent délinquant(e) juvénile *m(f)*

K

k [keɪ] *abbr* (**= *kilobyte***) Ko *m* (= kilo-octet *m*); (**= *thousand***) mille
kan·ga·roo ['kæŋgəruː] kangourou *m*
ka·ra·te [kə'rɑːtɪ] karaté *m*
ka'ra·te chop coup *m* de karaté
ke·bab [kɪ'bæb] kébab *m*
keel [kiːl] NAUT quille *f*
♦**keel over** *v/i of structure* se renverser; *of person* s'écrouler
keen [kiːn] *adj* (*intense*) vif*; *esp Br*: *person* enthousiaste; ***be ~ to do sth*** *esp Br* tenir à faire qch
keep [kiːp] **1** *n* (*maintenance*) pension *f*; ***for ~s*** F pour de bon **2** *v/t* (*pret & pp* ***kept***) *also* (*not give back, not lose*) garder; (*detain*) retenir; *in specific place* mettre; *family* entretenir; *dog etc* avoir; *bees, cattle* élever; *promise* tenir; ***~ s.o. company*** tenir compagnie à qn; ***~ s.o. waiting*** faire attendre qn; ***~ sth to o.s.*** (*not tell*) garder qch pour soi; ***~ sth from s.o.*** cacher qch à qn; ***~ s.o. from doing sth*** empêcher qn de faire qch; ***~ trying!*** essaie encore!; ***don't ~ interrupting!*** arrête de m'interrompre tout le temps! **3** *v/i* (*remain*) rester; *of food, milk* se conserver
♦**keep away 1** *v/i* se tenir à l'écart (***from*** de); ***keep away from*** tiens-toi à l'écart de; ***keep away from drugs*** ne pas toucher à la drogue **2** *v/t* tenir à l'écart; ***keep s.o. away from sth*** tenir qn à l'écart de qch; ***it's keeping the tourists away*** cela dissuade les touristes de venir
♦**keep back** *v/t* (*hold in check*) retenir; *information* cacher (***from*** de)
♦**keep down** *v/t costs, inflation etc* réduire; *food* garder; ***keep one's voice down*** parler à voix basse; ***keep the noise down*** ne pas faire de bruit
♦**keep in** *v/t in hospital* garder; *in school* mettre en retenue
♦**keep off 1** *v/t* (*avoid*) éviter; ***keep off the grass!*** ne marchez pas sur la pelouse! **2** *v/i*: ***if the rain keeps off*** s'il ne pleut pas
♦**keep on 1** *v/i* continuer; ***keep on doing sth*** continuer de faire qch **2** *v/t in job, jacket etc* garder
♦**keep on at** *v/t* (*nag*) harceler
♦**keep out 1** *v/t the cold* protéger de; *person* empêcher d'entrer **2** *v/i* rester à l'écart; ***keep out!*** *as sign* défense d'entrer; ***you keep out of this!*** ne te mêle pas de ça!
♦**keep to** *v/t path* rester sur; *rules* s'en tenir à; ***keep to the point*** rester dans le sujet
♦**keep up 1** *v/i when walking, running etc* suivre; ***keep up with*** aller au même rythme que; (*stay in touch with*) rester en contact avec **2** *v/t pace, payments* continuer; *bridge, pants* soutenir
keep·ing ['kiːpɪŋ] *n*: ***be in ~ with*** être en accord avec

'keep·sake souvenir *m*
keg [keg] tonnelet *m*, barillet *m*
ken·nel ['kenl] niche *f*
ken·nels ['kenlz] *npl* chenil *m*
kept [kept] *pret & pp* → ***keep***
ker·nel ['kɜːrnl] *of nut* intérieur *m*
ker·o·sene ['kerəsiːn] AVIAT kérosène *m*; *for lamps* pétrole *m* (lampant)
ketch·up ['ketʃʌp] ketchup *m*
ket·tle ['ketl] bouilloire *f*
key [kiː] **1** *n* clef *f*, clé *f*; COMPUT, MUS touche *f* **2** *adj* (*vital*) clef *inv*, clé *inv* **3** *v/t & v/i* COMPUT taper
♦**key in** *v/t data* taper
'key·board COMPUT, MUS clavier *m*; **'key·board·er** COMPUT claviste *m/f*; **'key·card** carte-clé *f*, carte-clef *f*
keyed-up [kiːd'ʌp] *adj* tendu
'key·hole trou *m* de serrure; **key·note 'speech** discours *m* programme; **'key·ring** porte-clefs *m*
kha·ki ['kækɪ] *adj color* kaki *inv*
kick [kɪk] **1** *n* coup *m* de pied; F (*thrill*): ***get a ~ out of sth*** éprouver du plaisir à qch; (***just***) ***for ~s*** F (juste) pour le plaisir **2** *v/t ball, shins* donner un coup de pied dans; *person* donner un coup de pied à; ***~ the habit*** F *of smoker* arrêter de fumer; F *of drug-addict* décrocher F **3** *v/i of person* donner un coup de pied / des coups de pied; *of horse* ruer
♦**kick around** *v/t ball* taper dans; (*treat harshly*) maltraiter; F (*discuss*) débattre
♦**kick in 1** *v/t* P *money* cracher F **2** *v/i* (*start to operate*) se mettre en marche
♦**kick off** *v/i* SP donner le coup d'envoi; F (*start*) démarrer F
♦**kick out** *v/t* mettre à la porte; ***be kicked out of the company / army*** être mis à la porte de la société / l'armée
♦**kick up** *v/t*: ***kick up a fuss*** piquer une crise F
'kick·back F (*bribe*) dessous-de-table *m* F
'kick·off SP coup *m* d'envoi
kid [kɪd] **1** *n* F (*child*) gamin(e) *m(f)*; ***~ brother / sister*** petit frère *m* / petite sœur *f* **2** *v/t* (*pret & pp* ***-ded***) F taquiner **3** *v/i* F plaisanter; ***I was only ~ding*** je plaisantais; ***no ~ding!*** sans blague! F
kid·der ['kɪdər] F farceur(-euse) *m(f)*
kid 'gloves: ***handle s.o. with ~*** prendre des gants avec qn
kid·nap ['kɪdnæp] *v/t* (*pret & pp* ***-ped***) kidnapper
kid·nap·(p)er ['kɪdnæpər] kidnappeur(-euse) *m(f)*
'kid·nap·(p)ing ['kɪdnæpɪŋ] kidnapping *m*
kid·ney ['kɪdnɪ] ANAT rein *m*; *in cooking* rognon *m*
'kid·ney bean haricot *m* nain
'kid·ney ma·chine MED rein *m* artificiel
kill [kɪl] *v/t also time* tuer; ***~ o.s.*** se suicider; ***~ o.s. laughing*** F être mort de rire F
kil·ler ['kɪlər] (*murderer*) tueur(-euse) *m(f)*; ***be a ~*** *of disease etc* tuer
kil·ling ['kɪlɪŋ] *n* meurtre *m*; ***make a ~*** F (*lots of money*) réaliser un profit énorme
kiln [kɪln] four *m*
ki·lo ['kiːloʊ] kilo *m*
ki·lo·byte ['kɪloʊbaɪt] kilo-octet *m*
ki·lo·gram ['kɪloʊgræm] kilogramme *m*
ki·lo·me·ter, *Br* **ki·lo·me·tre** [kɪ'lɑːmɪtər] kilomètre *m*
kind[1] [kaɪnd] *adj* gentil; ***that's very ~ of you*** c'est très aimable à vous
kind[2] [kaɪnd] *n* (*sort*) sorte *f*, genre *m*; (*make, brand*) marque *f*; ***what ~ of …?*** quelle sorte de …?; ***all ~s of people*** toutes sortes de gens; ***you'll do nothing of the ~!*** tu n'en feras rien!; ***~ of sad / strange*** F plutôt *or* un peu triste / bizarre; ***~ of green*** F dans les tons verts
kin·der·gar·ten ['kɪndərgɑːrtn] jardin *m* d'enfants
kind-heart·ed [kaɪnd'hɑːrtɪd] *adj* bienveillant, bon*
kind·ly ['kaɪndlɪ] **1** *adj* gentil, bon* **2** *adv* aimablement; ***~ don't interrupt*** voulez-vous bien ne pas m'interrompre
kind·ness ['kaɪndnɪs] bonté *f*, gentil-

lesse *f*
king [kɪŋ] roi *m*
king·dom ['kɪŋdəm] royaume *m*
'king-size *adj* F *bed* géant; *cigarettes* long*
kink [kɪŋk] *in hose etc* entortillement *m*
kink·y ['kɪŋkɪ] *adj* F bizarre
ki·osk ['ki:ɑ:sk] kiosque *m*
kiss [kɪs] **1** *n* baiser *m*, bisou *m* F **2** *v/t* embrasser **3** *v/i* s'embrasser
kiss of 'life *Br* bouche-à-bouche *m*
kit [kɪt] (*equipment*) trousse *f*; *for assembly* kit *m*
kitch·en ['kɪtʃɪn] cuisine *f*
kitch·en·ette [kɪtʃɪ'net] kitchenette *f*
kitch·en 'sink: ***everything but the ~*** F tout sauf les murs
kite [kaɪt] cerf-volant *m*
kit·ten ['kɪtn] chaton(ne) *m(f)*
kit·ty ['kɪtɪ] *money* cagnotte *f*
klutz [klʌts] F (*clumsy person*) empoté(e) *m(f)* F
knack [næk]: ***have the ~ of doing sth*** avoir le chic pour faire qch; ***there's a ~ to it*** il y a un truc F
knead [ni:d] *v/t dough* pétrir
knee [ni:] *n* genou *m*
'knee·cap *n* rotule *f*
kneel [ni:l] *v/i* (*pret & pp* ***knelt***) s'agenouiller
'knee-length *adj* à la hauteur du genou
knelt [nelt] *pret & pp* → ***kneel***
knew [nu:] *pret* → ***know***
knick-knacks ['nɪknæks] *npl* F bibelots *mpl*, babioles *fpl*
knife [naɪf] **1** *n* (*pl*: ***knives*** [naɪfvz]) couteau *m* **2** *v/t* poignarder
knight [naɪt] chevalier *m*
knit [nɪt] *v/t & v/i* (*pret & pp* ***-ted***) tricoter
♦ **knit together** *v/i of broken bone* se souder
knit·ting ['nɪtɪŋ] tricot *m*
'knit·ting nee·dle aiguille *f* à tricoter
'knit·wear tricot *m*
knob [nɑ:b] *on door* bouton *m*; *of butter* noix *f*
knock [nɑ:k] **1** *n on door*, (*blow*) coup *m* **2** *v/t* (*hit*) frapper; *knee etc* se cogner; F (*criticize*) débiner F; ***~ s.o. to the ground*** jeter qn à terre **3** *v/i on door* frapper
♦ **knock around 1** *v/t* (*beat*) maltraiter **2** *v/i* F (*travel*) vadrouiller F
♦ **knock down** *v/t* renverser; *wall, building* abattre; F (*reduce the price of*) solder (***to*** à)
♦ **knock off 1** *v/t* P (*steal*) piquer F; ***knock it off!*** arrête ça! **2** *v/i* F (*stop work*) s'arrêter (de travailler)
♦ **knock out** *v/t* assommer; *boxer* mettre knock-out; *power lines etc* détruire; (*eliminate*) éliminer
♦ **knock over** *v/t* renverser
'knock·down *adj*: ***a ~ price*** un prix très bas; **knock-kneed** [nɑ:k'ni:d] *adj* cagneux*; **'knock·out** *n in boxing* knock-out *m*
knot [nɑ:t] **1** *n* nœud *m* **2** *v/t* (*pret & pp* ***-ted***) nouer
knot·ty ['nɑ:tɪ] *adj problem* épineux*
know [noʊ] **1** *v/t* (*pret* ***knew***, *pp* ***known***) savoir; *person, place, language* connaître; (*recognize*) reconnaître; ***~ how to do sth*** savoir faire qch; ***will you let her ~ that …?*** pouvez-vous lui faire savoir que …? **2** *v/i* savoir; ***~ about sth*** être au courant de qch **3** *n*: ***be in the ~*** F être au courant (de l'affaire)
'know·how F savoir-faire *m*
know·ing ['noʊɪŋ] *adj smile* entendu
know·ing·ly ['noʊɪŋlɪ] *adv* (*wittingly*) sciemment, en connaissance de cause; *smile etc* d'un air entendu
'know-it-all F je-sais-tout *m/f*
knowl·edge ['nɑ:lɪdʒ] savoir *m*; *of a subject* connaissance(s) *f(pl)*; ***to the best of my ~*** autant que je sache, à ma connaissance; ***have a good ~ of …*** avoir de bonnes connaissances en …
knowl·edge·a·ble ['nɑ:lɪdʒəbl] *adj* bien informé
known [noʊn] *pp* → ***know***
knuck·le ['nʌkl] articulation *f* du doigt
♦ **knuckle down** *v/i* F s'y mettre
♦ **knuckle under** *v/i* F céder
KO [keɪ'oʊ] (*knockout*) K.-O. *m*
Ko·ran [kə'ræn] Coran *m*

K

Ko·re·a [kə'riːə] Corée *f*
Ko·re·an [kə'riːən] **1** *adj* coréen* **2** *n* Coréen(ne) *m(f)*; *language* coréen *m*
ko·sher ['kouʃər] *adj* REL casher *inv*; F réglo *inv* F; ***there's something not quite ~ about …*** il y a quelque chose de pas très catholique dans …
kow·tow ['kautau] *v/i* F faire des courbettes (***to*** à)
ku·dos ['kjuːdɑːs] prestige *m*

L

lab [læb] labo *m*
la·bel ['leɪbl] **1** *n* étiquette *f* **2** *v/t* (*pret & pp* ***-ed***, *Br* ***-led***) *also fig* étiqueter; ***~ s.o. a liar*** traiter qn de menteur
la·bor ['leɪbər] **1** *n also in pregnancy* travail *m*; ***be in ~*** être en train d'accoucher **2** *v/i* travailler
la·bor·a·to·ry ['læbrətɔːrɪ] laboratoire *m*
la·bor·a·to·ry tech'ni·cian laborantin(e) *m(f)*
la·bored ['leɪbərd] *adj style, speech* laborieux*
la·bor·er ['leɪbərər] travailleur *m* manuel
la·bo·ri·ous [lə'bɔːrɪəs] *adj style, task* laborieux*
'la·bor u·ni·on syndicat *m*
'la·bor ward MED salle *f* d'accouchement
la·bour *Br* → ***labor***
'La·bour Par·ty *Br* POL parti *m* travailliste
lace [leɪs] *n material* dentelle *f*; *for shoe* lacet *m*
♦ **lace up** *v/t shoes* lacer
lack [læk] **1** *n* manque *m* **2** *v/t* manquer de **3** *v/i*: ***be ~ing*** manquer
lac·quer ['lækər] *n* laque *f*
lad [læd] garçon *m*, jeune homme *m*
lad·der ['lædər] échelle *f*
la·den ['leɪdn] *adj* chargé (***with*** de)
la·dies room ['leɪdiːz] toilettes *fpl* (pour dames)
la·dle ['leɪdl] *n* louche *f*
la·dy ['leɪdɪ] dame *f*
'la·dy·bug coccinelle *f*
'la·dy·like *adj* distingué
lag [læg] *v/t* (*pret & pp* ***-ged***) *pipes* isoler
♦ **lag behind** *v/i* être en retard, être à la traîne
la·ger ['lɑːgər] *Br* bière *f* blonde
la·goon [lə'guːn] lagune *f*; *small* lagon *m*
laid [leɪd] *pret & pp* → ***lay***
laid'back *adj* relax F, décontracté
lain [leɪn] *pp* → ***lie***
lake [leɪk] lac *m*
lamb [læm] agneau *m*
lame [leɪm] *adj person* boîteux*; *excuse* mauvais
la·ment [lə'ment] **1** *n* lamentation *f* **2** *v/t* pleurer
lam·en·ta·ble ['læməntəbl] *adj* lamentable
lam·i·nat·ed ['læmɪneɪtɪd] *adj flooring, paper* stratifié; *wood* contreplaqué; *with plastic* plastifié; ***~ glass*** verre *m* feuilleté
lamp [læmp] lampe *f*
'lamp·post réverbère *m*
'lamp·shade abat-jour *m inv*
land [lænd] **1** *n* terre *f*, (*country*) pays *m*; ***by ~*** par (voie de) terre; ***on ~*** à terre; ***work on the ~*** *as farmer* travailler la terre **2** *v/t airplane* faire atterrir; *job* décrocher F **3** *v/i of airplane* atterrir; *of ball, sth thrown* tomber; *of jumper* retomber
land·ing ['lændɪŋ] *n of airplane* atterrissage *m*; (*top of staircase*) palier *m*
'land·ing field terrain *m* d'atterrissage; **'land·ing gear** train *m* d'atter-

rissage; **'land·ing strip** piste *f* d'atterrissage

'land·la·dy propriétaire *f*; *of rented room* logeuse *f*; *Br of bar* patronne *f*; **'land·lord** propriétaire *m*; *of rented room* logeur *m*; *Br of bar* patron *m*; **'land·mark** point *m* de repère; ***be a ~ in*** *fig* faire date dans; **'land own·er** propriétaire *m* foncier, propriétaire *m* terrien; **land·scape** ['lændskeɪp] **1** *n* paysage *m* **2** *adv print* en format paysage; **'land·slide** glissement *m* de terrain; **land·slide 'vic·to·ry** victoire *f* écrasante

lane [leɪn] *in country* petite route *f* (de campagne); *(alley)* ruelle *f*; MOT voie *f*

lan·guage ['læŋgwɪdʒ] langue *f*; *(style, code etc)* langage *m*

'lan·guage lab laboratoire *m* de langues

lank [læŋk] *adj hair* plat

lank·y ['læŋkɪ] *adj person* dégingandé

lan·tern ['læntərn] lanterne *f*

lap[1] [læp] *n of track* tour *m*

lap[2] [læp] *n of water* clapotis *m*

♦ **lap up** *v/t* (*pret & pp* ***-ped***) *milk etc* laper; *flattery* se délecter de

lap[3] [læp] *n of person* genoux *mpl*

la·pel [lə'pel] revers *m*

lapse [læps] **1** *n (mistake, slip)* erreur *f*; *in behavior* écart *m* (de conduite); *of attention* baisse *f*; *of time* intervalle *m*; ***~ of memory*** trou *m* de mémoire **2** *v/i* expirer

♦ **lapse into** *v/t silence, despair* sombrer dans; *language* revenir à

lap·top ['læptɑːp] COMPUT portable *m*

lar·ce·ny ['lɑːrsənɪ] vol *m*

lard [lɑːrd] lard *m*

lar·der ['lɑːrdər] garde-manger *m inv*

large [lɑːrdʒ] *adj building, country, hands* grand; *sum of money, head* gros*; ***at ~*** *criminal, animal* en liberté

large·ly ['lɑːrdʒlɪ] *adv (mainly)* en grande partie

lark [lɑːrk] *bird* alouette *f*

lar·va ['lɑːrvə] larve *f*

lar·yn·gi·tis [lærɪn'dʒaɪtɪs] laryngite *f*

lar·ynx ['lærɪŋks] larynx *m*

la·ser ['leɪzər] laser *m*

'la·ser beam rayon *m* laser

'la·ser print·er imprimante *f* laser

lash[1] [læʃ] *v/t with whip* fouetter

♦ **lash down** *v/t with rope* attacher

♦ **lash out** *v/i with fists* donner des coups (***at*** à); *with words* se répandre en invectives (***at*** contre)

lash[2] [læʃ] *n (eyelash)* cil *m*

lass [læs] jeune fille *f*

last[1] [læst] **1** *adj* dernier*; ***~ but one*** avant-dernier *m*; ***~ night*** hier soir **2** *adv arrive, leave* en dernier; ***he finished ~*** *in race* il est arrivé dernier; ***when I ~ spoke to her*** la dernière fois que je lui ai parlé; ***at ~*** enfin; ***~ but not least*** enfin et surtout

last[2] [læst] *v/i* durer

last·ing ['læstɪŋ] *adj* durable

last·ly ['læstlɪ] *adv* pour finir

latch [lætʃ] verrou *m*

late [leɪt] **1** *adj (behind time)* en retard; *in day* tard; ***it's getting ~*** il se fait tard; ***of ~*** récemment; ***in the ~ 20th century*** vers la fin du XXe siècle **2** *adv arrive, leave* tard

late·ly ['leɪtlɪ] *adv* récemment

lat·er ['leɪtər] *adv* plus tard; ***see you ~!*** à plus tard!; ***~ on*** plus tard

lat·est ['leɪtɪst] *adj* dernier*

lathe [leɪð] *n* tour *m*

la·ther ['lɑːðər] *from soap* mousse *f*; ***the horse was in a ~*** le cheval était couvert d'écume

Lat·in ['lætɪn] **1** *adj* latin **2** *n* latin *m*

Lat·in A'mer·i·ca Amérique *f* latine

La·tin A'mer·i·can 1 *n* Latino-Américain *m* **2** *adj* latino-américain

lat·i·tude ['lætɪtuːd] *also (freedom)* latitude *f*

lat·ter ['lætər] **1** *adj* dernier* **2** *n*: ***the ~*** ce dernier, cette dernière

laugh [læf] **1** *n* rire *m*; ***it was a ~*** F on s'est bien amusés **2** *v/i* rire

♦ **laugh at** *v/t* rire de; *(mock)* se moquer de

laugh·ing stock ['læfɪŋ]: ***make o.s. a ~*** se couvrir de ridicule; ***be a ~*** être la risée de tous

laugh·ter ['læftər] rires *mpl*

launch [lɒːntʃ] **1** *n boat* vedette *f*; *of rocket, product* lancement *m*; *of ship* mise *f* à l'eau **2** *v/t rocket, product* lancer; *ship* mettre à l'eau

'launch cer•e•mo•ny cérémonie *f* de lancement

'launch pad plate-forme *f* de lancement

laun•der ['lɒːndər] *v/t clothes, money* blanchir

laun•dro•mat ['lɒːndrəmæt] laverie *f* automatique

laun•dry ['lɒːndrɪ] *place* blanchisserie *f*; *clothes* lessive *f*; ***get one's ~ done*** faire sa lessive

lau•rel ['lɒːrəl] laurier *m*

lav•a•to•ry ['lævətərɪ] W.-C. *mpl*

lav•en•der ['lævəndər] lavande *f*

lav•ish ['lævɪʃ] *adj* somptueux*

law [lɒː] loi *f*; *as subject* droit *m*; ***be against the ~*** être contraire à la loi; ***forbidden by ~*** interdit par la loi

law-a•bid•ing ['lɒːəbaɪdɪŋ] *adj* respectueux* des lois

'law court tribunal *m*

law•ful ['lɒːfʊl] *adj activity* légal; *wife, child* légitime

law•less ['lɒːlɪs] *adj* anarchique

lawn [lɒːn] pelouse *f*

'lawn mow•er tondeuse *f* (à gazon)

'law•suit procès *m*

law•yer ['lɒːjər] avocat *m*

lax [læks] *adj* laxiste; *security* relâché

lax•a•tive ['læksətɪv] *n* laxatif *m*

lay[1] [leɪ] *pret* → ***lie***

lay[2] [leɪ] *v/t* (*pret & pp* ***laid***) (*put down*) poser; *eggs* pondre; V *sexually* s'envoyer V

♦ **lay into** *v/t* (*attack*) attaquer

♦ **lay off** *v/t workers* licencier; *temporarily* mettre au chômage technique

♦ **lay on** *v/t* (*provide*) organiser

♦ **lay out** *v/t objects* disposer; *page* faire la mise en page de

'lay•a•bout *Br* F glandeur *m* F

'lay-by *Br*: *on road* bande *f* d'arrêt d'urgence

lay•er ['leɪr] couche *f*

'lay•man REL laïc *m*; *fig* profane *m*

'lay-off *from employment* licenciement *m*

♦ **laze around** [leɪz] *v/i* paresser

la•zy ['leɪzɪ] *adj person* paresseux*; *day* tranquille, peinard F

lb *abbr* (= ***pound***) livre *f*

LCD [elsiː'diː] *abbr* (= ***liquid crystal display***) affichage *m* à cristaux liquides

lead[1] [liːd] **1** *v/t* (*pret & pp* ***led***) *procession, race* mener; *company, team* être à la tête de; (*guide, take*) mener, conduire **2** *v/i in race, competition* mener; (*provide leadership*) diriger; ***a street ~ing off the square*** une rue partant de la place; ***a street ~ing into the square*** une rue menant à la place; ***where is this ~ing?*** à quoi ceci va nous mener? **3** *n in race* tête *f*; ***be in the ~*** mener; ***take the ~*** prendre l'avantage; ***lose the ~*** perdre l'avantage

♦ **lead on** *v/i* (*go in front*) passer devant

♦ **lead up to** *v/t* amener; ***what is she leading up to?*** où veut-elle en venir?

lead[2] [liːd] *n for dog* laisse *f*

lead[3] [led] *n substance* plomb *m*

lead•ed ['ledɪd] *adj gas* au plomb

lead•er ['liːdər] *of state* dirigeant *m*; *in race* leader *m*; *of group* chef *m*

lead•er•ship ['liːdərʃɪp] *of party etc* direction *f*; ***~ skills*** qualités *fpl* de chef

'lead•er•ship con•test POL bataille *f* pour la direction du parti

lead-free ['ledfriː] *adj gas* sans plomb

lead•ing ['liːdɪŋ] *adj runner* en tête (de la course); *company, product* premier*

'lead•ing-edge *adj company, technology* de pointe

leaf [liːf] (*pl* ***leaves*** [liːvz]) feuille *f*

♦ **leaf through** *v/t* feuilleter

leaf•let ['liːflət] dépliant *m*; ***instruction ~*** mode *m* d'emploi

league [liːg] ligue *f*

leak [liːk] **1** *n also of information* fuite *f* **2** *v/i of pipe* fuir; *of boat* faire eau **3** *v/t information* divulguer

♦ **leak out** *v/i of air, gas* fuir; *of news* transpirer

leak•y ['liːkɪ] *adj pipe* qui fuit; *boat* qui fait eau

lean[1] [liːn] **1** *v/i* (*be at an angle*) pencher; ***~ against sth*** s'appuyer contre qch **2** *v/t* appuyer

lean[2] [liːn] *adj meat* maigre; *style, prose* sobre
leap [liːp] **1** *n* saut *m*; ***a great ~ forward*** un grand bond en avant **2** *v/i* sauter
'leap year année *f* bissextile
learn [lɜːrn] *v/t & v/i* apprendre; ***~ how to do sth*** apprendre à faire qch
learn·er ['lɜːrnər] apprenant(e) *m(f)*
'learn·er driv·er apprenti *m* conducteur
learn·ing ['lɜːrnɪŋ] *n* (*knowledge*) savoir *m*; *act* apprentissage *m*
'learn·ing curve courbe *f* d'apprentissage
lease [liːs] **1** *n for apartment* bail *m*; *for equipment* location *f* **2** *v/t apartment, equipment* louer
♦**lease out** *v/t apartment, equipment* louer
lease 'pur·chase crédit-bail *m*
leash [liːʃ] *for dog* laisse *f*
least [liːst] **1** *adj* (*slightest*) (le ou la) moindre, (le ou la) plus petit(e); *smallest quantity of* le moins de **2** *adv* (le) moins **3** *n* le moins; ***not in the ~ suprised*** absolument pas surpris; ***at ~*** au moins
leath·er ['leðər] **1** *n* cuir *m* **2** *adj* de cuir
leave [liːv] **1** *n* (*vacation*) congé *m*; (*permission*) permission *f*; ***on ~*** en congé **2** *v/t* (*pret & pp **left***) quitter; *city, place also* partir de; *food, scar, memory* laisser; (*forget, leave behind*) oublier; ***let's ~ things as they are*** laissons faire les choses; ***how did you ~ things with him?*** où en es-tu avec lui?; ***~ sth alone*** ne pas toucher à qch; ***~ s.o. alone*** laisser qn tranquille; ***be left*** rester **2** *v/i* (*pret & pp **left***) *of person, plane etc* partir
♦**leave behind** *v/t intentionally* laisser; (*forget*) oublier
♦**leave on** *v/t hat, coat* garder; *TV, computer* laisser allumé
♦**leave out** *v/t word, figure* omettre; (*not put away*) ne pas ranger; ***leave me out of this*** laissez-moi en dehors de ça
leav·ing par·ty ['liːvɪŋ] soirée *f* d'adieu
lec·ture ['lektʃər] **1** *n* conférence *f*; *at university* cours *m* **2** *v/i at university* donner des cours
'lec·ture hall amphithéâtre *m*
lec·tur·er ['lektʃərər] conférencier *m*; *at university* maître *m* de conférences
led [led] *pret & pp* → ***lead1***
LED [eliː'diː] *abbr* (= ***light-emitting diode***) DEL *f* (= diode électroluminescente)
ledge [ledʒ] *of window* rebord *m*; *on rock face* saillie *f*
ledg·er ['ledʒər] COMM registre *m* de comptes
leek [liːk] poireau *m*
leer [lɪr] *n sexual* regard *m* vicieux; *evil* regard *m* malveillant
left[1] [left] **1** *adj* gauche **2** *n* gauche *f*; ***on the ~ (of sth)*** à gauche (de qch); ***to the ~*** à gauche **3** *adv turn, look* à gauche
left[2] [left] *pret & pp* → ***leave***
'left-hand *adj* gauche; *curve* à gauche; **left-hand 'drive** conduite *f* à gauche; **left-hand·ed** [left'hændɪd] gaucher; **left 'lug·gage (of·fice)** *Br* consigne *f*; **'left-overs** *npl of food* restes *mpl*; **left 'wing** POL gauche *f*, SP ailier *m* gauche; **'left-wing** *adj* POL de gauche
leg [leg] jambe *f*; *of animal* patte *f*; *of table etc* pied *m*; ***pull s.o.'s ~*** faire marcher qn
leg·a·cy ['legəsɪ] héritage *m*, legs *m*
le·gal ['liːgl] *adj* (*allowed*) légal; *relating to the law* juridique
le·gal ad'vis·er conseiller(-ère) *m(f)* juridique
le·gal·i·ty [lɪ'gælətɪ] légalité *f*
le·gal·ize ['liːgəlaɪz] *v/t* légaliser
le·gend ['ledʒənd] légende *f*
le·gen·da·ry ['ledʒəndrɪ] *adj* légendaire
le·gi·ble ['ledʒəbl] *adj* lisible
le·gion·naire [liːdʒə'ner] légionnaire *m*
le·gis·late ['ledʒɪsleɪt] *v/i* légiférer
le·gis·la·tion [ledʒɪs'leɪʃn] (*laws*) législation *f*, (*passing of laws*) élaboration *f* des lois
le·gis·la·tive ['ledʒɪslətɪv] *adj* législa-

tif*

le·gis·la·ture ['ledʒɪsləʧər] POL corps *m* législatif

le·git·i·mate [lɪ'dʒɪtɪmət] *adj* légitime

'leg room place *f* pour les jambes

lei·sure ['liːʒər] loisir *m*; (*free time*) temps *m* libre; ***at your ~*** à loisir

'lei·sure cen·ter, *Br* **lei·sure cen·tre** centre *m* de loisirs

lei·sure·ly ['liːʒərlɪ] *adj pace, lifestyle* tranquille

'lei·sure time temps *m* libre

le·mon ['lemən] citron *m*

le·mon·ade [lemə'neɪd] citronnade *f*; *carbonated* limonade *f*

'le·mon juice jus *m* de citron

'le·mon tea thé *m* au citron

lend [lend] *v/t* (*pret & pp* ***lent***) prêter; ***~ s.o. sth*** prêter qch à qn

length [leŋθ] longueur *f*; (*piece: of material*) pièce *f*; *of piping, road* tronçon *m*; ***at ~*** *describe, explain* en détail; (*eventually*) finalement

length·en ['leŋθən] *v/t sleeve etc* allonger; *contract* prolonger

length·y ['leŋθɪ] *adj speech, stay* long*

le·ni·ent ['liːnɪənt] *adj* indulgent

lens [lenz] *of microscope etc* lentille *f*; *of eyeglasses* verre *m*; *of camera* objectif *m*; *of eye* cristallin *m*

'lens cov·er *of camera* capuchon *m* d'objectif

Lent [lent] REL Carême *m*

lent [lent] *pret & pp* → ***lend***

len·til ['lentl] lentille *f*

len·til 'soup soupe *f* aux lentilles

Leo ['liːoʊ] ASTROL Lion *m*

leop·ard ['lepərd] léopard *m*

le·o·tard ['liːoʊtɑːrd] justaucorps *m*

les·bi·an ['lezbɪən] **1** *n* lesbienne *f* **2** *adj* lesbien*

less [les] **1** *adv* moins; ***eat ~*** manger moins; ***~ interesting*** moins intéressant; ***it cost ~*** c'était moins cher; ***~ than $200*** moins de 200 dollars **2** *adj money, salt* moins de

less·en ['lesn] **1** *v/t* réduire **2** *v/i* diminuer

les·son ['lesn] leçon *f*; *at school* cours *m*

let [let] *v/t* (*pret & pp* ***let***) (*allow*) laisser; *Br house* louer; ***~ s.o. do sth*** laisser qn faire qch; ***~ him come in!*** laissez-le entrer!; ***~ him stay if he wants to*** laissez-le rester s'il le souhaite, qu'il reste s'il le souhaite; ***~'s stay here*** restons ici; ***~'s not argue*** ne nous disputons pas; ***~ alone*** encore moins; ***~ me go!*** lâchez-moi!; ***~ go of sth*** *of rope, handle* lâcher qch

♦**let down** *v/t hair* détacher; *blinds* baisser; (*disappoint*) décevoir; *dress, pants* allonger

♦**let in** *v/t to house* laisser entrer

♦**let off** *v/t* (*not punish*) pardonner; *from car* laisser descendre; ***he was let off with a small fine*** il s'en est tiré avec une petite amende

♦**let out** *v/t from room, building* laisser sortir; *jacket etc* agrandir; *groan, yell* laisser échapper; *Br* (*rent*) louer

♦**let up** *v/i* (*stop*) s'arrêter

le·thal ['liːθl] mortel

le·thar·gic [lɪ'θɑːrdʒɪk] *adj* léthargique

leth·ar·gy ['leθərdʒɪ] léthargie *f*

let·ter ['letər] *of alphabet, in mail* lettre *f*

'let·ter·box *Br* boîte *f* aux lettres; **'let·ter·head** (*heading*) en-tête *m*; (*headed paper*) papier *m* à en-tête; **let·ter of 'cred·it** COMM lettre *f* de crédit

let·tuce ['letɪs] laitue *f*

'let·up: ***without (a) ~*** sans répit

leu·ke·mia [luː'kiːmɪə] leucémie *f*

lev·el ['levl] **1** *adj field, surface* plat; *in competition, scores* à égalité; ***draw ~ with s.o.*** rattraper qn **2** *n* (*amount, quantity*) niveau *m*; *on scale, in hierarchy* échelon *m*; ***on the ~*** sur un terrain plat; F (*honest*) réglo F

lev·el-head·ed [levl'hedɪd] *adj* pondéré

le·ver ['levər] **1** *n* levier *m* **2** *v/t*: ***~ sth open*** ouvrir qch à l'aide d'un levier

lev·er·age ['levrɪdʒ] effet *m* de levier; (*influence*) poids *m*

lev·y ['levɪ] *v/t* (*pret & pp* ***-ied***) *taxes* lever

lewd [luːd] *adj* obscène

li·a·bil·i·ty [laɪə'bɪlətɪ] (*responsibility*)

L

responsabilité *f*, (*likeliness*) disposition *f* (***to*** à)

li·a·ble ['laɪəbl] *adj* (*answerable*) responsable (***for*** de); ***be ~ to*** (*likely*) être susceptible de

♦**li·ai·se with** [lɪ'eɪz] *v/t* assurer la liaison avec

li·ai·son [lɪ'eɪzɑːn] (*contacts*) communication(s) *f*

li·ar [laɪr] menteur(-euse) *m*(*f*)

li·bel ['laɪbl] **1** *n* diffamation *f* **2** *v/t* diffamer

lib·er·al ['lɪbərəl] *adj* (*broad-minded*) large d'esprit; (*generous: portion etc*) généreux*; POL libéral

lib·e·rate ['lɪbəreɪt] *v/t* libérer

lib·e·rat·ed ['lɪbəreɪtɪd] *adj woman* libéré

lib·e·ra·tion [lɪbə'reɪʃn] libération *f*

lib·er·ty ['lɪbərtɪ] liberté *f*; ***at ~*** *prisoner etc* en liberté; ***be at ~ to do sth*** être libre de faire qch

Li·bra ['liːbrə] ASTROL Balance *f*

li·brar·i·an [laɪ'brerɪən] bibliothécaire *m*/*f*

li·bra·ry ['laɪbrərɪ] bibliothèque *f*

Lib·y·a ['lɪbɪə] Libye *f*

Lib·y·an ['lɪbɪən] **1** *adj* libyen* **2** *n* Libyen(ne) *m*(*f*)

lice [laɪs] *pl* → ***louse***

li·cence ['laɪsns] *Br* → ***license*** **1** *n*

li·cense ['laɪsns] **1** *n* permis *m*; *Br*: *for TV* redevance *f* **2** *v/t company* accorder une licence à (***to do*** pour faire); ***be ~d*** *equipment* être autorisé; *gun* être déclaré

'li·cense num·ber numéro *m* d'immatriculation

'li·cense plate *of car* plaque *f* d'immatriculation

lick [lɪk] *v/t* lécher; ***~ one's lips*** se frotter les mains

lick·ing ['lɪkɪŋ] F (*defeat*) raclée *f* F; ***get a ~*** prendre une raclée

lid [lɪd] couvercle *m*

lie[1] [laɪ] **1** *n* (*untruth*) mensonge *m* **2** *v/i* mentir

lie[2] [laɪ] *v/i* (*pret* ***lay***, *pp* ***lain***) *of person* (*lie down*) s'allonger; (*be lying down*) être allongé; *of object* être; (*be situated*) être, se trouver

♦**lie down** *v/i* se coucher, s'allonger

lieu [luː]: ***in ~ of*** au lieu de; ***in ~ of payment*** en guise de paiement

lieu·ten·ant [lʊ'tenənt] lieutenant *m*

life [laɪf] (*pl* ***lives*** [laɪvz]) vie *f*; *of machine* durée *f* de vie; ***all her ~*** toute sa vie; ***that's ~!*** c'est la vie!

'life belt bouée *f* de sauvetage; **'lifeboat** canot *m* de sauvetage; **life ex·pect·an·cy** ['laɪfekspektənsɪ] espérance *f* de vie; **'life·guard** maître nageur *m*; **'life his·to·ry** vie *f*; **life im'pris·on·ment** emprisonnement *m* à vie; **'life in·sur·ance** assurance-vie *f*; **'life jack·et** gilet *m* de sauvetage

life·less ['laɪflɪs] *adj body* inanimé; *personality* mou*; *town* mort

life·like ['laɪflaɪk] *adj* réaliste

'life·long *adj* de toute une vie; **'life mem·ber** membre *m* à vie; **life pre·serv·er** ['laɪfprɪzɜːrvər] *for swimmer* bouée *f* de sauvetage; **'life-sav·ing** *adj medical equipment* de sauvetage; *drugs* d'importance vitale; **life·sized** ['laɪfsaɪzd] *adj* grandeur nature; **'life-style** mode *m* de vie; **'life sup·port sys·tem** respirateur *m* (artificiel); **'life-threat·en·ing** *adj illness* extrêmement grave; **'life·time** vie *f*; ***in my ~*** de mon vivant

lift [lɪft] **1** *v/t* soulever **2** *v/i of fog* se lever **3** *n Br* (*elevator*) ascenseur *m*; ***give s.o. a ~*** *in car* emmener qn en voiture

♦**lift off** *v/i of rocket* décoller

'lift-off *of rocket* décollage *m*

lig·a·ment ['lɪgəmənt] ligament *m*

light[1] [laɪt] **1** *n* lumière *f*; ***in the ~ of*** à la lumière de; ***do you have a ~?*** vous avez du feu? **2** *v/t* (*pret & pp* ***lit***) *fire, cigarette* allumer; (*illuminate*) éclairer **3** *adj* (*not dark*) clair

light[2] [laɪt] **1** *adj* (*not heavy*) léger* **2** *adv*: ***travel ~*** voyager léger

♦**light up 1** *v/t* (*illuminate*) éclairer **2** *v/i* (*start to smoke*) s'allumer une cigarette

'light bulb ampoule *f*

light·en[1] ['laɪtn] *v/t color* éclaircir

light·en[2] ['laɪtn] *v/t load* alléger
♦ **lighten up** *v/i of person* se détendre
light·er ['laɪtər] *for cigarettes* briquet *m*
light-head·ed [laɪt'hedɪd] (*dizzy*) étourdi; **light-heart·ed** [laɪt'hɑːrtɪd] *adj mood* enjoué; *criticism, movie* léger*; **'light·house** phare *m*
light·ing ['laɪtɪŋ] éclairage *m*
light·ly ['laɪtlɪ] *adv touch* légèrement; ***get off ~*** s'en tirer à bon compte
light·ness[1] ['laɪtnɪs] *of room, color* clarté *f*
light·ness[2] ['laɪtnɪs] *in weight* légèreté *f*
light·ning ['laɪtnɪŋ] éclair *m*, foudre *f*
'light·ning rod paratonnerre *m*
'light·weight *in boxing* poids *m* léger
'light year année-lumière *f*
like[1] [laɪk] **1** *prep* comme; ***be ~ s.o. / sth*** ressembler à qn / qch; ***what is she ~?*** *in looks, character* comment est-elle?; ***it's not ~ him*** *not his character* ça ne lui ressemble pas **2** *conj* F (*as*) comme; ***~ I said*** comme je l'ai dit
like[2] [laɪk] *v/t* aimer; ***I ~ it*** ça me plaît (bien); ***I ~ Susie*** j'aime bien Susie; *romantically* Susie me plaît (bien); ***I would ~ …*** je voudrais, j'aimerais …; ***I would ~ to leave*** je voudrais *or* j'aimerais partir; ***would you ~ …?*** voulez-vous …?; ***would you ~ to …?*** as-tu envie de …?; ***~ to do sth*** aimer faire qch; ***if you ~*** si vous voulez
like·a·ble ['laɪkəbl] agréable, plaisant
like·li·hood ['laɪklɪhʊd] probabilité *f*; ***in all ~*** selon toute probabilité
like·ly ['laɪklɪ] **1** *adj* probable **2** *adv* probablement
like·ness ['laɪknɪs] ressemblance *f*
like·wise ['laɪkwaɪz] *adv* de même, aussi
lik·ing ['laɪkɪŋ] *for person* affection *f*; *for sth* penchant *m*; ***to your ~*** à votre goût; ***take a ~ to s.o.*** se prendre d'affection pour qn; ***take a ~ to sth*** se mettre à aimer qch
li·lac ['laɪlək] *flower, color* lilas *m*
li·ly ['lɪlɪ] lis *m*
li·ly of the 'val·ley muguet *m*
limb [lɪm] membre *m*
lime[1] [laɪm] *fruit* citron *m* vert; *tree* limettier *m*
lime[2] [laɪm] *substance* chaux *f*
lime[3] [laɪm] (*linden tree*) tilleul *m*
lime'green *adj* jaune-vert
'lime·light: ***be in the ~*** être sous les projecteurs
lim·it ['lɪmɪt] **1** *n* limite *f*; ***within ~s*** dans une certaine mesure; ***off ~s*** interdit d'accès; ***that's the ~!*** F ça dépasse les bornes!, c'est le comble! **2** *v/t* limiter
lim·i·ta·tion [lɪmɪ'teɪʃn] limitation *f*; ***know one's ~s*** connaître ses limites
lim·it·ed com·pa·ny ['lɪmɪtɪd] société *f* à responsabilité limitée
li·mo ['lɪmoʊ] F limousine *f*
lim·ou·sine ['lɪməziːn] limousine *f*
limp[1] [lɪmp] *adj* mou*
limp[2] [lɪmp] **1** *n* claudication *f*; ***he has a ~*** il boite **2** *v/i* boiter
line[1] [laɪn] *n on paper, road, of text*, TELEC ligne *f*, RAIL voie *f*; *of people* file *f*; *of trees* rangée *f*; *of poem* vers *m*; *of business* domaine *m*, branche *f*; ***hold the ~*** ne quittez pas; ***draw the ~ at sth*** *refuse to do* se refuser à faire qch, *not tolerate* ne pas tolérer qch; ***~ of inquiry*** piste *f*; ***~ of reasoning*** raisonnement *m*; ***stand in ~*** faire la queue; ***in ~ with*** conformément à, en accord avec
line[2] [laɪn] *v/t with material* recouvrir, garnir; *clothes* doubler
♦ **line up** *v/i* se mettre en rang(s)
lin·e·ar ['lɪnɪər] *adj* linéaire
lin·en ['lɪnɪn] *material* lin *m*; (*sheets etc*) linge *m*
lin·er ['laɪnər] *ship* paquebot *m* de grande ligne
lines·man ['laɪnzmən] SP juge *m* de touche; *tennis* juge *m* de ligne
'line-up *for sports event* sélection *f*
lin·ger ['lɪŋgər] *v/i of person* s'attarder, traîner; *of pain* persister
lin·ge·rie ['lænʒəriː] lingerie *f*
lin·guist ['lɪŋgwɪst] linguiste *m*; ***she's a good ~*** elle est douée pour les langues
lin·guis·tic [lɪŋ'gwɪstɪk] *adj* linguistique

lin·ing ['laɪnɪŋ] *of clothes* doublure *f*; *of brakes, pipes* garniture *f*

link [lɪŋk] **1** *n* (*connection*) lien *m*; *in chain* maillon *m* **2** *v/t* lier, relier; ***her name has been ~ed with ...*** son nom a été associé à ...

♦**link up** *v/i* se rejoindre; TV se connecter

li·on ['laɪən] lion *m*

li·on·ess ['laɪənes] lionne *f*

lip [lɪp] lèvre *f*

'lip·read *v/i* (*pret & pp* ***-read*** [-red]) lire sur les lèvres

'lip·stick rouge *m* à lèvres

li·queur [lɪ'kjʊr] liqueur *f*

liq·uid ['lɪkwɪd] **1** *n* liquide *m* **2** *adj* liquide

liq·ui·date ['lɪkwɪdeɪt] *v/t* liquider

liq·ui·da·tion [lɪkwɪ'deɪʃn] liquidation *f*; ***go into ~*** entrer en liquidation

liq·ui·di·ty [lɪ'kwɪdɪtɪ] FIN liquidité *f*

liq·uid·ize ['lɪkwɪdaɪz] *v/t* passer au mixeur, rendre liquide

liq·uid·iz·er ['lɪkwɪdaɪzər] mixeur *m*

liq·uor ['lɪkər] alcool *m*

'liq·uor store magasin *m* de vins et spiritueux

lisp [lɪsp] **1** *n* zézaiement *m* **2** *v/i* zézayer

list [lɪst] **1** *n* liste *f* **2** *v/t* faire la liste de; (*enumerate*) énumérer; COMPUT lister

lis·ten ['lɪsn] *v/i* écouter

♦**listen in** *v/i* écouter

♦**listen to** *v/t radio, person* écouter

lis·ten·er ['lɪsnər] *to radio* auditeur (-trice) *m*(*f*); ***he's a good ~*** il sait écouter

list·ings mag·a·zine ['lɪstɪŋz] programme *m* télé / cinéma

list·less ['lɪstlɪs] *adj* amorphe

lit [lɪt] *pret & pp* → ***light***

li·ter ['li:tər] litre *m*

lit·e·ral ['lɪtərəl] *adj* littéral

lit·e·ral·ly ['lɪtərəlɪ] *adv* littéralement

lit·e·ra·ry ['lɪtərerɪ] *adj* littéraire

lit·e·rate ['lɪtərət] *adj* lettré; ***be ~*** savoir lire et écrire

lit·e·ra·ture ['lɪtrətʃər] littérature *f*; *about a product* documentation *f*

li·tre ['li:tər] *Br* → ***liter***

lit·ter ['lɪtər] détritus *mpl*, ordures *fpl*; *of animal* portée *f*

'lit·ter bin *Br* poubelle *f*

lit·tle ['lɪtl] **1** *adj* petit; ***the ~ ones*** les petits **2** *n* peu *m*; ***the ~ I know*** le peu que je sais; ***a ~*** un peu; ***a ~ bread / wine*** un peu de pain / vin **3** *adv* peu; ***~ by ~*** peu à peu; ***a ~ bigger*** un peu plus gros; ***a ~ before 6*** un peu avant 6h00

live[1] [lɪv] *v/i* (*reside*) vivre, habiter; (*be alive*) vivre

♦**live on 1** *v/t rice, bread* vivre de **2** *v/i* (*continue living*) survivre

♦**live up** *v/t*: ***live it up*** faire la fête

♦**live up to** *v/t* être à la hauteur de; ***live up to expectations*** *person* être à la hauteur; *vacation, product* tenir ses promesses

♦**live with** *v/t* vivre avec; (*accept*) se faire à; ***I can live with it*** je peux m'y faire

live[2] [laɪv] *adj broadcast* en direct; *bomb* non désamorcé

live·li·hood ['laɪvlɪhʊd] gagne-pain *m inv*; ***earn one's ~ from ...*** gagner sa vie grâce à ...

live·li·ness ['laɪvlɪnɪs] vivacité *f*

live·ly ['laɪvlɪ] *adj person, city* plein de vie, vivant; *party* animé; *music* entraînant

liv·er ['lɪvər] foie *m*

live·stock ['laɪvstɑ:k] bétail *m*

liv·id ['lɪvɪd] *adj* (*angry*) furieux*

liv·ing ['lɪvɪŋ] **1** *adj* vivant **2** *n* vie *f*; ***earn one's ~*** gagner sa vie; ***standard of ~*** niveau *m* de vie

'liv·ing room salle *f* de séjour

liz·ard ['lɪzərd] lézard *m*

load [loʊd] **1** *n* charge *f*, chargement *m*; ELEC charge *f*; ***~s of*** F plein de **2** *v/t truck, camera, gun, software* charger

load·ed ['loʊdɪd] *adj* F (*very rich*) plein aux as F; (*drunk*) bourré F

loaf [loʊf] (*pl* ***loaves*** [loʊvz]): ***a ~ of bread*** un pain

♦**loaf around** *v/i* F traîner

loaf·er ['loʊfər] *shoe* mocassin *m*

loan [loʊn] **1** *n* prêt *m*; ***I've got it on ~*** on me l'a prêté **2** *v/t*: ***~ s.o. sth*** prêter qch à qn

loathe [louð] *v/t* détester
loath·ing ['louðɪŋ] dégoût *m*
lob·by ['lɑːbɪ] **1** *n in hotel* hall *m*; *in theater* entrée *f*, vestibule *m*; POL lobby *m* **2** *v/t politician* faire pression sur
♦ **lobby for** *v/t* faire pression pour obtenir
lobe [loub] *of ear* lobe *m*
lob·ster ['lɑːbstər] homard *m*
lo·cal ['loukl] **1** *adj* local; ***I'm not ~*** je ne suis pas de la région / du quartier **2** *n* habitant *m* de la région / du quartier
'lo·cal call TELEC appel *m* local; **lo·cal e'lec·tions** élections *fpl* locales; **lo·cal 'gov·ern·ment** autorités *f* locales
lo·cal·i·ty [lou'kælətɪ] endroit *m*
lo·cal·ize ['loukəlaɪz] *v/t* localiser
lo·cal·ly ['loukəlɪ] *adv live, work* dans le quartier, dans la région
lo·cal 'pro·duce produits *mpl* locaux
'lo·cal time heure *f* locale
lo·cate [lou'keɪt] *v/t new factory etc* établir; (*identify position of*) localiser; ***be ~d*** se trouver
lo·ca·tion [lou'keɪʃn] (*siting*) emplacement *m*; (*identifying position of*) localisation *f*; ***on ~*** *movie* en extérieur
lock¹ [lɑːk] *of hair* mèche *f*
lock² [lɑːk] **1** *n on door* serrure *f* **2** *v/t door* fermer à clef; ***~ sth in position*** verrouiller qch, bloquer qch
♦ **lock away** *v/t* mettre sous clef
♦ **lock in** *v/t person* enfermer à clef
♦ **lock out** *v/t of house* enfermer dehors; ***I locked myself out*** je me suis enfermé dehors
♦ **lock up** *v/t in prison* mettre sous les verrous, enfermer
lock·er ['lɑːkər] casier *m*
'lock·er room vestiaire *m*
lock·et ['lɑːkɪt] médaillon *m*
lock·smith ['lɑːksmɪθ] serrurier *m*
lo·cust ['loukəst] locuste *f*, sauterelle *f*
lodge [lɑːdʒ] **1** *v/t complaint* déposer **2** *v/i of bullet, ball* se loger, rester coincé
lodg·er ['lɑːdʒər] *Br* locataire *m/f*; *with meals* pensionnaire *m/f*
loft [lɑːft] grenier m; *apartment* loft *m*; *raised bed area* mezzanine *f*
'loft con·ver·sion *Br* grenier *m* aménagé
loft·y ['lɑːftɪ] *adj heights* haut; *ideals* élevé
log [lɑːg] bûche *f*; (*written record*) journal *m* de bord
♦ **log off** *v/i* (*pret & pp* ***-ged***) se déconnecter
♦ **log on** *v/i* se connecter
♦ **log on to** *v/t* se connecter à
'log·book journal *m* de bord
log 'cab·in cabane *f* en rondins
log·ger·heads ['lɑːgərhedz]: ***be at ~*** être en désaccord
lo·gic ['lɑːdʒɪk] logique *f*
lo·gic·al ['lɑːdʒɪkl] *adj* logique
lo·gic·al·ly ['lɑːdʒɪklɪ] *adv* logiquement
lo·gis·tics [lə'dʒɪstɪks] logistique *f*
lo·go ['lougou] logo *m*, sigle *m*
loi·ter ['lɔɪtər] *v/i* traîner
lol·li·pop ['lɑːlɪpɑːp] sucette *f*
Lon·don ['lʌndən] Londres
lone·li·ness ['lounlɪnɪs] *of person* solitude *f*, *of place* isolement *m*
lone·ly ['lounlɪ] *adj person* seul, solitaire; *place* isolé
lon·er ['lounər] solitaire *m/f*
long¹ [lɑːŋ] **1** *adj* long*; ***it's a ~ way*** c'est loin **2** *adv* longtemps; ***don't be ~*** dépêche-toi; ***how ~ will it take?*** combien de temps cela va-t-il prendre?; ***5 weeks is too ~*** 5 semaines, c'est trop long; ***will it take ~?*** est-ce que cela va prendre longtemps?; ***that was ~ ago*** c'était il y a longtemps; ***~ before then*** bien avant cela; ***before ~*** *in the past* peu après; *in the future* dans peu de temps; ***we can't wait any ~er*** nous ne pouvons pas attendre plus longtemps; ***he no ~er works here*** il ne travaille plus ici; ***so ~ as*** (*provided*) pourvu que; ***so ~!*** à bientôt!
long² [lɑːŋ] *v/i*: ***~ for sth*** avoir très envie de qch, désirer (ardemment) qch; ***be ~ing to do sth*** avoir très envie de faire qch
long-'dis·tance *adj phonecall* longue distance; *race* de fond; *flight* long-courrier

lon·gev·i·ty [lɑːn'dʒevɪtɪ] longévité *f*
long·ing ['lɑːŋɪŋ] *n* désir *m*, envie *f*
lon·gi·tude ['lɑːndʒɪtuːd] longitude *f*
'long jump saut *m* en longueur; **'long-range** *adj missile* à longue portée; *forecast* à long terme; **long-sight·ed** [lɑːŋ'saɪtɪd] *adj* hypermétrope; *due to old age* presbyte; **long-sleeved** [lɑːŋ'sliːvd] *adj* à manches longues; **long-'stand·ing** *adj* de longue date; **'long-term** *adj* à long terme; *unemployment* de longue durée; **'long wave** RAD grandes ondes *fpl*
long·wind·ed [lɑːŋ'wɪndɪd] *adj story, explanation* interminable; *person* intarissable
loo [luː] *Br* F toilettes *fpl*
look [lʊk] **1** *n* (*appearance*) air *m*, apparence *f*; (*glance*) coup *m* d'œil, regard *m*; ***give s.o. / sth a ~*** regarder qn / qch; ***have a ~ at sth*** (*examine*) examiner qch, regarder qch; ***can I have a ~?*** je peux regarder?, fais voir; ***can I have a ~ around?*** *in shop etc* puis-je jeter un coup d'œil?; ***~s*** (*beauty*) beauté *f*; ***she still has her ~s*** elle est toujours aussi belle **2** *v/i* regarder; (*search*) chercher, regarder; (*seem*) avoir l'air; ***you ~ tired*** tu as l'air fatigué
♦**look after** *v/t* s'occuper de
♦**look ahead** *v/i fig* regarder en avant
♦**look around** *v/i* jeter un coup d'œil
♦**look at** *v/t* regarder; (*examine*) examiner; (*consider*) voir, envisager
♦**look back** *v/i* regarder derrière soi
♦**look down on** *v/t* mépriser
♦**look for** *v/t* chercher
♦**look forward to** *v/t* attendre avec impatience, se réjouir de; ***I'm not looking forward to it*** je ne suis pas pressé que ça arrive
♦**look in on** *v/t* (*visit*) passer voir
♦**look into** *v/t* (*investigate*) examiner
♦**look on 1** *v/i* (*watch*) regarder **2** *v/t*: ***look on s.o. / sth as*** considérer qn / qch comme
♦**look onto** *v/t garden, street* donner sur
♦**look out** *v/i of window etc* regarder dehors; (*pay attention*) faire attention; ***look out!*** attention!
♦**look out for** *v/t* essayer de repérer; (*be on guard against*) se méfier de; (*take care of*) prendre soin de
♦**look out of** *v/t window* regarder par
♦**look over** *v/t house, translation* examiner
♦**look through** *v/t magazine, notes* parcourir, feuilleter
♦**look to** *v/t* (*rely on*) compter sur
♦**look up 1** *v/i from paper etc* lever les yeux; (*improve*) s'améliorer; ***things are looking up*** ça va mieux **2** *v/t word, phone number* chercher; (*visit*) passer voir
♦**look up to** *v/t* (*respect*) respecter
'look·out *person* sentinelle *f*; ***be on the ~ for*** être à l'affût de
♦**loom up** [luːm] *v/i out of mist etc* surgir
loon·y ['luːnɪ] **1** *n* F dingue *m/f* F **2** *adj* F dingue F
loop [luːp] *n* boucle *f*
'loop·hole *in law etc* lacune *f*
loose [luːs] *adj knot* lâche; *connection, screw* desserré; *clothes* ample; *morals* relâché; *wording* vague; ***~ change*** petite monnaie *f*; ***~ ends*** *of problem, discussion* derniers détails *mpl*
loose·ly ['luːslɪ] *adv tied* sans serrer; *worded* de manière approximative
loos·en ['luːsn] *v/t collar, knot* desserrer
loot [luːt] **1** *n* butin *m* **2** *v/i* se livrer au pillage
loot·er ['luːtər] pilleur(-euse) *m(f)*
♦**lop off** [lɑːp] *v/t* (*pret & pp* **-ped**) couper, tailler
lop·sid·ed [lɑːp'saɪdɪd] *adj* déséquilibré, disproportionné
Lord [lɔːrd] (*god*) Seigneur *m*
Lord's 'Prayer Pater *m*
lor·ry ['lɑːrɪ] *Br* camion *m*
lose [luːz] **1** *v/t* (*pret & pp* ***lost***) perdre; ***I'm lost*** je suis perdu; ***get lost!*** F va te faire voir! F **2** *v/i* SP perdre; *of clock* retarder
♦**lose out** *v/i* être perdant
los·er ['luːzər] perdant(e) *m(f)*
loss [lɑːs] perte *f*; ***make a ~*** subir une

perte; ***be at a ~*** ne pas savoir quoi faire
lost [lɑːst] **1** *adj* perdu **2** *pret & pp* → ***lose***
lost-and-'found (of·fice) (bureau *m* des) objets *mpl* trouvés
lot [lɑːt]: ***the ~*** tout, le tout; ***a ~, ~s*** beaucoup; ***a ~ of, ~s of*** beaucoup de; ***a ~ better*** beaucoup mieux; ***quite a ~ of people / snow*** pas mal de gens / neige
lo·tion ['loʊʃn] lotion *f*
lot·te·ry ['lɑːtərɪ] loterie *f*
loud [laʊd] *adj music, voice* fort; *noise* grand; *color* criard; ***say it out ~*** dites-le à voix haute
loud'speak·er haut-parleur *m*
lounge [laʊndʒ] salon *m*
♦ **lounge around** *v/i* paresser
'lounge suit *Br* complet *m*
louse [laʊs] (*pl* ***lice*** [laɪs]) pou *m*
lous·y ['laʊzɪ] *adj* F minable F, mauvais; ***I feel ~*** je suis mal fichu F
lout [laʊt] rustre *m*
lov·a·ble ['lʌvəbl] *adj* sympathique, adorable
love [lʌv] **1** *n* amour *m*; *in tennis* zéro *m*; ***be in ~*** être amoureux (***with*** de); ***fall in ~*** tomber amoureux (***with*** de); ***make ~*** faire l'amour (***to*** avec); ***yes, my ~*** oui mon amour **2** *v/t* aimer; *wine, music* adorer; ***~ to do sth*** aimer faire qch
'love af·fair aventure *f*; **'love let·ter** billet *m* doux; **'love life** vie *f* sentimentale; ***how's your ~?*** comment vont tes amours?
love·ly ['lʌvlɪ] *adj* beau*; *house, wife* ravissant; *character* charmant; *meal* délicieux*; ***we had a ~ time*** nous nous sommes bien amusés; ***it's ~ to be here again*** c'est formidable d'être à nouveau ici
lov·er ['lʌvər] *man* amant *m*; *woman* maîtresse *f*, *person in love* amoureux(-euse) *m(f)*; *of good food etc* amateur *m*
lov·ing ['lʌvɪŋ] *adj* affectueux*
lov·ing·ly ['lʌvɪŋlɪ] *adv* avec amour
low [loʊ] **1** *adj* bas*; *quality* mauvais; ***be feeling ~*** être déprimé; ***be ~ on gas / tea*** être à court d'essence / de thé **2** *n in weather* dépression *f*, *in sales, statistics* niveau *m* bas
'low·brow *adj* peu intellectuel*; **'low-cal·o·rie** *adj* (à) basses calories; **'low-cut** *adj dress* décolleté
low·er ['loʊər] *v/t* baisser; *to the ground* faire descendre; *boat* mettre à la mer
'low-fat *adj* allégé; **'low·key** *adj* discret*, mesuré; **'low·lands** *npl* plaines *fpl*; **low-'pres·sure ar·e·a** zone *f* de basse pression; **'low sea·son** basse saison *f*; **'low tide** marée *f* basse
loy·al ['lɔɪəl] *adj* fidèle, loyal
loy·al·ly ['lɔɪəlɪ] *adv* fidèlement
loy·al·ty ['lɔɪəltɪ] loyauté *f*
loz·enge ['lɑːzɪndʒ] *shape* losange *m*; *tablet* pastille *f*
LP [el'piː] *abbr* (= ***long-playing record***) 33 tours *m*
Ltd *abbr* (= ***limited***) *company* à responsabilité limitée
lu·bri·cant ['luːbrɪkənt] lubrifiant *m*
lu·bri·cate ['luːbrɪkeɪt] *v/t* lubrifier
lu·bri·ca·tion [luːbrɪ'keɪʃn] lubrification *f*
lu·cid ['luːsɪd] *adj* (*clear*) clair; (*sane*) lucide
luck [lʌk] chance *f*, hasard *m*; ***bad ~*** malchance *f*; ***hard ~!*** pas de chance!; ***good ~*** (bonne) chance *f*; ***good ~!*** bonne chance!
♦ **luck out** *v/i* F avoir du bol F
luck·i·ly ['lʌkɪlɪ] *adv* heureusement
luck·y ['lʌkɪ] *adj person* chanceux*; *number* porte-bonheur *inv*; *coincidence* heureux*; ***it's her ~ day!*** c'est son jour de chance!; ***you were ~*** tu as eu de la chance; ***he's ~ to be alive*** il a de la chance d'être encore en vie; ***that's ~!*** c'est un coup de chance!
lu·cra·tive ['luːkrətɪv] *adj* lucratif*
lu·di·crous ['luːdɪkrəs] *adj* ridicule
lug [lʌg] *v/t* (*pret & pp* ***-ged***) F traîner
lug·gage ['lʌgɪdʒ] bagages *mpl*
luke·warm ['luːkwɔːrm] *adj also fig* tiède
lull [lʌl] **1** *n in storm, fighting* accalmie *f*, *in conversation* pause *f* **2** *v/t*: ***~ s.o. into a false sense of security*** en-

dormir la vigilance de qn
lul·la·by ['lʌləbaɪ] berceuse *f*
lum·ba·go [lʌmbeɪgoʊ] lumbago *m*
lum·ber ['lʌmbər] (*timber*) bois *m* de construction
lu·mi·nous ['lu:mɪnəs] *adj* lumineux*
lump [lʌmp] *of sugar* morceau *m*; (*swelling*) grosseur *f*
♦ **lump together** *v/t* mettre dans le même panier
lump 'sum forfait *m*
lump·y ['lʌmpɪ] *adj liquid, sauce* grumeleux*; *mattress* défoncé
lu·na·cy ['lu:nəsɪ] folie *f*
lu·nar ['lu:nər] *adj* lunaire
lu·na·tic ['lu:nətɪk] *n* fou *m*, folle *f*
lunch [lʌntʃ] déjeuner *m*; ***have ~*** déjeuner
'lunch box panier-repas *m*; **'lunch break** pause-déjeuner *f*; **'lunch hour** heure *f* du déjeuner; **'lunch-time** heure *f* du déjeuner, midi *m*
lung [lʌŋ] poumon *m*
'lung can·cer cancer *m* du poumon
♦ **lunge at** [lʌndʒ] *v/t* se jeter sur
lurch [lɜ:rtʃ] *v/i of person* tituber; *of ship* tanguer
lure [lʊr] **1** *n* attrait *m*, appât *m* **2** *v/t* attirer, entraîner
lu·rid ['lʊrɪd] *adj color* cru; *details* choquant
lurk [lɜ:rk] *v/i of person* se cacher; *of doubt* persister
lus·cious ['lʌʃəs] *adj fruit, dessert* succulent; F *woman, man* appétissant
lush [lʌʃ] *adj vegetation* luxuriant
lust [lʌst] *n* désir *m*; *rel* luxure *f*
Lux·em·bourg ['lʌksmbɜ:rg] **1** *n* Luxembourg *m* **2** *adj* luxembourgeois
Lux·em·bourg·er ['lʌksmbɜ:rgər] Luxembourgeois(e) *m(f)*
lux·u·ri·ous [lʌg'ʒʊrɪəs] *adj* luxueux*
lux·u·ri·ous·ly [lʌg'ʒʊrɪəslɪ] *adv* luxueusement
lux·u·ry ['lʌkʃərɪ] **1** *n* luxe *m* **2** *adj* de luxe
lymph gland ['lɪmfglænd] ganglion *m* lymphatique
lynch [lɪntʃ] *v/t* lyncher
Ly·ons ['li:ɑ:n] Lyon
lyr·i·cist ['lɪrɪsɪst] parolier(-ière) *m(f)*
lyr·ics ['lɪrɪks] *npl* paroles *fpl*

M

M [em] *abbr* (**= *medium***) M
MA [em'eɪ] *abbr* (**= *Master of Arts***) maîtrise *f* de lettres
ma'am [mæm] madame
ma·chine [mə'ʃi:n] **1** *n* machine *f* **2** *v/t with sewing machine* coudre à la machine; TECH usiner
ma'chine gun *n* mitrailleuse *f*
ma·chine-'read·a·ble *adj* lisible par ordinateur
ma·chin·e·ry [mə'ʃi:nərɪ] (*machines*) machines *fpl*
ma·chine trans'la·tion traduction *f* automatique
ma·chis·mo [mə'kɪzmoʊ] machisme *m*
mach·o ['mætʃoʊ] *adj* macho *inv*; ***~ type*** macho *m*
mack·in·tosh ['mækɪntɑ:ʃ] imperméable *m*
mac·ro ['mækroʊ] COMPUT macro *f*
mad [mæd] *adj* (*insane*) fou*; F (*angry*) furieux*; ***be ~ about*** F (*keen on*) être fou de; ***drive s.o. ~*** rendre qn fou; ***go ~*** *also with enthusiasm* devenir fou; ***like ~*** F *run, work* comme un fou
mad·den ['mædən] *v/t* (*infuriate*) exaspérer
mad·den·ing ['mædnɪŋ] *adj* exaspérant
made [meɪd] *pret & pp* → ***make***
'mad·house *fig* maison *f* de fous

mad·ly ['mædlı] *adv* follement, comme un fou; **~ *in love*** éperdument amoureux*
'mad·man fou *m*
mad·ness ['mædnıs] folie *f*
Ma·don·na [mə'dɑːnə] Madone *f*
Ma·fi·a ['mɑːfıə]: ***the* ~** la Mafia
mag·a·zine [mægə'ziːn] *printed* magazine *m*
mag·got ['mægət] ver *m*
Ma·gi ['meıdʒaı] REL: ***the* ~** les Rois *mpl* mages
ma·gic ['mædʒık] **1** *adj* magique **2** *n* magie *f*; ***like* ~** comme par enchantement
mag·i·cal ['mædʒıkl] *adj* magique
ma·gi·cian [mə'dʒıʃn] magicien(ne) *m(f)*; *performer* prestidigitateur (-trice) *m(f)*
ma·gic 'spell sort *m*; *formula* formule *f* magique; **ma·gic 'trick** tour *m* de magie; **mag·ic 'wand** baguette *f* magique
mag·nan·i·mous [mæg'nænıməs] *adj* magnanime
mag·net ['mægnıt] aimant *m*
mag·net·ic [mæg'netık] *adj also fig* magnétique
mag·net·ic 'stripe piste *f* magnétique
mag·net·ism ['mægnetızm] *also fig* magnétisme *m*
mag·nif·i·cence [mæg'nıfısəns] magnificence *f*
mag·nif·i·cent [mæg'nıfısənt] *adj* magnifique
mag·ni·fy ['mægnıfaı] *v/t* (*pret & pp* ***-ied***) grossir; *difficulties* exagérer
mag·ni·fy·ing glass ['mægnıfaııŋ] loupe *f*
mag·ni·tude ['mægnıtuːd] ampleur *f*
ma·hog·a·ny [mə'hɑːgənı] acajou *m*
maid [meıd] *servant* domestique *f*; *in hotel* femme *f* de chambre
maid·en name ['meıdn] nom *m* de jeune fille
maid·en 'voy·age premier voyage *m*
mail [meıl] **1** *n* courrier *m*, poste *f*; ***put sth in the* ~** poster qch **2** *v/t letter* poster
'mail·box boîte *f* aux lettres
mail·ing list ['meılıŋ] fichier *m* d'adresses
'mail·man facteur *m*; **mail-'or·der cat·a·log**, *Br* **mail-'or·der cat·a·logue** catalogue *m* de vente par correspondance; **mail-'or·der firm** société *f* de vente par correspondance; **'mail·shot** mailing *m*, publipostage *m*
maim [meım] *v/t* estropier, mutiler
main [meın] *adj* principal
'main course plat *m* principal; **main 'en·trance** entrée *f* principale; **'main·frame** ordinateur *m* central; **'main·land** continent *m*
main·ly ['meınlı] *adv* principalement, surtout
main 'road route *f* principale; **'main·stream** *n* courant *m* dominant; **'main street** rue *f* principale
main·tain [meın'teın] *v/t peace, law and order* maintenir; *pace, speed* soutenir; *relationship, machine, building* entretenir; *family* subvenir aux besoins de; *innocence, guilt* affirmer; **~ *that*** soutenir que
main·te·nance ['meıntənəns] *of machine, building* entretien *m*; *Br money* pension *f* alimentaire; *of law and order* maintien *m*
'main·te·nance costs *npl* frais *mpl* d'entretien
'main·te·nance staff personnel *m* d'entretien
ma·jes·tic [mə'dʒestık] *adj* majestueux*
maj·es·ty ['mædʒəstı] majesté *f*; ***Her Majesty*** Sa Majesté
ma·jor ['meıdʒər] **1** *adj* (*significant*) important, majeur; ***in C* ~** MUS en do majeur **2** *n* MIL commandant *m*
♦ **major in** *v/t* se spécialiser en
ma·jor·i·ty [mə'dʒɑːrətı] majorité *f*, plupart *f*; POL majorité *f*; ***be in the* ~** être majoritaire
make [meık] **1** *n* (*brand*) marque *f* **2** *v/t* (*pret & pp* ***made***)◊ faire; (*manufacture*) fabriquer; (*earn*) gagner; **~ *a decision*** prendre une décision; **~ *a telephone call*** téléphoner, passer un coup de fil; ***made in Japan*** fabriqué au Japon; ***3 and 3* ~ *6*** 3 et

M

3 font 6; ~ ***it*** (*catch bus, train*) arriver à temps; (*come*) venir; (*succeed*) réussir; (*survive*) s'en sortir; ***what time do you ~ it?*** quelle heure as-tu?; ~ ***believe*** prétendre; ~ ***do with*** se contenter de, faire avec; ***what do you ~ of it?*** qu'en dis-tu?
◇ : ~ ***s.o. do sth*** (*force to*) forcer qn à faire qch; (*cause to*) faire faire qch à qn; ***you can't ~ me do it!*** tu ne m'obligeras pas à faire ça!; ***what made you think that?*** qu'est-ce qui t'a fait penser ça?; ~ ***s.o. happy / angry*** rendre qn heureux / furieux;

♦**make for** *v/t* (*go toward*) se diriger vers

♦**make off** *v/i* s'enfuir

♦**make off with** *v/t* (*steal*) s'enfuir avec

♦**make out 1** *v/t list, check* faire; (*see*) voir, distinguer; (*imply*) prétendre **2** *v/i* F *kiss etc* se peloter; *have sex* s'envoyer en l'air F

♦**make over** *v/t*: ***make sth over to s.o*** céder qch à qn

♦**make up 1** *v/i of woman, actor* se maquiller; *after quarrel* se réconcilier **2** *v/t story, excuse* inventer; *face* maquiller; (*constitute*) constituer; ***be made up of*** être constitué de; ***make up one's mind*** se décider; ***make it up*** *after quarrel* se réconcilier

♦**make up for** *v/t* compenser; ***I'll try to make up for it*** j'essaierai de me rattraper; ***make up for lost time*** rattraper son retard

'make-be·lieve: ***it's just ~*** c'est juste pour faire semblant

mak·er ['meɪkər] (*manufacturer*) fabricant *m*

make·shift ['meɪkʃɪft] *adj* de fortune

'make-up (*cosmetics*) maquillage *m*

'make-up bag trousse *f* de maquillage

mal·ad·just·ed [mælə'dʒʌstɪd] *adj* inadapté

male [meɪl] **1** *adj* masculin; BIOL, TECH mâle; ~ ***bosses / teachers*** patrons / enseignants hommes **2** *n* (*man*) homme *m*; *animal, bird, fish* mâle *m*

male chau·vin·ism ['ʃoʊvɪnɪzm] machisme *m*; **male chau·vin·ist 'pig** macho *m*; **male 'nurse** infirmier *m*

ma·lev·o·lent [mə'levələnt] *adj* malveillant

mal·func·tion [mæl'fʌŋkʃn] **1** *n* mauvais fonctionnement *m*, défaillance *f* **2** *v/i* mal fonctionner

mal·ice ['mælɪs] méchanceté *f*, malveillance *f*

ma·li·cious [mə'lɪʃəs] *adj* méchant, malveillant

ma·lig·nant [mə'lɪgnənt] *adj tumor* malin*

mall [mɒːl] (*shopping* ~) centre *m* commercial

mal·nu·tri·tion [mælnuː'trɪʃn] malnutrition *f*

mal·treat [mæl'triːt] *v/t* maltraiter

mal·treat·ment [mæl'triːtmənt] mauvais traitement *m*

mam·mal ['mæml] mammifère *m*

mam·moth ['mæməθ] *adj* (*enormous*) colossal, géant

man [mæn] **1** *n* (*pl* ***men*** [men]) homme *m*; (*humanity*) l'homme *m*; *in checkers* pion *m* **2** *v/t* (*pret & pp* ***-ned***) *telephones* être de permanence à; *front desk* être de service à; ***~ned by a crew of three*** avec un équipage de trois personnes

man·age ['mænɪdʒ] **1** *v/t business* diriger; *money* gérer; *bags* porter; ~ ***to ...*** réussir à ...; ***I couldn't ~ another thing*** *to eat* je ne peux plus rien avaler **2** *v/i* (*cope*) se débrouiller; ***can you ~?*** tu vas y arriver?

man·age·a·ble ['mænɪdʒəbl] *adj* gérable; *vehicle* maniable; *task* faisable

man·age·ment ['mænɪdʒmənt] (*managing*) gestion *f*, direction *f*; (*managers*) direction *f*; ***under his ~*** sous sa direction

man·age·ment 'buy·out rachat *m* d'entreprise par la direction; **man·age·ment con'sult·ant** conseiller (-ère) *m(f)* en gestion; **'man·age·ment stud·ies** études *fpl* de gestion; **'man·age·ment team** équipe *f* dirigeante

man·ag·er ['mænɪdʒər] directeur

M

(-trice) *m(f)*; *of store, restaurant, hotel* gérant(e) *m(f)*; *of department* responsable *m/f*; *of singer, band, team* manageur(-euse) *m(f)*; ***can I talk to the ~?*** est-ce que je peux parler au directeur?

man·a·ge·ri·al [mænɪ'dʒɪrɪəl] *adj* de directeur, de gestionnaire; ***a ~ post*** un poste d'encadrement

man·ag·ing di'rec·tor ['mænɪdʒɪŋ] directeur(-trice) *m(f)* général(e)

man·da·rin or·ange [mændərɪn'ɔːrɪndʒ] mandarine *f*

man·date ['mændeɪt] mandat *m*

man·da·to·ry ['mændətɔːrɪ] *adj* obligatoire

mane [meɪn] *of horse* crinière *f*

ma·neu·ver [mə'nuːvər] **1** *n* manœuvre *f* **2** *v/t* manœuvrer

man·gle ['mæŋgl] *v/t* (*crush*) broyer, déchiqueter

man·han·dle ['mænhændl] *v/t person* malmener; *object* déplacer manuellement

man·hood ['mænhʊd] (*maturity*) âge *m* d'homme; (*virility*) virilité *f*

'man-hour heure *f* de travail

'man·hunt chasse *f* à l'homme

ma·ni·a ['meɪnɪə] (*craze*) manie *f*

ma·ni·ac ['meɪnɪæk] F fou *m*, folle *f*

man·i·cure ['mænɪkjʊr] manucure *f*

man·i·fest ['mænɪfest] **1** *adj* manifeste **2** *v/t* manifester; ***~ itself*** se manifester

ma·nip·u·late [mə'nɪpjəleɪt] *v/t* manipuler

ma·nip·u·la·tion [mənɪpjə'leɪʃn] manipulation *f*

ma·nip·u·la·tive [mənɪpjə'lətɪv] *adj* manipulateur*

man'kind humanité *f*

man·ly ['mænlɪ] *adj* viril

'man-made *adj* synthétique

man·ner ['mænər] *of doing sth* manière *f*, façon *f*; (*attitude*) comportement *m*

man·ners ['mænərz] *npl* manières *fpl*; ***good / bad ~*** bonnes / mauvaises manières *fpl*; ***have no ~*** n'avoir aucun savoir-vivre

ma·noeu·vre [mə'nuːvər] *Br* → ***maneuver***

'man·pow·er main-d'œuvre *f*

man·sion ['mænʃn] (grande) demeure *f*

'man·slaugh·ter *Br* homicide *m* involontaire

man·tel·piece ['mæntlpiːs] manteau *m* de cheminée

man·u·al ['mænjʊəl] **1** *adj* manuel* **2** *n* manuel *m*

man·u·al·ly ['mænjʊəlɪ] *adv* manuellement

man·u·fac·ture [mænjʊ'fæktʃər] **1** *n* fabrication *f* **2** *v/t equipment* fabriquer

man·u·fac·tur·er [mænjʊ'fæktʃərər] fabricant *m*

man·u·fac·tur·ing [mænjʊ'fæktʃərɪŋ] *n industry* industrie *f*

ma·nure [mə'nʊr] fumier *m*

man·u·script ['mænjʊskrɪpt] manuscrit *m*

man·y ['menɪ] **1** *adj* beaucoup de; ***~ times*** bien des fois; ***not ~ people*** pas beaucoup de gens; ***too ~ problems*** trop de problèmes; ***as ~ as possible*** autant que possible **2** *pron* beaucoup; ***a great ~, a good ~*** un bon nombre; ***how ~ do you need?*** combien en veux-tu?

'man-year année de travail moyenne par personne

map [mæp] *n* carte *f*; *of town* plan *m*

♦ **map out** *v/t* (*pret & pp* ***-ped***) planifier

ma·ple ['meɪpl] érable *m*

ma·ple 'syr·up sirop *m* d'érable

mar [mɑːr] *v/t* (*pret & pp* ***-red***) gâcher

mar·a·thon ['mærəθɑːn] *race* marathon *m*

mar·ble ['mɑːrbl] *material* marbre *m*

March [mɑːrtʃ] mars *m*

march [mɑːrtʃ] **1** *n also* (*demonstration*) marche *f* **2** *v/i* marcher au pas; *in protest* défiler

march·er ['mɑːrtʃər] manifestant(e) *m(f)*

mare ['mer] jument *f*

mar·ga·rine [mɑːrdʒə'riːn] margarine *f*

mar·gin ['mɑːrdʒɪn] *of page*, COMM

marge *f*; ***by a narrow ~*** de justesse
mar·gin·al ['mɑːrdʒɪnl] *adj* (*slight*) léger*
mar·gin·al·ly ['mɑːrdʒɪnlɪ] *adv* (*slightly*) légèrement
mar·i·hua·na, mar·i·jua·na [mærɪ'hwɑːnə] marijuana *f*
ma·ri·na [mə'riːnə] port *m* de plaisance
mar·i·nade [mærɪ'neɪd] *n* marinade *f*
mar·i·nate ['mærɪneɪt] *v/t* mariner
ma·rine [mə'riːn] **1** *adj* marin **2** *n* MIL marine *m*
mar·i·tal ['mærɪtl] *adj* conjugal
mar·i·tal 'sta·tus situation *f* de famille
mar·i·time ['mærɪtaɪm] *adj* maritime
mark [mɑːrk] **1** *n* marque *f*; (*stain*) tache *f*; (*sign, token*) signe *m*; (*trace*) trace *f*; *Br* EDU note *f*; ***leave one's ~*** marquer de son influence **2** *v/t* marquer; (*stain*) tacher; *Br* EDU noter; (*indicate*) indiquer, marquer **3** *v/i of fabric* se tacher
◆ **mark down** *v/t goods* démarquer; *price* baisser
◆ **mark out** *v/t with a line etc* délimiter; *fig* (*set apart*) distinguer
◆ **mark up** *v/t price* majorer; *goods* augmenter le prix de
marked [mɑːrkt] *adj* (*definite*) marqué
mark·er ['mɑːrkər] (*highlighter*) marqueur *m*
mar·ket ['mɑːrkɪt] **1** *n* marché *m*; ***on the ~*** sur le marché **2** *v/t* commercialiser
mar·ket·a·ble ['mɑːrkɪtəbl] *adj* commercialisable
mar·ket e'con·o·my économie *f* de marché
'mar·ket for·ces *npl* forces *fpl* du marché
mar·ket·ing ['mɑːrkɪtɪŋ] marketing *m*
'mar·ket·ing cam·paign campagne *f* de marketing; **'mar·ket·ing de·part·ment** service *m* marketing; **'mar·ket·ing mix** marchéage *m*; **'mar·ket·ing strat·e·gy** stratégie *f* marketing
mar·ket 'lead·er *product* produit *m* vedette; *company* leader *m* du marché; **'mar·ket place** *in town* place *f* du marché; *for commodities* marché *m*; **mar·ket 're·search** étude *f* de marché; **mar·ket 'share** part *f* du marché
mark-up ['mɑːrkʌp] majoration *f*
mar·ma·lade ['mɑːrməleɪd] marmelade *f* (d'oranges)
mar·riage ['mærɪdʒ] mariage *m*
'mar·riage cer·tif·i·cate acte *m* de mariage
mar·riage 'guid·ance coun·se·lor *or Br* **coun·sel·lor** conseiller *m* conjugal, conseillère *f* conjugale
mar·ried ['mærɪd] *adj* marié; ***be ~ to*** être marié à
'mar·ried life vie *f* conjugale
mar·ry ['mærɪ] *v/t* (*pret & pp* ***-ied***) épouser, se marier avec; *of priest* marier; ***get married*** se marier
Mar·seilles [mɑːr'seɪ] Marseille
marsh [mɑːrʃ] *Br* marais *m*
mar·shal ['mɑːrʃl] *n in police* chef *m* de la police; *in security service* membre *m* du service d'ordre
marsh·mal·low ['mɑːrʃmælou] guimauve *f*
marsh·y ['mɑːrʃɪ] *adj Br* marécageux*
mar·tial arts [mɑːrʃl'ɑːrtz] *npl* arts *mpl* martiaux
mar·tial 'law loi *f* martiale
mar·tyr ['mɑːrtər] *also fig* martyr(e) *m*(*f*)
mar·vel ['mɑːrvl] *n* (*wonder*) merveille *f*
◆ **marvel at** *v/t* s'émerveiller devant
mar·vel·ous, *Br* **mar·vel·lous** ['mɑːrvələs] *adj* merveilleux*
Marx·ism ['mɑːrksɪzm] marxisme *m*
Marx·ist ['mɑːrksɪst] **1** *adj* marxiste **2** *n* marxiste *m/f*
mar·zi·pan ['mɑːrzɪpæn] pâte *f* d'amandes
mas·ca·ra [mæ'skærə] mascara *m*
mas·cot ['mæskət] mascotte *f*
mas·cu·line ['mæskjʊlɪn] *adj also* GRAM masculin
mas·cu·lin·i·ty [mæskjʊ'lɪnətɪ] (*virility*) masculinité *f*
mash [mæʃ] *v/t* réduire en purée
mashed po'ta·toes [mæʃt] *npl* purée *f* (de pommes de terre)

mask [mæsk] **1** *n* masque *m* **2** *v/t feelings* masquer
mask·ing tape ['mæskɪŋ] ruban *m* de masquage
mas·och·ism ['mæsəkɪzm] masochisme *m*
mas·och·ist ['mæsəkɪst] masochiste *m/f*
ma·son ['meɪsn] maçon *m*
ma·son·ry ['meɪsnrɪ] maçonnerie *f*
mas·que·rade [mæskə'reɪd] **1** *n fig* mascarade *f* **2** *v/i*: **~ as** se faire passer pour
mass[1] [mæs] **1** *n* (*great amount*) masse *f*; ***the ~es*** les masses *fpl*; ***~es of*** F des tas de F **2** *v/i* se masser
mass[2] [mæs] REL messe *f*
mas·sa·cre ['mæsəkər] **1** *n also fig* F massacre *m* **2** *v/t also fig* F massacrer
mas·sage ['mæsɑːʒ] **1** *n* massage *m* **2** *v/t* masser; *figures* manipuler
'mas·sage par·lor, *Br* **'mas·sage par·lour** salon *m* de massage
mas·seur [mæ'sɜːr] masseur *m*
mas·seuse [mæ'sɜːrz] masseuse *f*
mas·sive ['mæsɪv] *adj* énorme; *heart attack* grave
mass 'me·di·a *npl* médias *mpl*; **mass-pro'duce** *v/t* fabriquer en série; **mass pro'duc·tion** fabrication *f* en série; **'mass trans·it** transports *mpl* publics
mast [mæst] *of ship* mât *m*; *for radio signal* pylône *m*
mas·ter ['mæstər] **1** *n of dog* maître *m*; *of ship* capitaine *m*; ***be a ~ of*** être maître dans l'art de **2** *v/t* maîtriser
'mas·ter bed·room chambre *f* principale
'mas·ter key passe-partout *m inv*
mas·ter·ly ['mæstərlɪ] *adj* magistral
'mas·ter·mind **1** *n* cerveau *m* **2** *v/t* organiser; **Mas·ter of 'Arts** maîtrise *f* de lettres; **mas·ter of 'cer·e·mo·nies** maître de cérémonie, animateur *m*; **'mas·ter·piece** chef-d'œuvre *m*; **'mas·ter's (de·gree)** maîtrise *f*
mas·ter·y ['mæstərɪ] maîtrise *f*
mas·tur·bate ['mæstərbeɪt] *v/i* se masturber
mat [mæt] *for floor* tapis *m*; *for table* napperon *m*
match[1] [mætʃ] *n for cigarette* allumette *f*
match[2] [mætʃ] **1** *n* (*competition*) match *m*, partie *f*; ***be no ~ for s.o.*** ne pas être à la hauteur de qn; ***meet one's ~*** trouver un adversaire à sa mesure **2** *v/t* (*be the same as*) être assorti à; (*equal*) égaler **3** *v/i of colors, patterns* aller ensemble
'match·box boîte *f* d'allumettes
match·ing ['mætʃɪŋ] *adj* assorti
'match point *in tennis* balle *f* de match
'match stick allumette *f*
mate [meɪt] **1** *n of animal* mâle *m*, femelle *f*; NAUT second *m* **2** *v/i* s'accoupler
ma·te·ri·al [mə'tɪrɪəl] **1** *n* (*fabric*) tissu *m*; (*substance*) matériau *m*, matière *f*; ***~s*** matériel *m* **2** *adj* matériel*
ma·te·ri·al·ism [mə'tɪrɪəlɪzm] matérialisme *m*
ma·te·ri·al·ist [mətɪrɪə'lɪst] matérialiste *m/f*
ma·te·ri·al·is·tic [mətɪrɪə'lɪstɪk] *adj* matérialiste
ma·te·ri·al·ize [mə'tɪrɪəlaɪz] *v/i* (*appear*) apparaître; (*happen*) se concrétiser
ma·ter·nal [mə'tɜːrnl] *adj* maternel*
ma·ter·ni·ty [mə'tɜːrnətɪ] maternité *f*
ma'ter·ni·ty dress robe *f* de grossesse; **ma'ter·ni·ty leave** congé *m* de maternité; **ma·ter·ni·ty ward** maternité *f*
math [mæθ] maths *fpl*
math·e·mat·i·cal [mæθə'mætɪkl] *adj* mathématique
math·e·ma·ti·cian [mæθmə'tɪʃn] mathématicien(ne) *m(f)*
math·e·mat·ics [mæθ'mætɪks] *nsg* mathématiques *fpl*
maths [mæθs] *Br* → ***math***
mat·i·née ['mætɪneɪ] matinée *f*
ma·tri·arch ['meɪtrɪɑːrk] femme *f* chef de famille
mat·ri·mo·ny ['mætrəmoʊnɪ] mariage *m*
matt [mæt] *adj* mat
mat·ter ['mætər] **1** *n* (*affair*) affaire *f*, question *f*; PHYS matière *f*; ***as a ~***

M

of course systématiquement; ***as a ~ of fact*** en fait; ***what's the ~?*** qu'est-ce qu'il y a?; ***no ~ what she says*** quoi qu'elle dise **2** *v/i* importer; ***it doesn't ~*** cela ne fait rien
mat·ter-of-'fact impassible
mat·tress ['mætrɪs] matelas *m*
ma·ture [mə'tjʊr] **1** *adj* mûr **2** *v/i of person* mûrir; *of insurance policy etc* arriver à échéance
ma·tu·ri·ty [mə'tjʊrətɪ] maturité *f*
maul [mɒːl] *v/t of animal* déchiqueter; *of critics* démolir
max·i·mize ['mæksɪmaɪz] *v/t* maximiser
max·i·mum ['mæksɪməm] **1** *adj* maximal, maximum **2** *n* maximum *m*
May [meɪ] mai *m*
may [meɪ] ◊ *possibility*: ***it ~ rain*** il va peut-être pleuvoir, il risque de pleuvoir; ***you ~ be right*** tu as peut-être raison, il est possible que tu aies raison; ***it ~ not happen*** cela n'arrivera peut-être pas ◊ *permission* pouvoir; ***~ I help?*** puis-je aider?; ***you ~ go if you like*** tu peux partir si tu veux ◊ *wishing*: ***~ your dreams come true*** que vos rêves se réalisent (*subj*)
may·be ['meɪbiː] *adv* peut-être
'May Day le premier mai
may·o, may·on·naise ['meɪoʊ, meɪə'neɪz] mayonnaise *f*
may·or ['meɪər] maire *m*
maze [meɪz] labyrinthe *m*
MB *abbr* (= ***megabyte***) Mo (= méga-octet)
MBA [embiː'eɪ] *abbr* (= ***master of business administration***) MBA *m*
MBO [embiː'oʊ] *abbr* (= ***management buyout***) rachat *m* d'entreprise par la direction
MC [em'siː] *abbr* (= ***master of ceremonies***) maître *m* de cérémonie
MD [em'diː] *abbr* (= ***Doctor of Medicine***) docteur *m* en médecine; (= ***managing director***) DG *m* (= directeur général)
me [miː] *pron* me; *before vowel* m'; *after prep* moi; ***he knows ~*** il me connaît; ***she gave ~ a dollar*** elle m'a donné un dollar; ***it's for ~*** c'est pour moi; ***it's ~*** c'est moi
mead·ow ['medoʊ] pré *m*
mea·ger, *Br* **mea·gre** ['miːgər] *adj* maigre
meal [miːl] repas *m*; ***enjoy your ~!*** bon appétit!
'meal·time heure *f* du repas
mean[1] [miːn] *adj with money* avare; (*nasty*) mesquin
mean[2] [miːn] **1** *v/t* (*pret & pp* ***meant***) (*signify*) signifier, vouloir dire; ***do you ~ it?*** vous êtes sérieux*?; ***you weren't ~t to hear that*** tu n'étais pas supposé entendre cela; ***~ to do sth*** avoir l'intention de faire qch; ***be ~t for*** être destiné à; *of remark* être adressé à; ***doesn't it ~ anything to you?*** (*doesn't it matter?*) est-ce que cela ne compte pas pour toi? **2** *v/i* (*pret & pp* ***meant***): ***~ well*** avoir de bonnes intentions
mean·ing ['miːnɪŋ] *of word* sens *m*
mean·ing·ful ['miːnɪŋfʊl] *adj* (*comprehensible*) compréhensible; (*constructive*) significatif*; *glance* éloquent
mean·ing·less ['miːnɪŋlɪs] *adj sentence etc* dénué de sens; *gesture* insignifiant
means [miːnz] *npl financial* moyens *mpl*; *nsg* (*way*) moyen *m*; ***a ~ of transport*** un moyen de transport; ***by all ~*** (*certainly*) bien sûr; ***by no ~ rich / poor*** loin d'être riche / pauvre; ***by ~ of*** au moyen de
meant *pret & pp* → ***mean***[2]
mean·time ['miːntaɪm] *adv* pendant ce temps, entre-temps
mean·while ['miːnwaɪl] *adv* pendant ce temps, entre-temps
mea·sles ['miːzlz] *nsg* rougeole *f*
mea·sure ['meʒər] **1** *n* (*step*) mesure *f*; ***we've had a ~ of success*** nous avons eu un certain succès **2** *v/t & v/i* mesurer
♦ **measure out** *v/t* doser, mesurer
♦ **measure up to** *v/t* être à la hauteur de
mea·sure·ment ['meʒərmənt] *action* mesure *f*, (*dimension*) dimension *f*; ***take s.o.'s ~s*** prendre les mensurations de qn; ***system of ~*** système *m*

de mesures
mea·sur·ing tape ['meʒərɪŋ] mètre *m* ruban
meat [miːt] viande *f*
'meat·ball boulette *f* de viande
'meat·loaf pain *m* de viande
me·chan·ic [mɪ'kænɪk] mécanicien(ne) *m(f)*
me·chan·i·cal [mɪ'kænɪkl] *adj device* mécanique; *gesture etc also* machinal
me·chan·i·cal en·gi'neer ingénieur *m* mécanicien
me·chan·i·cal en·gi'neer·ing génie *m* mécanique
me·chan·i·cal·ly [mɪ'kænɪklɪ] *adv* mécaniquement; *do sth* machinalement
mech·a·nism ['mekənɪzm] mécanisme *m*
mech·a·nize ['mekənaɪz] *v/t* mécaniser
med·al ['medl] médaille *f*
med·a·list, *Br* **med·al·list** ['medəlɪst] médaillé *m*
med·dle ['medl] *v/i in affairs* se mêler (***in*** de); *with object* toucher (***with*** à)
me·di·a ['miːdɪə] *npl*: ***the ~*** les médias *mpl*
'me·di·a cov·er·age couverture *f* médiatique; **'me·di·a e·vent** événement *m* médiatique; **me·di·a 'hype** battage *m* médiatique
me·di·an strip [miːdɪən'strɪp] terre-plein *m* central
'me·d·ia stud·ies études *fpl* de communication
me·di·ate ['miːdɪeɪt] *v/i* arbitrer
me·di·a·tion [miːdɪ'eɪʃn] médiation *f*
me·di·a·tor ['miːdɪeɪtər] médiateur (-trice) *m(f)*
med·i·cal ['medɪkl] **1** *adj* médical **2** *n* visite *f* médicale
'med·i·cal cer·tif·i·cate certificat *m* médical; **'med·i·cal ex·am·i·na·tion** visite *f* médicale; **'med·i·cal his·to·ry** dossier *m* médical; **'med·i·cal pro·fes·sion** médecine *f*, (*doctors*) corps *m* médical; **'med·i·cal re·cord** dossier *m* médical
Med·i·care ['medɪker] assistance médicale pour les personnes âgées
med·i·cat·ed ['medɪkeɪtɪd] *adj* pharmaceutique, traitant
med·i·ca·tion [medɪ'keɪʃn] médicaments *mpl*
med·i·ci·nal [mɪ'dɪsɪnl] *adj* médicinal
med·i·cine ['medsən] *science* médecine *f*, (*medication*) médicament *m*
'med·i·cine cab·i·net armoire *f* à pharmacie
med·i·e·val [medɪ'iːvl] *adj* médiéval; *fig* moyenâgeux*
me·di·o·cre [miːdɪ'oʊkər] *adj* médiocre
me·di·oc·ri·ty [miːdɪ'ɑːkrətɪ] *of work etc* médiocrité *f*; *person* médiocre *m/f*
med·i·tate ['medɪteɪt] *v/i* méditer
med·i·ta·tion [medɪ'teɪʃn] méditation *f*
Med·i·ter·ra·ne·an [medɪtə'reɪnɪən] **1** *adj* méditerranéen **2** *n*: ***the ~*** la Méditerranée
me·di·um ['miːdɪəm] **1** *adj* (*average*) moyen*; *steak* à point **2** *n in size* taille *f* moyenne; (*vehicle*) moyen *m*; (*spiritualist*) médium *m*
me·di·um-sized ['miːdɪəmsaɪzd] *adj* de taille moyenne; **me·di·um 'term**: ***in the ~*** à moyen terme; **'me·di·um wave** RAD ondes *fpl* moyennes
med·ley ['medlɪ] (*assortment*) mélange *m*; *of music* pot-pourri *m*
meek [miːk] *adj* docile, doux*
meet [miːt] **1** *v/t* (*pret & pp* ***met***) rencontrer; (*be introduced to*) faire la connaissance de; (*collect*) (aller / venir) chercher; *in competition* affronter; *of eyes* croiser; (*satisfy*) satisfaire **2** *v/i* (*pret & pp* ***met***) se rencontrer; *by appointment* se retrouver; *of eyes* se croiser; *of committee etc* se réunir; ***have you two met?*** est-ce que vous vous connaissez? **3** *n* SP rencontre *f*
♦ **meet with** *v/t person, opposition etc* rencontrer
meet·ing ['miːtɪŋ] *by accident* rencontre *f*, *in business, of committee* réunion *f*; ***he's in a ~*** il est en réunion
'meet·ing place lieu *m* de rendez-vous
meg·a·byte ['megəbaɪt] COMPUT méga-octet *m*

mel·an·chol·y ['melənkəlɪ] *adj* mélancolique

mel·low ['meloʊ] **1** *adj* doux* **2** *v/i of person* s'adoucir

me·lo·di·ous [mɪ'loʊdɪəs] *adj* mélodieux*

mel·o·dra·mat·ic [melədrə'mætɪk] *adj* mélodramatique

mel·o·dy ['melədɪ] mélodie *f*

mel·on ['melən] melon *m*

melt [melt] **1** *v/i* fondre **2** *v/t* faire fondre

♦ **melt away** *v/i fig* disparaître

♦ **melt down** *v/t metal* fondre

melt·ing pot ['meltɪŋpɑːt] *fig* creuset *m*

mem·ber ['membər] membre *m*

Mem·ber of 'Con·gress membre *m* du Congrès

Mem·ber of 'Par·lia·ment *Br* député *m*

mem·ber·ship ['membərʃɪp] adhésion *f*; *number of members* membres *mpl*

'mem·ber·ship card carte *f* de membre

mem·brane ['membreɪn] membrane *f*

me·men·to [me'mentoʊ] souvenir *m*

mem·o ['memoʊ] note *f* (de service)

mem·oirs ['memwɑːrz] *npl* mémoires *fpl*

'mem·o pad bloc-notes *m*

mem·o·ra·ble ['memərəbl] *adj* mémorable

me·mo·ri·al [mɪ'mɔːrɪəl] **1** *adj* commémoratif* **2** *n* mémorial *m*; ***be a ~ to s.o.*** *also fig* célébrer la mémoire de qn

Me'mo·ri·al Day jour *m* commémoration des soldats américains morts à la guerre

mem·o·rize ['meməraɪz] *v/t* apprendre par cœur

mem·o·ry ['memərɪ] mémoire *f*; *sth remembered* souvenir *m*; ***have a good / bad ~*** avoir une bonne / mauvaise mémoire; ***in ~ of*** à la mémoire de

men [men] *pl* → ***man***

men·ace ['menɪs] **1** *n* menace *f*; *person* danger *m* **2** *v/t* menacer

men·ac·ing ['menɪsɪŋ] *adj* menaçant

mend [mend] **1** *v/t* réparer; *clothes* raccommoder **2** *n*: ***be on the ~*** *after illness* être en voie de guérison

me·ni·al ['miːnɪəl] *adj* subalterne

men·in·gi·tis [menɪn'dʒaɪtɪs] méningite *f*

men·o·pause ['menoʊpɒːz] ménopause *f*

'men's room toilettes *fpl* pour hommes

men·stru·ate ['menstrʊeɪt] *v/i* avoir ses règles

men·stru·a·tion [menstrʊ'eɪʃn] menstruation *f*

men·tal ['mentl] *adj* mental; *ability, powers* intellectuel*; *health, suffering* moral; F (*crazy*) malade F

men·tal a'rith·me·tic calcul *m* mental; **men·tal 'cru·el·ty** cruauté *f* mentale; **'men·tal hos·pi·tal** hôpital *m* psychiatrique; **men·tal 'ill·ness** maladie *f* mentale

men·tal·i·ty [men'tælətɪ] mentalité *f*

men·tal·ly ['mentəlɪ] *adv* (*inwardly*) intérieurement; *calculate etc* mentalement

men·tal·ly 'hand·i·capped *adj* handicapé mental

men·tal·ly 'ill *adj* malade mental

men·tion ['menʃn] **1** *n* mention *f* **2** *v/t* mentionner; ***don't ~ it*** (*you're welcome*) il n'y a pas de quoi!

men·tor ['mentɔːr] mentor *m*

men·u ['menjuː] *also* COMPUT menu *m*

mer·ce·na·ry ['mɜːrsɪnerɪ] **1** *adj* intéressé **2** *n* MIL mercenaire *m*

mer·chan·dise ['mɜːrʧəndaɪz] marchandises *fpl*

mer·chant ['mɜːrʧənt] négociant *m*, commerçant *m*

mer·chant 'bank *Br* banque *f* d'affaires

mer·ci·ful ['mɜːrsɪfl] *adj* clément; *God* miséricordieux*

mer·ci·ful·ly ['mɜːrsɪflɪ] *adv* (*thankfully*) heureusement

mer·ci·less ['mɜːrsɪlɪs] *adj* impitoyable

mer·cu·ry ['mɜːrkjʊrɪ] mercure *m*

mer·cy ['mɜːrsɪ] clémence *f*, pitié *f*; ***be***

M

at s.o.'s ~ être à la merci de qn
mere [mɪr] *adj* simple
mere·ly ['mɪrlɪ] *adv* simplement, seulement
merge [mɜːrdʒ] *v/i of two lines etc* se rejoindre; *of companies* fusionner
merg·er ['mɜːrdʒər] COMM fusion *f*
mer·it ['merɪt] **1** *n* mérite *m* **2** *v/t* mériter
mer·ry ['merɪ] *adj* gai, joyeux*; ***Merry Christmas!*** Joyeux Noël!
'mer·ry-go-round manège *m*
mesh [meʃ] *of net* maille(s) *f(pl)*; *of grid* grillage *m*
mess [mes] *(untidiness)* désordre *m*, pagaille *f*; *(trouble)* gâchis *m*; ***be a ~*** *of room, desk, hair* être en désordre; *of situation, life* être un désastre
♦ **mess around 1** *v/i* perdre son temps **2** *v/t person* se moquer de
♦ **mess around with** *v/t* jouer avec; *s.o.'s wife* s'amuser avec
♦ **mess up** *v/t room, papers* mettre en désordre; *task* bâcler; *plans, marriage* gâcher
mes·sage ['mesɪdʒ] *also of movie etc* message *m*
mes·sen·ger ['mesɪndʒər] *(courier)* messager *m*
mess·y ['mesɪ] *adj room* en désordre; *person* désordonné; *job* salissant; *divorce, situation* pénible
met [met] *pret & pp* → ***meet***
me·tab·o·lism [mə'tæbəlɪzm] métabolisme *m*
met·al ['metl] **1** *adj* en métal **2** *n* métal *m*
me·tal·lic [mɪ'tælɪk] *adj* métallique; *paint* métallisé; *taste* de métal
met·a·phor ['metəfər] métaphore *f*
me·te·or ['miːtɪɔːr] météore *m*
me·te·or·ic [miːtɪ'ɑːrɪk] *adj fig* fulgurant
me·te·or·ite ['miːtɪəraɪt] météorite *m* or *f*
me·te·or·o·log·i·cal [miːtɪərə'lɑːdʒɪkl] *adj* météorologique
me·te·or·ol·o·gist [miːtɪə'rɑːlədʒɪst] météorologiste *m/f*
me·te·o·rol·o·gy [miːtɪə'rɑːlədʒɪ] météorologie *f*
me·ter[1] ['miːtər] *for gas, electricity* compteur *m*; *(parking ~)* parcmètre *m*
me·ter[2] ['miːtər] *unit of length* mètre *m*
'me·ter read·ing relevé *m* (de compteur)
meth·od ['meθəd] méthode *f*
me·thod·i·cal [mə'θɑːdɪkl] *adj* méthodique
me·thod·i·cal·ly [mə'θɑːdɪklɪ] *adv* méthodiquement
me·tic·u·lous [mə'tɪkjʊləs] *adj* méticuleux*
me·tre ['miːtə(r)] *Br* → ***meter***
met·ric ['metrɪk] *adj* métrique
me·trop·o lis [mə'trɑːpəlɪs] métropole *f*
met·ro·pol·i·tan [metrə'pɑːlɪtən] *adj* citadin; *area* urbain
mew [mjuː] → ***miaow***
Mex·i·can ['meksɪkən] **1** *adj* mexicain **2** *n* Mexicain(e) *m(f)*
Mex·i·co ['meksɪkoʊ] Mexique *m*
mez·za·nine (floor) ['mezəniːn] mezzanine *f*
mi·aow [mɪaʊ] **1** *n* miaou *m* **2** *v/i* miauler
mice [maɪs] *pl* → ***mouse***
mick·ey mouse [mɪkɪ'maʊs] *adj* F *course, qualification* bidon F
mi·cro·bi·ol·o·gy [maɪkroʊbaɪ'ɑːlədʒɪ] microbiologie *f*; **'mi·cro·chip** puce *f*; **'mi·cro·cli·mate** microclimat *m*; **mi·cro·cosm** ['maɪkrəkɑːzm] microcosme *m*; **'mi·cro·e·lec·tron·ics** microélectronique *f*; **'mi·cro·film** microfilm *m*; **'mi·cro·or·gan·ism** micro-organisme *m*; **'mi·cro·phone** microphone *m*; **mi·cro'pro·ces·sor** microprocesseur *m*; **'mi·cro·scope** microscope *m*; **mi·cro·scop·ic** [maɪkrə'skɑːpɪk] *adj* microscopique; **'mi·cro·wave** *oven* micro-ondes *m inv*
mid [mɪd] *adj*: ***in the ~ nineties*** au milieu des années 90; ***she's in her ~ thirties*** elle a dans les trente-cinq ans
mid·air [mɪd'er]: ***in ~*** en vol
mid·day [mɪd'deɪ] midi *m*
mid·dle ['mɪdl] **1** *adj* du milieu **2** *n* mi-

lieu *m*; ***in the ~ of*** au milieu de; ***in the ~ of winter*** en plein hiver; ***in the ~ of September*** à la mi-septembre; ***be in the ~ of doing sth*** être en train de faire qch

'mid·dle-aged *adj* entre deux âges; **'Mid·dle A·ges** *npl* Moyen Âge *m*; **mid·dle-'class** *adj* bourgeois

'mid·dle class(·es) classe(s) moyenne(s) *f(pl)*; **Mid·dle 'East** Moyen-Orient *m*; **'mid·dle·man** intermédiaire *m*; **mid·dle 'man·age·ment** cadres *mpl* moyens; **mid·dle 'name** deuxième prénom *m*; **'mid·dle-weight** *boxer* poids moyen *m*

mid·dling ['mɪdlɪŋ] *adj* médiocre, moyen*

mid·field·er [mɪd'fiːldər] *in soccer* milieu *m* de terrain

midg·et ['mɪdʒɪt] *adj* miniature

'mid·night minuit *m*; ***at ~*** à minuit; **'mid·sum·mer** milieu *m* de l'été; **'mid·way** *adv* à mi-chemin; ***~ through*** au milieu de; **'mid·week** *adv* en milieu de semaine; **'Mid·west** Middle West *m*; **'mid·wife** sage--femme *f*; **'mid·win·ter** milieu *m* de l'hiver

might¹ [maɪt] *v/aux*: ***I ~ be late*** je serai peut-être en retard; ***it ~ rain*** il va peut-être pleuvoir; ***it ~ never happen*** cela n'arrivera peut-être jamais; ***I ~ have lost it*** *but I'm not sure* je l'ai peut-être perdu; *that would have been possible* j'aurais pu l'avoir perdu; ***he ~ have left*** il est peut-être parti; ***you ~ as well spend the night here*** tu ferais aussi bien de passer la nuit ici; ***you ~ have told me!*** vous auriez pu m'avertir!

might² [maɪt] *n* (*power*) puissance *f*

might·y ['maɪtɪ] **1** *adj* puissant **2** *adv* F (*extremely*) vachement F, très

mi·graine ['miːgreɪn] migraine *f*

mi·grant work·er ['maɪgrənt] travailleur *m* itinérant

mi·grate [maɪ'greɪt] *v/i* migrer

mi·gra·tion [maɪ'greɪʃn] migration *f*

mike [maɪk] F micro *m*

mild [maɪld] *adj* doux*; *taste* léger*

mil·dew ['mɪlduː] mildiou *m*

mild·ly ['maɪldlɪ] *adv* doucement; *spicy* légèrement; ***to put it ~*** pour ne pas dire plus

mild·ness ['maɪldnɪs] douceur *f*; *of taste* légèreté *f*

mile [maɪl] mile *m*; ***~s easier*** F bien plus facile; ***it's ~s away!*** F c'est vachement loin! F

mile·age ['maɪlɪdʒ] kilométrage *m*; *distance* nombre *m* de miles

'mile·stone *fig* événement *m* marquant, jalon *m*

mil·i·tant ['mɪlɪtənt] **1** *adj* militant **2** *n* militant(e) *m(f)*

mil·i·ta·ry ['mɪlɪterɪ] **1** *adj* militaire **2** *n*: ***the ~*** l'armée *f*

mil·i·ta·ry a'cad·e·my école *f* militaire; **mil·i·ta·ry po'lice** police *f* militaire; **mil·i·tar·y 'serv·ice** service *m* militaire

mi·li·tia [mɪ'lɪʃə] milice *f*

milk [mɪlk] **1** *n* lait *m* **2** *v/t* traire

milk 'choc·o·late chocolat *m* au lait; **'milk·shake** milk-shake *m*

milk·y ['mɪlkɪ] *adj* au lait; (*made with milk*) lacté

Milk·y 'Way Voie *f* lactée

mill [mɪl] *for grain* moulin *m*; *for textiles* usine *f*

♦ **mill around** *v/i* grouiller

mil·len·ni·um [mɪ'lenɪəm] millénaire *m*

mil·li·gram ['mɪlɪgræm] milligramme *m*

mil·li·me·ter, *Br* **mil·li·me·tre** ['mɪlɪmiːtər] millimètre *m*

mil·lion ['mɪljən] million *m*

mil·lion·aire [mɪljə'ner] millionnaire *m/f*

mime [maɪm] *v/t* mimer

mim·ic ['mɪmɪk] **1** *n* imitateur(-trice) *m(f)* **2** *v/t* (*pret & pp* ***-ked***) imiter

mince [mɪns] *v/t* hacher

'mince·meat *préparation de fruits secs et d'épices servant à fourrer des tartelettes*

mind [maɪnd] **1** *n* esprit *m*; ***it's all in your ~*** tu te fais des idées; ***be out of one's ~*** avoir perdu la tête; ***bear*** *or* ***keep sth in ~*** ne pas oublier qch; ***I've a good ~ to ...*** j'ai bien envie de

M

…; ***change one's ~*** changer d'avis; ***it didn't enter my ~*** cela ne m'est pas venu à l'esprit; ***give s.o. a piece of one's ~*** dire son fait à qn; ***make up one's ~*** se décider; ***have sth on one's ~*** être préoccupé par qch; ***keep one's ~ on sth*** se concentrer sur qch **2** *v/t* (*look after*) surveiller; (*heed*) faire attention à; ***would you ~ answering a few questions?*** est-ce que cela vous dérangerait de répondre à quelques questions?; ***I don't ~ herbal tea*** je n'ai rien contre une tisane; ***I don't ~ what he thinks*** il peut penser ce qu'il veut, cela m'est égal; ***do you ~ if I smoke?, do you ~ my smoking?*** cela ne vous dérange pas si je fume?; ***would you ~ opening the window?*** pourrais-tu ouvrir la fenêtre?; ***~ the step!*** attention à la marche!; ***~ your own business!*** occupe-toi de tes affaires! **3** *v/i*: ***~!*** (*be careful*) fais attention!; ***never ~!*** peu importe!; ***I don't ~*** cela m'est égal

mind-bog·gling ['maɪndbɑːglɪŋ] *adj* ahurissant

mind·less ['maɪndlɪs] *adj violence* gratuit

mine[1] [maɪn] *pron* le mien *m*, la mienne *f*; *pl* les miens, les miennes; ***it's ~*** c'est à moi

mine[2] [maɪn] **1** *n for coal etc* mine *f* **2** *v/i*: **~ *for*** *coal etc* extraire

mine[3] [maɪn] **1** *n explosive* mine *f* **2** *v/t* miner

'mine·field MIL champ *m* de mines; *fig* poudrière *f*

min·er ['maɪnər] mineur *m*

min·e·ral ['mɪnərəl] *n* minéral *m*

'min·e·ral wa·ter eau *f* minérale

mine·sweep·er ['maɪnswiːpər] NAUT dragueur *m* de mines

min·gle ['mɪŋgl] *v/i of sounds, smells* se mélanger; *at party* se mêler (aux gens)

min·i ['mɪnɪ] *skirt* minijupe *f*

min·i·a·ture ['mɪnɪʧər] *adj* miniature

'min·i·bus minibus *m*

min·i·mal ['mɪnɪməl] *adj* minime

min·i·mal·ism ['mɪnɪməlɪzm] minimalisme *m*

min·i·mize ['mɪnɪmaɪz] *v/t* réduire au minimum; (*downplay*) minimiser

min·i·mum ['mɪnɪməm] **1** *adj* minimal, minimum **2** *n* minimum *m*

min·i·mum 'wage salaire *m* minimum

min·ing ['maɪnɪŋ] exploitation *f* minière

'min·i·se·ries *nsg* TV mini-feuilleton *m*

'min·i·skirt minijupe *f*

min·is·ter ['mɪnɪstər] POL, REL ministre *m*

min·is·te·ri·al [mɪnɪ'stɪrɪəl] *adj* ministériel*

min·is·try ['mɪnɪstrɪ] POL ministère *m*

mink [mɪŋk] vison *m*

mi·nor ['maɪnər] **1** *adj* mineur, de peu d'importance; *pain* léger*; ***in D ~*** MUS en ré mineur **2** *n* LAW mineur(e) *m(f)*

mi·nor·i·ty [maɪ'nɑːrətɪ] minorité *f*; ***be in the ~*** être en minorité

mint [mɪnt] *n herb* menthe *f*; *chocolate* chocolat *m* à la menthe; *hard candy* bonbon *m* à la menthe

mi·nus ['maɪnəs] **1** *n* (*~ sign*) moins *m* **2** *prep* moins

mi·nus·cule ['mɪnəskjuːl] *adj* minuscule

min·ute[1] ['mɪnɪt] *of time* minute *f*; ***in a ~*** (*soon*) dans une minute; ***just a ~*** une minute *f*, un instant *m*

mi·nute[2] [maɪ'nuːt] *adj* (*tiny*) minuscule; (*detailed*) minutieux*; ***in ~ detail*** dans les moindres détails

'min·ute hand grande aiguille *f*

mi·nute·ly [maɪ'nuːtlɪ] *adv* (*in detail*) minutieusement; (*very slightly*) très légèrement

min·utes ['mɪnɪts] *npl of meeting* procès-verbal *m*

mir·a·cle ['mɪrəkl] miracle *m*

mi·rac·u·lous [mɪ'rækjʊləs] *adj* miraculeux*

mi·rac·u·lous·ly [mɪ'rækjʊləslɪ] *adv* par miracle

mi·rage [mɪ'rɑːʒ] mirage *m*

mir·ror ['mɪrər] **1** *n* miroir *m*; MOT rétroviseur *m* **2** *v/t* refléter

mis·an·thro·pist [mɪ'zænθrəpɪst] mis-

M

anthrope *m/f*
mis·ap·pre·hen·sion [mɪsæprɪ'henʃn]: ***be under a ~*** se tromper
mis·be·have [mɪsbə'heɪv] *v/i* se conduire mal
mis·be·hav·ior, *Br* **mis·be·hav·iour** [mɪsbə'heɪvɪər] mauvaise conduite *f*
mis·cal·cu·late [mɪs'kælkjʊleɪt] **1** *v/t* mal calculer **2** *v/i* se tromper dans ses calculs
mis·cal·cu·la·tion [mɪs'kælkjʊleɪʃn] erreur *f* de calcul; *fig* mauvais calcul *m*
mis·car·riage ['mɪskærɪdʒ] MED fausse couche *f*; ***~ of justice*** erreur *f* judiciaire
mis·car·ry ['mɪskærɪ] *v/i* (*pret & pp* ***-ied***) *of plan* échouer
mis·cel·la·ne·ous [mɪsə'leɪnɪəs] *adj* divers; *collection* varié
mis·chief ['mɪstʃɪf] (*naughtiness*) bêtises *fpl*
mis·chie·vous ['mɪstʃɪvəs] *adj* (*naughty*) espiègle; (*malicious*) malveillant
mis·con·cep·tion [mɪskən'sepʃn] idée *f* fausse
mis·con·duct [mɪs'kɑːndʌkt] mauvaise conduite *f*; ***professional ~*** faute *f* professionnelle
mis·con·strue [mɪskən'struː] *v/t* mal interpréter
mis·de·mea·nor, *Br* **mis·de·mea·nour** [mɪsdə'miːnər] délit *m*
mi·ser ['maɪzər] avare *m/f*
mis·e·ra·ble ['mɪzrəbl] *adj* (*unhappy*) malheureux*; *weather*, *performance* épouvantable
mi·ser·ly ['maɪzərlɪ] *adj* avare; *sum* dérisoire
mis·e·ry ['mɪzərɪ] (*unhappiness*) tristesse *f*; (*wretchedness*) misère *f*
mis·fire [mɪs'faɪr] *v/i of scheme* rater; *of joke* tomber à plat
mis·fit ['mɪsfɪt] *in society* marginal(e) *m(f)*
mis·for·tune [mɪs'fɔːrtʃən] malheur *m*, malchance *f*
mis·giv·ings [mɪs'gɪvɪŋz] *npl* doutes *mpl*
mis·guid·ed [mɪs'gaɪdɪd] *adj* malavisé, imprudent
mis·han·dle [mɪs'hændl] *v/t situation* mal gérer
mis·hap ['mɪshæp] incident *m*
mis·in·form [mɪsɪn'fɔːrm] *v/t* mal informer
mis·in·ter·pret [mɪsɪn'tɜːrprɪt] *v/t* mal interpréter
mis·in·ter·pre·ta·tion [mɪsɪntɜːrprɪ'teɪʃn] mauvaise interprétation *f*
mis·judge [mɪs'dʒʌdʒ] *v/t* mal juger
mis·lay [mɪs'leɪ] *v/t* (*pret & pp* ***-laid***) égarer
mis·lead [mɪs'liːd] *v/t* (*pret & pp* ***-led***) induire en erreur, tromper
mis·lead·ing [mɪs'liːdɪŋ] *adj* trompeur*
mis·man·age [mɪs'mænɪdʒ] *v/t* mal gérer
mis·man·age·ment [mɪs'mænɪdʒmənt] mauvaise gestion *f*
mis·match ['mɪsmætʃ] divergence *f*
mis·placed ['mɪspleɪst] *adj enthusiasm* déplacé; *loyalty* mal placé
mis·print ['mɪsprɪnt] *n* faute *f* typographique
mis·pro·nounce [mɪsprə'naʊns] *v/t* mal prononcer
mis·pro·nun·ci·a·tion [mɪsprənʌnsɪ'eɪʃn] mauvaise prononciation *f*
mis·read [mɪs'riːd] *v/t* (*pret & pp* ***-read*** [red]) *word*, *figures* mal lire; *situation* mal interpréter; ***I must have misread the 6 as 8*** j'ai dû confondre le 6 avec un 8
mis·rep·re·sent [mɪsreprɪ'zent] *v/t* présenter sous un faux jour
miss[1] [mɪs]: ***Miss Smith*** mademoiselle Smith; ***~!*** mademoiselle!
miss[2] [mɪs] **1** *n* SP coup *m* manqué **2** *v/t* manquer, rater; *bus*, *train etc* rater; (*not notice*) rater, ne pas remarquer; ***I ~ you*** tu me manques; ***I ~ New York*** New York me manque; ***I ~ having a garden*** je regrette de ne pas avoir de jardin **3** *v/i* rater son coup
mis·shap·en [mɪs'ʃeɪpən] *adj* déformé; *person*, *limb* difforme
mis·sile ['mɪsəl] *mil* missile *m*; *stone etc* projectile *m*
miss·ing ['mɪsɪŋ] *adj*: ***be ~*** *have disap-*

M

peared avoir disparu; *member of school party, one of a set etc* ne pas être là; ***the ~ child*** l'enfant qui a disparu; ***one of them is ~*** il en manque un(e)
mis·sion ['mɪʃn] mission *f*
mis·sion·a·ry ['mɪʃənrɪ] REL missionnaire *m/f*
mis·spell [mɪs'spel] *v/t* mal orthographier
mist [mɪst] brume *f*
♦ **mist over** *v/i of eyes* s'embuer
♦ **mist up** *v/i of mirror, window* s'embuer
mis·take [mɪ'steɪk] **1** *n* erreur *f*, faute *f*; ***make a ~*** faire une erreur, se tromper; ***by ~*** par erreur **2** *v/t* (*pret* ***mistook***, *pp* ***mistaken***) se tromper de; ***~ s.o. / sth for s.o. / sth*** prendre qn / qch pour qn / qch d'autre
mis·tak·en [mɪ'steɪkən] **1** *adj* erroné, faux*; ***be ~*** faire erreur, se tromper **2** *pp* → ***mistake***
mis·ter ['mɪstər] → ***Mr***
mis·took [mɪ'stʊk] *pret* → ***mistake***
mis·tress ['mɪstrɪs] maîtresse *f*
mis·trust [mɪs'trʌst **1** *n* méfiance *f* **2** *v/t* se méfier de
mist·y ['mɪstɪ] *adj weather* brumeux*; *eyes* embué; ***~ blue*** *color* bleuâtre
mis·un·der·stand [mɪsʌndər'stænd] *v/t* (*pret & pp* ***-stood***) mal comprendre
mis·un·der·stand·ing [mɪsʌndər'stændɪŋ] malentendu *m*
mis·use 1 [mɪs'ju:s] *n* mauvais usage *m* **2** [mɪs'ju:z] *v/t* faire mauvais usage de; *word* employer à tort
miti·ga·ting cir·cum·stan·ces ['mɪtɪgeɪtɪŋ] *npl* circonstances *fpl* atténuantes
mitt [mɪt] *in baseball* gant *m*
mit·ten ['mɪtən] moufle *f*
mix [mɪks] **1** *n* mélange *m*; *in cooking*: *ready to use* préparation *f* **2** *v/t* mélanger; *cement* malaxer **3** *v/i socially* aller vers les gens, être sociable
♦ **mix up** *v/t* confondre; *get out of order* mélanger; ***mix s.o. up with s.o.*** confondre qn avec qn; ***be mixed up*** *emotionally* être perdu; *of figures, papers* être en désordre; ***be mixed up in*** être mêlé à; ***get mixed up with*** (se mettre à) fréquenter
♦ **mix with** *v/t* (*associate with*) fréquenter
mixed [mɪkst] *adj economy, school, races* mixte; *reactions, reviews* mitigé
mixed 'mar·riage mariage *m* mixte
mix·er ['mɪksər] *for food* mixeur *m*; *drink* boisson non-alcoolisée que l'on mélange avec certains alcools; ***she's a good ~*** elle est très sociable
mix·ture ['mɪkstʃər] mélange *m*; *medicine* mixture *f*
mix-up ['mɪksʌp] confusion *f*
moan [moʊn] **1** *n of pain* gémissement *m* **2** *v/i in pain* gémir
mob [mɑ:b] **1** *n* foule *f* **2** *v/t* (*pret & pp* ***-bed***) assaillir
mo·bile ['moʊbəl] **1** *adj* mobile; ***be ~*** *have car* être motorisé; *willing to travel* être mobile; *after breaking leg etc* pouvoir marcher **2** *n for decoration* mobile *m*; *Br: phone* portable *m*
mo·bile 'home mobile home *m*
mo·bile 'phone *Br* téléphone *m* portable
mo·bil·i·ty [mə'bɪlətɪ] mobilité *f*
mob·ster ['mɑ:bstər] gangster *m*
mock [mɑ:k] **1** *adj* faux*, feint; ***~ exam*** examen *m* blanc **2** *v/t* se moquer de, ridiculiser
mock·e·ry ['mɑ:kərɪ] (*derision*) moquerie *f*; (*travesty*) parodie *f*
mock-up ['mɑ:kʌp] (*model*) maquette *f*
mode [moʊd] mode *m*
mod·el ['mɑ:dl] **1** *adj employee, husband* modèle; *boat, plane* modèle réduit *inv* **2** *n* (*miniature*) maquette *f*; (*pattern*) modèle *m*; (*fashion ~*) mannequin *m*; ***male ~*** mannequin *m* homme **3** *v/t* présenter **4** *v/i for designer* être mannequin; *for artist, photographer* poser
mo·dem ['moʊdem] modem *m*
mod·e·rate ['mɑ:dərət] **1** *adj also* POL modéré **2** *n* POL modéré *m* **3** *v/t* ['mɑ:dəreɪt] modérer
mod·e·rate·ly ['mɑ:dərətlɪ] *adv* modérément
mod·e·ra·tion [mɑ:də'reɪʃn] (*restraint*)

modération *f*; ***in ~*** avec modération
mod·ern ['mɑːdərn] *adj* moderne
mod·ern·i·za·tion [mɑːdərnaɪ'zeɪʃn] modernisation *f*
mod·ern·ize ['mɑːdərnaɪz] **1** *v/t* moderniser **2** *v/i* se moderniser
mod·ern 'lan·gua·ges *npl* langues *fpl* vivantes
mod·est ['mɑːdɪst] *adj* modeste; *wage, amount* modique
mod·es·ty ['mɑːdɪstɪ] *of house, apartment* simplicité *f*, *of wage* modicité *f*, (*lack of conceit*) modestie *f*
mod·i·fi·ca·tion [mɑːdɪfɪ'keɪʃn] modification *f*
mod·i·fy ['mɑːdɪfaɪ] *v/t* (*pret & pp* ***-ied***) modifier
mod·u·lar ['mɑːdʒələr] *adj* modulaire
mod·ule ['mɑːdʒuːl] module *m*
moist [mɔɪst] *adj* humide
moist·en ['mɔɪsn] *v/t* humidifier, mouiller légèrement
mois·ture ['mɔɪstʃər] humidité *f*
mois·tur·iz·er ['mɔɪstʃəraɪzər] *for skin* produit *m* hydratant
mo·lar ['moʊlər] molaire *f*
mo·las·ses [mə'læsɪz] *nsg* mélasse *f*
mold[1] [moʊld] *on food* moisi *m*, moisissure(s) *f(pl)*
mold[2] [moʊld] **1** *n* moule *m* **2** *v/t clay etc* modeler; *character, person* façonner
mold·y ['moʊldɪ] *adj food* moisi
mole [moʊl] *on skin* grain *m* de beauté; *animal* taupe *f*
mo·lec·u·lar [mə'lekjʊlər] *adj* moléculaire
mol·e·cule ['mɑːlɪkjuːl] molécule *f*
mo·lest [mə'lest] *v/t child, woman* agresser (sexuellement)
mol·ly·cod·dle ['mɑːlɪkɑːdl] *v/t* F dorloter
mol·ten ['moʊltən] *adj* en fusion
mom [mɑːm] F maman *f*
mo·ment ['moʊmənt] instant *m*, moment *m*; ***at the ~*** en ce moment; ***for the ~*** pour l'instant
mo·men·tar·i·ly [moʊmən'terɪlɪ] *adv* (*for a moment*) momentanément; (*in a moment*) dans un instant
mo·men·ta·ry ['moʊmənterɪ] *adj* momentané
mo·men·tous [mə'mentəs] *adj* capital
mo·men·tum [mə'mentəm] élan *m*
mon·arch ['mɑːnərk] monarque *m*
mon·as·tery ['mɑːnəstrɪ] monastère *m*
mo·nas·tic [mə'næstɪk] *adj* monastique
Mon·day ['mʌndeɪ] lundi *m*
mon·e·ta·ry ['mɑːnəterɪ] *adj* monétaire
mon·ey ['mʌnɪ] argent *m*; ***I'm not made of ~*** je ne suis pas cousu d'or
'mon·ey belt sac *m* banane; **mon·ey-lend·er** ['mʌnɪlendər] prêteur *m*; **'mon·ey mar·ket** marché *m* monétaire; **'mon·ey or·der** mandat *m* postal
mon·grel ['mʌŋgrəl] bâtard *m*
mon·i·tor ['mɑːnɪtər] **1** *n* COMPUT moniteur *m* **2** *v/t* surveiller, contrôler
monk [mʌŋk] moine *m*
mon·key ['mʌŋkɪ] singe *m*; F *child* polisson *m*
♦ **monkey around with** *v/t* F jouer avec; *stronger* trafiquer F
'mon·key wrench clef *f* anglaise
mon·o·gram ['mɑːnəgræm] monogramme *m*
mon·o·grammed ['mɑːnəgræmd] *adj* orné d'un monogramme
mon·o·log, *Br* **mon·o·logue** ['mɑːnəlɑːg] monologue *m*
mo·nop·o·lize [mə'nɑːpəlaɪz] *v/t* exercer un monopole sur; *fig* monopoliser
mo·nop·o·ly [mə'nɑːpəlɪ] monopole *m*
mo·not·o·nous [mə'nɑːtənəs] *adj* monotone
mo·not·o·ny [mə'nɑːtənɪ] monotonie *f*
mon·soon [mɑːn'suːn] mousson *f*
mon·ster ['mɑːnstər] *n* monstre *m*
mon·stros·i·ty [mɑːn'strɑːsətɪ] horreur *f*
mon·strous ['mɑːnstrəs] *adj* monstrueux*
month [mʌnθ] mois *m*
month·ly ['mʌnθlɪ] **1** *adj* mensuel* **2** *adv* mensuellement; ***I'm paid ~*** je

suis payé au mois **3** *n magazine* mensuel *m*

Mon·tre·al [mɑːntrɪ'ɒːl] Montréal

mon·u·ment ['mɑːnjʊmənt] monument *m*

mon·u·ment·al [mɑːnjʊ'mentl] *adj fig* monumental

mood [muːd] (*frame of mind*) humeur *f*; (*bad* ~) mauvaise humeur *f*; *of meeting, country* état *m* d'esprit; ***be in a good / bad ~*** être de bonne / mauvaise humeur; ***be in the ~ for*** avoir envie de

mood·y ['muːdɪ] *adj changing moods* lunatique; (*bad-tempered*) maussade

moon [muːn] *n* lune *f*

'moon·light 1 *n* clair *m* de lune **2** *v/i* F travailler au noir; **'moon·lit** *adj* éclairé par la lune

moor [mʊr] *v/t boat* amarrer

moor·ings ['mʊrɪŋz] *npl* mouillage *m*

moose [muːs] orignal *m*

mop [mɑːp] **1** *n for floor* balai-éponge; *for dishes* éponge *f* à manche **2** *v/t* (*pret & pp* ***-ped***) *floor* laver; *eyes, face* éponger, essuyer

♦ **mop up** *v/t* éponger; MIL balayer

mope [moʊp] *v/i* se morfondre

mo·ped ['moʊped] *Br* mobylette *f*

mor·al ['mɔːrəl] **1** *adj* moral **2** *n of story* morale *f*; ***~s*** moralité *f*

mo·rale [mə'ræl] moral *m*

mo·ral·i·ty [mə'rælətɪ] moralité *f*

mor·bid ['mɔːrbɪd] *adj* morbide

more [mɔːr] **1** *adj* plus de; ***could you make a few ~ sandwiches?*** pourriez-vous faire quelques sandwichs de plus?; ***some ~ tea?*** encore un peu de thé?; ***there's no ~ coffee*** il n'y a plus de café; ***~ and ~ students / time*** de plus en plus d'étudiants / de temps **2** *adv* plus; ***~ important*** plus important; ***~ and ~*** de plus en plus; ***~ or less*** plus ou moins; ***once ~*** une fois de plus; ***~ than*** plus de; ***I don't live there any ~*** je n'habite plus là-bas **3** *pron* plus; ***do you want some ~?*** est-ce que tu en veux encore *or* davantage?; ***a little ~*** un peu plus

more·o·ver [mɔː'roʊvər] *adv* de plus

morgue [mɔːrg] morgue *f*

morn·ing ['mɔːrnɪŋ] matin *m*; ***in the ~*** le matin; (*tomorrow*) demain matin; ***this ~*** ce matin; ***tomorrow ~*** demain matin; ***good ~*** bonjour

'morn·ing sick·ness nausées *fpl* du matin

mo·ron ['mɔːrɑːn] F crétin *m*

mo·rose [mə'roʊs] *adj* morose

mor·phine ['mɔːrfiːn] morphine *f*

mor·sel ['mɔːrsl] morceau *m*

mor·tal ['mɔːrtl] **1** *adj* mortel* **2** *n* mortel *m*

mor·tal·i·ty [mɔːr'tælətɪ] condition *f* mortelle; (*death rate*) mortalité *f*

mor·tar[1] ['mɔːrtər] MIL mortier *m*

mor·tar[2] ['mɔːrtər] (*cement*) mortier *m*

mort·gage ['mɔːrgɪdʒ] **1** *n* prêt *m* immobilier; *on own property* hypothèque *f* **2** *v/t* hypothéquer

mor·ti·cian [mɔːr'tɪʃn] entrepreneur *m* de pompes funèbres

mor·tu·a·ry ['mɔːrtʃʊerɪ] morgue *f*

mo·sa·ic [moʊ'zeɪk] mosaïque *f*

Mos·cow ['mɑːskaʊ] Moscou

Mos·lem ['mʊzlɪm] **1** *adj* musulman **2** *n* Musulman(e) *m(f)*

mosque [mɒsk] mosquée *f*

mos·qui·to [mɑːs'kiːtoʊ] moustique *m*

moss [mɑːs] mousse *f*

moss·y ['mɑːsɪ] *adj* couvert de mousse

most [moʊst] **1** *adj* la plupart de; ***~ people*** la plupart des gens **2** *adv* (*very*) extrêmement, très; *play, swim, eat etc* le plus; ***the ~ beautiful / interesting*** le plus beau / intéressant; ***~ of all*** surtout **3** *pron*: ***~ of*** la plupart de; ***at (the) ~*** au maximum; ***that's the ~ I can offer*** c'est le maximum que je peux proposer; ***make the ~ of*** profiter au maximum de

most·ly ['moʊstlɪ] *adv* surtout

mo·tel [moʊ'tel] motel *m*

moth [mɑːθ] papillon *m* de nuit

'moth·ball boule *f* de naphtaline

moth·er ['mʌðər] **1** *n* mère *f* **2** *v/t* materner

'moth·er·board COMPUT carte *f* mère

'moth·er·hood maternité *f*

'Moth·er·ing Sun·day → ***Mother's Day***
'moth·er-in-law (*pl* ***mothers-in-law***) belle-mère *f*
moth·er·ly ['mʌðərlɪ] *adj* maternel*
moth·er-of-'pearl nacre *f*; **'Moth·er's Day** la fête des Mères; **'moth·er tongue** langue *f* maternelle
mo·tif [moʊ'ti:f] motif *m*
mo·tion ['moʊʃn] **1** *n* (*movement*) mouvement *m*; (*proposal*) motion *f*; ***set things in ~*** mettre les choses en route **2** *v/t*: ***he ~ed me forward*** il m'a fait signe d'avancer
mo·tion·less ['moʊʃnlɪs] *adj* immobile
mo·ti·vate ['moʊtɪveɪt] *v/t* motiver
mo·ti·va·tion [moʊtɪ'veɪʃn] motivation *f*
mo·tive ['moʊtɪv] *for crime* mobile *m*
mo·tor ['moʊtər] moteur *m*
'mo·tor·bike moto *f*
'mo·tor·boat bateau *m* à moteur
mo·tor·cade ['moʊtərkeɪd] cortège *m* (de voitures)
'mo·tor·cy·cle moto *f*; **'mo·tor·cy·clist** motocycliste *m/f*; **'mo·tor home** camping-car *m*
mo·tor·ist ['moʊtərɪst] automobiliste *m/f*
'mo·tor me·chan·ic mécanicien(ne) *m(f)*; **'mo·tor rac·ing** course *f* automobile; **'mo·tor·scoot·er** scooter *m*; **'mo·tor ve·hi·cle** véhicule *m* à moteur; **'mo·tor·way** *Br* autoroute *f*
mot·to ['mɑ:toʊ] devise *f*
mould *etc* [moʊld] *Br* → ***mold*** *etc*
mound [maʊnd] (*hillock*) monticule *m*; (*pile*) tas *m*
mount [maʊnt] **1** *n* (*mountain*) mont *m*; (*horse*) monture *f* **2** *v/t steps, photo* monter; *horse, bicycle* monter sur; *campaign* organiser **3** *v/i* monter
♦**mount up** *v/i* s'accumuler, s'additionner
moun·tain ['maʊntɪn] montagne *f*
'moun·tain bike vélo *m* tout-terrain, V.T.T. *m*
moun·tain·eer [maʊntɪ'nɪr] alpiniste *m/f*
moun·tain·eer·ing [maʊntɪ'nɪrɪŋ] alpinisme *m*
moun·tain·ous ['maʊntɪnəs] *adj* montagneux*
mount·ed po·lice ['maʊntɪd] police *f* montée
mourn [mɔ:rn] **1** *v/t* pleurer **2** *v/i*: ***~ for*** pleurer
mourn·er ['mɔ:rnər] parent / ami *m* du défunt
mourn·ful ['mɔ:rnfl] *adj* triste, mélancolique
mourn·ing ['mɔ:rnɪŋ] deuil *m*; ***be in ~*** être en deuil; ***wear ~*** porter le deuil
mouse [maʊs] (*pl* ***mice*** [maɪs]) *also* COMPUT souris *f*
'mouse mat COMPUT tapis *m* de souris
mous·tache *Br* → ***mustache***
mouth [maʊθ] *of person* bouche *f*, *of animal* gueule *f*, *of river* embouchure *f*
mouth·ful ['maʊθfʊl] *of food* bouchée *f*, *of drink* gorgée *f*
'mouth·or·gan harmonica *m*; **'mouth·piece** *of instrument* embouchure *f*, (*spokesperson*) porte-parole *m inv*; **mouth-to-'mouth** bouche-à-bouche *m*; **'mouth·wash** bain *m* de bouche; **'mouth·wa·ter·ing** *adj* alléchant, appétissant
move [mu:v] **1** *n* mouvement *m*; *in chess etc* coup *m*; (*step, action*) action *f*, (*change of house*) déménagement *m*; ***it's up to you to make the first ~*** c'est à toi de faire le premier pas; ***get a ~ on!*** F grouille-toi! F; ***don't make a ~!*** ne bouge pas!, pas un geste! **2** *v/t object* déplacer; *limbs* bouger; (*transfer*) transférer; *emotionally* émouvoir; ***~ house*** déménager **3** *v/i* bouger; (*transfer*) être transféré
♦**move around** *v/i* bouger, remuer; *from place to place* bouger, déménager
♦**move away** *v/i* s'éloigner, s'en aller; (*move house*) déménager
♦**move in** *v/i* emménager
♦**move on** *v/i to another town* partir; ***move on to another subject*** passer à un autre sujet; ***I want to move on***

(***to another job***) je veux changer de travail
♦ **move out** *v/i of house* déménager; *of area* partir
♦ **move up** *v/i in league* monter; (*make room*) se pousser
move·ment ['mu:vmənt] *also organization*, MUS mouvement *m*
mov·ers ['mu:vərz] *npl* déménageurs *mpl*
mov·ie ['mu:vɪ] film *m*; ***go to a / the ~s*** aller au cinéma
mov·ie·go·er ['mu:vɪgoʊər] amateur *m* de cinéma, cinéphile *m/f*
'mov·ie thea·ter cinéma *m*
mov·ing ['mu:vɪŋ] *adj parts of machine* mobile; *emotionally* émouvant
mow [moʊ] *v/t grass* tondre
♦ **mow down** *v/t* faucher
mow·er ['moʊər] tondeuse *f* (à gazon)
MP [em'pi:] *abbr Br* POL (**= *Member of Parliament***) député *m*; (**= *Military Policeman***) membre *m* de la police militaire
mph [empi:'eɪtʃ] *abbr* (**= *miles per hour***) miles à l'heure
Mr ['mɪstər] Monsieur, M.
Mrs ['mɪsɪz] Madame, Mme
Ms [mɪz] Madame, Mme
Mt *abbr* (**= *Mount***) Mt (= mont)
much [mʌtʃ] **1** *adj* beaucoup de; ***so ~ money*** tant d'argent; ***as ~ … as …*** autant (de) … que … **2** *adv* beaucoup; ***very ~*** beaucoup; ***too ~*** trop **3** *pron* beaucoup; ***nothing ~*** pas grand-chose; ***as ~ as …*** autant que …; ***I thought as ~*** c'est bien ce qu'il me semblait
muck [mʌk] (*dirt*) saleté *f*
mu·cus ['mju:kəs] mucus *m*
mud [mʌd] boue *f*
mud·dle ['mʌdl] **1** *n* (*mess*) désordre *m*; (*confusion*) confusion *f* **2** *v/t* embrouiller
♦ **muddle up** *v/t* mettre en désordre; (*confuse*) mélanger
mud·dy ['mʌdɪ] *adj* boueux*
mues·li ['mju:zlɪ] muesli *m*
muf·fin ['mʌfɪn] muffin *m*
muf·fle ['mʌfl] *v/t* étouffer
♦ **muffle up** *v/i* se couvrir, s'emmitoufler
muf·fler ['mʌflər] MOT silencieux *m*
mug[1] [mʌg] *for tea, coffee* chope *f*, F (*face*) gueule *f* F; F *fool* poire *f* F
mug[2] *v/t* (*pret & pp* ***-ged***) (*attack*) agresser, attaquer
mug·ger ['mʌgər] agresseur *m*
mug·ging ['mʌgɪŋ] agression *f*
mug·gy ['mʌgɪ] *adj* lourd, moite
mule [mju:l] *animal* mulet *m*, mule *f*; *slipper* mule *f*
♦ **mull over** [mʌl] *v/t* bien réfléchir à
mul·ti·lat·e·ral [mʌltɪ'lætərəl] *adj* POL multilatéral
mul·ti·lin·gual [mʌltɪ'lɪŋgwəl] *adj* multilingue
mul·ti·me·di·a [mʌltɪ'mi:dɪə] **1** *adj* multimédia **2** *n* multimédia *m*
mul·ti·na·tion·al [mʌltɪ'næʃnl] **1** *adj* multinational **2** *n* COMM multinationale *f*
mul·ti·ple ['mʌltɪpl] *adj* multiple
mul·ti·ple 'choice ques·tion question *f* à choix multiple
mul·ti·ple scle·ro·sis [skle'roʊsɪs] sclérose *f* en plaques
mul·ti·pli·ca·tion [mʌltɪplɪ'keɪʃn] multiplication *f*
mul·ti·ply ['mʌltɪplaɪ] **1** *v/t* (*pret & pp* ***-ied***) multiplier **2** *v/i* se multiplier
mum [mʌm] *Br* maman *f*
mum·ble ['mʌmbl] **1** *n* marmonnement *m* **2** *v/t & v/i* marmonner
mum·my ['mʌmɪ] *Br* F maman *f*
mumps [mʌmps] *nsg* oreillons *mpl*
munch [mʌntʃ] *v/t* mâcher
mu·ni·ci·pal [mju:'nɪsɪpl] *adj* municipal
mu·ral ['mjʊrəl] peinture *f* murale
mur·der ['mɜ:rdər] **1** *n* meurtre *m* **2** *v/t person* assassiner; *song* massacrer
mur·der·er ['mɜ:rdərər] meurtrier (-ière) *m*(*f*)
mur·der·ous ['mɜ:rdrəs] *adj rage, look* meurtrier*
murk·y ['mɜ:rkɪ] *adj also fig* trouble
mur·mur ['mɜ:rmər] **1** *n* murmure *m* **2** *v/t* murmurer
mus·cle ['mʌsl] muscle *m*
mus·cu·lar ['mʌskjʊlər] *adj pain, strain* musculaire; *person* musclé

muse [mju:z] *v/i* songer
mu·se·um [mju:'zɪəm] musée *m*
mush·room ['mʌʃrʊm] **1** *n* champignon *m* **2** *v/i fig* proliférer
mu·sic ['mju:zɪk] musique *f*; *in written form* partition *f*
mu·sic·al ['mju:zɪkl] **1** *adj* musical; *person* musicien*; *voice* mélodieux*, musical **2** *n* comédie *f* musicale
'mu·sic(·al) box boîte *f* à musique
mu·sic·al 'in·stru·ment instrument *m* de musique
mu·si·cian [mju:'zɪʃn] musicien(ne) *m(f)*
mus·sel ['mʌsl] moule *f*
must [mʌst] **1** *v/aux* ◊ *necessity* devoir; ***I ~ be on time*** je dois être à l'heure, il faut que je sois (*subj*) à l'heure; ***I ~*** il le faut; ***I ~n't be late*** je ne dois pas être en retard, il ne faut pas que je sois en retard ◊ *probability* devoir; ***it ~ be about 6 o'clock*** il doit être environ six heures; ***they ~ have arrived by now*** ils doivent être arrivés maintenant **2** *n*: ***insurance is a ~*** l'assurance est obligatoire
mus·tache [mə'stæʃ] moustache *f*
mus·tard ['mʌstərd] moutarde *f*
'must-have F **1** *adj* incontournable **2** *n* must *m*
must·y ['mʌstɪ] *adj room* qui sent le renfermé; *smell* de moisi, de renfermé
mute [mju:t] *adj* muet*
mut·ed ['mju:tɪd] *adj* sourd; *criticism* voilé
mu·ti·late ['mju:tɪleɪt] *v/t* mutiler
mu·ti·ny ['mju:tɪnɪ] **1** *n* mutinerie *f* **2** *v/i* (*pret & pp* **-ied**) se mutiner
mut·ter ['mʌtər] **1** *v/i* marmonner **2** *v/t* marmonner; *curse*, *insult* grommeler
mut·ton ['mʌtn] mouton *m*
mu·tu·al ['mju:ʧʊəl] *adj* (*reciprocal*) mutuel*, réciproque; (*common*) commun
muz·zle ['mʌzl] **1** *n of animal* museau *m*; *for dog* muselière *f* **2** *v/t*: ***~ the press*** bâillonner la presse
my [maɪ] *adj* mon *m*, ma *f*, *pl* mes
my·op·ic [maɪ'ɑ:pɪk] *adj* myope
my·self [maɪ'self] *pron* moi-même; *reflexive* me; *before vowel* m'; *after prep* moi; ***I hurt ~*** je me suis blessé; ***by ~*** tout seul
mys·te·ri·ous [mɪ'stɪrɪəs] *adj* mystérieux*
mys·te·ri·ous·ly [mɪ'stɪrɪəslɪ] *adv* mystérieusement
mys·te·ry ['mɪstərɪ] mystère *m*; (*~ story*) roman *m* à suspense
mys·ti·fy ['mɪstɪfaɪ] *v/t* (*pret & pp* **-ied**) rendre perplexe; *of tricks* mystifier; ***be mystified*** être perplexe
myth [mɪθ] *also fig* mythe *m*
myth·i·cal ['mɪθɪkl] *adj* mythique
my·thol·o·gy [mɪ'θɑ:lədʒɪ] mythologie *f*

N

nab [næb] *v/t* (*pret & pp* **-bed**) F (*take for o.s.*) s'approprier
nag [næg] **1** *v/i* (*pret & pp* **-ged**) *of person* faire des remarques continuelles **2** *v/t* (*pret & pp* **-ged**) harceler; ***~ s.o. to do sth*** harceler qn pour qu'il fasse (*subj*) qch
nag·ging ['nægɪŋ] *adj pain* obsédant; ***I have this ~ doubt that …*** je n'arrive pas à m'empêcher de penser que …
nail [neɪl] *for wood* clou *m*; *on finger, toe* ongle *m*
'nail clip·pers *npl* coupe-ongles *m inv*; **'nail file** lime *f* à ongles; **'nail pol·ish** vernis *m* à ongles; **'nail pol·ish re·mov·er** [rɪ'mu:vər] dissol-

vant *m*; **'nail scis·sors** *npl* ciseaux *mpl* à ongles; **'nail var·nish** *Br* vernis *m* à ongles
na·ive [naɪ'iːv] *adj* naïf*
na·ked ['neɪkɪd] *adj* nu; ***to the ~ eye*** à l'œil nu
name [neɪm] **1** *n* nom *m*; ***what's your ~?*** comment vous appelez-vous?; ***call s.o. ~s*** insulter qn, traiter qn de tous les noms; ***make a ~ for o.s.*** se faire un nom **2** *v/t* appeler
◆ **name for** *v/t*: ***name s.o. for s.o.*** appeler qn comme qn
name·ly ['neɪmlɪ] *adv* à savoir
'name·sake homonyme *m/f*
'name·tag *on clothing etc* étiquette *f* (portant le nom du propriétaire)
nan·ny ['nænɪ] nurse *f*
nap [næp] *n* sieste *f*; ***have a ~*** faire une sieste
nape [neɪp]: **~ (*of the neck*)** nuque *f*
nap·kin ['næpkɪn] (*table ~*) serviette *f* (de table); (*sanitary ~*) serviette *f* hygiénique
nar·cot·ic [nɑːr'kɑːtɪk] *n* stupéfiant *m*
nar'cot·ics a·gent agent *m* de la brigade des stupéfiants
nar·rate ['næreɪt] *v/t sound track* raconter
nar·ra·tion [næ'reɪʃn] (*telling*) narration *f*; *for documentary* commentaire *m*
nar·ra·tive ['nærətɪv] **1** *adj poem, style* narratif* **2** *n* (*story*) récit *m*
nar·ra·tor [næ'reɪtər] narrateur(-trice) *m(f)*
nar·row ['næroʊ] *adj* étroit; *victory* serré
nar·row·ly ['næroʊlɪ] *adv win* de justesse; ***~ escape sth*** échapper de peu à qch
nar·row-mind·ed [næroʊ'maɪndɪd] *adj* étroit d'esprit
na·sal ['neɪzl] *adj voice* nasillard
nas·ty ['næstɪ] *adj person, thing to say* méchant; *smell* nauséabond; *weather, cut, wound, disease* mauvais
na·tion ['neɪʃn] nation *f*
na·tion·al ['næʃənl] **1** *adj* national **2** *n* national *m*, ressortissant *m*; ***a French ~*** un(e) ressortissant(e) *m(f)* français(e)
na·tion·al 'an·them hymne *m* national
na·tion·al 'debt dette *f* publique
na·tion·al·ism ['næʃənəlɪzm] nationalisme *m*
na·tion·al·i·ty [næʃə'nælətɪ] nationalité *f*
na·tion·al·ize ['næʃənəlaɪz] *v/t industry etc* nationaliser
na·tion·al 'park parc *m* national
na·tive ['neɪtɪv] **1** *adj* natal; *wit etc* inné; *population* indigène; ***~ tongue*** langue *f* maternelle **2** *n* natif(-ive) *m(f)*; (*tribesman*) indigène *m*
na·tive 'coun·try pays *m* natal
na·tive 'speak·er locuteur *m* natif; ***an English ~*** un / une anglophone
NATO ['neɪtoʊ] *abbr* (***= North Atlantic Treaty Organization***) OTAN *f* (= Organisation du traité de l'Atlantique Nord)
nat·u·ral ['nætʃrəl] *adj* naturel*; ***a ~ blonde*** une vraie blonde
nat·u·ral 'gas gaz *m* naturel
nat·u·ral·ist ['nætʃrəlɪst] naturaliste *m/f*
nat·u·ral·ize ['nætʃrəlaɪz] *v/t*: ***become ~d*** se faire naturaliser
nat·u·ral·ly ['nætʃərəlɪ] *adv* (*of course*) bien entendu; *behave, speak* naturellement, avec naturel; (*by nature*) de nature
nat·u·ral 'sci·ence sciences *fpl* naturelles
na·ture ['neɪtʃər] nature *f*
'na·ture re·serve réserve *f* naturelle
naugh·ty ['nɒːtɪ] *adj* vilain; *photograph, word etc* coquin
nau·se·a ['nɒːzɪə] nausée *f*
nau·se·ate ['nɒːzɪeɪt] *v/t fig* écœurer
nau·se·at·ing ['nɒːzɪeɪtɪŋ] *adj* écœurant
nau·seous ['nɒːʃəs] *adj*: ***feel ~*** avoir la nausée
nau·ti·cal ['nɒːtɪkl] *adj* nautique, marin
'nau·ti·cal mile mille *m* marin
na·val ['neɪvl] *adj* naval, maritime; *history* de la marine
'na·val base base *f* navale

na·vel ['neɪvl] nombril *m*
nav·i·ga·ble ['nævɪgəbl] *adj river* navigable
nav·i·gate ['nævɪgeɪt] *v/i also* COMPUT naviguer; *in car* diriger
nav·i·ga·tion [nævɪ'geɪʃn] navigation *f*; *in car* indications *fpl*
nav·i·ga·tor ['nævɪgeɪtər] navigateur *m*
na·vy ['neɪvɪ] marine *f*
na·vy 'blue 1 *adj* bleu marine *inv* **2** *n* bleu *m* marine
near [nɪr] **1** *adv* près; ***come ~er*** approche-toi **2** *prep* près de; ***~ the bank*** près de la banque **3** *adj* proche; ***the ~est bus stop*** l'arrêt de bus le plus proche; ***in the ~ future*** dans un proche avenir
near·by [nɪr'baɪ] *adv live* à proximité, tout près
near·ly ['nɪrlɪ] *adv* presque; ***I ~ lost / broke it*** j'ai failli le perdre / casser; ***he was ~ crying*** il était au bord des larmes
near-sight·ed [nɪr'saɪtɪd] *adj* myope
neat [ni:t] *adj room, desk* bien rangé; *person* ordonné; *in appearance* soigné; *whiskey etc* sec*; *solution* ingénieux*; F (*terrific*) super *inv* F
ne·ces·sar·i·ly ['nesəserəlɪ] *adv* nécessairement, forcément
ne·ces·sa·ry ['nesəserɪ] *adj* nécessaire; ***it is ~ to …*** il faut …
ne·ces·si·tate [nɪ'sesɪteɪt] *v/t* nécessiter
ne·ces·si·ty [nɪ'sesɪtɪ] nécessité *f*
neck [nek] *n* cou *m*; *of dress, sweater* col *m*
neck·lace ['neklɪs] collier *m*; **'neck·line** *of dress* encolure *f*; **'neck·tie** cravate *f*
née [neɪ] *adj* née
need [ni:d] **1** *n* besoin *m*; ***if ~ be*** si besoin est; ***in ~*** dans le besoin; ***be in ~ of sth*** avoir besoin de qch; ***there's no ~ to be rude / upset*** ce n'est pas la peine d'être impoli / triste **2** *v/t* avoir besoin de; ***you'll ~ to buy one*** il faudra que tu en achètes un; ***you don't ~ to wait*** vous n'êtes pas obligés d'attendre; ***I ~ to talk to you*** il faut que je te parle; ***~ I say more?*** dois-je en dire plus?
nee·dle ['ni:dl] aiguille *f*
'nee·dle·work travaux *mpl* d'aiguille
need·y ['ni:dɪ] *adj* nécessiteux*
neg·a·tive ['negətɪv] **1** *adj* négatif* **2** *n* PHOT négatif *m*; ***answer in the ~*** répondre par la négative
ne·glect [nɪ'glekt] **1** *n* négligence *f*; *state* abandon *m* **2** *v/t* négliger; ***~ to do sth*** omettre de faire qch
ne·glect·ed [nɪ'glektɪd] *adj* négligé, à l'abandon; ***feel ~*** se sentir négligé *or* délaissé
neg·li·gence ['neglɪdʒəns] négligence *f*
neg·li·gent ['neglɪdʒənt] *adj* négligent
neg·li·gi·ble ['neglɪdʒəbl] *adj quantity* négligeable
ne·go·ti·a·ble [nɪ'goʊʃəbl] *adj salary, contract* négociable
ne·go·ti·ate [nɪ'goʊʃɪeɪt] **1** *v/i* négocier **2** *v/t deal* négocier; *obstacles* franchir; *bend in road* négocier, prendre
ne·go·ti·a·tion [nɪgoʊʃɪ'eɪʃn] négociation *f*
ne·go·ti·a·tor [nɪ'goʊʃɪeɪtər] négociateur(-trice) *m(f)*
Ne·gro ['ni:groʊ] Noir(e) *m(f)*
neigh [neɪ] *v/i* hennir
neigh·bor ['neɪbər] voisin(e) *m(f)*
neigh·bor·hood ['neɪbərhʊd] *in town* quartier *m*; ***in the ~ of*** *fig* environ
neigh·bor·ing ['neɪbərɪŋ] *adj* voisin
neigh·bor·ly ['neɪbərlɪ] *adj* aimable
neigh·bour *etc Br* → ***neighbor*** *etc*
nei·ther ['ni:ðər] **1** *adj*: ***~ player*** aucun(e) des deux joueurs **2** *pron* ni l'un ni l'autre **3** *adv*: ***~ … nor …*** ni … ni … **4** *conj*: ***~ do / can I*** moi non plus
ne·on light ['ni:ɑ:n] néon *m*
neph·ew ['nefju:] neveu *m*
nerd [nɜ:rd] F barjo *m* F
nerve [nɜ:rv] ANAT nerf *m*; (*courage*) courage *m*; (*impudence*) culot *m* F; ***it's bad for my ~s*** ça me porte sur les nerfs; ***she gets on my ~s*** elle me tape sur les nerfs
nerve-rack·ing ['nɜ:rvrækɪŋ] *adj* angoissant, éprouvant

ner·vous ['nɜːrvəs] *adj* nerveux*; ***be ~ about doing sth*** avoir peur de faire qch
ner·vous 'break·down dépression *f* nerveuse
ner·vous 'en·er·gy vitalité *f*; ***be full of ~*** avoir de l'énergie à revendre
ner·vous·ness ['nɜːrvəsnɪs] nervosité *f*
ner·vous 'wreck paquet *m* de nerfs
nerv·y ['nɜːrvɪ] *adj* (*fresh*) effronté, culotté F
nest [nest] *n* nid *m*
nes·tle ['nesl] *v/i* se blottir
Net [net] *n* COMPUT Internet *m*; ***on the ~*** sur Internet
net[1] [net] *n for fishing, tennis etc* filet *m*
net[2] [net] *adj price etc* net*
net 'pro·fit bénéfice *m* net
net·tle ['netl] *n* ortie *f*
'net·work *also* COMPUT réseau *m*
neu·rol·o·gist [nʊ'rɑːlədʒɪst] neurologue *m/f*
neu·ro·sis [nʊ'roʊsɪs] névrose *f*
neu·rot·ic [nʊ'rɑːtɪk] *adj* névrosé
neu·ter ['nuːtər] *v/t animal* castrer
neu·tral ['nuːtrl] **1** *adj* neutre **2** *n gear* point *m* mort; ***in ~*** au point mort
neu·tral·i·ty [nuː'trælətɪ] neutralité *f*
neu·tral·ize ['nuːtrəlaɪz] *v/t* neutraliser
nev·er ['nevər] *adv* jamais; ***I've ~ been to New York*** je ne suis jamais allé à New York; ***you're ~ going to believe this*** tu ne vas jamais me croire; ***he ~ said that, did he?*** il n'a pas pu dire cela!; ***you ~ promised, did you?*** tu n'as rien promis?; ***~!*** *in disbelief*: non!
nev·er-'end·ing *adj* continuel*, interminable
nev·er·the·less [nevərðə'les] *adv* néanmoins
new [nuː] *adj* nouveau*; (*not used*) neuf*; ***this system is still ~ to me*** je ne suis pas encore habitué à ce système; ***I'm ~ to the job*** je suis nouveau dans le métier?; ***that's nothing ~*** vous ne m'apprenez rien
'new·born *adj* nouveau-né; **new·com·er** ['nuːkʌmər] nouveau venu *m*, nouvelle venue *f*; **New·found·land** ['nuːfʌndlʌnd] Terre-Neuve *f*
new·ly ['nuːlɪ] *adv* (*recently*) récemment, nouvellement
'new·ly-weds [wedz] *npl* jeunes mariés *mpl*
new 'moon nouvelle lune *f*
news [nuːz] *nsg* nouvelle(s) *f(pl)*; *on TV, radio* informations *fpl*; ***that's ~ to me!*** on en apprend tous les jours!
'news a·gen·cy agence *f* de presse; **'news·cast** TV journal *m* télévisé; **'news·cast·er** TV présentateur (-trice) *m(f)*; **'news·deal·er** marchand(e) *m(f)* de journaux; **'news flash** flash *m* d'information; **'news·pa·per** journal *m*; **'news·read·er** TV *etc* présentateur(-trice) *m(f)*; **'news re·port** reportage *m*; **'news·stand** kiosque *m* à journaux; **'news·ven·dor** vendeur(-euse) *m(f)* de journaux
'New Year nouvel an *m*; ***Happy ~!*** Bonne année!; **New Year's 'Day** jour *m* de l'an; **New Year's 'Eve** la Saint-Sylvestre; **New Zea·land** ['ziːlənd] la Nouvelle-Zélande *f*; **New Zea·land·er** ['ziːləndər] Néo-Zélandais(e) *m(f)*
next [nekst] **1** *adj* prochain; ***the ~ house / door*** la maison / porte d'à côté; ***the ~ week / month he came back again*** il est revenu la semaine suivante / le mois suivant; ***who's ~?*** *to be served, interviewed etc* c'est à qui (le tour)? **2** *adv* (*after*) ensuite, après; ***~ to*** (*beside, in comparison with*) à côté de
next-'door 1 *adj neighbor* d'à côté **2** *adv live* à côté
next of 'kin parent *m* le plus proche; ***have the ~ been informed?*** est-ce qu'on a prévenu la famille?
nib·ble ['nɪbl] *v/t cheese* grignoter; *ear* mordiller
nice [naɪs] *adj* agréable; *person also* sympathique; *house, hair* beau*; ***be ~ to your sister!*** sois gentil* avec ta sœur!; ***that's very ~ of you*** c'est très gentil de votre part
nice·ly ['naɪslɪ] *adv written, presented, welcome, treat* bien; (*pleasantly*)

agréablement, joliment
ni·ce·ties ['naɪsətɪz] *npl*: ***social ~*** mondanités *fpl*
niche [niːʃ] *in market* créneau *m*; (*special position*) place *f*
nick [nɪk] *n on face, hand* coupure *f*; ***in the ~ of time*** juste à temps
nick·el ['nɪkl] nickel *m*; *coin* pièce *f* de cinq cents
'nick·name *n* surnom n
niece [niːs] nièce *f*
nig·gard·ly ['nɪgərdlɪ] *adj amount* maigre; *person* avare
night [naɪt] nuit *f*; (*evening*) soir *m*; ***tomorrow ~*** demain soir; ***11 o'clock at ~*** onze heures du soir; ***travel by ~*** voyager de nuit; ***during the ~*** pendant la nuit; ***stay the ~*** passer la nuit; ***work ~s*** travailler de nuit; ***good ~*** *going to bed* bonne nuit; *leaving office, friends' house etc* bonsoir; ***in the middle of the ~*** en pleine nuit
'night·cap *drink* boisson *f* du soir; **'night·club** boîte *f* de nuit; **'night·dress** chemise *f* de nuit; **'night·fall**: ***at ~*** à la tombée de la nuit; **'night flight** vol *m* de nuit; **'night·gown** chemise *f* de nuit
nigh·tin·gale ['naɪtɪŋgeɪl] rossignol *m*
'night·life vie *f* nocturne
night·ly ['naɪtlɪ] **1** *adj* de toutes les nuits; *in evening* de tous les soirs **2** *adv* toutes les nuits; *in evening* tous les soirs
'night·mare *also fig* cauchemar *m*; **'night por·ter** gardien *m* de nuit; **'night school** cours *mpl* du soir; **'night shift** équipe *f* de nuit; **'night·shirt** chemise *f* de nuit (d'homme); **'night·spot** boîte *f* (de nuit); **'night·time**: ***at ~, in the ~*** la nuit
nil [nɪl] *Br* zéro
nim·ble ['nɪmbl] *adj* agile; *mind* vif*
nine [naɪn] neuf
nine·teen [naɪn'tiːn] dix-neuf
nine·teenth ['naɪntiːnθ] dix-neuvième; → ***fifth***
nine·ti·eth ['naɪntɪɪθ] quatre-vingt-dixième
nine·ty ['naɪntɪ] quatre-vingt-dix
ninth [naɪnθ] neuvième; → ***fifth***
nip [nɪp] *n* (*pinch*) pincement *m*; (*bite*) morsure *f*
nip·ple ['nɪpl] mamelon *m*
ni·tro·gen ['naɪtrədʒn] azote *m*
no [noʊ] **1** *adv* non **2** *adj* aucun, pas de; ***there's ~ coffee left*** il ne reste plus de café; ***I have ~ family / money*** je n'ai pas de famille / d'argent; ***I have ~ idea*** je n'en ai aucune idée; ***I'm ~ linguist / expert*** je n'ai rien d'un linguiste / expert; ***~ smoking / parking*** défense de fumer / de stationner
no·bil·i·ty [noʊ'bɪlətɪ] noblesse *f*
no·ble ['noʊbl] *adj* noble
no·bod·y ['noʊbədɪ] **1** *pron* personne; ***~ knows*** personne ne le sait; ***there was ~ at home*** il n'y avait personne **2** *n*: ***he's a ~*** c'est un nul
nod [nɑːd] **1** *n* signe *m* de tête **2** *v/i* (*pret & pp* ***-ded***) faire un signe de tête
♦**nod off** *v/i* (*fall asleep*) s'endormir
no-hop·er [noʊ'hoʊpər] F raté(e) *m*(*f*) F
noise [nɔɪz] bruit *m*
nois·y ['nɔɪzɪ] *adj* bruyant; ***be ~*** *of person* faire du bruit
nom·i·nal ['nɑːmɪnl] *adj* nominal; (*token*) symbolique
nom·i·nate ['nɑːmɪneɪt] *v/t* (*appoint*) nommer; ***~ s.o. for a post*** (*propose*) proposer qn pour un poste
nom·i·na·tion [nɑːmɪ'neɪʃn] (*appointment*) nomination *f*, (*person proposed*) candidat *m*; ***who was your ~?*** qui aviez-vous proposé pour le poste?
nom·i·nee [nɑːmɪ'niː] candidat *m*
non ... [nɑːn] non ...
non·al·co'hol·ic *adj* non alcoolisé
non·a·ligned ['nɑːnəlaɪnd] *adj* non-aligné
non·cha·lant ['nɑːnʃəlɑːnt] *adj* nonchalant
non·com·mis·sioned 'of·fi·cer ['nɑːnkəmɪʃnd] sous-officier *m*
non·com·mit·tal [nɑːnkə'mɪtl] *adj person, response* évasif*
non·de·script ['nɑːndɪskrɪpt] *adj* quelconque; *color* indéfinissable

N

none [nʌn] *pron* aucun(e); ~ ***of the students*** aucun des étudiants; ***there is / are ~ left*** il n'en reste plus; ~ ***of the water was left*** il ne restait pas une seule goutte d'eau
non·en·ti·ty [nɑːn'entətɪ] être *m* insignifiant
none·the·less [nʌnðə'les] *adv* néanmoins
non·ex·ist·ent *adj* inexistant
non'fic·tion ouvrages *mpl* non littéraires
non·(in)'flam·ma·ble *adj* ininflammable
non·in·ter'fer·ence non-ingérence *f*
non·in·ter'ven·tion non-intervention *f*
non-'i·ron *adj shirt* infroissable
'no-no: ***that's a ~*** F c'est hors de question
no-'non·sense *adj approach* pragmatique
non'pay·ment non-paiement *m*
non·pol'lut·ing *adj* non polluant
non'res·i·dent *n* non-résident *m*; *in hotel* client *m* de passage
non·re'turn·a·ble *adj deposit* non remboursable
non·sense ['nɑːnsəns] absurdité(s) *f(pl)*; ***don't talk ~*** ne raconte pas n'importe quoi; ***~, it's easy!*** mais non, c'est facile!, n'importe quoi, c'est facile!
non'skid *adj tires* antidérapant
non'slip *adj surface* antidérapant
non'smok·er *person* non-fumeur (-euse) *m(f)*
non'stand·ard *adj* non standard *inv*; *use of word* impropre
non'stick *adj pan* antiadhésif*
non'stop 1 *adj flight, train* direct; *chatter* incessant **2** *adv fly, travel* sans escale; *chatter, argue* sans arrêt
non'swim·mer: ***be a ~*** ne pas savoir nager
non'u·nion *adj worker* non syndiqué
non'vi·o·lence non-violence *f*
non'vi·o·lent *adj* non-violent
noo·dles ['nuːdlz] *npl* nouilles *fpl*
nook [nʊk] coin *m*
noon [nuːn] midi *m*; ***at ~*** à midi
noose [nuːs] nœud *m* coulant
nor [nɔːr] *conj* ni; ***I neither know ~ care what he's doing*** je ne sais pas ce qu'il fait et ça ne m'intéresse pas non plus; ***~ do I*** moi non plus
norm [nɔːrm] norme *f*
nor·mal ['nɔːrml] *adj* normal
nor·mal·i·ty [nɔːr'mælətɪ] normalité *f*
nor·mal·ize ['nɔːrməlaɪz] *v/t relationships* normaliser
nor·mal·ly ['nɔːrməlɪ] *adv* normalement
Norman 1 *adj* normand **2** *n* Normand(e) *m(f)*
north [nɔːrθ] **1** *n* nord *m*; ***to the ~ of*** au nord de **2** *adj* nord *inv*; *wind* du nord; ***~ Chicago*** le nord de Chicago **3** *adv travel* vers le nord; ***~ of*** au nord de
North A'mer·i·ca Amérique *f* du Nord; **North A'mer·i·can 1** *adj* nord-américain **2** *n* Nord-Américain(e) *m(f)*; **north'east 1** *n* nord-est *m* **2** *adj* nord-est *inv*; *wind* du nord-est **3** *adv travel* vers le nord-est; ***~ of*** au nord-est de
nor·ther·ly ['nɔːrðərlɪ] *adj wind* du nord; *direction* vers le nord
nor·thern ['nɔːrðərn] du nord
nor·thern·er ['nɔːrðərnər] habitant *m* du Nord
North Ko're·a Corée *f* du Nord; **North Ko're·an 1** *adj* nord-coréen* **2** *n* Nord-Coréen(ne) *m(f)*; **North 'Pole** pôle *m* Nord; **North 'Sea** Mer *f* du Nord
north·ward ['nɔːrðwərd] *adv travel* vers le nord
north·west [nɔːrð'west] **1** *n* nord-ouest *m* **2** *adj* nord-ouest *inv*; *wind* du nord-ouest **3** *adv travel* vers le nord-ouest; ***~ of*** au nord-ouest de
Nor·way ['nɔːrweɪ] Norvège *f*
Nor·we·gian [nɔːr'wiːdʒn] **1** *adj* norvégien* **2** *n* Norvégien(ne) *m(f)*; *language* norvégien *m*
nose [noʊz] nez *m*; ***it was right under my ~!*** c'était juste sous mon nez
♦ **nose around** *v/i* F fouiner, fureter
'nose·bleed: ***have a ~*** saigner du nez
nos·tal·gia [nɑː'stældʒə] nostalgie *f*
nos·tal·gic [nɑː'stældʒɪk] *adj* nostal-

gique
nos·tril ['nɑːstrəl] narine *f*
nos·y ['noʊzɪ] *adj* F curieux*, indiscret*
not [nɑːt] *adv* ◊ *with verbs* ne … pas; ***it's ~ allowed*** ce n'est pas permis; ***he didn't help*** il n'a pas aidé ◊ pas; ***~ now*** pas maintenant; ***~ there*** pas là; ***~ a lot*** pas beaucoup
no·ta·ble ['noʊtəbl] *adj* notable
no·ta·ry ['noʊtərɪ] notaire *m*
notch [nɑːʧ] *n* entaille *f*
note [noʊt] *n* MUS, (*memo to self, comment on text*) note *f*; (*short letter*) mot *m*; ***take ~s*** prendre des notes; ***take ~ of sth*** noter qch, prendre note de qch
♦**note down** *v/t* noter
'note·book carnet *m*; COMPUT ordinateur *m* bloc-notes
not·ed ['noʊtɪd] *adj* célèbre
'note·pad bloc-notes *m*
'note·pa·per papier *m* à lettres
noth·ing ['nʌθɪŋ] *pron* rien; ***she said ~*** elle n'a rien dit; ***~ but*** rien que; ***~ much*** pas grand-chose; ***for ~*** (*for free*) gratuitement; (*for no reason*) pour un rien; ***I'd like ~ better*** je ne demande pas mieux; ***~ new*** rien de neuf
no·tice ['noʊtɪs] **1** *n on bulletin board, in street* affiche *f*, (*advance warning*) avertissement *m*, préavis *m*; *in newspaper* avis *m*; *to leave job* démission *f*; *to leave house* préavis *m*; ***at short ~*** dans un délai très court; ***until further ~*** jusqu'à nouvel ordre; ***give s.o. his / her ~*** *to quit job* congédier qn, renvoyer qn; ***~ s.o.*** *to leave house* donner congé à qn; ***hand in one's ~*** *to employer* donner sa démission; ***four weeks' ~*** un préavis de quatre semaines; ***take ~ of s.o. / sth*** faire attention à qn / qch; ***take no ~ of s.o. / sth*** ne pas faire attention à qn / qch **2** *v/t* remarquer
no·tice·a·ble ['noʊtɪsəbl] *adj* visible
no·ti·fy ['noʊtɪfaɪ] *v/t* (*pret & pp* **-ied**): ***~ s.o. of sth*** signaler qch à qn
no·tion ['noʊʃn] idée *f*
no·tions ['noʊʃnz] *npl* articles *mpl* de mercerie
no·to·ri·ous [noʊ'tɔːrɪəs] *adj* notoire; ***be ~ for*** être bien connu pour
nou·gat ['nuːgət] nougat *m*
noun [naʊn] substantif *m*, nom *m*
nou·rish·ing ['nʌrɪʃɪŋ] *adj* nourrissant
nou·rish·ment ['nʌrɪʃmənt] nourriture *f*
nov·el ['nɑːvl] *n* roman *m*
nov·el·ist ['nɑːvlɪst] romancier(-ière) *m(f)*
no·vel·ty ['nɑːvəltɪ] nouveauté *f*
No·vem·ber [noʊ'vembər] novembre *m*
nov·ice ['nɑːvɪs] (*beginner*) novice *m*, débutant *m*
now [naʊ] *adv* maintenant; ***~ and again, ~ and then*** de temps à autre; ***by ~*** maintenant; ***from ~ on*** dorénavant, désormais; ***right ~*** (*immediately*) tout de suite; (*at this moment*) à l'instant même; ***just ~*** (*at this moment*) en ce moment, maintenant; (*a little while ago*) à l'instant; ***~, ~!*** allez allez!; ***~, where did I put it?*** où est-ce que j'ai bien pu le mettre?
now·a·days ['naʊədeɪz] *adv* aujourd'hui, de nos jours
no·where ['noʊwer] *adv* nulle part; ***it's ~ near finished*** c'est loin d'être fini
noz·zle ['nɑːzl] *of hose* ajutage *m*; *of engine, gas pipe etc* gicleur *m*
nu·cle·ar ['nuːklɪər] *adj* nucléaire
nu·cle·ar 'en·er·gy énergie *f* nucléaire; **nu·cle·ar fis·sion** ['fɪʃn] fission *f* nucléaire; **'nu·cle·ar-free** *adj* interdit au nucléaire; **nu·cle·ar 'phys·ics** physique *f* nucléaire; **nu·cle·ar 'pow·er** *energy* énergie *f* nucléaire; POL puissance *f* nucléaire; **nu·cle·ar 'pow·er sta·tion** centrale *f* nucléaire; **nu·cle·ar re'ac·tor** réacteur *m* nucléaire; **nu·cle·ar 'waste** déchets *mpl* nucléaires; **nu·cle·ar 'weap·on** arme *f* nucléaire
nude [nuːd] **1** *adj* nu **2** *n painting* nu *m*; ***in the ~*** tout nu
nudge [nʌdʒ] *v/t person* donner un coup de coude à; *parked car* pousser (un peu)

nud·ist ['nu:dɪst] *n* nudiste *m/f*
nui·sance ['nu:sns] *person, thing* peste *f*, plaie *f* F; *event, task* ennui *m*; ***make a ~ of o.s.*** être embêtant F; ***what a ~!*** que c'est agaçant!
nuke [nu:k] *v/t* F détruire à l'arme atomique
null and 'void [nʌl] *adj* nul* et non avenu
numb [nʌm] *adj* engourdi; *emotionally* insensible
num·ber ['nʌmbər] **1** *n* nombre *m*; *symbol* chiffre *m*; *of hotel room, house, phone ~ etc* numéro *m* **2** *v/t* (*put a ~ on*) numéroter
nu·mer·al ['nu:mərəl] chiffre *m*
nu·me·rate ['nu:mərət] *adj*: ***be ~*** savoir compter
nu·me·rous ['nu:mərəs] *adj* nombreux*
nun [nʌn] religieuse *f*
nurse [nɜ:rs] *n* infirmier(-ière) *m(f)*
nur·se·ry ['nɜ:rsərɪ] (*~ school*) maternelle *f*, *for plants* pépinière *f*
'nur·se·ry rhyme comptine *f*; **'nur·se·ry school** école *f* maternelle; **'nur·se·ry school teach·er** instituteur *m* de maternelle
nurs·ing ['nɜ:rsɪŋ] profession *f* d'infirmier; ***she went into ~*** elle est devenue infirmière
'nurs·ing home *for old people* maison *f* de retraite
nut [nʌt] (*walnut*) noix *f*, (*Brazil*) noix *f* du Brésil; (*hazelnut*) noisette *f*, (*peanut*) cacahuète *f*, *for bolt* écrou *m*; ***~s*** F (*testicles*) couilles *fpl* P
'nut·crack·ers *npl* casse-noisettes *m inv*
nu·tri·ent ['nu:trɪənt] élément *m* nutritif
nu·tri·tion [nu:'trɪʃn] nutrition *f*
nu·tri·tious [nu:'trɪʃəs] *adj* nutritif*
nuts [nʌts] *adj* F (*crazy*) fou*; ***be ~ about s.o.*** être fou de qn
'nut·shell: ***in a ~*** en un mot
nut·ty ['nʌtɪ] *adj taste* de noisettes; *chocolate* aux noisettes; F (*crazy*) fou*
ny·lon ['naɪlɑ:n] **1** *adj* en nylon **2** *n* nylon *m*

O

oak [oʊk] chêne *m*
oar [ɔ:r] aviron *m*, rame *f*
o·a·sis [oʊ'eɪsɪs] (*pl* ***oases*** [oʊ'eɪsi:z]) *also fig* oasis *f*
oath [oʊθ] LAW serment *m*; (*swearword*) juron *m*; ***be on ~*** être sous serment
oats [oʊts] *npl* avoine *f*
o·be·di·ence [oʊ'bi:dɪəns] obéissance *f*
o·be·di·ent [oʊ'bi:dɪənt] *adj* obéissant
o·be·di·ent·ly [oʊ'bi:dɪəntlɪ] *adv* docilement
o·bese [oʊ'bi:s] *adj* obèse
o·bes·i·ty [oʊ'bi:sɪtɪ] obésité *f*
o·bey [oʊ'beɪ] *v/t* obéir à
o·bit·u·a·ry [oʊ'bɪtʃuerɪ] nécrologie *f*
ob·ject[1] ['ɑ:bdʒɪkt] *n* (*thing*) objet *m*; (*aim*) objectif *m*, but *m*; GRAM complément *m* d'objet
ob·ject[2] [əb'dʒekt] *v/i* protester; ***if nobody ~s*** si personne n'y voit d'objection
♦ **object to** *v/t* s'opposer à; ***I object to that*** je ne suis pas d'accord avec ça
ob·jec·tion [əb'dʒekʃn] objection *f*
ob·jec·tio·na·ble [əb'dʒekʃnəbl] *adj* (*unpleasant*) désagréable
ob·jec·tive [əb'dʒektɪv] **1** *adj* objectif* **2** *n* objectif *m*
ob·jec·tive·ly [əb'dʒektɪvlɪ] *adv* objectivement
ob·jec·tiv·i·ty [ɑ:bdʒek'tɪvətɪ] objectivité *f*

ob·li·ga·tion [ɑːblɪ'geɪʃn] obligation *f*; ***be under an ~ to s.o.*** être redevable (de qch) à qn, avoir une dette envers qn
ob·lig·a·to·ry [ə'blɪgətɔːrɪ] *adj* obligatoire
o·blige [ə'blaɪdʒ] *v/t*: ***much ~d!*** merci beaucoup!
o·blig·ing [ə'blaɪdʒɪŋ] *adj* serviable, obligeant
o·blique [ə'bliːk] **1** *adj reference* indirect; *line* oblique **2** *n in punctuation* barre *f* oblique
o·blit·er·ate [ə'blɪtəreɪt] *v/t city* détruire; *memory* effacer
o·bliv·i·on [ə'blɪvɪən] oubli *m*; ***fall into ~*** tomber dans l'oubli
o·bliv·i·ous [ə'blɪvɪəs] *adj*: ***be ~ of to sth*** ne pas être conscient de qch
ob·long ['ɑːblɑːŋ] **1** *adj* oblong* **2** *n* rectangle *m*
ob·nox·ious [ɑːb'nɑːkʃəs] *adj person* odieux*; *smell* abominable
ob·scene [ɑːb'siːn] *adj* obscène; *salary, poverty* scandaleux*
ob·scen·i·ty [əb'senətɪ] obscénité *f*
ob·scure [əb'skjʊr] *adj* obscur; *village* inconnu
ob·scu·ri·ty [əb'skjʊrətɪ] (*anonymity*) obscurité *f*
ob·ser·vance [əb'zɜːrvns] observance *f*
ob·ser·vant [əb'zɜːrvnt] *adj* observateur*
ob·ser·va·tion [ɑːbzər'veɪʃn] observation *f*
ob·ser·va·to·ry [əb'zɜːrvətɔːrɪ] observatoire *m*
ob·serve [əb'zɜːrv] *v/t* observer, remarquer
ob·serv·er [əb'zɜːrvər] observateur (-trice) *m(f)*
ob·sess [ɑːb'ses] *v/t*: ***be ~ed by*** *or* ***with*** être obsédé par
ob·ses·sion [ɑːb'seʃn] obsession *f* (***with*** de)
ob·ses·sive [ɑːb'sesɪv] *adj person, behavior* obsessionnel*
ob·so·lete ['ɑːbsəliːt] *adj* obsolète
ob·sta·cle ['ɑːbstəkl] *also fig* obstacle *m*
ob·ste·tri·cian [ɑːbstə'trɪʃn] obstétricien(ne) *m(f)*
ob·stet·rics [ɑːb'stetrɪks] *nsg* obstétrique *f*
ob·sti·na·cy ['ɑːbstɪnəsɪ] entêtement *m*, obstination *f*
ob·sti·nate ['ɑːbstɪnət] *adj* obstiné
ob·sti·nate·ly ['ɑːbstɪnətlɪ] *adv* avec obstination, obstinément
ob·struct [ɑːb'strʌkt] *v/t road, passage* bloquer, obstruer; *investigation* entraver; *police* gêner
ob·struc·tion [əb'strʌktʃn] *on road etc* obstacle *m*
ob·struc·tive [əb'strʌktɪv] *adj behavior* qui met des bâtons dans les roues; *tactics* obstructionniste
ob·tain [əb'teɪn] *v/t* obtenir
ob·tain·a·ble [əb'teɪnəbl] *adj products* disponible
ob·tru·sive [əb'truːsɪv] *adj person, noise etc* importun; *object* voyant
ob·tuse [əb'tuːs] *adj fig* obtus
ob·vi·ous ['ɑːbvɪəs] *adj* évident, manifeste; (*not subtle*) flagrant, lourd
ob·vi·ous·ly ['ɑːbvɪəslɪ] *adv* manifestement; ***~!*** évidemment!
oc·ca·sion [ə'keɪʒn] (*time*) occasion *f*
oc·ca·sion·al [ə'keɪʒənl] *adj* occasionnel*; ***I like the ~ whiskey*** j'aime prendre un whisky de temps en temps
oc·ca·sion·al·ly [ə'keɪʒənlɪ] *adv* de temps en temps, occasionnellement
oc·cult [ə'kʌlt] **1** *adj* occulte **2** *n*: ***the ~*** les sciences *fpl* occultes
oc·cu·pant ['ɑːkjʊpənt] occupant(e) *m(f)*
oc·cu·pa·tion [ɑːkjʊ'peɪʃn] (*job*) métier *m*, profession *f*, *of country* occupation *f*
oc·cu·pa·tion·al 'ther·a·pist [ɑːkjʊ'peɪʃnl] ergothérapeute *m/f*
oc·cu·pa·tion·al 'ther·a·py ergothérapie *f*
oc·cu·py ['ɑːkjʊpaɪ] *v/t* (*pret & pp* ***-ied***) occuper; ***~ one's mind*** s'occuper l'esprit
oc·cur [ə'kɜːr] *v/i* (*pret & pp* ***-red***) (*happen*) avoir lieu, se produire; ***it ~red to me that …*** il m'est venu à

l'esprit que …

oc·cur·rence [ə'kɜːrəns] *(event)* fait *m*

o·cean ['oʊʃn] océan *m*

o·ce·a·nog·ra·phy [oʊʃn'ɑːgrəfɪ] océanographie *f*

o'clock [ə'klɑːk]: ***at five ~*** à cinq heures

Oc·to·ber [ɑːk'toʊbər] octobre *m*

oc·to·pus ['ɑːktəpəs] pieuvre *f*

OD [oʊ'diː] *v/i* F: ***~ on*** *drug* faire une overdose de

odd [ɑːd] *adj* *(strange)* bizarre; *(not even)* impair; ***the ~ one out*** l'intrus; ***50 ~*** 50 et quelques, une cinquantaine

'odd·ball F original *m*

odds [ɑːdz] *npl*: ***be at ~ with*** être en désaccord avec; ***the ~ are 10 to one*** *betting* la cote est à 10 contre 1; ***the ~ are that …*** il y a de fortes chances que …; ***against all the ~*** contre toute attente

odds and 'ends *npl* petites choses *fpl*, bricoles *fpl*

'odds-on *adj*: ***the ~ favorite*** le grand favori

o·di·ous ['oʊdɪəs] *adj* odieux*

o·dom·e·ter [oʊ'dɑːmətər] odomètre *m*

o·dor, *Br* **o·dour** ['oʊdər] odeur *f*

of [ɑːv], [əv] *prep possession* de; ***the name ~ the street / hotel*** le nom de la rue / de l'hôtel; ***the color ~ the paper*** la couleur du papier; ***the works ~ Dickens*** les œuvres de Dickens; ***five minutes ~ ten*** dix heures moins cinq; ***die ~ cancer*** mourir d'un cancer; ***love ~ money / adventure*** l'amour de l'argent / l'aventure; ***~ the three this is …*** des trois, c'est …; ***that's nice ~ him*** c'est gentil de sa part

off [ɑːf] **1** *prep*: ***~ the main road*** *away from* en retrait de la route principale; *near* près de la route principale; ***$20 ~ the price*** 20 dollars de réduction; ***he's ~ his food*** il n'a pas d'appétit **2** *adv*: ***be ~*** *of light, TV, machine* être éteint; *of brake* être desserré; *of lid, top* ne pas être mis; *not at work* ne pas être là; *canceled* être annulé; ***we're ~ tomorrow*** *leaving* nous partons demain; ***I'm ~ to New York*** je m'en vais à New York; ***I must be ~*** il faut que je m'en aille *(subj)*; ***with his pants / hat ~*** sans son pantalon / chapeau; ***take a day ~*** prendre un jour de congé; ***it's 3 miles ~*** c'est à 3 miles; ***it's a long way ~*** c'est loin; ***he got into his car and drove ~*** il est monté dans sa voiture et il est parti; ***~ and on*** de temps en temps **3** *adj*: ***the ~ switch*** le bouton d'arrêt

of·fence *Br* → ***offense***

of·fend [ə'fend] *v/t* *(insult)* offenser, blesser

of·fend·er [ə'fendər] LAW délinquant(e) *m(f)*

of·fense [ə'fens] LAW *minor* infraction *f*, *serious* délit *m*; ***take ~ at sth*** s'offenser de qch

of·fen·sive [ə'fensɪv] **1** *adj behavior, remark* offensant, insultant; *smell* repoussant **2** *n* MIL offensive *f*; ***go on(to) the ~*** passer à l'offensive

of·fer ['ɑːfər] **1** *n* offre *f* **2** *v/t* offrir; ***~ s.o. sth*** offrir qch à qn

off'hand **1** *adj attitude* désinvolte **2** *adv* comme ça

of·fice ['ɑːfɪs] bureau *m*; *(position)* fonction *f*

'of·fice block immeuble *m* de bureaux

'of·fice hours *npl* heures *fpl* de bureau

of·fi·cer ['ɑːfɪsər] MIL officier *m*; *in police* agent *m* de police

of·fi·cial [ə'fɪʃl] **1** *adj* officiel* **2** *n civil servant etc* fonctionnaire *m/f*

of·fi·cial·ly [ə'fɪʃlɪ] *adv* officiellement; *(strictly speaking)* en théorie

of·fi·ci·ate [ə'fɪʃɪeɪt] *v/i* officier

of·fi·cious [ə'fɪʃəs] *adj* trop zélé

'off-line **1** *adj* hors connexion **2** *adv work* hors connexion; ***go ~*** se déconnecter

'off-peak *adj rates* en période creuse

'off-sea·son **1** *adj rates, vacation* hors-saison **2** *n* basse saison *f*

'off·set *v/t* *(pret & pp* **-set***)* *losses, disadvantage* compenser

'off·shore *adj* offshore

'off·side **1** *adj Br wheel etc* côté conducteur **2** *adv* SP hors jeu
'off·spring progéniture *f*
'off-the-rec·ord *adj* officieux*
'off-white *adj* blanc cassé *inv*
of·ten ['ɑːfn] *adv* souvent; ***how ~ do you go there?*** vous y allez tous les combien?; ***how ~ have you been there?*** combien de fois y êtes-vous allé?; ***every so ~*** de temps en temps
oil [ɔɪl] **1** *n* huile *f*, *petroleum* pétrole *m* **2** *v/t* lubrifier, huiler
'oil change vidange *f*; **'oil com·pa·ny** compagnie *f* pétrolière; **'oil·field** champ *m* pétrolifère; **oil-fired** ['ɔɪl-faɪrd] *adj central heating* au mazout; **'oil paint·ing** peinture *f* à l'huile; **'oil-pro·duc·ing coun·try** pays *m* producteur de pétrole; **'oil re·fin·e·ry** raffinerie *f* de pétrole; **'oil rig** *at sea* plate-forme *f* de forage; *on land* tour *f* de forage; **'oil·skins** *npl* ciré *m*; **'oil slick** marée *f* noire; **'oil tank·er** *ship* pétrolier *m*; **'oil well** puits *m* de pétrole
oil·y ['ɔɪlɪ] *adj* graisseux*; *skin, hair* gras*
oint·ment ['ɔɪntmənt] pommade *f*
ok [oʊ'keɪ] *adj & adv* F: ***can I? - ~*** je peux? - d'accord; ***is it ~ with you if …?*** ça te dérange si …?; ***does that look ~?*** est-ce que ça va?; ***that's ~ by me*** ça me va; ***are you ~?*** (*well, not hurt*) ça va?; ***are you ~ for Friday?*** tu es d'accord pour vendredi?; ***he's ~*** (*is a good guy*) il est bien; ***is this bus ~ for …?*** est-ce que ce bus va à …?
old [oʊld] *adj* vieux*; (*previous*) ancien*; ***how ~ is he?*** quel âge a-t-il?; ***he's getting ~*** il vieillit
old 'age vieillesse *f*
old-fash·ioned [oʊld'fæʃnd] *adj* démodé
ol·ive ['ɑːlɪv] olive *f*
'ol·ive oil huile *f* d'olive
O·lym·pic Games [ə'lɪmpɪk] *npl* Jeux *mpl* Olympiques
om·e·let, *Br* **om·e·lette** ['ɑːmlət] omelette *f*
om·i·nous ['ɑːmɪnəs] *adj signs* inquiétant
o·mis·sion [oʊ'mɪʃn] omission *f*
o·mit [oʊ'mɪt] *v/t* (*pret & pp* **-ted**) omettre; ***~ to do sth*** omettre de faire qch
om·nip·o·tent [ɑːm'nɪpətənt] *adj* omnipotent
om·nis·ci·ent [ɑːm'nɪsɪənt] *adj* omniscient
on [ɑːn] **1** *prep* sur; ***~ the table*** sur la table; ***~ the bus / train*** dans le bus / train; ***~ the island / ~ Haiti*** sur l'île / à Haïti; ***~ the third floor*** au deuxième étage; ***~ TV / the radio*** à la télé / radio; ***hang sth ~ the wall*** accrocher qch au mur; ***don't put anything ~ it*** ne pose rien dessus; ***~ Sunday*** dimanche; ***~ Sundays*** le dimanche; ***~ the 1st of …*** le premier …; ***this is ~ me*** (*I'm paying*) c'est moi qui paie; ***have you any money ~ you?*** as-tu de l'argent sur toi?; ***~ his arrival*** à son arrivée; ***~ his departure*** au moment de son départ; ***~ hearing this*** en entendant ceci **2** *adv*: ***be ~*** *of light*, TV, *computer etc* être allumé; *of brake* être serré; *of lid, top* être mis; *of program: being broadcast* passer; *of meeting etc: be scheduled to happen* avoir lieu; ***what's ~ tonight?*** *on TV etc* qu'est-ce qu'il y a ce soir?; (*what's planned?*) qu'est-ce qu'on fait ce soir?; ***with his jacket / hat ~*** sa veste sur le dos / son chapeau sur la tête; ***you're ~*** (*I accept your offer etc*) c'est d'accord; ***that's not ~*** (*not allowed, not fair*) cela ne se fait pas; ***~ you go*** (*go ahead*) vas-y; ***walk / talk ~*** continuer à marcher / parler; ***and so ~*** et ainsi de suite; ***~ and ~*** *talk etc* pendant des heures **3** *adj*: ***the ~ switch*** le bouton marche
once [wʌns] **1** *adv* (*one time*) une fois; (*formerly*) autrefois; ***~ again, ~ more*** encore une fois; ***at ~*** (*immediately*) tout de suite; ***all at ~*** (*suddenly*) tout à coup; (***all***) ***at ~*** (*together*) tous en même temps; ***~ upon a time there was …*** il était une fois …; ***~ in a while*** de temps en temps; ***~ and for all*** une fois pour toutes; ***for ~***

pour une fois **2** *conj* une fois que; **~ *you have finished*** une fois que tu auras terminé

one [wʌn] **1** *n number* un *m* **2** *adj* un(e); **~ *day*** un jour; ***that's ~ fierce dog*** c'est un chien vraiment féroce **3** *pron* ◊ : **~ *is bigger than the other*** l'un(e) est plus grand(e) que l'autre; ***which ~?*** lequel / laquelle?; **~ *by* ~** un(e) à la fois; ***the little ~s*** les petits *mpl*; ***I for ~*** pour ma part ◊ *fml* on; ***what can ~ say / do?*** qu'est-ce qu'on peut dire / faire? ◊ : **~ *another*** l'un(e) l'autre; ***we help ~ another*** nous nous entraidons; ***they respect ~ another*** ils se respectent

one-'off *n*: ***be a ~*** être unique; (*exception*) être exceptionnel*

one-par·ent 'fam·i·ly famille *f* monoparentale

one'self *pron*: ***hurt ~*** se faire mal; ***for ~*** pour soi *or* soi-même; ***do sth by ~*** faire qch tout seul

one-sid·ed [wʌn'saɪdɪd] *adj discussion, fight* déséquilibré; **'one-track mind** *hum*: ***have a ~*** ne penser qu'à ça; **'one-way street** rue *f* à sens unique; **'one-way tick·et** aller *m* simple

on·ion ['ʌnjən] oignon *m*

'on-line *adj & adv* en ligne; ***go ~ to*** se connecter à

'on-line serv·ice COMPUT service *m* en ligne

on·look·er ['ɑːnlʊkər] spectateur (-trice) *m*(*f*)

on·ly ['oʊnlɪ] **1** *adv* seulement; ***he's ~ six*** il n'a que six ans; ***not ~ X but also Y*** non seulement X mais aussi Y; **~ *just*** de justesse **2** *adj* seul, unique; **~ *son / daughter*** fils *m* / fille *f* unique

'on·set début *m*

'on·side: ***be ~*** *adv* SP ne pas être hors jeu

on-the-job 'train·ing formation *f* sur le tas

on·to ['ɑːntuː] *prep* (*on top of*) sur; ***the police are ~ him*** la police est sur sa piste

on·ward ['ɑːnwərd] *adv* en avant; ***from ... ~*** à partir de …

ooze [uːz] **1** *v/i of liquid, mud* suinter **2** *v/t*: ***he ~s charm*** il déborde de charme

o·paque [oʊ'peɪk] *adj glass* opaque

OPEC ['oʊpek] *abbr* (= ***Organization of Petroleum Exporting Countries***) OPEP *f* (= Organisation des pays exportateurs de pétrole)

o·pen ['oʊpən] **1** *adj* ouvert; *relationship* libre; *countryside* découvert, dégagé; ***in the ~ air*** en plein air; ***be ~ to abuse*** présenter des risques d'abus **2** *v/t* ouvrir **3** *v/i of door, shop, flower* s'ouvrir

♦ **open up** *v/i of person* s'ouvrir

o·pen-'air *adj meeting, concert* en plein air; *pool* découvert; **'o·pen day** journée *f* portes ouvertes; **o·pen-end·ed** [oʊpn'endɪd] *adj contract etc* flexible

o·pen·ing ['oʊpənɪŋ] *in wall etc* ouverture *f*; *of film, novel etc* début *m*; (*job*) poste *m* (vacant)

'o·pen·ing hours *npl* heures *fpl* d'ouverture

o·pen·ly ['oʊpənlɪ] *adv* (*honestly, frankly*) ouvertement

o·pen-mind·ed [oʊpən'maɪndɪd] *adj* à l'esprit ouvert, ouvert; **o·pen 'plan of·fice** bureau *m* paysagé; **'o·pen tick·et** billet *m* open

op·e·ra ['ɑːpərə] opéra *m*

'op·e·ra glass·es *npl* jumelles *fpl* de théâtre; **'op·e·ra house** opéra *m*; **'op·e·ra sing·er** chanteur(-euse) *m*(*f*) d'opéra

op·e·rate ['ɑːpəreɪt] **1** *v/i of company* opérer; *of airline, bus service* circuler; *of machine* fonctionner; MED opérer **2** *v/t machine* faire marcher

♦ **operate on** *v/t* MED opérer

op·e·rat·ing in·struc·tions ['ɑːpəreɪtɪŋ] *npl* mode *m* d'emploi; **'op·e·rat·ing room** MED salle *f* d'opération; **'op·e·rat·ing sys·tem** COMPUT système *m* d'exploitation

op·e·ra·tion [ɑːpə'reɪʃn] MED opération *f* (chirurgicale); *of machine* fonctionnement *m*; **~s** *of company* activités *fpl*; ***have an ~*** MED se faire opérer

op·e·ra·tor ['ɑːpəreɪtər] *of machine*

opérateur(-trice) *m(f)*; (*tour* ~) tour-opérateur *m*, voyagiste *m*; TELEC standardiste *m/f*

oph·thal·mol·o·gist [ɑːpθælˈmɑːlədʒɪst] ophtalmologue *m/f*

o·pin·ion [əˈpɪnjən] opinion *f*; ***in my*** ~ à mon avis

oˈpin·ion poll sondage *m* d'opinion

op·po·nent [əˈpoʊnənt] adversaire *m/f*

op·por·tune [ˈɑːpərtuːn] *adj fml* opportun

op·por·tun·ist [ɑːpərˈtuːnɪst] opportuniste *m/f*

op·por·tu·ni·ty [ɑːpərˈtuːnətɪ] occasion *f*

op·pose [əˈpoʊz] *v/t* s'opposer à; ***be*** ~***d to*** être opposé à; ***as*** ~***d to*** contrairement à

op·po·site [ˈɑːpəzɪt] **1** *adj* opposé; *meaning* contraire; ***the*** ~ ***sex*** l'autre sexe **2** *adv* en face; ***the house*** ~ la maison d'en face **3** *prep* en face de **4** *n* contraire *m*; ***they're*** ~***s*** *in character* ils ont des caractères opposés

op·po·site ˈnum·ber homologue *m/f*

op·po·si·tion [ɑːpəˈzɪʃn] opposition *f*

op·press [əˈpres] *v/t people* opprimer

op·pres·sive [əˈpresɪv] *adj rule, dictator* oppressif*; *weather* oppressant

opt [ɑːpt] *v/t*: ~ ***to do sth*** choisir de faire qch

op·ti·cal il·lu·sion [ˈɑːptɪkl] illusion *f* d'optique

op·ti·cian [ɑːpˈtɪʃn] opticien(ne) *m(f)*

op·ti·mism [ˈɑːptɪmɪzəm] optimisme *m*

op·ti·mist [ˈɑːptɪmɪst] optimiste *m/f*

op·ti·mist·ic [ɑːptɪˈmɪstɪk] *adj* optimiste

op·ti·mist·ic·ally [ɑːptɪˈmɪstɪklɪ] *adv* avec optimisme

op·ti·mum [ˈɑːptɪməm] **1** *adj* optimum *inv in feminine*, optimal **2** *n* optimum *m*

op·tion [ˈɑːpʃn] option *f*; ***I had no*** ~ ***but to …*** je n'ai pas pu faire autrement que de …

op·tion·al [ˈɑːpʃnl] *adj* facultatif*

op·tion·al ˈex·tras *npl* options *fpl*

or [ɔːr] *conj* ou; ~ ***else!*** sinon …

o·ral [ˈɔːrəl] *adj exam* oral; *hygiene* dentaire; *sex* buccogénital

or·ange [ˈɔːrɪndʒ] **1** *adj color* orange *inv* **2** *n fruit* orange *f*, *color* orange *m*

or·ange·ade *still* orangeade *f*, *carbonated* soda *m* à l'orange

ˈor·ange juice jus *m* d'orange

or·a·tor [ˈɔːrətər] orateur(-trice) *m(f)*

or·bit [ˈɔːrbɪt] **1** *n of earth* orbite *f*; ***send into*** ~ *satellite* mettre sur orbite **2** *v/t the earth* décrire une orbite autour de

or·chard [ˈɔːrʧərd] verger *m*

or·ches·tra [ˈɔːrkəstrə] orchestre *m*

or·chid [ˈɔːrkɪd] orchidée *f*

or·dain [ɔːrˈdeɪn] *v/t priest* ordonner

or·deal [ɔːrˈdiːl] épreuve *f*

or·der [ˈɔːrdər] **1** *n* ordre *m*; *for goods, in restaurant* commande *f*, ***an*** ~ ***of fries*** une portion de frites; ***in*** ~ ***to*** pour; ***out of*** ~ (*not functioning*) hors service; (*not in sequence*) pas dans l'ordre **2** *v/t* (*put in sequence, proper layout*) ranger; *goods, meal* commander; ~ ***s.o. to do sth*** ordonner à qn de faire qch **3** *v/i in restaurant* commander

or·der·ly [ˈɔːrdərlɪ] **1** *adj lifestyle* bien réglé **2** *n in hospital* aide-soignant *m*

or·di·nal num·ber [ˈɔːrdɪnl] ordinal *m*

or·di·nar·i·ly [ɔːrdɪˈnerɪlɪ] *adv* (*as a rule*) d'habitude

or·di·nar·y [ˈɔːrdɪnerɪ] *adj* ordinaire

ore [ɔːr] minerai *m*

or·gan [ˈɔːrgən] ANAT organe *m*; MUS orgue *m*

or·gan·ic [ɔːrˈgænɪk] *adj food, fertilizer* biologique

or·gan·i·cal·ly [ɔːrˈgænɪklɪ] *adv grown* biologiquement

or·gan·ism [ˈɔːrgənɪzm] organisme *m*

or·gan·i·za·tion [ɔːrgənaɪˈzeɪʃn] organisation *f*

or·gan·ize [ˈɔːrgənaɪz] *v/t* organiser

or·gan·iz·er [ˈɔːrgənaɪzər] *person* organisateur(-trice) *m(f)*; *electronic* agenda *m* électronique

or·gasm [ˈɔːrgæzm] orgasme *m*

O·ri·ent [ˈɔːrɪənt] Orient *m*

o·ri·ent *v/t* (*direct*) orienter; ~ ***o.s.*** (*get bearings*) s'orienter

O·ri·en·tal [ɔːrɪˈentl] **1** *adj* oriental **2** *n*

Oriental(e) *m(f)*

or·i·gin ['ɑːrɪdʒɪn] origine *f*

o·rig·i·nal [ə'rɪdʒənl] **1** *adj (not copied)* original; *(first)* d'origine, initial **2** *n painting etc* original *m*

o·rig·i·nal·i·ty [ərɪdʒə'nælətɪ] originalité *f*

o·rig·i·nal·ly [ə'rɪdʒənəlɪ] *adv* à l'origine; *(at first)* au départ

o·rig·i·nate [ə'rɪdʒɪneɪt] **1** *v/t scheme, idea* être à l'origine de **2** *v/i of idea, belief* émaner (***from*** de); *of family* être originaire (***from*** de)

o·rig·i·na·tor [ə'rɪdʒɪneɪtər] *of scheme etc* auteur *m*, initiateur *m*; ***he's not an ~*** il n'a pas l'esprit d'initiative

or·na·ment ['ɔːrnəmənt] *n* ornement *m*

or·na·men·tal [ɔːrnə'mentl] *adj* décoratif*

or·nate [ɔːr'neɪt] *adj architecture* chargé; *prose style* fleuri

or·phan ['ɔːrfn] *n* orphelin(e) *m(f)*

or·phan·age ['ɔːrfənɪdʒ] orphelinat *m*

or·tho·dox ['ɔːrθədɑːks] *adj* REL, *fig* orthodoxe

or·tho·pe·dic, *Br also* **or·tho·pae·dic** [ɔːrθə'piːdɪk] *adj* orthopédique

os·ten·si·bly [ɑː'stensəblɪ] *adv* en apparence

os·ten·ta·tion [ɑːsten'teɪʃn] ostentation *f*

os·ten·ta·tious [ɑːsten'teɪʃəs] *adj* prétentieux*, tape-à-l'œil *inv*

os·ten·ta·tious·ly [ɑːsten'teɪʃəslɪ] *adv* avec ostentation

os·tra·cize ['ɑːstrəsaɪz] *v/t* frapper d'ostracisme

oth·er ['ʌðər] **1** *adj* autre; ***the ~ day*** *(recently)* l'autre jour; ***every ~ day / person*** un jour / une personne sur deux; ***~ people*** d'autres **2** *n*: ***the ~*** l'autre *m/f*

oth·er·wise ['ʌðərwaɪz] **1** *conj* sinon **2** *adv (differently)* autrement

ot·ter ['ɑːtər] loutre *f*

ought [ɒːt] *v/aux*: ***I / you ~ to know*** je / tu devrais le savoir; ***you ~ to have done it*** tu aurais dû le faire

ounce [aʊns] once *f*

our ['aʊər] *adj* notre; *pl* nos

ours ['aʊərz] *pron* le nôtre, la nôtre; *pl* les nôtres; ***it's ~*** c'est à nous

our·selves [aʊr'selvz] *pron* nous-mêmes; *reflexive* nous; *after prep* nous; ***by ~*** tout seuls, toutes seules

oust [aʊst] *v/t from office* évincer

out [aʊt] *adv*: ***be ~*** *of light, fire* être éteint; *of flower* être épanoui, être en fleur; *of sun* briller; *(not at home, not in building)* être sorti; *of calculations* être faux*; *(be published)* être sorti; *of secret* être connu; *(no longer in competition)* être éliminé; *(no longer in fashion)* être passé de mode; ***~ here in Dallas*** ici à Dallas; ***he's ~ in the garden*** il est dans le jardin; (***get***) ***~!*** dehors!; (***get***) ***~ of my room!*** sors de ma chambre!; ***that's ~!*** *(~ of the question)* hors de question!; ***he's ~ to win*** *(fully intends to)* il est bien décidé à gagner

out·board 'mo·tor moteur *m* hors-bord

'out·break *of war* déclenchement *m*; *of violence* éruption *f*

'out·build·ing dépendance *f*

'out·burst *emotional* accès *m*, crise *f*

'out·cast exclu(e) *m(f)*

'out·come résultat *m*

'out·cry tollé *m*

out'dat·ed *adj* démodé, dépassé

out'do *v/t (pret* ***-did****, pp* ***-done****)* surpasser

out'door *adj activities* de plein air; *life* au grand air; *toilet* extérieur

out'doors *adv* dehors

out·er ['aʊtər] *adj wall etc* extérieur

out·er 'space espace *m* extra-atmosphérique

'out·fit *(clothes)* tenue *f*, ensemble *m*; *(company, organization)* boîte *f* F

'out·go·ing *adj flight* en partance; *personality* extraverti; *president* sortant

out'grow *v/t (pret* ***-grew****, pp* ***-grown****)* *old ideas* abandonner avec le temps; *clothes* devenir trop grand pour

out·ing ['aʊtɪŋ] *(trip)* sortie *f*

out'last *v/t* durer plus longtemps que; *person* survivre à

'out·let *of pipe* sortie *f*; *for sales* point *m* de vente

'out·line 1 *n* silhouette *f*; *of plan, novel* esquisse *f* **2** *v/t plans etc* ébaucher
out'live *v/t* survivre à
'out·look (*prospects*) perspective *f*
out·ly·ing ['aʊtlaɪɪŋ] *adj areas* périphérique, excentré
out'num·ber *v/t* être plus nombreux que
out of *prep* ◊ *motion* de, hors de; ***run ~ the house*** sortir de la maison en courant ◊ *position*: ***20 miles ~ Detroit*** à 32 kilomètres de Détroit ◊ *cause* par; ***~ jealousy*** par jalousie ◊ *without*: ***we're ~ gas / beer*** nous n'avons plus d'essence / de bière ◊ *from a group* sur; ***5 ~ 10*** 5 sur 10 ◊ : ***made ~ wood*** en bois
out-of-'date *adj* dépassé; (*expired*) périmé
out-of-the-'way *adj* à l'écart
'out·pa·tient malade *m* en consultation externe
'out·pa·tients' (clin·ic) service *m* de consultations externes
'out·per·form *v/t* l'emporter sur
'out·put 1 *n of factory* production *f*, rendement *m*; COMPUT sortie *f* **2** *v/t* (*pret & pp* ***-ted*** *or* ***output***) (*produce*) produire
'out·rage 1 *n feeling* indignation *f*; *act* outrage *m* **2** *v/t* faire outrage à; ***I was ~d to hear …*** j'étais outré d'apprendre …
out·ra·geous [aʊt'reɪdʒəs] *adj acts* révoltant; *prices* scandaleux*
'out·right 1 *adj winner* incontesté; *disaster, disgrace* absolu **2** *adv pay* comptant; *buy* au comptant; *kill* sur le coup; *refuse* catégoriquement
out'run *v/t* (*pret* ***-ran***, *pp* ***-run***) distancer
'out·set début *m*; ***from the ~*** dès le début
out'shine *v/t* (*pret & pp* ***-shone***) éclipser
'out·side 1 *adj* extérieur **2** *adv* dehors, à l'extérieur **3** *prep* à l'extérieur de; (*in front of*) devant; (*apart from*) en dehors de **4** *n of building, case etc* extérieur *m*; ***at the ~*** tout au plus
out·side 'broad·cast émission *f* en extérieur
out·sid·er [aʊt'saɪdər] *in election, race* outsider *m*; *in life* étranger *m*
'out·size *adj clothing* grande taille
'out·skirts *npl of town* banlieue *f*
out'smart → ***outwit***
'out·source *v/t* externaliser
out'spo·ken *adj* franc*
out'stand·ing *adj* exceptionnel*, remarquable; *invoice, sums* impayé
out·stretched ['aʊtstretʃt] *adj hands* tendu
out'vote *v/t* mettre en minorité
out·ward ['aʊtwərd] *adj appearance* extérieur; ***~ journey*** voyage *m* aller
out·ward·ly ['aʊtwərdlɪ] *adv* en apparence
out'weigh *v/t* l'emporter sur
out'wit *v/t* (*pret & pp* ***-ted***) se montrer plus malin* que
o·val ['oʊvl] *adj* ovale
o·va·ry ['oʊvərɪ] ovaire *m*
o·va·tion [oʊ'veɪʃn] ovation *f*; ***give s.o. a standing ~*** se lever pour ovationner qn
ov·en ['ʌvn] four *m*
'ov·en glove, 'ov·en mitt gant *m* de cuisine; **'ov·en·proof** *adj* qui va au four; **'ov·en-read·y** *adj* prêt à cuire
o·ver ['oʊvər] **1** *prep* (*above*) au-dessus de; (*across*) de l'autre côté de; (*more than*) plus de; (*during*) pendant; ***she walked ~ the street*** elle traversa la rue; ***travel all ~ Brazil*** voyager à travers le Brésil; ***you find them all ~ Brazil*** vous les trouvez partout au Brésil; ***she's ~ 40*** elle a plus de 40 ans; ***let's talk ~ a drink*** discutons-en autour d'un verre; ***we're ~ the worst*** le pire est passé; ***~ and above*** en plus de **2** *adv*: ***be ~*** (*finished*) être fini; (*left*) rester; ***there were just 6 ~*** il n'en restait que 6; ***~ to you*** (*your turn*) c'est à vous; ***~ in Japan*** au Japon; ***~ here*** ici; ***~ there*** là-bas; ***it hurts all ~*** ça fait mal partout; ***painted white all ~*** peint tout en blanc; ***it's all ~*** c'est fini; ***~ and ~ again*** maintes et maintes fois; ***do sth ~ (again)*** refaire qch
o·ver·all ['oʊvərɒːl] **1** *adj length* total **2**

adv measure en tout; (*in general*) dans l'ensemble

o·ver·alls ['oʊvərɒːlz] *npl* bleu *m* de travail

o·ver·awe [oʊvər'ɒː] *v/t* impressionner, intimider

o·ver'bal·ance *v/i of person* perdre l'équilibre

o·ver'bear·ing *adj* dominateur*

'o·ver·board *adv* par-dessus bord; ***man ~!*** un homme à la mer!; ***go ~ for s.o. / sth*** s'emballer pour qn / qch

'o·ver·cast *adj sky* couvert

o·ver'charge *v/t* faire payer trop cher à

'o·ver·coat pardessus *m*

o·ver'come *v/t* (*pret* ***-came***, *pp* ***-come***) *difficulties, shyness* surmonter; ***be ~ by emotion*** être submergé par l'émotion

o·ver'crowd·ed *adj city* surpeuplé; *train* bondé

o·ver'do *v/t* (*pret* ***-did***, *pp* ***-done***) (*exaggerate*) exagérer; *in cooking* trop cuire; ***you're ~ing things*** tu en fais trop

o·ver'done *adj meat* trop cuit

'o·ver·dose *n* overdose *f*

'o·ver·draft découvert *m*; ***have an ~*** être à découvert

o·ver'draw *v/t* (*pret* ***-drew***, *pp* ***-drawn***) *account* mettre à découvert; ***be $800 ~n*** avoir un découvert de 800 dollars, être à découvert de 800 dollars

o·ver·dressed [oʊvər'drest] *adj* trop habillé

'o·ver·drive MOT overdrive *m*

o·ver'due *adj* en retard

o·ver'es·ti·mate *v/t abilities, value* surestimer

o·ver·ex'pose *v/t photograph* surexposer

'o·ver·flow[1] *n pipe* trop-plein *m inv*

o·ver'flow[2] *v/i of water* déborder

o·ver'grown *adj garden* envahi par les herbes; ***he's an ~ baby*** il est resté très bébé

o·ver'haul *v/t engine, brakes etc* remettre à neuf; *plans, voting system* remanier

'o·ver·head 1 *adj* au-dessus; ***~ light*** *in ceiling* plafonnier *m* **2** *n* FIN frais *mpl* généraux

o·ver'hear *v/t* (*pret & pp* ***-heard***) entendre (par hasard)

o·ver'heat·ed *adj room* surchauffé; *engine* qui chauffe; *fig*: *economy* en surchauffe

o·ver·joyed [oʊvər'dʒɔɪd] *adj* ravi, enchanté

'o·ver·kill: ***that's ~*** c'est exagéré

'o·ver·land 1 *adj transport* par terre; ***~ route*** voie *f* de terre **2** *adv travel* par voie de terre

o·ver'lap *v/i* (*pret & pp* ***-ped***) *of tiles, periods etc* se chevaucher; *of theories* se recouper

o·ver'leaf: ***see ~*** voir au verso

o·ver'load *v/t vehicle, electric circuit* surcharger

o·ver'look *v/t of tall building etc* surplomber, dominer; *of window, room* donner sur; (*not see*) laisser passer

o·ver·ly ['oʊvərlɪ] *adv* trop; ***not ~ ...*** pas trop ...

'o·ver·night *adv stay, travel* la nuit; *fig*: *change, learn etc* du jour au lendemain

o·ver'paid *adj* trop payé, surpayé

'o·ver·pass pont *m*

o·verpop·u·lat·ed [oʊvər'pɑːpjəleɪtɪd] *adj* surpeuplé

o·ver'pow·er *v/t physically* maîtriser

o·ver·pow·ering [oʊvər'paʊrɪŋ] *adj smell* suffocant; *sense of guilt* irrépressible

o·ver·priced [oʊvər'praɪst] *adj* trop cher*

o·ver·rat·ed [oʊvə'reɪtɪd] *adj* surfait

o·ver·re'act *v/i* réagir de manière excessive

o·ver·re'ac·tion réaction *f* disproportionnée

o·ver'ride *v/t* (*pret* ***-rode***, *pp* ***-ridden***) *decision etc* annuler; *technically* forcer

o·ver'rid·ing *adj concern* principal

o·ver'rule *v/t decision* annuler

o·ver'run *v/t* (*pret* ***-ran***, *pp* ***-run***) *country* envahir; *time* dépasser; ***be ~ with tourists*** être envahi par; *rats* être infesté de

o·ver'seas 1 *adj travel etc* à l'étranger **2** *adv* à l'étranger
o·ver'see *v/t* (*pret* ***-saw***, *pp* ***-seen***) superviser
o·ver'shad·ow *v/t fig* éclipser
'o·ver·sight omission *f*, oubli *m*
o·ver·sim·pli·fi·ca·tion [oʊvərsɪmplɪfɪ'keɪʃn] schématisation *f*
o·ver'sim·pli·fy *v/t* (*pret & pp* ***-ied***) schématiser
o·ver'sleep *v/i* (*pret & pp* ***-slept***) se réveiller en retard
o·ver'state *v/t* exagérer
o·ver'state·ment exagération *f*
o·ver'step *v/t* (*pret & pp* ***-ped***): ***~ the mark*** *fig* dépasser les bornes
o·ver'take *v/t* (*pret* ***-took***, *pp* ***-taken***) *in work, development* dépasser, devancer; *Br* MOT dépasser, doubler
o·ver'throw[1] *v/t* (*pret* ***-threw***, *pp* ***-thrown***) *government* renverser
'o·ver·throw[2] *n of government* renversement *m*
'o·ver·time 1 *n* SP temps *m* supplémentaire, prolongation *f* **2** *adv*: ***work ~*** faire des heures supplémentaires
o·ver·ture ['oʊvərtʃʊr] MUS ouverture *f*; ***make ~s to*** faire des ouvertures à
o·ver'turn 1 *v/t also government* renverser **2** *v/i of vehicle* se retourner
'o·ver·view vue *f* d'ensemble
o·ver'weight *adj* trop gros*
o·ver·whelm [oʊvər'welm] *v/t with work* accabler, surcharger; *with emotion* submerger; ***be ~ed by*** *by response* être bouleversé par
o·ver·whelm·ing [oʊvər'welmɪŋ] *adj guilt, fear* accablant, irrépressible; *relief* énorme; *majority* écrasant
o·ver'work 1 *n* surmenage *m* **2** *v/i* se surmener **3** *v/t* surmener
owe [oʊ] *v/t* devoir (s.o. à qn); ***~ s.o. an apology*** devoir des excuses à qn; ***how much do I ~ you?*** combien est-ce que je te dois?
ow·ing to ['oʊɪŋ] *prep* à cause de
owl [aʊl] hibou *m*, chouette *f*
own[1] [oʊn] *v/t* posséder
own[2] [oʊn] **1** *adj* propre
own 2 *pron*: ***an apartment of my ~*** un appartement à moi; ***on my / his ~*** tout seul
♦ **own up** *v/i* avouer
own·er ['oʊnər] propriétaire *m/f*
own·er·ship ['oʊnərʃɪp] possession *f*, propriété *f*
ox·ide ['ɑːksaɪd] oxyde *m*
ox·y·gen ['ɑːksɪdʒən] oxygène *m*
oy·ster ['ɔɪstər] huître *f*
oz *abbr* (= ***ounce***(***s***))
o·zone ['oʊzoʊn] ozone *m*
'o·zone lay·er couche *f* d'ozone

P

PA [piː'eɪ] *abbr* (= ***personal assistant***) secrétaire *m/f*
pace [peɪs] **1** *n* (*step*) pas *m*; (*speed*) allure *f* **2** *v/i*: ***~ up and down*** faire les cent pas
'pace·mak·er MED stimulateur *m* cardiaque, pacemaker *m*; SP lièvre *m*
Pa·cif·ic [pə'sɪfɪk]: ***the ~*** (***Ocean***) le Pacifique, l'océan *m* Pacifique
pac·i·fi·er ['pæsɪfaɪər] *for baby* sucette *f*
pac·i·fism ['pæsɪfɪzm] pacifisme *m*
pac·i·fist ['pæsɪfɪst] *n* pacifiste *m/f*
pac·i·fy ['pæsɪfaɪ] *v/t* (*pret & pp* ***-ied***) calmer, apaiser
pack [pæk] **1** *n* (*back~*) sac *m* à dos; *of cereal, cigarettes etc* paquet *m*; *of cards* jeu *m* **2** *v/t item of clothing etc* mettre dans ses bagages; *goods* emballer; ***~ one's bag*** faire sa valise **3** *v/i* faire ses bagages
pack·age ['pækɪdʒ] **1** *n* (*parcel*) pa-

quet *m*; *of offers etc* forfait *m* **2** *v/t in packs* conditionner; *idea, project* présenter

'pack·age deal *for holiday* forfait *m*

'pack·age tour voyage *m* à forfait

pack·ag·ing ['pækɪdʒɪŋ] *of product* conditionnement *m*; *material* emballage *m*; *of idea, project* présentation *f*; *of rock star etc* image *f* (de marque)

pack·ed [pækt] *adj* (*crowded*) bondé

pack·et ['pækɪt] paquet *m*

pact [pækt] pacte *m*

pad[1] [pæd] **1** *n protective* tampon *m* de protection; *over wound* tampon *m*; *for writing* bloc *m* **2** *v/t* (*pret & pp* ***-ded***) *with material* rembourrer; *speech, report* délayer

pad[2] [pæd] *v/i* (*pret & pp* ***-ded***) (*move quietly*) marcher à pas feutrés

pad·ded ['pædɪd] *adj jacket* matelassé, rembourré

pad·ding ['pædɪŋ] *material* rembourrage *m*; *in speech etc* remplissage *m*

pad·dle[1] ['pædl] **1** *n for canoe* pagaie *f* **2** *v/i in canoe* pagayer

paddle[2] ['pædl] *v/i in water* patauger

pad·dock ['pædək] paddock *m*

pad·lock ['pædlɑːk] **1** *n* cadenas *m* **2** *v/t*: cadenasser; ~ ***sth to sth*** attacher qch à qch à l'aide d'un cadenas

page[1] [peɪdʒ] *n of book etc* page *f*; ~ ***number*** numéro *m* de page

page[2] [peɪdʒ] *v/t* (*call*) (faire) appeler

pag·er ['peɪdʒər] pager *m*, radiomessageur *m*; *for doctor* bip *m*

paid [peɪd] *pret & pp* → ***pay***

paid em'ploy·ment travail *m* rémunéré

pail [peɪl] seau *m*

pain [peɪn] *n* douleur *f*; ***be in ~*** souffrir; ***take ~s to do sth*** se donner de la peine pour faire qch; ***a ~ in the neck*** F un casse-pieds

pain·ful ['peɪnful] *adj arm, leg etc* douloureux*; (*distressing*) pénible; (*laborious*) difficile

pain·ful·ly ['peɪnflɪ] *adv* (*extremely, acutely*) terriblement

'pain·kill·er analgésique *m*

pain·less ['peɪnlɪs] *adj* indolore; *fig* F pas méchant F

pains·tak·ing ['peɪnzteɪkɪŋ] *adj* minutieux*

paint [peɪnt] **1** *n* peinture *f* **2** *v/t* peindre **3** *v/i as art form* faire de la peinture, peindre

'paint·brush pinceau *m*

paint·er ['peɪntər] peintre *m*

paint·ing ['peɪntɪŋ] *activity* peinture *f*; *picture* tableau *m*

'paint·work peinture *f*

pair [per] paire *f*; *of people, animals, birds* couple *m*; ***a ~ of shoes / sandals*** une paire de chaussures / sandales; ***a ~ of pants*** un pantalon; ***a ~ of scissors*** des ciseaux *mpl*

pa·ja·ma 'jack·et veste *f* de pyjama

pa·ja·ma 'pants *npl* pantalon *m* de pyjama

pa·ja·mas [pə'dʒɑːməz] *npl* pyjama *m*

Pa·ki·stan [pækɪ'stɑːn] Pakistan *m*

Pa·ki·sta·ni [pækɪ'stɑːnɪ] **1** *adj* pakistanais **2** *n* Pakistanais(e) *m(f)*

pal [pæl] F (*friend*) copain *m*, copine *f*, pote *m* F; ***hey ~, got a light?*** eh toi, t'as du feu?

pal·ace ['pælɪs] palais *m*

pal·ate ['pælət] ANAT, *fig* palais *m*

pa·la·tial [pə'leɪʃl] *adj* somptueux*

pale [peɪl] *adj* pâle; ***go ~*** pâlir

Pal·e·stine ['pæləstaɪn] Palestine *f*

Pal·e·stin·i·an [pælə'stɪnɪən] **1** *adj* palestinien* **2** *n* Palestinien(ne) *m(f)*

pal·let ['pælɪt] palette *f*

pal·lor ['pælər] pâleur *f*

palm[1] [pɑːm] *of hand* paume *f*

palm[2] [pɑːm] *tree* palmier *m*

pal·pi·ta·tions [pælpɪ'teɪʃnz] *npl* MED palpitations *fpl*

pal·try ['pɒːltrɪ] *adj* dérisoire

pam·per ['pæmpər] *v/t* choyer, gâter

pam·phlet ['pæmflɪt] *for information* brochure *f*, *political* tract *m*

pan [pæn] **1** *n* casserole *f*, *for frying* poêle *f* **2** *v/t* (*pret & pp* ***-ned***) F (*criticize*) démolir

♦**pan out** *v/i* (*develop*) tourner

pan·cake ['pænkeɪk] crêpe *f*

pan·da ['pændə] panda *m*

pan·de·mo·ni·um [pændɪ'moʊnɪəm] désordre *m*

♦**pan·der to** ['pændər] *v/t* céder à

pane [peɪn]: ***a ~ of glass*** un carreau, une vitre
pan•el ['pænl] panneau *m*; *people* comité *m*; *on TV program* invités *mpl*
pan•el•ing, *Br* **pan•el•ling** ['pænəlɪŋ] lambris *m*
pang [pæŋ] *of remorse* accès *m*; ***~s of hunger*** des crampes d'estomac
pan•han•dle *v/i* F faire la manche F
pan•ic ['pænɪk] **1** *n* panique *f* **2** *v/i* (*pret & pp* ***-ked***) s'affoler, paniquer; ***don't ~!*** ne t'affole pas!
'pan•ic buy•ing achat *m* en catastrophe; **'pan•ic sel•ling** FIN vente *f* en catastrophe; **'pan•ic-strick•en** *adj* affolé, pris de panique
pan•o•ra•ma [pænə'rɑːmə] panorama *m*
pa•no•ra•mic [pænə'ræmɪk] *adj view* panoramique
pan•sy ['pænzɪ] *flower* pensée *f*
pant [pænt] *v/i of person* haleter
pan•ties ['pæntɪz] *npl* culotte *f*
pan•ti•hose → ***pantyhose***
pants [pænts] *npl* pantalon *m*; ***a pair of ~*** un pantalon
pan•ty•hose ['pæntɪhoʊz] *npl* collant *m*
pa•pal ['peɪpəl] *adj* papal
pa•per ['peɪpər] **1** *n material* papier *m*; (*news~*) journal *m*; (*wall~*) papier *m* peint; *academic* article *m*, exposé *m*; (*examination ~*) épreuve *f*; ***~s*** (*documents*) documents *mpl*; (*identity ~s*) papiers *mpl* **2** *adj* (*made of ~*) en papier **3** *v/t room, walls* tapisser
'pa•per•back livre *m* de poche; **pa•per 'bag** sac *m* en papier; **'pa•per boy** livreur *m* de journaux; **'pa•per clip** trombone *m*; **'pa•per cup** gobelet *m* en carton; **'pa•per•work** tâches *fpl* administratives
Pap test [pæp] MED frottis *m*
par [pɑːr] *in golf* par *m*; ***be on a ~ with*** être comparable à; ***feel below ~*** ne pas être dans son assiette
par•a•chute ['pærəʃuːt] **1** *n* parachute *m* **2** *v/i* sauter en parachute **3** *v/t troops, supplies* parachuter
par•a•chut•ist ['pærəʃuːtɪst] parachutiste *m/f*
pa•rade [pə'reɪd] **1** *n* (*procession*) défilé *m* **2** *v/i of soldiers* défiler; *showing off* parader, se pavaner **3** *v/t knowledge, new car* faire étalage de
par•a•dise ['pærədaɪs] REL, *fig* paradis *m*
par•a•dox ['pærədɑːks] paradoxe *m*
par•a•dox•i•cal [pærə'dɑːksɪkl] *adj* paradoxal
par•a•dox•i•cal•ly [pærə'dɑːksɪklɪ] *adv* paradoxalement
par•a•graph ['pærəgræf] paragraphe *m*
par•al•lel ['pærəlel] **1** *n* parallèle *f*; GEOG, *fig* parallèle *m*; ***do two things in ~*** faire deux choses en même temps **2** *adj also fig* parallèle **3** *v/t* (*match*) égaler
pa•ral•y•sis [pə'ræləsɪs] *also fig* paralysie *f*
par•a•lyze ['pærəlaɪz] *v/t* paralyser
par•a•med•ic [pærə'medɪk] auxiliaire *m/f* médical(e)
pa•ram•e•ter [pə'ræmɪtər] paramètre *m*
par•a•mil•i•tar•y [pærə'mɪlɪterɪ] **1** *adj* paramilitaire **2** *n* membre *m* d'une organisation paramilitaire
par•a•mount ['pærəmaʊnt] *adj* suprême, primordial; ***be ~*** être de la plus haute importance
par•a•noi•a [pærə'nɔɪə] paranoïa *f*
par•a•noid ['pærənɔɪd] *adj* paranoïaque
par•a•pher•na•li•a [pærəfər'neɪlɪə] attirail *m*, affaires *fpl*
par•a•phrase ['pærəfreɪz] *v/t* paraphraser
par•a•pleg•ic [pærə'pliːdʒɪk] *n* paraplégique *m/f*
par•a•site ['pærəsaɪt] *also fig* parasite *m*
par•a•sol ['pærəsɑːl] parasol *m*
par•a•troop•er ['pærətruːpər] parachutiste *m*, para *m* F
par•cel ['pɑːrsl] *n* colis *m*, paquet *m*
♦**parcel up** *v/t* emballer
parch [pɑːrʧ] *v/t* dessécher; ***be ~ed*** F *of person* mourir de soif
par•don ['pɑːrdn] **1** *n* LAW grâce *f*; ***I beg your ~?*** (*what did you say?*)

P

comment?; (*I'm sorry*) je vous demande pardon **2** *v/t* pardonner; LAW gracier; **~ *me?*** pardon?
pare [per] *v/t* (*peel*) éplucher
par·ent ['perənt] père *m*; mère *f*; ***my ~s*** mes parents; ***as a ~*** en tant que parent
pa·ren·tal [pə'rentl] *adj* parental
'par·ent com·pa·ny société *f* mère
par·en·the·sis [pə'renθəsɪz] (*pl* ***parentheses*** [pə'renθəsi:z]) parenthèse *f*
par·ent-'tea·cher as·so·ci·a·tion association *f* de parents d'élèves
par·ish ['pærɪʃ] paroisse *f*
park[1] [pɑ:rk] *n* parc *m*
park[2] [pɑ:rk] **1** *v/t* MOT garer **2** *v/i* MOT stationner, se garer
par·ka ['pɑ:rkə] parka *m* or *f*
par·king ['pɑ:rkɪŋ] MOT stationnement *m*; ***no ~*** défense de stationner, stationnement interdit
'par·king brake frein *m* à main; **'par·king ga·rage** parking *m* couvert; **'par·king lot** parking *m*, parc *m* de stationnement; **'par·king me·ter** parcmètre *m*; **'par·king place** place *f* de stationnement; **'par·king tick·et** contravention *f*
par·lia·ment ['pɑ:rləmənt] parlement *m*
par·lia·men·ta·ry [pɑ:rlə'mentərɪ] *adj* parlementaire
pa·role [pə'roʊl] **1** *n* libération *f* conditionnelle; ***be on ~*** être en liberté conditionnelle **2** *v/t* mettre en liberté conditionnelle
par·rot ['pærət] *n* perroquet *m*
pars·ley ['pɑ:rslɪ] persil *m*
part [pɑ:rt] **1** *n* partie *f*; (*episode*) épisode *m*; *of machine* pièce *f*; *in play, movie* rôle *m*; *in hair* raie *f*; ***take ~ in*** participer à, prendre part à **2** *adv* (*partly*) en partie **3** *v/i of two people* se quitter, se séparer; ***I ~ed from her*** je l'ai quittée **4** *v/t*: **~ *one's hair*** se faire une raie
♦**part with** *v/t* se séparer de
'part ex·change: ***take sth in ~*** reprendre qch
par·tial ['pɑ:rʃl] *adj* (*incomplete*) partiel*; ***be ~ to*** avoir un faible pour, bien aimer
par·tial·ly ['pɑ:rʃəlɪ] *adv* en partie, partiellement
par·ti·ci·pant [pɑ:r'tɪsɪpənt] participant(e) *m*(*f*)
par·ti·ci·pate [pɑ:r'tɪsɪpeɪt] *v/i* participer (***in*** à), prendre part (***in*** à)
par·ti·ci·pa·tion [pɑ:rtɪsɪ'peɪʃn] participation *f*
par·ti·cle ['pɑ:rtɪkl] PHYS particule *f*
par·tic·u·lar [pər'tɪkjələr] *adj* particulier*; (*fussy*) à cheval (***about*** sur), exigeant; ***this plant is a ~ favorite of mine*** j'aime tout particulièrement cette plante; ***in ~*** en particulier
par·tic·u·lar·ly [pər'tɪkjələrlɪ] *adv* particulièrement
part·ing ['pɑ:rtɪŋ] *of people* séparation *f*; *Br. in hair* raie *f*
par·ti·tion [pɑ:r'tɪʃn] **1** *n* (*screen*) cloison *f*; *of country* partage *m*, division *f* **2** *v/t country* partager, diviser
♦**partition off** *v/t* cloisonner
part·ly ['pɑ:rtlɪ] *adv* en partie
part·ner ['pɑ:rtnər] *n* partenaire *m*; COMM associé *m*; *in relationship* compagnon(ne) *m*(*f*)
part·ner·ship ['pɑ:rtnərʃɪp] COMM, *in relationship* association *f*; *in particular activity* partenariat *m*
part of 'speech classe *f* grammaticale; **'part own·er** copropriétaire *m*/*f*; **'part-time** *adj & adv* à temps partiel; **part-'tim·er** employé(e) *m*(*f*) à temps partiel
par·ty ['pɑ:rtɪ] **1** *n* (*celebration*) fête *f*; *for adults in the evening also* soirée *f*; POL parti *m*; (*group of people*) groupe *m*; ***be a ~ to*** prendre part à **2** *v/i* (*pret & pp* ***-ied***) F faire la fête
par·ty-pooper ['pɑrtɪpu:pər] F trouble-fête *m inv*
pass [pæs] **1** *n for entry* laissez-passer *m inv*; SP passe *f*; *in mountains* col *m*; ***make a ~ at*** faire des avances à; (*go past*) passer devant; *another car* doubler, dépasser; *competitor* dépasser; (*go beyond*) dépasser; (*approve*) approuver; **~ *an exam*** réussir un examen; **~ *sentence*** LAW prononcer

le verdict; **~ *the time*** *of person* passer le temps; *of activity* faire passer le temps **3** *v/i of time* passer; *in exam* être reçu; SP faire une passe; (*go away*) passer

♦**pass around** *v/t* faire passer

♦**pass away** *v/i* (*euph: die*) s'éteindre

♦**pass by 1** *v/t* (*go past*) passer devant / à côté de **2** *v/i* (*go past*) passer

♦**pass on 1** *v/t information, book* passer; *costs* répercuter; *savings* faire profiter de **2** *v/i* (*euph: die*) s'éteindre

♦**pass out** *v/i* (*faint*) s'évanouir

♦**pass through** *v/t town* traverser

♦**pass up** *v/t* F *chance* laisser passer

pass·a·ble ['pæsəbl] *adj road* praticable; (*acceptable*) passable

pas·sage ['pæsɪdʒ] (*corridor*) couloir *m*; *from book, of time* passage *m*; ***with the ~ of time*** avec le temps

pas·sage·way ['pæsɪdʒweɪ] passage *m*

pas·sen·ger ['pæsɪndʒər] passager (-ère) *m*(*f*)

'pas·sen·ger seat siège *m* du passager

pas·ser-by [pæsər'baɪ] (*pl* ***passers-by***) passant(e) *m*(*f*)

pas·sion ['pæʃn] passion *f*

pas·sion·ate ['pæʃnət] *adj lover* passionné; (*fervent*) fervent, véhément

pas·sive ['pæsɪv] **1** *adj* passif* **2** *n* GRAM passif *m*; ***in the ~*** à la voix passive

'pass mark EDU moyenne *f*; **'Pass·o·ver** REL la Pâque; **'pass·port** passeport *m*; **'pass·port con·trol** contrôle *m* des passeports; **'pass·word** mot *m* de passe

past [pæst] **1** *adj* (*former*) passé, ancien*; ***the ~ few days*** ces derniers jours; ***that's all ~ now*** c'est du passé F **2** *n* passé *m*; ***in the ~*** autrefois **3** *prep* après; ***it's ~ 7 o'clock*** il est plus de 7 heures; ***it's half ~ two*** il est deux heures et demie **4** *adv*: ***run ~*** passer en courant

pas·ta ['pæstə] pâtes *fpl*

paste [peɪst] **1** *n* (*adhesive*) colle *f* **2** *v/t* (*stick*) coller

pas·tel ['pæstl] *n* pastel *m*; ***~ blue*** bleu pastel

pas·time ['pæstaɪm] passe-temps *m inv*

past·or pasteur *m*

past par·ti·ci·ple [pɑːr'tɪsɪpl] GRAM participe *m* passé

pas·tra·mi [pæ'strɑːmɪ] bœuf *m* fumé et épicé

pas·try ['peɪstrɪ] *for pie* pâte *f*; *small cake* pâtisserie *f*

'past tense GRAM passé *m*

pas·ty ['peɪstɪ] *adj complexion* blafard

pat [pæt] **1** *n* petite tape *f*; ***give s.o. a ~ on the back*** *fig* féliciter qn **2** *v/t* (*pret & pp* ***-ted***) tapoter

patch [pætʃ] **1** *n on clothing* pièce *f*; (*period of time*) période *f*; (*area*) tache *f*; *of fog* nappe *f*; ***go through a bad ~*** traverser une mauvaise passe; ***be not a ~ on*** F être loin de valoir **2** *v/t clothing* rapiécer

♦**patch up** *v/t* (*repair temporarily*) rafistoler F; *quarrel* régler

patch·work ['pætʃwɜːrk] **1** *adj quilt* en patchwork **2** *n* patchwork *m*

patch·y ['pætʃɪ] *adj* inégal

pâ·té [pɑː'teɪ] pâté *m*

pa·tent ['peɪtnt] **1** *adj* (*obvious*) manifeste **2** *n for invention* brevet *m* **3** *v/t invention* breveter

pa·tent 'leath·er cuir *m* verni

pa·tent·ly ['peɪtntlɪ] *adv* (*clearly*) manifestement

pa·ter·nal [pə'tɜːrnl] *adj* paternel*

pa·ter·nal·ism [pə'tɜːrnlɪzm] paternalisme *m*

pa·ter·nal·is·tic [pətɜːrnl'ɪstɪk] *adj* paternaliste

pa·ter·ni·ty [pə'tɜːrnɪtɪ] paternité *f*

path [pæθ] chemin *m*; *surfaced walkway* allée *f*; *fig* voie *f*

pa·thet·ic [pə'θetɪk] *adj* touchant; F (*very bad*) pathétique

path·o·log·i·cal [pæθə'lɑːdʒɪkl] *adj* pathologique

pa·thol·o·gist [pə'θɑːlədʒɪst] pathologiste *m/f*

pa·thol·o·gy [pə'θɑːlədʒɪ] pathologie *f*; *department* service *m* de pathologie

pa·tience ['peɪʃns] patience *f*

pa·tient ['peɪʃnt] **1** *adj* patient; ***just be***

~! patience! **2** *n* patient *m*
pa·tient·ly ['peɪʃntlɪ] *adv* patiemment
pat·i·o ['pætɪoʊ] *Br* patio *m*
pat·ri·ot ['peɪtrɪət] patriote *m/f*
pat·ri·ot·ic [peɪtrɪ'ɑːtɪk] *adj person* patriote; *song* patriotique
pa·tri·ot·ism ['peɪtrɪətɪzm] patriotisme *m*
pa·trol [pə'troʊl] **1** *n* patrouille *f*; ***be on ~*** être de patrouille **2** *v/t* (*pret & pp* ***-led***) *streets, border* patrouiller dans / à
pa'trol car voiture *f* de police; **pa'trol·man** agent *m* de police; **pa'trol wag·on** fourgon *m* cellulaire
pa·tron ['peɪtrən] *of store, movie theater* client(e) *m(f)*; *of artist, charity etc* protecteur(-trice) *m(f)*; ***be ~ of sth*** parrainer qch
pa·tron·ize ['pætrənaɪz] *v/t person* traiter avec condescendance
pa·tron·iz·ing ['pætrənaɪzɪŋ] *adj* condescendant
pa·tron 'saint patron(ne) *m(f)*
pat·ter ['pætər] **1** *n of rain etc* bruit *m*, crépitement *m*; *of feet, mice etc* trottinement *m*; F *of salesman* boniment *m* **2** *v/i* crépiter, tambouriner
pat·tern ['pætərn] *n on fabric* motif *m*; *for knitting, sewing* patron *m*; (*model*) modèle *m*; *in events* scénario *m*; ***eating / sleeping ~s*** habitudes *fpl* alimentaires / de sommeil; ***there's a regular ~ to his behavior*** il y a une constante dans son comportement
pat·terned ['pætərnd] *adj* imprimé
paunch [pɒːntʃ] ventre *m*, brioche *f* F
pause [pɒːz] **1** *n* pause *f*, arrêt *m* **2** *v/i* faire une pause, s'arrêter **3** *v/t tape* mettre en mode pause
pave [peɪv] *v/t* paver; ***~ the way for*** *fig* ouvrir la voie à
pave·ment ['peɪvmənt] (*roadway*) chaussée *f*; *Br* (*sidewalk*) trottoir *m*
pav·ing stone ['peɪvɪŋ] pavé *m*
paw [pɒː] **1** *n* patte *f* **2** *v/t* F tripoter
pawn[1] [pɒːn] *n in chess, fig* pion *m*
pawn[2] [pɒːn] *v/t* mettre en gage
'pawn·bro·ker prêteur *m* sur gages
'pawn·shop mont-de-piété *m*
pay [peɪ] **1** *n* paye *f*, salaire *m*; ***in the ~ of*** à la solde de **2** *v/t* (*pret & pp* ***paid***) payer; *bill also* régler; ***~ attention*** faire attention; ***~ s.o. a compliment*** faire un compliment à qn **3** *v/i* (*pret & pp* ***paid***) payer; (*be profitable*) rapporter, être rentable; ***it doesn't ~ to ...*** on n'a pas intérêt à ...; ***~ for*** *purchase* payer; ***you'll ~ for this!*** *fig* tu vas me le payer!
♦**pay back** *v/t* rembourser; (*get revenge on*) faire payer à
♦**pay in** *v/t to bank* déposer, verser
♦**pay off 1** *v/t debt* rembourser; *corrupt official* acheter **2** *v/i* (*be profitable*) être payant, être rentable
♦**pay up** *v/i* payer
pay·a·ble ['peɪəbl] *adj* payable
'pay check salaire *m*, chèque *m* de paie
'pay·day jour *m* de paie
pay·ee [peɪ'iː] bénéficiaire *m/f*
'pay en·ve·lope *salary* salaire *m*
pay·er ['peɪər] payeur(-euse) *m(f)*
pay·ment ['peɪmənt] *of bill* règlement *m*, paiement *m*; *money* paiement *m*, versement *m*
'pay phone téléphone *m* public; **'pay·roll** *money* argent *m* de la paye; *employees* personnel *m*; ***be on the ~*** être employé; **'pay·slip** feuille *f* de paie, bulletin *m* de salaire
PC [piː'siː] *abbr* (***= personal computer***) P.C. *m*; (***= politically correct***) politiquement correct
PDA [piːdiː'eɪ] *abbr* (***= personal digital assistant***) organiseur *m* électronique
pea [piː] petit pois *m*
peace [piːs] paix *f*
peace·a·ble ['piːsəbl] *adj person* pacifique
peace·ful ['piːsfʊl] *adj* paisible, tranquille; *demonstration* pacifique
peace·ful·ly ['piːsflɪ] *adv* paisiblement
peach [piːtʃ] pêche *f*
pea·cock ['piːkɑːk] paon *m*
peak [piːk] **1** *n of mountain* pic *m*; *fig* apogée *f*; ***reach a ~ of physical fitness*** être au meilleur de sa forme **2** *v/i* culminer

'peak con·sump·tion consommation *f* en heures pleines; **'peak hours** *npl of electricity consumption* heures *fpl* pleines; *of traffic* heures *fpl* de pointe
pea·nut ['pi:nʌt] cacahuète *f*; ***get paid ~s*** F être payé trois fois rien; ***that's ~s to him*** F pour lui c'est une bagatelle
pea·nut 'but·ter beurre *m* de cacahuètes
pear [per] poire *f*
pearl [pɜ:rl] perle *f*
peas·ant ['peznt] paysan(ne) *m(f)*
peb·ble ['pebl] caillou *m*, galet *m*
pe·can ['pi:kən] pécan *m*
peck [pek] **1** *n (bite)* coup *m* de bec; *(kiss)* bise *f* (rapide) **2** *v/t (bite)* donner un coup de bec à; *(kiss)* embrasser rapidement
pe·cu·li·ar [pɪ'kju:ljər] *adj (strange)* bizarre; ***~ to*** *(special)* propre à
pe·cu·li·ar·i·ty [pɪkju:lɪ'ærətɪ] *(strangeness)* bizarrerie *f*; *(special feature)* particularité *f*
ped·al ['pedl] **1** *n of bike* pédale *f* **2** *v/i (pret & pp **~ed**, Br **~led**)* pédaler; ***he ~ed off home*** il est rentré chez lui à vélo
pe·dan·tic [pɪ'dæntɪk] *adj* pédant
ped·dle ['pedl] *v/t drugs* faire du trafic de
ped·es·tal ['pedəstl] *for statue* socle *m*, piédestal *m*
pe·des·tri·an [pɪ'destrɪən] *n* piéton(ne) *m(f)*
pe·des·tri·an 'cros·sing *Br* passage *m* (pour) piétons
pe·di·at·ric [pi:dɪ'ætrɪk] *adj* pédiatrique
pe·di·a·tri·cian [pi:dɪæ'trɪʃn] pédiatre *m/f*
pe·di·at·rics [pi:dɪ'ætrɪks] *nsg* pédiatrie *f*
ped·i·cure ['pedɪkjʊr] soins *mpl* des pieds
ped·i·gree ['pedɪgri:] **1** *adj* avec pedigree **2** *n of dog, racehorse* pedigree *m*; *of person* arbre *m* généalogique
pee [pi:] *v/i* F faire pipi F
peek [pi:k] **1** *n* coup *m* d'œil (furtif) **2** *v/i* jeter un coup d'œil, regarder furtivement
peel [pi:l] **1** *n* peau *f* **2** *v/t fruit, vegetables* éplucher, peler **3** *v/i of nose, shoulders* peler; *of paint* s'écailler
♦ **peel off 1** *v/t* enlever **2** *v/i of wrapper* se détacher, s'enlever
peep [pi:p] → ***peek***
'peep·hole judas *m*; *in prison* guichet *m*
peer[1] [pɪr] *n (equal)* pair *m*; *of same age group* personne *f* du même âge
peer[2] *v/i* regarder; ***~ through the mist*** *of person* essayer de regarder à travers la brume; ***~ at*** regarder (fixement), scruter
peeved [pi:vd] *adj* F en rogne F
peg [peg] *n for hat, coat* patère *f*; *for tent* piquet *m*; ***off the ~*** de confection
pe·jo·ra·tive [pɪ'dʒɑ:rətɪv] *adj* péjoratif*
pel·let ['pelɪt] boulette *f*; *for gun* plomb *m*
pelt [pelt] **1** *v/t*: ***~ s.o. with sth*** bombarder qn de qch **2** *v/i* F *(race)* aller à toute allure; ***it's ~ing down*** F il pleut à verse
pel·vis ['pelvɪs] bassin *m*
pen[1] [pen] *n* stylo *m*; *(ballpoint)* stylo *m* (à) bille
pen[2] [pen] *(enclosure)* enclos *m*
pen[3] → ***penitentiary***
pe·nal·ize ['pi:nəlaɪz] *v/t* pénaliser
pen·al·ty ['penəltɪ] sanction *f*, LAW peine *f*; *fine* amende *f*; SP pénalisation *f*; *soccer* penalty *m*; *rugby* coup *m* de pied de pénalité; ***take the ~*** *soccer* tirer le penalty; *rugby* tirer le coup de pied de pénalité
'pen·al·ty ar·e·a *soccer* surface *f* de réparation; **'pen·al·ty clause** LAW clause *f* pénale; **'pen·al·ty kick** *soccer* penalty *m*; *rugby* coup *m* de pied de pénalité; **pen·al·ty 'shoot-out** épreuve *f* des tirs au but; **'pen·al·ty spot** point *m* de réparation
pen·cil ['pensɪl] crayon *m* (de bois)
'pen·cil sharp·en·er ['ʃɑ:rpnər] taille-crayon *m inv*
pen·dant ['pendənt] *necklace* pendentif *m*
pend·ing ['pendɪŋ] **1** *prep* en atten-

P

dant **2** *adj*: ***be ~*** (*awaiting decision*) en suspens; (*about to happen*) imminent
pen·e·trate ['penɪtreɪt] *v/t* pénétrer
pen·e·trat·ing ['penɪtreɪtɪŋ] *adj stare* pénétrant; *scream* perçant; *analysis* perspicace
pen·e·tra·tion [penɪ'treɪʃn] pénétration *f*
'pen friend correspondant(e) *m*(*f*)
pen·guin ['peŋgwɪn] manchot *m*
pen·i·cil·lin [penɪ'sɪlɪn] pénicilline *f*
pe·nin·su·la [pə'nɪnsʊlə] presqu'île *f*
pe·nis ['pi:nɪs] pénis *m*, verge *f*
pen·i·tence ['penɪtəns] pénitence *f*, repentir *m*
pen·i·tent ['penɪtənt] *adj* pénitent, repentant
pen·i·tent·ia·ry [penɪ'tenʃərɪ] pénitencier *m*
'pen name nom *m* de plume
pen·nant ['penənt] fanion *m*
pen·ni·less ['penɪlɪs] *adj* sans le sou
pen·ny ['penɪ] cent *m*
'pen pal correspondant(e) *m*(*f*)
pen·sion ['penʃn] retraite *f*, pension *f*
♦ **pension off** *v/t* mettre à la retraite
'pen·sion fund caisse *f* de retraite
'pen·sion scheme régime *m* de retraite
pen·sive ['pensɪv] *adj* pensif*
Pen·ta·gon ['pentəgɑ:n]: ***the ~*** le Pentagone
pen·tath·lon [pen'tæθlən] pentathlon *m*
Pen·te·cost ['pentɪkɑ:st] Pentecôte *f*
pent·house ['penthaʊs] penthouse *m*, appartement *m* luxueux (édifié sur le toit d'un immeuble)
pent-up ['pentʌp] *adj* refoulé
pe·nul·ti·mate [pe'nʌltɪmət] *adj* avant-dernier
peo·ple ['pi:pl] *npl* gens *mpl nsg* (*race, tribe*) peuple *m*; ***10 ~*** 10 personnes; ***the ~*** le peuple; ***the American ~*** les Américains; ***~ say ...*** on dit ...
pep·per ['pepər] *spice* poivre *m*; *vegetable* poivron *m*
'pep·per·mint *candy* bonbon *m* à la menthe; *flavoring* menthe *f* poivrée
'pep talk discours *m* d'encouragement
per [pɜ:r] *prep* par; ***~ annum*** par an; ***how much ~ kilo?*** combien c'est le kilo?
per·ceive [pər'si:v] *v/t* percevoir
per·cent [pər'sent] *adv* pour cent
per·cen·tage [pər'sentɪdʒ] pourcentage *m*
per·cep·ti·ble [pər'septəbl] *adj* perceptible
per·cep·ti·bly [pər'septəblɪ] *adv* sensiblement
per·cep·tion [pər'sepʃn] perception *f*; *of situation also* vision *f*; (*insight*) perspicacité *f*
per·cep·tive [pər'septɪv] *adj person, remark* perspicace
perch [pɜ:rtʃ] **1** *n for bird* perchoir *m* **2** *v/i* se percher; *of person* s'asseoir
per·co·late ['pɜ:rkəleɪt] *v/i of coffee* passer
per·co·la·tor ['pɜ:rkəleɪtər] cafetière *f* à pression
per·cus·sion [pər'kʌʃn] percussions *fpl*
per'cus·sion in·stru·ment instrument *m* à percussion
pe·ren·ni·al [pə'renɪəl] *n* BOT plante *f* vivace
per·fect ['pɜ:rfɪkt] **1** *adj* parfait **2** *n* GRAM passé *m* composé **3** *v/t* [pər'fekt] parfaire, perfectionner
per·fec·tion [pər'fekʃn] perfection *f*; ***to ~*** à la perfection
per·fec·tion·ist [pər'fekʃnɪst] *n* perfectionniste *m/f*
per·fect·ly ['pɜ:rfɪktlɪ] *adv* parfaitement; (*totally*) tout à fait
per·fo·rat·ed ['pɜ:rfəreɪtɪd] *adj* perforé; ***~ line*** pointillé *m*
per·fo·ra·tions [pɜ:rfə'reɪʃnz] *npl* pointillés *mpl*
per·form [pər'fɔ:rm] **1** *v/t* (*carry out*) accomplir, exécuter; *of actor, musician etc* jouer **2** *v/i of actor, musician, dancer* jouer; *of machine* fonctionner
per·form·ance [pər'fɔ:rməns] *by actor, musician etc* interprétation *f*; (*event*) représentation *f*; *of employee, company etc* résultats *mpl*; *of machine* performances *fpl*, rendement *m*

per'form·ance car voiture *f* puissante
per·form·er [pər'fɔːrmər] artiste *m/f*, interprète *m/f*
per·fume ['pɜːrfjuːm] parfum *m*
per·func·to·ry [pər'fʌŋktərɪ] *adj* sommaire
per·haps [pər'hæps] *adv* peut-être
per·il ['perəl] péril *m*
per·il·ous ['perələs] *adj* périlleux*
pe·rim·e·ter [pə'rɪmɪtər] périmètre *m*
pe'rim·e·ter fence clôture *f*
pe·ri·od ['pɪrɪəd] période *f*; (*menstruation*) règles *fpl*; *punctuation mark* point *m*; ***I don't want to, ~!*** je ne veux pas, un point c'est tout!
pe·ri·od·ic [pɪrɪ'ɑːdɪk] *adj* périodique
pe·ri·od·i·cal [pɪrɪ'ɑːdɪkl] *n* périodique *m*
pe·ri·od·i·cal·ly [pɪrɪ'ɑːdɪklɪ] *adv* périodiquement
pe·riph·e·ral [pə'rɪfərəl] **1** *adj* (*not crucial*) secondaire **2** *n* COMPUT périphérique *m*
pe·riph·e·ry [pə'rɪfərɪ] périphérie *f*
per·ish ['perɪʃ] *v/i of rubber* se détériorer; *of person* périr
per·ish·a·ble ['perɪʃəbl] *adj food* périssable
per·jure ['pɜːrdʒər] *v/t*: **~ *o.s.*** faire un faux témoignage
per·ju·ry ['pɜːrdʒərɪ] faux témoignage *m*
perk [pɜːrk] *n of job* avantage *m*
♦ **perk up 1** *v/t* F remonter le moral à **2** *v/i* F se ranimer
perk·y ['pɜːrkɪ] *adj* F (*cheerful*) guilleret
perm [pɜːrm] **1** *n* permanente *f* **2** *v/t*: ***have one's hair ~ed*** se faire faire une permanente
per·ma·nent ['pɜːrmənənt] *adj* permanent; *address* fixe
per·ma·nent·ly ['pɜːrmənəntlɪ] *adv* en permanence, définitivement
per·me·a·ble ['pɜːrmɪəbl] *adj* perméable
per·me·ate ['pɜːrmɪeɪt] *v/t also fig* imprégner
per·mis·si·ble [pər'mɪsəbl] *adj* permis
per·mis·sion [pər'mɪʃn] permission *f*
per·mis·sive [pər'mɪsɪv] *adj* permissif*
per·mis·sive so'c·i·ety société *f* permissive
per·mit ['pɜːrmɪt] **1** *n* permis *m* **2** *v/t* (*pret & pp* ***-ted***) [pər'mɪt] permettre, autoriser; **~ *s.o. to do sth*** permettre à qn de faire qch
per·pen·dic·u·lar [pɜːrpən'dɪkjʊlər] *adj* perpendiculaire
per·pet·u·al [pər'petʃʊəl] *adj* perpétuel*
per·pet·u·al·ly [pər'petʃʊəlɪ] *adv* perpétuellement, sans cesse
per·pet·u·ate [pər'petʃʊeɪt] *v/t* perpétuer
per·plex [pər'pleks] *v/t* laisser perplexe
per·plexed [pər'plekst] *adj* perplexe
per·plex·i·ty [pər'pleksɪtɪ] perplexité *f*
per·se·cute ['pɜːrsɪkjuːt] *v/t* persécuter
per·se·cu·tion [pɜːrsɪ'kjuːʃn] persécution *f*
per·se·cu·tor [pɜːrsɪ'kjuːtər] persécuteur(-trice) *m(f)*
per·se·ver·ance [pɜːrsɪ'vɪrəns] persévérance *f*
per·se·vere [pɜːrsɪ'vɪr] *v/i* persévérer
per·sist [pər'sɪst] *v/i* persister; **~ *in doing sth*** persister à faire qch, s'obstiner à faire qch
per·sis·tence [pər'sɪstəns] persistance
per·sis·tent [pər'sɪstənt] *adj person* tenace, têtu; *questions* incessant; *rain, unemployment etc* persistant
per·sis·tent·ly [pər'sɪstəntlɪ] *adv* (*continually*) continuellement
per·son ['pɜːrsn] personne *f*; ***in ~*** en personne
per·son·al ['pɜːrsənl] *adj* personnel*
per·son·al as'sist·ant secrétaire *m/f* particulier(-ère); assistant(e) *m(f)*; **'per·son·al col·umn** annonces *fpl* personnelles; **per·son·al com'put·er** ordinateur *m* individuel; **per·son·al 'hy·giene** hygiène *f* intime
per·son·al·i·ty [pɜːrsə'nælətɪ] personnalité *f*
per·son·al·ly ['pɜːrsənəlɪ] *adv* (*for my part*) personnellement; *come, inter-*

P

vene en personne; *know* personnellement; ***don't take it ~*** n'y voyez rien de personnel
per·son·al 'or·gan·iz·er organiseur *m*, agenda *m* électronique; *in book form* agenda *m*; **per·son·al 'pro·noun** pronom *m* personnel; **per·son·al 'ster·e·o** baladeur *m*
per·son·i·fy [pɜːr'sɑːnɪfaɪ] *v/t* (*pret & pp* ***-ied***) *of person* personnifier
per·son·nel [pɜːrsə'nel] (*employees*) personnel *m*; *department* service *m* du personnel
per·son'nel man·a·ger directeur (-trice) *m(f)* du personnel
per·spec·tive [pər'spektɪv] *in art* perspective *f*; ***get sth into ~*** relativiser qch, replacer qch dans son contexte
per·spi·ra·tion [pɜːrspɪ'reɪʃn] transpiration *f*
per·spire [pɜːr'spaɪr] *v/i* transpirer
per·suade [pər'sweɪd] *v/t person* persuader, convaincre; ***~ s.o. to do sth*** persuader ou convaincre qn de faire qch
per·sua·sion [pər'sweɪʒn] persuasion *f*
per·sua·sive [pər'sweɪsɪv] *adj person* persuasif*; *argument* convaincant
per·ti·nent ['pɜːrtɪnənt] *adj fml* pertinent
per·turb [pər'tɜːrb] *v/t* perturber
per·turb·ing [pər'tɜːrbɪŋ] *adj* perturbant, inquiétant
pe·ruse [pə'ruːz] *v/t fml* lire
per·va·sive [pər'veɪsɪv] *adj influence, ideas* envahissant
per·verse [pər'vɜːrs] *adj* (*awkward*) contrariant; *sexually* pervers
per·ver·sion [pər'vɜːrʃn] *sexual* perversion *f*
per·vert ['pɜːrvɜːrt] *n sexual* pervers(e) *m(f)*
pes·si·mism ['pesɪmɪzm] pessimisme *m*
pes·si·mist ['pesɪmɪst] pessimiste *m/f*
pes·si·mist·ic [pesɪ'mɪstɪk] *adj* pessimiste
pest [pest] parasite *m*; F *person* peste *f*, plaie *f*
pes·ter ['pestər] *v/t* harceler; ***~ s.o. to do sth*** harceler qn pour qu'il fasse (*subj*) qch
pes·ti·cide ['pestɪsaɪd] pesticide *m*
pet [pet] **1** *n animal* animal *m* domestique; (*favorite*) chouchou *m* F; ***do you have any ~s?*** as-tu des animaux? **2** *adj* préféré, favori; ***~ subject*** sujet *m* de prédilection; ***my ~ rabbit*** mon lapin (apprivoisé) **3** *v/t* (*pret & pp* ***-ted***) *animal* caresser **4** *v/i* (*pret & pp* ***-ted***) *of couple* se caresser, se peloter F
pet·al ['petl] pétale *m*
♦**pe·ter out** ['piːtər] *v/i* cesser petit à petit
pe·tite [pə'tiːt] *adj* menu
pe·ti·tion [pə'tɪʃn] *n* pétition *f*
'pet name surnom *m*, petit nom *m*
pet·ri·fied ['petrɪfaɪd] *adj* pétrifié
pet·ri·fy ['petrɪfaɪ] *v/t* (*pret & pp* ***-ied***) pétrifier
pet·ro·chem·i·cal [petroʊ'kemɪkl] *adj* pétrochimique
pet·rol ['petrl] *Br* essence *f*
pe·tro·le·um [pɪ'troʊlɪəm] pétrole *m*
pet·ting ['petɪŋ] pelotage *m* F
pet·ty ['petɪ] *adj person, behavior* mesquin; *details, problem* insignifiant
pet·ty 'cash petite caisse *f*
pet·u·lant ['petʃələnt] *adj* irritable; *remark* irrité
pew [pjuː] banc *m* d'église
pew·ter ['pjuːtər] étain *m*
phar·ma·ceu·ti·cal [fɑːrmə'suːtɪkl] *adj* pharmaceutique
phar·ma·ceu·ti·cals [fɑːrmə'suːtɪklz] *npl* produits *mpl* pharmaceutiques
phar·ma·cist ['fɑːrməsɪst] pharmacien(ne) *m(f)*
phar·ma·cy ['fɑːrməsɪ] *store* pharmacie *f*
phase [feɪz] phase *f*
♦**phase in** *v/t* introduire progressivement
♦**phase out** *v/t* supprimer progressivement
PhD [piːeɪtʃ'diː] *abbr* (= ***Doctor of Philosophy***) doctorat *m*
phe·nom·e·nal [fə'nɑːmɪnl] *adj* phénoménal
phe·nom·e·nal·ly [fə'nɑːmɪnəlɪ] *adv*

prodigieusement
phe·nom·e·non [fə'nɑːmɪnən] phénomène *m*
phil·an·throp·ic [fɪlən'θrɑːpɪk] *adj person* philanthrope; *action* philanthropique
phi·lan·thro·pist [fɪ'lænθrəpɪst] philanthrope *m/f*
phi·lan·thro·py [fɪ'lænθrəpɪ] philanthropie *f*
Phil·ip·pines ['fɪlɪpiːnz]: ***the ~*** les Philippines *fpl*
phil·is·tine ['fɪlɪstaɪn] *n* inculte *m/f*
phi·los·o·pher [fɪ'lɑːsəfər] philosophe *m/f*
phil·o·soph·i·cal [fɪlə'sɑːfɪkl] *adj* philosophique; *attitude etc* philosophe
phi·los·o·phy [fɪ'lɑːsəfɪ] philosophie *f*
pho·bi·a ['foʊbɪə] phobie *f* (***about*** de)
phone [foʊn] **1** *n* téléphone *m*; ***be on the ~*** (*have a ~*) avoir le téléphone; *be talking* être au téléphone **2** *v/t* téléphoner à **3** *v/i* téléphoner
'phone book annuaire *m*; **'phone booth** cabine *f* téléphonique; **'phone·call** coup *m* de fil *or* de téléphone; **'phone card** télécarte *f*; **'phone num·ber** numéro *m* de téléphone
pho·net·ics [fə'netɪks] phonétique *f*
pho·n(e)y ['foʊnɪ] *adj* F faux*
pho·to ['foʊtoʊ] photo *f*
'pho·to al·bum album *m* photos; **'pho·to·cop·i·er** photocopieuse *f*, photocopieur *m*; **'pho·to·cop·y 1** *n* photocopie *f* **2** *v/t* (*pret & pp* ***-ied***) photocopier
pho·to·gen·ic [foʊtoʊ'dʒenɪk] *adj* photogénique
pho·to·graph ['foʊtəgræf] **1** *n* photographie *f* **2** *v/t* photographier
pho·tog·ra·pher [fə'tɑːgrəfər] photographe *m/f*
pho·tog·ra·phy [fə'tɑːgrəfɪ] photographie *f*
phrase [freɪz] **1** *n* expression *f*, *in grammar* syntagme *m* **2** *v/t* formuler, exprimer
'phrase·book guide *m* de conversation
phys·i·cal ['fɪzɪkl] **1** *adj* physique **2** *n* MED visite *f* médicale
phys·i·cal 'hand·i·cap handicap *m* physique
phys·i·cal·ly ['fɪzɪklɪ] *adv* physiquement
phys·i·cal·ly 'hand·i·cap·ped *adj*: ***be ~*** être handicapé physique
phy·si·cian [fɪ'zɪʃn] médecin *m*
phys·i·cist ['fɪzɪsɪst] physicien(ne) *m(f)*
phys·ics ['fɪzɪks] physique *f*
phys·i·o·ther·a·pist [fɪzɪoʊ'θerəpɪst] kinésithérapeute *m/f*
phys·i·o·ther·a·py [fɪzɪoʊ'θerəpɪ] kinésithérapie *f*
phy·sique [fɪ'ziːk] physique *m*
pi·a·nist ['pɪənɪst] pianiste *m/f*
pi·an·o [pɪ'ænoʊ] piano *m*
pick [pɪk] **1** *n*: ***take your ~*** fais ton choix **2** *v/t* (*choose*) choisir; *flowers, fruit* cueillir; ***~ one's nose*** se mettre les doigts dans le nez **3** *v/i*: ***~ and choose*** faire la fine bouche
♦ **pick at** *v/t*: ***pick at one's food*** manger du bout des dents, chipoter
♦ **pick on** *v/t* (*treat unfairly*) s'en prendre à; (*select*) désigner, choisir
♦ **pick out** *v/t* (*identify*) reconnaître
♦ **pick up 1** *v/t* prendre; *phone* décrocher; *from ground* ramasser; (*collect*) passer prendre; *information* recueillir; *in car* prendre; *in sexual sense* lever F; *language, skill* apprendre; *habit* prendre; *illness* attraper; (*buy*) dénicher, acheter; *criminal* arrêter **2** *v/i of business, economy* reprendre; *of weather* s'améliorer
pick·et ['pɪkɪt] **1** *n of strikers* piquet *m* de grève **2** *v/t*: ***~ a factory*** faire le piquet de grève devant une usine
'pick·et line piquet *m* de grève
pick·le ['pɪkl] *v/t* conserver dans du vinaigre
pick·les ['pɪklz] *npl* pickles *mpl*
'pick·pock·et voleur *m* à la tire, pickpocket *m*
pick-up (truck) ['pɪkʌp] pick-up *m*, camionnette *f*
pick·y ['pɪkɪ] *adj* F difficile
pic·nic ['pɪknɪk] **1** *n* pique-nique *m* **2**

v/i (*pret & pp* ***-ked***) pique-niquer
pic·ture ['pɪktʃər] **1** *n* (*photo*) photo *f*; (*painting*) tableau *m*; (*illustration*) image *f*; (*movie*) film *m*; ***keep s.o. in the ~*** tenir qn au courant **2** *v/t* imaginer
'pic·ture book livre *m* d'images
pic·ture 'post·card carte *f* postale
pic·tur·esque [pɪktʃə'resk] *adj* pittoresque
pie [paɪ] tarte *f*; *with top* tourte *f*
piece [pi:s] morceau *m*; (*component*) pièce *f*; *in board game* pion *m*; ***a ~ of bread*** un morceau de pain; ***a ~ of advice*** un conseil; ***go to ~s*** s'effondrer; ***take to ~s*** démonter
♦**piece together** *v/t broken plate* recoller; *evidence* regrouper
piece·meal ['pi:smi:l] *adv* petit à petit
piece·work ['pi:swɜ:rk] travail *m* à la tâche
pier [pɪr] *Br. at seaside* jetée *f*
pierce [pɪrs] *v/t* (*penetrate*) transpercer; *ears* percer; ***have one's ears / navel ~d*** se faire percer les oreilles / le nombril
pierc·ing ['pɪrsɪŋ] *adj noise, eyes* perçant; *wind* pénétrant
pig [pɪg] cochon *m*, porc *m*; (*unpleasant person*) porc *m*
pi·geon ['pɪdʒɪn] pigeon *m*
'pi·geon·hole 1 *n* casier *m* **2** *v/t person* cataloguer; *proposal* mettre de côté
pig·gy·bank ['pɪgɪbæŋk] tirelire *f*
pig·head·ed ['pɪghedɪd] *adj* obstiné; ***that ~ father of mine*** mon père, cette tête de lard F
'pig·pen porcherie *f*; **'pig·skin** porc *m*; **'pig·tail** *plaited* natte *f*
pile [paɪl] *of books, plates etc* pile *f*, *of earth, sand etc* tas *m*; ***a ~ of work*** F un tas de boulot F
♦**pile up 1** *v/i of work, bills* s'accumuler **2** *v/t* empiler
piles [paɪlz] *nsg* MED hémorroïdes *fpl*
'pile-up MOT carambolage *m*
pil·fer·ing ['pɪlfərɪŋ] chapardage *m* F
pil·grim ['pɪlgrɪm] pèlerin(e) *m*(*f*)
pil·grim·age ['pɪlgrɪmɪdʒ] pèlerinage *m*
pill [pɪl] pilule *f*; ***be on the ~*** prendre la pilule
pil·lar ['pɪlər] pilier *m*
pil·lion ['pɪljən] *of motorbike* siège *m* arrière
pil·low ['pɪloʊ] oreiller *m*
'pill·ow·case taie *f* d'oreiller
pi·lot ['paɪlət] **1** *n* AVIAT, NAUT pilote *m* **2** *v/t airplane* piloter
'pi·lot light *on cooker* veilleuse *f*
'pi·lot plant usine-pilote *f*
'pi·lot scheme projet-pilote *m*
pimp [pɪmp] *n* maquereau *m*, proxénète *m*
pim·ple ['pɪmpl] bouton *m*
PIN [pɪn] *abbr* (***= personal identification number***) code *m* confidentiel
pin [pɪn] **1** *n for sewing* épingle *f*; *in bowling* quille *f*; (*badge*) badge *m*; fiche *f* **2** *v/t* (*pret & pp* ***-ned***) (*hold down*) clouer; (*attach*) épingler
♦**pin down** *v/t* (*identify*) identifier; ***pin s.o. down to a date*** obliger qn à s'engager sur une date
♦**pin up** *v/t notice* accrocher, afficher
pin·cers ['pɪnsərz] *npl of crab* pinces *fpl*; ***a pair of ~*** *tool* des tenailles *fpl*
pinch [pɪntʃ] **1** *n* pincement *m*; *of salt, sugar etc* pincée *f*, ***at a ~*** à la rigueur **2** *v/t* pincer **3** *v/i of shoes* serrer
pine[1] [paɪn] *n tree, wood* pin *m*
pine[2] [paɪn] *v/i* se languir
♦**pine for** *v/t* languir de
pine·ap·ple ['paɪnæpl] ananas *m*
ping [pɪŋ] **1** *n* tintement *m* **2** *v/i* tinter
ping-pong ['pɪŋpɑ:ng] ping-pong *m*
pink [pɪŋk] *adj* rose
pin·na·cle ['pɪnəkl] *fig* apogée *f*
'pin·point *v/t* indiquer précisément; *find* identifier; **pins and 'nee·dles** *npl* fourmillements *mpl*; ***have ~ in one's feet*** avoir des fourmis dans les pieds; **'pin·stripe** *adj* rayé
pint [paɪnt] pinte *f* (*0,473 litre aux États-Unis et 0,568 en Grande-Bretagne*)
'pin-up (girl) pin-up *f inv*
pi·o·neer [paɪə'nɪr] **1** *n fig* pionnier (-ière) *m*(*f*) **2** *v/t* lancer
pi·o·neer·ing [paɪə'nɪrɪŋ] *adj work* innovateur*
pi·ous ['paɪəs] *adj* pieux*

P

pip [pɪp] *n Br. of fruit* pépin *m*
pipe [paɪp] **1** *n for smoking* pipe *f*; *for water, gas, sewage* tuyau *m* **2** *v/t* transporter par tuyau
♦**pipe down** *v/i* F se taire; ***tell the kids to pipe down*** dis aux enfants de la boucler F
piped mu·sic [paɪpt'mju:zɪk] musique *f* de fond
'pipe·line *for oil* oléoduc *m*; *for gas* gazoduc *m*; ***in the ~*** *fig* en perspective
pip·ing hot [paɪpɪŋ'hɑ:t] *adj* très chaud
pi·rate ['paɪrət] **1** *n* pirate *m* **2** *v/t software* pirater
Pis·ces ['paɪsi:z] ASTROL Poissons *mpl*
piss [pɪs] **1** *n* P (*urine*) pisse *f* P **2** *v/i* P (*urinate*) pisser F
pissed [pɪst] *adj* P (*annoyed*) en rogne F; *Br* P (*drunk*) bourré
pis·tol ['pɪstl] pistolet *m*
pis·ton ['pɪstən] piston *m*
pit [pɪt] *n* (*hole*) fosse *f*; (*coalmine*) mine *f*
pitch[1] [pɪʧ] *n* ton *m*
pitch[2] [pɪʧ] **1** *v/i in baseball* lancer **2** *v/t tent* planter; *ball* lancer
'pitch-black *adj* noir comme jais; ***~ night*** nuit *f* noire
pitch·er[1] ['pɪʧər] *in baseball* lanceur *m*
pitch·er[2] ['pɪʧər] *container* pichet *m*
pit·e·ous ['pɪtɪəs] *adj* pitoyable
pit·fall ['pɪtfɒ:l] piège *m*
pith [pɪθ] *of citrus fruit* peau *f* blanche
pit·i·ful ['pɪtɪfl] *adj* pitoyable
pit·i·less ['pɪtɪləs] *adj* impitoyable
pits [pɪts] *npl in motor racing* stand *m* de ravitaillement
'pit stop *in motor racing* arrêt *m* au stand
pit·tance ['pɪtns] somme *f* dérisoire
pit·y ['pɪtɪ] **1** *n* pitié *f*; ***take ~ on*** avoir pitié de; ***it's a ~ that …*** c'est dommage que …; ***what a ~!*** quel dommage! **2** *v/t* (*pret & pp* ***-ied***) *person* avoir pitié de
piv·ot ['pɪvət] *v/i* pivoter
piz·za ['pi:tsə] pizza *f*
plac·ard ['plækɑ:rd] pancarte *f*
place [pleɪs] **1** *n* endroit *m*; *in race, competition* place *f*; (*seat*) place *f*; ***at my / his ~*** chez moi / lui; ***I've lost my ~*** *in book* j'ai perdu ma page; ***in ~ of*** à la place de; ***feel out of ~*** ne pas se sentir à sa place; ***take ~*** avoir lieu; ***in the first ~*** (*firstly*) premièrement; (*in the beginning*) au début **2** *v/t* (*put*) mettre, poser; (*identify*) situer; ***~ an order*** passer une commande
'place mat set *m* de table
place·ment ['pleɪsmənt] *of trainee* stage *m*
plac·id ['plæsɪd] *adj* placide
pla·gia·rism ['pleɪdʒərɪzm] plagiat *m*
pla·gia·rize ['pleɪdʒəraɪz] *v/t* plagier
plague [pleɪg] **1** *n* peste *f* **2** *v/t* (*bother*) harceler, tourmenter
plain[1] [pleɪn] *n* plaine *f*
plain[2] [pleɪn] **1** *adj* (*clear, obvious*) clair, évident; (*not ornate*) simple; (*not patterned*) uni; (*not pretty*) quelconque, ordinaire; (*blunt*) franc*; ***~ chocolate*** chocolat *m* noir **2** *adv* tout simplement; ***it's ~ crazy*** c'est de la folie pure
'plain clothes: ***in ~*** en civil
plain·ly ['pleɪnlɪ] *adv* (*clearly*) manifestement; (*bluntly*) franchement; (*simply*) simplement
'plain-spo·ken *adj* direct, franc*
plain·tiff ['pleɪntɪf] plaignant *m*
plain·tive ['pleɪntɪv] *adj* plaintif*
plan [plæn] **1** *n* plan *m*, projet *m*; (*drawing*) plan *m* **2** *v/t* (*pret & pp* ***-ned***) (*prepare*) organiser, planifier; (*design*) concevoir; ***~ to do, ~ on doing*** prévoir de faire, compter faire **3** *v/i* faire des projets
plane[1] [pleɪn] *n* AVIAT avion *m*
plane[2] [pleɪn] *tool* rabot *m*
plan·et ['plænɪt] planète *f*
plank [plæŋk] *of wood* planche *f*; *fig: of policy* point *m*
plan·ning ['plænɪŋ] organisation *f*, planification *f*; ***at the ~ stage*** à l'état de projet
plant[1] [plænt] **1** *n* BOT plante *f* **2** *v/t* planter
plant[2] [plænt] *n* (*factory*) usine *f*; (*equipment*) installation *f*, matériel *m*

P

plan·ta·tion [plæn'teɪʃn] plantation *f*
plaque[1] [plæk] *on wall* plaque *f*
plaque[2] [plæk] *on teeth* plaque *f* dentaire
plas·ter ['plæstər] **1** *n on wall, ceiling* plâtre *m* **2** *v/t wall, ceiling* plâtrer; ***be ~ed with*** être couvert de
'plas·ter cast plâtre *m*
plas·tic ['plæstɪk] **1** *adj* en plastique **2** *n* plastique *m*
plas·tic 'bag sac *m* plastique; **'plas·tic mon·ey** cartes *fpl* de crédit; **plas·tic 'sur·geon** spécialiste *m* en chirurgie esthétique; **plas·tic 'sur·ge·ry** chirurgie *f* esthétique
plate [pleɪt] *n for food* assiette *f*; (*sheet of metal*) plaque *f*
pla·teau ['plætoʊ] plateau *m*
plat·form ['plætfɔːrm] (*stage*) estrade *f*; *of railroad station* quai *m*; *fig*: *political* plate-forme *f*
plat·i·num ['plætɪnəm] **1** *adj* en platine **2** *n* platine *m*
plat·i·tude ['plætɪtuːd] platitude *f*
pla·ton·ic [plə'tɑːnɪk] *adj relationship* platonique
pla·toon [plə'tuːn] *of soldiers* section *f*
plat·ter ['plætər] *for food* plat *m*
plau·si·ble ['plɒːzəbl] *adj* plausible
play [pleɪ] **1** *n also* TECH, SP jeu *m*; *in theater, on TV* pièce *f* **2** *v/i* jouer **3** *v/t musical instrument* jouer de; *piece of music* jouer; *game* jouer à; *opponent* jouer contre; (*perform*: *Macbeth etc*) jouer; ***~ a joke on*** jouer un tour à
♦**play around** *v/i* F (*be unfaithful*) coucher à droite et à gauche; ***play around with s.o.*** coucher avec qn
♦**play down** *v/t* minimiser
♦**play up** *v/i of machine, child* faire des siennes; ***my back is playing up*** mon dos me fait souffrir
'play·act *v/i* (*pretend*) jouer la comédie, faire semblant; **'play·back** enregistrement *m*; **'play·boy** play-boy *m*
play·er ['pleɪr] SP joueur(-euse) *m*(*f*); (*musician*) musicien(ne) *m*(*f*); (*actor*) acteur(-trice) *m*(*f*); *in business* acteur *m*; ***he's a guitar ~*** il joue de la guitar
play·ful ['pleɪfl] *adj* enjoué
'play·ground aire *f* de jeu
'play·group garderie *f*
play·ing card ['pleɪɪŋ] carte *f* à jouer
'play·ing field terrain *m* de sport
'play·mate camarade *m* de jeu
play·wright ['pleɪraɪt] dramaturge *m*/*f*
pla·za ['plaːzə] *for shopping* centre *m* commercial
plc [piːel'siː] *abbr Br* (= ***public limited company***) S.A. *f* (= société anonyme)
plea [pliː] *n* appel
plead [pliːd] *v/i*: ***~ for*** *mercy etc* implorer; ***~ guilty / not guilty*** plaider coupable / non coupable; ***~ with*** implorer, supplier
pleas·ant ['pleznt] *adj* agréable
please [pliːz] **1** *adv* s'il vous plaît, s'il te plaît; ***more tea? – yes, ~*** encore un peu de thé? - oui, s'il vous plaît; ***~ do*** je vous en prie **2** *v/t* plaire à; ***~ yourself*** comme tu veux
pleased [pliːzd] *adj* content, heureux*; ***~ to meet you*** enchanté
pleas·ing ['pliːzɪŋ] *adj* agréable
pleas·ure ['pleʒər] plaisir *m*; ***it's a ~*** (*you're welcome*) je vous en prie; ***with ~*** avec plaisir
pleat [pliːt] *n in skirt* pli *m*
pleat·ed skirt ['pliːtɪd] jupe *f* plissée
pledge [pledʒ] **1** *n* (*promise*) promesse *f*, engagement *m*; *as guarantee* gage *m*; ***Pledge of Allegiance*** serment *m* d'allégeance **2** *v/t* (*promise*) promettre; *money* mettre en gage, engager
plen·ti·ful ['plentɪfl] *adj* abondant; ***be ~*** abonder
plen·ty ['plentɪ] (*abundance*) abondance *f*; ***~ of*** beaucoup de; ***that's ~*** c'est largement suffisant; ***there's ~ for everyone*** il y en a (assez) pour tout le monde
pli·a·ble *adj* flexible
pli·ers *npl* pinces *fpl*; ***a pair of ~*** des pinces
plight [plaɪt] détresse *f*
plod [plɑːd] *v/i* (*pret & pp* ***-ded***) (*walk*) marcher d'un pas lourd
♦**plod on** *v/i with a job* persévérer
plod·der ['plɑːdər] *at work, school* bûcheur(-euse) *m*(*f*) F

plot[1] [plɑːt] *n of land* parcelle *f*
plot[2] [plɑːt] **1** *n* (*conspiracy*) complot *m*; *of novel* intrigue *f* **2** *v/t* (*pret & pp* ***-ted***) comploter; ***~ s.o.'s death*** comploter de tuer qn **3** *v/i* comploter
plot·ter ['plɑːtər] conspirateur(-trice) *m*(*f*); COMPUT traceur *m*
plough [plaʊ] *Br* → ***plow***
plow [plaʊ] **1** *n* charrue *f* **2** *v/t & v/i* labourer
♦**plow back** *v/t profits* réinvestir
pluck [plʌk] *v/t chicken* plumer; ***~ one's eyebrows*** s'épiler les sourcils
♦**pluck up** *v/t*: ***pluck up courage*** prendre son courage à deux mains
plug [plʌg] **1** *n for sink, bath* bouchon *m*; *electrical* prise *f*; (*spark ~*) bougie *f*; *for new book etc* coup *m* de pub F; ***give sth a ~*** faire de la pub pour qch F **2** *v/t* (*pret & pp* ***-ged***) *hole* boucher; *new book etc* faire de la pub pour F
♦**plug away** *v/i* F s'acharner, bosser F
♦**plug in** *v/t* brancher
plum [plʌm] **1** *n fruit* prune *f*; *tree* prunier *m* **2** *adj* F: ***a ~ job*** un boulot en or F
plum·age ['pluːmɪdʒ] plumage *m*
plumb [plʌm] *adj* d'aplomb
♦**plumb in** *v/t washing machine* raccorder
plumb·er ['plʌmər] plombier *m*
plumb·ing ['plʌmɪŋ] plomberie *f*
plum·met ['plʌmɪt] *v/i of airplane* plonger, piquer; *of share prices* dégringoler, chuter
plump [plʌmp] *adj person, chicken* dodu; *hands, feet* potelé; *face, cheek* rond
♦**plump for** *v/t* F se décider pour
plunge [plʌndʒ] **1** *n* plongeon *m*; *in prices* chute *f*; ***take the ~*** se jeter à l'eau **2** *v/i* tomber; *of prices* chuter **3** *v/t* plonger; *knife* enfoncer; ***the city was ~d into darkness*** la ville était plongée dans l'obscurité
plung·ing ['plʌndʒɪŋ] *adj neckline* plongeant
plu·per·fect ['pluːpɜːrfɪkt] GRAM plus-que-parfait *m*
plu·ral ['plʊrəl] **1** *adj* pluriel* **2** *n* pluriel *m*; ***in the ~*** au pluriel
plus [plʌs] **1** *prep* plus **2** *adj* plus de; ***$500 ~*** plus de 500 $ **3** *n sign* signe *m* plus; (*advantage*) plus *m* **4** *conj* (*moreover, in addition*) en plus
plush [plʌʃ] *adj* luxueux*
'plus sign signe *m* plus
ply·wood ['plaɪwʊd] contreplaqué *m*
PM [piː'em] *abbr Br* (***= Prime Minister***) Premier ministre
p.m. [piː'em] *abbr* (***= post meridiem***) *afternoon* de l'après-midi; *evening* du soir
pneu·mat·ic [nuː'mætɪk] *adj* pneumatique
pneu·mat·ic 'drill marteau-piqueur *m*
pneu·mo·ni·a [nuː'moʊnɪə] pneumonie *f*
poach[1] [poʊʧ] *v/t cook* pocher
poach[2] [poʊʧ] *v/t salmon etc* braconner
poached egg [poʊʧt'eg] œuf *m* poché
poach·er ['poʊʧər] *of salmon etc* braconnier *m*
P.O. Box [piː'oʊbɑːks] *abbr* (***= Post Office Box***) boîte *f* postale, B. P. *f*
pock·et ['pɑːkɪt] **1** *n* poche *f*; ***line one's own ~s*** se remplir les poches; ***be out of ~*** en être de sa poche F **2** *adj* (*miniature*) de poche **3** *v/t* empocher, mettre dans sa poche
'pock·et·book *purse* pochette *f*, (*billfold*) portefeuille *m*; *book* livre *m* de poche; **pock·et 'cal·cu·la·tor** calculatrice *f* de poche; **'pock·et·knife** couteau *m* de poche, canif *m*
po·di·um ['poʊdɪəm] estrade *f*, *for winner* podium *m*
po·em ['poʊɪm] poème *m*
po·et ['poʊɪt] poète *m*, poétesse *f*
po·et·ic [poʊ'etɪk] *adj* poétique
po·et·ic 'jus·tice justice *f* divine
po·et·ry ['poʊɪtrɪ] poésie *f*
poign·ant ['pɔɪnjənt] *adj* poignant
point [pɔɪnt] **1** *n of pencil, knife* pointe *f*; *in competition, exam* point *m*; (*purpose*) objet *m*; (*moment*) moment *m*; *in argument, discussion* point *m*; *in decimals* virgule *f*; ***that's beside the ~*** là n'est pas la question; ***be***

on the ~ of doing sth être sur le point de faire qch; ***get to the ~*** en venir au fait; ***the ~ is …*** le fait est (que) …; ***there's no ~ in waiting*** ça ne sert à rien d'attendre **2** *v/i* montrer (du doigt) **3** *v/t gun* braquer, pointer

♦**point at** *v/t with finger* montrer du doigt, désigner

♦**point out** *v/t sights* montrer; *advantages etc* faire remarquer

♦**point to** *v/t with finger* montrer du doigt, désigner; *fig (indicate)* indiquer

'point-blank 1 *adj*: ***at ~ range*** à bout portant **2** *adv refuse, deny* catégoriquement, de but en blanc

point·ed ['pɔɪntɪd] *adj remark* acerbe, mordant

point·er ['pɔɪntər] *for teacher* baguette *f*; *(hint)* conseil *m*; *(sign, indication)* indice *m*

point·less ['pɔɪntləs] *adj* inutile; ***it's ~ trying*** ça ne sert à rien d'essayer

point of 'sale *place* point *m* de vente; *promotional material* publicité *f* sur les lieux de vente, P.L.V. *f*

point of 'view point *m* de vue

poise [pɔɪz] assurance *f*, aplomb *m*

poised [pɔɪzd] *adj person* posé

poi·son ['pɔɪzn] **1** *n* poison *m* **2** *v/t* empoisonner

poi·son·ous ['pɔɪznəs] *adj snake, spider* venimeux*; *plant* vénéneux*

poke [pouk] **1** *n* coup *m* **2** *v/t (prod)* pousser; *(stick)* enfoncer; ***~ one's head out of the window*** passer la tête par la fenêtre; ***~ fun at*** se moquer de; ***~ one's nose into*** mettre son nez dans

♦**poke around** *v/i* F fouiner F

pok·er ['poukər] *card game* poker *m*

pok·y ['poukɪ] *adj (cramped)* exigu*

Po·land ['poulənd] la Pologne

po·lar ['poulər] *adj* polaire

'po·lar bear ours *m* polaire

po·lar·ize ['pouləraɪz] *v/t* diviser

Pole [poul] Polonais(e) *m(f)*

pole[1] [poul] *of wood, metal* perche *f*

pole[2] [poul] *of earth* pôle *m*

'pole star étoile *f* Polaire; **'pole·vault** *n event* saut *m* à la perche; **pole-vault·er** ['poulvɒ:ltər] perchiste *m/f*

po·lice [pə'li:s] *n* police *f*

po'lice car voiture *f* de police; **po'lice·man** gendarme *m*; *criminal* policier *m*; **po'lice state** État *m* policier; **po'lice sta·tion** gendarmerie *f*; *for criminal matters* commissariat *m*; **po'lice·wo·man** femme *f* gendarme; *criminal* femme *f* policier

pol·i·cy[1] ['pɑ:ləsɪ] politique *f*

pol·i·cy[2] ['pɑ:ləsɪ] *(insurance ~)* police *f* (d'assurance)

po·li·o ['poulɪou] polio *f*

Pol·ish ['poulɪʃ] **1** *adj* polonais **2** *n* polonais *m*

pol·ish ['pɑ:lɪʃ] **1** *n for furniture, floor* cire *f*; *for shoes* cirage *m*; *for metal* produit *m* lustrant; *(nail ~)* vernis *m* (à ongles) **2** *v/t* faire briller, lustrer; *shoes* cirer; *speech* parfaire

♦**polish off** *v/t food* finir

♦**polish up** *v/t skill* perfectionner

pol·ished ['pɑ:lɪʃt] *adj performance* impeccable

po·lite [pə'laɪt] *adj* poli

po·lite·ly [pə'laɪtlɪ] *adv* poliment

po·lite·ness [pə'laɪtnɪs] politesse *f*

po·lit·i·cal [pə'lɪtɪkl] *adj* politique

po·lit·i·cal·ly cor·rect [pəlɪtɪklɪ kə'rekt] *adj* politiquement correct

pol·i·ti·cian [pɑ:lɪ'tɪʃn] politicien *m*, homme *m*/femme *f* politique

pol·i·tics ['pɑ:lɪtɪks] politique *f*; ***what are his ~?*** quelles sont ses opinions politiques?

poll [poul] **1** *n (survey)* sondage *m*; ***the ~s*** *(election)* les élections *fpl*, le scrutin; ***go to the ~s*** *(vote)* aller aux urnes **2** *v/t people* faire un sondage auprès de; *votes* obtenir

pol·len ['pɑ:lən] pollen *m*

'pol·len count taux *m* de pollen

poll·ing booth ['poulɪŋ] isoloir *m*

'poll·ing day jour *m* des élections

poll·ster ['pɑ:lstər] sondeur *m*

pol·lu·tant [pə'lu:tənt] polluant *m*

pol·lute [pə'lu:t] *v/t* polluer

pol·lu·tion [pə'lu:ʃn] pollution *f*

po·lo ['poulou] SP polo *m*

'po·lo neck *sweater* pull *m* à col roulé

'po·lo shirt polo *m*

pol·y·es·ter [pɑːlɪ'estər] polyester *m*
pol·y·eth·yl·ene [pɑːlɪ'eθɪliːn] polyéthylène *m*
pol·y·sty·rene [pɑːlɪ'staɪriːn] polystyrène *m*
pol·y·un·sat·u·rat·ed [pɑːlɪʌn'sætʃəreɪtɪd] *adj* polyinsaturé
pom·pous ['pɑːmpəs] *adj person* prétentieux*, suffisant; *speech* pompeux*
pond [pɑːnd] étang *m*; *artificial* bassin *m*
pon·der ['pɑːndər] *v/i* réfléchir
pon·tiff ['pɑːntɪf] pontife *m*
pon·y ['pounɪ] poney *m*
'pon·y·tail queue *f* de cheval
poo·dle ['puːdl] caniche *m*
pool[1] [puːl] (*swimming* ~) piscine *f*; *of water, blood* flaque *f*
pool[2] [puːl] *game* billard *m* américain
pool[3] [puːl] **1** *n* (*common fund*) caisse *f* commune **2** *v/t resources* mettre en commun
'pool hall salle *f* de billard
'pool ta·ble table *f* de billard
poop [puːp] F caca *m* F
pooped [puːpt] *adj* F crevé F
poor [pʊr] **1** *adj* pauvre; *quality etc* médiocre, mauvais; ***be in ~ health*** être en mauvaise santé; ***~ old Tony!*** ce pauvre Tony! **2** *npl*: ***the ~*** les pauvres *mpl*
poor·ly ['pʊrlɪ] **1** *adj* (*unwell*) malade **2** *adv* mal
pop[1] [pɑːp] **1** *n noise* bruit *m* sec **2** *v/i* (*pret & pp* ***-ped***) *of balloon etc* éclater; *of cork* sauter **3** *v/t* (*pret & pp* ***-ped***) *cork* faire sauter; *balloon* faire éclater
pop[2] [pɑːp] **1** *adj* MUS pop *inv* **2** *n* pop *f*
pop[3] [pɑːp] F (*father*) papa *m*
pop[4] [pɑːp] *v/t* (*pret & pp* ***-ped***) F (*put*) mettre; ***~ one's head around the door*** passer la tête par la porte
♦**pop in** *v/i* F (*make brief visit*) passer
♦**pop out** *v/i* F (*go out for a short time*) sortir
♦**pop up** *v/i* F (*appear*) surgir; *of missing person* réapparaître
'pop con·cert concert *m* de musique pop
'pop·corn pop-corn *m*
Pope [poup] pape *m*
'pop group groupe *m* pop
pop·py ['pɑːpɪ] *flower* coquelicot *m*
Pop·si·cle® ['pɑːpsɪkl] glace *f* à l'eau
'pop song chanson *f* pop
pop·u·lar ['pɑːpjələr] *adj* populaire
pop·u·lar·i·ty [pɑːpjə'lærətɪ] popularité *f*
pop·u·late ['pɑːpjəleɪt] *v/t* peupler
pop·u·la·tion [pɑːpjə'leɪʃn] population *f*
por·ce·lain ['pɔːrsəlɪn] **1** *adj* en porcelaine **2** *n* porcelaine *f*
porch [pɔːrtʃ] porche *m*
por·cu·pine ['pɔːrkjʊpaɪn] porc-épic *m*
pore [pɔːr] *of skin* pore *m*
♦**pore over** *v/t* étudier attentivement
pork [pɔːrk] porc *m*
porn [pɔːrn] *n* F porno *m* F
porn(o) [pɔːrn, 'pɔːrnoʊ] *adj* F porno F
por·no·graph·ic [pɔːrnə'græfɪk] *adj* pornographique
porn·og·ra·phy [pɔːr'nɑːgrəfɪ] pornographie *f*
po·rous ['pɔːrəs] *adj* poreux*
port[1] port *m*
port[2] [pɔːrt] *adj* (*left-hand*) de bâbord
por·ta·ble ['pɔːrtəbl] **1** *adj* portable, portatif* **2** *n* COMPUT portable *m*; *TV* téléviseur *m* portable *or* portatif
por·ter ['pɔːrtər] (*doorman*) portier *m*
port·hole ['pɔːrthoul] NAUT hublot *m*
por·tion ['pɔːrʃn] partie *f*, part *f*; *of food* portion *f*
por·trait ['pɔːrtreɪt] **1** *n* portrait *m* **2** *adv print* en mode portrait, à la française
por·tray [pɔːr'treɪ] *v/t of artist* représenter; *of actor* interpréter, présenter; *of author* décrire
por·tray·al [pɔːr'treɪəl] *by actor* interprétation *f*, *by author* description *f*
Por·tu·gal ['pɔːrtʃəgl] le Portugal
Por·tu·guese [pɔːrtʃə'giːz] **1** *adj* portugais **2** *n person* Portugais(e) *m(f)*; *language* portugais *m*
pose [pouz] **1** *n* attitude *f*, ***it's all a ~*** c'est de la frime! **2** *v/i for artist* poser; ***~ as*** se faire passer pour **3** *v/t problem* poser; ***~ a threat*** constituer une me-

nace

posh [pɑːʃ] *adj Br* F chic *inv*, snob *inv*

po·si·tion [pəˈzɪʃn] **1** *n* position *f*; ***what would you do in my ~?*** que feriez-vous à ma place? **2** *v/t* placer

pos·i·tive [ˈpɑːzətɪv] *adj* positif*; GRAM affirmatif*; ***be ~*** *(sure)* être sûr

pos·i·tive·ly [ˈpɑːzətɪvlɪ] *adv* vraiment

pos·sess [pəˈzes] *v/t* posséder

pos·ses·sion [pəˈzeʃn] possession *f*; ***~s*** possessions *fpl*, biens *mpl*

pos·ses·sive [pəˈzesɪv] *adj person*, GRAM possessif*

pos·si·bil·i·ty [pɑːsəˈbɪlətɪ] possibilité *f*

pos·si·ble [ˈpɑːsəbl] *adj* possible; ***the fastest ~ route*** l'itinéraire le plus rapide possible; ***the best ~ solution*** la meilleure solution possible

pos·si·bly [ˈpɑːsəblɪ] *adv* *(perhaps)* peut-être; ***they're doing everything they ~ can*** ils font vraiment tout leur possible; ***how could I ~ have known that?*** je ne vois vraiment pas comment j'aurais pu le savoir; ***that can't ~ be right*** ce n'est pas possible

post[1] [poʊst] **1** *n of wood, metal* poteau *m* **2** *v/t notice* afficher; *profits* enregistrer; ***keep s.o. ~ed*** tenir qn au courant

post[2] [poʊst] **1** *n* *(place of duty)* poste *m* **2** *v/t soldier, employee* affecter; *guards* poster

post[3] [poʊst] **1** *n Br* *(mail)* courrier *m* **2** *v/t Br. letter* poster

post·age [ˈpoʊstɪdʒ] affranchissement *m*, frais *mpl* de port

ˈpost·age stamp *fml* timbre *m*

post·al [ˈpoʊstl] *adj* postal

ˈpost·card carte *f* postale; **ˈpost·code** *Br* code *m* postal; **ˈpost·date** *v/t* postdater

post·er [ˈpoʊstər] poster *m*, affiche *f*

pos·te·ri·or [pɑːˈstɪrɪər] *n hum* postérieur *m* F, popotin *m* F

pos·ter·i·ty [pɑːˈsterətɪ] postérité *f*

post·grad·u·ate [ˈpoʊstgrædʒʊət] **1** *adj* de troisième cycle **2** *n* étudiant(e) *m(f)* de troisième cycle

post·hu·mous [ˈpɑːstʃəməs] *adj* posthume

post·hu·mous·ly [ˈpɑːstʃəməslɪ] *adv* à titre posthume; ***publish sth ~*** publier qch après la mort de l'auteur

post·ing [ˈpoʊstɪŋ] *(assignment)* affectation *f*, nomination *f*

ˈpost·mark cachet *m* de la poste

post-mor·tem [poʊstˈmɔːrtəm] autopsie *f*

ˈpost of·fice poste *f*

post·pone [poʊstˈpoʊn] *v/t* remettre (à plus tard), reporter

post·pone·ment [poʊstˈpoʊnmənt] report *m*

pos·ture [ˈpɑːstʃər] *n* posture *f*

ˈpost-war *adj* d'après-guerre

pot[1] [pɑːt] *for cooking* casserole *f*; *for coffee* cafetière *f*; *for tea* théière *f*; *for plant* pot *m*

pot[2] [pɑːt] F *(marijuana)* herbe *f*, shit *m* F

po·ta·to [pəˈteɪtoʊ] pomme *f* de terre

po·ta·to chips, *Br* **po·ta·to crisps** *npl* chips *fpl*

ˈpot·bel·ly brioche *f* F

po·tent [ˈpoʊtənt] *adj* puissant, fort

po·ten·tial [pəˈtenʃl] **1** *adj* potentiel* **2** *n* potentiel *m*

po·ten·tial·ly [pəˈtenʃəlɪ] *adv* potentiellement

ˈpot·hole *in road* nid-de-poule *m*

pot·ter [ˈpɑːtər] *n* potier(-ière) *m(f)*

pot·ter·y [ˈpɑːtərɪ] poterie *f*; *items* poteries *fpl*

pot·ty [ˈpɑːtɪ] *n for baby* pot (de bébé)

pouch [paʊtʃ] *bag* petit sac *m*; *of kangaroo* poche *f*

poul·try [ˈpoʊltrɪ] volaille *f*; *meat* volaille *f*

pounce [paʊns] *v/i of animal* bondir; *fig* sauter

pound[1] [paʊnd] *n weight* livre *f* *(0,453 kg)*

pound[2] *n for strays, cars* fourrière *f*

pound[3] [paʊnd] *v/i of heart* battre (la chamade); ***~ on*** *(hammer on)* donner de grands coups sur; *of rain* battre contre

pound ˈster·ling livre *f* sterling

pour [pɔːr] **1** *v/t liquid* verser **2** *v/i*: ***it's ~ing (with rain)*** il pleut à verse

♦**pour out** *v/t liquid* verser; *troubles*

déballer F
pout [paʊt] *v/i* faire la moue
pov·er·ty ['pɑːvərtɪ] pauvreté *f*
pov·er·ty-strick·en ['pɑːvərtɪstrɪkn] *adj* miséreux*
pow·der ['paʊdər] **1** *n* poudre *f* **2** *v/t*: **~ *one's face*** se poudrer le visage
'pow·der room *euph* toilettes *fpl* pour dames
pow·er ['paʊər] **1** *n* (*strength*) puissance *f*, force *f*; (*authority*) pouvoir *m* / ; (*energy*) énergie *f*; (*electricity*) courant *m*; ***in ~*** au pouvoir; ***fall from ~*** POL perdre le pouvoir **2** *v/t*: ***be ~ed by*** fonctionner à
'pow·er-as·sist·ed *adj* assisté; **'pow·er drill** perceuse *f*; **'pow·er fail·ure** panne *f* d'électricité
pow·er·ful ['paʊərfl] *adj* puissant
pow·er·less ['paʊərlɪs] *adj* impuissant; ***be ~ to ...*** ne rien pouvoir faire pour ...
'pow·er line ligne *f* électrique; **'pow·er out·age** panne *f* d'électricité; **'pow·er sta·tion** centrale *f* électrique; **'pow·er steer·ing** direction *f* assistée; **'pow·er u·nit** bloc *m* d'alimentation
PR [piː'ɑːr] *abbr* (= ***public relations***) relations *fpl* publiques
prac·ti·cal ['præktɪkl] *adj* pratique
prac·ti·cal 'joke farce *f*
prac·tic·al·ly ['præktɪklɪ] *adv behave, think* d'une manière pratique; (*almost*) pratiquement
prac·tice ['præktɪs] **1** *n* pratique *f*, *training also* entraînement *m*; (*rehearsal*) répétition *f*; (*custom*) coutume *f*; ***in ~*** (*in reality*) en pratique; ***be out of ~*** manquer d'entraînement; ***~ makes perfect*** c'est en forgeant qu'on devient forgeron **2** *v/i* s'entraîner **3** *v/t* travailler; *speech* répéter; *law, medicine* exercer
prac·tise *Br* → ***practice*** *v/i & v/t*
prag·mat·ic [præg'mætɪk] *adj* pragmatique
prag·ma·tism ['prægmətɪzm] pragmatisme *m*
prai·rie ['prerɪ] prairie *f*, plaine *f*
praise [preɪz] **1** *n* louange *f*, éloge *m* **2** *v/t* louer
'praise·wor·thy *adj* méritoire, louable
prank [præŋk] blague *f*, farce *f*
prat·tle ['prætl] *v/i* jacasser
prawn [prɒːn] crevette *f*
pray [preɪ] *v/i* prier
prayer [prer] prière *f*
preach [priːʧ] *v/t & v/i* prêcher
preach·er ['priːʧər] pasteur *m*
pre·am·ble [priː'æmbl] préambule *m*
pre·car·i·ous [prɪ'kerɪəs] *adj* précaire
pre·car·i·ous·ly [prɪ'kerɪəslɪ] *adv* précairement
pre·cau·tion [prɪ'kɒːʃn] précaution *f*
pre·cau·tion·a·ry [prɪ'kɒːʃnrɪ] *adj measure* préventif*, de précaution
pre·cede [prɪ'siːd] *v/t* précéder
pre·ce·dent ['presɪdənt] précédent *m*
pre·ced·ing [prɪ'siːdɪŋ] *adj* précédent
pre·cinct ['priːsɪŋkt] (*district*) circonscription *f* (administrative)
pre·cious ['preʃəs] *adj* précieux*
pre·cip·i·tate [prɪ'sɪpɪteɪt] *v/t crisis* précipiter
pré·cis ['preɪsiː] *n* résumé *m*
pre·cise [prɪ'saɪs] *adj* précis
pre·cise·ly [prɪ'saɪslɪ] *adv* précisément
pre·ci·sion [prɪ'sɪʒn] précision *f*
pre·co·cious [prɪ'koʊʃəs] *adj child* précoce
pre·con·ceived ['prɪkənsiːvd] *adj idea* préconçu
pre·con·di·tion [prɪkən'dɪʃn] condition *f* requise
pred·a·tor ['predətər] prédateur *m*
pred·a·to·ry ['predətɔːrɪ] *adj* prédateur*
pre·de·ces·sor ['priːdɪsesər] prédécesseur *m*
pre·des·ti·na·tion [priːdestɪ'neɪʃn] prédestination *f*
pre·des·tined [priː'destɪnd] *adj*: ***be ~ to*** être prédestiné à
pre·dic·a·ment [prɪ'dɪkəmənt] situation *f* délicate
pre·dict [prɪ'dɪkt] *v/t* prédire, prévoir
pre·dict·a·ble [prɪ'dɪktəbl] *adj* prévisible
pre·dic·tion [prɪ'dɪkʃn] prédiction *f*

pre·dom·i·nant [prɪ'dɑːmɪnənt] *adj* prédominant
pre·dom·i·nant·ly [prɪ'dɑːmɪnəntlɪ] *adv* principalement
pre·dom·i·nate [prɪ'dɑːmɪneɪt] *v/i* prédominer
pre·fab·ri·cat·ed [priː'fæbrɪkeɪtɪd] *adj* préfabriqué
pref·ace ['prefɪs] *n* préface *f*
pre·fer [prɪ'fɜːr] *v/t* (*pret & pp* ***-red***) préférer; ***~ X to Y*** préférer X à Y, aimer mieux X que Y
pref·e·ra·ble ['prefərəbl] *adj* préférable
pref·e·ra·bly ['prefərəblɪ] *adv* de préférence
pref·e·rence ['prefərəns] préférence *f*
pref·er·en·tial [prefə'renʃl] *adj* préférentiel*
pre·fix ['priːfɪks] préfixe *m*
preg·nan·cy ['pregnənsɪ] grossesse *f*
preg·nant ['pregnənt] *adj* enceinte; *animal* pleine
pre·heat ['priːhiːt] *v/t oven* préchauffer
pre·his·tor·ic [priːhɪs'tɑːrɪk] *adj also fig* préhistorique
pre·judge [priː'dʒʌdʒ] *v/t situation* préjuger de; *person* porter un jugement prématuré sur
prej·u·dice ['predʒʊdɪs] **1** *n* (*bias*) préjugé *m* **2** *v/t person* influencer; *chances* compromettre; *reputation* nuire à, porter préjudice à
prej·u·diced ['predʒʊdɪst] *adj* partial
pre·lim·i·na·ry [prɪ'lɪmɪnerɪ] *adj* préliminaire
pre·mar·i·tal [priː'mærɪtl] *adj sex* avant le mariage
pre·ma·ture [priːmə'tʊr] *adj* prématuré
pre·med·i·tat·ed [priː'medɪteɪtɪd] *adj* prémédité
prem·i·er ['premɪr] POL Premier ministre *m*
prem·i·ère ['premɪer] *n* première *f*
prem·is·es ['premɪsɪz] *npl* locaux *mpl*; ***live on the ~*** vivre sur place
pre·mi·um ['priːmɪəm] *in insurance* prime *f*
pre·mo·ni·tion [premə'nɪʃn] prémonition *f*, pressentiment *m*
pre·na·tal [priː'neɪtl] *adj* prénatal
pre·oc·cu·pied [prɪ'ɑːkjʊpaɪd] *adj* préoccupé
prep·a·ra·tion [prepə'reɪʃn] préparation *f*; ***in ~ for*** en prévision de; ***~s*** préparatifs *mpl*
pre·pare [prɪ'per] **1** *v/t* préparer; ***be ~d to do sth*** *willing, ready* être prêt à faire qch; ***be ~d for sth*** (*be expecting*) s'être préparé à qch, s'attendre à qch; (*be ready*) s'être préparé pour qch, être prêt pour qch **2** *v/i* se préparer
prep·o·si·tion [prepə'zɪʃn] préposition *f*
pre·pos·ter·ous [prɪ'pɑːstərəs] *adj* absurde, ridicule
pre·req·ui·site [priː'rekwɪzɪt] condition *f* préalable
pre·scribe [prɪ'skraɪb] *v/t of doctor* prescrire
pre·scrip·tion [prɪ'skrɪpʃn] MED ordonnance *f*
pres·ence ['prezns] présence *f*; ***in the ~ of*** en présence de
pres·ence of 'mind présence *f* d'esprit
pres·ent[1] ['preznt] **1** *adj* (*current*) actuel*; ***be ~*** être présent **2** *n*: ***the ~*** *also* GRAM le présent; ***at ~*** (*at this very moment*) en ce moment; (*for the time being*) pour le moment
pres·ent[2] ['preznt] *n* (*gift*) cadeau *m*
pre·sent[3] [prɪ'zent] *v/t award, bouquet* remettre; *program* présenter; ***~ s.o. with sth, ~ sth to s.o.*** remettre *or* donner qch à qn
pre·sen·ta·tion [prezn'teɪʃn] présentation *f*
pres·ent-day [preznt'deɪ] *adj* actuel*
pre·sent·er [prɪ'zentər] présentateur(-trice) *m*(*f*)
pres·ent·ly ['prezntlɪ] *adv* (*at the moment*) à présent; (*soon*) bientôt
'pres·ent tense présent *m*
pres·er·va·tion [prezər'veɪʃn] *of environment* préservation *f*, *of building* protection *f*, *of standards, peace* maintien *m*
pre·ser·va·tive [prɪ'zɜːrvətɪv] conservateur *m*
pre·serve [prɪ'zɜːrv] **1** *n* (*domain*) do-

maine *m* **2** *v/t standards, peace etc* maintenir; *wood etc* préserver; *food* conserver, mettre en conserve

pre·side [prɪ'zaɪd] *v/i at meeting* présider; ~ ***over a meeting*** présider une réunion

pres·i·den·cy ['prezɪdənsɪ] présidence *f*

pres·i·dent ['prezɪdnt] POL président(e) *m(f)*; *of company* président-directeur *m* général, PDG *m*

pres·i·den·tial [prezɪ'denʃl] *adj* présidentiel*

press[1] [pres] *n*: ***the*** ~ la presse

press[2] [pres] **1** *v/t button* appuyer sur; *hand* serrer; *grapes, olives* presser; *clothes* repasser; ~ ***s.o. to do sth*** (*urge*) presser qn de faire qch **2** *v/i*: ~ ***for*** faire pression pour obtenir, exiger

'press a·gen·cy agence *f* de presse

'press con·fer·ence conférence *f* de presse

press·ing ['presɪŋ] *adj* pressant

pres·sure ['preʃər] **1** *n* pression *f*; ***be under*** ~ être sous pression; ***he's under*** ~ ***to resign*** on fait pression sur lui pour qu'il démissionne (*subj*) **2** *v/t* faire pression sur

pres·tige [pre'stiːʒ] prestige *m*

pres·ti·gious [pre'stɪdʒəs] *adj* prestigieux*

pre·su·ma·bly [prɪ'zuːməblɪ] *adv* sans doute, vraisemblablement

pre·sume [prɪ'zuːm] *v/t* présumer; ~ ***to do*** *fml* se permettre de faire

pre·sump·tion [prɪ'zʌmpʃn] *of innocence, guilt* présomption *f*

pre·sump·tu·ous [prɪ'zʌmptʊəs] *adj* présomptueux*

pre·sup·pose [priːsə'poʊz] *v/t* présupposer

pre-tax ['priːtæks] *adj* avant impôts

pre·tence *Br* → ***pretense***

pre·tend [prɪ'tend] **1** *v/t* prétendre; ***the children are*** ~***ing to be spacemen*** les enfants se prennent pour des astronautes **2** *v/i* faire semblant

pre·tense [prɪ'tens] hypocrisie *f*, semblant *m*; ***under the*** ~ ***of cooperation*** sous prétexte de coopération

pre·ten·tious [prɪ'tenʃəs] *adj* prétentieux*

pre·text ['priːtekst] prétexte *m*

pret·ty ['prɪtɪ] **1** *adj* joli **2** *adv* (*quite*) assez; ~ ***much complete*** presque complet; ***are they the same? -*** ~ ***much*** c'est la même chose? - à quelque chose près

pre·vail [prɪ'veɪl] *v/i* (*triumph*) prévaloir, l'emporter

pre·vail·ing [prɪ'veɪlɪŋ] *adj wind* dominant; *opinion* prédominant; (*current*) actuel*

pre·vent [prɪ'vent] *v/t* empêcher; *disease* prévenir; ~ ***s.o.*** (***from***) ***doing sth*** empêcher qn de faire qch

pre·ven·tion [prɪ'venʃn] prévention *f*; ~ ***is better than cure*** mieux vaut prévenir que guérir

pre·ven·tive [prɪ'ventɪv] *adj* préventif*

pre·view ['priːvjuː] **1** *n* avant-première *f* **2** *v/t* voir en avant-première

pre·vi·ous ['priːvɪəs] *adj* (*earlier*) antérieur; (*the one before*) précédent

pre·vi·ously ['priːvɪəslɪ] *adv* auparavant, avant

pre-war ['priːwɔːr] *adj* d'avant-guerre

prey [preɪ] proie *f*

♦ **prey on** *v/t* chasser, se nourrir de; *fig*: *of con man etc* s'attaquer à

price [praɪs] **1** *n* prix *m* **2** *v/t* COMM fixer le prix de

price·less ['praɪslɪs] *adj* inestimable, sans prix

'price tag étiquette *f*, prix *m*

'price war guerre *f* des prix

price·y ['praɪsɪ] *adj* F cher*

prick[1] [prɪk] **1** *n pain* piqûre *f* **2** *v/t* (*jab*) piquer

prick[2] [prɪk] *n* V (*penis*) bite *f* V; *person* con *m* F

♦ **prick up** *v/t*: ***prick up one's ears*** *of dog* dresser les oreilles; *of person* dresser l'oreille

prick·le ['prɪkl] *on plant* épine *f*, piquant *m*

prick·ly ['prɪklɪ] *adj beard, plant* piquant; (*irritable*) irritable

pride [praɪd] **1** *n* fierté *f*, (*self-respect*) amour-propre *m*, orgueil *m* **2** *v/t*: ~

P

o.s. on être fier de
priest [pri:st] prêtre *m*
pri•ma•ri•ly [praɪ'merɪlɪ] *adv* essentiellement, principalement
pri•ma•ry ['praɪmərɪ] **1** *adj* principal **2** *n* POL (élection *f*) primaire *f*
prime [praɪm] **1** *adj* fondamental; ***of ~ importance*** de la plus haute importance **2** *n*: ***be in one's ~*** être dans la fleur de l'âge
prime 'min•is•ter Premier ministre *m*
'prime time TV heures *fpl* de grande écoute
prim•i•tive ['prɪmɪtɪv] *adj* primitif*; *conditions* rudimentaire
prince [prɪns] prince *m*
prin•cess [prɪn'ses] princesse *f*
prin•ci•pal ['prɪnsəpl] **1** *adj* principal **2** *n of school* directeur(-trice) *m(f)*
prin•ci•pal•ly ['prɪnsəplɪ] *adv* principalement
prin•ci•ple ['prɪnsəpl] principe *m*; ***on ~*** par principe; ***in ~*** en principe
print [prɪnt] **1** *n in book, newspaper etc* texte *m*, caractères *mpl*; (*photograph*) épreuve *f*; ***out of ~*** épuisé **2** *v/t* imprimer; (*use block capitals*) écrire en majuscules
♦**print out** *v/t* imprimer
print•ed mat•ter ['prɪntɪd] imprimés *mpl*
print•er ['prɪntər] *person* imprimeur *m*; *machine* imprimante *f*
print•ing press ['prɪntɪŋ] presse *f*
'print•out impression *f*, sortie *f* (sur) imprimante
pri•or ['praɪr] **1** *adj* préalable, antérieur **2** *prep*: ***~ to*** avant
pri•or•i•tize *v/t* (*put in order of priority*) donner un ordre de priorité à; (*give priority to*) donner la priorité à
pri•or•i•ty [praɪ'ɑːrətɪ] priorité *f*; ***have ~*** être prioritaire, avoir la priorité
pris•on ['prɪzn] prison *f*
pris•on•er ['prɪznər] prisonnier(-ière) *m(f)*; ***take s.o. ~*** faire qn prisonnier
pris•on•er of 'war prisonnier(-ière) *m(f)* de guerre
priv•a•cy ['prɪvəsɪ] intimité *f*
pri•vate ['praɪvət] **1** *adj* privé; *letter* personnel*; *secretary* particulier* **2** *n* MIL simple soldat *m*; ***in ~*** *talk to s.o.* en privé
pri•vate•ly ['praɪvətlɪ] *adv talk to s.o.* en privé; (*inwardly*) intérieurement; ***~ owned*** privé; ***~ funded*** à financement privé
'pri•vate sec•tor secteur *m* privé
pri•va•tize ['praɪvətaɪz] *v/t* privatiser
priv•i•lege ['prɪvəlɪdʒ] privilège *m*
priv•i•leged ['prɪvəlɪdʒd] *adj* privilégié; (*honored*) honoré
prize [praɪz] **1** *n* prix *m* **2** *v/t* priser, faire (grand) cas de
'prize•win•ner gagnant *m*
'prize•win•ning *adj* gagnant
pro[1] [proʊ] *n*: ***the ~s and cons*** le pour et le contre
pro[2] [proʊ] F *professional* pro *m/f inv* F
pro[3] [proʊ] *prep* (*in favor of*) pro-; ***be ~ ...*** être pour ...
prob•a•bil•i•ty [prɑːbə'bɪlətɪ] probabilité *f*
prob•a•ble ['prɑːbəbl] *adj* probable
prob•a•bly ['prɑːbəblɪ] *adv* probablement
pro•ba•tion [prə'beɪʃn] *in job* période *f* d'essai; LAW probation *f*, mise *f* à l'épreuve; ***be on ~*** *in job* être à l'essai
pro'ba•tion of•fi•cer contrôleur (-euse) *m(f)* judiciaire
pro'ba•tion pe•ri•od *in job* période *f* d'essai
probe [proʊb] **1** *n* (*investigation*) enquête *f*; *scientific* sonde *f* **2** *v/t* sonder; (*investigate*) enquêter sur
prob•lem ['prɑːbləm] problème *m*; ***no ~*** pas de problème; *it doesn't worry me* c'est pas grave; ***I don't have a ~ with that*** ça ne me pose pas de problème
pro•ce•dure [prə'siːdʒər] procédure *f*
pro•ceed [prə'siːd] *v/i* (*go*: *of people*) se rendre; *of work etc* avancer, se dérouler; ***~ to do sth*** se mettre à faire qch
pro•ceed•ings [prə'siːdɪŋz] *npl* (*events*) événements *mpl*
pro•ceeds ['proʊsiːdz] *npl* bénéfices *mpl*
pro•cess ['prɑːses] **1** *n* processus *m*; *industrial* procédé *m*, processus *m*; ***in the ~*** (*while doing it*) ce faisant;

by a ~ of elimination (en procédant) par élimination **2** *v/t food, raw materials* transformer; *data, application* traiter
pro·ces·sion [prə'seʃn] procession *f*
pro·claim [prə'kleɪm] *v/t* proclamer
prod [prɑːd] **1** *n* (petit) coup *m* **2** *v/t* (*pret & pp* ***-ded***) donner un (petit) coup à, pousser
prod·i·gy ['prɑːdɪdʒɪ]: prodige *m*; (***child***) ~ enfant *m/f* prodige
prod·uce[1] ['prɑːduːs] *n* produits *mpl* (agricoles)
pro·duce[2] [prə'duːs] *v/t* produire; (*bring about*) provoquer; (*bring out*) sortir
pro·duc·er [prə'duːsər] producteur *m*
prod·uct ['prɑːdʌkt] produit *m*
pro·duc·tion [prə'dʌkʃn] production *f*
pro'duc·tion ca·pac·i·ty capacité *f* de production
pro'duc·tion costs *npl* coûts *mpl* de production
pro·duc·tive [prə'dʌktɪv] *adj* productif*
pro·duc·tiv·i·ty [prɑːdʌk'tɪvətɪ] productivité *f*
pro·fane [prə'feɪn] *adj language* blasphématoire
pro·fess [prə'fes] *v/t* (*claim*) prétendre
pro·fes·sion [prə'feʃn] profession *f*
pro·fes·sion·al [prə'feʃnl] **1** *adj* professionnel*; *piece of work* de haute qualité; ***take ~ advice*** consulter un professionnel; ***do a very ~ job*** faire un travail de professionnel; ***turn ~*** passer professionnel **2** *n* (*doctor, lawyer etc*) personne *f* qui exerce une profession libérale; *not amateur* professionnel(le) *m(f)*
pro·fes·sion·al·ly [prə'feʃnlɪ] *adv play sport* professionnellement; (*well, skillfully*) de manière professionnelle
pro·fes·sor [prə'fesər] professeur *m*
pro·fi·cien·cy [prə'fɪʃnsɪ] compétence *f*; *in a language* maîtrise *f*
pro·fi·cient [prə'fɪʃnt] *adj* excellent, compétent; ***must be ~ in French*** doit bien maîtriser le français
pro·file ['proʊfaɪl] profil *m*
prof·it ['prɑːfɪt] **1** *n* bénéfice *m*, profit *m* **2** *v/i*: ~ ***by*** *or* ~ ***from*** profiter de
prof·it·a·bil·i·ty [prɑːfɪtə'bɪlətɪ] rentabilité *f*
prof·i·ta·ble ['prɑːfɪtəbl] *adj* rentable
'prof·it mar·gin marge *f* bénéficiaire
'prof·it shar·ing participation *f* aux bénéfices
pro·found [prə'faʊnd] *adj* profond
pro·found·ly [prə'faʊndlɪ] *adv* profondément
prog·no·sis [prɑːg'noʊsɪs] MED pronostic *m*
pro·gram ['proʊgræm] **1** *n* programme *m*; *on radio, TV* émission *f* **2** *v/t* (*pret & pp* ***-med***) programmer
pro·gramme *Br* → ***program***
pro·gram·mer ['proʊgræmər] COMPUT programmeur(-euse) *m(f)*
pro·gress ['prɑːgres] **1** *n* progrès *m(pl)*; ***make ~*** faire des progrès; *of patient* aller mieux; *of building* progresser, avancer; ***in ~*** en cours **2** [prə'gres] *v/i* (*in time*) avancer, se dérouler; (*move on*) passer à; (*make ~*) faire des progrès, progresser; ***how is the work ~ing?*** ça avance bien?
pro·gres·sive [prə'gresɪv] *adj* (*enlightened*) progressiste; (*which progresses*) progressif*
pro·gres·sive·ly [prə'gresɪvlɪ] *adv* progressivement
pro·hib·it [prə'hɪbɪt] *v/t* défendre, interdire
pro·hi·bi·tion [proʊhɪ'bɪʃn] interdiction *f*; ***during Prohibition*** pendant la prohibition
pro·hib·i·tive [prə'hɪbɪtɪv] *adj prices* prohibitif*
proj·ect[1] ['prɑːdʒekt] *n* projet *m*; EDU étude *f*, dossier *m*; (*housing area*) cité *f* (H.L.M.)
pro·ject[2] [prə'dʒekt] **1** *v/t figures, sales* prévoir; *movie* projeter **2** *v/i* (*stick out*) faire saillie
pro·jec·tion [prə'dʒekʃn] (*forecast*) projection *f*, prévision *f*
pro·jec·tor [prə'dʒektər] *for slides* projecteur *m*
pro·lif·ic [prə'lɪfɪk] *adj* prolifique
pro·log, *Br* **pro·logue** ['proʊlɑːg] prologue *m*

P

pro·long [prə'lɒːŋ] *v/t* prolonger
prom [prɑːm] (*school dance*) bal *m* de fin d'année
prom·i·nent ['prɑːmɪnənt] *adj nose, chin* proéminent; *visually* voyant; (*significant*) important
prom·is·cu·i·ty [prɑːmɪ'skjuːətɪ] promiscuité *f*
pro·mis·cu·ous [prə'mɪskjʊəs] *adj* dévergondé, dissolu
prom·ise ['prɑːmɪs] **1** *n* promesse *f* **2** *v/t* promettre; ***~ to do sth*** promettre de faire qch; ***~ s.o. sth*** promettre qch à qn **3** *v/i* promettre
prom·is·ing ['prɑːmɪsɪŋ] *adj* prometteur*
pro·mote [prə'moʊt] *v/t employee, idea* promouvoir; COMM *also* faire la promotion de
pro·mot·er [prə'moʊtər] *of sports event* organisateur *m*
pro·mo·tion [prə'moʊʃn] promotion *f*
prompt [prɑːmpt] **1** *adj* (*on time*) ponctuel*; (*speedy*) prompt **2** *adv*: ***at two o'clock ~*** à deux heures pile *or* précises **3** *v/t* (*cause*) provoquer; *actor* souffler à; ***something ~ed me to turn back*** quelque chose me poussa à me retourner **4** *n* COMPUT invite *f*
prompt·ly ['prɑːmptlɪ] *adv* (*on time*) ponctuellement; (*immediately*) immédiatement
prone [proʊn] *adj*: ***be ~ to*** être sujet à
pro·noun ['proʊnaʊn] pronom *m*
pro·nounce [prə'naʊns] *v/t* prononcer
pro·nounced [prə'naʊnst] *adj accent* prononcé; *views* arrêté
pron·to ['prɑːntoʊ] *adv* F illico (presto) F
pro·nun·ci·a·tion [prənʌnsɪ'eɪʃn] prononciation *f*
proof [pruːf] *n* preuve *f*; *of book* épreuve *f*
prop[1] [prɑːp] *n* THEA accessoire *m*
prop[2] [prɑːp] *v/t* (*pret & pp* ***-ped***) appuyer (against contre)
♦ **prop up** *v/t also fig* soutenir
prop·a·gan·da [prɑːpə'gændə] propagande *f*
pro·pel [prə'pel] *v/t* (*pret & pp* ***-led***) propulser
pro·pel·lant [prə'pelənt] *in aerosol* gaz *m* propulseur
pro·pel·ler [prə'pelər] hélice *f*
prop·er ['prɑːpər] *adj* (*real*) vrai; (*correct*) bon*, correct; (*fitting*) convenable, correct
prop·er·ly ['prɑːpərlɪ] *adv* (*correctly*) correctement; (*fittingly also*) convenablement
prop·er·ty ['prɑːpərtɪ] propriété *f*; (*possession also*) bien(s) *m(pl)*; ***it's his ~*** c'est à lui
'prop·er·ty de·vel·op·er promoteur *m* immobilier
'prop·er·ty mar·ket marché *m* immobilier; *for land* marché *m* foncier
proph·e·cy ['prɑːfəsɪ] prophétie *f*
proph·e·sy ['prɑːfəsaɪ] *v/t* (*pret & pp* ***-ied***) prophétiser, prédire
pro·por·tion [prə'pɔːrʃn] proportion *f*; ***a large ~ of Americans*** une grande partie de la population américaine
pro·por·tion·al [prə'pɔːrʃnl] *adj* proportionnel*
pro·por·tion·al rep·re·sen·ta·tion [reprəzen'teɪʃn] POL représentation *f* proportionnelle
pro·pos·al [prə'poʊzl] proposition *f*; *of marriage* demande *f* en mariage
pro·pose [prə'poʊz] **1** *v/t* (*suggest*) proposer; ***~ to do sth*** (*plan*) se proposer de faire qch **2** *v/i* (*make offer of marriage*) faire sa demande en mariage (***to*** à)
prop·o·si·tion [prɑːpə'zɪʃn] **1** *n* proposition *f* **2** *v/t woman* faire des avances à
pro·pri·e·tor [prə'praɪətər] propriétaire *m*
pro·pri·e·tress [prə'praɪətrɪs] propriétaire *f*
prose [proʊz] prose *f*
pros·e·cute ['prɑːsɪkjuːt] *v/t* LAW poursuivre (en justice)
pros·e·cu·tion [prɑːsɪ'kjuːʃn] LAW poursuites *fpl* (judiciaires); *lawyers* accusation *f*, partie *f* plaignante
pros·e·cu·tor → ***public prosecutor***
pros·pect ['prɑːspekt] **1** *n* (*chance, likelihood*) chance(s) *f(pl)*; (*thought of something in the future*) perspective

f; **~s** perspectives *fpl* (d'avenir) **2** *v/i*: **~ for** *gold* chercher

pro·spec·tive [prə'spektɪv] *adj* potentiel*, éventuel*

pros·per ['prɑːspər] *v/i* prospérer

pros·per·i·ty [prɑː'sperətɪ] prospérité *f*

pros·per·ous ['prɑːspərəs] *adj* prospère

pros·ti·tute ['prɑːstɪtuːt] *n* prostituée *f*; **male ~** prostitué *m*

pros·ti·tu·tion [prɑːstɪ'tuːʃn] prostitution *f*

pros·trate ['prɑːstreɪt] *adj*: **be ~ with grief** être accablé de chagrin

pro·tect [prə'tekt] *v/t* protéger

pro·tec·tion [prə'tekʃn] protection *f*

pro'tec·tion mon·ey *argent versé à un racketteur*

pro·tec·tive [prə'tektɪv] *adj* protecteur*

pro·tec·tive 'cloth·ing vêtements *mpl* de protection

pro·tec·tor [prə'tektər] protecteur (-trice) *m(f)*

pro·tein ['proutiːn] protéine *f*

pro·test ['proutest] **1** *n* protestation *f*; (*demonstration*) manifestation *f* **2** *v/t* [prə'test] (*object to*) protester contre **3** *v/i* [prə'test] protester; (*demonstrate*) manifester

Prot·es·tant ['prɑːtɪstənt] **1** *adj* protestant **2** *n* protestant(e) *m(f)*

pro·test·er [prə'testər] manifestant(e) *m(f)*

pro·to·col ['proutəkɑːl] protocole *m*

pro·to·type ['proutətaɪp] prototype *m*

pro·tract·ed [prə'træktɪd] *adj* prolongé, très long*

pro·trude [prə'truːd] *v/i* *of eyes, ear* être saillant; *from pocket etc* sortir

pro·trud·ing [prə'truːdɪŋ] *adj* saillant; *ears* décollé; *chin* avancé; *teeth* en avant

proud [praud] *adj* fier*; **be ~ of** être fier de

proud·ly ['praudlɪ] *adv* fièrement, avec fierté

prove [pruːv] *v/t* prouver

prov·erb ['prɑːvɜːrb] proverbe *m*

pro·vide [prə'vaɪd] *v/t* fournir; **~ sth to s.o., ~ s.o. with sth** fournir qch à qn

♦**provide for** *v/t family* pourvoir *or* subvenir aux besoins de; *of law etc* prévoir

pro·vi·ded [prə'vaɪdɪd] *conj*: **~ (that)** (*on condition that*) pourvu que (*+subj*), à condition que (*+subj*)

prov·ince ['prɑːvɪns] province *f*

pro·vin·cial [prə'vɪnʃl] *adj also pej* provincial; *city* de province

pro·vi·sion [prə'vɪʒn] (*supply*) fourniture *f*; *of services* prestation *f*; *in a law, contract* disposition *f*

pro·vi·sion·al [prə'vɪʒnl] *adj* provisoire

pro·vi·so [prə'vaɪzou] condition *f*

prov·o·ca·tion [prɑːvə'keɪʃn] provocation *f*

pro·voc·a·tive [prə'vɑːkətɪv] *adj* provocant

pro·voke [prə'vouk] *v/t* provoquer

prow [prau] NAUT proue *f*

prow·ess ['prauɪs] talent *m*, prouesses *fpl*

prowl [praul] *v/i of tiger etc* chasser; *of burglar* rôder

'prowl car voiture *f* de patrouille

prowl·er ['praulər] rôdeur(-euse) *m(f)*

prox·im·i·ty [prɑːk'sɪmətɪ] proximité *f*

prox·y ['prɑːksɪ] (*authority*) procuration *f*, *person* mandataire *m/f*

prude [pruːd] puritain *m*

pru·dence ['pruːdns] prudence *f*

pru·dent ['pruːdnt] *adj* prudent

prud·ish ['pruːdɪʃ] *adj* prude

prune[1] [pruːn] *n* pruneau *m*

prune[2] [pruːn] *v/t plant* tailler; *fig*: *costs etc* réduire; *fig*: *essay* élaguer

pry [praɪ] *v/i* (*pret & pp* **-ied**) être indiscret, fouiner

♦**pry into** *v/t* mettre son nez dans, s'immiscer dans

PS ['piːes] *abbr* (**= postscript**) P.-S. *m*

pseu·do·nym ['suːdənɪm] pseudonyme *m*

psy·chi·at·ric [saɪkɪ'ætrɪk] *adj* psychiatrique

psy·chi·a·trist [saɪ'kaɪətrɪst] psychiatre *m/f*

psy·chi·a·try [saɪ'kaɪətrɪ] psychiatrie *f*

psy·chic ['saɪkɪk] *adj power* parapsy-

P

chique; *phenomenon* paranormal; ***I'm not ~!*** je ne suis pas devin!
psy·cho ['saɪkoʊ] F psychopathe *m/f*
psy·cho·a·nal·y·sis [saɪkoʊən'æləsɪs] psychanalyse *f*
psy·cho·an·a·lyst [saɪkoʊ'ænəlɪst] psychanalyste *m/f*
psy·cho·an·a·lyze [saɪkoʊ'ænəlaɪz] *v/t* psychanalyser
psy·cho·log·i·cal [saɪkə'lɑːdʒɪkl] *adj* psychologique
psy·cho·log·i·cal·ly [saɪkə'lɑːdʒɪklɪ] *adv* psychologiquement
psy·chol·o·gist [saɪ'kɑːlədʒɪst] psychologue *m/f*
psy·chol·o·gy [saɪ'kɑːlədʒɪ] psychologie *f*
psy·cho·path ['saɪkoʊpæθ] psychopathe *m/f*
psy·cho·so·mat·ic [saɪkoʊsə'mætɪk] *adj* psychosomatique
PTO [piːtiː'oʊ] *abbr* (***= please turn over***) T.S.V.P. (= tournez s'il vous plaît)
pub [pʌb] *Br* pub *m*
pu·ber·ty ['pjuːbərtɪ] puberté *f*
pu·bic hair [pjuːbɪk'her] poils *mpl* pubiens; *single* poil *m* pubien
pub·lic ['pʌblɪk] **1** *adj* public* **2** *n*: ***the ~*** le public; ***in ~*** en public
pub·li·ca·tion [pʌblɪ'keɪʃn] publication *f*
pub·lic 'hol·i·day jour *m* férié
pub·lic·i·ty [pʌb'lɪsətɪ] publicité *f*
pub·li·cize ['pʌblɪsaɪz] *v/t* (*make known*) faire connaître, rendre public; COMM faire de la publicité pour
pub·lic do·main [doʊ'meɪn]: ***be ~*** faire partie du domaine public
pub·lic 'li·bra·ry bibliothèque *f* municipale
pub·lic·ly ['pʌblɪklɪ] *adv* en public, publiquement
pub·lic 'pros·e·cu·tor procureur *m* général; **pub·lic re'la·tions** *npl* relations *fpl* publiques; **'pub·lic school** école *f* publique; *Br* école privée (du secondaire); **'pub·lic sec·tor** secteur *m* public
pub·lish ['pʌblɪʃ] *v/t* publier
pub·lish·er ['pʌblɪʃər] éditeur(-trice) *m(f)*; maison *f* d'édition
pub·lish·ing ['pʌblɪʃɪŋ] édition *f*
'pub·lish·ing com·pa·ny maison *f* d'édition
pud·dle ['pʌdl] flaque *f*
Puer·to Ri·can [pwertoʊ'riːkən] **1** *adj* portoricain **2** *n* Portoricain(e) *m(f)*
Puer·to Ri·co [pwertoʊ'riːkoʊ] Porto Rico
puff [pʌf] **1** *n of wind* bourrasque *f*; *of smoke* bouffée *f* **2** *v/i* (*pant*) souffler, haleter; ***~ on a cigarette*** tirer sur une cigarette
puff·y ['pʌfɪ] *adj eyes, face* bouffi, gonflé
puke [pjuːk] *v/i* P dégueuler F
pull [pʊl] **1** *n on rope* coup *m*; F (*appeal*) attrait *m*; F (*influence*) influence *f* **2** *v/t* tirer; *tooth* arracher; *muscle* se déchirer **3** *v/i* tirer
♦**pull ahead** *v/i in race, competition* prendre la tête
♦**pull apart** *v/t* (*separate*) séparer
♦**pull away** **1** *v/t* retirer **2** *v/i of car, train* s'éloigner
♦**pull down** *v/t* (*lower*) baisser; (*demolish*) démolir
♦**pull in** *v/i of bus, train* arriver
♦**pull off** *v/t leaves etc* détacher; *clothes* enlever; F *deal etc* décrocher; ***he pulled it off*** il a réussi
♦**pull out** **1** *v/t* sortir; *troops* retirer **2** *v/i from agreement, competition, of troops* se retirer; *of ship* partir
♦**pull over** *v/i* se garer
♦**pull through** *v/i from illness* s'en sortir
♦**pull together** **1** *v/i* (*cooperate*) travailler ensemble **2** *v/t*: ***pull o.s. together*** se reprendre
♦**pull up** **1** *v/t* (*raise*) remonter; *plant* arracher **2** *v/i of car etc* s'arrêter
pul·ley ['pʊlɪ] poulie *f*
pull·o·ver ['pʊloʊvər] pull *m*
pulp [pʌlp] pulpe *f*; *for paper-making* pâte *f* à papier
pul·pit ['pʊlpɪt] chaire *f*
'pulp nov·el roman *m* de gare
pul·sate [pʌl'seɪt] *v/i of heart, blood* battre; *of rhythm* vibrer
pulse [pʌls] pouls *m*

pul·ver·ize ['pʌlvəraɪz] *v/t* pulvériser
pump [pʌmp] **1** *n* pompe *f* **2** *v/t* pomper
♦ **pump up** *v/t* gonfler
pump·kin ['pʌmpkɪn] potiron *m*
pun [pʌn] jeu *m* de mots
punch [pʌntʃ] **1** *n blow* coup *m* de poing; *implement* perforeuse *f* **2** *v/t with fist* donner un coup de poing à; *hole* percer; *ticket* composter
'punch line chute *f*
punc·tu·al ['pʌŋktʃʊəl] *adj* ponctuel*
punc·tu·al·i·ty [pʌŋktʃʊ'ælətɪ] ponctualité *f*
punc·tu·al·ly ['pʌŋktʃʊəlɪ] *adv* à l'heure, ponctuellement
punc·tu·ate ['pʌŋktʃʊeɪt] *v/t* GRAM ponctuer
punc·tu·a·tion [pʌŋktʃʊ'eɪʃn] ponctuation *f*
punc·tu'a·tion mark signe *m* de ponctuation
punc·ture ['pʌŋktʃər] **1** *n* piqûre *f* **2** *v/t* percer, perforer
pun·gent ['pʌndʒənt] *adj* âcre, piquant
pun·ish ['pʌnɪʃ] *v/t* punir
pun·ish·ing ['pʌnɪʃɪŋ] *adj schedule, pace* éprouvant, épuisant
pun·ish·ment ['pʌnɪʃmənt] punition *f*
punk [pʌŋk]: **~ (*rock*)** MUS musique *f* punk
pu·ny ['pju:nɪ] *adj person* chétif*
pup [pʌp] chiot *m*
pu·pil[1] ['pju:pl] *of eye* pupille *f*
pu·pil[2] ['pju:pl] (*student*) élève *m/f*
pup·pet ['pʌpɪt] *also fig* marionnette *f*
'pup·pet gov·ern·ment gouvernement *m* fantoche
pup·py ['pʌpɪ] chiot *m*
pur·chase[1] ['pɜ:rtʃəs] **1** *n* achat *m* **2** *v/t* acheter
pur·chase[2] ['pɜ:rtʃəs] (*grip*) prise *f*
pur·chas·er ['pɜ:rtʃəsər] acheteur (-euse) *m(f)*
pure [pjʊr] *adj* pur; *white* immaculé; **~ *new wool*** pure laine *f* vierge
pure·ly ['pjʊrlɪ] *adv* purement
pur·ga·to·ry ['pɜ:rgətɔ:rɪ] purgatoire *m*; *fig* enfer *m*
purge [pɜ:rdʒ] **1** *n* POL purge *f* **2** *v/t* POL épurer
pu·ri·fy ['pjʊrɪfaɪ] *v/t* (*pret & pp* **-ied**) *water* épurer
pu·ri·tan ['pjʊrɪtən] *n* puritain(e) *m(f)*
pu·ri·tan·i·cal [pjʊrɪ'tænɪkl] *adj* puritain
pu·ri·ty ['pjʊrɪtɪ] pureté *f*
pur·ple ['pɜ:rpl] *adj reddish* pourpre; *bluish* violet*
Pur·ple 'Heart MIL *décoration remise aux blessés de guerre*
pur·pose ['pɜ:rpəs] (*aim, object*) but *m*; ***on* ~** exprès
pur·pose·ful ['pɜ:rpəsfʊl] *adj* résolu, déterminé
pur·pose·ly ['pɜ:rpəslɪ] *adv* exprès
purr [pɜ:r] *v/i of cat* ronronner
purse [pɜ:rs] *n* (*pocketbook*) sac *m* à main; *Br. for money* porte-monnaie *m inv*
pur·sue [pər'su:] *v/t* poursuivre
pur·su·er [pər'su:ər] poursuivant(e) *m(f)*
pur·suit [pər'su:t] poursuite *f*; (*activity*) activité *f*; ***those in* ~** les poursuivants
pus [pʌs] pus *m*
push [pʊʃ] **1** *n* (*shove*) poussée *f*; ***at the* ~ *of a button*** en appuyant sur un bouton **2** *v/t* (*shove, pressure*) pousser; *button* appuyer sur; F *drugs* revendre, trafiquer; ***be* ~*ed for*** F être à court de, manquer de; ***be* ~*ing 40*** F friser la quarantaine **3** *v/i* pousser
♦ **push ahead** *v/i* continuer
♦ **push along** *v/t cart etc* pousser
♦ **push away** *v/t* repousser
♦ **push off** *v/t lid* soulever
♦ **push on** *v/i* (*continue*) continuer (sa route)
♦ **push up** *v/t prices* faire monter
push·er ['pʊʃər] F *of drugs* dealer (-euse) *m(f)*
'push-up *n*: ***do* ~*s*** faire des pompes
push·y ['pʊʃɪ] *adj* F qui se met en avant
puss, pus·sy (cat) [pʊs, 'pʊsɪ (kæt)] F minou *m*
♦ **pus·sy·foot around** ['pʊsɪfʊt] *v/i* F tourner autour du pot F
put [pʊt] *v/t* (*pret & pp* **put**) mettre;

P

question poser; **~ *the cost at*** estimer le prix à

♦**put across** *v/t idea etc* faire comprendre

♦**put aside** *v/t money* mettre de côté; *work* mettre de côté

♦**put away** *v/t in closet etc* ranger; *in institution* enfermer; *in prison* emprisonner; (*consume*) consommer, s'enfiler F; *money* mettre de côté; *animal* faire piquer

♦**put back** *v/t* (*replace*) remettre

♦**put by** *v/t money* mettre de côté

♦**put down** *v/t* poser; *deposit* verser; *rebellion* réprimer; (*belittle*) rabaisser; *in writing* mettre (par écrit); ***put one's foot down*** *in car* appuyer sur le champignon F; (*be firm*) se montrer ferme; ***put sth down to sth*** (*attribute*) mettre qch sur le compte de qch

♦**put forward** *v/t idea etc* soumettre, suggérer

♦**put in** *v/t* mettre; *time* passer; *request, claim* présenter, déposer

♦**put in for** *v/t* (*apply for*) demander

♦**put off** *v/t light, radio, TV* éteindre; (*postpone*) repousser; (*deter*) dissuader; (*repel*) dégoûter; ***put s.o. off sth*** dégoûter qn de qch; ***you've put me off*** (***the idea***) tu m'as coupé l'envie

♦**put on** *v/t light, radio, TV* allumer; *music, jacket etc* mettre; (*perform*) monter; *accent etc* prendre; ***put on make-up*** se mettre du maquillage; ***put on the brake*** freiner; ***put on weight*** prendre du poids; ***she's just putting it on*** (*pretending*) elle fait semblant

♦**put out** *v/t hand* tendre; *fire, light* éteindre

♦**put through** *v/t on phone* passer

♦**put together** *v/t* (*assemble*) monter; (*organize*) organiser

♦**put up** *v/t hand* lever; *person* héberger; (*erect*) ériger; *prices* augmenter; *poster* accrocher; *money* fournir; ***put sth up for sale*** mettre qch en vente; ***put your hands up!*** haut les mains!

♦**put up with** *v/t* (*tolerate*) supporter, tolérer

putt [pʌt] *v/i in golf* putter

put·ty ['pʌtɪ] mastic *m*

puz·zle ['pʌzl] **1** *n* (*mystery*) énigme *f*, mystère *m*; *game* jeu *m*, casse-tête *m*; (*jigsaw ~*) puzzle *m* **2** *v/t* laisser perplexe

puz·zling ['pʌzlɪŋ] *adj* curieux*

PVC [piːviː'siː] *abbr* (= ***polyvinyl chloride***) P.V.C. *m* (= polychlorure de vinyle)

py·ja·mas *Br* → ***pajamas***

py·lon ['paɪlɑːn] pylône *m*

Py·re·nees ['pɪrəniːz] *npl* Pyrénées *fpl*

Q

quack[1] [kwæk] **1** *n of duck* coin-coin *m inv* **2** *v/i* cancaner

quack[2] [kwæk] *n* F (*bad doctor*) charlatan *m*

quad·ran·gle ['kwɑːdræŋgl] *figure* quadrilatère *m*; *courtyard* cour *f*

quad·ru·ped ['kwɑːdrʊped] quadrupède *m*

quad·ru·ple ['kwɑːdrʊpl] *v/i* quadrupler

quad·ru·plets ['kwɑːdrʊ plɪts] *npl* quadruplés *mpl*

quads [kwɑːdz] *npl* F quadruplés *mpl*

quag·mire ['kwɑːgmaɪr] bourbier *m*

quail [kweɪl] *v/i* flancher

quaint [kweɪnt] *adj cottage* pittoresque; (*eccentric: ideas etc*) curieux*

quake [kweɪk] **1** *n* (*earthquake*) tremblement *m* de terre **2** *v/i of earth, with fear* trembler

qual·i·fi·ca·tion [kwɑːlɪfɪ'keɪʃn] *from university etc* diplôme *m*; *of remark etc* restriction *f*; ***have the right ~s for a job*** avoir les qualifications requises pour un poste

qual·i·fied ['kwɑːlɪfaɪd] *adj doctor, engineer etc* qualifié; (*restricted*) restreint; ***I am not ~ to judge*** je ne suis pas à même de juger

qual·i·fy ['kwɑːlɪfaɪ] **1** *v/t* (*pret & pp* ***-ied***) *of degree, course etc* qualifier; *remark etc* nuancer **2** *v/i* (*get degree etc*) obtenir son diplôme; *in competition* se qualifier; ***that doesn't ~ as ...*** on ne peut pas considérer cela comme ...

qual·i·ty ['kwɑːlətɪ] qualité *f*

qual·i·ty con'trol contrôle *m* de qualité

qualm [kwɑːm] scrupule *m*; ***have no ~s about ...*** n'avoir aucun scrupule à ...

quan·da·ry ['kwɑːndərɪ] dilemme *m*

quan·ti·fy ['kwɑːntɪfaɪ] *v/t* (*pret & pp* ***-ied***) quantifier

quan·ti·ty ['kwɑːntətɪ] quantité *f*

quan·tum phys·ics ['kwɑːntəm] physique *f* quantique

quar·an·tine ['kwɑːrəntiːn] *n* quarantaine *f*

quar·rel ['kwɑːrəl] **1** *n* dispute *f*, querelle *f* **2** *v/i* (*pret & pp* ***-ed***, *Br pp* ***-led***) se disputer

quar·rel·some ['kwɑːrəlsʌm] *adj* agressif*, belliqueux*

quar·ry[1] ['kwɑːrɪ] *in hunt* gibier *m*

quar·ry[2] ['kwɑːrɪ] *for mining* carrière *f*

quart [kwɔːrt] quart *m* de gallon (*0,946 litre*)

quar·ter ['kwɔːrtər] **1** *n* quart *m*; (*25 cents*) vingt-cinq cents *mpl*; (*part of town*) quartier *m*; ***divide the pie into ~s*** couper la tarte en quatre (parts); ***a ~ of an hour*** un quart d'heure; ***a ~ of 5*** cinq heures moins le quart; ***a ~ after 5*** cinq heures et quart **2** *v/t* diviser en quatre

'quar·ter·back SP quarterback *m*, quart *m* arrière; **quar·ter'fi·nal** quart *m* de finale; **quar·ter'fi·nal·ist** quart de finaliste *m*, quart-finaliste *m*

quar·ter·ly ['kwɔːrtərlɪ] **1** *adj* trimestriel* **2** *adv* trimestriellement, tous les trois mois

'quar·ter·note MUS noire *f*

quar·ters ['kwɔːrtərz] *npl* MIL quartiers *mpl*

quar·tet [kwɔːr'tet] MUS quatuor *m*

quartz [kwɑːrts] quartz *m*

quash [kwɑːʃ] *v/t rebellion* réprimer, écraser; *court decision* casser, annuler

qua·ver ['kweɪvər] **1** *n in voice* tremblement *m* **2** *v/i of voice* trembler

quay [kiː] quai *m*

'quay·side quai *m*

quea·sy ['kwiːzɪ] *adj* nauséeux*; ***feel ~*** avoir mal au cœur, avoir la nausée

Que·bec [kwə'bek] Québec

queen [kwiːn] reine *f*

queen 'bee reine *f* des abeilles

queer [kwɪr] *adj* (*peculiar*) bizarre

queer·ly ['kwɪrlɪ] *adv* bizarrement

quell [kwel] *v/t* réprimer

quench [kwentʃ] *v/t thirst* étancher, assouvir; *flames* éteindre, étouffer

que·ry ['kwɪrɪ] **1** *n* question *f* **2** *v/t* (*pret & pp* ***-ied***) (*express doubt about*) mettre en doute; (*check*) vérifier; ***~ sth with s.o.*** poser des questions sur qch à qn, vérifier qch auprès de qn

quest [kwest] quête *f*

ques·tion ['kwestʃn] **1** *n* question *f*; ***in ~*** (*being talked about*) en question; ***be in ~*** (*in doubt*) être mis en question; ***it's a ~ of money*** c'est une question d'argent; ***that's out of the ~*** c'est hors de question **2** *v/t person* questionner, interroger; (*doubt*) mettre en question

ques·tion·a·ble ['kwestʃnəbl] *adj* contestable, discutable

ques·tion·ing ['kwestʃnɪŋ] **1** *adj look, tone* interrogateur* **2** *n* interrogatoire *m*

'ques·tion mark point *m* d'interrogation

ques·tion·naire [kwestʃə'ner] questionnaire *m*

queue [kjuː] *Br* **1** *n* queue *f* **2** *v/i* faire la queue

quib·ble ['kwɪbl] *v/i* chipoter, chercher la petite bête

quick [kwɪk] *adj* rapide; ***be ~!*** fais vite!, dépêche-toi!; ***let's go for a ~ drink*** on va se prendre un petit verre?; ***can I have a ~ look?*** puis-je jeter un coup d'œil?; ***that was ~!*** c'était rapide!

quick·ly ['kwɪklɪ] *adv* vite, rapidement

'quick·sand sables *mpl* mouvants; **'quick·sil·ver** mercure *m*; **quick-wit·ted** [kwɪk'wɪtɪd] *adj* vif*, à l'esprit vif

qui·et ['kwaɪət] *adj street, house, life* calme, tranquille; *music* doux; *engine* silencieux*; *voice* bas*; ***keep ~ about sth*** ne pas parler de qch, garder qch secret; ***~!*** silence!

♦**quieten down** ['kwaɪətn] **1** *v/t class, children* calmer, faire taire **2** *v/i of children, situation* se calmer

quiet·ly ['kwaɪətlɪ] *adv* doucement, sans bruit; (*unassumingly, peacefully*) tranquillement

quiet·ness ['kwaɪətnɪs] calme *m*, tranquillité *f*

quilt [kwɪlt] *on bed* couette *f*

quilt·ed ['kwɪltɪd] *adj* matelassé

quin·ine ['kwɪniːn] quinine *f*

quin·tet [kwɪn'tet] MUS quintette *m*

quip [kwɪp] **1** *n* trait *m* d'esprit **2** *v/i* (*pret & pp* **-ped**) plaisanter, railler

quirk [kwɜːrk] manie *f*, lubie *f*

quirk·y ['kwɜːrkɪ] *adj* bizarre, excentrique

quit [kwɪt] **1** *v/t* (*pret & pp* **quit**) *job* quitter; ***~ doing sth*** arrêter de faire qch **2** *v/i* (*leave job*) démissionner; COMPUT quitter; ***get or be given one's notice to ~*** *from landlord* recevoir son congé

quite [kwaɪt] *adv* (*fairly*) assez; (*completely*) tout à fait; ***not ~ ready*** pas tout à fait prêt; ***I didn't ~ understand*** je n'ai pas bien compris; ***is that right? - not ~*** c'est cela? - non, pas exactement; ***~!*** parfaitement!; ***~ a lot*** pas mal, beaucoup; ***~ a few*** plusieurs, un bon nombre; ***it was ~ a surprise / change*** c'était vraiment une surprise / un changement

quits [kwɪts] *adj*: ***be ~ with s.o.*** être quitte envers qn

quit·ter ['kwɪtər] F lâcheur *m*

quiv·er ['kwɪvər] *v/i* trembler

quiz [kwɪz] **1** *n on TV* jeu *m* télévisé; *on radio* jeu *m* radiophonique; *at school* interrogation *f* **2** *v/t* (*pret & pp* **-zed**) interroger, questionner

'quiz mas·ter animateur *m* de jeu

quo·ta ['kwoʊtə] quota *m*

quo·ta·tion [kwoʊ'teɪʃn] *from author* citation *f*; *price* devis *m*

quo'ta·tion marks *npl* guillemets *mpl*; ***in ~*** entre guillemets

quote [kwoʊt] **1** *n from author* citation *f*; *price* devis *m*; (*quotation mark*) guillemet *m*; ***in ~s*** entre guillemets **2** *v/t text* citer; *price* proposer **3** *v/i*: ***~ from an author*** citer un auteur; ***~ for a job*** faire un devis pour un travail

R

R

rab·bi ['ræbaɪ] rabbin *m*

rab·bit ['ræbɪt] lapin *m*

rab·ble ['ræbl] cohue *f*, foule *f*

rab·ble-rous·er ['ræblraʊzər] agitateur(-trice) *m(f)*

ra·bies ['reɪbiːz] *nsg* rage *f*

rac·coon [rə'kuːn] raton *m* laveur

race[1] [reɪs] *n of people* race *f*

race[2] [reɪs] **1** *n* SP course *f*; ***the ~s*** *horses* les courses **2** *v/i* (*run fast*) courir à toute vitesse; ***he ~d through his work*** il a fait son travail à toute vitesse **3** *v/t*: ***I'll ~ you*** le premier arrivé a gagné

'race·course champ *m* de courses, hippodrome *m*; **'race·horse** cheval *m* de course; **'race riot** émeute *f* raciale; **'race·track** *for cars* circuit *m*, piste *f*; *for horses* champ *m* de courses, hippodrome *m*

ra·cial ['reɪʃl] *adj* racial; ***~ equality*** égalité *f* des races

rac·ing ['reɪsɪŋ] course *f*

'rac·ing bike vélo *m* de course

ra·cism ['reɪsɪzm] racisme *m*

ra·cist ['reɪsɪst] **1** *adj* raciste **2** *n* raciste *m/f*

rack [ræk] **1** *n for bikes*: *on car* porte vélo *m inv*; *at station etc* râtelier *m* à vélos; *for bags on train* porte-bagages *m inv*; *for CDs* range-CD *m inv* **2** *v/t*: ***~ one's brains*** se creuser la tête

rack·et[1] ['rækɪt] SP raquette *f*

rack·et[2] ['rækɪt] (*noise*) vacarme *m*; *criminal activity* escroquerie *f*

ra·dar ['reɪdɑːr] radar *m*

'ra·dar screen écran *m* radar

'ra·dar trap contrôle-radar *m*

ra·di·ance ['reɪdɪəns] éclat *m*, rayonnement *m*

ra·di·ant ['reɪdɪənt] *adj smile*, *appearance* radieux*

ra·di·ate ['reɪdɪeɪt] *v/i of heat*, *light* irradier, rayonner

ra·di·a·tion [reɪdɪ'eɪʃn] *nuclear* radiation *f*

ra·di·a·tor ['reɪdɪeɪtər] *in room*, *car* radiateur *m*

rad·i·cal ['rædɪkl] **1** *adj* radical **2** *n* POL radical(e) *m(f)*

R

rad·i·cal·ism ['rædɪkəlɪzm] POL radicalisme *m*

rad·i·cal·ly ['rædɪklɪ] *adv* radicalement

ra·di·o ['reɪdɪoʊ] radio *f*; ***on the ~*** à la radio; ***by ~*** par radio

ra·di·o'ac·tive *adj* radioactif*; **ra·di·o·ac·tive 'waste** déchets *mpl* radioactifs; **ra·di·o·ac'tiv·i·ty** radioactivité *f*; **ra·di·o a'larm** radio-réveil *m*

ra·di·og·ra·pher [reɪdɪ'ɑːgrəfər] radiologue *m/f*

ra·di·og·ra·phy [reɪdɪ'ɑːgrəfɪ] radiographie *f*

'ra·di·o sta·tion station *f* de radio; **'ra·di·o tax·i** radio-taxi *m*; **ra·di·o-'ther·a·py** radiothérapie *f*

rad·ish ['rædɪʃ] radis *m*

ra·di·us ['reɪdɪəs] rayon *m*

raf·fle ['ræfl] *n* tombola *f*

raft [ræft] radeau *m*; *fig*: *of new measures etc* paquet *m*

raf·ter ['ræftər] chevron *m*

rag [ræg] *n for cleaning etc* chiffon *m*; ***in ~s*** en haillons

rage [reɪdʒ] **1** *n* colère *f*, rage *f*; ***be in a ~*** être furieux*; ***be all the ~*** F faire fureur **2** *v/i of person* être furieux*, rager; *of storm* faire rage

rag·ged ['rægɪd] *adj edge* irrégulier*; *appearance* négligé; *clothes* en loques

raid [reɪd] **1** *n by troops* raid *m*; *by police* descente *f*; *by robbers* hold-up *m*; FIN raid *m* **2** *v/t of troops* attaquer; *of police* faire une descente dans; *of robbers* attaquer; *fridge*, *orchard* faire une razzia dans

raid·er ['reɪdər] (*robber*) voleur *m*

rail [reɪl] *n on track* rail *m*; (*hand~*) rampe *f*; *for towel* porte-serviettes *m inv*; ***by ~*** en train

rail·ings ['reɪlɪŋz] *npl around park etc* grille *f*

'rail·road *system* chemin *m* de fer; *track* voie *f* ferrée; **'rail·road sta·tion** gare *f*; **'rail·way** *Br* chemin *m* de fer; *track* voie *f* ferrée

rain [reɪn] **1** *n* pluie *f*; ***in the ~*** sous la pluie **2** *v/i* pleuvoir; ***it's ~ing*** il pleut

'rain·bow arc-en-ciel *m*; **'rain·check**: ***can I take a ~ on that?*** peut-on remettre cela à plus tard?; **'rain·coat** imperméable *m*; **'rain·drop** goutte *f* de pluie; **'rain·fall** précipitations *fpl*; **'rain for·est** forêt *f* tropicale (humide); **'rain·proof** *adj fabric* imperméable; **'rain·storm** pluie *f* torrentielle

rain·y ['reɪnɪ] *adj* pluvieux*; ***it's ~*** il pleut beaucoup

raise [reɪz] **1** *n in salary* augmentation *f* (de salaire) **2** *v/t shelf etc* surélever; *offer* augmenter; *children* élever; *question* soulever; *money* rassembler

rai·sin ['reɪzn] raisin *m* sec
rake [reɪk] *n for garden* râteau *m*
♦ **rake up** *v/t leaves* ratisser; *fig* révéler, mettre au grand jour
ral·ly ['rælɪ] *n* (*meeting, reunion*) rassemblement *m*; MOT rallye *m*; *in tennis* échange *m*
♦ **rally round 1** *v/i* (*pret & pp* **-ied**) se rallier **2** *v/t* (*pret & pp* **-ied**): **rally round s.o.** venir en aide à qn
RAM [ræm] *abbr* COMPUT (= ***random access memory***) RAM *f*, mémoire *f* vive
ram [ræm] **1** *n* bélier *m* **2** *v/t* (*pret & pp* **-med**) *ship, car* heurter, percuter
ram·ble ['ræmbl] **1** *n walk* randonnée *f* **2** *v/i walk* faire de la randonnée; *when speaking* discourir; (*talk incoherently*) divaguer
ram·bler ['ræmblər] *walker* randonneur(-euse) *m*(*f*)
ram·bling ['ræmblɪŋ] **1** *adj speech* décousu **2** *n walking* randonnée *f*; *in speech* digression *f*
ramp [ræmp] rampe *f* (d'accès), passerelle *f*; *for raising vehicle* pont *m* élévateur
ram·page ['ræmpeɪdʒ] **1** *v/i* se déchaîner; **~ *through the streets*** tout saccager dans les rues **2** *n*: ***go on the ~*** tout saccager
ram·pant ['ræmpənt] *adj inflation* galopant
ram·part ['ræmpɑːrt] rempart *m*
ram·shack·le ['ræmʃækl] *adj* délabré
ran [ræn] *pret* → ***run***
ranch [ræntʃ] *n* ranch *m*
ranch·er ['ræntʃər] propriétaire *m/f* de ranch
'ranch·hand employé *m* de ranch
ran·cid ['rænsɪd] *adj* rance
ran·cor, *Br* **ran·cour** ['ræŋkər] rancœur *f*
R & D [ɑːrən'diː] (= ***research and development***) R&D *f* (= recherche et développement)
ran·dom ['rændəm] **1** *adj* aléatoire, au hasard; **~ *sample*** échantillon *m* pris au hasard; **~ *violence*** violence *f* aveugle **2** *n*: ***at ~*** au hasard
ran·dy ['rændɪ] *adj Br* F en manque F, excité
rang [ræŋ] *pret* → ***ring***
range [reɪndʒ] **1** *n of products* gamme *f*; *of gun* portée *f*; *of airplane* autonomie *f*; *of voice, instrument* registre *m*; *of mountains* chaîne *f*; ***at close ~*** de très près **2** *v/i*: **~ *from X to Y*** aller de X à Y
rang·er ['reɪndʒər] garde *m* forestier
rank [ræŋk] **1** *n* MIL grade *m*; *in society* rang *m*; ***the ~s*** MIL les hommes *mpl* de troupe **2** *v/t* classer
♦ **rank among** *v/t* compter parmi
ran·kle ['ræŋkl] *v/i* rester sur le cœur
ran·sack ['rænsæk] *v/t searching* fouiller; *plundering* saccager
ran·som ['rænsəm] *n money* rançon *f*; ***hold s.o. to ~*** *also fig* tenir qn en otage (contre une rançon)
'ran·som mon·ey rançon *f*
rant [rænt] *v/i*: **~ *and rave*** pester, tempêter
rap [ræp] **1** *n at door etc* petit coup *m* sec; MUS rap *m* **2** *v/t* (*pret & pp* **-ped**) *table etc* taper sur
♦ **rap at** *v/t window etc* frapper à
rape[1] [reɪp] **1** *n* viol *m* **2** *v/t* violer
rape[2] *n* BOT colza *m*
'rape vic·tim victime *f* d'un viol
rap·id ['ræpɪd] *adj* rapide
ra·pid·i·ty [rə'pɪdətɪ] rapidité *f*
rap·id·ly ['ræpɪdlɪ] *adv* rapidement
rap·ids ['ræpɪdz] *npl* rapides *mpl*
rap·ist ['reɪpɪst] violeur *m*
rap·port [ræ'pɔːr] relation *f*, rapports *mpl*
rap·ture ['ræptʃər]: ***go into ~s over*** s'extasier sur
rap·tur·ous ['ræptʃərəs] *adj welcome* enthousiaste; *applause* frénétique
rare [rer] *adj* rare; *steak* saignant, bleu
rare·ly ['rerlɪ] *adv* rarement
rar·i·ty ['rerətɪ] rareté *f*
ras·cal ['ræskl] coquin *m*
rash[1] [ræʃ] *n* MED éruption *f* (cutanée)
rash[2] [ræʃ] *adj action, behavior* imprudent, impétueux*
rash·ly ['ræʃlɪ] *adv* sans réfléchir, sur un coup de tête
rasp·ber·ry ['ræzberɪ] framboise *f*

rat [ræt] *n* rat *m*
rate [reɪt] **1** *n* taux *m*; (*price*) tarif *m*; (*speed*) rythme *m*; **~ of interest** FIN taux *m* d'intérêt; **at this ~** (*at this speed*) à ce rythme; (*carrying on like this*) si ça continue comme ça; **at any ~** en tout cas **2** *v/t* (*rank*) classer (among parmi); (*consider*) considérer (as comme); **how do you ~ this wine?** que pensez-vous de ce vin?
rather ['ræðər] *adv* (*fairly, quite*) plutôt; **I would ~ stay here** je préfèrerais rester ici; **or would you ~ ...?** ou voulez-vous plutôt ...?
rat·i·fi·ca·tion [rætɪfɪ'keɪʃn] *of treaty* ratification *f*
rat·i·fy ['rætɪfaɪ] *v/t* (*pret & pp* **-ied**) ratifier
rat·ings ['reɪtɪŋz] *npl* indice *m* d'écoute
ra·tio ['reɪʃɪoʊ] rapport *m*, proportion *f*
ra·tion ['ræʃn] **1** *n* ration *f* **2** *v/t supplies* rationner
ra·tion·al ['ræʃənl] *adj* rationnel*
ra·tion·al·i·ty [ræʃə'nælɪtɪ] rationalité *f*
ra·tion·al·i·za·tion [ræʃənəlaɪ'zeɪʃn] rationalisation *f*
ra·tion·al·ize ['ræʃənəlaɪz] **1** *v/t* rationaliser **2** *v/i* (se) chercher des excuses
ra·tion·al·ly ['ræʃənlɪ] *adv* rationnellement
'rat race jungle *f*; **get out of the ~** sortir du système
rat·tle ['rætl] **1** *n of bottles, chains* cliquetis *m*; *in engine* bruit *m* de ferraille; *of windows* vibration *f*; *toy* hochet *m* **2** *v/t chains etc* entrechoquer, faire du bruit avec **3** *v/i* faire du bruit; *of engine* faire un bruit de ferraille; *of crates, bottles* s'entrechoquer; *of chains* cliqueter
♦**rattle off** *v/t poem, list of names* débiter (à toute vitesse)
♦**rattle through** *v/t* expédier
'rat·tle·snake serpent *m* à sonnette
rau·cous ['rɒːkəs] *adj laughter, party* bruyant
rav·age ['rævɪdʒ] **1** *n*: **the ~s of time** les ravages *mpl* du temps **2** *v/t*: **~d by war** ravagé par la guerre
rave [reɪv] **1** *n party* rave *f*, rave-party *f* **2** *v/i* délirer; **~ about sth** (*be very enthusiastic*) s'emballer pour qch
ra·ven ['reɪvn] corbeau *m*
rav·e·nous ['rævənəs] *adj* affamé; *appetite* féroce, vorace
'rave re·view critique *f* élogieuse
ra·vine [rə'viːn] ravin *m*
rav·ing ['reɪvɪŋ] *adv*: **~ mad** fou à lier
rav·ish·ing ['rævɪʃɪŋ] *adj* ravissant
raw [rɒː] *adj meat, vegetable* cru; *sugar, iron* brut
raw ma'te·ri·als *npl* matières *fpl* premières
ray [reɪ] rayon *m*; **a ~ of hope** une lueur d'espoir
raze [reɪz] *v/t*: **~ to the ground** raser
ra·zor ['reɪzər] rasoir *m*
'ra·zor blade lame *f* de rasoir
re [riː] *prep* COMM en référence à; **~: ...** objet : ...
reach [riːtʃ] **1** *n*: **within ~** à portée; **out of ~** hors de portée **2** *v/t* atteindre; *destination* arriver à; (*go as far as*) arriver (jusqu')à; *decision, agreement* aboutir à, parvenir à
♦**reach out** *v/i* tendre la main / le bras
re·act [rɪ'ækt] *v/i* réagir
re·ac·tion [rɪ'ækʃn] réaction *f*
re·ac·tion·ar·y [rɪ'ækʃnrɪ] **1** *adj* POL réactionnaire, réac F *inv in feminine* **2** *n* POL réactionnaire *m/f*, réac *m/f* F
re·ac·tor [rɪ'æktər] *nuclear* réacteur *m*
read [riːd] **1** *v/t* (*pret & pp* **read** [red]) *also* COMPUT lire **2** *v/i* lire; **~ to s.o.** faire la lecture à qn
♦**read out** *v/t aloud* lire à haute voix
♦**read up on** *v/t* étudier
read·a·ble ['riːdəbl] *adj* lisible
read·er ['riːdər] *person* lecteur(-trice) *m(f)*
read·i·ly ['redɪlɪ] *adv admit, agree* volontiers, de bon cœur
read·i·ness ['redɪnɪs] *to agree, help* empressement *m*, bonne volonté *f*; **be in (a state of) ~** être prêt
read·ing ['riːdɪŋ] *activity* lecture *f*; *from meter etc* relevé *m*
'read·ing mat·ter lecture *f*

re·ad·just [riːəˈdʒʌst] **1** *v/t equipment, controls* régler (de nouveau) **2** *v/i to conditions* se réadapter (***to*** à)
read-ˈon·ly file COMPUT fichier *m* en lecture seule
read-ˈon·ly mem·o·ry COMPUT mémoire *f* morte
read·y [ˈredɪ] *adj (prepared, willing)* prêt; ***get (o.s.)*** ~ se préparer; ***get sth*** ~ préparer qch
read·y ˈcash (argent *m*) liquide *m*; **ˈread·y-made** *adj stew etc* cuisiné; *solution* tout trouvé; **read·y-to-ˈwear** *adj* de confection; ~ ***clothing*** prêt-‑à-porter *m*
real [riːl] *adj not imaginary* réel*; *not fake* vrai, véritable
ˈreal es·tate immobilier *m*, biens *mpl* immobiliers
ˈreal es·tate a·gent agent *m* immobilier
re·al·ism [ˈrɪəlɪzəm] réalisme *m*
re·al·ist [ˈrɪəlɪst] réaliste *m/f*
re·al·is·tic [rɪəˈlɪstɪk] *adj* réaliste
re·al·is·tic·al·ly [rɪəˈlɪstɪklɪ] *adv* de façon réaliste
re·al·i·ty [rɪˈælətɪ] réalité *f*
reˈal·i·ty TV télé-réalité *f*
re·a·li·za·tion [rɪəlaɪˈzeɪʃn] *of hopes etc* réalisation *f*; *(awareness)* prise *f* de conscience; ***come to the*** ~ ***that …*** se rendre compte que …
re·al·ize [ˈrɪəlaɪz] *v/t* se rendre compte de, prendre conscience de; FIN réaliser; ***the sale*** ~***d $50m*** la vente a rapporté 50 millions de dollars; ***I*** ~ ***now that …*** je me rends compte maintenant que …
real·ly [ˈrɪəlɪ] *adv* vraiment; ***not*** ~ pas vraiment
ˈreal time COMPUT temps *m* réel
ˈreal-time *adj* COMPUT en temps réel
re·al·tor [ˈriːltər] agent *m* immobilier
re·al·ty [ˈriːltɪ] immobilier *m*, biens *mpl* immobiliers
reap [riːp] *v/t* moissonner; *fig* récolter
re·ap·pear [riːəˈpɪr] *v/i* réapparaître
re·ap·pear·ance [riːəˈpɪrəns] réapparition *f*
rear [rɪr] **1** *adj* arrière *inv*, de derrière **2** *n* arrière *m*
rear ˈend F *of person* derrière *m*
ˈrear-end *v/t* F: ***be*** ~***ed*** se faire rentrer dedans (par derrière) F
ˈrear light *of car* feu *m* arrière
re·arm [riːˈɑːrm] *v/t & v/i* réarmer
ˈrear·most *adj* dernier*, du fond
re·ar·range [riːəˈreɪndʒ] *v/t flowers* réarranger; *furniture* déplacer, changer de place; *schedule, meetings* réorganiser
rear-view ˈmir·ror rétroviseur *m*, rétro *m* F
rea·son [ˈriːzn] **1** *n (cause), faculty* raison *f*; ***see / listen to*** ~ entendre raison, se rendre à la raison **2** *v/i*: ~ ***with s.o.*** raisonner qn
rea·so·na·ble [ˈriːznəbl] *adj person, behavior, price* raisonnable; ***a*** ~ ***number of people*** un certain nombre de gens
rea·son·a·bly [ˈriːznəblɪ] *adv act, behave* raisonnablement; *(quite)* relativement
rea·son·ing [ˈriːznɪŋ] raisonnement *m*
re·as·sure [riːəˈʃʊr] *v/t* rassurer
re·as·sur·ing [riːəˈʃʊrɪŋ] *adj* rassurant
re·bate [ˈriːbeɪt] *(refund)* remboursement *m*
reb·el[1] [ˈrebl] *n* rebelle *m/f*; ~ ***troops*** troupes *fpl* rebelles
re·bel[2] [rɪˈbel] *v/i (pret & pp* **-led***)* se rebeller, se révolter
reb·el·lion [rɪˈbelɪən] rébellion *f*
reb·el·lious [rɪˈbelɪəs] *adj* rebelle
reb·el·lious·ly [rɪˈbelɪəslɪ] *adv* de façon rebelle
reb·el·lious·ness [rɪˈbelɪəsnɪs] esprit *m* de rébellion
re·bound [rɪˈbaʊnd] *v/i of ball etc* rebondir
re·buff [rɪˈbʌf] *n* rebuffade *f*
re·build [ˈriːbɪld] *v/t (pret & pp* **-built***)* reconstruire
re·buke [rɪˈbjuːk] *v/t* blâmer
re·call [rɪˈkɒːl] *v/t goods, ambassador* rappeler; *(remember)* se souvenir de, se rappeler (***that*** que); ***I don't*** ~ ***saying that*** je ne me rappelle pas avoir dit cela
re·cap [ˈriːkæp] *v/i (pret & pp* **-ped***)* récapituler

re·cap·ture [riː'kæptʃər] *v/t* reprendre

re·cede [rɪ'siːd] *v/i of flood waters* baisser, descendre; *of sea* se retirer

re·ced·ing [rɪ'siːdɪŋ] *adj forehead, chin* fuyant; ***have a ~ hairline*** se dégarnir

re·ceipt [rɪ'siːt] *for purchase* reçu *m* (***for*** de), ticket *m* de caisse; ***acknowledge ~ of sth*** accuser réception de qch; ***~s*** FIN recette(s) *f(pl)*

re·ceive [rɪ'siːv] *v/t* recevoir

re·ceiv·er [rɪ'siːvər] TELEC combiné *m*; *for radio* (poste *m*) récepteur *m*; ***pick up / replace the ~*** décrocher / raccrocher

re·ceiv·er·ship [rɪ'siːvərʃɪp]: ***be in ~*** être en liquidation judiciaire

re·cent ['riːsnt] *adj* récent

re·cent·ly ['riːsntlɪ] *adv* récemment

re·cep·tion [rɪ'sepʃn] réception *f*; (*welcome*) accueil *m*

re'cep·tion desk réception *f*

re·cep·tion·ist [rɪ'sepʃnɪst] réceptionniste *m/f*

re·cep·tive [rɪ'septɪv] *adj*: ***be ~ to sth*** être réceptif à qch

re·cess ['riːses] *n in wall etc* renfoncement *m*, recoin *m*; EDU récréation *f*; *of legislature* vacances *fpl* judiciaires

re·ces·sion [rɪ'seʃn] *economic* récession *f*

re·charge [riː'tʃɑːrdʒ] *v/t battery* recharger

re·ci·pe ['resəpɪ] recette *f*

're·ci·pe book livre *m* de recettes

re·cip·i·ent [rɪ'sɪpɪənt] *of parcel etc* destinataire *m/f*; *of payment* bénéficiaire *m/f*

re·cip·ro·cal [rɪ'sɪprəkl] *adj* réciproque

re·cit·al [rɪ'saɪtl] MUS récital *m*

re·cite [rɪ'saɪt] *v/t poem* réciter; *details, facts* énumérer

reck·less ['reklɪs] *adj* imprudent

reck·less·ly ['reklɪslɪ] *adv* imprudemment

reck·on ['rekən] *v/t* (*think, consider*) penser

♦**reckon on** *v/t* compter sur

♦**reckon with** *v/t*: ***have s.o. / sth to reckon with*** devoir compter avec qn / qch

reck·on·ing ['rekənɪŋ] calculs *mpl*; ***by my ~*** d'après mes calculs

re·claim [rɪ'kleɪm] *v/t land from sea* gagner sur la mer; *lost property* récupérer

re·cline [rɪ'klaɪn] *v/i* s'allonger

re·clin·er [rɪ'klaɪnər] *chair* chaise *f* longue, relax *m*

re·cluse [rɪ'kluːs] reclus *m*

rec·og·ni·tion [rekəg'nɪʃn] reconnaissance *f*; ***changed beyond ~*** méconnaissable

rec·og·niz·a·ble [rekəg'naɪzəbl] *adj* reconnaissable

rec·og·nize ['rekəgnaɪz] *v/t* reconnaître

re·coil [rɪ'kɔɪl] *v/i* reculer

rec·ol·lect [rekə'lekt] *v/t* se souvenir de

rec·ol·lec·tion [rekə'lekʃn] souvenir *m*

rec·om·mend [rekə'mend] *v/t* recommander

rec·om·men·da·tion [rekəmen'deɪʃn] recommandation *f*

rec·om·pense ['rekəmpens] *n* compensation *f*, dédommagement *m*

rec·on·cile ['rekənsaɪl] *v/t* réconcilier; *differences* concilier; *facts* faire concorder; ***~ o.s. to sth*** se résigner à qch; ***be ~d*** *of two people* s'être réconcilié

rec·on·cil·i·a·tion [rekənsɪlɪ'eɪʃn] réconciliation *f*; *of differences, facts* conciliation *f*

re·con·di·tion [riːkən'dɪʃn] *v/t* refaire, remettre à neuf

re·con·nais·sance [rɪ'kɑːnɪsəns] MIL reconnaissance *f*

re·con·sid·er [riːkən'sɪdər] **1** *v/t* reconsidérer **2** *v/i* reconsidérer la question

re·con·struct [riːkən'strʌkt] *v/t* reconstruire; *crime* reconstituer

rec·ord[1] ['rekərd] *n* MUS disque *m*; SP *etc* record *m*; *written document etc* rapport *m*; *in database* article *m*, enregistrement *m*; ***~s*** (*archives*) archives *fpl*, dossiers *mpl*; ***keep a ~ of sth*** garder une trace de qch; ***say sth off the ~*** dire qch officieusement; ***have a criminal ~*** avoir un casier judiciaire;

R

have a good ~ for avoir une bonne réputation en matière de

record[2] [rɪ'kɔːrd] *v/t electronically* enregistrer; *in writing* consigner

'rec·ord-break·ing *adj* record *inv*, qui bat tous les records

re·cor·der [rɪ'kɔːrdər] MUS flûte *f* à bec

'rec·ord hold·er recordman *m*, recordwoman *f*

re·cord·ing [rɪ'kɔːrdɪŋ] enregistrement *m*

re'cord·ing stu·di·o studio *m* d'enregistrement

'rec·ord play·er platine *f* (tourne-disque)

re·count [rɪ'kaʊnt] *v/t* (*tell*) raconter

re·count ['riːkaʊnt] **1** *n of votes* recompte *m* **2** *v/t* recompter

re·coup [rɪ'kuːp] *v/t financial losses* récupérer

re·cov·er [rɪ'kʌvər] **1** *v/t* retrouver **2** *v/i from illness* se remettre; *of economy, business* reprendre

re·cov·er·y [rɪ'kʌvərɪ] *of sth lost* récupération *f*; *from illness* rétablissement *m*; ***he has made a good ~*** il s'est bien remis

rec·re·a·tion [rekrɪ'eɪʃn] récréation *f*

rec·re·a·tion·al [rekrɪ'eɪʃnl] *adj done for pleasure* de loisirs; ***~ drug*** drogue *f* récréative

re·cruit [rɪ'kruːt] **1** *n* recrue *f* **2** *v/t* recruter

re·cruit·ment [rɪ'kruːtmənt] recrutement *m*

rec·tan·gle ['rektæŋgl] rectangle *m*

rec·tan·gu·lar [rek'tæŋgjʊlər] *adj* rectangulaire

rec·ti·fy ['rektɪfaɪ] *v/t* (*pret & pp* ***-ied***) rectifier

re·cu·pe·rate [rɪ'kuːpəreɪt] *v/i* récupérer

re·cur [rɪ'kɜːr] *v/i* (*pret & pp* ***-red***) *of error, event* se reproduire, se répéter; *of symptoms* réapparaître

re·cur·rent [rɪ'kʌrənt] *adj* récurrent

re·cy·cla·ble [riː'saɪkləbl] *adj* recyclable

re·cy·cle [riː'saɪkl] *v/t* recycler

re·cy·cling [riː'saɪklɪŋ] recyclage *m*

red [red] **1** *adj* rouge **2** *n*: ***in the ~*** FIN dans le rouge

Red 'Cross Croix-Rouge *f*

red·den ['redn] *v/i* (*blush*) rougir

re·dec·o·rate [riː'dekəreɪt] *v/t* refaire

re·deem [rɪ'diːm] *v/t debt* rembourser; *sinners* racheter

re·deem·ing [rɪ'diːmɪŋ] *adj*: ***his one ~ feature*** sa seule qualité

re·demp·tion [rɪ'dempʃn] REL rédemption *f*

re·de·vel·op [riːdɪ'veləp] *v/t part of town* réaménager, réhabiliter

red-handed [red'hændɪd] *adj*: ***catch s.o. ~*** prendre qn en flagrant délit; **'red·head** roux *m*, rousse *f*; **red-'hot** *adj* chauffé au rouge, brûlant; **red-'let·ter day** jour *m* mémorable, jour *m* à marquer d'une pierre blanche; **red 'light** *for traffic* feu *m* rouge; **red 'light dis·trict** quartier *m* chaud; **red 'meat** viande *f* rouge; **'red·neck** F plouc *m* F

re·dou·ble [riː'dʌbl] *v/t*: ***~ one's efforts*** redoubler ses efforts

red 'pep·per poivron *m* rouge

red 'tape F paperasserie *f*

re·duce [rɪ'duːs] *v/t* réduire; diminuer

re·duc·tion [rɪ'dʌkʃn] réduction *f*; diminution *f*

re·dun·dant [rɪ'dʌndənt] *adj* (*unnecessary*) redondant; ***be made ~*** *Br. at work* être licencié

reed [riːd] BOT roseau *m*

reef [riːf] *in sea* récif *m*

'reef knot *Br* nœud *m* plat

reek [riːk] *v/i* empester (***of sth*** qch), puer (***of sth*** qch)

reel [riːl] *n of film, thread* bobine *f*

♦ **reel off** *v/t* débiter

re-e'lect *v/t* réélire

re-e'lec·tion réélection *f*

re-'en·try *of spacecraft* rentrée *f*

ref [ref] F arbitre *m*

re·fer [rɪ'fɜːr] **1** *v/t* (*pret & pp* ***-red***): ***~ a decision / problem to s.o.*** soumettre une décision / un problème à qn **2** *v/i* (*pret & pp* ***-red***): ***~ to*** (*allude to*) faire allusion à; *dictionary etc* se reporter à

ref·er·ee [refə'riː] SP arbitre *m*; *for job*:

personne qui fournit des références
ref·er·ence ['refərəns] (*allusion*) allusion *f*; *for job* référence *f*; (~ *number*) (numéro *m* de) référence *f*; ***with ~ to*** en ce qui concerne
'ref·er·ence book ouvrage *m* de référence; **'ref·er·ence li·bra·ry** bibliothèque *f* d'ouvrages de référence; *in a library* salle *f* des références; **'ref·er·ence num·ber** numéro *m* de référence
ref·e·ren·dum [refə'rendəm] référendum *m*
re·fill ['ri:fɪl] *v/t tank*, *glass* remplir
re·fine [rɪ'faɪn] *v/t oil*, *sugar* raffiner; *technique* affiner
re·fined [rɪ'faɪnd] *adj manners*, *language* raffiné
re·fine·ment [rɪ'faɪnmənt] *to process*, *machine* perfectionnement *m*
re·fin·e·ry [rɪ'faɪnərɪ] raffinerie *f*
re·fla·tion ['ri:fleɪʃn] relance *f*
re·flect [rɪ'flekt] **1** *v/t light* réfléchir, refléter; *fig* refléter; ***be ~ed in*** se réfléchir dans, se refléter dans **2** *v/i* (*think*) réfléchir
re·flec·tion [rɪ'flekʃn] *also fig* reflet *m*; (*consideration*) réflexion *f*; ***on ~*** après réflexion
re·flex ['ri:fleks] *in body* réflexe *m*
're·flex re·ac·tion réflexe *m*
re·form [rɪ'fɔ:rm] **1** *n* réforme *f* **2** *v/t* réformer
re·form·er [rɪ'fɔ:rmər] réformateur (-trice) *m(f)*
re·frain[1] [rɪ'freɪn] *v/i fml* s'abstenir (***from*** de); ***please ~ from smoking*** prière de ne pas fumer
re·frain[2] [rɪ'freɪn] *n in song* refrain *m*
re·fresh [rɪ'freʃ] *v/t* rafraîchir; *of sleep*, *rest* reposer; *of meal* redonner des forces à; ***feel ~ed*** se sentir revigoré
re·fresh·er course [rɪ'freʃər] cours *m* de remise à niveau
re·fresh·ing [rɪ'freʃɪŋ] *adj drink* rafraîchissant; *experience* agréable
re·fresh·ments [rɪ'freʃmənts] *npl* rafraîchissements *mpl*
re·fri·ge·rate [rɪ'frɪdʒəreɪt] *v/t* réfrigérer; ***keep ~d*** conserver au réfrigérateur
re·fri·ge·ra·tor [rɪ'frɪdʒəreɪtər] réfrigérateur *m*
re·fu·el [ri:'fjʊəl] **1** *v/t airplane* ravitailler **2** *v/i of airplane* se ravitailler (en carburant)
ref·uge ['refju:dʒ] refuge *m*; ***take ~*** *from storm etc* se réfugier
ref·u·gee [refjʊ'dʒi:] réfugié(e) *m(f)*
ref·u'gee camp camp *m* de réfugiés
re·fund 1 *n* ['ri:fʌnd] remboursement *m* **2** *v/t* [rɪ'fʌnd] rembourser
re·fus·al [rɪ'fju:zl] refus *m*
re·fuse [rɪ'fju:z] **1** *v/i* refuser **2** *v/t* refuser; ***~ s.o. sth*** refuser qch à qn; ***~ to do sth*** refuser de faire qch
re·gain [rɪ'geɪn] *v/t control*, *territory*, *the lead* reprendre; *composure* retrouver
re·gal ['ri:gl] *adj* royal
re·gard [rɪ'gɑ:rd] **1** *n*: ***have great ~ for s.o.*** avoir beaucoup d'estime pour qn; ***in this ~*** à cet égard; ***with ~ to*** en ce qui concerne; (***kind***) ***~s*** cordialement; ***give my ~s to Paula*** transmettez mes amitiés à Paula; ***with no ~ for*** sans égard pour **2** *v/t*: ***~ s.o. / sth as sth*** considérer qn / qch comme qch; ***as ~s*** en ce qui concerne
re·gard·ing [rɪ'gɑ:rdɪŋ] *prep* en ce qui concerne
re·gard·less [rɪ'gɑ:rdlɪs] *adv* malgré tout, quand même; ***~ of*** sans se soucier de
re·gime [reɪ'ʒi:m] (*government*) régime *m*
re·gi·ment ['redʒɪmənt] *n* régiment *m*
re·gion ['ri:dʒən] région *f*; ***in the ~ of*** environ
re·gion·al ['ri:dʒənl] *adj* régional
re·gis·ter ['redʒɪstər] **1** *n* registre *m* **2** *v/t birth*, *death* déclarer; *vehicle* immatriculer; *letter* recommander; *emotion* exprimer; ***send a letter ~ed*** envoyer une lettre en recommandé **3** *v/i for a course* s'inscrire; *with police* se déclarer (***with*** à)
re·gis·tered let·ter ['redʒɪstərd] lettre *f* recommandée
re·gis·tra·tion [redʒɪ'streɪʃn] *of birth*, *death* déclaration *f*; *of vehicle* imma-

R

triculation *f*; *for a course* inscription *f*
re·gis'tra·tion num·ber *Br* MOT numéro *m* d'immatriculation
re·gret [rɪ'gret] **1** *v/t* (*pret & pp* **-ted**) regretter **2** *n* regret *m*
re·gret·ful [rɪ'gretfəl] *adj* plein de regrets
re·gret·ful·ly [rɪ'gretfəlɪ] *adv* avec regret
re·gret·ta·ble [rɪ'gretəbl] *adj* regrettable
re·gret·ta·bly [rɪ'gretəblɪ] *adv* malheureusement
reg·u·lar ['regjʊlər] **1** *adj* régulier*; (*normal*, *ordinary*) normal **2** *n at bar etc* habitué(e) *m*(*f*)
reg·u·lar·i·ty [regjʊ'lærətɪ] régularité *f*
reg·u·lar·ly ['regjʊlərlɪ] *adv* régulièrement
reg·u·late ['regjʊleɪt] *v/t* régler; *expenditure* contrôler
reg·u·la·tion [regjʊ'leɪʃn] (*rule*) règlement *m*
re·hab ['riːhæb] F *of alcoholic etc* désintoxication *f*; *of criminal* réinsertion *f*; *of disabled or sick person* rééducation *f*
re·ha·bil·i·tate [riːhə'bɪlɪteɪt] *v/t ex-criminal* réinsérer; *disabled person* rééduquer
re·hears·al [rɪ'hɜːrsl] répétition *f*
re·hearse [rɪ'hɜːrs] *v/t & v/i* répéter
reign [reɪn] **1** *n* règne *m* **2** *v/i* régner
re·im·burse [riːɪm'bɜːrs] *v/t* rembourser
rein [reɪn] rêne *f*
re·in·car·na·tion [riːɪnkɑːr'neɪʃn] réincarnation *f*
re·in·force [riːɪn'fɔːrs] *v/t* renforcer; *argument* étayer
re·in·forced con·crete [riːɪn'fɔːrst] béton *m* armé
re·in·force·ments [riːɪn'fɔːrsmənts] *npl* MIL renforts *mpl*
re·in·state [riːɪn'steɪt] *v/t person in office* réintégrer, rétablir dans ses fonctions; *paragraph etc* réintroduire
re·it·e·rate [riː'ɪtəreɪt] *v/t* réitérer
re·ject [rɪ'dʒekt] *v/t* rejeter
re·jec·tion [rɪ'dʒekʃn] rejet *m*; ***he felt a sense of ~*** il s'est senti rejeté
re·lapse ['riːlæps] *n* MED rechute *f*; ***have a ~*** faire une rechute
re·late [rɪ'leɪt] **1** *v/t story* raconter; ***~ X to Y*** *connect* établir un rapport entre X et Y, associer X à Y **2** *v/i*: ***~ to*** *be connected with* se rapporter à; ***he doesn't ~ to people*** il a de la peine à communiquer avec les autres
re·lat·ed [rɪ'leɪtɪd] *adj by family* apparenté; *events*, *ideas etc* associé; ***are you two ~?*** êtes-vous de la même famille?
re·la·tion [rɪ'leɪʃn] *in family* parent(e) *m*(*f*); (*connection*) rapport *m*, relation *f*; ***business / diplomatic ~s*** relations d'affaires / diplomatiques
re·la·tion·ship [rɪ'leɪʃnʃɪp] relation *f*; *sexual* liaison *f*, aventure *f*
rel·a·tive ['relətɪv] **1** *adj* relatif*; ***X is ~ to Y*** X dépend de Y **2** *n* parent(e) *m*(*f*)
rel·a·tive·ly ['relətɪvlɪ] *adv* relativement
re·lax [rɪ'læks] **1** *v/i* se détendre; ***~!, don't get angry*** du calme! ne t'énerve pas **2** *v/t muscle* relâcher, décontracter; *rules etc* assouplir
re·lax·a·tion [riːlæk'seɪʃn] détente *f*, relaxation *f*; *of rules etc* assouplissement *m*
re·laxed [rɪ'lækst] *adj* détendu, décontracté
re·lax·ing [rɪ'læksɪŋ] *adj* reposant, relaxant
re·lay[1] [riː'leɪ] *v/t message* transmettre; *radio*, *TV signals* relayer, retransmettre
re·lay[2] ['riːleɪ] *n*: ***~ (race)*** (course *f* de) relais *m*
re·lease [rɪ'liːs] **1** *n from prison* libération *f*; *of CD*, *movie etc* sortie *f*; *CD*, *record* album *m*, nouveauté *f*; *movie* film *m*, nouveauté *f* **2** *v/t prisoner* libérer; *CD*, *record*, *movie* sortir; *parking brake* desserrer; *information* communiquer
rel·e·gate ['relɪgeɪt] *v/t* reléguer
re·lent [rɪ'lent] *v/i* se calmer, se radoucir
re·lent·less [rɪ'lentlɪs] *adj* (*determined*) acharné; *rain etc* incessant

re·lent·less·ly [rɪ'lentlɪslɪ] *adv* (*tirelessly*) avec acharnement; *rain* sans cesse
rel·e·vance ['reləvəns] pertinence *f*, rapport *m*
rel·e·vant ['reləvənt] *adj* pertinent; ***it's not ~ to our problem*** ça n'a rien à voir avec notre problème
re·li·a·bil·i·ty [rɪlaɪə'bɪlətɪ] fiabilité *f*
re·li·a·ble [rɪ'laɪəbl] *adj* fiable
re·li·a·bly [rɪ'laɪəblɪ] *adv*: ***I am ~ informed that …*** je sais de source sûre que …
re·li·ance [rɪ'laɪəns] *on person, information* confiance *f* (**on** en); *on equipment etc* dépendance *f* (**on** vis-à-vis de)
re·li·ant [rɪ'laɪənt] *adj*: **be ~ on** dépendre de
rel·ic ['relɪk] relique *f*
re·lief [rɪ'li:f] soulagement *m*; ***that's a ~*** c'est un soulagement; ***in ~*** *in art* en relief
re·lieve [rɪ'li:v] *v/t pressure, pain* soulager, alléger; (*take over from*) relayer, relever; ***be ~d*** *at news etc* être soulagé
re·li·gion [rɪ'lɪdʒən] religion *f*
re·li·gious [rɪ'lɪdʒəs] *adj* religieux*; *person* croyant, pieux*
re·li·gious·ly [rɪ'lɪdʒəslɪ] *adv* (*conscientiously*) religieusement
re·lin·quish [rɪ'lɪŋkwɪʃ] *v/t* abandonner
rel·ish ['relɪʃ] **1** *n sauce* relish *f*; (*enjoyment*) délectation *f* **2** *v/t idea, prospect* se réjouir de
re·live [ri:'lɪv] *v/t past, event* revivre
re·lo·cate [ri:lə'keɪt] *v/i of business* déménager, se réimplanter; *of employee* être muté
re·lo·ca·tion [ri:lə'keɪʃn] *of business* délocalisation *f*, réimplantation *f*; *of employee* mutation *f*
re·luc·tance [rɪ'lʌktəns] réticence *f*, répugnance *f*
re·luc·tant [rɪ'lʌktənt] *adj* réticent, hésitant; ***be ~ to do sth*** hésiter à faire qch
re·luc·tant·ly [rɪ'lʌktəntlɪ] *adv* avec réticence, à contrecœur
♦ **re·ly on** [rɪ'laɪ] *v/t* (*pret & pp* ***-ied***) compter sur, faire confiance à; ***rely on s.o. to do sth*** compter sur qn pour faire qch
re·main [rɪ'meɪn] *v/i* rester; ***~ silent*** garder le silence
re·main·der [rɪ'meɪndər] **1** *n also* MATH reste *m* **2** *v/t book* solder
re·main·ing [rɪ'meɪnɪŋ] *adj* restant; ***the ~ refugees*** le reste des réfugiés
re·mains [rɪ'meɪnz] *npl of body* restes *mpl*
re·make ['ri:meɪk] *n of movie* remake *m*, nouvelle version *f*
re·mand [rɪ'mænd] **1** *n*: ***be on ~*** *in prison* être en détention provisoire; *on bail* être en liberté provisoire **2** *v/t*: ***~ s.o. in custody*** placer qn en détention provisoire
re·mark [rɪ'mɑ:rk] **1** *n* remarque *f* **2** *v/t* (*comment*) faire remarquer
re·mark·a·ble [rɪ'mɑ:rkəbl] *adj* remarquable
re·mark·a·bly [rɪ'mɑ:rkəblɪ] *adv* remarquablement
re·mar·ry [ri:'mærɪ] *v/i* (*pret & pp* ***-ied***) se remarier
rem·e·dy ['remədɪ] *n* MED, *fig* remède *m*
re·mem·ber [rɪ'membər] **1** *v/t* se souvenir de, se rappeler; ***~ to lock the door!*** n'oublie pas de fermer la porte à clef!; ***~ me to her*** transmettez-lui mon bon souvenir **2** *v/i* se souvenir; ***I don't ~*** je ne me souviens pas
re·mind [rɪ'maɪnd] *v/t*: ***~ s.o. to do sth*** rappeler à qn de faire qch; ***~ X of Y*** rappeler Y à X; ***you ~ me of your father*** tu me rappelles ton père; ***~ s.o. of sth*** (*bring to their attention*) rappeler qch à qn
re·mind·er [rɪ'maɪndər] rappel *m*
rem·i·nisce [remɪ'nɪs] *v/i* évoquer le passé
rem·i·nis·cent [remɪ'nɪsənt] *adj*: ***be ~ of sth*** rappeler qch, faire penser à qch
re·miss [rɪ'mɪs] *adj fml* négligent
re·mis·sion [rɪ'mɪʃn] MED rémission *f*; ***go into ~*** *of patient* être en sursis
rem·nant ['remnənt] vestige *m*, reste *m*

re•morse [rɪ'mɔːrs] remords *m*
re•morse•less [rɪ'mɔːrslɪs] *adj* impitoyable; *demands* incessant
re•mote [rɪ'moʊt] *adj village* isolé; *possibility, connection* vague; *ancestor* lointain; (*aloof*) distant
re•mote 'ac•cess COMPUT accès *m* à distance
re•mote con'trol *also for TV* télécommande *f*
re•mote•ly [rɪ'moʊtlɪ] *adv related, connected* vaguement; ***I'm not ~ interested*** je ne suis pas du tout intéressé; ***it's just ~ possible*** c'est tout juste possible
re•mote•ness [rɪ'moʊtnəs] isolement *m*
re•mov•a•ble [rɪ'muːvəbl] *adj* amovible
re•mov•al [rɪ'muːvl] enlèvement *m*; *of unwanted hair* épilation *f*; *of demonstrators* expulsion *f*; *of doubt* dissipation *f*; ***~ of stains*** détachage *m*
re•move [rɪ'muːv] *v/t* enlever; *demonstrators* expulser; *doubt, suspicion* dissiper
re•mu•ner•a•tion [rɪmjuːnə'reɪʃn] rémunération *f*
re•mu•ner•a•tive [rɪ'mjuːnərətɪv] *adj* rémunérateur
Re•nais•sance [rɪ'neɪsəns] Renaissance *f*
re•name [riː'neɪm] *v/t* rebaptiser; *file* renommer
ren•der ['rendər] *v/t* rendre; ***~ s.o. helpless*** laisser qn sans défense; ***~ s.o. unconscious*** faire perdre connaissance à qn
ren•der•ing ['rendərɪŋ] *of piece of music* interprétation *f*
ren•dez-vous ['rɑːndeɪvuː] *n* rendez-vous *m*
re•new [rɪ'nuː] *v/t contract, license* renouveler; *discussion* reprendre
re•new•a•ble [rɪ'nuːəbl] *adj resource* renouvelable
re•new•al [rɪ'nuːəl] *of contract etc* renouvellement *m*; *of talks* reprise *f*
re•nounce [rɪ'naʊns] *v/t title, rights* renoncer à
ren•o•vate ['renəveɪt] *v/t* rénover
ren•o•va•tion [renə'veɪʃn] rénovation *f*
re•nown [rɪ'naʊn] renommée *f*; renom *m*
re•nowned [rɪ'naʊnd] *adj* renommé; réputé
rent [rent] **1** *n* loyer *m*; ***for ~*** à louer **2** *v/t* louer
rent•al ['rentl] *for apartment* loyer *m*; *for TV, car* location *f*
'rent•al a•gree•ment contrat *m* de location
'rent•al car voiture *f* de location
rent-'free *adv* sans payer de loyer
re•o•pen [riː'oʊpn] **1** *v/t business, store, case* rouvrir; *negotiations* reprendre **2** *v/i of store etc* rouvrir
re•or•gan•i•za•tion [riːɔːrgənaɪ'zeɪʃn] réorganisation *f*
re•or•gan•ize [riː'ɔːrgənaɪz] *v/t* réorganiser
rep [rep] COMM représentant(e) *m*(*f*) (de commerce)
re•paint [riː'peɪnt] *v/t* repeindre
re•pair [rɪ'per] **1** *v/t* réparer **2** *n* réparation *f*; ***in a good / bad state of ~*** en bon / mauvais état
re'pair•man réparateur *m*
re•pa•tri•ate [riː'pætrɪeɪt] *v/t* rapatrier
re•pa•tri•a•tion [riːpætrɪ'eɪʃn] rapatriement *m*
re•pay [riː'peɪ] *v/t* (*pret & pp* ***-paid***) rembourser
re•pay•ment [riː'peɪmənt] remboursement *m*
re•peal [rɪ'piːl] *v/t law* abroger
re•peat [rɪ'piːt] **1** *v/t* répéter; *performance, experiment* renouveler; ***am I ~ing myself?*** est-ce que je me répète? **2** *n TV program etc* rediffusion *f*
re•peat 'busi•ness COMM: ***get ~*** recevoir de nouvelles commandes (d'un client)
re•peat•ed [rɪ'piːtɪd] *adj* répété
re•peat•ed•ly [rɪ'piːtɪdlɪ] *adv* à plusieurs reprises
re•pel [rɪ'pel] *v/t* (*pret & pp* ***-led***) repousser; (*disgust*) dégoûter
re•pel•lent [rɪ'pelənt] **1** *adj* repoussant, répugnant **2** *n* (*insect ~*) répulsif *m*

re·pent [rɪ'pent] *v/i* se repentir (***of*** de)

re·per·cus·sions [ri:pər'kʌʃnz] *npl* répercussions *fpl*

rep·er·toire ['repərtwɑ:r] répertoire *m*

rep·e·ti·tion [repɪ'tɪʃn] répétition *f*

re·pet·i·tive [rɪ'petɪtɪv] *adj* répétitif*

re·place [rɪ'pleɪs] *v/t* (*put back*) remettre; (*take the place of*) remplacer

re·place·ment [rɪ'pleɪsmənt] *person* remplaçant *m*; *product* produit *m* de remplacement

re·place·ment 'part pièce *f* de rechange

re·play ['ri:pleɪ] **1** *n recording* relecture *f*, replay *m*; *match* nouvelle rencontre *f*, replay *m* **2** *v/t match* rejouer

re·plen·ish [rɪ'plenɪʃ] *v/t container* remplir (de nouveau); *supplies* refaire; ***~ one's supplies of sth*** se réapprovisionner en qch

rep·li·ca ['replɪkə] réplique *f*

re·ply [rɪ'plaɪ] **1** *n* réponse *f* **2** *v/t & v/i* (*pret & pp* ***-ied***) répondre

re·port [rɪ'pɔ:rt] **1** *n* (*account*) rapport *m*, compte-rendu *m*; *in newspaper* bulletin *m* **2** *v/t facts* rapporter; *to authorities* déclarer, signaler; ***~ one's findings to s.o.*** rendre compte des résultats de ses recherches à qn; ***~ s.o. to the police*** dénoncer qn à la police; ***he is ~ed to be in Washington*** il serait à Washington, on dit qu'il est à Washington **3** *v/i* (*present o.s.*) se présenter; ***this is Joe Jordan ~ing from Moscow*** de Moscou, Joe Jordan

♦ **report to** *v/t in business* être sous les ordres de; ***who do you report to?*** qui est votre supérieur (hiérarchique)?

re'port card bulletin *m* scolaire

re·port·er [rɪ'pɔ:rtər] reporter *m/f*

re·pos·sess [ri:pə'zes] *v/t* COMM reprendre possession de, saisir

rep·re·hen·si·ble [reprɪ'hensəbl] *adj* répréhensible

rep·re·sent [reprɪ'zent] *v/t* représenter

Rep·re·sen·ta·tive [reprɪ'zentətɪv] POL député *m*

rep·re·sen·ta·tive [reprɪ'zentətɪv] **1** *adj* (*typical*) représentatif* **2** *n* représentant(e) *m(f)*

re·press [rɪ'pres] *v/t* réprimer

re·pres·sion [rɪ'preʃn] POL répression *f*

re·pres·sive [rɪ'presɪv] *adj* POL répressif*

re·prieve [rɪ'pri:v] **1** *n* LAW sursis *m*; *fig also* répit *m* **2** *v/t prisoner* accorder un sursis à

rep·ri·mand ['reprɪmænd] *v/t* réprimander

re·print ['ri:prɪnt] **1** *n* réimpression *f* **2** *v/t* réimprimer

re·pri·sal [rɪ'praɪzl] représailles *fpl*; ***take ~s*** se venger, exercer des représailles; ***in ~ for*** en représailles à

re·proach [rɪ'proʊtʃ] **1** *n* reproche *m*; ***be beyond ~*** être irréprochable **2** *v/t* reprocher; ***~ s.o. for sth*** reprocher qch à qn

re·proach·ful [rɪ'proʊtʃfəl] *adj* réprobateur*, chargé de reproche

re·proach·ful·ly [rɪ'proʊtʃfəlɪ] *adv look* avec un air de reproche; *say* sur un ton de reproche

re·pro·duce [ri:prə'du:s] **1** *v/t* reproduire **2** *v/i* BIOL se reproduire

re·pro·duc·tion [ri:prə'dʌkʃn] reproduction *f*; *piece of furniture* copie *f*

re·pro·duc·tive [rɪprə'dʌktɪv] *adj* BIOL reproducteur*

rep·tile ['reptaɪl] reptile *m*

re·pub·lic [rɪ'pʌblɪk] république *f*

Re·pub·li·can [rɪ'pʌblɪkn] **1** *adj* républicain **2** *n* Républicain(e) *m(f)*

re·pu·di·ate [rɪ'pju:dɪeɪt] *v/t* (*deny*) nier

re·pul·sive [rɪ'pʌlsɪv] *adj* repoussant, répugnant

rep·u·ta·ble ['repjʊtəbl] *adj* de bonne réputation, respectable

rep·u·ta·tion [repjʊ'teɪʃn] réputation *f*; ***have a good / bad ~*** avoir bonne / mauvaise réputation

re·put·ed [rɪ'pjʊtəd] *adj*: ***be ~ to be*** avoir la réputation d'être

re·put·ed·ly [rɪ'pjʊtədlɪ] *adv* à ce que l'on dit, apparemment

re·quest [rɪ'kwest] **1** *n* demande *f*; ***on ~*** sur demande **2** *v/t* demander

re·quiem ['rekwɪəm] MUS requiem *m*

re·quire [rɪ'kwaɪr] *v/t* (*need*) avoir besoin de; ***it ~s great care*** cela demande beaucoup de soin; ***as ~d by law*** comme l'exige la loi; ***guests are ~d to ...*** les clients sont priés de ...

re·quired [rɪ'kwaɪrd] *adj* (*necessary*) requis; ***~ reading*** ouvrage(s) *m(pl)* au programme

re·quire·ment [rɪ'kwaɪrmənt] (*need*) besoin *m*, exigence *f*; (*condition*) condition *f* (requise)

req·ui·si·tion [rekwɪ'zɪʃn] *v/t* réquisitionner

re-route [riː'ruːt] *v/t airplane etc* dérouter

re·run ['riːrʌn] **1** *n of TV program* rediffusion *f* **2** *v/t* (*pret* ***-ran***, *pp* ***-run***) *tape* repasser

re·sched·ule [riː'skedjuːl] *v/t* changer l'heure / la date de

res·cue ['reskjuː] **1** *n* sauvetage *m*; ***come to s.o.'s ~*** venir au secours de qn **2** *v/t* sauver, secourir

'res·cue par·ty équipe *f* de secours

re·search [rɪ'sɜːrʧ] *n* recherche *f*

♦**research into** *v/t* faire des recherches sur

re·search and de'vel·op·ment recherche *f* et développement

re'search as·sist·ant assistant(e) *m(f)* de recherche

re·search·er [rɪ'sɜːrʧər] chercheur (-euse) *m(f)*

're·search proj·ect projet *m* de recherche

re·sem·blance [rɪ'zembləns] ressemblance *f*

re·sem·ble [rɪ'zembl] *v/t* ressembler à

re·sent [rɪ'zent] *v/t* ne pas aimer; *person also* en vouloir à

re·sent·ful [rɪ'zentfəl] *adj* plein de ressentiment

re·sent·ful·ly [rɪ'zentfəlɪ] *adv say* avec ressentiment

re·sent·ment [rɪ'zentmənt] ressentiment *m* (***of*** par rapport à)

res·er·va·tion [rezər'veɪʃn] *of room, table* réservation *f*; *mental*, (*special area*) réserve *f*; ***I have a ~*** *in hotel, restaurant* j'ai réservé

re·serve [rɪ'zɜːrv] **1** *n* (*store, aloofness*) réserve *f*; SP remplaçant(e) *m(f)*; ***~s*** FIN réserves *fpl*; ***keep sth in ~*** garder qch en réserve **2** *v/t seat, judgment* réserver

re·served [rɪ'zɜːrvd] *adj table, manner* réservé

res·er·voir ['rezərvwɑːr] *for water* réservoir *m*

re·shuf·fle ['riːʃʌfl] *Br* POL **1** *n* remaniement *m* **2** *v/t* remanier

re·side [rɪ'zaɪd] *v/i fml* résider

res·i·dence ['rezɪdəns] *fml*: *house etc* résidence *f*, (*stay*) séjour *m*

'res·i·dence per·mit permis *m* de séjour

res·i·dent ['rezɪdənt] **1** *adj manager etc* qui habite sur place **2** *n* résident(e) *m(f)*, habitant(e) *m(f)*; *on street* riverain(e) *m(f)*; *in hotel* client(e) *m(f)*; pensionnaire *m/f*

res·i·den·tial [rezɪ'denʃl] *adj* résidentiel*

res·i·due ['rezɪduː] résidu *m*

re·sign [rɪ'zaɪn] **1** *v/t position* démissionner de; ***~ o.s. to*** se résigner à **2** *v/i from job* démissionner

res·ig·na·tion [rezɪg'neɪʃn] *from job* démission *f*, *mental* résignation *f*

re·signed [re'zaɪnd] *adj* résigné; ***we have become ~ to the fact that ...*** nous nous sommes résignés au fait que ...

re·sil·i·ent [rɪ'zɪlɪənt] *adj personality* fort; *material* résistant

res·in ['rezɪn] résine *f*

re·sist [rɪ'zɪst] **1** *v/t* résister à; *new measures* s'opposer à **2** *v/i* résister

re·sist·ance [rɪ'zɪstəns] résistance *f*

re·sis·tant [rɪ'zɪstənt] *adj material* résistant

res·o·lute ['rezəluːt] *adj* résolu

res·o·lu·tion [rezə'luːʃn] résolution *f*

re·solve [rɪ'zɑːlv] *v/t mystery* résoudre; ***~ to do sth*** se résoudre à faire qch

re·sort [rɪ'zɔːrt] *n place* lieu *m* de vacances; *at seaside* station *f* balnéaire; *for health cures* station *f* thermale; ***as a last ~*** en dernier ressort *or* recours

♦**resort to** *v/t* avoir recours à, recourir à

♦ **re·sound with** [rɪ'zaʊnd] *v/t* résonner de
re·sound·ing [rɪ'zaʊndɪŋ] *adj success, victory* retentissant
re·source [rɪ'sɔːrs] ressource *f*; ***be left to one's own ~s*** être livré à soi-même
re·source·ful [rɪ'sɔːrsfʊl] *adj* ingénieux*
re·spect [rɪ'spekt] **1** *n* respect *m*; ***show ~ to*** montrer du respect pour; ***with ~ to*** en ce qui concerne; ***in this / that ~*** à cet égard; ***in many ~s*** à bien des égards; ***pay one's last ~s to s.o.*** rendre un dernier hommage à qn **2** *v/t* respecter
re·spect·a·bil·i·ty [rɪspektə'bɪlətɪ] respectabilité *f*
re·spec·ta·ble [rɪ'spektəbl] *adj* respectable
re·spec·ta·bly [rɪ'spektəblɪ] *adv* convenablement, comme il faut
re·spect·ful [rɪ'spektfəl] *adj* respectueux*
re·spect·ful·ly [rɪ'spektflɪ] *adv* respectueusement
re·spec·tive [rɪ'spektɪv] *adj* respectif*
re·spec·tive·ly [rɪ'spektɪvlɪ] *adv* respectivement
res·pi·ra·tion [respɪ'reɪʃn] respiration *f*
res·pi·ra·tor ['respɪreɪtər] MED respirateur *m*
re·spite ['respaɪt] répit *m*; ***without ~*** sans répit
re·spond [rɪ'spaːnd] *v/i* répondre; (*react also*) réagir
re·sponse [rɪ'spaːns] réponse *f*; (*reaction also*) réaction *f*
re·spon·si·bil·i·ty [rɪspaːnsɪ'bɪlətɪ] responsabilité *f*; ***accept ~ for*** accepter la responsabilité de; ***a job with more ~*** un poste avec plus de responsabilités
re·spon·si·ble [rɪ'spaːnsəbl] *adj* responsable (***for*** de); ***a ~ job*** un poste à responsabilités
re·spon·sive [rɪ'spaːnsɪv] *adj audience* réceptif*; TECH qui répond bien
rest[1] [rest] **1** *n* repos *m*; *during walk, work* pause *f*; ***set s.o.'s mind at ~*** rassurer qn **2** *v/i* se reposer; ***~ on*** (*be based on*) reposer sur; (*lean against*) être appuyé contre; ***it all ~s with him*** tout dépend de lui **3** *v/t* (*lean, balance*) poser
rest[2] [rest]: ***the ~*** *objects* le reste; *people* les autres
res·tau·rant ['restəraːnt] restaurant *m*
'res·tau·rant car wagon-restaurant *m*
'rest cure cure *f* de repos
rest·ful ['restfl] *adj* reposant
'rest home maison *f* de retraite
rest·less ['restlɪs] *adj* agité; ***have a ~ night*** passer une nuit agitée; ***be ~*** *unable to stay in one place* avoir la bougeotte F
rest·less·ly ['restlɪslɪ] *adv* nerveusement
res·to·ra·tion [restə'reɪʃn] *of building* restauration *f*
re·store [rɪ'stɔːr] *v/t building etc* restaurer; (*bring back*) rendre, restituer; *confidence* redonner
re·strain [rɪ'streɪn] *v/t* retenir; ***~ o.s.*** se retenir
re·straint [rɪ'streɪnt] (*moderation*) retenue *f*
re·strict [rɪ'strɪkt] *v/t* restreindre, limiter; ***I'll ~ myself to ...*** je me limiterai à …
re·strict·ed [rɪ'strɪktɪd] *adj* restreint, limité
re·strict·ed 'ar·e·a MIL zone *f* interdite
re·stric·tion [rɪ'strɪkʃn] restriction *f*
'rest room toilettes *fpl*
re·sult [rɪ'zʌlt] *n* résultat *m*; ***as a ~ of this*** par conséquent
♦ **result from** *v/t* résulter de, découler de
♦ **result in** *v/t* entraîner, avoir pour résultat
re·sume [rɪ'zuːm] *v/t & v/i* reprendre
ré·su·mé ['rezʊmeɪ] *of career* curriculum vitæ *m inv*, C.V. *m inv*
re·sump·tion [rɪ'zʌmpʃn] reprise *f*
re·sur·face [riː'sɜːrfɪs] **1** *v/t roads* refaire (le revêtement de) **2** *v/i* (*reappear*) refaire surface
Res·ur·rec·tion [rezə'rekʃn] REL Résurrection *f*

re·sus·ci·tate [rɪ'sʌsɪteɪt] *v/t* réanimer
re·sus·ci·ta·tion [rɪsʌsɪ'teɪʃn] réanimation *f*
re·tail ['ri:teɪl] **1** *adv*: ***sell sth ~*** vendre qch au détail **2** *v/i*: ***~ at*** se vendre à
re·tail·er ['ri:teɪlər] détaillant(e) *m(f)*
're·tail out·let point *m* de vente, magasin *m* (de détail)
're·tail price prix *m* de détail
re·tain [rɪ'teɪn] *v/t* garder, conserver
re·tain·er [rɪ'teɪnər] FIN provision *f*
re·tal·i·ate [rɪ'tælɪeɪt] *v/i* riposter, se venger
re·tal·i·a·tion [rɪtælɪ'eɪʃn] riposte *f*; ***in ~ for*** pour se venger de
re·tard·ed [rɪ'tɑ:rdɪd] *adj mentally* attardé, retardé
re·think [ri:'θɪŋk] *v/t* (*pret & pp* ***-thought***) repenser
re·ti·cence ['retɪsns] réserve *f*
re·ti·cent ['retɪsnt] *adj* réservé
re·tire [rɪ'taɪr] *v/i from work* prendre sa retraite; *fml*: *go to bed* aller se coucher
re·tired [rɪ'taɪrd] *adj* à la retraite
re·tire·ment [rɪ'taɪrmənt] retraite *f*; *act* départ *m* à la retraite
re'tire·ment age âge de la retraite
re·tir·ing [rɪ'taɪrɪŋ] *adj* réservé
re·tort [rɪ'tɔ:rt] **1** *n* réplique *f* **2** *v/t* répliquer
re·trace [rɪ'treɪs] *v/t*: ***~ one's footsteps*** revenir sur ses pas
re·tract [rɪ'trækt] *v/t claws*, *undercarriage* rentrer; *statement* retirer
re·train [ri:'treɪn] *v/i* se recycler
re·treat [rɪ'tri:t] **1** *v/i also* MIL battre en retraite **2** *n* MIL, *place* retraite *f*
re·trieve [rɪ'tri:v] *v/t* récupérer
re·triev·er [rɪ'tri:vər] *dog* chien *m* d'arrêt, retriever *m*
ret·ro·ac·tive [retroʊ'æktɪv] *adj law etc* rétroactif*
ret·ro·ac·tive·ly [retroʊ'æktɪvlɪ] *adv* rétroactivement, par rétroaction
ret·ro·grade ['retrəgreɪd] *adj move*, *decision* rétrograde
ret·ro·spect ['retrəspekt]: ***in ~*** rétrospectivement
ret·ro·spec·tive [retrə'spektɪv] *n* rétrospective *f*
re·turn [rɪ'tɜ:rn] **1** *n* retour *m*; (*profit*) bénéfice *m*; **~** (***ticket***) *Br* aller *m* retour; ***by ~*** (***mail***) par retour (du courrier); ***many happy ~s*** (***of the day***) bon anniversaire; ***in ~ for*** en échange de; contre **2** *v/t* (*give back*) rendre; (*send back*) renvoyer; (*put back*) remettre; ***~ the favor*** rendre la pareille **3** *v/i* (*go back*) retourner; (*come back*) revenir
re'turn 'flight vol *m* (de) retour
re'turn jour·ney retour *m*
re·u·ni·fi·ca·tion [ri:ju:nɪfɪ'keɪʃn] réunification *f*
re·u·nion [ri:'ju:njən] réunion *f*
re·u·nite [ri:ju:'naɪt] *v/t* réunir; *country* réunifier
re·us·a·ble [ri:'ju:zəbl] *adj* réutilisable
re·use [ri:'ju:z] *v/t* réutiliser
rev [rev] *n*: ***~s per minute*** tours *mpl* par minute
♦ **rev up** *v/t* (*pret & pp* ***-ved***) *engine* emballer
re·val·u·a·tion [ri:væljʊ'eɪʃn] réévaluation *f*
re·veal [rɪ'vi:l] *v/t* révéler; (*make visible*) dévoiler
re·veal·ing [rɪ'vi:lɪŋ] *adj remark* révélateur*; *dress* suggestif*
♦ **rev·el in** ['revl] *v/t* (*pret & pp* ***-ed***, *Br* ***-led***) se délecter de; ***revel in doing sth*** se délecter à faire qch
rev·e·la·tion [revə'leɪʃn] révélation *f*
re·venge [rɪ'vendʒ] *n* vengeance *f*; ***take one's ~*** se venger; ***in ~ for*** pour se venger de
rev·e·nue ['revənu:] revenu *m*
re·ver·be·rate [rɪ'vɜ:rbəreɪt] *v/i of sound* retentir, résonner
re·vere [rɪ'vɪr] *v/t* révérer
rev·e·rence ['revərəns] déférence *f*, respect *m*
Rev·e·rend ['revərənd] *Protestant* pasteur *m*; *Catholic* abbé *m*; *Anglican* révérend *m*
rev·e·rent ['revərənt] *adj* respectueux*
re·verse [rɪ'vɜ:rs] **1** *adj sequence* inverse; ***in ~ order*** à l'envers **2** *n* (*opposite*) contraire *m*; (*back*) verso *m*; MOT *gear* marche *f* arrière **3** *v/t sequence*

inverser; *vehicle* faire marche arrière avec **4** *v/i* MOT faire marche arrière

re•vert [rɪ'vɜːrt] *v/i*: **~ *to*** revenir à; *habit* reprendre; ***the land ~ed to …*** la terre est retournée à l'état de …

re•view [rɪ'vjuː] **1** *n of book, movie* critique *f*; *of troops* revue *f*; *of situation etc* bilan *m* **2** *v/t book, movie* faire la critique de; *troops* passer en revue; *situation etc* faire le bilan de; EDU réviser

re•view•er [rɪ'vjuːər] *of book, movie* critique *m*

re•vise [rɪ'vaɪz] *v/t opinion* revenir sur; *text* réviser

re•vi•sion [rɪ'vɪʒn] *of text* révision *f*

re•viv•al [rɪ'vaɪvl] *of custom, old style etc* renouveau *m*; *of patient* rétablissement *m*; ***a ~ of interest in*** un regain d'intérêt pour

re•vive [rɪ'vaɪv] **1** *v/t custom, old style etc* faire renaître; *patient* ranimer **2** *v/i of business* reprendre

re•voke [rɪ'voʊk] *v/t law* abroger; *license* retirer

re•volt [rɪ'voʊlt] **1** *n* révolte *f* **2** *v/i* se révolter

re•volt•ing [rɪ'voʊltɪŋ] *adj* répugnant

rev•o•lu•tion [revə'luːʃn] révolution *f*

rev•o•lu•tion•ar•y [revə'luːʃnərɪ] **1** *adj* révolutionnaire **2** *n* révolutionnaire *m/f*

rev•o•lu•tion•ize [revə'luːʃnaɪz] *v/t* révolutionner

re•volve [rɪ'vɑːlv] *v/i* tourner (***around*** autour de)

re•volv•er [rɪ'vɑːlvər] revolver *m*

re•volv•ing door [rɪ'vɑːlvɪŋ] tambour *m*

re•vue [rɪ'vjuː] THEA revue *f*

re•vul•sion [rɪ'vʌlʃn] dégoût *m*, répugnance *f*

re•ward [rɪ'wɔːrd] **1** *n financial* récompense *f*; (*benefit derived*) gratification *f* **2** *v/t financially* récompenser

re•ward•ing [rɪ'wɔːrdɪŋ] *adj experience* gratifiant, valorisant

re•wind [riː'waɪnd] *v/t* (*pret & pp* ***-wound***) *film, tape* rembobiner

re•wire [riː'waɪr] *v/t* refaire l'installation électrique de

re•write [riː'raɪt] *v/t* (*pret* ***-wrote***, *pp* ***-written***) réécrire

rhe•to•ric ['retərɪk] rhétorique *f*

rhe•to•ric•al 'ques•tion [rɪ'tɑːrɪkl] question *f* pour la forme, question *f* rhétorique

rheu•ma•tism ['ruːmətɪzm] rhumatisme *m*

rhi•no•ce•ros [raɪ'nɑːsərəs] rhinocéros *m*

rhu•barb ['ruːbɑːrb] rhubarbe *f*

rhyme [raɪm] **1** *n* rime *f* **2** *v/i* rimer (***with*** avec)

rhythm ['rɪðm] rythme *m*

rib [rɪb] ANAT côte *f*

rib•bon ['rɪbən] ruban *m*

rice [raɪs] riz *m*

rich [rɪʧ] **1** *adj person, food* riche **2** *npl*: ***the ~*** les riches *mpl*

rich•ly ['rɪʧlɪ] *adv deserved* largement, bien

rick•et•y ['rɪkətɪ] *adj* bancal, branlant

ric•o•chet ['rɪkəʃeɪ] *v/i* ricocher (***off*** sur)

rid [rɪd] *v/t* (*pret & pp* ***rid***): ***get ~ of*** se débarrasser de

rid•dance ['rɪdns]: ***good ~!*** bon débarras!

rid•den ['rɪdn] *pp* → ***ride***

rid•dle[1] ['rɪdl] *n puzzle* devinette *f*

riddle[2] ['rɪdl] *v/t*: ***be ~d with*** être criblé de

ride [raɪd] **1** *n on horse* promenade *f* (à cheval); *excursion in vehicle* tour *m*; (*journey*) trajet *m*; ***do you want a ~ into town?*** est-ce que tu veux que je t'emmène en ville?; ***you've been taken for a ~*** *fig* F tu t'es fait avoir F **2** *v/t* (*pret* ***rode***, *pp* ***ridden***) *horse* monter; *bike* se déplacer en; ***can you ~ a bike?*** sais-tu faire du vélo?; ***can I ~ your bike?*** est-ce que je peux monter sur ton vélo? **3** *v/i* (*pret* ***rode***, *pp* ***ridden***) *on horse* monter à cheval; *on bike* rouler (à vélo); ***~ on a bus / train*** prendre le bus / train; ***those riding at the back of the bus*** ceux qui étaient à l'arrière du bus

rid•er ['raɪdər] *on horse* cavalier(-ière) *m(f)*; *on bike* cycliste *m/f*

ridge [rɪdʒ] (*raised strip*) arête *f* (saillante); *along edge* rebord *m*; *of mountain* crête *f*; *of roof* arête *f*

rid·i·cule ['rɪdɪkjuːl] **1** *n* ridicule *m* **2** *v/t* ridiculiser

ri·dic·u·lous [rɪ'dɪkjʊləs] *adj* ridicule

ri·dic·u·lous·ly [rɪ'dɪkjʊləslɪ] *adv* ridiculement

rid·ing ['raɪdɪŋ] *on horseback* équitation *f*

ri·fle ['raɪfl] *n* fusil *m*, carabine *f*

rift [rɪft] *in earth* fissure *f*; *in party etc* division *f*, scission *f*

rig [rɪg] **1** *n* (*oil* ~) tour *f* de forage; *at sea* plateforme *f* de forage; (*truck*) semi-remorque *m* **2** *v/t* (*pret & pp* ***-ged***) *elections* truquer

right [raɪt] **1** *adj* bon*; (*not left*) droit; ***be ~*** *of answer* être juste; *of person* avoir raison; *of clock* être à l'heure; ***it's not ~ to ...*** ce n'est pas bien de ...; ***the ~ thing to do*** la chose à faire; ***put things ~*** arranger les choses; ***that's ~!*** c'est ça!; ***that's all ~*** (*doesn't matter*) ce n'est pas grave; *when s.o. says thank you* je vous en prie; ***it's all ~*** (*is acceptable*) ça me va; ***I'm all ~*** *not hurt* je vais bien; *have enough* ça ira pour moi; ***(all) ~, that's enough!*** bon, ça suffit! **2** *adv* (*directly*) directement, juste; (*correctly*) correctement, bien; (*completely*) tout, complètement; (*not left*) à droite; ***~ now*** (*immediately*) tout de suite; (*at the moment*) en ce moment; ***it's ~ here*** c'est juste là **3** *n civil, legal* droit *m*; (*not left*), POL droite *f*; ***on the ~*** *also* POL à droite; ***turn to the ~, take a ~*** tourner à droite; ***be in the ~*** avoir raison; ***know ~ from wrong*** savoir discerner le bien du mal

'right-an·gle angle *m* droit; ***at ~s to*** perpendiculairement à

right·ful ['raɪtfəl] *adj heir, owner etc* légitime

'right-hand *adj*: ***on the ~ side*** à droite; **right-hand 'drive** MOT (voiture *f* avec) conduite *f* à droite; **right--hand·ed** [raɪt'hændɪd] *adj person* droitier*; **right-hand 'man** bras *m* droit; **right of 'way** *in traffic* priorité *f*; *across land* droit *m* de passage; **right 'wing** POL droite *f*; SP ailier *m* droit; **right-'wing** *adj* POL de droite; **right-wing ex'trem·ist** POL extrémiste *m/f* de droite

rig·id ['rɪdʒɪd] *adj also fig* rigide

rig·or ['rɪgər] *of discipline* rigueur *f*

rig·or·ous ['rɪgərəs] *adj* rigoureux*

rig·or·ous·ly ['rɪgərəslɪ] *adv check, examine* rigoureusement

rig·our *Br* → ***rigor***

rile [raɪl] *v/t* F agacer

rim [rɪm] *of wheel* jante *f*; *of cup* bord *m*; *of eyeglasses* monture *f*

ring[1] [rɪŋ] *n* (*circle*) cercle *m*; *on finger* anneau *m*; *in boxing* ring *m*; *at circus* piste *f*

ring[2] [rɪŋ] **1** *n of bell* sonnerie *f*; *of voice* son *m*; ***give s.o. a ~*** *Br* TELEC passer un coup de fil à qn **2** *v/t* (*pret* ***rang***, *pp* ***rung***) *bell* (faire) sonner; *Br* TELEC téléphoner à **3** *v/i* (*pret* ***rang***, *pp* ***rung***) *of bell* sonner, retentir; *Br* TELEC téléphoner; ***please ~ for attention*** prière de sonner

'ring·lead·er meneur(-euse) *m(f)*

'ring-pull anneau *m* (d'ouverture)

rink [rɪŋk] patinoire *f*

rinse [rɪns] **1** *n for hair color* rinçage *m* **2** *v/t clothes, dishes, hair* rincer

ri·ot ['raɪət] **1** *n* émeute *f* **2** *v/i* participer à une émeute; *start to* ~ créer une émeute

ri·ot·er ['raɪətər] émeutier(-ière) *m(f)*

'ri·ot po·lice police *f* anti-émeute

rip [rɪp] **1** *n in cloth etc* accroc *m* **2** *v/t* (*pret & pp* ***-ped***) *cloth etc* déchirer; ***~ sth open*** *letter* ouvrir qch à la hâte

♦**rip off** *v/t* F *cheat* arnaquer F

♦**rip up** *v/t letter, sheet* déchirer

ripe [raɪp] *adj fruit* mûr

rip·en ['raɪpn] *v/i of fruit* mûrir

ripe·ness ['raɪpnɪs] *of fruit* maturité *f*

'rip-off F arnaque *f* F

rip·ple ['rɪpl] *on water* ride *f*, ondulation *f*

rise [raɪz] **1** *v/i* (*pret* ***rose***, *pp* ***risen***) *from chair, bed, of sun* se lever; *of rocket, price, temperature* monter **2** *n in price, temperature* hausse *f*, augmentation *f*; *in water level* élévation

f; *Br. in salary* augmentation *f*; ***give ~ to*** donner lieu à, engendrer
ris·en ['rɪzn] *pp* → ***rise***
ris·er ['raɪzər]: ***be an early ~*** être matinal, être lève-tôt *inv* F; ***be a late ~*** être lève-tard *inv* F
risk [rɪsk] **1** *n* risque *m*; ***take a ~*** prendre un risque **2** *v/t* risquer; ***let's ~ it*** c'est un risque à courir, il faut tenter le coup F
risk·y ['rɪskɪ] *adj* risqué
ris·qué [rɪ'skeɪ] *adj* osé
rit·u·al ['rɪtʊəl] **1** *adj* rituel* **2** *n* rituel *m*
ri·val ['raɪvl] **1** *n* rival(e) *m(f)* **2** *v/t* (*match*) égaler; (*compete with*) rivaliser avec; ***I can't ~ that*** je ne peux pas faire mieux
ri·val·ry ['raɪvlrɪ] rivalité *f*
riv·er ['rɪvər] rivière *f*, *bigger* fleuve *m*
'riv·er·bank rive *f*; **'riv·er·bed** lit *m* de la rivière / du fleuve; **'riv·er·side 1** *adj* en bord de rivière **2** *n* berge *f*, bord *m* de l'eau
riv·et ['rɪvɪt] **1** *n* rivet *m* **2** *v/t* riveter, river
riv·et·ing ['rɪvɪtɪŋ] *adj story etc* fascinant
Ri·vi·er·a [rɪvɪ'erə] *French* Côte *f* d'Azur
road [roʊd] route *f*; *in city* rue *f*; ***it's just down the ~*** c'est à deux pas d'ici
'road·block barrage *m* routier; **'road hog** chauffard *m*; **'road-hold·ing** *of vehicle* tenue *f* de route; **'road map** carte *f* routière; **road 'safe·ty** sécurité *f* routière; **'road·side**: ***at the ~*** au bord de la route; **'road·sign** panneau *m* (de signalisation); **'road·way** chaussée *f*; **'road·wor·thy** *adj* en état de marche
roam [roʊm] *v/i* errer
roar [rɔːr] **1** *n* rugissement *m*; *of rapids*, *traffic* grondement *m*; *of engine* vrombissement *m* **2** *v/i* rugir; *of rapids*, *traffic* gronder; *of engine* vrombir; ***~ with laughter*** hurler de rire, rire à gorge déployée
roast [roʊst] **1** *n of beef etc* rôti *m* **2** *v/t* rôtir **3** *v/i of food* rôtir; ***we're ~ing*** on étouffe
roast 'beef rôti *m* de bœuf, rosbif *m*
roast 'pork rôti *m* de porc
rob [rɑːb] *v/t* (*pret & pp* **-bed**) *person* voler, dévaliser; *bank* cambrioler, dévaliser; ***I've been ~bed*** j'ai été dévalisé
rob·ber ['rɑːbər] voleur(-euse) *m(f)*
rob·ber·y ['rɑːbərɪ] vol *m*
robe [roʊb] *of judge*, *priest* robe *f*; (*bath~*) peignoir *m*; (*dressing gown*) robe *f* de chambre
rob·in ['rɑːbɪn] rouge-gorge *m*
ro·bot ['roʊbɑːt] robot *m*
ro·bust [roʊ'bʌst] *adj* robuste
rock [rɑːk] **1** *n* rocher *m*; MUS rock *m*; ***on the ~s*** *drink* avec des glaçons; *marriage* en pleine débâcle **2** *v/t baby* bercer; *cradle* balancer; (*surprise*) secouer, ébranler **3** *v/i on chair*, *of boat* se balancer
'rock band groupe *m* de rock; **rock 'bot·tom**: ***reach ~*** toucher le fond; *of levels of employment*, *currency* être au plus bas; **'rock-bot·tom** *adj price* le plus bas possible; **'rock climb·er** varappeur(-euse) *m(f)*; **'rock climb·ing** varappe *f*
rock·et ['rɑːkɪt] **1** *n* fusée *f* **2** *v/i of prices etc* monter en flèche
rock·ing chair ['rɑːkɪŋ] rocking-chair *m*
'rock·ing horse cheval *m* à bascule
rock 'n' roll [rɑːkn'roʊl] rock-and-roll *m inv*
'rock star rock-star *f*
rock·y ['rɑːkɪ] *adj* rocheux*; *path* rocailleux*; F *marriage* instable, précaire; ***I'm feeling kind of ~*** F je ne suis pas dans mon assiette F
Rock·y 'Moun·tains *npl* Montagnes *fpl* Rocheuses
rod [rɑːd] baguette *f*, tige *f*; *for fishing* canne *f* à pêche
rode [roʊd] *pret* → ***ride***
ro·dent ['roʊdnt] rongeur *m*
rogue [roʊg] vaurien *m*, coquin *m*
role [roʊl] rôle *m*
'role mod·el modèle *m*
roll [roʊl] **1** *n* (*bread ~*) petit pain *m*; *of film* pellicule *f*, *of thunder* grondement *m*; (*list*, *register*) liste *f* **2** *v/i of*

ball, *boat* rouler **3** *v/t*: **~ *sth into a ball*** mettre qch en boule; **~ *sth along the ground*** faire rouler qch sur le sol
♦**roll over 1** *v/i* se retourner **2** *v/t person*, *object* tourner; (*renew*) renouveler; (*extend*) prolonger
♦**roll up 1** *v/t sleeves* retrousser **2** *v/i* F (*arrive*) se pointer F
'roll call appel *m*
roll·er ['roʊlər] *for hair* rouleau *m*, bigoudi *m*
'roll·er blade® *n* roller *m* (en ligne); **roll·er coast·er** ['roʊlerkoʊstər] montagnes *fpl* russes; **'roll·er skate** *n* patin *m* à roulettes
roll·ing pin ['roʊlɪŋ] rouleau *m* à pâtisserie
ROM [rɑːm] *abbr* COMPUT (**= *read only memory***) ROM *f*, mémoire *f* morte
Ro·man ['roʊmən] **1** *adj* romain **2** *n* Romain(e) *m*(*f*)
Ro·man 'Cath·o·lic 1 *adj* REL catholique **2** *n* catholique *m/f*
ro·mance ['roʊmæns] (*affair*) idylle *f*; *novel*, *movie* histoire *f* d'amour
ro·man·tic [roʊ'mæntɪk] *adj* romantique
ro·man·tic·al·ly [roʊ'mæntɪklɪ] *adv* de façon romantique; ***be ~ involved with s.o.*** avoir une liaison avec qn
roof [ruːf] toit *m*; ***have a ~ over one's head*** avoir un toit
'roof box MOT coffre *m* de toit
'roof-rack MOT galerie *f*
rook·ie ['rʊkɪ] F bleu *m* F
room [ruːm] pièce *f*, salle *f*; (*bed~*) chambre *f*; (*space*) place *f*; ***there's no ~ for*** il n'y a pas de place pour
'room clerk réceptionniste *m/f*; **'roommate** *in apartment* colocataire *m/f*; *in room* camarade *m/f* de chambre; **'room ser·vice** service *m* en chambre; **'room tem·per·a·ture** température *f* ambiante
room·y ['ruːmɪ] *adj* spacieux*; *clothes* ample
root [ruːt] *n of plant*, *word* racine *f*; **~*s*** *of person* racines *fpl*
♦**root for** *v/t* F encourager
♦**root out** *v/t* (*get rid of*) éliminer; (*find*) dénicher
rope [roʊp] corde *f*; ***show s.o. the ~s*** F montrer à qn comment ça marche
♦**rope off** *v/t* fermer avec une corde
ro·sa·ry ['roʊzərɪ] REL rosaire *m*, chapelet *m*
rose[1] [roʊz] BOT rose *f*
rose[2] [roʊz] *pret* → ***rise***
rose·ma·ry ['roʊzmerɪ] romarin *m*
roster ['rɑːstər] tableau *m* de service
ros·trum ['rɑːstrəm] estrade *f*
ros·y ['roʊzɪ] *adj also fig* rose
rot [rɑːt] **1** *n* pourriture *f* **2** *v/i* (*pret & pp* ***-ted***) pourrir
ro·tate [roʊ'teɪt] **1** *v/i* tourner **2** *v/t* (*turn*) (faire) tourner; *crops* alterner
ro·ta·tion [roʊ'teɪʃn] rotation *f*; ***do sth in ~*** faire qch à tour de rôle
rot·ten ['rɑːtn] *adj food*, *wood etc* pourri; F *trick*, *thing to do* dégueulasse F; F *weather*, *luck* pourri F
rough [rʌf] **1** *adj surface* rugueux*; *hands*, *skin* rêche; *voice* rude; (*violent*) brutal; *crossing*, *seas* agité; (*approximate*) approximatif*; **~ *draft*** brouillon *m* **2** *adv*: ***sleep ~*** dormir à la dure **3** *n in golf* rough *m* **4** *v/t*: **~ *it*** F vivre à la dure
♦**rough up** *v/t* F tabasser F
rough·age ['rʌfɪdʒ] *in food* fibres *fpl*
rough·ly ['rʌflɪ] *adv* (*approximately*) environ, à peu près; (*harshly*) brutalement; **~ *speaking*** en gros
rou·lette [ruː'let] roulette *f*
round [raʊnd] **1** *adj* rond, circulaire; ***in ~ figures*** en chiffres ronds **2** *n of mailman*, *doctor* tournée *f*; *of toast* tranche *f*; *of drinks* tournée *f*; *of competition* manche *f*, tour *m*; *in boxing match* round *m* **3** *v/t corner* tourner **4** *adv & prep* → ***around***
♦**round off** *v/t edges* arrondir; *meeting*, *night out* conclure
♦**round up** *v/t figure* arrondir; *suspects* ramasser F
round·a·bout ['raʊndəbaʊt] **1** *adj* détourné, indirect; ***come by a ~ route*** faire un détour **2** *n Br*: *on road* rond-point *m*; **'round-the-world** *adj* autour du monde; **round 'trip** aller-retour *m*; **round trip 'tick·et** billet *m*

aller-retour; **'round-up** *of cattle* rassemblement *m*; *of suspects* rafle *f*; *of news* résumé *m*

rouse [raʊz] *v/t from sleep* réveiller; *interest, emotions* soulever

rous·ing ['raʊzɪŋ] *adj speech, finale* exaltant

route [raʊt] *n* itinéraire *m*

rou·tine [ru:'ti:n] **1** *adj* de routine; *behavior* routinier **2** *n* routine *f*; ***as a matter of ~*** systématiquement

row[1] [roʊ] *n* (*line*) rangée *f*; *of troops* rang *m*; ***5 days in a ~*** 5 jours de suite

row[2] [roʊ] **1** *v/t*: ***he ~ed them across the river*** il leur a fait traverser la rivière en barque **2** *v/i* ramer

row[3] [raʊ] *n* (*quarrel*) dispute *f*; (*noise*) vacarme *m*

row·boat ['roʊboʊt] bateau *m* à rames

row·dy ['raʊdɪ] *adj* tapageur*, bruyant

roy·al ['rɔɪəl] *adj* royal

roy·al·ty ['rɔɪəltɪ] (*royal persons*) (membres *mpl* de) la famille royale; *on book, recording* droits *mpl* d'auteur

rub [rʌb] *v/t* (*pret & pp* ***-bed***) frotter

♦**rub down** *v/t paintwork* poncer; *with towel* se sécher

♦**rub in** *v/t cream, ointment* faire pénétrer; ***don't rub it in!*** *fig* pas besoin d'en rajouter! F

♦**rub off** **1** *v/t* enlever (en frottant) **2** *v/i*: ***rub off on s.o.*** déteindre sur qn

rub·ber ['rʌbər] **1** *n material* caoutchouc *m*; P (*condom*) capote *f* F **2** *adj* en caoutchouc

rub·ber 'band élastique *m*; **rub·ber 'gloves** *npl* gants *mpl* en caoutchouc; **'rub·ber·neck** F *at accident etc* badaud(e) *m*(*f*)

rub·ble ['rʌbl] *from building* gravats *mpl*, décombres *mpl*

ru·by ['ru:bɪ] *n jewel* rubis *m*

ruck·sack ['rʌksæk] sac *m* à dos

rud·der ['rʌdər] gouvernail *m*

rud·dy ['rʌdɪ] *adj complexion* coloré

rude [ru:d] *adj* impoli; *word, gesture* grossier*

rude·ly ['ru:dlɪ] *adv* (*impolitely*) impoliment

rude·ness ['ru:dnɪs] impolitesse *f*

ru·di·men·ta·ry [ru:dɪ'mentərɪ] *adj* rudimentaire

ru·di·ments ['ru:dɪmənts] *npl* rudiments *mpl*

rue·ful ['ru:fl] *adj* contrit, résigné

rue·ful·ly ['ru:fəlɪ] *adv* avec regret; *smile* d'un air contrit

ruf·fi·an ['rʌfɪən] voyou *m*, brute *f*

ruf·fle ['rʌfl] **1** *n on dress* ruche *f* **2** *v/t hair* ébouriffer; *person* énerver; ***get ~d*** s'énerver

rug [rʌg] tapis *m*; *blanket* couverture *f*; ***travel ~*** plaid *m*, couverture *f* de voyage

rug·by ['rʌgbɪ] rugby *m*

'rug·by match match *m* de rugby

'rug·by play·er joueur *m* de rugby, rugbyman *m*

rug·ged ['rʌgɪd] *adj scenery, cliffs* découpé, escarpé; *face* aux traits rudes; *resistance* acharné

ru·in ['ru:ɪn] **1** *n* ruine *f*; ***in ~s*** en ruine **2** *v/t* ruiner; *party, birthday, plans* gâcher; ***be ~ed*** *financially* être ruiné

rule [ru:l] **1** *n* règle *f*; *of monarch* règne *m*; ***as a ~*** en règle générale **2** *v/t country* diriger, gouverner; ***the judge ~d that …*** le juge a déclaré que … **3** *v/i of monarch* régner

♦**rule out** *v/t* exclure

rul·er ['ru:lər] *for measuring* règle *f*; *of state* dirigeant(e) *m*(*f*)

rul·ing ['ru:lɪŋ] **1** *n* décision *f* **2** *adj party* dirigeant, au pouvoir

rum [rʌm] *n drink* rhum *m*

rum·ble ['rʌmbl] *v/i of stomach* gargouiller; *of thunder* gronder

♦**rum·mage around** ['rʌmɪdʒ] *v/i* fouiller

'rum·mage sale vente *f* de bric-à--brac

ru·mor, *Br* **ru·mour** ['ru:mər] **1** *n* bruit *m*, rumeur *f* **2** *v/t*: ***it is ~ed that …*** il paraît que …, le bruit court que …

rump [rʌmp] *of animal* croupe *f*

rum·ple ['rʌmpl] *v/t clothes, paper* froisser

'rump·steak rumsteck *m*

run [rʌn] **1** *n on foot* course *f*, *in pantyhose* échelle *f*, ***the play has had a three-year ~*** la pièce est restée trois ans à l'affiche; ***go for a ~*** *for exercise* aller courir; ***make a ~ for it*** s'enfuir; ***a criminal on the ~*** un criminel en cavale F; ***in the short / long ~*** à court / long terme; ***a ~ on the dollar*** une ruée sur le dollar **2** *v/i* (*pret* **ran**, *pp* **run**) *of person, animal* courir; *of river, paint, makeup, nose, faucet* couler; *of trains, buses* passer, circuler; *of eyes* pleurer; *of play* être à l'affiche, se jouer; *of engine, machine* marcher, tourner; *of software* fonctionner; *in election* se présenter; ***~ for President*** être candidat à la présidence **3** *v/t* (*pret* **ran**, *pp* **run**) *race, 3 miles* courir; *business, hotel, project etc* diriger; *software* exécuter, faire tourner; *car* entretenir; *risk* courir; ***he ran his eye down the page*** il lut la page en diagonale

♦**run across** *v/t* (*meet, find*) tomber sur

♦**run away** *v/i* s'enfuir; ***run away (from home)*** *for a while* faire une fugue; *for good* s'enfuir de chez soi; ***run away with s.o. / sth*** partir avec qn / qch

♦**run down 1** *v/t* (*knock down*) renverser; (*criticize*) critiquer; *stocks* diminuer **2** *v/i of battery* se décharger

♦**run into** *v/t* (*meet*) tomber sur; *difficulties* rencontrer

♦**run off 1** *v/i* s'enfuir **2** *v/t* (*print off*) imprimer, tirer

♦**run out** *v/i of contract* expirer; *of time* s'écouler; *of supplies* s'épuiser

♦**run out of** *v/t time, patience, supplies* ne plus avoir de; ***I ran out of gas*** je suis tombé en panne d'essence

♦**run over 1** *v/t* (*knock down*) renverser; (*go through*) passer en revue, récapituler **2** *v/i of water etc* déborder

♦**run through** *v/t* (*rehearse*) répéter; (*go over*) passer en revue, récapituler

♦**run up** *v/t debts* accumuler; *clothes* faire

'run·a·way *n* fugueur(-euse) *m(f)*

run-'down *adj person* fatigué, épuisé; *area, building* délabré

rung[1] [rʌŋ] *of ladder* barreau *m*

rung[2] [rʌŋ] *pp* → ***ring***

run·ner ['rʌnər] coureur(-euse) *m(f)*

run·ner 'beans *npl* haricots *mpl* d'Espagne

run·ner-'up second(e) *m(f)*

run·ning ['rʌnɪŋ] **1** *n* SP course *f*; *of business* direction *f*, gestion *f* **2** *adj*: ***for two days ~*** pendant deux jours de suite

'run·ning mate POL candidat *m* à la vice-présidence

run·ning 'wa·ter eau *f* courante

run·ny ['rʌnɪ] *adj substance* liquide; *nose* qui coule

'run-up SP élan *m*; ***in the ~ to*** pendant la période qui précède, juste avant

'run·way AVIAT piste *f*

rup·ture ['rʌptʃər] **1** *n also fig* rupture *f* **2** *v/i of pipe* éclater

ru·ral ['rʊrəl] *adj* rural

ruse [ru:z] ruse *f*

rush [rʌʃ] **1** *n* ruée *f*, course *f*; ***do sth in a ~*** faire qch en vitesse *or* à la hâte; ***be in a ~*** être pressé; ***what's the big ~?*** pourquoi se presser? **2** *v/t person* presser, bousculer; *meal* avaler (à toute vitesse); ***~ s.o. to the hospital*** emmener qn d'urgence à l'hôpital **3** *v/i* se presser, se dépêcher

'rush hour heures *fpl* de pointe

Rus·sia ['rʌʃə] Russie *f*

Rus·sian ['rʌʃən] **1** *adj* russe **2** *n* Russe *m/f*; *language* russe *m*

rust [rʌst] **1** *n* rouille *f* **2** *v/i* se rouiller

rus·tle[1] ['rʌsl] **1** *n of silk, leaves* bruissement *m* **2** *v/i of silk, leaves* bruisser

rus·tle[2] ['rʌsl] *v/t cattle* voler

'rust-proof *adj* antirouille *inv*

rust re·mov·er ['rʌstrɪmu:vər] antirouille *m*

rust·y ['rʌstɪ] *adj also fig* rouillé; ***I'm a little ~*** j'ai un peu perdu la main

rut [rʌt] *in road* ornière *f*; ***be in a ~*** *fig* être tombé dans la routine

ruth·less ['ru:θlɪs] *adj* impitoyable, sans pitié

ruth·less·ly ['ru:θlɪslɪ] *adv* impitoyablement

ruth·less·ness ['ru:θlɪsnɪs] dureté *f* (impitoyable)

rye [raɪ] seigle *m*

'rye bread pain *m* de seigle

S

sab·bat·i·cal [sə'bætɪkl] *n*: ***year's ~*** année *f* sabbatique
sab·o·tage ['sæbətɑːʒ] **1** *n* sabotage *m* **2** *v/t* saboter
sab·o·teur [sæbə'tɜːr] saboteur(-euse) *m(f)*
sac·cha·rin ['sækərɪn] saccharine *f*
sa·chet ['sæʃeɪ] *of shampoo, cream etc* sachet *m*
sack [sæk] **1** *n bag, for groceries* sac *m*; ***get the ~*** F se faire virer F **2** *v/t* F virer F
sa·cred ['seɪkrɪd] *adj* sacré
sac·ri·fice ['sækrɪfaɪs] **1** *n* sacrifice *m*; ***make ~s*** *fig* faire des sacrifices **2** *v/t also fig* sacrifier
sac·ri·lege ['sækrɪlɪdʒ] REL, *fig* sacrilège *m*
sad [sæd] *adj* triste
sad·dle ['sædl] **1** *n* selle *f* **2** *v/t horse* seller; ***~ s.o. with sth*** *fig* mettre qch sur le dos de qn
sa·dism ['seɪdɪzm] sadisme *m*
sa·dist ['seɪdɪst] sadique *m/f*
sa·dis·tic [sə'dɪstɪk] *adj* sadique
sad·ly ['sædlɪ] *adv say, sing etc* tristement; (*regrettably*) malheureusement
sad·ness ['sædnɪs] tristesse *f*
safe [seɪf] **1** *adj* (*not dangerous*) pas dangereux*; *driver* prudent; (*not in danger*) en sécurité; *investment, prediction* sans risque **2** *n* coffre-fort *m*
'safe·guard 1 *n*: ***as a ~ against*** par mesure de protection contre **2** *v/t* protéger
'safe·keep·ing: ***give sth to s.o. for ~*** confier qch à qn
safe·ly ['seɪflɪ] *adv arrive*, (*successfully*) bel et bien; *drive, assume* sans risque
safe·ty ['seɪftɪ] *of equipment, wiring, person* sécurité *f*; *of investment, prediction* sûreté *f*
'safe·ty belt ceinture *f* de sécurité; **'safe·ty-con·scious** *adj* sensible à la sécurité; **safe·ty 'first**: ***learn ~*** apprendre à faire attention sur la route; **'safe·ty pin** épingle *f* de nourrice
sag [sæg] **1** *n in ceiling etc* affaissement *m* **2** *v/i* (*pret & pp* ***-ged***) *of ceiling* s'affaisser; *of rope* se détendre; *fig*: *of output, production* fléchir
sa·ga ['sɑːgə] saga *f*
sage [seɪdʒ] *n herb* sauge *f*
Sa·git·tar·i·us [sædʒɪ'terɪəs] ASTROL Sagittaire *m*
said [sed] *pret & pp* → ***say***
sail [seɪl] **1** *n of boat* voile *f*; *trip* voyage *m* (en mer); ***go for a ~*** faire un tour (en bateau) **2** *v/t yacht* piloter **3** *v/i* faire de la voile; *depart* partir
'sail·board 1 *n* planche *f* à voile **2** *v/i* faire de la planche à voile; **'sail·board·ing** planche *f* à voile; **'sail·boat** bateau *m* à voiles
sail·ing ['seɪlɪŋ] SP voile *f*
'sail·ing ship voilier *m*
sail·or ['seɪlər] marin *m*; ***be a good / bad ~*** avoir / ne pas avoir le pied marin
'sailor's knot nœud *m* plat
saint [seɪnt] saint(e) *m(f)*
sake [seɪk]: ***for my / your ~*** pour moi / toi; ***for the ~ of*** pour
sal·ad ['sæləd] salade *f*
'sal·ad dress·ing vinaigrette *f*
sal·a·ry ['sælərɪ] salaire *m*
'sal·a·ry scale échelle *f* des salaires
sale [seɪl] vente *f*; *reduced prices* soldes *mpl*; ***for ~*** *sign* à vendre; ***be on ~*** être en vente; *at reduced prices* être en solde
sales [seɪlz] *npl department* vente *f*
'sales clerk *in store* vendeur(-euse) *m(f)*; **'sales fig·ures** *npl* chiffre *m* d'affaires; **'sales·man** vendeur *m*; (*rep*) représentant *m*; **'sales man·ag·er** directeur *m* commercial, directrice *f* commerciale; **'sales**

meet·ing réunion *f* commerciale; **'sales team** équipe *f* de vente; **'sales·wom·an** vendeuse *f*
sa·lient ['seɪlɪənt] *adj* marquant
sa·li·va [sə'laɪvə] salive *f*
salm·on ['sæmən] (*pl* ***salmon***) saumon *m*
sa·loon [sə'lu:n] (*bar*) bar *m*
salt [sɒ:lt] **1** *n* sel *m* **2** *v/t food* saler
'salt·cel·lar salière *f*; **salt 'wa·ter** eau *f* salée; **'salt-wa·ter fish** poisson *m* de mer
salt·y ['sɒ:ltɪ] *adj* salé
sal·u·tar·y ['sæljʊterɪ] *adj experience* salutaire
sa·lute [sə'lu:t] **1** *n* MIL salut *m*; ***take the ~*** passer les troupes en revue **2** *v/t* MIL, *fig* saluer **3** *v/i* MIL faire un salut
sal·vage ['sælvɪdʒ] *v/t from wreck* sauver
sal·va·tion [sæl'veɪʃn] *also fig* salut *m*
Sal·va·tion 'Ar·my Armée *f* du Salut
same [seɪm] **1** *adj* même **2** *pron*: ***the ~*** le / la même; *pl* les mêmes; ***Happy New Year - the ~ to you*** Bonne année - à vous aussi; ***he's not the ~ any more*** il n'est plus celui qu'il était; ***all the ~*** (*even so*) quand même; ***men are all the ~*** les hommes sont tous les mêmes; ***it's all the ~ to me*** cela m'est égal **3** *adv*: ***smell / look / sound the ~*** se ressembler, être pareil
sam·ple ['sæmpl] *n of work, cloth* échantillon *m*; *of urine* échantillon *m*, prélèvement *m*; *of blood* prélèvement *m*
sanc·ti·mo·ni·ous [sæŋktɪ'moʊnɪəs] *adj* moralisateur*
sanc·tion ['sæŋkʃn] **1** *n* (*approval*) approbation *f*, (*penalty*) sanction *f* **2** *v/t* (*approve*) approuver
sanc·ti·ty ['sæŋktətɪ] caractère *m* sacré
sanc·tu·a·ry ['sæŋktʃuerɪ] REL sanctuaire *m*; *for wild animals* réserve *f*
sand [sænd] **1** *n* sable *m* **2** *v/t with ~paper* poncer au papier de verre
san·dal ['sændl] sandale *f*
'sand·bag sac *m* de sable; **'sand·blast** *v/t* décaper au jet de sable; **'sand dune** dune *f*
sand·er ['sændər] *tool* ponçeuse *f*
'sand·pa·per 1 *n* papier *m* de verre **2** *v/t* poncer au papier de verre
'sand·stone grès *m*
sand·wich ['sænwɪtʃ] **1** *n* sandwich *m* **2** *v/t*: ***be ~ed between two ...*** être coincé entre deux ...
sand·y ['sændɪ] *adj beach* de sable; *soil* sablonneux*; *feet, towel* plein de sable; *hair* blond roux
sane [seɪn] *adj* sain (d'esprit)
sang [sæŋ] *pret* → ***sing***
san·i·tar·i·um [sænɪ'terɪəm] sanatorium *m*
san·i·ta·ry ['sænɪterɪ] *adj conditions, installations* sanitaire; (*clean*) hygiénique
'san·i·ta·ry nap·kin serviette *f* hygiénique
san·i·ta·tion [sænɪ'teɪʃn] (*sanitary installations*) installations *fpl* sanitaires; (*removal of waste*) système *m* sanitaire
san·i'ta·tion de·part·ment voirie *f*
san·i·ty ['sænətɪ] santé *f* mentale
sank [sæŋk] *pret* → ***sink***
San·ta Claus ['sæntəklɒ:z] le Père Noël
sap [sæp] **1** *n in tree* sève *f* **2** *v/t* (*pret & pp* ***-ped***) *s.o.'s energy* saper
sap·phire ['sæfaɪr] *n jewel* saphir *m*
sar·cas·m ['sɑ:rkæzm] sarcasme *m*
sar·cas·tic [sɑ:r'kæstɪk] *adj* sarcastique
sar·cas·tic·al·ly [sɑ:r'kæstɪklɪ] *adv* sarcastiquement
sar·dine [sɑ:r'di:n] sardine *f*
sar·don·ic [sɑ:r'dɑ:nɪk] *adj* sardonique
sar·don·ic·al·ly [sɑ:r'dɑ:nɪklɪ] *adv* sardoniquement
sash [sæʃ] *on dress* large ceinture *f* à nœud; *on uniform* écharpe *f*
sat [sæt] *pret & pp* → ***sit***
Sa·tan ['seɪtn] Satan *m*
satch·el ['sætʃl] *for schoolchild* cartable *m*
sat·el·lite ['sætəlaɪt] satellite *m*
'sat·el·lite dish antenne *f* parabolique
sat·el·lite T'V télévision *f* par satellite

sat·in ['sætɪn] *n* satin *m*
sat·ire ['sætaɪr] satire *f*
sa·tir·i·cal [sə'tɪrɪkl] *adj* satirique
sat·i·rist ['sætərɪst] satiriste *m/f*
sat·ir·ize ['sætəraɪz] *v/t* satiriser
sat·is·fac·tion [sætɪs'fækʃn] satisfaction *f*; ***get ~ out of doing sth*** trouver de la satisfaction à faire qch; ***I get a lot of ~ out of my job*** mon travail me donne grande satisfaction; ***is that to your ~?*** êtes-vous satisfait?
sat·is·fac·to·ry [sætɪs'fæktərɪ] *adj* satisfaisant; (*just good enough*) convenable; ***this is not ~*** c'est insuffisant
satisfy ['sætɪsfaɪ] *v/t* (*pret & pp* ***-ied***) satisfaire; ***I am satisfied*** *had enough to eat* je n'ai plus faim; ***I am satisfied that he …*** *convinced* je suis convaincu qu'il …; ***I hope you're satisfied!*** te voilà satisfait!
Sat·ur·day ['sætərdeɪ] samedi *m*
sauce [sɒːs] sauce *f*
'sauce·pan casserole *f*
sau·cer ['sɒːsər] soucoupe *f*
sauc·y ['sɒːsɪ] *adj person, dress* déluré
Sa·u·di A·ra·bi·a [saʊdɪə'reɪbɪə] Arabie *f* saoudite
Sa·u·di A·ra·bi·an [saʊdɪə'reɪbɪən] **1** *adj* saoudien* **2** *n* Saoudien(ne) *m(f)*
sau·na ['sɒːnə] sauna *m*
saun·ter ['sɒːntər] *v/i* flâner
saus·age ['sɒːsɪdʒ] saucisse *f*; *dried* saucisson *m*
sav·age ['sævɪdʒ] **1** *adj* féroce **2** *n* sauvage *m/f*
sav·age·ry ['sævɪdʒrɪ] férocité *f*
save [seɪv] **1** *v/t* (*rescue*), SP sauver; (*economize, put aside*) économiser; (*collect*) faire collection de; COMPUT sauvegarder **2** *v/i* (*put money aside*) faire des économies; SP arrêter le ballon **3** *n* SP arrêt *m*
♦ **save up for** *v/t* économiser pour acheter
sav·er ['seɪvər] *person* épargneur (-euse) *m(f)*
savi·ng ['seɪvɪŋ] (*amount saved*) économie *f*; *activity* épargne *f*
sav·ings ['seɪvɪŋz] *npl* économies *fpl*
'sav·ings ac·count compte *m* d'épargne; **sav·ings and 'loan** caisse *f* d'épargne-logement; **'sav·ings bank** caisse *f* d'épargne
sa·vior, *Br* **sa·viour** ['seɪvjər] REL sauveur *m*
sa·vor ['seɪvər] *v/t* savourer
sa·vor·y ['seɪvərɪ] *adj* (*not sweet*) salé
sa·vour *etc Br* → ***savor*** *etc*
saw[1] [sɒː] *pret* → ***see***
saw[2] [sɒː] **1** *n tool* scie *f* **2** *v/t* scier
♦ **saw off** *v/t* enlever à la scie
'saw·dust sciure *f*
sax·o·phone ['sæksəfoʊn] saxophone *m*
say [seɪ] **1** *v/t* (*pret & pp* ***said***) dire; ***that is to ~*** c'est-à-dire; ***what do you ~ to that?*** qu'est-ce-que tu en penses?; ***what does the note ~?*** que dit le message? **2** *n*: ***have one's ~*** dire ce qu'on a à dire; ***have a ~ in sth*** avoir son mot à dire dans qch
say·ing ['seɪɪŋ] dicton *m*
scab [skæb] *on wound* croûte *f*
scaf·fold·ing ['skæfəldɪŋ] échafaudage *m*
scald [skɒːld] *v/t* ébouillanter
scale[1] [skeɪl] *on fish* écaille *f*
scale[2] [skeɪl] **1** *n of project, map etc, on thermometer* échelle *f*; MUS gamme *f*; ***on a larger / smaller ~*** à plus grande / petite échelle **2** *v/t cliffs etc* escalader
♦ **scale down** *v/t* réduire l'ampleur de
scale 'draw·ing dessin *m* à l'échelle
scales [skeɪlz] *npl for weighing* balance *f*
scal·lop ['skæləp] *n shellfish* coquille *f* Saint-Jacques
scalp [skælp] *n* cuir *m* chevelu
scal·pel ['skælpl] scalpel *m*
scam [skæm] F arnaque *m* F
scan [skæn] **1** *n* MED scanographie *f* **2** *v/t* (*pret & pp* ***-ned***) *horizon, page* parcourir du regard; MED faire une scanographie de; COMPUT scanner
♦ **scan in** *v/t* COMPUT scanner
scan·dal ['skændl] scandale *m*
scan·dal·ize ['skændəlaɪz] *v/t* scandaliser
scan·dal·ous ['skændələs] *adj* scandaleux*
Scan·di·na·vi·a [skændɪ'neɪvɪə] Scan-

S

dinavie *f*
Scan·di·na·vi·an [skændɪ'neɪvɪən] **1** *adj* scandinave **2** *n* Scandinave *m/f*
scan·ner ['skænər] MED, COMPUT scanneur *m*
scant [skænt] *adj*: ***have ~ consideration for sth*** attacher peu d'importance à qch
scant·i·ly ['skæntɪlɪ] *adv*: ***~ clad*** en tenue légère
scant·y ['skæntɪ] *adj dress* réduit au minimum
scape·goat ['skeɪpgoʊt] bouc *m* émissaire
scar [skɑːr] **1** *n* cicatrice *f* **2** *v/t* (*pret & pp* ***-red***) marquer d'une cicatrice; ***be ~red for life by sth*** *fig* être marqué à vie par qch
scarce [skers] *adj in short supply* rare; ***make o.s. ~*** se sauver
scarce·ly ['skerslɪ] *adv* à peine
scar·ci·ty ['skersɪtɪ] manque *m*
scare [sker] **1** *v/t* faire peur à; ***be ~d of*** avoir peur de **2** *n* (*panic, alarm*) rumeurs *fpl* alarmantes; ***give s.o. a ~*** faire peur à qn
♦**scare away** *v/t* faire fuir
'scare·crow épouvantail *m*
scare·mon·ger ['skermʌŋgər] alarmiste *m/f*
scarf [skɑːrf] *around neck* écharpe *f*; *over head* foulard *m*
scar·let ['skɑːrlət] *adj* écarlate
scar·let 'fe·ver scarlatine *f*
scar·y ['skerɪ] *adj* effrayant
scath·ing ['skeɪðɪŋ] *adj* cinglant
scat·ter ['skætər] **1** *v/t leaflets, seed* éparpiller **2** *v/i of people* se disperser
scat·ter·brained ['skætərbreɪnd] *adj* écervelé
scat·tered ['skætərd] *adj showers* intermittent; *villages, family* éparpillé
scav·enge ['skævɪndʒ] *v/i*: ***~ for sth*** fouiller pour trouver qch
scav·eng·er ['skævɪndʒər] *animal, bird* charognard *m*; *person* fouilleur(euse) *m(f)*
sce·na·ri·o [sɪ'nɑːrɪoʊ] scénario *m*
scene [siːn] THEA, (*view, sight, argument*) scène *f*; *of accident, crime, novel, movie* lieu *m*; ***make a ~*** faire une scène; ***~s*** THEA décor(s) *m(pl)*; ***the jazz / rock ~*** le monde du jazz / rock; ***behind the ~s*** dans les coulisses
sce·ne·ry ['siːnərɪ] paysage *m*; THEA décor(s) *m(pl)*
scent [sent] *n* (*smell*) odeur *f*, (*perfume*) parfum *m*; *of animal* piste *f*
scep·tic *etc Br* → ***skeptic*** *etc*
sched·ule ['skedjuːl, *Br*, 'ʃedjuːl] **1** *n of events* calendrier *m*; *for trains* horaire *m*; *of lessons, work* programme *m*; ***be on ~*** *of work, workers* être dans les temps; *of train* être à l'heure; ***be behind ~*** être en retard **2** *v/t* (*put on ~*) prévoir
sched·uled flight ['ʃeduːld] vol *m* régulier
scheme [skiːm] **1** *n* plan *m* **2** *v/i* (*plot*) comploter
schem·ing ['skiːmɪŋ] *adj* intrigant
schiz·o·phre·ni·a [skɪtsə'friːnɪə] schizophrénie *f*
schiz·o·phren·ic [skɪtsə'frenɪk] **1** *adj* schizophrène **2** *n* schizophrène *m/f*
schol·ar ['skɑːlər] érudit(e) *m(f)*
schol·ar·ly ['skɑːlərlɪ] *adj* savant, érudit
schol·ar·ship ['skɑːlərʃɪp] (*learning*) érudition *f*, *financial award* bourse *f*
school [skuːl] *n* école *f*, (*university*) université *f*
'school bag (*satchel*) cartable *m*; **'school·boy** écolier *m*; **'school·child·ren** *npl* écoliers *mpl*; **'school days** *npl* années *fpl* d'école; **'school·girl** écolière *f*; **'school·teach·er** → ***teacher***
sci·at·i·ca [saɪ'ætɪkə] sciatique *f*
sci·ence ['saɪəns] science *f*
sci·ence 'fic·tion science-fiction *f*
sci·en·tif·ic [saɪən'tɪfɪk] *adj* scientifique
sci·en·tist ['saɪəntɪst] scientifique *m/f*
scis·sors ['sɪzərz] *npl* ciseaux *mpl*
scoff[1] [skɑːf] *v/t food* engloutir
scoff[2] [skɑːf] *v/i* (*mock*) se moquer
♦**scoff at** *v/t* se moquer de
scold [skoʊld] *v/t* réprimander
scoop [skuːp] **1** *n for ice-cream* cuiller *f* à glace; *for grain, flour* pelle *f*, *on*

dredger benne *f* preneuse; *of ice cream* boule *f*; *story* scoop *m* **2** *v/t of machine* ramasser; *ice cream* prendre une boule de

♦**scoop up** *v/t* ramasser

scoot·er ['sku:tər] *with motor* scooter *m*; *child's* trottinette *f*

scope [skoʊp] ampleur *f*; (*freedom, opportunity*) possibilités *fpl*; ***he wants more ~*** il voudrait plus de liberté

scorch [skɔ:rtʃ] *v/t* brûler

scorch·ing ['skɔ:rtʃɪŋ] *adj* très chaud

score [skɔ:r] **1** *n* SP score *m*; (*written music*) partition *f*; *of movie etc* musique *f*; ***what's the ~?*** SP quel est le score?; ***have a ~ to settle with s.o.*** avoir un compte à régler avec qn; ***keep (the) ~*** marquer les points **2** *v/t goal, point* marquer; (*cut: line*) rayer **3** *v/i* SP marquer; (*keep the ~*) marquer les points; ***that's where he ~s*** c'est son point fort

'score·board tableau *m* des scores

scor·er ['skɔ:rər] *of goal, point*, (*scorekeeper*) marqueur(-euse) *m(f)*

scorn [skɔ:rn] **1** *n* mépris *m*; ***pour ~ on sth*** traiter qch avec mépris **2** *v/t idea, suggestion* mépriser

scorn·ful ['skɔ:rnfʊl] *adj* méprisant

scorn·ful·ly ['skɔ:rnfʊlɪ] *adv* avec mépris

Scor·pi·o ['skɔ:rpɪoʊ] ASTROL Scorpion *m*

Scot [skɑ:t] Écossais(e) *m(f)*

Scotch [skɑ:tʃ] *whiskey* scotch *m*

Scotch 'tape® scotch *m*

scot-'free *adv*: ***get off ~*** se tirer d'affaire F

Scot·land ['skɑ:tlənd] Écosse *f*

Scots·man ['skɑ:tsmən] Écossais *m*

Scots·wom·an ['skɑ:tswʊmən] Écossaise *f*

Scot·tish ['skɑ:tɪʃ] *adj* écossais

scoun·drel ['skaʊndrəl] gredin *m*

scour[1] ['skaʊər] *v/t* (*search*) fouiller

scour[2] ['skaʊər] *v/t pans* récurer

scout [skaʊt] *n* (*boy ~*) scout *m*

scowl [skaʊl] **1** *n* air *m* renfrogné **2** *v/i* se renfrogner

scram [skræm] *v/i* (*pret & pp* ***-med***) F ficher le camp F

scram·ble ['skræmbl] **1** *n* (*rush*) course *f* folle **2** *v/t message* brouiller **3** *v/i*: ***he ~d to his feet*** il se releva d'un bond

scram·bled eggs ['skræmbld] *npl* œufs *mpl* brouillés

scrap [skræp] **1** *n metal* ferraille *f*; (*fight*) bagarre *f*; *of food, paper* bout *m*; ***there isn't a ~ of evidence*** il n'y a pas la moindre preuve **2** *v/t* (*pret & pp* ***-ped***) *idea, plan etc* abandonner

scrape [skreɪp] **1** *n on paint, skin* éraflure *f* **2** *v/t paintwork, arm etc* érafler; *vegetables* gratter; ***~ a living*** vivoter

♦**scrape through** *v/i in exam* réussir de justesse

'scrap heap tas *m* de ferraille; ***good for the ~*** *also fig* bon pour la ferraille; **scrap 'met·al** ferraille *f*; **scrap 'pa·per** brouillon *m*

scrap·py ['skræpɪ] *adj work, essay* décousu; *person* bagarreur*

scratch [skrætʃ] **1** *n mark* égratignure *f*; ***have a ~*** *to stop itching* se gratter; ***start from ~*** partir de zéro; ***not up to ~*** pas à la hauteur **2** *v/t* (*mark: skin, paint*) égratigner; *of cat* griffer; *because of itch* se gratter; ***he ~ed his head*** il se gratta la tête **3** *v/i of cat* griffer

scrawl [skrɒ:l] **1** *n* gribouillis *m* **2** *v/t* gribouiller

scraw·ny ['skrɒ:nɪ] *adj* décharné

scream [skri:m] **1** *n* cri *m*; ***~s of laughter*** hurlements *mpl* de rire **2** *v/i* pousser un cri

screech [skri:tʃ] **1** *n of tires* crissement *m*; (*scream*) cri *m* strident **2** *v/i of tires* crisser; (*scream*) pousser un cri strident

screen [skri:n] **1** *n in room, hospital* paravent *m*; *in movie theater, of TV, computer* écran *m*; ***on the ~*** *in movie* à l'écran; ***on (the) ~*** COMPUT sur l'écran **2** *v/t* (*protect, hide*) cacher; *movie* projeter; *for security reasons* passer au crible

'screen·play scénario *m*; **'screen sav·er** COMPUT économiseur *m* d'écran; **'screen test** *for movie* bout *m* d'essai

screw [skru:] **1** *n* vis *m*; ***I had a good ~*** V j'ai bien baisé V **2** *v/t attach* visser (***to*** à); F (*cheat*) rouler F; V (*have sex with*) baiser V

♦**screw up 1** *v/t eyes* plisser; *paper* chiffonner; F (*make a mess of*) foutre en l'air F **2** *v/i* F merder F

'screw·driv·er tournevis *m*

screwed up [skru:d'ʌp] *adj* F *psychologically* paumé F

'screw top *on bottle* couvercle *m* à pas de vis

screw·y ['skru:ɪ] *adj* F déjanté F

scrib·ble ['skrɪbl] **1** *n* griffonnage *m* **2** *v/t* (*write quickly*) griffonner **3** *v/i* gribouiller

scrimp [skrɪmp] *v/i*: ***~ and save*** économiser par tous les moyens

script [skrɪpt] *for movie* scénario *m*; *for play* texte *m*; *form of writing* script *m*

Scrip·ture ['skrɪptʃər]: ***the ~s*** les Saintes Écritures *fpl*

'script·writ·er scénariste *m/f*

♦**scroll down** [skroul] *v/i* COMPUT faire défiler vers le bas

♦**scroll up** *v/i* COMPUT faire défiler vers le haut

scrounge [skraundʒ] *v/t* se faire offrir

scroung·er ['skraundʒər] profiteur (-euse) *m(f)*

scrub [skrʌb] *v/t* (*pret & pp* ***-bed***) *floor* laver à la brosse; ***~ one's hands*** se brosser les mains

scrub·bing brush ['skrʌbɪŋ] *for floor* brosse *f* dure

scruff·y ['skrʌfɪ] *adj* débraillé

scrum [skrʌm] *in rugby* mêlée *f*

scrum'half demi *m* de mêlée

♦**scrunch up** [skrʌntʃ] *v/t plastic cup etc* écraser

scru·ples ['skru:plz] *npl* scrupules *mpl*; ***have no ~ about doing sth*** n'avoir aucun scrupule à faire qch

scru·pu·lous ['skru:pjʊləs] *adj morally*, (*thorough*) scrupuleux*

scru·pu·lous·ly ['skru:pjʊləslɪ] *adv* (*meticulously*) scrupuleusement

scru·ti·nize ['skru:tɪnaɪz] *v/t* (*examine closely*) scruter

scru·ti·ny ['skru:tɪnɪ] examen *m* minutieux*; ***come under ~*** faire l'objet d'un examen minutieux

scu·ba div·ing ['sku:bə] plongée *f* sous-marine autonome

scuf·fle ['skʌfl] *n* bagarre *f*

sculp·tor ['skʌlptər] sculpteur(-trice) *m(f)*

sculp·ture ['skʌlptʃər] sculpture *f*

scum [skʌm] *on liquid* écume *f*; *pej*: *people* bande *f* d'ordures F; ***he's ~*** c'est une ordure, c'est un salaud

sea [si:] mer *f*; ***by the ~*** au bord de la mer

'sea·bed fond *m* de la mer; **'sea·bird** oiseau *m* de mer; **sea·far·ing** ['si:ferɪŋ] *adj nation* de marins; **'sea·food** fruits *mpl* de mer; **'sea·front** bord *m* de mer; **'sea·go·ing** *adj vessel* de mer; **'sea·gull** mouette *f*

seal[1] [si:l] *n animal* phoque *m*

seal[2] [si:l] **1** *n on document* sceau *m*; TECH étanchéité *f*, *device* joint *m* (d'étanchéité) **2** *v/t container* sceller

♦**seal off** *v/t area* boucler

'sea lev·el: ***above / below ~*** au-dessus / au-dessous du niveau de la mer

seam [si:m] *on garment* couture *f*, *of ore* veine *f*

'sea·man marin *m*

'sea·port port *m* maritime

'sea pow·er *nation* puissance *f* maritime

search [sɜ:rtʃ] **1** *n* recherche *f* (***for*** de); ***be in ~ of*** être à la recherche de **2** *v/t city, files* chercher dans

♦**search for** *v/t* chercher

search·ing ['sɜ:rtʃɪŋ] *adj look, question* pénétrant

'search·light projecteur *m*; **'search par·ty** *groupe à la recherche d'un disparu ou de disparus*; **'search war·rant** mandat *m* de perquisition

'sea·shore plage *f*, **'sea·sick** *adj*: ***get ~*** avoir le mal de mer; **'sea·side**: ***at the ~*** au bord de la mer; ***go to the ~*** aller au bord de la mer; **'sea·side re·sort** station *f* balnéaire

sea·son ['si:zn] *n also for tourism etc* saison *f*; ***plums are / aren't in ~*** c'est / ce n'est pas la saison des pru-

S

nes
sea·son·al ['si:znl] *adj vegetables, employment* saisonnier*
sea·soned ['si:znd] *adj wood* sec*; *traveler, campaigner* expérimenté
sea·son·ing ['si:znıŋ] assaisonnement *m*
'sea·son tick·et carte *f* d'abonnement
seat [si:t] **1** *n* place *f*; *chair* siège *m*; *of pants* fond *m*; ***please take a ~*** veuillez vous asseoir **2** *v/t*: ***the hall can ~ 200 people*** la salle contient 200 places assises; ***please remain ~ed*** veuillez rester assis
'seat belt ceinture *f* de sécurité
'sea ur·chin oursin *m*
'sea·weed algues *fpl*
se·clud·ed [sı'klu:dıd] *adj* retiré
se·clu·sion [sı'klu:ʒn] isolement *m*
sec·ond[1] ['sekənd] **1** *n of time* seconde *f*; ***just a ~*** un instant; ***the ~ of June*** le deux juin **2** *adj* deuxième **3** *adv come in* deuxième; ***he's the ~ tallest in the school*** c'est le deuxième plus grand de l'école **4** *v/t motion* appuyer
se·cond[2] [sı'ka:nd] *v/t*: ***be ~ed to*** être détaché à
sec·ond·a·ry ['sekəndrı] *adj* secondaire; ***of ~ importance*** secondaire
sec·ond·a·ry ed·u'ca·tion enseignement *m* secondaire
sec·ond-'best *adj runner, time* deuxième; (*inferior*) de second ordre; **sec·ond 'big·gest** *adj* deuxième; **sec·ond 'class** *adj ticket* de seconde classe; **sec·ond 'floor** premier étage *m*, *Br* deuxième étage *m*; **sec·ond 'gear** MOT seconde *f*; **'sec·ond hand** *n on clock* trotteuse *f*; **sec·ond-'hand** *adj & adv* d'occasion
sec·ond·ly ['sekəndlı] *adv* deuxièmement
sec·ond-'rate *adj* de second ordre
sec·ond 'thoughts: ***I've had ~*** j'ai changé d'avis
se·cre·cy ['si:krəsı] secret *m*
se·cret ['si:krət] **1** *n* secret *m*; ***do sth in ~*** faire qch en secret **2** *adj* secret*
se·cret 'a·gent agent *m* secret
sec·re·tar·i·al [sekrə'terıəl] *adj tasks, job* de secrétariat
sec·re·tar·y ['sekrəterı] secrétaire *m/f*, *pol* ministre *m/f*
Sec·re·tar·y of 'State *in USA* secrétaire *m/f* d'État
se·crete [sı'kri:t] *v/t* (*give off*) secréter; (*hide*) cacher
se·cre·tion [sı'kri:ʃn] sécrétion *f*
se·cre·tive ['si:krətıv] *adj* secret*
se·cret·ly ['si:krətlı] *adv* en secret
se·cret po'lice police *f* secrète
se·cret 'ser·vice services *mpl* secrets
sect [sekt] secte *f*
sec·tion ['sekʃn] section *f*
sec·tor ['sektər] secteur *m*
sec·u·lar ['sekjʊlər] *adj* séculier*
se·cure [sı'kjʊr] **1** *adj shelf etc* bien fixé; *job, contract* sûr **2** *v/t shelf etc* fixer; *s.o.'s help, finances* se procurer
se'cu·ri·ties mar·ket *fin* marché *m* des valeurs, marché *m* des titres
se·cu·ri·ty [sı'kjʊrətı] sécurité *f*; *for investment* garantie *f*; ***tackle ~ problems*** POL combattre l'insécurité
se'cu·ri·ty a·lert alerte *f* de sécurité; **se'cu·ri·ty check** contrôle *m* de sécurité; **se'cu·ri·ty-con·scious** *adj* sensible à la sécurité; **se'cu·ri·ty for·ces** *npl* forces *fpl* de sécurité; **se'cu·ri·ty guard** garde *m* de sécurité; **se'cu·ri·ty risk** *person menace potentielle à la sécurité de l'État ou d'une organisation*
se·dan [sı'dæn] *mot* berline *f*
se·date [sı'deıt] *v/t* donner un calmant à
se·da·tion [sı'deıʃn]: ***be under ~*** être sous calmants
sed·a·tive ['sedətıv] *n* calmant *m*
sed·en·ta·ry ['sedənterı] *adj job* sédentaire
sed·i·ment ['sedımənt] sédiment *m*
se·duce [sı'du:s] *v/t* séduire
se·duc·tion [sı'dʌkʃn] séduction *f*
se·duc·tive [sı'dʌktıv] *adj dress, offer* séduisant
see [si:] *v/t* (*pret* ***saw***, *pp* ***seen***) *with eyes*, (*understand*) voir; *romantically* sortir avec; ***I ~*** je vois; ***oh, I ~*** ah bon!; ***can I ~ the manager?*** puis-je voir le directeur?; ***you should ~ a doctor*** tu devrais aller voir un doc-

teur; **~ *s.o. home*** raccompagner qn chez lui; ***I'll ~ you to the door*** je vais vous raccompagner à la porte; ***~ you!*** F à plus! F

♦**see about** *v/t*: ***I'll see about it*** je vais m'en occuper

♦**see off** *v/t at airport etc* raccompagner; (*chase away*) chasser; ***they came to see me off*** ils sont venus me dire au revoir

♦**see out** *v/t*: ***see s.o. out*** raccompagner qn

♦**see to** *v/t*: ***see to sth*** s'occuper de qch; ***see to it that sth gets done*** veiller à ce que qch soit fait

seed [si:d] *single* graine *f*, *collective* graines *fpl*; *of fruit* pépin *m*; *in tennis* tête *f* de série; ***go to ~*** *of person* se laisser aller; *of district* se dégrader

seed·ling ['si:dlɪŋ] semis *m*

seed·y ['si:dɪ] *adj* miteux*

see·ing 'eye dog ['si:ɪŋ] chien *m* d'aveugle

see·ing (that) ['si:ɪŋ] *conj* étant donné que

seek [si:k] *v/t* (*pret & pp* **sought**) chercher

seem [si:m] *v/i* sembler; ***it ~s that …*** il semble que … (*+subj*)

seem·ing·ly ['si:mɪŋlɪ] *adv* apparemment

seen [si:n] *pp* → **see**

seep [si:p] *v/i of liquid* suinter

♦**seep out** *v/i of liquid* suinter

see·saw ['si:sɒ:] *n* bascule *f*

seethe [si:ð] *v/i fig*: **~ (*with rage*)** être furieux

'see-through *adj dress*, *material* transparent

seg·ment ['segmənt] segment *m*; *of orange* morceau *m*

seg·ment·ed [seg'məntɪd] *adj* segmenté

seg·re·gate ['segrɪgeɪt] *v/t* séparer

seg·re·ga·tion [segrɪ'geɪʃn] *of races* ségrégation *f*, *of sexes* séparation *f*

seis·mol·o·gy [saɪz'mɑ:lədʒɪ] sismologie *f*

seize [si:z] *v/t opportunity*, *arm*, *of police etc* saisir; *power* s'emparer de

♦**seize up** *v/i of engine* se gripper

sei·zure ['si:ʒər] *med* crise *f*; *of drugs etc* saisie *f*

sel·dom ['seldəm] *adv* rarement

se·lect [sɪ'lekt] **1** *v/t* sélectionner **2** *adj group of people* choisi; *hotel*, *restaurant etc* chic *inv*

se·lec·tion [sɪ'lekʃn] sélection *f*

se'lec·tion pro·cess sélection *f*

se·lec·tive [sɪ'lektɪv] *adj* sélectif*

self [self] (*pl* **selves** [selvz]) moi *m*

self-ad·dressed en·ve·lope [selfə'drest]: ***please send us a ~*** veuillez nous envoyer une enveloppe à votre nom et adresse; **self-as'sur·ance** confiance *f* en soi; **self-as·sured** [selfə'ʃʊrd] *adj* sûr de soi; **self-cen·tered**, *Br* **self-cen·tred** [self-'sentərd] *adj* égocentrique; **self-'clean·ing** *adj oven* autonettoyant; **self-con·fessed** [selfkən'fest] *adj* de son propre aveu; **self-'con·fi·dence** confiance en soi; **self-'con·fi·dent** *adj* sûr de soi; **self-'con·scious** *adj* intimidé; *about sth* gêné (***about*** par); **self-'con·scious·ness** timidité *f*, *about sth* gêne *f* (***about*** par rapport à); **self-con·tained** [selfkən'teɪnd] *adj apartment* indépendant; **self-con'trol** contrôle *m* de soi; **self-de'fense**, *Br* **self-defence** autodéfense *f*, LAW légitime défense *f*; **self-'dis·ci·pline** autodiscipline *f*; **self-'doubt** manque *m* de confiance en soi; **self-em·ployed** [selfɪm'plɔɪd] *adj* indépendant; **self-e's·teem** amour-propre *m*; **self-'ev·i·dent** *adj* évident; **self-ex- 'pres·sion** expression *f*, **self-'gov·ern·ment** autonomie *f*, **self-'in·terest** intérêt *m*

self·ish ['selfɪʃ] *adj* égoïste

self·less ['selflɪs] *adj* désinteressé

self-made 'man self-made man *m*; **self-'pit·y** apitoiement *m* sur soi-même; **self-'por·trait** autoportrait *m*; **self-pos·sessed** [selfpə'zest] *adj* assuré; **self-re'li·ant** *adj* autonome; **self-re'spect** respect *m* de soi; **self-right·eous** [self'raɪtʃəs] *adj pej* content de soi; **self-'sat·is·fied** [self'sætɪzfaɪd] *adj pej* suffisant;

self-'ser·vice *adj* libre-service; **self-ser·vice 'res·tau·rant** self *m*; **self-'taught** *adj* autodidacte

sell [sel] **1** *v/t* (*pret & pp* ***sold***) vendre **2** *v/i* (*pret & pp* ***sold***) *of products* se vendre

♦ **sell out** *v/i*: ***we've sold out*** nous avons tout vendu

♦ **sell out of** *v/t* vendre tout son stock de

♦ **sell up** *v/i* tout vendre

'sell-by date date *f* limite de vente; ***be past its ~*** être périmé; ***he's past his ~*** F il a fait son temps

sell·er ['selər] vendeur(-euse) *m*(*f*)

sell·ing ['selɪŋ] COMM vente *f*

'sell·ing point COMM point *m* fort

Sel·lo·tape® ['seləteɪp] *Br* scotch *m*

se·men ['siːmən] sperme *m*

se·mes·ter [sɪ'mestər] semestre *m*

sem·i ['semɪ] *truck* semi-remorque *f*

'sem·i·cir·cle demi-cercle *m*; **sem·i-'cir·cu·lar** *adj* demi-circulaire; **sem·i-'co·lon** point-virgule *m*; **sem·i·con'duc·tor** ELEC semi--conducteur *m*; **sem·i'fi·nal** demi-finale *f*

sem·i·nar ['semɪnɑːr] séminaire *m*

sem·i'skilled *adj worker* spécialisé

sen·ate ['senət] POL Sénat *m*

sen·a·tor ['senətər] sénateur(-tice) *m*(*f*)

send [send] *v/t* (*pret & pp* ***sent***) envoyer (***to*** a); ***~ s.o. to s.o.*** envoyer qn chez qn; ***~ her my best wishes*** envoyez-lui tous mes vœux

♦ **send back** *v/t* renvoyer

♦ **send for** *v/t doctor* faire venir; *help* envoyer chercher

♦ **send in** *v/t troops, form* envoyer; *next interviewee* faire entrer

♦ **send off** *v/t letter, fax etc* envoyer

send·er ['sendər] *of letter* expéditeur (-trice) *m*(*f*)

se·nile ['siːnaɪl] *adj* sénile

se·nil·i·ty [sɪ'nɪlətɪ] sénilité *f*

se·ni·or ['siːnjər] *adj* (*older*) plus âgé; *in rank* supérieur; ***be ~ to s.o.*** *in rank* être au-dessus de qn

se·ni·or 'cit·i·zen personne *f* âgée

se·ni·or·i·ty [siːnj'ɑːrətɪ] *in job* ancienneté *f*

sen·sa·tion [sen'seɪʃn] sensation *f*; ***cause a ~*** faire sensation; ***be a ~*** (*s.o. / sth very good*) être sensationnel*

sen·sa·tion·al [sen'seɪʃnl] *adj* sensationnel*

sense [sens] **1** *n* sens *m*; (*common ~*) bon sens *m*; (*feeling*) sentiment *m*; ***in a ~*** dans un sens; ***talk ~, man!*** sois raisonnable!; ***come to one's ~s*** revenir à la raison; ***it doesn't make ~*** cela n'a pas de sens; ***there's no ~ in waiting*** cela ne sert à rien d'attendre **2** *v/t* sentir

sense·less ['senslɪs] *adj* (*pointless*) stupide; *accusation* gratuit

sen·si·ble ['sensəbl] *adj* sensé; *clothes, shoes* pratique

sen·si·bly ['sensəblɪ] *adv* raisonnablement

sen·si·tive ['sensətɪv] *adj skin, person* sensible

sen·si·tiv·i·ty [sensə'tɪvətɪ] *of skin, person* sensibilité *f*

sen·sor ['sensər] détecteur *m*

sen·su·al ['senʃʊəl] *adj* sensuel*

sen·su·al·i·ty [senʃʊ'ælətɪ] sensualité *f*

sen·su·ous ['senʃʊəs] *adj* voluptueux*

sent [sent] *pret & pp* → ***send***

sen·tence ['sentəns] **1** *n* GRAM phrase *f*; LAW peine *f* **2** *v/t* LAW condamner

sen·ti·ment ['sentɪmənt] (*sentimentality*) sentimentalité *f*; (*opinion*) sentiment *m*

sen·ti·ment·al [sentɪ'mentl] *adj* sentimental

sen·ti·men·tal·i·ty [sentɪmen'tælətɪ] sentimentalité *f*

sen·try ['sentrɪ] sentinelle *f*

sep·a·rate[1] ['sepərət] *adj* séparé; ***keep sth ~ from sth*** ne pas mélanger qch avec qch

separate[2] ['sepəreɪt] **1** *v/t* séparer (***from*** de) **2** *v/i of couple* se séparer

sep·a·rat·ed ['sepəreɪtɪd] *adj couple* séparé

sep·a·rate·ly ['sepərətlɪ] *adv* séparément

S

sep·a·ra·tion [sepə'reɪʃn] séparation *f*
Sep·tem·ber [sep'tembər] septembre *m*
sep·tic ['septɪk] *adj* septique; ***go ~*** *of wound* s'infecter
se·quel ['siːkwəl] suite *f*
se·quence ['siːkwəns] ordre *m*; ***in ~*** l'un après l'autre; ***out of ~*** en désordre; ***the ~ of events*** le déroulement des événements
se·rene [sɪ'riːn] *adj* serein
ser·geant ['sɑːrdʒənt] sergent *m*
se·ri·al ['sɪrɪəl] *n* feuilleton *m*
se·ri·al·ize ['sɪrɪəlaɪz] *v/t novel on TV* adapter en feuilleton
'se·ri·al kill·er tueur(-euse) *m(f)* en série; **'se·ri·al num·ber** *of product* numéro *m* de série; **'se·ri·al port** COMPUT port *m* série
se·ries ['sɪriːz] *nsg* série *f*
se·ri·ous ['sɪrɪəs] *adj person, company* sérieux*; *illness, situation, damage* grave; ***I'm ~*** je suis sérieux; ***we'd better have a ~ think about it*** nous ferions mieux d'y penser sérieusement
se·ri·ous·ly ['sɪrɪəslɪ] *adv injured* gravement; *understaffed* sérieusement; ***~ intend to …*** avoir sérieusement l'intention de …; ***~?*** vraiment?; ***take s.o. ~*** prendre qn au sérieux
se·ri·ous·ness ['sɪrɪəsnɪs] *of person, situation, illness etc* gravité *f*
ser·mon ['sɜːrmən] sermon *m*
ser·vant ['sɜːrvənt] domestique *m/f*
serve [sɜːrv] **1** *n in tennis* service *m* **2** *v/t food, customer, one's country etc* servir; ***it ~s you / him right*** c'est bien fait pour toi / lui **3** *v/i* (*give out food*), *in tennis* servir; ***~ in a government*** *of politician* être membre d'un gouvernement
♦**serve up** *v/t meal* servir
serv·er ['sɜːrvər] *in tennis* serveur (-euse) *m(f)*; COMPUT serveur *m*
ser·vice ['sɜːrvɪs] **1** *n also in tennis* service *m*; *for vehicle, machine* entretien *m*; ***~s*** services *mpl*; ***the ~s*** MIL les forces *fpl* armées **2** *v/t vehicle, machine* entretenir
'ser·vice ar·e·a aire *f* de services; **'ser·vice charge** *in restaurant, club* service *m*; **'ser·vice in·dus·try** industrie *f* de services; **'ser·vice·man** MIL militaire *m*; **'ser·vice pro·vid·er** COMPUT fournisseur *m* de service; **'ser·vice sec·tor** secteur *m* tertiaire; **'ser·vice sta·tion** station-service *f*
ser·vile ['sɜːrvaɪl] *adj pej* servile
serv·ing ['sɜːrvɪŋ] *of food* portion *f*
ses·sion ['seʃn] *of Congress, parliament* session *f*; *with psychiatrist, specialist etc* séance *f*; *meeting, talk* discussion *f*
set [set] **1** *n* (*collection*) série *f*; (*group of people*) groupe *m*; MATH ensemble *m*; THEA (*scenery*) décor *m*; *for movie* plateau *m*; *in tennis* set *m*; ***television ~*** poste *m* de télévision **2** *v/t* (*pret & pp* ***set***) (*place*) poser; *movie, novel etc* situer; *date, time, limit* fixer; *mechanism, alarm clock* mettre; *broken limb* remettre en place; *jewel* sertir; (*type~*) composer; ***~ the table*** mettre la table; ***~ s.o. a task*** donner une tâche à qn **3** *v/i* (*pret & pp* ***set***) *of sun* se coucher; *of glue* durcir **4** *adj views, ideas* arrêté; (*ready*) prêt; ***be dead ~ on doing sth*** être fermement résolu à faire qch; ***be ~ in one's ways*** être conservateur; ***~ meal*** table *f* d'hôte
♦**set apart** *v/t* distinguer (***from*** de)
♦**set aside** *v/t for future use* mettre de côté
♦**set back** *v/t in plans etc* retarder; ***it set me back $400*** F cela m'a coûté 400 $
♦**set off 1** *v/i on journey* partir **2** *v/t alarm etc* déclencher
♦**set out 1** *v/i on journey* partir **2** *v/t ideas, proposal, goods* exposer; ***set out to do sth*** (*intend*) chercher à faire qch
♦**set to** *v/i* (*start on a task*) s'y mettre
♦**set up 1** *v/t company, equipment, machine* monter; *market stall* installer; *meeting* arranger; F (*frame*) faire un coup à **2** *v/i in business* s'établir
'set·back revers *m*
set·tee [se'tiː] (*couch, sofa*) canapé *m*
set·ting ['setɪŋ] *of novel, play, house* cadre *m*

set·tle ['setl] **1** *v/i of bird* se poser; *of sediment, dust* se déposer; *of building* se tasser; *to live* s'installer **2** *v/t dispute, issue, debts* régler; *nerves, stomach* calmer; ***that ~s it!*** ça règle la question!
♦**settle down** *v/i* (*stop being noisy*) se calmer; (*stop wild living*) se ranger; *in an area* s'installer
♦**settle for** *v/t* (*take, accept*) accepter
♦**settle up** *v/i pay bill* payer, régler; ***settle up with s.o.*** payer qn
set·tled ['setld] *adj weather* stable
set·tle·ment ['setlmənt] *of claim, debt, dispute,* (*payment*) règlement *m*; *of building* tassement *m*
set·tler ['setlər] *in new country* colon *m*
'set-up (*structure*) organisation *f*; (*relationship*) relation *f*; F (*frameup*) coup *m* monté
sev·en ['sevn] sept
sev·en·teen [sevn'ti:n] dix-sept
sev·en·teenth [sevn'ti:nθ] dix-septième; → ***fifth***
sev·enth ['sevnθ] septième; → ***fifth***
sev·en·ti·eth ['sevntɪɪθ] soixante-dixième
sev·en·ty ['sevntɪ] soixante-dix
sev·er ['sevər] *v/t arm, cable etc* sectionner; *relations* rompre
sev·e·ral ['sevrl] *adj & pron* plusieurs
se·vere [sɪ'vɪr] *adj illness* grave; *penalty* lourd; *winter, weather* rigoureux*; *disruption* gros*; *teacher, parents* sévère
se·vere·ly [sɪ'vɪrlɪ] *adv punish, speak* sévèrement; *injured* grièvement; *disrupted* fortement
se·ver·i·ty [sɪ'verətɪ] *of illness* gravité *f*; *of penalty* lourdeur *f*; *of winter* rigueur *f*; *of teacher, parents* sévérité *f*
sew [soʊ] *v/t & v/i* (*pret* ***-ed***, *pp* ***sewn***) coudre
♦**sew on** *v/t button* coudre
sew·age ['su:ɪdʒ] eaux *fpl* d'égouts
'sew·age plant usine *f* de traitement des eaux usées
sew·er ['su:ər] égout *m*
sew·ing ['soʊɪŋ] *skill* couture *f*, (*that being sewn*) ouvrage *m*
'sew·ing ma·chine machine *f* à coudre
sewn [soʊn] *pp* → ***sew***
sex [seks] sexe *m*; ***have ~ with*** coucher avec, avoir des rapports sexuels avec
sex·ist ['seksɪst] **1** *adj* sexiste **2** *n* sexiste *m/f*
sex·u·al ['sekʃʊəl] *adj* sexuel*
sex·u·al as'sault violences *fpl* sexuelles; **sex·u·al ha'rass·ment** harcèlement *m* sexuel; **sex·u·al 'in·ter·course** rapports *mpl* sexuels
sex·u·al·i·ty [sekʃʊ'ælətɪ] sexualité *f*
sex·u·al·ly ['sekʃʊlɪ] *adv* sexuellement
sex·u·al·ly trans·mit·ted dis'ease maladie *f* sexuellement transmissible
sex·y ['seksɪ] *adj* sexy *inv*
shab·bi·ly ['ʃæbɪlɪ] *adv dressed* pauvrement; *treat* mesquinement
shab·bi·ness ['ʃæbɪnɪs] *of coat, clothes* aspect *m* usé
shab·by ['ʃæbɪ] *adj coat etc* usé; *treatment* mesquin
shack [ʃæk] cabane *f*
shade [ʃeɪd] **1** *n for lamp* abat-jour *m*; *of color* nuance *f*; *on window* store *m*; ***in the ~*** à l'ombre **2** *v/t from sun* protéger du soleil; *from light* protéger de la lumière
shades [ʃeɪdz] *npl* F lunettes *fpl* de soleil
shad·ow ['ʃædoʊ] *n* ombre *f*
shad·y ['ʃeɪdɪ] *adj spot* ombragé; *fig: character, dealings* louche
shaft [ʃæft] *of axle* arbre *m*; *of mine* puits *m*
shag·gy ['ʃægɪ] *adj hair* hirsute; *dog* à longs poils
shake [ʃeɪk] **1** *n*: ***give sth a good ~*** bien agiter qch **2** *v/t* (*pret* ***shook***, *pp* ***shaken***) *bottle* agiter; *emotionally* bouleverser; ***~ one's head*** *in refusal* dire non de la tête; ***~ hands*** *of two people* se serrer la main; ***~ hands with s.o.*** serrer la main à qn **3** *v/i* (*pret* ***shook***, *pp* ***shaken***) *of hands, voice, building* trembler
shak·en ['ʃeɪkən] **1** *adj emotionally* bouleversé **2** *pp* → ***shake***
'shake-up remaniement *m*
shak·y ['ʃeɪkɪ] *adj table etc* branlant;

after illness, *shock* faible; *voice*, *hand* tremblant; *grasp of sth*, *grammar etc* incertain

shall [ʃæl] *v/aux* ◇ *future*: ***I ~ do my best*** je ferai de mon mieux; ***I shan't see them*** je ne les verrai pas ◇ *suggesting*: ***~ we go now?*** si nous y allions maintenant?

shal·low ['ʃæloʊ] *adj water* peu profond; *person* superficiel*

sham·bles ['ʃæmblz] *nsg*: ***be a ~*** *room etc* être en pagaille; *elections etc* être un vrai foutoir F

shame [ʃeɪm] **1** *n* honte *f*; ***bring ~ on*** déshonorer; ***~ on you!*** quelle honte!; ***what a ~!*** quel dommage! **2** *v/t* faire honte à; ***~ s.o. into doing sth*** faire honte à qn pour qu'il fasse (*subj*) qch

shame·ful ['ʃeɪmfʊl] *adj* honteux*

shame·ful·ly ['ʃeɪmfʊlɪ] *adv* honteusement

shame·less ['ʃeɪmlɪs] *adj* effronté

sham·poo [ʃæm'pu:] **1** *n* shampo(o)ing *m*; ***a ~ and set*** un shampo(o)ing et mise en plis **2** *v/t* faire un shampo(o)ing à; ***~ one's hair*** se faire un shamp(o)oing

shape [ʃeɪp] **1** *n* forme *f* **2** *v/t clay*, *character* façonner; *the future* influencer

♦ **shape up** *v/i of person* s'en sortir; *of plans etc* se présenter

shape·less ['ʃeɪplɪs] *adj dress etc* informe

shape·ly ['ʃeɪplɪ] *adv figure* bien fait

share [ʃer] **1** *n* part *f*, FIN action *f*; ***do one's ~ of the work*** fournir sa part de travail **2** *v/t food*, *room*, *feelings*, *opinions* partager **3** *v/i* partager

♦ **share out** *v/t* partager

'share·hold·er actionnaire *m/f*

shark [ʃɑ:rk] *fish* requin *m*

sharp [ʃɑ:rp] **1** *adj knife* tranchant; *fig*: *mind*, *pain* vif*; *taste* piquant; ***C / G ~*** MUS do / sol dièse **2** *adv* MUS trop haut; ***at 3 o'clock ~*** à 3 heures pile

sharp·en ['ʃɑ:rpn] *v/t knife*, *skills* aiguiser

sharpen *pencil* tailler

sharp 'prac·tice procédés *mpl* malhonnêtes

shat [ʃæt] *pret & pp* → ***shit***

shat·ter ['ʃætər] **1** *v/t glass*, *illusions* briser **2** *v/i of glass* se briser

shat·tered ['ʃætərd] *adj* F (*exhausted*) crevé F; F (*very upset*) bouleversé

shat·ter·ing ['ʃætərɪŋ] *adj news*, *experience* bouleversant

shave [ʃeɪv] **1** *v/t* raser **2** *v/i* se raser **3** *n*: ***have a ~*** se raser; ***that was a close ~*** on l'a échappé belle

♦ **shave off** *v/t beard* se raser; *piece of wood* enlever

shav·en ['ʃeɪvn] *adj head* rasé

shav·er ['ʃeɪvər] rasoir *m* électrique

shav·ing brush ['ʃeɪvɪŋ] blaireau *m*

'shav·ing soap savon *m* à barbe

shawl [ʃɒ:l] châle *m*

she [ʃi:] *pron* elle; ***~ was the one who ...*** c'est elle qui ...; ***there ~ is*** la voilà; ***~ who ...*** celle qui ...

shears [ʃɪrz] *npl for gardening* cisailles *fpl*; *for sewing* grands ciseaux *mpl*

sheath [ʃi:θ] *for knife* étui *m*; *contraceptive* préservatif *m*

shed[1] [ʃed] *v/t* (*pret & pp* ***shed***) *blood*, *tears* verser; *leaves* perdre; ***~ light on*** *fig* faire la lumière sur

shed[2] [ʃed] *n* abri *m*

sheep [ʃi:p] (*pl* ***sheep***) mouton *m*

'sheep·dog chien *m* de berger

sheep·ish ['ʃi:pɪʃ] *adj* penaud

'sheep·skin *adj* en peau de mouton

sheer [ʃɪr] *adj madness*, *luxury etc* pur; *drop*, *cliffs* abrupt

sheet [ʃi:t] *for bed* drap *m*; *of paper*, *metal*, *glass* feuille *f*

shelf [ʃelf] étagère *f*; ***shelves*** *set of shelves* étagère(s) *f(pl)*

'shelf-life *of product* durée *f* de conservation avant vente

shell [ʃel] **1** *n of mussel*, *egg* coquille *f*; *of tortoise* carapace *f*; MIL obus *m*; ***come out of one's ~*** *fig* sortir de sa coquille **2** *v/t peas* écosser; MIL bombarder

'shell·fire bombardements *mpl*; ***come under ~*** être bombardé

'shell·fish *nsg or npl* fruits *mpl* de mer

shel·ter ['ʃeltər] **1** *n* (*refuge*), *at bus stop etc* abri *m* **2** *v/i from rain*, *bombing etc* s'abriter (***from*** de) **3** *v/t* (*protect*) protéger

shel·tered ['ʃeltərd] *adj place* protégé; ***lead a ~ life*** mener une vie protégée

shelve [ʃelv] *v/t fig* mettre en suspens

shep·herd ['ʃepərd] *n* berger(-ère) *m(f)*

sher·iff ['ʃerɪf] shérif *m*

sher·ry ['ʃerɪ] xérès *m*

shield [ʃiːld] **1** *n* MIL bouclier *m*; *sports trophy* plaque *f*; *badge*: *of policeman* plaque *f* **2** *v/t* (*protect*) protéger

shift [ʃɪft] **1** *n* (*change*) changement *m*; (*move, switchover*) passage *m* (***to*** à); *period of work* poste *m*; *people* équipe *f* **2** *v/t* (*move*) déplacer, changer de place; *production, employee* transférer; *stains etc* faire partir; ***~ the emphasis onto*** reporter l'accent sur **3** *v/i* (*move*) se déplacer; *of foundations* bouger; *in attitude, opinion, of wind* virer

'shift key COMPUT touche *f* majuscule; **'shift work** travail *m* par roulement; **'shift work·er** ouvrier *m* posté

shift·y ['ʃɪftɪ] *adj pej*: *person* louche; *eyes* fuyant

shil·ly-shal·ly ['ʃɪlɪʃælɪ] *v/i* (*pret & pp* ***-ied***) hésiter

shim·mer ['ʃɪmər] *v/i* miroiter

shin [ʃɪn] *n* tibia *m*

shine [ʃaɪn] **1** *v/i* (*pret & pp* ***shone***) briller; *fig*: *of student etc* être brillant (***at, in*** en) **2** *v/t* (*pret & pp* ***shone***): ***~ a flashlight in s.o.'s face*** braquer une lampe sur le visage de qn **3** *n on shoes etc* brillant *m*

shin·gle ['ʃɪŋgl] *on beach* galets *mpl*

shin·gles ['ʃɪŋglz] *nsg* MED zona *m*

shin·y ['ʃaɪnɪ] *adj surface* brillant

ship [ʃɪp] **1** *n* bateau *m*, navire *m* **2** *v/t* (*pret & pp* ***-ped***) (*send*) expédier, envoyer; *by sea* expédier par bateau **3** *v/i* (*pret & pp* ***-ped***) *of new product* être lancé (sur le marché)

ship·ment ['ʃɪpmənt] (*consignment*) expédition *f*, envoi *m*

'ship·own·er armateur *m*

ship·ping ['ʃɪpɪŋ] (*sea traffic*) navigation *f*; (*sending*) expédition *f*, envoi *m*; (*sending by sea*) envoi par bateau

'ship·ping com·pa·ny compagnie *f* de navigation

'ship·ping costs *npl* frais *mpl* d'expédition; *by ship* frais *mpl* d'embarquement; **'ship·wreck 1** *n* naufrage *m* **2** *v/t*: ***be ~ed*** faire naufrage; **'ship·yard** chantier *m* naval

shirk [ʃɜːrk] *v/t* esquiver

shirk·er ['ʃɜːrkər] tire-au-flanc *m*

shirt [ʃɜːrt] chemise *f*; ***in his ~ sleeves*** en bras de chemise

shit [ʃɪt] **1** *n* P (*excrement, bad quality goods etc*) merde *f* P; ***I need a ~*** je dois aller chier P **2** *v/i* (*pret & pp* ***shat***) P chier P **3** *int* P merde P

shit·ty ['ʃɪtɪ] *adj* F dégueulasse F

shiv·er ['ʃɪvər] *v/i* trembler

shock [ʃɑːk] **1** *n* choc *m*; ELEC décharge *f*; ***be in ~*** MED être en état de choc **2** *v/t* choquer

shock ab·sorb·er ['ʃɑːkəbzɔːrbər] MOT amortisseur *m*

shock·ing ['ʃɑːkɪŋ] *adj behavior, poverty* choquant; F (*very bad*) épouvantable

shock·ing·ly ['ʃɑːkɪŋlɪ] *adv behave* de manière choquante

shod·dy ['ʃɑːdɪ] *adj goods* de mauvaise qualité; *behavior* mesquin

shoe [ʃuː] chaussure *f*, soulier *m*

'shoe·horn chausse-pied *m*; **'shoe·lace** lacet *m*; **'shoe·mak·er** cordonnier(-ière) *m(f)*; **shoe mend·er** ['ʃuːmendər] cordonnier(-ière) *m(f)*; **'shoe·store** magasin *m* de chaussures; **'shoe·string**: ***do sth on a ~*** faire qch à peu de frais

shone [ʃɑːn] *pret & pp* → ***shine***

♦ **shoo away** [ʃuː] *v/t children, chicken* chasser

shook [ʃuːk] *pret* → ***shake***

shoot [ʃuːt] **1** *n* BOT pousse *f* **2** *v/t* (*pret & pp* ***shot***) tirer sur; *and kill* tuer d'un coup de feu; *movie* tourner; ***I've been shot*** j'ai reçu un coup de feu; ***~ s.o. in the leg*** tirer une balle dans la jambe de qn **3** *v/i* (*pret & pp* ***shot***) tirer

♦ **shoot down** *v/t airplane* abattre; *fig*: *suggestion* descendre

♦ **shoot off** *v/i* (*rush off*) partir comme une flèche

S

♦**shoot up** *v/i of prices* monter en flèche; *of children, new buildings etc* pousser; F: *of drug addict* se shooter F

shoot·ing star ['ʃuːtɪŋ] étoile *f* filante

shop [ʃɑːp] **1** *n* magasin *m*; ***talk ~*** parler affaires **2** *v/i* (*pret & pp* **-ped**) faire ses courses; ***go ~ping*** faire les courses

shop·keep·er ['ʃɑːpkiːpər] commerçant *m*,-ante *f*; **shop·lift·er** ['ʃɑːplɪftər] voleur(-euse) *m(f)* à l'étalage; **shop·lift·ing** ['ʃɑːplɪftɪŋ] *n* vol *m* à l'étalage

shop·ping ['ʃɑːpɪŋ] *items* courses *fpl*; ***I hate ~*** je déteste faire les courses; ***do one's ~*** faire ses courses

'shop·ping bag sac *m* à provisions; **'shop·ping cen·ter**, *Br* **'shop-ping cen·tre** centre *m* commercial; **'shop·ping list** liste *f* de comissions; **'shop·ping mall** centre *m* commercial

shop 'stew·ard délégué *m* syndical, déléguée *f* syndicale

shore [ʃɔːr] rivage *m*; ***on ~*** *not at sea* à terre

short [ʃɔːrt] **1** *adj* court; *in height* petit; ***time is ~*** il n'y a pas beaucoup de temps; ***be ~ of*** manquer de **2** *adv*: ***cut a vacation / meeting ~*** abréger des vacances / une réunion; ***stop a person ~*** couper la parole à une personne; ***go ~ of*** se priver de; ***in ~*** bref

short·age ['ʃɔːrtɪdʒ] manque *m*

short 'cir·cuit *n* court-circuit *m*; **short·com·ing** ['ʃɔːrtkʌmɪŋ] défaut *m*; **'short·cut** raccourci *m*

short·en ['ʃɔːrtn] *v/t* raccourcir

short·en·ing ['ʃɔːrtnɪŋ] matière *f* grasse

'short·fall déficit *m*; **'short·hand** sténographie *f*; **short-handed** [ʃɔːrt'hændɪd] *adj*: ***be ~*** manquer de personnel; **short-lived** ['ʃɔːrtlɪvd] *adj* de courte durée

short·ly ['ʃɔːrtlɪ] *adv* (*soon*) bientôt; ***~ before / after that*** peu avant / après

short·ness ['ʃɔːrtnɪs] *of visit* brièveté *f*; *in height* petite taille *f*

shorts [ʃɔːrts] *npl* short *m*; *underwear* caleçon *m*

short·sight·ed [ʃɔːrt'saɪtɪd] *adj* myope; *fig* peu perspicace; **short-sleeved** ['ʃɔːrtsliːvd] *adj* à manches courtes; **short-staffed** [ʃɔːrt'stæft] *adj*: ***be ~*** manquer de personnel; **short 'sto·ry** nouvelle *f*; **short-tem·pered** [ʃɔːrt'tempərd] *adj by nature* d'un caractère emporté; *at a particular time* de mauvaise humeur; **'short-term** *adj* à court terme; **'short wave** ondes *fpl* courtes

shot[1] [ʃɑːt] *from gun* coup *m* de feu; (*photograph*) photo *f*; (*injection*) piqûre *f*; ***be a good / poor ~*** être un bon / mauvais tireur; (*turn*) tour *m*; ***like a ~*** *accept* sans hésiter; *run off* comme une flèche; ***it's my ~*** c'est mon tour

shot[2] [ʃɑːt] *pret & pp* → ***shoot***

'shot·gun fusil *m* de chasse

'shot put lancer *m* du poids

should [ʃʊd] *v/aux*: ***what ~ I do?*** que dois-je faire?; ***you ~n't do that*** tu ne devrais pas faire ça; ***that ~ be long enough*** cela devrait être assez long; ***you ~ have heard him*** tu aurais dû l'entendre

shoul·der ['ʃoʊldər] *n* épaule *f*

'shoul·der bag sac *m* à bandoulière; **'shoul·der blade** omoplate *f*; **'shoul·der strap** *of brassière, dress* bretelle *f*; *of bag* bandoulière *f*

shout [ʃaʊt] **1** *n* cri *m* **2** *v/i* crier; ***~ for help*** appeler à l'aide **3** *v/t order* crier

♦**shout at** *v/t* crier après

shout·ing ['ʃaʊtɪŋ] cris *mpl*

shove [ʃʌv] **1** *n*: ***give s.o. a ~*** pousser qn **2** *v/t & v/i* pousser

♦**shove in** *v/i*: ***this guy shoved in in front of me*** ce type m'est passé devant

♦**shove off** *v/i* F (*go away*) ficher le camp F

shov·el ['ʃʌvl] **1** *n* pelle *f* **2** *v/t* (*pret & pp* **-ed**, *Br* **-led**) *snow* enlever à la pelle

show [ʃoʊ] **1** *n* THEA, TV spectacle *m*; (*display*) démonstration *f*; ***on ~*** *at exhibition* exposé; ***it's all done for ~*** *pej* c'est fait juste pour impressionner **2**

v/t (*pret* ***-ed***, *pp* ***shown***) *passport, interest, emotion etc* montrer; *at exhibition* présenter; *movie* projeter; ~ ***s.o. sth***, ~ ***sth to s.o.*** montrer qch à qn **3** *v/i* (*pret* ***-ed***, *pp* ***shown***) (*be visible*) se voir; *of movie* passer
♦**show around** *v/t tourists, visitors* faire faire la visite à
♦**show in** *v/t* faire entrer
♦**show off 1** *v/t skills* faire étalage de **2** *v/i pej* crâner
♦**show up 1** *v/t s.o.'s shortcomings etc* faire ressortir; ***don't show me up in public*** ne me fais pas honte en public **2** *v/i* F (*arrive, turn up*) se pointer F; (*be visible*) se voir
'show busi·ness monde *m* du spectacle; **'show·case** *n also fig* vitrine *f*; **'show·down** confrontation *f*
show·er ['ʃaʊər] **1** *n of rain* averse *f*; *to wash* douche *f*; *party: petite fête avant un mariage ou un accouchement à laquelle tout le monde apporte un cadeau*; ***take a*** ~ prendre une douche **2** *v/i* prendre une douche **3** *v/t*: ~ ***s.o. with compliments / praise*** couvrir qn de compliments / louanges
'show·er cap bonnet *m* de douche; **'show·er cur·tain** rideau *m* de douche; **'shower·proof** *adj* imperméable
'show·jump·er *person* cavalier *m* d'obstacle, cavalière *f* d'obstacle
show·jump·ing ['ʃoudʒʌmpɪŋ] concours *m* hippique, jumping F
shown [ʃoun] *pp* → ***show***
'show-off *pej* prétentieux(-euse) *m*(*f*)
'show·room salle *f* d'exposition; ***in*** ~ ***condition*** à l'état de neuf
show·y ['ʃouɪ] *adj* voyant
shrank [ʃræŋk] *pret* → ***shrink***[1]
shred [ʃred] **1** *n of paper etc* lambeau *m*; *of meat etc* morceau *m*; ***not a*** ~ ***of evidence*** pas la moindre preuve **2** *v/t* (*pret & pp* ***-ded***) *documents* déchiqueter; *in cooking* râper
shred·der ['ʃredər] *for documents* déchiqueteuse *f*
shrewd [ʃruːd] *adj* perspicace
shrewd·ly ['ʃruːdlɪ] *adv* avec perspicacité
shrewd·ness ['ʃruːdnɪs] perspicacité *f*
shriek [ʃriːk] **1** *n* cri *m* aigu **2** *v/i* pousser un cri aigu
shrill [ʃrɪl] *adj* perçant
shrimp [ʃrɪmp] crevette *f*
shrine [ʃraɪn] *holy place* lieu *m* saint
shrink[1] [ʃrɪŋk] *v/i* (*pret* ***shrank***, *pp* ***shrunk***) *of material* rétrécir; *of support* diminuer
shrink[2] [ʃrɪŋk] *n* F (*psychiatrist*) psy *m* F
'shrink-wrap 1 *v/t* (*pret & pp* ***-ped***) emballer sous pellicule plastique **2** *n material* pellicule *f* plastique
shriv·el ['ʃrɪvl] *v/i* (*pret & pp* ***-ed***, *Br* ***-led***) se flétrir
shrub [ʃrʌb] arbuste *m*
shrub·be·r·y ['ʃrʌbərɪ] massif *m* d'arbustes
shrug [ʃrʌg] **1** *n* haussement *m* d'épaules **2** *v/i* (*pret & pp* ***-ged***) hausser les épaules **3** *v/t* (*pret & pp* ***-ged***): ~ ***one's shoulders*** hausser les épaules
shrunk [ʃrʌŋk] *pp* → ***shrink***[1]
shud·der ['ʃʌdər] **1** *n of fear, disgust* frisson *m*; *of earth, building* vibration *f* **2** *v/i with fear, disgust* frissonner; *of earth, building* vibrer; ***I*** ~ ***to think*** je n'ose y penser
shuf·fle ['ʃʌfl] **1** *v/t cards* battre **2** *v/i in walking* traîner les pieds
shun [ʃʌn] *v/t* (*pret & pp* ***-ned***) fuir
shut [ʃʌt] **1** *v/t* (*pret & pp* ***shut***) fermer **2** *v/i* (*pret & pp* ***shut***) *of door, box* se fermer; *of store* fermer; ***they were*** ~ c'était fermé
♦**shut down 1** *v/t business* fermer; *computer* éteindre **2** *v/i of business* fermer ses portes; *of computer* s'éteindre
♦**shut off** *v/t gas, water etc* couper
♦**shut up** *v/i* F (*be quiet*) se taire; ***shut up!*** tais-toi!
shut·ter ['ʃʌtər] *on window* volet *m*; PHOT obturateur *m*
'shut·ter speed PHOT vitesse *f* d'obturation
shut·tle ['ʃʌtl] *v/i* faire la navette (***between*** entre)

'shut·tle bus *at airport* navette *f*; **'shut·tle·cock** SP volant *m*; **'shut·tle ser·vice** navette *f*
shy [ʃaɪ] *adj* timide
shy·ness ['ʃaɪnɪs] timidité *f*
Si·a·mese twins [saɪəmiːz'twɪnz] *npl boys* frères *mpl* siamois; *girls* sœurs *fpl* siamoises
sick [sɪk] *adj* malade; *sense of humor* noir; ***be ~*** (*vomit*) vomir; ***be ~ of*** (*fed up with*) en avoir marre de qch
sick·en ['sɪkn] **1** *v/t* (*disgust*) écœurer; *make ill* rendre malade **2** *v/i*: ***be ~ing for*** couver
sick·en·ing ['sɪknɪŋ] *adj* écœurant
'sick leave congé *m* de maladie; ***be on ~*** être en congé de maladie
sick·ly ['sɪklɪ] *adj person* maladif*; *color* écœurant
sick·ness ['sɪknɪs] maladie *f*; (*vomiting*) vomissements *mpl*
side [saɪd] *n* côté *m*; SP équipe *f*; ***take ~s*** (*favor one ~*) prendre parti; ***I'm on your ~*** je suis de votre côté; ***~ by ~*** côte à côte; ***at the ~ of the road*** au bord de la route; ***on the big / small ~*** plutôt grand / petit
♦**side with** *v/t* prendre parti pour
'side·board buffet *m*; **'side·burns** *npl* pattes *fpl*; **'side dish** plat *m* d'accompagnement; **'side ef·fect** effet *m* secondaire; **'side·line 1** *n* activité *f* secondaire **2** *v/t*: ***feel ~d*** se sentir relégué à l'arrière-plan; **'side sal·ad** salade *f*; **'side·step** *v/t* (*pret & pp* **-ped**) éviter; *fig also* contourner; **'side street** rue *f* transversale; **'side·track** *v/t* distraire; ***get ~ed*** être pris par autre chose; **'side·walk** trottoir *m*; **side·walk 'caf·é** café-terrasse *m*; **side·ways** ['saɪdweɪz] *adv* de côté
siege [siːdʒ] siège *m*; ***lay ~ to*** assiéger
sieve [sɪv] *n for flour* tamis *m*
sift [sɪft] *v/t flour* tamiser; *data* passer en revue
♦**sift through** *v/t details, data* passer en revue
sigh [saɪ] **1** *n* soupir *m*; ***heave a ~ of relief*** pousser un soupir de soulagement **2** *v/i* soupirer
sight [saɪt] *n* spectacle *m*; (*power of seeing*) vue *f*; ***~s*** *of city* monuments *mpl*; ***he can't stand the ~ of blood*** il ne supporte pas la vue du sang; ***catch ~ of*** apercevoir; ***know by ~*** connaître de vue; ***be within ~ of*** se voir de; ***out of ~*** hors de vue; ***what a ~ you look!*** de quoi tu as l'air!; ***lose ~ of*** *objective etc* perdre de vue
sight·see·ing ['saɪtsiːɪŋ] tourisme *m*; ***go ~*** faire du tourisme
'sight·see·ing tour visite *f* guidée
sight·seer ['saɪtsiːər] touriste *m/f*
sign [saɪn] **1** *n* (*indication*) signe *m*; (*road~*) panneau *m*; *outside shop, on building* enseigne *f*; ***it's a ~ of the times*** c'est un signe des temps **2** *v/t & v/i* signer
♦**sign in** *v/i* signer le registre
sig·nal ['sɪgnl] **1** *n* signal *m*; ***be sending out all the right / wrong ~s*** *fig* envoyer le bon / mauvais message **2** *v/i* (*pret & pp* **-ed**, *Br* **-led**) *of driver* mettre son clignotant
sig·na·to·ry ['sɪgnətɔːrɪ] *n* signataire *m/f*
sig·na·ture ['sɪgnətʃər] signature *f*
'sig·na·ture tune indicatif *m*
sig·net ring ['sɪgnɪtrɪŋ] chevalière *f*
sig·nif·i·cance [sɪg'nɪfɪkəns] importance *f*
sig·nif·i·cant [sɪg'nɪfɪkənt] *adj event, sum of money, improvement etc* important
sig·nif·i·cant·ly [sɪg'nɪfɪkəntlɪ] *adv larger, more expensive* nettement
sig·ni·fy ['sɪgnɪfaɪ] *v/t* (*pret & pp* **-ied**) signifier
'sign lan·guage langage *m* des signes
'sign·post poteau *m* indicateur
si·lence ['saɪləns] **1** *n* silence *m*; ***in ~*** *work, march* en silence; ***~!*** silence! **2** *v/t* faire taire
si·lenc·er ['saɪlənsər] *on gun* silencieux *m*
si·lent ['saɪlənt] *adj* silencieux*; *movie* muet*; ***stay ~*** (*not comment*) se taire
'si·lent part·ner COMM commanditaire *m*
sil·hou·ette [sɪluː'et] *n* silhouette *f*
sil·i·con ['sɪlɪkən] silicium *m*
sil·i·con 'chip puce *f* électronique

sil·i·cone ['sɪlɪkoʊn] silicone *f*
silk [sɪlk] **1** *adj shirt etc* en soie **2** *n* soie *f*
silk·y ['sɪlkɪ] *adj hair, texture* soyeux*
sil·li·ness ['sɪlɪnɪs] stupidité *f*
sil·ly ['sɪlɪ] *adj* bête
si·lo ['saɪloʊ] AGR, MIL silo *m*
sil·ver ['sɪlvər] **1** *adj ring* en argent; *hair* argenté **2** *n metal* argent *m*; *medal* médaille *f* d'argent; (~ *objects*) argenterie *f*
'sil·ver med·al médaille *f* d'argent; **sil·ver-plat·ed** [sɪlvər'pleɪtɪd] *adj* argenté; **sil·ver·ware** ['sɪlvərwer] argenterie *f*; **sil·ver 'wed·ding** noces *fpl* d'argent
sim·i·lar ['sɪmɪlər] *adj* semblable (***to*** à)
sim·i·lar·i·ty [sɪmɪ'lærətɪ] ressemblance *f*
sim·i·lar·ly ['sɪmɪlərlɪ] *adv*: ***be ~ dressed*** être habillé de la même façon; ***~, you must ...*** de même, tu dois ...
sim·mer ['sɪmər] *v/i in cooking* mijoter; *with rage* bouillir de rage
♦**simmer down** *v/i* se calmer
sim·ple ['sɪmpl] *adj* simple
sim·ple-mind·ed [sɪmpl'maɪndɪd] *adj pej* simple, simplet*
sim·pli·ci·ty [sɪm'plɪsətɪ] simplicité *f*
sim·pli·fy ['sɪmplɪfaɪ] *v/t* (*pret & pp* ***-ied***) simplifier
sim·plis·tic [sɪm'plɪstɪk] *adj* simpliste
sim·ply ['sɪmplɪ] *adv* (*absolutely*) absolument; (*in a simple way*) simplement; ***it is ~ the best*** c'est le meilleur, il n'y a pas de doute
sim·u·late ['sɪmjʊleɪt] *v/t* simuler
sim·ul·ta·ne·ous [saɪməl'teɪnɪəs] *adj* simultané
sim·ul·ta·ne·ous·ly [saɪməl'teɪnɪəslɪ] *adv* simultanément
sin [sɪn] **1** *n* péché *m* **2** *v/i* (*pret & pp* ***-ned***) pécher
since [sɪns] **1** *prep* depuis; ***I've been here ~ last week*** je suis là depuis la semaine dernière **2** *adv* depuis; ***I haven't seen him ~*** je ne l'ai pas revu depuis **3** *conj in expressions of time* depuis que; (*seeing that*) puisque; ***~ you left*** depuis que tu es parti; ***~ you don't like it*** puisque ça ne te plaît pas
sin·cere [sɪn'sɪr] *adj* sincère
sin·cere·ly [sɪn'sɪrlɪ] *adv* sincèrement; *hope* vivement; ***Sincerely yours*** Je vous prie d'agréer, Madame / Monsieur, l'expression de mes sentiments les meilleurs
sin·cer·i·ty [sɪn'serətɪ] sincérité *f*
sin·ful ['sɪnfʊl] *adj deeds* honteux*; ~ ***person*** pécheur *m*, pécheresse *f*; ***it is ~ to ...*** c'est un péché de ...
sing [sɪŋ] *v/t & v/i* (*pret* ***sang***, *pp* ***sung***) chanter
singe [sɪndʒ] *v/t* brûler légèrement
sing·er ['sɪŋər] chanteur(-euse) *m(f)*
sin·gle ['sɪŋgl] **1** *adj* (*sole*) seul; (*not double*) simple; *bed* à une place; (*not married*) célibataire; ***there wasn't a ~ ...*** il n'y avait pas un seul ...; ***in ~ file*** en file indienne **2** *n* MUS single *m*; (~ *room*) chambre *f* à un lit; *person* personne *f* seule; ***~s*** *in tennis* simple *m*
♦**single out** *v/t* (*choose*) choisir; (*distinguish*) distinguer
sin·gle-breast·ed [sɪŋgl'brestɪd] *adj* droit; **sin·gle-hand·ed** [sɪŋgl'hændɪd] **1** *adj* fait tout seul **2** *adv* tout seul; **Sin·gle 'Mar·ket** *in Europe* Marché *m* unique; **sin·gle-mind·ed** [sɪŋgl'maɪndɪd] *adj* résolu; **sin·gle 'moth·er** mère *f* célibataire; **sin·gle 'pa·rent** mère / père qui élève ses enfants tout seul; **sin·gle pa·rent 'fam·i·ly** famille *f* monoparentale; **sin·gle 'room** chambre *f* à un lit
sin·gu·lar ['sɪŋgjʊlər] **1** *adj* GRAM au singulier **2** *n* GRAM singulier *m*; ***in the ~*** au singulier
sin·is·ter ['sɪnɪstər] *adj* sinistre
sink [sɪŋk] **1** *n* évier *m* **2** *v/i* (*pret* ***sank***, *pp* ***sunk***) *of ship, object* couler; *of sun* descendre; *of interest rates, pressure etc* baisser; ***he sank onto the bed*** il s'est effondré sur le lit **3** *v/t* (*pret* ***sank***, *pp* ***sunk***) *ship* couler; *money* investir
♦**sink in** *v/i of liquid* pénétrer; ***it still hasn't really sunk in*** *of realization* je n'arrive pas encore très bien à m'en

rendre compte
sin·ner ['sɪnər] pécheur *m*, pécheresse *f*
si·nus ['saɪnəs] sinus *m*
si·nus·i·tis [saɪnə'saɪtɪs] MED sinusite *f*
sip [sɪp] **1** *n* petite gorgée *f*; ***try a ~*** tu veux goûter? **2** *v/t* (*pret & pp* ***-ped***) boire à petites gorgées
sir [sɜːr] monsieur *m*
si·ren ['saɪrən] *on police car* sirène *f*
sir·loin ['sɜːrlɔɪn] aloyau *m*
sis·ter ['sɪstər] sœur *f*
'sis·ter-in-law (*pl* ***sisters-in-law***) belle-sœur *f*
sit [sɪt] *v/i* (*pret & pp* ***sat***) (*~ down*) s'asseoir; ***she was ~ting*** elle était assise
♦ **sit down** *v/i* s'asseoir
♦ **sit up** *v/i in bed* se dresser; (*straighten back*) se tenir droit; (*wait up at night*) rester debout
sit·com ['sɪtkɑːm] sitcom *m*
site [saɪt] **1** *n* emplacement *m*; *of battle* site *m* **2** *v/t new offices etc* situer
sit·ting ['sɪtɪŋ] *n of committee, court, for artist* séance *f*; *for meals* service *m*
'sit·ting room salon *m*
sit·u·at·ed ['sɪtʊeɪtɪd] *adj*: ***be ~*** être situé
sit·u·a·tion [sɪtʊ'eɪʃn] situation *f*; *of building etc* emplacement *m*
six [sɪks] six
'six-pack *of beer* pack *m* de six
six·teen [sɪks'tiːn] seize
six·teenth [sɪks'tiːnθ] seizième; → *page 720*
sixth [sɪksθ] sixième; → ***fifth***
six·ti·eth ['sɪkstɪɪθ] soixantième
six·ty ['sɪkstɪ] soixante
size [saɪz] *of room, jacket* taille *f*; *of project* envergure *f*; *of loan* montant *m*; *of shoes* pointure *f*
♦ **size up** *v/t* évaluer
size·a·ble ['saɪzəbl] *adj meal, house* assez grand; *order, amount of money* assez important
siz·zle ['sɪzl] *v/i* grésiller
skate [skeɪt] **1** *n* patin *m* **2** *v/i* patiner
'skate·board *n* skateboard *m*; **'skate·board·er** skateur(-euse) *m(f)*; **'skate·board·ing** skateboard *m*
skat·er ['skeɪtər] patineur(-euse) *(m)f*
skat·ing ['skeɪtɪŋ] patinage *f*
'skat·ing rink patinoire *f*
skel·e·ton ['skelɪtn] squelette *m*
'skel·e·ton key passe-partout *m*
skep·tic ['skeptɪk] sceptique *m/f*
skep·ti·cal ['skeptɪkl] *adj* sceptique
skep·ti·cism ['skeptɪsɪzm] scepticisme *m*
sketch [sketʃ] **1** *n* croquis *m*; THEA sketch *m* **2** *v/t* esquisser
'sketch·book carnet *m* à croquis
sketch·y ['sketʃɪ] *adj knowledge etc* sommaire
skew·er ['skjʊər] *n* brochette *f*
ski [skiː] **1** *n* ski *m* **2** *v/i* faire du ski; ***we ~ed back*** nous sommes revenus en skiant
'ski boots *npl* chaussures *fpl* de ski
skid [skɪd] **1** *n* dérapage *m* **2** *v/i* (*pret & pp* ***-ded***) déraper
ski·er ['skiːər] skieur(-euse) *m(f)*
ski·ing ['skiːɪŋ] ski *m*
'ski in·struc·tor moniteur(-trice) *m(f)* de ski
'ski jump saut *m* à ski; *structure* tremplin *m*
skil·ful *etc Br* → ***skillful*** *etc*
'ski lift remonte-pente *m*, téléski *m*
skill [skɪl] technique *f*; ***~s*** connaissances *fpl*, compétences *fpl*; ***with great ~*** avec adresse
skilled [skɪld] *adj person* habile
skilled 'work·er ouvrier *m* qualifié, ouvrière *f* qualifiée
skill·ful ['skɪlfʊl] *adj* habile
skill·ful·ly ['skɪlfʊlɪ] *adv* habilement
skim [skɪm] *v/t* (*pret & pp* ***-med***) *surface* effleurer
♦ **skim off** *v/t the best* retenir
♦ **skim through** *v/t text* parcourir
'skimmed milk [skɪmd] lait *m* écrémé
skimp·y ['skɪmpɪ] *adj account etc* sommaire; *dress* étriqué
skin [skɪn] **1** *n* peau *f* **2** *v/t* (*pret & pp* ***-ned***) *animal* écorcher; *tomato, peach* peler
'skin div·ing plongée *f* sous-marine autonome
skin·flint ['skɪnflɪnt] F radin(e) *m(f)* F

'skin graft greffe *f* de la peau
skin·ny ['skɪnɪ] *adj* maigre
'skin-tight *adj* moulant
skip [skɪp] **1** *n* (*little jump*) saut *m* **2** *v/i* (*pret & pp* ***-ped***) sautiller **3** *v/t* (*pret & pp* ***-ped***) (*omit*) sauter
'ski pole bâton *m* de ski
skip·per ['skɪpər] capitaine *m/f*
'ski re·sort station *f* de ski
skirt [skɜːrt] *n* jupe *f*
'ski run piste *f* de ski
'ski tow téléski *m*
skull [skʌl] crâne *m*
skunk [skʌŋk] mouffette *f*
sky [skaɪ] ciel *m*
'sky·light lucarne *f*; **'sky·line** *of city* silhouette *f*; **sky·scrap·er** ['skaɪskreɪpər] gratte-ciel *m inv*
slab [slæb] *of stone*, *butter* plaque *f*; *of cake* grosse tranche *f*
slack [slæk] *adj rope* mal tendu; *discipline* peu strict; *person* négligent; *work* négligé; *period* creux*
slack·en ['slækn] *v/t rope* détendre; *pace* ralentir
♦ **slacken off** *v/i of trading*, *pace* se ralentir
slacks [slæks] *npl* pantalon *m*
slain [sleɪn] *pp* → ***slay***
slam [slæm] *v/t & v/i* (*pret & pp* ***-med***) claquer
♦ **slam down** *v/t* poser brutalement
slan·der ['slændər] **1** *n* calomnie *f* **2** *v/t* calomnier
slan·der·ous ['slændərəs] *adj* calomnieux*
slang [slæŋ] *also of a specific group* argot *m*
slant [slænt] **1** *v/i* pencher **2** *n* inclinaison *f*; *given to a story* perspective *f*
slant·ing ['slæntɪŋ] *adj roof* en pente; *eyes* bridé
slap [slæp] **1** *n* (*blow*) claque *f* **2** *v/t* (*pret & pp* ***-ped***) donner une claque à; ***~ s.o. in the face*** gifler qn
'slap·dash *adj work* sans soin; *person* négligent
slash [slæʃ] **1** *n cut* entaille *f*; *in punctuation* barre *f* oblique **2** *v/t painting*, *skin* entailler; *prices*, *costs* réduire radicalement; ***~ one's wrists*** s'ouvrir les veines
slate [sleɪt] *n material* ardoise *f*
slaugh·ter ['slɒːtər] **1** *n of animals* abattage *m*; *of people*, *troops* massacre *m* **2** *v/t animals* abattre; *people*, *troops* massacrer
'slaugh·ter·house *for animals* abattoir *m*
Slav [slɑːv] *adj* slave
slave [sleɪv] *n* esclave *m/f*
'slave-driv·er F négrier(-ère) *m*(*f*) F
slay [sleɪ] *v/t* (*pret* ***slew***, *pp* ***slain***) tuer
slay·ing ['sleɪɪŋ] (*murder*) meurtre *m*
sleaze [sliːz] POL corruption *f*
slea·zy ['sliːzɪ] *adj bar*, *character* louche
sled, sledge [sled, sledʒ] traîneau *m*
'sledge ham·mer masse *f*
sleep [sliːp] **1** *n* sommeil *m*; ***go to ~*** s'endormir; ***I need a good ~*** j'ai besoin de dormir; ***a good night's ~*** une bonne nuit de sommeil; ***I couldn't get to ~*** je n'ai pas réussi à m'endormir **2** *v/i* (*pret & pp* ***slept***) dormir; ***~ late*** faire la grasse matinée
♦ **sleep on** *v/t*: ***sleep on it*** attendre le lendemain pour décider; ***sleep on it!*** la nuit porte conseil!
♦ **sleep with** *v/t* (*have sex with*) coucher avec
sleep·i·ly ['sliːpɪlɪ] *adv say* d'un ton endormi; *look at s.o.* d'un air endormi
sleep·ing bag ['sliːpɪŋ] sac *m* de couchage; **'sleep·ing car** RAIL wagon-lit *m*; **'sleep·ing pill** somnifère *m*
sleep·less ['sliːplɪs] *adj*: ***a ~ night*** une nuit blanche
'sleep·walk·er somnambule *m/f*
'sleep·walk·ing somnambulisme *m*
sleep·y ['sliːpɪ] *adj person* qui a envie de dormir; *yawn*, *fig*: *town* endormi; ***I'm ~*** j'ai sommeil
sleet [sliːt] *n* neige *f* fondue
sleeve [sliːv] *of jacket etc* manche *f*
sleeve·less ['sliːvlɪs] *adj* sans manches
sleigh [sleɪ] traîneau *m*
sleight of 'hand [slaɪt] *trick* tour *m* de passe-passe
slen·der ['slendər] *adj* mince; *chance*,

income, margin faible

slept [slept] *pret & pp* → ***sleep***

slew [sluː] *pret* → ***slay***

slice [slaɪs] **1** *n of bread, pie* tranche *f*; *fig: of profits* part *f* **2** *v/t loaf etc* couper en tranches

sliced 'bread [slaɪst] pain *m* coupé en tranches

slick [slɪk] **1** *adj performance* habile; *pej (cunning)* rusé **2** *n of oil* marée *f* noire

slid [slɪd] *pret & pp* → ***slide***

slide [slaɪd] **1** *n for kids* toboggan *m*; PHOT diapositive *f* **2** *v/i* (*pret & pp* ***slid***) glisser; *of exchange rate etc* baisser **3** *v/t* (*pret & pp* ***slid***) *item of furniture* faire glisser

slid·ing door ['slaɪdɪŋ] porte *f* coulissante

slight [slaɪt] **1** *adj person, figure* frêle; *(small)* léger*; ***no, not in the ~est*** non, pas le moins du monde **2** *n (insult)* affront *m*

slight·ly ['slaɪtlɪ] *adv* légèrement

slim [slɪm] **1** *adj person* mince; *chance* faible **2** *v/i* (*pret & pp* ***-med***) être au régime

slime [slaɪm] *(mud)* vase *f*; *of slug, snail* bave *f*

slim·y ['slaɪmɪ] *adj liquid etc* vaseux*

sling [slɪŋ] **1** *n for arm* écharpe *f* **2** *v/t* (*pret & pp* ***slung***) F *(throw)* lancer

'sling·shot catapulte *f*

slip [slɪp] **1** *n on ice etc* glissade *f*, *(mistake)* erreur *f*; ***a ~ of paper*** un bout de papier; ***a ~ of the tongue*** un lapsus; ***give s.o. the ~*** se dérober à qn **2** *v/i* (*pret & pp* ***-ped***) *on ice etc* glisser; *in quality, quantity* baisser; ***he ~ped out of the room*** il se glissa hors de la pièce **3** *v/t* (*pret & pp* ***-ped***) *(put)* glisser; ***it ~ped my mind*** cela m'est sorti de la tête

♦**slip away** *v/i of time* passer; *of opportunity* se dérober; *(die quietly)* s'éteindre

♦**slip off** *v/t jacket etc* enlever

♦**slip on** *v/t jacket etc* enfiler

♦**slip out** *v/i (go out)* sortir

♦**slip up** *v/i (make a mistake)* faire une gaffe

slipped 'disc [slɪpt] hernie *f* discale

slip·per ['slɪpər] chausson *m*

slip·per·y ['slɪpərɪ] *adj* glissant

slip·shod ['slɪpʃɑːd] *adj* négligé

'slip-up *(mistake)* gaffe *f*

slit [slɪt] **1** *n (tear)* déchirure *f*, *(hole), in skirt* fente *f* **2** *v/t* (*pret & pp* ***slit***) ouvrir, fendre; ***~ s.o.'s throat*** couper la gorge à qn

slith·er ['slɪðər] *v/i of person* déraper; *of snake* ramper

sliv·er ['slɪvər] *of wood, glass* éclat *m*; *of soap, cheese, garlic* petit morceau *m*

slob [slɑːb] *pej* rustaud(e) *m(f)*

slob·ber ['slɑːbər] *v/i* baver

slog [slɑːg] *n long walk* trajet *m* pénible; *hard work* corvée *f*

slo·gan ['slougən] slogan *m*

slop [slɑːp] *v/t* (*pret & pp* ***-ped***) *(spill)* renverser

slope [sloup] **1** *n* inclinaison *f*, *of mountain* côté *m*; ***built on a ~*** construit sur une pente **2** *v/i* être incliné; ***the road ~s down to the sea*** la route descend vers la mer

slop·py ['slɑːpɪ] *adj* F *work, in dress* négligé; *(too sentimental)* gnangnan F

slot [slɑːt] *n* fente *f*, *in schedule* créneau *m*

♦**slot in 1** *v/t* (*pret & pp* ***-ted***) insérer **2** *v/i* (*pret & pp* ***-ted***) s'insérer

'slot ma·chine *for vending* distributeur *m* (automatique); *for gambling* machine *f* à sous

slouch [slaʊʧ] *v/i* être avachi; ***don't ~!*** tiens-toi droit!

slov·en·ly ['slʌvnlɪ] *adj* négligé

slow [slou] *adj* lent; ***be ~*** *of clock* retarder; ***they were not ~ to ...*** ils n'ont pas été longs à …

♦**slow down 1** *v/t* ralentir **2** *v/i* ralentir; *in life* faire moins de choses

'slow·down *in production* ralentissement *m*

slow·ly ['sloulɪ] *adv* lentement

slow 'mo·tion: ***in ~*** au ralenti

slow·ness ['slounɪs] lenteur *f*

'slow·poke F lambin(e) *m(f)* F

slug [slʌg] *n animal* limace *f*

slug·gish ['slʌgɪʃ] *adj pace, start* lent; *river* à cours lent

slum [slʌm] *n area* quartier *m* pauvre; *house* taudis *m*
slum·ber par·ty ['slʌmbər] *soirée où des enfants / adolescents se réunissent chez l'un d'entre eux et restent dormir là-bas*
slump [slʌmp] **1** *n in trade* effondrement *m* **2** *v/i of economy* s'effondrer; *of person* s'affaisser
slung [slʌŋ] *pret & pp* → **sling**
slur [slɜːr] **1** *n on s.o.'s character* tache *f* **2** *v/t* (*pret & pp* ***-red***) *words* mal articuler
slurp [slɜːrp] *v/t* faire du bruit en buvant
slurred [slɜːrd] *adj speech* mal articulé
slush [slʌʃ] neige *f* fondue; *pej* (*sentimental stuff*) sensiblerie *f*
'slush fund caisse *f* noire
slush·y ['slʌʃɪ] *adj snow* à moitié fondu; *movie, novel* fadement sentimental
slut [slʌt] *pej* pute *f* F
sly [slaɪ] *adj* (*furtive*) sournois; (*crafty*) rusé; ***on the ~*** en cachette
smack [smæk] **1** *n*: ***a ~ on the bottom*** une fessée; ***a ~ in the face*** une gifle **2** *v/t*: ***~ a child's bottom*** donner une fessée à un enfant; ***~ s.o.'s face*** gifler qn
small [smɒːl] **1** *adj* petit **2** *n*: ***the ~ of the back*** la chute des reins
small 'change monnaie *f*; **'small hours** *npl* heures *fpl* matinales; **small·pox** ['smɒːlpɑːks] variole *f*; **'small print** texte *m* en petits caractères; **'small talk** papotage *m*; ***make ~*** faire de la conversation
smart [smɑːrt] **1** *adj in appearance* élégant; (*intelligent*) intelligent; *pace* vif*; ***get ~ with s.o.*** faire le malin avec qn **2** *v/i* (*hurt*) brûler
'smart ass F frimeur(-euse) *m*(*f*) F
'smart bomb bombe *f* intelligente
'smart card carte *f* à puce, carte *f* à mémoire
♦ **smart·en up** ['smɑːrtn] *v/t* rendre plus élégant
smart·ly ['smɑːrtlɪ] *adv dressed* avec élégance
smash [smæʃ] **1** *n noise* fracas *m*; (*car crash*) accident *m*; *in tennis* smash *m* **2** *v/t break* fracasser; (*hit hard*) frapper; ***~ sth to pieces*** briser qch en morceaux **3** *v/i break* se fracasser; ***the driver ~ed into …*** le conducteur heurta violemment …
♦ **smash up** *v/t place* tout casser dans
smash 'hit F: ***be a ~*** avoir un succès foudroyant
smat·ter·ing ['smætərɪŋ]: ***have a ~ of Chinese*** savoir un peu de chinois
smear [smɪr] **1** *n of ink etc* tache *f*; *Br* MED frottis *m*; *on character* diffamation *f* **2** *v/t smudge*: *paint* faire des traces sur; *character* entacher; ***~ X with Y, ~ Y on X*** *cover, apply* appliquer Y sur X; *stain, dirty* faire des taches de Y sur X
'smear cam·paign campagne *f* de diffamation
smell [smel] **1** *n* odeur *f*; ***sense of ~*** sens *m* de l'odorat **2** *v/t* sentir **3** *v/i unpleasantly* sentir mauvais; (*sniff*) renifler; ***what does it ~ of?*** qu'est-ce que ça sent?; ***you ~ of beer*** tu sens la bière; ***it ~s good*** ça sent bon
smell·y ['smelɪ] *adj*: qui sent mauvais; ***have ~ feet*** puer des pieds; ***it's ~ in here*** ça sent mauvais ici
smile [smaɪl] **1** *n* sourire *m* **2** *v/i* sourire
♦ **smile at** *v/t* sourire à
smirk [smɜːrk] **1** *n* petit sourire *m* narquois **2** *v/i* sourire d'un air narquois
smog [smɑːg] smog *m*
smoke [smoʊk] **1** *n* fumée *f*; ***have a ~*** fumer (une cigarette) **2** *v/t also food* fumer **3** *v/i of person* fumer
smok·er ['smoʊkər] *person* fumeur (-euse) *m*(*f*)
smok·ing ['smoʊkɪŋ] tabagisme *m*; ***~ is bad for you*** c'est mauvais de fumer; ***no ~*** défense de fumer
'smok·ing car RAIL compartiment *m* fumeurs
smok·y ['smoʊkɪ] *adj room, air* enfumé
smol·der ['smoʊldər] *v/i of fire* couver; *fig*: *with anger, desire* se consumer (***with*** de)
smooth [smuːð] **1** *adj surface, skin, sea*

lisse; *ride*, *flight*, *crossing* bon*; *pej*: *person* mielleux* **2** *v/t hair* lisser
♦ **smooth down** *v/t with sandpaper etc* lisser
♦ **smooth out** *v/t paper*, *cloth* défroisser
♦ **smooth over** *v/t*: ***smooth things over*** arranger les choses
smooth·ly ['smu:ðlɪ] *adv* (*without any problems*) sans problème
smoth·er ['smʌðər] *v/t person*, *flames* étouffer; ***~ s.o. with kisses*** couvrir qn de baisers; ***~ the bread with jam*** recouvrir le pain de confiture
smoul·der *Br* → ***smolder***
smudge [smʌdʒ] **1** *n* tache *f* **2** *v/t ink*, *mascara*, *paint* faire des traces sur
smug [smʌg] *adj* suffisant
smug·gle ['smʌgl] *v/t* passer en contrebande
smug·gler ['smʌglər] contrebandier (-ière) *m*(*f*)
smug·gling ['smʌglɪŋ] contrebande *f*
smug·ly ['smʌglɪ] *adv say* d'un ton suffisant; *smile* d'un air suffisant
smut·ty ['smʌtɪ] *adj joke*, *sense of humor* grossier*
snack [snæk] *n* en-cas *m*
'snack bar snack *m*
snag [snæg] *n* (*problem*) hic *m* F
snail [sneɪl] escargot *m*
snake [sneɪk] *n* serpent *m*
snap [snæp] **1** *n sound* bruit *m* sec; PHOT instantané *m* **2** *v/t* (*pret & pp* ***-ped***) *break* casser; (*say sharply*) dire d'un ton cassant **3** *v/i* (*pret & pp* ***-ped***) *break* se casser net **4** *adj decision*, *judgment* rapide, subit
♦ **snap up** *v/t bargains* sauter sur
snap fast·en·er ['snæpfæsnər] bouton-pression *m*
snap·py ['snæpɪ] *adj person*, *mood* cassant; *decision*, *response* prompt; ***be a ~ dresser*** s'habiller chic
'snap·shot photo *f*
snarl [snɑ:rl] **1** *n of dog* grondement **2** *v/i of dog* gronder en montrant les dents
snatch [snætʃ] **1** *v/t* (*grab*) saisir; F (*steal*) voler; F (*kidnap*) enlever **2** *v/i*: ***don't ~!*** ne l'arrache pas!
snaz·zy ['snæzɪ] *adj* F *necktie etc* qui tape F
sneak [sni:k] **1** *v/t* (*remove*, *steal*) chiper F; ***~ a glance at*** regarder à la dérobée **2** *v/i* (*pret & pp* ***~ed*** *or* F ***snuck***): ***~ into the room*** entrer furtivement dans la pièce; ***~ out of the room*** sortir furtivement de la pièce
sneak·ers ['sni:kərz] *npl* tennis *mpl*
sneak·ing ['sni:kɪŋ] *adj*: ***have a ~ suspicion that ...*** soupçonner que ..., avoir comme l'impression que ... F
sneak·y ['sni:kɪ] *adj* F (*underhanded*) sournois
sneer [sni:r] **1** *n* ricanement *m* **2** *v/i* ricaner
sneeze [sni:z] **1** *n* éternuement *m* **2** *v/i* éternuer
snick·er ['snɪkər] **1** *n* rire *m* en dessous **2** *v/i* pouffer de rire
sniff [snɪf] *v/t & v/i* renifler
snip [snɪp] *n Br* F (*bargain*) affaire *f*
snip·er ['snaɪpər] tireur *m* embusqué
snitch [snɪtʃ] **1** *n* (*telltale*) mouchard(e) *m*(*f*) F **2** *v/i* (*tell tales*) vendre la mèche
sniv·el ['snɪvl] *v/i* (*pret & pp* ***-ed***, *Br* ***-led***) pleurnicher
snob [snɑ:b] snob *m/f*
snob·ber·y ['snɑ:bərɪ] snobisme *m*
snob·bish ['snɑ:bɪʃ] *adj* snob *inv*
♦ **snoop around** *v/i* fourrer le nez partout
snoot·y ['snu:tɪ] *adj* arrogant
snooze [snu:z] **1** *n* petit somme *m*; ***have a ~*** faire un petit somme **2** *v/i* roupiller F
snore [snɔ:r] *v/i* ronfler
snor·ing ['snɔ:rɪŋ] ronflement *m*
snor·kel ['snɔ:rkl] *n of swimmer* tuba *m*
snort [snɔ:rt] *v/i of bull*, *horse* s'ébrouer; *of person* grogner
snout [snaʊt] *of pig*, *dog* museau *m*
snow [snoʊ] **1** *n* neige *f* **2** *v/i* neiger
♦ **snow under** *v/t*: ***be snowed under with work*** être submergé de travail
'snow·ball *n* boule *f* de neige; **'snow·bound** *adj* pris dans la neige; **'snow chains** *npl* MOT chaînes *fpl* à neige;

'snow•drift amoncellement *m* de neige; **'snow•drop** perce-neige *m*; **'snow•flake** flocon *m* de neige; **'snow•man** bonhomme *m* de neige; **'snow•plow** chasse-neige *m inv*; **'snow•storm** tempête *f* de neige

snow•y ['snoʊɪ] *adj weather* neigeux*; *roads, hills* enneigé

snub [snʌb] **1** *n* rebuffade *f* **2** *v/t* (*pret & pp* ***-bed***) snober

snub-nosed ['snʌbnoʊzd] *adj* au nez retroussé

snuck [snʌk] *pret & ptp* → ***sneak***

snug [snʌg] *adj* bien au chaud; (*tight-fitting*) bien ajusté; (*too tight*) un peu trop serré

♦**snug•gle down** ['snʌgl] *v/i* se blottir

♦**snuggle up to** *v/t* se blottir contre

so [soʊ] **1** *adv* ◊ si, tellement; ***~ kind*** tellement gentil; ***not ~ much for me thanks*** pas autant pour moi merci; ***~ much better / easier*** tellement mieux / plus facile; ***eat / drink ~ much*** tellement manger / boire; ***there were ~ many people*** il y avait tellement de gens; ***I miss you ~*** tu me manques tellement
◊ : ***~ am / do I*** moi aussi; ***~ is / does she*** elle aussi; ***and ~ on*** et ainsi de suite; ***~ as to be able to …*** afin de pouvoir …; ***you didn't tell me – I did ~*** tu ne me l'as pas dit - si, je te l'ai dit
2 *pron*: ***I hope ~*** je l'espère bien; ***I think ~*** je pense que oui; ***50 or ~*** une cinquantaine, à peu près cinquante
3 *conj* (*for that reason*) donc; (*in order that*) pour que (*+subj*); ***and ~ I missed the train*** et donc j'ai manqué le train; ***~ (that) I could come too*** pour que je puisse moi aussi venir; ; ***~ what?*** F et alors?

soak [soʊk] *v/t* (*steep*) faire tremper; *of water, rain* tremper

♦**soak up** *v/t liquid* absorber; ***soak up the sun*** prendre un bain de soleil

soaked [soʊkt] *adj* trempé; ***be ~ to the skin*** être mouillé jusqu'aux os

soak•ing (wet) ['soʊkɪŋ] *adj* trempé

so-and-so ['soʊənsoʊ] F *unknown person* un tel, une telle; *euph*: *annoying person* crétin(e) *m(f)*

soap [soʊp] *n for washing* savon *m*

soap, 'soap op•e•ra feuilleton *m*

soap•y ['soʊpɪ] *adj water* savonneux*

soar [sɔːr] *v/i of rocket, prices etc* monter en flèche

sob [sɑːb] **1** *n* sanglot *m* **2** *v/i* (*pret & pp* ***-bed***) sangloter

so•ber ['soʊbər] *adj* (*not drunk*) en état de sobriété; (*serious*) sérieux*

♦**sober up** *v/i* dessoûler F

so-'called *adj referred to as* comme on le / la / les appelle; *incorrectly referred to as* soi-disant *inv*

soc•cer ['sɑːkər] football *m*

'soc•cer hoo•li•gan hooligans *mpl*

so•cia•ble ['soʊʃəbl] *adj* sociable

so•cial ['soʊʃl] *adj* social; (*recreational*) mondain

so•cial 'dem•o•crat social-démocrate *m/f* (*pl* sociaux-démocrates)

so•cial•ism ['soʊʃəlɪzm] socialisme *m*

so•cial•ist ['soʊʃəlɪst] **1** *adj* socialiste **2** *n* socialiste *m/f*

so•cial•ize ['soʊʃəlaɪz] *v/i* fréquenter des gens

'so•cial life: ***I don't have much ~*** je ne vois pas beaucoup de monde; **so•cial 'sci•ence** sciences *fpl* humaines; **'so•cial work** travail *m* social; **'so•cial work•er** assistant sociale *m*, assistante sociale *f*

so•ci•e•ty [sə'saɪətɪ] société *f*

so•ci•ol•o•gist [soʊsɪ'ɑːlədʒɪst] sociologue *m/f*

so•ci•ol•o•gy [soʊsɪ'ɑːlədʒɪ] sociologie *f*

sock[1] [sɑːk] *for wearing* chaussette *f*

sock[2] [sɑːk] **1** *n* (*punch*) coup *m* **2** *v/t* (*punch*) donner un coup de poing à

sock•et ['sɑːkɪt] ELEC *for light bulb* douille *f*; (*wall ~*) prise *f* de courant; *of bone* cavité *f* articulaire; *of eye* orbite *f*

so•da ['soʊdə] (*~ water*) eau *f* gazeuse; (*soft drink*) soda *m*; (*ice-cream ~*) soda *m* à la crème glacée; ***whiskey and ~*** un whisky soda

sod•den ['sɑːdn] *adj* trempé

so•fa ['soʊfə] canapé *m*

S

'so·fa bed canapé-lit *m*
soft [sɑːft] *adj* doux*; (*lenient*) gentil*; ***have a ~ spot for*** avoir un faible pour
'soft drink boisson *f* non alcoolisée
'soft drug drogue *f* douce
soft·en ['sɑːfn] **1** *v/t position* assouplir; *impact, blow* adoucir **2** *v/i of butter, icecream* se ramollir
soft·ly ['sɑːftlɪ] *adv* doucement
soft 'toy peluche *f*
soft·ware ['sɑːftwer] logiciel *m*
sog·gy ['sɑːgɪ] *adj soil* détrempé; *pastry* pâteux*
soil [sɔɪl] **1** *n* (*earth*) terre *f* **2** *v/t* salir
so·lar en·er·gy ['soʊlər] énergie *f* solaire; **'so·lar pan·el** panneau *m* solaire; **'solar sys·tem** système *m* solaire
sold [soʊld] *pret & pp* → ***sell***
sol·dier ['soʊldʒər] soldat *m*
♦**soldier on** *v/i* continuer coûte que coûte
sole[1] [soʊl] *n of foot* plante *f*; *of shoe* semelle *f*
sole[2] [soʊl] *adj* seul; *responsibility* exclusif*
sole[3] [soʊl] *fish* sole *f*
sole·ly ['soʊlɪ] *adv* exclusivement; ***she was not ~ to blame*** elle n'était pas la seule responsable
sol·emn ['sɑːləm] *adj* solennel*
so·lem·ni·ty [sə'lemnətɪ] solennité *f*
sol·emn·ly ['sɑːləmlɪ] *adv* solennellement
so·li·cit [sə'lɪsɪt] *v/i of prostitute* racoler
so·lic·i·tor [sə'lɪsɪtər] *Br* avocat *m*; *for property, wills* notaire *m*
sol·id ['sɑːlɪd] *adj* (*hard*) dur; (*without holes*) compact; *gold, silver etc, support* massif*; (*sturdy*), *evidence* solide; ***frozen ~*** complètement gelé; ***a ~ hour*** toute une heure
sol·i·dar·i·ty [sɑːlɪ'dærətɪ] solidarité *f*
so·lid·i·fy [sə'lɪdɪfaɪ] *v/i* (*pret & pp* ***-ied***) se solidifier
sol·id·ly ['sɑːlɪdlɪ] *adv built* solidement; *in favor of* massivement
so·lil·o·quy [sə'lɪləkwɪ] *on stage* monologue *m*
sol·i·taire [sɑːlɪ'ter] *card game* réussite *f*
sol·i·ta·ry ['sɑːlɪterɪ] *adj life, activity* solitaire; (*single*) isolé
sol·i·ta·ry con'fine·ment régime *m* cellulaire
sol·i·tude ['sɑːlɪtuːd] solitude *f*
so·lo ['soʊloʊ] **1** *adj* en solo **2** *n* MUS solo *m*
so·lo·ist ['soʊloʊɪst] soliste *m/f*
sol·u·ble ['sɑːljʊbl] *adj substance, problem* soluble
so·lu·tion [sə'luːʃn] *also mixture* solution *f*
solve [sɑːlv] *v/t* résoudre
sol·vent ['sɑːlvənt] *adj financially* solvable
som·ber ['sɑːmbər] *adj* (*dark, serious*) sombre
som·bre ['sɒmbər] *Br* → ***somber***
some [sʌm] **1** *adj* ◊ : ***~ cream / chocolate / cookies*** de la crème / du chocolat / des biscuits
◊ (*certain*): ***~ people say that …*** certains disent que …
◊ : ***that was ~ party!*** c'était une sacrée fête!, quelle fête!; ***he's ~ lawyer!*** quel avocat!
2 *pron* ◊ : ***~ of the money*** une partie de l'argent; ***~ of the group*** certaines personnes du groupe, certains du groupe
◊ : ***would you like ~?*** est-ce que vous en voulez?; ***give me ~*** donnez-m'en
3 *adv* ◊ (*a bit*) un peu; ***we'll have to wait ~*** on va devoir attendre un peu
◊ (*around*): ***~ 500 letters*** environ 500 lettres
some·bod·y ['sʌmbədɪ] *pron* quelqu'un
'some·day *adv* un jour
'some·how *adv* (*by one means or another*) d'une manière ou d'une autre; (*for some unknown reason*) sans savoir pourquoi
'some·one *pron* → ***somebody***
'some·place *adv* → ***somewhere***
som·er·sault ['sʌmərsɒːlt] **1** *n* roulade *f*, *by vehicle* tonneau *m* **2** *v/i of vehicle* faire un tonneau
'some·thing *pron* quelque chose;

would you like ~ to drink / eat? voulez-vous boire / manger quelque chose?; ***~ strange*** quelque chose de bizarre; ***are you bored or ~?*** tu t'ennuies ou quoi?
'some·time *adv* un de ces jours; ***~ last year*** dans le courant de l'année dernière
'some·times ['sʌmtaɪmz] *adv* parfois
'some·what *adv* quelque peu
'some·where 1 *adv* quelque part **2** *pron*: ***let's go ~ quiet*** allons dans un endroit calme; ***~ to park*** un endroit où se garer
son [sʌn] fils *m*
so·na·ta [sə'nɑːtə] MUS sonate *f*
song [sɑːŋ] chanson *f*
'song·bird oiseau *m* chanteur
'song·writ·er *of music* compositeur *m*, compositrice *f*; *of words* auteur *m* de chansons; *both* auteur-compositeur *m*
'son-in-law (*pl* ***sons-in-law***) beau-fils *m*
son·net ['sɑːnɪt] sonnet *m*
son of a 'bitch V fils *m* de pute V
soon [suːn] *adv* (*in a short while*) bientôt; (*quickly*) vite; (*early*) tôt; ***come back ~*** reviens vite; ***it's too ~*** c'est trop tôt; ***~ after*** peu (de temps) après; ***how ~*** dans combien de temps; ***as ~ as*** dès que; ***as ~ as possible*** le plus tôt possible; ***~er or later*** tôt ou tard; ***the ~er the better*** le plus tôt sera le mieux; ***see you ~*** à bientôt
soot [sʊt] suie *f*
soothe [suːð] *v/t* calmer
so·phis·ti·cat·ed [sə'fɪstɪkeɪtɪd] *adj* sophistiqué
so·phis·ti·ca·tion [sə'fɪstɪkeɪʃn] sophistication *f*
soph·o·more ['sɑːfəmɔːr] étudiant(e) *m(f)* de deuxième année
sop·py ['sɑːpɪ] *adj* F gnangnan F
so·pra·no [sə'prɑːnoʊ] *n* soprano *m/f*
sor·did ['sɔːrdɪd] *adj affair, business* sordide
sore [sɔːr] **1** *adj* (*painful*): ***is it ~?*** ça vous fait mal?; ***have a ~ throat*** avoir mal à la gorge; ***be ~*** F (*angry*) être fâché; ***get ~*** se fâcher **2** *n* plaie *f*
sor·row ['sɑːroʊ] chagrin *m*
sor·ry ['sɑːrɪ] *adj day* triste; *sight* misérable; (***I'm***) ***~!*** (*apologizing*) pardon!; ***be ~*** être désolé; ***I was ~ to hear of your mother's death*** j'ai été peiné d'apprendre le décès de ta mère; ***I won't be ~ to leave here*** je ne regretterai pas de partir d'ici; ***I feel ~ for her*** elle me fait pitié
sort [sɔːrt] **1** *n* sorte *f*; ***~ of ...*** F plutôt; ***it looks ~ of like a pineapple*** ça ressemble un peu à un ananas; ***is it finished? - ~ of*** F c'est fini? - en quelque sorte **2** *v/t also* COMPUT trier
♦ **sort out** *v/t papers* ranger; *problem* résoudre
SOS [esoʊ'es] S.O.S. *m*; *fig*: *plea for help* appel *m* à l'aide
so-'so *adv* F comme ci comme ça F
sought [sɒːt] *pret & pp* → ***seek***
soul [soʊl] *also fig* âme *f*; ***there wasn't a ~*** il n'y avait pas âme qui vive; ***he's a kind ~*** c'est une bonne âme
sound[1] [saʊnd] **1** *adj* (*sensible*) judicieux*; *judgment* solide; (*healthy*) en bonne santé; *business* qui se porte bien; *walls* en bon état; *sleep* profond **2** *adv*: ***be ~ asleep*** être profondément endormi
sound[2] [saʊnd] **1** *n* son *m*; (*noise*) bruit *m* **2** *v/t* (*pronounce*) prononcer; MED ausculter; ***~ s.o.'s chest*** ausculter qn; ***~ one's horn*** klaxonner **3** *v/i*: ***that ~s interesting*** ça a l'air intéressant; ***that ~s like a good idea*** ça a l'air d'être une bonne idée; ***she ~ed unhappy*** elle avait l'air malheureuse; ***it ~s hollow*** ça sonne creux
♦ **sound out** *v/t* sonder
'sound ef·fects *npl* effets *mpl* sonores
sound·ly ['saʊndlɪ] *adv sleep* profondément; *beaten* à plates coutures
'sound·proof *adj room* insonorisé
'sound·track bande *f* sonore
soup [suːp] soupe *f*
'soup bowl bol *m* de soupe
souped-up [suːpt'ʌp] *adj* F gonflé F
'soup plate assiette *f* à soupe
'soup spoon cuillère *f* à soupe
sour ['saʊər] *adj apple, milk* aigre; *expression* revêche; *comment* désobli-

S

geant

source [sɔːrs] *n of river, noise, information etc* source *f*

sour(ed) 'cream [saʊərd] crème *f* aigre

south [saʊθ] **1** *n* sud *m*; ***the South of France*** le Midi; ***to the ~ of*** au sud de **2** *adj* sud *inv*; *wind* du sud; ***~ Des Moines*** le sud de Des Moines **3** *adv travel* vers le sud; ***~ of*** au sud de

South 'Af·ric·a Afrique *f* du sud; **South 'Af·ri·can 1** *adj* sud-africain **2** *n* Sud-Africain(e) *m(f)*; **South A'mer·i·ca** Amérique *f* du sud; **South A'mer·i·can 1** *adj* sud-américain **2** *n* Sud-Américain(e) *m(f)*; **south'east 1** *n* sud-est *m* **2** *adj* sud-est *inv*; *wind* du sud-est **3** *adv travel* vers le sud-est; ***~ of*** au sud-est de; **south'east·ern** *adj* sud-est *inv*

south·er·ly ['sʌðərlɪ] *adj wind* du sud; *direction* vers le sud

south·ern ['sʌðərn] *adj* du Sud

south·ern·er ['sʌðərnər] habitant(e) *m(f)* du Sud; *US* HIST sudiste *m/f*

south·ern·most ['sʌðərnmoʊst] *adj* le plus au sud

South 'Pole pôle *m* Sud; **south·ward** ['saʊθwərd] *adv* vers le sud; **south-'west 1** *n* sud-ouest *m* **2** *adj* sud-ouest *inv*; *wind* du sud-ouest **3** *adv* vers le sud-ouest; ***~ of*** au sud-ouest de; **south'west·ern** *adj part of a country etc* sud-ouest *inv*

sou·ve·nir [suːvə'nɪr] souvenir *m*

sove·reign ['sɑːvrɪn] *adj state* souverain

sove·reign·ty ['sɑːvrɪntɪ] *of state* souveraineté *f*

So·vi·et ['soʊvɪət] *adj* soviétique

So·vi·et 'U·nion Union *f* soviétique

sow[1] [saʊ] *n (female pig)* truie *f*

sow[2] [soʊ] *v/t (pret* ***sowed****, pp* ***sown****) seeds* semer

sown [soʊn] *pp* → ***sow***[2]

soy bean ['sɔɪbiːn] soja *m*

soy 'sauce sauce *f* au soja

space [speɪs] *n (outer ~, area)* espace *m*; *(room)* place *f*

♦ **space out** *v/t* espacer

spaced out [speɪst'aʊt] *adj* F défoncé F

'space-bar COMPUT barre *f* d'espacement; **'space·craft** vaisseau *m* spatial; **'space·ship** vaisseau *m* spatial; **'space shut·tle** navette *f* spatiale; **'space sta·tion** station *f* spatiale; **'space·suit** scaphandre *m* de cosmonaute

spa·cious ['speɪʃəs] *adj* spacieux*

spade [speɪd] *for digging* bêche *f*; ***~s*** *in card game* pique *m*

spa·ghet·ti [spə'getɪ] *nsg* spaghetti *mpl*

Spain [speɪn] Espagne *f*

span [spæn] *v/t (pret & pp* ***-ned****) (cover)* recouvrir; *of bridge* traverser

Span·iard ['spænjərd] Espagnol *m*, Espagnole *f*

Span·ish ['spænɪʃ] **1** *adj* espagnol **2** *n language* espagnol *m*; ***the ~*** les Espagnols

spank [spæŋk] *v/t* donner une fessée à

spank·ing ['spæŋkɪŋ] fessée *f*

span·ner ['spænər] *Br* clef *f*

spare [sper] **1** *v/t time* accorder; *(lend: money* prêter; *(do without)* se passer de; ***money to ~*** argent en trop; ***time to ~*** temps libre; ***can you ~ the time?*** est-ce que vous pouvez trouver un moment?; ***there were five to ~*** *(left over, in excess)* il y en avait cinq de trop **2** *adj (extra) cash* en trop; *eyeglasses, clothes* de rechange **3** *n*: ***~s*** *(~ parts)* pièces *fpl* de rechange

spare 'part pièce *f* de rechange; **spare 'ribs** *npl* côtelette *f* de porc dans l'échine; **spare 'room** chambre *f* d'ami; **spare 'time** temps *m* libre; **spare 'tire** MOT pneu *m* de rechange; **spare 'tyre** *Br* → ***spare tire***

spar·ing ['sperɪŋ] *adj*: ***be ~ with*** économiser

spa·ring·ly ['sperɪŋlɪ] *adv* en petite quantité

spark [spɑːrk] *n* étincelle *f*

spar·kle ['spɑːrkl] *v/i* étinceler

spark·ling wine ['spɑːrklɪŋ] vin *m* mousseux

'spark plug bougie *f*

spar·row ['spæroʊ] moineau *m*

sparse [spɑːrs] *adj vegetation* épars
sparse·ly ['spɑːrslɪ] *adv*: **~ *populated*** faiblement peuplé
spar·tan ['spɑːrtn] *adj room* spartiate
spas·mod·ic [spæz'mɑːdɪk] *adj visits, attempts* intermittent; *conversation* saccadé
spat [spæt] *pret & pp* → ***spit***
spate [speɪt] *fig* série *f*, avalanche *f*
spa·tial ['speɪʃl] *adj* spatial
spat·ter ['spætər] *v/t mud, paint* éclabousser
speak [spiːk] **1** *v/i* (*pret* ***spoke***, *pp* ***spoken***) parler (to, with à); ***we're not ~ing (to each other)*** (*we've quarreled*) on ne se parle plus; ***~ing*** TELEC lui-même, elle-même **2** *v/t* (*pret* ***spoke***, *pp* ***spoken***) *foreign language* parler; ***~ one's mind*** dire ce que l'on pense
♦**speak for** *v/t* parler pour
♦**speak out** *v/i* s'élever (***against*** contre)
♦**speak up** *v/i* (*speak louder*) parler plus fort
speak·er ['spiːkər] *at conference* intervenant(e) *m(f)*; (*orator*) orateur (-trice) *m(f)*; *of sound system* haut-parleur *m*; ***French / Spanish~*** francophone *m/f* / hispanophone *m/f*
spear·mint ['spɪrmɪnt] menthe *f* verte
spe·cial ['speʃl] *adj* spécial; *effort, day etc* exceptionnel*; ***be on ~*** être en réduction
spe·cial ef'fects *npl* effets *mpl* spéciaux, trucages *mpl*
spe·cial·ist ['speʃlɪst] spécialiste *m/f*
spe·cial·i·ty [speʃɪ'ælətɪ] *Br* → ***specialty***
spe·cial·ize ['speʃəlaɪz] *v/i* se spécialiser (***in*** en, dans); ***we ~ in ...*** nous sommes spécialisés en ...
spe·cial·ly ['speʃlɪ] *adv* → ***especially***
spe·cial·ty ['speʃəltɪ] spécialité *f*
spe·cies ['spiːʃiːz] *nsg* espèce *f*
spe·cif·ic [spə'sɪfɪk] *adj* spécifique
spe·cif·i·cal·ly [spə'sɪfɪklɪ] *adv* spécifiquement; ***I ~ told you that ...*** je vous avais bien dit que ...
spec·i·fi·ca·tions [spesɪfɪ'keɪʃnz] *npl of machine etc* spécifications *fpl*, caractéristiques *mpl*
spe·ci·fy ['spesɪfaɪ] *v/t* (*pret & pp* ***-ied***) préciser
spe·ci·men ['spesɪmən] *of work* spécimen *m*; *of blood, urine* prélèvement *m*
speck [spek] *of dust, soot* grain *m*
spec·ta·cle ['spektəkl] (*impressive sight*) spectacle *m*
spec·tac·u·lar [spek'tækjʊlər] *adj* spectaculaire
spec·ta·tor [spek'teɪtər] spectateur (-trice) *m(f)*
spec'ta·tor sport *sport que l'on regarde en spectateur*
spec·trum ['spektrəm] *fig* éventail *m*
spec·u·late ['spekjʊleɪt] *v/i also* FIN spéculer (***about, on*** sur)
spec·u·la·tion [spekjʊ'leɪʃn] spéculations *fpl*; FIN spéculation *f*
spec·u·la·tor ['spekjʊleɪtər] FIN spéculateur(-trice) *m(f)*
sped [sped] *pret & pp* → ***speed***
speech [spiːtʃ] (*address*) discours *m*; (*ability to speak*) parole *f*; (*way of speaking*) élocution *f*
'speech de·fect trouble *m* d'élocution
speech·less ['spiːtʃlɪs] *adj with shock, surprise* sans voix
'speech ther·a·pist orthophoniste *m/f*; **'speech ther·a·py** orthophonie *f*; **'speech writ·er** *personne qui écrit les discours d'une autre*
speed [spiːd] **1** *n* vitesse *f*; ***at a ~ of ...*** à une vitesse de ... **2** *v/i* (*pret & pp* ***sped***) (*go quickly*) se précipiter; *of vehicle* foncer; (*drive too quickly*) faire de la vitesse
♦**speed by** *v/i* passer à toute vitesse
♦**speed up 1** *v/i* aller plus vite **2** *v/t* accélérer
'speed·boat vedette *f*; *with outboard motor* hors-bord *m inv*
'speed bump dos d'âne *m*, ralentisseur *m*
speed·i·ly ['spiːdɪlɪ] *adv* rapidement
speed·ing ['spiːdɪŋ] *when driving* excès *m* de vitesse
'speed·ing fine contravention *f* pour excès de vitesse

'speed lim·it limitation *f* de vitesse
speed·om·e·ter [spiːˈdɑːmɪtər] compteur *m* de vitesse
'speed trap contrôle *m* de vitesse
speed·y [ˈspiːdɪ] *adj* rapide
spell[1] [spel] **1** *v/t word* écrire, épeler; ***how do you ~ it?*** comment ça s'écrit? **2** *v/i*: ***he can / can't ~*** il a une bonne / mauvaise orthographe
spell[2] *n* (*period of time*) période *f*
spell[3] *n magic* sort *m*
'spell·bound *adj* sous le charme; **'spell·check** COMPUT correction *f* orthographique; ***do a ~*** effectuer une correction orthographique (***on*** sur); **'spell·check·er** COMPUT correcteur *m* d'orthographe, correcteur *m* orthographique
spell·ing [ˈspelɪŋ] orthographe *f*
spend [spend] *v/t* (*pret & pp* ***spent***) *money* dépenser; *time* passer
'spend·thrift *n pej* dépensier(-ière) *m(f)*
spent [spent] *pret & pp* → ***spend***
sperm [spɜːrm] spermatozoïde *m*; (*semen*) sperme *m*
'sperm bank banque *f* de sperme
'sperm count taux *m* de spermatozoïdes
sphere [sfɪr] *also fig* sphère *f*; ***~ of influence*** sphère d'influence
spice [spaɪs] *n* (*seasoning*) épice *f*
spic·y [ˈspaɪsɪ] *adj food* épicé
spi·der [ˈspaɪdər] araignée *f*
'spi·der·web toile *f* d'araignée
spike [spaɪk] *n* pointe *f*; *on plant*, *animal* piquant *m*
'spike heels *npl* talons *mpl* aiguille
spill [spɪl] **1** *v/t* renverser **2** *v/i* se répandre **3** *n of oil*, *chemicals* déversement *m* accidentel
spin[1] [spɪn] **1** *n* (*turn*) tour *m* **2** *v/t* (*pret & pp* ***spun***) faire tourner **3** *v/i* (*pret & pp* ***spun***) *of wheel* tourner; ***my head is ~ning*** j'ai la tête qui tourne
spin[2] *v/t* (*pret & pp* ***spun***) *wool etc* filer; *web* tisser
♦**spin around** *v/i of person* faire volte-face; *of car* faire un tête-à--queue; *of dancer, several times* tourner
♦**spin out** *v/t* faire durer
spin·ach [ˈspɪnɪdʒ] épinards *mpl*
spin·al [ˈspaɪnl] *adj* de vertèbres
spin·al 'col·umn colonne *f* vertébrale
spin·al 'cord moelle *f* épinière
'spin doc·tor F conseiller(-ère) *m(f)* en communication; **'spin-dry** *v/t* essorer; **'spin-dry·er** essoreuse *f*
spine [spaɪn] *of person*, *animal* colonne *f* vertébrale; *of book* dos *m*; *on plant*, *hedgehog* épine *f*
spine·less [ˈspaɪnlɪs] *adj* (*cowardly*) lâche
'spin-off retombée *f*
spin·ster [ˈspɪnstər] célibataire *f*
spin·y [ˈspaɪnɪ] *adj* épineux*
spi·ral [ˈspaɪrəl] **1** *n* spirale *f* **2** *v/i* (*pret & pp* ***-ed***, *Br* ***-led***) (*rise quickly*) monter en spirale
spi·ral 'stair·case escalier *m* en colimaçon
spire [ˈspaɪr] *of church* flèche *f*
spir·it [ˈspɪrɪt] esprit *m*; (*courage*) courage *m*; ***in a ~ of cooperation*** dans un esprit de coopération
spir·it·ed [ˈspɪrɪtɪd] *adj* (*energetic*) énergique
'spir·it lev·el niveau *m* à bulle d'air
spir·its[1] [ˈspɪrɪts] *npl* (*alcohol*) spiritueux *mpl*
spir·its[2] *npl* (*morale*) moral *m*; ***be in good / poor ~*** avoir / ne pas avoir le moral
spir·i·tu·al [ˈspɪrɪtʊəl] *adj* spirituel*
spir·it·u·al·ism [ˈspɪrɪtʊəlɪzm] spiritisme *m*
spir·it·u·al·ist [ˈspɪrɪtʊəlɪst] *n* spirite *m/f*
spit [spɪt] *v/i* (*pret & pp* ***spat***) *of person* cracher; ***it's ~ting with rain*** il bruine
♦**spit out** *v/t food*, *liquid* recracher
spite [spaɪt] *n* malveillance *f*; ***in ~ of*** en dépit de
spite·ful [ˈspaɪtfl] *adj* malveillant
spite·ful·ly [ˈspaɪtflɪ] *adv* avec malveillance
spit·ting im·age [ˈspɪtɪŋ]: ***be the ~ of s.o.*** être qn tout craché F
splash [splæʃ] **1** *n noise* plouf *m*; (*small amount of liquid*) goutte *f*; *of color* tache *f* **2** *v/t person* éclabousser; *water*, *mud* asperger **3** *v/i of person* pa-

tauger; **~ against sth** *of waves* s'écraser contre qch

♦**splash down** *v/i of spacecraft* amerrir

♦**splash out** *v/i in spending* faire une folie

'splash·down amerrissage *m*

splen·did ['splendɪd] *adj* magnifique

splen·dor, *Br* **splen·dour** ['splendər] splendeur *f*

splint [splɪnt] *n* MED attelle *f*

splin·ter ['splɪntər] **1** *n of wood, glass* éclat *m*; *of bone* esquille *f*; *in finger* écharde *f* **2** *v/i* se briser

'splin·ter group groupe *m* dissident

split [splɪt] **1** *n damage*: *in wood* fente *f*; *in fabric* déchirure *f*; (*disagreement*) division *f*; (*of profits etc*) partage *m*; (*share*) part *f* **2** *v/t* (*pret & pp* **split**) *wood* fendre; *fabric* déchirer; *log* fendre en deux; (*cause disagreement in, divide*) diviser **3** *v/i* (*pret & pp* **split**) *of fabric* se déchirer; *of wood* se fendre; (*disagree*) se diviser (**on, over** au sujet de)

♦**split up** *v/i of couple* se séparer

split per·son'al·i·ty PSYCH dédoublement *m* de personnalité

split·ting ['splɪtɪŋ] *adj*: **a ~ headache** un mal de tête terrible

splut·ter ['splʌtər] *v/i* bredouiller

spoil [spɔɪl] *v/t child* gâter; *surprise, party* gâcher

'spoil·sport F rabat-joie *m/f*

spoilt [spɔɪlt] *adj child* gâté; **be ~ for choice** avoir l'embarras du choix

spoke[1] [spoʊk] *of wheel* rayon *m*

spoke[2] [spoʊk] *pret* → **speak**

spo·ken ['spoʊkən] *pp* → **speak**

spokes·man ['spoʊksmən] porte-parole *m*

spokes·per·son ['spoʊkspɜːrsən] porte-parole *m/f*

spokes·wom·an ['spoʊkswʊmən] porte-parole *f*

sponge [spʌndʒ] *n* éponge *f*

♦**sponge off, sponge on** *v/t* F vivre aux crochets de F

'sponge cake génoise *f*

spong·er ['spʌndʒər] F parasite *m/f*

spon·sor ['spɑːnsər] **1** *n* (*guarantor*) répondant(e) *m*(*f*); *for club membership* parrain *m*, marraine *f*; RAD, TV, SP sponsor *m/f* **2** *v/t for immigration etc* se porter garant de; *for club membership* parrainer; RAD, TV, SP sponsoriser

spon·sor·ship ['spɑːnsərʃɪp] RAD, TV, SP, *of exhibition etc* sponsorisation *f*

spon·ta·ne·ous [spɑːn'teɪnɪəs] *adj* spontané

spon·ta·ne·ous·ly [spɑːn'teɪnɪəslɪ] *adv* spontanément

spook·y ['spuːkɪ] *adj* F qui fait froid dans le dos

spool [spuːl] *n* bobine *f*

spoon [spuːn] *n* cuillère *f*

'spoon·feed *v/t* (*pret & pp* **-fed**) *fig* mâcher tout à

spoon·ful ['spuːnfʊl] cuillerée *f*

spo·rad·ic [spə'rædɪk] *adj* intermittent

sport [spɔːrt] *n* sport *m*

sport·ing ['spɔːrtɪŋ] *adj event* sportif*; (*fair, generous*) chic *inv*; **a ~ gesture** un geste élégant

'sports car [spɔːrts] voiture *f* de sport; **'sports·coat** veste *f* sport; **'sports jour·nal·ist** journaliste *m* sportif, journaliste *f* sportive; **'sports·man** sportif *m*; **'sports med·i·cine** médecine *f* du sport; **'sports news** *nsg* nouvelles *fpl* sportives; **'sports page** page *f* des sports; **'sports·wear** vêtements *mpl* de sport; **'sports·wom·an** sportive *f*

sport·y ['spɔːrtɪ] *adj person* sportif*

spot[1] [spɑːt] *n on skin* bouton *m*; *part of pattern* pois *m*; **a ~ of ...** (*a little*) un peu de ...

spot[2] *n* (*place*) endroit *m*; **on the ~** sur place; (*immediately*) sur-le-champ; **put s.o. on the ~** mettre qn dans l'embarras

spot[3] *v/t* (*pret & pp* **-ted**) (*notice, identify*) repérer

spot 'check *n* contrôle *m* au hasard; **carry out ~s** effectuer des contrôles au hasard

spot·less ['spɑːtlɪs] *adj* impeccable

'spot·light *beam* feu *m* de projecteur; *device* projecteur *m*

spot·ted ['spɑːtɪd] *adj fabric* à pois
spot·ty ['spɑːtɪ] *adj with pimples* boutonneux*
spouse [spaʊs] *fml* époux *m*, épouse *f*
spout [spaʊt] **1** *n* bec *m* **2** *v/i of liquid* jaillir **3** *v/t* F débiter
sprain [spreɪn] **1** *n* foulure *f*; *serious* entorse *f* **2** *v/t ankle*, *wrist* se fouler; *seriously* se faire une entorse à
sprang ['spræŋ] *pret* → ***spring***[3]
sprawl [sprɒːl] *v/i* s'affaler; *of city* s'étendre (de tous les côtés); ***send s.o. ~ing*** *of punch* envoyer qn par terre
sprawl·ing ['sprɒːlɪŋ] *adj* tentaculaire
spray [spreɪ] **1** *n of sea water* embruns *mpl*; *from fountain* gouttes *fpl* d'eau; *for hair* laque *f*; *container* atomiseur *m* **2** *v/t perfume*, *hair lacquer*, *furniture polish* vaporiser; *paint*, *weed-killer etc* pulvériser; ***~ s.o. with sth*** asperger qn de qch; ***~ graffiti on sth*** peindre des graffitis à la bombe sur qch
'spray·gun pulvérisateur *m*
spread [spred] **1** *n of disease*, *religion etc* propagation *f*; F (*big meal*) festin *m* **2** *v/t* (*pret & pp* ***spread***) (*lay*), *butter* étaler; *news*, *rumor*, *disease* répandre; *arms*, *legs* étendre **3** *v/i* (*pret & pp* ***spread***) se répandre; *of butter* s'étaler
'spread·sheet COMPUT feuille *f* de calcul; *program* tableur *m*
spree [spriː] F : ***go*** (***out***) ***on a ~*** faire la bringue F; ***go on a shopping ~*** aller claquer son argent dans les magasins F
sprig [sprɪg] brin *m*
spright·ly ['spraɪtlɪ] *adj* alerte
spring[1] [sprɪŋ] *n season* printemps *m*
spring[2] [sprɪŋ] *n device* ressort *m*
spring[3] [sprɪŋ] **1** *n* (*jump*) bond *m*; (*stream*) source *f* **2** *v/i* (*pret* ***sprang***, *pp* ***sprung***) bondir; ***~ from*** venir de, provenir de
'spring·board tremplin *m*; **spring 'chick·en** *hum*: ***she's no ~*** elle n'est plus toute jeune; **spring-'clean·ing** nettoyage *m* de printemps; **'spring·time** printemps *m*
spring·y ['sprɪŋɪ] *adj mattress*, *ground*, *walk* souple
sprin·kle ['sprɪŋkl] *v/t* saupoudrer; ***~ sth with sth*** saupoudrer qch de qch
sprin·kler ['sprɪŋklər] *for garden* arroseur *m*; *in ceiling* extincteur *m*
sprint [sprɪnt] **1** *n* sprint *m* **2** *v/i* SP sprinter; *fig* piquer un sprint F
sprint·er ['sprɪntər] SP sprinteur (-euse) *m*(*f*)
sprout [spraʊt] **1** *v/i of seed* pousser **2** *n*: (***Brussels***) ***~s*** choux *mpl* de Bruxelles
spruce [spruːs] *adj* pimpant
sprung [sprʌŋ] *pp* → ***spring***[3]
spry [spraɪ] *adj* alerte
spun [spʌn] *pret & pp* → ***spin***
spur [spɜːr] *n* éperon *m*; *fig* aiguillon *m*; ***on the ~ of the moment*** sous l'impulsion du moment
♦**spur on** *v/t* (*pret & pp* ***-red***) (*encourage*) encourager
spurt [spɜːrt] **1** *n in race* accélération *f*; ***put on a ~*** *in race* sprinter; *fig*: *in work* donner un coup de collier **2** *v/i of liquid* jaillir
sput·ter ['spʌtər] *v/i of engine* tousser
spy [spaɪ] **1** *n* espion(ne) *m*(*f*) **2** *v/i* (*pret & pp* ***-ied***) faire de l'espionnage **3** *v/t* (*pret & pp* ***-ied***) (*see*) apercevoir
♦**spy on** *v/t* espionner
squab·ble ['skwɑːbl] **1** *n* querelle *f* **2** *v/i* se quereller
squad ['skwɑːd] escouade *f*, groupe *m*; SP équipe *f*
squal·id ['skwɒːlɪd] *adj* sordide
squal·or ['skwɒːlər] misère *f*
squan·der ['skwɒːndər] *v/t* gaspiller
square [skwer] **1** *adj in shape* carré; ***~ mile / yard*** mile / yard carré **2** *n shape*, MATH carré *m*; *in town* place *f*; *in board game* case *f*; ***we're back to ~ one*** nous sommes revenus à la case départ
♦**square up** *v/i* (*settle accounts*) s'arranger; ***square up with s.o.*** régler ses comptes avec qn
square 'root racine *f* carrée
squash[1] [skwɑːʃ] *n vegetable* courge *f*
squash[2] [skwɑːʃ] *n game* squash *m*
squash[3] [skwɑːʃ] *v/t* (*crush*) écraser
squat [skwɑːt] **1** *adj in shape* ramassé

2 *v/i* (*pret & pp* ***-ted***) *sit* s'accroupir; *illegally* squatter
squat·ter ['skwɑːtər] squatteur(-euse) *m(f)*
squeak [skwiːk] **1** *n of mouse* couinement *m*; *of hinge* grincement *m* **2** *v/i of mouse* couiner; *of hinge* grincer; *of shoes* crisser
squeak·y ['skwiːkɪ] *adj hinge* grinçant; *shoes* qui crissent; ***~ voice*** petite voix aiguë
'squeak·y clean *adj* F blanc* comme neige
squeal [skwiːl] **1** *n* cri *m* aigu; *of brakes* grincement *m* **2** *v/i* pousser des cris aigus; *of brakes* grincer
squeam·ish ['skwiːmɪʃ] *adj* trop sensible
squeeze [skwiːz] **1** *n*: ***with a ~ of her shoulder*** en lui pressant l'épaule; ***give s.o.'s hand a ~*** serrer la main de qn **2** *v/t hand* serrer; *shoulder*, (*remove juice from*) presser; *fruit*, *parcel* palper; ***~ sth out of s.o.*** soutirer qch à qn
♦**squeeze in 1** *v/i to car etc* rentrer en se serrant **2** *v/t* réussir à faire rentrer
♦**squeeze up** *v/i to make space* se serrer
squid [skwɪd] calmar *m*
squint [skwɪnt] *n*: ***have a ~*** loucher
squirm [skwɜːrm] *v/i* (*wriggle*) se tortiller; *in embarrassment* être mal à l'aise
squir·rel ['skwɪrl] écureuil *m*
squirt [skwɜːrt] **1** *v/t* faire gicler **2** *n* F *pej* morveux(-euse) *m(f)*
St *abbr* (***= saint***) St(e) (= saint(e)); (***= street***) rue
stab [stæb] **1** *n* F: ***have a ~*** essayer (***at doing sth*** de faire qch) **2** *v/t* (*pret & pp* ***-bed***) *person* poignarder
sta·bil·i·ty [stə'bɪlətɪ] stabilité *f*
sta·bil·ize ['steɪbɪlaɪz] **1** *v/t* stabiliser **2** *v/i* se stabiliser
sta·ble[1] ['steɪbl] *n for horses* écurie *f*
sta·ble[2] ['steɪbl] *adj* stable
stack [stæk] **1** *n* (*pile*) pile *f*, (*smoke~*) cheminée *f*; ***~s of*** F énormément de **2** *v/t* empiler
sta·di·um ['steɪdɪəm] stade *m*
staff [stæf] *npl* (*employees*) personnel *m*; (*teachers*) personnel *m* enseignant
staf·fer ['stæfər] employé(e) *m(f)*
'staff·room *Br*: *in school* salle *f* des professeurs
stag [stæg] cerf *m*
stage[1] [steɪdʒ] *n in life, project, journey* étape *f*
stage[2] **1** *n* THEA scène *f*, ***go on the ~*** devenir acteur(-trice) **2** *v/t play* mettre en scène; *demonstration* organiser
'stage·coach diligence *f*
stage 'door entrée *f* des artistes; **'stage fright** trac *m*; **'stage hand** machiniste *m/f*
stag·ger ['stægər] **1** *v/i* tituber **2** *v/t* (*amaze*) ébahir; *coffee breaks etc* échelonner
stag·ger·ing ['stægərɪŋ] *adj* stupéfiant
stag·nant ['stægnənt] *adj water, economy* stagnant
stag·nate [stæg'neɪt] *v/i fig*: *of person, mind* stagner
stag·na·tion [stæg'neɪʃn] stagnation *f*
'stag par·ty enterrement *m* de vie de garçon
stain [steɪn] **1** *n* (*dirty mark*) tache *f*; *for wood* teinture *f* **2** *v/t* (*dirty*) tacher; *wood* teindre **3** *v/i of wine etc* tacher; *of fabric* se tacher
stained-glass 'win·dow [steɪnd] vitrail *m*
stain·less steel [steɪnlɪs'stiːl] **1** *adj* en acier inoxydable **2** *n* acier *m* inoxydable
stain re·mov·er ['steɪnrɪmuːvər] détachant *m*
stair [ster] marche *f*, ***the ~s*** l'escalier *m*
'stair·case escalier *m*
stake [steɪk] **1** *n of wood* pieu *m*; *when gambling* enjeu *m*; (*investment*) investissements *mpl*; ***be at ~*** être en jeu **2** *v/t tree* soutenir avec un pieu; *money* jouer; *person* financer
stale [steɪl] *adj bread* rassis; *air* empesté; *fig*: *news* plus très frais*
'stale·mate *in chess* pat *m*; *fig* impasse *f*, ***reach ~*** finir dans l'impasse
stalk[1] [stɔːk] *n of fruit, plant* tige *f*
stalk[2] [stɔːk] *v/t animal, person* traquer

stalk·er ['stɔːkər] *of person* harceleur *m*, -euse *f*
stall¹ [stɒːl] *n at market* étalage *m*; *for cow, horse* stalle *f*
stall² [stɒːl] **1** *v/i of vehicle, engine* caler; (*play for time*) chercher à gagner du temps **2** *v/t engine* caler; *person* faire attendre
stal·li·on ['stæljən] étalon *m*
stalls [stɒːlz] *npl* THEA orchestre *m*
stal·wart ['stɒːlwərt] *adj supporter* fidèle
stam·i·na ['stæmɪnə] endurance *f*
stam·mer ['stæmər] **1** *n* bégaiement *m* **2** *v/i* bégayer
stamp¹ [stæmp] **1** *n for letter* timbre *m*; *device, mark* tampon *m* **2** *v/t letter* timbrer; *document, passport* tamponner; ***I sent them a self-addressed ~ed envelope*** je leur ai envoyé une enveloppe timbrée à mon adresse
stamp² [stæmp] *v/t*: ***~ one's feet*** taper du pied
♦**stamp out** *v/t* (*eradicate*) éradiquer
'**stamp collec·ting** philatélie *f*; '**stamp col·lec·tion** collection *f* de timbres; '**stamp col·lec·tor** collectionneur(-euse) *m(f)* de timbres
stam·pede [stæm'piːd] **1** *n of cattle etc* débandade *f*; *of people* ruée *f* **2** *v/i of cattle* s'enfuir à la débandade; *of people* se ruer
stance [stæns] position *f*
stand [stænd] **1** *n at exhibition* stand *m*; (*witness ~*) barre *f* des témoins; (*support, base*) support *m*; ***take the ~*** LAW venir à la barre **2** *v/i* (*pret & pp* ***stood***) (*be situated*) se trouver; *as opposed to sit* rester debout; (*rise*) se lever; ***~ still*** ne bouge pas; ***where do I ~ with you?*** quelle est ma position vis-à-vis de toi? **3** *v/t* (*pret & pp* ***stood***) (*tolerate*) supporter; (*put*) mettre; ***you don't ~ a chance*** tu n'as aucune chance; ***~ s.o. a drink*** payer à boire à qn; ***~ one's ground*** tenir ferme
♦**stand back** *v/i* reculer
♦**stand by 1** *v/i* (*not take action*) rester là sans rien faire; (*be ready*) se tenir prêt **2** *v/t person* soutenir; *decision* s'en tenir à
♦**stand down** *v/i* (*withdraw*) se retirer
♦**stand for** *v/t* (*tolerate*) supporter; (*represent*) représenter
♦**stand in for** *v/t* remplacer
♦**stand out** *v/i be visible* ressortir
♦**stand up 1** *v/i* se lever **2** *v/t* F: ***stand s.o. up*** poser un lapin à qn F
♦**stand up for** *v/t* défendre
♦**stand up to** *v/t* (*face*) tenir tête à
stan·dard ['stændərd] **1** *adj procedure etc* normal; ***~ practice*** pratique *f* courante **2** *n* (*level*) niveau *m*; *moral* critère *m*; TECH norme *f*; ***be up to ~*** *of work* être à la hauteur; ***set high ~s*** être exigeant
stan·dard·ize ['stændərdaɪz] *v/t* normaliser
stan·dard of 'li·ving niveau *m* de vie
'**stand·by 1** *n ticket* stand-by *m*; ***be on ~*** *at airport* être en stand-by; *be ready to act* être prêt à intervenir **2** *adv fly* en stand-by
'**stand·by pas·sen·ger** stand-by *m/f inv*
stand·ing ['stændɪŋ] *n in society* position *f* sociale; (*repute*) réputation *f*; ***a musician / politician of some ~*** un musicien / un politicien réputé; ***a friendship of long ~*** une amitié de longue date
'**stand·ing room** places *fpl* debout
stand·off·ish [stænd'ɑːfɪʃ] *adj* distant; '**stand·point** point *m* de vue; '**stand·still**: ***be at a ~*** être paralysé; *of traffic also* être immobilisé; ***bring to a ~*** paralyser; *traffic also* immobiliser
stank [stæŋk] *pret* → ***stink***
stan·za ['stænzə] strophe *f*
sta·ple¹ ['steɪpl] *n foodstuff* aliment *m* de base
sta·ple² ['steɪpl] **1** *n fastener* agrafe *f* **2** *v/t* agrafer
sta·ple 'di·et alimentation *f* de base
'**sta·ple gun** agrafeuse *f*
sta·pler ['steɪplər] agrafeuse *f*
star [stɑːr] **1** *n in sky* étoile *f*, *fig also* vedette *f* **2** *v/t* (*pret & pp* ***-red***) *of movie* avoir comme vedette(s) **3** *v/i* (*pret & pp* ***-red***) *in movie* jouer le rôle

principal
'star·board *adj* de tribord
starch [stɑːrtʃ] *in foodstuff* amidon *m*
stare [ster] **1** *n* regard *m* fixe **2** *v/i*: **~ *into space*** regarder dans le vide; ***it's rude to*** **~** ce n'est pas poli de fixer les gens
♦ **stare at** *v/t* regarder fixement, fixer
'star·fish étoile *f* de mer
stark [stɑːrk] **1** *adj landscape, color* austère; *reminder, contrast etc* brutal **2** *adv*: **~ *naked*** complètement nu
star·ling ['stɑːrlɪŋ] étourneau *m*
star·ry ['stɑːrɪ] *adj night* étoilé
star·ry-eyed [stɑːrɪ'aɪd] *adj person* idéaliste
Stars and 'Stripes bannière *f* étoilée
start [stɑːrt] **1** *n* début *m*; ***make a*** **~ *on sth*** commencer qch; ***get off to a good / bad*** **~** *in race* faire un bon / mauvais départ; *in marriage, career* bien / mal démarrer; ***from the*** **~** dès le début; ***well, it's a*** **~** c'est un début **2** *v/i* commencer; *of engine, car* démarrer; **~*ing from tomorrow*** à partir de demain **3** *v/t* commencer; *engine, car* mettre en marche; *business* monter; **~ *to do sth,*** **~ *doing sth*** commencer à faire qch
start·er ['stɑːrtər] *part of meal* entrée *f*; *of car* démarreur *m*
'start·ing point point *m* de départ
'starting sal·a·ry salaire *m* de départ
start·le ['stɑːrtl] *v/t* effrayer
start·ling ['stɑːrtlɪŋ] *adj* surprenant
starv·a·tion [stɑːr'veɪʃn] inanition *f*; ***die of*** **~** mourir de faim
starve [stɑːrv] *v/i* souffrir de la faim; **~ *to death*** mourir de faim; ***I'm starving*** F je meurs de faim F
state¹ [steɪt] **1** *n* (*condition, country, part of country*) état *m*; ***the States*** les États-Unis *mpl* **2** *adj capital, police etc* d'état; *banquet, occasion etc* officiel*
state² [steɪt] *v/t* déclarer; *qualifications, name and address* décliner
'State De·part·ment Département *m* d'État (américain)
state·ment ['steɪtmənt] *to police* déclaration *f*; (*announcement*) communiqué *m*; (*bank* **~**) relevé *m* de compte
state of e'mer·gen·cy état *m* d'urgence
state-of-the-'art *adj* de pointe
states·man ['steɪtsmən] homme *m* d'État
state troop·er ['truːpər] policier *m* d'état
state 'vis·it visite *f* officielle
stat·ic (e·lec·tric·i·ty) ['stætɪk] électricité *f* statique
sta·tion ['steɪʃn] **1** *n* RAIL gare *f*; *of subway*, RAD station *f*; TV chaîne *f* **2** *v/t guard etc* placer; ***be*** **~*ed at*** *of soldier* être stationné à
sta·tion·a·ry ['steɪʃnərɪ] *adj* immobile
sta·tion·er·y ['steɪʃənərɪ] papeterie *f*
'sta·tion·er·y store papeterie *f*
sta·tion 'man·ag·er RAIL chef *m* de gare
'sta·tion wag·on break *m*
sta·tis·ti·cal [stə'tɪstɪkl] *adj* statistique
sta·tis·ti·cal·ly [stə'tɪstɪklɪ] *adv* statistiquement
sta·tis·ti·cian [stætɪs'tɪʃn] statisticien(ne) *m(f)*
sta·tis·tics [stə'tɪstɪks] *nsg science* statistique *f npl figures* statistiques *fpl*
stat·ue ['stætʃuː] statue *f*
Stat·ue of 'Lib·er·ty Statue *f* de la Liberté
sta·tus ['steɪtəs] (*position*) statut *m*; (*prestige*) prestige *m*
'sta·tus bar COMPUT barre *f* d'état
'sta·tus sym·bol signe *m* extérieur de richesse
stat·ute ['stætʃuːt] loi *f*
staunch [stɒːntʃ] *adj* fervent
stay [steɪ] **1** *n* séjour *m* **2** *v/i* rester; ***come to*** **~ *for a week*** venir passer une semaine; **~ *in a hotel*** descendre dans un hôtel; ***I am*** **~*ing at Hotel ...*** je suis descendu à l'Hôtel ...; **~ *right there!*** tenez-vous là!; **~ *put*** ne pas bouger
♦ **stay away** *v/i* ne pas s'approcher
♦ **stay away from** *v/t* éviter
♦ **stay behind** *v/i* rester; *in school* rester après la classe

♦**stay up** *v/i* (*not go to bed*) rester debout

stead·i·ly ['stedılı] *adv improve etc* de façon régulière

stead·y ['stedı] **1** *adj hand* ferme; *voice* posé; (*regular*) régulier*; (*continuous*) continu; ***be ~ on one's feet*** être d'aplomb sur ses jambes **2** *adv*: ***be going ~*** *of couple* sortir ensemble; ***be going ~*** (***with s.o.***) sortir avec qn; ***~ on!*** calme-toi! **3** *v/t* (*pret & pp* ***-ied***) *person* soutenir; *one's voice* raffermir

steak [steık] bifteck *m*

steal [stiːl] **1** *v/t* (*pret* ***stole***, *pp* ***stolen***) *money etc* voler **2** *v/i* (*pret* ***stole***, *pp* ***stolen***) (*be a thief*) voler; ***~ in / out*** entrer / sortir à pas feutrés

'stealth bomb·er [stelθ] avion *m* furtif

stealth·y ['stelθı] *adj* furtif*

steam [stiːm] **1** *n* vapeur *f* **2** *v/t food* cuire à la vapeur

♦**steam up 1** *v/i of window* s'embuer **2** *v/t*: ***be steamed up*** F être fou de rage

steam·er ['stiːmər] *for cooking* cuiseur *m* à vapeur

'steam i·ron fer *m* à vapeur

steel [stiːl] **1** *adj* (*made of ~*) en acier **2** *n* acier *m*

'steel·work·er ouvrier(-ière) *m*(*f*) de l'industrie sidérurgique

steep[1] [stiːp] *adj hill etc* raide; F *prices* excessif*

steep[2] [stiːp] *v/t* (*soak*) faire tremper

stee·ple ['stiːpl] *of church* flèche *f*

'stee·ple·chase *in athletics* steeple-chase *m*

steep·ly ['stiːplı] *adv*: ***climb ~*** *of path* monter en pente raide; *of prices* monter en flèche

steer[1] [stır] *n animal* bœuf *m*

steer[2] [stır] *v/t* diriger

steer·ing ['stırıŋ] *n of motor vehicle* direction *f*

'steer·ing wheel volant *m*

stem[1] [stem] *n of plant* tige *f*; *of glass* pied *m*; *of pipe* tuyau *m*; *of word* racine *f*

♦**stem from** *v/t* (*pret & pp* ***-med***) provenir de

stem[2] *v/t* (*block*) enrayer

stem·ware ['stemwer] verres *mpl*

stench [stentʃ] odeur *f* nauséabonde

sten·cil ['stensıl] **1** *n tool* pochoir *m*; *pattern* peinture *f* au pochoir **2** *v/t* (*pret & pp* ***-ed***, *Br* ***-led***) *pattern* peindre au pochoir

step [step] **1** *n* (*pace*) pas *m*; (*stair*) marche *f*; (*measure*) mesure *f*; ***~ by ~*** progressivement **2** *v/i* (*pret & pp* ***-ped***) *in puddle*, *on nail* marcher; ***~ forward / back*** faire un pas en avant / en arrière

♦**step down** *v/i from post etc* se retirer

♦**step up** *v/t* (*increase*) augmenter

'step·broth·er demi-frère *m*; **'step·daugh·ter** belle-fille *f*; **'step·fa·ther** beau-père *m*; **'step·lad·der** escabeau *m*; **'step·moth·er** belle-mère *f*

step·ping stone ['stepıŋ] pierre *f* de gué; *fig* tremplin *m*

'step·sis·ter demi-sœur *f*

'step·son beau-fils *m*

ster·e·o ['sterıoʊ] *n* (*sound system*) chaîne *f* stéréo

ster·e·o·type ['sterıoʊtaıp] stéréotype *m*

ster·ile ['sterəl] *adj* stérile

ster·il·ize ['sterəlaız] *v/t* stériliser

ster·ling ['stɜːrlıŋ] *n* FIN sterling *m*

stern[1] [stɜːrn] *adj* sévère

stern[2] [stɜːrn] *n* NAUT arrière *m*

stern·ly ['stɜːrnlı] *adv* sévèrement

ster·oids ['sterɔıdz] *npl* stéroïdes *mpl*

steth·o·scope ['steθəskoʊp] stéthoscope *m*

Stet·son® ['stetsn] stetson *m*

stew [stuː] *n* ragoût *m*

stew·ard ['stuːərd] *on plane*, *ship* steward *m*; *at demonstration*, *meeting* membre *m* du service d'ordre

stew·ard·ess ['stuːərdes] *on plane*, *ship* hôtesse *f*

stewed [stuːd] *adj*: ***~ apples*** compote *f* de pommes

stick[1] [stık] *n* morceau *m* de bois; *of policeman* bâton *m*; (*walking ~*) canne *f*; ***live in the ~s*** F habiter dans un trou perdu F

stick[2] [stık] **1** *v/t* (*pret & pp* ***stuck***)

with adhesive coller (***to*** à); F (*put*) mettre **2** *v/i* (*pret & pp* ***stuck***) (*jam*) se coincer; (*adhere*) adhérer

♦ **stick around** *v/i* F rester là

♦ **stick by** *v/t* F ne pas abandonner

♦ **stick out** *v/i* (*protrude*) dépasser; (*be noticeable*) ressortir; ***his ears stick out*** il a les oreilles décollées

♦ **stick to** *v/t* (*adhere to*) coller à; F (*keep to*) s'en tenir à; F (*follow*) suivre

♦ **stick together** *v/i* F rester ensemble

♦ **stick up** *v/t poster, leaflet* afficher; ***stick 'em up*** F les mains en l'air!

♦ **stick up for** *v/t* F défendre

stick·er ['stɪkər] autocollant *m*

'stick-in-the-mud F encroûté(e) *m*(*f*)

stick·y ['stɪkɪ] *adj hands, surface* gluant; *label* collant

stiff [stɪf] **1** *adj brush, cardboard, mixture etc* dur; *muscle, body* raide; *in manner* guindé; *drink* bien tassé; *competition* acharné; *fine* sévère **2** *adv*: ***be scared ~*** F être mort de peur; ***be bored ~*** F s'ennuyer à mourir

stiff·en ['stɪfn] *v/i* se raidir

♦ **stiffen up** *v/i of muscle* se raidir

stiff·ly ['stɪflɪ] *adv* avec raideur; *fig: smile, behave* de manière guindée

stiff·ness ['stɪfnəs] *of muscles* raideur *f*; *fig: in manner* aspect *m* guindé

sti·fle ['staɪfl] *v/t yawn, laugh, criticism, debate* étouffer

sti·fling ['staɪflɪŋ] *adj* étouffant; ***it's ~ in here*** on étouffe ici

stig·ma ['stɪgmə] honte *f*

sti·let·tos [stɪ'letouz] *npl Br: shoes* talons *mpl* aiguille

still[1] [stɪl] **1** *adj* calme **2** *adv*: ***keep ~!*** reste tranquille!; ***stand ~!*** ne bouge pas!

still[2] [stɪl] *adv* (*yet*) encore, toujours; (*nevertheless*) quand même; ***do you ~ want it?*** est-ce que tu le veux encore?; ***she ~ hasn't finished*** elle n'a toujours pas fini; ***she might ~ come*** il se peut encore qu'elle vienne; ***they are ~ my parents*** ce sont quand même mes parents; ***~ more*** (*even more*) encore plus

'still·born *adj* mort-né; ***be ~*** être mort à la naissance, être mort-né

still 'life nature *f* morte

stilt·ed ['stɪltɪd] *adj* guindé

stim·u·lant ['stɪmjʊlənt] stimulant *m*

stim·u·late ['stɪmjʊleɪt] *v/t* stimuler

stim·u·lat·ing ['stɪmjʊleɪtɪŋ] *adj* stimulant

stim·u·la·tion [stɪmjʊ'leɪʃn] stimulation *f*

stim·u·lus ['stɪmjʊləs] (*incentive*) stimulation *f*

sting [stɪŋ] **1** *n from bee, jellyfish* piqûre *f* **2** *v/t & v/i* (*pret & pp* ***stung***) piquer

sting·ing ['stɪŋɪŋ] *adj remark, criticism* blessant

sting·y ['stɪndʒɪ] *adj* F radin F

stink [stɪŋk] **1** *n* (*bad smell*) puanteur *f*; F (*fuss*) grabuge *m* F; ***make a ~*** F faire du grabuge F **2** *v/i* (*pret* ***stank***, *pp* ***stunk***) (*smell bad*) puer; F (*be very bad*) être nul

stint [stɪnt] *n* période *f*; ***do a six-month ~ in prison / in the army*** faire six mois de prison / dans l'armée

♦ **stint on** *v/t* F lésiner sur

stip·u·late ['stɪpjʊleɪt] *v/t* stipuler

stip·u·la·tion [stɪpjʊ'leɪʃn] condition *f*; *of will, contract* stipulation *f*

stir [stɜːr] **1** *n*: ***give the soup a ~*** remuer la soupe; ***cause a ~*** faire du bruit **2** *v/t* (*pret & pp* ***-red***) remuer **3** *v/i* (*pret & pp* ***-red***) *of sleeping person* bouger

♦ **stir up** *v/t crowd* agiter; *bad memories* remuer; ***stir things up*** *cause problems* semer la zizanie

stir-'cra·zy *adj* F: ***be ~*** *être devenu fou en raison d'un confinement prolongé*

'stir-fry *v/t* (*pret & pp* ***-ied***) faire sauter

stir·ring ['stɜːrɪŋ] *adj music, speech* émouvant

stir·rup ['stɪrəp] étrier *m*

stitch [stɪʧ] **1** *n* point *m*; ***~es*** MED points *mpl* de suture; ***be in ~es*** *laughing* se tordre de rire; ***have a ~*** avoir un point de côté **2** *v/t* (*sew*) coudre

♦ **stitch up** *v/t wound* recoudre

stitch·ing ['stɪʧɪŋ] (*stitches*) couture *f*

stock [stɑːk] **1** *n* (*reserve*) réserves *fpl*;

COMM *of store* stock *m*; *animals* bétail *m*; FIN actions *fpl*; *for soup etc* bouillon *m*; ***be in / out of ~*** être en stock / épuisé; ***take ~*** faire le bilan **2** *v/t* COMM avoir (en stock)
♦ **stock up on** *v/t* faire des réserves de
'stock·brok·er agent *m* de change; **'stock ex·change** bourse *f*; **'stock·hold·er** actionnaire *m/f*
stock·ing ['stɑːkɪŋ] bas *m*
stock·ist ['stɑːkɪst] revendeur *m*
'stock mar·ket marché *m* boursier; **stock·mar·ket 'crash** krach *m* boursier; **'stock·pile 1** *n of food, weapons* stocks *mpl* de réserve **2** *v/t* faire des stocks de; **'stock·room** *of store* réserve *f*; **stock-'still** *adv*: ***stand ~*** rester immobile; **'stock·tak·ing** inventaire *m*
stock·y ['stɑːkɪ] *adj* trapu
stodg·y ['stɑːdʒɪ] *adj food* bourratif*
sto·i·cal ['stouɪkl] *adj* stoïque
sto·i·cism ['stouɪsɪzm] stoïcisme *m*
stole [stoul] *pret* → ***steal***
stol·en ['stoulən] *pp* → ***steal***
stom·ach ['stʌmək] **1** *n* (*insides*) estomac *m*; (*abdomen*) ventre *m* **2** *v/t* (*tolerate*) supporter
'stom·ach-ache douleur *f* à l'estomac
stone [stoun] *n material*, (*precious ~*) pierre *f*; (*pebble*) caillou *m*; *in fruit* noyau *m*
stoned [stound] *adj* F *on drugs* défoncé F
stone-'deaf *adj* sourd comme un pot
'stone·wall *v/i* F atermoyer
ston·y ['stounɪ] *adj ground, path* pierreux*
stood [stud] *pret & pp* → ***stand***
stool [stuːl] *seat* tabouret *m*
stoop[1] [stuːp] **1** *n* dos *m* voûté **2** *v/i* (*bend down*) se pencher
stoop[2] [stuːp] *n* (*porch*) perron *m*
stop [stɑːp] **1** *n for train, bus* arrêt *m*; ***come to a ~*** s'arrêter; ***put a ~ to*** arrêter **2** *v/t* (*pret & pp* ***-ped***) arrêter; (*prevent*) empêcher; ***~ doing sth*** arrêter de faire qch; ***~ to do sth*** s'arrêter pour faire qch; ***it has ~ped raining*** il s'est arrêté de pleuvoir; ***I ~ped her from leaving*** je l'ai empêchée de partir; ***~ a check*** faire opposition à un chèque **3** *v/i* (*pret & pp* ***-ped***) (*come to a halt*) s'arrêter
♦ **stop by** *v/i* (*visit*) passer
♦ **stop off** *v/i* faire étape
♦ **stop over** *v/i* faire escale
♦ **stop up** *v/t sink* boucher
'stop·gap bouche-trou *m*; **'stop·light** (*traffic light*) feu *m* rouge; (*brake light*) stop *m*; **'stop·o·ver** étape *f*
stop·per ['stɑːpər] *for bottle* bouchon *m*
'stop sign stop *m*
'stop·watch chronomètre *m*
stor·age ['stɔːrɪdʒ] COMM emmagasinage *m*; *in house* rangement *m*; ***in ~*** en dépôt
'stor·age ca·pac·i·ty COMPUT capacité *f* de stockage
'stor·age space espace *m* de rangement
store [stɔːr] **1** *n* magasin *m*; (*stock*) provision *f*; (*~house*) entrepôt *m* **2** *v/t* entreposer; COMPUT stocker
'store·front devanture *f* de magasin; **'store·house** entrepôt *m*; **store·keep·er** ['stɔːrkiːpər] commerçant(e) *m(f)*; **'store·room** réserve *f*
sto·rey ['stɔːrɪ] *Br* → ***story***[2]
stork [stɔːrk] cigogne *f*
storm [stɔːrm] *n with rain, wind* tempête *f*; (*thunder~*) orage *m*
'storm drain égout *m* pluvial; **'storm warn·ing** avis *m* de tempête; **'storm win·dow** fenêtre *f* extérieure
storm·y *adj weather, relationship* orageux*
sto·ry[1] ['stɔːrɪ] (*tale, account*, F: *lie*) histoire *f*; *recounted by victim* récit *m*; (*newspaper article*) article *m*
sto·ry[2] ['stɔːrɪ] *of building* étage *m*
stout [staut] *adj person* corpulent, costaud; *boots* solide; *defender* acharné
stove [stouv] *for cooking* cuisinière *f*; *for heating* poêle *m*
stow [stou] *v/t* ranger
♦ **stow away** *v/i* s'embarquer clandestinement
'stow·a·way passager clandestin *m*, passagère clandestine *f*
strag·gler ['stræglər] retardataire *m/f*

straight [streɪt] **1** *adj line, back, knees* droit; *hair* raide; (*honest, direct*) franc*; (*not criminal*) honnête; *whiskey etc* sec*; (*tidy*) en ordre; (*conservative*) sérieux*; (*not homosexual*) hétéro F; ***be a ~ A student*** être un étudiant excellent; ***keep a ~ face*** garder son sérieux **2** *adv* (*in a straight line*) droit; (*directly, immediately*) directement; ***think ~*** avoir les idées claires; ***I can't think ~ any more!*** je n'arrive pas à me concentrer!; ***stand up ~!*** tiens-toi droit!; ***look s.o.. ~ in the eye*** regarder qn droit dans les yeux; ***go ~*** F *of criminal* revenir dans le droit chemin; ***give it to me ~*** F dites-le moi franchement; ***~ ahead*** *be situated, walk, drive, look* tout droit; ***carry ~ on*** *of driver etc* continuer tout droit; ***~ away, ~ off*** tout de suite; ***~ out*** très clairement; ***~ up*** *without ice* sans glace

straight·en ['streɪtn] *v/t* redresser

♦ **straighten out 1** *v/t situation* arranger; F *person* remettre dans le droit chemin **2** *v/i of road* redevenir droit

♦ **straighten up** *v/i* se redresser

straight'for·ward *adj* (*honest, direct*) direct; (*simple*) simple

strain[1] [streɪn] **1** *n on rope, engine* tension *f*; *on heart* pression *f*; ***suffer from ~*** souffrir de tension nerveuse **2** *v/t back* se fouler; *eyes* s'abîmer; *fig*: *finances, budget* grever

strain[2] [streɪn] *v/t vegetables* faire égoutter; *oil, fat etc* filtrer

strain[3] [streɪn] *n of virus etc* souche *f*

strained [streɪnd] *adj relations* tendu

strain·er ['streɪnər] *for vegetables etc* passoire *f*

strait [streɪt] GEOG détroit *m*

strait·laced [streɪt'leɪst] *adj* collet monté *inv*

Straits of 'Dover Pas *m* de Calais

strand[1] [strænd] *n of hair* mèche *f*; *of wool, thread* brin *m*

strand[2] [strænd] *v/t* abandonner à son sort; ***be ~ed*** se retrouver bloqué

strange [streɪndʒ] *adj* (*odd, curious*) étrange, bizarre; (*unknown, foreign*) inconnu

strange·ly ['streɪndʒlɪ] *adv* (*oddly*) bizarrement; ***~ enough, …*** c'est bizarre, mais …

strang·er ['streɪndʒər] étranger(-ère) *m*(*f*); ***he's a complete ~*** je ne le connais pas du tout; ***I'm a ~ here myself*** moi non plus je ne suis pas d'ici

stran·gle ['stræŋgl] *v/t person* étrangler

strap [stræp] *n of purse, shoe* lanière *f*; *of brassiere, dress* bretelle *f*; *of watch* bracelet *m*

♦ **strap in** *v/t* (*pret & pp* ***-ped***) attacher

♦ **strap on** *v/t* attacher

strap·less ['stræplɪs] *adj* sans bretelles

stra·te·gic [strə'tiːdʒɪk] *adj* stratégique

strat·e·gy ['strætədʒɪ] stratégie *f*

straw [strɒː] **1** *n material, for drink* paille *f*; ***that is the last ~*** F c'est la goutte d'eau qui fait déborder le vase **2** *adj hat, bag, mat* de paille; *seat* en paille

straw·ber·ry ['strɒːberɪ] fraise *f*

stray [streɪ] **1** *adj animal, bullet* perdu **2** *n* animal *m* errant **3** *v/i of animal* vagabonder; *of child* s'égarer; *fig*: *of eyes, thoughts* errer (***to*** vers)

streak [striːk] **1** *n of dirt, paint* traînée *f*; *in hair* mèche *f*; *fig*: *of nastiness etc* pointe *f* **2** *v/i move quickly* filer **3** *v/t*: ***be ~ed with*** être strié de

streak·y ['striːkɪ] *adj window etc* couvert de traces

stream [striːm] **1** *n* ruisseau *m*; *fig*: *of people, complaints* flot *m*; ***come on ~*** *of new car etc* entrer en production; *of power plant* être mis en service **2** *v/i*: ***people ~ed out of the building*** des flots de gens sortaient du bâtiment; ***tears were ~ing down my face*** mon visage ruisselait de larmes; ***sunlight ~ed into the room*** le soleil entrait à flots dans la pièce

stream·er ['striːmər] *for party* serpentin *m*

'stream·line *v/t fig* rationaliser

'stream·lined *adj car, plane* caréné; *fig*: *organization* rationalisé

street [striːt] rue *f*

'street·car tramway *m*; **'street cred** [kred] F image *f* de marque; **'street·light** réverbère *m*; **'street peo·ple** *npl* sans-abri *mpl*; **'street val·ue** *of drugs* prix *m* à la revente; **'street·walk·er** F racoleuse *f*, **'street·wise** *adj* débrouillard; ***this kid is totally ~*** ce gamin est un vrai gavroche

strength [streŋθ] force *f*; (*strong point*) point *m* fort

strength·en ['streŋθn] **1** *v/t body* fortifier; *bridge, currency, bonds etc* consolider **2** *v/i* se consolider

stren·u·ous ['strenjʊəs] *adj climb, walk etc* fatigant; *effort* acharné

stren·u·ous·ly ['strenjʊəslɪ] *adv deny* vigoureusement

stress [stres] **1** *n* (*emphasis*) accent *m*; (*tension*) stress *m*; ***be under ~*** souffrir de stress **2** *v/t syllable* accentuer; *importance etc* souligner; ***I must ~ that ...*** je dois souligner que ...

stressed 'out [strest] *adj* F stressé F

stress·ful ['stresfʊl] *adj* stressant

stretch [stretʃ] **1** *n of land, water* étendue *f*; *of road* partie *f*; ***at a ~*** (*non-stop*) d'affilée **2** *adj fabric* extensible **3** *v/t material* tendre; *small income* tirer le maximum de; F *rules* assouplir; ***he ~ed out his hand*** il tendit la main; ***a job that ~es me*** un métier qui me pousse à donner le meilleur de moi-même **4** *v/i to relax muscles, to reach sth* s'étirer; (*spread*) s'étendre (***from*** de; ***to*** jusqu'à); *of fabric*: *give* être extensible; *of fabric*: *sag* s'élargir

stretch·er ['stretʃər] brancard *m*

strict [strɪkt] *adj* strict

strict·ly ['strɪktlɪ] *adv* strictement; ***it is ~ forbidden*** c'est strictement défendu

strict·ness ['strɪktnəs] sévérité *f*

strid·den ['strɪdn] *pp* → ***stride***

stride [straɪd] **1** *n* (grand) pas *m*; ***take sth in one's ~*** ne pas se laisser troubler par qch; ***make great ~s*** *fig* faire de grands progrès **2** *v/i* (*pret* ***strode***, *pp* ***stridden***) marcher à grandes enjambées

stri·dent ['straɪdnt] *adj* strident; *fig*: *demands* véhément

strike [straɪk] **1** *n of workers* grève *f*; *in baseball* balle *f* manquée; *of oil* découverte *f*; ***be on ~*** être en grève; ***go on ~*** faire grève **2** *v/i* (*pret & pp* ***struck***) *of workers* faire grève; (*attack*: *of wild animal*) attaquer; *of killer* frapper; *of disaster* arriver; *of clock* sonner **3** *v/t* (*pret & pp* ***struck***) *also fig* frapper; *match* allumer; *oil* découvrir; ***he struck his head against the table*** il s'est cogné la tête contre la table; ***she struck me as being ...*** elle m'a fait l'impression d'être ...; ***the thought struck me that ...*** l'idée que ... m'est venue à l'esprit

♦**strike out** *v/t delete* rayer

strike·break·er ['straɪkbreɪkər] briseur(-euse) *m*(*f*) de grève

strik·er ['straɪkər] (*person on strike*) gréviste *m*/*f*; *in soccer* buteur *m*

strik·ing ['straɪkɪŋ] *adj* (*marked, eye-catching*) frappant

string [strɪŋ] *n* ficelle *f*; *of violin, tennis racket* corde *f*; ***the ~s*** *musicians* les cordes; ***pull ~s*** user de son influence; ***a ~ of*** (*series*) une série de

♦**string along** (*pret & pp* ***strung***) F **1** *v/i*: ***do you mind if I string along?*** est-ce que je peux vous suivre? **2** *v/t*: ***string s.o. along*** tromper qn, faire marcher qn

♦**string up** *v/t* F pendre

stringed 'in·stru·ment [strɪŋd] instrument *m* à cordes

strin·gent ['strɪndʒnt] *adj* rigoureux*

'string play·er joueur(-euse) *m*(*f*) d'un instrument à cordes

strip [strɪp] **1** *n* bande *f*; (*comic ~*) bande *f* dessinée; *of soccer team* tenue *f* **2** *v/t* (*pret & pp* ***-ped***) *paint, sheets* enlever; *of wind* arracher; (*undress*) déshabiller; ***~ s.o. of sth*** enlever qch à qn **3** *v/i* (*pret & pp* ***-ped***) (*undress*) se déshabiller; *of stripper* faire du strip-tease

'strip club boîte *f* de strip-tease

stripe [straɪp] rayure *f*; MIL galon *m*

striped [straɪpt] *adj* rayé

'strip mall centre *m* commercial (*linéaire*)

strip·per ['strɪpər] strip-teaseuse *f*;

male ~ strip-teaseur *m*
'strip show strip-tease *m*
strip'tease strip-tease *m*
strive [straɪv] *v/i* (*pret* ***strove***, *pp* ***striven***): ***~ to do sth*** s'efforcer de faire qch; *over a period of time* lutter *or* se battre pour faire qch; ***~ for*** essayer d'obtenir
striv·en ['strɪvn] *pp* → ***strive***
strobe, 'strobe light [stroʊb] lumière *f* stroboscopique
strode [stroʊd] *pret* → ***stride***
stroke [stroʊk] **1** *n* MED attaque *f*; *in writing* trait *m* de plume; *in painting* coup *m* de pinceau; *style of swimming* nage *f*; ***a ~ of luck*** un coup de chance; ***she never does a ~*** (***of work***) elle ne fait jamais rien **2** *v/t* caresser
stroll [stroʊl] **1** *n*: ***go for*** *or* ***take a ~*** aller faire une balade **2** *v/i* flâner; ***he just ~ed into the room*** il est entré dans la pièce sans se presser
stroll·er ['stroʊlər] *for baby* poussette *f*
strong [strɑːŋ] *adj* fort; *structure* solide; *candidate* sérieux*; *support*, *supporter* vigoureux*
'strong·hold *fig* bastion *m*
strong·ly ['strɑːŋlɪ] *adv* fortement; ***she feels very ~ about it*** cela lui tient très à cœur
strong-mind·ed [strɑːŋ'maɪndɪd] *adj*: ***be ~*** avoir de la volonté; **'strong point** point *m* fort; **'strong·room** chambre *f* forte; **strong-willed** [strɑːŋ'wɪld] *adj* qui sait ce qu'il veut
strove [stroʊv] *pret* → ***strive***
struck [strʌk] *pret & pp* → ***strike***
struc·tur·al ['strʌktʃərl] *adj damage* de structure; *fault*, *problems*, *steel* de construction
struc·ture ['strʌktʃər] **1** *n* (*something built*) construction *f*; *fig*: *of novel*, *poem etc* structure *f* **2** *v/t* structurer
strug·gle ['strʌgl] **1** *n* (*fight*) lutte *f*; ***it was a ~ at times*** ça a été très dur par moments **2** *v/i with a person* se battre; ***~ to do sth / for sth*** avoir du mal à faire qch / à obtenir qch
strum [strʌm] *v/t* (*pret & pp* ***-med***) *guitar* pincer les cordes de
strung [strʌŋ] *pret & pp* → ***string***
strut [strʌt] *v/i* (*pret & pp* ***-ted***) se pavaner
stub [stʌb] **1** *n of cigarette* mégot *m*; *of check*, *ticket* souche *f* **2** *v/t* (*pret & pp* ***-bed***): ***~ one's toe*** se cogner le pied (***on*** contre)
♦ **stub out** *v/t* écraser
stub·ble ['stʌbl] *on face* barbe *f* piquante
stub·born ['stʌbərn] *adj person*, *refusal etc* entêté; *defense* farouche
stub·by ['stʌbɪ] *adj fingers* boudiné
stuck [stʌk] **1** *pret & pp* → ***stick*** **2** *adj* F: ***be ~ on s.o.*** être fou* de qn
stuck-'up *adj* F snob *inv*
stu·dent ['stuːdnt] *at high school* élève *m/f*, *at college*, *university* étudiant(e) *m(f)*; **stu·dent 'driv·er** apprenti(e) conducteur(-trice) *m(f)*; **stu·dent 'nurse** élève-infirmier *m*, élève-infirmière *f*; **stu·dent 'teach·er** professeur *m/f* stagiaire
stu·di·o ['stuːdɪoʊ] *of artist* atelier *m*; (*film ~*, *TV ~*, *recording ~*) studio *m*
stu·di·ous ['stuːdɪəs] *adj* studieux*
stud·y ['stʌdɪ] **1** *n room* bureau *m*; (*learning*) études *fpl*; (*investigation*) étude *f* **2** *v/t* (*pret & pp* ***-ied***) *at school*, *university* étudier; (*examine*) examiner **3** *v/i* (*pret & pp* ***-ied***) étudier
stuff [stʌf] **1** *n* (*things*) trucs *mpl*; *substance*, *powder etc* truc *m*; (*belongings*) affaires *fpl* **2** *v/t turkey* farcir; ***~ sth into sth*** fourrer qch dans qch
stuff·ing ['stʌfɪŋ] *for turkey* farce *f*; *in chair*, *teddy bear* rembourrage *m*
stuff·y ['stʌfɪ] *adj room* mal aéré; *person* vieux jeu *inv*
stum·ble ['stʌmbl] *v/i* trébucher
♦ **stumble across** *v/t* trouver par hasard
♦ **stumble over** *v/t object*, *words* trébucher sur
stum·bling block ['stʌmblɪŋ] pierre *f* d'achoppement
stump [stʌmp] **1** *n of tree* souche *f* **2** *v/t*: ***I'm ~ed*** je colle F
♦ **stump up** *v/t* F (*pay*) cracher F
stun [stʌn] *v/t* (*pret & pp* ***-ned***) étourdir; *animal* assommer; *fig* (*shock*)

S

abasourdir
stung [stʌŋ] *pret & pp* → ***sting***
stunk [stʌŋk] *pp* → ***stink***
stun·ning ['stʌnɪŋ] *adj* (*amazing*) stupéfiant; (*very beautiful*) épatant
stunt [stʌnt] *for publicity* coup *m* de publicité; *in movie* cascade *f*
'stunt·man *in movie* cascadeur *m*
stu·pe·fy ['stu:pɪfaɪ] *v/t* (*pret & pp* ***-ied***) stupéfier
stu·pen·dous [stu:'pendəs] *adj* prodigieux*
stu·pid ['stu:pɪd] *adj* stupide
stu·pid·i·ty [stu:'pɪdətɪ] stupidité *f*
stu·por ['stu:pər] stupeur *f*
stur·dy ['stɜ:rdɪ] *adj* robuste
stut·ter ['stʌtər] *v/i* bégayer
style [staɪl] *n* (*method, manner*) style *m*; (*fashion*) mode *f*; (*fashionable elegance*) classe *f*; ***in ~*** à la mode; ***go out of ~*** passer de mode
styl·ish ['staɪlɪʃ] *adj* qui a de la classe
styl·ist ['staɪlɪst] (*hair ~, interior designer*) styliste *m/f*
sub·com·mit·tee ['sʌbkəmɪtɪ] sous-comité *m*
sub·con·scious [sʌb'kɑ:nʃəs] *adj* subconscient; ***the ~ mind*** le subconscient
sub·con·scious·ly [sʌb'kɑ:nʃəslɪ] *adv* subconsciemment
sub·con·tract [sʌbkən'trakt] *v/t* sous-traiter
sub·con·trac·tor [sʌbkən'traktər] sous-traitant *m*
sub·di·vide [sʌbdɪ'vaɪd] *v/t* sous-diviser
sub·due [səb'du:] *v/t rebellion, mob* contenir
sub·dued [səb'du:d] *adj person* réservé; *lighting* doux*
sub·head·ing ['sʌbhedɪŋ] sous-titre *m*
sub·hu·man [sʌb'hju:mən] *adj* sous-humain
sub·ject ['sʌbdʒɪkt] **1** *n of country*, GRAM, (*topic*) sujet *m*; (*branch of learning*) matière *f*; ***change the ~*** changer de sujet **2** *adj*: ***be ~ to*** être sujet à; ***~ to availability*** *tickets* dans la limite des places disponibles; *goods* dans la limite des stocks disponibles **3** *v/t* [səb'dʒekt] soumettre (***to*** à)
sub·jec·tive [səb'dʒektɪv] *adj* subjectif*
sub·junc·tive [səb'dʒʌŋktɪv] *n* GRAM subjonctif *m*
sub·let ['sʌblet] *v/t* (*pret & pp* ***-let***) sous-louer
sub·ma'chine gun [sʌbmə'ʃi:ngʌn] mitraillette *f*
sub·ma·rine ['sʌbməri:n] sous-marin *m*
sub·merge [səb'mɜ:rdʒ] **1** *v/t in sth* immerger (***in*** dans); ***be ~d*** *of rocks, iceberg* être submergé **2** *v/i of submarine* plonger
sub·mis·sion [səb'mɪʃn] (*surrender*), *to committee etc* soumission *f*
sub·mis·sive [səb'mɪsɪv] *adj* soumis
sub·mit [səb'mɪt] (*pret & pp* ***-ted***) **1** *v/t plan, proposal* soumettre **2** *v/i* se soumettre
sub·or·di·nate [sə'bɔ:rdɪnət] **1** *adj employee, position* subalterne **2** *n* subordonné(e) *m(f)*
sub·poe·na [sə'pi:nə] LAW **1** *n* assignation *f* **2** *v/t person* assigner à comparaître
♦ **subscribe to** [səb'skraɪb] *v/t magazine etc* s'abonner à; *theory* souscrire à
sub·scrib·er [səb'skraɪbər] *to magazine* abonné(e) *m(f)*
sub·scrip·tion [səb'skrɪpʃn] abonnement *m*
sub·se·quent ['sʌbsɪkwənt] *adj* ultérieur
sub·se·quent·ly ['sʌbsɪkwəntlɪ] *adv* par la suite
sub·side [səb'saɪd] *v/i of flood waters* baisser; *of high winds* se calmer; *of building* s'affaisser; *of fears, panic* s'apaiser
sub·sid·i·a·ry [səb'sɪdɪrɪ] *n* filiale *f*
sub·si·dize ['sʌbsɪdaɪz] *v/t* subventionner
sub·si·dy ['sʌbsɪdɪ] subvention *f*
♦ **subsist on** *v/t* subsister de
sub'sis·tence lev·el: ***live at ~*** vivre à la limite de la subsistance
sub·stance ['sʌbstəns] (*matter*) sub-

stance *f*
sub·stan·dard [sʌb'stændərd] *adj* de qualité inférieure
sub·stan·tial [səb'stænʃl] *adj* (*considerable*) considérable; *meal* consistant
sub·stan·tial·ly [səb'stænʃlɪ] *adv* (*considerably*) considérablement; (*in essence*) de manière générale
sub·stan·ti·ate [səb'stænʃɪeɪt] *v/t* confirmer
sub·stan·tive [səb'stæntɪv] *adj* réel*
sub·sti·tute ['sʌbstɪtu:t] **1** *n for commodity* substitut *m* (***for*** de); SP remplaçant(e) *m*(*f*) (***for*** de) **2** *v/t* remplacer; ***~ X for Y*** remplacer Y par X **3** *v/i*: ***~ for s.o.*** remplacer qn
sub·sti·tu·tion [sʌbsũtɪ'tu:ʃn] *act* remplacement *m*; ***make a ~*** SP faire un remplacement
sub·ti·tle ['sʌbtaɪtl] *n* sous-titre *m*; ***with ~s*** sous-titré
sub·tle ['sʌtl] *adj* subtil
sub·tract [səb'trækt] *v/t number* soustraire
sub·urb ['sʌbɜ:rb] banlieue *f*; ***the ~s*** la banlieue
sub·ur·ban [sə'bɜ:rbən] *adj* typique de la banlieue; *pej*: *attitudes etc* de banlieusards
sub·ver·sive [səb'vɜ:rsɪv] **1** *adj* subversif* **2** *n* personne *f* subversive
sub·way ['sʌbweɪ] métro *m*
sub·ze·ro [sʌb'zi:roʊ] *adj temperature* en-dessous de zéro
suc·ceed [sək'si:d] **1** *v/i* (*be successful*) réussir; ***~ in doing sth*** réussir à faire qch; *to throne, presidency* succéder à, hériter de **2** *v/t* (*come after*) succéder à
suc·ceed·ing [sək'si:dɪŋ] *adj* suivant
suc·cess [sək'ses] réussite *f*; ***be a ~*** avoir du succès
suc·cess·ful [sək'sesfʊl] *adj person* qui a réussi; *talks, operation, marriage* réussi; ***be ~ in doing sth*** réussir à faire qch
suc·cess·ful·ly [sək'sesfʊlɪ] *adv* avec succès
suc·ces·sion [sək'seʃn] (*sequence*), *to office* succession *f*; ***in ~*** d'affilée
suc·ces·sive [sək'sesɪv] *adj* successif*; ***on three ~ days*** trois jours de suite
suc·ces·sor [sək'sesər] successeur *m*
suc·cinct [sək'sɪŋkt] *adj* succinct
suc·cu·lent ['ʃʌkjʊlənt] *adj* succulent
suc·cumb [sə'kʌm] *v/i* (*give in*) succomber; ***~ to temptation*** succomber à la tentation
such [sʌʧ] **1** *adj*: ***~ a*** (*so much of a*) un tel, une telle; ***it was ~ a surprise*** c'était une telle surprise
◊ (*of that kind*): ***~ as*** tel / telle que; ***there is no ~ word as …*** le mot … n'existe pas; ***~ people are …*** de telles personnes sont …
2 *adv* tellement; ***~ an easy question*** une question tellement facile; ***as ~*** en tant que tel
suck [sʌk] **1** *v/t candy etc* sucer; ***~ one's thumb*** sucer son pouce **2** *v/i* P: ***it ~s*** c'est merdique P
♦**suck up** *v/t moisture* absorber
♦**suck up to** *v/t* F lécher les bottes à
suck·er ['sʌkər] F *person* niais(e) *m*(*f*); F (*lollipop*) sucette *f*
suc·tion ['sʌkʃn] succion *f*
sud·den ['sʌdn] *adj* soudain; ***all of a ~*** tout d'un coup
sud·den·ly ['sʌdnlɪ] *adv* tout à coup, soudain, soudainement; ***so ~*** tellement vite
suds [sʌdz] *npl* (*soap ~*) mousse *f* de savon
sue [su:] *v/t* poursuivre en justice
suede [sweɪd] *n* daim *m*
suf·fer ['sʌfər] **1** *v/i* souffrir; ***be ~ing from*** souffrir de **2** *v/t experience* subir
suf·fer·ing ['sʌfərɪŋ] *n* souffrance *f*
suf·fi·cient [sə'fɪʃnt] *adj* suffisant; ***not have ~ funds / time*** ne pas avoir assez d'argent / de temps; ***just one hour will be ~*** une heure suffira
suf·fi·cient·ly [sə'fɪʃntlɪ] *adv* suffisamment
suf·fo·cate ['sʌfəkeɪt] **1** *v/i* s'étouffer **2** *v/t* étouffer
suf·fo·ca·tion [sʌfə'keɪʃn] étouffement *m*
sug·ar ['ʃʊgər] **1** *n* sucre *m* **2** *v/t* sucrer
'sug·ar bowl sucrier *m*
'sug·ar cane canne *f* à sucre

sug·gest [sə'dʒest] *v/t* suggérer
sug·ges·tion [sə'dʒestʃən] suggestion *f*
su·i·cide ['suːɪsaɪd] *also fig* suicide *m*; ***commit ~*** se suicider
'su·i·cide bomb at·tack attentat *m* suicide; **'su·i·cide bomb·er** kamikaze *m/f*; **'su·i·cide pact** accord passé entre deux personnes pour se suicider ensemble
suit [suːt] **1** *n for man* costume *m*; *for woman* tailleur *m*; *in cards* couleur *f* **2** *v/t of clothes, color* aller à; ***red ~s you*** le rouge te va bien; ***~ yourself!*** F fais comme tu veux!; ***be ~ed for sth*** être fait pour qch
sui·ta·ble ['suːtəbl] *adj* approprié, convenable
sui·ta·bly ['suːtəblɪ] *adv* convenablement
'suit·case valise *f*
suite [swiːt] *of rooms* suite *f*; *furniture* salon *m* trois pièces; MUS suite *m*
sul·fur ['sʌlfər] soufre *m*
sul·fur·ic ac·id [sʌl'fjuːrɪk] acide *m* sulfurique
sulk [sʌlk] *v/i* bouder
sulk·y ['sʌlkɪ] *adj* boudeur*
sul·len ['sʌlən] *adj* maussade
sul·phur *etc Br* → ***sulfur*** *etc*
sul·try ['sʌltrɪ] *adj climate* lourd; *sexually* sulfureux*
sum [sʌm] (*total, amount*) somme *f*; *in arithmetic* calcul *m*; ***a large ~ of money*** une grosse somme d'argent; ***~ insured*** montant assuré; ***the ~ total of his efforts*** la somme de ses efforts
♦**sum up** (*pret & pp* **-med**) **1** *v/t* (*summarize*) résumer; (*assess*) se faire une idée de; ***that just about sums him up*** c'est tout à fait lui **2** *v/i* LAW résumer les débats
sum·mar·ize ['sʌməraɪz] *v/t* résumer
sum·ma·ry ['sʌmərɪ] *n* résumé *m*
sum·mer ['sʌmər] été *f*
sum·mit ['sʌmɪt] *of mountain*, POL sommet *m*
'sum·mit meet·ing → ***summit***
sum·mon ['sʌmən] *v/t staff, meeting* convoquer
♦**summon up** *v/t strength* faire appel à
sum·mons ['sʌmənz] *nsg* LAW assignation *f* (à comparaître)
sump [sʌmp] *for oil* carter *m*
sun [sʌn] soleil *m*; ***in the ~*** au soleil; ***out of the ~*** à l'ombre; ***he has had too much ~*** il s'est trop exposé au soleil
'sun·bathe *v/i* prendre un bain de soleil; **'sun·bed** lit *m* à ultraviolets; **'sun·block** écran *m* solaire; **'sun·burn** coup *m* de soleil; **'sun·burnt** *adj*: ***be ~*** avoir des coups de soleil
Sun·day ['sʌndeɪ] dimanche *m*
'sun·dial cadran *m* solaire
sun·dries ['sʌndrɪz] *npl expenses* frais *mpl* divers; *items* articles *mpl* divers
sung [sʌŋ] *pp* → ***sing***
'sun·glass·es *npl* lunettes *fpl* de soleil
sunk [sʌŋk] *pp* → ***sink***
sunk·en ['sʌnkn] *adj cheeks* creux*
sun·ny ['sʌnɪ] *adj day* ensoleillé; *disposition* gai; ***it's ~*** il y a du soleil
'sun·rise lever *m* du soleil; **'sun·set** coucher *m* du soleil; **'sun·shade** *handheld* ombrelle *f*; *over table* parasol *m*; **'sun·shine** soleil *m*; **'sun·stroke** insolation *f*; **'sun·tan** bronzage *m*; ***get a ~*** bronzer
su·per ['suːpər] **1** *adj* F super *inv* F **2** *n* (*janitor*) concierge *m/f*
su·perb [sʊ'pɜːrb] *adj* excellent
su·per·fi·cial [suːpər'fɪʃl] *adj* superficiel*
su·per·flu·ous [sʊ'pɜːrfluəs] *adj* superflu
su·per'hu·man *adj efforts* surhumain
su·per·in·tend·ent [suːpərɪn'tendənt] *of apartment block* concierge *m/f*
su·pe·ri·or [suː'pɪrɪər] **1** *adj quality, hotel, attitude* supérieur **2** *n in organization, society* supérieur *m*
su·per·la·tive [suː'pɜːrlətɪv] **1** *adj* (*superb*) excellent **2** *n* GRAM superlatif *m*
'su·per·mar·ket supermarché *m*
'su·per·mod·el top model *m*
su·per'nat·u·ral **1** *adj powers* surnaturel* **2** *n*: ***the ~*** le surnaturel
'su·per·pow·er POL superpuissance *f*

su·per·son·ic [suːpər'sɑːnɪk] *adj flight, aircraft* supersonique
su·per·sti·tion [suːpər'stɪʃn] superstition *f*
su·per·sti·tious [suːpər'stɪʃəs] *adj person* superstitieux*
su·per·vise ['suːpərvaɪz] *v/t children activities etc* surveiller; *workers* superviser
su·per·vi·sor ['suːpərvaɪzər] *at work* superviseur *m*
sup·per ['sʌpər] dîner *m*
sup·ple ['sʌpl] *adj* souple
sup·ple·ment ['sʌplɪmənt] *n (extra payment)* supplément *m*
sup·pli·er [sə'plaɪr] COMM fournisseur (-euse) *m(f)*
sup·ply [sə'plaɪ] **1** *n of electricity, water etc* alimentation *f* (***of*** en); **~ and demand** l'offre et la demande; ***supplies*** *of food* provisions *fpl*; ***office supplies*** fournitures *fpl* de bureau **2** *v/t (pret & pp* **-ied***) goods* fournir; **~ s.o. with sth** fournir qch à qn; ***be supplied with …*** être pourvu de …
sup·port [sə'pɔːrt] **1** *n for structure* support *m*; *(backing)* soutien *m* **2** *v/t building, structure* supporter; *financially* entretenir; *(back)* soutenir
sup·port·er [sə'pɔːrtər] *of politician, football etc team* supporteur(-trice) *m(f)*; *of theory* partisan(e) *m(f)*
sup·port·ive [sə'pɔːrtɪv] *adj attitude* de soutien; *person* qui soutient; ***be very ~ of s.o.*** beaucoup soutenir qn
sup·pose [sə'poʊz] *v/t (imagine)* supposer; ***I ~ so*** je suppose que oui; ***be ~d to do sth*** *(be meant to, said to)* être censé faire qch; ***supposing …*** (et) si …
sup·pos·ed·ly [sə'poʊzɪdlɪ] *adv*: ***this is ~ the …*** c'est soi-disant *or* apparemment le …
sup·pos·i·to·ry [sə'pɑːzɪtoʊrɪ] MED suppositoire *m*
sup·press [sə'pres] *v/t rebellion etc* réprimer
sup·pres·sion [sə'preʃn] répression *f*
su·prem·a·cy [suː'preməsɪ] suprématie *f*
su·preme [suː'priːm] *adj* suprême
sur·charge ['sɜːrtʃɑːrdʒ] surcharge *f*
sure [ʃʊr] **1** *adj* sûr; ***I'm ~*** *as answer* j'en suis sûr; ***be ~ that*** être sûr que; ***be ~ about sth*** être sûr de qch; ***make ~ that …*** s'assurer que … **2** *adv*: **~ *enough*** en effet; ***it ~ is hot today*** F il fait vraiment chaud aujourd'hui; **~*!*** F mais oui, bien sûr!
sure·ly ['ʃʊrlɪ] *adv with negatives* quand même; *(gladly)* avec plaisir; **~ *there is someone here who …*** il doit bien y avoir quelqu'un ici qui …
sur·e·ty ['ʃʊrətɪ] *for loan* garant(e) *m(f)*
surf [sɜːrf] **1** *n on sea* écume *f* **2** *v/t the Net* surfer sur
sur·face ['sɜːrfɪs] **1** *n of table, water etc* surface *f*; ***on the ~*** *fig* en surface **2** *v/i of swimmer, submarine* faire surface; *(appear)* refaire surface
'sur·face mail courrier *m* par voie terrestre ou maritime
'surf·board planche *f* de surf
surf·er ['sɜːrfər] *on sea* surfeur(-euse) *m(f)*
surf·ing ['sɜːrfɪŋ] surf *m*; ***go ~*** aller faire du surf
surge [sɜːrdʒ] *n in electric current* surtension *f*; *in demand, interest, growth etc* poussée *f*
♦ **surge forward** *v/i of crowd* s'élancer en masse
sur·geon ['sɜːrdʒən] chirurgien *m(f)*
sur·ge·ry ['sɜːrdʒərɪ] chirurgie *f*; ***undergo ~*** subir une opération (chirurgicale)
sur·gi·cal ['sɜːrdʒɪkl] *adj* chirurgical
sur·gi·cal·ly ['sɜːrdʒɪklɪ] *adv remove* par opération chirurgicale
sur·ly ['sɜːrlɪ] *adj* revêche
sur·mount [sər'maʊnt] *v/t difficulties* surmonter
sur·name ['sɜːrneɪm] nom *m* de famille
sur·pass [sər'pæs] *v/t* dépasser
sur·plus ['sɜːrpləs] **1** *n* surplus *m* **2** *adj* en surplus
sur·prise [sər'praɪz] **1** *n* surprise *f* **2** *v/t* étonner; ***be / look ~d*** être / avoir

l'air surpris

sur·pris·ing [sər'praɪzɪŋ] *adj* étonnant

sur·pris·ing·ly [sər'praɪzɪŋlɪ] *adv* étonnamment; ***not ~, …*** comme on pouvait s'y attendre, …

sur·ren·der [sə'rendər] **1** *v/i of army* se rendre **2** *v/t weapons etc* rendre **3** *n* capitulation *f*; (*handing in*) reddition *f*

sur·ro·gate moth·er ['sʌrəgət] mère *f* porteuse

sur·round [sə'raʊnd] **1** *v/t* entourer; ***be ~ed by*** être entouré par **2** *n of picture etc* bordure *f*

sur·round·ing [sə'raʊndɪŋ] *adj* environnant

sur·round·ings [sə'raʊndɪŋz] *npl* environs *mpl*; *setting* cadre *m*

sur·vey 1 ['sɜːrveɪ] *n of modern literature etc* étude *f*; *of building* inspection *f*; (*poll*) sondage *m* **2** *v/t* [sər'veɪ] (*look at*) contempler; *building* inspecter

sur·vey·or [sɜːr'veɪr] expert *m*

sur·viv·al [sər'vaɪvl] survie *f*

sur·vive [sər'vaɪv] **1** *v/i* survivre; ***how are you? - I'm surviving*** comment ça va? - pas trop mal; ***his two surviving daughters*** ses deux filles encore en vie **2** *v/t accident, operation*, (*outlive*) survivre à

sur·vi·vor [sər'vaɪvər] survivant(e) *m(f)*; ***he's a ~*** *fig* c'est un battant

sus·cep·ti·ble [sə'septəbl] *adj emotionally* influençable; ***be ~ to the cold*** être frileux*; ***be ~ to the heat*** être sensible à la chaleur

sus·pect ['sʌspekt] **1** *n* suspect(e) *m(f)* **2** *v/t* [sə'spekt] *person* soupçonner; (*suppose*) croire

sus·pect·ed [sə'spektɪd] *adj murderer* soupçonné; *cause, heart attack etc* présumé

sus·pend [sə'spend] *v/t* (*hang*), *from office* suspendre

sus·pend·ers [sə'spendərz] *npl for pants* bretelles *fpl*; *Br* porte-jarretelles *m*

sus·pense [sə'spens] suspense *m*

sus·pen·sion [sə'spenʃn] *in vehicle, from duty* suspension *f*

sus'pen·sion bridge pont *m* suspendu

sus·pi·cion [sə'spɪʃn] soupçon *m*

sus·pi·cious [sə'spɪʃəs] *adj* (*causing suspicion*) suspect; (*feeling suspicion*) méfiant; ***be ~ of s.o.*** se méfier de qn

sus·pi·cious·ly [sə'spɪʃəslɪ] *adv behave* de manière suspecte; *ask* avec méfiance

sus·tain [sə'steɪn] *v/t* soutenir

sus·tain·a·ble [sə'steɪnəbl] *adj economic growth* durable

swab [swɑːb] *n* tampon *m*

swag·ger ['swægər] *n* démarche *f* crâneuse

swal·low[1] ['swɑːloʊ] *v/t & v/i* avaler

swal·low[2] ['swɑːloʊ] *n bird* hirondelle *f*

swam [swæm] *pret* → ***swim***

swamp [swɑːmp] **1** *n* marécage *m* **2** *v/t*: ***be ~ed with*** *with letters, work etc* être submergé de

swamp·y ['swɑːmpɪ] *adj ground* marécageux*

swan [swɑːn] cygne *m*

swap [swɑːp] (*pret & pp* **-ped**) **1** *v/t* échanger; ***~ sth for sth*** échanger qch contre qch **2** *v/i* échanger

swarm [swɔːrm] **1** *n of bees* essaim *m* **2** *v/i of ants, tourists etc* grouiller; ***the town was ~ing with …*** la ville grouillait de …; ***the crowd ~ed out of the stadium*** la foule est sortie en masse du stade

swar·thy ['swɔːrðɪ] *adj face, complexion* basané

swat [swɑːt] *v/t* (*pret & pp* **-ted**) *insect* écraser

sway [sweɪ] **1** *n* (*influence, power*) emprise *f* **2** *v/i in wind* se balancer; *because drunk, ill* tituber

swear [swer] (*pret* ***swore***, *pp* ***sworn***) **1** *v/i* (*use swearword*) jurer; ***~ at s.o.*** injurier qn **2** *v/t* LAW, (*promise*) jurer (***to do sth*** de faire qch)

♦ **swear in** *v/t witnesses etc* faire prêter serment à

'swear·word juron *m*

sweat [swet] **1** *n* sueur *f*; ***covered in ~*** trempé de sueur **2** *v/i* transpirer, suer

'sweat band bandeau *m* en éponge

sweat·er ['swetər] pull *m*

S

sweats [swets] *npl* SP survêtement *m*
'sweat·shirt sweat(-shirt) *m*
sweat·y ['swetɪ] *adj hands, forehead* plein de sueur
Swede [swi:d] Suédois(e) *m(f)*
Swe·den ['swi:dn] Suède *f*
Swe·dish ['swi:dɪʃ] **1** *adj* suédois **2** *n* suédois *m*
sweep [swi:p] **1** *v/t* (*pret & pp* ***swept***) *floor, leaves* balayer **2** *n* (*long curve*) courbe *f*
♦**sweep up** *v/t mess, crumbs* balayer
sweep·ing ['swi:pɪŋ] *adj statement* hâtif*; *changes* radical
sweet [swi:t] *adj taste, tea* sucré; F (*kind*) gentil*; F (*cute*) mignon*
sweet and 'sour *adj* aigre-doux*
'sweet·corn maïs *m*
sweet·en ['swi:tn] *v/t drink, food* sucrer
sweet·en·er ['swi:tnər] *for drink* édulcorant *m*
'sweet·heart amoureux(-euse) *m(f)*
swell [swel] **1** *v/i* (*pp* ***swollen***) *of wound, limb* enfler **2** *adj* F (*good*) super F *inv* **3** *n of the sea* houle *f*
swell·ing ['swelɪŋ] *n* MED enflure *f*
swel·ter·ing ['sweltərɪŋ] *adj heat, day* étouffant
swept [swept] *pret & pp* → ***sweep***
swerve [swɜ:rv] *v/i of driver, car* s'écarter brusquement
swift [swɪft] *adj* rapide
swim [swɪm] **1** *v/i* (*pret* ***swam***, *pp* ***swum***) nager; ***go ~ming*** aller nager; ***my head is ~ming*** j'ai la tête qui tourne **2** *n* baignade *f*; ***go for a ~*** aller nager, aller se baigner
swim·mer ['swɪmər] nageur(-euse) *m(f)*
swim·ming ['swɪmɪŋ] natation *f*
'swim·ming pool piscine *f*
'swim·suit maillot *m* de bain
swin·dle ['swɪndl] **1** *n* escroquerie *f* **2** *v/t person* escroquer; ***~ s.o. out of sth*** escroquer qch à qn
swine [swaɪn] F *person* salaud *m* P
swing [swɪŋ] **1** *n* oscillation *f*; *for child* balançoire *f*; ***~ to the Democrats*** revirement *m* d'opinion en faveur des démocrates **2** *v/t* (*pret & pp* ***swung***) *object in hand, hips* balancer **3** *v/i* (*pret & pp* ***swung***) se balancer; (*turn*) tourner; *of public opinion etc* virer
swing-'door porte *f* battante
Swiss [swɪs] **1** *adj* suisse **2** *n person* Suisse *m/f*; ***the ~*** les Suisses *mpl*
switch [swɪʧ] **1** *n for light* bouton *m*; (*change*) changement *m* **2** *v/t* (*change*) changer de **3** *v/i* (*change*) passer (***to*** à)
♦**switch off** *v/t lights, engine, PC* éteindre; *engine* arrêter
♦**switch on** *v/t lights, engine, PC* allumer; *engine* démarrer
'switch·board standard *m*
'switch·o·ver *to new system* passage *m*
Swit·zer·land ['swɪtsərlənd] Suisse *f*
swiv·el ['swɪvl] *v/i* (*pret & pp* ***-ed***, *Br* ***-led***) *of chair, monitor* pivoter
swol·len ['swoʊlən] **1** *pp* → ***swell*** **2** *adj stomach* ballonné; *ankles, face, cheek* enflé
swoop [swu:p] *v/i of bird* descendre
♦**swoop down on** *v/t prey* fondre sur
♦**swoop on** *v/t nightclub, hideout* faire une descente dans
sword [sɔ:rd] épée *f*
swore [swɔ:r] *pret* → ***swear***
sworn [swɔ:rn] *pp* → ***swear***
swum [swʌm] *pp* → ***swim***
swung [swʌŋ] *pret & pp* → ***swing***
syc·a·more ['sɪkəmɔ:r] sycomore *m*
syl·la·ble ['sɪləbl] syllabe *f*
syl·la·bus ['sɪləbəs] programme *m*
sym·bol ['sɪmbəl] symbole *m*
sym·bol·ic [sɪm'bɑ:lɪk] *adj* symbolique
sym·bol·ism ['sɪmbəlɪzm] *in poetry, art* symbolisme *m*
sym·bol·ist ['sɪmbəlɪst] symboliste *m/f*
sym·bol·ize ['sɪmbəlaɪz] *v/t* symboliser
sym·met·ri·cal [sɪ'metrɪkl] *adj* symétrique
sym·me·try ['sɪmətrɪ] symétrie
sym·pa·thet·ic [sɪmpə'θetɪk] *adj* (*showing pity*) compatissant; (*understanding*) compréhensif*; ***be ~ toward*** *person* être compréhensif envers; *idea* avoir des sympathies pour
♦**sym·pa·thize with** ['sɪmpəθaɪz] *v/t*

person compatir avec; *views* avoir des sympathies pour
sym·pa·thiz·er ['sɪmpəθaɪzər] POL sympathisant(e) *m(f)*
sym·pa·thy ['sɪmpəθɪ] (*pity*) compassion *f*; (*understanding*) compréhension (***for*** de); ***you have our deepest*** *~ on bereavement* nous vous présentons toutes nos condoléances; ***don't expect any ~ from me!*** ne t'attends pas à ce que j'aie pitié de toi!
sym·pho·ny ['sɪmfənɪ] symphonie *f*
'sym·pho·ny or·ches·tra orchestre *m* symphonique
symp·tom ['sɪmptəm] MED, *fig* symptôme *m*
symp·to·mat·ic [sɪmptə'mætɪk] *adj*: ***be ~ of*** *fig* être symptomatique de
syn·chro·nize ['sɪŋkrənaɪz] *v/t* synchroniser
syn·o·nym ['sɪnənɪm] synonyme *m*
sy·non·y·mous [sɪ'nɑːnɪməs] *adj* synonyme; ***be ~ with*** *fig* être synonyme de
syn·tax ['sɪntæks] syntaxe *f*
syn·the·siz·er ['sɪnθəsaɪzər] MUS synthétiseur *m*
syn·thet·ic [sɪn'θetɪk] *adj* synthétique
syph·i·lis ['sɪfɪlɪs] *nsg* syphilis *f*
Syr·i·a ['sɪrɪə] Syrie *f*
Syr·i·an ['sɪrɪən] **1** *adj* syrien* **2** *n* Syrien(ne) *m(f)*
sy·ringe [sɪ'rɪndʒ] *n* seringue *f*
syr·up ['sɪrəp] sirop *m*
sys·tem ['sɪstəm] système *m*; (*orderliness*) ordre *m*; (*computer*) ordinateur *m*; *~* ***crash*** COMPUT panne *f* du système; ***the digestive ~*** l'appareil *m* digestif
sys·te·mat·ic [sɪstə'mætɪk] *adj approach*, *person* systématique
sys·tem·at·i·cal·ly [sɪstə'mætɪklɪ] *adv* systématiquement
sys·tems an·a·lyst ['sɪstəmz] COMPUT analyste-programmeur (-euse) *m(f)*

T

tab [tæb] *n for pulling* languette *f*; *in text* tabulation *f*; ***pick up the ~*** régler la note
ta·ble ['teɪbl] *n* table *f*; *of figures* tableau *m*
'ta·ble·cloth nappe *f*; **'ta·ble lamp** petite lampe *f*; **ta·ble of 'con·tents** table *f* des matières; **'ta·ble·spoon** cuillère *f* à soupe
tab·let ['tæblɪt] MED comprimé *m*
'ta·ble ten·nis tennis *m* de table
tab·loid ['tæblɔɪd] *n newspaper* journal *m* à sensation; ***the ~s*** la presse à sensation
ta·boo [tə'buː] *adj* tabou *inv in feminine*
tac·it ['tæsɪt] *adj* tacite
tac·i·turn ['tæsɪtɜːrn] *adj* taciturne
tack [tæk] **1** *n nail* clou *m* **2** *v/t in sewing* bâtir **3** *v/i of yacht* louvoyer
tack·le ['tækl] **1** *n* (*equipment*) attirail *m*; SP tacle *m*; *in rugby* plaquage *m* **2** *v/t* SP tacler; *in rugby* plaquer; *problem* s'attaquer à; (*confront*) confronter; *physically* s'opposer à
tack·y ['tækɪ] *adj paint*, *glue* collant; F (*cheap*, *poor quality*) minable F
tact [tækt] tact *m*
tact·ful ['tæktfʊl] *adj* diplomate
tact·ful·ly ['tæktflɪ] *adv* avec tact
tac·ti·cal ['tæktɪkl] *adj* tactique
tac·tics ['tæktɪks] *npl* tactique *f*
tact·less ['tæktlɪs] *adj* qui manque de tact, peu délicat
tad·pole ['tædpoʊl] têtard *m*
tag [tæg] *n* (*label*) étiquette *f*
♦ **tag along** *v/i* (*pret & pp* ***-ged***) venir aussi

tail [teɪl] *n* queue *f*
'tail·back *Br. in traffic* bouchon *m*
'tail light feu *m* arrière
tai·lor ['teɪlər] *n* tailleur *m*
tai·lor-made [teɪlər'meɪd] *adj also fig* fait sur mesure
'tail pipe *of car* tuyau *m* d'échappement
'tail wind vent *m* arrière
taint·ed ['teɪntɪd] *adj food* avarié; *atmosphere* gâté
Tai·wan [taɪ'wɑn] Taïwan
Tai·wan·ese [taɪwɑn'iːz] **1** *adj* taïwanais **2** *n* Taïwanais(e) *m(f)*
take [teɪk] *v/t* (*pret* ***took***, *pp* ***taken***) prendre; (*transport, accompany*) amener; *subject at school, photograph, photocopy, stroll* faire; *exam* passer; (*endure*) supporter; (*require: courage etc*) demander; ***~ s.o. home*** ramener qn chez lui; ***how long does it ~?*** *journey, order* combien de temps est-ce que cela prend?; ***how long will it ~ you to ...?*** combien de temps est-ce que tu vas mettre pour ...?
♦**take after** *v/t* ressembler à
♦**take apart** *v/t* (*dismantle*) démonter; F (*criticize*) démolir F; F *in fight, game* battre à plates coutures
♦**take away** *v/t object* enlever; *pain* faire disparaître; MATH soustraire (***from*** de); ***15 take away 5 is 10*** 15 moins 5 égalent 10; ***take sth away from s.o.*** *driver's license etc* retirer qch à qn; *toys, knife etc* confisquer qch à qn
♦**take back** *v/t object* rapporter; *person to a place* ramener; ***that takes me back*** *of music, thought etc* ça me rappelle le bon vieux temps; ***she wouldn't take him back*** *husband* elle ne voulait pas qu'il revienne
♦**take down** *v/t from shelf, wall* enlever; *scaffolding* démonter; *pants* baisser; (*write down*) noter
♦**take in** *v/t* (*take indoors*) rentrer; (*give accommodation to*) héberger; (*make narrower*) reprendre; (*deceive*) duper; (*include*) inclure
♦**take off 1** *v/t clothes, hat* enlever; *10% etc* faire une réduction de; (*mimic*) imiter; ***can you take a bit off here?*** *to hairdresser* est-ce que vous pouvez couper un peu là?; ***take a day / week off*** prendre un jour / une semaine de congé **2** *v/i of airplane* décoller; (*become popular*) réussir
♦**take on** *v/t job* accepter; *staff* embaucher
♦**take out** *v/t from bag, pocket* sortir (***from*** de); *appendix, tooth, word from text* enlever; *money from bank* retirer; *to dinner, theater etc* emmener; *dog* sortir; *kids* emmener quelque part; *insurance policy* souscrire à; ***he's taking her out*** (*dating*) il sort avec elle; ***take it out on s.o.*** en faire pâtir qn
♦**take over 1** *v/t company etc* reprendre; ***tourists take over the town*** les touristes prennent la ville d'assaut **2** *v/i* POL arriver au pouvoir; *of new director* prendre ses fonctions; (*do sth in s.o.'s place*) prendre la relève; ***take over from s.o.*** remplacer qn
♦**take to** *v/t*: ***she didn't take to him / the idea*** (*like*) il / l'idée ne lui a pas plu; ***take to doing sth*** (*form habit of*) se mettre à faire qch; ***she took to drink*** elle s'est mise à boire
♦**take up** *v/t carpet etc* enlever; (*carry up*) monter; *dress etc* raccourcir; *judo, Spanish etc* se mettre à; *new job* commencer; *space, time* prendre; ***I'll take you up on your offer*** j'accepterai votre offre
'take-home pay salaire *m* net
tak·en ['teɪkən] *pp* → ***take***
'take·off *of airplane* décollage *m*; (*impersonation*) imitation *f*; **'take·o·ver** COMM rachat *m*; **'take·o·ver bid** offre *f* publique d'achat, OPA *f*
ta·kings ['teɪkɪŋz] *npl* recette *f*
tal·cum pow·der ['tælkəmpaudər] talc *m*
tale [teɪl] histoire *f*
tal·ent ['tælənt] talent *m*
tal·ent·ed ['tæləntɪd] *adj* doué
'tal·ent scout dénicheur(-euse) *m(f)* de talents
talk [tɒːk] **1** *v/i* parler; ***can I ~ to ...?***

T

est-ce que je pourrais parler à …? **2** *v/t English etc* parler; **~ *business / politics*** parler affaires / politique; **~ *s.o. into doing sth*** persuader qn de faire qch **3** *n* (*conversation*) conversation *f*; (*lecture*) exposé *m*; ***give a ~*** faire un exposé; ***he's all ~*** *pej* il ne fait que parler; **~*s*** (*negotiations*) pourparlers *mpl*

♦**talk back** *v/i* répondre

♦**talk down to** *v/t* prendre de haut

♦**talk over** *v/t* discuter

talk·a·tive ['tɒːkətɪv] *adj* bavard

talk·ing-to ['tɒːkɪŋtuː] savon *m* F; ***give s.o. a ~*** passer un savon à qn F

'talk show talk-show *m*

tall [tɒːl] *adj* grand

tall 'or·der: ***that's a ~*** c'est beaucoup demander

tall 'tale histoire *f* à dormir debout

tal·ly ['tælɪ] **1** *n* compte *m* **2** *v/i* (*pret & pp* **-*ied***) correspondre; *of stories* concorder

♦**tally with** *v/t* correspondre à; *of stories* concorder avec

tame [teɪm] *adj which has been tamed* apprivoisé; *not wild* pas sauvage; *joke etc* fade

♦**tam·per with** ['tæmpər] *v/t* toucher à

tam·pon ['tæmpɑːn] tampon *m*

tan [tæn] **1** *n from sun* bronzage; *color* marron *m* clair **2** *v/i* (*pret & pp* **-*ned***) *in sun* bronzer **3** *v/t* (*pret & pp* **-*ned***) *leather* tanner

tan·dem ['tændəm] *bike* tandem *m*

tan·gent ['tændʒənt] MATH tangente *f*

tan·ge·rine [tændʒə'riːn] *fruit* mandarine *f*

tan·gi·ble ['tændʒɪbl] *adj* tangible

tan·gle ['tæŋgl] *n* enchevêtrement *m*

♦**tangle up** *v/t*: ***get tangled up*** *of string etc* s'emmêler

tan·go ['tæŋgoʊ] *n* tango *m*

tank [tæŋk] MOT, *for water* réservoir *m*; *for fish* aquarium *m*; MIL char *m*; *for skin diver* bonbonne *f* d'oxygène

tank·er ['tæŋkər] (*oil ~*) pétrolier *m*; *truck* camion-citerne *m*

'tank top débardeur *m*

tanned [tænd] *adj* bronzé

Tan·noy® ['tænɔɪ] système *m* de hauts-parleurs; ***over the ~*** dans le haut-parleur

tan·ta·liz·ing ['tæntəlaɪzɪŋ] *adj* alléchant

tan·ta·mount ['tæntəmaʊnt]: ***be ~ to*** équivaloir à

tan·trum ['tæntrəm] caprice *m*

tap [tæp] **1** *n Br* (*faucet*) robinet *m* **2** *v/t* (*pret & pp* **-*ped***) (*knock*) taper; *phone* mettre sur écoute

♦**tap into** *v/t resources* commencer à exploiter

'tap dance *n* claquettes *fpl*

tape [teɪp] **1** *n for recording* bande *f*; *recording* cassette *f*; *sticky* ruban *m* adhésif **2** *v/t conversation etc* enregistrer; *with sticky tape* scotcher

'tape deck platine *f* cassettes; **'tape drive** COMPUT lecteur *m* de bandes; **'tape meas·ure** mètre *m* ruban

ta·per ['teɪpər] *v/i of stick* s'effiler; *of column, pant legs* se rétrécir

♦**taper off** *v/i* diminuer peu à peu

'tape re·cord·er magnétophone *m*

'tape re·cord·ing enregistrement *m*

tap·es·try ['tæpɪstrɪ] tapisserie *f*

tar [tɑːr] *n* goudron *m*

tar·dy ['tɑːrdɪ] *adj reply, arrival* tardif*

tar·get ['tɑːrgɪt] **1** *n in shooting* cible *f*; *fig* objectif *m* **2** *v/t market* cibler

'tar·get au·di·ence public *m* cible; **'tar·get date** date *f* visée; **'tar·get fig·ure** objectif *m*; **'tar·get group** COMM groupe *m* cible; **'tar·get mar·ket** marché *m* cible

tar·iff ['tærɪf] (*customs ~*) taxe *f*; (*prices*) tarif *m*

tar·mac ['tɑːrmæk] *at airport* tarmac *m*

tar·nish ['tɑːrnɪʃ] *v/t* ternir

tar·pau·lin [tɑːr'pɒːlɪn] bâche *f*

tart [tɑːrt] *n* tarte *f*

tar·tan ['tɑːrtn] tartan *m*

task [tæsk] *n* tâche *f*

'task force commission *f*; MIL corps *m* expéditionnaire

tas·sel ['tæsl] gland *m*

taste [teɪst] **1** *n* goût *m*; ***he has no ~*** il n'a pas de goût **2** *v/t* goûter; (*perceive taste of*) sentir; *try, fig* goûter à **3** *v/i*: ***it ~s like …*** ça a (un) goût de …; ***it ~s***

very nice c'est très bon
taste·ful ['teɪstfl] *adj* de bon goût
taste·ful·ly ['teɪstflɪ] *adv* avec goût
taste·less ['teɪstlɪs] *adj food* fade; *remark*, *décor* de mauvais goût
tast·ing ['teɪstɪŋ] *of wine* dégustation *f*
tast·y ['teɪstɪ] *adj* délicieux*
tat·tered ['tætərd] *adj* en lambeaux
tat·ters ['tætərz]: ***in ~*** en lambeaux; *fig* ruiné
tat·too [tə'tuː] *n* tatouage *m*
tat·ty ['tætɪ] *adj Br* F miteux*
taught [tɒːt] *pret & pp* → ***teach***
taunt [tɒːnt] **1** *n* raillerie *f* **2** *v/t* se moquer de
Tau·rus ['tɔːrəs] ASTROL Taureau *m*
taut [tɒːt] *adj* tendu
taw·dry ['tɒːdrɪ] *adj* clinquant
tax [tæks] **1** *n on income* impôt *m*; *on goods*, *services* taxe *f*; ***before / after ~*** brut / net, avant / après déductions **2** *v/t income* imposer; *goods*, *services* taxer
tax·a·ble 'in·come revenu *m* imposable
tax·a·tion [tæk'seɪʃn] *act* imposition *f*; (*taxes*) charges *fpl* fiscales
'tax a·void·ance évasion *f* fiscale; **'tax brack·et** fourchette *f* d'impôts; **'tax-de·duct·i·ble** *adj* déductible des impôts; **'tax e·va·sion** fraude *f* fiscale; **'tax-free** *adj goods* hors taxe; **'tax ha·ven** paradis *m* fiscal
tax·i ['tæksɪ] *n* taxi *m*
'tax·i driv·er chauffeur *m* de taxi
tax·ing ['tæksɪŋ] *adj* exténuant
'tax·i stand, *Br* **'tax·i rank** station *f* de taxis
'tax·pay·er contribuable *m/f*; **'tax re·turn** *form* déclaration *f* d'impôts; **'tax year** année *f* fiscale
TB [tiː'biː] *abbr* (= ***tuberculosis***) tuberculose *f*
tea [tiː] *drink* thé *m*
tea·bag ['tiːbæg] sachet *m* de thé
teach [tiːʧ] **1** *v/t* (*pret & pp* ***taught***); *subject* enseigner; *person*, *student* enseigner à; ***~ s.o. sth*** enseigner qch à qn; ***~ s.o. to do sth*** apprendre à qn à faire qch; ***who taught you?*** qui était ton prof? **2** *v/i* (*pret & pp* ***taught***) enseigner
teach·er ['tiːʧər] professeur *m/f*; *in elementary school* instituteur(-trice) *m(f)*
'teach·ers' lounge salle *f* des professeurs
teach·er 'train·ing formation *f* pédagogique
teach·ing ['tiːʧɪŋ] *profession* enseignement *m*
'teach·ing aid outil *m* pédagogique
'tea·cup tasse *f* à thé
teak [tiːk] tek *m*
'tea leaves *npl* feuilles *fpl* de thé
team [tiːm] équipe *f*
'team mate coéquipier(-ière) *m(f)*
team 'spirit esprit *m* d'équipe
team·ster ['tiːmstər] camionneur (-euse) *m(f)*
'team·work travail *m* d'équipe
tea·pot ['tiːpɑːt] théière *f*
tear[1] [ter] **1** *n in cloth etc* déchirure *f* **2** *v/t* (*pret* ***tore***, *pp* ***torn***) *paper*, *cloth* déchirer; ***be torn*** (***between two alternatives***) être tiraillé (entre deux possibilités) **3** *v/i* (*pret* ***tore***, *pp* ***torn***) (*run fast*, *drive fast*): ***she tore down the street*** elle a descendu la rue en trombe
♦**tear down** *v/t poster* arracher; *building* démolir
♦**tear out** *v/t* arracher (***from*** de)
♦**tear up** *v/t* déchirer; *fig*: *contract etc* annuler
tear[2] [tɪr] *n in eye* larme *f*; ***burst into ~s*** fondre en larmes; ***be in ~s*** être en larmes
tear·drop ['tɪrdrɑːp] larme *f*
tear·ful ['tɪrfl] *adj look* plein de larmes; ***be ~*** *person* être en larmes
'tear gas gaz *m* lacrymogène
tea·room ['tiːruːm] salon *m* de thé
tease [tiːz] *v/t* taquiner
'tea·spoon cuillère *f* à café
teat [tiːt] *of animal* tétine *f*
tech·ni·cal ['teknɪkl] *adj* technique
tech·ni·cal·i·ty [teknɪ'kælətɪ] (*technical nature*) technicité *f*; LAW point *m* de droit; ***that's just a ~*** c'est juste un détail
tech·ni·cal·ly ['teknɪklɪ] *adv* (*strictly

speaking) en théorie; *written* en termes techniques
tech·ni·cian [tek'nɪʃn] technicien(ne) *m(f)*
tech·nique [tek'niːk] technique *f*
tech·no·log·i·cal [teknə'lɑːdʒɪkl] *adj* technologique
tech·nol·o·gy [tek'nɑːlədʒɪ] technologie *f*
tech·no·pho·bi·a [teknə'foubɪə] technophobie *f*
ted·dy bear ['tedɪber] ours *m* en peluche
te·di·ous ['tiːdɪəs] *adj* ennuyeux*
tee [tiː] *n in golf* tee *m*
teem [tiːm] *v/i*: ***be ~ing with rain*** pleuvoir des cordes; ***be ~ing with tourists / ants*** grouiller de touristes / fourmis
teen·age ['tiːneɪdʒ] *adj magazines, fashion* pour adolescents; ***~ boy / girl*** adolescent / adolescente
teen·ag·er ['tiːneɪdʒər] adolescent(e) *m(f)*
teens [tiːnz] *npl* adolescence *f*; ***be in one's ~*** être adolescent; ***reach one's ~*** devenir adolescent
tee·ny ['tiːnɪ] *adj* F tout petit
teeth [tiːθ] *pl* → ***tooth***
teethe [tiːð] *v/i* faire ses dents
teeth·ing prob·lems ['tiːðɪŋ] *npl* problèmes *mpl* initiaux
tee·to·tal [tiː'toutl] *adj qui ne boit jamais d'alcool*
tee·to·tal·er [tiː'toutlər] *personne qui ne boit jamais d'alcool*
tel·e·com·mu·ni·ca·tions [telɪkəmjuːnɪ'keɪʃnz] télécommunications *fpl*
tel·e·gram ['telɪgræm] télégramme *m*
tel·e·graph pole ['telɪgræfpoul] *Br* poteau *m* télégraphique
tel·e·path·ic [telɪ'pæθɪk] *adj* télépathique; ***you must be ~!*** vous devez avoir le don de télépathie!
te·lep·a·thy [tɪ'lepəθɪ] télépathie *f*
tel·e·phone ['telɪfoun] **1** *n* téléphone *m*; ***be on the ~*** (*be speaking*) être au téléphone; (*possess a phone*) avoir le téléphone **2** *v/t person* téléphoner à **3** *v/i* téléphoner
'tel·e·phone bill facture *f* de téléphone; **'tel·e·phone book** annuaire *m*; **'tel·e·phone booth** cabine *f* téléphonique; **'tel·e·phone call** appel *m* téléphonique; **'tel·e·phone con·ver·sa·tion** conversation *f* téléphonique; **'tel·e·phone di·rec·to·ry** annuaire *m*; **'tel·e·phone ex·change** central *m* téléphonique; **'tel·e·phone mes·sage** message *m* téléphonique; **'tel·e·phone num·ber** numéro *m* de téléphone
tel·e·pho·to lens [telɪ'foutoulenz] téléobjectif *m*
tel·e·sales ['telɪseɪlz] *npl or nsg* télévente *f*
tel·e·scope ['telɪskoup] téléscope *m*
tel·e·scop·ic [telɪ'skɑːpɪk] *adj* téléscopique
tel·e·thon ['telɪθɑːn] téléthon *m*
tel·e·vise ['telɪvaɪz] *v/t* téléviser
tel·e·vi·sion ['telɪvɪʒn] *also set* télévision *f*; ***on ~*** à la télévision; ***watch ~*** regarder la télévision
'tel·e·vi·sion au·di·ence audience *f* de téléspectateurs; **'tel·e·vi·sion pro·gram** émission *f* télévisée; **'tel·e·vi·sion set** poste *m* de télévision; **'tel·e·vi·sion stu·di·o** studio *m* de télévision
tell [tel] **1** *v/t* (*pret & pp* ***told***) *story* raconter; *lie* dire; ***I can't ~ the difference*** je n'arrive pas à faire la différence; ***~ s.o. sth*** dire qch à qn; ***don't ~ Mom*** ne le dis pas à maman; ***could you ~ me the way to …?*** pourriez-vous m'indiquer où se trouve …?; ***~ s.o. to do sth*** dire à qn de faire qch; ***you're ~ing me!*** F tu l'as dit! F **2** *v/i* (*have effect*) se faire sentir; ***the heat is ~ing on him*** il ressent les effets de la chaleur; ***time will ~*** qui vivra verra
♦ **tell off** *v/t* F (*reprimand*) remonter les bretelles à F
tell·er ['telər] *in bank* guichetier(-ière) *m(f)*
tell·ing ['telɪŋ] *adj blow* percutant; *sign* révélateur*
tell·ing 'off F: ***get a ~*** se faire remonter les bretelles F
tell·tale ['telteɪl] **1** *adj signs* révélateur* **2** *n* rapporteur(-euse) *m(f)*

temp [temp] **1** *n employee* intérimaire *m/f* **2** *v/i* faire de l'intérim
tem·per ['tempər] *character* caractère *m*; (*bad* ~) mauvaise humeur *f*; ***have a terrible*** ~ être coléreux*; ***now then,*** ~***!*** maintenant, on se calme!; ***be in a*** ~ être en colère; ***keep one's*** ~ garder son calme; ***lose one's*** ~ se mettre en colère
tem·per·a·ment ['temprəmənt] tempérament *m*
tem·per·a·men·tal [temprə'mentl] *adj* (*moody*) capricieux*
tem·per·ate ['tempərət] *adj* tempéré
tem·per·a·ture ['temprətʃər] température *f*
tem·ple[1] ['templ] REL temple *m*
tem·ple[2] ['templ] ANAT tempe *f*
tem·po ['tempoʊ] MUS tempo *m*; *of work* rythme *m*
tem·po·rar·i·ly [tempə'rerɪlɪ] *adv* temporairement
tem·po·ra·ry ['tempərerɪ] *adj* temporaire
tempt [tempt] *v/t* tenter
temp·ta·tion [temp'teɪʃn] tentation *f*
tempt·ing ['temptɪŋ] *adj* tentant
ten [ten] dix
te·na·cious [tɪ'neɪʃəs] *adj* tenace
te·nac·i·ty [tɪ'næsɪtɪ] ténacité *f*
ten·ant ['tenənt] locataire *m/f*
tend[1] [tend] *v/t lawn* entretenir; *sheep* garder; *the sick* soigner
tend[2] [tend] *v/i*: ~ ***to do sth*** avoir tendance à faire qch; ~ ***toward sth*** pencher vers qch
tend·en·cy ['tendənsɪ] tendance *f*
ten·der[1] ['tendər] *adj* (*sore*) sensible; (*affectionate*), *steak* tendre
ten·der[2] ['tendər] *n* COMM offre *f*
ten·der·ness ['tendənɪs] *of kiss etc* tendresse *f*, *of steak* tendreté *f*
ten·don ['tendən] tendon *m*
ten·nis ['tenɪs] tennis *m*
'ten·nis ball balle *f* de tennis; **'ten·nis court** court *m* de tennis; **'ten·nis play·er** joueur(-euse) *m(f)* de tennis; **'ten·nis rack·et** raquette *f* de tennis
ten·or ['tenər] *n* MUS ténor *m*
tense[1] [tens] *n* GRAM temps *m*
tense[2] [tens] *adj* tendu
♦**tense up** *v/i* se crisper
ten·sion ['tenʃn] tension *f*
tent [tent] tente *f*
ten·ta·cle ['tentəkl] tentacule *m*
ten·ta·tive ['tentətɪv] *adj smile*, *steps* hésitant; *conclusion*, *offer* provisoire
ten·ter·hooks ['tentərhʊks]: ***be on*** ~ être sur des charbons ardents
tenth [tenθ] dixième; → ***fifth***
tep·id ['tepɪd] *adj also fig* tiède
term [tɜːrm] (*period*, *word*) terme *m*; EDU trimestre *m*; (*condition*) condition *f*; ***be on good / bad*** ~***s with s.o.*** être en bons / mauvais termes avec qn; ***in the long / short*** ~ à long / court terme; ***come to*** ~***s with sth*** accepter qch
ter·mi·nal ['tɜːrmɪnl] **1** *n at airport* aérogare *m*; *for buses* terminus *m*; *for containers*, COMPUT terminal *m*; ELEC borne *f* **2** *adj illness* incurable
ter·mi·nal·ly ['tɜːrmɪnəlɪ] *adv*: ~ ***ill*** en phase terminale
ter·mi·nate ['tɜːrmɪneɪt] **1** *v/t* mettre fin à; ~ ***a pregnancy*** interrompre une grossesse **2** *v/i* se terminer
ter·mi·na·tion [tɜːrmɪ'neɪʃn] *of contract* résiliation *f*, *in pregnancy* interruption *f* volontaire de grossesse
ter·mi·nol·o·gy [tɜːrmɪ'nɑːlədʒɪ] terminologie *f*
ter·mi·nus ['tɜːrmɪnəs] terminus *m*
ter·race ['terəs] *on hillside*, (*patio*) terrasse *f*
ter·ra cot·ta [terə'kɑːtə] *adj* en terre cuite
ter·rain [te'reɪn] terrain *m*
ter·res·tri·al [te'restrɪəl] **1** *adj television* terrestre **2** *n* terrien(ne) *m(f)*
ter·ri·ble ['terəbl] *adj* horrible, affreux*
ter·ri·bly ['terəblɪ] *adv* (*very*) très
ter·rif·ic [tə'rɪfɪk] *adj* génial
ter·rif·i·cal·ly [tə'rɪfɪklɪ] *adv* (*very*) extrêmement, vachement F
ter·ri·fy ['terɪfaɪ] *v/t* (*pret & pp* **-ied**) terrifier; ***be terrified*** être terrifié
ter·ri·fy·ing ['terɪfaɪɪŋ] *adj* terrifiant
ter·ri·to·ri·al [terə'tɔːrɪəl] *adj* territorial
ter·ri·to·ri·al 'wa·ters *npl* eaux *fpl* ter-

ritoriales
ter·ri·to·ry ['terɪtɔːrɪ] territoire *m*; *fig* domaine *m*
ter·ror ['terər] terreur *f*
ter·ror·ism ['terərɪzm] terrorisme *m*
ter·ror·ist ['terərɪst] terroriste *m/f*
'ter·ror·ist at·tack attentat *m* terroriste
'ter·ror·ist or·gan·i·za·tion organisation *f* terroriste
ter·ror·ize ['terəraɪz] *v/t* terroriser
terse [tɜːrs] *adj* laconique
test [test] **1** *n scientific, technical* test *m*; *academic, for driving* examen *m*; ***put sth to the ~*** mettre qch à l'épreuve **2** *v/t person, machine, theory* tester, mettre à l'épreuve; ***~ s.o. on a subject*** interroger qn sur une matière
tes·ta·ment ['testəmənt] *to s.o.'s life* témoignage *m* (***to*** de); ***Old / New Testament*** REL Ancien / Nouveau Testament *m*
test-drive ['testdraɪv] *v/t* (*pret* ***-drove***, *pp* ***-driven***) *car* essayer
tes·ti·cle ['testɪkl] testicule *m*
tes·ti·fy ['testɪfaɪ] *v/i* (*pret & pp* ***-ied***) LAW témoigner
tes·ti·mo·ni·al [testɪ'mounɪəl] références *fpl*
tes·ti·mo·ny ['testɪmənɪ] LAW témoignage *m*
'test tube éprouvette *f*
'test-tube ba·by bébé-éprouvette *m*
tes·ty ['testɪ] *adj* irritable
te·ta·nus ['tetənəs] tétanos *m*
teth·er ['teðər] **1** *v/t horse* attacher **2** *n*: ***be at the end of one's ~*** être au bout du rouleau
text [tekst] **1** *n* texte *m*; *message* texto *m*, SMS *m* **2** *v/t* envoyer un texto à
'text·book manuel *m*
tex·tile ['tekstaɪl] textile *m*
'text mes·sage texto *m*, SMS *m*
tex·ture ['tekstʃər] texture *f*
Thai [taɪ] **1** *adj* thaïlandais **2** *n person* Thaïlandais(e) *m(f)*; *language* thaï *m*
Thai·land ['taɪlænd] Thaïlande *f*
than [ðæn] *adv* que; *with numbers* de; ***faster ~ me*** plus rapide que moi; ***more than 50*** plus de 50
thank [θæŋk] *v/t* remercier; ***~ you*** merci; ***no ~ you*** (non) merci
thank·ful ['θæŋkfl] *adj* reconnaissant
thank·ful·ly ['θæŋkfulɪ] *adv* avec reconnaissance; (*luckily*) heureusement
thank·less ['θæŋklɪs] *adj task* ingrat
thanks [θæŋks] *npl* remerciements *mpl*; ***~!*** merci!; ***~ to*** grâce à
Thanks·giv·ing (Day) [θæŋks'gɪvɪŋ (deɪ)] jour *m* de l'action de grâces, Thanksgiving *m* (*fête célébrée le 4ème jeudi de novembre*)
that [ðæt] **1** *adj* ce, cette; *masculine before vowel* cet; ***~ one*** celui-là, celle-là **2** *pron* ◊ cela, ça; ***give me ~*** donne-moi ça
◊ : ***~'s mine*** c'est à moi; ***~'s tea*** c'est du thé; ***~'s very kind*** c'est très gentil; ***what is ~?*** qu'est-ce que c'est que ça?; ***who is ~?*** qui est-ce? **3** *relative pron* que; ***the person / car ~ you see*** la personne / voiture que vous voyez **4** *adv* (*so*) aussi; ***~ big / expensive*** aussi grand / cher **5** *conj* que; ***I think ~ ...*** je pense que ...
thaw [θɒː] *v/i of snow* fondre; *of frozen food* se décongeler
the [ðə] le, la; *pl* les; ***to the station / theater*** à la gare / au théâtre; ***~ more I try*** plus j'essaie
the·a·ter ['θɪətər] théâtre *m*
'the·a·ter crit·ic critique *m/f* de théâtre
the·a·tre *Br* → ***theater***
the·at·ri·cal [θɪ'ætrɪkl] *adj also fig* théâtral
theft [θeft] vol *m*
their [ðer] *adj* leur; *pl* leurs; (*his or her*) son, sa; *pl* ses; ***everybody has ~ favorite*** tout le monde a son favori
theirs [ðerz] *pron* le leur, les leurs; ***it's ~*** c'est à eux / elles
them [ðem] *pron* ◊ *object* les; *indirect object* leur; *with prep* eux, elles; ***I know ~*** je les connais; ***I gave ~ a dollar*** je leur ai donné un dollar; ***this is for ~*** c'est pour eux / elles; ***who? - ~*** qui? - eux / elles
◊ (*him or her*) le, l'; *indirect object, with prep* lui; ***if someone asks you should help ~*** si quelqu'un de-

mande tu devrais l'aider; ***does anyone have a pen with ~?*** est-ce que quelqu'un a un crayon sur lui?
theme [θiːm] thème *m*
'theme park parc *m* à thème
'theme song chanson *f* titre d'un film
them•selves [ðem'selvz] *pron* eux-mêmes, elles-mêmes; *reflexive* se; *after prep* eux, elles; ***they gave ~ a holiday*** ils se sont offerts des vacances; ***by ~*** (*alone*) tout seuls, toutes seules
then [ðen] *adv* (*at that time*) à l'époque; (*after that*) ensuite; *deducing* alors; ***by ~*** alors; ***he'll be dead by ~*** il sera mort d'ici là
the•o•lo•gi•an [θɪə'loudʒɪən] théologien(-ne) *m(f)*
the•ol•o•gy [θɪ'ɑːlədʒɪ] théologie *f*
the•o•ret•i•cal [θɪə'retɪkl] *adj* théorique
the•o•ret•i•cal•ly [θɪə'retɪklɪ] *adv* en théorie
the•o•ry ['θɪrɪ] théorie *f*; ***in ~*** en théorie
ther•a•peu•tic [θerə'pjuːtɪk] *adj* thérapeutique
ther•a•pist ['θerəpɪst] thérapeute *m/f*
ther•a•py ['θerəpɪ] thérapie *f*
there [ðer] *adv* là; ***over ~ / down ~*** là-bas; ***~ is / are …*** il y a …; ***is / are ~ …?*** est-ce qu'il y a …?, y a-t-il …?; ***~ is / are not …*** il n'y a pas …; ***~ you are*** voilà; ***~ and back*** aller et retour; ***~ he is!*** le voilà!; ***~, ~!*** allons, allons; ***we went ~ yesterday*** nous y sommes allés hier
there•a•bouts [ðerə'baʊts] *adv*: ***$500 or ~*** environ 500 $
there•fore ['ðerfɔːr] *adv* donc
ther•mom•e•ter [θər'mɑːmɪtər] thermomètre *m*
ther•mos flask ['θɜːrməsflæsk] thermos *m*
ther•mo•stat ['θɜːrməstæt] thermostat *m*
these [ðiːz] **1** *adj* ces **2** *pron* ceux-ci, celles-ci
the•sis ['θiːsɪs] (*pl* ***theses*** ['θiːsiːz]) thèse *f*
they [ðeɪ] *pron*◇ ils, elles; *stressed* eux, elles; ***~ were the ones who …*** c'était eux / elles qui …; ***there ~ are*** les voilà
◇ (*he or she*) il; ***if anyone looks at this ~ will see that …*** si quelqu'un regarde ça il verra que …; ***~ say that …*** on dit que …; ***~ are changing the law*** la loi va être changée
thick [θɪk] *adj* épais*; F (*stupid*) lourd; ***it's 3 cm ~*** ça fait 3 cm d'épaisseur
thick•en ['θɪkən] *v/t sauce* épaissir
thick•set ['θɪkset] *adj* trapu
thick-skinned ['θɪkskɪnd] *adj fig* qui a la peau dure
thief [θiːf] (*pl* ***thieves*** [θiːvz]) voleur (-euse) *m(f)*
thigh [θaɪ] cuisse *f*
thim•ble ['θɪmbl] dé *m* à coudre
thin [θɪn] *adj material* léger*, fin; *layer* mince; *person* maigre; *line* fin; *soup* liquide; ***his hair's getting ~*** il perd ses cheveux
thing [θɪŋ] chose *f*; ***~s*** (*belongings*) affaires *fpl*; ***how are ~s?*** comment ça va?; ***it's a good ~ you told me*** tu as bien fait de me le dire; ***that's a strange ~ to say*** c'est bizarre de dire ça
thing•um•a•jig ['θɪŋʌmədʒɪg] F machin *m* F
think [θɪŋk] **1** *v/i* (*pret & pp* ***thought***) penser; ***I ~ so*** je pense que oui; ***I don't ~ so*** je ne pense pas; ***I ~ so too*** je le pense aussi; ***~ hard!*** creuse-toi la tête! F; ***I'm ~ing about emigrating*** j'envisage d'émigrer; ***I'll ~ about it*** *offer* je vais y réfléchir **2** *v/t* (*pret & pp* ***thought***) penser; ***what do you ~ (of it)?*** qu'est-ce que tu en penses?
♦**think over** *v/t* réfléchir à
♦**think through** *v/t* bien examiner
♦**think up** *v/t plan* concevoir
'think tank comité *m* d'experts
thin-skinned ['θɪnskɪnd] *adj fig* susceptible
third [θɜːrd] troisième; (*fraction*) tiers *m*; → ***fifth***
third•ly ['θɜːrdlɪ] *adv* troisièmement
third-'par•ty tiers *m*; **third-par•ty in'-**

T

sur·ance *Br* assurance *f* au tiers; **third 'per·son** GRAM troisième personne *f*; **'third-rate** *adj* de dernier ordre; **'Third World** Tiers-Monde *m*

thirst [θɜːrst] soif *f*

thirst·y ['θɜːrstɪ] *adj* assoiffé; ***be ~*** avoir soif

thir·teen [θɜːr'tiːn] treize

thir·teenth [θɜːr'tiːnθ] treizième; → ***fifth***

thir·ti·eth ['θɜːrtɪɪθ] trentième

thir·ty ['θɜːrtɪ] trente

this [ðɪs] **1** *adj* ce, cette; *masculine before vowel* cet; ***~ one*** celui-ci, celle-ci **2** *pron* cela, ça; ***~ is good*** c'est bien; ***~ is ...*** c'est ...; *introducing s.o.* je vous présente ... **3** *adv*: ***~ big / high*** grand / haut comme ça

thorn [θɔːrn] épine *f*

thorn·y ['θɔːrnɪ] *adj also fig* épineux*

thor·ough ['θɜːroʊ] *adj search, knowledge* approfondi; *person* méticuleux*

thor·ough·bred ['θʌrəbred] *n horse* pur-sang *m*

thor·ough·ly ['θʌrəlɪ] *adv spoilt, ashamed, agree* complètement; *clean, search for, know* à fond

those [ðoʊz] **1** *adj* ces **2** *pron* ceux-là, celles-là

though [ðoʊ] **1** *conj* (*although*) bien que (*+subj*), quoique (*+subj*); ***as ~*** comme si; ***it sounds as ~ you've understood*** on dirait que vous avez compris **2** *adv* pourtant; ***it's not finished ~*** mais ce n'est pas fini

thought[1] [θɒːt] *n* pensée *f*

thought[2] [θɒːt] *pret & pp* → ***think***

thought·ful ['θɒːtfʊl] *adj* (*pensive*) pensif*; *book* profond; (*considerate*) attentionné

thought·ful·ly ['θɒːtflɪ] *adv* (*pensively*) pensivement; (*considerately*) de manière attentionnée

thought·less ['θɒːtlɪs] *adj* inconsidéré

thought·less·ly ['θɒːtlɪslɪ] *adv* de façon inconsidérée

thou·sand ['θaʊznd] mille *m*; ***~s of*** des milliers *mpl* de; *exaggerating* des millions de

thou·sandth ['θaʊzndθ] millième

thrash [θræʃ] *v/t* rouer de coups; SP battre à plates coutures

♦**thrash about** *v/i with arms etc* se débattre

♦**thrash out** *v/t solution* parvenir à

thrash·ing ['θræʃɪŋ] volée *f* de coups; ***get a ~*** SP se faire battre à plates coutures

thread [θred] **1** *n for sewing* fil *m*; *of screw* filetage *m* **2** *v/t needle, beads* enfiler

thread·bare ['θredber] *adj* usé jusqu'à la corde

threat [θret] menace *f*

threat·en ['θretn] *v/t* menacer

threat·en·ing ['θretnɪŋ] *adj gesture, letter, sky* menaçant

three [θriː] trois

three-'quar·ters les trois-quarts *mpl*

thresh·old ['θreʃhoʊld] *of house, new era* seuil *m*

threw [θruː] *pret* → ***throw***

thrift [θrɪft] économie *f*

thrift·y ['θrɪftɪ] *adj* économe

thrill [θrɪl] **1** *n* frisson *m* **2** *v/t*: ***be ~ed*** être ravi

thrill·er ['θrɪlər] thriller *m*

thrill·ing ['θrɪlɪŋ] *adj* palpitant

thrive [θraɪv] *v/i of plants* bien pousser; *of business, economy* prospérer

throat [θroʊt] gorge *f*

'throat loz·enge pastille *f* pour la gorge

throb [θrɑːb] **1** *n of heart* pulsation *f*; *of music* vibration *f* **2** *v/i* (*pret & pp* ***-bed***) *of heart* battre fort; *of music* vibrer

throm·bo·sis [θrɑːm'boʊsɪs] thrombose *f*

throne [θroʊn] trône *m*

throng [θrɑːŋ] *n* foule *f*

throt·tle ['θrɑːtl] **1** *n on motorbike, boat* papillon *m* des gaz **2** *v/t* (*strangle*) étrangler

♦**throttle back** *v/i* fermer les gaz

through [θruː] **1** *prep* ◊ (*across*) à travers; ***go ~ the city*** traverser la ville ◊ (*during*) pendant; ***all ~ the night*** toute la nuit; ***Monday ~ Friday*** du lundi au vendredi (inclus) ◊ (*by means of*) par; ***arranged ~ an***

T

agency organisé par l'intermédiaire d'une agence
2 *adv*: ***wet ~*** mouillé jusqu'aux os; ***watch a film / read a book ~*** regarder un film / lire un livre en entier
3 *adj*: ***be ~*** (*have arrived*: *of news etc*) être parvenu; ***you're ~*** TELEC vous êtes connecté; ***we're ~*** *of couple* c'est fini entre nous; ***be ~ with s.o. / sth*** en avoir fini avec qn / qch
'through flight vol *m* direct
through·out [θruː'aʊt] **1** *prep* tout au long de, pendant tout(e); ***~ the novel*** dans tout le roman **2** *adv* (*in all parts*) partout
'through train train *m* direct
throw [θroʊ] **1** *v/t* (*pret* ***threw***, *pp* ***thrown***) jeter, lancer; *of horse* désarçonner; (*disconcert*) déconcerter; *party* organiser **2** *n* jet *m*; ***it's your ~*** c'est à toi de lancer
♦**throw away** *v/t* jeter
♦**throw off** *v/t jacket etc* enlever à toute vitesse; *cold etc* se débarrasser de
♦**throw on** *v/t clothes* enfiler à toute vitesse
♦**throw out** *v/t old things* jeter; *from bar, home* jeter dehors, mettre à la porte; *from country* expulser; *plan* rejeter
♦**throw up 1** *v/t ball* jeter en l'air; (*vomit*) vomir; ***throw up one's hands*** lever les mains en l'air **2** *v/i* (*vomit*) vomir
throw-a·way ['θroʊəweɪ] *adj* (*disposable*) jetable; ***a ~ remark*** une remarque en l'air
'throw-in SP remise *f* en jeu
thrown [θroʊn] *pp* → ***throw***
thru [θruː] → ***through***
thrush [θrʌʃ] *bird* grive *f*
thrust [θrʌst] *v/t* (*pret & pp* ***thrust***) (*push hard*) enfoncer; ***~ one's way through the crowd*** se frayer un chemin à travers la foule
thud [θʌd] *n* bruit *m* sourd
thug [θʌg] brute *f*
thumb [θʌm] **1** *n* pouce *m* **2** *v/t*: ***~ a ride*** faire de l'auto-stop
thumb·tack ['θʌmtæk] punaise *f*
thump [θʌmp] **1** *n blow* coup *m* de poing; *noise* bruit *m* sourd **2** *v/t person* cogner; ***~ one's fist on the table*** cogner du poing sur la table **3** *v/i of heart* battre la chamade; ***~ on the door*** cogner sur la porte
thun·der ['θʌndər] *n* tonnerre *m*
thun·der·ous ['θʌndərəs] *adj applause* tonitruant
thun·der·storm ['θʌndərstɔːrm] orage *m*
thun·der·struck *adj* abasourdi
thun·der·y ['θʌndərɪ] *adj weather* orageux*
Thurs·day ['θɜːrzdeɪ] jeudi *m*
thus [ðʌs] *adv* ainsi
thwart [θwɔːrt] *v/t person, plans* contrarier
thyme [taɪm] thym *m*
thy·roid gland ['θaɪrɔɪdglænd] thyroïde *f*
tick [tɪk] **1** *n of clock* tic-tac *m*; (*checkmark*) coche *f* **2** *v/i* faire tic-tac
tick·et ['tɪkɪt] *for bus, museum* ticket *m*; *for train, airplane, theater, concert, lottery* billet *m*; *for speeding, illegal parking* P.V. *m*
'tick·et col·lec·tor contrôleur(-euse) *m*(*f*); **'tick·et in·spec·tor** contrôleur(-euse) *m*(*f*); **'tick·et ma·chine** distributeur *m* de billets; **'tick·et of·fice** billetterie *f*
tick·ing ['tɪkɪŋ] *noise* tic-tac *m*
tick·le ['tɪkl] *v/t & v/i* chatouiller
tickl·ish ['tɪklɪʃ] *adj person* chatouilleux*
tid·al wave ['taɪdlweɪv] raz-de-marée *m*
tide [taɪd] marée *f*; ***high / low ~*** marée haute / basse; ***the ~ is in / out*** la marée monte / descend
♦**tide over** *v/t* dépanner
ti·di·ness ['taɪdɪnɪs] ordre *m*
ti·dy ['taɪdɪ] *adj person, habits* ordonné; *room, house, desk* en ordre
♦**tidy away** *v/t* (*pret & pp* ***-ied***) ranger
♦**tidy up 1** *v/t room, shelves* ranger; ***tidy o.s. up*** remettre de l'ordre dans sa tenue **2** *v/i* ranger
tie [taɪ] **1** *n* (*necktie*) cravate *f*; SP (*even result*) match *m* à égalité; ***he doesn't***

T

have any ~s il n'a aucune attache **2** *v/t laces* nouer; *knot* faire; *hands* lier; ***~ sth to sth*** attacher qch à qch; ***~ two ropes together*** lier deux cordes entre elles **3** *v/i* SP *of teams* faire match nul; *of runner* finir ex æquo

♦**tie down** *v/t with rope* attacher; *fig* (*restrict*) restreindre

♦**tie up** *v/t hair* attacher; *person* ligoter; *boat* amarrer; ***I'm tied up tomorrow*** (*busy*) je suis pris demain

tier [tɪr] *of hierarchy* niveau *m*; *of seats* gradin *m*

ti·ger ['taɪgər] tigre *m*

tight [taɪt] **1** *adj clothes, knot, screw* serré; *shoes* trop petit; (*properly shut*) bien fermé; *not leaving much time* juste; *security* strict; F (*drunk*) bourré F **2** *adv hold* fort; *shut* bien

tight·en ['taɪtn] *v/t control, security* renforcer; *screw* serrer; (*make tighter*) resserrer

tight-fist·ed [taɪt'fɪstɪd] *adj* radin

tight·ly *adv* → ***tight*** *adv*

tight·rope ['taɪtroʊp] corde *f* raide

tights [taɪts] *npl Br* collant *m*

tile [taɪl] *n on floor, wall* carreau *m*; *on roof* tuile *f*

till[1] [tɪl] *prep, conj* → ***until***

till[2] [tɪl] *n* (*cash register*) caisse *f*

till[3] [tɪl] *v/t soil* labourer

tilt [tɪlt] *v/t & v/i* pencher

tim·ber ['tɪmbər] bois *m*

time [taɪm] **1** *n* temps *m*; (*occasion*) fois *f*; ***for the ~ being*** pour l'instant; ***have a good ~*** bien s'amuser; ***have a good ~!*** amusez-vous bien!; ***what's the ~?, what ~ is it?*** quelle heure est-il?; ***the first ~*** la première fois; ***four ~s*** quatre fois; ***~ and again*** cent fois; ***all the ~*** pendant tout ce temps; ***he knew all the ~ that …*** il savait depuis le début que …; ***two / three at a ~*** deux par deux / trois par trois; ***at the same ~*** *speak, reply etc*, (*however*) en même temps; ***in ~*** à temps; ***on ~*** à l'heure; ***in no ~*** *in the past* en un rien de temps; *in the future* dans un rien de temps **2** *v/t* chronométrer

'time bomb bombe *f* à retardement; **'time clock** *in factory* horloge *f* pointeuse; **'time-con·sum·ing** *adj task* de longue haleine; **'time dif·fer·ence** décalage *m* horaire; **'time-lag** laps *m* de temps; **'time lim·it** limite *f* dans le temps

time·ly ['taɪmlɪ] *adj* opportun

'time out SP temps *m* mort

tim·er ['taɪmər] *device* minuteur *m*

'time·sav·ing économie *f* de temps; **'time·scale** *of project* durée *f*; **'time switch** minuterie *f*; **'time·warp** changement *m* subit d'époque; **'time zone** fuseau *m* horaire

tim·id ['tɪmɪd] *adj* timide

tim·id·ly ['tɪmɪdlɪ] *adv* timidement

tim·ing ['taɪmɪŋ] *of actor, dancer* synchronisation *f*; ***the ~ of the announcement was perfect*** l'annonce est venue au parfait moment

tin [tɪn] *metal* étain *m*

tin·foil ['tɪnfɔɪl] papier *m* aluminium

tinge [tɪndʒ] *n* soupçon *m*

tin·gle ['tɪŋgl] *v/i* picoter

♦**tin·ker with** ['tɪŋkər] *v/t engine* bricoler; ***stop tinkering with it!*** arrête de toucher à ça!

tin·kle ['tɪŋkl] *n of bell* tintement *m*

tin·sel ['tɪnsl] guirlandes *fpl* de Noël

tint [tɪnt] **1** *n of color* teinte *f*; *for hair* couleur *f* **2** *v/t*: ***~ one's hair*** se faire une coloration

tint·ed ['tɪntɪd] *adj eyeglasses* teinté; *paper* de couleur pastel

ti·ny ['taɪnɪ] *adj* minuscule

tip[1] [tɪp] *n* (*end*) bout *m*

tip[2] [tɪp] **1** *n advice* conseil *m*, truc *m* F; *money* pourboire *m* **2** *v/t* (*pret & pp* ***-ped***) *waiter etc* donner un pourboire à

♦**tip off** *v/t* informer

♦**tip over** *v/t* renverser

'tip-off renseignement *m*, tuyau *m* F; ***have a ~ that …*** être informé que …

tipped [tɪpt] *adj cigarettes* à bout filtre

tip·py-toe ['tɪptoʊ]: ***on ~*** sur la pointe des pieds

tip·sy ['tɪpsɪ] *adj* éméché

tire[1] ['taɪr] *n* pneu *m*

tire[2] ['taɪr] **1** *v/t* fatiguer **2** *v/i* se fatiguer; ***he never ~s of it*** il ne s'en lasse

pas
tired ['taɪrd] *adj* fatigué; ***be ~ of s.o. / sth*** en avoir assez de qn / qch
tired·ness ['taɪrdnɪs] fatigue *f*
tire·less ['taɪrlɪs] *adj efforts* infatigable
tire·some ['taɪrsəm] *adj (annoying)* fatigant
tir·ing ['taɪrɪŋ] *adj* fatigant
tis·sue ['tɪʃuː] ANAT tissu *m*; *handkerchief* mouchoir *m* en papier
'tis·sue pa·per papier *m* de soie
tit[1] [tɪt] *bird* mésange *f*
tit[2] [tɪt]: ***give s.o. ~ for tat*** rendre la pareille à qn
tit[3] [tɪt] V (*breast*) nichon *m* V; ***get on s.o.'s ~s*** P casser les pieds de qn F
ti·tle ['taɪtl] *of novel, person etc* titre *m*; LAW titre *m* de propriét é (***to*** de)
'ti·tle·hold·er SP tenant(e) *m(f)* du titre
'ti·tle role rôle *m* éponyme
tit·ter ['tɪtər] *v/i* rire bêtement
to [tuː], *unstressed* [tə] **1** *prep* à; ***~ Japan*** au Japon; ***~ Chicago*** à Chicago; ***let's go ~ my place*** allons chez moi; ***walk ~ the station*** aller à la gare à pied; ***~ the north / south of*** au nord / sud de; ***give sth ~ s.o.*** donner qch à qn; ***from Monday ~ Wednesday*** *once* de lundi à mercredi; *regularly* du lundi au mercredi; ***from 10 ~ 15 people*** de 10 à 15 personnes; ***5 minutes ~ 10*** *esp Br* 10 heures moins 5 **2** *with verbs*: ***~ speak, ~ shout*** parler, crier; ***learn ~ drive*** apprendre à conduire; ***nice ~ eat*** bon à manger; ***too heavy ~ carry*** trop lourd à porter; ***~ be honest with you, …*** pour être sincère, … **3** *adv*: ***~ and fro*** *walk, pace* de long en large; ***go ~ and fro between …*** *of ferry* faire la navette entre …
toad [toʊd] crapaud *m*
toad·stool ['toʊdstuːl] champignon *m* vénéneux
toast [toʊst] **1** *n for eating* pain *m* grillé; *when drinking* toast *m*; ***propose a ~ to s.o.*** porter un toast à qn **2** *v/t when drinking* porter un toast à
to·bac·co [tə'bækoʊ] tabac *m*
to·bog·gan [tə'bɑːgən] *n* luge *f*
to·day [tə'deɪ] *adv* aujourd'hui
tod·dle ['tɑːdl] *v/i of child* faire ses premiers pas
tod·dler ['tɑːdlər] jeune enfant *m*, bambin *m* F
to-do [tə'duː] F remue-ménage *m*
toe [toʊ] **1** *n* orteil *m*; *of sock, shoe* bout *m* **2** *v/t*: ***~ the line*** se mettre au pas; ***~ the party line*** suivre la ligne du parti
toe·nail ['toʊneɪl] ongle *m* de pied
to·geth·er [tə'geðər] *adv* ensemble; (*at the same time*) en même temps
toil [tɔɪl] *n* labeur *m*
toi·let ['tɔɪlɪt] toilettes *fpl*; ***go to the ~*** aller aux toilettes
'toi·let pa·per papier *m* hygiénique
toi·let·ries ['tɔɪlɪtrɪz] *npl* articles *mpl* de toilette
'toi·let roll rouleau *m* de papier hygiénique
to·ken ['toʊkən] *sign* témoignage *m*; (*gift ~*) bon *m* d'achat; *instead of coin* jeton *m*
told [toʊld] *pret & pp* → ***tell***
tol·er·a·ble ['tɑːlərəbl] *adj pain etc* tolérable; (*quite good*) acceptable
tol·er·ance ['tɑːlərəns] tolérance *f*
tol·er·ant ['tɑːlərənt] *adj* tolérant
tol·er·ate ['tɑːləreɪt] *v/t* tolérer; ***I won't ~ it!*** je ne tolérerai pas ça!
toll[1] [toʊl] *v/i of bell* sonner
toll[2] [toʊl] *n* (*deaths*) bilan *m*
toll[3] [toʊl] *n for bridge, road* péage *m*
'toll booth poste *m* de péage; **'toll-free** *adj* TELEC gratuit; ***~ number*** numéro *m* vert; **'toll road** route *f* à péage
to·ma·to [tə'meɪtoʊ] tomate *f*
to·ma·to 'ketch·up ketchup *m*
to·ma·to 'sauce *for pasta etc* sauce *f* tomate
tomb [tuːm] tombe *f*
tom·boy ['tɑːmbɔɪ] garçon *m* manqué
tomb·stone ['tuːmstoʊn] pierre *f* tombale
tom·cat ['tɑːmkæt] matou *m*
to·mor·row [tə'mɔːroʊ] **1** *n* demain *m*; ***the day after ~*** après-demain **2** *adv* demain; ***~ morning*** demain matin

ton [tʌn] tonne *f* courte (= *907 kg*)
tone [toʊn] *of color, conversation* ton *m*; *of musical instrument* timbre *m*; *of neighborhood* classe *f*; **~ of voice** ton *m*
♦**tone down** *v/t demands* réduire; *criticism* atténuer
ton·er ['toʊnər] toner *m*
tongs [tɑːŋz] *npl* pince *f*; (*curling* **~**) fer *m* à friser
tongue [tʌŋ] langue *f*
ton·ic ['tɑːnɪk] MED fortifiant *m*
'ton·ic (wa·ter) Schweppes® *m*, tonic *m*
to·night [tə'naɪt] *adv* ce soir; *sleep* cette nuit
ton·sil·li·tis [tɑːnsə'laɪtɪs] angine *f*
ton·sils ['tɑːnslz] *npl* amygdales *fpl*
too [tuː] *adv* (*also*) aussi; (*excessively*) trop; ***me* ~** moi aussi; **~ *big* / *hot*** trop grand / chaud; **~ *much rice*** trop de riz; ***eat* ~ *much*** manger trop
took [tʊk] *pret* → ***take***
tool [tuːl] outil *m*
toot [tuːt] *v/t* F: **~ *the horn*** klaxonner
tooth [tuːθ] (*pl* ***teeth*** [tiːθ]) dent *f*
'tooth·ache mal *m* de dents
'tooth·brush brosse *f* à dents
tooth·less ['tuːθlɪs] *adj* édenté
'tooth·paste dentifrice *m*
'tooth·pick cure-dents *m*
top [tɑːp] **1** *n also clothing* haut *m*; (*lid: of bottle etc*) bouchon *m*; *of pen* capuchon *m*; *of the class, league* premier (-ère) *m*(*f*)); MOT: *gear* quatrième *f* / cinquième *f*; ***on* ~ *of*** sur; ***be at the* ~ *of*** être en haut de; *league* être premier de; ***get to the* ~** *of company, mountain etc* arriver au sommet; ***be over the* ~** *Br* (*exaggerated*) être exagéré **2** *adj branches* du haut; *floor* dernier*; *player etc* meilleur; *speed* maximum *inv in feminine*; *note* le plus élevé; **~ *management*** les cadres *mpl* supérieurs; **~ *official*** haut fonctionnaire *m* **3** *v/t* (*pret & pp* ***-ped***): ***~ped with cream*** surmonté de crème chantilly
top 'hat chapeau *m* haut de forme
top 'heav·y *adj* déséquilibré
top·ic ['tɑːpɪk] sujet *m*
top·i·cal ['tɑːpɪkl] *adj* d'actualité
top·less ['tɑːplɪs] *adj waitress* aux seins nus
top·most ['tɑːpmoʊst] *adj branch* le plus haut; *floor* dernier*
top·ping ['tɑːpɪŋ] *on pizza* garniture *f*
top·ple ['tɑːpl] **1** *v/i* s'écrouler **2** *v/t government* renverser
top 'se·cret *adj* top secret *inv*
top·sy-tur·vy [tɑːpsɪ'tɜːrvɪ] *adj* sens dessus dessous
torch [tɔːrʧ] *n with flame* flambeau *m*; *Br* lampe *f* de poche
tore [tɔːr] *pret* → ***tear***
tor·ment ['tɔːrment] **1** *n* tourment *m* **2** *v/t* [tɔːr'ment] *person, animal* harceler; ***~ed by doubt*** tourmenté par le doute
torn [tɔːrn] *pp* → ***tear***
tor·na·do [tɔːr'neɪdoʊ] tornade *f*
tor·pe·do [tɔːr'piːdoʊ] **1** *n* torpille *f* **2** *v/t also fig* torpiller
tor·rent ['tɑːrənt] *also fig* torrent *m*
tor·ren·tial [tə'renʃl] *adj rain* torrentiel*
tor·toise ['tɔːrtəs] tortue *f* (terrestre)
tor·ture ['tɔːrʧər] **1** *n* torture *f* **2** *v/t* torturer
toss [tɑːs] **1** *v/t ball* lancer; *rider* désarçonner; *salad* remuer; **~ *a coin*** jouer à pile ou face **2** *v/i*: **~ *and turn*** se tourner et se retourner
to·tal ['toʊtl] **1** *adj sum, amount* total; *disaster* complet*; *idiot* fini; ***he's a* ~ *stranger*** c'est un parfait inconnu **2** *n* total *m* **3** *v/t* (*pret & pp* ***-ed***, *Br* ***-led***) F *car* bousiller F
to·tal·i·tar·i·an [toʊtælɪ'terɪən] *adj* totalitaire
to·tal·ly ['toʊtəlɪ] *adv* totalement
tote bag ['toʊtbæg] fourre-tout *m*
tot·ter ['tɑːtər] *v/i of person* tituber
touch [tʌʧ] **1** *n sense* toucher *m*; ***a* ~ *of*** (*a little*) un soupçon de; ***lose* ~ *with s.o.*** perdre contact avec qn; ***keep in* ~ *with s.o.*** rester en contact avec qn; ***in* ~** SP en touche; ***be out of* ~ (*with sth*)** ne pas être au courant (de qch); ***be out of* ~ *with s.o.*** avoir perdu le contact avec qn **2** *v/t also emotionally* toucher; *exhibits etc* tou-

cher à **3** *v/i of two things* se toucher; ***don't ~*** ne touche pas à ça
♦**touch down** *v/i of airplane* atterrir; SP faire un touché-en-but
♦**touch on** *v/t* (*mention*) effleurer
♦**touch up** *v/t photo* retoucher
touch·down ['tʌtʃdaʊn] *of airplane* atterrissage *m*; SP touché-en-but; ***score a ~*** SP faire un touché-en-but
touch·ing ['tʌtʃɪŋ] *adj emotionally* touchant
'touch·line SP ligne *f* de touche
'touch screen écran *m* tactile
touch·y ['tʌtʃɪ] *adj person* susceptible
tough [tʌf] *adj person, material* résistant; *meat, question, exam, punishment* dur
♦**tough·en up** ['tʌfn] *v/t person* endurcir
'tough guy F dur *m* F
tour [tʊr] **1** *n* visite *f* (**of** de); *as part of package* circuit *m* (**of** dans); *of band, theater company* tournée *f* **2** *v/t area* visiter **3** *v/i of tourist* faire du tourisme; *of band* être en tournée
'tour guide accompagnateur(-trice) *m*(*f*)
tour·ism ['tʊrɪzm] tourisme *m*
tour·ist ['tʊrɪst] touriste *m*/*f*
'tour·ist at·trac·tion attraction *f* touristique; **'tour·ist in·dus·try** industrie *f* touristique; **tour·ist in·for·'ma·tion of·fice** syndicat *m* d'initiative, office *m* de tourisme; **'tour·ist sea·son** saison *f* touristique
tour·na·ment ['tʊrnəmənt] tournoi *m*
'tour op·er·a·tor tour-opérateur *m*, voyagiste *m*
tou·sled ['taʊzld] *adj hair* ébouriffé
tow [toʊ] **1** *v/t car, boat* remorquer **2** *n*: ***give s.o. a ~*** remorquer qn
♦**tow away** *v/t car* emmener à la fourrière
to·wards [tə'wɔːdz], *Br* **to·ward** [tə'wɔːd] *prep in space* vers; *with attitude, feelings etc* envers; *aiming at* en vue de; ***work ~ a solution*** essayer de trouver une solution
tow·el ['taʊəl] serviette *f*
tow·er ['taʊər] tour *f*
♦**tower over** *v/t building* surplomber; *person* être beaucoup plus grand que
town [taʊn] ville *f*
town 'cen·ter, *Br* ***town 'centre*** centre-ville *m*; **town 'coun·cil** conseil *m* municipal; **town 'hall** hôtel *m* de ville
tow·rope ['toʊroʊp] câble *m* de remorquage
tox·ic ['tɑːksɪk] *adj* toxique
tox·ic 'waste déchets *mpl* toxiques
tox·in ['tɑːksɪn] BIOL toxine *f*
toy [tɔɪ] jouet *m*
♦**toy with** *v/t* jouer avec; *idea* caresser
'toy store magasin *m* de jouets
trace [treɪs] **1** *n of substance* trace *f* **2** *v/t* (*find*) retrouver; *draw* tracer
track [træk] *n path*, (*racecourse*) piste *f*; *motor racing* circuit *m*; *on record, CD* morceau *m*; RAIL voie *f* (ferrée); ***~ 10*** RAIL voie 10; ***keep ~ of sth*** suivre qch
♦**track down** *v/t person* retrouver; *criminal* dépister; *object* dénicher
track·suit ['træksuːt] survêtement *m*
trac·tor ['træktər] tracteur *m*
trade [treɪd] **1** *n* (*commerce*) commerce *m*; (*profession, craft*) métier *m* **2** *v/i* (*do business*) faire du commerce; ***~ in sth*** faire du commerce dans qch **3** *v/t* (*exchange*) échanger (***for*** contre)
♦**trade in** *v/t when buying* donner en reprise
'trade fair foire *f* commerciale; **'trade·mark** marque *f* de commerce; **'trade mis·sion** mission *f* commerciale
trad·er ['treɪdər] commerçant(e) *m*(*f*)
trade 'se·cret secret *m* commercial
tra·di·tion [trə'dɪʃn] tradition *f*
tra·di·tion·al [trə'dɪʃnl] *adj* traditionnel*
tra·di·tion·al·ly [trə'dɪʃnlɪ *adv* traditionnellement
traf·fic ['træfɪk] *n on roads* circulation *f*, *at airport, in drugs* trafic *m*
♦**traffic in** *v/t* (*pret & pp* ***-ked***) *drugs* faire du trafic de
'traf·fic cir·cle rond-point *m*; **'traf·fic cop** F agent *m* de la circulation; **'traf·fic is·land** refuge *m*; **'traf·fic**

jam embouteillage *m*; **'traf·fic light** feux *mpl* de signalisation; **'traf·fic po·lice** police *f* de la route; **'traf·fic sign** panneau *m* de signalisation
tra·g·edy ['trædʒədɪ] tragédie *f*
trag·ic ['trædʒɪk] *adj* tragique
trail [treɪl] **1** *n* (*path*) sentier *m*; *of blood* traînée *f* **2** *v/t* (*follow*) suivre à la trace; (*tow*) remorquer **3** *v/i* (*lag behind: of person*) traîner; *of team* se traîner
trail·er ['treɪlər] *pulled by vehicle* remorque *f*; (*mobile home*) caravane *f*; *of movie* bande-annonce *f*
train[1] [treɪn] *n* train *m*; ***go by ~*** aller en train
train[2] [treɪn] **1** *v/t* entraîner; *dog* dresser; *employee* former **2** *v/i of team, athlete* s'entraîner; *of teacher etc* faire sa formation; ***~ as a doctor*** faire des études de médecine
train·ee [treɪ'niː] stagiaire *m/f*
train·er ['treɪnər] SP entraîneur(-euse) *m(f)*; *of dog* dresseur(-euse) *m(f)*
train·ers ['treɪnərz] *npl Br. shoes* tennis *mpl*
train·ing [treɪnɪŋ] *of new staff* formation *f*; SP entraînement *m*; ***be in ~*** SP être bien entraîné; ***be out of ~*** SP avoir perdu la forme
'train·ing course cours *m* de formation
'train·ing scheme programme *m* de formation
'train sta·tion gare *f*
trait [treɪt] trait *m*
trai·tor ['treɪtər] traître *m*, traîtresse *f*
tramp[1] [træmp] *v/i* marcher à pas lourds
tramp[2] [træmp] *pej* femme *f* facile; *Br* clochard *m*
tram·ple ['træmpl] *v/t*: ***be ~d to death*** mourir piétiné; ***be ~d underfoot*** être piétiné
♦ **trample on** *v/t person, object* piétiner
tram·po·line ['træmpəliːn] trampoline *m*
trance [træns] transe *f*; ***go into a ~*** entrer en transe
tran·quil ['træŋkwɪl] *adj* tranquille
tran·quil·i·ty [træŋ'kwɪlətɪ] tranquillité *f*
tran·quil·iz·er, *Br* **tran·quil·liz·er** ['træŋkwɪlaɪzər] tranquillisant *m*
trans·act [træn'zækt] *v/t deal, business* faire
trans·ac·tion [træn'zækʃn] *of business* conduite *f*; *piece of business* transaction *f*
trans·at·lan·tic [trænzət'læntɪk] *adj* transatlantique
tran·scen·den·tal [trænsen'dentl] *adj* transcendental
tran·script ['trænskrɪpt] transcription *f*
trans·fer [træns'fɜːr] **1** *v/t* (*pret & pp* ***-red***) transférer **2** *v/i* (*pret & pp* ***-red***) *when traveling* changer; *in job* être muté (***to*** à) **3** *n* ['trænsfɜːr] *of money, in job, in travel* transfert *m*
trans·fer·a·ble [træns'fɜːrəbl] *adj ticket* transférable
'trans·fer fee *for sportsman* prix *m* de transfert
trans·form [træns'fɔːrm] *v/t* transformer
trans·for·ma·tion [trænsfər'meɪʃn] transformation *f*
trans·form·er [træns'fɔːrmər] ELEC transformateur *m*
trans·fu·sion [træns'fjuːʒn] transfusion *f*
tran·sis·tor [træn'zɪstər] *also radio* transistor *m*
trans·it ['trænzɪt] transit *m*; ***in ~*** en transit
tran·si·tion [træn'zɪʒn] transition *f*
tran·si·tion·al [træn'zɪʒnl] *adj* de transition
'trans·it lounge *at airport* salle *f* de transit
'trans·it pas·sen·ger passager(-ère) *m(f)* en transit
trans·late [træns'leɪt] *v/t & v/i* traduire
trans·la·tion [træns'leɪʃn] traduction *f*
trans·la·tor [træns'leɪtər] traducteur (-trice) *m(f)*
trans·mis·sion [trænz'mɪʃn] TV, MOT transmission *f*
trans·mit [trænz'mɪt] *v/t* (*pret & pp* ***-ted***) *news, program* diffuser; *disease* transmettre

trans·mit·ter [trænz'mɪtər] RAD, TV émetteur *m*

trans·par·en·cy [træns'pærənsɪ] PHOT diapositive *f*

trans·par·ent [træns'pærənt] *adj* transparent; (*obvious*) évident; ***he is so ~*** c'est tellement facile de lire dans ses pensées

trans·plant ['trænsplænt] **1** *n* MED transplantation *f*; *organ transplanted* transplant *m* **2** *v/t* [træns'plænt] MED transplanter

trans·port ['trænspɔːrt] **1** *n of goods, people* transport *m* **2** *v/t* [træn'spɔːrt] *goods, people* transporter

trans·por·ta·tion [trænspɔːr'teɪʃn] *of goods, people* transport *m*; ***means of ~*** moyen *m* de transport; ***public ~*** transports *mpl* en commun; ***Department of Transportation*** ministère *m* des Transports

trans·ves·tite [træns'vestaɪt] travesti *m*

trap [træp] **1** *n also fig* piège *m*; ***set a ~ for s.o.*** tendre un piège à qn **2** *v/t* (*pret & pp* ***-ped***) *also fig* piéger; ***be ~ped*** *by enemy, flames, landslide etc* être pris au piège

trap·door ['træpdɔːr] trappe *f*

tra·peze [trə'piːz] trapèze *m*

trap·pings ['træpɪŋz] *npl of power* signes extérieurs *mpl*

trash [træʃ] **1** *n* (*garbage*) ordures *fpl*; F *goods etc* camelote *f* F; *fig: person* vermine *f* **2** *v/t* jeter; (*criticize*) démolir; *bar, apartment etc* saccager, vandaliser

'trash can poubelle *f*

trash·y ['træʃɪ] *adj goods* de pacotille; *novel* de bas étage

trau·ma ['trɔːmə] traumatisme *m*

trau·mat·ic [traʊ'mætɪk] *adj* traumatisant

trau·ma·tize ['traʊmətaɪz] *v/t* traumatiser

trav·el ['trævl] **1** *n* voyages *mpl*; ***~s*** voyages *mpl* **2** *v/i* (*pret & pp* ***-ed***, *Br* ***-led***) voyager **3** *v/t* (*pret & pp* ***-ed***, *Br* ***-led***) *miles* parcourir

'trav·el a·gen·cy agence *f* de voyages;

'trav·el a·gent agent *m* de voyages;

'trav·el bag sac *m* de voyage

trav·el·er ['trævələr] voyageur(-euse) *m(f)*

'trav·el·er's check chèque-voyage *m*

'trav·el ex·pen·ses *npl* frais *mpl* de déplacement

'trav·el in·sur·ance assurance-voyage *f*

trav·el·ler *Br* → ***traveler***

'trav·el pro·gram, 'trav·el pro·gramme *Br* programme *m* de voyages

'trav·el sick·ness mal *m* des transports

trawl·er ['trɔːlər] chalutier *m*

tray [treɪ] *for food, photocopier* plateau *m*; *to go in oven* plaque *f*

treach·er·ous ['tretʃərəs] *adj* traître

treach·er·y ['tretʃərɪ] traîtrise *f*

tread [tred] **1** *n* pas *m*; *of staircase* dessus *m* des marches; *of tire* bande *f* de roulement **2** *v/i* (*pret* ***trod***, *pp* ***trodden***) marcher; ***mind where you ~*** fais attention où tu mets les pieds

♦ **tread on** *v/t person's foot* marcher sur

trea·son ['triːzn] trahison *f*

treas·ure ['treʒər] **1** *n* trésor *m* **2** *v/t gift etc* chérir

treas·ur·er ['treʒərər] trésorier(-ière) *m(f)*

Treas·ur·y De·part·ment ['treʒərɪ] ministère *m* des Finances

treat [triːt] **1** *n* plaisir *m*; ***it was a real ~*** c'était un vrai bonheur; ***I have a ~ for you*** j'ai une surprise pour toi; ***it's my ~*** (*I'm paying*) c'est moi qui paie **2** *v/t materials, illness,* (*behave toward*) traiter; ***~ s.o. to sth*** offrir qch à qn

treat·ment ['triːtmənt] traitement *m*

trea·ty ['triːtɪ] traité *m*

tre·ble[1] ['trebl] *n* MUS soprano *m* (*de jeune garçon*)

tre·ble[2] ['trebl] **1** *adv*: ***~ the price*** le triple du prix **2** *v/i* tripler

tree [triː] arbre *m*

trem·ble ['trembl] *v/i* trembler

tre·men·dous [trɪ'mendəs] *adj* (*very good*) formidable; (*enormous*) énorme

tre·men·dous·ly [trɪ'mendəslɪ] *adv*

T

(*very*) extrêmement; (*a lot*) énormément
trem·or ['tremər] *of earth* secousse *f* (sismique)
trench [trentʃ] tranchée *f*
trend [trend] tendance *f*; (*fashion*) mode *f*
trend·y ['trendɪ] *adj* branché
tres·pass ['trespæs] *v/i* entrer sans autorisation; ***no ~ing*** défense d'entrer
♦**trespass on** *v/t land* entrer sans autorisation sur; *s.o.'s rights* violer; *s.o.'s time* abuser de
tres·pass·er ['trespæsər] *personne qui viole la propriété d'une autre*; ***~s will be prosecuted*** défense d'entrer sous peine de poursuites
tri·al ['traɪəl] LAW procès *m*; *of equipment* essai *m*; ***be on ~*** LAW passer en justice; ***have sth on ~*** *equipment* essayer qch, acheter qch à l'essai
tri·al 'pe·ri·od période *f* d'essai
tri·an·gle ['traɪæŋgl] triangle *m*
tri·an·gu·lar [traɪ'æŋgjʊlər] *adj* triangulaire
tribe [traɪb] tribu *f*
tri·bu·nal [traɪ'bju:nl] tribunal *m*
trib·u·ta·ry ['trɪbjəterɪ] *of river* affluent *m*
trick [trɪk] **1** *n to deceive* tour *m*; (*knack*) truc *m*; ***just the ~*** F juste ce qu'il me faut; ***play a ~ on s.o.*** jouer un tour à qn **2** *v/t* rouler; ***be ~ed*** se faire avoir
trick·e·ry ['trɪkərɪ] tromperie *f*
trick·le ['trɪkl] **1** *n* filet *m*; *fig* tout petit peu *m* **2** *v/i* couler goutte à goutte
trick·ster ['trɪkstər] escroc *m*
trick·y ['trɪkɪ] *adj* (*difficult*) délicat
tri·cy·cle ['traɪsɪkl] tricycle *m*
tri·fle ['traɪfl] *n* (*triviality*) bagatelle *f*
tri·fling ['traɪflɪŋ] *adj* insignifiant
trig·ger ['trɪgər] *n on gun* détente *f*; *on camcorder* déclencheur *m*
♦**trigger off** *v/t* déclencher
trim [trɪm] **1** *adj* (*neat*) bien entretenu; *figure* svelte **2** *v/t* (*pret & pp* ***-med***) *hair* couper un peu; *hedge* tailler; *budget, costs* réduire; (*decorate: dress*) garnir **3** *n cut* taille *f*; ***in good ~*** en bon état; *boxer* en forme
tri·mes·ter ['trɪmestər] trimestre *m*
trim·ming ['trɪmɪŋ] *on clothes* garniture *f*; ***with all the ~s*** avec toutes les options
trin·ket ['trɪŋkɪt] babiole *f*
tri·o ['tri:oʊ] MUS trio *m*
trip [trɪp] **1** *n* (*journey*) voyage *m*; (*outing*) excursion *f*; ***go on a ~ to Vannes*** aller visiter Vannes **2** *v/i* (*pret & pp* ***-ped***) (*stumble*) trébucher **3** *v/t* (*pret & pp* ***-ped***) (*make fall*) faire un croche-pied à
♦**trip up 1** *v/t* (*make fall*) faire un croche-pied à; (*cause to go wrong*) faire trébucher **2** *v/i* (*stumble*) trébucher; (*make a mistake*) faire une erreur
tri·ple ['trɪpl] → ***treble***
tri·plets ['trɪplɪts] *npl* triplé(e)s *m(f)pl*
tri·pod ['traɪpɑ:d] PHOT trépied *m*
trite [traɪt] *adj* banal
tri·umph ['traɪʌmf] *n* triomphe *m*
triv·i·al ['trɪvɪəl] *adj* insignifiant
triv·i·al·i·ty [trɪvɪ'ælətɪ] banalité *f*
trod [trɑ:d] *pret* → ***tread***
trod·den ['trɑ:dn] *pp* → ***tread***
trol·ley ['trɑ:lɪ] (*streetcar*) tramway *m*
trom·bone [trɑ:m'boʊn] trombone *m*
troops [tru:ps] *npl* troupes *fpl*
tro·phy ['troʊfɪ] trophée *m*
trop·ic ['trɑ:pɪk] GEOG tropique *m*
trop·i·cal ['trɑ:pɪkl] *adj* tropical
trop·ics ['trɑ:pɪks] *npl* tropiques *mpl*
trot [trɑ:t] *v/i* (*pret & pp* ***-ted***) trotter
trou·ble ['trʌbl] **1** *n* (*difficulties*) problèmes *mpl*; (*inconvenience*) dérangement *m*; (*disturbance*) affrontements *mpl*; ***sorry to put you to any ~*** désolé de vous déranger; ***go to a lot of ~ to do sth*** se donner beaucoup de mal pour faire qch; ***no ~!*** pas de problème!; ***get into ~*** s'attirer des ennuis **2** *v/t* (*worry*) inquiéter; (*bother, disturb*) déranger; *of back, liver etc* faire souffrir
'trou·ble-free *adj* sans problème; **'trou·ble·mak·er** fauteur(-trice) *m(f)* de troubles; **'trou·ble·shoot·er** conciliateur(-trice) *m(f)*; **'trou·ble·shoot·ing** dépannage *m*
trou·ble·some ['trʌblsəm] *adj* pénible
trou·sers ['traʊzərz] *npl Br* pantalon

m

trout [traʊt] (*pl* ***trout***) truite *f*

truce [truːs] trêve *f*

truck [trʌk] camion *m*

'truck driv·er camionneur(-euse) *m(f)*; **'truck farm** jardin *m* maraîcher; **'truck farm·er** maraîcher(-ère) *m(f)*; **'truck stop** routier *m*

trudge [trʌdʒ] **1** *v/i* se traîner **2** *n* marche *f* pénible

true [truː] *adj* vrai; *friend*, *American* véritable; ***come ~*** *of hopes*, *dream* se réaliser

tru·ly ['truːlɪ] *adv* vraiment; ***Yours ~*** je vous prie d'agréer mes sentiments distingués

trum·pet ['trʌmpɪt] *n* trompette *f*

trum·pet·er ['trʌmpɪtər] trompettiste *m/f*

trunk [trʌŋk] *of tree*, *body* tronc *m*; *of elephant* trompe *f*; (*large suitcase*) malle *f*; *of car* coffre *m*

trust [trʌst] **1** *n* confiance *f*; FIN fidéicommis *m* **2** *v/t* faire confiance à; ***I ~ you*** je te fais confiance

trust·ed ['trʌstɪd] *adj* éprouvé

trust·ee [trʌs'tiː] fidéicommissaire *m/f*

trust·ful, trust·ing ['trʌstfl, 'trʌstɪŋ] *adj* confiant

trust·wor·thy ['trʌstwɜːrðɪ] *adj* fiable

truth [truːθ] vérité *f*

truth·ful ['truːθlf] *adj* honnête

try [traɪ] **1** *v/t* (*pret & pp* ***-ied***) essayer; LAW juger; ***~ to do sth*** essayer de faire qch; ***why don't you ~ changing suppliers?*** pourquoi tu ne changes pas de fournisseur? **2** *v/i* (*pret & pp* ***-ied***) essayer; ***you must ~ harder*** tu dois faire plus d'efforts **3** *n* essai *m*; ***can I have a ~?*** *of food* est-ce que je peux goûter?; *at doing sth* est-ce que je peux essayer?

♦**try on** *v/t clothes* essayer

♦**try out** *v/t* essayer

try·ing ['traɪɪŋ] *adj* (*annoying*) éprouvant

T-shirt ['tiːʃɜːrt] tee-shirt *m*

tub [tʌb] (*bath*) baignoire *f*; *for liquid* bac *m*; *for yoghurt*, *ice cream* pot *m*

tub·by ['tʌbɪ] *adj* boulot*

tube [tuːb] (*pipe*) tuyau *m*; *of toothpaste*, *ointment* tube *m*

tube·less ['tuːblɪs] *adj tire* sans chambre à air

tu·ber·cu·lo·sis [tuːbɜːrkjə'loʊsɪs] tuberculose *f*

tuck [tʌk] **1** *n in dress* pli *m* **2** *v/t* (*put*) mettre

♦**tuck away** *v/t* (*put away*) ranger; (*eat quickly*) bouffer F

♦**tuck in 1** *v/t children* border; ***tuck the sheets in*** border un lit **2** *v/i* (*start eating*) y aller

♦**tuck up** *v/t sleeves etc* retrousser; ***tuck s.o. up in bed*** border qn

Tues·day ['tuːzdeɪ] mardi *m*

tuft [tʌft] touffe *f*

tug[1] [tʌg] **1** *n* (*pull*): ***I felt a ~ at my sleeve*** j'ai senti qu'on me tirait la manche **2** *v/t* (*pret & pp* ***-ged***) (*pull*) tirer

tug[2] NAUT remorqueur *m*

tu·i·tion [tuː'ɪʃn] cours *mpl*

tu·lip ['tuːlɪp] tulipe *f*

tum·ble ['tʌmbl] *v/i* tomber

tum·ble·down ['tʌmbldaʊn] *adj* qui tombe en ruines

tum·bler ['tʌmblər] *for drink* verre *m*; *in circus* acrobate *m/f*

tum·my ['tʌmɪ] F ventre *m*

'tum·my ache mal *m* de ventre

tu·mor ['tuːmər] tumeur *f*

tu·mult ['tuːmʌlt] tumulte *m*

tu·mul·tu·ous [tuː'mʌltʊəs] *adj* tumultueux*

tu·na ['tuːnə] thon *m*; ***~ sandwich*** sandwich *m* au thon

tune [tuːn] **1** *n* air *m*; ***in ~*** *instrument* (bien) accordé; ***sing in ~*** chanter juste; ***out of ~*** *instrument* désaccordé; ***sing out of ~*** chanter faux **2** *v/t instrument* accorder

♦**tune in** *v/i* RAD, TV se mettre à l'écoute

♦**tune in to** *v/t* RAD, TV se brancher sur

♦**tune up 1** *v/i of orchestra*, *players* s'accorder **2** *v/t engine* régler

tune·ful ['tuːnfl] *adj* harmonieux*

tun·er ['tuːnər] *of hi-fi* tuner *m*

tune-up ['tuːnʌp] *of engine* règlement

m
tun·nel ['tʌnl] *n* tunnel *m*
tur·bine ['tɜːrbaɪn] turbine *f*
tur·bu·lence ['tɜːrbjələns] *in air travel* turbulences *fpl*
tur·bu·lent ['tɜːrbjələnt] *adj* agité
turf [tɜːrf] gazon *m*; *piece* motte *f* de gazon
Turk [tɜːrk] Turc *m*, Turque *f*
Tur·key ['tɜːrkɪ] Turquie *f*
tur·key ['tɜːrkɪ] dinde *f*
Turk·ish ['tɜːrkɪʃ] **1** *adj* turc* **2** *n language* turc *m*
tur·moil ['tɜːrmɔɪl] confusion *f*
turn [tɜːrn] **1** *n* (*rotation*) tour *m*; *in road* virage *m*; *in vaudeville* numéro *m*; ***the second ~ on the right*** la deuxième (route) à droite; ***take ~s doing sth*** faire qch à tour de rôle; ***it's my ~*** c'est à moi; ***it's not your ~ yet*** ce n'est pas encore à toi; ***take a ~ at the wheel*** conduire à son tour; ***do s.o. a good ~*** rendre service à qn **2** *v/t wheel* tourner; ***~ the corner*** tourner au coin de la rue; ***~ one's back on s.o.*** *also fig* tourner le dos à qn **3** *v/i of driver, car, wheel* tourner; *of person* se retourner; ***~ right / left here*** tournez à droite / gauche ici; ***it has ~ed sour / cold*** ça s'est aigri / refroidi; ***he has ~ed 40*** il a passé les 40 ans
♦**turn around 1** *v/t object* tourner; *company* remettre sur pied; COMM *order* traiter **2** *v/i* se retourner; *with a car* faire demi-tour
♦**turn away 1** *v/t* (*send away*) renvoyer **2** *v/i* (*walk away*) s'en aller; (*look away*) détourner le regard
♦**turn back 1** *v/t edges, sheets* replier **2** *v/i of walkers etc, in course of action* faire demi-tour
♦**turn down** *v/t offer, invitation* rejeter; *volume, TV, heating* baisser; *edge, collar* replier
♦**turn in 1** *v/i* (*go to bed*) aller se coucher **2** *v/t to police* livrer
♦**turn off 1** *v/t radio, TV, computer, heater* éteindre; *faucet* fermer; *engine* arrêter; F *sexually* couper l'envie à **2** *v/i of car, driver* tourner; *of machine* s'éteindre
♦**turn on 1** *v/t radio, TV, computer, heater* allumer; *faucet* ouvrir; *engine* mettre en marche; F *sexually* exciter **2** *v/i of machine* s'allumer
♦**turn out 1** *v/t lights* éteindre **2** *v/i*: ***as it turned out*** en l'occurence; ***it turned out well*** cela s'est bien fini; ***he turned out to be …*** il s'est avéré être …
♦**turn over 1** *v/i in bed* se retourner; *of vehicle* se renverser **2** *v/t* (*put upside down*) renverser; *page* tourner; FIN avoir un chiffre d'affaires de
♦**turn up 1** *v/t collar* remonter; *volume* augmenter; *heating* monter **2** *v/i* (*arrive*) arriver, se pointer F
turn·ing ['tɜːrnɪŋ] *in road* virage *m*
'turn·ing point tournant *m*
tur·nip ['tɜːrnɪp] navet *m*
'turn·out *at game etc* nombre *m* de spectateurs; **'turn·o·ver** FIN chiffre *m* d'affaires; **'turn·pike** autoroute *f* payante; **'turn sig·nal** MOT clignotant *m*; **'turn·stile** tourniquet *m*; **'turn·ta·ble** *of record player* platine *f*
tur·quoise ['tɜːrkwɔɪz] *adj* turquoise
tur·ret ['tʌrɪt] *of castle, tank* tourelle *f*
tur·tle ['tɜːrtl] tortue *f* de mer
tur·tle·neck 'sweat·er pull *m* à col cheminée
tusk [tʌsk] défense *f*
tu·tor ['tuːtər] *Br. at university* professeur *m/f*; (***private***) **~** professeur *m* particulier
tux·e·do [tʌk'siːdoʊ] smoking *m*
TV [tiː'viː] télé *f*; ***on ~*** à la télé
T'V din·ner plateau-repas *m*; **T'V guide** guide *m* de télé; **T'V pro·gram** programme *m* télé
twang [twæŋ] **1** *n in voice* accent *m* nasillard **2** *v/t guitar string* pincer
tweez·ers ['twiːzərz] *npl* pince *f* à épiler
twelfth [twelfθ] douzième; → ***fifth***
twelve [twelv] douze
twen·ti·eth ['twentɪɪθ] vingtième; → ***fifth***
twen·ty ['twentɪ] vingt; ***~-four seven*** 24 heures/24, 7 jours/7
twice [twaɪs] *adv* deux fois; ***~ as***

T

much deux fois plus
twid·dle ['twɪdl] *v/t* tripoter; ***~ one's thumbs*** se tourner les pouces
twig [twɪg] *n* brindille *f*
twi·light ['twaɪlaɪt] crépuscule *m*
twin [twɪn] jumeau *m*, jumelle *f*
'twin beds *npl* lits *mpl* jumeaux
twinge [twɪndʒ] *of pain* élancement *m*
twin·kle ['twɪŋkl] *v/i* scintiller
twin 'room chambre *f* à lits jumeaux
'twin town ville *f* jumelée
twirl [twɜːrl] **1** *v/t* faire tourbillonner; *mustache* tortiller **2** *n of cream etc* spirale *f*
twist [twɪst] **1** *v/t* tordre; ***~ one's ankle*** se tordre la cheville **2** *v/i of road* faire des méandres; *of river* faire des lacets **3** *n in rope* entortillement *m*; *in road* lacet *m*; *in plot, story* dénouement *m* inattendu
twist·y ['twɪstɪ] *adj road* qui fait des lacets
twit [twɪt] *Br* F bêta *m* F, bêtasse *f* F
twitch [twɪtʃ] **1** *n nervous* tic *m* **2** *v/i* (*jerk*) faire des petits mouvements saccadés
twit·ter ['twɪtər] *v/i of birds* gazouiller
two [tuː] deux; ***the ~ of them*** les deux
two-faced ['tuːfeɪst] *adj* hypocrite; **'two-stroke** *adj engine* à deux temps; **two-way 'traf·fic** circulation *f* à double sens
ty·coon [taɪ'kuːn] magnat *m*
type [taɪp] **1** *n* (*sort*) type *m*; ***what ~ of …?*** quel genre de …? **2** *v/i* (*use a keyboard*) taper **3** *v/t with a typewriter* taper à la machine
type·writ·er ['taɪpraɪtər] machine *f* à écrire
ty·phoid ['taɪfɔɪd] typhoïde *f*
ty·phoon [taɪ'fuːn] typhon *m*
ty·phus ['taɪfəs] typhus *m*
typ·i·cal ['tɪpɪkl] *adj* typique; ***that's ~ of you / him!*** c'est bien de vous / lui!
typ·i·cal·ly ['tɪpɪklɪ] *adv* typiquement; ***~, he was late*** il était en retard comme d'habitude; ***~ American*** typiquement américain
typ·ist ['taɪpɪst] dactylo *m/f*
ty·po ['taɪpoʊ] coquille *f*
tyr·an·ni·cal [tɪ'rænɪkl] *adj* tyrannique
tyr·an·nize [tɪ'rənaɪz] *v/t* tyranniser
tyr·an·ny ['tɪrənɪ] tyrannie *f*
ty·rant ['taɪrənt] tyran *m*
tyre *Br* → ***tire***[1]

U

ug·ly ['ʌglɪ] *adj* laid
UK [juː'keɪ] *abbr* (***= United Kingdom***) R.-U. *m* (= Royaume-Uni)
ul·cer ['ʌlsər] ulcère *m*
ul·ti·mate ['ʌltɪmət] *adj* (*best, definitive*) meilleur possible; (*final*) final; (*fundamental*) fondamental
ul·ti·mate·ly ['ʌltɪmətlɪ] *adv* (*in the end*) en fin de compte
ul·ti·ma·tum [ʌltɪ'meɪtəm] ultimatum *m*
ul·tra·sound ['ʌltrəsaʊnd] MED ultrason *m*
ul·tra·vi·o·let [ʌltrə'vaɪələt] *adj* ultraviolet*
um·bil·i·cal cord [ʌm'bɪlɪkl] cordon *m* ombilical
um·brel·la [ʌm'brelə] parapluie *m*
um·pire ['ʌmpaɪr] *n* arbitre *m/f*
ump·teen [ʌmp'tiːn] *adj* F des centaines de
UN [juː'en] *abbr* (***= United Nations***) O.N.U. *f* (= Organisation des Nations unies)
un·a·ble [ʌn'eɪbl] *adj*: ***be ~ to do sth*** *not know how to* ne pas savoir faire qch; *not be in a position to* ne pas pouvoir faire qch

un·ac·cept·a·ble [ʌnək'septəbl] *adj* inacceptable
un·ac·count·a·ble [ʌnə'kaʊntəbl] *adj* inexplicable
un·ac·cus·tomed [ʌnə'kʌstəmd] *adj*: ***be ~ to sth*** ne pas être habitué à qch
un·a·dul·ter·at·ed [ʌnə'dʌltəreɪtɪd] *adj fig* (*absolute*) à l'état pur
un-A·mer·i·can [ʌnə'merɪkən] *adj* (*not fitting*) antiaméricain; ***it's ~ to run down your country*** un Américain ne débine pas son pays
u·nan·i·mous [juː'nænɪməs] *adj verdict* unanime
u·nan·i·mous·ly [juː'nænɪməslɪ] *adv vote, decide* à l'unanimité
un·ap·proach·a·ble [ʌnə'proʊtʃəbl] *adj person* d'un abord difficile
un·armed [ʌn'ɑːrmd] *adj person* non armé; ***~ combat*** combat *m* à mains nues
un·as·sum·ing [ʌnə'suːmɪŋ] *adj* modeste
un·at·tached [ʌnə'tætʃt] *adj without a partner* sans attaches
un·at·tend·ed [ʌnə'tendɪd] *adj* laissé sans surveillance; ***leave sth ~*** laisser qch sans surveillance
un·au·thor·ized [ʌn'ɒːθəraɪzd] *adj* non autorisé
un·a·void·a·ble [ʌnə'vɔɪdəbl] *adj* inévitable
un·a·void·a·bly [ʌnə'vɔɪdəblɪ] *adv*: ***be ~ detained*** être dans l'impossibilité absolue de venir
un·a·ware [ʌnə'wer] *adj*: ***be ~ of*** ne pas avoir conscience de
un·a·wares [ʌnə'werz] *adv*: ***catch s.o. ~*** prendre qn au dépourvu
un·bal·anced [ʌn'bælənst] *adj also* PSYCH déséquilibré
un·bear·a·ble [ʌn'berəbl] *adj* insupportable
un·beat·a·ble [ʌn'biːtəbl] *adj* imbattable
un·beat·en [ʌn'biːtn] *adj team* invaincu
un·be·knownst [ʌnbɪ'noʊnst] *adv*: ***~ to*** à l'insu de; ***~ to me*** à mon insu
un·be·lie·va·ble [ʌnbɪ'liːvəbl] *adj also* F incroyable
un·bi·as(s)ed [ʌn'baɪəst] *adj* impartial
un·block [ʌn'blɑːk] *v/t pipe* déboucher
un·born [ʌn'bɔːrn] *adj generations, child* à naître
un·break·a·ble [ʌn'breɪkəbl] *adj* incassable
un·but·ton [ʌn'bʌtn] *v/t* déboutonner
un·called-for [ʌn'kɒːldfɔːr] *adj* déplacé
un·can·ny [ʌn'kænɪ] *adj* étrange, mystérieux*
un·ceas·ing [ʌn'siːsɪŋ] *adj* incessant
un·cer·tain [ʌn'sɜːrtn] *adj* incertain; ***be ~ about sth*** avoir des doutes à propos de qch
un·cer·tain·ty [ʌn'sɜːrtntɪ] *of the future* caractère *m* incertain; ***there is still ~ about …*** des incertitudes demeurent quant à …
un·checked [ʌn'tʃekt] *adj*: ***let sth go ~*** ne rien faire pour empêcher qch
un·cle ['ʌŋkl] oncle *m*
un·com·for·ta·ble [ʌn'kʌmftəbl] *adj* inconfortable; ***feel ~ about sth*** être gêné par qch; ***I feel ~ with him*** je suis mal à l'aise avec lui
un·com·mon [ʌn'kɑːmən] *adj* inhabituel*
un·com·pro·mis·ing [ʌn'kɑːmprəmaɪzɪŋ] *adj* intransigeant
un·con·cerned [ʌnkən'sɜːrnd] *adj*: ***be ~ about s.o. / sth*** ne pas se soucier de qn / qch
un·con·di·tion·al [ʌnkən'dɪʃnl] *adj* sans conditions
un·con·scious [ʌn'kɑːnʃəs] *adj* MED, PSYCH inconscient; ***knock s.o. ~*** assommer qn; ***be ~ of sth*** (*not aware*) ne pas avoir conscience de qch
un·con·trol·la·ble [ʌnkən'troʊləbl] *adj* incontrôlable
un·con·ven·tion·al [ʌnkən'venʃnl] *adj* non conventionnel*
un·co·op·er·a·tive [ʌnkoʊ'ɑːpərətɪv] *adj* peu coopératif*
un·cork [ʌn'kɔːrk] *v/t bottle* déboucher
un·cov·er [ʌn'kʌvər] *v/t* découvrir
un·dam·aged [ʌn'dæmɪdʒd] *adj* intact
un·daunt·ed [ʌn'dɒːntɪd] *adv*: ***carry on ~*** continuer sans se laisser décou-

rager
un·de·cid·ed [ʌndɪ'saɪdɪd] *adj question* laissé en suspens; ***be ~ about s.o. / sth*** être indécis à propos de qn / qch
un·de·ni·a·ble [ʌndɪ'naɪəbl] *adj* indéniable
un·de·ni·a·bly [ʌndɪ'naɪəblɪ] *adv* indéniablement
un·der ['ʌndər] **1** *prep (beneath)* sous; *(less than)* moins de; ***he is ~ 30*** il a moins de 30 ans; ***it is ~ review / investigation*** cela fait l'objet d'un examen / d'une enquête **2** *adv (anesthetized)* inconscient
un·der'age *adj* mineur; ***~ drinking*** la consommation d'alcool par les mineurs
'un·der·arm *adv throw* par en-dessous
'un·der·car·riage train *m* d'atterrissage
'un·der·cov·er *adj* clandestin; ***~ agent*** agent *m* secret
un·der'cut *v/t (pret & pp* ***-cut****)* COMM: ***~ the competition*** vendre moins cher que la concurrence
'un·der·dog outsider *m*
un·der'done *adj meat* pas trop cuit; *pej* pas assez cuit
un·der'es·ti·mate *v/t person, skills, task* sous-estimer
un·der·ex'posed *adj* PHOT sous-exposé
un·der'fed *adj* mal nourri
un·der'go *v/t (pret* ***-went****, pp* ***-gone****)* subir
un·der'grad·u·ate *Br* étudiant(e) *(de D.E.U.G. ou de licence)*
'un·der·ground 1 *adj passages etc* souterrain; POL *resistance, newpaper etc* clandestin **2** *adv work* sous terre; ***go ~*** POL passer dans la clandestinité
'un·der·growth sous-bois *m*
un·der'hand *adj (devious)* sournois; ***do sth ~*** faire qch en sous-main
un·der'lie *v/t (pret* ***-lay****, pp* ***-lain****)* sous-tendre
un·der'line *v/t text* souligner
un·der'ly·ing *adj causes, problems* sous-jacent
un·der'mine *v/t* saper
un·der·neath [ʌndər'ni:θ] **1** *prep* sous **2** *adv* dessous
'un·der·pants *npl* slip *m*
'un·der·pass *for pedestrians* passage *m* souterrain
un·der·priv·i·leged [ʌndər'prɪvɪlɪdʒd] *adj* défavorisé
un·der'rate *v/t* sous-estimer
'un·der·shirt maillot *m* de corps
un·der·sized [ʌndər'saɪzd] *adj* trop petit
'un·der·skirt jupon *m*
un·der·staffed [ʌndər'stæft] *adj* en manque de personnel
un·der·stand [ʌndər'stænd] **1** *v/t (pret & pp* ***-stood****)* comprendre; ***they are understood to be in Canada*** on pense qu'ils sont au Canada **2** *v/i* comprendre
un·der·stand·able [ʌndər'stændəbl] *adj* compréhensible
un·der·stand·ably [ʌndər'stændəblɪ] *adv* naturellement
un·der·stand·ing [ʌndər'stændɪŋ] **1** *adj person* compréhensif* **2** *n of problem, situation* compréhension *f*; *(agreement)* accord *m*; ***my ~ of the situation is that …*** ce que je comprends dans cette situation, c'est que …; ***we have an ~ that …*** il y a un accord entre nous selon lequel …; ***on the ~ that …*** à condition que …
'un·der·state·ment euphémisme *m*
un·der'take *v/t (pret* ***-took****, pp* ***-taken****)* *task* entreprendre; ***~ to do sth*** *(agree to)* s'engager à faire qch
un·der·tak·er ['ʌndərteɪkər] *Br* entrepreneur(-euse) des pompes funèbres
'un·der·tak·ing *(enterprise)* entreprise *f*, *(promise)* engagement *m*
un·der'val·ue *v/t* sous-estimer
'un·der·wear sous-vêtements *mpl*
un·der'weight *adj* en-dessous de son poids normal
'un·der·world *criminal* monde *m* du crime organisé
un·der'write *v/t (pret* ***-wrote****, pp* ***-written****)* FIN souscrire
un·de·served [ʌndɪ'zɜ:rvd] *adj* non mérité
un·de·sir·a·ble [ʌndɪ'zaɪrəbl] *adj* indé-

sirable; **~ element** *person* élément *m* indésirable

un·dis·put·ed [ʌndɪ'spjuːtɪd] *adj champion, leader* incontestable

un·do [ʌn'duː] *v/t* (*pret* **-did**, *pp* **-done**) défaire

un·doubt·ed·ly [ʌn'daʊtɪdlɪ] *adv* à n'en pas douter

un·dreamt-of [ʌn'dremtəv] *adj riches* inouï

un·dress [ʌn'dres] **1** *v/t* déshabiller; **get ~ed** se déshabiller **2** *v/i* se déshabiller

un·due [ʌn'duː] *adj* (*excessive*) excessif*

un·du·ly [ʌn'duːlɪ] *adv* (*excessively*) excessivement

un·earth [ʌn'ɜːrθ] *v/t also fig* déterrer

un·earth·ly [ʌn'ɜːrθlɪ] *adj*: **at this ~ hour** à cette heure impossible

un·eas·y [ʌn'iːzɪ] *adj relationship, peace* incertain; **feel ~ about** avoir des doutes sur; **I feel ~ about signing this** je ne suis pas sûr de vouloir signer cela

un·eat·a·ble [ʌn'iːtəbl] *adj* immangeable

un·e·co·nom·ic [ʌniːkə'nɑːmɪk] *adj* pas rentable

un·ed·u·cat·ed [ʌn'edʒəkeɪtɪd] *adj* sans instruction

un·em·ployed [ʌnɪm'plɔɪd] **1** *adj* au chômage **2** *npl*: **the ~** les chômeurs(-euses)

un·em·ploy·ment [ʌnɪm'plɔɪmənt] chômage *m*

un·end·ing [ʌn'endɪŋ] *adj* sans fin

un·e·qual [ʌn'iːkwəl] *adj* inégal; **be ~ to the task** ne pas être à la hauteur de la tâche

un·er·ring [ʌn'ɜːrɪŋ] *adj judgment, instinct* infaillible

un·e·ven [ʌn'iːvn] *adj surface, ground* irrégulier*

un·e·ven·ly [ʌn'iːvnlɪ] *adv distributed, applied* inégalement; **be ~ matched** *of two contestants* être mal assorti

un·e·vent·ful [ʌnɪ'ventfl] *adj day, journey* sans événement

un·ex·pec·ted [ʌnɪk'spektɪd] *adj* inattendu

un·ex·pec·ted·ly [ʌnɪk'spektɪdlɪ] *adv* inopinément

un·fair [ʌn'fer] *adj* injuste

un·faith·ful [ʌn'feɪθfl] *adj husband, wife* infidèle; **be ~ to s.o.** tromper qn

un·fa·mil·i·ar [ʌnfə'mɪljər] *adj* peu familier*; **be ~ with sth** ne pas (bien) connaître qch

un·fas·ten [ʌn'fæsn] *v/t belt* défaire

un·fa·vo·ra·ble [ʌn'feɪvərəbl] *adj* défavorable

un·feel·ing [ʌn'fiːlɪŋ] *adj person* dur

un·fin·ished [ʌn'fɪnɪʃt] *adj* inachevé

un·fit [ʌn'fɪt] *adj physically* peu en forme; *morally* indigne; **be ~ to eat / drink** être impropre à la consommation

un·fix [ʌn'fɪks] *v/t part* détacher

un·flap·pa·ble [ʌn'flæpəbl] *adj* imperturbable

un·fold [ʌn'foʊld] **1** *v/t sheets, letter* déplier; *one's arms* ouvrir **2** *v/i of story etc* se dérouler; *of view* se déployer

un·fore·seen [ʌnfɔːr'siːn] *adj* imprévu

un·for·get·ta·ble [ʌnfər'getəbl] *adj* inoubliable

un·for·giv·a·ble [ʌnfər'gɪvəbl] *adj* impardonnable; **that was ~ of you** c'était impardonnable de votre part

un·for·tu·nate [ʌn'fɔːrʧənət] *adj* malheureux*; **that's ~ for you** c'est dommage pour vous

un·for·tu·nate·ly [ʌn'fɔːrʧənətlɪ] *adv* malheureusement

un·found·ed [ʌn'faʊndɪd] *adj* non fondé

un·friend·ly [ʌn'frendlɪ] *adj person, welcome, hotel* froid; *software* rébarbatif*

un·fur·nished [ʌn'fɜːrnɪʃt] *adj* non meublé

un·god·ly [ʌn'gɑːdlɪ] *adj*: **at this ~ hour** à cette heure impossible

un·grate·ful [ʌn'greɪtfl] *adj* ingrat

un·hap·pi·ness [ʌn'hæpɪnɪs] chagrin *m*

un·hap·py [ʌn'hæpɪ] *adj* malheureux*; *customers etc* mécontent (**with** de)

un·harmed [ʌn'hɑːrmd] *adj* indemne

un·health·y [ʌn'helθɪ] *adj person* en

mauvaise santé; *food*, *atmosphere* malsain; *economy*, *finances* qui se porte mal

un·heard-of [ʌn'hɜːrdəv] *adj*: ***be ~*** ne s'être jamais vu; ***it was ~ for a woman to be in the police force*** personne n'avait jamais vu une femme dans la police

un·hurt [ʌn'hɜːrt] *adj* indemne

un·hy·gi·en·ic [ʌnhaɪ'dʒiːnɪk] insalubre

u·ni·fi·ca·tion [juːnɪfɪ'keɪʃn] unification *f*

u·ni·form ['juːnɪfɔːrm] **1** *n* uniforme *m* **2** *adj* uniforme

u·ni·fy ['juːnɪfaɪ] *v/t* (*pret & pp* ***-ied***) unifier

u·ni·lat·e·ral [juːnɪ'lætərəl] *adj* unilatéral

u·ni·lat·e·ral·ly [juːnɪ'lætərəlɪ] *adv* unilatéralement

un·i·ma·gi·na·ble [ʌnɪ'mædʒɪnəbl] *adj* inimaginable

un·i·ma·gi·na·tive [ʌnɪ'mædʒɪnətɪv] *adj* qui manque d'imagination

un·im·por·tant [ʌnɪm'pɔːrtənt] *adj* sans importance

un·in·hab·i·ta·ble [ʌnɪn'hæbɪtəbl] *adj building*, *region* inhabitable

un·in·hab·it·ed [ʌnɪn'hæbɪtɪd] *adj* inhabitée

un·in·jured [ʌn'ɪndʒərd] *adj* indemne

un·in·tel·li·gi·ble [ʌnɪn'telɪdʒəbl] *adj* inintelligible

un·in·ten·tion·al [ʌnɪn'tenʃnl] *adj* non intentionnel*; ***that was ~*** ce n'était pas voulu

un·in·ten·tion·al·ly [ʌnɪn'tenʃnlɪ] *adv* sans le vouloir

un·in·te·rest·ing [ʌn'ɪntrəstɪŋ] *adj* inintéressant

un·in·ter·rupt·ed [ʌnɪntə'rʌptɪd] *adj sleep*, *two hours' work* ininterrompu

u·nion ['juːnjən] POL union *f*; (*labor ~*) syndicat *m*

u·nique [juː'niːk] *adj also* F (*very good*) unique

u·nit ['juːnɪt] unité *f*

u·nit 'cost COMM coût *m* à l'unité

u·nite [juː'naɪt] **1** *v/t* unir **2** *v/i* s'unir

u·nit·ed [juː'naɪtɪd] *adj* uni; *efforts* conjoint

U·nit·ed 'King·dom Royaume-Uni *m*

U·nit·ed 'Na·tions Nations *fpl* Unies

U·nit·ed States (of A'mer·i·ca) États-Unis *mpl* (d'Amérique)

u·ni·ty ['juːnətɪ] unité *f*

u·ni·ver·sal [juːnɪ'vɜːrsl] *adj* universel*

u·ni·ver·sal·ly [juːnɪ'vɜːrsəlɪ] *adv* universellement

u·ni·verse ['juːnɪvɜːrs] univers *m*

u·ni·ver·si·ty [juːnɪ'vɜːrsətɪ] **1** *n* université *f*; ***he's at ~*** il est à l'université **2** *adj* d'université

un·just [ʌn'dʒʌst] *adj* injuste

un·kempt [ʌn'kempt] *adj* négligé

un·kind [ʌn'kaɪnd] *adj* méchant, désagréable

un·known [ʌn'noʊn] **1** *adj* inconnu **2** *n*: ***a journey into the ~*** un voyage dans l'inconnu

un·lead·ed [ʌn'ledɪd] *adj gas* sans plomb

un·less [ən'les] *conj* à moins que (*+subj*); ***don't say anything ~ you are sure*** ne dites rien si vous n'êtes pas sûr

un·like [ʌn'laɪk] *prep*: ***the photograph was completely ~ her*** la photographie ne lui ressemblait pas du tout; ***it's ~ him to drink so much*** cela ne lui ressemble pas de boire autant

un·like·ly [ʌn'laɪklɪ] *adj* improbable; ***he is ~ to win*** il a peu de chances de gagner; ***it is ~ that …*** il est improbable que … (*+subj*)

un·lim·it·ed [ʌn'lɪmɪtɪd] *adj* illimité

un·list·ed [ʌn'lɪstɪd] *adj* TELEC sur liste rouge

un·load [ʌn'loʊd] *v/t* décharger

un·lock [ʌn'lɑːk] *v/t* ouvrir (avec une clef)

un·luck·i·ly [ʌn'lʌkɪlɪ] *adv* malheureusement

un·luck·y [ʌn'lʌkɪ] *adj day* de malchance; *choice* malheureux*; *person* malchanceux*; ***that was so ~ for you!*** tu n'as vraiment pas eu de chance!

un·made-up [ʌnmeɪd'ʌp] *adj face* non

maquillé
un·manned [ʌn'mænd] *adj spacecraft* sans équipage
un·mar·ried [ʌn'mærɪd] *adj* non marié
un·mis·ta·ka·ble [ʌnmɪ'steɪkəbl] *adj handwriting* reconnaissable entre mille
un·moved [ʌn'muːvd] *adj emotionally* pas touché
un·mu·si·cal [ʌn'mjuːzɪkl] *adj person* pas musicien*; *sounds* discordant
un·nat·u·ral [ʌn'nætʃrəl] *adj* contre nature; ***it's not ~ to be annoyed*** il n'est pas anormal d'être agacé
un·ne·ces·sa·ry [ʌn'nesəserɪ] *adj* non nécessaire
un·nerv·ing [ʌn'nɜːrvɪŋ] *adj* déstabilisant
un·no·ticed [ʌn'noʊtɪst] *adj*: ***it went ~*** c'est passé inaperçu
un·ob·tain·a·ble [ʌnəb'teɪnəbl] *adj goods* qu'on ne peut se procurer; TELEC hors service
un·ob·tru·sive [ʌnəb'truːsɪv] *adj* discret
un·oc·cu·pied [ʌn'ɑːkjʊpaɪd] *adj* (*empty*) vide; *position* vacant; *person* désœuvré
un·of·fi·cial [ʌnə'fɪʃl] *adj* non officiel*
un·of·fi·cial·ly [ʌnə'fɪʃlɪ] *adv* non officiellement
un·pack [ʌn'pæk] **1** *v/t case* défaire; *boxes* déballer, vider **2** *v/i* défaire sa valise
un·paid [ʌn'peɪd] *adj work* non rémunéré
un·pleas·ant [ʌn'pleznt] *adj* désagréable; ***he was very ~ to her*** il a été très désagréable avec elle
un·plug [ʌn'plʌg] *v/t* (*pret & pp* **-ged**) *TV, computer* débrancher
un·pop·u·lar [ʌn'pɑːpjələr] *adj* impopulaire
un·pre·ce·den·ted [ʌn'presɪdentɪd] *adj* sans précédent
un·pre·dict·a·ble [ʌnprɪ'dɪktəbl] *adj person, weather* imprévisible
un·pre·ten·tious [ʌnprɪ'tenʃəs] *adj person, style, hotel* modeste
un·prin·ci·pled [ʌn'prɪnsɪpld] *adj* sans scrupules
un·pro·duc·tive [ʌnprə'dʌktɪv] *adj meeting, discussion, land* improductif*
un·pro·fes·sion·al [ʌnprə'feʃnl] *adj person, behavior* non professionnel*; *workmanship* peu professionnel; ***it's very ~ not to …*** ce n'est pas du tout professionnel de ne pas …
un·prof·i·ta·ble [ʌn'prɑːfɪtəbl] *adj* non profitable
un·pro·nounce·a·ble [ʌnprə'naʊnsəbl] *adj* imprononçable
un·pro·tect·ed [ʌnprə'tektɪd] *adj* sans protection; **~ *sex*** rapports *mpl* sexuels non protégés
un·pro·voked [ʌnprə'voʊkt] *adj attack* non provoqué
un·qual·i·fied [ʌn'kwɑːlɪfaɪd] *adj* non qualifié; *acceptance* inconditionnel*
un·ques·tion·a·bly [ʌn'kwestʃnəblɪ] *adv* (*without doubt*) sans aucun doute
un·ques·tion·ing [ʌn'kwestʃnɪŋ] *adj attitude, loyalty* aveugle
un·rav·el [ʌn'rævl] *v/t* (*pret & pp* **-ed**, *Br* **-led**) *knitting etc* défaire; *mystery, complexities* résoudre
un·read·a·ble [ʌn'riːdəbl] *adj book* illisible
un·re·al [ʌn'rɪəl] *adj* irréel*; ***this is ~!*** F je crois rêver!
un·rea·lis·tic [ʌnrɪə'lɪstɪk] *adj* irréaliste
un·rea·so·na·ble [ʌn'riːznəbl] *adj* déraisonnable
un·re·lat·ed [ʌnrɪ'leɪtɪd] *adj* sans relation (***to*** avec)
un·re·lent·ing [ʌnrɪ'lentɪŋ] *adj* incessant
un·rel·i·a·ble [ʌnrɪ'laɪəbl] *adj* pas fiable
un·rest [ʌn'rest] agitation *f*
un·re·strained [ʌnrɪ'streɪnd] *adj emotions* non contenu
un·road·wor·thy [ʌn'roʊdwɜːrðɪ] *adj* qui n'est pas en état de rouler
un·roll [ʌn'roʊl] *v/t carpet* dérouler
un·ru·ly [ʌn'ruːlɪ] *adj* indiscipliné
un·safe [ʌn'seɪf] *adj* dangereux*
un·san·i·tar·y [ʌn'sænɪterɪ] *adj conditions, drains* insalubre
un·sat·is·fac·to·ry [ʌnsætɪs'fæktərɪ] *adj* insatisfaisant; (*unacceptable*) inac-

ceptable
un·sa·vo·ry [ʌn'seɪvərɪ] *adj* louche
un·scathed [ʌn'skeɪðd] *adj* (*not injured*) indemne; (*not damaged*) intact
un·screw [ʌn'skru:] *v/t sth screwed on* dévisser; *top* décapsuler
un·scru·pu·lous [ʌn'skru:pjələs] *adj* peu scrupuleux*
un·self·ish [ʌn'selfɪʃ] *adj* désintéressé
un·set·tled [ʌn'setld] *adj* incertain; *lifestyle* instable; *bills* non réglé; *issue, question* non décidé
un·shav·en [ʌn'ʃeɪvn] *adj* mal rasé
un·sight·ly [ʌn'saɪtlɪ] *adj* affreux*
un·skilled [ʌn'skɪld] *adj worker* non qualifié
un·so·cia·ble [ʌn'souʃəbl] *adj* peu sociable
un·so·phis·ti·cat·ed [ʌnsə'fɪstɪkeɪtɪd] *adj person, beliefs, equipment* peu sophistiqué
un·sta·ble [ʌn'steɪbl] *adj* instable
un·stead·y [ʌn'stedɪ] *adj on one's feet* chancelant; *ladder* branlant
un·stint·ing [ʌn'stɪntɪŋ] *adj* sans restriction; ***be ~ in one's efforts*** ne pas ménager sa peine (***to*** pour)
un·stuck [ʌn'stʌk] *adj*: ***come ~*** *of notice etc* se détacher; F *of plan etc* tomber à l'eau F
un·suc·cess·ful [ʌnsək'sesfl] *adj attempt* infructueux*; *artist, writer* qui n'a pas de succès; *candidate, marriage* malheureux*; ***it was ~*** c'était un échec; ***he tried but was ~*** il a essayé mais n'a pas réussi
un·suc·cess·ful·ly [ʌnsək'sesflɪ] *adv try, apply* sans succès
un·suit·a·ble [ʌn'su:təbl] *adj* inapproprié; ***the movie is ~ for children*** le film ne convient pas aux enfants
un·sus·pect·ing [ʌnsəs'pektɪŋ] *adj* qui ne se doute de rien
un·swerv·ing [ʌn'swɜ:rvɪŋ] *adj loyalty, devotion* inébranlable
un·think·a·ble [ʌn'θɪŋkəbl] *adj* impensable
un·ti·dy [ʌn'taɪdɪ] *adj* en désordre
un·tie [ʌn'taɪ] *v/t laces, knot* défaire; *prisoner, hands* détacher
un·til [ən'tɪl] **1** *prep* jusqu'à; ***from Monday ~ Friday*** de lundi à vendredi; ***not ~ Friday*** pas avant vendredi; ***it won't be finished ~ July*** ce ne sera pas fini avant le mois de juillet **2** *conj* jusqu'à ce que; ***can you wait ~ I'm ready?*** est-ce que vous pouvez attendre que je sois prêt?; ***they won't do anything ~ you say so*** ils ne feront rien jusqu'à ce que tu le leur dises
un·time·ly [ʌn'taɪmlɪ] *adj death* prématuré
un·tir·ing [ʌn'taɪrɪŋ] *adj efforts* infatigable
un·told [ʌn'tould] *adj riches, suffering* inouï; *story* inédit
un·trans·lat·a·ble [ʌntræns'leɪtəbl] *adj* intraduisible
un·true [ʌn'tru:] *adj* faux*
un·used[1] [ʌn'ju:zd] *adj goods* non utilisé
un·used[2] [ʌn'ju:st] *adj*: ***be ~ to sth*** ne pas être habitué à qch; ***be ~ to doing sth*** ne pas être habitué à faire qch
un·u·su·al [ʌn'ju:ʒl] *adj* inhabituel*; (*strange*) bizarre; *story* insolite; *not the standard* hors norme; ***it's ~ for him to …*** il est rare qu'il … (+*subj*)
un·u·su·al·ly [ʌn'ju:ʒəlɪ] *adv* anormalement, exceptionnellement
un·veil [ʌn'veɪl] *v/t memorial, statue etc* dévoiler
un·well [ʌn'wel] *adj* malade
un·will·ing [ʌn'wɪlɪŋ] *adj*: ***be ~ to do sth*** refuser de faire qch
un·will·ing·ly [ʌn'wɪlɪŋlɪ] *adv* à contre-cœur
un·wind [ʌn'waɪnd] **1** *v/t* (*pret & pp **-wound***) *tape* dérouler **2** *v/i of tape, story* se dérouler; (*relax*) se détendre
un·wise [ʌn'waɪz] *adj* malavisé
un·wrap [ʌn'ræp] *v/t* (*pret & pp **-ped***) *gift* déballer
un·writ·ten [ʌn'rɪtn] *adj law, rule* tacite
un·zip [ʌn'zɪp] *v/t* (*pret & pp **-ped***) *dress etc* descendre la fermeture-éclair de; COMPUT décompresser
up [ʌp] **1** *adv*: ***~ in the sky / on the roof*** dans le ciel / sur le toit; ***~ here*** ici; ***~ there*** là-haut; ***be ~*** (*out of bed*) être debout; *of sun* être levé; (*built*)

U

être construit; *of shelves* être en place; *of prices, temperature* avoir augmenté; (*have expired*) être expiré; ***what's ~?*** F qu'est-ce qu'il y a?; ***~ to 1989*** jusqu'à 1989; ***he came ~ to me*** il s'est approché de moi; ***what are you ~ to these days?*** qu'est-ce que tu fais en ce moment?; ***what are those kids ~ to?*** que font ces enfants?; ***be ~ to something*** être sur un mauvais coup; ***I don't feel ~ to it*** je ne m'en sens pas le courage; ***it's ~ to you*** c'est toi qui décides; ***it's ~ to them to solve it*** c'est à eux de le résoudre; ***be ~ and about*** *after illness* être de nouveau sur pied **2** *prep*: ***further ~ the mountain*** un peu plus haut sur la montagne; ***he climbed ~ a tree*** il est monté à un arbre; ***they ran ~ the street*** ils ont remonté la rue en courant; ***the water goes ~ this pipe*** l'eau monte par ce tuyau; ***we traveled ~ to Paris*** nous sommes montés à Paris **3** *n*: ***~s and downs*** hauts *mpl* et bas

'up·bring·ing éducation *f*

'up·com·ing *adj* (*forthcoming*) en perspective

up'date[1] *v/t file, records* mettre à jour; ***~ s.o. on sth*** mettre / tenir qn au courant de qch

'up·date[2] *n of files, records, software* mise *f* à jour

up'grade *v/t computers etc*, (*replace with new versions*) moderniser; *ticket etc* surclasser; *product* améliorer

up·heav·al [ʌp'hiːvl] bouleversement *m*

up·hill [ʌp'hɪl] **1** *adv*: ***walk / go ~*** monter **2** *adj*: ['ʌphɪl] : ***~ walk*** montée *f*; ***it was an ~ struggle*** ça a été très difficile

up'hold *v/t* (*pret & pp* ***-held***) *traditions, rights, decision* maintenir

up·hol·ster·y [ʌp'hoʊlstərɪ] *fabric* garniture *f*; *padding* rembourrage *m*

'up·keep *of buildings etc* maintien *m*

'up·load *v/t* COMPUT transférer

up'mar·ket *adj Br*: *restaurant, hotel* chic *inv*; *product* haut de gamme

up·on [ə'pɑːn] *prep* → ***on***

up·per ['ʌpər] *adj part of sth* supérieur; ***~ atmosphere*** partie *f* supérieure de l'atmosphère

up·per-'class *adj accent, family* aristocratique, de la haute F

up·per 'clas·ses *npl* aristocratie *f*

'up·right 1 *adj citizen* droit **2** *adv sit* (bien) droit **3** *n* (*also*: ***~ piano***) piano *f* droit

up·ris·ing ['ʌpraɪzɪŋ] soulèvement *m*

'up·roar vacarme *m*; *fig* protestations *fpl*

'up·scale *adj restaurant, hotel* chic *inv*; *product* haut de gamme

up'set 1 *v/t* (*pret & pp* ***-set***) *drink, glass* renverser; *emotionally* contrarier **2** *adj emotionally* contrarié, vexé; ***get ~ about sth*** être contrarié par qch; ***why's she ~?*** qu'est-ce qu'elle a?; ***have an ~ stomach*** avoir l'estomac dérangé

up'set·ting *adj* contrariant

'up·shot (*result, outcome*) résultat *m*

up·side 'down *adv* à l'envers; *car* renversé; ***turn sth ~*** tourner qch à l'envers

up'stairs 1 *adv* en haut; ***~ from us*** au-dessus de chez nous **2** *adj room* d'en haut

'up·start arriviste *m/f*

up'stream *adv* en remontant le courant

'up·take: ***be quick / slow on the ~*** F piger rapidement / lentement F

up'tight *adj* F (*nervous*) tendu; (*inhibited*) coincé

up-to-'date *adj* à jour

'up·turn *in economy* reprise *f*

up·ward ['ʌpwərd] *adv*: ***fly ~*** s'élever dans le ciel; ***move sth ~*** élever qch; ***~ of 10,000*** au-delà de 10. 000

u·ra·ni·um [jʊ'reɪnɪəm] uranium *m*

ur·ban ['ɜːrbən] *adj* urbain

ur·ban·i·za·tion [ɜːrbənaɪ'zeɪʃn] urbanisation *f*

ur·chin ['ɜːrʧɪn] gamin *m*

urge [ɜːrdʒ] **1** *n* (forte) envie *f* **2** *v/t*: ***~ s.o. to do sth*** encourager qn à faire qch

♦ **urge on** *v/t* (*encourage*) encourager

ur·gen·cy ['ɜːrdʒənsɪ] *of situation* ur-

gence *f*
ur·gent ['ɜːrdʒənt] *adj* urgent
u·ri·nate ['jʊrəneɪt] *v/i* uriner
u·rine ['jʊrɪn] urine *f*
urn [ɜːrn] urne *f*
US [juː'es] *abbr* (= ***United States***) USA *mpl*
us [ʌs] *pron* nous; ***he knows ~*** il nous connaît; ***he gave ~ a dollar*** il nous a donné un dollar; ***that's for ~*** c'est pour nous; ***who's that? - it's ~*** qui est-ce? - c'est nous
USA [juːes'eɪ] *abbr* (= ***United States of America***) USA *mpl*
us·a·ble ['juːzəbl] *adj* utilisable
us·age ['juːzɪdʒ] *linguistic* usage *m*
use 1 *v/t* [juːz] *also pej: person* utiliser; ***I could ~ a drink*** F j'ai besoin d'un verre **2** *n* [juːs] utilisation *f*; ***be of great ~ to s.o.*** servir beaucoup à qn; ***that's of no ~ to me*** cela ne me sert à rien; ***is that of any ~?*** est-ce que cela vous sert?; ***it's no ~*** ce n'est pas la peine; ***it's no ~ trying / waiting*** ce n'est pas la peine d'essayer / d'attendre
♦**use up** *v/t* épuiser
used[1] [juːzd] *adj car etc* d'occasion
used[2] [juːst] *adj*: ***be ~ to s.o. / sth*** être habitué à qn / qch; ***get ~ to s.o. / sth*** s'habituer à qn / qch; ***be ~ to doing sth*** être habitué à faire qch; ***get ~ to doing sth*** s'habituer à faire qch
used[3] [juːst]: ***I ~ to work there*** je travaillais là-bas avant; ***I ~ to know him well*** je l'ai bien connu autrefois
use·ful ['juːsfʊl] *adj* utile
use·ful·ness ['juːsfʊlnɪs] utilité *f*
use·less ['juːslɪs] *adj* inutile; F (*no good*) nul F; ***it's ~ trying*** ce n'est pas la peine d'essayer
us·er ['juːzər] *of product* utilisateur (-trice) *m(f)*
us·er-'friend·li·ness facilité *f* d'utilisation; COMPUT convivialité *f*
us·er-'friend·ly *adj* facile à utiliser; COMPUT convivial
ush·er ['ʌʃər] *n at wedding* placeur *m*
♦**usher in** *v/t new era* marquer le début de
u·su·al ['juːʒl] *adj* habituel*; ***as ~*** comme d'habitude; ***the ~, please*** comme d'habitude, s'il vous plaît
u·su·al·ly ['juːʒəlɪ] *adv* d'habitude
u·ten·sil [juː'tensl] ustensile *m*
u·te·rus ['juːtərəs] utérus *m*
u·til·i·ty [juː'tɪlətɪ] (*usefulness*) utilité *f*; ***public utilities*** services *mpl* publics
u'til·i·ty pole poteau *m* télégraphique
u·til·ize ['juːtɪlaɪz] *v/t* utiliser
ut·most ['ʌtmoʊst] **1** *adj* le plus grand **2** *n*: ***do one's ~*** faire tout son possible
ut·ter ['ʌtər] **1** *adj* total **2** *v/t sound* prononcer
ut·ter·ly ['ʌtərlɪ] *adv* totalement
U-turn ['juːtɜːrn] MOT demi-tour *m*; *fig* revirement *m*

V

va·can·cy ['veɪkənsɪ] *Br. at work* poste *m* vacant, poste *m* à pourvoir
va·cant ['veɪkənt] *adj building* inoccupé; *look, expression* vide, absent; *Br. position* vacant, à pourvoir
va·cant·ly ['veɪkəntlɪ] *adv stare* d'un air absent
va·cate [veɪ'keɪt] *v/t room* libérer
va·ca·tion [veɪ'keɪʃn] *n* vacances *fpl*; ***be on ~*** être en vacances; ***go to Egypt / Paris on ~*** passer ses vacances en Égypte / à Paris, aller en vacances en Égypte / à Paris
va·ca·tion·er [veɪ'keɪʃənər] vacancier

m

vac·cin·ate ['væksɪneɪt] *v/t* vacciner; ***be ~d against sth*** être vacciné contre qch

vac·cin·a·tion [væksɪ'neɪʃn] vaccination *f*

vac·cine ['væksiːn] vaccin *m*

vac·u·um ['vækjʊəm] **1** *n* vide *m* **2** *v/t floors* passer l'aspirateur sur

'vac·u·um clean·er aspirateur *m*; **'vac·u·um flask** thermos *m or f*; **vac·u·um-'packed** *adj* emballé sous vide

va·gi·na [və'dʒaɪnə] vagin *m*

va·gi·nal ['vædʒɪnl] *adj* vaginal

va·grant ['veɪgrənt] vagabond *m*

vague [veɪg] *adj* vague

vague·ly ['veɪglɪ] *adv* vaguement

vain [veɪn] **1** *adj person* vaniteux*; *hope* vain **2** *n*: ***in ~*** en vain, vainement; ***their efforts were in ~*** leurs efforts n'ont servi à rien

val·en·tine ['væləntaɪn] *card* carte *f* de la Saint-Valentin; ***Valentine's Day*** la Saint-Valentin

val·et ['væleɪ] **1** *n person* valet *m* de chambre **2** *v/t* ['vælət] nettoyer; ***have one's car ~ed*** faire nettoyer sa voiture

'val·et ser·vice *for clothes, cars* service *m* de nettoyage

val·iant ['væljənt] *adj* courageux*, vaillant

val·iant·ly ['væljəntlɪ] *adv* courageusement, vaillamment

val·id ['vælɪd] *adj* valable

val·i·date ['vælɪdeɪt] *v/t with official stamp* valider; *claim, theory* confirmer

va·lid·i·ty [və'lɪdətɪ] validité *f*; *of argument* justesse *f*, pertinence *f*; *of claim* bien-fondé *m*

val·ley ['vælɪ] vallée *f*

val·u·a·ble ['væljʊbl] **1** *adj ring, asset* de valeur, précieux*; *colleague, help, advice* précieux* **2** *npl*: ***~s*** objets *mpl* de valeur

val·u·a·tion [væljʊ'eɪʃn] estimation *f*, expertise *f*

val·ue ['væljuː] **1** *n* valeur *f*; ***be good ~*** offrir un bon rapport qualité-prix; ***you got good ~*** tu as fait une bonne affaire; ***get ~ for money*** en avoir pour son argent; ***rise / fall in ~*** prendre / perdre de la valeur **2** *v/t* tenir à, attacher un grand prix à; ***have an object ~d*** faire estimer un objet

valve [vælv] *in machine* soupape *f*, valve *f*; *in heart* valvule *f*

van [væn] *small* camionnette *f*; *large* fourgon *m*

van·dal ['vændl] vandale *m*

van·dal·ism ['vændəlɪzm] vandalisme *m*

van·dal·ize ['vændəlaɪz] *v/t* vandaliser, saccager

van·guard ['vængɑːrd]: ***be in the ~ of*** *fig* être à l'avant-garde de

va·nil·la [və'nɪlə] **1** *n* vanille *f* **2** *adj* à la vanille

van·ish ['vænɪʃ] *v/i* disparaître; *of clouds, sadness* se dissiper

van·i·ty ['vænətɪ] *of person* vanité *f*

'van·i·ty case vanity(-case) *m*

van·tage point ['væntɪdʒ] position *f* dominante

va·por ['veɪpər] vapeur *f*

va·por·ize ['veɪpəraɪz] *v/t of atomic bomb, explosion* pulvériser

'va·por trail *of airplane* traînée *f* de condensation

va·pour *Br* → ***vapor***

var·i·a·ble ['verɪəbl] **1** *adj* variable; *moods* changeant **2** *n* MATH, COMPUT variable *f*

var·i·ant ['verɪənt] *n* variante *f*

var·i·a·tion [verɪ'eɪʃn] variation *f*

var·i·cose vein ['værɪkoʊs] varice *f*

var·ied ['verɪd] *adj* varié

va·ri·e·ty [və'raɪətɪ] variété *f*; ***a ~ of things to do*** un grand nombre de choses à faire; ***for a whole ~ of reasons*** pour de multiples raisons

var·i·ous ['verɪəs] *adj* (*several*) divers, plusieurs; (*different*) divers, différent

var·nish ['vɑːrnɪʃ] **1** *n* vernis *m* **2** *v/t* vernir

var·y ['verɪ] **1** *v/i* (*pret & pp* **-ied**) varier, changer; ***it varies*** ça dépend; ***with ~ing degrees of success*** avec plus ou moins de succès **2** *v/t* varier, diversifier; *temperature* faire varier

vase [veɪz] vase *m*

vas·ec·to·my ['vəsektəmɪ] vasectomie *f*
vast [væst] *adj* vaste; *improvement, difference* considérable
vast·ly ['væstlɪ] *adv improve etc* considérablement; *different* complètement
Vat·i·can ['vætɪkən]: ***the ~*** le Vatican
vau·de·ville ['vɒːdvɪl] variétés *fpl*
vault[1] [vɒːlt] *n in roof* voûte *f*; ***~s*** *of bank* salle *f* des coffres
vault[2] [vɒːlt] **1** *n* SP saut *m* **2** *v/t beam etc* sauter
VCR [viːsiː'ɑːr] *abbr* (= ***video cassette recorder***) magnétoscope *m*
veal [viːl] veau *m*
veer [vɪr] *v/i* virer; *of wind* tourner
ve·gan ['viːgn] **1** *n* végétalien(ne) *m(f)* **2** *adj* végétalien*
vege·ta·ble ['vedʒtəbl] légume *m*
ve·ge·tar·i·an [vedʒɪ'terɪən] **1** *n* végétarien(ne) *m(f)* **2** *adj* végétarien*
veg·e·ta·tion [vedʒɪ'teɪʃn] végétation *f*
ve·he·mence ['viːəməns] véhémence *f*
ve·he·ment ['viːəmənt] *adj* véhément
ve·he·ment·ly ['viːəməntlɪ] *adv* avec véhémence
ve·hi·cle ['viːɪkl] véhicule *m*; *for information etc* véhicule *m*, moyen *m*
veil [veɪl] **1** *n* voile *m* **2** *v/t* voiler
vein [veɪn] ANAT veine *f*; ***in this ~*** *fig* dans cet esprit
Vel·cro® ['velkrou] velcro® *m*
ve·loc·i·ty [vɪ'lɑːsətɪ] vélocité *f*
vel·vet ['velvɪt] *n* velours *m*
vel·vet·y ['velvɪtɪ] *adj* velouté
ven·det·ta [ven'detə] vendetta *f*
vend·ing ma·chine ['vendɪŋ] distributeur *m* automatique
vend·or ['vendər] LAW vendeur(-euse) *m(f)*
ve·neer [və'nɪr] *n* placage *m*; *of politeness, civilization* vernis *m*
ven·e·ra·ble ['venərəbl] *adj* vénérable
ven·e·rate ['venəreɪt] *v/t* vénérer
ven·e·ra·tion [venə'reɪʃn] vénération *f*
ven·e·re·al dis·ease [və'nɪrɪəl] M.S.T. *f*, maladie *f* sexuellement transmissible
ve·ne·tian blind [və'niːʃn] store *m* vénitien
ven·geance ['vendʒəns] vengeance *f*; ***with a ~*** pour de bon
ven·i·son ['venɪsn] venaison *f*, chevreuil *m*
ven·om ['venəm] venin *m*
ven·om·ous ['venəməs] *adj also fig* venimeux*
vent [vent] *n for air* bouche *f* d'aération; ***give ~ to*** *feelings, emotions* donner libre cours à, exprimer
ven·ti·late ['ventɪleɪt] *v/t* ventiler, aérer
ven·ti·la·tion [ventɪ'leɪʃn] ventilation *f*, aération *f*
ven·ti'la·tion shaft conduit *m* d'aération
ven·ti·la·tor ['ventɪleɪtər] ventilateur *m*; MED respirateur *m*
ven·tril·o·quist [ven'trɪləkwɪst] ventriloque *m/f*
ven·ture ['ventʃər] **1** *n* (*undertaking*) entreprise *f*; COMM tentative *f* **2** *v/i* s'aventurer
ven·ue ['venjuː] *for meeting, concert etc* lieu *m*; *hall also* salle *f*
ve·ran·da [və'rændə] véranda *f*
verb [vɜːrb] verbe *m*
verb·al ['vɜːrbl] *adj* (*spoken*) oral, verbal; GRAM verbal
verb·al·ly ['vɜːrbəlɪ] *adv* oralement, verbalement
ver·ba·tim [vɜːr'beɪtɪm] *adv repeat* textuellement, mot pour mot
ver·dict ['vɜːrdɪkt] LAW verdict *m*; (*opinion, judgment*) avis *m*, jugement *m*; ***bring in a ~ of guilty / not guilty*** rendre un verdict de culpabilité / d'acquittement
verge [vɜːrdʒ] *n of road* accotement *m*, bas-côté *m*; ***be on the ~ of ...*** être au bord de ...
♦ **verge on** *v/t* friser
ver·i·fi·ca·tion [verɪfɪ'keɪʃn] (*check*) vérification *f*
ver·i·fy ['verɪfaɪ] *v/t* (*pret & pp* ***-ied***) (*check*) vérifier, contrôler; (*confirm*) confirmer
ver·min ['vɜːrmɪn] *npl* (*insects*) vermine *f*, parasites *mpl*; (*rats etc*) ani-

V

maux *mpl* nuisibles
ver·mouth [vər'mu:θ] vermouth *m*
ver·nac·u·lar [vər'nækjələr] *n* langue *f* usuelle
ver·sa·tile ['vɜ:rsətəl] *adj person* plein de ressources, polyvalent; *piece of equipment* multiusages; *mind* souple
ver·sa·til·i·ty [vɜ:rsə'tɪlətɪ] *of person* adaptabilité *f*, polyvalence *f*; *of piece of equipment* souplesse *f* d'emploi
verse [vɜ:rs] (*poetry*) vers *mpl*, poésie *f*; *of poem* strophe *f*; *of song* couplet *m*
versed [vɜ:rst] *adj*: ***be well ~ in a subject*** être versé dans une matière
ver·sion ['vɜ:rʃn] version *f*
ver·sus ['vɜ:rsəs] *prep* SP, LAW contre
ver·te·bra ['vɜ:rtɪbrə] vertèbre *f*
ver·te·brate ['vɜ:rtɪbreɪt] *n* vertébré *m*
ver·ti·cal ['vɜ:rtɪkl] *adj* vertical
ver·ti·go ['vɜ:rtɪgoʊ] vertige *m*
ver·y ['verɪ] **1** *adv* très; ***was it cold? - not ~*** faisait-il froid? - non, pas tellement; ***the ~ best*** le meilleur **2** *adj* même; ***at that ~ moment*** à cet instant même, à ce moment précis; ***in the ~ act*** en flagrant délit; ***that's the ~ thing I need*** c'est exactement ce dont j'ai besoin; ***the ~ thought of it makes me ...*** rien que d'y penser, je ...; ***right at the ~ top / bottom*** tout en haut / bas
ves·sel ['vesl] NAUT bateau *m*, navire *m*
vest [vest] gilet *m Br*: *undershirt* maillot *m* (de corps)
ves·tige ['vestɪdʒ] vestige *m*; *fig* once *f*
vet[1] [vet] *n* (*veterinarian*) vétérinaire *m/f*, véto *m/f* F
vet[2] [vet] *v/t* (*pret & pp* ***-ted***) *applicants etc* examiner
vet[3] [vet] *n* MIL F ancien combattant *m*
vet·e·ran ['vetərən] **1** *n* vétéran *m*; (*war veteran*) ancien combattant *m*, vétéran *m* **2** *adj* (*old*) antique; (*old and experienced*) aguerri, chevronné
vet·e·ri·nar·i·an [vetərə'nerɪən] vétérinaire *m/f*
ve·to ['vi:toʊ] **1** *n* veto *m inv* **2** *v/t* opposer son veto à
vex [veks] *v/t* (*concern, worry*) préoccuper
vexed [vekst] *adj* (*worried*) inquiet, préoccupé; ***a ~ question*** une question épineuse
vi·a ['vaɪə] *prep* par
vi·a·ble ['vaɪəbl] *adj* viable
vi·brate [vaɪ'breɪt] *v/i* vibrer
vi·bra·tion [vaɪ'breɪʃn] vibration *f*
vice[1] [vaɪs] vice *m*
vice[2] [vaɪs] *Br* → ***vise***
vice 'pres·i·dent vice-président *m*
'vice squad brigade *f* des mœurs
vi·ce 'ver·sa [vaɪs'vɜ:rsə] *adv* vice versa
vi·cin·i·ty [vɪ'sɪnətɪ] voisinage *m*, environs *mpl*; ***in the ~ of ...*** *place* à proximité de ...; *amount* aux alentours de ...
vi·cious ['vɪʃəs] *adj* vicieux*; *dog* méchant; *person, temper* cruel*; *attack* brutal
vi·cious 'cir·cle cercle *m* vicieux
vi·cious·ly ['vɪʃəslɪ] *adv* brutalement, violemment
vic·tim ['vɪktɪm] victime *f*
vic·tim·ize ['vɪktɪmaɪz] *v/t* persécuter
vic·tor ['vɪktər] vainqueur *m*
vic·to·ri·ous [vɪk'tɔ:rɪəs] *adj* victorieux*
vic·to·ry ['vɪktərɪ] victoire *f*; ***win a ~ over*** remporter une victoire sur
vid·e·o ['vɪdɪoʊ] **1** *n* vidéo *f*; *actual object* cassette *f* vidéo; ***have sth on ~*** avoir qch en vidéo **2** *v/t* filmer; *tape off TV* enregistrer
'vid·e·o cam·e·ra caméra *f* vidéo; **vid·e·o cas'sette** cassette *f* vidéo; **vid·e·o 'con·fer·ence** TELEC visioconférence *f*, vidéoconférence *f*; **'vi·d·e·o game** jeu *m* vidéo; **'vid·e·o·phone** visiophone *m*; **'vid·e·o re·cord·er** magnétoscope *m*; **'vid·e·o re·cord·ing** enregistrement *m* vidéo; **'vid·e·o·tape** bande *f* vidéo
vie [vaɪ] *v/i* rivaliser
Vi·et·nam [vɪet'næm] Vietnam *m*
Vi·et·nam·ese [vɪetnə'mi:z] **1** *adj* vietnamien* **2** *n* Vietnamien(ne) *m(f)*; *language* vietnamien *m*
view [vju:] **1** *n* vue *f*; (*assessment, opinion*) opinion *f*, avis *m*; ***in ~ of***

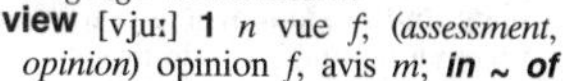

V

compte tenu de, étant donné; ***he did it in full ~ of his parents*** il l'a fait sous les yeux de ses parents; ***be on ~*** *of paintings* être exposé; ***with a ~ to*** en vue de, afin de **2** *v/t events, situation* considérer, envisager; *TV program* regarder; *house for sale* visiter **3** *v/i* (*watch TV*) regarder la télévision

view·er ['vju:ər] TV téléspectateur (-trice) *m*(*f*)

view·find·er ['vju:faɪndər] PHOT viseur *m*

'view·point point *m* de vue

vig·or ['vɪgər] vigueur *f*, énergie *f*

vig·or·ous ['vɪgərəs] *adj* vigoureux*

vig·or·ous·ly ['vɪgərəslɪ] *adv* vigoureusement

vig·our *Br* → ***vigor***

vile [vaɪl] *adj smell etc* abominable; *action, person* ignoble

vil·la ['vɪlə] villa *f*

vil·lage ['vɪlɪdʒ] village *m*

vil·lag·er ['vɪlɪdʒər] villageois(e) *m*(*f*)

vil·lain ['vɪlən] escroc *m*; *in drama, literature* méchant *m*

vin·di·cate ['vɪndɪkeɪt] *v/t* (*prove correct*) confirmer, justifier; (*prove innocent*) innocenter; ***I feel ~d*** cela m'a donné raison

vin·dic·tive [vɪn'dɪktɪv] *adj* vindicatif*

vin·dic·tive·ly [vɪn'dɪktɪvlɪ] *adv* vindicativement

vine [vaɪn] vigne *f*

vin·e·gar ['vɪnɪgər] vinaigre *m*

vine·yard ['vɪnjɑ:rd] vignoble *m*

vin·tage ['vɪntɪdʒ] **1** *n of wine* millésime *m* **2** *adj* (*classic*) classique; ***this film is ~ Charlie Chaplin*** ce film est un classique de Charlie Chaplin

vi·o·la [vɪ'oʊlə] MUS alto *m*

vi·o·late ['vaɪəleɪt] *v/t* violer

vi·o·la·tion [vaɪə'leɪʃn] violation *f*; (*traffic ~*) infraction *f* au code de la route

vi·o·lence ['vaɪələns] violence *f*; ***outbreak of ~*** flambée *f* de violence

vi·o·lent ['vaɪələnt] *adj* violent; ***have a ~ temper*** être d'un naturel violent

vi·o·lent·ly ['vaɪələntlɪ] *adv* violemment; ***fall ~ in love with s.o.*** tomber follement amoureux* de qn

vi·o·let ['vaɪələt] *n color* violet *m*; *plant* violette *f*

vi·o·lin [vaɪə'lɪn] violon *m*

vi·o·lin·ist [vaɪə'lɪnɪst] violoniste *m/f*

VIP [vi:aɪ'pi:] *abbr* (***= very important person***) V.I.P. *m inv* F, personnalité *f* de marque

vi·per ['vaɪpər] *snake* vipère *f*

vi·ral ['vaɪrəl] *adj infection* viral

vir·gin ['vɜ:rdʒɪn] vierge *f*; *male* puceau *m* F; ***be a ~*** être vierge

vir·gin·i·ty [vɜ:r'dʒɪnətɪ] virginité *f*; ***lose one's ~*** perdre sa virginité

Vir·go ['vɜ:rgoʊ] ASTROL Vierge *f*

vir·ile ['vɪrəl] *adj* viril; *fig* vigoureux*

vi·ril·i·ty [vɪ'rɪlətɪ] virilité *f*

vir·tu·al ['vɜ:rtʃʊəl] *adj* quasi-; COMPUT virtuel*; ***he became the ~ leader of the party*** en pratique, il est devenu chef du parti

vir·tu·al·ly ['vɜ:rtʃʊəlɪ] *adv* (*almost*) pratiquement, presque

vir·tu·al re'al·i·ty réalité *f* virtuelle

vir·tue ['vɜ:rtʃu:] vertu *f*; ***in ~ of*** en vertu *or* raison de

vir·tu·o·so [vɜ:rtʊ'oʊzoʊ] MUS virtuose *m/f*; ***give a ~ performance*** jouer en virtuose

vir·tu·ous ['vɜ:rtʃʊəs] *adj* vertueux*

vir·u·lent ['vɪrʊlənt] *adj disease* virulent

vi·rus ['vaɪrəs] MED, COMPUT virus *m*

vi·sa ['vi:zə] visa *m*

vise [vaɪz] étau *m*

vis·i·bil·i·ty [vɪzə'bɪlətɪ] visibilité *f*

vis·i·ble ['vɪzəbl] *adj* visible; ***not ~ to the naked eye*** invisible à l'œil nu

vis·i·bly ['vɪzəblɪ] *adv* visiblement; ***he was ~ moved*** il était visiblement ému

vi·sion ['vɪʒn] (*eyesight*) vue *f*; REL vision *f*, apparition *f*

vis·it ['vɪzɪt] **1** *n* visite *f*; (*stay*) séjour *m*; ***pay s.o. a ~*** rendre visite à qn; ***pay a ~ to the doctor / dentist*** aller chez le médecin / dentiste **2** *v/t person* aller voir, rendre visite à; *doctor, dentist* aller voir; *city, country* aller à / en; *castle, museum* visiter; *website* consulter

♦ **visit with** *v/t* bavarder avec

V

vis·it·ing card ['vɪzɪtɪŋ] carte *f* de visite

'vis·it·ing hours *npl at hospital* heures *fpl* de visite

vis·it·or ['vɪzɪtər] (*guest*) invité *m*; (*tourist*) visiteur *m*

vi·sor ['vaɪzər] visière *f*

vis·u·al ['vɪʒʊəl] *adj* visuel*

vis·u·al 'aid support *m* visuel; **'vis·u·al arts** *npl* arts *mpl* plastiques; **vis·u·al dis'play u·nit** écran *m* de visualisation

vis·u·al·ize ['vɪʒʊəlaɪz] *v/t* (*imagine*) (s')imaginer; (*foresee*) envisager, prévoir

vis·u·al·ly ['vɪʒʊlɪ] *adv* visuellement; ***~, the movie was superb*** d'un point de vue visuel, le film était superbe

vis·u·al·ly im'paired *adj* qui a des problèmes de vue, malvoyant

vi·tal ['vaɪtl] *adj* (*essential*) vital, essentiel*; ***it is ~ that …*** il faut absolument que …

vi·tal·i·ty [vaɪ'tælətɪ] *of person, city etc* vitalité *f*

vi·tal·ly ['vaɪtəlɪ] *adv*: ***~ important*** d'une importance capitale

vi·tal 'or·gans *npl* organes *mpl* vitaux

vi·tal sta'tis·tics *npl of woman* mensurations *fpl*

vit·a·min ['vaɪtəmɪn] vitamine *f*

'vit·a·min pill comprimé *m* de vitamines

vit·ri·ol·ic [vɪtrɪ'ɑːlɪk] *adj* au vitriol; *attack* violent; *humor* caustique

vi·va·cious [vɪ'veɪʃəs] *adj* plein de vivacité, vif*

vi·vac·i·ty [vɪ'væsətɪ] vivacité *f*

viv·id ['vɪvɪd] *adj* vif*; *description* vivant

viv·id·ly ['vɪvɪdlɪ] *adv* vivement; *remember* clairement; *describe* de façon vivante; ***~ colored*** aux couleurs vives

V-neck ['viːnek] col *m* en V

vo·cab·u·la·ry [voʊ'kæbjʊlərɪ] vocabulaire *m*; (*list of words*) glossaire *m*, lexique *m*

vo·cal ['voʊkl] *adj* vocal; ***teachers are becoming more ~*** les enseignants se font de plus en plus entendre

'vo·cal cords *npl* cordes *fpl* vocales

'vo·cal group MUS groupe *m* vocal

vo·cal·ist ['voʊkəlɪst] MUS chanteur (-euse) *m(f)*

vo·ca·tion [və'keɪʃn] vocation *f*

vo·ca·tion·al [və'keɪʃnl] *adj guidance* professionnel*

vod·ka ['vɑːdkə] vodka *f*

vogue [voʊg] mode *f*, vogue *f*; ***be in ~*** être à la mode *or* en vogue

voice [vɔɪs] **1** *n* voix *f* **2** *v/t opinions* exprimer

'voice·mail messagerie *f* vocale

'voice-o·ver voix *f* hors champ

void [vɔɪd] **1** *n* vide *m* **2** *adj*: ***~ of*** dénué de, dépourvu de

vol·a·tile ['vɑːlətəl] *adj personality, moods* lunatique, versatile

vol·ca·no [vɑːl'keɪnoʊ] volcan *m*

vol·ley ['vɑːlɪ] *n* volée *f*

'vol·ley·ball volley(-ball) *m*

volt [voʊlt] volt *m*

volt·age ['voʊltɪdʒ] tension *f*

vol·ume ['vɑːljəm] volume *m*

'vol·ume con·trol (bouton *m* de) réglage *m* du volume

vol·un·tar·i·ly [vɑːlən'terɪlɪ] *adv* de son plein gré, volontairement

vol·un·ta·ry ['vɑːlənterɪ] *adj* volontaire; *worker, work* bénévole

vol·un·teer [vɑːlən'tɪr] **1** *n* volontaire *m/f*; (*unpaid worker*) bénévole *m/f* **2** *v/i* se porter volontaire

vo·lup·tu·ous [və'lʌptʃʊəs] *adj woman, figure* voluptueux*

vom·it ['vɑːmət] **1** *n* vomi *m*, vomissure *f* **2** *v/i* vomir

♦ **vomit up** *v/t* vomir

vo·ra·cious [və'reɪʃəs] *adj* vorace; *reader* avide

vo·ra·cious·ly [və'reɪʃəslɪ] *adv* avec voracité; *read* avec avidité

vote [voʊt] **1** *n* vote *m*; ***have the ~*** avoir le droit de vote **2** *v/i* POL voter (***for*** pour; ***against*** contre) **3** *v/t*: ***they ~d him President*** ils l'ont élu président; ***they ~d to stay*** ils ont décidé de rester

♦ **vote in** *v/t new member* élire

♦ **vote on** *v/t issue* soumettre qch au vote

♦**vote out** *v/t of office* ne pas réélire
vot·er ['voutər] POL électeur *m*
vot·ing ['voutɪŋ] POL vote *m*
'vot·ing booth isoloir *m*
♦**vouch for** [vautʃ] *v/t truth, person* se porter garant de
vouch·er ['vautʃər] bon *m*
vow [vau] **1** *n* vœu *m*, serment *m* **2** *v/t*: ***~ to do sth*** jurer de faire qch
vow·el [vauI] voyelle *f*
voy·age ['vɔɪɪdʒ] *n* voyage *m*
vul·gar ['vʌlgər] *adj person, language* vulgaire
vul·ne·ra·ble ['vʌlnərəbl] *adj* vulnérable
vul·ture ['vʌltʃər] *also fig* vautour *m*

W

wad [wɑːd] *n of paper, absorbent cotton etc* tampon *m*; ***a ~ of $ 100 bills*** une liasse de billets de 100 $
wad·dle ['wɑːdl] *v/i* se dandiner
wade [weɪd] *v/i* patauger
♦**wade through** *v/t*: ***I'm wading through …*** j'essaie péniblement de venir à bout de …
wa·fer ['weɪfər] *cookie* gaufrette *f*, REL hostie *f*
'wa·fer-thin *adj* très fin
waf·fle[1] ['wɑːfl] *n to eat* gaufre *f*
waf·fle[2] ['wɑːfl] *v/i* parler pour ne rien dire
wag [wæg] *v/t & v/i* (*pret & pp* ***-ged***) remuer
wage[1] [weɪdʒ] *v/t*: ***~ war*** faire la guerre
wage[2] [weɪdʒ] *n* salaire *m*
wage earn·er ['weɪdʒɜːrnər] salarié(e) *m(f)*; **'wage freeze** gel *m* des salaires; **'wage ne·go·ti·a·tions** *npl* négociations *fpl* salariales; **'wage pack·et** *fig* salaire *m*
wag·gle ['wægl] *v/t* remuer
wag·on, *Br* **wag·gon** ['wægən] RAIL wagon *m*; ***covered ~*** chariot *m* (bâché); ***be on the ~*** F être au régime sec
wail [weɪl] **1** *n* hurlement *m* **2** *v/i* hurler
waist [weɪst] taille *f*
'waist·coat *Br* gilet *m*
'waist·line *of person* tour *m* de taille; *of dress* taille *f*
wait [weɪt] **1** *n* attente *f* **2** *v/i* attendre **2** *v/t*: ***don't ~ supper for me*** ne m'attendez pas pour le dîner; ***~ table*** servir à manger
♦**wait for** *v/t* attendre; ***wait for me!*** attends-moi!
♦**wait on** *v/t* (*serve*) servir
♦**wait up** *v/i*: ***don't wait up*** (***for me***) ne m'attends pas pour aller te coucher
wait·er ['weɪtər] serveur *m*; ***~!*** garçon!
wait·ing ['weɪtɪŋ] attente *f*
'wait·ing list liste *f* d'attente
'wait·ing room salle *f* d'attente
wait·ress ['weɪtrɪs] serveuse *f*
waive [weɪv] *v/t* renoncer à
wake[1] [weɪk] **1** *v/i* (*pret* **woke**, *pp* ***woken***): ***~*** (***up***) se réveiller **2** *v/t person* réveiller
wake[2] [weɪk] *n of ship* sillage *m*; ***in the ~ of*** *fig* à la suite de; ***follow in the ~ of*** venir à la suite de
'wake-up call: ***have a ~*** se faire réveiller par téléphone
Wales [weɪlz] pays *m* de Galles
walk [wɒːk] **1** *n* marche *f*; (*path*) allée *f*; ***it's a long / short ~ to the office*** le bureau est loin / n'est pas loin à pied; ***go for a ~*** aller se promener, aller faire un tour **2** *v/i* marcher; *as opposed to taking the car, bus etc* aller à pied; (*hike*) faire de la marche **3** *v/t dog* promener; ***~ the streets*** (*walk around*) parcourir les rues

♦**walk out** *v/i of spouse* prendre la porte; *of theater etc* partir; (*go on strike*) se mettre en grève

♦**walk out on** *v/t family* abandonner; *partner, boyfriend, wife* quitter

walk·er ['wɒːkər] (*hiker*) randonneur (-euse) *m(f)*; *for baby* trotte-bébé *m*; *for old person* déambulateur *m*; ***be a slow / fast ~*** marcher lentement / vite

walk-in 'clos·et placard *m* de plain-pied

walk·ing ['wɒːkɪŋ] *as opposed to driving* marche *f*; (*hiking*) randonnée *f*; ***be within ~ distance*** ne pas être loin à pied

'walk·ing stick canne *f*

'Walk·man® walkman *m*; **'walk·out** (*strike*) grève *f*; **'walk·o·ver** (*easy win*) victoire *f* facile; **'walk-up** *appartement dans un immeuble sans ascenseur*

wall [wɒːl] mur *m*; ***go to the ~*** *of company* faire faillite; ***drive s.o. up the ~*** F rendre qn fou

wal·let ['wɑːlɪt] (*billfold*) portefeuille *m*

'wall·pa·per 1 *n also* COMPUT papier *m* peint **2** *v/t* tapisser

'Wall Street Wall Street

wal·nut ['wɒːlnʌt] *nut* noix *f*; *tree, wood* noyer *m*

waltz [wɒːlts] *n* valse *f*

wan [wɑːn] *adj face* pâlot*

wand·er ['wɑːndər] *v/i* (*roam*) errer; (*stray*) s'égarer

♦**wander around** *v/i* déambuler

wane [weɪn] *v/i of moon* décroître; *of interest, enthusiasm* diminuer

wan·gle ['wæŋgl] *v/t* F réussir à obtenir (par une combine)

want [wɑːnt] **1** *n*: ***for ~ of*** par manque de, faute de **2** *v/t* vouloir; (*need*) avoir besoin de; ***~ to do sth*** vouloir faire qch; ***I ~ to stay here*** je veux rester ici; ***I don't ~ to*** je ne veux pas; ***she ~s you to go back*** elle veut que tu reviennes (*subj*); ***he ~s a haircut*** (*needs*) il a besoin d'une coupe de cheveux; ***you ~ to be more careful*** il faut que tu fasses (*subj*) plus attention **3** *v/i*: ***~ for nothing*** ne manquer de rien

'want ad petite annonce *f*

want·ed ['wɑːntɪd] *adj by police* recherché

want·ing ['wɑːntɪŋ] *adj*: ***be ~ in*** manquer de

wan·ton ['wɑːntən] *adj* gratuit

war [wɔːr] guerre *f*; *fig*: *between competitors* lutte *f*; ***the ~ on drugs / unemployment*** la lutte antidrogue / contre le chômage; ***be at ~*** être en guerre

war·ble ['wɔːrbl] *v/i of bird* gazouiller

ward [wɔːrd] *Br*: *in hospital* salle *f*; *child* pupille *m/f*

♦**ward off** *v/t* éviter

war·den ['wɔːrdn] *of prison* gardien (ne) *m(f)*

'ward·robe *for clothes* armoire *f*; (*clothes*) garde-robe *f*

ware·house ['werhaʊs] entrepôt *m*

war·fare ['wɔːrfer] guerre *f*

'war·head ogive *f*

war·i·ly ['werɪlɪ] *adv* avec méfiance

warm [wɔːrm] *adj* chaud; *fig*: *welcome, smile* chaleureux*; ***be ~*** *of person* avoir chaud

♦**warm up 1** *v/t* réchauffer **2** *v/i* se réchauffer; *of athlete etc* s'échauffer

warm·heart·ed ['wɔːrmhɑːrtɪd] *adj* chaleureux*

warm·ly ['wɔːrmlɪ] *adv* chaudement; *fig*: *welcome, smile* chaleureusement

warmth [wɔːrmθ] *also fig* chaleur *f*

'warm-up SP échauffement *m*

warn [wɔːrn] *v/t* prévenir

warn·ing ['wɔːrnɪŋ] avertissement *m*; ***without ~*** *start to rain etc* tout à coup; *leave s.o. etc* sans prévenir

'warn·ing light voyant *m* (d'avertissement)

warp [wɔːrp] **1** *v/t wood* gauchir; *fig*: *character* pervertir **2** *v/i of wood* gauchir

warped [wɔːrpt] *adj fig* tordu

'war·plane avion *m* de guerre

war·rant ['wɔːrənt] **1** *n* mandat *m* **2** *v/t* (*deserve, call for*) justifier

war·ran·ty ['wɔːrəntɪ] (*guarantee*) garantie *f*; ***be under ~*** être sous garan-

tie
war·ri·or ['wɔːrɪər] guerrier(-ière) *m(f)*
'war·ship navire *m* de guerre
wart [wɔːrt] verrue *f*
'war·time temps *m* de guerre
war·y ['werɪ] *adj* méfiant; ***be ~ of*** se méfier de
was [wʌz] *pret* → ***be***
wash [wɑːʃ] **1** *n*: ***have a ~*** se laver; ***that shirt needs a ~*** cette chemise a besoin d'être lavée **2** *v/t clothes, dishes* laver; ***~ the dishes*** faire la vaisselle; ***~ one's hands*** se laver les mains **3** *v/i* se laver
♦**wash up** *v/i (wash one's hands and face)* se débarbouiller
wash·a·ble ['wɑːʃəbl] *adj* lavable
'wash·ba·sin, 'wash·bowl lavabo *m*
'wash·cloth gant *m* de toilette
washed out [wɑːʃt'aʊt] *adj (tired)* usé
wash·er ['wɑːʃər] *for faucet etc* rondelle *f*; → ***wash·ing ma·chine***
wash·ing ['wɑːʃɪŋ] lessive *f*; ***do the ~*** faire la lessive
'wash·ing ma·chine machine *f* à laver
'wash·room toilettes *fpl*
wasp [wɑːsp] *insect* guêpe *f*
waste [weɪst] **1** *n* gaspillage *m*; *from industrial process* déchets *mpl*; ***it's a ~ of time / money*** c'est une perte de temps / d'argent **2** *adj* non utilisé **3** *v/t* gaspiller
♦**waste away** *v/i* dépérir
'waste bas·ket corbeille *f* à papier
'waste dis·pos·al (u·nit) broyeur *m* d'ordures
waste·ful ['weɪstfʊl] *adj person, society* gaspilleur*
'waste·land désert *m*; **waste 'pa·per** papier(s) *m(pl) (jeté(s) à la poubelle)*; **'waste pipe** tuyau *m* d'écoulement; **'waste 'prod·uct** déchets *mpl*
watch [wɑːtʃ] **1** *n timepiece* montre *f*; ***keep ~*** monter la garde **2** *v/t* regarder; *(look after)* surveiller; *(spy on)* épier; ***~ what you say*** fais attention à ce que tu dis **3** *v/i* regarder
♦**watch for** *v/t* attendre
♦**watch out** *v/i* faire attention; ***watch out!*** fais attention!
♦**watch out for** *v/t (be careful of)* faire attention à
'watch·ful ['wɑːtʃfʊl] *adj* vigilant
'watch·mak·er horloger(-ère) *m(f)*
wa·ter ['wɒːtər] **1** *n* eau *f*; ***~s*** *pl* NAUT eaux **2** *v/t plant, garden* arroser **3** *v/i of eyes* pleurer; ***my eyes were ~ing*** j'avais les yeux qui pleuraient; ***my mouth is ~ing*** j'ai l'eau à la bouche
♦**water down** *v/t drink* diluer
'wa·ter can·non canon *m* à eau
'wa·ter·col·or, *Br* **'wa·ter·col·our** aquarelle *f*
wa·ter·cress ['wɒːtərkres] cresson *m*
wa·tered down ['wɒːtərd] *adj fig* atténué
'wa·ter·fall chute *f* d'eau
wa·ter·ing can ['wɒːtərɪŋ] arrosoir *m*
'wa·ter·ing hole *hum* bar *m*
'wa·ter lev·el niveau *m* de l'eau; **'wa·ter lil·y** nénuphar *m*; **'wa·ter·line** ligne *f* de flottaison; **wa·ter·logged** ['wɒːtərlɑːgd] *adj earth, field* détrempé; *boat* plein d'eau; **'wa·ter main** conduite *f* d'eau; **'wa·ter·mark** filigrane *m*; **'wa·ter·mel·on** pastèque *f*; **'wa·ter pol·lu·tion** pollution *f* de l'eau; **'wa·ter po·lo** water polo *m*; **'wa·ter·proof** *adj* imperméable; **'wa·ter·shed** *fig* tournant *m*; **'wa·ter·side** *n* bord *m* de l'eau; ***at the ~*** au bord de l'eau; **'wa·ter·ski·ing** ski *m* nautique; **'wa·ter·tight** *adj compartment* étanche; *fig: alibi* parfait; **'wa·ter·way** voie *f* d'eau; **'wa·ter-wings** *npl* flotteurs *mpl*; **'wa·ter·works** F: ***turn on the ~*** se mettre à pleurer
wa·ter·y ['wɒːtərɪ] *adj soup, sauce* trop clair; *coffee* trop léger*
watt [wɑːt] watt *m*
wave[1] [weɪv] *n in sea* vague *f*
wave[2] [weɪv] **1** *n of hand* signe *m* **2** *v/i with hand* saluer; *of flag* flotter; ***~ to s.o.*** saluer qn (de la main) **3** *v/t flag etc* agiter
'wave·length RAD longueur *f* d'onde; ***be on the same ~*** *fig* être sur la même longueur d'onde
wa·ver ['weɪvər] *v/i* hésiter

wav·y ['weɪvɪ] *adj* ondulé
wax[1] [wæks] *n* cire *f*
wax[2] [wæks] *v/i of moon* croître
way [weɪ] **1** *n* (*method, manner*) façon *f*; (*route*) chemin *m* (**to** de); ***the ~ he behaves*** la façon dont il se comporte; ***this ~*** (*like this*) comme ça; (*in this direction*) par ici; ***by the ~*** (*incidentally*) au fait; ***by ~ of*** (*via*) par; (*in the form of*) en guise de; ***in a ~*** (*in certain respects*) d'une certaine façon; ***be under ~*** être en cours; ***be well under ~*** être bien avancé; ***give ~*** (*collapse*) s'écrouler; ***give ~ to*** (*be replaced by*) être remplacé par; ***want to have one's*** (**own**) ***~*** n'en faire qu'à sa tête; ***he always had his own ~*** il a toujours fait ce qu'il voulait; ***OK, we'll do it your ~*** O.K., on va le faire à votre façon; ***lead the ~*** passer en premier; *fig* être le premier; ***lose one's ~*** se perdre; ***be in the ~*** (*be an obstruction*) gêner le passage; *disturb*) gêner; ***it's on the ~ to the station*** c'est sur le chemin de la gare; ***I was on my ~ to the station*** je me rendais à la gare; ***it's a long ~*** c'est loin; ***no ~!*** pas question!; ***there's no ~ he can do it*** il ne peut absolument pas le faire
2 *adv* F (*much*): ***it's ~ too soon to decide*** c'est bien trop tôt pour décider; ***they're ~ behind with their work*** ils sont très en retard dans leur travail
way 'in entrée *f*; **way of 'life** mode *m* de vie; **way 'out** sortie *f*; *fig* issue *f*
we [wiː] *pron* nous
weak [wiːk] *adj government, currency, person* faible; *tea, coffee* léger*
weak·en ['wiːkn] **1** *v/t* affaiblir **2** *v/i of currency, person* s'affaiblir; *in negotiation etc* faiblir
weak·ling ['wiːklɪŋ] faible *m/f*
weak·ness ['wiːknɪs] faiblesse *f*; ***have a ~ for sth*** (*liking*) avoir un faible pour qch
wealth [welθ] richesse *f*; ***a ~ of*** une abondance de
wealth·y ['welθɪ] *adj* riche
weap·on ['wepən] arme *f*
wear [wer] **1** *n*: **~** (***and tear***) usure *f*; ***this coat has had a lot of ~*** cette veste est très usée; ***clothes for everyday / evening ~*** vêtements de tous les jours / du soir **2** *v/t* (*pret* **wore**, *pp* **worn**) (*have on*) porter; (*damage*) user; ***what are you ~ing to the party?*** comment t'habilles-tu pour la soirée?; ***what was he ~ing?*** comment était-il habillé? **3** *v/i* (*pret* **wore**, *pp* **worn**) (*~ out*) s'user; ***~ well*** (*last*) faire bon usage
♦**wear away 1** *v/i* s'effacer **2** *v/t* user
♦**wear down** *v/t* user; ***wear s.o. down*** *make s.o. change their mind* avoir qn à l'usure
♦**wear off** *v/i of effect, feeling* se dissiper
♦**wear out 1** *v/t* (*tire*) épuiser; *shoes, carpet* user **2** *v/i of shoes, carpet* s'user
wea·ri·ly ['wɪrɪlɪ] *adv* avec lassitude
wear·ing ['werɪŋ] *adj* (*tiring*) lassant
wear·y ['wɪrɪ] *adj* las*
weath·er ['weðər] **1** *n* temps *m*; ***be feeling under the ~*** ne pas être très en forme **2** *v/t crisis* survivre à
'weath·er-beat·en *adj* hâlé; **'weath·er chart** carte *f* météorologique; **'weath·er fore·cast** prévisions météorologiques *fpl*, météo *f*; **'weath·er·man** présentateur *m* météo
weave [wiːv] **1** *v/t* (*pret* **wove**, *pp* **woven**) *cloth* tisser; *basket* tresser **2** *v/i* (*pret* **weaved**, *pp* **weaved**) *of driver, cyclist* se faufiler
Web [web]: ***the ~*** COMPUT le Web
web [web] *of spider* toile *f*
webbed 'feet [webd] *npl* pieds *mpl* palmés
'web page page *f* de Web
'web site site *m* Web
wed·ding ['wedɪŋ] mariage *m*
'wed·ding an·ni·ver·sa·ry anniversaire *m* de mariage; **'wed·ding cake** gâteau *m* de noces; **'wed·ding day** jour *m* de mariage; ***on my ~*** le jour de mon mariage; **'wed·ding dress** robe *f* de mariée; **'wed·ding ring** alliance *f*
wedge [wedʒ] **1** *n to hold sth in place* cale *f*; *of cheese etc* morceau *m* **2** *v/t*: **~**

open maintenir ouvert avec une cale
Wed·nes·day ['wenzdeɪ] mercredi *m*
weed [wiːd] **1** *n* mauvaise herbe *f* **2** *v/t* désherber
♦**weed out** *v/t* (*remove*) éliminer
'weed·kill·er herbicide *f*
weed·y ['wiːdɪ] *adj* F chétif*
week [wiːk] semaine *f*; ***a ~ tomorrow*** demain en huit
'week·day jour *m* de la semaine
'week·end week-end *m*; ***on the ~*** (*on this ~*) ce week-end; (*on every ~*) le week-end
week·ly ['wiːklɪ] **1** *adj* hebdomadaire **2** *n magazine* hebdomadaire *m* **3** *adv be published* toutes les semaines; *be paid* à la semaine
weep [wiːp] *v/i* (*pret & pp* ***wept***) pleurer
weep·y ['wiːpɪ] *adj*: ***be ~*** pleurer facilement
wee-wee ['wiːwiː] *n* F pipi *m* F; ***do a ~*** faire pipi
weigh [weɪ] **1** *v/t* peser; ***~ anchor*** lever l'ancre **2** *v/i* peser
♦**weigh down** *v/t*: ***be weighed down with*** être alourdi par; *fig*: *with cares* être accablé de
♦**weigh on** *v/t* inquiéter
♦**weigh up** *v/t* (*assess*) juger
weight [weɪt] *of person, object* poids *m*; ***put on ~*** grossir; ***lose ~*** maigrir
♦**weight down** *v/t* maintenir en place avec un poids
weight·less·ness ['weɪtlɪsnɪs] apesanteur *f*
weight·lift·er ['weɪtlɪftər] haltérophile *m/f*
weight·lift·ing ['weɪtlɪftɪŋ] haltérophilie *f*
weight·y ['weɪtɪ] *adj fig* (*important*) sérieux*
weir [wɪr] barrage *m*
weird [wɪrd] *adj* bizarre
weird·ly ['wɪrdlɪ] *adv* bizarrement
weird·o ['wɪrdoʊ] F cinglé(e) *m(f)* F
wel·come ['welkəm] **1** *adj* bienvenu; ***make s.o. ~*** faire bon accueil à qn; ***you're ~!*** je vous en prie!; ***you're ~ to try some*** si vous voulez en essayer, vous êtes le bienvenu **2** *n also fig*: *to news, announcements* accueil *m* **3** *v/t* accueillir; *fig*: *news, announcement* se réjouir de; *opportunity* saisir
weld [weld] *v/t* souder
weld·er ['weldər] soudeur(-euse) *m(f)*
wel·fare ['welfer] bien-être *m*; *financial assistance* sécurité *f* sociale; ***be on ~*** toucher les allocations
'wel·fare check chèque *m* d'allocations; **wel·fare 'state** État *m* providence; **'wel·fare work** assistance *f* sociale; **'wel·fare work·er** assistant social *m*, assistante sociale *f*
well[1] [wel] *n for water, oil* puits *m*
well[2] **1** *adv* bien; ***you did ~ in the exam*** tu as bien réussi l'examen; ***~ done!*** bien!; ***as ~*** (*too*) aussi; (*in addition to*) en plus de; ***it's just as ~ you told me*** tu as bien fait de me le dire; ***very ~*** *acknowledging order* entendu; *reluctantly agreeing* très bien; ***~, ~!*** *surprise* tiens, tiens!; ***~ …*** *uncertainty, thinking* eh bien … **2** *adj*: ***be ~*** aller bien; ***feel ~*** se sentir bien; ***get ~ soon!*** remets-toi vite!
well-'bal·anced *adj person, meal, diet* équilibré; **well-be·haved** [welbɪ'heɪvd] *adj* bien élevé; **well-'be·ing** bien-être *m*; **well-'built** *adj also euph* (*fat*) bien bâti; **well-'done** *adj meat* bien cuit; **well-dressed** [wel'drest] *adj* bien habillé; **well-earned** [wel'ɜːrnd] *adj* bien mérité; **well-heeled** [wel'hiːld] *adj* F cossu; **well-in·formed** [wel'ɪnfɔːrmd] *adj* bien informé; ***be ~*** (*knowledgeable*) être bien informé; **well-'known** *adj* connu; **well-'made** *adj* bien fait; **well-man·nered** [wel'mænərd] *adj* bien élevé; **well-'mean·ing** *adj* plein de bonnes intentions; **well-'off** *adj* riche; **well-'paid** *adj* bien payé; **well-read** [wel'red] *adj* cultivé; **well-timed** [wel'taɪmd] *adj* bien calculé; **well-to-'do** *adj* riche; **well-wish·er** ['welwɪʃər] personne *f* apportant son soutien; ***a ~*** *at end of anonymous letter* un ami qui vous veut du bien; **well-'worn** *adj* usé
Welsh [welʃ] **1** *adj* gallois **2** *n language* gallois *m*; ***the ~*** les Gallois *mpl*

went [went] *pret* → **go**
wept [wept] *pret & pp* → **weep**
were [wɜːr] *pret pl* → **be**
West [west]: ***the ~*** POL *Western nations* l'Occident *m*; *part of a country* l'Ouest *m*
west [west] **1** *n* ouest *m*; ***to the ~ of*** à l'ouest de **2** *adj* ouest *inv*; *wind* d'ouest; ***~ Chicago*** l'ouest de Chicago; ***~ Africa*** l'Afrique de l'Ouest **3** *adv travel* vers l'ouest; ***~ of*** à l'ouest de
West 'Coast *of USA* la côte ouest
west·er·ly ['westərlɪ] *adj wind* d'ouest; *direction* vers l'ouest
West·ern ['westərn] *adj* occidental
west·ern ['westərn] **1** *adj* de l'Ouest **2** *n movie* western *m*
West·ern·er ['westərnər] occidental (e)
west·ern·ized ['westərnaɪzd] *adj* occidentalisé
west·ward ['westwərd] *adv* vers l'ouest
wet [wet] *adj* mouillé; (*rainy*) humide; ***get ~*** se mouiller, se faire tremper F; ***it's ~ today*** il fait humide aujourd'hui; ***be ~ through*** être complètement trempé; ***~ paint*** *as sign* peinture fraîche
wet 'blan·ket F rabat-joie *m*
'wet suit *for diving* combinaison *f* de plongée
whack [wæk] **1** *n* F (*blow*) coup *m* **2** *v/t* F frapper
whacked [wækt] *adj Br* F crevé F
whack·o ['wækoʊ] F dingue *m/f* F
whack·y ['wækɪ] *adj* F déjanté F
whale [weɪl] baleine *f*
whal·ing ['weɪlɪŋ] chasse *f* à la baleine
wharf [wɔːrf] *Br* quai *m*
what [wɑːt] **1** *pron* ◊ : ***~?*** quoi?; ***~ for?*** (*why?*) pourquoi?; ***so ~?*** et alors?
◊ *as object* que; *before vowel* qu'; ***~ did he say?*** qu'est-ce qu'il a dit?, qu'a-t-il dit?; ***~ is that?*** qu'est-ce que c'est?; ***~ is it?*** (*what do you want?*) qu'est-ce qu'il y a?
◊ *as subject* qu'est-ce qui; ***~ just fell off?*** qu'est-ce qui vient de tomber?
◊ *relative as object* ce que; ***that's not ~ I meant*** ce n'est pas ce que je voulais dire; ***I did ~ I could*** j'ai fait ce que j'ai pu; ***I don't know ~ you're talking about*** je ne vois pas de quoi tu parles; ***take ~ you need*** prends ce dont tu as besoin
◊ *relative as subject* ce qui; ***I didn't see ~ happened*** je n'ai pas vu ce qui s'est passé
◊ *suggestions*: ***~ about heading home?*** et si nous rentrions?; ***~ about some lunch?*** et si on allait déjeuner?
2 *adj* quel, quelle; *pl* quels, quelles; ***~ color is the car?*** de quelle couleur est la voiture?
what·ev·er [wɑːt'evər] **1** *pron* ◊ *as subject* tout ce qui; *as object* tout ce que; ***~ is left alive*** tout ce qui est encore vivant; ***he eats ~ you give him*** il mange tout ce qu'on lui donne
◊ (*no matter what*) *with noun* quel(le) que soit; *with clause* quoi que (+*subj*); ***~ the season*** quelle que soit la saison; ***~ you do*** quoi que tu fasses
◊ : ***~ gave you that idea?*** qu'est-ce qui t'a donné cette idée?; ***ok, ~*** F ok, si vous le dites
2 *adj* n'importe quel(le); ***you have no reason ~ to worry*** tu n'as absolument aucune raison de t'inquiéter
wheat [wiːt] blé *m*
whee·dle ['wiːdl] *v/t*: ***~ sth out of s.o.*** soutirer qch de qn par des cajoleries
wheel [wiːl] **1** *n* roue *f*; (*steering ~*) volant *m* **2** *v/t bicycle, cart* pousser **3** *v/i of birds* tournoyer
♦**wheel around** *v/i* se retourner (brusquement)
'wheel·bar·row brouette *f*; **'wheel·chair** fauteuil *m* roulant; **'wheel clamp** *Br* sabot *m* de Denver
wheeze [wiːz] *v/i* respirer péniblement
when [wen] **1** *adv* quand; ***~ do you open?*** quand est-ce que vous ouvrez?; ***I don't know ~ I'll be back*** je ne sais pas quand je serai de retour
2 *conj* quand; *esp with past tense also* lorsque; ***~ I was a child*** quand *or* lorsque j'étais enfant; ***on the day ~***

... le jour où ...

when·ev·er [wen'evər] *adv each time* chaque fois que; *regardless of when* n'importe quand

where [wer] **1** *adv* où; **~ *from?*** d'où?; **~ *to?*** où? **2** *conj* où; ***this is ~ I used to live*** c'est là que j'habitais

where·a·bouts [werə'baʊts] **1** *adv* où **2** *npl*: ***nothing is known of his ~*** personne ne sait où il est

where'as *conj* tandis que

wher·ev·er [wer'evər] **1** *conj* partout où; **~ *you go, don't forget to ...*** où que tu ailles (*subj*), n'oublies pas de ...; ***sit ~ you like*** assieds-toi où tu veux **2** *adv* où (donc); **~ *can it be?*** où peut-il bien être?

whet [wet] *v/t* (*pret & pp* ***-ted***) *appetite* aiguiser

wheth·er ['weðər] *conj* (*if*) si; ***I don't know ~ to tell him or not*** je ne sais pas si je dois lui dire ou pas; **~ *you approve or not*** que tu sois (*subj*) d'accord ou pas

which [wɪʧ] **1** *adj* quel, quelle; *pl* quels, quelles; **~ *boy / girl?*** quel garçon / quelle fille?
2 *pron* ◊ *interrogative* lequel, laquelle; *pl* lesquels, lesquelles; **~ *are your favorites?*** lesquels préférez-vous?; ***take one, it doesn't matter ~*** prends-en un, n'importe lequel
◊ *relative*: *subject* qui; *object* que; *after prep* lequel, laquelle; *pl* lesquels, lesquelles; ***the mistake ~ is more serious*** l'erreur qui est plus grave; ***the mistake ~ you're making*** l'erreur que tu fais; ***the house in ~ ...*** la maison dans laquelle ...

which·ev·er [wɪʧ'evər] **1** *adj* quel(le) que soit; *pl* quels / quelles que soient; **~ *flight you take*** quel que soit le vol que vous prenez; ***choose ~ color you like*** choisis la couleur que tu veux
2 *pron subject* celui / celle qui; *object* celui / celle que; ***you can have ~ you want*** tu peux avoir celui / celle que tu veux
◊ *no matter which* n'importe lequel / laquelle; **~ *you choose*** quel que soit celui / quelle que soit celle que vous choisissez

whiff [wɪf]: ***catch a ~ of sth*** sentir qch

while [waɪl] **1** *conj* pendant que; (*although*) bien que (*+subj*) **2** *n*: ***a long ~*** longtemps; ***it's been a long ~ since we last met*** ça fait longtemps qu'on ne s'est pas vu; ***for a ~*** pendant un moment; ***I'll wait a ~ longer*** je vais attendre un peu plus longtemps

♦**while away** *v/t time* passer

whim [wɪm] caprice *m*; ***on a ~*** sur un coup de tête

whim·per ['wɪmpər] **1** *n* pleurnichement *m*; *of animal* geignement *m* **2** *v/i* pleurnicher; *of animal* geindre

whine [waɪn] *v/i of dog etc* gémir; F (*complain*) pleurnicher

whip [wɪp] **1** *n* fouet *m* **2** *v/t* (*pret & pp* ***-ped***) (*beat*) fouetter; *cream* battre; F (*defeat*) battre à plates coutures

♦**whip out** *v/t* F (*take out*) sortir en un tour de main

♦**whip up** *v/t crowds* galvaniser; *hatred* attiser

whipped cream ['wɪptkri:m] crème *f* fouettée

whip·ping ['wɪpɪŋ] (*beating*) correction *f*; F (*defeat*) défaite *f* à plates coutures

whirl [wɜ:rl] **1** *n*: ***my mind is in a ~*** la tête me tourne **2** *v/i of leaves* tourbillonner; *of propeller* tourner

♦**whirl around** *v/i of person* se retourner brusquement

'whirl·pool *in river* tourbillon *m*; *for relaxation* bain *m* à remous

'whirl·wind tourbillon *m*

whirr [wɜ:r] *v/i* ronfler

whisk [wɪsk] **1** *n* fouet *m* **2** *v/t eggs* battre

♦**whisk away** *v/t plates etc* enlever rapidement

whis·kers ['wɪskərz] *npl of man* favoris *mpl*; *of animal* moustaches *fpl*

whis·key, *Br* **whis·ky** ['wɪskɪ] whisky *m*

whis·per ['wɪspər] **1** *n* chuchotement *m*; (*rumor*) bruit *m* **2** *v/t & v/i* chuchoter

whis·tle ['wɪsl] **1** *n sound* sifflement *m*; *device* sifflet *m* **2** *v/t & v/i* siffler

whis·tle-blow·er ['wɪslbloʊər] F personne *f* qui vend la mèche

white [waɪt] **1** *n color, of egg* blanc *m*; *person* Blanc *m*, Blanche *f* **2** *adj* blanc*; ***go ~*** *of face* devenir pâle; *of hair, person* blanchir

white 'Christ·mas Noël *m* blanc; **white-col·lar 'work·er** col *m* blanc; **'White House** Maison *f* Blanche; **white 'lie** pieux mensonge *m*; **'white meat** viande *f* blanche; **'white-out** *in snow* visibilité *f* nulle à cause de la neige; *for text* fluide *m* correcteur; **'white·wash 1** *n* blanc *m* de chaux; *fig* maquillage *m* de la vérité **2** *v/t* blanchir à la chaux; **'white wine** vin *m* blanc

whit·tle ['wɪtl] *v/t wood* tailler au couteau

♦ **whittle down** *v/t* réduire (***to*** à)

whizz [wɪz] *n*: ***be a ~ at*** F être un crack en F

♦ **whizz by, whizz past** *v/i of time, car* filer

'whizz·kid F prodige *m*

who [huː] *pron* ◊ *interrogative* qui; ***~ was that?*** c'était qui?, qui était-ce? ◊ *relative*: *subject* qui; *object* que; ***the woman ~ saved the boy*** la femme qui a sauvé le garçon; ***the woman ~ you saw*** la femme que tu as vue; ***the man ~ she was speaking to*** l'homme auquel elle parlait

who·dun·nit [huː'dʌnɪt] roman *m* policier

who·ev·er [huː'evər] *pron* ◊ qui que ce soit; ***you can tell ~ you like*** tu peux le dire à qui tu veux; ***~ gets the right answer …*** celui / celle qui trouve la bonne réponse …
◊ : ***~ can that be?*** qui cela peut-il bien être?

whole [hoʊl] **1** *adj* entier*; ***the ~ …*** tout le (toute la) …; ***the ~ town*** toute la ville; ***he drank / ate the ~ lot*** il a tout bu / mangé; ***it's a ~ lot easier / better*** c'est bien plus facile / bien mieux **2** *n* tout *m*, ensemble *m*; ***the ~ of the United States*** l'ensemble *m* des États-Unis; ***on the ~*** dans l'ensemble

whole-heart·ed [hoʊl'hɑːrtɪd] *adj* inconditionnel*; **whole-heart·ed·ly** [hoʊl'hɑːrtɪdlɪ] *adv* sans réserve; **'whole·meal bread** *Br* pain *m* complet; **'whole·sale 1** *adj* de gros; *fig* en masse **2** *adv* au prix de gros; **whole·sal·er** ['hoʊlseɪlər] grossiste *m/f*; **whole·some** ['hoʊlsəm] *adj* sain; **'whole wheat bread** pain *m* complet

whol·ly ['hoʊlɪ] *adv* totalement

whol·ly owned sub'sid·i·ar·y filiale *f* à 100%

whom [huːm] *pron fml* qui

whoop·ing cough ['huːpɪŋ] coqueluche *f*

whop·ping ['wɑːpɪŋ] *adj* F énorme

whore [hɔːr] *n* putain *f*

whose [huːz] **1** *pron* ◊ *interrogative* à qui; ***~ is this?*** à qui c'est?
◊ *relative* dont; ***a man ~ wife …*** un homme dont la femme …; ***a country ~ economy is booming*** un pays dont l'économie prospère
2 *adj* à qui; ***~ bike is that?*** à qui est ce vélo?; ***~ car are we taking?*** on prend la voiture de qui?; ***~ fault is it then?*** à qui la faute alors?

why [waɪ] *adv* pourquoi; ***that's ~*** voilà pourquoi; ***~ not?*** pourquoi pas?; ***the reason ~ I'm late*** la raison pour laquelle je suis en retard

wick [wɪk] mèche *f*

wick·ed ['wɪkɪd] *adj* méchant; (*mischievous*) malicieux*; P (*great*) tip top F

wick·er ['wɪkər] *adj* osier *m*

wick·er 'chair chaise *f* en osier

wick·et ['wɪkɪt] *in station, bank etc* guichet *m*

wide [waɪd] *adj street, field* large; *experience, range* vaste; ***be 12 foot ~*** faire 3 mètres et demi de large

wide-a'wake *adj* complètement éveillé

wide·ly ['waɪdlɪ] *adv* largement; ***~ known*** très connu; ***it is ~ believed that …*** on pense généralement que …

wid·en ['waɪdn] **1** *v/t* élargir **2** *v/i* s'élargir

wide-'o·pen *adj* grand ouvert

wide-rang·ing [waɪd'reɪndʒɪŋ] *adj* de vaste portée

'wide·spread *adj hunger, poverty, belief* répandu

wid·ow ['wɪdoʊ] *n* veuve *f*

wid·ow·er ['wɪdoʊər] veuf *m*

width [wɪdθ] largeur *f*

wield [wi:ld] *v/t weapon* manier; *power* exercer

wife [waɪf] (*pl* ***wives*** [waɪvz]) femme *f*

wig [wɪg] perruque *f*

wig·gle ['wɪgl] *v/t loose screw, tooth* remuer; *hips* tortiller

wild [waɪld] **1** *adj animal, flowers* sauvage; *teenager* rebelle; *party* fou*; *scheme* délirant; *applause* frénétique; ***be ~ about*** *enthusiastic* être dingue de F; ***go ~*** devenir déchaîné; (*become angry*) se mettre en rage; ***run ~*** *of children* faire tout et n'importe quoi; *of plants* pousser dans tous les sens **2** *npl*: ***the ~s*** les régions reculées

wil·der·ness ['wɪldərnɪs] désert *m*; *fig*: *garden etc* jungle *f*

'wild·fire: ***spread like ~*** se répandre comme une traînée de poudre; **wild-'goose chase** recherche *f* inutile; **'wild·life** faune *f* et flore *f*; ***~ program*** émission *f* sur la nature

wild·ly ['waɪldlɪ] *adv applaud, kick* frénétiquement; F *extremely* follement

wil·ful *Br* → ***willful***

will·ful ['wɪlfl] *adj person, refusal* volontaire

will[1] [wɪl] *n* LAW testament *m*

will[2] [wɪl] *n* (*willpower*) volonté *f*

will[3] [wɪl] *v/aux*: ***I ~ let you know tomorrow*** je vous le dirai demain; ***~ you be there?*** est-ce que tu seras là?; ***I won't be back until late*** je ne reviendrai qu'assez tard; ***you ~ call me, won't you?*** tu m'appelleras, n'est-ce pas?; ***I'll pay for this - no you won't*** je vais payer - non; ***the car won't start*** la voiture ne veut pas démarrer; ***~ you tell her that …?*** est-ce que tu pourrais lui dire que …?; ***~ you have some more coffee?*** est-ce que vous voulez encore du café?; ***~ you stop that!*** veux-tu arrêter!

will·ing ['wɪlɪŋ] *adj helper* de bonne volonté; ***be ~ to do sth*** être prêt à faire qch

will·ing·ly ['wɪlɪŋlɪ] *adv* (*with pleasure*) volontiers

will·ing·ness ['wɪlɪŋnɪs] empressement *m* (***to do*** à faire)

wil·low ['wɪloʊ] saule *m*

'will·pow·er volonté *f*

wil·ly-nil·ly [wɪlɪ'nɪlɪ] *adv* (*at random*) au petit bonheur la chance

wilt [wɪlt] *v/i of plant* se faner

wi·ly ['waɪlɪ] *adj* rusé

wimp [wɪmp] F poule *f* mouillée

win [wɪn] **1** *n* victoire *f* **2** *v/t & v/i* (*pret & pp* ***won***) gagner; *prize* remporter

♦**win back** *v/t money, trust, voters* regagner

wince [wɪns] *v/i* tressaillir

winch [wɪntʃ] *n* treuil *m*

wind[1] [wɪnd] **1** *n* vent *m*; (*flatulence*) gaz *m*; ***get ~ of …*** avoir vent de … **2** *v/t*: ***be ~ed*** *by ball etc* avoir le souffle coupé

wind[2] [waɪnd] **1** *v/i* (*pret & pp* ***wound***) *of path, river* serpenter; *of staircase* monter en colimaçon; *of ivy* s'enrouler **2** *v/t* (*pret & pp* ***wound***) enrouler

♦**wind down 1** *v/i of party etc* tirer à sa fin **2** *v/t car window* baisser; *business* réduire progressivement

♦**wind up 1** *v/t clock, car window* remonter; *speech, presentation* terminer; *affairs* conclure; *company* liquider **2** *v/i* (*finish*) finir; ***wind up in the hospital*** finir à l'hôpital

'wind-bag F moulin *m* à paroles F; **'wind·fall** *fig* aubaine *f*; **'wind farm** champ *m* d'éoliennes

wind·ing ['waɪndɪŋ] *adj path* qui serpente

'wind in·stru·ment instrument *m* à vent

'wind·mill moulin *m* (à vent)

win·dow ['wɪndoʊ] *also* COMPUT fenêtre *f*; *of airplane, boat* hublot *m*; *of store* vitrine *f*; ***in the ~*** *of store* dans

W

la vitrine
'win·dow box jardinière *f*; **'win·dow clean·er** *person* laveur(-euse) *m(f)* de vitres; **'win·dow·pane** vitre *f*; **'win-dow seat** *on train* place *f* côté fenêtre; *on airplane* place côté hublot; **'win·dow-shop·ping**: ***go ~*** faire du lèche-vitrines; **win·dow·sill** ['wɪndoʊsɪl] rebord *m* de fenêtre
'wind·pipe trachée *f*; **'wind·screen** *Br* **'wind·shield** pare-brise *m*; **'wind·shield wip·er** essuie-glace *m*; **'wind·surf·er** véliplanchiste *m/f*; **'wind·surf·ing** planche *f* à voile; **'wind tur·bine** éolienne *f*
wind·y ['wɪndɪ] *adj weather, day* venteux*; ***it's so ~*** il y a tellement de vent; ***it's getting ~*** le vent se lève
wine [waɪn] vin *m*
'wine bar bar *m* à vin; **'wine cel·lar** cave *f* (à vin); **'wine glass** verre *m* à vin; **'wine list** carte *f* des vins; **'wine mak·er** vigneron(ne) *m(f)*; **'wine mer·chant** marchand *m* de vin
win·er·y ['waɪnərɪ] établissement *m* viticole
wing [wɪŋ] *of bird, airplane*, SP aile *f*
'wing·span envergure *f*
wink [wɪŋk] **1** *n* clin *m* d'œil; ***I didn't sleep a ~*** F je n'ai pas fermé l'œil de la nuit **2** *v/i of person* cligner des yeux; ***~ at s.o.*** faire un clin d'œil à qn
win·ner ['wɪnər] gagnant(e) *m(f)*
win·ning ['wɪnɪŋ] *adj* gagnant
'win·ning post poteau *m* d'arrivée
win·nings ['wɪnɪŋz] *npl* gains *mpl*
win·ter ['wɪntər] *n* hiver *m*
win·ter 'sports *npl* sports *mpl* d'hiver
win·try ['wɪntrɪ] *adj* d'hiver
wipe [waɪp] *v/t* essuyer; *tape* effacer; ***~ one's eyes / feet*** s'essuyer les yeux / les pieds
♦ **wipe out** *v/t* (*kill, destroy*) détruire; *debt* amortir
wip·er ['waɪpər] → ***windshield wiper***
wire ['waɪr] *n* fil *m* de fer; *electrical* fil *m* électrique
wire·less ['waɪrlɪs] **1** *n* radio *f* **2** *adj* sans fil
wire net·ting [waɪr'netɪŋ] grillage *m*
wir·ing ['waɪrɪŋ] ELEC installation *f* électrique
wir·y ['waɪrɪ] *adj person* nerveux*
wis·dom ['wɪzdəm] sagesse *f*
'wis·dom tooth dent *f* de sagesse
wise [waɪz] *adj* sage
'wise·crack F vanne *f* F
'wise guy *pej* petit malin *m*
wise·ly ['waɪzlɪ] *adv act* sagement
wish [wɪʃ] **1** *n* vœu *m*; ***make a ~*** faire un vœu; ***my ~ came true*** mon vœu s'est réalisé; ***against s.o.'s ~es*** contre l'avis de qn; ***best ~es*** cordialement; *for birthday, Christmas* meilleurs vœux **2** *v/t* souhaiter; ***I ~ that you didn't have to go*** je regrette que tu doives partir; ***I ~ that I could stay here for ever*** j'aimerais rester ici pour toujours; ***I ~ him well*** je lui souhaite bien de la chance; ***I ~ I could*** si seulement je pouvais
♦ **wish for** *v/t* vouloir
'wish·bone fourchette *f*
wish·ful ['wɪʃfl] *adj*: ***that's ~ thinking*** c'est prendre ses désirs pour des réalités
wish·y-wash·y ['wɪʃɪwɑːʃɪ] *adj person* mollasse; *color* délavé
wisp [wɪsp] *of hair* mèche *m*; *of smoke* traînée *f*
wist·ful ['wɪstfl] *adj* nostalgique
wist·ful·ly ['wɪstflɪ] *adv* avec nostalgie
wit [wɪt] (*humor*) esprit *m*; *person* homme *m*/femme *f* d'esprit; ***be at one's ~s' end*** ne plus savoir que faire; ***keep one's ~s about one*** garder sa présence d'esprit; ***be scared out of one's ~s*** avoir une peur bleue
witch [wɪʧ] sorcière *f*
'witch·hunt *fig* chasse *f* aux sorcières
with [wɪð] *prep* ◊ avec; ***~ a smile / a wave*** en souriant / faisant un signe de la main; ***are you ~ me?*** (*do you understand?*) est-ce que vous me suivez?; ***~ no money*** sans argent
◊ *agency, cause* de; ***tired ~ waiting*** fatigué d'attendre
◊ *characteristics* à; ***the woman ~ blue eyes*** la femme aux yeux bleus; ***s.o. ~ experience*** une personne d'expérience

◊ *at the house of* chez; ***I live ~ my aunt*** je vis chez ma tante
with·draw [wɪð'drɒː] **1** *v/t* (*pret* ***-drew***, *pp* ***-drawn***) retirer **2** *v/i* (*pret* ***-drew***, *pp* ***-drawn***) se retirer
with·draw·al [wɪð'drɒːəl] retrait *m*
with'draw·al symp·toms *npl* (symptômes *mpl* de) manque *m*
with·drawn [wɪð'drɒːn] *adj person* renfermé
with·er ['wɪðər] *v/i* se faner
with'hold *v/t* (*pret & pp* ***-held***) *information, name, payment* retenir; *consent* refuser
with'in *prep* (*inside*) dans; *in expressions of time* en moins de; *in expressions of distance* à moins de; ***is it ~ walking distance?*** est-ce qu'on peut y aller à pied?; ***we kept ~ the budget*** nous avons respecté le budget; ***~ my power / my capabilities*** dans mon pouvoir / mes capacités; ***~ reach*** à portée de la main
with'out *prep* sans; ***~ looking / asking*** sans regarder / demander; ***~ an umbrella*** sans parapluie
with'stand *v/t* (*pret & pp* ***-stood***) résister à
wit·ness ['wɪtnɪs] **1** *n* témoin *m* **2** *v/t* être témoin de
'wit·ness stand barre *f* des témoins
wit·ti·cism ['wɪtɪsɪzm] mot *m* d'esprit
wit·ty ['wɪtɪ] *adj* plein d'esprit
wob·ble ['wɑːbl] *v/i* osciller
wob·bly ['wɑːblɪ] *adj* bancal; *tooth* qui bouge; *voice* chevrotant
woke [woʊk] *pret* → ***wake***
wok·en ['woʊkn] *pp* → ***wake***
wolf [wʊlf] **1** *n* (*pl* ***wolves***) loup *m*; (*fig: womanizer*) coureur *m* de jupons **2** *v/t*: ***~ (down)*** engloutir
'wolf whis·tle *n* sifflement *m* (au passage d'une fille)
wom·an ['wʊmən] (*pl* ***women*** ['wɪmɪn]) femme *f*
wom·an 'doc·tor femme *f* médecin
wom·an 'driv·er conductrice *f*
wom·an·iz·er ['wʊmənaɪzər] coureur *m* de femmes
wom·an·ly ['wʊmənlɪ] *adj* féminin
wom·an 'priest prêtresse *f*
womb [wuːm] utérus *m*; ***in his mother's ~*** dans le ventre de sa mère
women ['wɪmɪn] *pl* → ***woman***
women's lib [wɪmɪnz'lɪb] libération *f* des femmes
women's lib·ber [wɪmɪnz'lɪbər] militante *f* des droits de la femme
won [wʌn] *pret & pp* → ***win***
won·der ['wʌndər] **1** *n* (*amazement*) émerveillement *m*; ***no ~!*** pas étonnant!; ***it's a ~ that …*** c'est étonnant que … (*+subj*) **2** *v/i* se poser des questions **3** *v/t* se demander; ***I ~ if you could help*** je me demandais si vous pouviez m'aider
won·der·ful ['wʌndərfʊl] *adj* merveilleux*
won·der·ful·ly ['wʌndərflɪ] *adv* (*extremely*) merveilleusement
won't [woʊnt] → ***will not***
wood [wʊd] bois *m*
wood·ed ['wʊdɪd] *adj* boisé
wood·en ['wʊdn] *adj* (*made of wood*) en bois
wood·peck·er ['wʊdpekər] pic *m*; **'wood·wind** MUS bois *m*; **'wood·work** *parts made of wood* charpente *f*; *activity* menuiserie *f*
wool [wʊl] laine *f*
wool·en ['wʊlən] **1** *adj* en laine **2** *n* lainage *m*
wool·len *Br* → ***woolen***
word [wɜːrd] **1** *n* mot *m*; *of song*, (*promise*) parole *f*, (*news*) nouvelle *f*; ***is there any ~ from …?*** est-ce qu'il y a des nouvelles de …?; ***you have my ~*** vous avez ma parole; ***have ~s*** (*argue*) se disputer; ***have a ~ with s.o.*** en parler à qn **2** *v/t article, letter* formuler
word·ing ['wɜːrdɪŋ] formulation *f*
word 'pro·cess·ing traitement *m* de texte
word 'pro·ces·sor *software* traitement *m* de texte
wore [wɔːr] *pret* → ***wear***
work [wɜːrk] **1** *n* travail *m*; ***out of ~*** au chômage; ***be at ~*** être au travail **2** *v/i of person* travailler; *of machine*, (*succeed*) marcher **3** *v/t employee* faire tra-

vailler; *machine* faire marcher

♦ **work off** *v/t excess weight* perdre; *hangover, bad mood* faire passer

♦ **work out 1** *v/t solution, (find out)* trouver; *problem* résoudre **2** *v/i at gym* s'entraîner; *of relationship, arrangement etc* bien marcher

♦ **work out to** *v/t (add up to)* faire

♦ **work up** *v/t*: ***work up enthusiasm*** s'enthousiasmer; ***work up an appetite*** s'ouvrir l'appétit; ***get worked up*** *angry* se fâcher; *nervous* se mettre dans tous ses états

work·a·ble ['wɜːrkəbl] *adj solution* possible

worka·hol·ic [wɜːrkə'hɑːlɪk] F bourreau *m* de travail

'work·day *(hours of work)* journée *f* de travail; *(not weekend)* jour *m* de travail

work·er ['wɜːrkər] travailleur(-euse) *m(f)*; ***she's a good ~*** elle travaille bien

'work·force main-d'œuvre *f*

'work hours *npl* heures *fpl* de travail

work·ing ['wɜːrkɪŋ] *adj day, week* de travail

'work·ing class classe *f* ouvrière; **'work·ing-class** *adj* ouvrier*; **'work·ing con·di·tions** *npl* conditions *fpl* de travail; **work·ing 'day** → ***workday***; **'work·ing hours** → ***work hours***; **work·ing 'knowledge** connaissances *fpl* suffisantes; **work·ing 'moth·er** mère *f* qui travaille

'work·load quantité *f* de travail; **'work·man** ouvrier *m*; **'work·man-like** *adj* de professionnel*; **'work·man·ship** fabrication *f*; **work of 'art** œuvre *f* d'art; **'work·out** séance *f* d'entraînement; **'work per·mit** permis *m* de travail; **'work·shop** *also seminar* atelier *m*; **'work sta·tion** station *f* de travail; **'work·top** plan *m* de travail

world [wɜːrld] monde *m*; ***the ~ of computers / the theater*** le monde des ordinateurs / du théâtre; ***out of this ~*** F extraordinaire

world-'class *adj* de niveau mondial; **World 'Cup** *in soccer* Coupe *f* du monde; **world-'fa·mous** *adj* mondialement connu

world·ly ['wɜːrldlɪ] *adj* du monde; *person* qui a l'expérience du monde

world 'pow·er puissance *f* mondiale; **world 're·cord** record *m* mondial; **world 'war** guerre *f* mondiale; **'world·wide 1** *adj* mondial **2** *adv* dans le monde entier

worm [wɜːrm] *n* ver *m*

worn [wɔːrn] *pp* → ***wear***

worn-'out *adj shoes, carpet* trop usé; *person* éreinté

wor·ried ['wʌrɪd] *adj* inquiet*

wor·ried·ly ['wʌrɪdlɪ] *adv* avec inquiétude

wor·ry ['wʌrɪ] **1** *n* souci *m* **2** *v/t (pret & pp* ***-ied****)* inquiéter **3** *v/i (pret & pp* ***-ied****)* s'inquiéter

wor·ry·ing ['wʌrɪɪŋ] *adj* inquiétant

worse [wɜːrs] **1** *adj* pire **2** *adv play, perform, feel* plus mal

wors·en ['wɜːrsn] *v/i* empirer

wor·ship ['wɜːrʃɪp] **1** *n* culte *m* **2** *v/t (pret & pp* ***-ped****) God* honorer; *fig: person, money* vénérer

worst [wɜːrst] **1** *adj* pire **2** *adv*: ***the areas ~ affected*** les régions les plus (gravement) touchées; ***we came off ~*** nous sommes sortis perdants **3** *n*: ***the ~*** le pire; ***if (the) ~ comes to (the) ~*** dans le pire des cas

worst-case scen'a·ri·o scénario *m* catastrophe

worth [wɜːrθ] *adj*: ***$20 ~ of gas*** 20 $ de gaz; ***be ~ …*** *in monetary terms* valoir; ***it's ~ reading / seeing*** cela vaut la peine d'être lu / vu; ***be ~ it*** valoir la peine

worth·less ['wɜːrθlɪs] *adj object* sans valeur; *person* bon à rien

worth'while *adj cause* bon*; ***be ~*** *(beneficial, useful)* être utile; ***it's not ~ waiting*** cela ne vaut pas la peine d'attendre

worth·y ['wɜːrðɪ] *adj person, cause* digne; ***be ~ of sth*** *(deserve)* être digne de qch

would [wʊd] *v/aux*: ***I ~ help if I could*** je vous aiderais si je pouvais; ***I said that I ~ go*** j'ai dit que je viendrais;

~ you like to go to the movies? est-ce que tu voudrais aller au cinéma?; ***~ you tell her that …?*** pourriez-vous lui dire que …?; ***I ~ not have*** *or* ***~n't have been so angry if …*** je n'aurais pas été aussi en colère si …

wound[1] [wuːnd] **1** *n* blessure *f* **2** *v/t with weapon, words* blesser

wound[2] [waʊnd] *pret & pp* → ***wind***[2]

wove [woʊv] *pret* → ***weave***

wo·ven ['woʊvn] *pp* → ***weave***

wow [waʊ] *int* oh là là!

wrap [ræp] *v/t* (*pret & pp* ***-ped***) *parcel, gift* envelopper; *scarf etc* enrouler

♦**wrap up** *v/i against the cold* s'emmitoufler

wrap·per ['ræpər] emballage *m*; *for candy* papier *m*

wrap·ping ['ræpɪŋ] emballage *m*

'wrap·ping pa·per papier *m* d'emballage

wrath [ræθ] colère *f*

wreath [riːθ] couronne *f*

wreck [rek] **1** *n of ship* navire *m* naufragé; *of car, person* épave *f*; ***be a nervous ~*** avoir les nerfs détraqués **2** *v/t* détruire

wreck·age ['rekɪdʒ] *of ship* épave *m*; *of airplane* débris *mpl*; *fig: of marriage, career* restes *mpl*

wreck·er ['rekər] *truck* dépanneuse *f*

wreck·ing com·pa·ny ['rekɪŋ] compagnie *f* de dépannage

wrench [rentʃ] **1** *n tool* clef *f* **2** *v/t injure* fouler; (*pull*) arracher; ***~ one's shoulder*** se fouler l'épaule; ***he ~ed it away from me*** il me l'a arraché

wres·tle ['resl] *v/i* lutter

♦**wrestle with** *v/t fig* lutter contre

wres·tler ['reslər] lutteur(-euse) *m(f)*

wres·tling ['reslɪŋ] lutte *f*

'wres·tling con·test combat *m* de lutte

wrig·gle ['rɪgl] *v/i* (*squirm*) se tortiller

♦**wriggle out of** *v/t* se soustraire à

♦**wring out** [rɪŋ] *v/t* (*pret & pp* ***wrung***) *cloth* essorer

wrin·kle ['rɪŋkl] **1** *n in skin* ride *f*; *in clothes* pli *m* **2** *v/t clothes* froisser **3** *v/i of clothes* se froisser

wrist [rɪst] poignet *m*

'wrist·watch montre *f*

write [raɪt] **1** *v/t* (*pret* ***wrote***, *pp* ***written***) écrire; *check* faire **2** *v/i* (*pret* ***wrote***, *pp* ***written***) écrire

♦**write down** *v/t* écrire

♦**write off** *v/t debt* amortir; *car* bousiller F

writ·er ['raɪtər] *of letter, book, song* auteur *m/f*; *of book* écrivain *m/f*

'write-up F critique *f*

writhe [raɪð] *v/i* se tordre

writ·ing ['raɪtɪŋ] (*handwriting, script*) écriture *f*; (*words*) inscription *f*; ***in ~*** par écrit; ***~s*** *of author* écrits *mpl*

'writ·ing pa·per papier *m* à lettres

writ·ten ['rɪtn] *pp* → ***write***

wrong [rɒːŋ] **1** *adj information, decision, side* mauvais; *answer also* faux*; ***be ~*** *of person* avoir tort; *of answer* être mauvais; *morally* être mal; ***get the ~ train*** se tromper de train; ***what's ~?*** qu'est-ce qu'il y a?; ***there is something ~ with the car*** la voiture a un problème **2** *adv* mal; ***go ~*** *of person* se tromper; *of marriage, plan etc* mal tourner **3** *n* mal *m*; *injustice* injustice *f*; ***be in the ~*** avoir tort

wrong·ful ['rɒːŋfl] *adj* injuste

wrong·ly ['rɒːŋlɪ] *adv* à tort

wrong 'num·ber faux numéro *m*

wrote [roʊt] *pret* → ***write***

wrought 'i·ron [rɔːt] fer *m* forgé

wrung [rʌŋ] *pret & pp* → ***wring***

wry [raɪ] *adj* ironique

WWW [dʌbljuːdʌbljuː'dʌbljuː] *abbr* (= ***Worldwide Web***) réseau *m* mondial des serveurs multimédias, web *m*

X

xen·o·pho·bi·a [zenoʊ'foʊbɪə] xénophobie *f*

X·mas ['krɪsməs, 'eksməs] *abbr* (= ***Christmas***) Noël *m*

X-ray ['eksreɪ] **1** *n* radio *f* **2** *v/t* radiographier

xy·lo·phone [zaɪlə'foʊn] xylophone *m*

Y

yacht [jɑːt] *n* yacht *m*

yacht·ing ['jɑːtɪŋ] voile *f*

yachts·man ['jɑːtsmən] yachtsman *m*

Yank [jæŋk] F Ricain(e) *m(f)* F

yank [jæŋk] *v/t* tirer violemment

yap [jæp] *v/i* (*pret & pp* ***-ped***) *of small dog* japper; F (*talk a lot*) jacasser

yard[1] [jɑːrd] *of prison, institution etc* cour *f*; *behind house* jardin *m*; *for storage* dépôt *m*

yard[2] [jɑːrd] *measurement* yard *m*

'yard·stick point *m* de référence

yarn [jɑːrn] *n* (*thread*) fil *m*; F (*story*) (longue) histoire *f*

yawn [jɒːn] **1** *n* bâillement *m* **2** *v/i* bâiller

yeah [je] *adv* F ouais F

year [jɪr] année; ***for ~s*** depuis des années; ***be six ~s old*** avoir six ans

year·ly ['jɪrlɪ] **1** *adj* annuel* **2** *adv* tous les ans

yearn [jɜːrn] *v/i* languir

♦**yearn for** *v/t* avoir très envie de

yeast [jiːst] levure *f*

yell [jel] **1** *n* hurlement *m* **2** *v/t & v/i* hurler

yel·low ['jeloʊ] **1** *n* jaune *m* **2** *adj* jaune

yel·low 'pag·es pages *fpl* jaunes

yelp [jelp] **1** *n of animal* jappement *m*; *of person* glapissement *m* **2** *v/i of animal* japper; *of person* glapir

yes [jes] *int* oui; *after negative question* si; ***you didn't say that! - ~*** (***, I did***) tu n'as pas dit ça - si (je l'ai dit)

'yes·man *pej* béni-oui-oui *m* F

yes·ter·day ['jestərdeɪ] **1** *adv* hier **2** *n* hier *m*; ***the day before ~*** avant-hier

yet [jet] **1** *adv*: ***the best ~*** le meilleur jusqu'ici; ***as ~*** pour le moment; ***have you finished ~?*** as-tu (déjà) fini?; ***he hasn't arrived ~*** il n'est pas encore arrivé; ***is he here ~? - not ~*** est-ce qu'il est (déjà) là? - non, pas encore; ***~ bigger*** encore plus grand **2** *conj* cependant, néanmoins; ***~ I'm not sure*** néanmoins, je ne suis pas sûr

yield [jiːld] **1** *n from crops, investment etc* rendement *m* **2** *v/t fruit, good harvest* produire; *interest* rapporter **3** *v/i* (*give way*) céder; MOT céder la priorité

yo·ga ['joʊgə] yoga *m*

yog·hurt ['joʊgərt] yaourt *m*

yolk [joʊk] jaune *m* (d'œuf)

you [juː] *pron* ◊ *familiar singular*: *subject* tu; *object* te; *before vowels* t'; *after prep* toi; ***he knows ~*** il te connaît; ***for ~*** pour toi
◊ *polite singular, familiar plural and polite plural, all uses* vous
◊ *indefinite* on; ***~ never know*** on ne

sait jamais; ***if ~ have your passport with ~*** si on a son passeport sur soi

young [jʌŋ] *adj* jeune

young·ster ['jʌŋstər] jeune *m/f*; *child* petit(e) *m(f)*

your [jʊr] *adj familiar* ton, ta; *pl* tes; *polite* votre; *pl familiar and polite* vos

yours [jʊrz] *pron familiar* le tien, la tienne; *pl* les tiens, les tiennes; *polite* le / la vôtre; *pl* les vôtres; ***a friend of ~*** un(e) de tes ami(e)s; un(e) de vos ami(e)s; ***~ ...*** *at end of letter* bien amicalement; ***~ truly*** *at end of letter* je vous prie d'agréer mes sentiments distingués

your'self *pron familiar* toi-même; *polite* vous-même; *reflexive* te; *polite* se; *after prep* toi; *polite* vous; ***did you hurt ~?*** est-ce que tu t'es fait mal / est-ce que vous vous êtes fait mal?; ***by ~*** tout(e) seul(e)

your'selves *pron* vous-mêmes; *reflexive* se; *after prep* vous; ***did you hurt ~?*** est-ce que vous vous êtes fait mal?; ***by ~*** tout seuls, toutes seules

youth [ju:θ] *age* jeunesse *f*; (*young man*) jeune homme *m*; (*young people*) jeunes *mpl*

'youth club centre *m* pour les jeunes

youth·ful ['ju:θfʊl] *adj* juvénile

'youth hos·tel auberge *f* de jeunesse

yup·pie ['jʌpɪ] F yuppie *m/f*

Z

zap [zæp] *v/t* (*pret & pp* ***-ped***) F COMPUT (*delete*) effacer; (*kill*) éliminer; (*hit*) donner un coup à; (*send*) envoyer vite fait

♦**zap along** *v/i* F (*move fast*) filer; *of work* avancer vite

zapped [zæpt] *adj* F (*exhausted*) crevé F

zap·py ['zæpɪ] *adj* F *car, pace* rapide; *prose, style* vivant

zeal [zi:l] zèle *m*

ze·bra ['zebrə] zèbre *m*

ze·ro ['zɪroʊ] zéro *m*; ***10 below ~*** 10 degrés au-dessous de zéro

♦**zero in on** *v/t* (*identify*) mettre le doigt sur

ze·ro 'growth croissance *f* zéro

zest [zest] *enjoyment* enthousiasme *m*; ***~ for life*** goût *m* de la vie

zig·zag ['zɪgzæg] **1** *n* zigzag *m* **2** *v/i* (*pret & pp* ***-ged***) zigzaguer

zilch [zɪltʃ] F que dalle F

zinc [zɪŋk] zinc *m*

♦**zip up** *v/t* (*pret & pp* ***-ped***) *dress, jacket* remonter la fermeture éclair de; COMPUT compresser

'zip code code *m* postal

zip·per ['zɪpər] fermeture *f* éclair

zit [zɪt] F *on face* bouton *m*

zo·di·ac ['zoʊdɪæk] zodiaque *m*; ***signs of the ~*** signes *mpl* du zodiaque

zom·bie ['zɑ:mbɪ] F zombie *m/f*

zone [zoʊn] zone *f*

zonked [zɑ:ŋkt] *adj* P (*exhausted*) crevé F

zoo [zu:] jardin *m* zoologique

zo·o·log·i·cal [zu:ə'lɑ:dʒɪkl] *adj* zoologique

zo·ol·o·gist [zu:'ɑ:lədʒɪst] zoologiste *m/f*

zo·ol·o·gy [zu:'ɑ:lədʒɪ] zoologie *f*

zoom [zu:m] *v/i* F (*move fast*) filer (à toute vitesse) F

♦**zoom in on** *v/t* PHOT faire un zoom avant sur

'zoom lens zoum *m*

zuc·chi·ni [zu:'ki:nɪ] courgette *f*

Remarques sur le verbe anglais

a) Conjugaison

Indicatif

1. **Le présent** conserve la même forme que l'infinitif à toutes les personnes, à l'exception de la troisième personne du singulier, pour laquelle on ajoute un *-s* à la forme infinitive, par ex. *he brings*. Si l'infinitif se termine par une sifflante (ch, sh, ss, zz), on ajoute *-es*, comme dans *he passes*. Ce *s* peut être prononcé de deux manières différentes : après une consonne sourde, il se prononce de manière sourde, par ex. *he paints* [peɪnts] ; après une consonne sonore, il se prononce de manière sonore, par ex. *he sends* [sendz]. De plus, *-es* se prononce de manière sonore lorsque le *e* fait partie de la désinence ou est la dernière lettre de l'infinitif, par ex. *he washes* ['wɑːʃɪz], *he urges* ['ɜːrdʒɪz]. Dans le cas des verbes se terminant par *-y*, la troisième personne se forme en substituant *-ies* au *y* (*he worries*, *he tries*). Les verbes se terminant, à l'infinitif, par un *-y* précédé d'une voyelle sont tous réguliers (*he plays*). Le verbe *to be* est irrégulier à toutes les personnes : *I am*, *you are*, *he is*, *we are*, *you are*, *they are*. Trois autres verbes ont des formes particulières à la troisième personne du singulier : *do – he does*, *go – he goes*, *have – he has*.

   Aux autres temps, les verbes restent invariables à toutes les personnes. **Le prétérit** et **le participe passé** se forment en ajoutant *-ed* à la forme infinitive (*I passed*, *passed*), ou bien en ajoutant uniquement *-d* au verbe se terminant par un *-e* à l'infinitif, par ex. *I faced*, *faced*. (Il existe de nombreux verbes irréguliers ; voir ci-après). Cette désinence *-(e)d* se prononce généralement [t] : *passed* [pæst], *faced* [feɪst] ; cependant, lorsqu'il s'agit d'un verbe dont l'infinitif se termine par une consonne sonore, un son consonantique sonore ou un *r*, elle se prononce [d] : *warmed* [wɔːrmd], *moved* [muːvd], *feared* [fɪrd]. Lorsque l'infinitif se termine par *-d* ou *-t*, la désinence *-ed* se prononce [ɪd]. Lorsque l'infinitif se termine par un *-y*, ce dernier est remplacé par *-ie*, à quoi on ajoute ensuite le *-d* : *try – tried* [traɪd], *pity – pitied* ['pɪtiːd]. **Les temps composés du passé** sont formés avec l'auxiliaire *to have* et le participe passé : **passé composé** *I have faced*, **plus-que-parfait** *I had faced*. On forme **le futur** avec l'auxiliaire *will*, par ex. *I will face* ; **le conditionnel** se forme avec l'auxiliaire *would*, par ex. *I would face*.

   De plus, il existe pour chaque temps une forme progressive, qui est formée avec le verbe *to be* (= être) et le participe présent (voir ci-après) : *I am going*, *I was writing*, *I had been staying*, *I will be waiting*, etc.

2. En anglais, **le subjonctif** n'est pratiquement plus utilisé, à l'exception de quelques cas particuliers (*if I were you*, *so be it*, *it is proposed that a vote be taken*, etc.). Le subjonctif présent conserve la forme infinitive à toutes les personnes : *that I go*, *that he go*, etc.

3. En anglais, **le participe présent** et **le gérondif** ont la même forme et se construisent en ajoutant la désinence *-ing* à la forme infinitive : *painting*, *sending*. Toutefois : 1) lorsque l'infinitif d'un verbe se termine par un *-e* muet, ce dernier disparaît lors de l'ajout de la désinence, par ex. *love - loving*, *write - writing* (exceptions à cette règle : *dye - dyeing*, *singe - singeing*, qui conservent le *-e* final de l'infinitif) ; 2) le participe présent des verbes *die*, *lie*, *vie* etc., s'écrit *dying*, *lying*, *vying*, etc.

4. Il existe une catégorie de verbes partiellement irréguliers, se terminant par une seule consonne précédée d'une voyelle unique accentuée. Pour ces verbes, on double la consonne finale avant d'ajouter les désinences *-ing* ou *-ed* :

lob	lob*bed*	lob*bing*	compel	compel*led*	compel*ling*
wed	wed*ded*	wed*ding*	control	control*led*	control*ling*
beg	beg*ged*	beg*ging*	bar	bar*red*	bar*ring*
step	step*ped*	step*ping*	stir	stir*red*	stir*ring*

Dans le cas des verbes se terminant par un *-l* précédé d'une voyelle inaccentuée, l'orthographe britannique double cette consonne au participe passé et au participe présent, mais pas l'orthographe américaine :

travel travel*led*, *Am* travel*ed* travel*ling*, *Am* travel*ing*

Lorsqu'un verbe se termine par *-c*, on substitue *-ck* au *c*, puis on ajoute la désinence *-ed* ou *-ing* :

traffic traffi*cked* traffi*cking*

5. **La voix passive** se forme exactement de la même manière qu'en français, avec le verbe *to be* et le participe passé : *I am obliged*, *he was fined*, *they will be moved*, etc.

6. Lorsque l'on s'adresse, en anglais, à une ou plusieurs autres personnes, on n'emploie que le pronom *you*, qui peut se traduire à la fois par le *tu* et le *vous* du français.

b) Verbes irréguliers anglais

Vous trouverez ci-après les trois formes principales de chaque verbe : l'infinitif, le prétérit et le participe passé.

arise - arose - arisen
awake - awoke - awoken, awaked
be (am, is, are) - was (were) - been
bear - bore - borne (1)
beat - beat - beaten
become - became - become
begin - began - begun
behold - beheld - beheld
bend - bent - bent
beseech - besought, beseeched - besought, beseeched
bet - bet, betted - bet, betted
bid - bid - bid
bind - bound - bound

bite - bit - bitten
bleed - bled - bled
blow - blew - blown
break - broke - broken
breed - bred - bred
bring - brought - brought
broadcast - broadcast - broadcast
build - built - built
burn - burnt, burned - burnt, burned
burst - burst - burst
bust - bust(ed) - bust(ed)
buy - bought - bought
cast - cast - cast
catch - caught - caught
choose - chose - chosen
cleave (*cut*) - clove, cleft - cloven, cleft
cleave (*adhere*) - cleaved - cleaved
cling - clung - clung
come - came - come
cost (*v/i*) - cost - cost
creep - crept - crept
crow - crowed, crew - crowed
cut - cut - cut
deal - dealt - dealt
dig - dug - dug
dive - dived, dove [doʊv] (2) - dived
do - did - done
draw - drew - drawn
dream - dreamt, dreamed - dreamt, dreamed
drink - drank - drunk
drive - drove - driven
dwell - dwelt, dwelled - dwelt, dwelled
eat - ate - eaten
fall - fell - fallen
feed - fed - fed
feel - felt - felt
fight - fought - fought
find - found - found
flee - fled - fled
fling - flung - flung
fly - flew - flown
forbear - forbore - forborne
forbid - forbad(e) - forbidden
forecast - forecast(ed) - forecast(ed)
forget - forgot - forgotten
forgive - forgave - forgiven
forsake - forsook - forsaken
freeze - froze - frozen
get - got - got, gotten (3)
give - gave - given
go - went - gone
grind - ground - ground
grow - grew - grown
hang - hung, hanged - hung, hanged (4)
have - had - had
hear - heard - heard
heave - heaved, naut hove - heaved, naut hove
hew - hewed - hewed, hewn
hide - hid - hidden
hit - hit - hit
hold - held - held
hurt - hurt - hurt
keep - kept - kept
kneel - knelt, kneeled - knelt, kneeled
know - knew - known
lay - laid - laid
lead - led - led
lean - leaned, leant - leaned, leant (5)
leap - leaped, leapt - leaped, leapt (5)
learn - learned, learnt - learned, learnt (5)
leave - left - left
lend - lent - lent
let - let - let
lie - lay - lain
light - lighted, lit - lighted, lit
lose - lost - lost
make - made - made
mean - meant - meant
meet - met - met
mow - mowed - mowed, mown
pay - paid - paid
plead - pleaded, pled - pleaded, pled (6)
prove - proved - proved, proven
put - put - put

quit - quit(ted) - quit(ted)
read - read [red] - read [red]
rend - rent - rent
rid - rid - rid
ride - rode - ridden
ring - rang - rung
rise - rose - risen
run - ran - run
saw - sawed - sawn, sawed
say - said - said
see - saw - seen
seek - sought - sought
sell - sold - sold
send - sent - sent
set - set - set
sew - sewed - sewed, sewn
shake - shook - shaken
shear - sheared - sheared, shorn
shed - shed - shed
shine - shone - shone
shit - shit(ted), shat - shit(ted), shat
shoe - shod - shod
shoot - shot - shot
show - showed - shown
shrink - shrank - shrunk
shut - shut - shut
sing - sang - sung
sink - sank - sunk
sit - sat - sat
slay - slew - slain
sleep - slept - slept
slide - slid - slid
sling - slung - slung
slink - slunk - slunk
slit - slit - slit
smell - smelt, smelled - smelt, smelled
smite - smote - smitten
sneak - sneaked, snuck - sneaked, snuck (7)
sow - sowed - sown, sowed
speak - spoke - spoken
speed - sped, speeded - sped, speeded (8)
spell - spelt, spelled - spelt, spelled (5)
spend - spent - spent
spill - spilt, spilled - spilt, spilled
spin - spun, span - spun
spit - spat - spat
split - split - split
spoil - spoiled, spoilt - spoiled, spoilt
spread - spread - spread
spring - sprang, sprung - sprung
stand - stood - stood
stave - staved, stove - staved, stove
steal - stole - stolen
stick - stuck - stuck
sting - stung - stung
stink - stunk, stank - stunk
strew - strewed - strewed, strewn
stride - strode - stridden
strike - struck - struck
string - strung - strung
strive - strove, strived - striven, strived
swear - swore - sworn
sweep - swept - swept
swell - swelled - swollen
swim - swam - swum
swing - swung - swung
take - took - taken
teach - taught - taught
tear - tore - torn
tell - told - told
think - thought - thought
thrive - throve - thriven, thrived (9)
throw - threw - thrown
thrust - thrust - thrust
tread - trod - trodden
understand - understood - understood
wake - woke, waked - woken, waked
wear - wore - worn
weave - wove - woven (10)
wed - wed(ded) - wed(ded)
weep - wept - wept
wet - wet(ted) - wet(ted)
win - won - won
wind - wound - wound
wring - wrung - wrung
write - wrote - written

(1) mais **be born** *naître*
(2) **dove** n'est pas utilisé en anglais britannique
(3) **gotten** n'est pas utilisé en anglais britannique
(4) **hung** pour les tableaux mais **hanged** pour les meurtriers
(5) l'anglais américain n'emploie normalement que la forme en **-ed**
(6) **pled** s'emploie en anglais américain ou écossais
(7) la forme **snuck** ne s'emploie que comme forme alternative familière en anglais américain
(8) avec **speed up** la seule forme possible est **speeded up**
(9) la forme **thrived** est plus courante
(10) mais **weaved** au sens de *se faufiler*

French verb conjugations

The verb forms given on the following pages are to be seen as models for conjugation patterns. In the French-English dictionary you will find a code given with each verb (*1a*, *2b*, *3c*, *4d* etc). The codes refer to these conjugation models.

Alphabetical list of the conjugation patterns given

abréger 1g
acheter 1e
acquérir 2l
aimer 1b
aller 1o
appeler 1c
asseoir 3l
avoir 1
blâmer 1a
boire 4u
bouillir 2e
clore 4k
conclure 4l
conduire 4c
confire 4o
conjuguer 1m
coudre 4d
courir 2i
couvrir 2f
croire 4v
croître 4w
cueillir 2c
déchoir 3m
dire 4m
échoir 3m
écrire 4f
employer 1h
envoyer 1p
être 1
faillir 2n
faire 4n
falloir 3c
fuir 2d
geler 1d
haïr 2m
lire 4x
manger 1l
menacer 1k
mettre 4p
moudre 4y
mourir 2k
mouvoir 3d
naître 4g
paraître 4z
payer 1i
peindre 4b
plaire 4aa
pleuvoir 3e
pouvoir 3f
prendre 4q
punir 2a
recevoir 3a
régner 1f
résoudre 4bb
rire 4r
saluer 1n
savoir 3g
sentir 2b
seoir 3k
suivre 4h
traire 4s
vaincre 4i
valoir 3h
vendre 4a
venir 2h
vêtir 2g
vivre 4e
voir 3b
vouloir 3i

Note:

1. The *Imparfait* and the *Participe présent* can always be derived from the 1st person plural of the present indicative, eg:. nous trou**vons**; je trou**vais** *etc*, trou**vant**

2. The *Passé simple* is nowadays normally replaced by the *Passé composé* in spoken French.

3. The *Imparfait du subjonctif* is nowadays almost only used in the 3rd person singular, whether in spoken or in written French. It is normally replaced by the *Présent du subjonctif*.

Auxiliaries

(1) avoir

A. Indicatif

I. Simple forms

Présent

sg. j'*ai*
tu *as*
il *a*

pl. nous av*ons*
vous av*ez*
ils *ont*

Imparfait

sg. j'av*ais*
tu av*ais*
il av*ait*

pl. nous av*ions*
vous av*iez*
ils av*aient*

Passé simple

sg. j'eu*s*
tu eu*s*
il eu*t*

pl. nous eû*mes*
vous eû*tes*
ils eu*rent*

Futur simple

sg j'aur*ai*
tu aur*as*
il aur*a*

pl. nous aur*ons*
vous aur*ez*
ils aur*ont*

Conditionnel présent

sg. j'aur*ais*
tu aur*ais*
il aur*ait*

pl. nous aur*ions*
vous aur*iez*
ils aur*aient*

Participe présent

ay*ant*

Participe passé

eu (*f* eu*e*)

II. Compound forms

Passé composé

j'ai eu

Plus-que-parfait

j'avais eu

Passé antérieur

j'eus eu

Futur antérieur

j'aurai eu

Conditionnel passé

j'aurais eu

Participe composé

ayant eu

Infinitif passé

avoir eu

B. Subjonctif

I. Simple forms

Présent

sg. que j'ai*e*
que tu ai*es*
qu'il ai*t*

pl. que nous ay*ons*
que vous ay*ez*
qu'ils ai*ent*

Imparfait

sg. que j'eusse
que tu eusse*s*
qu'il eû*t*

pl. que nous ess*ions*
que vous euss*iez*
qu'ils euss*ent*

Impératif

ai*e* – ay*ons* – ay*ez*

II. Compound forms

Passé

que j'aie eu

Plus-que-parfait

que j'eusse eu

(1) être

Auxiliaries

A. Indicatif

I. Simple forms

Présent

sg. je sui*s*
tu e*s*
il e*st*

pl. nous somm*es*
vous êt*es*
ils s*ont*

Imparfait

sg. j'ét*ais*
tu ét*ais*
il ét*ait*

pl. nous ét*ions*
vous ét*iez*
ils ét*aient*

Passé simple

sg. je fu*s*
tu fu*s*
il fu*t*

pl. nous fû*mes*
vous fû*tes*
ils fu*rent*

Futur simple

sg. je ser*ai*
tu ser*as*
il ser*a*

pl. nous ser*ons*
vous ser*ez*
ils ser*ont*

Conditionnel présent

sg. je ser*ais*
tu ser*ais*
il ser*ait*

pl. nous ser*ions*
vous ser*iez*
ils ser*aient*

Participe présent

ét*ant*

Participe passé

été

II. Compound forms

Passé composé

j'ai été

Plus-que-parfait

j'avais été

Passé antérieur

j'eus été

Futur antérieur

j'aurai été

Conditionnel passé

j'aurais été

Participe composé

ayant été

Infinitif passé

avoir été

B. Subjonctif

I. Simple forms

Présent

sg. que je soi*s*
que tu soi*s*
qu'il soi*t*

pl. que nous soy*ons*
que vous soy*ez*
qu'ils soi*ent*

Imparfait

sg. que je fuss*e*
que tu fuss*es*
qu'il fû*t*

pl. que nous fuss*ions*
que vous fuss*iez*
qu'ils fuss*ent*

Impératif

soi*s* – soy*ons* – soy*ez*

II. Compound forms

Passé: que j'aie été

Plus-que-parfait

que j'eusse été

(1a) blâmer

First conjugation

Présent
sg. je blâm*e*
tu blâm*es*
il blâm*e*[1]
pl. nous blâm*ons*
vous blâm*ez*
ils blâm*ent*

Passé simple
sg. je blâm*ai*
tu blâm*as*
il blâm*a*
pl. nous blâm*âmes*
vous blâm*âtes*
ils blâm*èrent*

Participe passé
blâm*é*(e)

Infinitif présent
blâm*er*

[1](blâme-t-il?)

I. Simple forms

Impératif
blâm*e* - blâm*ons* - blâm*ez*
NB. blâm*es*-en (-y)

Imparfait
sg. je blâm*ais*
tu blâm*ais*
il blâm*ait*
pl. nous blâm*ions*
vous blâm*iez*
ils blâm*aient*

Participe présent
blâm*ant*

Futur
sg. je blâm*erai*
tu blâm*eras*
il blâm*era*
pl. nous blâm*erons*
vous blâm*erez*
ils blâm*eront*

Conditionnel
sg. je blâm*erais*
tu blâm*erais*
il blâm*erait*
pl. nous blâm*erions*
vous blâm*eriez*
ils blâm*eraient*

Subjonctif présent
sg. que je blâm*e*
que tu blâm*es*
qu'il blâm*e*
pl. que nous blâm*ions*
que vous blâm*iez*
qu'ils blâm*ent*

Subjonctif imparfait
sg. que je blâm*asse*
que tu blâmasses
qu'il blâmât
pl. que nous blâm*assions*
que vous blâmassiez
qu'ils blâmassent

II. Compound forms

Using the *Participe passé* together with **avoir** and **être**

1. Active
Passé composé: j'ai blâmé
Plus-que-parfait: j'avais blâmé
Passé antérieur: j'eus blâmé
Futur antérieur: j'aurai blâmé
Conditionnel passé: j'aurais blâmé

2. Passive
Présent: je suis blâmé
Imparfait: j'étais blâmé
Passé simple: je fus blâmé
Passé composé: j'ai été blâmé
Plus-que-parf.: j'avais été blâmé
Passé antérieur: j'eus été blâmé
Futur: je serai blâmé
Futur antérieur: j'aurai été blâmé
Conditionnel: je serais blâmé
Conditionnel passé: j'aurais été blâmé
Impératif: sois blâmé
Participe présent: étant blâmé
Participe passé: ayant été blâmé
Infinitif présent: être blâmé
Infinitif passé: avoir été blâmé

Infinitif	*Notes*	*Présent de l'indicatif*	*Présent du subjonctif*	*Passé simple*	*Futur*	*Impératif*	*Participe passé*
(1b) aimer	When the second syllable is not silent the **ai** is often pronounced as an open **e** [e]: **aime** [ɛm] but **aimons** [emõ].	aime	aim*e*	aim*ai*	aimer*ai*	aim*e*	aimé(e)
		aim*es*	aim*es*	aim*as*	aimer*as*	aim*ons*	
		aim*e*	aim*e*	aim*a*	aimer*a*	aim*ez*	
		aim*ons*	aim*ions*	aim*âmes*	aimer*ons*		
		aim*ez*	aim*iez*	aim*âtes*	aimer*ez*		
		aim*ent*	aim*ent*	aim*èrent*	aimer*ont*		
(1c) appeler	Note the consonant doubling.	apelle	appell*e*	appel*ai*	appeller*ai*	appell*e*	appel*é*(*e*)
		appell*es*	appell*es*	appel*as*	appeller*as*	appel*ons*	
		appell*e*	appell*e*	appel*a*	appeller*a*	appel*ez*	
		appel*ons*	appel*ions*	appel*âmes*	appeller*ons*		
		appel*ez*	appel*iez*	appel*âtes*	appeller*ez*		
		appell*ent*	appell*ent*	appel*èrent*	appeller*ont*		
(1d) geler	Note the switch from **e** to **è**.	gèle	gèl*e*	gel*ai*	gèler*ai*	gèl*e*	*gelé*(*e*)
		gèl*es*	gèl*es*	gel*as*	gèler*as*	gel*ons*	
		gèl*e*	gèl*e*	gel*a*	gèler*a*	gel*ez*	
		gel*ons*	gel*ions*	gel*âmes*	gèler*ons*		
		gel*ez*	gel*iez*	gel*âtes*	gèler*ez*		
		gèl*ent*	gèl*ent*	gel*èrent*	gèler*ont*		
(1e) acheter	Note the **è**.	achète	achèt*e*	achet*ai*	achèter*ai*	achèt*e*	achet*é*(e)
		achèt*es*	achèt*es*	achet*as*	achèter*as*	achet*ons*	
		achète	achèt*e*	achet*a*	achèter*a*	achet*ez*	
		achet*ons*	achet*ions*	achet*âmes*	achèter*ons*		
		achet*ez*	achet*iez*	achet*âtes*	achèter*ez*		
		achèt*ent*	achèt*ent*	achet*èrent*	achèter*ont*		

	Infinitif	*Notes*	*Présent de l'indicatif*	*Présent du subjonctif*	*Passé simple*	*Futur*	*Impératif*	*Participe passé*
(1f)	régner	Note that the **é** becomes **è** only in the *prés.* and *impér.*, not in the *fut.* or *cond.*	règn*e* règn*es* règn*e* régn*ons* régn*ez* règn*ent*	règn*e* règn*es* règn*e* régn*ions* régn*iez* règn*ent*	régn*ai* régn*as* régn*a* régn*âmes* régn*âtes* régn*èrent*	régn*erai* régn*eras* régn*era* régn*erons* régn*erez* régn*eront*	règn*e* régn*ons* régn*ez*	régn*é* (*inv*)
(1g)	abréger	Note that **é** becomes **è** only in the *prés.* and *impér.*, not in the *fut.* or *cond.* A silent **e** is inserted after a **g** coming before **a** and **o**.	abrèg*e* abrèg*es* abrèg*e* abrég*eons* abrég*es* abrèg*ent*	abrèg*e* abrèg*es* abrèg*e* abrég*ions* abrég*iez* abrèg*ent*	abrég*eai* abrég*eas* abrég*ea* abrég*eâmes* abrég*eâtes* abrég*èrent*	abrég*erai* abrég*eras* abrég*era* abrég*erons* abrég*erez* abrég*eront*	abrèg*e* abrég*eons* abrég*ez*	abrég*é*(*e*)
(1h)	employer	Note the switch from **y** to **i**.	emploi*e* emploi*es* emploi*e* employ*ons* employ*ez* emploi*ent*	emploi*e* emploi*es* emploi*e* employ*ions* employ*iez* emploi*ent*	employ*ai* employ*as* employ*a* employ*âmes* employ*âtes* employ*èrent*	emploi*erai* emploi*eras* emploi*era* emploi*erons* emploi*erez* emploi*eront*	emploi*e* employ*ons* employ*ez*	employ*é*(*e*)
(1i)	payer	Where both the **y** and the **i** spelling are possible, the spelling with **i** is preferred.	pai*e*, pay*e* pai*es*, pay*es* pai*e*, pay*e* pay*ons* pay*ez* pai*ent*, -*yent*	pai*e*, pay*e* pai*es*, pay*es* pai*e*, pay*e* pay*ions* pay*iez* pai*ent*, -*yent*	pay*ai* pay*as* pay*a* pay*âmes* pay*âtes* pay*èrent*	pai*erai*, paye- pai*eras* pai*era* pai*erons* pai*erez* pai*eront*	pai*e*, pay*e* pay*ons* pay*ez*	pay*é*(e)

	Infinitif	*Notes*	*Présent de l'indicatif*	*Présent du subjonctif*	*Passé simple*	*Futur*	*Impératif*	*Participe passé*
(1k)	menacer	**c** takes a cedilla (ç) before **a** and **o** so as to retain the [s] sound.	menace menac*es* menac*e* menaç*ons* menac*ez* menac*ent*	menac*e* menac*es* menac*e* menac*ions* menac*iez* menac*ent*	menaç*ai* menaç*as* menaç*a* menaç*âmes* menaç*âtes* menac*èrent*	menac*erai* menac*eras* menac*era* meanc*erons* menac*erez* menac*eront*	menac*e* menaç*ons* menac*ez*	menac*é*(*e*)
(1l)	manger	A silent **e** is inserted after the **g** and before an **a** or **o** so as to keep the **g** soft.	*mange* mang*es* mang*e* mange*ons* mang*ez* mang*ent*	mang*e* mang*es* mang*e* mang*ions* mang*iez* mang*ent*	mange*ai* mange*as* mange*a* mange*âmes* mange*âtes* mang*èrent*	mang*erai* mang*eras* mang*era* mang*erons* mang*erez* mang*eront*	mang*e* mange*ons* mang*ez*	mang*é*(*e*)
(1m)	conjuguer	The silent **u** is always kept, even before **a** and **o**.	conjugu*e* conjugu*es* conjugu*e* conjugu*ons* conjugu*ez* conjugu*ent*	conjugu*e* conjugu*es* conjugu*e* conjugu*ions* conjugu*iez* conjugu*ent*	conjugu*ai* conjugu*as* conjugu*a* conjugu*âmes* conjugu*âtes* conjugu*èrent*	conjugu*erai* conjugu*eras* conjugu*era* conjugu*erons* conjugu*erez* conjugu*eront*	conjugu*e* conjugu*ons* conjugu*ez*	conjugu*é*(*e*)
(1n)	saluer	**u** is pronounced shorter when another syllable follows: **salue** [saly] but **saluons** [salɥõ].	salu*e* salu*es* salu*e* salu*ons* salu*ez* salu*ent*	salu*e* salu*es* salu*e* salu*ions* salu*iez* salu*ent*	salu*ai* salu*as* salu*a* salu*âmes* salu*âtes* salu*èrent*	salu*erai* salu*eras* salu*era* salu*erons* salu*erez* salu*eront*	salu*e* salu*ons* salu*ez*	salu*é*(*e*)

Infinitif	Notes	Présent de l'indicatif	Présent du subjonctif	Passé simple	Futur	Impératif	Participe passé
(1o) aller	Not every form uses the stem **all**.	vais va*s* va all*ons* all*ez* vo*nt*	aill*e* aill*es* aill*e* all*ions* all*iez* aill*ent*	all*ai* all*as* all*a* all*âmes* all*âtes* all*èrent*	ir*ai* ir*as* ir*a* ir*ons* ir*ez* ir*ont*	va (vas-y; but: va-t'en) all*ons* all*ez*	all*é*(*e*)
(1p) envoyer	As (1h) but with an irregular *fut.* and *cond.*	envoie envoi*es* envoi*e* envo**y**_ons_ envo**y**_ez_ envoi*ent*	envoi*e* envoi*es* envoi*e* envo**y**_ions_ envo**y**_iez_ envoi*ent*	envo**y**_ai_ envo**y**_as_ envo**y**_a_ envo**y**_âmes_ envo**y**_âtes_ envo**y**_èrent_	enverr*ai* enverr*as* enverr*a* enverr*ons* enverr*ez* enverr*ont*	envoi*e* envo**y**_ons_ envo**y**_ez_	envo**y**_é_(*e*)

(2a) **punir***

Second conjugation

The second, regular conjugation, characterized by **...iss...**

1. Simple forms

Présent

sg. je pun*is*
tu pun*is*
il pun*it*

pl. nous pun*issons*
vous pun*issez*
ils pun*issent*

Passé simple

sg. je pun*is*
tu pun*is*
il pun*it*

pl. nous pun*îmes*
vous pun*îtes*
ils pun*irent*

Participe passé

pun*i*(*e*)

Infinitif présent

pun*ir*

Impératif

pun*is*
pun*issons*
pun*issez*

Imparfait

sg. je pun*issais*
tu pun*issais*
il pun*issait*

pl. nous pun*issions*
vous pun*issiez*
ils pun*issaient*

Participe présent

pun*issant*

Futur

sg. je pun*irai*
tu pun*iras*
il pun*ira*

pl. nous pun*irons*
vous pun*irez*
ils pun*iront*

Conditionnel

sg. je pun*irais*
tu pun*irais*
il pun*irait*

pl. nous pun*irions*
vous pun*iriez*
ils pun*iraient*

Subjonctif présent

sg. que je pun*isse*
que tu pun*isses*
qu'il pun*isse*

pl. que nous pun*issions*
que vous pun*issiez*
qu'ils pun*issent*

Subjonctif imparfait

sg. que je pun*isse*
que tu pun*isses*
qu'il pun*ît*

pl. que nous pun*issions*
que vous pun*issiez*
qu'ils pun*issent*

* **fleurir** in the figurative sense normally has as *Participe présent* **florissant** and as *Imparfait* **florissait**

II. Compound forms

Using the *Participe passé* with **avoir** and **être**; see (1a)

	Infinitif	*Notes*	*Présent de l'indicatif*	*Présent du subjonctif*	*Passé simple*	*Futur*	*Impératif*	*Participe passé*
(2b)	sentir	No **...iss...**	sens sen*s* sen*t* sent*ons* sent*ez* sent*ent*	sent*e* sent*es* sent*e* sent*ions* sent*iez* sent*ent*	sent*is* sent*is* sent*it* sent*imes* sent*îtes* sent*irent*	sent*irai* sent*iras* sent*ira* sent*irons* sent*irez* sent*iront*	sen*s* sent*ons* sent*ez*	sent*i*(*e*)
(2c)	cueillir	*prés.*, *fut.* and *cond.* as in the first conjugation	cueill*e* cueill*es* cueill*e* cueill*ons* cueill*ez* cueill*ent*	cueill*e* cueill*es* cueill*e* cueill*ions* cueill*iez* cueill*ent*	cueill*is* cueill*is* cueill*it* cueill*îmes* cueill*îtes* cueill*irent*	cueill*erai* cueill*eras* cueill*era* cueill*erons* cueill*erez* cueill*eront*	cueill*e* cueill*ons* cueill*ez*	cueill*i*(*e*)
(2d)	fuir	No **...iss...**. Note the switch between **y** and **i**.	fuis fu*is* fu*it* fu*yons* fu*yez* fu*ient*	fu*ie* fu*ies* fu*ie* fu*yions* fu*yiez* fu*ient*	fu*is* fu*is* fu*it* fu*îmes* fu*îtes* fu*irent*	fu*irai* fu*iras* fu*ira* fu*irons* fu*irez* fu*iront*	fu*is* fu*yons* fu*yez*	fu*i*(*e*)
(2e)	bouillir	*prés. ind.* and derived forms as in the fourth conjugation	bous bou*s* bou*t* bouill*ons* bouill*ez* bouill*ent*	bouill*e* bouill*es* bouill*e* bouill*ions* bouill*iez* bouill*ent*	bouill*is* bouill*is* bouill*it* bouill*îmes* bouill*îtes* bouill*irent*	bouill*irai* bouill*iras* bouill*ira* bouill*iros* bouill*irez* bouill*iront*	bou*s* bouill*ons* bouill*ez*	bouill*i*(*e*)

	Infinitif	*Notes*	*Présent de l'indicatif*	*Présent du subjonctif*	*Passé simple*	*Futur*	*Impératif*	*Participe passé*
(2f)	couvrir	*prés. ind.* and derived forms as in the first conjugation; *p.p.* ends in **-ert**.	couvre couvr*es* couvre couvr*ons* couvr*ez* couvr*ent*	couvre couvr*es* couvre courv*irons* couvr*iez* couvr*ent*	couvr*is* couvr*is* couvr*it* couvr*îmes* couvr*îtes* couvr*irent*	couvr*irai* couvr*iras* couvr*ira* couvr*irons* couvr*irez* couvr*iront*	couvre couvr*ons* couvr*ez*	couver*t*(*e*)
(2g)	vêtir	Follows (2b) apart from *p.p.* **vêtir** is rarely used other than in the form **vêtu**.	vêts vêt*s* vêt vêt*ons* vêt*ez* vêt*ent*	vêt*e* vêt*es* vêt*e* vêt*ions* vêt*iez* vêt*ent*	vêt*is* vêt*is* vêt*it* vêt*îmes* vêt*îtes* vêt*irent*	vêt*irai* vêt*iras* vêt*ira* vêt*irons* vêt*irez* vêt*iront*	vêt*s* vêt*ons* vêt*ez*	vêt*u*(*e*)
(2h)	venir	*prés. ind., fut., p.p.* and derived forms as fourth conjugation. Vowel change in the *passé simple*; note the added **-d-** in the the *fut.* and *cond.*	viens vien*s* vien*t* ven*ons* ven*ez* vien*nent*	vien*ne* vien*nes* vien*ne* ven*ions* ven*iez* vien*nent*	vin*s* vins vin*t* vîn*mes* vîn*tes* vin*rent*	viend*rai* viend*ras* viend*ra* viend*rons* viend*rez* viend*ront*	vien*s* ven*ons* ven*ez*	ven*u*(*e*)
(2i)	courir	*prés. ind., p.p., fut.* and and derived forms as in the fourth conjugation. *passé simple* as in the third conjugation; **-rr-** in *fut.* and *cond.*	cours cours cour*t* cour*ons* cour*ez* cour*ent*	cour*e* cour*es* cour*e* cour*ions* cour*iez* cour*ent*	cour*us* cour*us* cour*ut* cour*ûmes* cour*ûtes* cour*urent*	cour*rai* cour*ras* cour*ra* cour*rons* cour*rez* cour*ront*	cour*s* cour*ons* cour*ez*	cour*u*(*e*)

	Infinitif	Notes	Présent de l'indicatif	Présent du subjonctif	Passé simple	Futur	Impératif	Participe passé
(2k)	mourir	*prés. ind., fut.* and derived forms as in the fourth conjugation, but note vowel shift to **eu** from **ou**; *passé simple* as in the third conjugation.	m**eur***s* m**eur***s* m**eur***t* mour*ons* mour*ez* m**eur***ent*	m**eur***e* m**eur***es* m**eur***e* mour*ions* mour*iez* m**eur***ent*	mour*us* mour*us* mour*ut* mour*ûmes* mour*ûtes* mour*urent*	mour*rai* mour*ras* mour*ra* mour*rons* mour*rez* mour*ront*	m**eur***s* mour*ons* mour*ez*	mort(*e*)
(2l)	acquérir	*pres. ind.* and derived forms as in the fourth conjugation with an **i** inserted before **e**; *p.p.* with **-s**; **-err-** in *fut.* and *cond.*	acquiers acquier*s* acquier*t* acquér*ons* acquér*ez* acquièr*ent*	acquièr*e* acquièr*es* acquièr*e* acquèr*ions* acquér*iez* acquièr*ent*	acqui*s* acqui*s* acqui*t* acqu*îmes* acqu*îtes* acqu*irent*	acquer*rai* acquer*ras* acquer*ra* acquer*rons* acquer*rez* acquer*ront*	acquier*s* acquér*ons* acquér*ez*	acqu*is*(*e*)
(2m)	haïr	Follows (2a); but in *sg. prés. ind.* and *impér.* the dieresis on the **i** is dropped.	hais [ɛ] ha*is* ha*it* haï*ssons* haï*ssez* haï*ssent*	haï*sse* haï*sses* haï*sse* haï*ssions* haï*ssiez* haï*ssent*	haï*s* [a'i] haï*s* haï*t* haï*mes* haï*tes* haï*rent*	haï*rai* haï*ras* haï*ra* haï*rons* haï*rez* haï*ront*	ha*is* haï*ssons* haï*ssez*	haï(*e*)
(2n)	faillir	defective verb			faillis faill*is* faill*it* faill*îmes* faill*îtes* faill*irent*	failli*rai* failli*ras* failli*ra* failli*rons* failli*rez* failli*ront*		faill*i*

(3a) **recevoir**

Third conjugation

I. Simple forms

Présent

sg. je reç*ois*
tu reç*ois*
il reç*oit*

pl. nous rec*evons*
vous rec*evez*
ils reç*oivent*

Passé simple

sg. je reç*us*
tu reç*us*
il reç*ut*

pl. nous rec*evrons*
vous reç*ûtes*
ils reç*urent*

Participe passé

reç*u*(*e*)

Infinitif présent

rec*evoir*

Impératif

reç*ois*
rec*evons*
rec*evez*

Imparfait

sg. je rec*evais*
tu rec*evais*
il rec*evait*

pl. nous rec*evrions*
vous rec*eviez*
ils rec*evaient*

Participe présent

rec*evant*

Futur

sg. je rec*evrai*
tu rec*evras*
il rec*evra*

pl. nous reç*ûmes*
vous rec*evrez*
ils rec*evront*

Conditionnel

sg. je rec*evrais*
tu rec*evrais*
il rec*evrait*

pl. nous rec*evions*
vous rec*evriez*
ils rec*evraient*

Subjonctif présent

sg. que je reç*oive*
que tu reç*oives*
qu'il reç*oive*

pl. que nous rec*evions*
que vous rec*eviez*
qu'ils reç*oivent*

Subjonctif imparfait

sg. que je reç*usse*
que tu reç*usses*
qu'il reç*ût*

pl. que nous reç*ussions*
que vous reç*ussiez*
qu'ils reç*ussent*

II. Compound forms

Using the *Participe passé* together with **avoir** and **être**

	Infinitif	*Notes*	*Présent de l'indicatif*	*Présent du subjonctif*	*Passé simple*	*Futur*	*Impératif*	*Participe passé*
(3b)	voir	Switch between **i** and **y** as in (2d). Derived forms regular, but with **-err-** (instead of **-oir-**) in *fut.* and *cond.*	vois vo*is* voi*t* vo**y***ons* vo**y***ez* voi*ent*	voi*e* voi*es* voi*e* *vo***y***ions* *vo***y***iez* voi*ent*	v*is* *pourvoir*: je *pourvus*	ver*rai* *pourvoir*: je pourvoirai; *prévoir*: je prévoirai	voi*s* vo**y***ons* vo**y***ez*	v*u*(*e*)
(3c)	falloir	Only used in the third person singular.	il faut	qu'il fa*ille*	il fall*ut*	il faud*ra*		fall*u* (*inv*)
(3d)	mouvoir	Note the switch between **eu** and **ou**.	meus meu*s* meu*t* mouv*ons* mouv*ez* meuv*ent*	meuv*e* meuv*es* meuv*e* mouv*ions* mouv*iez* meuv*ent*	m*us* m*us* m*ut* m*ûmes* m*ûtes* m*urent*	mouv*rai* mouv*ras* mouv*ra* mouv*rons* mouv*rez* mouv*ront*	meu*s* mouv*ons* mouv*ez*	m*û*, m*ue*
(3e)	pleuvoir		il pleu*t*	qu'il pleuv*e*	il pl*ut*	il pleuv*ra*		pl*u* (*inv*)
(3f)	pouvoir	In the *prés. ind.* sometimes also **je puis**; interrogative **puis-je?**	peux peu*x* peu*t* pouv*ons* pouv*ez* peuv*ent*	puiss*e* puiss*es* puiss*e* puiss*ions* puiss*iez* puiss*ent*	p*us* p*us* p*ut* p*ûmes* p*ûtes* p*urent*	pour*rai* pour*ras* pour*ra* pour*rons* pour*rez* pour*ront*		p*u* (*inv*)

	Infinitif	Notes	Présent de l'indicatif	Présent du subjonctif	Passé simple	Futur	Impératif	Participe passé
(3g)	savoir	*p.pr.* **sachant**	sais	sach*e*	s*us*	sau*rai*	sach*e*	s*u*(*e*)
			sai*s*	sach*es*	s*us*	sau*ras*	sach*ons*	
			sai*t*	sach*e*	s*ut*	sau*ra*	sach*ez*	
			sav*ons*	sach*ions*	s*ûmes*	sau*rons*		
			sav*ez*	sach*iez*	s*ûtes*	sau*rez*		
			sav*ent*	sach*ent*	s*urent*	sau*ront*		
(3h)	valoir	**prévaloir** is regular	vaux	vaill*e*	val*us*	vaud*rai*		val*u*(*e*)
		in the *prés. subj.*:	vau*x*	vaill*es*	val*us*	vaud*ras*		
		que je prévale etc.	vau*t*	vaill*e*	val*ut*	vaud*ra*		
			val*ons*	val*ions*	val*ûmes*	vaud*rons*		
			val*ez*	val*iez*	val*ûtes*	vaud*rez*		
			val*ent*	vaill*ent*	val*urent*	vaud*ront*		
(3i)	vouloir	Note the switch	veux	veuill*e*	voul*us*	voud*rai*	veuill*e*	voul*u*(*e*)
		between **eu** and **ou**.	veu*x*	veuill*es*	voul*us*	voud*ras*	veuill*ons*	
		In the *fut.* a **-d-**	veu*t*	veuill*e*	voul*ut*	voud*ra*	veuill*ez*	
		is inserted.	voul*ons*	voul*ions*	voul*ûmes*	voud*rons*		
			voul*ez*	voul*iez*	voul*ûtes*	voud*rez*		
			veul*ent*	veuill*ent*	voul*urent*	voud*ront*		
(3k)	seoir	Restricted usage:	il sie*d*					
		p.pr. **seyant**; *impf.*						
		seyait; *cond.* **siérait**						

Infinitif	Notes	Présent de l'indicatif	Présent du subjonctif	Passé simple	Futur	Impératif	Participe passé
(3l) asseoir	Apart from in the *passé*	assieds	assey*e*	ass*is*	assié*rai*	assie*ds*	ass*is*(*e*)
	simple and *p.p.* (**assis**),	assie*ds*	assey*es*	ass*is*	assié*ras*	assey*ons*	
	there are two forms. *Impf.*	assie*d*	assey*e*	ass*it*	assié*ra*	assey*ez*	
	asseyais or **assoyais**.	assey*ons*	assey*ions*	ass*îmes*	assié*rons*		
	However it is not common	assey*ez*	assey*iez*	ass*îtes*	assié*rez*		
	to use the **oi** or **oy** forms	assey*ent*	assey*ent*	ass*irent*	assié*ront*		
	with either **vous** or **nous**.						
		or	*or*		*or*	*or*	
	surseoir forms **je**	assoi*s*	assoi*e*		assoi*rai*	assoi*s*	
	sursois, **nous**	assoi*s*	assoi*es*		assoi*ras*	assoy*ons*	
	sursoyons etc, *fut.*	assoi*t*	assoi*e*		assoi*ra*	assoy*ez*	
	je surseoirai.	assoy*ons*	assoy*ions*		assoi*rons*		
		assoy*ez*	assoy*iez*		assoi*rez*		
		assoi*ent*	assoi*ent*		assoi*ront*		
(3m) déchoir		déchois	déchoi*e*	déch*us*	déchoi*rai*		déch*u*(*e*)
		déchoi*s*	déchoi*es*	déch*us*	déchoi*ras*		
		déchoi*t*	déchoi*e*	déch*ut*	déchoi*ra*		
		déchoy*ons*	déchoy*ions*	déch*ûmes*	déchoi*rons*		
		déchoy*ez*	déchoy*iez*	déch*ûtes*	déchoi*rez*		
		déchoi*ent*	déchoi*ent*	déch*urent*	déchoi*ront*		
échoir	defective verb	il échoit	qu'il échoi*e*	il éch*ut*	il échoi*ra*		éch*u*(*e*)
		ils échoi*ent*	qu'ils échoi*ent*	ils éch*urent*	ils échoi*rant*		

(4a) vendre

Fourth conjugation

Regular fourth conjugation, no change to stem

I. Simple forms

Présent
sg. je vend*s**
tu vend*s**
il vend*

pl. nous vend*ons*
vous vend*ez*
ils vend*ent*

Passé simple
sg. je vend*is*
tu vend*is*
il vend*it*

pl. nous vend*îmes*
vous vend*îtes*
ils vend*irent*

Infinitif présent
vend*re*

Participe passé
vend*u(e)*

Impératif
vend*s*
vend*ons*
vend*ez*

Imparfait
sg. je vend*ais*
tu vend*ais*
il vend*ait*

pl. nous vend*ions*
vous vend*iez*
ils vend*aient*

Participe présent
vend*ant*

Futur
sg. je vend*rai*
tu vend*ras*
il vend*ra*

pl. nous vend*rons*
vous vend*rez*
ils vend*ront*

Conditionnel
sg. je vend*rais*
tu vend*rais*
il vend*rait*

pl. nous vend*rions*
vous vend*riez*
ils vend*raient*

Subjonctif présent
sg. que je vend*e*
que tu vend*es*
qu'il vend*e*

pl. que nous vend*ions*
que vous vend*iez*
qu'ils vend*ent*

Subjonctif imparfait
sg. que je vend*isse*
que tu vendisses
qu'il vendît

pl. que nous vend*issions*
que vous vendissiez
qu'ils vendissent

* **rompre** has: il rompt; **battre** has: je (tu) bats, il bat; **foutre** has: je (tu) fous.

II. Compound forms

Using the *Participe passé* together with **avoir** and **être**, see (1a)

	Infinitif	*Notes*	*Présent de l'indicatif*	*Présent du subjonctif*	*Passé simple*	*Futur*	*Impératif*	*Participe passé*
(4b)	peindre	Switch between nasal **n** und palatalized **n** (**gn**); **-d-** only before **r** in the *inf.*, *fut.* and *cond.*	peins pein*s* pein*t* peign*ons* peign*ez* peign*ent*	peign*e* peign*es* peign*e* peign*ions* peign*iez* peign*ent*	peign*is* peign*is* peign*it* peign*îmes* peign*îtes* peign*irent*	peind*rai* peind*ras* peind*ra* peind*rons* peind*rez* peind*ront*	pein*s* peign*ons* peign*ez*	pein*t*(*e*)
(4c)	conduire	**Luire**, **reluire**, **nuire** do not take a **t** in the *p.p.*	conduis condu*is* condu*it* conduis*ons* conduis*ez* conduis*ent*	conduis*e* conduis*es* conduis*e* conduis*ions* conduis*iez* conduis*ent*	conduis*is* conduis*is* conduis*it* conduis*îmes* conduis*îtes* conduis*irent*	condui*rai* condui*ras* condui*ra* condui*rons* condui*rez* condui*ront*	condui*s* condui*sons* condui*sez*	condu*it*(*e*)
(4d)	coudre	**-d-** is replaced by **-s-** before endings which start with a vowel.	couds coud*s* coud cous*ons* cous*ez* cous*ent*	cous*e* cous*es* cous*e* cous*ions* cous*iez* cous*ent*	cous*is* cous*is* cous*it* cous*îmes* cous*îtes* cous*irent*	coud*rai* coud*ras* coud*ra* coud*rons* coud*rez* coud*ront*	coud*s* cous*ons* cous*ez*	cous*u*(*e*)
(4e)	vivre	Final -**v** of the stem is dropped in the *sg. prés. ind.*; *passé simple* **vécus**; *p.p.* **vécu**	vis vi*s* vi*t* viv*ons* viv*ez* viv*ent*	viv*e* viv*es* vive viv*ions* viv*iez* viv*ent*	véc*us* véc*us* véc*ut* véc*ûmes* véc*ûtes* véc*urent*	viv*rai* viv*ras* viv*ra* viv*rons* viv*rez* viv*ront*	vi*s* viv*ons* viv*ez*	véc*u*(e)

	Infinitif	*Notes*	*Présent de l'indicatif*	*Présent du subjonctif*	*Passé simple*	*Futur*	*Impératif*	*Participe passé*
(4f)	écrire	Before a vowel the old Latin **v** remains.	écri*s* écri*s* écri*t* écriv*ons* écriv*ez* écriv*ent*	écriv*e* écriv*es* écriv*e* écriv*ions* écriv*iez* écriv*ent*	écriv*is* écriv*is* écriv*it* écriv*îmes* écriv*îtes* écriv*irent*	écri*rai* écri*ras* écri*ra* écri*rons* écri*rez* écri*ront*	écri*s* écriv*ons* écriv*ez*	écri*t*(*e*)
(4g)	naître	**-ss-** in the *pl. prés. ind.* and derived forms; in the *sg. prés. ind.* **i** before **t** becomes **î**	nai*s* nai*s* naî*t* naiss*ons* naiss*ez* naiss*ent*	naiss*e* naiss*es* naiss*e* naiss*ions* naiss*iez* naiss*ent*	naqu*is* naqu*is* naqu*it* naqu*îmes* naqu*îtes* naqu*irent*	naît*rai* naît*ras* naît*ra* naît*rons* naît*rez* naît*ront*	nai*s* naiss*ons* naiss*ez*	né(*e*)
(4h)	suivre	*p.p.* as in the second conjugation	sui*s* sui*s* sui*t* suiv*ons* suiv*ez* suiv*ent*	suiv*e* suiv*es* suiv*e* suiv*ions* suiv*iez* suiv*ent*	suiv*is* suiv*is* suiv*it* suiv*îmes* suiv*îtes* suiv*irent*	suiv*rai* suiv*ras* suiv*ra* suiv*rons* suiv*rez* suiv*ront*	sui*s* suiv*ons* suiv*ez*	suiv*i*(*e*)
(4i)	vaincre	No **t** in the third person *sg. prés. ind.*; switch from **c** to **qu** before vowels (exception: **vaincu**)	vainc*s* vainc*s* vainc vainqu*ons* vainqu*ez* vainqu*ent*	vainqu*e* vainqu*es* vainqu*e* vainqu*ions* vainqu*iez* vainqu*ent*	vainqu*is* vainqu*is* vainqu*it* vainqu*îmes* vainqu*îtes* vainqu*irent*	vainc*rai* vainc*ras* vainc*ra* vainc*rons* vainc*rez* vainc*ront*	vainc*s* vainqu*ons* vainqu*ez*	vainc*u*(*e*)

	Infinitif	*Notes*	*Présent de l'indicatif*	*Présent du subjonctif*	*Passé simple*	*Futur*	*Impératif*	*Participe passé*
(4k)	clore	*prés.* third person *pl.* **closent**; likewise *prés. subj.*; third person *sg. prés. ind.* in **...ôt**	je clos tu clo*s* il clô*t* ils clos*ent*	que je clos*e*		je clo*rai*	clo*s*	clo*s*(*e*)
	éclore	Only used in the third person.	il éclôt ils éclos*ent*	qu'il éclos*e* qu'ils éclo*sent*		il éclo*ra* ils éclo*ront*		éclo*s*(*e*)
(4l)	conclure	*passé simple* follows the third conjugation. **Reclure** has **reclus**(**e**) in *p.p.*; likewise: **inclus**(**e**); but note: **exclu**(**e**).	conclus conclu*s* conclu*t* conclu*ons* conclu*ez* conclu*ent*	conclu*e* conclu*es* conclu*e* conclu*ions* conclu*iez* conclu*ent*	concl*us* concl*us* concl*ut* concl*ûmes* concl*ûtes* concl*urent*	conclu*rai* conclu*ras* conclu*ra* conclu*rons* conclu*rez* conclu*ront*	conclu*s* conclu*ons* conclu*ez*	concl*u*(*e*)
(4m)	dire	**Redire** is conjugated like **dire**. Other compounds have **...disez** in the *prés.* with the exception of **maudire**, which follows the second conjugation, except for **maudit** in the *p.p.*	dis di*s* di*t* dis*ons* di*tes* dis*ent*	dis*e* dis*es* dis*e* dis*ions* dis*iez* dis*ent*	d*is* d*is* d*it* d*îmes* d*îtes* d*irent*	di*rai* di*ras* di*ra* di*rons* di*rez* di*ront*	di*s* dis*ons* di*tes*	di*t*(*e*)

	Infinitif	*Notes*	*Présent de l'indicatif*	*Présent du subjonctif*	*Passé simple*	*Futur*	*Impératif*	*Participe passé*
(4n)	faire	Frequent vowel shifts in the stem. [fə-] in all *fut*. forms.	fais [fɛ]	fass*e*	f*is*	fer*ai*	fai*s*	fai*t*(*e*)
			fai*s* [fɛ]	fass*es*	f*is*	fer*as*	fais*ons*	
			fai*t* [fɛ]	fass*e*	f*it*	fer*a*	fai**t***es*	
			fais*ons* [fəzõ]	fass*ions*	f*îmes*	fer*ons*		
			fai**t***es* [fɛt]	fass*iez*	f*îtes*	fer*ez*		
			fo*nt*	fass*ent*	f*irent*	fer*ont*		
(4o)	confire	**suffire** has **suffi** (*inv*) in the *p.p.*	confis	confis*e*	conf*is*	confir*ai*	confi*s*	confi*t*(*e*)
			confi*s*	confis*es*	conf*is*	confir*as*	confis*ons*	
			confi*t*	confis*e*	conf*it*	confir*a*	confis*ez*	
			confis*ons*	confis*ions*	conf*îmes*	confir*ons*		
			confis*ez*	confis*iez*	conf*îtes*	confir*ez*		
			confis*ent*	confis*ent*	conf*irent*	confir*ont*		
(4p)	mettre	Only one **t** in the *sg. prés. ind.* first three persons.	mets	mett*e*	m*is*	mett*rai*	met*s*	m*is*(*e*)
			met*s*	mett*es*	m*is*	mett*ras*	mett*ons*	
			met	mett*e*	m*it*	mett*ra*	mett*ez*	
			mett*ons*	mett*ions*	m*îmes*	mett*rons*		
			mett*ez*	mett*iez*	m*îtes*	mett*rez*		
			mett*ent*	mett*ent*	m*irent*	mett*ront*		
(4q)	prendre	Omission of **d** in some forms.	prends	prenn*e*	pr*is*	prend*rai*	prend*s*	pr*is*(*e*)
			prend*s*	prenn*es*	pr*is*	prend*ras*	pre**n***ons*	
			prend	prenn*e*	pr*it*	prend*ra*	pre**n***ez*	
			pre**n***ons*	pren*ions*	pr*îmes*	prend*rons*		
			pre**n***ez*	pren*iez*	pr*îtes*	prend*rez*		
			prenn*ent*	prenn*ent*	pr*irent*	prend*ront*		

	Infinitif	Notes	Présent de l'indicatif	Présent du subjonctif	Passé simple	Futur	Impératif	Participe passé
(4r)	rire	*p.p.* as in the second conjugation.	ris ri*s* ri*t* ri*ons* ri*ez* ri*ent*	ri*e* ri*es* ri*e* ri*ions* ri*iez* ri*ent*	r*is* r*is* r*it* r*îmes* r*îtes* r*irent*	rir*ai* rir*as* rir*a* rir*ons* rir*ez* rir*ont*	ri*s* ri*ons* ri*ez*	ri (*inv*)
(4s)	traire	There is no *passé simple*.	trais trai*s* trai*t* tray*ons* tray*ez* trai*ent*	trai*e* trai*es* trai*e* tray*ions* tray*iez* trai*ent*		trair*ai* trair*as* trair*a* trair*ons* trair*ez* trair*ont*	trai*s* tray*ons* tray*ez*	trai*t*(*e*)
(4u)	boire	Note the **v** before a vowel (from the old Latin **b**); *passé simple* follows the third conjugation.	bois boi*s* boi*t* buv*ons* buv*ez* boiv*ent*	boiv*e* boiv*es* boiv*e* buv*ions* buv*iez* boiv*ent*	b*us* b*us* b*ut* b*ûmes* b*ûtes* b*urent*	boir*ai* boir*as* boir*a* boir*ons* boir*ez* boir*ont*	boi*s* buv*ons* buv*ez*	b*u*(*e*)

	Infinitif	*Notes*	*Présent de l'indicatif*	*Présent du subjonctif*	*Passé simple*	*Futur*	*Impératif*	*Participe passé*
(4v)	croire	*passé simple* as in the third conjugation	crois croi*s* croi*t* croy*ons* croy*ez* croi*ent*	croi*e* croi*es* croi*e* croy*ions* croy*iez* croi*ent*	cr*us* cr*us* cr*ut* cr*ûmes* cr*ûtes* cr*urent*	croir*ai* croir*as* croir*a* croir*ons* croir*ez* croir*ont*	croi*s* croy*ons* croy*ez*	cr*u*(*e*)
(4w)	croître	**î** in the *sg. pres. ind.* and the *sg. imper.*; *passé simple* as in the third conjugation	croîs croî*s* croî*t* croiss*ons* croiss*ez* croiss*ent*	croiss*e* croiss*es* croiss*e* croiss*ions* croiss*iez* croiss*ent*	cr*ûs* cr*ûs* cr*ût* cr*ûmes* cr*ûtes* cr*ûrent*	croîtr*ai* croîtr*as* croîtr*a* croîtr*ons* croîtr*ez* croîtr*ont*	croî*s* croiss*ons* croiss*ez*	cr*û*, cr*ue*
(4x)	lire	*passé simple* as in the third conjugation	lis li*s* li*t* lis*ons* lis*ez* lis*ent*	lis*e* lis*es* lis*e* lis*ions* lis*iez* lis*ent*	l*us* l*us* l*ut* l*ûmes* l*ûtes* l*urent*	lir*ai* lir*as* lir*a* lir*ons* lir*ez* lir*ont*	li*s* lis*ons* lis*ez*	l*u*(*e*)
(4y)	moudre	*passé simple* as in the third conjugation	mouds moud*s* moud moul*ons* moul*ez* moul*ent*	moul*e* moul*es* moul*e* moul*ions* moul*iez* moul*ent*	moul*us* moul*us* moul*ut* moul*ûmes* moul*ûtes* moul*urent*	moudr*ai* moudr*as* moudr*a* moudr*ons* moudr*ez* moudr*ont*	moud*s* moul*ons* moul*ez*	

	Infinitif	*Notes*	*Présent de l'indicatif*	*Présent du subjonctif*	*Passé simple*	*Futur*	*Impératif*	*Participe passé*
(4z)	paraître	**î** before **t**; *passé simple* as in the third conjugation	parais parai*s* paraî*t* paraiss*ons* paraiss*ez* paraiss*ent*	paraiss*e* paraiss*es* paraiss*e* paraiss*ions* paraiss*iez* paraiss*ent*	par*us* par*us* par*ut* par*ûmes* par*ûtes* par*urent*	paraît*rai* paraît*ras* paraît*ra* paraît*rons* paraît*rez* paraît*ront*	parai*s* paraiss*ons* paraiss*ez*	par*u*(*e*)
(4aa)	plaire	passé simple as in the third conjugation; **taire** has **il tait** (without the circumflex)	plais plai*s* plaî*t* plais*ons* plais*ez* plais*ent*	plais*e* plais*es* plais*e* plais*ions* plais*iez* plais*ent*	pl*us* pl*us* pl*ut* pl*ûmes* pl*ûtes* pl*urent*	plai*rai* plai*ras* plai*ra* plai*rons* plai*rez* plai*ront*	plai*s* plais*ons* plais*ez*	pl*u* (*inv*)
(4bb)	résoudre	**absoudre** has no *passé simple*; *participe passé* **absous**, **absoute**.	résous résou*s* résou*t* résolv*ons* résolv*ez* résolv*ent*	résolv*e* résolv*es* résolv*e* résolv*ions* résolv*iez* résolv*ent*	résol*us* résol*us* résol*ut* résol*ûmes* résol*ûtes* résol*urent*	résoud*rai* résoud*ras* résoud*ra* résoud*rons* résoud*rez* résoud*ront*	résou*s* résolv*ons* résolv*ez*	résol*u*(*e*)

Numbers / Les nombres

Cardinal Numbers / Les nombres cardinaux

0 zero, *Br aussi* nought *zéro*
1 one *un*
2 two *deux*
3 three *trois*
4 four *quatre*
5 five *cinq*
6 six *six*
7 seven *sept*
8 eight *huit*
9 nine *neuf*
10 ten *dix*
11 eleven *onze*
12 twelve *douze*
13 thirteen *treize*
14 fourteen *quatorze*
15 fifteen *quinze*
16 sixteen *seize*
17 seventeen *dix-sept*
18 eighteen *dix-huit*
19 nineteen *dix-neuf*
20 twenty *vingt*
21 twenty-one *vingt et un*
22 twenty-two *vingt-deux*
30 thirty *trente*
31 thirty-one *trente et un*
40 forty *quarante*
50 fifty *cinquante*
60 sixty *soixante*
70 seventy *soixante-dix*
71 seventy-one *soixante et onze*
72 seventy-two *soixante-douze*
79 seventy-nine *soixante-dix-neuf*
80 eighty *quatre-vingts*
81 eighty-one *quatre-vingt-un*
90 ninety *quatre-vingt-dix*
91 ninety-one *quatre-vingt-onze*
100 a hundred, one hundred *cent*
101 a hundred and one *cent un*
200 two hundred *deux cents*
300 three hundred *trois cents*
324 three hundred and twenty-four *trois cent vingt-quatre*
1000 a thousand, one thousand *mille*
2000 two thousand *deux mille*
1959 one thousand nine hundred and fifty-nine *mille neuf cent cinquante-neuf*

2000	two thousand *deux mille*
1 000 000	a million, one million *un million*
2 000 000	two million *deux millions*
1 000 000 000	a billion, one billion *un milliard*

Notes / Remarques:

i) **vingt** and **cent** take an -s when preceded by another number, except if there is another number following.
ii) If **un** is used with a following noun, then it is the only number to agree (one man **un homme**; one woman **une femme**).
iii) 1.25 (one point two five) = 1,25 (un virgule vingt-cinq)
iv) 1,000,000 (en anglais) = 1 000 000 ou 1.000.000 (in French)

Ordinal Numbers / Les nombres ordinaux

1st	first	$1^{er}/1^{ère}$	*premier / première*
2nd	second	2^e	*deuxième*
3rd	third	3^e	*troisième*
4th	fourth	4^e	*quatrième*
5th	fifth	5^e	*cinquième*
6th	sixth	6^e	*sixième*
7th	seventh	7^e	*septième*
8th	eighth	8^e	*huitième*
9th	ninth	9^e	*neuvième*
10th	tenth	10^e	*dixième*
11th	eleventh	11^e	*onzième*
12th	twelfth	12^e	*douzième*
13th	thirteenth	13^e	*treizième*
14th	fourteenth	14^e	*quatorzième*
15th	fifteenth	15^e	*quinzième*
16th	sixteenth	16^e	*seizième*
17th	seventeenth	17^e	*dix-septième*
18th	eighteenth	18^e	*dix-huitième*
19th	nineteenth	19^e	*dix-neuvième*
20th	twentieth	20^e	*vingtième*
21st	twenty-first	21^e	*vingt et unième*
22nd	twenty-second	22^e	*vingt-deuxième*
30th	thirtieth	30^e	*trentième*
31st	thirty-first	31^e	*trente et unième*
40th	fortieth	40^e	*quarantième*
50th	fiftieth	50^e	*cinquantième*
60th	sixtieth	60^e	*soixantième*
70th	seventieth	70^e	*soixante-dixième*
71st	seventy-first	71^e	*soixante et onzième*
80th	eightieth	80^e	*quatre-vingtième*
90th	ninetieth	90^e	*quatre-vingt-dixième*
100th	hundredth	100^e	*centième*
101st	hundred and first	101^e	*cent unième*

1000th	thousandth	1000ᵉ	*millième*
2000th	two thousandth	2000ᵉ	*deux millième*
1,000,000th	millionth	1 000 000ᵉ	*millionième*
1,000,000,000th	billionth	1 000 000 000ᵉ	*milliardième*

Fractions and other Numbers
Les fractions et autres nombres

½	one half, a half	*un demi, une demie*
1½	one and a half	*un et demi*
⅓	one third, a third	*un tiers*
⅔	two thirds	*deux tiers*
¼	one quarter, a quarter	*un quart*
¾	three quarters	*trois quarts*
⅕	one fifth, a fifth	*un cinquième*
3⅘	three and four fifths	*trois et quatre cinquièmes*
1/11	one eleventh, an eleventh	*un onzième*
	seven times as big, seven times bigger	*sept fois plus grand*
	twelve times more	*douze fois plus*
	first(ly)	*premièrement*
	second(ly)	*deuxièmement*
7 + 8 = 15	seven and (*or* plus) eight are (*or* is) fifteen	*sept plus huit égalent quinze*
10 – 3 = 7	ten minus three is seven, three from ten leaves seven	*dix moins trois égalent sept, trois ôté de dix il reste sept*
2 x 3 = 6	two times three is six	*deux fois trois égalent six*
20 ÷ 4 = 5	twenty divided by four is five	*vingt divisé par quatre égalent cinq*

Dates / Les dates

1996	nineteen ninety-six	*mille neuf cent quatre-vingt-seize*
2005	two thousand (and) five	*deux mille cinq*

November 10/11 (ten, eleven), *Br* **the 10th/11th of November**
le dix/onze novembre

March 1 (first), *Br* **the 1st of March**
le premier mars

Headword in **blue**
Entrée en **bleu**

bloop•er ['blu:pər] F gaffe *f*

con•flict ['kɑ:nflɪkt] **1** *n* (*disagreement*) conflit *m* **2** *v/i* [kən'flɪkt] (*clash*) s'opposer, être en conflit; *of dates* coïncider

International Phonetic Alphabet
Alphabet phonétique international

clip•pers ['klɪpərz] *npl for hair* tondeuse *f*; *for nails* pince *f* à ongles; *for gardening* sécateur *m*

Translation in normal characters with gender shown in *italics*
Traduction en caractères normaux et genre en *italique*

as•sai•lant [ə'seɪlənt] assaillant(e) *m(f)*

flam•ma•ble ['flæməbl] *adj* inflammable

Hyphenation points
Points de coupure de mot

fly•ing 'sau•cer soucoupe *f* volante

Stress shown in headwords
Accent indiqué dans les entrées

di•scrim•i•nate [dɪ'skrɪmɪneɪt] *v/i*: ***~ against*** pratiquer une discrimination contre; ***be ~d against*** être victime de discrimination; ***~ between sth and sth*** distinguer qch de qch

Examples and phrases in ***bold italics***
Exemples et locutions en ***gras et italique***

en•try ['entrɪ] (*way in, admission*) entrée *f*; *for competition*: *person* participant(e) *m(f)*; *in diary, accounts* inscription *f*; *in reference book* article *m*

Indicating words in *italics*
Indicateurs contextuels et sémantiques en *italique*

du•ress [dʊ'res]: ***under ~*** sous la contrainte

Swung dash replaces the entire headword
Le tilde (~) remplace l'entrée en entier.

ea•gle-eyed [i:gl'aɪd] *adj*: ***be ~*** avoir des yeux d'aigle

'brown-nose *v/t* P lécher le cul à P; **brown 'pa•per** papier *m* d'emballage, papier *m* kraft; **brown pa•per 'bag** sac *m* en papier kraft; **brown 'sug•ar** sucre *m* roux

Compounds
Mots composés